LODISH・BERK・KAISER・KRIEGER・BRETSCHER
PLOEGH・MARTIN・YAFFE・AMON

分子細胞生物学
第9版

堅田利明・須藤和夫・山本啓一 監訳

岩井佳子・上村慎治・北川大樹・齋藤康太・坪井貴司・富田泰輔
名黒 功・仁科博史・宮澤恵二・山本啓一・若林憲一 訳

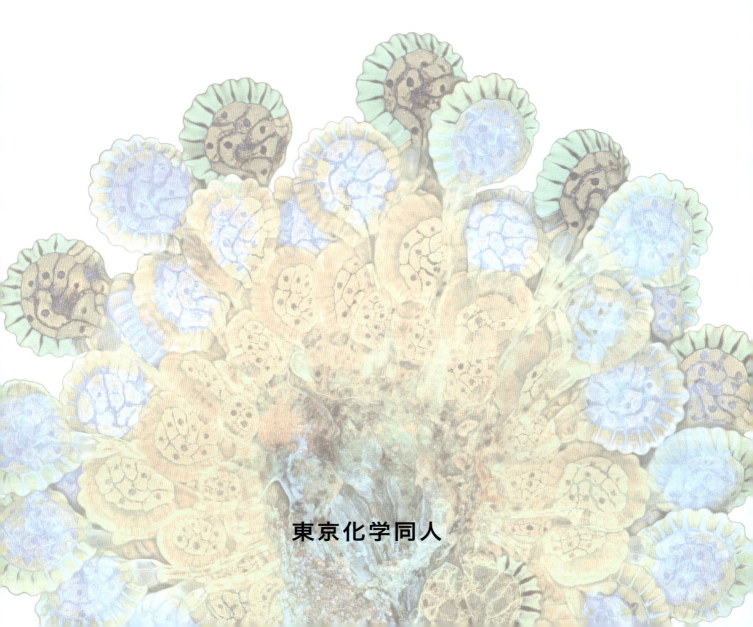

東京化学同人

MOLECULAR CELL BIOLOGY
NINTH Edition

HARVEY LODISH
ARNOLD BERK
CHRIS A. KAISER
MONTY KRIEGER
ANTHONY BRETSCHER
HIDDE PLOEGH
KELSEY C. MARTIN
MICHAEL B. YAFFE
ANGELIKA AMON

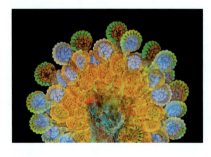

カバー・表紙デザイン：河原﨑英男
写真クレジット：
11th Place, 2015 Nikon Small World Photomicrography Competition
Fern sorus at varying levels of maturity
Rogelio Moreno, Panama, Panama
Fluorescence, Image Stacking　20X
本書での画像使用は，権利者の許諾を得て，オリジナル作品の色彩を変更しています．

First published in the United States by W. H. Freeman and Company. Copyright ⓒ 2021, 2016, 2013 and 2008 by W. H. Freeman and Company.　All rights reserved.
本書はアメリカ合衆国において W. H. Freeman 社から出版され，その著作権は W. H. Freeman 社が所有する．ⓒ 2021, 2016, 2013, 2008 W. H. Freeman and Company.

よき友，同僚，そして共著者であった故 ANGELIKA AMON に
いつも有用な意見をくれる学生や教師の皆さんに
そしてわれわれを日々支え，励まし，愛してくれている家族たちに
本書を捧げる

著者紹介

HARVEY LODISH マサチューセッツ工科大学生物学および生物工学科教授．ホワイトヘッド生物医科学研究所創設以来のメンバー．米国科学アカデミーおよび米国芸術科学アカデミーの会員で，米国細胞生物学会会長（2004年度）でもあった．博士は，細胞膜の生理学，特に多数の細胞表面タンパク質の生合成，そしてエリスロポエチンやTGF-β受容体などの細胞表面受容体タンパク質のクローニングと機能解析の研究で大きな業績をあげている．博士の研究室では，造血細胞および脂肪細胞の分化と機能の調節にかかわる長鎖非コードRNAおよびマイクロRNAの研究も進めている．博士は学部学生と大学院生に細胞生物学と生物工学を教えている．写真はJohn Soares提供．

ARNOLD BERK カリフォルニア大学ロサンゼルス校（UCLA）微生物学・免疫学・分子遺伝学部門の分子細胞生物学科長および分子生物学研究所メンバー．米国芸術科学アカデミー特別会員でもある．博士は，RNAスプライシングおよびウイルスにおける遺伝子制御機構の発見者の1人である．博士の研究室では，特にアデノウイルス調節タンパク質に焦点を絞って，哺乳類細胞の転写開始調節にかかわる分子間相互作用を研究している．博士は，学部学生向け上級コースで核の細胞生物学を，大学院生向けに遺伝子発現の生化学を教えている．写真はPenny Jennings/UCLA Department of Chemistry & Biochemistry提供．

CHRIS A. KAISER マサチューセッツ工科大学生物学Amgen Inc.寄附講座教授．学部長かつ学務担当副総長でもあった．博士の研究室では，遺伝学と細胞生物学の手法を用いて，新しく合成された膜タンパク質と分泌タンパク質がどのように折りたたまれ，分泌経路内の区画に貯蔵されるかという問題について研究をしている．博士はマサチューセッツ工科大学において長年にわたって学部学生と大学院生に遺伝学を教え，学生教育の第一人者として認められている．写真は本人提供．

MONTY KRIEGER マサチューセッツ工科大学生物学科のホワイトヘッド生物医科学研究所教授．マサチューセッツ工科大学とハーバード大学の共設研究所であるBroad研究所の上級準メンバー．米国科学アカデミー会員．博士は，学部学生向けの生物学および人体生理学コース，さらに大学院生向けの細胞生物学コースにおける革新的教授法に対して数々の賞を得ている．博士の研究室は，ゴルジ体を経由する膜輸送の解明に大きく貢献し，また病原体認識に重要な働きをする受容体タンパク質やコレステロールの細胞内外への移動に関与するHDL受容体のクローニングと機能解析を行っている．写真は本人提供．

ANTHONY BRETSCHER コーネル大学細胞生物学教授およびウェイル細胞分子生物学研究所メンバー．米国芸術科学アカデミーの特別会員である．博士の研究室は，アクチン細胞骨格の新しい構成成分を同定・解析し，細胞極性や膜輸送における生物学的な機能を解明したことで知られ，脊椎動物の上皮細胞と出芽酵母という二つのモデル系で，生化学，遺伝学，そして細胞生物学的手法を巧みに利用している．博士はコーネル大学において，学部学生に細胞生物学を教えている．写真は本人提供．

HIDDE PLOEGH ボストン小児病院における細胞分子医学研究計画の上級研究者で免疫系の生化学的研究を行っている．米国科学アカデミーおよび米国芸術科学アカデミーの会員で，免疫系細胞の分子レベルでの研究およびウイルスがわれわれの免疫応答を回避するしくみに関して世界をリードする研究者の1人である．現職に就く前に，博士はマサチューセッツ工科大学とハーバード大学医学部の教授で，免疫学と細胞生物学を教えていた．写真は本人提供．

KELSEY C. MARTIN カリフォルニア大学ロサンゼルス校（UCLA）内のDavid Geffen医学部の生物化学および精神医学の教授であり学部長でもある．生物化学科の学科長でもあった．博士の研究室では，経験が脳内神経細胞間の接続を変化させて長期記憶を形成するしくみ（シナプス可塑性）を研究している．博士は，この機構の分子および細胞生物学レベルでの理解に重要な貢献をした．博士は学部学生，大学院生，歯科および医科の学生に基礎神経生物学を教えている．写真はPhuong Pham提供．

MICHAEL B. YAFFE マサチューセッツ工科大学生物学および生物工学科David H. Koch科学講座教授かつマサチューセッツ工科大学とハーバード大学の共設研究所であるBroad研究所の上級準メンバーで，Science Signaling誌の編集長でもある．タンパク質ドメイン構造の発見とシグナル伝達回路を構成するプロテインキナーゼについての研究で有名で，博士の研究室では，ストレスや傷害を受けた細胞の応答について研究している．博士は学部学生に生化学，大学院生に細胞生物学を教えており，その講義には多くの賞が授与されている．博士はBeth Israel Deaconess医療センターの医師でもあり，集中治療室で医学部学生や研修医の指導を行っている．写真は本人提供．

ANGELIKA AMON マサチューセッツ工科大学生物学教授，コッホがん研究所メンバー，およびハワードヒューズ研究所研究員．米国科学アカデミー会員．博士の研究室では，体細胞分裂と減数分裂時の染色体分離の分子機構，特に，正常な細胞増殖時にこの機構に異常が起こって生じる異数体形成や発がんについて研究している．博士は学部学生と大学院生に細胞生物学と遺伝学を教えている．写真はPamela DiFraia/Koch Institute/MIT提供．

まえがき

『分子細胞生物学』(第9版)には，この4年間に生物医学分野においてなしとげられた，数多くの目を見張るような進歩を書き加えた．多くの分野に革命を起こした新しい実験技術も，そうした進歩に貢献している．たとえば，DNA塩基配列の高速解析技術は，モデル生物に突然変異を導入し，それを解析する効率的な手法およびヒトの病因遺伝子変異が染色体上のどこに位置するかを調べる研究と組合わせることで，糖尿病やがんといった疾病に影響を与える何百ものヒト遺伝子を含む多数の細胞構成成分の機能についての基礎的理解を可能にした．

新版を執筆するときには，その分野における最新の発展について述べることが最重要であるが，余分なことをできるだけ省いて基礎にある細胞生物学を明確に伝え，細胞生物学の基本概念に注意を向けさせることも重要である．そうするために，新たな発見や技術の紹介に加えて，いくつかの章を並べ替えてつながりをよくし，過程や概念が学生にとって明確になるようにした．

新しい共同執筆者 Michael B. Yaffe

『分子細胞生物学』(第9版)には，新たな共同執筆者が加わった．Yaffe博士はマサチューセッツ工科大学生物学および生物工学科 David H. Koch 科学講座教授かつマサチューセッツ工科大学とハーバード大学の共設研究所である Broad 研究所の上級準メンバーで，Science Signaling誌の編集長でもある．タンパク質ドメイン構造の発見とシグナル伝達回路を構成するプロテインキナーゼについての研究で有名で，博士の研究室では，ストレスや傷害を受けた細胞の応答について研究している．博士は学部学生に生化学，大学院生に細胞生物学を教えており，その講義には多くの賞が授与されている．博士はBeth Israel Deaconess医療センターの医師でもあり，集中治療室で医学部学生や研修医の指導を行っている．

最先端の内容に改訂された章

本書ではいくつかの章が新しくかつ改良されたものとなっている．

- "分子遺伝学の基礎"(5章)は構成を変え，DNAの構造と複製のすぐ後にDNAの修復と組換えがくるようにした．DNAの情報保持能力についての議論や遺伝暗号から突然変異がもたらす効果を予測することについての議論も新たに加わった．
- "遺伝子，クロマチン，染色体"(7章)は，遺伝子発現におけるクロマチンの果たす役割に対する理解が深まったことを反映して章題を変えた．§7・4ではユークロマチンとヘテロクロマチンの分子構造の違い，ある領域が一方から他方へと変わる過程，およびそうした変化をひき起こすタンパク質の修飾やシグナル伝達経路について詳しく説明した．
- "生体膜の構造"(10章)は，旧版では7章であったが，第Ⅱ部の最後尾に移動させて"細胞膜におけるイオンや小分子の輸送"の直前にくるようにし，第Ⅱ部の流れを改良した．
- "細胞内エネルギー変換"(12章)は，エネルギー変換をエネルギー出力の最適化という概念でとらえて改変した．細胞内および細胞間のミトコンドリア移動および他の膜接触部位(MCS)についての議論も加えた．
- "真核細胞の細胞周期"(19章)の§19・1では，G_1期からはじまり，M期を経て，G_1期に戻るという細胞周期を物語風に概観した．§19・3では，細胞周期を調節するフィードバックループおよびタンパク質修飾についての最新の情報を紹介した．図を大幅に変更し，多くの新しい図を加え，多くの階層からなるサイクリン依存性キナーゼの調節過程の全体像を示し，タンパク質複合体がどのようにして多くの注意深く調節された細胞周期の段階を進行させているのかを明確に示そうとした．
- "細胞環境への応答"(21章)は新しい章である．環境中のグルコース，アミノ酸，コレステロール，および酸素などの栄養源の変化や温度変化，および細胞外マトリックスや他の細胞との接触といったことに細胞が応答する際に使う多くの重要なシグナル伝達経路について説明した．概日リズムについても説明した．

各章で扱っている最新の発見と新しい手法

- 分裂酵母(細胞周期の調節)(1章)
- ネアンデルタール人の進化とそのゲノム科学(1章)
- 一細胞 RNA シークエンシングおよび新種細胞の発見(1章，6章)
- タンパク質活性調節についてのより深い議論(3章)
- キナーゼに関する解説の増加: キナーゼの系統樹，立体構造，および調節(3章)
- タンパク質構造予測の最近の大きな進歩(3章)
- 生体分子凝縮体とそれらを同定し調べる方法(3章)
- シャペロンおよびプロテアソームのしくみや機能についての最新の知見(3章)
- 試料の同時多数分析ができる iTRAQ および TMT 法(3章)
- 最新のクライオ電子顕微鏡法の解像度の向上(3章)
- 酵素による近接したタンパク質の架橋と質量分析を組合わせることにより細胞内タンパク質の局在を調べる手法(3章)
- オルガノイドの作成と利用(4章)
- 光遺伝学の利用(4章)
- DNAが保持している情報量に関する新たな議論(5章)
- 遺伝暗号の配列から突然変異による影響を予測することに関する新たな議論(5章)
- メチル化の違いから親鎖と娘鎖を区別することに関する新たな議論(5章)

- 二重変異のさまざまな組合わせの総合的な解析から遺伝子機能のネットワークが明らかになったことについての新しい項（6章）
- cDNA ライブラリーとその限界についてのより詳しい議論（6章）
- 病気を防ぐ対立遺伝子の解析から明らかになった医学的に重要な遺伝子についての新しい項（6章）
- がん化の原因となる突然変異の同定に関する新しい項（6章）
- CRISPR-Cas によるゲノム編集に関する最新の議論（6章）
- クロマチン構造に関する項の改訂（7章）
- 核内でのクロマチンの収納状態およびクロマチン凝縮において SMC タンパク質複合体の果たす役割についての新しい項（7章）
- クライオ電子顕微鏡像からつくった転写前複合体のモデル（8章）
- 転写コンデンセートに関する新しい項（8章）
- 転写バーストが起こることに関する新しい項（8章）
- スプライソソームに関する最新の議論（9章）
- RNA スプライシングの異常と病気に関する新しい項（9章）
- V 型プロトンポンプに関する最新かつ詳しい議論（11章）
- K^+ チャネルについての最新の議論（11章）
- 細菌の Na^+/ガラクトース等方輸送体に関する最新かつ詳しい議論（11章）
- 陰イオン対向輸送体 1 に関する詳しい議論（11章）
- 芸術的ともいえる超解像顕微鏡法（たとえば構造化照明顕微鏡法）により明らかになったミトコンドリアの構造と動的性質（融合や分裂）に関する最新かつ詳しい議論（12章）
- ミトコンドリアとパーキンソン病の関係についての最新の議論（12章）
- 膜接触部位についての新たな議論（12章）
- 電子伝達鎖超複合体の構造についての最新の議論（12章）
- 光合成に関する解説の構成変更と最新情報の追加（12章）
- 光電子伝達中に発生する一重項酸素などの活性酸素分子種から細胞を守るしくみに関する最新の議論（12章）
- ヒトの G タンパク質共役型受容体ファミリー（15章）
- ヒトのある種の視覚消失を治す遺伝子治療（15章）
- インスリン受容体の構造と活性化（16章）
- インターロイキン 2(IL-2) 受容体と重症複合免疫不全を治す遺伝子治療（16章）
- γ-セクレターゼの分子構造（16章）
- 細胞表面の巨大シグナルソーム（16章）
- 微小管核形成を行うオーグミンについての新たな解説（18章）
- 有糸分裂時の紡錘体の位置調節に関する新しい項（18章）
- 細胞質分裂における収縮環の調節に関する新しい項（18章）
- サイクリンの発見とサイクリン-CDK による調節に関する新しい項（19章）
- チオール標識した γ-リン酸と遺伝子改変した CDK を使って CDK の基質を同定する手法（19章）
- SCF ユビキチンリガーゼと後期促進複合体に関する最新の議論（19章）
- フィードバックループとホスホセリン/トレオニン結合ドメインがいかにして細胞周期を調節するかに関する新しい項（19章）
- Aurora キナーゼおよびポロ様キナーゼに関する詳しい議論（19章）
- 中心体複製に関する新しい項（19章）
- 細胞質分裂に関する最新かつ詳しい解説（19章）
- DNA の傷害と細胞周期の監視に関する最新の議論（19章）
- 細胞接着のプロトカドヘリン機構とそれによるニューロンのバーコード付け（20章）
- 機械刺激伝達に関する最新の議論（20章）
- インテグリンが活性化される際に三つの構造を経由するという説を含む最新の議論（20章）
- テーリンを介した細胞内から細胞外へおよび細胞外から細胞内へのシグナル伝達と機械刺激伝達（20章）
- O 結合型オリゴ糖鎖をもつ糖タンパク質とマンノースを介して O 結合型となるオリゴ糖鎖に関する最新の議論（20章）
- クローディンを介する傍細胞輸送に関する最新の議論（20章）
- 植物における原形質連絡の構造と構成成分に関する最新の議論（20章）
- 生体分子凝縮体と細胞接着に関する新しい項（20章）
- 植物の接着分子および機械刺激伝達に関する記述の大幅な更新（20章）
- mTOR 経路および栄養とエネルギー充足度に応じた細胞増殖シグナルの調整（21章）
- HIF-1α と低酸素に対する細胞の応答に関する新しい節（21章）
- 熱ショック応答に関する新しい節（21章）
- 概日リズムに関する新しい節（21章）
- 機械刺激伝達に関する最新かつ詳しい議論（21章）
- 小腸幹細胞を補充するための小腸クリプト細胞の脱分化に関する最新かつ詳しい議論（22章）
- 細胞極性を調節する Cdc42 とフィードバックループに関する最新の議論（22章）
- アポトーシス細胞表面のホスファチジルセリンが"イート・ミー"シグナルとなることに関する新しい項（22章）
- 炎症によるプログラム細胞死であるネクロプトーシスに関する最新の議論（22章）
- 神経細胞および神経回路をわかりやすく説明する多くの改変された図（23章）
- 血液脳関門に関する詳しい議論（23章）
- Piezo1 と Piezo2 の受容体に関する新しい議論（23章）
- 現在 ILC とよばれているナチュラルキラー(NK)細胞に関する新しい項（24章）
- 集団免疫および児童へのワクチン接種の有用性に関する新しい議論（24章）
- がんの免疫療法に関する新しい項（25章）
- がん細胞のゲノムシークエンシングに関する最新の議論（25章）

医学との関係

細胞生物学および分子生物学の基礎的研究における多くの発見は，ヒトのがんや他の疾患の新たな治療法への道を開いてきた．多くの章に挿入されている医学への応用例は，学んでいる基礎科学が臨床医療に結びついていることを実感させてくれるだろう．こうした応用例の多くは，細胞内の多量体タンパク質複合体に関する詳細な知識がもとになっている．多量体タンパク質複合体の例としては，細胞運動にかかわるタンパク質，DNAの転写，複製，修復を行うタンパク質，代謝反応を統合するタンパク質，細胞どうしをつないだり，細胞と細胞外のタンパク質や糖鎖を結合させたりするタンパク質があげられる．以下に，本書で取上げた基礎科学的知識の医学応用例をあげる．

- 薬剤となる小分子の立体異性体：純粋に一方の異性体だけにすると異性体の混合物とは異なった効き目が現れる（2章）
- コレステロールは疎水性なのでLDLおよびHDLというリポタンパク質によって輸送される（2章）
- 必須アミノ酸の家畜飼料への添加の必要性（2章）
- 飽和，不飽和，およびトランス脂肪の分子構造と身体に対する影響（2章）
- アルツハイマー病やパーキンソン病といった神経変性疾患におけるタンパク質の折りたたみのまちがいとアミロイド（3章）
- 酵素活性を阻害する小分子は薬剤（アスピリン）あるいは化学兵器（サリンガス）になる（3章）
- プロテアソームに対する小分子阻害剤はある種のがんの治療に使われる（3章）
- 突然変異あるいは病原体によってGTPase，GAP，GEF，およびGDIが機能不全になるとさまざまな疾病をひき起こす（3章）
- 3Dプリンター技術が移植臓器の作製に使えるかもしれない（4章）
- モノクローナル抗体が医療における診断と治療に使われている（4章）
- ミスマッチ修復タンパク質に突然変異が起こると家族性非ポリポーシス性大腸がんになる（5章）
- 色素性乾皮症の患者からヌクレオチド除去修復タンパク質が同定された（5章）
- 高解像度のリボソームの構造は，新たな抗生物質の設計に使われている（5章）
- 鎌状赤血球対立遺伝子は，対象とする表現型によって顕性になったり潜性になったりするものの例である（6章）
- DNAマイクロアレイは医療診断手法として役に立つ（6章）
- インスリンやG-CSFのように治療で役立つタンパク質の大量生産に組換えDNA技術が使われる（6章）
- マイクロサテライトの繰返しは増える傾向があり，ハンチントン病および筋強直性ジストロフィーのような神経筋疾患をひき起こす（7章）
- L1可動性因子は，ゲノムの新たな部位に挿入されることにより遺伝病をひき起こす（7章）
- エキソンシャッフリングにより起こる細菌の抗生物質耐性が病院で問題になっている（7章）
- 多くのがんでテロメラーゼ活性が異常に亢進している（7章）
- TFIIHのサブユニットは，そのサブユニットの突然変異によりRNAポリメラーゼが停止してしまい，DNA修復ができなくなったことから同定された（8章）
- HIVには，RNAポリメラーゼIIによる転写の終結を阻害するTatタンパク質がコードされている（8章）
- デュシェンヌ型筋ジストロフィー（DMD）の治療に合成オリゴヌクレオチドが使われている（9章）
- スプライシングエンハンサーに突然変異が起こると，脊髄筋萎縮症の場合のようにエキソンスキッピングを起こすことがある（9章）
- 骨髄異形成症候群（MDS）は血球細胞の病気で，異常な骨髄細胞（ファゴサイトーシスをする白血球細胞）が際限なくつくられる．MDS患者では，スプライシング因子に機能を変える変異が起こっていることがわかった（9章）
- サラセミアの一般的原因は，グロビン遺伝子のスプライシング部位の突然変異である．この変異によりスプライシング効率は低下するがmRNA前駆体とsnRNPとの結合は妨げられない（9章）
- ABO血液型は赤血球表面の糖タンパク質に結合している糖鎖によって決まる（10章）
- 米国での心臓血管疾患による死亡の原因の大半は，動脈にコレステロール，他の脂質，および他の生体物質が蓄積することによって起こるアテローム性動脈硬化症である（10章）
- 腎臓でつくられた原尿からの水の再吸収はアクアポリン2の量によって調節される（11章）
- ある種の嚢胞性繊維症患者の治療には，変異タンパク質が正常に細胞表面まで輸送されるようにする小分子が使われる（11章）
- Na^+/グルコース等方輸送体であるSGLT2の阻害剤は開発途上であるが，2型糖尿病の治療薬として認可されたものもある．抗うつ薬や他の治療薬，ならびに依存性薬物は，神経伝達物質の回収および再利用に働くNa^+駆動性等方輸送体を標的としている（11章）
- 心筋細胞のNa^+/K^+ ATPaseを阻害する薬剤はうっ血性心不全の治療に使われる（11章）
- コレラ菌などの腸に影響を与える病原菌による疾病には経口補水療法が単純で効果的な手段である（11章）
- Cl^-チャネル（ClC-7）に突然変異が起こると骨吸収ができなくなり，大理石骨症という遺伝病になる（11章）
- ミトコンドリアのリボソームは，クロラムフェニコールを含むアミノグリコシド系抗生物質に感受性をもつので，それらが患者に毒性を示す可能性がある（12章）
- mtDNAに突然変異や大きな欠損が起こったりすると，レーバー遺伝性視神経症やカーンズ-セイヤー症候群といった疾病になる（12章）
- 遺伝性早期発症型のパーキンソン病にはPINK1およびパーキンという二つのタンパク質の遺伝子に起こる突然変異がかか

わっている（12章）
- シアン化物はミトコンドリアでのATP産生を阻害するので毒性がある（12章）
- 活性酸素分子種は電子伝達系の副産物で，細胞に害を及ぼす（12章）
- 2000年以上前に毒性ハーブの効果を調べた研究が，最初にATP/ADP対向輸送体の活性を調べたものであった（12章）
- 遺伝性気腫は小胞体タンパク質の折りたたみまちがいによって起こる（13章）
- 常染色体の潜性突然変異によりペルオキシソーム形成不全が起こると，ツェルベーガー症候群のような頭蓋顔面の異常を伴う発育障害をひき起こす（13章）
- ある種の嚢胞性繊維症は，CFTRタンパク質に起こった突然変異のため，このCl⁻チャネルタンパク質が小胞体から細胞表面へ輸送されないことが原因で起こる（14章）
- リソソーム蓄積症の研究から，リソソームへの選別経路において重要な働きをする因子が明らかになった（14章）
- 遺伝病である家族性高コレステロール血症は$LDLR$遺伝子に起こるさまざまな突然変異が原因である（14章）
- EGFは多くの上皮細胞の増殖を刺激する．乳がんの約25％において，HER2とよばれるEGF受容体ががん細胞内で過剰発現している（15章）
- イソプロテレノールというアゴニストは，アドレナリンより強く気管支平滑筋のアドレナリン受容体と結合し，気管支喘息，慢性気管支炎，および肺気腫の治療に使われる（15章）
- いくつかの細菌（たとえば百日咳菌，コレラ菌，ある種の系統の大腸菌）の毒素は，小腸の細胞のGタンパク質を修飾して，細胞内cAMP濃度を上昇させ，電解質および水分を放出させてしまう（15章）
- 2017年にFDAは，RPE65酵素の欠損による視覚消失の治療として，in vivoでのヒト遺伝子治療を米国ではじめて承認した（15章）
- HER2に結合してEGFからのシグナルを遮断するモノクローナル抗体は，HER2過剰発現によるがんの治療に有効である（16章）
- GTPと結合するが加水分解できないため，活性なGTP結合型に固定されてしまった変異型Rasが，がん化をひき起こす（16章）
- 変異型Rafタンパク質によってひき起こされるメラノーマ患者に対して，強力で選択的なRaf阻害剤による治療の臨床試験が行われている（16章）
- さまざまな種類の進行したがんでは$PTEN$遺伝子欠損によりPTENタンパク質が失われており，それが細胞の制御不能な増殖を起こしている（16章）
- 腎臓病および骨髄での血球形成に影響を与えるある種のがん治療を受けている患者の赤血球を増殖させるために，EpoおよびG-CSFが使われる（16章）
- 多くの重症複合免疫不全症（SCID）はIL-2受容体γ鎖の欠損によって起こり，遺伝子療法によって治療できる（16章）
- 多くの腫瘍細胞ではTGF-β受容体あるいはSmadタンパク質を不活性化する突然変異が起こっていて，TGF-βによる増殖抑制を受けない（16章）
- 多くのがんにおいて，異常に高活性なWntシグナルによる遊離βカテニン濃度の上昇が増殖促進遺伝子の活性化をひき起こしている（16章）
- いくつかの種類の腫瘍の原因は，一次繊毛が関与するHhシグナル伝達の不適切な活性化である（16章）
- ADAM活性の上昇が，がん化および心疾患をひき起こす（16章）
- 遺伝性球状赤血球貧血は，スペクトリン，バンド4.1，およびアンキリンの突然変異によってひき起こされる（17章）
- デュシェンヌ型筋ジストロフィーはジストロフィンというタンパク質に問題があり，骨格筋が徐々に弱くなっていく（17章）
- 肥大型心筋症は心臓の収縮機構に関与するさまざまなタンパク質の突然変異によって起こる（17章）
- 血液中の心筋特異的トロポニン量を計測することにより心臓発作の重症度がわかる（17章）
- ある種の薬剤（たとえばコルヒチン）はチューブリン二量体と結合して微小管への重合を抑え，別の薬剤（たとえばタキソール）は微小管と結合して脱重合を妨害する（18章）
- LIS1の欠陥は，脳の発育初期においてミラー–ディーカー滑脳症の原因となり，さまざまな奇形を起こす（18章）
- ADPKDおよびバルデー–ビードル症候群のような疾病の原因は一次繊毛および鞭毛内輸送の欠陥であることがつきとめられた（18章）
- 上皮組織の構造維持には，細胞間の結合を機械的に強化するケラチン繊維が重要である（18章）
- ヒトのラミンA遺伝子の突然変異はラミン病と総称されるさまざまな病変をひき起こす（18章）
- コヒーシン病の患者では，コヒーシンのサブユニットあるいはコヒーシン結合因子の突然変異により，発生に必要な遺伝子の発現が妨げられ，四肢および頭蓋顔面の変形と知的障害が生じる（19章）
- 家族性乳がんではDNA修復タンパク質であるBRCA1に突然変異が起こっている（19章）
- 異数性は遺伝子発現の誤調節を起こし，がんを発症させる．異数体卵子は減数第一分裂における染色体不分離によって起こり，受精卵は流産したりダウン症候群になったりする（19章）
- C型ライノウイルス（RV-C）は，CDHR3タンパク質を介して気道の上皮細胞と結合し，細胞内に入り，複製することができ，呼吸器疾患をひき起こしたり喘息を悪化させる（20章）
- 皮膚の自己免疫疾患である尋常性天疱瘡において主要な標的となるのがカドヘリンのデスモグレインである（20章）
- C型肝炎ウイルスや腸内細菌であるコレラ菌のような病原体は，密着結合のタンパク質を利用するように進化してきた（20章）
- コネキシン遺伝子の突然変異はさまざまな疾病をひき起こす（20章）
- 糸球体基底膜に欠陥があると腎不全になる（20章）
- アスコルビン酸欠乏細胞では，プロαコラーゲン鎖が十分にヒ

- ドロキシ化されないため，健全な血管，腱，皮膚に必要な構造支持能力の高いコラーゲンをつくれず，壊血病になる（20章）
- I型コラーゲンおよびその結合タンパク質の突然変異は，骨形成不全症のようなさまざまな疾病をひき起こす（20章）
- 弾性繊維の構造タンパク質あるいはそれらの適切な集合に関与するタンパク質の遺伝子に突然変異が起こると，骨格および心臓血管に奇形が現れるさまざまな疾病（たとえばマルファン症候群）になる（20章）
- 筋ジストロフィーでは細胞外マトリックスと細胞骨格の結合に欠陥がある（20章）
- 白血球接着不全症は，白血球が細菌感染を防げなくなるという遺伝的欠陥によるもので，繰返し感染を起こすようになる（20章）
- 糖尿病は血糖値の調節不全で，放置すると重い合併症をひき起こす（21章）
- 多くのがんにおいてmTORC1経路の構成成分をコードする遺伝子が突然変異を起こしており，mTOR阻害剤と他の療法を組合わせると腫瘍の増大を抑えることができるかもしれない（21章）
- VHL（von Hippel-Landau）遺伝子に突然変異を起こした腎臓がんでは，VHLタンパク質の活性が失われるため，VEGFを含むHIF-1α標的遺伝子の発現が上昇する（21章）
- 組織培養した細胞の利用からアルツハイマー病や自閉スペクトラム症のような病気に至るまで概日リズムは重要である（21章）
- 難病患者の体細胞からiPS細胞をつくることができるので，それらは筋萎縮性側索硬化症（ALS）を含む病状の分子および細胞レベルでの原因を究明するうえでとても価値がある（22章）
- 骨髄中の幹細胞はすべての種類の血球をつくることができるので，この移植は遺伝的血液疾患の患者だけではなく，放射線照射や化学療法を受けたがん患者にも役立つ（22章）
- ある種のてんかんを含むチャネル病は，イオンチャネル遺伝子の突然変異によって起こる（23章）
- 局所麻酔剤であるリドカインは，電位依存性Na^+チャネルのアミノ酸残基と結合し，開いているが閉塞した状態にチャネルを固定することで作用を現す（23章）
- 多発性硬化症の原因はわかっていないが，ミエリン塩基性タンパク質に対する自己抗体の産生あるいはミエリンタンパク質を破壊するプロテアーゼの分泌がかかわっているようである（23章）
- 末梢性ミエリンが自己免疫疾患の標的になる場合，P_0に対する抗体がつくられることが多い（23章）
- ボツリヌス毒素の作用機序から，神経伝達物質のエキソサイトーシスにおいてVAMPが重要な役割を果たすことがわかる（23章）
- さまざまな依存性薬物（たとえばコカイン）および精神疾患治療によく使われる薬剤（たとえばプロザック®，ジュイゾロフト®，パキシル®）の標的は神経伝達物質の輸送体である（23章）
- 脳の神経細胞がつくるニコチン性アセチルコリン受容体は学習や記憶に重要である．統合失調症，てんかん，薬物依存症，およびアルツハイマー病ではこの受容体の消失がみられる（23章）
- ある種のにおいを嗅ぎ分ける能力は人によって大きく異なる（23章）
- シナプスに局在するmRNAの翻訳が経験による神経経路の可塑性に重要であり，それが損なわれると神経発達障害および認知障害が起こる（23章）
- RAG遺伝子の機能に欠陥のある人たちはB細胞をもたず，重篤な免疫不全を起こす（24章）
- 免疫抑制剤であるシクロスポリンは，シクロフィリンと複合体を形成することにより，カルシニューリンの活性を阻害し，同種間での組織移植を成功させる（24章）
- ワクチンは，さまざまな病原体に対して，身体を守る免疫力をつけさせる（24章）
- 免疫系はがんを避ける助けにもなる（24章）
- 腫瘍に対する分子生物学的理解が深まったので，がんの診断法と治療法に革命的変化が起こりつつある（25章）
- がん細胞でDNA修復に欠陥のあることが化学療法の標的となる（25章）
- 乳がんは，分子細胞生物学的手法が効果的治療および緩和的治療に影響を与えた例である（25章）

植物生物学との関係

農業，環境科学，および代替エネルギーの生産における進展は，植物の分子細胞生物学がわれわれの生活に深くかかわっていることを示している．光合成と葉緑体を理解することは植物生物学の入口にすぎない．本書ではさまざまなところで，植物に独特な細胞構造および機能，植物の発生，および農業や医学の問題を解決するための植物を使った生物工学といった，植物に特化した話題を提供する．以下に，本書で取上げた植物に関する話題をあげる．

- 維管束植物は丈夫な細胞壁をもち，膨圧によって直立したり成長したりする（11章）
- 液胞のNa^+/H^+対向輸送体を過剰発現する遺伝子改変植物は，塩濃度の高い土壌においても生育できる（11章）
- 葉緑体の形質変換により，病原体感染に強かったり，薬剤タンパク質産生に利用できたりする植物をつくり出せる（12章）
- フラスコモの巨大細胞内では，ミオシンXIにより細胞質が高速で流動している（17章）
- 植物の紡錘体形成および細胞質分裂は独特である（18章）
- ハエジゴクは植物の機械刺激感覚のよく知られた例である（20章）
- 細胞壁分解酵素群の発現，およびそれらによるペクチン分解を介した細胞壁の再構築が，果実軟化の速度と程度を決めるうえで重要な役割を果たす（20章）
- 植物の分裂組織には幹細胞が集まっている（22章）
- ネガティブフィードバックループが頂芽の幹細胞数を一定に保っている（22章）
- 根の分裂組織の構造と機能は頂芽の分裂組織と似ている（22章）

謝　辞

本書の改訂は，出版社である Macmillan Learning の注意深く献身的な協力なしでは不可能であったろう．本書をすべての面でよくするために時間外勤務もいとわず働いてくれた Daryl Fox, Sandy Lindelof, Lisa Lockwood, Will Moore, Debbie Hardin, Katrina Mangold, Karen S. Misler, Nathan Livingston, Tracey Kuehn, Jennifer MacMillan, Krystyna Borgen, Cassandra Korsvik, Lisa Kinne, Peter Jacoby, Diana Blume, Paul Rohloff, Natasha Wolfe, John Callahan, Matt McAdams, Keri deManigold, Daniel Comstock に感謝する．

特にテキスト編集者である Michael Zierler, Maria Lokshin, Anna Bristow の手腕と献身的努力に謝意を表したい．彼らは素晴らしい編集者である．本書のために行ってくれたすべてのことに感謝する．

また，教育的配慮のこもった美しい分子モデルと模式図を作製してくれた H. Adam Steinberg に感謝する．

これまでの版に直接貢献し，この版にもその影響を与えた人たち，特に Ruth Steyn に感謝する．

われわれ自身のスタッフである Sally Bittancourt, Diane Bush, Mary Anne Donovan, Carol Eng, James Evans, Julie Knight, George Kokkinogenis, Guicky Waller, Nicki Watson, Rob Welsh にも感謝する．

われわれを元気づけ，本書執筆の時間を与えてくれた家族に，そして，多くの知識を提供して勇気づけてくれた恩師にも，特別の謝意を表す．

[Harvey Lodish] 妻 Pamela, 子どもたちと孫たち Heidi, Eric Steinert, Emma, Andrew Steinert, Martin Lodish, Kristin Schardt, Sophia, Joshua, Tobias Lodish, Stephanie Lodish, Bruce Peabody, Isaac, Violet Peabody, 恩師 Norton Zinder, Sydney Brenner, および第 1 版の共同執筆者 David Baltimore, Jim Darnell. [Arnold Berk] 妻 Sally, Jerry Berk, Shirley Berk, Angelina Smith, David Clayton, Phil Sharp. [Chris A. Kaiser] 妻 Kathy O'Neill, 恩師 David Botstein, Randy Schekman. [Monty Krieger] 妻 Nancy Krieger, 両親 I. Jay Krieger, Mildred Krieger, 子どもたち Joshua, Ilana Krieger, Jonathan Krieger, Sofia Colucci, 孫たち Joaquin, Alejandro, Ari Krieger, 恩師 Robert Stroud, Michael Brown, Joseph Goldstein. [Anthony Bretscher] 妻 Janice, 娘たち Heidi, Erika, アドバイザー A. Dale Kaiser, Klaus Weber. [Kelsey C. Martin] 夫 Joel Braslow, 子どもたち Seth, Ben, Sam, Maya, 父 George M. Martin, 恩師 Ari Helenius, Eric Kandel. [Michael B. Yaffe] 妻 Sung-Yun Pai, 子どもたち Samkyu, Minkyu, 恩師 Himan Sternlicht, Lewis Cantley. [Angelika Amon] 夫 Johannes Weis, 子どもたち Theresa, Clara Weis, 恩師 Gerry Fink, Frank Solomon.

本書を最新のものとし，改訂と書き直しを進めるうえで，多くの同僚たちから非常に貴重な援助をいただいた．多大な時間と専門的知識を提供してくれた以下の人々に謝意を表したい．この方々には，それぞれの専門分野から個々の章にかかわり，詳細な情報を提供し，また各章や複数の章において査読を行っていただいた．

Jennifer Achiro, *University of California, Los Angeles*
Christa Adam, *Prairie State College*
R. Claudio Aguilar, *Purdue University-Main Campus*
Mohammed AlQuraishi, *Harvard University*
Kyle Anderson, *University of Saskatchewan*
Dragana Antic, *University of California, Berkeley Extension*
David Baker, *University of Washington*
Benjamin Barad, *The Scripps Research Institute*
David P. Bartel, *Whitehead Institute for Biomedical Research*
Uwe Beffert, *Boston University*
Jeffrey Benovic, *Philadelphia University and Thomas Jefferson University*
Michael W. Black, *California Polytech State University, San Luis Obispo*
Jonathan Bogan, *Yale University, Yale School of Medicine*
Adam Bohnert, *Louisiana State University & A&M College*
Jim Bonacum, *University of Illinois Springfield*
Roberto Botelho, *Ryerson University*
Federica Brandizzi, *Michigan State University, East Lansing*
Chloe Bulinski, *Columbia University in the City of New York*
Sharon K. Bullock, *University of North Carolina at Charlotte*
Dean Buonomano, *University of California, Los Angeles*
Samantha Butler, *University of California, Los Angeles*
Kevin P. Campbell, *University of Iowa*
Steve Carr, *Broad Institute*
David C. Chan, *California Institute of Technology*
Chaoping Chen, *Fort Lewis College*
James Darnell, *Rockefeller University*
Zhicheng Dou, *Clemson University*
Arri Eisen, *Emory University*
Ray Enke, *University of Delaware*
Irene M. Evans, *Rochester Institute of Technology*
Daniel Finley, *Harvard Medical School*
Christine M. Fleet, *Emory & Henry College*
James C. Fleet, *Purdue University-Main Campus*
Kenneth Frauwirth, *University of Maryland College Park*
Margaret Fuller, *Stanford University*
Mary Gehring, *Whitehead Institute and Massachusetts Institute of Technology*
Michael A. Glotzer, *University of Chicago*
Daniel A. Gold, *Saint Edward's University*
Alfred Goldberg, *Harvard Medical School*
Ben Goult, *University of Kent*
Berthold Gottgens, *Wellcome Trust; MRC Stem Cell Institute; Cambridge University*
Eric Guisbert, *Florida Institute of Technology-Melbourne*
Ronald G. Haller, *University of Texas Southwestern Medical Center*
Wendy Hanna-Rose, *Pennsylvania State University-Main Campus*
Craig Hart, *Louisiana State University & A&M College*
Ian C. Haydon, *University of Washington*
Andreas Herrlich, *Washington University School of Medicine*
Barry H. Honig, *Columbia University*
Richard O. Hynes, *Massachusetts Institute of Technology*

Mack Ivey, *University of Arkansas-Fayetteville*
Rudolf Jaenisch, *Whitehead Institute and Massachusetts Institute of Technology*
Michael G. Jonz, *University of Ottawa*
Torah Kachur, *University of Alberta, Edmonton*
Fedor Karginov, *University of California, Riverside*
Naohiro Kato, *Louisiana State University & A&M College*
Randy Kaufman, *Sanford Burnham Prebys Medical Discovery Institute*
Amy Keating, *Massachusetts Institute of Technology*
Eirini Kefalogianni, *Washington University School of Medicine*
Thomas Keller, *Florida State University-Tallahassee*
Greg Kelly, *University of Western Ontario*
Baljit Khakh, *University of California, Los Angeles*
Lou W. Kim, *Florida International University*
Maria Krasilnikova, *Pennsylvania State University-Main Campus*
Arnold Kriegstein, *University of California, San Francisco*
Iwo Kucinsky, *Wellcome Trust-MRC Stem Cell Institute-Cambridge University*
Salil Lachke, *University of Delaware*
Pranav Lalgudi, *Massachusetts Institute of Technology*
Vivienne K. Y. Lam, *University of British Columbia*
Eric Lander, *Broad Institute and Massachusetts Institute of Technology*
Daniel Leahy, *University of Texas at Austin*
Pulin Li, *Whitehead Institute and Massachusetts Institute of Technology*
Song-Tao Liu, *University of Toledo*
Andrew Lombardo, *Cornell University*
Richard L. Londraville, *University of Akron*
Sebastian Lourido, *Whitehead Institute and Massachusetts Institute of Technology*
Quentin Machingo, *Manhattan College*
Anita Mandal, *Edwards Waters College*
Emilie Marcus, *University of California, Los Angeles*
Heidi McBride, *McGill University*
Mill Miller, *Wright State University-Main Campus*
Vamsi Mootha, *Massachusetts General Hospital and Harvard Medical School*
Aristidis Moustakas, *Uppsala University*
Alexander Murashov, *East Carolina University*
Brion W. Murray, *Turning Point Therapeutics*
Hao Nguyen, *California State University, Sacramento*
Benjamin Novitch, *University of California, Los Angeles*
Oliver R. Oakley, *Eastern Kentucky University*
Yuki Oka, *California Institute of Technology*
Jamie Parker, *Fordham University-Bronx*
Joel Parker, *State University of New York, Plattsburgh*

Samantha Parks, *Georgia State University*
Ardem Patapoutian, *The Scripps Research Institute*
Mark Peifer, *University of North Carolina*
Richard Posner, *Northern Arizona University*
Marianne Poxleitner, *Gonzaga University*
Peter Reddien, *Whitehead Institute and Massachusetts Institute of Technology*
David Reich, *Harvard Medical School*
Kacper B. Rogala, *Whitehead Institute*
Rajat Rohatgi, *Stanford University*
Jatin Roper, *Duke University Medical School*
Joel Rovnak, *Colorado State University-Fort Collins*
Richard Roy, *McGill University*
Alapakkam Sampath, *UCLA School of Medicine*
Philip J. Santangelo, *Georgia Institute of Technology*
Gabriela S. Schlau-Cohen, *Massachusetts Institute of Technology*
Felix Schweizer, *University of California, Los Angeles*
Hao Shen, *University of Washington*
Peter Sicinski, *Harvard Medical School*
Jamie Siders, *Ohio Northern University*
Jeffrey D. Singer, *Portland State University*
Jonathan Snow, *Barnard College*
Jamie C. Snyder, *California Polytech State University-Pomona*
Michelle Snyder, *Towson University*
Merav Socolovsky, *University of Massachusetts Medical School*
Bao-Liang Song, *Wuhan University*
Kay Song, *Georgia State University*
Susan Spencer, *Saint Louis University*
Timothy Springer, *Boston Children's Hospital and Harvard Medical School*
Christine Suetterlin, *University of California, Irvine*
Sergei I. Sukharev, *University of Maryland*
Aurelian Tartar, *Nova Southeastern University*
Alison Taylor, *Harvard University*
Robert G. Van Buskirk, *State University of New York, Binghamton*
Matthew G. Vander Heiden, *Massachusetts Institute of Technology*
John P. Vessey, *University of Guelph*
Crystal M. Weyman, *Cleveland State University*
Forest White, *Massachusetts Institute of Technology*
Amy M. Wiles, *Mercer University-Macon*
Roderick Wilson, *University of Connecticut-Stamford*
Hao Wu, *Boston Children's Hospital and Harvard Medical School*
Hao Xu, *University of Southern Mississippi*
Yukiko Yamashita, *University of Michigan*
Omer Yilmaz, *Massachusetts Institute of Technology*
Junying Yuan, *Harvard Medical School*
Riasat Zaman, *Cornell University*

監訳者まえがき

本書『分子細胞生物学』は1986年に原書初版本が発刊され，その後4〜5年に一度の改訂を重ねてこの第9版となった．初版登場時には，生化学や分子生物学の視点から細胞の構造や機能を説明する教科書はきわめて新鮮で，学生だけでなく大学院生や若手研究者も夢中になって読んだものである．今日まで多くの類書が出版されてきたが，本書は生化学から，分子生物学，細胞生物学，生理学，さらに，神経科学，免疫学，がんまでも網羅し，改訂ごとに最先端の内容をも紹介するという，この分野で重量級の基準的教科書としての地位を確立しているといえよう．紙面に制約のある本書のような教科書の改訂作業に際して，執筆者は当該分野における最新の発展を網羅しつつ，他方で基本的な概念や既知の事項をいかに要領よく整理・圧縮して簡略化するかに苦慮しているであろうが，われわれ訳者陣も，いつもながら同様に感じている．最新の発展についての紹介は重要視すべきことであるが，余分な部分を省いても基礎にある細胞生物学的視点が明確に伝わり，読者に細胞生物学の基本概念に注意を向けさせることも重要である．そのために，今回もいくつかの章を並べ替えて研究の過程・展開や概念がより明確になるよう章立てを再編・改訂し，新たな発見や技術の紹介を加えている．

本第9版は旧版（第8版）と同じく第Ⅰ〜Ⅳ部に区分されているが，新しい章一つが追加され，全体で25章の構成となった．"第Ⅰ部 化学的・分子的基礎"（1〜4章）では，旧版と同様に，分子，細胞，モデル生物からはじめて，化学的基礎，タンパク質の構造と機能，細胞培養，細胞の可視化が扱われている．"第Ⅱ部 生体膜，遺伝子，遺伝子制御"（5〜10章）では，分子遺伝学とその技術，遺伝子，ゲノミクス，染色体，遺伝子発現とその制御，そして生体膜構造が続き，"第Ⅲ部 細胞の構造と機能"（11〜19章）では，膜輸送，細胞内エネルギー論，細胞内輸送，シグナル伝達，細胞骨格と細胞運動，真核生物の細胞周期といった細胞レベルの重要な話題が説明されている．最後の"第Ⅳ部 細胞の増殖と分化"（20〜25章）では，細胞から組織への集成，幹細胞，細胞の非対称性，細胞死，神経の細胞，免疫学が分子レベルで説明され，最後の章は医学的見地からも重要ながんに関する最新の情報が扱われている．新しい"21章 細胞環境への応答"では，これまで複数章に分散していた環境中のグルコース，アミノ酸などの栄養源や酸素量・温度の変化，さらに細胞外マトリックスや他の細胞との接触に対する細胞応答に介在するシグナル伝達経路や概日リズムが解説されている．ここ数年間でノーベル生理学・医学賞の対象となった2017年の概日リズムを制御する分子メカニズムの発見（21章），2019年の細胞による酸素量の感知とその適応機序の解明（21章），2021年の温感と触覚受容体の発見（20章），そして，2022年の絶滅したヒト族のゲノムと人類の進化に関する発見（1章）についての知見はタイムリーで興味深い．

原書第9版の執筆者は，著者紹介欄にあるように8人から1人追加されて9人となった．いずれも，それぞれの分野を専門とする著名な研究者であり，ごく最近の原著論文から知見や図表を引用し，常に最新のデータを用いて丁寧に解説している．日本語版の改訂作業を進めていると，同じような内容の説明でも旧版と違う表現をあてたり，旧版の図を改訂してわかりやすく描き直したりして，改訂のたびに著者が絶えず工夫を重ねていることがみてとれる．広範な分野をカバーしており，情報量が多いうえに改訂頻度が高くて翻訳者泣かせではあるが，ここに本書が長年にわたってこの分野の基準的教科書として使われてきた理由があろう．翻訳にあたっては，いつもながら学術用語の和訳をめぐる問題が多く出てきた．訳語は，なるべく本書全体を通じて統一するように心がけたが（少なくとも章ごとには），読みやすさから，章ごとに複数の訳語にした場合もある．また，そのまま和訳しても意味が通りにくいところは意訳した．

原書初版本の発刊から40年弱の月日が流れ，翻訳者の世代交代時期とも重なった第9版の翻訳は，前回担当の富田泰輔，仁科博史，山本啓一（五十音順）の3名と，今回から加わった岩井佳子，上村慎治，北川大樹，齋藤康太，坪井貴司，名黒功，宮澤恵二，若林憲一（五十音順）の8名で分担して行った．さらに，第8版まで翻訳を分担した榎森康文氏には，今回の翻訳に際していろいろな助言をいただき，刊行までの期間を短縮できた．なお，これまで翻訳を分担した堅田利明，須藤和夫と本版翻訳者でもある山本啓一のシニア（70歳代）3名は，今回から監訳者として責務を負った．これまでの版と同様に，東京化学同人の石田勝彦社長ならびに編集部の橋本純子さん，篠田薫さん，池尾久美子さん，佐々木みぞれさんには大変お世話になった．特に，篠田さんと池尾さんには全般にわたって丁寧なチェックをしていただき，大変なご苦労をおかけした．この人たちの協力なしには，本書が世に出ることはなかったであろう．この場を借りて感謝したい．

最後に余談とはなるが，博士の種類は我が国において明治以来，法学博士，医学博士，工学博士，文学博士，および理学博士の5種類からはじまり，戦後19種類にまで増えたが，平成3(1991)年にはこれらの博士の種類が廃止されて，専攻分野を括弧書きで表記することが広く慣習となっている．この第9版の監訳者3名は"理学博士"，"薬学博士"であるが，翻訳者のほとんどは"博士(理学)"，"博士(薬学)"である（翻訳者一覧を参照）．平成年代の博士号取得者には，旧名称は馴染みの薄いことであろうが，ここにも世代交代の動きがみてとれる．

2023年6月　　　監訳者一同

翻 訳 者

監　　訳

堅　田　利　明	東京大学名誉教授，武蔵野大学名誉教授，薬学博士
須　藤　和　夫	東京大学名誉教授，理学博士
山　本　啓　一	千葉大学名誉教授，理学博士

翻　　訳

岩　井　佳　子	日本医科大学先端医学研究所 教授，博士(医学)
上　村　慎　治	中央大学理工学部 教授，理学博士
北　川　大　樹	東京大学大学院薬学系研究科 教授，博士(薬学)
齋　藤　康　太	秋田大学大学院医学系研究科 教授，博士(薬学)
坪　井　貴　司	東京大学大学院総合文化研究科 教授，博士(医学)
富　田　泰　輔	東京大学大学院薬学系研究科 教授，博士(薬学)
名　黒　　　功	東京大学大学院薬学系研究科 准教授，博士(薬学)
仁　科　博　史	東京医科歯科大学難治疾患研究所 教授，理学博士
宮　澤　恵　二	山梨大学大学院総合研究部(医学域) 教授，薬学博士
山　本　啓　一	千葉大学名誉教授，理学博士
若　林　憲　一	京都産業大学生命科学部 教授，博士(理学)

第1版〜第8版の訳者

石浦章一	石川　統	榎森康文	堅田利明
須藤和夫	富田泰輔	仁科博史	野田春彦
丸山　敬	丸山工作	三井恵津子	山本啓一

(五十音順)

要約目次

第I部 化学的・分子的基礎
1. 進化：分子，遺伝子，細胞，および生物
2. 化学的基礎
3. タンパク質の構造と機能
4. 細胞の培養と観察

第II部 生体膜，遺伝子，遺伝子制御
5. 分子遺伝学の基礎
6. 分子遺伝学技術
7. 遺伝子，クロマチン，染色体
8. 遺伝子発現の転写調節
9. 転写後の遺伝子制御
10. 生体膜の構造

第III部 細胞の構造と機能
11. 細胞膜におけるイオンや小分子の輸送
12. 細胞内エネルギー変換
13. 膜や細胞小器官へのタンパク質の輸送
14. 小胞輸送，分泌，エンドサイトーシス
15. シグナル伝達とGタンパク質共役型受容体
16. 遺伝子発現を調節するシグナル伝達経路
17. 細胞の構築と運動I：ミクロフィラメント
18. 細胞の構築と運動II：微小管と中間径フィラメント
19. 真核細胞の細胞周期

第IV部 細胞の増殖と分化
20. 細胞から組織への集成
21. 細胞環境への応答
22. 幹細胞，細胞の非対称性，および細胞死
23. 神経系細胞
24. 免疫学
25. がん

目　次

I. 化学的・分子的基礎

1　進化：分子，遺伝子，細胞，および生物 …………… 1

1・1　生物を構成する分子 …………… 5
タンパク質は細胞構造をつくり上げ，
　　　　　　　ほとんどの細胞機能を遂行する …… 6
核酸は適切なときに適切な場所で
　　　　　　タンパク質を産生するための情報をもつ …… 7
リン脂質はすべての細胞の膜の構築単位である …… 9
細胞内巨大分子の品質管理が生命には重要である …… 9

1・2　原核細胞の構造と機能 …………… 9
原核生物には真正細菌とアーキアがある …… 9
大腸菌など多くの細菌が生物学研究で広く利用されている …… 10

1・3　真核細胞の構造と機能 …………… 10
細胞骨格には多くの重要な機能がある …… 12
核にはDNAゲノム，DNAおよびRNAの合成装置，
　　　　　そして繊維状マトリックスが含まれている …… 12
小胞体はほとんどの膜タンパク質と分泌タンパク質
　　　　　および多くの脂質の合成の場である …… 13
ゴルジ体は分泌タンパク質や膜タンパク質を
　　　　　　細胞内最終目的地別に仕分けする …… 14
エンドソームは細胞外からタンパク質や粒子を取込む …… 14
リソソームは細胞内のリサイクルセンターである …… 15
植物の液胞は，水，イオン，および糖やアミノ酸のような
　　　　　　　　小分子栄養素をたくわえる …… 15
ペルオキシソームと植物のグリオキシソームは
　　　　　　脂肪酸および他の小分子を代謝するが
　　　　　　ADPとP_iからATPをつくることはない …… 16
ミトコンドリアは好気性細胞のATP産生の場である …… 16
葉緑体には光合成を行う内部区画がある …… 16
膜に囲われていない細胞小器官様の構造がある …… 17
すべての真核細胞はよく似た過程をたどって分裂する …… 17

1・4　細胞生物学研究で広く使われる単細胞真核生物 …… 17
真核細胞の構造や機能にかかわる基本的問題の研究には，
　　　　　　　　酵母が用いられる …… 18
酵母の変異から重要な細胞周期タンパク質が発見された …… 20
クラミドモナスの研究から
　　　　　脳機能を調べる新たな技術が生まれた …… 20
マラリア原虫の驚くべき生活環は
　　　　　　特異な細胞小器官に依存している …… 20

1・5　多細胞動物の構造，機能，進化，および分化 …… 22
多細胞性には細胞間および細胞-マトリックス間接着が
　　　　　　　　必要である …… 22
上皮組織は進化の早い段階で生じた …… 22
細胞がつなぎ合わされて組織となり，
　　　　　　組織がつなぎ合わされて器官となる …… 22
ゲノミクスで多細胞動物の進化と細胞機能の
　　　　　　　重要な側面が明らかになった …… 23
胚発生には一群の保存されたマスター転写因子が使われ，
　　　　DNAとそれに結合するヒストンタンパク質の
　　　　　　　修飾も行われる …… 24

1・6　細胞生物学研究で広く使われる多細胞動物 …… 25
動物の発生を調節する遺伝子の同定に
　　　　　ショウジョウバエと線虫が使われた …… 25
プラナリアは幹細胞や組織再生の研究に用いられる …… 25
魚，マウスおよび他の脊椎動物の研究は，
　　　　　　ヒト個体発生や疾病の研究に役立つ …… 26
遺伝病は細胞機能の重要な側面に光を当てる …… 26
無作為に取出した細胞の塩基配列解析から
　　　　　　　新しい種類の細胞が発見された …… 27
次章以降で，細胞の構造や機能に関する現在の知見が
　　　　　どうやって得られたかについて解説する …… 27

2　化学的基礎 …………… 29

2・1　共有結合と非共有結合性相互作用 …… 30
原子のとりうる共有結合の数と空間配置は電子構造で決まる　30
共有結合では電子の分布が均等な場合と不均等な場合がある　32
共有結合は非共有結合性相互作用より
　　　　　　　　はるかに強力で安定である …… 33
イオン相互作用は正負に荷電したイオンが引き合う力である　33
水の性質および電荷のない分子の水への溶解性は
　　　　　　　　水素結合で決まる …… 34
ファンデルワールス相互作用は
　　　　一過性の双極子間で生じる弱い相互作用である …… 35
疎水性相互作用によって非極性の分子が相互に接着する …… 35
生体分子どうしは，非共有結合性相互作用を介した
　　　　分子相補性によって，鍵が鍵穴に合うように結合する　36

2・2　細胞の化学的構築単位 …………… 37
側鎖だけが異なる多種類のアミノ酸から
　　　　　　　タンパク質はつくられる …… 38
核酸には5種類のヌクレオチドが使われる …… 41

単糖が共有結合で連なり，直鎖または分岐した多糖となる……42
リン脂質は非共有結合性相互作用で集合し，
　　　　　　　　生体膜の基礎となる二重層構造を形成する……44

2・3　化学反応と化学平衡……46
化学反応の正反応と逆反応の速度が等しくなったとき，
　　　　　　　　　　　　　平衡に達したという……46
平衡定数は化学反応が進む程度を表す……47
細胞内の化学反応は定常状態にある……47
結合反応の解離定数は相互作用する分子の親和性を反映する　47
生体内の液体は特有のpH値を維持している……48
酸は水素イオンを放出し，塩基は取込む……49
緩衝剤は細胞内外の液体のpHを維持する……49

2・4　生体エネルギー論……51
生物システムではいくつかの形のエネルギーが重要である……51
細胞はある形のエネルギーを別の形に変換できる……51
化学反応が自発的に起こるかどうかは
　　　　　　　　その反応の自由エネルギー変化による……52
反応の ΔG° は K_{eq} から計算できる……53
出発物を遷移状態にまで活性化するのに必要な
　　　　　　　活性化エネルギーで反応速度が決まる……53
生物はエネルギー的に不利な反応と
　　　　　　　　　　　有利な反応の共役に依存している……54
ATPの加水分解は大きな自由エネルギーを放出し，
　　　　　　　　　　多くの細胞内反応を駆動する……54
光合成や呼吸でATPが産生される……55
NAD^+ とFADは生物の多くの酸化反応と
　　　　　　　　　　　　　　　還元反応にかかわる……56

3　タンパク質の構造と機能……59
3・1　タンパク質構造の階層性……61
タンパク質の一次構造とは，アミノ酸の直線的配列である……61
タンパク質の二次構造はタンパク質構造構築の核となる……62
　　　αヘリックス……62
　　　βシート……62
　　　βターン……63
二次構造の規則的な組合わせを構造モチーフとよぶ……64
ポリペプチド鎖全体の折りたたみ方が三次構造である……65
タンパク質構造の表示法はそれぞれ違った情報を担う……66
ドメインは三次構造中にあるモジュールである……67
アミノ酸配列と立体構造の比較で，
　　　　　　　　タンパク質の機能と進化が理解できる……68
タンパク質は大きく4種類に分類できる……69
タンパク質は集合して四次構造や巨大分子集合体を形成する……70
　　　巨大分子集合体……71
　　　生体分子凝縮体……71

3・2　タンパク質の折りたたみ……73
タンパク質が折りたたまれる形は
　　　　　　　　ペプチド結合の平面性によって制限される……74
プロリンイソメラーゼはタンパク質の折りたたみを促進する　74
タンパク質がどのような形に折りたたまれるかは
　　　　　　　　　　　　アミノ酸配列が決定する……75
細胞内でのタンパク質折りたたみはシャペロンが促進する……75
　　　分子シャペロン……77
　　　Hsp70……77
　　　Hsp90……78
　　　シャペロニン……78
異常な折りたたまれ方をしたタンパク質は
　　　　　　　　　　病気に関連するアミロイドとなる……80

3・3　タンパク質の結合活性と酵素触媒反応……81
リガンドの特異的結合がタンパク質の機能を支えている……81
酵素はきわめて効率のよい特異的な触媒である……82
酵素の活性部位が基質を結合し触媒反応を進める……83
セリンプロテアーゼ活性部位における酵素反応機構……84
共通の経路にかかわる酵素群は
　　　　　　　　　　集合体となっていることが多い……87

3・4　タンパク質機能の調節……88
タンパク質の合成と分解の調節は
　　　　　　　　　　細胞にとって非常に重要である……89
プロテアソームはタンパク質分解に使われる分子機械である　89
ユビキチンで目印をつけて，プロテアソームによる
　　　　　　　　　細胞質タンパク質分解を誘導する……91
　　　分解の特異性……91
　　　ユビキチンあるいはユビキチン類似分子の他の役割……91
非共有結合性相互作用で，
　　　タンパク質の協同的アロステリック調節が可能となる　92
カルシウムとGTPは，タンパク質活性を調節する
　　　　　　　　　　　　アロステリックスイッチである……92
　　　Ca^{2+}-カルモジュリンによるスイッチ機構……92
　　　グアニンヌクレオチド結合タンパク質を介した
　　　　　　　　　　　　　　　　　スイッチ機構……93
リン酸化と脱リン酸化は
　　　　　共有結合を介してタンパク質機能を調節する……94
リン酸化と脱リン酸化がタンパク質の活性を
　　　　　　　　　　　共有結合で制御する……94
プロテインキナーゼAの構造と機能は，
　　　　　　　　多くのキナーゼに共通するものである……94
プロテインキナーゼの活性は，
　　　しばしばキナーゼのリン酸化によって制御される……95
ユビキチン化と脱ユビキチン化は
　　　　　共有結合を介してタンパク質機能を調節する……96
分解によって不可逆的に活性化されたり
　　　　　　　　　　不活性化されたりするタンパク質がある……97
タンパク質局在の制御で高次元の調節が行われる……99

3・5　タンパク質の精製，検出，解析……99
質量や密度の違う粒子や分子は遠心法で分離できる……99
　　　分画遠心法……100
　　　ゾーン沈降速度法……100

電気泳動では電荷-質量比で分子を分離する ………………… 101
    SDS-ポリアクリルアミドゲル電気泳動法 ……………… 101
    二次元ゲル電気泳動法 …………………………………… 102
液体クロマトグラフィーでは，質量，電荷，あるいは
        相互作用の強弱によってタンパク質を分離する …… 102
    ゲル濾過クロマトグラフィー …………………………… 103
    イオン交換クロマトグラフィー ………………………… 104
    アフィニティークロマトグラフィー …………………… 104
特異的な酵素や抗体を使うと個々のタンパク質を検出できる … 104
    酵素による発色反応 ……………………………………… 104
    抗体アッセイ ……………………………………………… 104
    緑色蛍光タンパク質との融合タンパク質を用いた検出法 … 105
    ゲル中のタンパク質を検出する ………………………… 105
    免疫沈降法 ………………………………………………… 105
放射性同位体は生体分子の検出に欠かせない ………………… 105
    放射性同位体は生物学研究に有用である ……………… 105
    放射性標識実験と標識された分子の検出 ……………… 107
質量分析法でタンパク質の質量とアミノ酸配列を
        決めることができる ……………………………… 108
タンパク質の一次構造は
        化学的な方法か遺伝子の塩基配列で決める ……… 110
タンパク質の立体構造決定には複雑な物理的方法が使われる … 110
    X線結晶構造解析 ………………………………………… 111
    クライオ電子顕微鏡法 …………………………………… 111
    NMR分光法 ……………………………………………… 111

3・6 プロテオミクス ……………………………………… 113
プロテオミクスでは，生体内の全タンパク質
    あるいは一群のタンパク質集団を研究対象とする …… 113
高度な質量分析技術はプロテオーム解析に欠かせない ……… 114

4 細胞の培養と観察 …………………………… 119

4・1 培養条件下での細胞の増殖と観察 ………………… 120
動物細胞の培養には栄養に富む培地と
        特別な固体表面が必要である …………………… 120
初代培養細胞と細胞株の寿命には限りがある ………………… 120
悪性転換した細胞は培養液中で無限に増殖する ……………… 121
フローサイトメトリーで別種の細胞を分別する ……………… 121
二次元および三次元細胞培養は生体内環境を模倣する ……… 123
幹細胞を培養して分化させオルガノイドを産生する ………… 123
ハイブリドーマとよばれるハイブリッド細胞は
        モノクローナル抗体を多量に生産する ………… 124
培養細胞を用いるとさまざまな細胞内過程を研究できる …… 126
薬剤は細胞生物学で多用される ………………………………… 126

4・2 光学顕微鏡法：細胞内の微細構造と
        タンパク質局在の観察 ……………………… 127
光学顕微鏡の分解能は約 0.2 μm である ……………………… 128
無染色の生細胞は位相差顕微鏡法や
        微分干渉顕微鏡法で観察できる ………………… 128

細胞内構造の可視化には，
        試料固定，切片作製，染色が必要である …… 130
蛍光顕微鏡法で，生細胞内の特定の分子を可視化し
        定量できる ………………………………………… 130
細胞内の Ca^{2+} 濃度や H^+ 濃度は
        イオン感受性蛍光色素で測ることができる …… 130
免疫蛍光顕微鏡法で
        固定細胞内の特定のタンパク質を検出する …… 131
生細胞内の特定のタンパク質に
        蛍光タンパク質を融合させて可視化する ……… 132
デコンボリューション顕微鏡法あるいは共焦点顕微鏡法で
        鮮明な三次元蛍光像が得られる ………………… 133
二光子励起蛍光顕微鏡法で
        厚い試料の可視化も可能になった ……………… 135
TIRF顕微鏡法を用いると，スライドガラス近傍での
        高画質蛍光画像を得ることができる …………… 136
FRAPで細胞構成成分の動態を解析できる …………………… 137
FRETで発色団間の距離を測定する …………………………… 137
光を用いて時空間的に事象を制御できる
        光遺伝学（オプトジェネティクス） …………… 139
点光源の蛍光体は，
        ナノメートルの分解能で位置を特定できる …… 139
超解像顕微鏡法を使うと，ナノメートルの精度で
        タンパク質の細胞内局在を可視化できる ……… 140
光シート顕微鏡で組織内の生細胞像をすばやく可視化する … 142

4・3 電子顕微鏡法：高分解能イメージング …………… 143
ネガティブ染色や金属シャドウイングによって
        個々の分子や構造体を可視化する ……………… 144
細胞や組織の詳細な内部構造を観察するには，
        一連の超薄切片の電子顕微鏡像が必要である … 144
免疫電子顕微鏡法を使うと，タンパク質の局在を
        超微細構造のレベルで特定できる ……………… 145
クライオ電子顕微鏡法を使うと，
        未固定・無染色で試料を見ることができる …… 146
走査型電子顕微鏡法で，金属蒸着された試料の
        表面の特徴をとらえることができる …………… 147

4・4 細胞小器官の精製 ……………………………………… 147
細胞を破壊して細胞小器官や細胞内容物を取出す …………… 148
遠心分離法で多くの細胞小器官は分別できる ………………… 148
細胞小器官を認識する特異抗体は高純度精製に役立つ ……… 149
プロテオミクスによって細胞小器官を構成する
        タンパク質を明らかにできる …………………… 150

II. 生体膜，遺伝子，遺伝子制御

5 分子遺伝学の基礎 ……………………………… 151

5・1 DNAの二重らせん構造 ……………………………… 153
2本の相補的逆平行鎖でDNAの二重らせんができる ………… 153

DNA 鎖は可逆的にほどける ……………………… 155
DNA 分子はねじれ歪みを受ける可能性がある ……………………… 156

5・2　DNA 複製 ……………………… 157
DNA ポリメラーゼによる DNA 複製には
　　　　　鋳型とプライマーが必要である ……… 158
二本鎖 DNA がほどけ,
　　　　　2 本の娘鎖が複製フォークで合成される ……… 159
DNA 複製フォークは複数のタンパク質が協調して進行する ……… 160
DNA 複製は複製起点から両方向へ進行する ……………………… 162

5・3　DNA 修復と組換え ……………………… 162
DNA に対する化学的損傷あるいは
　　　　　放射線による損傷で変異が生じる ……… 163
非常に正確な DNA 除去修復系が損傷を見つけ出し修復する ……… 163
T–G ミスマッチや損傷を負った塩基は
　　　　　塩基除去修復を受ける ……… 163
他のミスマッチ，短い塩基対の挿入，あるいは欠失は
　　　　　ミスマッチ除去修復を受ける ……… 164
DNA 構造が歪むような化学修飾を受けた塩基は
　　　　　ヌクレオチド除去修復を受ける ……… 165
DNA の二本鎖切断を修復するには,
　　　　　組換えを介した二つの機構がある ……… 166
非相同末端結合による変異が起こりやすい修復 ……… 166
相同組換えは DNA 損傷を修復するとともに,
　　　　　遺伝的多様性にも寄与する ……… 166
複製フォーク崩壊の修復 ……………………… 167
相同組換えによる二本鎖 DNA 切断の修復 ……………………… 168

5・4　タンパク質をコードする遺伝子の転写と
　　　　　mRNA の形成 ……… 170
鋳型 DNA 鎖は RNA ポリメラーゼで
　　　　　相補的な RNA 鎖に転写される ……… 170
　　　　転写過程 ……………………… 170
　　　　RNA ポリメラーゼの構造 ……………………… 172
真核生物の mRNA 前駆体は
　　　　　プロセシングを経て機能をもつ mRNA になる ……… 173
真核生物では，一つの遺伝子から選択的 RNA
　　　　　スプライシングで多数のタンパク質が生じうる ……… 174

5・5　tRNA による mRNA の解読 ……………………… 175
mRNA は DNA 情報を三文字の遺伝暗号で伝える ……………………… 176
tRNA の高次構造はコドン解読に必要である ……………………… 177
非標準的な塩基対がコドンとアンチコドン間にできる ……………………… 178
アミノ酸は同族 tRNA と高い正確さで結合する ……………………… 179

5・6　リボソーム上でタンパク質合成は一歩ずつ進む ……… 180
リボソームはタンパク質合成装置である ……………………… 180
メチオニル tRNA$_i^{Met}$ が AUG 開始コドンを認識する ……………………… 182
真核生物における翻訳はふつう
　　　　　mRNA の 5′ 末端に一番近い AUG からはじまる ……… 182

ポリペプチド鎖伸長中に，アミノアシル tRNA は
　　　　　3 箇所のリボソーム部位の間を移動する ……… 184
終止コドンが現れると
　　　　　終結因子によってタンパク質合成は停止する ……… 185
ポリソーム形成やリボソームのすばやい再利用で
　　　　　翻訳効率があがる ……… 186
翻訳過程のいくつかの段階で，GTPase スーパーファミリー
　　　　　タンパク質が品質管理にかかわっている ……… 186
ナンセンス変異は tRNA 変異の抑制により回避される ……………………… 187

5・7　ウイルス：細胞の遺伝子システムへの寄生者 ……… 188
ウイルスの宿主域は狭いことが多い ……………………… 189
ウイルスキャプシドは 1 種類か数種類のタンパク質が
　　　　　規則正しく配列してできる ……… 189
ウイルスの溶解生活環で宿主細胞は死ぬ ……………………… 190
非溶解的(非溶菌的)なウイルス増殖では,
　　　　　ウイルス DNA は宿主ゲノムに挿入される ……… 191

6　分子遺伝学技術 ……………………… 195

6・1　突然変異体の遺伝学的解析に基づいた
　　　　　遺伝子の同定と研究 ……… 195
潜性あるいは顕性変異体の対立遺伝子は
　　　　　遺伝子機能に反対の効果をもたらす ……… 196
交配後の変異の分離の様子から
　　　　　顕性と潜性を決めることができる ……… 197
酵母の必須遺伝子は条件変異で調べることができる ……… 198
二倍体の潜性致死変異は同系交配で見つけ出し,
　　　　　ヘテロ接合体で維持する ……… 200
相補性検定を用いると，複数の潜性変異が同じ遺伝子内で
　　　　　起こったかどうかを調べることができる ……… 200
二重変異はタンパク質が働く順序を決めるのに使われる ……… 201
　　　　生合成経路の順序を決める ……………………… 201
　　　　シグナル伝達経路の順序を決める ……………………… 201
遺伝的抑制と合成致死を用いてタンパク質間相互作用や
　　　　　タンパク質機能の重複を見つけ出す ……… 202
　　　　抑制変異 ……………………… 202
　　　　合成致死変異 ……………………… 203
二重変異体の組合わせの網羅的解析により,
　　　　　遺伝子機能のネットワークが明らかになる ……… 203

6・2　DNA のクローニングと解析 ……………………… 204
制限酵素と DNA リガーゼを使うと
　　　　　DNA 断片をクローニングベクターに挿入できる ……… 204
　　　　DNA 分子を小さな断片にする ……………………… 204
　　　　ベクターに DNA 断片を挿入する ……………………… 205
単離した DNA 断片は大腸菌プラスミドベクターに
　　　　　組込んでクローン化できる ……… 205
酵母ゲノムライブラリーをシャトルベクターで構築し,
　　　　　機能相補でスクリーニングする ……… 206
cDNA ライブラリーは
　　　　　タンパク質をコードする遺伝子配列に対応する ……… 207

ポリメラーゼ連鎖反応を使うと
  複雑な混合物から特定の DNA 配列を増幅できる ……… 208
  ゲノム DNA の特定の断片を直接単離する ………………… 209
クローン化 DNA 分子のヌクレオチド配列は，
  PCR に基づいた方法で迅速に決定できる ……… 211

6・3　配列情報を用いた遺伝子の同定と機能推定 ……………… 213
ほとんどの遺伝子は，
  ゲノム DNA 配列から容易に特定することができる …… 214
バイオインフォマティクスの原理で，
  突然変異の機能的な影響を推測することができる ……… 214
遺伝子やタンパク質の機能と進化的起源は，
  その塩基配列から推測できる ……… 215
異なる種の関連配列を比較することで，タンパク質間の
  進化的関係の手掛かりを得ることができる ……… 216
生物の生物学的複雑さは，ゲノム中のタンパク質を
  コードする遺伝子の数とは直接的には関係ない ……… 217

6・4　ヒトを特徴づける遺伝子の同定と
  染色体上での位置決定 ……… 218
遺伝病は三つの遺伝パターンのうちどれか一つに従う ……… 219
DNA 多型はヒト変異の遺伝的連鎖マッピングに役立つ ……… 220
ヒトの連鎖解析により，100 万塩基対の分解能で
  病因遺伝子の位置を決定できる ……… 221
病因遺伝子の位置をクローン化 DNA 中で決めるには
  さらに詳細な解析が必要になる ……… 221
多くの遺伝病は複数の遺伝的欠陥に由来する ……… 221
複合形質の構成遺伝的危険因子を同定する ……………………… 222
疾患から身を守る対立遺伝子から，
  医学的に重要な遺伝子を同定できる ……… 223
がん細胞における原因変異を同定する ………………………… 223

6・5　クローン化した DNA 断片を用いた
  遺伝子発現の解析 ……… 224
in situ ハイブリダイゼーションによって
  特定の mRNA を検出する ……… 224
DNA マイクロアレイを使うと多数の遺伝子の発現を
  一度に検出できる ……… 224
  DNA マイクロアレイの作製法 ……………………………… 225
  マイクロアレイを用いて異なる環境での
  遺伝子発現を比較する ……… 225
発現のクラスター解析で
  同時に制御を受ける遺伝子群がわかる ……… 225
cDNA の塩基配列決定により，
  個々の細胞での遺伝子発現が解析可能になる ……… 226
クローン化した遺伝子から大腸菌発現系を用いて
  大量のタンパク質を合成する ……… 227
動物細胞で使える発現ベクターを設計する ……………………… 227
  一過性トランスフェクション ……………………………… 228
  安定なトランスフェクション（形質転換） ……………… 228
  レトロウイルス発現系 ……………………………………… 228
  遺伝子とタンパク質の標識 ………………………………… 230

6・6　特定の遺伝子機能の意図的な改変 ……………………… 231
相同組換えで酵母の正常遺伝子を
  変異型対立遺伝子に置き換える ……… 231
CRISPR 系を用いれば正確なゲノム編集ができる ……………… 232
  CRISPR による真核生物ゲノムの改変 …………………… 232
  ゲノムワイド CRISPR スクリーニング …………………… 234
  CRISPR の誘導性活性化 …………………………………… 234
体細胞での遺伝子組換えで
  マウスの特定の組織の遺伝子を不活性化する ……… 234
RNA 干渉では mRNA を破壊することで
  遺伝子を不活性化する ……… 236

7　遺伝子，クロマチン，染色体 ……………………………… 239

7・1　真核生物の遺伝子構造 ……………………………………… 240
多細胞生物のほとんどの遺伝子にはイントロンがあり，
  単一のタンパク質をコードする mRNA をつくる ……… 240
単一転写単位と複合転写単位が真核ゲノムに存在する ……… 241
タンパク質をコードする遺伝子は単独のこともあれば，
  遺伝子ファミリーに属することもある ……… 243
使用頻度の高い遺伝子産物は，
  複数コピーの遺伝子にコードされている ……… 245
タンパク質をコードしない遺伝子は
  機能する RNA をコードする ……… 245

7・2　遺伝子と非コード DNA の染色体における構成 ……… 246
多くの生物のゲノムには
  大量の非コード DNA 配列が含まれている ……… 246
大部分の単純配列 DNA は特定の染色体領域に集中している　247
DNA フィンガープリント法は，
  単純配列 DNA の長さの違いに基づく ……… 248
未分類の遺伝子間 DNA はゲノムの相当な部分を占める ……… 249

7・3　転位性（可動性）DNA 因子 ……………………………… 249
可動性因子の移動には
  DNA 中間体か RNA 中間体が関与する ……… 250
細菌の可動性因子のほとんどは，挿入配列として知られる
  DNA トランスポゾンである … 250
真核生物の DNA トランスポゾンは
  "カット＆ペースト" 機構で転位する ……… 251
LTR 型レトロトランスポゾンは細胞内で
  レトロウイルスのような挙動をする ……… 252
非 LTR 型レトロトランスポゾンは別の機構で転位する ……… 255
  LINE ………………………………………………………… 255
  SINE ………………………………………………………… 257
ゲノム DNA 中には，ほかにも RNA が
  逆転写を介して転位した配列がみられる ……… 257
可動性 DNA 因子は進化に大きな影響を与えてきた …………… 257

7・4　真核生物のクロマチンと染色体の構造 ………………… 259
クロマチンはヌクレオソームでできている ……………………… 259
クロマチン構造は真核生物で保存されている ………………… 261

クロマチンはヌクレオソームが無秩序につながったもので，
　　　　　　核内では異なる密度で収納されている　262
　　SMCタンパク質複合体の環状構造　263
ヒストン尾部の修飾がクロマチンの凝縮と機能を制御する　263
　　ヒストンのアセチル化　263
　　その他のヒストン尾部の翻訳後修飾　264
　　ヒストンコードの読み取り　265
　　エピジェネティックな記憶　265
　　間期の染色体テリトリー　267
　　哺乳類の雌におけるX染色体不活性化　267
　　染色体テリトリー内のトポロジカルドメイン　268
　　中期染色体の構造　269
その他の非ヒストンタンパク質が転写と複製を調節する　269

7・5　真核生物染色体の形態と機能要素　270
中期の染色体数，大きさ，形態は，種特異的である　270
中期になると，染色体をバンドパターンと
　　　　　　染色体ペインティングによって区別できる　271
染色体ペインティングとDNA塩基配列決定によって
　　　　　　染色体の進化がわかる　272
間期の多糸染色体はDNAの増幅によって生じる　273
三つの機能要素が染色体の複製と安定な継承に必要である　274
セントロメアの配列の長さと複雑性は非常に多様である　276
テロメラーゼによるテロメア配列の付加によって
　　　　　　染色体の短小化が妨げられる　276

8　遺伝子発現の転写調節　279

8・1　真核生物の転写の概要　281
真核生物DNAの転写調節エレメントは，転写開始点の
　　　　　　近傍にも，何千塩基も離れた位置にも見いだされる　282
真核生物の3種類の核内RNAポリメラーゼは
　　　　　　それぞれ異なる種類のRNAの生成を触媒する　284
クランプドメインはRNAポリメラーゼIIによる
　　　　　　長いDNA鎖の転写を可能にしている　285
RNAポリメラーゼIIの最大サブユニットの
　　　　　　カルボキシ末端には必須の繰返し配列がある　286

8・2　RNAポリメラーゼIIのプロモーターと
　　　　　基本転写因子　287
RNAポリメラーゼIIはmRNAの5′キャップ部位に
　　　　　　対応するDNA配列から転写を開始する　287
TATAボックス，イニシエーター，およびCpGアイランドは
　　　　　　真核生物DNA中のプロモーターとして機能する　288
　　TATAボックス　288
　　イニシエーター配列，BREとDPE　288
　　CpGアイランド　288
　　CpGアイランドプロモーターからの多様な転写　289
基本転写因子はRNAポリメラーゼIIを
　　　　　　転写開始点に配置し，転写開始を補助する　290
転写伸長因子によってプロモーター近傍領域での
　　　　　　転写の初期段階が調節される　292

8・3　タンパク質をコードする遺伝子の調節配列と
　　　　　それに結合して働くタンパク質　294
プロモーター近位エレメントは
　　　　　　真核生物遺伝子の調節を助ける　294
遠位のエンハンサーがRNAポリメラーゼIIによる転写を
　　　　　　しばしば促進する　295
ほとんどの真核生物遺伝子は
　　　　　　複数の転写調節エレメントによって調節される　295
DNase Iフットプリント法や電気泳動移動度シフト測定法
　　　　　　によってタンパク質-DNA相互作用が検出される　296
アクチベーターは複数の機能ドメインから構成される　298
リプレッサーはアクチベーターと逆の働きをする　299
DNA結合ドメインは構造に応じて多くの種類に分類される　300
　　ホメオドメインタンパク質　300
　　ジンクフィンガータンパク質　301
　　ロイシンジッパータンパク質　302
　　塩基性ヘリックス-ループ-ヘリックスタンパク質　302
さまざまな構造の活性化ドメインと抑制ドメインが
　　　　　　転写を制御する　302
転写因子間の相互作用は遺伝子制御の選択肢を増やす　303
エンハンサー上には多量体タンパク質複合体が形成される　305

8・4　転写の活性化と抑制の分子機構　306
テロメアやセントロメア近傍などの領域では，
　　　　　　ヘテロクロマチンが形成され遺伝子発現が
　　　　　　抑制されている　306
リプレッサーは特定の遺伝子における
　　　　　　ヒストンの脱アセチル化を誘導することができる　308
アクチベーターは特定の遺伝子において
　　　　　　ヒストンのアセチル化を促進することができる　309
クロマチンリモデリング因子は
　　　　　　転写の活性化や抑制を促進する　310
パイオニア転写因子によって細胞分化における
　　　　　　遺伝子活性化の過程が開始される　311
メディエーター複合体は活性化ドメインと
　　　　　　Pol IIの間を結ぶ分子的な橋となる　311
転写コンデンセートは転写開始速度を飛躍的に向上させる　312
　　スーパーエンハンサー　315
転写バースト　315

8・5　転写因子の活性調節　317
DNase I高感受性部位には細胞分化の進行経過が
　　　　　　反映されている　317
核内受容体は脂溶性ホルモンによって制御される　319
すべての核内受容体は共通のドメイン構造をもつ　319
核内受容体応答エレメントには逆方向または
　　　　　　直列反復配列が含まれる　320
核内受容体へのホルモン結合によって
　　　　　　転写因子としての活性が調節される　320
多細胞動物ではRNAポリメラーゼIIによる
　　　　　　転写の開始から伸長への移行が調節される　321
転写終結も調節を受ける　322

8・6　転写のエピジェネティック制御 … 322
DNA メチル化は転写を制御する … 323
ヒストンの特定のリシン残基のメチル化は
　　　　遺伝子抑制のエピジェネティック機構に関与する … 323
　　ヘテロクロマチンにおけるヒストン H3 の
　　　　　　　　　　　　　リシン 9 のメチル化 … 323
Polycomb 複合体と Trithorax 複合体による
　　　　　　　　　　　エピジェネティック制御 … 324
多細胞動物では長鎖非コード RNA によって
　　　　　　　エピジェネティック抑制が行われる … 326
　　哺乳類の X 染色体の不活性化 … 326
　　長鎖非コード RNA によるシス活性化 … 328
　　ENCODE … 329

8・7　その他の真核生物転写系 … 329
RNA ポリメラーゼ I と RNA ポリメラーゼ III による
　　　　転写開始は RNA ポリメラーゼ II に似ている … 329
　　Pol I による転写開始 … 330
　　Pol III による転写開始 … 330

9　転写後の遺伝子制御 … 333

9・1　真核生物 mRNA 前駆体のプロセシング … 335
5′ キャップは転写開始直後に新生 RNA に付加される … 336
RNA ポリメラーゼ II による鎖伸長は
　　　　RNA プロセシング因子の存在と共役している … 336
進化的に保存された RNA 結合ドメインをもつ
　　　さまざまなタンパク質が mRNA 前駆体に結合する … 337
　　hnRNP タンパク質の機能 … 337
　　RNA 結合ドメイン … 337
スプライシングは mRNA 前駆体にある進化的に保存された
　　　短い配列を用いて，2 回のエステル交換反応によって
　　　　　　　　　　　　　　　　　　　　行われる … 339
スプライシングの際には snRNA が mRNA 前駆体と
　　　塩基対を形成し，スプライス部位を選択して
　　　　　　　　　　エステル交換反応を誘導する … 340
スプライソソームが mRNA 前駆体の
　　　　　　　　　　スプライシングを触媒する … 341
　　mRNA 前駆体のスプライシングサイクル … 343
　　脊椎動物のエクソン接合部複合体 … 345
　　希少な 5′-AU…AC-3′ イントロン … 345
　　トランススプライシング … 345
mRNA 前駆体の 3′ 切断とポリアデニル酸付加は
　　　　　　　　　　　　　緊密に共役している … 345
　　選択的ポリアデニル酸付加部位 … 346
　　RNA ポリメラーゼ II による転写の終結 … 347

9・2　mRNA 前駆体のプロセシングの制御 … 348
ヒトや他の脊椎動物では，長い mRNA 前駆体の
　　　スプライス部位の選択に寄与する核タンパク質がある … 348
脊椎動物の内耳有毛細胞における
　　　K⁺ チャネルタンパク質アイソフォームの発現と機能　349
スプライシングエンハンサーと
　　　サイレンサーによる RNA スプライシングの調節が
　　　　　　　　ショウジョウバエの性分化を制御する … 350
スプライシングのリプレッサーとアクチベーターが
　　　　　　選択的スプライス部位での調節を行う … 352
ショウジョウバエの視神経細胞における
　　　　　　　　Dscam アイソフォームの発現 … 352
RNA スプライシングの異常と疾病 … 352
　　エクソンの決定に影響する変異は病気の原因になる … 352
　　マイクロエクソンと自閉スペクトラム症 … 353
自己スプライシングをするグループ II イントロンから
　　　　　snRNA の進化について手掛かりが得られた … 355
核内エキソヌクレアーゼとエクソソームは mRNA
　　　　前駆体からプロセシングによって切り出された
　　　　　　　　　　　　　　　　　　　RNA を分解する … 356
多細胞動物ゲノムの "全領域にわたる転写" という問題は，
　　　　　　　RNA プロセシングによって対処される … 357
RNA 編集によって mRNA 前駆体の配列が変わる場合がある　358

9・3　核膜を横断する mRNA の輸送 … 359
SR タンパク質が mRNA の核外輸送を仲介する … 360
　　バルビアニ環 mRNP の核外輸送 … 360
スプライソソームに結合した mRNA 前駆体は
　　　　　　　　　　　　核外輸送されない … 361
HIV の Rev タンパク質はスプライシングされていない
　　　　　　　　ウイルス mRNA の輸送を調節する … 362

9・4　細胞質における転写後制御機構 … 364
細胞質中の mRNA 発現量は，
　　　　　合成速度と分解速度によって決定される … 364
細胞質において mRNA は複数の機構で分解される … 364
　　AU リッチエレメント … 365
マイクロ RNA は特異的な mRNA の翻訳を抑制して
　　　　　　　　　　分解を誘導する … 366
　　ポリ(A)付加部位の選択と miRNA による
　　　　　　　　　　　　　mRNA の制御 … 367
RNA 干渉は完全に相補的な配列をもつ mRNA の
　　　　　　　　　　分解を誘導する … 368
細胞質でのポリアデニル酸付加によって
　　　　　　mRNA の翻訳が促進されることがある … 369
タンパク質合成は包括的に制御されている … 370
配列特異的 RNA 結合タンパク質が
　　　　　　特定の mRNA の翻訳を調節する … 371
正しくプロセシングされなかった mRNA の翻訳は，
　　　　　　　監視機構によって回避される … 372
　　ナンセンスコドン介在性分解 … 372
　　ノンストップ分解 … 372
　　リボソーム停滞型分解 … 374
mRNA の局在化によって細胞質の特定の領域で
　　　　　　タンパク質をつくることができる … 374
　　出芽酵母の芽への mRNA の局在化 … 374
　　哺乳類の神経系における mRNA のシナプスへの局在 … 376

9・5　rRNA と tRNA のプロセシング·················377
rRNA 前駆体遺伝子はすべての真核生物で類似していて，核小体形成領域として機能する······377
核小体低分子 RNA は rRNA 前駆体のプロセシングを助ける　378
自己スプライシングを行うグループ I イントロンは最初に見つかった触媒 RNA の例である······381
tRNA 前駆体は核内で多数の修飾を受ける··················382

9・6　核内ボディは機能的に特化した核内ドメインである······383
カハールボディ·······383
核スペックル·······384
核パラスペックル·······384
PML ボディ·······384
核小体にはリボソームサブユニット形成以外の役割もある···385

10　生体膜の構造··················387

10・1　脂質二重層膜：脂質組成と構造·················388
リン脂質は自動的に二重層を形成する·················388
リン脂質二重層は閉じて内部に水溶液を含んだ小胞を形成する······389
生体膜に含まれる 3 種類の主要な脂質·················391
脂質分子や膜タンパク質は生体膜内で横方向に移動できる···393
脂質組成が膜の物理的性質に影響する·················394
細胞質側リーフレットと反細胞質側リーフレットとで膜脂質の組成は異なる······395
コレステロールとスフィンゴ脂質が特定のタンパク質と集合して膜の微小領域を形成する　396
細胞は余分な脂質を脂肪滴としてたくわえる·················396

10・2　膜タンパク質：構造と基本的な機能··················397
タンパク質は 3 通りのやり方で膜と相互作用する·················397
膜貫通タンパク質は膜を横切る疎水性 α ヘリックスをもつものが多い······398
ポリンの複数の β シートは膜を貫通する"樽形構造"をつくり上げる······400
共有結合でつながった炭化水素鎖によって膜と結合するタンパク質もある······401
膜貫通タンパク質や糖脂質は二重層内で決まった配置をとる······402
膜表在性タンパク質は脂質結合モチーフにより膜と結合する······402
界面活性剤や高濃度塩溶液によりタンパク質を膜から引き離すことができる······403

10・3　リン脂質，スフィンゴ脂質，およびコレステロール：合成と細胞内での輸送·····405
脂肪酸は複数の重要な酵素によって炭素数 2 の材料から合成される······405
脂肪酸は小さな細胞質タンパク質によって細胞内を移動する······405
脂肪酸は小胞体膜上でリン脂質に組込まれる··················406
フリッパーゼはリン脂質を膜の一方のリーフレットから反対側のリーフレットへ移動させる······406
コレステロールは細胞質と小胞体膜中の酵素によって合成される······407
細胞小器官間でのコレステロールとリン脂質の輸送には複数の機構がある······408

III. 細胞の構造と機能

11　細胞膜におけるイオンや小分子の輸送··················411

11・1　膜輸送の概略··················412
単純拡散で膜を透過できるのは気体分子と電荷をもたない小さな分子だけである······412
生体膜を通り抜ける分子とイオンの輸送は 3 種類の膜タンパク質によって行われる······412

11・2　グルコースと水の促進輸送··················414
単一輸送体による輸送は単純拡散より速く特異性も高い·····414
ほとんどの哺乳類細胞へのグルコース取込みは K_m 値の小さい GLUT1 単一輸送体が行っている······415
ヒトゲノムには糖を輸送する GLUT タンパク質ファミリーがコードされている······416
人工膜や遺伝子導入細胞を使って輸送タンパク質を研究できる······417
水は浸透圧により膜を透過する··················417
アクアポリンが細胞膜の水透過性を増す··················418

11・3　ATP 駆動ポンプと細胞内イオン環境··················419
主要な ATP 駆動ポンプは 4 種類に分類できる··················419
ATP 駆動イオンポンプが細胞膜を挟んだイオン濃度勾配をつくり，維持する····420
筋肉の Ca^{2+} ATPase は細胞質の Ca^{2+} を筋小胞体内に送り込み筋肉を弛緩させる······421
Ca^{2+} ポンプの詳細な作用機序が解明されている··················421
Na^+/K^+ ATPase は動物細胞内の Na^+ や K^+ 濃度を維持している······424
V 型 H^+ ATPase はリソソームや液胞の内部を酸性に保つ·····424
ABC タンパク質はさまざまな薬剤や毒素を細胞から排出する······425
ある種の ABC タンパク質はリン脂質や他の脂溶性基質を一方のリーフレットから反対側のリーフレットへ"反転"させる······428
ABC 囊胞性繊維症膜貫通調節タンパク質（CFTR）はポンプではなく Cl^- チャネルである·····429

11・4　開閉調節を受けないイオンチャネルと静止膜電位　431
イオンの選択的移動により膜を挟んでの電位差が生じる·······431
動物細胞の静止膜電位は開口している K^+ チャネルを通り外に抜ける K^+ にほぼ依存している·····432

イオンチャネルは分子レベルの選択フィルターにより
　　　　　　　特定のイオンに対して選択的である……433
パッチクランプ法により
　　　　1個のチャネルを通るイオンの流れを測定できる……435
卵母細胞発現系とパッチクランプ法を用いて
　　　　新規イオンチャネルの性質を調べることができる……436

11・5　等方輸送体と対向輸送体による共輸送……437
哺乳類細胞に Na^+ が入ることは熱力学的に有利である……437
動物細胞では Na^+ との等方輸送により，高い濃度勾配に
　　　　逆らってグルコースやガラクトースなどの糖や，
　　　　アミノ酸が取込まれる……437
細菌の Na^+/アミノ酸等方輸送体の構造から
　　　　　　　等方輸送の機構が明らかになった……439
Na^+ を利用した Ca^{2+} 対向輸送体が心筋の収縮力を調節する　440
いくつかの共輸送体が細胞質 pH を調節している……440
赤血球による CO_2 の輸送に
　　　　　　　陰イオン対向輸送体が必須である……440
植物の液胞はさまざまな輸送体タンパク質を使って
　　　　　　　種々の代謝物やイオンを蓄積する……442

11・6　経細胞輸送……443
グルコースやアミノ酸が上皮細胞を通り抜けるには
　　　　　　　複数の輸送タンパク質が必要である……443
グルコースと Na^+ の吸収により生じた浸透圧を利用する
　　　　　　　簡単な補水療法がある……443
壁細胞は胃内腔を酸性にするが
　　　　　　　自身の細胞質 pH は中性に保つ……444
骨吸収には V 型プロトンポンプと
　　　　　　　特殊な Cl^- チャネルの協調が必要である……444

12　細胞内エネルギー変換……447

12・1　化学浸透，電子伝達，プロトン駆動力，
　　　　　　　および ATP 合成……448

12・2　グルコースからエネルギーを取出す
　　　　　　　最初の過程：解糖……449
解糖（過程 I）では細胞質酵素が
　　　　　　　グルコースをピルビン酸にする……450
解糖の速度は細胞の ATP 需要に合わせて調節されている……450
O_2 がないときグルコースは発酵によって処理される……452

12・3　ミトコンドリアの構造……454
ミトコンドリアは大量に存在する多機能細胞小器官である……454
ミトコンドリアは構造と機能が異なる二つの膜をもつ……454
ミトコンドリアは進化の過程で α プロテオバクテリアの
　　　　細胞内共生によってでき，内部に DNA が存在する……456
mtDNA の大きさ，構造，遺伝子収容量は
　　　　　　　生物種によって大きく異なる……457
mtDNA はマトリックスにあり，有糸分裂時に
　　　　細胞質遺伝によって娘細胞に伝えられる……457
ミトコンドリア遺伝子の産物は
　　　　　　　ミトコンドリア外へは輸送されない……458
ミトコンドリアの遺伝暗号は
　　　　　　　標準的な核の遺伝暗号とは異なる……458
mtDNA の突然変異は，いくつかのヒト遺伝病の原因となる　458

12・4　ミトコンドリアおよび
　　　　ミトコンドリア-小胞体膜接触部位の動態……459
ミトコンドリアは動的な細胞小器官である……459
　　　　細胞内のミトコンドリアの動き……459
　　　　ミトコンドリアの融合と分裂……461
　　　　ミトコンドリアの品質管理はマイトファジーで行う……461
ミトコンドリアの機能と動態は他の細胞小器官との
　　　　　　　直接的接触により影響を受ける……461

12・5　クエン酸回路と脂肪酸酸化……463
過程 II の前半で，ピルビン酸が
　　　　アセチル CoA と高エネルギー電子に変換される……463
過程 II の後半で，アセチル CoA のアセチル基が
　　　　クエン酸回路で酸化されて CO_2 となり，
　　　　高エネルギー電子をつくり出す……464
ミトコンドリア内膜上の輸送体が
　　　　細胞質とマトリックスでの NAD^+ および
　　　　NADH 濃度を適切な値に保っている……466
ミトコンドリアでの脂肪酸の酸化も ATP を産生する……466
ペルオキシソームでの脂肪酸酸化では ATP が生じない……468

12・6　電子伝達鎖とプロトン駆動力の発生……468
NADH や $FADH_2$ の酸化により
　　　　　　　多量のエネルギーが放出される……469
ミトコンドリアでの電子伝達は H^+ くみ出しと共役している　469
電子は一連の伝達体の中を"下流"へ流れ
　　　　　　　エネルギーを放出する……470
　　　　ヘムとシトクロム……470
　　　　鉄-硫黄クラスター……471
　　　　補酵素 Q（CoQ）……471
4個の大きな多量体タンパク質複合体（I〜IV）が
　　　　電子伝達とミトコンドリア内膜での
　　　　H^+ くみ出しを共役させる……471
NADH-CoQ レダクターゼ（複合体 I）……471
コハク酸-CoQ レダクターゼ（複合体 II）……473
$CoQH_2$-シトクロム c レダクターゼ（複合体 III）……473
Q 回路……473
シトクロム c オキシダーゼ（複合体 IV）……474
電子伝達体の還元電位は
　　　　NADH から O_2 へ電子が流れるようになっている……475
電子伝達鎖の多量体タンパク質複合体は
　　　　　　　超複合体をつくっている……476
活性酸素分子種は電子伝達の副産物である……477

精製した電子伝達鎖複合体を使った実験により
　　　　　　　H$^+$ くみ出し数がわかった …… 478
ミトコンドリアでのプロトン駆動力の大部分は
　　　　　　　内膜を挟んでの電位差によるものである …… 478

12・7　プロトン駆動力を利用した ATP 合成 …… 479
ATP 合成機構は細菌，ミトコンドリア，葉緑体で共通である …… 479
ATP 合成酵素は F$_0$ と F$_1$ という
　　　　　　　二つのタンパク質複合体からなる …… 481
F$_0$ での H$^+$ の流入によって回転する F$_1$ の γ サブユニットが
　　　　　　　ATP 合成をひき起こす …… 482
1 分子の ATP の合成には複数の H$^+$ が
　　　　　　　ATP 合成酵素内を通り抜けることが必要である …… 483
膜内チャネルを通る H$^+$ の流れが F$_0$ の c 環を回転させる …… 483
ATP をつくるためにミトコンドリア内膜での
　　　　　　　ATP-ADP 交換およびリン酸輸送が必要である …… 485
ミトコンドリアでの酸化速度は ADP 濃度に依存する …… 486
褐色脂肪組織のミトコンドリアは
　　　　　　　プロトン駆動力で熱を発生している …… 486

12・8　葉緑体と光合成 …… 487
植物の光合成は葉緑体のチラコイド膜で行われる …… 487
葉緑体には 100 以上のタンパク質をコードする
　　　　　　　大きな DNA が含まれる …… 488
葉緑体の光化学系で吸収した光のエネルギーが NADPH と
　　　　　　　ATP の合成および H$_2$O からの O$_2$ 発生に使われる …… 488
光合成の過程 1～3 は光の当たっているときに
　　　　　　　チラコイド膜上で行われる …… 490
光合成の過程 1 と 2 は太陽光を高エネルギー電子に変換し
　　　　　　　プロトン駆動力と NADPH をつくる …… 490
中核部のアンテナ複合体と集光性複合体が
　　　　　　　光合成の効率を高める …… 491
さまざまな機構が光電子伝達の過程で生じる
　　　　　　　活性酸素分子種による細胞傷害を防ぐ …… 493

12・9　光合成の過程 1～3：光エネルギーを使った
　　　　　O$_2$，NADPH，および ATP の生成 …… 493
光合成の最初の 3 過程 …… 494
　過程 1：PSII による光エネルギーの吸収，高エネルギー
　　　　　電子の生成および H$_2$O からの O$_2$ の発生 …… 494
　過程 2：プロトン駆動力と NADPH の生成 …… 494
　循環型電子伝達の過程 2 ではプロトン駆動力を
　　　　　生成するが NADPH や O$_2$ はつくらない …… 495
　過程 3：ATP の合成 …… 496
PSI と PSII の相対的活性は調節されている …… 496

12・10　光合成の過程 4：ATP と NADPH を使った
　　　　　　カルビン回路での炭素固定と炭水化物合成 …… 496
葉緑体のストロマで rubisco が CO$_2$ を固定する …… 496
　　　固定された CO$_2$ からのスクロース合成は
　　　　　　　細胞質で行われる …… 498

デンプンの合成はストロマで行われる …… 498
C$_4$ 経路を使う植物では炭素固定と拮抗する光呼吸が少ない …… 498

13　膜や細胞小器官へのタンパク質の輸送 …… 503
13・1　小胞体内部へのタンパク質の輸送 …… 505
精製した小胞体膜を使ったパルスチェイス法により
　　　　　分泌タンパク質は小胞体膜を通り抜けることが
　　　　　　　　示された …… 505
伸長中の分泌タンパク質は N 末端の
　　　　　疎水性シグナル配列により小胞体に輸送される …… 506
翻訳時輸送は二つの
　　　　　GTP 加水分解タンパク質によってはじめられる …… 507
伸長中のポリペプチド鎖がトランスロコンを通る際には
　　　　　翻訳時に放出されるエネルギーが使われる …… 509
酵母ではある種の分泌タンパク質を
　　　　　ATP 加水分解のエネルギーを使って翻訳後輸送する …… 510

13・2　膜タンパク質の小胞体膜への挿入 …… 512
小胞体膜上で合成される膜内在性タンパク質がとる
　　　　　　　いくつかの空間配置 …… 512
内部にある輸送阻止-膜係留配列やシグナル-膜係留配列が
　　　　　　　1 回膜貫通タンパク質の配置を決める …… 513
　I 型タンパク質 …… 513
　II 型と III 型タンパク質 …… 514
　尾部係留タンパク質 …… 515
　IV 型（複数回膜貫通）タンパク質 …… 515
　N 末端が細胞質側にくる IV 型タンパク質 …… 516
　N 末端が細胞外側にくる IV 型タンパク質 …… 516
ある種の細胞表面タンパク質は
　　　　　　　リン脂質によって膜に係留される …… 516
膜タンパク質の空間配置は
　　　　　　　しばしばアミノ酸配列から決定できる …… 517

13・3　小胞体内でのタンパク質の
　　　　　修飾，折りたたみ，および品質管理 …… 518
粗面小胞体内では，
　　　あらかじめつくられた N 結合型オリゴ糖鎖が
　　　　　　　多くのタンパク質に付加される …… 519
オリゴ糖鎖は糖タンパク質の
　　　　　　　折りたたみと安定性に寄与しているのだろう …… 520
小胞体内腔のタンパク質がジスルフィド結合をつくり，
　　　　　　　その組換えも行う …… 520
シャペロンや他の小胞体タンパク質が
　　　　　　　タンパク質の折りたたみと集合を促す …… 522
小胞体内の不適切に折りたたまれたタンパク質は
　　　　　　　タンパク質折りたたみを助ける酵素の発現を誘導する …… 523
多量体にならない，または正しく折りたたまれない
　　　　　　　タンパク質の多くは小胞体から細胞質に戻され
　　　　　　　　　分解される …… 524

13・4　ミトコンドリアや葉緑体へのタンパク質の輸送 …… 525
N末端の両親媒性シグナル配列がタンパク質を
　　　　　　　　ミトコンドリアマトリックスに向かわせる …… 526
ミトコンドリアタンパク質の取込みには外膜上の受容体と
　　　　　　　　内外膜両方のトランスロコンが必要である …… 526
キメラタンパク質の研究によりミトコンドリアへの
　　　　　　　　タンパク質輸送の重要な特性が示された …… 528
ミトコンドリアタンパク質の取込みには
　　　　　　　　3段階のエネルギー注入が必要である …… 529
タンパク質は複数の輸送配列と経路により
　　　　　　　　ミトコンドリア内の正しい区画へと輸送される …… 529
　　内膜タンパク質 …… 529
　　膜間腔タンパク質 …… 531
　　外膜タンパク質 …… 531
葉緑体ストロマタンパク質の取込みはミトコンドリア
　　　　　　　　マトリックスタンパク質の取込みと類似している …… 531
チラコイドへのタンパク質輸送機構は
　　　　　　　　細菌のタンパク質輸送機構と似ている …… 533

13・5　ペルオキシソームへのタンパク質の輸送 …… 534
細胞質の受容体が，C末端にSKL配列をもつタンパク質を
　　　　　　　　ペルオキシソームマトリックスに輸送する …… 534
ペルオキシソーム膜のタンパク質と
　　　　　　　　マトリックスのタンパク質は異なる経路で取込まれる …… 535

13・6　核への輸送と核からの輸送 …… 536
核膜孔複合体を介して大小の分子が核に出入りする …… 536
核輸送受容体が核局在化シグナルをもつ
　　　　　　　　タンパク質につきそって核内へ輸送する …… 537
第二の核輸送受容体が核外輸送シグナルをもつ
　　　　　　　　タンパク質につきそって核外へ輸送する …… 539
mRNAの多くはRanに依存しない機構により
　　　　　　　　核外へ輸送される …… 539

14　小胞輸送，分泌，エンドサイトーシス …… 543

14・1　分泌経路を研究する手法 …… 545
分泌経路によるタンパク質輸送を
　　　　　　　　生細胞内で計測することができる …… 546
　　GFP標識VSV糖タンパク質の顕微鏡観察 …… 546
　　区画特異的オリゴ糖修飾の検出 …… 546
酵母の突然変異体によって小胞輸送の主要な段階と
　　　　　　　　多くの構成成分が明らかになった …… 548
無細胞系輸送計測法により
　　　　　　　　小胞輸送の個々の段階を調べることができる …… 548

14・2　小胞の出芽と融合の分子機構 …… 549
被覆タンパク質の集合により
　　　　　　　　小胞形成と積み荷分子の選別が行われる …… 549
GTPase活性をもつ一群のスイッチタンパク質が
　　　　　　　　それぞれの小胞の被覆形成を調節する …… 551
積み荷タンパク質の輸送配列が
　　　　　　　　被覆タンパク質と特異的な分子接触をする …… 552
Rab GTPaseが標的膜と小胞との結合を調節する …… 553
対になったSNAREタンパク質が
　　　　　　　　小胞と標的膜の融合をひき起こす …… 554
膜融合後のSNARE複合体の解離には
　　　　　　　　ATP加水分解が必要である …… 555

14・3　分泌経路の前期段階 …… 555
COPII小胞は小胞体からゴルジ体への輸送を行う …… 556
COPI小胞はゴルジ体間あるいはゴルジ体から
　　　　　　　　小胞体への逆行性輸送を行う …… 557
ゴルジ体での順行性輸送は嚢成熟により行われる …… 558

14・4　分泌経路の後期段階 …… 560
クラスリンやアダプタータンパク質で被覆された小胞が
　　　　　　　　トランスゴルジからの輸送を行う …… 560
クラスリン被覆小胞の切り離しにダイナミンが必要である …… 561
マンノース6-リン酸がついた酵素はリソソームに送られる …… 562
リソソーム蓄積症の研究からリソソーム酵素選別経路の
　　　　　　　　重要な構成成分が見いだされた …… 564
トランスゴルジでのタンパク質の凝集は
　　　　　　　　調節された分泌を行う小胞へのタンパク質の選別に
　　　　　　　　関与しているかもしれない …… 564
ある種のタンパク質はトランスゴルジを出たあとに
　　　　　　　　プロテアーゼによるプロセシングを受ける …… 564
極性をもつ細胞の頂端側と側底側の膜に
　　　　　　　　膜タンパク質を輸送する経路は異なる …… 565

14・5　受容体依存性エンドサイトーシス …… 567
細胞は，大きなリポタンパク質複合体として
　　　　　　　　脂質を血液中から取込む …… 567
巨大分子リガンドに対する受容体はエンドサイトーシスで
　　　　　　　　取込まれるための選別シグナルをもつ …… 568
内部が酸性の後期エンドソームで
　　　　　　　　受容体とリガンドは解離する …… 570
受容体依存性エンドサイトーシスは
　　　　　　　　シグナル伝達分子受容体を下方制御する …… 570

14・6　膜タンパク質や細胞質物質の
　　　　　　　　リソソームへの輸送と分解 …… 571
多胞エンドソームはリソソーム膜に入る膜タンパク質と
　　　　　　　　リソソームで分解される膜タンパク質を分別する …… 571
レトロウイルスの細胞膜からの出芽は
　　　　　　　　多胞エンドソームの形成と似ている …… 573
オートファジー経路は細胞質タンパク質や細胞小器官を
　　　　　　　　リソソームに送り込む …… 574
　　オートファゴソームの核形成 …… 574
　　オートファゴソームの成長と完成 …… 574
　　オートファゴソームの輸送と融合 …… 575

15 シグナル伝達とGタンパク質共役型受容体 ……577

15・1 シグナル伝達経路：細胞外シグナルから細胞応答へ ……578
シグナル伝達分子は局所または遠位の部位で作用できる ……578
シグナル伝達経路はすばやい短期的な変化とゆっくりした長期的な変化を細胞にひき起こす ……579
受容体はシグナル伝達経路を活性化するアロステリックタンパク質である ……579
受容体は，細胞質，核，細胞表面膜などさまざまな場所に存在する ……580
ほとんどの受容体は1種類のリガンド，またはよく似たリガンド群にのみ結合する ……580
ほとんどの受容体はリガンドと高い親和性で結合する ……581
二次メッセンジャーは多くのシグナル伝達に利用される ……582
プロテインキナーゼとホスファターゼは細胞の状態を制御するさまざまなタンパク質の活性化や不活性化をひき起こす共有結合性の修飾を変化させてシグナル伝達経路にかかわる ……582
GTP結合タンパク質はオン/オフのスイッチとして頻繁に利用される ……583
ほとんどのシグナル伝達経路がシグナル増幅とフィードバック抑制という特性をもつ 584

15・2 細胞表面受容体とシグナル伝達タンパク質の研究 ……585
結合実験から，受容体の検出とリガンドに対する親和性と特異性の決定が可能となる 585
一般にすべての受容体が活性化されなくてもシグナル伝達分子に対する細胞応答は最大に近づく ……586
外部シグナルに対する細胞の感受性は表面受容体の数とリガンドへの親和性によって決まる 586
シグナル伝達分子のアナログは受容体の研究において，および医薬品として広く利用されている ……586
受容体はアフィニティークロマトグラフィー法で精製できる 587
免疫沈降法とアフィニティー法はプロテインキナーゼの活性の研究に利用できる ……587
キナーゼの免疫沈降法 ……587
タンパク質中のリン酸化アミノ酸に特異的なモノクローナル抗体を用いたウェスタンブロット法 ……588
プルダウン法を使ってGTP結合シグナル伝達タンパク質の精製および活性測定ができる ……588
ミトコンドリアマトリックス，小胞体と細胞質における遊離Ca^{2+}濃度の増加は標的化された蛍光タンパク質で測定できる ……589

15・3 Gタンパク質共役型受容体：構造と機能 ……590
すべてのGタンパク質共役型受容体は同じ基本構造をもつ ……590
リガンドで活性化されたGタンパク質共役型受容体は，ヘテロ三量体Gタンパク質のαサブユニット上でのGDPからGTPへの交換を触媒する ……591
異なるGPCRによって別種のGタンパク質が活性化され，その結果，異なるエフェクタータンパク質が調節される 594
GPCRの研究は重要なヒトのホルモンの発見につながっている ……595

15・4 細胞代謝の制御：アデニル酸シクラーゼを促進または抑制するGタンパク質共役型受容体 ……595
アデニル酸シクラーゼは異なる受容体-リガンド複合体によって促進あるいは抑制される ……596
cAMPは抑制サブユニットを解離させてプロテインキナーゼAを活性化する ……597
グリコーゲン代謝はホルモンによるPKAの活性化によって調節される ……597
cAMP/PKA/グリコーゲン分解の経路においてシグナルが増幅される ……598
cAMPによるPKAの活性化は異なる細胞で多様な応答をひき起こす ……600
CREBがcAMPとPKAを遺伝子の転写活性化に結びつける ……600
係留タンパク質はcAMPの効果を細胞内の特定の部位に発揮させる ……600
GPCR/cAMP/PKA経路のシグナル伝達を抑制するいくつかのフィードバック機構 ……601

15・5 タンパク質分泌と筋収縮の制御：複数のシグナル伝達経路で二次メッセンジャーとして働くCa^{2+} ……604
ホスホリパーゼCが膜脂質であるホスファチジルイノシトール4,5-ビスリン酸を加水分解した産物は，細胞質のCa^{2+}量を増加させる ……604
IP_3による小胞体からのCa^{2+}放出 ……606
小胞体からミトコンドリアマトリックスへのCa^{2+}輸送は，IP_3によってひき起こされる ……606
細胞膜に存在する貯蔵作動性Ca^{2+}チャネル ……607
小胞体と細胞質のCa^{2+}サイクルのフィードバックループが細胞質Ca^{2+}濃度の周期的振動をひき起こす 608
DAGによるプロテインキナーゼCの活性化 ……608
二次メッセンジャーとしてのCa^{2+}とcAMPのシグナル統合がグリコーゲン分解を調節する ……608

15・6 視覚：眼が光を感じるしくみ ……609
眼の桿体細胞では光がロドプシンを活性化する ……609
光によるロドプシンの活性化がcGMP依存性陽イオンチャネルを閉鎖する ……611
シグナル増幅がロドプシンのシグナル伝達経路の感受性を著しく高めている ……612
ロドプシンシグナル伝達経路の急速な終結は視覚の時間分解能に必要である ……612
光に活性化されたロドプシン(R^*)のシグナルはロドプシンのリン酸化とアレスチンの結合によって終結する 612
GTP加水分解による活性化$G_{t\alpha}$・GTPからのシグナルの終結 612
桿体細胞はアレスチンとトランスデューシンの細胞内輸送を使って周囲の幅広い光量変化に順応する 613

16 遺伝子発現を調節するシグナル伝達経路 ········· 615

16・1 増殖因子とその受容体型チロシンキナーゼ ······ 618
RTK の細胞外ドメインに対するリガンドの結合は
　　　受容体の細胞質に内在するチロシンキナーゼを
　　　　　　　二量体化して活性化する ······ 618
上皮増殖因子受容体のホモまたはヘテロ多量体が
　　　多くの上皮増殖因子ファミリーと結合する ······ 620
EGF 受容体のホモ二量体 ······ 620
EGF 受容体と HER2 のヘテロ二量体 ······ 621
EGF 受容体へのリガンド結合と受容体の二量体化は
　　　活性化した非対称的キナーゼ二量体の形成につながる 621
RTK 活性化後のシグナル伝達：受容体の
　　　リン酸化チロシン残基は SH2 ドメインをもつ
　　　　　　複数のタンパク質との結合面になる ······ 622
受容体依存性エンドサイトーシスとリソソーム分解が
　　　　　　RTK のシグナル伝達を遮断する ······ 622

16・2 Ras/MAP キナーゼシグナル伝達経路 ········· 624
多くの RTK とサイトカイン受容体の下流で
　　　　　　GTPase スイッチタンパク質 Ras が作用する ······ 625
受容体型チロシンキナーゼは
　　　アダプタータンパク質を介して Ras に連結する ······ 625
Sos が不活性型 Ras に結合して
　　　GTP-GDP 交換へと導く高次構造変化をもたらす ······ 626
シグナルは活性型 Ras から MAP キナーゼで終わる
　　　プロテインキナーゼのカスケードへと伝わる ······ 626
MAP キナーゼは初期応答遺伝子を支配する
　　　多数の転写因子の活性を調節する ······ 628
複数のフィードバック機構が
　　　　　MAP キナーゼの活性を制限する ······ 628
足場タンパク質が同一細胞内で
　　　異なる MAP キナーゼ経路を互いに隔離している ······ 629

16・3 ホスホイノシチドによるシグナル伝達経路 ······ 631
ホスホリパーゼ C_γ はいくつかの RTK と
　　　サイトカイン受容体によって活性化される ······ 631
活性化受容体に引寄せられた PI 3-キナーゼが細胞膜で
　　　ホスファチジルイノシトール 3-リン酸の蓄積を
　　　起こしいくつかの下流のキナーゼを活性化する ······ 632
活性化されたプロテインキナーゼ B は
　　　　　　　多くの細胞応答をひき起こす ······ 633
PI 3-キナーゼ経路は PTEN ホスファターゼによって
　　　　　　　抑制性に調節される ······ 633

16・4 サイトカイン，サイトカイン受容体と
　　　　JAK/STAT シグナル伝達経路 ······ 634
サイトカインは多種の細胞の発生と機能を制御する ······ 634
サイトカインの受容体への結合は一つ以上の
　　　強固に結合した JAK キナーゼを活性化する ······ 635
JAK キナーゼは STAT 転写因子を
　　　　　　　　リン酸化して活性化する ······ 637
複数の機構がサイトカイン受容体からの
　　　　　　シグナル伝達を抑制する ······ 638
ホスホチロシンホスファターゼ ······ 638
SOCS タンパク質 ······ 638

16・5 増殖因子の TGF-β ファミリー，
　　　　その受容体型セリンキナーゼと
　　　　それにより活性化する転写因子 Smad ······ 639
TGF-β タンパク質は不活性型の状態で
　　　細胞外マトリックスに貯蔵されている ······ 640
三つの異なる TGF-β 受容体タンパク質が
　　　TGF-β の結合とシグナル伝達に関与する ······ 641
活性化された TGF-β 受容体 RI は
　　　　　　転写因子 Smad をリン酸化する ······ 642
R-Smad-co-Smad 複合体は
　　　別種の細胞において異なる遺伝子の発現を活性化する 643
ネガティブフィードバックループによる
　　　　　　TGF-β/Smad シグナルの制限 ······ 643

16・6 調節された部位特異的タンパク質切断を利用する
　　　　シグナル伝達経路：Notch/Delta，EGF 前駆体 644
Delta の結合で Notch 受容体が切断されて
　　　　　　転写因子の成分を放出する ······ 644
メタロプロテアーゼは細胞表面から
　　　多くのシグナル伝達タンパク質の切断を触媒する ······ 646

16・7 シグナル構成要素のプロテアソーム分解を利用
　　　　するシグナル伝達経路：Wnt，ヘッジホッグ，
　　　　NF-κB を活性化する多くのホルモン ······ 646
Wnt シグナルは細胞質のタンパク質複合体による
　　　　　　転写因子の破壊を阻止する ······ 647
Wnt タンパク質の濃度勾配は，多くの発生段階に必須である ··· 648
ヘッジホッグのシグナル伝達は
　　　標的遺伝子発現の抑制を解除する ······ 649
ヘッジホッグ前駆体タンパク質のプロセシング ······ 650
ヘッジホッグ受容体である Patched, Smoothened と
　　　その下流シグナル経路は最初ショウジョウバエの
　　　発生における遺伝学的研究で解明された ······ 650
ヘッジホッグシグナルのフィードバック制御 ······ 651
脊椎動物のヘッジホッグシグナル伝達は
　　　　　　　一次繊毛を必要とする ······ 652
阻害タンパク質の分解は転写因子 NF-κB を活性化する ······ 652
NF-κB 経路においてポリユビキチン鎖の足場を含む
　　　非常に大きなシグナロソームが多くの細胞表面受容体
　　　　　と下流のタンパク質の間をつなぐ 654

17 細胞の構築と運動 I：ミクロフィラメント ······ 657

17・1 ミクロフィラメントとアクチンの構造 ······ 660
アクチンは太古から存在し，細胞内に大量にあり，
　　　その一次構造は保存性が高い ······ 660

単量体 G アクチンは重合して
　　　　　長いらせん状の F アクチンとなる……661
F アクチンは構造上も機能上も方向性をもっている……661

17・2　アクチンフィラメントの動態……662
in vitro でのアクチン重合は 3 段階で進行する……662
(−)端よりも(＋)端のほうが
　　　　　アクチンフィラメントの伸長は速い……663
アクチンフィラメントのトレッドミリングは
　　　　　プロフィリンとコフィリンによって加速される……665
チモシン β4 はアクチン単量体の備蓄をつくる……665
アクチンフィラメントの両端での重合と脱重合を
　　　　　キャップタンパク質が妨害している……666

17・3　アクチンフィラメント構造物の形成機構……666
フォルミンは枝分かれのないフィラメントの束をつくらせる　667
Arp2/3 複合体はアクチンフィラメントに枝分かれをつくる　668
細胞内部の運動もアクチン重合により駆動される……669
ミクロフィラメントはエンドサイトーシスでも働いている……670
アクチン単量体の量に影響を与える毒素は
　　　　　アクチン動態の研究に役立つ……671

17・4　アクチンを使った細胞内構造……672
架橋タンパク質がアクチンフィラメントを束や網目にする……673
アダプタータンパク質が
　　　　　アクチンフィラメントを細胞膜に結合させる……674

17・5　ミオシン: アクチン上を動くモータータンパク質……675
ミオシンはそれぞれ異なった機能をもつ
　　　　　頭部, 頚部, および尾部のドメインからなる……676
ミオシンはメカノケミカルモータータンパク質の
　　　　　大きなファミリーを形成する……677
ミオシン頭部の構造変化が
　　　　　ATP 加水分解と運動を共役させる……679
ミオシン頭部はアクチンフィラメントに沿って一歩ずつ動く……679

17・6　ミオシンによって行われる運動……682
骨格筋内ではミオシンの太いフィラメントとアクチンの
　　　　　細いフィラメントが互いに滑り込んで収縮が起こる……682
骨格筋の構造は安定化タンパク質や
　　　　　足場タンパク質によって維持されている……683
骨格筋の収縮は Ca^{2+} と
　　　　　アクチン結合タンパク質によって調節されている……683
アクチンとミオシン II は非筋細胞で収縮性の束を形成する……685
平滑筋と非筋細胞の収縮は
　　　　　ミオシンに依存した機構により調節される……685
ミオシン V は, アクチンフィラメントに沿って小胞を運ぶ……687

17・7　細胞の移動: 機構, シグナル伝達, および走化性　688
力発生と細胞接着や膜の再利用を協調させることにより
　　　　　細胞は移動する……688
膜の伸展……688
細胞と基質の接着……689
細胞体の移動……689
細胞接着の切り離し……689
エンドサイトーシスによる膜とインテグリンの再利用……689
Cdc42, Rac, および Rho といった
　　　　　低分子量 G タンパク質がアクチンの集合を調節する……689
細胞移動は Cdc42, Rac, および Rho の
　　　　　協調した調節により行われる……691
移動している細胞は走化性物質により方向を変える……693

18　細胞の構築と運動 II:
　　　　　微小管と中間径フィラメント……**695**

18・1　微小管の構造と配置……695
微小管壁には方向性があり,
　　　　　αβ チューブリン二量体でできている……697
微小管は MTOC から重合し多様な形態をとる……698

18・2　微小管の動態……700
個々の微小管は動的不安定性を示す……700
局所的伸長と "探索と捕捉" によって微小管は組織化される　703
チューブリン重合に影響を与える薬剤は
　　　　　実験に役立つとともに疾病の治療にも使われる……703

18・3　微小管の構造と動態の調節……704
側面結合タンパク質が微小管を安定化する……704
＋TIP は微小管(＋)端の性質や機能を調節する……704
微小管短縮を促進する末端結合タンパク質がある……705
切断タンパク質も微小管の動態を調節する……706

18・4　キネシンとダイニン:
　　　　　微小管上を動くモータータンパク質……706
軸索内の細胞小器官は微小管に沿って双方向に輸送される……707
キネシン 1 は微小管の(＋)端に向かう
　　　　　順行性軸索小胞輸送を駆動する……708
キネシンは多様な機能をもつ大きなファミリーを形成する……709
キネシン 1 はプロセッシビティーを示す……709
ダイニンモーターは細胞小器官を
　　　　　微小管の(−)端方向に輸送する……711
キネシンとダイニンは協同して
　　　　　細胞内での細胞小器官輸送を担っている……713
チューブリンの翻訳後修飾で, モータータンパク質との
　　　　　相互作用に差のある複数の種類の微小管が生じる……714

18・5　繊毛と鞭毛: 微小管を基礎に構築された
　　　　　細胞表面の構造体……715
真核細胞の繊毛と鞭毛には, ダイニンモーターで架橋された
　　　　　長いダブレット微小管がある……715
繊毛と鞭毛の波状運動は
　　　　　ダブレット微小管どうしの協調的滑走で生じる……717

繊毛や鞭毛では鞭毛内輸送によって物質が行き来する ········· 718
一次繊毛は間期細胞の感覚器官である ···················· 719
一次繊毛の欠陥は多くの疾病をひき起こす ················ 719

18・6 有糸分裂 ·· 720
細胞周期の初期に中心体が複製され，有糸分裂の準備が整う 720
有糸分裂は 5 段階の過程に分けられる ···················· 721
紡錘体は 3 種類の微小管を含む ·························· 721
有糸分裂期には微小管の動的性質が顕著に上昇する ········ 722
前中期で染色体は捕捉され整列する ······················ 724
複製された染色体は
　　　　モータータンパク質と動的微小管の働きで整列する ···· 725
微小管の動原体への結合は
　　　　　　　染色体パッセンジャー複合体が調節する ······· 726
後期 A では微小管の短縮によって
　　　　　　　　　　染色体が極方向へ移動する ············ 727
後期 B ではキネシンとダイニンの協調した働きで
　　　　　　　　　　　　紡錘体極がさらに離れる ········· 728
紡錘体はダイニン-ダイナクチン依存性経路によって，
　　　　　　　　　　　　細胞の中央に配置される ········· 728
細胞質分裂で複製された細胞は二つに分かれる ············ 728
植物細胞は有糸分裂時に微小管を再編成して
　　　　　　　　　　　　　　新しい細胞壁をつくる ······· 729

18・7 中間径フィラメント ·· 731
中間径フィラメントは
　　　　　サブユニット二量体がさらに重合してできる ······ 731
中間径フィラメントは動的構造体である ·················· 732
中間径フィラメントは組織特異的に発現する ·············· 732
　　　　ケラチン ······································· 732
　　　　デスミン ······································· 734
　　　　ニューロフィラメント ··························· 734
ラミンは核内膜を覆って，
　　　　　　　　核の形態と機械的強度維持に寄与する ······ 734
有糸分裂期にラミンは
　　　　　　　　　リン酸化によって可逆的に脱重合する ···· 735

18・8 細胞骨格間の相互作用 ······································ 736
中間径フィラメント結合タンパク質は
　　　　　　　　　　　細胞の組織化に寄与している ······· 736
ミクロフィラメントと微小管は協調して
　　　　　　　　　　　　　メラノソームを輸送する ······· 736
細胞体の移動中には，Cdc42 が
　　　　　　微小管とミクロフィラメントとの協調を促す ···· 736
神経細胞の成長円錐の動きは
　　　　　ミクロフィラメントと微小管の相互作用で制御される 736

19 真核生物の細胞周期 ·· **739**

19・1 細胞周期の概要 ·· 740
G_1 期が S 期への移行を制御する ·············· 740

G_2 期は核分裂と細胞分裂の準備期間である ·············· 741
核分裂と細胞分裂は M 期に起こる ························ 741

19・2 細胞周期研究に使われたモデル生物と方法 ··········· 743
細胞周期を遺伝学的に解析するときに
　　　　　　　　出芽酵母と分裂酵母は強力な実験系になる ····· 743
カエルの卵母細胞や初期胚を用いた研究によって
　　　　　　　細胞周期の駆動機構の生化学的な特性が解明された ···· 743
培養細胞を利用した研究から
　　　　　　　　　哺乳類の細胞周期の制御が明らかになった ···· 745
細胞周期研究のためにさまざまな道具が用いられる ·········· 746

19・3 細胞周期の進行と制御：
　　　　　　　　　フィードバックループと翻訳後修飾 ········ 747
サイクリン依存性キナーゼは小さな
　　　　　　プロテインキナーゼで，その活性化には
　　　　　　　　　調節性のサイクリンサブユニットを必要とする 748
サイクリンは CDK の活性を決定する ·················· 749
CDK は活性化リン酸化と
　　　　　　　　阻害的リン酸化によって制御される ······· 751
CDK 阻害因子は，
　　　　　　サイクリン-CDK 活性をさらに制御する ······· 752
サイクリンの発現量は転写活性化とユビキチンを介した
　　　　　　　　　タンパク質分解によって制御される ····· 753
ホスホセリン/トレオニン結合ドメインが，
　　　CDK の活性化と細胞周期の進行を調整する
　　　　　　　　　　フィードバックループを形成する ····· 754
質量分析研究と遺伝子組換え CDK が，
　　　　新しい CDK 基質と機能の発見をもたらした ······· 755

19・4 G_1 期から S 期への移行と DNA 複製 ·············· 756
出芽酵母の G_1-S 期移行は
　　　　　サイクリン-CDK 複合体によって制御される ····· 756
多細胞動物の G_1-S 期移行には，サイクリン-CDK による
　　　　　E2F 転写因子の制御とその調節因子である
　　　　　　　　　　　　　　　　　　Rb が関与する ····· 756
細胞外シグナルは細胞周期移行を制御する ················ 757
S 期 CDK 阻害因子の分解は DNA 複製の引金となる ······· 758
細胞周期を通じて各複製起点での複製は 1 回のみである ···· 760
複製の間，複製した DNA 鎖はつながれた状態にある ······ 763

19・5 G_2-M 期移行と有糸分裂の不可逆的な動力 ········ 764
ポジティブフィードバックループによる
　　　急激な分裂期 CDK の活性化が有糸分裂を開始する ··· 764
分裂期 CDK は核膜崩壊を促進する ······················ 766
中心体は S 期で複製され，分裂期中に分離する ············ 767
分裂期 CDK，ポロ様キナーゼ，Aurora キナーゼが，
　　　凝縮した染色体の動原体に結合する
　　　　　　　　　　　分裂期紡錘体の形成を促進する ····· 768
染色体の凝縮は染色体の分離を促進する ·················· 770

19・6　分裂期紡錘体，染色体分離，有糸分裂からの脱出 … 771
セパラーゼによるコヒーシンの切断が
染色体分離をひき起こす …… 771
APC/C はセキュリンのユビキチン化を介して
セパラーゼを活性化させる …… 771
分裂期 CDK の不活性化とタンパク質の脱リン酸化は
有糸分裂からの脱出を促す …… 773
細胞質分裂によって二つの娘細胞がつくられる …… 773

19・7　細胞周期制御における監視機構 …… 775
DNA 損傷応答システムは，
DNA が損傷すると細胞周期の進行を停止させ，
DNA 修復装置を引寄せる …… 776
紡錘体形成チェックポイント経路は，染色体が紡錘体と
正確に結合するまで染色体分離を妨げる …… 778

19・8　減数分裂：特別な細胞分裂 …… 780
細胞外と細胞内の合図による生殖細胞形成の制御 …… 780
減数分裂を体細胞分裂と区別する重要な特徴 …… 780
減数第一分裂における特別な染色体分離には，組換えと
減数分裂特異的コヒーシンサブユニットが必要である 782
減数第一分裂の染色体分離には
姉妹動原体の共方向性が重要である …… 784

IV. 細胞の増殖と分化

20　細胞から組織への集成 …… 787

20・1　細胞間接着と細胞-マトリックス間接着：概観 … 789
細胞接着分子は互いに結合し，
さらに細胞内タンパク質にも結合する …… 789
細胞外マトリックスは，
接着やシグナル伝達などの機能をもつ …… 791
多面性をもつ接着分子の獲得が，
多様な動物組織の進化を可能にした …… 793
細胞と接着分子が仲介する機械刺激伝達 …… 794

20・2　細胞間および細胞-マトリックス間の結合と接着分子 …… 795
上皮の細胞には，頂端側，側方側，
および基底側に明確に区別できる面がある …… 795
3 種類の結合が多くの細胞間と細胞-マトリックス間の
相互作用を仲介する …… 796
カドヘリンが接着結合とデスモソームよる
細胞間接着を仲介する …… 797
古典的カドヘリン …… 798
デスモソームカドヘリン …… 801
インテグリンは，上皮細胞のヘミデスモソームなどの
細胞-マトリックス間接着を仲介する …… 801
密着結合は体腔を密封し，
細胞膜の構成成分の拡散も制限する …… 803
ギャップ結合はコネキシンから構成され，
隣接する細胞間で小分子を直接通過させる …… 806
トンネルナノチューブは動物細胞間で代謝反応の連携や
細胞小器官の移送にかかわる …… 808

20・3　細胞外マトリックス I：基底膜 …… 809
基底膜は細胞が組織に集成するための基盤である …… 809
多価接着マトリックスタンパク質であるラミニンは
基底膜の構成成分を架橋する働きをもつ …… 810
シートを形成する IV 型コラーゲンは
基底膜の主要な構成成分である …… 811
プロテオグリカンの一種であるパールカンは
基底膜の構成成分と細胞表面受容体を架橋する …… 813

20・4　細胞外マトリックス II：結合組織 …… 814
繊維状コラーゲンは，結合組織の細胞外マトリックスに
存在する主要な繊維状タンパク質である …… 814
繊維状コラーゲンは分泌されて，
細胞外で細繊維を形成する …… 814
I 型および II 型コラーゲンには非繊維状コラーゲンが
結合してさまざまな構造がつくられる …… 816
プロテオグリカンとその構成成分である GAG は
細胞外マトリックスにおいて多様な役割をもつ …… 817
GAG 鎖修飾の機能 …… 818
プロテオグリカンの多様性 …… 818
ヒアルロナンは圧力に耐えて細胞の移動を促進し，
軟骨にゲル状の性質を与える …… 819
フィブロネクチンは細胞と細胞外マトリックスを連結し，
細胞の形態，分化，移動に影響を与える …… 820
多くの組織では弾性繊維によって伸縮が繰返される …… 822
メタロプロテアーゼによって
細胞外マトリックスは分解・再構築される …… 823

20・5　運動性細胞と非運動性細胞の接着相互作用 …… 824
インテグリンは細胞間の情報や
三次元的な環境の情報を伝達する …… 824
インテグリンを介した接着とシグナル伝達の調節によって，
細胞の機能や運動が制御される　825
インテグリンの結合 …… 825
インテグリンの発現 …… 828
筋ジストロフィーでは，細胞外マトリックスと
細胞骨格の間の結合が欠損している …… 828
IgCAM は，神経組織などにおいて細胞間接着を仲介する …… 829
白血球の組織内への移動では，一連の接着相互作用が
決まった順序で調整されて行われる …… 830

20・6　植　物　組　織 …… 832
植物の ECM である細胞壁は，セルロース細繊維の薄層が，
多糖と糖タンパク質のマトリックスに
埋込まれたものである … 832
植物細胞の成長は細胞壁が緩むことによって起こる …… 833

原形質連絡によって
　　隣接した植物細胞の細胞質が直接連結されている ······ 833
植物で細胞接着や機械刺激受容にかかわる分子は
　　　　　　　　　　　　動物のものとは異なる ······ 834
　　植物における接着分子 ······ 835
　　植物細胞における機械感覚 ······ 835

21 細胞環境への応答 ······ 837

21・1 血糖値の調節 ······ 838
インスリンとグルカゴンの協働による安定な血糖値の維持 ··· 838
血糖値の上昇が膵島β細胞からの
　　　　　　　　　　インスリン分泌を誘発する ······ 839
脂肪細胞や筋細胞でインスリンは，グルコース輸送体
　　GLUT4 貯蔵細胞内小胞を細胞膜に融合させ，
　　　　　　　グルコース取込み速度を増加させる ······ 840
インスリンは，肝臓でグルコース合成を抑制し，
　　　　解糖速度を向上させ，グルコースを
　　　　　グリコーゲンとして貯蔵するのを促進する ······ 840
インスリンはグルコースからの
　　　　　　　　　　グリコーゲン合成を促進する ······ 840
インスリンは解糖速度を加速させる ······ 842
インスリンは糖新生に不可欠な
　　　　　　　　　　主要酵素の合成を抑制する ······ 842

21・2 栄養とエネルギー量による
　　　　　　　　　細胞成長シグナルの統合 ······ 842
活性型 mTORC1 複合体は，
　　多くの同化にかかわるシグナル伝達経路を活性化する 843
mRNA の翻訳速度とタンパク質合成速度の向上 ······ 843
rRNA と tRNA の合成を促進する ······ 844
解糖の促進 ······ 844
オートファジーの抑制 ······ 844
mTORC1 キナーゼ活性化には，アミノ酸および
　　高 ATP：AMP 比，増殖因子受容体の下流にある
　　　　　　シグナル伝達経路の活性化が必要である ······ 844
細胞質アミノ酸による活性化 ······ 844
mTORC1 複合体は，高い ATP：AMP 比と，
　　増殖因子受容体の下流で活性化される ERK
　　　　および PKB キナーゼによって活性化される ······ 846

21・3 コレステロールと不飽和脂肪酸の
　　　　　　　　　濃度変化に対する応答 ······ 847
脂肪酸とコレステロールの生合成およびその取込みは，
　　　　　遺伝子転写レベルで調節されている ······ 847
　　ステロール調節配列（SRE）······ 848
小胞体 SCAP タンパク質は，
　　　　細胞のコレステロール量を感知している ······ 848
ゴルジ体における SREBP の調節性膜内タンパク質分解
　　により，適切なリン脂質とコレステロール濃度を
　　　　　　維持する bHLH 転写因子が放出される ······ 848

21・4 低酸素応答 ······ 850
低酸素環境におけるエリスロポエチン遺伝子の誘導 ······ 850
酸素感知と HIF-1α 発現制御は，
　　　　すべての有核哺乳類細胞の特性である ······ 850
HIF-1α の機能と安定性は通常の酸素濃度では阻害される ··· 850
植物と動物に共通する酸素感知転写因子ファミリーは，
　　　　　アルギニン残基の翻訳後修飾によって
　　　　　　　　　　　　　　　　　調節されている ······ 851

21・5 温度上昇に対する応答 ······ 852
熱ショック応答は開いたポリペプチド鎖によって
　　　　　　　　　　　　　　ひき起こされる ······ 853
全真核生物において，熱ショック応答はおもに，
　　　ヒトの HSF1 を含む熱ショック因子とよばれる
　　　　関連転写因子によって調節されている ······ 853

21・6 昼と夜を知覚する：概日リズム ······ 855
ほとんどの生物の概日時計は，
　　ネガティブフィードバックループに依存している ······ 855
細菌の概日時計：異なる解決策 ······ 856
視交叉上核：哺乳類の中枢時計 ······ 857

21・7 物理的環境の感知と応答 ······ 858
ショウジョウバエと哺乳類の
　　　　　　　　Hippo キナーゼカスケード経路 ······ 858
細胞外マトリックスとの相互作用と
　　　アクチンフィラメントの張力による
　　　　　Hippo キナーゼカスケードの調節 ······ 860
Hippo 経路と初期胚発生 ······ 861

22 幹細胞，細胞の非対称性，および細胞死 ······ 865

22・1 哺乳類の初期発生，胚性幹細胞，
　　　　　　　　および人工多能性幹細胞 ······ 867
受精によってゲノムが統合される ······ 867
哺乳類の胚では卵割から最初の分化がはじまる ······ 867
内部細胞塊から胚性幹細胞（ES 細胞）が得られる ······ 868
複数の因子によって ES 細胞の万能性が制御されている ······ 869
クローン動物の実験から
　　　　　　分化は逆戻りできることがわかった ······ 870
体細胞から人工多能性幹細胞（iPS 細胞）を
　　　　　　　　　　　　つくることができる ······ 871
患者特異的 iPS 細胞を使って
　　　多くの病気に対する治療法を開発することができる ··· 872
ES 細胞と iPS 細胞は，分化して機能をもつヒト細胞になる 873

22・2 多細胞生物の幹細胞と幹細胞ニッチ ······ 874
成体のプラナリアには万能性の幹細胞がある ······ 875
多能性の体性幹細胞から，
　　　幹細胞自身と分化する細胞の両方が生まれる ······ 875
さまざまな組織の幹細胞はニッチにおいて維持されている ··· 876

多くの生物で生殖系列の幹細胞から卵母細胞と精子ができる ……877
腸幹細胞は腸上皮のすべての細胞を絶えず供給している ……878
WntとRスポンジンはLgr5⁺腸幹細胞の機能に必須である ……879
造血幹細胞がすべての血球細胞と免疫担当細胞をつくる ……880
移植によって造血幹細胞の特性が明らかになる ……881
造血幹細胞と多くの造血前駆細胞のニッチ ……881
分化造血細胞の産生制御 ……883
分裂組織は植物における幹細胞ニッチである ……883
茎頂分裂組織の幹細胞集団の数はネガティブフィードバックによって維持される ……884
根端分裂組織の構造と機能は茎頂分裂組織に類似している ……886

22・3　細胞極性と非対称細胞分裂の機構 ……886
内在性の極性化プログラムは，Cdc42がかかわるポジティブフィードバックループに依存している ……887
細胞分裂に先立つ細胞の極性化は共通の階層的事象に従って起こる ……888
酵母の接合では極性化した膜輸送によって非対称的に細胞が成長する ……889
Parタンパク質が線虫の胚における細胞の非対称性を決める ……889
上皮細胞の極性にはParタンパク質や他の極性化複合体が関与する ……892
平面内細胞極性経路によって上皮内の細胞の方向が決まる ……893
Parタンパク質は幹細胞の非対称細胞分裂にも関与する ……894

22・4　細胞死とその制御 ……896
ほとんどのプログラム細胞死はアポトーシスを介して起こる ……897
アポトーシス経路には進化的に保存されたタンパク質が関与する ……898
カスパーゼは最初のアポトーシスシグナルを増幅して細胞内の重要なタンパク質を破壊する ……900
ホスファチジルセリンは，アポトーシス細胞の表面で"イート・ミー"シグナルとして機能する ……900
ニューロトロフィンは神経細胞の生存を促す ……901
脊椎動物の細胞ではアポトーシスの制御においてミトコンドリアが中心的な役割をもつ ……902
アポトーシス促進タンパク質であるBaxとBakはミトコンドリア外膜に孔を形成する ……903
ミトコンドリアから放出されるSMAC/DIABLOタンパク質もカスパーゼを活性化する ……905
栄養因子はアポトーシス促進BH3オンリータンパク質Badの不活性化を誘導する ……905
脊椎動物におけるアポトーシスは，環境ストレスで活性化するアポトーシス促進BH3オンリータンパク質によって調節される ……905
腫瘍壊死因子，Fasリガンド，および細胞死関連タンパク質はアポトーシスとネクロプトーシスの引金になる ……906

23　神経系細胞 ……909

23・1　神経細胞とグリア細胞：神経系の構成単位 ……911
情報は神経細胞の樹状突起から軸索へと流れる ……911
情報は活動電位とよばれるイオンの流れのパルスとして軸索に沿って移動する ……911
情報はシナプスを介して神経細胞間を流れる ……912
神経系は複数の神経細胞からなるシグナルを伝達する回路を利用している ……912
グリア細胞はミエリン鞘をつくり，神経細胞を保護する ……914
神経幹細胞は中枢神経系における神経細胞およびグリア細胞を生み出す ……915

23・2　電位依存性イオンチャネルと活動電位の伝播 ……917
活動電位の大きさはE_{Na}に近く，開口したNa⁺チャネルを通るNa⁺の流入によって起こる ……917
電位依存性Na⁺チャネルとK⁺チャネルの連続した開閉により活動電位が発生する ……917
電位依存性Na⁺チャネル ……918
電位依存性K⁺チャネル ……919
活動電位は減衰することなく一方向に伝わる ……919
すべての電位依存性チャネルは類似した構造をもつ ……920
膜の脱分極に応答して電位センサーS4αヘリックスが動く ……921
チャネル不活性化領域が開いた孔に移動してイオンの流れを止める ……923
ミエリン形成によってインパルスの伝導が速くなる ……923
ミエリン鞘をもつ軸索では活動電位が絞輪から絞輪へ跳躍する ……924
ミエリン鞘をつくる2種類のグリア細胞 ……924
オリゴデンドロサイト ……925
シュワン細胞 ……925
光活性化イオンチャネルと光遺伝学 ……926

23・3　シナプスにおける情報伝達 ……928
シナプスの形成にはシナプス前構造とシナプス後構造の集合が必要である ……929
神経伝達物質はH⁺と共役する対向輸送体によりシナプス小胞に輸送される ……931
神経伝達物質を積込んだシナプス小胞はシナプス前終末の中に局在する ……932
Ca²⁺の流入が神経伝達物質放出の引金となる ……933
カルシウム結合タンパク質がシナプス小胞の細胞膜への融合を調節している ……934
ダイナミンを欠損したハエの変異体はシナプス小胞の再利用ができない ……935
シナプスにおける情報伝達は神経伝達物質の分解か再取込みによって終了する ……935
アセチルコリン依存性陽イオンチャネルの開口によって筋収縮が起こる ……936
ニコチン性アセチルコリン受容体にある5個のサブユニットのすべてによってイオンチャネルができている ……937

神経細胞は活動電位を発生する際に，全か無かの決定を下す 938
ある種の神経細胞ではギャップ結合が
　　　　　　　　　　　情報伝達に直接関与する …… 938

23・4　環境の感知：触覚，痛覚，味覚，嗅覚 …… 939
機械感受体は陽イオンチャネルである …… 939
痛覚受容体も陽イオンチャネルである …… 941
五つの基本味はそれぞれの味蕾に存在する
　　　　　　　　　別々の細胞群によって感知される …… 942
　　苦　味 …… 942
　　甘味とうま味 …… 943
　　塩　味 …… 944
　　酸　味 …… 944
膨大な数の受容体がにおいを検出する …… 944
それぞれの嗅覚受容ニューロンは
　　　　　　　　　1種類の嗅覚受容体を発現する …… 945

23・5　記憶の形成と蓄積 …… 947
記憶は神経間シナプスの数と強さを変えることで
　　　　　　　　　　　　　　　　形成される …… 947
海馬は記憶の形成に必要である …… 949
さまざまな分子機構がシナプス可塑性に寄与している …… 950
長期記憶の形成には遺伝子発現が必要である …… 950

24　免 疫 学　953

24・1　宿主防御の概観 …… 955
病原体はさまざまな経路を通じて体内に侵入し，
　　　　　　　　　　さまざまな部位で複製する …… 955
自然免疫系および獲得免疫系の免疫細胞は体中を循環し，
　　　　　組織やリンパ節に入って，そこにとどまる …… 955
物理的および化学的境界が
　　　　　　　病原体に対する最初の生体防御となる …… 957
自然免疫は第二の防御障壁を提供する …… 957
　　食細胞と抗原提示細胞 …… 958
　　インフラマソームと非TLR核酸センサー …… 958
　　補　体　系 …… 958
　　ナチュラルキラー(NK)細胞 …… 959
炎症とは自然免疫と獲得免疫による損傷に対する
　　　　　　　　　　　　　　　　複合応答である …… 959
第三の防御障壁である獲得免疫は特異性を示す …… 960

24・2　免疫グロブリン：構造と機能 …… 961
免疫グロブリンには重鎖と軽鎖からなる
　　　　　　　　　　　　　保存された構造がある …… 961
多数の免疫グロブリンアイソタイプが存在し，
　　　　　　　　　それぞれが異なる機能を果たす …… 962
ナイーブB細胞は独自の免疫グロブリンを産生する …… 963
免疫グロブリンドメインは特徴的な折りたたみ構造をもち，
　　　　　　　　　　　ジスルフィド結合によって安定化された
　　　　　　　　　　　　二つのβシートから構成される …… 965
免疫グロブリンの定常領域はその機能特性を決定する …… 966

24・3　抗体多様性の創出とB細胞の分化 …… 966
機能的な軽鎖遺伝子は
　　　　V遺伝子断片とJ遺伝子断片の連結を必要とする …… 967
　　組換えシグナル配列 …… 967
　　不正確な連結 …… 967
重鎖遺伝子座の再編成は，V, D, J遺伝子断片を必要とする …… 968
体細胞超変異はより高い親和性の抗体の
　　　　　　　　　　　　　　産生と選択を可能にする …… 969
B細胞分化はプレB細胞受容体からの
　　　　　　　　　　　　　　入力情報を必要とする …… 970
獲得免疫応答を通して，B細胞は膜結合型Ig産生から
　　　　　　　　　　　分泌型Ig産生へと切替える …… 971
B細胞は免疫グロブリンのアイソタイプを切替えられる …… 972

24・4　MHCと抗原提示 …… 973
MHCは同種の血縁関係にない2個体間の移植を
　　　　　　　　受容するか拒絶するかの能力を決める …… 973
細胞傷害性T細胞の殺傷活性は
　　　　　　　　抗原特異的かつMHC拘束的である …… 974
異なる機能的特性をもつT細胞は，
　　　2種類の異なるクラスのMHC分子によって
　　　　　　　　　　　　　　　　　制御される …… 974
MHC分子は非常に多くの多型性があり，
　　　ペプチド抗原と結合し，T細胞受容体と相互作用する 975
　　MHC遺伝子座の多型は移植拒絶の基礎である …… 975
　　MHCクラスI分子 …… 976
　　MHCクラスII分子 …… 977
抗原提示では，タンパク質断片が
　　　　MHC産物と複合体を形成して細胞表面に運ばれる …… 977
MHCクラスI経路は細胞質抗原を提示する …… 978
MHCクラスII経路は
　　　　エンドサイトーシス経路に運ばれた抗原を提示する …… 980

24・5　T細胞とT細胞受容体，そしてT細胞の分化 …… 983
T細胞受容体の構造は，
　　　　　免疫グロブリンのF(ab)領域と類似している …… 983
T細胞受容体遺伝子は
　　　免疫グロブリン遺伝子と同様の方法で再編成される …… 984
T細胞受容体の多様なアミノ酸残基の多くは，
　　　　V, D, J遺伝子断片間の接合部にコードされる …… 985
抗原特異的受容体を介したシグナルは，
　　　　TおよびB細胞の増殖と分化をひき起こす …… 986
MHC分子を認識するT細胞は，
　　　ポジティブ選択とネガティブ選択を通じて分化する …… 986
T細胞は胸腺内でCD4あるいはCD8系譜に運命決定する …… 988
T細胞を完全に活性化するには
　　　　　　　　　　　2種類のシグナルが必要である …… 989
細胞傷害性T細胞はCD8共受容体をもち，
　　　　　　　　　　　　　　殺傷に特化している …… 990
T細胞は，他の免疫系細胞にシグナルを伝達する
　　　　　　　　　　　一連のサイトカインを分泌する …… 990

ヘルパーT細胞は，サイトカイン産生と表面マーカーの発現に基づいて異なるサブセットに分けられる ……991
自然リンパ球は炎症と免疫応答全体を制御する ……991
白血球は，ケモカインによって提供される走化性因子に応答して移動する ……992

24・6　獲得免疫応答における免疫系細胞間の協調 ……993
Toll 様受容体は，多様な病原体由来の巨大分子のパターンを読み取る ……993
　　TLR の構造 ……993
　　TLR の多様性 ……993
　　インフラマソーム ……994
　　TLR シグナルカスケード ……994
Toll 様受容体の活性化は，抗原提示細胞の活性化を導く ……995
高親和性抗体の産生には，B 細胞と T 細胞の協調が必要である ……995
ワクチンは，さまざまな病原体に対して保護的免疫を引出す ……997
免疫系はがんを防御する ……998
　　体細胞変異によって免疫系は腫瘍細胞を認識する ……998
　　CTLA4，PD-1，PD-L1 に対する抗体はがん免疫療法の基礎となっている ……998

25　が　ん …… 1001

25・1　がん細胞と正常細胞の違いは何か …… 1003
多くのがん細胞における遺伝子構成は大きく変わっている …… 1003
制御を受けない増殖はがんの一般的な特徴である …… 1003
がん細胞では基本的な細胞維持機能が異なっている …… 1004
がん細胞は異常な細胞間相互作用を示し多様性をもつ組織をつくり出す …… 1005
腫瘍の成長には新たな血管が必要である …… 1005
浸潤と転移は腫瘍形成の後期に生じる …… 1006

25・2　がんの遺伝学およびゲノム的基盤 …… 1007
発がん物質は DNA を損傷することでがんをひき起こす …… 1008
発がん物質は特定のがんに関係する場合がある …… 1008
DNA 修復ができなくなる家族性症候群はがんを招く …… 1009
DNA 損傷応答経路の体細胞変異は発がん性である …… 1010
がんゲノムの解析は体細胞変異の大きな多様性を明らかにした …… 1010
発がん遺伝子はがんウイルスの関連から見いだされた …… 1010
単一の発がんドライバー変異が染色体再編成によって活性化されることがある …… 1011

がんの遺伝的素因が発がん性ドライバーの同定を可能とした …… 1012
発がん性ドライバー変異は多くの遺伝子で確認されている …… 1013
発がん性ドライバー変異は，がんのゲノムを比較することによって同定することができる …… 1013
発がん性ドライバー変異は機能獲得型と機能喪失型がある …… 1015
がん抑制遺伝子とがん遺伝子はしばしば同じ経路で作用する …… 1015
マイクロ RNA は腫瘍形成を促進したり抑制したりする …… 1016
エピジェネティックな変異が腫瘍形成に関与する …… 1016

25・3　腫瘍形成をはじめる細胞増殖および発生経路の異常調節 …… 1017
外部からの増殖因子がなくても受容体の変異が増殖をひき起こしうる …… 1017
多くのがん遺伝子には恒常的に活性化したシグナル伝達タンパク質がコードされている …… 1018
増殖制御経路は最終的に細胞周期の開始を制御する …… 1019
核内転写因子の不適切な発現が悪性転換を誘導する …… 1020
発生を制御するシグナル伝達経路の異常が多くのがんに関連している …… 1021
実験的な発がん多段階ヒットモデルの再構成 …… 1022
一連の発がん性変異は大腸がんでは追跡できる …… 1022
がんの発生は動物モデルを用いて解析できる …… 1024
分子細胞生物学はがんの診断と治療を変えようとしている …… 1024

25・4　プログラム細胞死と免疫監視機構の回避 …… 1025
発がん性ドライバー変異はがん細胞のアポトーシス回避を可能にする …… 1026
p53 は DNA 損傷に応答する DNA 損傷チェックポイントもしくはアポトーシスを活性化する …… 1026
免疫系はがん形成に対する第二の防御線である …… 1026
腫瘍の微小環境と免疫編集により腫瘍を検出し殺す免疫系の能力が制限される …… 1027
細胞傷害性 T 細胞はがん細胞を標的にする …… 1027
がん細胞は細胞傷害性 T 細胞による殺傷から逃れる …… 1028
免疫系の活性化ががん治療の大きな可能性を開く …… 1029
　　免疫チェックポイント分子に対するモノクローナル抗体によるがん治療 …… 1030
　　腫瘍抗原を認識する T 細胞の設計 …… 1030
　　がん免疫療法の合併症 …… 1030

欧 文 索 引 …… 1033

和 文 索 引 …… 1053

クマムシは体長 0.05 mm の小さな無脊椎動物で，他の生物だったら死んでしまうような過酷な環境でも生き延びられるように進化してきた．彼らは，宇宙空間の超低圧と強い放射線のもとでも生き延びることが知られている唯一の多細胞動物である．[Schokraie E., et al. 2012. *PLoS ONE* **7**(9): e45682.]

1

進化：分子，遺伝子，細胞，および生物

- 1・1　生物を構成する分子
- 1・2　原核細胞の構造と機能
- 1・3　真核細胞の構造と機能
- 1・4　細胞生物学研究で広く使われる単細胞真核生物
- 1・5　多細胞動物の構造，機能，進化，および分化
- 1・6　細胞生物学研究で広く使われる多細胞動物

進化という観点なしには，生物学は成り立たない
— Theodosius Dobzhansky, 1973, *American Biology Teacher*
35: 125–129

　生物学は，数学的に記述可能な不変物質を扱う物理学や化学と全く違う．生物システムも当然ながら化学や物理の法則に従うが，現存の生物世界の姿や構造が数十億年にわたる"進化"の結果であるという意味で，生物学は歴史的背景をもつ科学である．過去に絶滅したものや現在生きている多様な植物，動物，微生物のすべては，進化を介して，遠い昔にいた原始的な単細胞からはじまる一つの系統樹にまとめることができる（図 1・1，表 1・1）．Charles Darwin の深い洞察から次のような自然選択原理が導かれた．すなわち，生物は無秩序に変わりながら，与えられた環境のなかで生存競争する．そして，そこで生き残ったものだけが子孫をつくって遺伝形質を残すことができる（図 1・2）．

　小さなシダから大きなモミの木，そして顕微鏡を使ってしか見ることができない単細胞の細菌および原生動物から多細胞動物に至るまで，一見すると生物は驚くほど多様である．そうしたすべての生物が細胞からできているという発見は，生物学におけるとても重要な発見の一つである．ただ，細胞にはその大きさや形が大きく異なるものがある（図 1・3）．アメーバやワムシのようにすばやく動き，構造もどんどん変わる細胞もあれば，ほとんど動かず，構造も安定な細胞もある．酸素があると生きていけない細胞もあれば，逆に酸素がないと生きていけない細胞もある．多細胞生物のほとんどの細胞は互いに緊密に連携している．ある種の単細胞生物は単独で生活しているが（図 1・3a），同種の細胞でコロニーをつくるものや，他の生物と相互作用しながら一緒になって生きているものもある（図 1・3b, d）．植物が空気中から窒素を取込むのを助けている細菌や，われわれの腸内にいて食物の消化を助けている細菌は，こうした細胞の例である．

　外見は多彩な生物形体の基盤にも共通点がある．つまり，すべての現存生物の祖先は同じなので，同じような化学物質で構築されており，細胞レベルでの組織化や機能には同一の原理を使っている．生物を構成する基礎的な分子は，数十億年の進化を経ても保存されているが，こうした分子を集積して，機能する細胞集団や生物個体にする構築パターンはかなり変わってきた．

　デオキシリボ核酸（deoxyribonucleic acid: **DNA**）からなる**遺伝子**（gene）が，最終的に生物の形を決め，細胞機能の維持にかかわっていることがわかっている．細胞をつくり，細胞内のさまざまな機能を遂行する**タンパク質**（protein）の合成は，遺伝子のコピーである**メッセンジャー RNA**（messenger RNA: **mRNA**）が指示する．遺伝子の構造や配置を変えてしまう**（突然）変異**（mutation）は，生物の構造や機能にさまざまな変化を起こすことがある．そうした変異の大多数は，遺伝子やタンパク質の機能に目に見える影響を与えないが，有害なものも多くあり，進化に有利に働くものはごくわずかである．すべての生物で変異は常に起こっているので，しだいに細胞の構造や機能が進化に有利なように変わってくる．全く新しい構造が出現することはめったになく，むしろ古くからある構造が，変異を介して新たな環境に適合するように変化する．タンパク質のわずかな変化でも，その機能が大きく変わったり，失われたりすることがある．

　たとえば，ある生物で一つの遺伝子が重複して複製され，コピーが 2 個できたとする．時とともに，そのうち一つの遺伝子はもとの機能を維持しているが，もう一方の遺伝子は変異を起こして少し違った機能か，全く異なる機能を獲得する．生物進化の過程では全ゲノムの重複が起こることもある．重複した遺伝子のうちには，その一方に変異が起こって，新たな機能をもつものが現れる．生物の細胞組織が進化の過程で重要な働きをする．細胞に起こるわずかずつの変化で，生物が新たな能力を獲得し，生物の進化となるからである．そのため，進化的に近い生物は，非常によく似

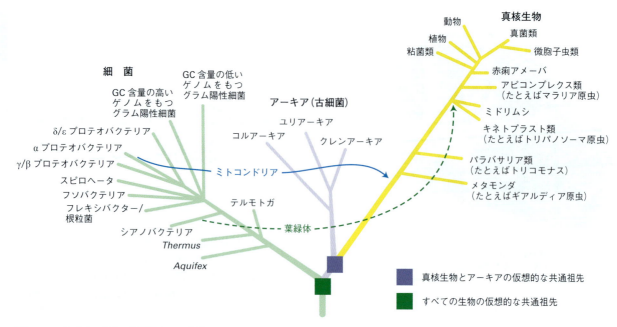

図 1・1 すべての生物は共通祖先から進化した．単純な細菌から複雑な哺乳類に至るまで，すべての生物はおそらく共通の単細胞の祖先から進化してきた．ここに示す系統樹は，生物の三つの主要系統間の進化的関係を示す．最初，この系統樹は，似たような形態の生物は近縁だという考えを基準にしてつくられた．しかし最近では，個々の生物の DNA 配列やタンパク質配列のほうが進化的関係を知るにはよいことがわかってきた．似た DNA 配列やタンパク質配列をもつ生物どうしは，進化的にも近い関係にあると考えられる．形態の類似性と化石から得られる情報に基づいてつくられた系統樹は，DNA やタンパク質の解析結果とおおむね一致する．この系統樹には枝分かれがある．細菌などはゲノム DNA の一部を互いに交換する．現在の真核生物にみられるミトコンドリアや葉緑体は原始的細菌が内部に取込まれて共生したものと考えられている．[J. R. Brown, 2005, "Universal Tree of Life", in *Encyclopedia of Life Sciences*, Wiley InterScience (online) による．]

表 1・1 化石および最近の DNA 分析により決められた地球上の生物進化	
46 億年前	太陽のまわりを回転していた物質から地球が誕生
～35 億年前	原核生物に似た細胞の誕生．最初の生物は，化学合成独立栄養生物だった．炭素源として二酸化炭素を用い，無機物を酸化してエネルギーを得ていた
30 億年前	光合成を行うシアノバクテリアが生まれる．還元剤として水を用い，廃棄物として酸素を放出した
18.5 億年前	単細胞真核生物の出現
12 億年前	それほど複雑でない細胞コロニーという形をとった多細胞真核生物の出現
5.8 億年～5 億年前	カンブリア紀の爆発的多様化で現代の動物のすべての門が出現したことが，化石からわかる
5.35 億年前	海洋における生物の顕著な多様化．脊索動物，節足動物（たとえば三葉虫，甲殻類），棘皮動物，軟体動物，腕足動物，有孔虫，放散虫など
4.85 億年前	本当の骨をもった脊椎動物（無顎類）の出現
4.34 億年前	最初の原始的植物が陸上に出現
2.25 億年前	最初の恐竜（古竜脚類）と硬骨魚類の出現
2.2 億年前	裸子植物の森林が陸地を覆う．草食動物が巨大化する
2.15 億年前	最初の哺乳類が出現
6550 万年前	白亜紀-第三期絶滅で，恐竜を含めた全動物のほぼ半分が絶滅する
650 万年前	最初のヒト科の出現
～200 万年前	最初のヒト属の化石が残っている
45 万年前	ネアンデルタール人の出現
30 万年前	現生人類と同じ解剖学的特徴をもつヒトがアフリカに出現
4 万年前	ネアンデルタール人の絶滅

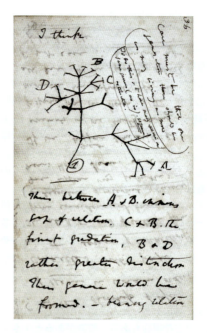

図 1・2 Charles Darwin のノートに描かれた系統樹．英国海軍測量船ビーグル号での航海の 1 年後に，Darwin はすでに自然選択に関する概念を抱きはじめ，それは『種の起原 (On the Origin of Species)』として 1859 年に出版された．ここに示した図は 1837 "B" 生物変異説についてのノートの 36 ページである．彼が最初に描いたこの系統樹の上部に "私はこう思う" と書き込んでいる．彼は，『種の起原』のなかで，現存生物や絶滅した生物の進化の歴史をより詳細に記述し，もっと洗練された仮説的系統樹を描いている．[Charles Darwin's 1837 "B" notebook on *Transmutation of Species*, p.36]

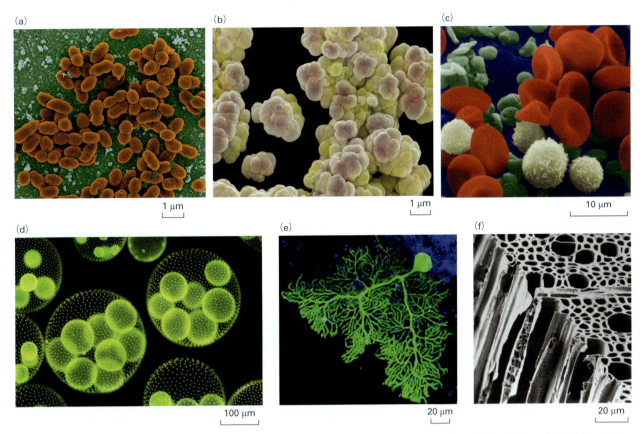

図 1・3　細胞の形態や大きさには驚くべき多様性がある．細胞形態の多様性を，ここに示した何枚かの写真から見ることができる．形態だけではなく，異なる細胞では運動性も異なっており，細胞内部の組織（たとえば原核細胞と真核細胞との差），あるいは代謝過程にも違いがある．(a) 真正細菌である乳酸菌 *Lactococcus lactis* はロックフォール，ブリー，カマンベールなどのチーズ製造に用いられる．中央部に凹みがあるのが分裂中の細胞．(b) アーキア *Methanosarcina* の塊．二酸化炭素と水素をメタンに変換し，エネルギーを取出す．ウシの反芻胃に棲み着いているものは，毎日 150 L 以上のメタンガスを産生する．(c) ヒト血液細胞．細胞の種類ごとに色分けしてある．赤い細胞は，酸素運搬を担う赤血球．白い細胞（白血球）は免疫系を構成する細胞の一つで，感染を防ぐ．緑の細胞は血小板で，血液凝固反応を開始させる因子を含んでおり，傷口を塞ぐ働きをする．(d) 単細胞緑藻ボルボックス *Volvox aureus* の群体．大きな球体の表面に見える青あるいは緑の点が個々の細胞である．球の内部には，黄に見える娘細胞の球状群体がいくつかある．(e) 大脳皮質のプルキンエ細胞．多数の枝分かれした樹状突起を介して，十万以上の他の神経細胞と結合できる．プルキンエ細胞だけを緑色蛍光タンパク質で可視化した．右上に見える球状部分が細胞体．(f) 維管束植物の細胞は固いセルロース骨格でしっかりと固定されている．細胞間の空間はチューブ状になり，水や栄養分の流路となる．[(a) は Dr. Gary Gaugler/Science Source/amanaimages. (b) は Power and Syred/Science Source/amanaimages. (c) は Science Source/amanaimages. (d) は micro_photo/iStockphoto/Getty Images. (e) は Dr. Helen M. Blau, Stanford University School of Medicine and Dr. Clas B. Johansson, Karolinska Institutet. (f) は Biophoto Associates/Science Source/amanaimages.]

た遺伝子，タンパク質，そして細胞組織をもつことになる．

ヒトなどの多細胞生物では，互いに深く関係し合う構成要素からできているので，一つ一つがばらばらになっていては十分機能できない．生物個体は器官をもち，器官は組織からなり，組織は細胞からなり，細胞は分子で構成されている（図 1・4）．生物システムの一体性は多層なレベルの相互作用で維持される．分子は器官間，細胞間で情報を運ぶ．また，個々の組織の独自性や他の組織との統合は，細胞が分泌する分子が担う．生物システムをどんなレベルで分けてみても，すべてのレベルは互いにつながっている．

しかし，生物システムを理解するためには，まず生物の小さな部分から調べはじめなければならない．生物個体は相互作用する細胞群からできており，細胞は自律的生物基本単位に最も近いことを考えると，まず細胞レベルで生物を調べるのが妥当である．地球上にいるすべての生命体の共通祖先は 1 個の細胞であり（図 1・1），細胞レベルではすべての生命体は驚くほど似ている．すべての細胞は同じ分子を構築単位として使い，遺伝情報の貯蔵，維持，発現に同じ方法を使い，エネルギー代謝，分子輸送，シグナル伝達，分化，構造形成に似た過程を使っている．

本章では，細胞に共通する特徴について述べる．まず，生物システム内の主要な小分子と巨大分子に関して解説する．次に，現在の生物で保存されている細胞の基本構造と機能を解説するとともに，核をもたない単細胞生物である**原核生物**（prokaryotic organism）とそれを用いて研究された生命に必須な分子について述べる．次に，核や他の細胞小器官をもつ**真核細胞**（eukaryotic cell）の構造と機能について，細胞小器官に焦点を当てて解説する．それに続いて，単細胞真核生物である酵母の分子生物学および細胞生物学基礎研究における利用法，および生存に必須な遺伝子に変異を導入し，その効果を分析するという実験法について説明する．さらに，マラリア原虫が，宿主であるヒトやカのなかで起こす劇

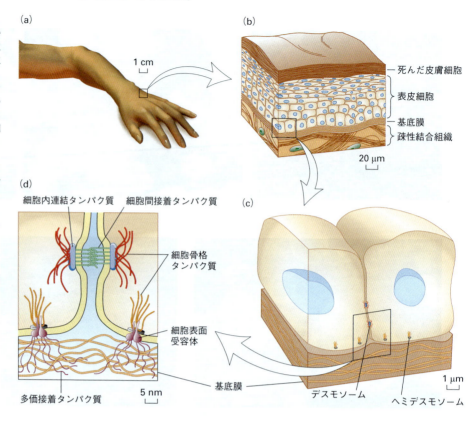

図 1・4　ヒトの体のような生物システムは，密接にかかわりあった要素で構成されている． (a) 手の表面は，数層の組織からなる皮膚という器官で覆われている．(b) 死んだ皮膚細胞でできた硬い表層が体を覆っており，傷ついたり，病原体に感染したり，水分を失ったりすることがないように保護している．生きた表皮細胞から供給される細胞により，この表層は常に置き換っている．表皮細胞は，動物では毛髪もつくり出す．これより深いところにある筋肉や結合組織によって，皮膚の張りや硬さが生まれる．(c) 細胞どうしをつなぎとめたり，細胞を支持層につなぎとめたりする接着構造（デスモソームやヘミデスモソーム）を介して，組織ができあがる．(d) 細胞の接着部位には，細胞膜を構成するリン脂質分子や大きなタンパク質分子といった構造要素がある．細胞膜を横切るように存在しているタンパク質分子は，複数のタンパク質で構成された細胞内繊維，あるいは細胞外繊維と結合して強い接着部位をつくる．

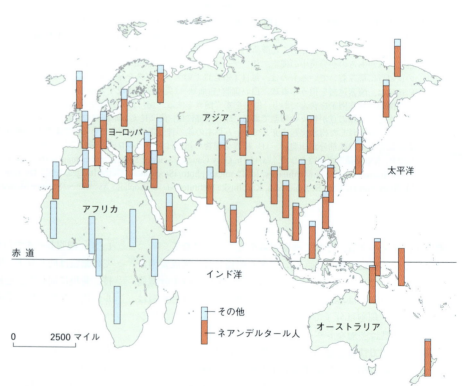

図 1・5　現代人の中にあるネアンデルタール人の DNA の割合． 現代のヨーロッパと考えられる地域で，遠い昔にネアンデルタール人と交雑した人類の子孫の DNA には，最大でも 2% だがネアンデルタール人の DNA が含まれている．棒グラフは，さまざまな地域の人に含まれるネアンデルタール人の DNA 量を，最大値である 2% に対する割合で示したものである．ネアンデルタール人の全ゲノム塩基配列は，クロアチアの洞くつで発見された約 4 万年前の数個の骨から決定された．ネアンデルタール人がユーラシア大陸にいた現代人の祖先と交雑し，アフリカ大陸以外に住む現代人にはネアンデルタール人の DNA がさまざまな割合で含まれていることがはっきりわかる．アフリカ南部に住む土着民がネアンデルタール人の DNA をもっていないのは，彼らの先祖がネアンデルタール人と遭遇することがなかったためだろう．["Map" by Oliver Uberti, copyright © 2018 by D. Reich & E. Reich; *Who We Are and How We Got Here: Ancient DNA and the New Science of the Human Past*, D. Reich, Pantheon Books による．]

的な細胞形質転換についても説明する．

それから，多細胞動物（後生動物）の構造と機能について，組織や器官を形成する際の細胞間相互作用に注目して説明する．すでに，数千の原核生物および単細胞真核生物と，多くの多細胞動物の完全なゲノム配列が解読されており，これらの情報から遺伝子と生物の進化について多くのことがわかる．こうしたデータとコンピューターを使った新たな研究手法（**ゲノミクス** genomics および**バイオインフォマティクス** bioinformatics）がどう進展し，われわれに多くの生物学的知見をもたらしたかについても説明する．たとえば，何千ものヒト DNA 全塩基配列を分析すると，ヒ

トを病気にする遺伝子の突然変異が明らかになる．古代人のDNA試料を分析すると，現代人と絶滅したネアンデルタール人の関係が明らかになり，何千年も前の交雑により，現代人のDNAゲノム中にネアンデルタール人由来のDNAが2%ほど含まれていることが発見された（図1・5）．こうしたDNA研究から，古代アフリカで生じた人の祖先がどのようにして現在の居住地に至ったのかも明らかになった．個々のヒトの細胞内にあるmRNAを分析したところ，全く新しい種類の細胞が発見された．ゲノミクスおよびバイオインフォマティクスのさらなる進展と人工知能（AI）や機械学習（machine learning）の今後の進歩により，ヒトの生物としての側面や病気についてもっと多くのことがわかってくるであろう．

§1・6では，多細胞動物の分化や機能に関係する保存された遺伝子の発見に役に立った，いくつかの多細胞動物，ショウジョウバエ Drosophila melanogaster，線虫 Caenorhabditis elegans，プラナリア，およびゼブラフィッシュ Brachydanio rerio について紹介する．生物間の進化的つながりを明らかにし，ヒトの発生過程，機能，および病気をより詳しく理解するために，こうした遺伝子情報をどのように分析するかということを解説する．実際，生物学者は進化を研究手段として使っている．たとえば仮に，ある遺伝子とそれがコードするタンパク質が多細胞動物では保存されているが単細胞生物にはないとすると，このタンパク質は多細胞動物で重要な役割を果たしている可能性が高い．そこで，このタンパク質の研究をするときには，使いやすい多細胞動物を選べばよい．さまざまな多細胞動物細胞の構造や機能は保存されているので，筋細胞，肝細胞，あるいは腸の内壁や皮膚を覆っている上皮細胞シートなど，多くの種類の細胞の構造と機能の詳細がわかってきている．しかし，神経系や免疫系を構成している多種類の細胞など，多くの細胞については不明な点が多い．こうした細胞群や，より高次の生体構築単位である器官についての研究が，今後の細胞生物学の重要課題である．

1・1　生物を構成する分子

分子細胞生物学では巨大分子がおもな興味の対象となるが，細胞過程が進行する場の構成要素は小分子である．水，無機塩，さまざまな有機小分子（図1・6）は，細胞重量の75〜80%を占めており，水だけでも細胞体積のほぼ75%を占める．水分子も含めたこれら小分子は，エネルギー代謝，シグナル伝達など細胞内で起こる多くの化学反応の基質となる．細胞はこれらの小分子をいろいろな方法で獲得する．イオンや水，そして多くの有機小分子は外界から細胞に運び込まれる（11章）が，他の小分子は細胞内で合成される．多くの場合，こうした細胞内合成は一連の化学反応を経て進行する（12章）．

進化の痕跡は，糖，アミノ酸，ビタミンといった小分子の構造にも認めることができる．たとえば，グリシン以外のアミノ酸は不斉炭素原子をもっており，L体だけがタンパク質に取込まれ，D体は決して使われない．同様に，グルコースはD体だけが細胞内に見いだされ，鏡像体のL体は存在しない（図1・6）．これは，生物進化の初期の段階で現存生物の祖先細胞が一方の立体異性体だけを使う能力を獲得したためだろう．どのようにしてこの選択がなされたかは不明だが，この選択は固定された．

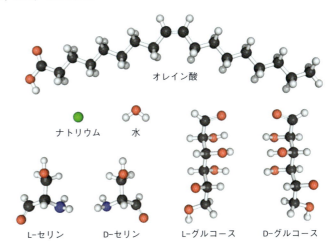

図1・6　細胞内の小分子の例．セリンのようなアミノ酸では，L体だけがタンパク質に取込まれ，その鏡像体であるD体は使われない．同様に，グルコースでは，D体だけが代謝され，二酸化炭素と水になるが，鏡像体のL体は使われない．

細胞内の小分子はさまざまな機能をもつ．たとえば，生物界で広く利用されている小分子である**アデノシン三リン酸**（adenosine triphosphate: ATP）は化学エネルギーを簡単に利用できる形にして二つの化学結合にたくわえている（図1・7）．ATPの高エネルギー結合の一つが切断され，**アデノシン二リン酸**（adenosine diphosphate: ADP）と無機リン酸 HPO_4^{2-}（しばしば P_i と略記される）になると，エネルギーが放出される．このエネルギーで，筋収縮やタンパク質合成のようにエネルギーを必要とする過程が駆動される．ATP合成に必要なエネルギーを獲得するために，多くの細胞は食物中の分子を分解する．たとえば，糖は二酸化炭素と水に分解され，糖の化学結合にたくわえられていたエネルギーが放出される．このエネルギーの多くはATPの高エネルギー結合という形で捕捉される（12章）．細菌，植物，および動物の細胞はすべてこうした形でATPを合成する．さらに，植物およびいくつかの生物は，**光合成**（photosynthesis）によって太陽光のエネルギーからATPを合成する．超常環境に棲むある種の原核生物は，硫化水素 H_2S のような還元物質を使った反応でATPを合成する．

他の小分子（たとえばアドレナリンやヒスタミンなどのホルモン）は，細胞の活動を調節するシグナルとして働く（15章，16章）．また，神経細胞（ニューロン）は，セロトニンのような小さなシグナル伝達分子を放出したり感知したりして互いに連絡をとりあう（23章）．恐ろしい目にあったときわれわれの体が強く反応するのは，闘争・逃走反応をひき起こす小分子ホルモンのアドレナリンがたちまち体中に広がるからである（15章）．

ある種の**単量体**（monomer, モノマー）小分子は，同じ共有結合反応の繰返しで互いに連なって**重合体**（polymer, ポリマーまたは**巨大分子** macromolecule ともいう）となる．細胞は，多糖類，タンパク質，核酸という3種類の巨大分子を産生する．たとえば糖は，多糖類合成で用いられる単量体である．植物細胞の細胞壁を構成する重要な成分セルロース（20章）と肝臓や筋肉のグルコース貯蔵物質であるグリコーゲン（15章）は，D体グルコースが重合した別種の重合体である．細胞は，巨大分子合成に必要な小分子前駆物質を適切に供給する．

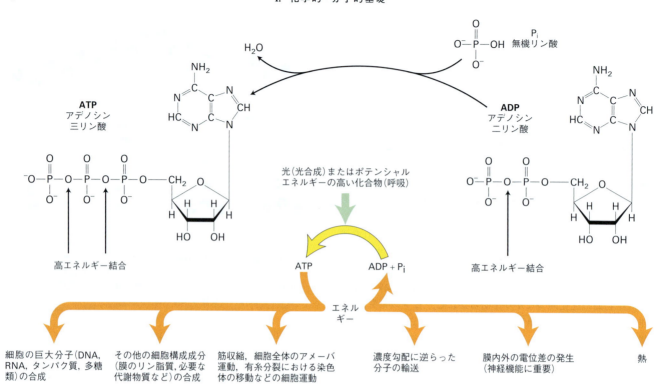

図 1・7 エネルギーを捕獲し，保存し，転移したりするのに，細胞はふつうアデノシン三リン酸（ATP）を使う．植物では光合成によって，そしてほとんどすべての生物では糖や脂質の分解を介して，アデノシン二リン酸（ADP）と無機リン酸（P_i）から ATP が合成される．ATP から加水分解によって P_i を切り離す際に放出されるエネルギーは，多くの細胞機能を進行させるのに使われる．

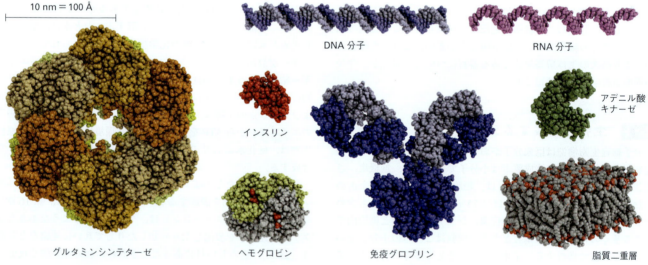

図 1・8 同じ縮尺で描いた代表的なタンパク質のモデル．タンパク質と比較するために，脂質二重層，二本鎖 DNA 分子，一本鎖 RNA 分子の一部分も示す．それぞれのタンパク質は，多数の共有および非共有化学結合で安定化された固有の三次元構造をもつ．ここには，酵素（グルタミンシンテターゼやアデニル酸キナーゼ），抗体（免疫グロブリン），ホルモン（インスリン），血中の酸素運搬体（ヘモグロビン）を示す．［グルタミンシンテターゼは H. S. Gill and D. Eisenberg, 2001, *Biochemistry* **40**: 1903, PDB ID 1fpy．インスリンは E. N. Baker et al., 1988, *Phil. Trans. R. Soc. Lond. B Biol. Sci.* **319**: 369, PDB ID 4ins．ヘモグロビンは G. Fermi et al., 1984, *J. Mol. Biol.* **175**: 159, PDB ID 2hhb．免疫グロブリンは L. J. Harris et al., 1998, *J. Mol. Biol.* **275**: 861, PDB ID 1igy．アデニル酸キナーゼは G. Bunkoczi et al., PDB ID 2c9y.］

タンパク質は細胞構造をつくり上げ，ほとんどの細胞機能を遂行する

タンパク質は，最も量が多く機能も多彩な細胞内巨大分子である．細胞内では，20 種類の**アミノ酸**（amino acid）（図 2・14 参照）がふつう 100 個から 1000 個直鎖状につながって，タンパク質となる．重合反応中あるいはその直後に，このアミノ酸鎖は複雑な形に折りたたまれて独特の三次元構造をとり，機能を発揮する（図 1・8）．ヒトの場合，これらアミノ酸は生合成でつくるか，

食事として摂取したタンパク質を分解して獲得する．

細胞内でタンパク質はさまざまな役割を果たす．多くのタンパク質は，小分子や巨大分子がかかわる化学反応を触媒する**酵素** (enzyme) である（3章）．酵素には全タンパク質の合成を触媒するものや，DNA や RNA などの巨大分子の合成を触媒するものもある（5章）．別なタンパク質は長い繊維状になり，**細胞骨格タンパク質** (cytoskeletal protein) として細胞の構築にかかわっている．さらに，細胞骨格に結合し，ATP にたくわえられたエネルギーを使って染色体のような細胞内構造体を動かしたり，細胞全体の運動を駆動したりするタンパク質もある（17章, 18章）．隣り合った細胞どうしを結合させるタンパク質や，細胞外マトリックスの一部となるタンパク質もある（図1・4）．細胞の温度，イオン濃度，あるいは他の状況が変わったとき，タンパク質はセンサーとしてこれらを感知し，形状を変化させる．細胞膜に埋込まれた多くのタンパク質は，さまざまな小分子やイオンの取込みや運び出しにかかわる（11章）．タンパク質のなかには，インスリンのようなホルモンもある．また，ホルモン受容体もタンパク質で，標的タンパク質や小分子と結合して，細胞の特定の機能を制御するシグナルを発する（15章, 16章）．DNA の特異的な領域に結合し，遺伝子のスイッチを入れたり切ったりする重要なタンパク質群もある（8章）．実際のところ，分子細胞生物学の大部分は，特定の細胞で特定のタンパク質がどのような働きをしているかを学ぶことである．

核酸は適切なときに適切な場所でタンパク質を産生するための情報をもつ

一般の人が最も関心をもっている巨大分子は DNA（デオキシリボ核酸）である．その機能からみて，DNA は細胞の"主人"といってよかろう．1953年に James D. Watson と Francis H. C. Crick によって提案された DNA の三次元構造は，Rosalind Franklin が X 線結晶解析によって DNA を分析して得たデータに基づいたものであった．DNA 分子は，2本の長い鎖が共通の軸のまわりをコイル状に取巻き，**二重らせん** (double helix) を形成している（図1・9）．DNA は自然がつくり上げた最も偉大な構築物の一つであり，その二重らせん構造は**遺伝** (heredity)，つまり遺伝学的に決まる

ある形質が次の世代に伝えられるという現象に重要な役割を果たしている．

DNA 鎖は**ヌクレオチド** (nucleotide) という単量体からなる．ヌクレオチドは，その構造中に環状有機塩基を含むので（5章），しばしば**塩基** (base) ともよばれる．A, T, G, C と略記される4種類のヌクレオチドが共有結合でつながって DNA 鎖となる．二重らせん中で，塩基部分は DNA 鎖の骨格から内向きに突き出ている．2本の鎖は塩基間の水素結合を介して結合し，互いにねじれて二重らせんとなる．一方の鎖に A があれば他方の鎖の対応する位置に T があり，C に対しては G があるというように，二重らせん構造は簡単な原理でできている（図1・9）．両鎖の**相補的対合** (complementary matching) はとても強いので，仮に塩濃度や温度を変えることによってこれが解離しても，条件が適切であれば自然にもとのらせん構造に戻ってしまう．5章で解説するように，この性質は DNA の複製と子孫への継承にとって必須である．さらに6章で詳しく述べるように，DNA 研究法の多くはこの相補的対合を基礎としている．

DNA の遺伝情報は，DNA 鎖に沿ったヌクレオチドの並び順，つまり**ヌクレオチド配列** (sequence) が担っている．**遺伝子** (gene) とよばれる DNA 上の特定の領域は，特定のタンパク質をつくり上げる情報をもつ．ほとんどの細菌は 2000〜3000 のタンパク質をコードする遺伝子をもっている．酵母やその他の単細胞真核生物では 5000 ほど，ヒトを含めた多細胞動物では 13,000〜23,000 であるが，植物はもっと多くのタンパク質をコードする遺伝子をもっている（表1・2）．

次節で解説するように，細菌がもつ遺伝子の多くは，グルコース代謝，核酸やタンパク質合成といった，すべての生物で広く行われている化学反応を触媒するタンパク質のものである．こうした遺伝子やタンパク質を細菌細胞で研究することで，全生物にとって基本となる過程の理解が大きく進んできた．同様に，酵母のような単細胞真核生物には，真核細胞全体で保存されているが原核生物には存在しない多くのタンパク質をコードする遺伝子がある．あとで述べるように，細胞分裂過程の研究には酵母が使われ，そこで得られた結果は，がんなどヒトの疾病の理解に大きく寄与してきた．

タンパク質は，どのようにして DNA 配列にコードされている遺伝情報からつくられるのだろうか．細胞内では二つの過程を経てタンパク質がつくられる（図1・10）．最初の**転写** (transcription) とよばれる過程では，タンパク質をコードする遺伝子のコード領域が一本鎖の**リボ核酸** (ribonucleic acid: RNA) に写しとられる．できた RNA の配列は二本鎖 DNA のどちらか一方の配列と同一である．**RNA ポリメラーゼ** (RNA polymerase) という大きな酵素が，DNA を鋳型としてヌクレオチドをつなぎ合わせる反応を触媒し，この RNA 鎖をつくり上げる．真核細胞では，最初にできた RNA 鎖はさらに処理されて，もっと短い**メッセンジャー RNA** (messenger RNA: **mRNA**) となり，核を出て**細胞質** (cytoplasm) に移る．ここで，RNA とタンパク質でできた**リボソーム** (ribosome) という複雑な分子機械が**翻訳** (translation) という第二の作業を遂行する．リボソームは，ほぼ普遍的な**遺伝暗号表** (genetic code table) に従い，mRNA 配列で指定されている順序のとおりアミノ酸を集め，これらを共有結合でつなぎ合わせる．転写と翻訳を遂行する細胞内装置については5章で詳しく解説する．

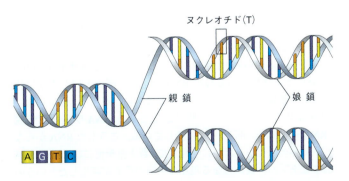

図 1・9 DNA は相補的な2本の鎖が互いに巻付いた二重らせん構造をとる．二重らせん構造は，A-T 間あるいは G-C 間の弱い水素結合と重なり合った塩基の相互作用で安定化されている．DNA 複製時には，2本の鎖はほどけて，それぞれが相補鎖合成の鋳型となる．複製の結果，もとの二重らせんの複製物が二つでき上がる．それぞれの二重らせんは，親鎖1本と新たな娘鎖（相補鎖）1本からなる．

表 1・2 ゲノム全配列決定が完了した分子細胞生物学でよく用いられる生物

生物	塩基対 (10^6)	コードタンパク質数[†1]	染色体数[†2]	文献
細菌				
マイコプラズマ *Mycoplasma genitalium*	0.58	500	1	a
ピロリ菌 *Helicobacter pylori*	1.67	1,500	1	a
インフルエンザ菌 *Haemophilus influenzae*	1.83	1,600	1	a
大腸菌 *Escherichia coli*	4.64	4,100	1	a
枯草菌 *Bacillus subtilis*	4.22	4,200	1	a
アーキア				
Methanococcus jannaschii	1.74	1,800	1	a
Sulfolobus solfataricus	2.99	3,000	1	a
単細胞真核生物				
出芽酵母 *Saccharomyces cerevisiae*	12.16	6,700	16	b
クラミドモナス *Chlamydomonas reinhardtii*	120.4	14,400	17	b
マラリア原虫 *Plasmodium falciparum*	23.26	5,400	14	b
多細胞真核生物				
ショウジョウバエ *Drosophila melanogaster*	168.74	13,900	6	b
線虫 *Caenorhabditis elegans*	100.29	20,500	6	b
プラナリア *Schmidtea mediterranea*	480	>20,000[†3]	4	c
ゼブラフィッシュ *Danio rerio*	1412.46	26,500	25	b
ニワトリ *Gallus gallus*	1072.54	15,500	33	b
マウス *Mus musculus*	3480.96	23,100	21	b
ヒト *Homo sapiens*	3326.74	20,800	24	b
シロイヌナズナ *Arabidopsis thaliana*	135.67	27,400	5	b

[†1] コードタンパク質数はゲノム DNA 配列に基づいた推定値であり，百の位までの概数である．新たに発見された，非常に小さなタンパク質をコードする遺伝子を含めれば，細菌とアーキアのコードタンパク質数はわずかに変化するだろう．また，真核生物のコードタンパク質数は，新たに発見された小さな遺伝子や発現されない偽遺伝子の存在により多少変化するだろう．
[†2] 真核生物のうち多細胞真核生物の染色体数は，遺伝学的解析に基づき，性染色体を別々に数え，核染色体の総数としている．
[†3] 予測値
出典：Dr. Juan Alvarez-Dominguez 提供．文献 a: http://www.ncbi.nlm.nih.gov/genome/，b: http://ensemblgenomes.org/，c: http://www.genome.gov/12512286．

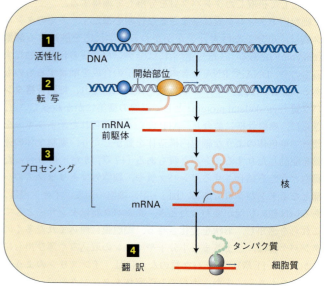

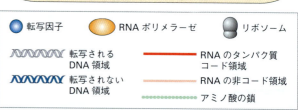

図 1・10 真核細胞 DNA にコードされている情報は，複数の段階を経てアミノ酸配列に変換される．段階 1：転写因子が DNA 上の特定遺伝子の調節領域に結合し，これを活性化する．段階 2：RNA ポリメラーゼが活性化された遺伝子の開始部位から転写を開始する．このポリメラーゼは DNA 上を移動し，DNA 鎖の片側の鎖を鋳型にしながらヌクレオチドをつないで一本鎖 mRNA 前駆体をつくり出す．段階 3：転写産物の非コード領域がプロセシングで除去される．段階 4：成熟した mRNA は核から細胞質に輸送され，リボソームと結合する．リボソームは mRNA 配列を読み取り，それに従ってアミノ酸を共有結合で直鎖状に連ね，タンパク質をつくりあげる．

RNA は，核から細胞質に情報を運ぶという役割以外に，分子機械を構築するための枠組としても働く．たとえば，リボソームは 4 本の RNA 鎖とそれに結合する 50 種類以上のタンパク質でできている．リボソームは，驚くほど正確な mRNA 読み取り装置であり，かつタンパク質合成装置である．ほとんどの細胞内化学反応はタンパク質が触媒するが，タンパク質合成時にアミノ酸をペプチド結合でつなぐ反応など，いくつかの反応は RNA 分子が触媒する．

ヒトゲノムの全配列が決まる前から，ヒト DNA のうちタンパク質合成のコードとして使われているのはわずか 10% ほどでしかないことがわかっており，残りの 90% は遺伝情報としては不必要な "ごみ(junk)" と考えられていた．しかし最近になって，この "ジャンク DNA" といわれていた部分から数千種類もの RNA 分子がコピーされ，タンパク質をコードしてはいないが，細胞内で同じくらい重要な役割を果たしていることが明らかとなった（7章）．こうした多種類の非コード RNA の役割については，現在のところ，ごく一部のものについてしかわかっていない．

リボソーム内の RNA が行っているように，**リボザイム**（ribozyme）とよばれるある種の RNA 分子は，酵素と同じように化学反応を触媒できる．多くの研究者は，自己複製できる原始的な RNA が現在の生命体の原型であるという **RNA ワールド仮説**（RNA world hypothesis）を支持している．こうした RNA からなる生命体の原型がしだいに進化して，数十億年前には RNA, DNA およびタンパク質からなる現在の生物の祖先が誕生したというのである．

すべての生物は，いつ，どこで，どの遺伝子を転写するかを管理しなければいけない．われわれの体を構成するほとんどすべての細胞には，ヒト遺伝子の完全なセットが備わっている．しかし個々の細胞では，これら遺伝子セットの一部にだけスイッチ

入って，タンパク質が合成される．たとえば肝細胞では，筋細胞では産生されないタンパク質がつくられているし，その逆も行われている．さらに，多くの細胞は，外部シグナルや外部環境の変化に反応して特定の遺伝子のスイッチを入れたり切ったりし，必要に応じて細胞内タンパク質の構成を変えている．タンパク質をコードする遺伝子は通常二つの領域からなる．タンパク質のアミノ酸配列を指定するコード領域と**転写因子**（transcription factor）とよばれる特別なタンパク質が結合する調節領域である．8章で解説するが，転写因子はスイッチのように働き，特定の遺伝子の転写を活性化したり抑えたりする．遺伝子上にコードされたタンパク質が，いつ，どの細胞でつくられるかは，この調節領域が管理しているといえる．

リン脂質はすべての細胞の膜の構築単位である

生物の命を支えている細胞は，外部環境との境界にある表面膜で包まれている．真核生物では，細胞内の**細胞小器官**（organelle）という区画も膜で囲われている．**リン脂質**（phospholipid）とよばれる小分子は自発的に集合し，平板状膜の基本構造をつくる．この両親媒性分子は"水を好む（**親水性** hydrophilicity）頭部"と，脂肪酸炭化水素鎖からなる"水を嫌う（**疎水性** hydrophobicity）尾部"をもつ．細胞膜の基本構造はリン脂質分子からなる二重層膜である．二重層膜内で，リン脂質のすべての親水性頭部は二重層膜の内側表面か外側表面に向いており，疎水性尾部は内部に埋込まれている（図1・11）．コレステロールなどリン脂質以外の脂質も少量ながらリン脂質膜の中に挿入されている．細胞のサイズと比べると，細胞膜はとても薄い．たとえば，細菌あるいは酵母細胞を1万倍ほど拡大するとサッカーボールくらいの大きさになるが，細胞膜は1枚の紙くらいの厚みしかない．

リン脂質膜は，水，すべてのイオン，そしてほとんどの親水性小分子を透過させない．そこで細胞膜には，特定のイオンや小分子を通すために一群のタンパク質が埋込まれている．これ以外に，細胞どうしをつないだり，細胞を取巻いている巨大分子と細胞をつないだりする膜タンパク質がある（図1・4）．また，細胞の形を決めたり，形態変化に必要な膜タンパク質もある．10章と11章で，生体膜についてより詳しく解説するとともに，分子が膜を通過する機構についても説明する．

新たな細胞は，必ず親細胞の細胞分裂で生まれる．このとき，親DNAの二本鎖が鋳型となり新たなDNAが合成されるので，それぞれの娘DNA鎖は親鎖と同じ配列をもつ．これと並行して，親細胞の既存の膜にリン脂質やタンパク質が挿入され，これが細胞分裂時に二つの娘細胞に分配される．DNA合成と同様に，細胞分裂時の生体膜合成も親細胞の構造を鋳型としているといえる．

細胞内巨大分子の品質管理が生命には重要である

細胞は，内部の巨大分子を損傷する危険な化学物質や放射線に常時攻撃されており，傷害を受けた分子，特にDNAを修復あるいは分解するために多大なエネルギーを使っている．タンパク質は，適切な三次元構造をとったときのみ機能を果たせる（図1・8）．適切な構造をとれなかったり，高温などで構造が崩れてしまったタンパク質は，細胞内の酵素により，ただちに分解されて構成するアミノ酸に戻される．それらのアミノ酸は新しいタンパク質の合成に使われる．たまに，適切な構造をとれなかったタンパク質が集合して塊をつくり，細胞を損傷する．3章で解説するが，脳の神経細胞の中でそうしたタンパク質の塊が蓄積すると，アルツハイマー病や他の神経変性疾患が起こると考えられている．

紫外線やγ線および多くの化学物質がDNAに損傷を与え，配列を変えてしまう．そうした突然変異は，DNA複製を失敗させたり，正しいタンパク質を合成できなくする．5章で解説するが，細胞は損傷を受けた部分を修復し，DNAをもとに戻すいくつかのしくみをもっている．時には突然変異が修復されず，細胞が死ぬこともある．一方で，突然変異が修復されなかったために，タンパク質がまちがった細胞内でつくられたり，まちがったタイミングでつくられて，無制限に増殖する細胞が生じることもある．25章では，ヒトの一生のうちに起こる突然変異が，いかにしてがんを発症させるかについて説明する．

1・2 原核細胞の構造と機能

生物界には，原核細胞と真核細胞という2種類の細胞がある．細菌のような原核細胞は，1枚の細胞膜で囲まれた1個の閉じた空間からなり，はっきりした核はもたず，内部構造も比較的単純である（図1・12）．これに対して真核細胞には，膜で囲まれた核と各種の細胞小器官を取囲む複雑な膜系が存在する（図1・13）．

原核生物には真正細菌とアーキアがある

さまざまな原核生物のDNA配列の詳しい解析から，**真正細菌**（eubacterium, pl. eubacteria，単に**細菌** bacterium, pl. bacteria ともよぶ）と**アーキア**（archaeon, pl. archaea，古細菌）の二つの系統があることが明らかとなった（図1・1）．真正細菌は単細胞生物で，これには光合成をするシアノバクテリア（ラン藻）も含まれる．図1・12に典型的な細菌細胞の構造を示す．アーキアも同様の構造をもつ．細菌の大きさはふつう1～2μmで，細胞膜に取囲まれた1個の閉じた空間内は細胞質でみたされている．細菌のゲノムは1本の環状DNAである．これ以外に，多くの原核生物には**プラスミド**（plasmid）とよばれる小さな環状DNAがある．細菌には

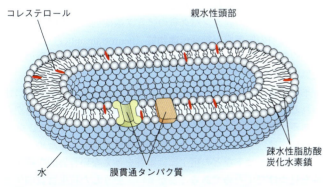

図1・11 水を大量に含む細胞内部は，2層のリン脂質からなる細胞膜で取囲まれている． 細胞膜内でリン脂質は，疎水性脂肪酸炭化水素鎖（黒波線）を内側に向け，親水性頭部（球）を外側に向けている．このようにして，細胞内外の水溶液に接している細胞膜の両面は，おもに荷電したリン酸基をもつ頭部で敷き詰められている．すべての生体膜は，同様のリン脂質二重層を基本構造としている．コレステロール（赤）やいろいろなタンパク質が二重層に埋込まれている．実際には，細胞内部空間の体積は，細胞の体積に比べて，ここに示しているよりずっと大きい．

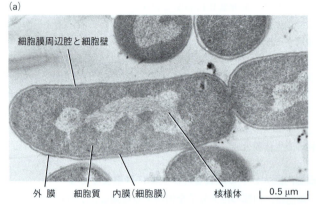
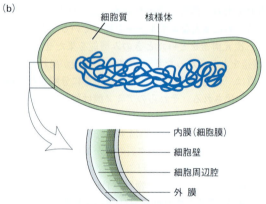

図 1・12 原核細胞は比較的簡単な構造をしている．(a) 腸内細菌である大腸菌の薄層切片電子顕微鏡写真．細胞 DNA からなる核様体は膜で取囲まれていない．大腸菌などのグラム陰性細菌は，細胞膜周辺腔を挟んだ 2 枚の膜で取囲まれている．薄い細胞壁が内膜に沿って存在する．(b) 核様体(青)の模式図と，グラム陰性細菌の細胞質を取囲む層の拡大図．実際には，細胞内部のほとんどは，この図で示すには小さすぎる水分子，タンパク質分子，イオンなどで占められている．[(a) は I. D. J. Burdett and R. G. E. Murray 提供．]

のとも違う．多くのアーキアは，地球上で最初に生物が生まれたときのような，通常とは異なる極端な環境下に生息している．たとえば，**好塩菌**（halophile）は，増殖に高濃度の塩が必要である．また，**好熱・好酸菌**（thermoacidophile）は，高温（80 °C）で酸性（ふつう pH 2 以下）の硫黄温泉で育つ．

大腸菌など多くの細菌が生物学研究で広く利用されている

　大腸菌および同系統の細菌類は実験生物としてよく使われる．自然界で，それらは土中や動物の腸に生息している．大腸菌などの細菌には，実験生物として次のような利点がある．これらの細菌は，グルコースや塩を含む安価な培地中で，アミノ酸，脂質，ビタミン，あるいは他の必須低分子化合物をすべて自ら合成し，すばやく増殖する．すべての細菌と同様に，大腸菌も遺伝子活性を制御するみごとな機構をもっている．いまでは，こうした機構の詳細がよくわかっている．現在に至るまでに，大腸菌の遺伝学的解析を行う強力な手法が開発されてきたが，これは，細菌ゲノムサイズが小さいこと，変異体が簡単にできること，細菌内の遺伝子を入れ替える方法があること，細菌の遺伝子制御やタンパク質機能に関する膨大な量の知識の蓄積があること，細菌ゲノム上での遺伝子地図づくりが比較的簡単であること，といったさまざまな利点に依存している．6 章では，今日広く使われている大腸菌を用いた DNA 組換え実験について解説する．

　土中やヒトの腸といったさまざまな環境で増殖できる大腸菌のような細菌は，約 4000 の遺伝子と，これらがコードする同じくらいの数のタンパク質をもっている（表 1・2）．クラミジア Chlamydia のように，ヒトの細胞内でのみ生きられる病原菌は約 1000 個しか遺伝子をもっていない．それらの細菌は，アミノ酸などの栄養素を宿主細胞から得るので，進化の過程で，アミノ酸やある種の脂質を合成する反応を触媒する酵素の遺伝子を破棄したのである．同様な寄生性細菌であるマイコプラズマ Mycoplasma の遺伝子数はもっと少ない．

　DNA, RNA, タンパク質の合成および膜機能に必須なタンパク質をコードしている多数の細菌遺伝子は，すべての生物で保存されている．こうした重要な細胞機能に関する知識は，まず大腸菌や他の細菌から得られた．たとえば，細胞膜を通してアミノ酸を輸送する大腸菌の膜タンパク質のアミノ酸配列，立体構造，機能は，哺乳類の脳細胞が**神経伝達物質**（neurotransmitter）という神経細胞間シグナル伝達分子を取込むのに使う膜タンパク質のものと似ている（11 章，23 章）．

　本章を通して種々の原核生物が登場するが，それらが研究に使われるのは，大腸菌のように育てるのが容易で研究しやすいからである．また，多くの細菌は重篤な疾患をひき起こすので，病原菌の研究は，それらに特有な生物学的性質を解明するためや，それらを殺すがヒトなどの宿主には影響を与えない特異的な抗生物質を見つけだすためであることが多い．そうした抗生物質の例として，病原菌の細胞壁形成を妨害する薬物があげられる．

1・3 真核細胞の構造と機能

　真核生物（eukaryote）は，植物界と動物界のすべての生物，そして単細胞生物の真菌やアメーバを含む**原生動物**（protozoan, proto は"原始的な"，zoan は"動物"の意味）からなる．真核細胞

はっきりとした核はないが，1 本の環状 DNA は小さく折りたたまれて細胞中央に位置している．この構造は**核様体**（nucleoid）とよばれる．多くのタンパク質が，細胞質，核様体，細胞膜，細胞壁に適切に配置されており，構造および機能の組織化がはかられている．

　ほとんどのリボソームは細胞質にある．真核細胞とは異なり（図 1・10），細菌 mRNA はほとんどプロセシングを受けない．また，DNA と細胞質の間に膜障壁がないので，RNA ポリメラーゼが mRNA を合成しはじめると，ただちにリボソームがこれに結合する．そのため，原核細胞では，転写と翻訳が同時に進行する．

　細菌の細胞には，細胞膜の外側に細胞壁がある．細胞壁はタンパク質とオリゴ糖の複合体であるペプチドグリカンの層からなり，細胞を保護し形態維持にかかわる．ある種の細菌（たとえば大腸菌）は細胞壁が薄く，さらに細胞周辺腔を隔てた外側に外膜がある．こうした細菌はグラム染色法では染まらないので，グラム陰性細菌とよばれる．他の細菌（たとえば Bacillus polymyxa）には，厚い細胞壁があり外膜がないので，グラム染色で染まる．そこで，これらはグラム陽性細菌とよばれる．

　アーキアの DNA 配列は真正細菌のものとは全く違っている．さらに，アーキアの細胞膜は，真核生物のものとも真正細菌のも

1. 細胞膜は，細胞への分子の出入りを制御し，細胞間シグナル伝達や細胞接着において機能している
2. ミトコンドリアは二重の膜に囲まれており，グルコースや脂肪酸の酸化によってATPを生成する
3. リソソームは酸性の内腔をもち，細胞が取込んだ物質や，古くなった細胞膜，細胞小器官を分解する
4. 核膜は二重の膜であり，核の内容物を囲んでいる．核外膜は粗面小胞体とつながっている
5. 核小体は核内の区画であり，ここで細胞のほとんどのrRNAが合成される
6. 核は，DNAとタンパク質からなるクロマチンでみたされている．mRNAとtRNAの合成の場である
7. 滑面小胞体は脂質を合成し，ある種の疎水性物質を解毒する
8. 粗面小胞体は分泌タンパク質，リソソームタンパク質，ある種の膜タンパク質を合成，加工，選別する
9. ゴルジ体は，粗面小胞体で合成された分泌タンパク質，リソソームタンパク質，膜タンパク質を加工，選別する
10. 分泌小胞は分泌タンパク質を貯蔵しており，細胞膜と融合してその内容物を細胞外へ放出する
11. ペルオキシソームはさまざまな分子を解毒する．また，脂肪酸を分解して，生合成に用いるアセチル基を産生する
12. 細胞骨格フィラメントは網目構造や束構造を形成し，細胞膜を支え，細胞小器官の組織化を助け，細胞運動にかかわっている
13. 微絨毛は細胞外液から栄養分を吸収するため表面積を増加させている
14. 細胞壁は大部分がセルロースからなり，細胞の形態維持を助け，機械的力に対して細胞を保護している
15. 液胞は水，イオン，栄養分を貯蔵し，巨大分子を分解し，成長時には細胞の伸長に寄与している
16. 葉緑体は二重の膜に囲まれ，内部に袋状の膜の網目構造をもっており，光合成を行う
17. 原形質連絡は筒状の細胞間結合で，細胞壁を貫通しており，隣接した植物細胞の細胞質をつないでいる

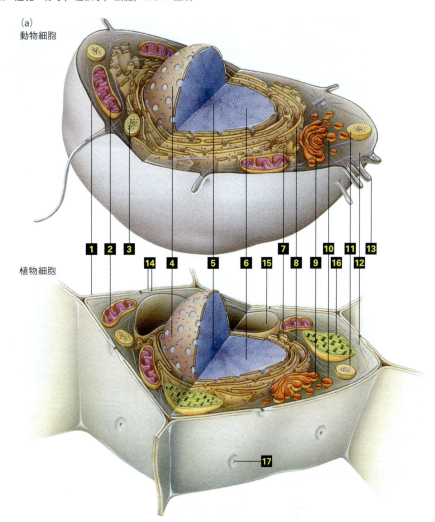

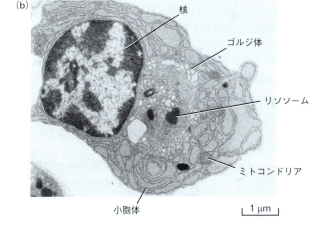

図1・13 真核細胞の構造．(a) 典型的な動物細胞（上）と植物細胞（下）およびその主要な細胞内構造の概観図．ここに示している細胞小器官，顆粒，繊維構造はすべての細胞に存在するわけではない．また，ここに示していない細胞内構造をもつ細胞も存在する．細胞形態は細胞の種類によってかなり異なり，ある細胞小器官や細胞内構造が特に発達している細胞もある．(b) 抗体を産生する白血球の一種である形質細胞の電子顕微鏡写真．大きめの細胞小器官が見えている．目立つものにだけ名称を書き込んだ．[(b) は I. D. J. Burdett and R. G. E. Murray 提供．]

の大きさは10～100 μmで，細菌よりずっと大きい．ヒトの結合組織細胞である繊維芽細胞では，典型的なもので15 μmほどの大きさがあり，その体積と乾燥重量は大腸菌の数千倍ある．単細胞の原生動物であるアメーバは細胞の直径が0.5 mmにもなり，繊維芽細胞の30倍以上である．

原核細胞と同様に，真核細胞も細胞膜に包まれている．しかし原核細胞とは違い，ほとんどの真核細胞（ヒト赤血球は例外として）には入り組んだ細胞内膜系があり，個々の**細胞小器官**（organelle）を取囲んでいる（図1・13）．細胞質中で細胞小器官に占められていない領域（**細胞質ゾル** cytosol）は，水とそれに溶解しているイオン，小分子，タンパク質でみたされている．植物細胞およびほとんどの真菌細胞は細胞壁で囲まれており，これが細胞の強度維持と急速な伸長に役立っている．

すべての真核細胞は同じような細胞小器官と似た細胞内構造をもつ．これは，共通の祖先から進化してきたことの証である．多くの細胞小器官は1枚のリン脂質二重層膜で取囲まれているが，

 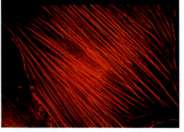 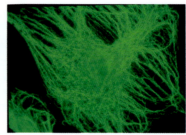

微小管　　　　　　　　　　　ミクロフィラメント　　　　　　　　　中間径フィラメント

図1・14　**3種類の細胞骨格フィラメントは，哺乳類細胞内で特徴的な分布を示す．**あらかじめ細胞膜が透過性をもつようにした培養繊維芽細胞に，三つの異なる抗体を反応させて得られた，同一細胞の三つの画像．各抗体は3種類の細胞骨格フィラメントのうち特定の繊維と特異的に結合する性質をもち，それぞれ異なる色の蛍光色素(緑，青，または赤)で化学的に標識されている．染色した細胞を蛍光顕微鏡で観察すると，特定の色素-抗体を結合した繊維が別々に可視化される．ここでは，微小管は青，ミクロフィラメントは赤，中間径フィラメントは緑に見える．三つの繊維系は，どれも細胞の形と運動に寄与する．[V. Small 提供．]

核，ミトコンドリア，葉緑体は2枚の二重層膜で取囲まれている．それぞれの細胞小器官膜と細胞小器官内部には，一群の特異的タンパク質が含まれており，それらによって細胞小器官固有の生理的機能が遂行される．たとえば，ミトコンドリアと葉緑体ではADPとP_iからATPがつくられ，粗面小胞体では多くの脂質，膜タンパク質，分泌タンパク質がつくられる．リソソームは使い古されたタンパク質やまちがって折りたたまれたタンパク質を分解する．生じたアミノ酸は再利用される．自動車やコンピューターをつくることに特化した工場があるように，特定の機能に特化した区画をつくることで細胞全体としての作業効率を上げている．

こうした細胞内区画を囲う膜にはタンパク質があり，内部のイオン組成を調節しているので，それぞれの区画内のイオン組成はまわりの細胞質とは異なり，別種の細胞小器官内部とも異なる．本節では，すべての真核細胞に共通の細胞小器官について解説するとともに，特定の真核細胞にのみ見いだされる細胞小器官についても述べる．ここではまず，細胞の形を決めるとともに細胞小器官を組織化する役割を担う一群のタンパク質からはじめる．

細胞骨格には多くの重要な機能がある

真核細胞の細胞質には，**細胞骨格**（cytoskeleton）とよばれる繊維状タンパク質の束がある（17章，18章）．細胞骨格には，チューブリンというタンパク質からなる**微小管**（microtubule，直径20 nm），アクチンというタンパク質からなる**ミクロフィラメント**（microfilament，直径7 nm），そして中間径フィラメント（intermediate filament，直径10 nm）の3種類がある．どの細胞骨格も，1種類か複数種のタンパク質サブユニットが多数重合したものである（図1・14）．

細胞骨格は，細胞に強度と硬さを付与し，細胞の形態維持に寄与するなど，重要な機能をもつ．こうした細胞骨格の重要性は，神経細胞で見てとれる．ここでは，微小管などの細胞骨格が神経軸索や樹状突起といった細長い突起の形状を支えている（図1・3e，23章）．こうした細胞体からの突起構造は，神経細胞間の情報伝達に必須である．ある種の細胞骨格繊維は，多くの細胞小器官が移動する際の走路となり，それらが細胞内で適切な位置取りをできるようにしている．細胞の移動や筋細胞の収縮で重要な役割を担うものもある．こうした多様な機能のなかで最も重要なことは，細胞分裂や分裂した二つの娘細胞への染色体や細胞小器官

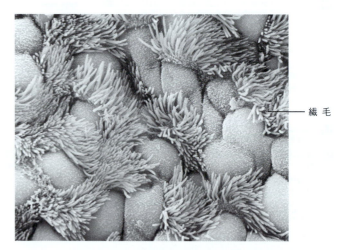

――繊毛

図1・15　**哺乳類気管表面の繊毛をもつ上皮細胞の走査型電子顕微鏡像．**中心部に微小管をもつ繊毛の波打ち運動によって，気管表面の粘液や異物が排出され，肺や気道がきれいに保たれる．[NIBSC/Science Source.]

の分配である．微小管からなる細胞骨格とそれに結合するタンパク質が織りなす構造的枠組なしにこれらを行うことは不可能である（18章）．

繊毛（cilium, pl. cilia）と**鞭毛**（flagellum, pl. flagella）は，類似した細胞表面からの突起構造である．その形状は細胞膜に包まれた微小管の束がつくり，微小管束とモータータンパク質の相互作用によってリズミカルに波打つ．その動きにより，上皮組織表面の物質を掃き出したり（図1・15），精子の運動をひき起こしたり，輸卵管内で卵を押出したりする（18章）．16章で詳しく説明するように，ほとんどの脊椎動物細胞には少なくとも1本の繊毛があり，細胞間シグナル伝達に重要な役割を演じている．

核にはDNAゲノム，DNAおよびRNAの合成装置，そして繊維状マトリックスが含まれている

増殖あるいは分化途中の動物細胞において，最大の細胞小器官である**核**（nucleus, pl. nuclei）は，DNA複製，リボソームRNA（rRNA），mRNA，および多様な非コードRNAの合成部位である（5章，8章）．核は多種類のタンパク質を含む2枚のリン脂質二重層膜で取囲まれている（図1・16）．核が占める空間は**核内膜**（inner

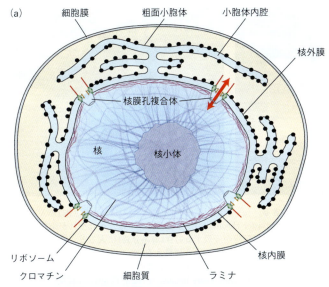

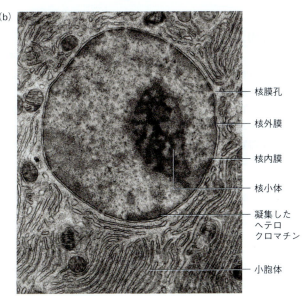

図 1・16　核の構造. (a) 典型的な核の構造模式図. 核外膜と粗面小胞体は連続している. 粗面小胞体上の黒い点は, 膜タンパク質や分泌タンパク質を合成しているリボソームを表している. 赤い矢印は, 核膜孔を通って核と細胞質の間を行き来する小分子の動きを表している. 図を単純化するため, 細胞内にある多くの細胞小器官 (図 1・13) は描かれていない. (b) コウモリ膵臓の腺房細胞切片の電子顕微鏡像. 核小体は核内の小区画だが, 膜に取囲まれてはいない. ここで rRNA が合成され, その RNA とタンパク質からリボソームが組立てられる. 核内において, 核小体以外で黒く染色されているのはヘテロクロマチンである. クロマチンのこの部分は小さく凝縮していて, 転写して mRNA をつくることができない. [(b) は Don W. Fawcett/Science Source/amanaimages.]

とこれを介した物質輸送については, 9 章と 13 章で詳しく解説する. **ラミン** (lamin) という中間径フィラメントタンパク質が, 核内膜に沿って**核ラミナ** (nuclear lamina) とよばれる二次元ネットワークを形成し, 核膜の形と剛性を決めている. 19 章で詳しく解説するように, 細胞分裂初期に核ラミナは消失するが, 二つの娘細胞が切り離されたあと再生する.

ある生物に存在する全 DNA を**ゲノム** (genome) とよぶ. ほとんどの原核生物で, 遺伝情報は長さ 1 mm ほどの環状 DNA にたくわえられている. この環状 DNA は幾重にも折りたたまれて 2 μm ほどの大きさしかない細胞の中央部に位置している (図 1・12, 表 1・2). これに対して真核細胞では, 複数の**染色体** (chromosome) とよばれる長いひも状の構造体に DNA が分散している. 生物種ごとに染色体の数とそれぞれの大きさが決まっており, 種が異なれば染色体の数も大きさも異なる (表 1・2). 7 章で詳しく説明するが, それぞれの染色体は, 1 分子の DNA とそれに結合している多数のヒストンなどのタンパク質からなる. 分裂していない細胞では, 染色体は核の中に広がっているので, 光学顕微鏡で観察できるほど密度が高くない.

典型的な核には, 膜で区切られていないいくつかの小区画があり, 特別な機能を果たしている. そのなかで一番大きい**核小体** (nucleolus) は, いくつかの異なる染色体から rRNA 合成にかかわる遺伝子を集め, rRNA とリボソームタンパク質からリボソームを組立てる場となっている.

分裂していない細胞を電子顕微鏡で観察すると, **核質** (nucleoplasm) という核小体以外の核内領域に密度の高いところと低いところがあるのがわかる. 密度の高いところは核膜近くに局在していることが多く, 凝縮した DNA を含んでいる. こうした DNA は**ヘテロクロマチン** (heterochromatin) とよばれ (図 1・16b), その遺伝情報が RNA に転写されることはない.

塩基性色素でよく染色される染色体は, DNA が高度に凝縮する細胞分裂時には光学顕微鏡でも電子顕微鏡でも観察可能である (図 1・17). 原核生物のゲノム DNA もタンパク質と結合しているが, 細菌染色体内の DNA の折りたたまれ方は真核細胞染色体内 DNA の折りたたまれ方と著しく異なっている. 細菌染色体 DNA は環状で, 真核染色体のタンパク質とは異なるタンパク質と結合している.

小胞体はほとんどの膜タンパク質と分泌タンパク質および多くの脂質の合成の場である

前に述べたように, それぞれの種類の細胞小器官の膜とその内腔には固有のタンパク質群が含まれ, それらによって特異的機能が遂行される. 実際, 典型的真核細胞タンパク質の 1/3 が細胞膜, 特定の細胞小器官の膜, あるいは細胞小器官内腔に存在する. したがって, 真核細胞がつくり出すタンパク質全体を意味するプロテオームのうち, 1/3 にも上る多数のタンパク質が合成されたあと, そうした部位に輸送されなければならない. 脂質についても同じことがいえる. 脂質, 分泌タンパク質および多くの膜タンパク質の合成は, 真核細胞内で最も大きな表面積をもつ**小胞体** (endoplasmic reticulum: ER) という細胞小器官の上で行われる.

小胞体は, 平らな膜がつながった嚢 (cisterna, pl. cisternae) からなる複雑な網目構造をもち (図 1・18, 図 1・16a), **滑面小胞体** (smooth endoplasmic reticulum) と**粗面小胞体** (rough endoplasmic

nuclear membrane) で規定されている. ほとんどの細胞で, **核外膜** (outer nuclear membrane) は小胞体と連続しており, 核内膜と核外膜間の空間は小胞体内腔と連続している (図 1・16a). 核内膜と核外膜は, **核膜孔複合体** (nuclear pore complex) という特異的膜タンパク質からなる環状構造が埋込まれている部分で融合しているように見える. RNA やタンパク質がここを通って核と細胞質の間を行き来する (図 1・16a の赤矢印). 核膜孔複合体の構造

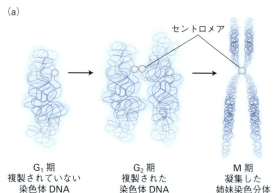
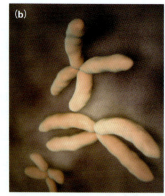
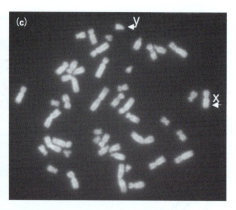

G₁期
複製されていない
染色体 DNA

G₂期
複製された
染色体 DNA

M 期
凝集した
姉妹染色分体

図 1・17 細胞分裂(有糸分裂)時には，細胞内の個々の染色体を見分けることができる．(a) 細胞周期の S 期(図 1・22)では，染色体 DNA とその結合タンパク質(ここには示されていない)が複製され，二つの姉妹染色分体(sister chromatid)が生じる．両者は，それぞれが染色体 DNA の完全なコピーであるが，まだセントロメア部分で結合している．(b) 実際に細胞が分裂する過程(有糸分裂)に入ると，染色体 DNA は小さく折りたたまれる．その結果，1 対の姉妹染色分体は，ここに示した電子顕微鏡写真のように見える．(c) ヒト男性リンパ球から得た培養細胞の染色体の光学顕微鏡写真．細胞を微小管脱重合剤コルセミドで処理し，分裂を中期で停止させてある．複製された X 染色体と Y 染色体は 1 対ずつ，他の染色体は 2 対ずつあるのが見える．〔(b)は MedicalRF.com/Getty Images．(c)は T. Pyntikova 提供．〕

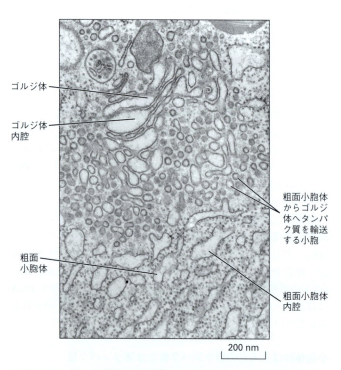

図 1・18 ゴルジ体と粗面小胞体．ヒト肝細胞超薄切片の透過型電子顕微鏡像．リボソームが点在する粗面小胞体とゴルジ体が多数観察される．また細胞質内には遊離した多数のリボソームが存在する．〔George E. Palade EM Slide Collection, University of California, San Diego 提供．〕

reticulum) がある．リボソームの結合がなく表面が滑らかに見える滑面小胞体は，脂肪酸とリン脂質合成の場である．これに対して，粗面小胞体の細胞質に向いた面には多数のリボソームが結合している．これらリボソームは，ある種の膜タンパク質，細胞小器官タンパク質，そして細胞から分泌されるすべてのタンパク質の合成にかかわる(13章)．新たに合成された膜タンパク質は粗面小胞体の膜に組込まれ，分泌されるタンパク質は**小胞体内腔** (lumen) に蓄積される．

ゴルジ体は分泌タンパク質や膜タンパク質を細胞内最終目的地別に仕分けする

分泌タンパク質や膜タンパク質が粗面小胞体で合成された数分後には，ほとんどのものが，直径 50 nm (0.05 μm) ほどの膜に囲まれた輸送小胞に取込まれて，小胞体をあとにする．これら膜小胞はリボソームに覆われていない小胞体表面から出芽し，もう一つの細胞小器官である**ゴルジ体** (Golgi complex，ゴルジ複合体) に向かってタンパク質を輸送する(図 1・18)．14 章で解説するように，こうしてゴルジ体に運ばれた分泌タンパク質と膜タンパク質は，ここで酵素による一連の化学修飾を受け，活性のあるタンパク質となる．

ゴルジ体で化学修飾を受けた分泌タンパク質と膜タンパク質は，別種の膜小胞(直径約 0.05 μm)に包まれてゴルジ体から出芽する．これらの膜小胞には，細胞膜，リソソームおよび他の細胞小器官へのタンパク質を含むものや，細胞外に放出されるタンパク質を含むものがある．これら多種類の細胞内輸送小胞が，どのようにつくられ，どうやって特定のタンパク質を特定の膜に送り届け，その標的膜と融合するかという機構についても 14 章で解説する．

エンドソームは細胞外からタンパク質や粒子を取込む

イオンや小分子は，輸送タンパク質を介して細胞膜を通り抜けて細胞内に入る．これに対して，細胞外にあるタンパク質，ウイルスのような粒子，および他の巨大分子は，**エンドサイトーシス** (endocytosis) という過程を経て細胞内に取込まれる．エンドサイトーシスでは，まず細胞膜の一部が**陥入** (invagination) して**被覆ピット** (coated pit) となる．ピットの細胞質側の面は小胞形成に必要なタンパク質で覆われている．ピットは細胞膜から切取られて，直径 0.05 μm ほどの膜小胞となる．こうして，細胞外にあった物質が小胞内に取込まれる．その後，小胞は**エンドソーム** (endosome) に向けて輸送され，これと融合する．エンドソームは，被覆ピットを介して取込まれた物質の仕分けを行う場である(図 1・19)．一部の膜タンパク質はここから細胞膜に戻され，他のものは**リソソーム** (lysosome) との融合によって分解される．こう

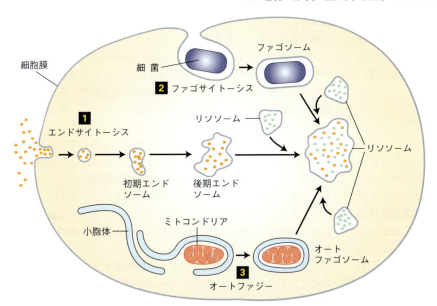

図 1・19 エンドソームなどの細胞内構造体がリソソームへの物質輸送を担う．リソソームへの三つの物質輸送経路の概念図．リソソーム内の酸性環境下で，加水分解酵素がタンパク質，核酸，脂質，および他の巨大分子を分解する．**1**: 細胞のまわりにある水溶性の巨大分子や細胞膜タンパク質に結合した分子は，細胞膜の一部が陥入することで細胞内に取込まれ，エンドサイトーシス経路を経てリソソームに運ばれる．エンドソームはリソソームと融合し，内容物を中に送り込む．**2**: 細胞全体や大きな不溶性の粒子は，細胞表面からファゴサイトーシス経路を経てリソソームに運ばれる．ファゴソームもリソソームと融合して内容物を中に送り込む．**3**: 使い古された細胞小器官や細胞質の一部は，オートファジー経路を経てリソソームに運ばれる．

したエンドサイトーシス経路の詳細も 14 章で解説する．

リソソームは細胞内のリサイクルセンターである

リソソームには，重合体を単量体にまで分解する一群の酵素が含まれている．リソソームは動物細胞だけにある細胞小器官で，細胞や生体に不必要になったさまざまな物質の分解を担っている．たとえば，ヌクレアーゼは RNA や DNA をモノヌクレオチドにまで分解し，プロテアーゼは種々のタンパク質やペプチドをアミノ酸にまで分解し，ホスファターゼはモノヌクレオチドやリン脂質などの化合物からリン酸基を切り出す．複雑な多糖類や糖脂質を小さな単位にまで分解する酵素もある．こうしてつくられた小分子は，細胞内で新たなタンパク質，核酸，および炭水化物をつくるために使われる．これらリソソーム内の酵素は酸性で最も効率よく働くので，まとめて**酸性加水分解酵素**（acid hydrolase）とよばれる．リソソーム内の pH 約 5.0 という酸性環境では，取込まれたタンパク質が変性するので，リソソーム酵素による分解が容易になる．一方，細胞内や細胞外の中性 pH 環境では，リソソーム酵素の活性は低い．そのため，もしリソソーム酵素が細胞質に漏れてきても，pH が 7.0〜7.3 なので，細胞質物質の分解はほとんど起こらない．11 章で詳しく解説するが，リソソーム内の pH が低いのは，リソソーム膜にあるタンパク質が H^+（プロトン）を細胞質から取込むためである．細胞内の膜系は，まわりの細胞質とは異なる組成をもつ閉じられた区画（内腔）を形成できる．リソソームはその典型的な例である．

古くなった細胞小器官もリソソームで分解されるが，この過程は**オートファジー**（autophagy，自食作用）とよばれている．エンドサイトーシスや**ファゴサイトーシス**（phagocytosis，食作用）で細胞内に取込まれた物質もやはりリソソームで分解される（図 1・19）．ファゴサイトーシスでは，大きな不溶性物質（たとえば細菌）が細胞膜に包まれて細胞内に取込まれ，速やかにリソソームに送られて分解される．細胞質や核のタンパク質の分解は，ふつうはリソソームでは行われず，プロテアソームという細胞質内の巨大タンパク質複合体内で進行する（3 章）．

植物の液胞は，水，イオン，および糖やアミノ酸のような小分子栄養素をたくわえる

ほとんどの植物細胞には，膜で囲まれた**液胞**（vacuole）が少なくとも一つある．液胞膜中のさまざまな膜タンパク質が水，イオン，および糖やアミノ酸のような小分子栄養素を細胞質から液胞内腔に送り込む．液胞の数と大きさは，細胞の種類と分化段階によって異なる．成熟した植物細胞では，一つの液胞が細胞体積の 80 %を占めることもある（図 1・20）．リソソームのように，液胞

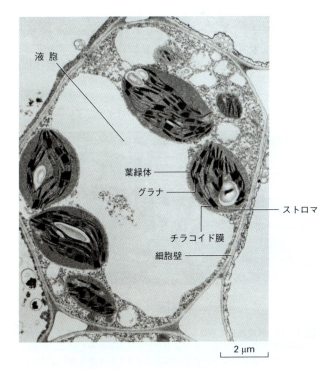

図 1・20 葉の細胞の超薄切片電子顕微鏡像．この細胞では，1 個の大きな液胞が細胞体積のほとんどを占めている．5 個の葉緑体と細胞壁の一部も見えている．葉緑体内部がさらに区画されていくことに注意．［Biophoto Associates/Science Source/amanaimages.］

内腔には一群の分解酵素があり，液胞膜の輸送タンパク質によってpHは酸性に保たれている．このように，植物細胞の液胞は，動物細胞のリソソームと同じような機能を果たしていると考えられる．植物液胞と似たような液胞は，緑藻や真菌類などの微生物にもみられる．

ペルオキシソームと植物のグリオキシソームは脂肪酸および他の小分子を代謝するがADPとP$_i$からATPをつくることはない

すべての動物細胞（赤血球を除く）と多くの植物細胞や真菌類には，**ペルオキシソーム**（peroxisome）という直径0.2〜1.0 μmの球形に近い細胞小器官がある．ペルオキシソームの主要機能は長鎖脂肪酸をCO_2に分解することである．12章で解説するが，ミトコンドリアにも脂肪酸を分解してCO_2にする酵素がある．しかし，ミトコンドリアとは異なり，ペルオキシソームはADPとP$_i$からATPをつくらない．ペルオキシソームには，数種類の**オキシダーゼ**（oxidase）が含まれている．この酵素は酸素分子を利用して有機物を酸化するが，その結果，毒性の高い過酸化水素H_2O_2が生じる．ペルオキシソームは大量の**カタラーゼ**（catalase）も含んでおり，過酸化水素を水と酸素に分解して無毒化する（12章）．

植物の種子には小さな細胞小器官である**グリオキシソーム**（glyoxisome）があり，貯蔵してある脂質を酸化して，成長に必要な炭素やエネルギー源とする．グリオキシソームはペルオキシソームに似ており，両者で共通の酵素が多くあるが，脂肪酸をグルコース前駆体に変換する酵素のようにグリオキシソーム独自のものもある．

ミトコンドリアは好気性細胞のATP産生の場である

細胞各部における活動の動力源はATP分子にたくわえられているエネルギーである．**ミトコンドリア**（mitochondrion, pl. mitochondria）は，好気性代謝（酸素を必要とする代謝）によってATP産生を行う主要な細胞小器官であり（図1・21），細胞質体積の25%を占めることもある．ミトコンドリアより大きなものは核，液胞，葉緑体くらいしかない．ミトコンドリアには，機能も組成も異なる2枚の膜がある．**外膜**（outer membrane）には，外膜と内膜に挟まれた**膜間腔**（intermembrane space）に細胞質から多種類の分子を運び込むためのタンパク質が埋込まれている．外膜に対して**内膜**（inner membrane）の物質透過性は低く，膜組成における脂質の割合はたった20%で，残りの80%は膜タンパク質である．膜タンパク質がこれほど高い占有率をもつ生体膜は他にない．内膜は複雑に折りたたまれて**クリステ**（crista, pl. cristae）とよばれる構造を形成するため，その表面積は非常に広い．クリステは**マトリックス**（matrix）とよばれるミトコンドリア内部の空間に突き出ている．内膜にある多くのタンパク質は，栄養素を好気的に分解し，ADPとP$_i$からATPをつくるために必要なものである（図1・7, 12章）．

光合成を行わない細胞では，おもに脂肪酸とグルコースがATP合成に使われる．1分子のグルコースを好気的に二酸化炭素と水にまで分解すると，ADPとP$_i$から30分子のATPを合成できる（図1・7）．真核細胞では，グルコース分解の最初の段階は細胞質で進行する．この段階では，1分子のグルコース当たり2分子のATPしか産生されない．その後の酸化とATP合成反応はミトコンドリアマトリックスと内膜にある酵素によって遂行され（12章），その結果，1分子のグルコース当たり28分子のATPが産生される．グルコースと同様に，脂肪酸の二酸化炭素への酸化で生じるほとんどのATPは，ミトコンドリアで産生される．そのため，ミトコンドリアは細胞の発電所とよばれる．

12章で解説するように，広く受け入れられている**内部共生説**（endosymbiont hypothesis）では，真核細胞の前駆細胞が，大昔に好気性細菌をエンドサイトーシスで取込んだものがミトコンドリアになったとされている．取込んだ細菌の細胞膜がミトコンドリアの内膜だというのである．実際，ミトコンドリア内には，一部のミトコンドリアタンパク質をコードする小さなDNA遺伝子があり，それらは大昔の細菌のDNAに由来すると考えられている．

葉緑体には光合成を行う内部区画がある

植物細胞や緑藻では，液胞を除くと**葉緑体**（chloroplast）が最も大きく，かつ特徴のある細胞小器官である（図1・20）．内部共生説によると（12章），葉緑体は細胞内に取込まれた原始的な光合成細菌に由来するとされている．葉緑体は典型的なもので長さ10 μmにもなり，幅も0.5〜2 μmほどであるが，細胞が違えば大きさや形も違ってくる．こうした違いは，特に藻類で著しい．葉緑体もミトコンドリアと同じように外膜と内膜で囲まれているが，**ストロマ**（stroma）とよばれる葉緑体内腔には**チラコイド**（thylakoid）という発達した内部膜系が存在している．チラコイドは円盤状の小胞で，ストロマ内で積み重なって**グラナ**（granum, pl. grana）を形成する．チラコイド膜は葉緑体外膜とも内膜とも異なる複雑に入り組んだ第三の膜系で，光を吸収するクロロフィルのような緑色色素や他の色素，およびATPを産生するのに必要な酵素類が含まれている．ここで合成されたATPの一部は，二酸化炭素から三炭素中間体を産生するのに用いられる．この反応は，ストロマにある酵素が担っている．生じた三炭素中間体は細胞質に送り出されて，ここで糖に変換される．

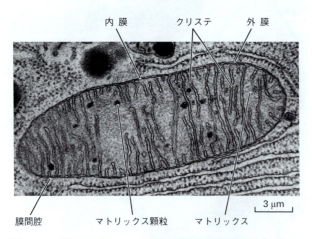

図1・21 膵臓細胞ミトコンドリアの超薄切片電子顕微鏡像．滑らかな外膜が細胞質内でのミトコンドリアの外周を決めている．内膜は外膜とはっきり異なり，著しい陥入によりシート状あるいは管状のクリステという構造を形成する．クリステ膜に埋込まれたタンパク質がATP合成を担う．内膜と外膜に挟まれた空間（膜間腔）と内膜の内側（マトリックス）には，糖，脂質などの分子の代謝にかかわるタンパク質が含まれている．［K. R. Porter/Science Source.］

12章で解説するように，ミトコンドリアと葉緑体におけるATP合成機構は非常によく似ている．ミトコンドリアと葉緑体は2枚の膜で囲まれているということ以外にも，いろいろ共通点がある．どちらも細胞内であちこちと位置を変え，それぞれの機能にとって重要なタンパク質をコードする独自のDNAをもっている（12章）．また，ミトコンドリアと葉緑体のDNAでコードされているタンパク質の合成は，それぞれの細胞小器官内のリボソーム上で行われる．しかし，ミトコンドリアあるいは葉緑体内で合成されるものはごく一部で，ここで使われるタンパク質のほとんどは核DNAにコードされており，細胞質での合成後にそれぞれの細胞小器官に取込まれる（13章）．

膜に囲われていない細胞小器官様の構造がある

真核細胞では，膜に囲われた細胞小器官のほかに，重要な生化学的機能をもつが膜には囲われていないさまざまな構造体がある．これらの膜をもたない細胞小器官の大きさは0.1〜3 μmである．すべての細胞がもつそうした小区画の例として，核内にあってrRNA合成とリボソーム組立ての場となる**核小体**（nucleolus）があげられる（図1・16b，9章）．4章で詳しく解説する新しい顕微鏡法により，核内の別な小区画が可視化された．**核スペックル**（nuclear speckle）とよばれるその小区画は，RNAポリメラーゼや遺伝子制御タンパク質が集積する場所であり，mRNAが合成されプロセシングが行われる場所である．

細胞質にある小区画としては，多くのmRNAが分解される部位である**P体**（P body），翻訳されるのを待つmRNAが保存される部位である**細胞質ストレス顆粒**（cytosolic stress granule）がある．

これらの膜をもたない細胞小器官の構造については，まだわかっていないことが多いが，最近の証拠から，タンパク質と核酸の間の弱いが特異的な相互作用により，まわりの水を排除してつくられていることが示唆されている．それらの性質は，別な種類の液体の中に懸濁された液滴のようで，**生体分子凝縮体**（biomolecular condensate）とよばれる（3章）．それらの構造はとても動的で，タンパク質はそこから拡散していったり戻ってきたりしている．それらの形成の仕方，構造，生物学的機能についてはさらなる研究が必要である．

すべての真核細胞はよく似た過程をたどって分裂する

単細胞真核生物，動物あるいは植物は，**細胞周期**（cell cycle）という一連の段階を経て，**有糸分裂**（mitosis）という分裂過程を行う．真核細胞の細胞周期は，ふつう4段階に分けられる（図1・22）．まず，**S期**（S phase，**合成期** synthesis phase）では，染色体とそれに含まれるDNAが複製される．複製された染色体は凝縮し（図1・17），**M期**（M phase，**分裂期** mitotic phase）で分離し，細胞分裂によって生じた娘細胞はそれぞれの染色体を1本ずつ受継ぐ．M期とS期の間には，mRNA，タンパク質，脂質など細胞成分の合成が行われ，細胞の大きさが増す**G_1期**（G_1 phase）と**G_2期**（G_2 phase）がある．

最適な条件下で，大腸菌のような細菌は20分ごとに分裂し，二つの娘細胞になる．これに対して，ほとんどの真核細胞の分裂にはもっと時間が必要で，数時間はかかる．さらに，真核細胞の分裂は厳密に制御されており（19章），栄養やホルモンシグナルが

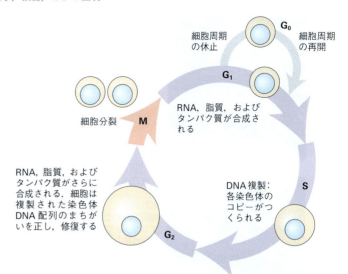

図1・22 真核細胞の増殖過程では，細胞周期の4段階が連続的に進行する．増殖中の細胞では，細胞周期の4段階が順序どおり進行する．細胞の種類と発生段階にもよるが，ヒト細胞の周期は10〜20時間である．酵母はもっと短時間で分裂する．G_1, S, および G_2 期からなる期間の間に，細胞の質量はほぼ2倍になる．S期に起こるDNAの複製の結果，それぞれの染色体は2コピーとなる（図1・17c）．有糸分裂（M）期に，2コピーの染色体が二つの娘細胞に均等に分配される．ほとんどの場合，細胞質もおよそ半分ずつに分かれる．飢餓などの状況や，組織が最終的な大きさにまで成長した場合には，細胞周期の進行が停止して，細胞は G_0 期（G_0 phase）とよばれる休止状態に入る．G_0 期に入った細胞でも，状況が変われば再び細胞周期に入るものがある．

ないのに細胞や組織がアンバランスに成長することはない．成熟した動物の神経細胞や心筋細胞といった高度に特異化した細胞はほとんど分裂することがないが，ふつうの細胞は，使い古されたら新たな細胞に置き換えられるし，必要に応じて増殖もする．たとえば骨格筋の場合でも，運動による損傷に対応して未分化の幹細胞から新たな筋細胞が分化してくる．高地に移動し酸素がもっと必要になったときに血液中の赤血球数が増えるというのも，こうした例の一つである．がんが生じるのは，細胞の成長と分裂の制御に異常があるからである．25章では，細胞の増殖が制御不能に陥る分子レベルあるいは細胞レベルの事象について解説する．

1・4 細胞生物学研究で広く使われる単細胞真核生物

真核細胞のさまざまな働きを分子レベルで理解することは，**モデル生物**（model organism）とよばれる限られた種類の細胞の研究によって可能となった（図1・23）．進化の過程で，遺伝子，タンパク質，細胞小器官，そして細胞自身が保存されてきたことから，特定の実験生物で得られた生物学的構造や機能についての知見は，他の生物にも当てはまることが多い．そこで，特定の生物学的問題に対する答えを得たいときには，すばやくかつ明確に結果が出るような生物を使って実験を行う．この生物で得られた情報は，多くの場合，どの生物にも当てはまるからである．

すでに述べたように，細菌はいくつかの細胞機能の研究にはよいモデル生物だが，真核生物にある細胞小器官をもっていない．

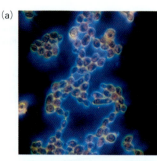

(a) 出芽酵母 *Saccharomyces cerevisiae*
細胞周期と細胞分裂の制御
タンパク質の分泌と膜の生成
細胞骨格の機能
細胞分化
老 化
遺伝子制御と染色体構造

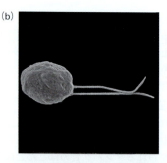

(b) クラミドモナス
Chlamydomonas reinhardtii
鞭毛の構造と機能
葉緑体と光合成
細胞小器官の運動
走光性

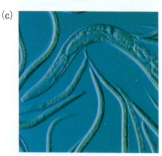

(c) 線虫 *Caenorhabditis elegans*
発生における体の形成機構
細胞系譜
神経系の形成と機能
プログラム細胞死の制御
細胞増殖とがん遺伝子
老 化
行 動
遺伝子制御と染色体構造

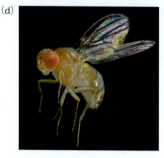

(d) ショウジョウバエ
Drosophila melanogaster
発生における体の形成機構
分化細胞の系譜の成立
神経系および筋肉組織の形成
プログラム細胞死
行動の遺伝的支配
がん遺伝子と細胞増殖の制御
細胞極性の制御
薬剤，アルコール，殺虫剤の作用

(e) プラナリア
Schmidtea mediterranea
幹細胞
成体組織の代謝回転
傷の治療
個体再生
―― 咽 頭
―― 光受容体

(f) ゼブラフィッシュ *Danio rerio*
脊椎動物の体組織の発生
脳と神経系の形成と機能
先天異常
が ん

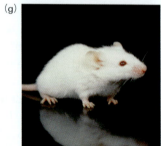

(g) マウス *Mus musculus*
（培養細胞を含む）
体組織の発生
哺乳類の免疫系の機能
脳と神経系の形成と機能
がんなどのヒトの病気のモデル
遺伝子制御と遺伝
感染症
行 動

(h) シロイヌナズナ
Arabidopsis thaliana
組織の発生とパターン形成
農業への応用
生理学
遺伝子制御
免 疫
感染症

図 1・23 細胞生物学で用いられる真核生物は，それぞれ特定の研究に向いている．酵母(a)は真核生物の細胞組織をもつが，比較的単純な単細胞生物で，増殖も遺伝的取扱いも容易である．緑藻クラミドモナス(b)は光合成の研究や，鞭毛の構造・機能研究によく用いられている．線虫(c)では少数の細胞がどの個体でもほぼ同じ形に配置されているので，個々の細胞が個体形成にどのようにかかわっているか追跡することが可能である．ショウジョウバエ(d)を用いて，染色体が遺伝を担う実体であることがはじめて明らかにされた．その後も，胚発生を制御する遺伝子の同定にとりわけ役立ってきた．ショウジョウバエで見いだされた発生制御遺伝子の多くはヒトでも保存されている．プラナリア(e)は扁形動物である．頭や光受容体のようなものまで含めて，個体のどんな部分を切取っても，完全にもとの個体が再生するので，細胞や組織の再生にかかわる幹細胞の研究に広く用いられている．ゼブラフィッシュ(f)は脊椎動物の発生と器官形成を制御する遺伝子群の遺伝的スクリーニングで用いられる．実験動物のなかで，マウス(g)は進化的にヒトに最も近い生物であり，多数のヒト遺伝病や感染症を研究するためのモデルとなっている．アブラナ科の雑草であるシロイヌナズナ(h)は，植物の生活環のほとんどすべての局面にかかわる遺伝子の遺伝的スクリーニングに使われている．[(a)は M. Abbey/Science Source．(b)は W. Dentler, University of Kansas．(c)は S. Stammers/Science Source/amanaimages．(d)は D. Dale/Science Source/amanaimages．(e)は P. Reddien, MIT Whitehead Institute．(f)は A. Wallace/AFP/Getty Images．(g)は J. M. Labat/Jacana/Science Source．(h)は D. Dale/Science Source/amanaimages．]

そこで，酵母のような単細胞真核生物が，真核細胞の構造や機能の基本的問題の研究に用いられている．また，多細胞生物の複雑な組織や器官の構築や分化の研究には，線虫やショウジョウバエ，あるいはマウスといったモデル多細胞生物が必要となる．本節と次節でみていくように，複雑なシステムや機構の研究には，これらの多細胞生物が広く用いられている．

真核細胞の構造や機能にかかわる基本的問題の研究には，酵母が用いられる

単細胞真核生物のなかでも酵母は，真核細胞の形成や機能に関する分子レベルの解析や遺伝学的解析において，とりわけ有用であった．酵母やその類縁の多細胞生物であるカビは真菌類に属し，植物や動物の残骸を分解し，再利用できる形にするという重要な

生態学的役割を担っている．これらの生物は，多数の抗生物質を産生し，パン，ビール，ワインの生産にも用いられる．

パンやビールなどの生産に使われる出芽酵母 Saccharomyces cerevisiae（図 1・24a）は非常に有用な実験生物で，本書でも頻繁に取上げられる．出芽酵母は球形で，親細胞の側面から娘細胞が出芽し，大きくなって離れていく（図 1・24a, b）．出芽酵母で発現している 6700 種類ほどのタンパク質（表 1・2）の多くについて，そのホモログがほとんどすべての真核細胞で見いだされている．こうしたタンパク質は，細胞分裂や個々の細胞小器官の機能発現にとって重要である．タンパク質分泌にかかわる小胞体やゴルジ体にあるタンパク質についてのわれわれの知見は，最初は酵母で明らかになったものである（14 章）．さらに酵母は，細胞周期を調節するタンパク質，そして DNA 複製や転写を触媒するタンパク質などの発見にも必須であった．

進化の過程で 3～6 億年前に出芽酵母から分かれた分裂酵母 Schizosaccharomyces pombe も研究によく使われる．出芽酵母と異なり，分裂酵母は棒状で，成長につれ末端が伸びる．分裂酵母は，ヒトの細胞と同じように，細胞中央部がくびれて分裂する（図 1・24c）．出芽酵母にはないが，分裂酵母にはヒトと同じようにイントロンがあり，核内でのプロセシングにより転写された RNA から除去される（図 1・10）．出芽酵母，分裂酵母，および他の酵母は，分子生物学や細胞生物学の研究において，次のような多くの利点をもっている．

- 1 個の細胞から，多数の酵母細胞を簡便かつ安価に培養できる．こうして得られた細胞群は同一の**クローン**（clone）で，すべての細胞が同じ遺伝子をもち，同一の生化学的性質を示す．多量の細胞が得られるので，特定のタンパク質や複数のタンパク質からなる複合体を精製し，詳しく調べることができる．
- 酵母細胞は，**一倍体**（haploid，各染色体を 1 本ずつもつ）でも**二倍体**（diploid，各染色体を 2 本ずつもつ）でも有糸分裂で増殖させることができる．そのため，次項でみるように，必須遺伝子に関する変異体であっても，単離して，その性質を詳細に調べることができる．
- 他の多くの生物と同様に，酵母にも性周期があり，細胞間で遺伝子の交換ができる．飢餓状態では，二倍体細胞は減数分裂し（19 章），**a** と α という二つの型の一倍体娘細胞となる．**a** 型と α 型の一倍体細胞が出会うと，ホルモンを分泌して融合し，それぞれの染色体を 2 本ずつもつ **a**/α 型二倍体細胞となる（図 1・24b）．

世界中で数万人もの研究者が出芽酵母のような同一のモデル生物を用いて研究しているので，いろいろな方法を使って得た結果をまとめて考えることができ，この生物を深く理解することが可能になる．本書で何度も出てくるように，出芽酵母や分裂酵母を

(a) 出芽酵母の出芽の様子

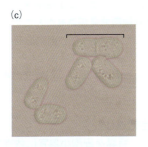
(c)

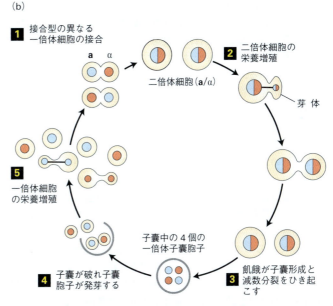
(b)

図 1・24 出芽酵母と分裂酵母は一倍体としても二倍体としても増殖でき，有性生殖も無性生殖も行う．(a) 出芽酵母の走査型電子顕微鏡写真．この細胞は，出芽 (mitotic budding) という特別な形の有糸分裂をする．二つの娘核のうち，一つは親細胞に残り，もう一つが出芽した芽体に輸送される．芽体はしだいに大きくなり，そのうち新たな細胞となって分かれていく．出芽した細胞が分かれた場所には瘢痕が残るので，親細胞が何回出芽によって新たな細胞を生み出したか，瘢痕の数から数えることができる．橙の小さな細胞は細菌である．(b) 一倍体の酵母細胞は，**a**（青）および α（橙）とよばれる異なる二つの接合型をもつ．**a** 細胞と α 細胞は各酵母染色体を通常の半分，つまり 1 コピーだけもつ．これらの細胞は出芽で増殖する．異なる接合型の細胞は接合して二倍体の **a**/α 細胞となる．**a** 型一倍体細胞は **a** 接合因子というフェロモンを分泌し，それは α 細胞の表面にある受容体タンパク質と結合する．逆に，α 細胞は α 因子を分泌し，それは **a** 細胞表面の受容体と結合する．このように，それぞれの細胞は反対の型の細胞が分泌する接合因子を認識し，それが **a** 細胞と α 細胞の融合の引金になる．**a**/α 二倍体細胞は各染色体を 2 コピー含む．二倍体細胞も出芽で増殖する．飢餓状態になると，二倍体細胞は特別な種類の細胞分裂である減数分裂を行って，4 個の一倍体胞子をもつ子囊をつくる．子囊が破裂すると，4 個の一倍体胞子が放出され，それらは発芽して **a** 型および α 型一倍体細胞になる．これらの細胞も無性的に（出芽で）増殖できる．(c) 分裂酵母は，一倍体も二倍体も，出芽酵母とは異なる有糸分裂を行う．それは出芽酵母よりヒトに近い．枠で囲ってある細胞は有糸分裂中のものである．[(a) は SCIMAT/Science Source/amanaimages. (c) は R. Gromes 提供．]

使って得られた結論は，すべての真核生物に当てはまることが多く，多細胞動物や植物でみられる複雑な過程の進化を研究する場合にも，その基礎となっている．

酵母の変異から重要な細胞周期タンパク質が発見された

生化学研究により個々のタンパク質について多くのことがわかる．しかしこれだけでは，このタンパク質が細胞分裂に必要なのか，あるいは別の細胞過程に必要なのか，ということを知ることはできない．あるタンパク質が問題としている機能に重要であることを証明するには，変異導入でそのタンパク質の合成を阻害するか，その活性を失わせたときに，機能に悪影響が出ることを示せばよい．

古典的遺伝学では，正常個体のもつ特定の機能を遂行できない変異体を単離し調べる．細胞分裂や筋肉形成といった特定の過程を遂行できない多数の変異個体（たとえばショウジョウバエ個体や酵母細胞）を探し出すため，大規模な遺伝的スクリーニングが行われる．変異を誘起するには，無差別に変異をひき起こす化学物質や物理的刺激を（突然）変異原（mutagen）として用いる．しかし，細胞分裂やタンパク質分泌のように細胞の生存に必須な過程に欠陥がある場合，変異生物や変異細胞をどうやって単離し，維持すればよいのだろうか．

この場合，**温度感受性（突然）変異**（temperature-sensitive mutation）を起こした生物を単離するのが一つの方法である．この変異体は**許容温度**（permissive temperature）では増殖できるが，**非許容温度**（nonpermissive temperature，ふつうは許容温度より高温）では増殖できない．これに対して，正常な細胞はどちらの温度でも増殖できる．ほとんどの場合，温度感受性変異体は，許容温度では機能するが，非許容温度では変性して機能を失う変異タンパク質を産生している．温度感受性変異体のスクリーニングは，酵母のような一倍体生物で行うのが簡単である．一倍体個体はそれぞれの遺伝子を1コピーしかもっていないので，変異が起これば ただちに目に見える結果が現れるからである．

細胞分裂に異常のある多数の温度感受性変異体の解析から，細胞分裂に必要な一連の遺伝子が発見されたが，これら遺伝子がどんなタンパク質をコードしているか，そしてこれらのタンパク質が細胞分裂にどのようにかかわっているか，という事前の知見はなかった．このように遺伝学は強力な解析方法で，生化学的な性質や分子機能の知識なしに，特定の細胞機能にかかわるすべてのタンパク質を発見できるのである．6章で説明する組換えDNA技術を使うことによっても，変異がもたらす効果を指標として遺伝子を単離できる．いったん単離された遺伝子が手に入ると，これがコードするタンパク質を試験管内で産生したり，細菌内で産生したり，培養細胞内で産生したりできる．タンパク質が手に入れば，これが細胞分裂時に他のタンパク質やDNAと相互作用するか，あるいは細胞分裂にかかわる特定の化学反応を触媒するか，といったことを調べることができる（19章）．

ほとんどの酵母の細胞周期遺伝子はヒトでも見つかっており，これらがコードするタンパク質のアミノ酸配列は互いによく似ている．別の生物由来だが似たアミノ酸配列をもつタンパク質は**相同体**（**ホモログ** homolog）とよばれ，同じか似た機能を担うことが多い．驚くべきことに，ある細胞周期タンパク質に欠陥のある酵母変異体に，これと相同なヒトタンパク質を発現させると，変異酵母の欠陥が相補される（変異酵母細胞が再び増殖できる状態に戻る）．このことから，このタンパク質は，ヒトと酵母という全く異なる真核細胞で同じように機能できることがわかる．現存の酵母や植物あるいはヒトに共通の祖先細胞は10億年以上も前のものであることを考えると，Paul Nurseによるこの実験の結果は驚くべきもので，彼がノーベル賞を受賞したのは当然であろう．真核細胞の細胞周期とそれを駆動する遺伝子やタンパク質は，生物進化の初期に現れ，長い進化の間にもほとんど変わらずにいたことになる．配列解析の結果，酵母で無秩序な細胞増殖をもたらす細胞周期タンパク質変異の多くは，ヒトがん細胞でも頻繁にみられる（25章）．このことは，すべての真核細胞で，これらのタンパク質が重要かつ保存された機能を果たしていることを意味している．

クラミドモナスの研究から
脳機能を調べる新たな技術が生まれた

クラミドモナス Chlamydomonas reinhardtii（図1・23b）は2本の長い鞭毛を使って泳ぐ単細胞緑藻で，鞭毛の構造，機能，構築の研究に広く用いられている．幅広い遺伝学的技術が使えるので，クラミドモナスは葉緑体形成や光合成の研究にも用いられている．クラミドモナスのゲノムは酵母のゲノムより多くのタンパク質をコードしている（表1・2）．こうしたタンパク質として，鞭毛タンパク質や，酵母にはない葉緑体の形成にかかわるタンパク質があげられる．

このモデル生物研究の重要な成果の一つは，光源に向かって泳いだり，光源を避けるように泳いだりする走光性にかかわるものである．クラミドモナスは成長や分裂に必要なエネルギーを光合成で獲得するので，光に向かって泳いでいく．しかし，光が強すぎると葉緑体が傷むので，光源から逃げるような動きをする．このようなクラミドモナスの走光性を担っているタンパク質として，細胞膜に埋込まれた二つのタンパク質が発見された．このタンパク質が光を吸収すると，細胞膜のチャネルが開き，Ca^{2+}のようなイオンが細胞外から細胞質に流入して，走光性反応をひき起こす．遺伝子組換え技術で，これらクラミドモナスタンパク質の一つをマウス脳の特定の神経細胞で発現させたところ，点状光照射で，脳内のたった1個あるいは2〜3個の細胞を特異的に活性化することができた（23章）．クラミドモナスという単細胞緑藻の研究から，**光遺伝学**（optogenetics）という脳研究の重要な実験分野が生まれたのである．

マラリア原虫の驚くべき生活環は
特異な細胞小器官に依存している

酵母は，パン，ビール，ワイン，チーズなどの製造に使われており，われわれにもなじみ深い．これに対して，重大なヒト疾病をひき起こすいろいろな単細胞真核生物がいる．こうした真核生物は，病原生物は死滅させるが，宿主であるヒトには影響を与えないような薬剤開発のために研究されている．たとえば，アメーバ赤痢をひき起こす赤痢アメーバ Entamoeba histolytica，膣炎をひき起こすトリコモナス Trichomonas vaginalis，嗜眠性脳炎をひき起こすトリパノソーマ Trypanosoma brucei がそういった例である．これら原生動物中で最悪のものはマラリア原虫 Plasmodium falciparum とその近縁種で，毎年2億人の新たなマラリア患者が

生まれ，150万人から300万人の死者が出る．この原生動物はカと哺乳類に交互に感染し，生活環境からのシグナルに応じて形態や行動を変化させる．

マラリア原虫の複雑な生活環は，細胞がいろいろな環境にいかに対応するかというよい例となる（図1・25a）．ヒト赤血球に感染するマラリア原虫の**メロゾイト**（merozoite，分裂小体）には，感染に必要な桿小体（ロプトリー），極リング，短糸（ミクロネーム）といったほとんどの真核生物ではみられない細胞小器官がある．また細胞膜の表面を覆うような，毛羽立った外皮がある（図1・25b, c）．このマラリア原虫の赤血球への侵入は，原虫の表面タンパク質とヒト赤血球の表面タンパク質の結合ではじまる．その後，短糸や桿小体に蓄積されていたタンパク質の分泌が起こる．マラリア原虫の細胞膜と赤血球膜間に密着結合ができ，原虫が赤血球内に入ると，毛羽立った外皮は消失する（図1・25c）．

マラリア原虫の生活環で起こる細胞形態の変化は，原虫のゲノムにコードされている指示書どおりに起こる（表1・2）．マラリア原虫ゲノムは，出芽酵母ゲノムとほぼ同じ数のタンパク質をコードする遺伝子をもつ．しかし，そのほぼ2/3はマラリア原虫あるいはその類縁種に特異的なものである．このことは，原生動物**アピコンプレクス類**（Apicomplexa，図1・1）に属するこれら一群の生物と他の真核生物とが進化的に大きく離れていることを示すとともに，彼らが複雑な生活環に必要な特別の細胞小器官をもっていることとも一致する．

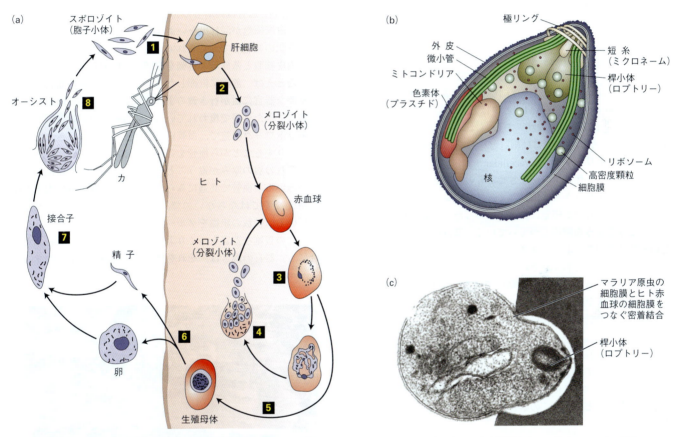

図1・25 マラリアをひき起こすマラリア原虫属 *Plasmodium* は単細胞原生動物だが，非常に変わった**生活環**をもつ．多くのマラリア原虫属の原生動物が知られており，昆虫と脊椎動物を宿主生物としながら，さまざまな動物に感染する．ヒトでマラリアをひき起こすマラリア原虫としては4種類のものがあり，宿主であるヒトとカの体内で劇的に形態を変える．（a）マラリア原虫の生活環の模式図．酵母と同じように，マラリア原虫も，生活環の多くの部分で一倍体である．段階**1**: マラリア原虫をもつハマダラカに刺されると，ヒト体内にマラリア原虫の一倍体のスポロゾイト（胞子小体）が入り込む．段階**2**: スポロゾイトは肝臓に移動して，ここでメロゾイト（分裂小体）となり，血中に放出される．メロゾイトの形態はスポロゾイトと大きく異なっており，この過程は変態といえる．段階**3**: 血流中を循環しているメロゾイトは赤血球に入り込み，ここで増殖する．マラリア原虫が産生するある種のタンパク質は赤血球表面に移動し，血管壁への吸着を促す．その結果，マラリア原虫が感染した赤血球は脾臓に到達しないので，赤血球も棲みついたマラリア原虫も免疫系の攻撃を受けない．段階**4**: ある期間（マラリア原虫の種類によって異なる）赤血球中での成長，増殖が続いたのち，多数の感染赤血球が同時に破裂してメロゾイトが放出される．このとき，マラリアのよく知られた症状である高熱と震えが現れる．放出されたメロゾイトの一部は，新たな赤血球に感染していく．段階**5**: その後，放出されたメロゾイトの一部は減数分裂を経て，雄性と雌性の生殖母体となる．これもまた変態である．生殖母体はそれ以上増殖せず，吸血によってハマダラカに取込まれるのを待つ．段階**6**: カの胃の中で，生殖母体は精子と卵（配偶子）になる．このとき，精子には長い鞭毛が生じる．これもまた変態である．段階**7**: 精子と卵の融合で二倍体接合子が生じる．接合子はカの胃壁に侵入して，ここでオーシストを形成して分裂を繰返し，多数のスポロゾイトを生み出す．段階**8**: オーシストが壊れて数千ものスポロゾイトが放出され，カの唾液腺に移動する．これで次のヒト感染への準備が整う．（b）三日熱マラリア原虫 *Plasmodium vivax* メロゾイトの細胞小器官．ここに示したもののなかには，マラリア原虫や類似の寄生性微生物だけにしかみられないものがある．（c）ヒト赤血球細胞に侵入しようとしている三日熱マラリア原虫のメロゾイトの超薄切片電子顕微鏡像．[A. Cowman and B. Crabb, 2006, *Cell* **124**: 755 参照．(c)はM. Aikawa 提供．]

1・5 多細胞動物の構造，機能，進化，および分化

多細胞生物への進化は，細胞分裂後に分裂した細胞が分離せずに小さな集合体のコロニーとなったことからはじまったのだろう．いくつかの原核生物や，ボルボックス（図1・3d），真菌類，粘菌のような単細胞真核生物は未発達だが集団的行動を示す．しかし，多細胞性が十分に開花するのは，細胞が分化して組織とよばれるグループとなり，それらの細胞群が特別な機能を果たすようになる多細胞動物が生まれてからである．本節では，多細胞動物の主要な特徴，すなわち細胞間の接着，細胞間の対話，および正しい細胞が適切なときに生物内の適切な部位でつくられるようにするという分化の調節について説明する．

多細胞性には細胞間および細胞-マトリックス間接着が必要である

高等植物では，格子編み状になった細胞壁の中に細胞が取込まれている．細胞どうしは，**原形質連絡**（plasmodesm(a), pl. plasmodesmata）という細胞質間をつなぐ構造体で互いにつながっている．（図1・13a）．動物細胞は，細胞表面にある**細胞接着分子**（cell-adhesion molecule: **CAM**）とよばれる細胞接着タンパク質で糊づけされて直鎖状，球状，あるいはシート状集合体となる（図1・4d，20章）．CAMには細胞どうしを接着するものと，細胞を**細胞外マトリックス**（extracellular matrix）のタンパク質や多糖に接着させ，一体構造を形成させるものとがある．動物において，細胞外マトリックスは細胞にとってクッションの役割を果たすと同時に，栄養物が細胞に拡散していったり，老廃物が流れ出したりできるような隙間をつくっている．**基底膜**（basal lamina）という特に強靭なマトリックスはコラーゲンなど複数のタンパク質と多糖類でできており，それに接した細胞層を保護し，細胞層がばらばらに引き裂かれるのを防いでいる（図1・4）．ヒトにある多くのCAMや細胞外マトリックスタンパク質は無脊椎動物にもあり，多細胞動物の進化におけるこうしたタンパク質の重要性がわかる．

同様に，多細胞動物でシグナル伝達分子として使われているタンパク質や小分子およびそれらの**受容体**（receptor）は，ヒトから多数の無脊椎動物まで保存されている．受容体は，シグナル伝達分子と結合すると細胞内での応答反応の引金を引くタンパク質である．

上皮組織は進化の早い段階で生じた

多細胞動物は海洋のような塩水環境で進化してきたと考えられているが，そのためには，個体の内部と外部を分けるという重大な問題を克服しなくてはならなかった．すべての多細胞動物の表面と内部器官の表面は，**上皮**（epithelium, pl. epithelia）とよばれるシート状の組織で覆われている．上皮組織は，皮膚を形成する上皮細胞シートのように，外部環境に対する障壁となり保護機能をもつ（図1・4）．小腸の内腔に面している1層の細胞層も上皮である．この細胞層は，腸内の消化産物（グルコースやアミノ酸など）を血流に送り込むのに重要な役割を果たす（11章）．20章で解説するように，体内の他の場所にある上皮は，それぞれ固有の形態と機能をもつ．

上皮組織を形成する細胞には**極性**（polarity）があり，細胞膜は少なくとも2種類の領域に分けられる．典型的な場合には，外部に向いている**頂端面**（apical surface）と，内部に向いている**基底面**（basal surface）と**側面**（lateral surface）からなる〔両者を合わせて**側底面**（basolateral surface）ともよばれる〕．図1・4に示したように，基底面はふつう基底膜とよばれる細胞外マトリックスに接している．20章で説明するが，側底面の細胞膜にある特異的なタンパク質が細胞どうしを横につなぎ，また細胞層を基底膜につなぎとめる．

細胞がつなぎ合わされて組織となり，組織がつなぎ合わされて器官となる

多細胞動物の細胞が単独で働くことはほとんどない．分化細胞中の特殊化した集団が組織となり，組織は器官の主要構成物となる．たとえば，血管は何層もの異なる種類の組織からできている．血管は，血液細胞が漏れ出ないように，**内皮**（endothelium）というシート状の細胞層でつくられている（図1・26）．1層の平滑筋組織が内皮細胞と基底層の外側を取囲み，収縮して血流量を調節する．たとえば，危険に直面したときには，細い末梢血管を絞って，重要な器官に血が行き渡るようにする．血管の筋肉層は，結合組織でできた外層で覆われている．結合組織は繊維と細胞からなるネットワーク構造で，血管壁を取囲んで，引伸ばされたり切断されたりすることから血管を守っている．

それぞれの層の厚みが違うことはあるが，こうした組織の階層性はいろいろな血管で共通にみられる．主要動脈の壁は大きな圧力に耐えなくてはならないので，細い血管に比べてずっと厚くなっている．複数の組織をグループ化して積み重ねるというやり方は，他の複雑な器官をつくり上げるのにも使われている．どの場合にも，器官の働きは，それを構成する組織の機能で決まって

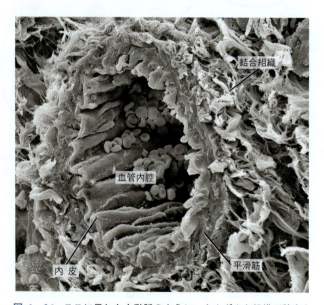

図 1・26 ここに示した小動脈のように，さまざまな組織が秩序をもって組上げられ器官となる．血液は，内皮細胞の薄層からなる血管内皮とその下部にある基底膜とで覆われた血管内腔を流れる．基底膜は，それを取囲む平滑筋組織に接着している．筋肉層の収縮によって，血管内腔を流れる血液量が調節される．結合組織の繊維層が血管を取巻き，これを他の組織に結びつけている．[SPL/Science Source/amanaimages.]

いる．そして，組織中の特定の種類の細胞は，その組織が働くのに必要な特定のタンパク質群を産生している．

ゲノミクスで多細胞動物の進化と細胞機能の重要な側面が明らかになった

ショウジョウバエや線虫のような無脊椎動物であれ，マウスやヒトのような脊椎動物であれ，多細胞動物は 13,000～27,000 のタンパク質をコードする遺伝子をもっている．これは酵母の2～4倍にあたる（表1・2）．全ゲノム配列の解析によると，多くの遺伝子はどの多細胞動物でも保存されており，特定の組織や器官の形成や機能に必須であることが多い．そこで，細胞の分化や機能発現でこれら保存されたタンパク質が果たす役割を調べるのに，表1・2にあげた生物の多くが用いられる．

ヒトやマウスゲノムと線虫やカエルあるいは魚のゲノムとを比較すると，ほぼ同数のタンパク質をコードする遺伝子をもつが，哺乳類細胞は線虫の30倍のDNAを，カエルや魚の2～3倍のDNAをもっている．ヒトDNAでタンパク質をコードしているのはたった10%だけだが，残りの90%も重要な機能を果たしていることがわかっている．8章で詳しく説明するが，タンパク質をコードしていないDNA領域の多くも**エンハンサー**（enhancer）として働き，近傍の遺伝子の発現を調節するタンパク質の結合部位となる．多くの遺伝子の発現が，多数のそうした調節配列によって制御されている．多くの異なる種類の哺乳類細胞内で，必要な量のmRNAやタンパク質が各遺伝子から正確に産生されるのは，複数のエンハンサーによって制御されているからである．

その他のDNA領域からは数千ものRNAが合成されるが，それらはタンパク質の合成を指令するものではない．こうした非コード領域から転写されたRNAを介した遺伝子発現制御がしだいに明らかになってきている．たとえば，多細胞動物の細胞には，20～25ヌクレオチド長の数百もの異なるマイクロRNAが大量に存在し，標的となるmRNAに結合して，その活性を抑制する．これらマイクロRNAは，mRNAからタンパク質への翻訳過程を阻害したり，mRNAの分解を促進したりして（9章），間接的に多くの遺伝子の活性を制御している．

これら非コード領域DNAのあるものは，私たちがヒトであるという特性を決める遺伝子の発現制御にかかわっているようだ．実際，魚とヒトのタンパク質をコードする遺伝子の数はほぼ同じで 20,000 ほどだが，上記のようにヒトゲノムは魚ゲノムの2倍ほどの長さがある（表1・2）．ヒトの脳は，読み書きといった複雑な精神活動を行うことができる．20,000 ほどのヒト遺伝子が正確な制御のもとで働いて，ほぼ1000億個の神経細胞からなる脳ができ，この中で互いの神経細胞は100兆もの**シナプス**（synapse）という部位で相互作用している．

種々の生物の全ゲノム配列の比較研究である**ゲノミクス**（genomics）から，ヒトとネアンデルタール人および最も近い大型類人猿のDNAがいかに似ているかが明らかになった（図1・27）．ヒトDNA配列とチンパンジーあるいはボノボDNAの配列は99%が同一である．あとの1%は 3,000,000 塩基対ほどだが，共通の祖先から500万年前に分かれて以来のヒト脳の進化の秘密がここに隠されている．

ゲノミクスと古生物学的知見からみて，ヒトとマウスは7500万年前に生息していた共通の祖先から分かれたことがわかる．長い進化を経たにもかかわらず，両者はほぼ同じ数の遺伝子をもち，マウスのタンパク質をコードする遺伝子の99%はヒトに相同遺伝子があり，その逆も成り立つ．マウスとヒトゲノムの90%以上には，保存された**シンテニー**（synteny）領域がある．つまり両者で，染色体に沿って特別なDNA配列や遺伝子が同じ順序で並んでいる．このことは，マウスとヒトの直近の祖先における染色体

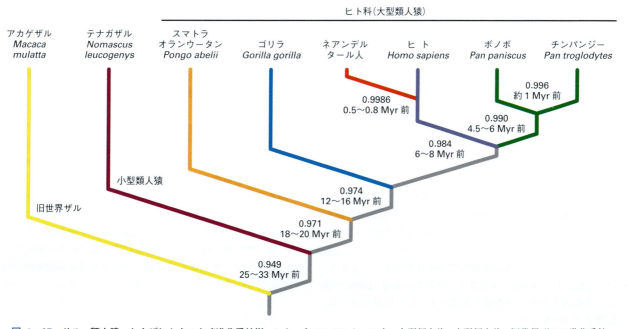

図 1・27 サル，類人猿，およびヒトをつなぐ進化系統樹．ヒト，ネアンデルタール人，大型類人猿，小型類人猿，旧世界ザルの進化系統樹は，それぞれの全ゲノム配列の差から推定された．全ゲノムのDNA配列を並べ，特定のDNA配列間でみられる異なるヌクレオチドの平均数を計算し，この値から二つの種が分離した時期を推定して，枝分かれ部分に記した．Myr は 100 万年のこと．［D. P. Locke et al., 2011, *Nature* **469**: 529; K. Prüfer et al., 2014, *Nature* **505**: 43 による．］

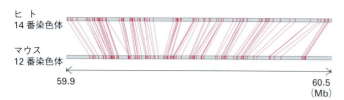

図 1・28 ヒトゲノムとマウスゲノムでは遺伝子のシンテニーが保存されている．図は，マウスの12番染色体内の典型的な 510,000 bp 領域と，それに対応するヒト 14 番染色体の 600,000 bp 領域とを示す．赤線は，二つのゲノムで共通した特定の DNA 配列をつないでいる．Mb は 10^6 bp.〔Mouse Genome Sequencing Consortium, 2002, *Nature* **420**: 520 による．〕

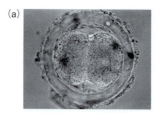
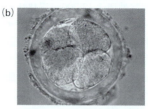
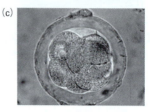

図 1・29 受精卵のはじめの数回の細胞分裂で，それに続く発生全体が規定される．発生を開始したマウス胚．(a) 2細胞期，(b) 4細胞期，(c) 8細胞期．胚は支持膜で囲まれている．ヒトの発生では受精直後の2〜3日がこれらの段階に相当する．〔C. Edelmann/Science Source.〕

上の遺伝子の並び順は，進化の過程で保存されてきたことを意味している（図 1・28）．もちろんマウスはヒトとは違い，ヒトに比べて，免疫，生殖，嗅覚にかかわる遺伝子群をいっそう拡大させてきた．これは両者の生活の仕方の違いを反映している．

こうした生物間のゲノム比較で興味深いことは，ヒトの進化にかかわることだけではない．たとえば，北極グマはアザラシのような脂肪に富んだものをおもに食べている．最近のゲノム解析から，温和な環境に生息している近縁のヒグマと北極グマが共通祖先から分かれたのはたった 50 万年前（およそ 2 万世代前）にすぎないことがわかった．進化の過程からみると比較的短い時間ではあるが，この間に北極グマのゲノムは心臓血管機能，脂質代謝，および心臓の発育を制御する多くの遺伝子に変化を起こし，高脂質食に適応するようになった．

胚発生には一群の保存されたマスター転写因子が使われ，DNAとそれに結合するヒストンタンパク質の修飾も行われる

ヒトのタンパク質をコードする遺伝子のほとんどがサルやマウスと共通で，多くのものがハエや線虫と同じなら，こうした生物の形態や機能が全く違うのはなぜだろうという疑問がわくのは当然である．こうした疑問に対する答えは，受精卵という 1 個の細胞から多細胞動物の個体ができるにあたっての遺伝子発現調節にある．7 章と 8 章で学ぶように，個々のタンパク質をコードする遺伝子には生物によって異なる調節 DNA 配列が連結している．多くの場合，こうした調節配列には遺伝子発現を左右する調節タンパク質が結合し，その結果，タンパク質産生量が変わる．進化の過程で保存されてきた**マスター転写因子**（master transcription factor）とよばれる調節タンパク質は，個体発生のいろいろな段階で遺伝子群を活性化したり抑制したりして，さまざまな種類の細胞の分化を支配している．

発生の最中に，各染色体の多くの部位が，酵素によって**エピジェネティック修飾**（epigenetic modification）とよばれる化学修飾を受ける．それにより，その部位の RNA への転写効率が変化する．たとえば，DNA 上のある部位において，いくつかのシトシン塩基がメチル化されると，DNA は凝縮してヘテロクロマチンとなり，その部位を転写して RNA にすることができなくなる．DNA に結合しているヒストンタンパク質もさまざまな化学修飾を受ける．ある修飾では，RNA ポリメラーゼがその近傍の遺伝子を読み取る能率が高まり，別な修飾では読み取れなくなる．8 章で詳しく解説するが，そうした修飾は複製され，娘細胞に伝えられる．これは，ゲノム DNA の塩基配列変化を伴わない細胞間遺伝である．

ヒト胚の初期発生はマウスのものとさほど変わらない．まず特徴的な速い細胞分裂が起こり（図 1・29），細胞はしだいに組織に分化していく．個体を構成する組織や器官の空間パターンは**ボディープラン**（body plan）とよばれる．すべての生物で，ボディープランは二つの要因に依存している．一つは体のパターンを決める遺伝子プログラムであり，もう一つは局所的な細胞間相互作用である．後者によって，遺伝子プログラムのうちどれが誘導されるかが決まる．

わずかな例外を除き，ほとんどの動物は体軸方向の対称性を示す．つまり，体の左右は鏡像の関係にある．この基本的なパターンはゲノムにコードされている．発生生物学では，初期胚で口と肛門ができる位置によって，左右相称動物を二つのグループに分ける．**旧口動物**（protostome，前口動物）では，口は初期胚の最初の開口部（**原口** blastopore）付近にでき，腹部神経束をもつ．すべての蠕虫，昆虫，および軟体動物などが旧口動物である．**新口動物**（deuterostome，後口動物）では，肛門が原口近くに生じ，背部中枢神経系をもつ．棘皮動物（ヒトデやウニ）や脊椎動物が新口動物である．旧口動物でも新口動物でも，胚発生初期に分節が生じ，体に区切りができる．およそ 6 億年前にいたと考えられている**ウルバイラテリア** Urbilateria という生物が，旧口動物と新口動物との共通祖先らしい（図 1・30 a）．

パターン形成遺伝子（patterning gene）の多くはマスター転写因子をコードしており，他の遺伝子の発現を制御することで，体の前後軸，背腹軸，左右軸という生物個体の主要な体軸からはじまり，頭，胸，腹，尾といった体部に至るまでの形態形成を支配している．単純な蠕虫から哺乳類に至るまで体の軸対称性が保存されているが，これはパターン形成遺伝子が生物間で保存されているためである．細胞接着やシグナル伝達にかかわるタンパク質をコードするパターン形成遺伝子もある．このようにパターン形成遺伝子の働きが幅広いおかげで，発生途中の胚のいろいろな部分で起こる事象は統合され，協調しながら進行する．そして，体の各部分は固有の特徴を獲得する．

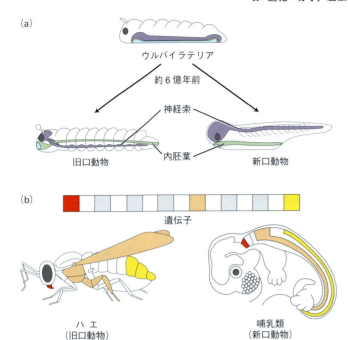

図1・30 進化で保存されてきたマスター転写因子が，さまざまな動物の初期発生過程を制御する．(a) およそ6億年前に生きていたウルバイラテリアは，すべての旧口動物と新口動物の祖先と考えられている．神経束（紫），表皮外胚葉（おもに皮膚，白），そして内胚葉（おもに消化管や内臓，薄緑）の位置を示す．(b) 体節の独自の発生を支配する，非常によく保存されたマスター転写因子である **Hox タンパク質**（Hox protein）が，旧口動物と新口動物の両方に存在する．Hox 遺伝子群はほとんどすべての動物の染色体上でクラスターを形成して存在し，他の遺伝子の活性を制御するマスター転写因子をコードしている．多くの動物で，クラスター中の個々の Hox 遺伝子は，前後軸に沿ったそれぞれ別の体節の発生を支配する．ここではその様子を，ある Hox 遺伝子とそれに対応する体節を同じ色にして示す．各 Hox 遺伝子の転写は，前後軸に沿った特異的な体節で活性化され，そこにある組織の増殖を制御する．たとえば，新口動物であるマウスの Hox 遺伝子は，脊椎骨のそれぞれの形状に関係する．旧口動物であるハエの Hox 遺伝子に影響を与える突然変異が起こると，たとえば頭部に触角の代わりに肢が生えるように，正常とは違った場所に別の体部ができる．どちらの場合でも，これらの Hox 遺伝子は前後軸上の体節位置を指定し，正しい場所に正しい構造を形成するように指示している．

驚くべきことに，マスター転写因子ともよばれるパターン形成遺伝子の多くは，旧口動物と新口動物の間でも非常によく保存されている（図1・30b）．こうしたボディープランの保存性は，発生を制御する分子レベルあるいは細胞レベルの機構をいろいろな生物が共有するように進化的圧力がかかっていることを意味している．

1・6 細胞生物学研究で広く使われる多細胞動物

多くの無脊椎動物および脊椎動物が細胞生物学の研究に役立ってきた．母体の外で発生する無脊椎動物（たとえばウニやヒトデ）の大きな胚細胞は，異なる組織を形成するときどうなるのかを追跡したり，生化学的研究のため抽出液を得るのにとても役に立つ．たとえば，全真核生物において細胞分裂を調節している重要なタンパク質は，ヒトデやウニの胚を研究している際に発見され，それらの胚の抽出液の中から精製された（19章）．特別な環境適所に順応しているので研究されている生物もいる．その例が，体長 0.5 mm で 8 本足の無脊椎動物クマムシ（本章の章頭写真）である．クマムシは，極端な温度，高圧あるいは低圧，脱水，および飢餓に耐える能力をもつので広く研究されている．実際，クマムシは，宇宙空間の超低圧と強い放射線にさらされても生き残る，唯一の生物であろう．

線虫，ショウジョウバエ，プラナリアといった無脊椎動物は，さまざまな実験手法が使える生物である．何千もの研究グループが，さまざまな実験手法を使って，これらの生物を研究している．これらや他の無脊椎動物を使った研究から，動物の発生と細胞の機能，および多くのヒトの病気についての重要な知見が得られた．

動物の発生を調節する遺伝子の同定にショウジョウバエと線虫が使われた

1910年に T. H. Morgan がコロンビア大学にフライルームとよばれる研究室を開いたときから，ショウジョウバエは実験動物として使われてきた．ショウジョウバエは研究室で容易に飼育でき，たった4対の染色体しかもたず，すばやく交配し，多くの卵を産むので，いまでも詳しく研究されている（図1・23d）．受精卵から未発達の幼虫やさなぎを経て成虫に至るまで，この生物の発生の各段階がよくわかっている．最も重要なことは，発生において重要な働きをする多くの遺伝子の変異が詳しく調べられており，それにより遺伝子がコードするタンパク質の機能について重要な情報が得られる点である．その例の一つとして，ショウジョウバエの眼の発生にとって重要な多くの遺伝子が同定されてきたことがあげられる．それらの一つ *eyeless* は眼の発生を開始させるマスター転写因子であった．ショウジョウバエの眼とヒトの眼は，構造，機能，および神経との接続がとても異なっている．それにもかかわらず，ハエの *eyeless* とヒトの *Pax6* は，同じ祖先遺伝子由来の非常によく似たタンパク質で，両者とも他の遺伝子の活性を制御する．*eyeless* や *Pax6* に変異が起こると，眼の形成に異常が起こる（図1・31）．

線虫は，Sydney Brenner によって1960年代から実験動物として使われるようになった．成虫は長さ1 mm，直径70 μm で，雌雄同体（雌雄の器官をもち，自家受精して子孫を残せる）あるいは雄（雌雄同体の個体を受精させることができる）として存在する．このめずらしい生殖様式には，発生や細胞機能に変異を示した個体をすばやく単離し調べることができるという利点がある．雌雄同体の個体は正確に959個の体細胞をもつが，雄は1031個の細胞からなる（図22・26d 参照）．この少数の体細胞がすべての線虫の中で同じように配置されており，受精卵から成虫になる発生途中に，どのように分裂してきたかが顕微鏡観察から明らかになっている（図22・26c 参照）．22章で説明するが，線虫の発生過程で生じた細胞のうちの多数のものが**プログラム細胞死**（programmed cell death）あるいは**アポトーシス**（apoptosis）とよばれる過程によって死ぬ運命にある．多くのヒト細胞も，同じようなタンパク質を使った同様な過程によって死んでいる．このプログラム細胞死がうまくいかないとがんを発症する．

プラナリアは幹細胞や組織再生の研究に用いられる

単細胞生物では，分裂後の娘細胞は親細胞に似ることが多い．多細胞生物でも同様に，いろいろな種類の細胞が分裂するときには，娘細胞は親細胞に大変よく似ている．たとえば，肝細胞が分

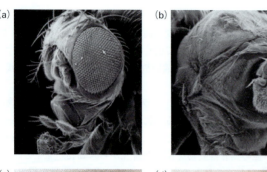

図 1・31 ショウジョウバエとヒトで，相同な遺伝子が眼の発生を制御している．(a) ショウジョウバエの大きな複眼の発生には，*eyeless*（突然変異体の表現型から命名した）とよばれる遺伝子が必要である．(b) *eyeless* 遺伝子を不活性化したハエには複眼がない．(c) ヒトの眼が正常に発生するには，*eyeless* に相当する *Pax6* とよばれる遺伝子が必要である．(d) ヒトで *Pax6* の機能が失われると，無虹彩（aniridia）という眼から虹彩が失われる遺伝病を発症する．*Pax6* も *eyeless* も他の遺伝子の活性を調節するマスター転写因子をコードしており，両者はよく似ている．*Pax6* と *eyeless* は，おそらく同じ祖先遺伝子から生じた相同遺伝子であろう．[(a), (b) は A. Hefti, Interdepartmental Electron Microscopy（IEM）, Biocenter of the University of Basel 提供．(c) は © S. Fraser/Science Source/amanaimages. (d) は © Mediscan/Alamy.]

裂すると親細胞と同じ特徴と機能をもつ肝細胞が生じるし，膵臓のインスリン産生細胞が分裂するときも同様である．これに対して，**幹細胞**（stem cell）やある種の未分化細胞では，分裂時に生じた二つの娘細胞が異なることがある．最終的にはこれらの細胞は複数の種類の細胞に分化する．こうした**非対称細胞分裂**（asymmetric cell division）は幹細胞に特徴的な過程で，体を構成する異なる種類の細胞をつくり出すのに必須である（22章）．こうした幹細胞の分裂の場合，娘細胞の一つは親細胞のように未分化状態のままで，多彩な分化細胞を生み出す可能性を維持していることが多い．もう一方の娘細胞はどんどん分裂していき，そこで生まれた娘細胞は一種あるいは複数の種類の分化細胞となる．

プラナリアは，体のごく一部から，完全な頭部をもつ正常な個体が再構築されるという再生能力でよく知られている（図1・23e）．プラナリアは，正常な代謝で失われる細胞を補完するための**ネオブラスト**（neoblast）とよばれる幹細胞をもっている．切取ったプラナリアの断片では，幹細胞の分裂で個体再生に必要なすべての種類の細胞が生み出される．それぞれ多数の種類の細胞で構成されている頭部や尾部の構築過程を研究するには，こうした幹細胞はよい実験系となる（16章，22章）．プラナリアの幹細胞に働きかけて体の各部を構成するさまざまな種類の細胞を産生させるホルモンは，ヒトをはじめとする哺乳類の分化過程で働いているものと似ている（16章）．今後のプラナリア再生の研究から，手や眼といったヒトの体の一部を再生するのに必要な情報が得られるかもしれない．

魚，マウスおよび他の脊椎動物の研究は，ヒト個体発生や疾病の研究に役立つ

無脊椎動物にはない組織，特に脳や中枢神経系の発生や機能を研究するため，ゼブラフィッシュ（図1・23f）が広く使われている．世代時間，すなわち受精卵から次の代の受精卵がつくられるまでの時間はたった3カ月で，脊椎動物としては短い．卵は，受精するとすぐに透明になるので，器官の発生を観察できる．胚は速やかに発生し，主要な器官の前駆体が36時間以内に出現する．

強力な遺伝学的手法が適用できる実験生物のうちで，マウス（図1・23g）には，ヒトに一番近いという大きな利点がある．マウスとヒトは生体構造を数千年にわたって共有しており，類似の神経系や免疫系をもち，多くの同じ病原菌に感染する．前述のようにマウスとヒトはほぼ同じ数の遺伝子をもち，マウスのタンパク質をコードする遺伝子の99%にヒトホモログがあり，その逆も成り立つ．

6章で解説するCas9および他の実験系を用いると，どんな遺伝子も不活性化して，これがコードするタンパク質の産生を停止できる．この手法を使って，ヒト遺伝病のモデルとなるマウスなどを作製することが盛んに行われている．たとえば，自閉症の患者は，特定の種類の神経細胞の発生を調節するタンパク質をコードする遺伝子に変異をもつことが多い．こうした変異と自閉症の関連を調べるため，対応する遺伝子を失活させたマウスおよび，ごく最近，アカゲザルが作製された．これらの動物は，過度の毛繕い動作を繰返すなど自閉症でみられる動作をしばしば行った．このことは，自閉症患者で見いだされた遺伝子変異がこの疾病の症状をひき起こしている可能性を強く示唆する．こうした実験系は，学習や記憶といった脳の高次機能に果たす特定の遺伝子を探し出したり，ヒトやヒト以外の霊長類にだけ感染するウイルスを研究したりすることに役立つ．いったん，ヒト疾病の動物モデルができれば，この疾病をひき起こす分子レベルの欠陥をさらに調べたり，新たな治療法を動物モデルで試したりでき，開発したばかりの薬剤をヒトで試す必要も少なくなる．

遺伝病は細胞機能の重要な側面に光を当てる

特定のタンパク質を遺伝子変異によって失った生物を調べると，その遺伝子およびコードされたタンパク質の本来の機能についての情報が得られるということを，ここまで強調してきた．他の生物と違い，ヒトの遺伝子に変異を導入するわけにはいかないが，ヒトに自然に起こった変異を調べることはできる．多くの遺伝病は一つのタンパク質の変異で発症する．したがって，こうした遺伝病患者を調べると，そのタンパク質の細胞内機能が明らかになる．たとえば，筋肉が萎縮する遺伝病である筋ジストロフィーのなかで最も多いデュシェンヌ型筋ジストロフィー（Duchenne muscular dystrophy: **DMD**）について考えてみよう．DMDは，X染色体にあるジストロフィン遺伝子に変異が起こることで発症する遺伝病で，3300人に1人の男子が発症し，ふつうは10代後半から20代前半で心不全や呼吸困難を起こして死に至る．

この疾病発症の分子機構を理解する最初の手掛かりは，ジストロフィン遺伝子のクローニングから得られた．17章と20章で詳しく説明するが，この非常に大きなタンパク質は，筋細胞内で他のタンパク質と結合して大きな多量体タンパク質複合体を形成する．長いジストロフィン分子の一端は，収縮装置の一部であるア

クチンフィラメント（図1・14）と結合し，他端は筋細胞膜にあるタンパク質複合体と結合している（図20・41参照）．こうしてできた，**ジストロフィン糖タンパク質複合体**（dystrophin glycoprotein complex: **DGC**）は，細胞外マトリックスタンパク質であるラミニンと筋細胞内の細胞骨格とをつなぎ，収縮中に筋細胞が引き裂かれないようにしている．ジストロフィンあるいは他のDGC複合体タンパク質に変異が起こると，DGCを介した筋細胞内外をつなぐ連結が失われ，その結果，筋細胞が弱くなり，死んでしまう．こうしたジストロフィン糖タンパク質複合体の同定の第一歩は，正常個体とデュシェンヌ型筋ジストロフィー患者のDNAからジストロフィン遺伝子をクローン化することからはじまった．

無作為に取出した細胞の塩基配列解析から新しい種類の細胞が発見された

マウスやヒトの体の中には何種類の細胞があるのだろう．重要な機能を果たしていても，器官や組織の中にごく少量しか含まれていないため，気づかれないものがあるかもしれない．

一細胞RNAシークエンシングという新しい手法により，ごく少量しか存在しない細胞を同定することができる（6章）．この手法は，大量に発現されている約5000種のmRNAを，単一細胞内で検出するというものである．この手法で，ある組織中の多数の細胞を調べると，mRNA発現量の組合わせ，すなわちつくられているタンパク質の組成が一般のものと異なる細胞を同定できる．

この手法を使い，マウスとヒトの気道にある何万という細胞のRNAを解析し，組織内での細胞種とその分布図をつくった．一方で，発現されているmRNAの類似性をコンピューターで分析したところ，全細胞を6個の群に分けることができた．それら6個の細胞群は，すでに知られている気管にある6種の細胞，すなわち，大量にある基底細胞，クラブ細胞，繊毛細胞，そしてまれなタフト細胞，神経内分泌細胞，および杯細胞と対応していた．そのほかに，mRNAの組成がそれら6種と大きく異なる細胞が，全細胞の1％ほど含まれており，この新しい細胞は**肺塩類細胞**（pulmonary ionocyte）と名づけられた．驚くべきことに，この細胞は*CFTR*遺伝子を他の細胞より多く発現していることがわかった．CFTRタンパク質は気道の機能に重要な役割を果たす．*CFTR*遺伝子に変異が起こると，ヒトでは囊胞性繊維症を発症する．長いこと，*CFTR*遺伝子は，気道全体に広く分布する繊毛細胞が少量だけ発現すると考えられてきた．新しいデータによると，*CFTR*遺伝子の発現は，いままで知られていなかったごく少数の細胞で重点的に起こっていることになる（図1・32）．

次章以降で，細胞の構造や機能に関する現在の知見がどうやって得られたかについて解説する

本章に続く各章で，細胞内で起こっている事象について詳しく解説する．まず，細胞構築単位の化学的性質や，巨大分子がかかわる事象を理解するのに必要な化学過程を解説する（2章）．次に，タンパク質の構造と機能について述べる（3章）．4章では，細胞の培養法や分画法，あるいは細胞内の特定のタンパク質や構造を可視化する方法について述べる．5章では，DNAの複製，DNAのRNAへの転写，そしてリボソーム上でのタンパク質合成について述べる．6章では，遺伝子解析，遺伝子発現，タンパク質機能の研究に用いられる多くの技術について解説する．特定の遺伝子変異をもつ動物を作製する方法は，ここで解説する．遺伝子，染色体の構造，および遺伝子発現制御は7, 8, 9章で解説する．生体膜の構造が10章の話題である．膜を介したイオンや小分子の輸送が11章の話題である．12章では，細胞内のエネルギー代謝と，それにかかわるミトコンドリアと葉緑体について解説する．膜の生合成，タンパク質分泌，そしてタンパク質を目的地にまちがいなく届けるための分別作業と輸送機構を13章と14章で解説する．15章と16章では，細胞間の情報のやりとりや，細胞機能の調節に用いられるシグナルとシグナル受容体について述べる．細胞骨格と細胞運動については，17章と18章で述べる．19章では，細胞周期と細胞分裂の制御機構について説明する．組織や器官の形成に必要な細胞間相互作用や細胞-マトリックス間相互作用については20章で詳しく解説する．この版で新たに設けられた21章では，細胞が外部環境の変化，なかでも酸素濃度，温度，昼と夜，および栄養物質の濃度の変化にどう応答するかについて詳しく説明する．最後の数章は，幹細胞（22章），神経細胞（23章），免疫系の細胞（24章）といった特別な機能をもつ細胞についての解説である．25章では，いろいろな変異で細胞増殖や細胞分化が変化し，その結果，がんがひき起こされるということを説明する．

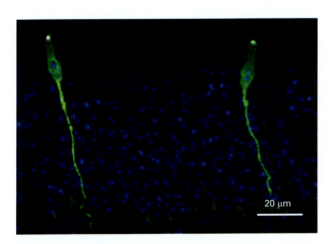

図1・32 無作為に取出した細胞の一細胞RNAシークエンシングによって，マウスの気道から新しい種類の細胞が発見された．マウスの上気道にわずかしか存在しない肺塩類細胞がCFTRタンパク質を発現している．このタンパク質を検出する抗体を使うと，肺塩類細胞だけが緑に染色される．青く染色されているのは核である．青く染色された核の数から計算すると，肺塩類細胞は，気道表面の全細胞の約1％しか存在しないことがわかる．この細胞はまわりの上皮細胞の間を通って気道表面まで伸びている．この細胞がどのようにして発見されたのかについては本文参照．[D. Montoro et. al., 2018. *Nature* **560**: 319, Copyright Clearance Center, Inc. を通じてNature Publishing Groupの許可を得て転載．]

2

化学的基礎

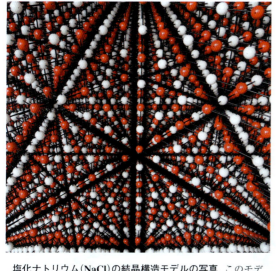

塩化ナトリウム(NaCl)の結晶構造モデルの写真. このモデルは, 高さが3.1 mもあり, これまでにつくられた最大の球棒モデルで, Robert Krickl により 40,110 個の球を使ってつくられた. [Dr. Robert Krickl 提供.]

- 2・1 共有結合と非共有結合性相互作用
- 2・2 細胞の化学的構築単位
- 2・3 化学反応と化学平衡
- 2・4 生体エネルギー論

　細胞の生命活動は, 遺伝情報と周囲の環境に基づき, 数千もの化学的相互作用と化学反応が時間的および空間的に精巧に調和して行われる. これらの相互作用や化学反応を分子レベルで理解することで, 次のような細胞の生命活動に関する基本的な疑問に答えることができる. 細胞は必要な栄養と重要な情報を周囲の環境からどのようにして取込むのだろうか. 栄養物にたくわえられているエネルギーをどのようにして運動あるいは代謝という仕事に変えるのだろうか. 栄養物をどのようにして生存に必要な細胞構成要素に変換するのだろうか. 細胞はどのようにして遺伝情報を子孫に伝え, その情報を使って生き延び繁栄するのだろうか. 細胞はどのように他の細胞と結合して組織を形成するのだろうか. また, 複雑だが効率的に機能する組織が発生し成長していくために, 細胞どうしはどのように連絡をとりあうのだろうか. この教科書の目的の一つは, 個々の分子やイオンの性質をもとにして, こうした細胞と生物個体の構造および機能に関する疑問に対して答えることである.

　たとえば, こうした分子の一つである水の化学的性質は, 細胞の進化, 構造, 機能を支配している. 水の特質が生体内の化学反応を支配していることを考えずに, 生命を理解することはできない. 最初の生物は水のある環境で生まれ, いまでもほとんどの細胞の重量の 70～80% は水なので, 生物システムで最も大量に存在する分子は水である. 生体重量の残りの部分は小分子やイオンおよびそれらを材料とした生体巨大分子やその集合体で, それが細胞の機能装置や構造体となる. ここでいう小分子とはアミノ酸(タンパク質の構築単位), ヌクレオチド(DNA と RNA の構築単位), 脂質(生体膜の構築単位)や糖(複雑な炭水化物の構築単位)で, 分子量が 1000 以下のものである. この小分子とイオンを合わせると, 生体重量の約 7% になる.

　多くの生体分子(たとえば糖)は水によく溶ける. このような分子の性質を**親水性**(hydrophilicity)という. これに対し, 油脂のような生体分子(たとえばコレステロール)は水に溶けにくい. こうした分子の性質を**疎水性**(hydrophobicity)という. さらに別の生体分子(たとえばリン脂質)は親水性の部分と疎水性の部分をもち, 親水性と疎水性の両方の性質を示す. こうした性質を**両親媒性**(amphipathicity)という. 細胞, 組織, そして生物個体の円滑な働きは, 生体内の最も小さい分子から最も大きい分子に至る, すべての分子の働きに依存している. ヒトの細胞の生存にとって, 簡単な水素イオン H^+ も, 膨大な遺伝情報を担っている DNA 分子(ヒトの1番染色体の DNA 分子の質量は H^+ の 8.6×10^{10} 倍もある)と同じように重要である. 大きいものも小さいものも含めたこれらすべての分子と水分子の化学的相互作用, あるいはすべての分子どうしの化学的相互作用が生物の性質を決定している.

　多様な生体分子が多数の複雑な経路で相互作用や反応して, 生きた細胞や生物個体を構築する. しかし幸いなことに, 細胞内過程を分子レベルで理解するには比較的少数の化学の原理を理解していればよい(図 2・1).

　まず第一は, 生体分子どうしは, その表面が相補的性質をもっているときにだけ結合するということである. たとえば, 負の電荷を帯びた表面は正の電荷を帯びた表面と結合する(図 2・1a). 第二は, すでに述べたように, 巨大分子は化学的構築単位が連結してつくられるということである(図 2・1b). 第三は, そうした結合反応は, 分子どうしが化学平衡に向かって, すなわち定常状態に向かって化学反応を起こす方向に進むということである(図 2・1c). 最後は, 分子の化学結合にたくわえられたエネルギーは調節を受けて放出され, 細胞の仕事に利用されるということである(図 2・1d). こうした重要な原理のいくつかはすでに学んでいると思うが, 本章ではまず, それらの復習をする. ほんの少し化学的知識を深めるだけで, 分子細胞生物学についての理解がとても深まるからである. まず, 原子を連結して分子をつくる共有結

I. 化学的・分子的基礎

(a) 分子相補性

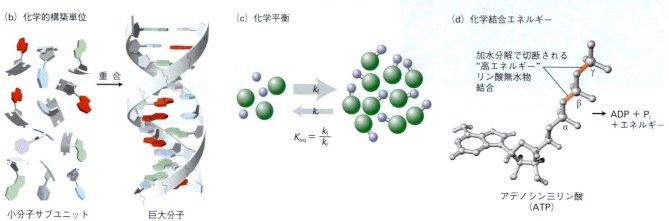

図 2・1 生命現象の化学．四つの重要な概念．(a) 分子相補性は，生体分子間相互作用の中心になる概念である（§2・1）．たとえば，相補的な形や相補的な化学的性質をもつ二つのタンパク質が出会うと，強固な複合体ができる．(b) 小分子は大きい構造の構築単位となる（§2・2）．たとえば，情報を保持する DNA という巨大分子ができるときには，小分子の構築単位である 4 種類のヌクレオチドが共有結合で長い鎖（重合体）となり，それが互いに巻付き合って二重らせんとなる．(c) 化学反応は可逆で，出発物（左）と生成物（右）の割合は正反応（k_f，上の矢）と逆反応（k_r，下の矢）の速度定数で決まる．この二つの速度定数の比が K_{eq} だが，この値から平衡になったときの出発物と生成物の量が決まる（§2・3）．(d) ATP 分子の加水分解が，細胞の多くの化学反応のエネルギー源である（§2・4）．ATP 分子の β リン酸基と γ リン酸基を結びつけている高エネルギーリン酸無水物結合（橙）が水分子の付加で切断されると，この結合エネルギーが放出される．β-γ リン酸基間の高エネルギーリン酸無水物結合の切断では，ADP と P_i が生じる．

合と，分子内と分子間で原子団を安定化して機能をもつ構造をつくりあげる非共有結合性相互作用から解説する．次に，巨大分子の化学構築単位や巨大分子の集合について考えてみる．生物で最も重要な意味をもつ化学平衡を解説したあとで，最後に，細胞代謝でエネルギーを捕獲したり渡したりする場面でATP（アデノシン三リン酸）が果たす中心的な役割など，生体エネルギー論の基礎となる考えについて解説する．

2・1 共有結合と非共有結合性相互作用

生物学の根底にあるのは，原子が集合してできた分子とそれらの間の相互作用である．原子間の強く引き合う力と弱く引き合う力によって，原子は分子中につなぎとめられ，異なる生体分子間の相互作用が生じる．2 個の原子が 1 対の電子を共有すると**共有結合**（covalent bond）が形成され，強い力で原子は集合し分子となる．2 個の原子が複数の電子対を共有すると，二重結合や三重結合ができる．**非共有結合性相互作用**（noncovalent interaction）の弱い力も，タンパク質，核酸，炭水化物，脂質といった生体分子の性質や機能を決定するのに重要である．本節では最初に共有結合について復習し，次に，イオン相互作用，水素結合，ファンデルワールス相互作用，疎水性相互作用という 4 種類の非共有結合性相互作用について解説する．

原子のとりうる共有結合の数と空間配置は電子構造で決まる

水素，酸素，炭素，窒素，リン，硫黄は生体分子に最も多く含まれる元素である．これらの原子は単体で存在することはまれで，原子核を取巻く電子軌道の最外殻にある電子を介して容易に共有結合を形成する（図 2・2）．ふつう，それぞれの原子はほかの原子と固有の数の共有結合を形成し，その形は原子の大きさ，原子核の周囲の電子の分布，そして共有できる電子の数で決まる．形成される安定な共有結合の数は，たとえば炭素がいつも 4 本の共有結合をつくるように一定の場合と，硫黄が 2 本，4 本，あるいは 6 本の共有結合をつくるようにいろいろ変動する場合がある．

生物のすべての構築単位は，4 本の共有結合をつくる炭素原子を中心に組立てられている．これらの生体分子のなかで，それぞれの炭素原子は 3〜4 個の原子と結合していることが多い．なお，炭素-酸素二重結合をもつ直線状の二酸化炭素分子 O=C=O のように，炭素原子がほかの原子 2 個と結合することもあるが，生体の構築単位ではこのような結合はみられない．図 2・3(a) のホルムアルデヒドの例では，炭素は同一平面上にある 3 個の原子に結合する．このとき，炭素原子は 2 個の原子と典型的な単結

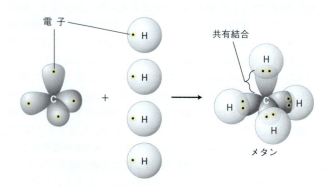

図 2・2 電子を共有すると共有結合ができる．共有結合は複数の原子を分子にまとめる強い力だが，原子どうしがその最外殻電子軌道の電子を共有するときにできる．それぞれの原子によって，できる共有結合の数と幾何学的配置が決まっている．

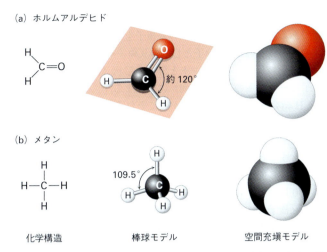

図 2・3 炭素原子が 3 個または 4 個の原子と共有結合したときの幾何学的配置. (a) 炭素原子は, ホルムアルデヒド CH_2O の場合のように, 3 個の原子と結合することがある. この場合, 炭素の電子は単結合二つと二重結合一つの形成に関与し, それらの結合は同一平面上にある. 単結合で結合している原子はふつう結合軸のまわりを自由に回転できるが, 二重結合で結合している原子は回転できない. (b) 炭素原子が, メタン CH_4 の場合のように, 四つの単結合を形成していると, 結合している原子 (この場合には全部水素原子である) は正四面体の頂点に位置する. 左側に元素記号で表している構造は, 分子の原子組成と結合様式を示すのに都合がよい. 中央の棒球モデルは, 原子とその結合の幾何学的配置を示している. ここでは結合に関与しない電子も含んだそれぞれの原子を球で表しているが, その直径は結合の長さに比べて不釣合に小さい. 一方, 右側の空間充填モデルが示す電子雲の広がり (原子の大きさ) は, 三次元空間での分子の形を正確に表している.

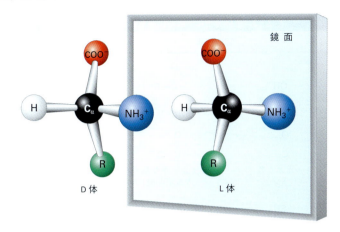

図 2・4 立体異性体. 細胞内の多くの分子は, 少なくとも一つの不斉炭素原子をもつ. 不斉炭素原子を中心に形成される結合の正四面体配置には, 三次元空間において二つの異なるものが可能である. この結果, 二つの鏡像体つまり立体異性体ができる. ここに示しているのはアミノ酸に共通の構造で, 中央の不斉炭素原子に R 基 (§2・2) を含む四つの異なる基が結合している. アミノ酸には, L と D の二つの鏡像体がある. これら立体異性体の化学的性質は同一だが, 生物活性は異なる. 天然のタンパク質には L 体のアミノ酸だけが使われる.

合を, また 3 番目の原子と二重結合 (二つの電子対を共有した状態) をつくる. 何か別の制限がなければ, 単結合でつながっている原子は結合軸のまわりを自由に回転できるが, 二重結合でつながっているものは回転できない. 二重結合によって課せられる平面性という制限は, リン脂質, タンパク質や核酸のような生体分子の形と柔軟性に大きな影響を与える.

炭素は 3 個の原子とだけでなく, 4 個の原子とも結合できる. メタン分子 CH_4 をみるとわかるように, 炭素原子に 4 個の原子が結合すると, どの結合の間の角度も 109.5°で, 結合している原子は正四面体の頂点に位置する (図 2・3b). この幾何学的配置は, 多くの生体分子の構造を決めている. 平面的でない配置をとった 4 個の異なる原子または原子団と結合している炭素原子 (ほかの原子の場合でも) を, 不斉とよぶ. **不斉炭素原子** (asymmetric carbon atom) を中心とする四面体の結合では, 三次元空間で互いに鏡像となる 2 種類の配置が可能である. この性質を**キラリティー** (chirality, 対掌性. ギリシャ語の"手"を意味する言葉に由来する) とよぶ (図 2・4). 鏡像関係にある分子を**光学異性体** (optical isomer) または**立体異性体** (stereoisomer) とよぶ. 細胞内の多くの分子は少なくとも 1 個の不斉炭素原子をもっており, この炭素原子を**キラル炭素原子** (chiral carbon atom) という. ある分子の立体異性体は, 別の分子との接触や化学反応の仕方が違うため, 全く異なる生物活性を示すことが多い.

ある種の薬剤は小分子の立体異性体の混合物からなり, 一方の立体異性体だけが, 特定のタンパク質の活性を阻害す

るなどの生物活性を示すことがある. 生物活性をもつものも, もたないものも有害な副作用をもつという不幸な場合もある. このようなとき, 混合物の代わりに純粋な単一の立体異性体を使ったほうが, 副作用の少ないより強力な薬剤となる. たとえば, 抗うつ薬シタロプラム (Celexa®) の立体異性体の一方は, もう一方よりも 170 倍も強力である. それぞれの立体異性体が異なる活性をもつものもある. たとえば, Darvon® という薬は鎮痛薬だが, その立体異性体である Novrad® (Darvon を逆につづった名前) には咳を抑える作用がある. また, ケタミンの立体異性体の一つは麻酔薬だが, 他方は幻覚をひき起こす. ■

多くの生体分子に含まれる原子が形成する共有結合の数を表 2・1 に示す. 水素原子はただ 1 本の共有結合を形成する. 酸素原子はふつう 2 本の共有結合を形成するが, ほかに 2 対の電子 (表では点で表されている) があって非共有結合性相互作用にかかわる. こうした共有結合に関与しない電子は**非結合電子** (nonbonding electron) ともよばれる. あとの章で説明するが, この非結合電子は生体分子間の化学反応において重要な役割を果たす. 硫黄は, 硫化水素 H_2S では 2 本の共有結合を形成するが, 硫酸 H_2SO_4 やそ

表 2・1 生体分子中に最も豊富に存在する原子の結合に関する性質

原子と外殻電子	通常の共有結合数	結合の配置	原子と外殻電子	通常の共有結合数	結合の配置
H	1	H	·N̈·	3 または 4	N
·Ö·	2	O	·P̈·	5	P
·S̈·	2, 4 または 6	S	·C̈·	4	C

表 2・2 生体分子に一般的にみられる官能基と結合

官能基		結合
—OH ヒドロキシ基 （アルコール）	—C(=O)—R アシル基 （トリアシルグリセロール）	—C(=O)—O—C— エステル結合
—C(=O)— カルボニル基 （ケトン）	—C(=O)—O⁻ カルボキシ基 （カルボン酸）	—C—O—C— エーテル結合
—SH スルフヒドリル基 （チオール）	—NH₂ または —NH₃⁺ アミノ基 （アミン類）	
—O—P(=O)(O⁻)—O⁻ リン酸基 （リン酸化合物）	—O—P(=O)(O⁻)—O—P(=O)(O⁻)—O⁻ 二リン酸基	—N—C(=O)— アミド結合

の誘導体の硫酸化合物では6本の共有結合を形成する．窒素とリンはそれぞれ5個の電子を共有結合に使える．アンモニア NH_3 分子内で，窒素原子は3本の共有結合を形成する．このとき原子のまわりにあって共有結合に関与しない電子対は非共有結合性相互作用に関与できる．アンモニウムイオン NH_4^+ の窒素原子は4本の共有結合を形成し，その形状は四面体となる．リン酸 H_3PO_4 やリン酸誘導体でみられるように，リン原子は通常5本の共有結合を形成し，それが核酸分子の骨格となっている．タンパク質に共有結合しているリン酸基は多くのタンパク質の活性を制御する重要な役割を演じる．細胞のエネルギーの流れの中心となるATPは，3個のリン酸基をもつ（§2・4）．一般的な共有結合と官能基（分子の特別な化学的性質を担う部分）を表2・2に示す．

共有結合では電子の分布が均等な場合と不均等な場合がある

原子が電子を引寄せる能力を**電気陰性度**（electronegativity）とよぶ．C—C結合やC—H結合にみられるように，同一またはほとんど同一の電気陰性度をもつ原子間の結合では，結合に関与する電子は2個の原子にほとんど均等に分布している．このような結合の性質を**非極性**（nonpolarity）という．これに対して，多くの分子では結合している2個の原子の電気陰性度が異なるので，電子の分布が偏る．このような結合の性質を**極性**（polarity）という．

極性をもつ結合の一端には部分的な負電荷 $\delta-$，他端には部分的な正電荷 $\delta+$ が存在する．たとえばO—H結合では水素に比べて酸素の電気陰性度が高いので，電子は水素の周辺より酸素の周辺に長時間滞在する．その結果，O—H結合は電気**双極子**（dipole）となる．双極子とは，正電荷が，同量の負電荷から離れて存在する状態のことである．O—H双極子では，酸素原子が平均して電子の25%の負電荷 $\delta-$ をもち，水素原子が対応する正電荷 $\delta+$ をもつ．

双極子の電荷分離の程度，すなわち強度を定量的に表す値は**双極子モーメント**（dipole moment）μ とよばれる．化学結合の双極子モーメントは，それぞれの原子がもつ部分的電荷と原子間距離の積である．多くの分子が複数の双極子をもつ．この場合，分子全体の電荷分離の程度（分子としての双極子モーメント）は，個々の化学結合の双極子モーメントと分子の形状（個々の結合がもつ双極子モーメントの相対的方向）に依存する．

O—H結合を二つもち，したがってそれぞれ二つの結合双極子モーメントをもつ水分子 H_2O を例にとって考えてみよう．仮に，二つのO—H結合がO原子の正反対の方向に向いている直線状の分子だとすると，それぞれの側の双極子の強度は同じで方向は正反対になるので，二つの双極子は互いに打消し合って分子全体としては0になる．しかし，水分子はV字形の分子で，そのO—H結合の双極子モーメントが二つとも酸素原子のほうに向いているので，水分子の一端（酸素原子のある端）が局所的に負電荷をもち，もう一方の端（2個の水素原子をもつ端）は局所的に正電荷をもつ．この結果，水分子は全体としても双極子となる（図2・5）．この双極子モーメントと酸素原子，水素原子の電気的性質によって，水分子どうし，あるいは水分子と他の分子との間で静電的非共有結合性相互作用が可能になる．これらの相互作用が細胞や生物個体でみられるほとんどすべての生化学的相互作用で重要な役割を果たす．これについてはすぐあとでふれる．

極性に関するもう一つの重要な例は H_3PO_4 の P=O 二重結合である．以下に示した H_3PO_4 の構造で，線は単結合および二重結合を示し，結合に関与しない非共有電子対は1対の点として描いてある．

$$\text{H—O—P(=O)(OH)—OH} \longleftrightarrow \text{H—O—P}^+\text{(—O}^-\text{)(OH)—OH}$$

P=O 二重結合には極性があるので，H_3PO_4 は右側の構造でも表現できる．こちらではP=O結合に関与している電子対の電子の1個がO原子の周囲に集まり，O原子には負電荷が，P原子には正電荷が生じる．これらの電荷が非共有結合性相互作用には重要である．上記の二つのモデルは，どちらも H_3PO_4 の電子状態を正確に表現していない．実際の状態は，両方向矢印で示したように，これら二つの表現の中間の混成物である．このような中間体構造を**共鳴混成体**（resonance hybrid）とよぶ．

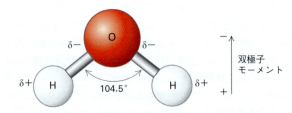

図 2・5 水分子の双極子としての性質．δという記号は部分的な電荷（電子1個または H^+ 1個より弱い電荷）を示す．HとOとの電気陰性度の差によって，水分子中の二つのH—O結合はそれぞれ双極子となっている．それぞれの結合の双極子の大きさと方向によって，分子全体における分離している電荷の量と分離の距離，つまり分子の双極子モーメントが決まる．

共有結合は非共有結合性相互作用よりはるかに強力で安定である

共有結合を切断するには室温(25℃)または体温(37℃)で得られる熱エネルギーよりはるかに大きいエネルギーが必要なので，これらの温度で共有結合は安定である．たとえば，25℃での熱エネルギーは約 0.6 kcal/mol であるのに対し，エタンの C–C 結合を切断するのに必要なエネルギーはその 140 倍大きい(図 2・6)．そのため，室温(25℃)でエタンの C–C 結合が自然に切断され，1対のメチルラジカル・CH_3 (・で示すように，結合に参加せず，他の電子と対を形成してない電子をもつ分子種をラジカル radical とよぶ) が生成する割合は，10^{12} 分子中 1 分子以下である．

生体分子内の単結合も，エタンの C–C 結合と同程度のエネルギーをもっている．二重結合では原子間で共有される電子の数が多いので，切断には単結合より多くのエネルギーが必要である．たとえば，C–O の単結合を切断するには 84 kcal/mol のエネルギーが必要だが，C=O の二重結合の切断には 170 kcal/mol が必要である．生体分子のなかで最も一般的に存在する二重結合は C=O, C=N, C=C, P=O である．

これに対し，非共有結合性相互作用を切断するのに必要なエネルギーは 1〜5 kcal/mol で，共有結合の結合エネルギーよりはるかに小さい(図 2・6)．実際，弱い非共有結合性相互作用は，室温で常に生じたり消滅したりしている．このように非共有結合性相互作用は生理的な温度(25〜37℃)では不安定だが，あとでみるように，多く集まれば，巨大分子内あるいは巨大分子間に非常に安定でしかも特異的な結合をつくり出せる．非共有結合性相互作用のいい例がタンパク質タンパク質間，タンパク質-核酸間の相互作用である．これ以降，4種類の非共有結合性相互作用について復習し，ある生体分子どうし，あるいは生体分子と他の分子との結合に果たしているそれぞれの役割を解説する．

イオン相互作用は正負に荷電したイオンが引き合う力である

イオン相互作用 (ionic interaction, **イオン結合** ionic bond ともいう) は，正に荷電したイオンすなわち**陽イオン** (cation, カチオン) と負に荷電したイオンすなわち**陰イオン** (anion, アニオン) が引き合う力である．たとえば，塩化ナトリウム NaCl では，

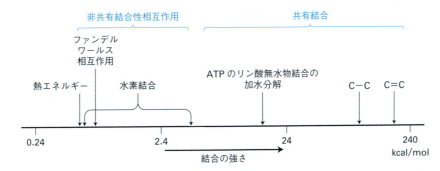

図 2・6 共有結合と非共有結合性相互作用のエネルギーの比較．ある特定の結合を切断するのに必要なエネルギーが結合エネルギーである．ここでは，さまざまな結合を切断するのに必要なエネルギーを対数目盛で並べてある．炭素–炭素単結合(C–C)，二重結合(C=C)を含む共有結合のエネルギーは，非共有結合性相互作用のものより 10 倍から 100 倍も大きい．非共有結合性相互作用のエネルギーは，室温(25℃)での熱エネルギーよりいくらか大きい．多くの生物の反応は，ATPのリン酸無水物結合の加水分解で放出されるエネルギーを利用している．

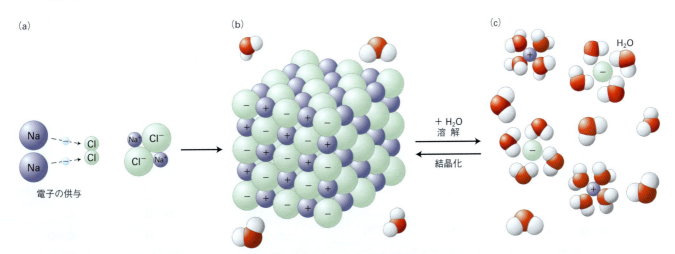

図 2・7 食塩(NaCl)の結晶中と水溶液中での，陽イオンと陰イオンの静電相互作用．(a) 食塩の結晶中で，ナトリウム原子は電子を1個ずつ失って陽イオン Na^+ になっており，一方，塩素原子は電子を1個ずつ得て陰イオン Cl^- になっている．(b) 固体のイオン化合物は，きれいに整列した配置をとり，結晶となる．この結晶では，陽イオンと陰イオンが互いに向き合って均衡をとり，緊密にまとまっている．(c) 結晶が水に溶けるとイオンは離ればなれになるので，反対の電荷をもつイオンどうしが隣り合って相互作用するのではなく，それぞれが極性をもった水分子と相互作用して安定化される．水の酸素原子あるいは水素原子の部分電荷とイオンの電荷との間の静電相互作用を介して，水分子とイオンは結合する．この結果，水溶液中では，すべてのイオンが水分子からなる水和殻によって囲まれる．

ナトリウム原子の結合電子は完全に塩素原子に移っている（図2・7a）．イオン相互作用では，共有結合と違って，イオン間には固定された特有の立体的位置関係がない．これは，イオン周辺の静電場，すなわち逆の電荷を引寄せる力がすべての方向に一様なためである．固体NaClでは，多数のイオンがきちっと交互に詰まって正負の電荷が整然と並んだ形になっており，塩結晶に特徴的な非常に秩序だった結晶構造（格子）をつくる（図2・7b，本章の章頭図）．イオン相互作用を切断するのに必要なエネルギーは，イオン間距離とイオンのまわりの電気的性質に依存する．

　固体の塩が水に溶けるとき，イオンは互いから離れて水分子と相互作用し，安定化される．水溶液中では，生物にとって意味のある簡単なイオン，たとえばNa^+, K^+, Ca^{2+}, Mg^{2+}, Cl^- などは，それぞれ**水和**（hydration）して水分子の安定な殻で囲まれる．このとき，中心のイオンと，それと反対の電荷をもつ水分子の双極子末端とがイオン相互作用で引き合って安定な形をとる（図2・7c）．イオンが水分子を強く引きつけ水溶液中に分散すると無秩序さ，すなわちエントロピーが増すので，エネルギーが放出される（§2・4）．この水和エネルギーは結晶を安定化している格子エネルギーより大きいので，イオン性の化合物のほとんどは水によく溶ける．イオンが直接タンパク質と相互作用するときは，**水和殻**（hydration shell）の一部または全部が除かれる．たとえば，神経伝導に際して，イオンが細胞膜に埋込まれたタンパク質の孔を通過するときには水和している水は除かれる．

　A^-とC^+という反対電荷をもつイオン間の相互作用の強さは，溶液中のほかのイオンの濃度に依存する．他のイオン（たとえば，Na^+とCl^-）の濃度が高いほどA^-とC^+がそれらのイオンと相互作用する機会が増えて，A^-とC^+の相互作用を切断するのに必要なエネルギーが低くなる．そこで生体分子溶液でNaClのような塩の濃度を増すと，生体分子どうしをつなぎとめているイオン相互作用は弱まり，ときには消滅する．この現象は，相互作用し合っているタンパク質などの混合物から個々のタンパク質を単離するときに利用される．

水の性質および電荷のない分子の水への溶解性は水素結合で決まる

　水素結合（hydrogen bond）は，水分子でみられるような部分的に正電荷をもった水素原子と非共有電子対をもつ他の原子（同一分子内あるいは異なる分子の）との相互作用で生じる．通常，水素原子は他の原子と共有結合している．水素が電気陰性度の高い供与体原子Dと結合している場合にのみ，非結合性電子対をもつ受容体原子Aと水素結合することができる．

$$D^{\delta-}\text{—}H^{\delta+} + :A^{\delta-} \rightleftharpoons D^{\delta-}\text{—}H^{\delta+}\underbrace{\cdots\cdots}_{\text{水素結合}}:A^{\delta-}$$

　受容体が供与体から水素を"引き離そう"とするので，D-Hの共有結合は水素結合のないときに比べて少し長くなる．重要なことは水素結合の方向性である．強い水素結合ができるときには，供与体原子，水素原子，受容体原子がすべて直線上にある．直線からはずれたものは，直線状の水素結合より弱い．しかし多くのタンパク質では，直線からはずれた多数の水素結合が三次元構造を安定化するのに役立っている．

　同じ原子間の水素結合と共有結合を比較すると，前者は後者より長くて弱い．たとえば水では，水素結合している水素原子と酸素原子の核間距離は0.27 nmで，水分子の共有結合O-Hの距離のおよそ2倍である（図2・8a）．水分子間の水素結合（約5 kcal/mol）はO-H共有結合（約110 kcal/mol）よりはるかに弱いが，他の多くの生体分子の水素結合（1～2 kcal/mol）よりは強い．融点や沸点が異常に高いことや，種々の分子を溶かし込むといった水の特徴的な性質は，水分子間の多数の水素結合で説明できる．

　水と水素結合を形成するなら，電荷のない物質でも水に溶ける．たとえば，アルコールXCH_2OHのヒドロキシ基OHやアミンXCH_2NH_2のアミノ基NH_2は水と水素結合を形成するので，こうした物質はよく水に溶ける（図2・8b）．一般的に，極性結合をもっていて水と容易に水素結合をつくる物質は，水分子の双極子と相互作用する荷電分子やイオンと同様，水に溶けやすく，親水性である．多くの生体分子は，ヒドロキシ基やアミノ基に加えて，ペプチド結合やエステル結合を含む．これらの構造中のカルボニル基は，酸素原子の非共有電子対を介して水と水素結合を形成する（図2・8c）．X線結晶構造解析法とコンピューター解析を用いると，共有結合中の電子の分布とともに，酸素原子の最外殻の非結合性電子対の正確な分布も描くことができる（図2・9）．

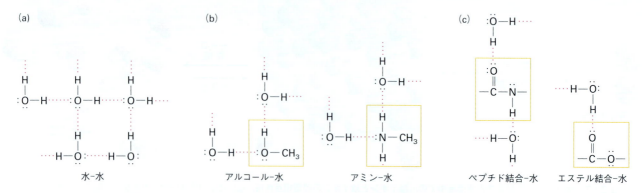

図2・8　**水どうしの水素結合と，水と他の化合物との水素結合**．酸素原子や窒素原子の最外殻非結合電子対は，水素結合における水素原子の結合相手となる．ヒドロキシ基もアミノ基も，水と水素結合をつくる．(a) 液体の水では，水分子どうしの水素結合はできたり切れたりするので，水素結合を介した水分子の動的なネットワークができる．(b) 水はアルコール類やアミン類とも水素結合をつくるので，これらの化合物は水によく溶ける．(c) 多くの生体分子中に存在するペプチド結合やエステル結合は，水やほかの分子の極性基と水素結合することが多い．

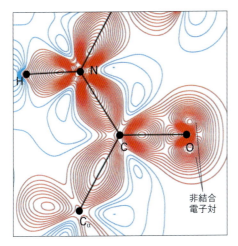

図 2・9 ペプチド基における結合に関与している電子と関与しない最外殻電子の分布．クランビンというタンパク質中の二つのアミノ酸をつなぐペプチド結合の一つを示す．クランビンは，最も詳しく構造がわかっているタンパク質である．黒い線は原子間の共有結合を表している．赤(負)と青(正)の曲線は X 線結晶構造解析とコンピューター解析を用いて計算した電荷の量を等高線で表している．等高線の数が多いほど電荷が多い．原子間の密に詰まった赤い等高線は，共有結合(共有されている電子対)を表す．酸素(O)から出ている 2 組の赤い等高線で，共有結合(黒い線)と重なっていないものが，水素結合に関与する非結合電子対である．窒素(N)に結合している水素 H の近くで青い等高線の密度が高いのは，部分的な正の電荷を表す．この水素原子は水素結合をつくれる．[C. Jelsch et al., *Proc. Natl. Acad. Sci. USA*, 2000, **97**(7): 3171, Fig.3A, National Academy of Sciences, USA による．]

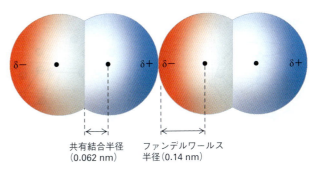

図 2・10 ファンデルワールス接触している二つの酸素分子．この図で，赤は負の電荷を，青は正の電荷を表す．すべての原子で起こる電子のゆらぎにより一過性の双極子が生じ，その結果，原子間で弱い引き合う力が生じる．それがファンデルワールス相互作用である．それぞれの原子に特有のファンデルワールス半径があって，その距離でほかの原子に接近すると，ファンデルワールス相互作用が最大になる．ファンデルワールス半径を越え，最外殻電子が重なるほど二つの原子が近づくと，相互に反発する．ファンデルワールス半径は，原子を取巻く電子雲の大きさの目安である．この図に示す共有結合半径は O=O の二重結合に対するもので，酸素の単結合の共有結合半径はこれより少し長い．

ファンデルワールス相互作用は一過性の双極子間で生じる弱い相互作用である

どんな二つの原子でも非常に接近すると，**ファンデルワールス相互作用**（van der Waals interaction）という弱く非特異的な引き合う力が生じる．この非特異的な相互作用は，原子内の電子分布が一過性に規則性なく変動することに由来する．この変動により不均一な電子分布が生じると一時的な双極子ができる．非共有結合的に相互作用している 2 個の原子が非常に接近すると，一方の原子の電子が他方の原子の電子分布に影響を与える．この相互作用で第二の原子に一過性の双極子ができて，二つの双極子の間に弱い引力が生じる（図 2・10）．同様に，ある分子の分極した共有結合は，別の分子の反対方向を向いた双極子と相互作用する．

一過的に誘導された双極子または永久双極子に由来するファンデルワールス相互作用は極性，非極性すべての種類の分子で生じる．ヘプタン $CH_3(CH_2)_5CH_3$ のようにほかの物質と水素結合もイオン相互作用もしない非極性分子が集合するのは，ファンデルワールス相互作用のためである．ファンデルワールス相互作用は，距離が増すと急激に弱くなる．そこで，原子が相互に非常に接近したときにだけこの種の非共有結合性相互作用が生じる．しかし原子が接近しすぎると，電子の負電荷で反発し合う．2 個の原子のファンデルワールス相互作用が両方の電子雲の反発にちょうど釣合うとき，2 個の原子はファンデルワールス接触しているという．ファンデルワールス相互作用の強さは約 1 kcal/mol で，典型的な水素結合より弱く，25 ℃ の分子の平均の熱エネルギーよりわずかに大きい．そこで，多数のファンデルワールス相互作用が生じること，ほかの非共有結合性相互作用とファンデルワールス相互作用が協同して働くこと，あるいはそれらが同時に起こることが，分子間あるいは分子内接触の安定性にとって非常に重要である．

疎水性相互作用によって非極性の分子が相互に接着する

非極性の分子は荷電した原子団や双極子モーメントをもたず，水和しないので，水に溶けないという疎水的な性質を示す．生体物質における非極性結合の典型的な例は，2 個の炭素原子間あるいは炭素と水素の間の共有結合である．したがって，**炭化水素**（hydrocarbon，炭素と水素だけからなる分子）は水に溶けない．動物の脂肪や植物油の主成分であるトリアシルグリセロール（トリグリセリド）も水に不溶である．あとで述べるように，これらの分子の大部分は長い炭化水素鎖である．水と一緒に振り混ぜても，トリアシルグリセロールは水と分離して別の相になる．油と酢のサラダドレッシングで，油が酢を含む水相から分離するのはこうした例である．

非極性の分子または分子の非極性部分が水中で凝集しやすいのは**疎水性相互作用**（hydrophobic interaction）のためである．水分子は非極性の物質と水素結合をつくれないので，非極性の分子の周囲に水素結合で結ばれた比較的しっかりした五角形や六角形の"かご構造"をつくる傾向がある（図 2・11 左）．この状態は，水分子全体としてのエントロピー，つまり乱雑さを減少させるので，エネルギー的に不利である．（化学的な系におけるエントロピーの役割については §2・4 で説明する．）水溶液中で非極性の分子どうしが疎水面を互いに向き合わせて凝集すると，水に露出している疎水性表面の総面積が減る（図 2・11 右）．その結果，非極性分子の周辺でかご構造をつくる水分子数が減り，結果的にエントロピーが増大してエネルギー的に有利な状態になる．ある意味で，水が非極性分子を押込め，凝集するように仕向けると考えてよい．疎水性相互作用は，水素結合のような引き合う力ではなく，非極性分子のまわりに多数の水分子のかご構造ができるというエネ

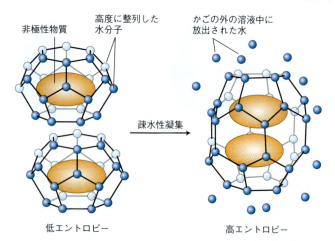

図 2・11 疎水性相互作用の模式図．水溶液中で，非極性分子のまわりにできる水分子のかご構造は，その外側にある水全体の構造より規則正しい．非極性分子が凝集すると，規則正しいかご構造をつくる水分子の数が減って，凝集していない状態（左）と比べてエントロピーの大きい，エネルギー的に安定な状態（右）が生じる．

ギー的に不利な状態を避けるために生じる．

非極性分子の集合には，弱いけれどファンデルワールス相互作用も寄与する．疎水性相互作用とファンデルワールス相互作用が同時に働くので，疎水性分子は水とではなく，他の疎水性分子と相互作用する傾向がきわめて強くなる．同類は混ざり合うというように，極性分子は，水のような極性溶媒によく溶け，非極性分子はヘキサンのような非極性溶媒によく溶ける．

よく知られている疎水性分子の一つがコレステロールである（§2・2）．コレステロールやトリアシルグリセロールなど，あまり水に溶けない分子は**脂質**（lipid）とよばれる．体の中で分子や細胞を輸送する血液に，グルコースやアミノ酸はよく溶けるが，脂質は溶けない．そこで，コレステロールのような脂質は，**リポタンパク質**（lipoprotein）という親水性運搬体の中に詰め込まれた形で血液に溶け込み，輸送される．それぞれのリポタンパク質の中心部には，数百から数千の脂質分子が詰め込まれている．両親媒性の分子がその疎水性中心部を包み，両親媒性の分子の親水性部分は，まわりの水分子と相互作用し，疎水性部分は互いに相互作用するか，中心部の脂質分子と相互作用する．リポタンパク質のおかげで，血流中でも脂質は効率よく運搬される（14章）．これは，積み荷がコンテナに入れられて船舶や貨車，トラックなどに積まれて効率よく長距離輸送される様子に似ている．

高密度リポタンパク質（HDL）と低密度リポタンパク質（LDL）は，こうした脂質輸送にかかわるリポタンパク質で，心疾患の危険性とかかわりがある．前者はこの危険性を低くし，後者は高くするので，HDL は“善玉コレステロール”，LDL は“悪玉コレステロール”とよばれることが多い．しかし実際には，HDL も LDL も運搬するコレステロールあるいはその誘導体は同じで，コレステロールに善玉も悪玉もない．HDL と LDL とは細胞に及ぼす影響が違っていて，LDL が動脈に目詰まり（**アテローム性動脈硬化症** atherosclerosis）を起こし，心疾患，心筋梗塞の原因となるのに対して，HDL には反対の働きがある．HDL が心臓発作の危険性を減らすしくみについては，まだわかっていない．■

生体分子どうしは，非共有結合性相互作用を介した分子相補性によって，鍵が鍵穴に合うように結合する

細胞の中でも外でも，イオンや分子は常に相互に衝突している．二つの分子が互いに遭遇する機会は，それぞれの濃度が高ければ高いほど多くなる．二つの分子が衝突しても，生理的温度では非共有結合性相互作用が弱く，一過性なので，ほとんどの場合，両者は単純に跳ね返るだけである．しかし，異なる分子の間に**分子相補性**（molecular complementarity），つまり形や電荷その他の物理的性質に鍵と鍵穴のような関係があると，接近した位置で多数の非共有結合性相互作用が生じ，衝突したときに付着し，結合する確率が高まる．

図 2・12 は，二つの仮想的なタンパク質が多数のさまざまな弱い結合で緊密に結びつく様子を示している．こうしたタンパク質間相補性の例は本書のいたるところに出てくる（たとえば図 16・9，図 16・18b 参照）．二つの接触面上にある原子団がこの例以外の配置をとったら，二つのタンパク質の結合は弱まってしまう．こうした分子相補性が，タンパク質の独特な三次元的折りたたみ（3章）や，二本の DNA 鎖が二重らせん構造を形成する原動力となる（5章）．また，同じような相互作用によって，多分子からなる集合体ができる．その結果，たとえば筋肉内に繊維構造ができたり，組織中で細胞どうしが糊づけされたようにしっかり会合したり，その他の多くの細胞構造ができたりする．病原体を無毒化する役割を担う抗体（24章）も，似たような分子形態の相補性を介して病原体と結合する．

二つの分子の間の非共有結合性相互作用の数と強さおよびその環境により，分子間の結合は強かったり弱かったりし，その結果，結合の寿命が長かったり短かったりする．二つの分子間の**親和性**（affinity）が高いということは，分子どうしがうまくかみ合い，非共有結合性相互作用が多く生じて，互いに強く結合するというこ

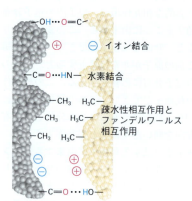
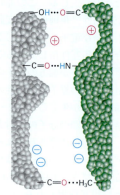

安定な複合体　　　　　　　不安定な複合体

図 2・12 多数の非共有結合性相互作用を介した**分子相補性**によって，**タンパク質間に強い結合が生じる**．二つのタンパク質の表面の相補的な形，電荷，極性，疎水性によって，多数の弱い相互作用が生じる．それが一体となって強い相互作用を生み出し，タンパク質間にしっかりした結合ができる．分子相補性からずれると結合はずっと弱くなるので，ある生体分子の特定の表面部位は，1個か限られた数のほかの分子とだけ強く結合する．相補性をもつ二つのタンパク質分子（左）の結合は，相補性に欠ける二つのタンパク質（右）の結合よりずっと強い．

とである．親和性の定量的な指標となるのは§2・3で解説する解離定数 K_d である．細胞生物学において，多くの場合，分子は互いに結合しなければならないが，その後，解離できないといけない．すなわち，結合は可逆的でないといけないのである．したがって，結合は強すぎてはいけない．そうでないと必要に応じて解離することができなくなる．生体内の巨大分子の多くは固く頑丈なものではなく，変形しやすいものである．したがって，ある分子が他の分子に結合すると結合相手の構造に影響を与える．こうした分子間相互作用で分子相補性が増す場合，この現象を**誘導適合**（induced fit）とよぶ．

3章で説明するように，細胞内で起こるほとんどの化学反応は，酵素と他の分子との結合の仕方に左右される．酵素は，反応を触媒してその速度を速めるだけでなく，高い**特異性**（specificity）をもって反応を進行させる．これは，酵素がただ1種類または少数のよく似た分子とだけ結合するからである．分子相補性を介した分子間相互作用と分子間反応の特異性は，生命活動にとって重要な多くの過程に必須なものである．

- 水素結合は，電気陰性度の高い原子と共有結合している水素原子が，受容体原子の非結合性電子対に引きつけられることで生じる（図 2・8）．
- 弱いファンデルワールス相互作用は，すべての分子に一時的に生じる双極子どうしが引き合う力に由来し，2個の原子が近接したときに生じる（図 2・10）．
- 水溶液中で，非極性の分子あるいは大きな分子の非極性部分は疎水性相互作用で集合し，水分子との接触面を減らす（図 2・11）．
- 分子相補性とは，分子間で形，電荷，その他の物理的性質が相補的なために生じる鍵と鍵穴のような関係をいう．相補的な分子間には，多数の非共有結合性相互作用が生じて，しっかりした結合ができるが（図 2・12），相補的でない分子間にはこのような結合はできない．
- 分子相補性から生じる高い結合特異性は，生体内での分子間相互作用の基礎になる特徴で，生命活動にとって重要な多くの過程にとって必須なものである．

2・1 共有結合と非共有結合性相互作用　まとめ

- 水に馴染む性質を親水性，水と相互作用しない性質を疎水性，両者の性質をあわせもつときに両親媒性という．親水性分子は水に溶けやすく，疎水性分子は水に溶けにくい．
- 2個の原子が1対の電子を共有するのが共有結合である．共有結合によって，分子を構成する原子は決まった形に配置される．
- 細胞内の多くの分子は，不斉炭素原子を少なくとも一つもっている．この炭素原子は4個の異なる原子と結合している．このような分子にはDやLと表される光学異性体（鏡像体）があり（図 2・4），それぞれ異なる生物活性をもつ．生体内では，ほとんどすべてのアミノ酸はL体である．
- 共有結合での電子分布は均等の場合と不均等の場合がある．電気陰性度の異なる原子間の結合では，電子が不均等に分布して，分極した共有結合を形成する．分極した結合の一端には部分的な正電荷があり，他端には部分的な負電荷がある（図 2・5）．
- 共有結合を切断するには室温（25℃）あるいは体温（37℃）で得られる熱エネルギーよりも高いエネルギー（50〜200 kcal/mol）が必要なので，生体内の共有結合は安定である．
- 原子間の非共有結合性相互作用は共有結合よりかなり弱く，結合のエネルギーは約 1〜5 kcal/mol である（図 2・6）．
- 生体内では，イオン相互作用，水素結合，ファンデルワールス相互作用，そして疎水性相互作用という4種類の非共有結合性相互作用が働いている．
- イオン相互作用は，陽イオンと陰イオンの電荷間の静電引力によって生じる．水溶液中では，すべての陽イオンと陰イオンは結合水の層で包まれている（図 2・7c）．水溶液中の塩（たとえばNaCl）の濃度を増すと，生体分子間のイオン結合が弱まり，切断されてしまうこともある．

2・2 細胞の化学的構築単位

同一かあるいはよく似た小分子構築単位から**巨大分子**（macromolecule）が組立てられることは，すべての生物に共通している．主要な3種類の生体巨大分子，すなわち**タンパク質**（protein），**核酸**（nucleic acid），**多糖**（polysaccharide）は，小分子の構築単位，つまり**単量体**（monomer）が共有結合で多数連結した**重合体**（polymer）である（図 2・13）．タンパク質は，多いものでは数千個にものぼるアミノ酸が**ペプチド結合**（peptide bond）でつながった直鎖状重合体である．核酸は数十から数百万のヌクレオチドが**ホスホジエステル結合**（phosphodiester bond）でつながった直鎖状重合体，多糖はグルコースのような単糖（各種の糖）が**グリコシド結合**（glycosidic bond）でつながって直鎖状または枝分かれした重合体である．

単量体間で共有結合ができる機構は複雑なのでのちほど解説するが，簡単にいうと，一方の単量体が水素Hを，他方の単量体がヒドロキシ基OHを失い，結果的に1分子の水を失うという**脱水反応**（dehydration reaction）である．反応を逆転させて水を付加すると，この共有結合を切断でき，**加水分解**（hydrolysis）とよばれる．加水分解すると，重合体末端から単量体を放出することや，重合体の中ほどを切断して二つの短い重合体にすることができる．単量体間の結合は，ふつうの生体内の条件（たとえば37℃，中性pHなど）では安定である．したがって，これら重合体は安定で，情報の蓄積，化学反応の触媒，細胞の形態形成や運動に必要な構造体となるなど，細胞内の多岐にわたる仕事を行うことができる．巨大分子が非共有結合性相互作用で集合することで，大きな構造を形成することもある．細胞膜を構成する二層構造（二重層）は，何千ものリン脂質とよばれる小分子が非共有結合性相互作用で集まってつくられたものである（図 2・13）．

本章では，細胞をつくり上げる構築単位，つまり，アミノ酸，ヌクレオチド，糖，およびリン脂質の化学特性に焦点を当てる．タンパク質，核酸，多糖類，および生体膜の構造，機能，組立てについてはあとの章で解説する．

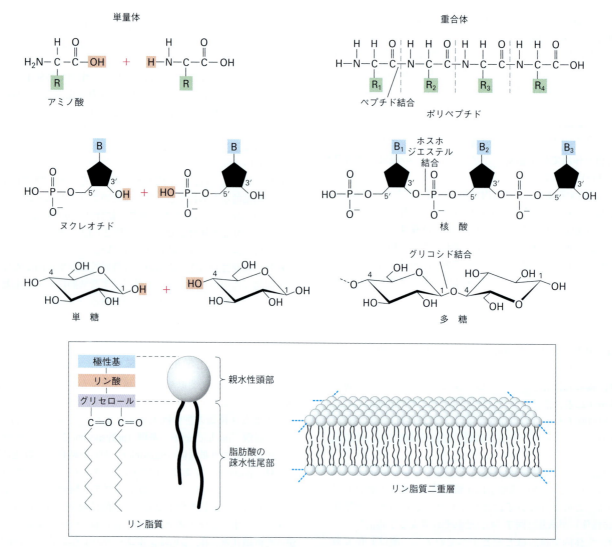

図 2・13 細胞のおもな化学的構築単位. （上）主要な三つの生体巨大分子は，それぞれ特定の小分子（単量体）が多数重合してできている．タンパク質はアミノ酸（3章），核酸はヌクレオチド（5章），多糖は単糖（糖）からできている．1分子の水を失う脱水反応の結果，単量体は共有結合でつながり重合体になる．（下）それに対し，リン脂質の単量体は非共有結合性相互作用で集合して，二重層構造となる．これは，細胞にあるすべての膜の基本構造である（10章）．

側鎖だけが異なる多種類のアミノ酸からタンパク質はつくられる

タンパク質の構築単位は，20種類の**アミノ酸**（amino acid）である．重合体であるタンパク質に取込まれたアミノ酸は，**残基**（residue）とよばれる．どのアミノ酸でも，中央の **α 炭素原子**（α carbon atom）$C_α$には，アミノ基 NH_2，カルボキシ基すなわちカルボン酸基 COOH（このためアミノ酸の名がある），水素原子 H，およびアミノ酸によって異なる側鎖〔side chain，R 基（R group）ともよばれる〕という四つの化学的に異なる基が結合している．R 基が水素であるグリシンを除くすべてのアミノ酸の α 炭素は不斉炭素なので，D（dextro，右旋性）と L（levo，左旋性）とよばれる二つの異性体がある（図 2・4）．二つの異性体を同一のものにする（相互変換）には，どれか一つの結合を切断して新たに結合し直すことが必要である．タンパク質には，ごくまれな例外を除いて，L 体のアミノ酸しか使われていない．しかし，細菌の細胞壁や微生物がつくる物質には D-アミノ酸が多く含まれる．

3章で解説するタンパク質の三次元構造と機能を理解するには，側鎖によって決まる，それぞれのアミノ酸の特性をよく知る必要がある．アミノ酸は，側鎖の大きさ，形，電荷，疎水性（水への溶解度の指標），化学反応性によって大きく数種類に分類できる（図 2・14）．タンパク質の働きを理解するのに，側鎖のそれぞれの微細な構造まで記憶する必要はないが，どの分類に属するかについては知っておく必要がある．

非極性側鎖をもつアミノ酸は**疎水性アミノ酸**（hydrophobic amino acid）とよばれ，わずかしか水に溶けない．非極性側鎖が大きければ大きいほど疎水性は強くなる．**アラニン**（alanine），**バリン**（valine），**ロイシン**（leucine），**イソロイシン**（isoleucine）は分岐がないか分岐した非環状の炭化水素側鎖をもち，**脂肪族アミノ酸**（aliphatic amino acid）とよばれる．**メチオニン**（methionine）の側鎖は硫黄原子が 1 個ある以外はすべて炭化水素であり，上に述べたものと同様に非極性である．**フェニルアラニン**（phenylalanine），**チロシン**（tyrosine），**トリプトファン**（tryptophan）は

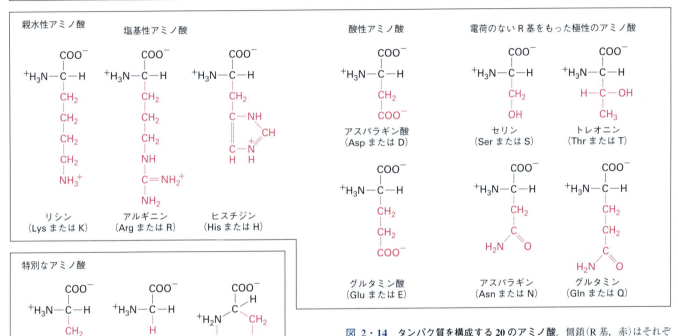

図 2・14 タンパク質を構成する 20 のアミノ酸. 側鎖(R 基, 赤)はそれぞれのアミノ酸の性質を決定し, これがアミノ酸を疎水性, 親水性, 特別なものという 3 種類に分類するときの基礎になる. 図は細胞質の pH (約 7) でのイオン化した形を示している. ( )内はアミノ酸の三文字表記と一文字表記である.

大きくかさばった疎水性の芳香環側鎖をもっている. あとの章で詳しく述べるように, これらの疎水性側鎖は疎水性相互作用により, タンパク質内部に詰め込まれたり, 生体膜の疎水性領域と接するタンパク質表面を覆ったりしていることが多い.

極性の側鎖をもつアミノ酸は**親水性アミノ酸** (hydrophilic amino acid) とよばれる. これらアミノ酸のうち最も親水性が強いのは, 細胞内外の生理的 pH (約 7, §2・3) で電荷をもつ (イオン化している) ものである. **アルギニン** (arginine) と**リシン** (lysine) の側鎖は, 正の電荷をもち, **塩基性アミノ酸** (basic amino acid) とよばれる. これに対して, **アスパラギン酸** (aspartic acid) と**グルタミン酸** (glutamic acid) の側鎖は, カルボン酸基に由来する負の電荷をもち, **酸性アミノ酸** (acidic amino acid) とよばれる. 5 番目のアミノ酸である**ヒスチジン** (histidine) には窒素原子を 2 個含む環状の**イミダゾール** (imidazole) 側鎖があり, これは環境のわずかな酸性度 (pH) の変化で正に荷電した状態から荷電しない状態へと変化する (§2・3).

多くのタンパク質の活性は, 環境の酸性度 (pH) 変化に起因するヒスチジン側鎖のプロトン化あるいは脱プロトンの影響を受ける. **アスパラギン** (asparagine) と**グルタミン** (glutamine) の極性側鎖は電荷をもたないが, 水素結合を形成する傾向の強い複数のアミド基をもつ. 同様に, **セリン** (serine) と**トレオニン** (threonine) の側鎖は電荷をもたないが, 極性のヒドロキシ基があってほかの極性分子と水素結合を形成する.

最後に, システイン, グリシン, プロリンの側鎖の性質は特別で, タンパク質において特異な役割を果たす. **システイン** (cysteine）の側鎖は反応性の高い**スルフヒドリル基**（sulfhydryl group, メルカプト基，チオール基）SHをもっている．スルフヒドリル基からH⁺が解離して生じるチオラートアニオンS⁻は，タンパク質分解酵素（プロテアーゼ）などの触媒作用において重要な役割を果たしている．またスルフヒドリル基は，酸化によりほかのシステインのスルフヒドリル基との間で**ジスルフィド結合**（disulfide bond）－S－S－という共有結合を形成する．

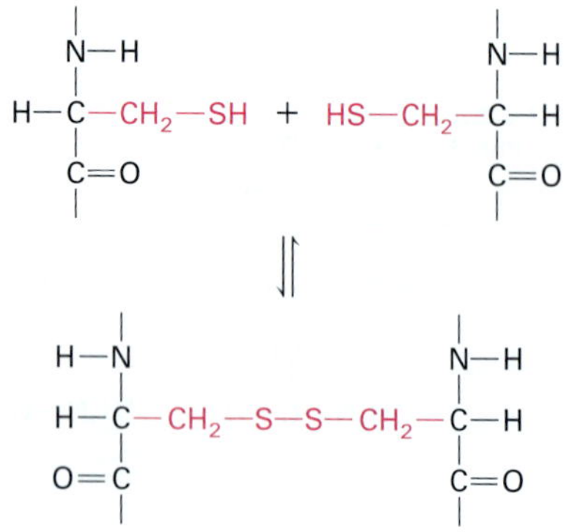

一つのタンパク質内（分子内）の2箇所，あるいは二つのタンパク質（分子間）がジスルフィド結合で架橋されることがある．ジスルフィド結合は，タンパク質の折りたたまれた構造の安定化に寄与する．

最も小さいアミノ酸である**グリシン**（glycine）のR基は水素原子だけで，小さいので狭い空間に入り込める．狭い空間に入り込み密着する例が**コラーゲン**（collagen）でみられる．コラーゲンは人体で最も大量に存在するタンパク質である（20章）．

ほかのアミノ酸と異なり，**プロリン**（proline）の側鎖は，C_αから出ているアミノ基の窒素原子と共有結合しているため，環状構造をとる．その結果，プロリン残基は堅く，そのアミノ基は水素結合に関与できない．プロリンがあると，タンパク質の鎖に折れ曲がりができるので，プロリン残基を含む領域の折りたたまれ方は制限を受ける．

タンパク質に含まれる量はアミノ酸ごとに違う．システイン，トリプトファン，メチオニンの含量は低く，典型的なタンパク質では，あわせても5％くらいである．ロイシン（疎水性），セリン（親水性），リシン（正電荷をもつ），グルタミン酸（負電荷をもつ）の4種類は最も多く，典型的なタンパク質で32％を占める．しかしタンパク質によってはアミノ酸組成がこの値と全く異なることもある．

ヒトや他の哺乳類は20種類のアミノ酸のうち11種類を合成できる．残りの9種類は**必須アミノ酸**（essential amino acid）とよばれ，正常なタンパク質生合成のために食餌から摂取しないといけない．フェニルアラニン，バリン，トレオニン，トリプトファン，イソロイシン，メチオニン，ロイシン，リシン，ヒスチジンが必須アミノ酸である．畜産業では，適量の必須アミノ酸を食餌として与えることが重要である．実際，リシン含量の多い遺伝子組換えトウモロコシが，動物の成長を促すために使われている．

タンパク質生合成の最初の段階で用いられるアミノ酸は図2・14に示した20種類であるが，細胞内のタンパク質を分析すると，100種類以上ものアミノ酸が検出される．アミノ酸がタンパク質に取込まれてから，いろいろな化学基が付加される化学修飾によってこの違いが生じる（図2・15）．重要な化学修飾の一つは，アセチル化とよばれるアセチル基CH_3COの付加である．N末端にあるアミノ酸のアミノ基のアセチル化が最も多く，全タンパク質の80％がこの修飾を受けている．

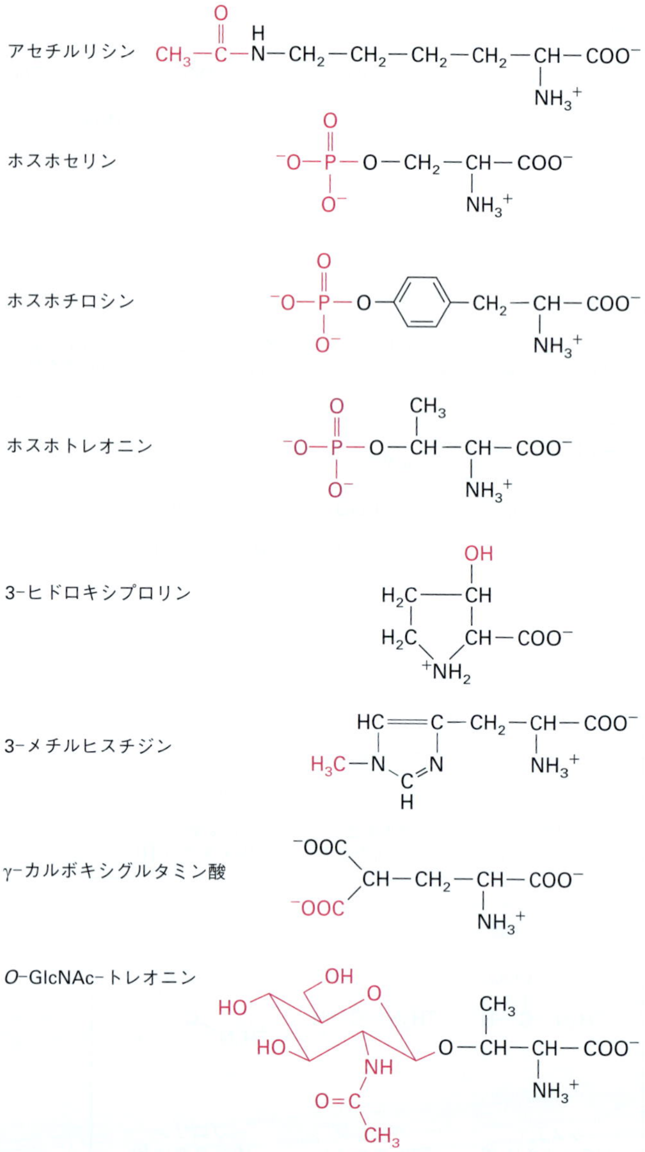

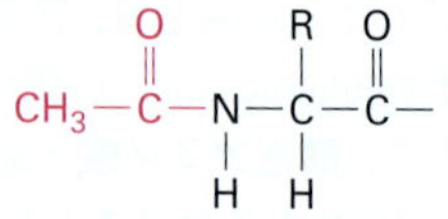

図2・15 タンパク質のアミノ酸側鎖によくみられる化学修飾．これらの修飾されたアミノ酸残基は，ポリペプチド鎖合成のときかその後にアミノ酸側鎖にさまざまな化学基（赤）が付加してできたものである．このほかにも多数の修飾がある．

アセチル化されたN末端

この修飾はタンパク質の寿命を調節するという重要な役割をもつ．アセチル化されていないタンパク質は，細胞内で急速に分解

されてしまうからである.

　もう一つの重要な修飾として，セリン，トレオニン，チロシン残基のヒドロキシ基へのリン酸基 PO_4 付加がある．この修飾はリン酸化とよばれる．あとの章で，数え切れないほどのタンパク質の活性が，可逆的なリン酸化，脱リン酸化によって制御されているのをみることになるだろう．ヒスチジン側鎖の窒素原子のリン酸化は細菌，真菌類，植物でよく知られているが，哺乳類でのヒスチジン側鎖のリン酸化やその機能については，あまり研究されていない．リン酸化と脱リン酸化と同様に，アルギニンあるいはリシン残基側鎖の調節されたメチル化と脱メチル化は重要な制御過程である．たとえば，ヒストンというタンパク質のメチル化は，真核生物における遺伝子発現制御で重要な役割を担っている（8章）．アスパラギン，セリン，トレオニンの側鎖では，グリコシル化という直鎖状あるいは分岐した糖鎖の付加が起こる．多数の分泌タンパク質や膜タンパク質が糖鎖による修飾を受けており，***N*-アセチルグルコサミン**（*N*-acetylglucosamine）という糖による特定のセリンあるいはトレオニン残基のヒドロキシ基の可逆的修飾によって活性が制御されている．特定のタンパク質だけにみられるアミノ酸の修飾としては，コラーゲンのプロリン残基やリシン残基のヒドロキシ化（20章），膜受容体のヒスチジン残基のメチル化，プロトロンビンのような血液凝固因子のグルタミン酸残基のγ-カルボキシ化などがあげられる．アスパラギン側鎖やグルタミン側鎖の脱アミノ反応で，アスパラギン酸やグルタミン酸が生じることも起こる．

核酸には5種類のヌクレオチドが使われる

　化学的に似ている2種類の核酸，**DNA**（デオキシリボ核酸 deoxyribonucleic acid）と **RNA**（リボ核酸 ribonucleic acid）は細胞の主要な遺伝情報運搬分子である．RNA は化学反応の触媒も行う．DNA と RNA を構築する単量体は**ヌクレオチド**（nucleotide）とよばれ，リン酸基がリン酸エステル結合で五炭糖（炭素数5個の糖分子）に連結し，その糖に通常"**塩基**（base）"とよばれる窒素と炭素を含む環状の構造が結合しているという共通構造をもつ（図2・16a）．RNA では五炭糖はリボースであり，DNA ではその2′位のヒドロキシ基が水素となったデオキシリボースである（図2・16b）．糖の構造についてはあとで詳しく述べる．塩基のうち**アデニン**（adenine），**グアニン**（guanine），**シトシン**（cytosine）は DNA と RNA の両方に存在する．一方，**チミン**（thymine）は DNA だけに，**ウラシル**（uracil）は RNA だけに存在する（図2・17）．塩基はそれぞれ A, G, C, T, U と略記され，核酸中のヌクレオチドを示すのにも同様の一文字記号が使われる．

　アデニンとグアニンは**プリン**（purine）塩基で，2個の複素環が縮合したものである．シトシン，チミン，ウラシルは**ピリミジン**（pyrimidine）塩基で，複素環は1個だけである（図2・17）．ヌクレオチドでは，糖（リボースまたはデオキシリボース）の1′位の炭素原子がプリンの9位の窒素（N^9）またはピリミジンの1位の窒素（N^1）と結合している．例として，アデノシン 5′-リン酸（AMP）におけるリボースとプリン塩基の結合を図2・16(a) に示した．核酸はリン酸基をもつので酸である．リン酸基は細胞内の条件では水素イオン H^+ を失っているので，負の電荷をもつ（図2・16a）．細胞内の核酸の多くはタンパク質と結合している．それには負に荷電したリン酸基を介したイオン相互作用と他の部分

での非共有結合性相互作用が使われる．

　細胞内外には，少量の**ヌクレオシド**（nucleoside）が含まれている．ヌクレオシドは塩基と糖が結合したもので，リン酸基はもたない．ヌクレオシドの5′-ヒドロキシ基に1〜3個のリン酸基がエステル結合したものがヌクレオチドである．カルボン酸やリン酸などの酸とアルコールとの間の共有結合をエステル結合という．酸からはヒドロキシ基 OH が，アルコールのヒドロキシ基からは水素が放出され，水をつくることでこの結合ができる．この反応を**エステル化**（esterification）とよぶ．ヌクレオチドでは，リボー

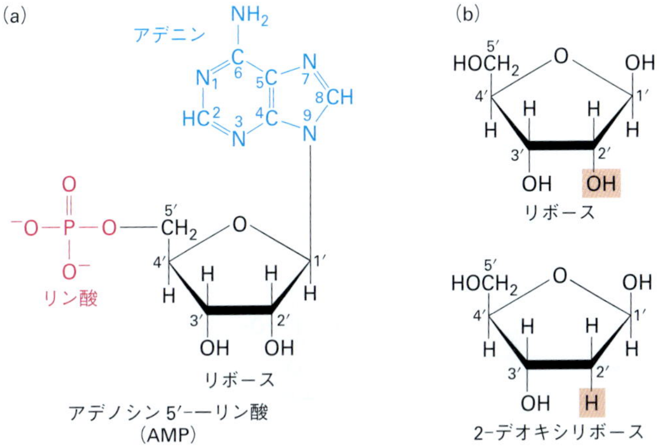

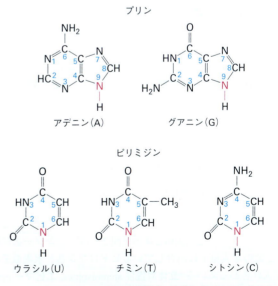

図2・16 ヌクレオチドの共通の構造． (a) アデノシン 5′-リン酸（AMP）は RNA に含まれるヌクレオチドの一つである．慣習として，ヌクレオチドの五炭糖の炭素原子の番号には′（訳注：英語ではプライムと読むが日本語ではダッシュ）をつける．自然界のヌクレオチドでは，1′位の炭素は β 結合で塩基（この図ではアデニン）に結合する．1′位の炭素に結合した塩基（青）と 5′位のヒドロキシ基に結合したリン酸（赤）はともに糖の環状平面の上側に突き出ている．(b) リボースとデオキシリボースはそれぞれ RNA と DNA に含まれる五炭糖である．

図2・17 核酸のおもな塩基の化学構造． 核酸およびヌクレオチドにおいて，プリンの9位の窒素（赤）とピリミジンの1位の窒素（赤）がリボースまたはデオキシリボースの1′位の炭素に結合している．U は RNA だけに，T は DNA だけに存在する．A, G, C は RNA と DNA の両方に存在する．

表 2・3 ヌクレオシドとヌクレオチドの名称

塩　基	プリン		ピリミジン	
	アデニン(A)	グアニン(G)	シトシン(C)	ウラシル(U)〔チミン(T)〕
ヌクレオシド　RNA 中	アデノシン	グアノシン	シチジン	ウリジン
DNA 中	デオキシアデノシン	デオキシグアノシン	デオキシシチジン	デオキシチミジン
ヌクレオチド　RNA 中	アデニル酸	グアニル酸	シチジル酸	ウリジル酸
DNA 中	デオキシアデニル酸	デオキシグアニル酸	デオキシシチジル酸	デオキシチミジル酸
ヌクレオシド一リン酸	AMP	GMP	CMP	UMP
ヌクレオシド二リン酸	ADP	GDP	CDP	UDP
ヌクレオシド三リン酸	ATP	GTP	CTP	UTP
デオキシヌクレオシド一, 二, 三リン酸	dAMP など	dGMP など	dCMP など	dTMP など

スの 5′-ヒドロキシ基にリン酸がエステル結合している（図 2・16a）．ヌクレオシド一リン酸では 1 個のリン酸基がエステル結合しており（図 2・16a），ヌクレオシド二リン酸には二リン酸基が結合している．

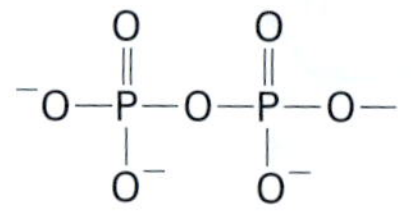

ヌクレオシド三リン酸にはさらに第三のリン酸基が結合する．表 2・3 に核酸中のヌクレオシドとヌクレオチド，各種のヌクレオシドリン酸の名称をあげてある．ヌクレオシド三リン酸は，5 章で解説するように核酸の合成に使われる．そのほかに，GTP は細胞内のシグナル伝達に関与し，タンパク質合成の際のエネルギー源としても使われる．生体内でエネルギーの運搬体として最も広く使われているのは ATP（図 2・1d，図 2・31）で，この分子についてはのちほど詳細に説明する（§2・4）．

単糖が共有結合で連なり，直鎖または分岐した多糖となる

多糖の構築単位は**単糖**（monosaccharide）である．単糖は**炭水化物**（carbohydrate）で，文字どおり炭素と水が 1：1 の割合で共有結合しており，$(CH_2O)_n$ と表記できる．ここで，n は 3, 4, 5, 6, 7 のいずれかである．**六炭糖**（hexose, $n=6$）と**五炭糖**（pentose, $n=5$）は最も一般的な単糖である．すべての単糖はヒドロキシ基 OH と，アルデヒド基あるいはケトン基のいずれかをもつ．

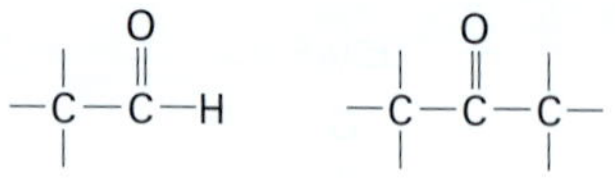

生体で重要な糖の多くは，グルコース，マンノース，およびガラクトースといった六炭糖である（図 2・18）．マンノースの構造は，2 位の炭素原子に結合しているヒドロキシ基と水素原子の位置が入れ替わっている（**立体異性体** stereoisomer, **エピマー** epimer ともいう）こと以外はグルコースと同じである．同じように，別の六炭糖であるガラクトースでは，4 位の炭素原子に結合している原子の配置が入れ替わっているところだけがグルコースと違っている．グルコースをマンノースまたはガラクトースに変換する

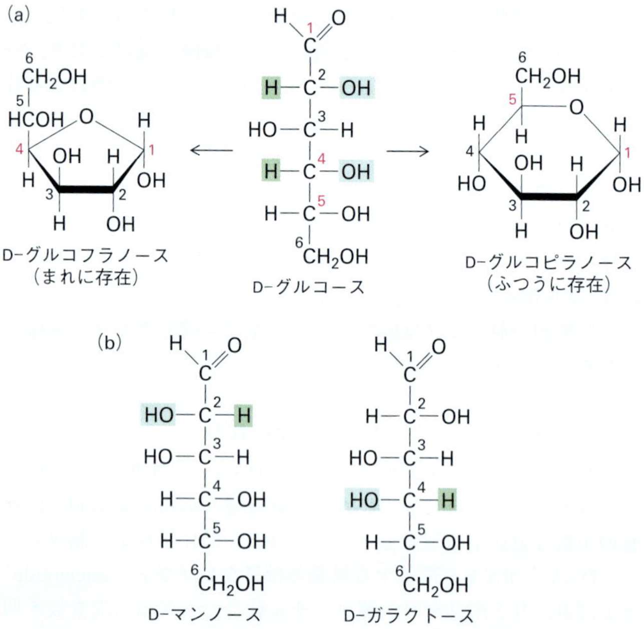

図 2・18　六炭糖の化学構造．すべての六炭糖の化学式は同じで $(C_6H_{12}O_6)$，アルデヒド基かケトン基をもつ．(a) D-グルコースの環状構造は，直鎖状分子の 1 位の炭素原子のアルデヒド基が 5 位または 4 位の炭素原子のヒドロキシ基と反応してできる．三つの形は容易に相互に変換するが，生体内ではピラノース形（右）が一番多く存在する．(b) D-マンノースと D-ガラクトースでは，1 個の炭素原子に結合している H（緑）と OH（水色）のつながり方がグルコースとは異なる．これらの糖もグルコースのように主として 6 員環のピラノース形で存在する．

には共有結合を切断してつなぎ直さなければならない．そのような反応は**エピメラーゼ**（epimerase）という酵素が行う．

D-グルコース $C_6H_{12}O_6$ は，複雑な多細胞生物の細胞が外から摂取する主要なエネルギー源で，直線形と二つのヘミアセタール環構造という三つの異なる形をとりうる（図 2・18a）．1 位の炭素原子のアルデヒド基が 5 位の炭素原子のヒドロキシ基と反応すると，D-グルコピラノースという 6 員環のヘミアセタールができる．D-グルコピラノースの α アノマーでは，1 位の炭素原子に結合しているヒドロキシ基は図 2・18(a) のように環の"下"を向き，β アノマーではこのヒドロキシ基が"上"を向いている．水溶液中で，α と β アノマーは自発的に容易に相互変換する．平衡状態では，α アノマーが約 1/3，β アノマーが約 2/3，開環構造はご

2. 化学的基礎

く少量である．酵素はD-グルコースのαとβアノマーを区別できるので，生体内でこれらの形には違った役割がある．直鎖形のグルコースの4位の炭素原子のヒドロキシ基がアルデヒド基と縮合すると，D-グルコフラノースという5員環のヘミアセタールができる．生体にはD-グルコースの三つの形がすべて存在するが，6員環ピラノース形が圧倒的に多い．

図2・18(a)のピラノース環は平面的に描かれているが，実際の炭素原子の結合は四面体の頂点方向で行われるので，ピラノース環の最も安定な形は平面的でなく，いすのような形である．このとき，環を形成している炭素原子と環以外の原子（たとえば，HまたはO）との結合は，**アキシアル**（axial, a）とよばれる環にほぼ垂直な方向か，**エクアトリアル**（equatorial, e）とよばれる環とほぼ同一平面内の方向を向く．

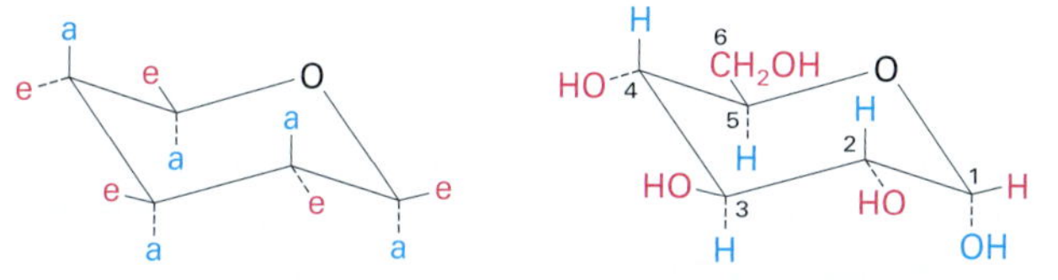

い重合体である．植物の構造はセルロースによって補強されている（20章）．ヒトの消化酵素はデンプンのα-グリコシド結合を加水分解できるが，セルロースのβ-グリコシド結合は加水分解できない．一方，植物，細菌，カビの多くはセルロースを分解する酵素を産生する．ウシとシロアリの腸にはセルロースを分解する細菌がいるのでセルロースを分解できる．細菌の細胞壁はセルロースではなく，多糖がペプチドで架橋された**ペプチドグリカン**（peptidoglycan）でできている．ペプチドグリカンは細菌細胞を補強し，細胞の形を決める要因となる．ヒトの涙や胃腸液には，細菌細胞壁のペプチドグリカンを加水分解するリゾチームという酵素が含まれている．

グリコシド結合で単糖を連結して多糖にする酵素は，一方の単糖がαアノマーかβアノマーかということと，他方の糖のヒドロキシ基の位置に特異的である．それぞれの単糖にはグリコシド結合を形成できる多くのヒドロキシ基があるので，原理的には二つの糖はいろいろな形で結合できる．さらに，一つの単糖は二つ以上の他の単糖とも結合可能で，この場合には分岐した多糖ができる．グリコシド結合は，伸長中の多糖鎖末端と，リン酸やヌクレオチドと共有結合している単糖（たとえばグルコース6-リン酸やUDPガラクトース）との反応で形成される．

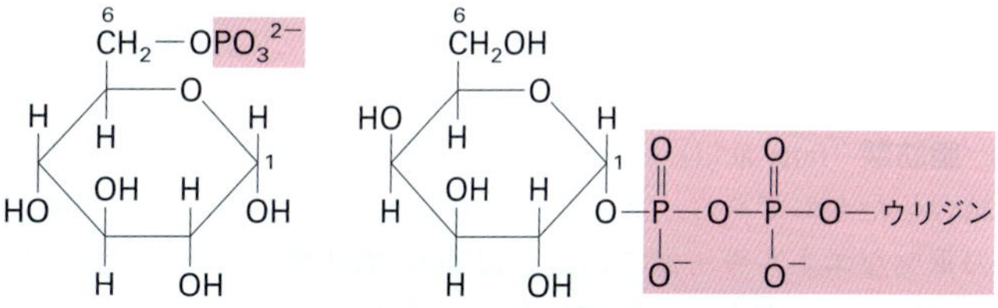

二糖（disaccharide）は，二つの単糖からなる最も簡単な多糖である．ガラクトースとグルコースからなる二糖のラクトース（乳糖）は乳の主要な糖であり，グルコースとフルクトース（果糖）からなる二糖のスクロース（ショ糖）は植物が行う光合成の主生成物で，食卓に置かれている砂糖はそれを精製したものである（図2・19）．

数十から数百個の単糖からなる多糖は，グルコースの貯蔵物質，細胞の構成成分，あるいは組織中で細胞をまとめる接着物質として働く．動物細胞で最もふつうにみられる貯蔵炭水化物は**グリコーゲン**（glycogen）である．グリコーゲンはグルコースの重合体で，非常に長く，分岐が多い．グリコーゲンが肝臓重量の10%になることもある．植物細胞の主要貯蔵炭水化物は**デンプン**（starch）で，やはりグルコースの重合体である．デンプンには分岐のないもの（アミロース）と多少の分岐をもつもの（アミロペクチン）がある．グリコーゲンもデンプンも，グルコースのαアノマーの重合体である．これに対し植物細胞壁の主要成分である**セルロース**（cellulose）は，グルコースのβアノマーの分岐のな

単糖を異なる単糖に相互変換するエピメラーゼという酵素は，修飾を受けてない単糖よりヌクレオチドと結合した糖に作用することが多い．

多くの複合多糖には，各種の小さい基，特にアミノ基，硫酸基，アセチル基が共有結合した糖が含まれる．20章で解説する細胞外マトリックスの主要多糖成分である**グリコサミノグリカン**（glycosaminoglycan）には，そのような修飾が多くみられる．

本章を含む本書のあらゆるところで，比較的単純な単糖の組合わせが非常に変化に富んだ多糖をつくり上げ，それらの生物

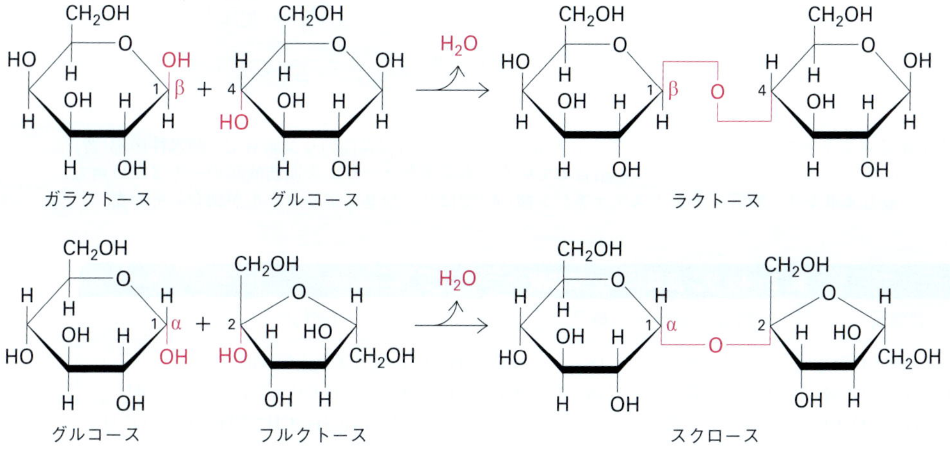

図2・19 二糖であるラクトースとスクロースの形成．一つの糖のアノマー炭素（α形でもβ形でも）が別の糖分子のヒドロキシ基の酸素に結合し，グリコシド結合を形成する．結合名はそれを表す．ラクトースはβ(1→4)結合，スクロースはα(1→2)結合でつくられる．

リン脂質は非共有結合性相互作用で集合し，生体膜の基礎となる二重層構造を形成する

生体膜は柔軟性に富む大きなシート状二重層構造で，細胞自身や細胞小器官の境界を構成するとともに，ある種のウイルスの外面を覆っている．細胞自身（外膜とこれに取囲まれた領域からなる）と細胞外（膜の外側に広がる細胞外空間）は膜によって区分されている．タンパク質，核酸，多糖と違い，膜はその構築単位が非共有結合性相互作用で集合したものである．生体膜の主要な構築単位は**リン脂質**（phospholipid）で，その物理的な性質が膜のシート状二重層構造をつくらせる．生体膜には，リン脂質以外に，コレステロール，糖脂質，タンパク質といった分子も含まれている．生体膜の構造と機能の詳細については10章で解説する．ここでは，生体膜内のリン脂質に焦点を当てて解説する．

リン脂質の構造を理解するには，まずリン脂質分子を構成する部品を理解し，こうした部品からどのようにして全体ができ上がっているかを知らなければならない．リン脂質には，2本の長い非極性脂肪酸鎖があり，極性の強い小さな基とエステル結合している．極性の強い小さな基とは，グリセロール（トリヒドロキシプロパン）のような短い有機分子，リン酸，および特徴的な有機分子である（図2・20）．

脂肪酸（fatty acid）は，炭化水素の鎖にカルボキシ基COOHが結合したものである．グルコースのように，脂肪酸は多くの細胞の重要なエネルギー源である（12章）．脂肪酸の炭化水素鎖の長さはいろいろだが，細胞内に多いのは炭素原子数が偶数で，14, 16, 18, 20個のものである．リン脂質を構成するおもな脂肪酸を表2・4に示す．脂肪酸は $Cx:y$ という略号で表記されることがあり，x は分子中の炭素原子数，y は二重結合数である．炭素原子を12個以上含む脂肪酸は，長い疎水性炭化水素鎖のために，ほとんど水に溶けない．

炭素－炭素間二重結合のない脂肪酸を**飽和**（saturated）脂肪酸，最低でも一つ二重結合のあるものを**不飽和**（unsaturated）脂肪酸という．不飽和脂肪酸で炭素－炭素間二重結合が二つ以上あるものを**高度不飽和**（polyunsaturated）脂肪酸という．哺乳類は，リノール酸（C18:2）とリノレン酸（C18:3）という二つの"必須"高度不飽和脂肪酸を合成できないので，これらを食餌からとる必要があるが，他の脂肪酸は自身で合成できる．

リン脂質内で，脂肪酸はエステル化によってほかの分子と共有結合している．この反応でつくられた分子のなかで，脂肪酸に由来する部分を**アシル基**（acyl group）または**脂肪酸基**（fatty acyl group）とよぶ．たとえば，リン脂質の大部分を占める**ホスホグリセリド**（phosphoglyceride）では，2個のアシル基がグリセロールの2個のヒドロキシ基とエステル結合している（図2・20）．他のタイプのリン脂質については10章で説明する（図10・8参照）．

ホスホグリセリドではグリセロールの2個のヒドロキシ基が脂肪酸鎖とエステル結合し，残り1個のヒドロキシ基はリン酸とエステル結合している．最も簡単なリン脂質がホスファチジン酸で，グリセロールとリン酸，そして2本の脂肪酸鎖だけからなる．ホスファチジン酸などのリン脂質は，膜の構築単位としてだけでなく，シグナル伝達分子としても重要な役割を担っている．たとえば，リゾホスファチジン酸には強力な細胞分裂誘導作用がある（このような作用をもつものを**分裂促進因子** mitogen とよぶ）．この分子は，2位の脂肪酸鎖（グリセロールの中央のヒドロキシ基に結合したもの）が除去されているため，比較的水に溶けやすい．膜に含まれる多くのリン脂質では，リン酸基にほかの親水性化合物のヒドロキシ基がエステル結合している．たとえば，ホスファチジルコリンではリン酸基に**コリン**（choline）という小分子が結合している（図2・20）．

負電荷をもったリン酸と，リン酸にエステル結合している電荷をもった基や極性基は，水と強く相互作用する．リン酸とそれにエステル結合している基がリン脂質の"頭部"で，親水性である．これに対して，脂肪酸鎖からなる"尾部"は疎水性である．よくみられるホスホグリセリドとそれに含まれる頭部基を表2・5に示す．リン脂質のように疎水性部分と親水性部分の両方をもつ分子

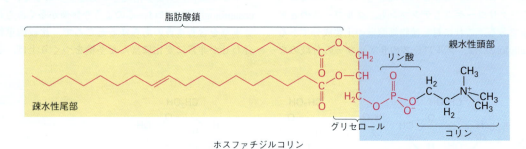

ホスファチジルコリン

図2・20　典型的なホスホグリセリドであるホスファチジルコリン． すべてのホスホグリセリドは両親媒性のリン脂質で，疎水性尾部（黄）と親水性頭部（青）をもち，グリセロールはリン酸基を介してアルコールと結合している．ホスホグリセリドの脂肪酸鎖の一方または両方は，飽和のことも不飽和のこともある．最も簡単なリン脂質であるホスファチジン酸（赤）ではリン酸基にアルコールが結合していない．

表2・4　リン脂質に多い脂肪酸

飽和脂肪酸	略号	化学式	不飽和脂肪酸	略号	化学式
ミリスチン酸	C14:0	$CH_3(CH_2)_{12}COOH$	オレイン酸	C18:1	$CH_3(CH_2)_7CH=CH(CH_2)_7COOH$
パルミチン酸	C16:0	$CH_3(CH_2)_{14}COOH$	リノール酸	C18:2	$CH_3(CH_2)_4CH=CHCH_2CH=CH(CH_2)_7COOH$
ステアリン酸	C18:0	$CH_3(CH_2)_{16}COOH$	アラキドン酸	C20:4	$CH_3(CH_2)_4(CH=CHCH_2)_3CH=CH(CH_2)_3COOH$

表 2・5　一般的なホスホグリセリドとその頭部化学基

ホスホグリセリド	頭　部	
ホスファチジルコリン	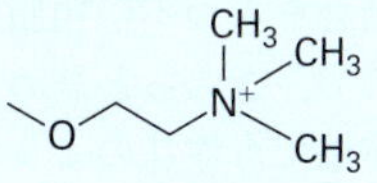	コリン
ホスファチジル エタノールアミン	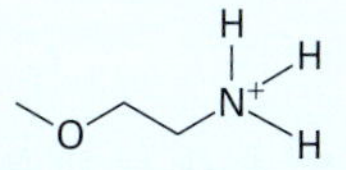	エタノール アミン
ホスファチジルセリン	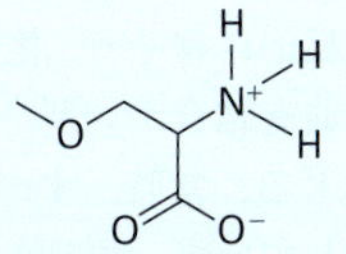	セリン
ホスファチジル イノシトール(PI)	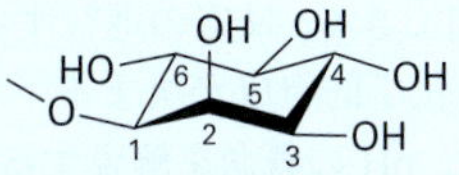	イノシトール

を"両親媒性"であるという．リン脂質の両親媒性によって，脂肪酸尾部が二重層膜の内部に向き，頭部の原子団がその外側の水溶液に向いてリン脂質のシート状二重層ができる様子を 10 章で解説する（図 2・13 下）．

脂肪酸炭化水素鎖は共有結合を介して異なる種類の脂肪分子をつくり上げる．たとえば，3 本の脂肪酸炭化水素鎖がグリセロールの 3 個のヒドロキシ基それぞれにエステル結合でつながると，**トリアシルグリセロール**（triacylglycerol，中性脂肪，**トリグリセリド** triglyceride ともいう）ができる．

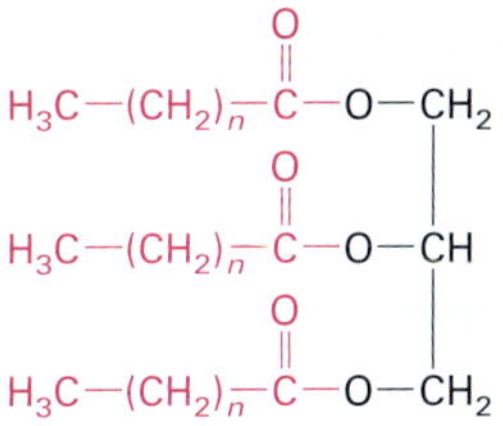

トリアシルグリセロール

また脂肪酸炭化水素鎖が，非常に疎水性の強いアルコールであるコレステロールと共有結合すると，コレステロールエステルができる．

トリアシルグリセロールやコレステロールエステルは非常に水に溶けにくいが，生体内では脂肪酸やコレステロールをたくわえたり輸送したりするのに使われる．トリアシルグリセロールは脂肪組織の脂肪細胞で脂肪酸をたくわえる役割を果たしており，食品脂肪の主要成分である．コレステロールエステルとトリアシルグリセロールは，**リポタンパク質**（lipoprotein）とよばれる特別な運搬体によって，血流を介して組織間でやりとりされる（14 章）．

前に説明したように，ホスホグリセリドやトリアシルグリセロールを構成する脂肪酸には飽和脂肪酸と不飽和脂肪酸がある．不飽和脂肪酸に炭素－炭素二重結合があることによる重大な結果は，この結合に関してシスとトランスという二つの立体異性体が生じる点である．

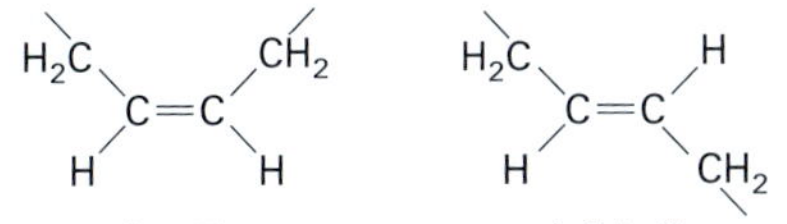

シ　ス　　　トランス

シス形の二重結合があると，二重結合がなければ柔軟でまっすぐな炭化水素鎖に堅い曲がりができる（図 2・21）．一般に，生体内の不飽和脂肪酸の二重結合はシス形である．不飽和脂肪酸に比べて曲がりのない飽和脂肪酸は，より整然と並ぶので融点も不飽和脂肪酸より高くなる．バターに含まれるおもな脂肪分子は，飽和

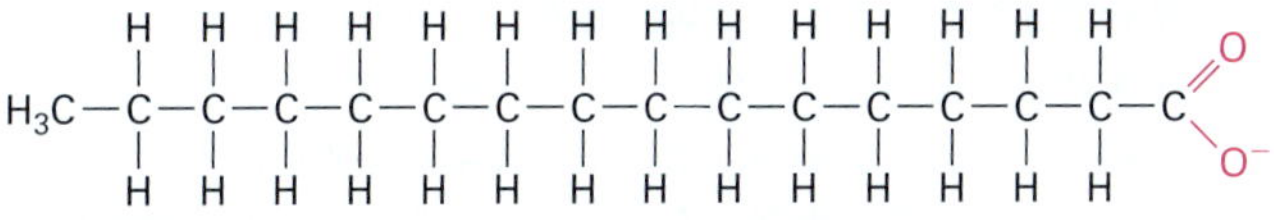

パルミチン酸
（パルミチン酸のイオン化形）

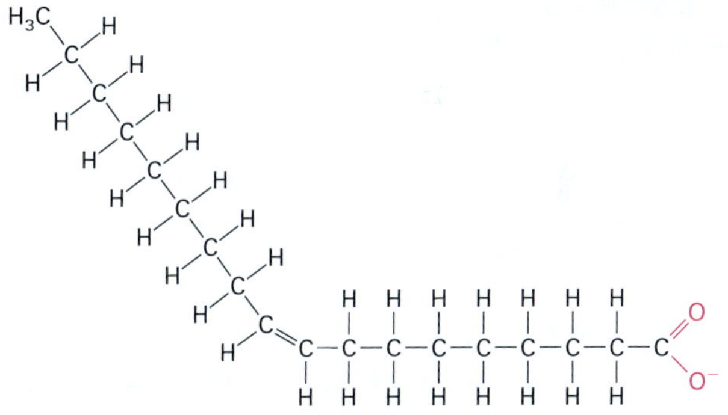

オレイン酸
（オレイン酸のイオン化形）

図 2・21　脂肪酸分子の形に対する二重結合の影響． 炭素原子数 16 個の飽和脂肪酸パルミチン酸と，炭素原子数 18 個の不飽和脂肪酸オレイン酸のイオン化した形の化学構造式を示す．飽和脂肪酸では，炭化水素鎖は直線のことが多い．一方，オレイン酸のシス形二重結合は，炭化水素の鎖に堅い折れ曲がりをつくり出す．

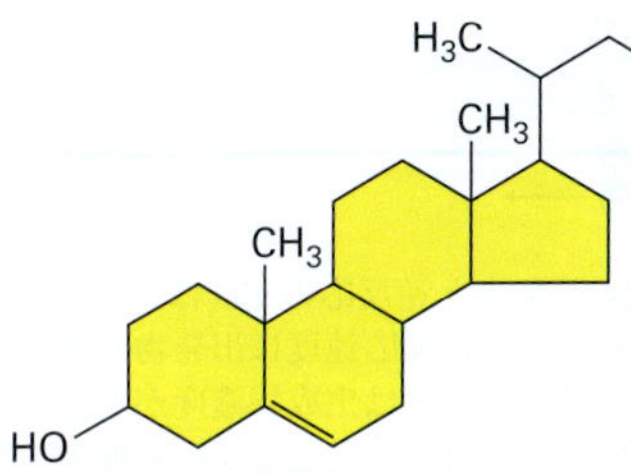

コレステロール

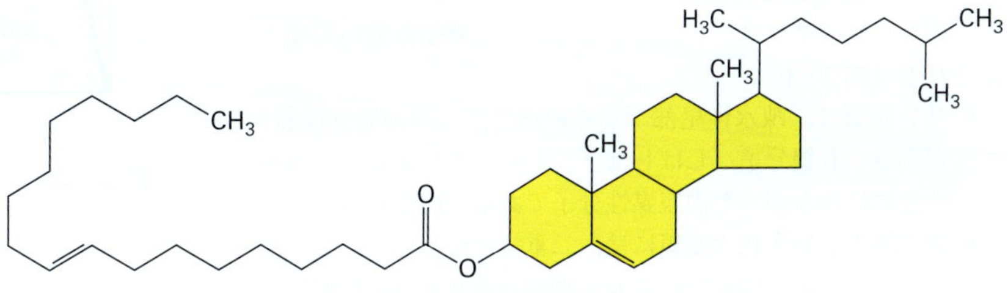

コレステロールエステル

脂肪酸を含むトリアシルグリセロールである．このため，バターは室温で固体なのである．シス形二重結合由来の折れ曲がりをもつ不飽和脂肪酸炭化水素鎖は，飽和脂肪酸炭化水素鎖のようにきちっと詰め込むことができない．そのため，植物油のように不飽和脂肪酸を含むものは室温でも液体である．しかし，植物油などの油でも，部分的に水素を付加して不飽和脂肪酸炭化水素鎖の一部を飽和脂肪酸炭化水素鎖に変換すると，マーガリンのように固形となる．水素付加の副産物として，一部の脂肪酸炭化水素鎖は"トランス脂肪 (trans fat)"とよばれるトランス形の二重結合をもつものになる．部分的な水素付加でつくったマーガリンなどに含まれるトランス脂肪は，天然にあるものではない．飽和脂肪酸とトランス脂肪酸は同じような物理的性質をもっていて，たとえば室温で固体になりやすい．不飽和脂肪酸の摂取と比べると，トランス脂肪の摂取によって血漿中のコレステロール量が上昇するので，栄養学者のなかにはトランス脂肪の摂取を控えるべきだと言う人もいる．■

> のが存在する．バターのような脂質は，おもに飽和脂肪酸炭化水素鎖をもち，室温で固化しやすい．これに対して，シス形二重結合をもつ不飽和脂肪酸炭化水素鎖には折れ曲がりがあるので，きちっと詰め込むことができず，これを含む脂質は室温でも液状のままでいることが多い．

2・2 細胞の化学的構築単位　まとめ
- 巨大分子とは，脱水反応を介して単量体分子が共有結合でつながった重合体である．細胞には，アミノ酸がペプチド結合で連結したタンパク質，ヌクレオチドがホスホジエステル結合で連結した核酸，そして単糖（糖類）がグリコシド結合で連結した多糖，という 3 種類の主要な巨大分子がある（図 2・13）．細胞のもう一つの主要な化学の構築単位であるリン脂質は，非共有結合性相互作用で集合して生体膜を形成する．
- 20 種類のアミノ酸の側鎖の大きさ，形，電荷，疎水性，反応性の違いが，タンパク質の化学的および構造的性質を決定する（図 2・14）．アミノ酸は，側鎖の性質によって，疎水性，親水性（塩基性，酸性，極性），特別なものという三つに大別できる（図 2・14）．どのアミノ酸がどのグループに属するかを覚えておくと役立つ．
- DNA と RNA を構成するヌクレオチドの塩基は，炭素と窒素を含む複素環化合物で，五炭糖に結合している．塩基は 2 種類に分けられる．すなわち，二つの環からなるプリン塩基のアデニン (A) とグアニン (G) および，一つの環からなるピリミジン塩基のシトシン (C) とチミン (T) とウラシル (U) である（図 2・17）．A, G, T, C は DNA にあり，A, G, U, C は RNA にある．
- グルコースやその他の六炭糖には，開いた直鎖状構造，6 員環（ピラノース），そして 5 員環（フラノース）という三つの形がある（図 2・18）．生体内の D-グルコースでは，ピラノース形が主である．
- 一つの糖の α または β アノマーとほかの糖のヒドロキシ基との間のグリコシド結合によって，二糖や多糖が形成される（図 2・19）．
- リン脂質は，疎水性尾部（多くの場合，二つの脂肪酸鎖）が小さい有機分子（しばしばグリセロール）を介して親水性頭部につながった両親媒性分子である（図 2・20）．
- 脂肪酸の長い炭化水素鎖には，二重結合がない（飽和）ものと，一つまたはそれ以上の二重結合がある（不飽和）も

2・3　化学反応と化学平衡

ここで話を化学反応に移そう．化学反応では，**出発物** (reactant) である化学物質の共有結合が切断され，新しい結合ができて**生成物** (product) が生じる．常時，すべての細胞で数百の異なる種類の化学反応が進行していて，原理的には多くの化学物質は複数の化学反応に参加できる．反応の進行する"程度"と反応の"進行速度"で，細胞の化学的組成が決まる．本節では，化学平衡，定常状態，解離定数，pH の概念を解説する．これらの概念は繰返し本書に登場するので，それに親しんでおくことはとても大切である．§2・4 では，化学反応の進行する程度と進行速度がエネルギーに依存することを説明する．

化学反応の正反応と逆反応の速度が等しくなったとき，平衡に達したという

出発物を混合した直後，すなわちまだ生成物ができていないときは，生成物のできる反応（正反応）の速度は出発物の初濃度に依存する．出発物が互いに衝突し，反応する頻度は出発物の初濃度によって決まるからである（図 2・22）．反応の生成物がたまってくると，出発物の濃度は減少し，正反応の速度は遅くなる．同時に，生成物のなかには逆反応をはじめるものがあり，出発物が再生する．このように反応が逆転できることを**微視的可逆性** (microscopic reversibility) という．この逆反応は，はじめは遅いが生成物の濃度が高くなると速くなる．やがて正反応の速度と逆反応の速度が等しくなり，出発物と生成物の濃度は変化しなくなる．このとき，系は**化学平衡** (chemical equilibrium) 状態にある

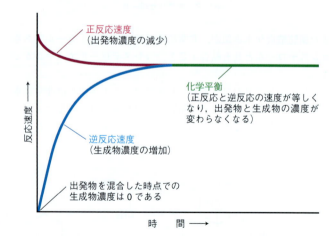

図 2・22　化学反応速度の経時変化．正反応と逆反応の速度は，出発物と生成物の初濃度にある程度依存する．正反応速度は出発物濃度が減少するにつれて減少し，一方，逆反応速度は生成物濃度が増加するにつれて増加する．平衡状態では，正反応速度と逆反応速度が等しくなり，出発物と生成物の濃度は一定になる．

という.

平衡状態になったときの，出発物に対する生成物の比は，**平衡定数**（equilibrium constant）K_{eq} とよばれ，反応に固有の値である．平衡定数は，平衡に達したときにどの程度反応が進んでいるかを示す指標となる．化学反応の速度は**触媒**（catalyst）により高まる．触媒とは，共有結合をつくったり，切断したりする反応を加速するが，自身は恒久的な変化を受けない化学物質のことである．触媒は反応速度を高めるが，反応の平衡定数は変えない（§2・4）．

平衡定数は化学反応が進む程度を表す

平衡定数 K_{eq} は，出発物と生成物の性質，温度，圧力（特に気体が反応に関係しているとき）によって決まる．一定の標準的な物理的条件下（たとえば生体では 25 °C，1 気圧）では，ある反応に対する K_{eq} は触媒の有無にかかわらず同じである．

一般的な三つの出発物で三つの生成物ができる反応

$$aA + bB + cC \rightleftharpoons zZ + yY + xX \qquad (2 \cdot 1)$$

で，大文字は分子や原子の種類を，小文字はそれぞれの反応式中の数を表すとすると，平衡定数は，

$$K_{eq} = \frac{[X]^x[Y]^y[Z]^z}{[A]^a[B]^b[C]^c} \qquad (2 \cdot 2)$$

となる．[ ] はそれぞれの分子種の濃度を表す．(2・2)式における出発物と生成物の濃度は，平衡状態になったときのものである．正反応〔(2・1)式では左から右〕の反応速度は

$$速度_{正反応} = k_f[A]^a[B]^b[C]^c$$

で，k_f は正反応の**反応速度定数**（rate constant）である．同じように逆反応〔(2・1)式では右から左〕の反応速度は

$$速度_{逆反応} = k_r[X]^x[Y]^y[Z]^z$$

で，k_r は逆反応の反応速度定数である．これらの反応速度式は，反応が平衡に達しているか否かにかかわらず適用される．ここで重要なことは，反応中には出発物濃度と生成物濃度が変わるので正反応と逆反応の速度も変わるが，正反応速度定数と逆反応速度定数は変わらないということである．これが，定数（constant）という言葉を使う理由である．反応速度と速度定数を混同するまちがいはよく起こる．平衡状態では正反応と逆反応の速度は等しいので，速度$_{正反応}$/速度$_{逆反応}$ = 1 となり，これらの式を並べ替えると，平衡定数を速度定数の比として表せる．

$$K_{eq} = \frac{k_f}{k_r} \qquad (2 \cdot 3)$$

化学反応が起こるときに放出されたり吸収されたりするエネルギーについて考えるときに，平衡定数 K_{eq} の概念は特に重要である．平衡定数についての詳細は §2・4 で解説する．

細胞内の化学反応は定常状態にある

適当な条件で十分に時間をかければ，試験管内の化学反応は平衡に達し，正反応と逆反応の速度が同じになるので，出発物と生成物の濃度は時間がたっても変化しない．しかし細胞内では多くの反応が経路として連結しているため，ある反応の生成物が逆反

図 2・23　反応の平衡状態と定常状態の比較．(a) 試験管内では，化学反応（A→B）は時間がたてば平衡に達し，正反応と逆反応の速度が等しくなる．このことは，両方の矢印の長さが等しいことで表現されている．出発物（A）と生成物（B）の濃度比も変化しない（この例で，平衡状態での B : A は 9 : 3 である）．(b) 細胞内の代謝経路では，生成物 B が消失することもある．この例では C への変換で消失する．中間体（つまり B）の生成速度と消失速度が等しいとき，この連結した反応経路は定常状態にある．矢印の長さが同じでないことからわかるように，代謝経路を構成している個々の可逆反応は平衡に達していない．さらに，定常状態の中間体の濃度は，平衡状態で期待される濃度とは異なる．

応によってもとの出発物に戻り，最終的には平衡状態に達するという単純な道をたどる以外の道筋がありうる．たとえば，ある反応の生成物が別の反応の出発物となったり，生成物が細胞から外へ運び出されたりする．このように複雑な状況では，生成物のあるものは逆反応で出発物に戻ることはなく，この反応は決して平衡状態に到達しない．こうした非平衡状態でも，ある物質の生成速度が消失速度と同じだと，その物質の濃度は一定になる．このとき，その物質の生成と消失にかかわる反応系は**定常状態**（steady state）にあるという（図2・23）．このような反応系では，余分な中間体の蓄積が抑えられ，高濃度では毒性をもつかもしれない中間体の影響から細胞を守ることにもなる．進行中のある反応の生成物濃度が時間とともに変化しない場合，平衡状態に入っているのかもしれないし，定常状態に入っているのかもしれない．生物システムで，血中グルコース濃度のように代謝物濃度に時間変化がない場合，これは平衡状態ではなく定常状態である．こうした現象を**ホメオスタシス**（homeostasis, 恒常性，ギリシャ語の "類似した *homoios*" と "状態を保つ *stasis*" からの造語）とよぶ．

結合反応の解離定数は相互作用する分子の親和性を反映する

一つの分子が別の分子と非共有結合性相互作用によって結合する場合にも化学平衡の考え方を適用できる．前に述べたように，多くの細胞内の重要な過程が，共有結合でなく非共有結合性相互作用による結合や解離に依存している．この非共有結合性相互作用は比較的弱い場合もあるが，とても強いこともある．細胞表面の**受容体**（receptor）への**リガンド**（ligand，たとえば，インスリンやアドレナリンのようなホルモン）の結合によって，細胞内シグナル伝達経路に信号が入る（15章）のは，こうした過程の一例である．あるタンパク質が DNA 分子の特定の塩基配列に結合し，近くの遺伝子の発現を増やしたり減らしたりするのもそうした例である（8章）．ここでは，二つの分子の結合が強いあるいは弱いということがどういうことなのか考えてみよう．

そのことをわかりやすく説明するために，あるタンパク質（P）と DNA（D）が平衡状態にあり，タンパク質が DNA 上の短い塩基配列と結合してタンパク質-DNA 複合体（PD）ができる次のような反応を考えてみよう．

$$P + D \rightleftharpoons PD$$

結合反応は，ふつう平衡定数の逆数である**解離定数**（dissociation

constant） K_d によって表される．この結合反応の解離定数は平衡状態にある3成分の濃度を用いて

$$K_d = \frac{[P][D]}{[PD]} \quad (2 \cdot 4)$$

と表せる．こうした結合反応で，半分のDNAがタンパク質Pと結合したとき，[PD] = [D] なので，遊離しているタンパク質の濃度 [P] は解離定数 K_d に等しくなる．K_d が小さければ小さいほど，半分のDNAに結合するために必要なタンパク質Pの濃度は低くなる．つまり，小さい K_d 値は，DNAへのこのタンパク質の結合が強いこと（親和性が高いこと）を意味する．

タンパク質が特異的なDNA配列に結合するときの典型的な K_d の値は 10^{-10} M である．ここでMはモル濃度で1L当たりのモル数（mol/L）である．この解離定数の値を使って，細胞内でタンパク質PのDNAと結合していないDNAの量の比を計算するために，容積が 1.5×10^{-15} L の細菌がDNA 1分子とDNA結合タンパク質Pを10分子含むものとする．K_d が 10^{-10} M だとして細胞内のタンパク質Pの濃度（約 111×10^{-10} M で K_d の100倍）を考慮すると，99%の時間はDNA上の特異的な配列にタンパク質Pが1分子結合しており，1%の時間だけタンパク質Pが結合していないことになる．たった10分子しか存在しないにもかかわらずである．明らかにタンパク質PとDNAは高い親和性をもち，非常に強く結合している．この結合反応の解離定数が小さいことにそれが表れている．タンパク質-タンパク質間やタンパク質-DNA間の結合において，K_d が 10^{-9} M (nM) かそれ以下の場合は非常に強い結合を意味しており，10^{-6} M (μM) 付近は中程度の結合を，10^{-3} M (mM) 付近は比較的弱い結合を意味する．

タンパク質のような巨大分子の表面は広いので，同時に複数の分子と結合することができる（図2・24）．巨大分子と複数の分子との結合が独立の反応で，それぞれ別々の解離定数をもつ場合と，ある分子が特定の部位に結合すると離れた部位の三次元的な形が変わり，そこでの相互作用が変化する場合がある（この現象はアロステリック性 allostery とよばれる．3章）．構造変化が他の分子との結合（K_d）を変えるのである．共有結合によりアミノ酸側鎖を化学修飾すると，結合部位の構造が変化し，相互作用の仕方が変わるということはよく起こる．こうした共有結合的および非共有結合的な結合は，ある分子が他の分子の構造と結合性を変えるという，重要なしくみである．3章で，このような制御機構を詳しく解説する．

生体内の液体は特有の pH 値を維持している

細胞内外は水でみたされている．水溶液の重要な特性は，正に荷電した水素イオン H^+ と負に荷電した水酸化物イオン OH^- の濃度である．これらのイオンは H_2O が解離してできたものなので，すべての生物システムに含まれ，細胞内で起こる多くの分子間化学反応で放出される．酸性度の高い胃液が胃壁を覆っている細胞から分泌されるときのように，これらのイオンは細胞の中へ，あるいは外へと輸送される．

水分子が解離するときには，極性をもつ H-O 結合の一つが切断される．この反応で生じる水素イオン H^+（プロトンともよばれる）は，遊離の粒子としての寿命は短く，すぐに水分子と結合してオキソニウムイオン H_3O^+ になる．便宜上，水溶液の水素イオンの濃度 $[H^+]$ をよく使うが，本当はオキソニウムイオンの濃

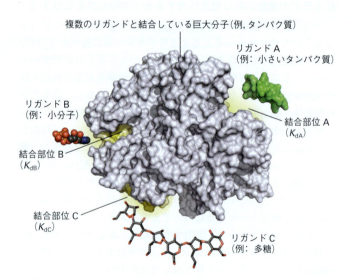

図2・24 巨大分子は複数のリガンドに対して特異的な結合部位をもつ．巨大分子（ここではタンパク質，薄紫）が三つの異なる結合部位A〜C（黄）をもつ様子を示す．それぞれの結合部位は，三つの異なる結合相手（リガンドA〜C）に対して分子相補性を示し，それぞれ固有の解離定数 $K_{dA\sim C}$ をもつ．

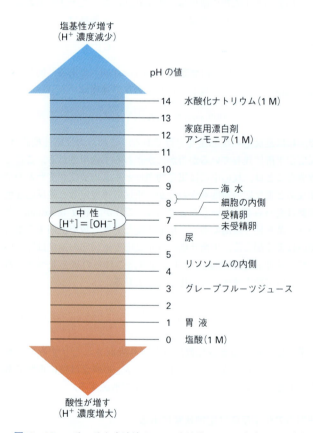

図2・25 いろいろな水溶液の pH．水溶液の pH は水素イオン濃度の対数値に負の符号をつけたものである．ほとんどの場合，細胞内外の pH の値は7付近である．細胞，細胞小器官，および細胞からの分泌物が適切に機能できるよう，この値は調節されている．アンモニア溶液と塩酸溶液の pH は1M溶液のものである．

度 [H₃O⁺] を意味している．H₂O が解離すると，1 個の H⁺ に対して 1 個の OH⁻ ができる．この水の解離は可逆反応である．

$$H_2O \rightleftharpoons H^+ + OH^-$$

25℃ で，[H⁺][OH⁻] = 10⁻¹⁴ M² であり，純水では [H⁺] = [OH⁻] = 10⁻⁷ M である．

水溶液の水素イオンの濃度は水素イオン濃度の対数に負の符号をつけた **pH** で表す．純水の 25℃ での pH は 7 である．

$$pH = -\log[H^+] = \log\frac{1}{[H^+]} = \log\frac{1}{10^{-7}} = 7$$

pH の 1 単位の差は H⁺ の濃度の 10 倍の差である．pH の目盛では 7.0 を中性と考える．pH の値が 7.0 以下ならば酸性（H⁺ 濃度が高い）溶液で，7.0 以上は塩基性（アルカリ性）溶液である（図 2・25）．たとえば胃液は，塩酸 HCl を豊富に含むため，そのpH はおよそ 1 で，pH がおよそ 7.2〜7.4 の細胞質と比べて [H⁺] はおよそ 100 万倍である．

細胞の細胞質ゾルは通常 pH がおよそ 7.2 であるが，真核細胞の細胞小器官の一つであるリソソーム内の pH はずっと低く，およそ 4.5 である．リソソーム内の多くの分解酵素は酸性環境下で機能するが，細胞質の中性環境下では阻害される．この例が示すように，細胞内構造によっては，特有の pH を保持することがその機能にとって重要なのである．これに対して，細胞の pH を劇的に変化させることが細胞の活動を調整するうえで重要な場合もある．たとえば，水生動物であるウニの未受精卵細胞質の pH は 6.6 である．しかし受精して 1 分以内に pH は 7.2 へ上昇する．つまり H⁺ の濃度はもとの値の約 1/4 になる．この変化が，このあとの受精卵の成長と分裂に必要なのである．

酸は水素イオンを放出し，塩基は取込む

塩酸 HCl やカルボキシ基 COOH のように，水素イオン H⁺ を放出する傾向のある分子，イオン，化学基が **酸**（acid）である．たとえば，カルボキシ基は解離すると負に荷電したカルボン酸イオン COO⁻ と水素イオンになる．その逆に，水酸化物イオン OH⁻，アンモニウムイオン NH₄⁺ となるアンモニア NH₃，あるいはアミノ基 NH₂ のように，H⁺ と容易に結合する分子，イオン，化学基が **塩基**（base）である．

酸を水溶液に加えると [H⁺] が増加する（pH が下降する）．反対に水溶液に塩基を加えると，[H⁺] が減少する（pH が上昇する）．[H⁺][OH⁻] = 10⁻¹⁴ M² であるから，[H⁺] の増加は [OH⁻] の減少を伴い，逆もまた真である．

多くの生体分子は酸性基と塩基性基の両方をもつ．たとえば，中性（pH 7.0）の水溶液では，多くのアミノ酸のカルボキシ基は H⁺ を一つ失い，アミノ基は H⁺ を一つ獲得して，二重にイオン化した形になっている．

$$\begin{array}{c} NH_3^+ \\ | \\ H-C-COO^- \\ | \\ R \end{array}$$

ここで R は電荷をもっていない側鎖を表している．このように正と負のイオンを同数もつ分子を **両性イオン**（zwitterion）とよぶ．

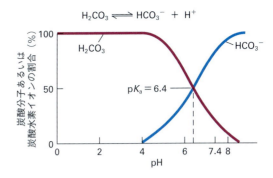

図 2・26 **pH，pK_a と酸の解離の関係**．炭酸水溶液の pH が 0 から 8.5 に上がるにつれ，イオン化していない H₂CO₃ が 100% から減少しはじめ，イオン化した HCO₃⁻ が 0% から増えはじめる．pH が炭酸の pK_a(6.4) と等しいとき，その半分がイオン化する．pH が 8 以上になると，ほとんどすべての炭酸がイオン化して炭酸水素イオン HCO₃⁻ になる．

両性イオンは正味の電荷をもたず，中性である．極端な pH のもとでは，低 pH で −NH₃⁺，高 pH で −COO⁻ というように，二つの基の片方だけが電荷をもつ．

HA という酸（または大きな分子の中の酸性基）の解離反応を HA ⇌ H⁺ + A⁻ と書くことができる．この反応の平衡定数を K_a（添字 a は酸を意味する）とすると，$K_a = [H^+][A^-]/[HA]$ と定義できる．両辺の対数をとって整理すると次のような平衡定数と pH の関係式を得る．

$$pH = pK_a + \log\frac{[A^-]}{[HA]} \qquad (2\cdot5)$$

ここで pK_a は −logK_a である．

ヘンダーソン–ハッセルバルヒの式（Henderson-Hasselbalch equation）とよばれるこの式をみると，ある酸の pK_a は分子の半分が解離し，半分は中性（解離していない）のときの pH であることがわかる．[A⁻] = [HA] のとき，log([A⁻]/[HA]) = 0 で，pK_a = pH だからである．溶液の pH と酸の pK_a がわかっていれば，ヘンダーソン–ハッセルバルヒの式で酸の解離の程度が計算できる．実験室で，溶液の pH を変えて [A⁻] と [HA] がどのように変化するかを測定すると，酸の pK_a と解離反応の平衡定数 K_a が計算できる（図 2・26）．ある分子の pK_a がわかれば，その分子の性質を記述できるのみならず，これを利用して水溶液の酸性度を操作することができる．また，生物システム内の水溶液の pH がどうやって制御されているかも理解できる．

緩衝剤は細胞内外の液体の pH を維持する

活発な代謝反応を行っている細胞では，多くの酸が産生されているにもかかわらず，細胞質の pH はおよそ 7.2〜7.4 に維持されている．このように分子やイオンの取込みや分泌で H⁺ や OH⁻ 量に増減があるにもかかわらず，細胞質の pH が比較的一定に保たれているのは，細胞質に **緩衝剤**（buffer）という弱酸と弱塩基の混合物が含まれているためである．H⁺ や OH⁻ が細胞に加えられたり，細胞内物質代謝で生成したりしても，緩衝剤は過剰の H⁺ や OH⁻ を"吸収してしまう"．緩衝剤の緩衝作用は，溶液の pH が緩衝剤の pK_a に近いほど強い．

pH が緩衝剤の pK_a に等しい溶液（[HA] = [A⁻]）に酸（また

は塩基)を加えると，溶液のpHは変化するが，その変化は緩衝剤が存在しないときより少ない．加えた酸の放出するH^+が緩衝剤のイオン化した形A^-に取込まれるからである．同様に，加えた塩基から生じる水酸化物イオンは緩衝剤の解離していない形HAから放出されるH^+で中和される．ある物質がH^+を放出したり吸収したりする能力の大きさは，その物質がすでに吸収したり放出した量に部分的に依存し，これはその物質のpK_aと溶液のpHに依存する．緩衝剤によるpH変化を抑える能力，すなわち**緩衝能**（buffering capacity）は，緩衝剤の濃度と，ヘンダーソン-ハッセルバルヒの式によって表されるpK_aとpHとの関係によって決まる．

図2・27に示す酢酸の滴定曲線は，イオン化していない分子HAとイオン化した分子A^-の割合がpHによってどう変わるかを示している．pHがpK_aと同じときには，酢酸の半分は解離している（破線）．酸のpK_aより1 pH単位低いpHでは分子の91%がHAの形である．pK_aより1 pH単位高いpHでは91%がA^-の形である．pHがpK_aより1単位上でも下でも（色づけしてない領域）弱酸や弱塩基の緩衝能は急速に減少する．たとえば，水酸化物イオンのような塩基をpK_aに近いpHをもつHAとA^-の混合溶液に加えると，同じモル数の塩基をHAやA^-の存在しない溶液あるいはpHがpK_aから離れている溶液に加えたときよりpHの変化が小さい．

すべての生物システムは一つまたはそれ以上の緩衝剤を含んでいる．リン酸イオンは細胞内にかなり大量に存在し，細胞質のpHを維持する緩衝作用に重要な役割を果たす．リン酸H_3PO_4には解離できる水素イオンが三つあるが，同時には解離しない．それぞれの水素イオンの解離は，図2・28に示すように別々の解離反応となり，異なるpK_aをもつ．リン酸溶液に水酸化物イオンを加えると，pH変化の程度は，三つのリン酸のpK_a値付近で緩やかになる（色づけした領域）．滴定曲線をみると，第二のH^+の解離のpK_aは7.2である．つまりヘンダーソン-ハッセルバルヒの式によると，pH 7.2では細胞のリン酸の約50%は$H_2PO_4^-$で，約50%が

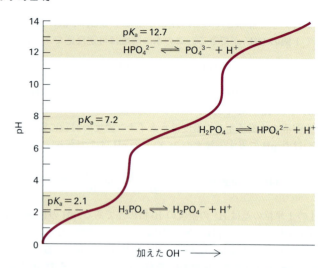

図2・28 生物システムに必ず含まれる緩衝剤であるリン酸H_3PO_4の滴定曲線．生物界のどこにでもあるこの分子は，異なるpHで解離する3個の水素原子をもつ．そのため，図に示すように，リン酸には三つのpK_a値がある．三つのpK_a値から1 pH単位以内の領域に影をつけた．これらの領域ではリン酸の緩衝能が大きいので，酸（または塩基）を加えても，比較的小さなpH変化しか起こらない．

HPO_4^{2-}である．そのため，リン酸は細胞質のpH 7.2とヒト血液のpH 7.4付近では効果的な緩衝剤である．タンパク質アミノ酸側鎖のアミノ基（リシン），グアニジウム基（アルギニン），カルボン酸基（アスパラギン酸，グルタミン酸），そしてN末端とC末端のアミノ基とカルボキシ基もH^+の放出と結合にかかわる．したがって，細胞内や細胞外体液に高濃度で存在しているタンパク質も緩衝剤として働く．

2・3 化学反応と化学平衡　まとめ

- 正反応の速度が逆反応の速度に等しいとき，反応は平衡状態にある．この状態では，出発物と生成物の濃度は変化しない．
- 反応の平衡定数K_{eq}は平衡時の生成物の出発物に対する比を示すので，反応の進行具合および出発物と生成物の相対的安定性の目安となる．
- K_{eq}の値は，温度，圧力，出発物と生成物の化学的性質に依存するが，反応速度，出発物と生成物の初濃度には関係しない．
- どのような反応でも，平衡定数K_{eq}は正反応の速度定数と逆反応の速度定数の比（k_f/k_r）に等しい．出発物の生成物への変換の速度，およびその逆反応の速度は，それぞれの速度定数と出発物あるいは生成物の濃度に依存する．
- 細胞内では，物質代謝経路の一連の反応はふつう定常状態で，平衡状態ではない．定常状態では中間体生成の速度が消失する速度に等しく（図2・23），したがって，中間体の濃度は変わらない．
- 非共有結合性相互作用で二つの分子が結合する反応の解離定数K_dは，両者で形成される複合体（たとえば，リガンド-受容体またはタンパク質-DNAなどの複合体）の安定性の尺度となる．K_dがおよそ10^{-9} M (nM)の結合は強固で，

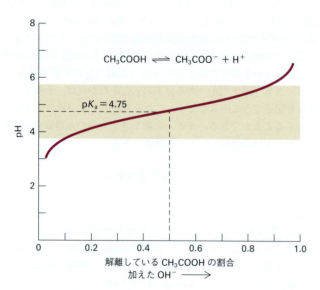

図2・27 緩衝剤である酢酸の滴定曲線．酢酸はH^+とCH_3COO^-に解離し，pK_aは4.75である．pH 4.75では酸の分子の半分が解離している．pHは対数値であるが，溶液中のCH_3COOHはpH 3.75で91%，pH 5.75で9%である．酢酸はこのpH範囲で最大の緩衝能を示す．

およそ 10^{-6} M(μM)のものは比較的強いが，およそ 10^{-3} M (mM)のものは弱い．
- pHは，水素イオンの濃度の対数に負の符号をつけたものである（$-\log[H^+]$）．細胞質のpHは7.2〜7.4であるが，リソソーム内のpHはほぼ4.5である．
- 酸はH^+を放出し，塩基はそれと結合する．
- 緩衝剤は弱酸HAとそれに対応する塩基A^-の混合物で，酸や塩基を加えたときの溶液のpHの変化を小さく抑える．生体分子の機能を最適に保つため，生体内のpHは，各種の緩衝剤によって，非常に狭い範囲に維持されている．

2・4 生体エネルギー論

エネルギーの摂取，貯蔵，利用は，細胞活動の中心である．エネルギーとは仕事をする能力で，日常的な世界における自動車のエンジンや発電所と同様に，細胞にも適応できる概念である．化学結合にたくわえられたエネルギーを取出すと，細胞の化学反応や物理的運動を駆動できる．本節では，エネルギーがどのように化学反応の量に影響するか（化学熱力学），および化学反応速度にどう影響するか（反応速度論）について解説する．

生物システムではいくつかの形のエネルギーが重要である

エネルギーには，運動エネルギーとポテンシャルエネルギーという二つの主要な形がある．**運動エネルギー**（kinetic energy）は，たとえば分子の運動のような動きに伴うエネルギーである．これに対して，**ポテンシャルエネルギー**（potential energy）は，共有結合にたくわえられたエネルギーのように，何らかの形でたくわえられたエネルギーである．後者は，細胞内でのエネルギー変換で特に重要な役割を果たす．

熱エネルギー（thermal energy），つまり熱は，運動エネルギーの一種で分子の運動エネルギーである．熱が仕事をするためには，温度の高い領域，すなわち分子の平均の運動速度の大きいところから温度の低いところへ熱が流れる必要がある．細胞の内外で温度差が存在する可能性はあるものの，その程度の温度勾配では細胞活動のエネルギー源にならない．温度調節の機構を進化させた温血動物での熱エネルギーは，主として生体内温度を一定に保つことに使われる．多くの細胞の活動は温度依存性なので，これは重要な機能である．たとえば，哺乳類の細胞の温度を正常な体温の37℃から4℃に冷やすと，多くの細胞過程（たとえば細胞内の膜輸送）は実質的に停止してしまう．逆に，温度が高すぎると，生体巨大分子およびその複合体の構造と機能の維持に必要な非共有結合性相互作用が熱によって壊されるので，細胞は致命的損傷を受ける．

放射エネルギー（radiant energy）は光子，すなわち光の波動の運動エネルギーで，生物にとって非常に重要である．分子に吸収された光が分子運動のエネルギーに変換される場合のように，放射エネルギーは熱エネルギーに変換できる．また，分子に吸収された放射エネルギーは，電子をより高エネルギー状態の軌道に励起し，分子の電子状態を変える．それがもとの状態に戻るときに，仕事をする．たとえば，光合成では光のエネルギーは色素分子（たとえばクロロフィル）に吸収され，最終的には化学結合のエネルギーに変換される（12章）．

力学的エネルギー（mechanical energy）は生体の運動エネルギーの主要な形で，ふつうは貯蔵された化学エネルギーから生み出される．たとえば，化学エネルギーに駆動されて細胞骨格繊維の長さが変化すると，膜や細胞小器官を押したり引いたりする力が生まれる（17章，18章）．

電気エネルギー（electric energy）は電子や電荷をもつ粒子の運動に伴うエネルギーで，主要な運動エネルギーの一つである．これは，電気的に活性な神経細胞でみられるように生体膜の機能と重要なかかわりをもつ（11章，12章，23章）．

いくつかの形のポテンシャルエネルギーが生物にとって重要である．生体内で中心的な働きをするのは，分子の原子間結合に貯蔵された**化学ポテンシャルエネルギー**（chemical potential energy）である．実際に，本書で解説する生化学的反応の多くは，少なくとも一つの共有結合の形成か切断を伴っている．一般的にいうと，生体分子の共有結合形成にはエネルギーが必要で，結合が切断されるとエネルギーが放出される．たとえば，グルコース分子中の共有結合のポテンシャルエネルギーは，細胞内の酵素を介した調節された燃焼により放出される（12章）．このエネルギーは細胞にたくわえられ，各種の仕事に利用される．

生物にとって重要な第二のポテンシャルエネルギーは，**濃度勾配**（concentration gradient）が含むエネルギーである．ある物質の濃度が膜のような境界を挟んで両側で異なるとき，濃度勾配ができる．すべての細胞は，栄養素，排泄物，イオンを周囲の溶液中のものと選択的に交換して，細胞内外で濃度勾配を形成する．また細胞小器官（たとえば，ミトコンドリア，リソソーム）に含まれるイオンやほかの分子の濃度は細胞質と異なる．前節で述べたように，リソソーム内のH^+濃度（約pH 4.5）は細胞質での濃度（pH 7.2〜7.4）の500倍もある．また，ミトコンドリアでのエネルギー産生は，膜を介したH^+濃度勾配で駆動される（12章）．

細胞の第三の形のポテンシャルエネルギーは**電位**（electric potential），すなわち電荷の分離によるエネルギーである．たとえば，ほとんどすべての細胞の細胞膜には1 cm当たり約200,000 Vの電位差がある．細胞膜を隔てた濃度勾配と電位差がどのように形成され維持されるかは11章で述べ，それらがどのように化学ポテンシャルエネルギーに変換されるかは12章で解説する．

細胞はある形のエネルギーを別の形に変換できる

熱力学の第一法則によると，エネルギーはつくりだすことも消滅させることもできないが，一つの形からほかの形への変換はできる（核反応では質量をエネルギーに変換できるが，この現象は生体内では起こらない）．エネルギー変換は生物にとってきわめて重要である．たとえば，光合成では，光の放射エネルギーがスクロースまたはデンプンの原子間共有結合の化学ポテンシャルエネルギーに変換される．筋肉や神経では，共有結合にたくわえられた化学ポテンシャルエネルギーが，筋収縮の力学的エネルギーや神経伝導の電気エネルギーに変換される．すべての細胞で，化学結合を切断して放出されるポテンシャルエネルギーが，濃度勾配や電位差という別のポテンシャルエネルギーに変換される．同様に，濃度勾配や電位差にたくわえられたエネルギーは，化学結合を形成したり，分子を膜の一方から他方へ移動させ濃度勾配を形成したりするのに使われる．後者のような変換は，グルコースの

ような栄養素をある種の細胞に運び込んだり，排泄物を細胞から運び出したりするときに行われる．

すべてのエネルギーは相互に変換可能なので，同じ単位で表せる．エネルギーの標準の単位はジュール（J）だが，生化学者は伝統的に**カロリー**（cal，1 J = 0.239 cal）を使ってきた．1カロリーは，1 gの水の温度を1℃上昇させるのに必要なエネルギーである．本書ではエネルギー変化を表すのに**キロカロリー**（kcal，1 kcal = 1000 cal）という単位を使う．なお，食物に関して"カロリー"という言葉が使われるときには，このキロカロリー（kcal）単位を意味しているので注意が必要である．

化学反応が自発的に起こるかどうかはその反応の自由エネルギー変化による

化学反応は，その反応でエネルギーが吸収されるか，あるいは放出されるかによって区別される．エネルギーを放出する**発エルゴン反応**（exergonic reaction）では，生成物のエネルギーが出発物のものより低い．発エルゴン反応は自発的に進行する．放出されたエネルギーは，木材の酸化（燃焼）のように，ふつうは熱（分子運動のエネルギー）となり，まわりの温度を上昇させる．**吸エルゴン反応**（endergonic reaction）では，生成物のエネルギーが出発物のものより高く，反応時に周囲からエネルギーを吸収する．吸エルゴン反応を駆動するエネルギー源がない場合，この反応は起こらない．傷の治療で患部を冷やすのに用いるインスタント冷却パックでは，この吸エルゴン反応が利用されている．パックをつぶすと，内部の薬剤が混合され反応がはじまる．

ある反応が発エルゴン的か吸エルゴン的か，つまり反応が自発的に起こるかどうかを理解する基盤になる概念が**ギブズの自由エネルギー**（Gibbs free energy）G で，この名称は J. W. Gibbs の名にちなむ．Gibbs は1863年に米国で初の工学博士号を取得した科学者で，彼は"すべての系は自由エネルギー G が最小になるように変化する"ということを示した．つまり，生成物の自由エネルギーが出発物のものより低いときに化学反応は自発的に起こるのである．出発物 ⇌ 生成物 という化学反応では，**自由エネルギー変化**（free-energy change）ΔG は

$$\Delta G = G_\text{生成物} - G_\text{出発物}$$

と表される．ΔG と化学反応の進行方向との関係は，次の三つの規則に要約される．

- ΔG が負ならば，正反応（生成物をつくる反応）が自発的に起こり，反応が起こるとエネルギーが放出される（発エルゴン反応，図2・29a）．ΔG が負の反応は"熱力学的に有利"な反応とよばれる．
- ΔG が正ならば，正反応は自発的には起こらない．出発物から生成物ができるようにするにはエネルギーを系に与えなければならない（吸エルゴン反応，図2・29b）．
- ΔG が0ならば，正と逆の反応が同じ速度で進行し，出発物から生成物への正味の自発的変換（その逆も）はない．つまり反応は平衡状態にある．

慣例で，反応の**標準自由エネルギー変化**（standard free-energy change）$\Delta G°'$ は，298 K（25℃），1気圧，pH 7.0（純水中のよう

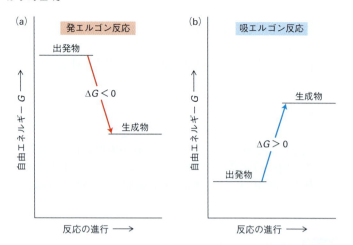

図2・29 発エルゴン反応と吸エルゴン反応における自由エネルギーの変化．（a）発エルゴン反応では，生成物の自由エネルギーは出発物より低い．そこで，これらの反応は自発的に起こり，反応が進むとエネルギーが放出される．（b）吸エルゴン反応では，生成物の自由エネルギーは出発物より大きい．そこで，これらの反応は自発的には起こらず，外からエネルギーを供給しないと出発物は生成物に変換されない．

に），すべての出発物と生成物の濃度が1 M，H⁺濃度だけは 10^{-7} M（pH 7.0），という条件下での自由エネルギー変化の値である．多くの生体反応の条件は，標準状態とは異なる．特に出発物の濃度は1 Mより低く，哺乳類では温度が37℃である．

化学反応系の自由エネルギーは $G = H - TS$ と定義できる．ここで H は系の化学結合エネルギー，つまり**エンタルピー**（enthalpy）である．T は絶対温度（K），S は**エントロピー**（entropy）で，系の無秩序さの程度つまり不規則さを表すものである．熱力学第二法則によると，孤立した系ではエントロピーが増大する方向に，つまり無秩序さが増す方向に変化は起こる．たとえば，水の入った容器にインクを1滴落としたとき，インクは濃いままそこにとどまっておらずに広がっていく（無秩序さが増す）．エンタルピーとエントロピーの変化を合わせた ΔG が低くなるような反応は自発的に進行する．温度が一定なとき，次の式で表される自由エネルギー変化が負のときだけ反応は自発的に進行する．

$$\Delta G = \Delta H - T\Delta S \qquad (2 \cdot 6)$$

発熱反応（exothermic reaction）では ΔH は負で，**吸熱反応**（endothermic reaction）では ΔH は正である．エンタルピー変化とエントロピー変化の組合わせで，ある反応の ΔG が正になるか負になるかが決まり，この反応が自発的に進むかどうかが決まる．発熱反応（$\Delta H < 0$）でエントロピーが増加（$\Delta S > 0$）する反応は自発的（$\Delta G < 0$）に進行する．吸熱反応（$\Delta H > 0$）では，エントロピーの増加（$\Delta S > 0$）が大きく，$T\Delta S$ が ΔH を上回るほど大きくなれば，反応は自発的に進行する．

多くの生体反応では，規則性が高まりエントロピーが減少する（$\Delta S < 0$）．すぐにわかる例は，アミノ酸をつないでタンパク質を合成する反応である．タンパク質の溶液では，アミノ酸が長い鎖につながれてそれぞれの運動が制限されるので，同じアミノ酸がばらばらに存在する溶液よりエントロピーが低い．したがって，細胞が単量体からタンパク質のような重合体を合成するとき，単

量体を共有結合でつなぐためのエネルギーだけではなく、これに伴うエントロピー減少によるエネルギーも補わないと、反応は自発的に進まない。そこで、このようなエントロピーの減少を伴う合成反応を進行させるために、ΔG が大きく負となる別の反応、たとえばヌクレオシド三リン酸の加水分解のような反応（このあと解説する）と"共役 (coupling)"させる。このように、周囲から得られたエネルギーは、高度に組織化された細胞内構造や物質代謝経路といった生物に必須なものに変換されている。

反応中の実際の自由エネルギー変化 ΔG は、温度、圧力、出発物と生成物の初濃度の影響を受けるので標準自由エネルギー変化 $\Delta G°'$ とは異なる。ほとんどの生体反応は、ほかの溶液内の反応と同様に、溶液の pH に影響される。標準状態と温度が異なり初濃度も異なるときの自由エネルギー変化は次の式から見積もられる。

$$\Delta G = \Delta G°' + RT \ln Q = \Delta G°' + RT \ln \frac{[生成物]}{[出発物]} \quad (2\cdot 7)$$

ここで、R は気体定数 1.987 cal/(degree・mol)、T は絶対温度 (K)、Q は生成物対出発物の初濃度の比である。$A + B \rightleftharpoons C$ という二つの分子が結合して第三の分子を形成する反応で、(2・7)式の Q は $[C]/[A][B]$ である。この場合 [A] または [B] という初濃度が増加すると ΔG がさらに大きな負の値になって、反応は C を生成する方向に駆動される。

ある生化学反応の $\Delta G°'$ がどんな値であっても、細胞内では、出発物と生成物の濃度によって決まる ΔG が負のときだけ反応は自発的に進行する。たとえば、グルコースの分解経路の二つの中間体、グリセルアルデヒド 3-リン酸 (G3P) のジヒドロキシアセトンリン酸 (DHAP) への変換（12 章）

$$G3P \rightleftharpoons DHAP$$

の $\Delta G°'$ は -1840 cal/mol である。もし G3P と DHAP の初濃度が等しければ、$RT \ln [生成物]/[出発物] = 0$ なので、$\Delta G = \Delta G°'$ である。この場合 G3P $\rightleftharpoons$ DHAP という可逆反応は、DHAP を生成する向きに平衡に達するまで進行する。しかし、[DHAP] の初期値が 0.1 M、[G3P] の初期値が 0.001 M で、ほかの条件は標準状態だとすると、(2・7)式の Q は 0.1/0.001 = 100 なので、ΔG は $+887$ cal/mol となる。このような条件下では、反応は G3P の生成の方向に進行する。

反応の ΔG の値と反応速度は無関係である。実際のところ、ふつうの生理的条件下だと、反応速度を上昇させる機構なしには、生体内のほとんどの生化学的反応は進行しないだろう。3 章でも詳しく解説するが、以下に述べるように、生体での反応速度は**酵素** (enzyme) の活性によって決まる。酵素は反応の ΔG の値を変化させずに、出発物から生成物への変換を促進するタンパク質触媒である。

反応の $\Delta G°'$ は K_{eq} から計算できる

平衡状態にある化学物質の混合物は、自由エネルギー最小の安定状態にある。平衡状態にある ($\Delta G = 0$, $Q = K_{eq}$) 系に対しては、標準状態で

$$\Delta G°' = -2.3 RT \log K_{eq} = -1362 \log K_{eq} \quad (2\cdot 8)$$

となる（対数は 10 を底とするものに変更してある点に注意）。そこで、出発物と生成物の平衡状態での濃度（すなわち K_{eq}）を測定できれば、$\Delta G°'$ の値を計算できる。たとえば、グリセルアルデヒド 3-リン酸からジヒドロキシアセトンリン酸への変換 (G3P $\rightleftharpoons$ DHAP) に対する K_{eq} は標準状態では 22.2 である。この値を (2・8)式に代入すると、この反応の $\Delta G°'$ が -1840 cal/mol であることは容易に計算できる。

(2・8)式を整理して真数をとると、

$$K_{eq} = 10^{-(\Delta G°'/2.3RT)} \quad (2\cdot 9)$$

となる。この式から、もし $\Delta G°'$ が負ならば、指数は正で、K_{eq} は 1 より大きいことがわかる。したがって、平衡状態では出発物より生成物が多く存在する。反対に、もし $\Delta G°'$ が正ならば、指数は負で、K_{eq} は 1 より小さい。この K_{eq} と $\Delta G°'$ の関係からも、どの程度自発的に反応が起こるかは、出発物と生成物の相対的自由エネルギー値によって決まることがわかる。

出発物を遷移状態にまで活性化するのに必要な活性化エネルギーで反応速度が決まる

化学反応が進行するとき、出発物が互いに接近し、結合が生じたり、結合が切れたりする。こうした移行途中の分子では、原子や結合の電子構造にひずみが生じていると考えられる。反応の過程で、一群の原子が出発物の比較的安定な状態から、一時的に高エネルギーの中間体になる（図 2・30）。化学反応過程で系が一番高いエネルギー準位にある状態を**遷移状態** (transition state) とよび、こうした遷移状態に入っている一群の出発物を**遷移状態中間体** (transition-state intermediate) という。出発物を活性化してこの高エネルギー状態にもっていくのに必要なエネルギーを**活性化エネルギー** (activation energy) という。活性化エネルギーは通常 $\Delta G^{\ddagger}$ と表され、前述したギブズの自由エネルギー変化 ΔG の表示と似ている。遷移状態になった原子は反応生成物を形成してエ

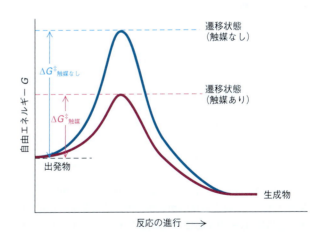

図 2・30 化学反応の活性化エネルギーに及ぼす触媒の効果。仮想的な反応経路において、反応進行に伴う自由エネルギー G の変化を表したものが青線である。生成物の自由エネルギー G が出発物のものより小さければ、反応は自発的に起こる ($\Delta G < 0$)。しかし、すべての化学反応は、ここで示すような一つの高エネルギー遷移状態（複数の遷移状態の場合もある）を経て進行する。その反応速度は、出発物と遷移状態の自由エネルギーの差である活性化エネルギー $\Delta G^{\ddagger}$ に反比例する。触媒を入れた反応（赤）では、出発物と生成物の自由エネルギーは変わらないが、遷移状態の自由エネルギーが低くなり、反応は速くなる。

ルギーを放出するか（図2・30で右側に進む），逆戻りして最初の出発物を再形成してエネルギーを放出するか（図2・30で左側に進む）のいずれかの過程をたどる．

与えられた条件（温度，圧力，出発物濃度）のもとで，出発物から生成物の生じる速度（V）は，遷移状態にあるものの濃度によって決まる．この濃度は，1) 活性化エネルギーによって出発物が遷移状態に移動させられる速度，および 2) 遷移状態から生成物ができる固有の速度定数（v）によって決まる．活性化エネルギーが高ければ高いほど，出発物のうち遷移状態に達することのできるものの割合が下がり，その結果，反応速度が低下する．出発物濃度，v，V の間の関係は次のようになる．

$$V = v[\text{出発物}] \times 10^{-(\Delta G^\ddagger/2.3RT)}$$

この式から，活性化エネルギーが低くなると，すなわち遷移状態の自由エネルギー $\Delta G^\ddagger$ が小さくなると，全体の反応速度 V が速くなることがわかる．$\Delta G^\ddagger$ が 1.36 kcal/mol 低下すると反応速度は 10 倍になり，2.72 kcal/mol 低下すると 100 倍になる．このように，$\Delta G^\ddagger$ の比較的小さな変化が全体の反応速度に大きな変化をひき起こす．

酵素（3章で詳しく解説）のような触媒は，遷移状態の相対エネルギーを下げ，結果的に活性化エネルギーを下げることで反応速度を増す（図2・30）．出発物と生成物のエネルギーの比較で，反応が熱力学的に有利か（負の ΔG）どうかが決まり，活性化エネルギーで生成物の生成速度（反応速度）が決まる．熱力学的に有利な反応でも，活性化エネルギーが高すぎると反応は進行しない．

生物はエネルギー的に不利な反応と有利な反応の共役に依存している

細胞内の反応の多くはエネルギー的に不利（$\Delta G > 0$）で自発的には進行しない．たとえばアミノ酸からのタンパク質合成や，細胞膜の低濃度側から高濃度側への膜を横切る物質輸送などがそうした例である．細胞内では，エネルギーを必要とする吸エルゴン反応（$\Delta G_1 > 0$）でも，エネルギーを放出する発エルゴン反応（$\Delta G_2 < 0$）と共役し，両者の和が負になれば，反応は進行する．

たとえば，反応 $A \rightleftharpoons B+X$ の ΔG が $+5$ kcal/mol で，反応 $X \rightleftharpoons Y+Z$ の ΔG が -10 kcal/mol だとする．

(1) $A \rightleftharpoons B + X$ $\Delta G = +5$ kcal/mol
(2) $X \rightleftharpoons Y + Z$ $\Delta G = -10$ kcal/mol
合計 $A \rightleftharpoons B + Y + Z$ $\Delta G^{\circ\prime} = -5$ kcal/mol

第二の反応がなければ，平衡状態では A が B より量が多い．しかし X を Y+Z に変換する反応がエネルギー的に非常に有利な反応であるために，最初の反応は A を消費し B を産生する方向に引張られることになる．細胞内のエネルギー的に不利な反応は，次で述べるように，エネルギーを放出する ATP の加水分解に共役していることが多い．

ATP の加水分解は大きな自由エネルギーを放出し，多くの細胞内反応を駆動する

ほとんどすべての生物で，**アデノシン三リン酸**（adenosine triphosphate: **ATP**）は，エネルギーを捕捉して一時的に貯蔵し，最終的に仕事（たとえば，生合成，機械的運動）に転換する役割を果たす重要な分子である（図2・1d および図2・31）．ATP は"エネルギーの通貨"ともよばれ，活動するために細胞が"支払う"ポテンシャルエネルギーの一つの形である．ATP 研究の歴史は，1929 年にドイツの偉大な生化学者 Otto Meyerhof のもとで働いていた Karl Lohmann がその発見を報告し，それに続いて米国の Cyrus Fiske と Yellapragada SubbaRow も同様の発見を報告したことではじまった（1948 年に 53 歳で亡くなった SubbaRow は，貧血，がん，リウマチ，および細菌感染といった病気の治療法にも重要な貢献をしている）．1930 年代に，筋肉の収縮が ATP に依存していることが明らかとなった．1941 年ごろ，Fritz Lipmann は，ATP が細胞内でのエネルギー変換を媒介する主要な因子であるという仮説を提案した．ATP やそれが細胞内エネルギー代謝で果たす役割に関する研究に対して，多くのノーベル賞が授与されている．分子細胞生物学における ATP の重要さは言葉で言い尽くせない．

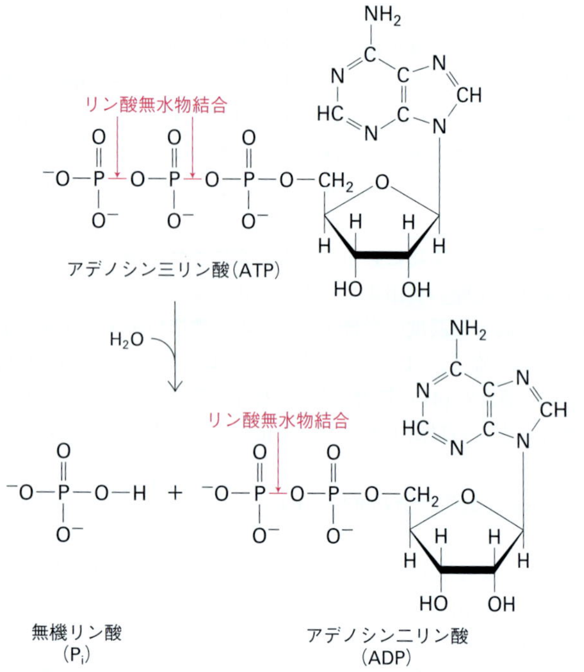

ATP 分子の利用しやすいエネルギーは**リン酸無水物結合**（phosphoanhydride bond）にたくわえられている．リン酸無水物結合は，二つのリン酸分子が水を失って縮合した共有結合である．

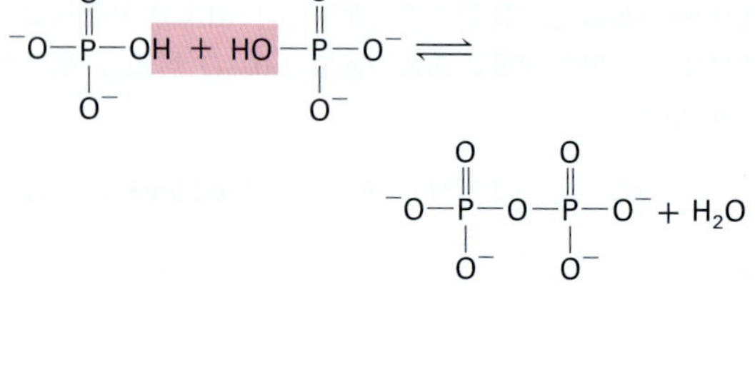

図 2・31　アデノシン三リン酸（ATP）の加水分解． ATP（上）のリン酸無水物結合（赤）は三つのリン酸基を結合していて，それぞれの加水分解の $\Delta G^{\circ\prime}$ は -7.3 kcal/mol である．末端のリン酸無水物結合が水の付加で加水分解されると，リン酸が放出されて ADP が生じる．ATP のリン酸無水物結合の加水分解，特に末端結合の分解によって，エネルギーを必要とする多くの生体反応が駆動される．

図2・31に示すように，ATP分子には二つのリン酸無水物結合がある．ATP内のリン酸無水物結合形成にはエネルギーの注入が必要である．逆に，この結合の加水分解，つまり水の付加による切断でエネルギーが放出される．次のそれぞれの反応で，リン酸無水物結合（~）の加水分解の $\Delta G°'$ は約 $-7.3\ \text{kcal/mol}$ である．

$$\text{Ap~p~p} + \text{H}_2\text{O} \longrightarrow \text{Ap~p} + \text{P}_\text{i} + \text{H}^+$$
$$(\text{ATP}) \qquad\qquad\qquad (\text{ADP})$$

$$\text{Ap~p~p} + \text{H}_2\text{O} \longrightarrow \text{Ap} + \text{PP}_\text{i} + \text{H}^+$$
$$(\text{ATP}) \qquad\qquad\qquad (\text{AMP})$$

$$\text{Ap~p} + \text{H}_2\text{O} \longrightarrow \text{Ap} + \text{P}_\text{i} + \text{H}^+$$
$$(\text{ADP}) \qquad\qquad\qquad (\text{AMP})$$

ここで，P_i は無機リン酸 PO_4^{3-}，PP_i は二つのリン酸基がリン酸無水物結合したピロリン酸（二リン酸）を表す．上の二つの反応が示すように，ATPからリン酸基を除去するとアデノシン二リン酸(ADP)，二リン酸基を除去するとアデノシン一リン酸(AMP)になる．

リン酸無水物結合やほかの**高エネルギー結合**（high-energy bond，~で表す）は，他の共有結合と本質的に違うところはないが，加水分解により特に大きなエネルギーを放出する．たとえば，ATPのリン酸無水物結合の加水分解の $\Delta G°'$（$-7.3\ \text{kcal/mol}$）は，グリセロール3-リン酸のリン酸エステル結合（赤）の加水分解の $\Delta G°'$（$-2.2\ \text{kcal/mol}$）の3倍以上の値である．

$$\text{HO}-\overset{\overset{\displaystyle O}{\|}}{\underset{\underset{\displaystyle O^-}{|}}{\text{P}}}-\text{O}-\text{CH}_2-\overset{\overset{\displaystyle OH}{|}}{\text{CH}}-\text{CH}_2\text{OH}$$

グリセロール3-リン酸

ATPおよびその加水分解産物であるADPと P_i に，中性のpHで多数の負電荷があることが，この違いのおもな理由である．ATPを合成するとき，ADPと P_i の負電荷を近づけるために大きなエネルギーが必要となる．そのため，ATPがADPと P_i に加水分解されると大きなエネルギーが放出される．これに対して，グリセロールの電荷のないヒドロキシ基と P_i とのリン酸エステル結合の形成には小さなエネルギーで十分であり，この結合を切断しても小さなエネルギーしか放出されないのである．

ATPのリン酸無水物結合の加水分解で放出されるエネルギーを，酵素を介して他の分子に移し，これによってエネルギー的に不利な反応を駆動するという機構が細胞内で進化してきた．たとえば，B+C→Dという反応の ΔG が正だとしても，それがATPの加水分解の負の ΔG の絶対値より小さければ，ATPの末端のリン酸無水物結合の加水分解と共役させ，この反応を右に進めることができる．そのような**エネルギー共役**（energy coupling）の機構として，次のような反応が考えられる．まず，ATP末端のリン酸無水物結合の切断で放出されたリン酸基が出発物Bと共有結合し，リン酸無水物結合のエネルギーが出発物Bに移る．このようにしてできたリン酸化中間体がCと結合してD+P_i を生じると反応の ΔG は負となる．

$$\text{B} + \text{Ap~p~p} \longrightarrow \text{B~p} + \text{Ap~p}$$
$$\text{B~p} + \text{C} \longrightarrow \text{D} + \text{P}_\text{i}$$

全体として反応は

$$\text{B} + \text{C} + \text{ATP} \rightleftharpoons \text{D} + \text{ADP} + \text{P}_\text{i}$$

となり，エネルギー的に有利である（$\Delta G < 0$）．ATPと同じように，GTPのGDPへの加水分解で生じるエネルギーも仕事をするのに用いられる．そのエネルギーでATPを合成することもできるが（12章），GTP加水分解はエネルギー供給のためより，さまざまな細胞内過程の制御（たとえばタンパク質合成，ホルモンシグナルの伝達など）に用いられることが多い（15章）．

別のエネルギー共役の方法は，ATPの加水分解で放出されるエネルギーを使ってほかの分子をエネルギーの高い，ひずみの多い状態に変えることである．ひずみの多い状態にたくわえられたエネルギーは，この分子がひずみのない状態に弛緩するときに放出される．この弛緩の過程を機械的に他の反応と共役させると，放出されるエネルギーを重要な細胞過程の駆動に利用できる．

多くの生合成過程と同様に，細胞内に物質を運び込んだり外へ運び出したりする反応は正の ΔG を伴うことが多く，こうした反応を進めるにはエネルギーの注入が必要である．そのような単純な輸送反応は共有結合を生成したり切断したりすることと直接には関係ないので，$\Delta G°'$ は0である．そこで，物質が細胞内に入るとき（2・7）式は

$$\Delta G = RT\ln\frac{[\text{C}_\text{内}]}{[\text{C}_\text{外}]} \qquad (2\cdot 10)$$

となる．ここで，$[\text{C}_\text{内}]$ は細胞内の物質の初濃度，$[\text{C}_\text{外}]$ は細胞外の初濃度である．(2・10)式によると，物質を濃度勾配に逆らって細胞内へ運ぶことに対して ΔG は正だということがわかる（$[\text{C}_\text{内}] > [\text{C}_\text{外}]$ なので）．このような勾配を逆上る輸送を駆動するエネルギーはATPの加水分解から供給されることが多い．逆に，物質が濃度勾配を下る場合（$[\text{C}_\text{外}] > [\text{C}_\text{内}]$ なので）には，ΔG は負である．そのような下り勾配の輸送はエネルギーを放出するので，勾配に抗して別の物質を輸送することや，ATPそのものの合成など，エネルギーを必要とする反応と共役させることができる（11章，12章）．

光合成や呼吸でATPが産生される

ATPは常に加水分解され，多数の細胞内活動を維持するためのエネルギーを供給し続ける．ヒトでは，その体重にほぼ等しい量のATPが毎日加水分解されている．細胞内活動を維持するためには，使われたATPを常に補充しなければならない．このことは，細胞が外部から常にエネルギーを取込まなければならないことを意味している．ほとんどの細胞にとって，ATPをつくるためのエネルギーの究極の源は太陽光である．

生物のあるものは，太陽光を直接利用する．植物や藻類，光合成細菌は，**光合成**（photosynthesis）によって光のエネルギーをとらえて，ADPと P_i からATPを合成する．光合成で生成するATPの大部分は加水分解され，生じたエネルギーは二酸化炭素を六炭糖に変換する**炭素固定**（carbon fixation，炭酸固定）という過程で使われる．

$$6\text{CO}_2 + 6\text{H}_2\text{O} \longrightarrow \text{C}_6\text{H}_{12}\text{O}_6 + 6\text{O}_2 + \text{エネルギー}$$

光合成で産生された糖類は，これをつくっている植物や光合成

生物にとってエネルギー源となる．また，動物のように光合成を行えない生物にとっても，植物を食物としたり，植物を食べた生物を食物としたりすることで，光合成による糖類がエネルギー源となっている．このように，ほとんどの生物にとって，太陽光は直接的，間接的にエネルギー源となっているのである（12章）．

植物や動物，そして他のほとんどすべての生物において，食物から得られる糖などの分子の自由エネルギーは，**解糖**（glycolysis）と**細胞呼吸**（cellular respiration）という過程で放出される．細胞呼吸では，食物中のエネルギーに富んだ分子（たとえば，グルコース）は酸化され，二酸化炭素と水になる．グルコースの完全酸化の反応は，

$$C_6H_{12}O_6 + 6O_2 \longrightarrow 6CO_2 + 6H_2O$$

で，その $\Delta G^{\circ\prime}$ は -686 kcal/mol である．この反応は，光合成による炭素固定の逆反応である．細胞は，タンパク質のかかわる一連の精緻な反応を使い，1分子のグルコースの酸化で得られるエネルギーと，30分子の ADP から 30分子の ATP を合成する反応を共役させている．こうした酸素に依存する（好気的 aerobic）グルコースの分解（**異化** catabolism）は，全動物細胞，光合成をしない植物細胞，および多くの細菌細胞の ATP 生成の主要な経路である．また，脂肪酸の異化でも，ATP が産生される．光合成と細胞呼吸の機構については 12 章で解説する．

光合成によって捕捉される光のエネルギーだけがすべての細胞の化学エネルギーの源ではない．十分な太陽光が利用できない深海の熱水噴出孔付近に生息するある種の微生物は，還元状態の無機化合物を酸化することで，ADP と P_i から ATP を合成するエネルギーを獲得している．この還元状態の化合物は地球の深部でつくられ，熱水噴出孔から放出されている．

NAD$^+$ と FAD は生物の多くの酸化反応と還元反応にかかわる

多くの化学反応で，電子が 1個の原子または分子から他の原子または分子へ転移する．この転移に伴い，新しい化学結合の形成，あるいは他の反応に共役させることができるエネルギーの放出が起こることもあるが，起こらないこともある．原子または分子が電子を失うことを**酸化**（oxidation）といい，原子または分子が電

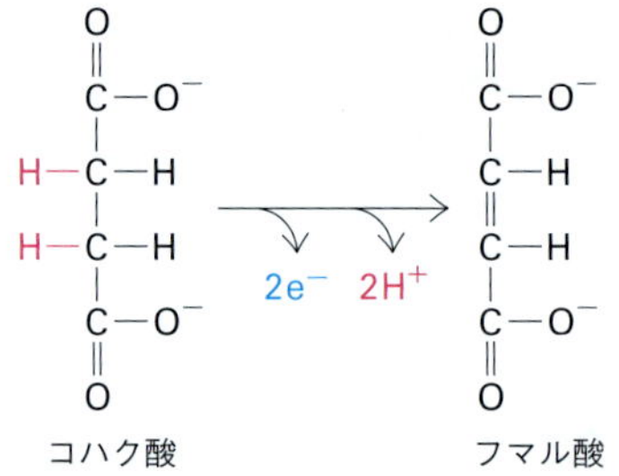

図 2・32 コハク酸からフマル酸への変換．この酸化反応はミトコンドリア内でクエン酸回路の一部として起こる．そこではコハク酸が 2個の電子と 2個の H$^+$ を失い，これが FAD に転移する．その結果，FAD は還元されて FADH$_2$ が生じる．

子を獲得することを**還元**（reduction）という．§2・2 で述べた二つのシステイン残基のスルフヒドリル基から電子が引抜かれてジスルフィド結合が生じるのは，酸化の一例である．化学反応で電子が生成したり消滅したりすることはないので，原子または分子が 1個酸化されるときには別のものが還元されなければならない．たとえば，ミトコンドリアで炭水化物が分解される反応の中で，酸素が Fe^{2+} から電子を引抜いて Fe^{3+} にする．1個の酸素原子は 2個の Fe^{2+} から 1個ずつ電子を受取る．

$$2Fe^{2+} + 1/2\, O_2 \longrightarrow 2Fe^{3+} + O^{2-}$$

この結果，Fe^{2+} は酸化され，O$_2$ は還元される．このように一つの分子が還元され別の分子が酸化される反応は，**酸化還元反応**（redox reaction）とよばれる．酸素は，好気的条件下での多くの細胞内酸化還元反応において，電子の受容体になる．

生体内の多くの重要な酸化反応と還元反応では，電子単独の移動ではなく，水素原子（H$^+$ と電子）の解離または付加が起こる．ミトコンドリアで起こるコハク酸の酸化でフマル酸が生じる反応もその例である（図 2・32）．水素イオンは水溶液に溶ける（H$_3$O$^+$ として）が電子は溶けない．そこで，電子は水溶性中間体を経ず，原子あるいは分子間を直接移動する．このような電子が移動する酸化反応では，しばしば**補酵素**（coenzyme）という小さい分子が電子輸送体として使われる．最も頻繁に使われる電子輸送体は，還元すると NADH になる **NAD$^+$**（ニコチンアミドアデニン

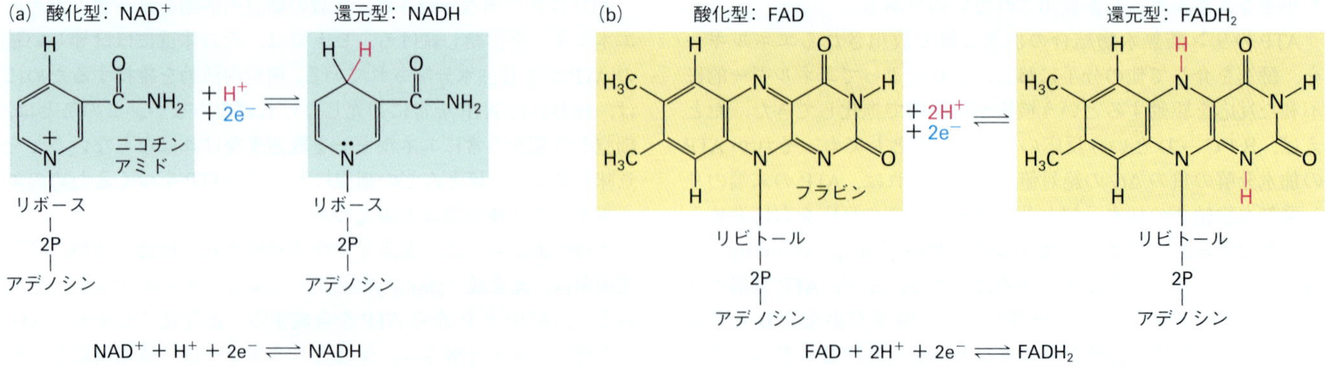

図 2・33 電子を受け渡す補酵素 NAD$^+$ と FAD．(a) NAD$^+$（ニコチンアミドアデニンジヌクレオチド）に 2個の電子と 1個の H$^+$ が同時に付加されると，NAD$^+$ は還元されて NADH が生じる．生体内の多くの酸化還元反応では，1対の水素原子（2個の電子と 2個の H$^+$）が 1個の分子から除かれる．このうち 2個の電子と 1個の H$^+$ は NAD$^+$ に転移し，残りの H$^+$ は溶液中に放出される．(b) FAD（フラビンアデニンジヌクレオチド）は，コハク酸のフマル酸への転換反応（図 2・32）で示したように，2個の電子と 2個の H$^+$ を結合し，還元されて FADH$_2$ になる．ここの 2段階反応では，まず 1個の電子と 1個の H$^+$ の付加で短命なセミキノンの中間体（図には示していない）が生じ，そこへ 2個目の電子と H$^+$ が結合する．

ジヌクレオチド nicotinamide adenine dinucleotide）と，還元すると FADH$_2$ になる **FAD**（フラビンアデニンジヌクレオチド flavin adenine dinucleotide）である（図2・33）．還元型となった補酵素は，他の分子へ H$^+$ と電子を渡してこれを還元する．

Fe^{2+} と酸素 O$_2$ の反応のような酸化還元反応を表すには，二つの**半反応**（half-reaction）に分けると理解しやすい．

$$\text{Fe}^{2+}\text{の酸化}: \quad 2\text{Fe}^{2+} \longrightarrow 2\text{Fe}^{3+} + 2\text{e}^-$$
$$\text{O}_2\text{の還元}: \quad 2\text{e}^- + 1/2\text{O}_2 \longrightarrow \text{O}^{2-}$$

この場合，還元された酸素 O^{2-} と2個の H$^+$ は容易に反応して，1個の水分子 H$_2$O となる．原子または分子がどれだけ電子を受入れやすいかを示すのが**還元電位**（reduction potential）E である．電子の失いやすさを示す**酸化電位**（oxidation potential）は，逆反応に対する還元電位で，同じ大きさで符号が反対である．

還元電位は，次の半反応の標準状態（25℃，1気圧，すべての出発物の濃度1M）での還元電位を0としたときの電位（V）である．

$$\text{H}^+ + \text{e}^- \underset{\text{酸化}}{\overset{\text{還元}}{\rightleftarrows}} 1/2\text{H}_2$$

標準状態での分子または原子の E の値を標準還元電位 E'_0 とする．正の E'_0 をもつ分子またはイオンは標準状態の H$^+$ より電子に対する親和力が強い．反対に負の E'_0 をもつ分子またはイオンは標準状態の H$^+$ より電子に対する親和力が弱い．$\Delta G^{\circ\prime}$ 値と同様に，標準還元電位も，細胞内では出発物の濃度が1Mでないために標準状態とは異なる値となる．

酸化還元反応では，電子は還元電位が高い原子や分子のほうへ自発的に移動する．いいかえると，化合物は，自身より高い還元電位をもつ化合物へ自発的に電子を供与し，これを還元する．酸化還元反応に伴う電位変化 ΔE は，二つの半反応の還元電位と酸化電位の和である．酸化還元反応の ΔE と自由エネルギー変化 ΔG には次の関係がある．

$$\Delta G \text{ (cal/mol)} = -n(23{,}064)\Delta E \text{ (V)} \quad (2\cdot 11)$$

ここで，n は反応に伴い移動する電子の数である．ΔE が正の酸化還元反応は ΔG が負なので，左から右へ進む傾向がある．

2・4 生体エネルギー論 まとめ

- 生物システムでの化学反応の進行方向を予想する際に，最も重要な目安となるのが自由エネルギー変化 ΔG である．化学反応は ΔG が負になる方向に自発的に進行する．ΔG の大きさは反応速度とは無関係である．ΔG が負の反応は，熱力学的に起こりやすい．
- 自由エネルギー変化 $\Delta G^{\circ\prime}$ は $-2.3RT\log K_{eq}$ に等しい．$\Delta G^{\circ\prime}$ の値は，平衡状態にある出発物と生成物の濃度から実験的に決められる．
- 反応速度は，出発物を遷移状態にするのに必要な活性化エネルギーに依存する．酵素のような触媒は，遷移状態への活性化エネルギーを低くすることで反応を速くする．
- ΔG が正の化学反応でも，大きな負の ΔG をもつ反応と共役させれば進行する．
- 多くのエネルギー的に不利な細胞内の過程は，ATPのリン酸無水物結合の加水分解によって駆動される（図2・31）．

- 植物，藻類または光合成細菌の光合成によってとらえられた光のエネルギーが，結局のところ，ほとんどすべての細胞の直接的あるいは間接的な化学エネルギー源となる．
- 酸化反応（電子の放出）はいつも還元反応（電子の獲得）と共役する．
- 生物の酸化還元反応は，NAD$^+$ や FAD のような電子を受け渡す補酵素を必要とすることが多い（図2・33）．
- ΔE が正の酸化還元反応は，ΔG が負となるので自発的に進行する．

重要概念の復習

1. 爬虫類のヤモリは，ガラスなどの滑らかな面を登れるという驚くべき能力を備えている．足指の間の膜と滑らかな面との間のファンデルワールス相互作用を介して，ガラス面などに粘りつくらしい．こうした粘着性が共有結合より優れている点は何か．ファンデルワールス力が分子間相互作用のなかで最も弱い力であることを考えたとき，ヤモリの足が滑らかな面にしっかり張りつけるのはなぜか．

2. K$^+$ チャネルは膜貫通タンパク質（細胞膜のリン脂質二重層を貫通しているタンパク質）の一例である．このタンパク質のなかで，(a) K$^+$ が通り抜けるチャネル表面を覆っているアミノ酸残基，(b) リン脂質二重層疎水性中心部と接触しているアミノ酸残基，(c) 細胞質に突き出ているドメインのアミノ酸残基，および (d) 細胞外に突き出ているドメインのアミノ酸残基として，それぞれどのようなものが考えられるか．

3. V-M-Y-F-E-N は，あるペプチドのアミノ酸の配列を一文字表記で示したものである．pH 7.0 でこのペプチドの正味の電荷はいくつか．チロシンキナーゼという酵素はチロシン（Y）のヒドロキシ基にリン酸を結合させる．このペプチドにチロシンキナーゼを作用させたのちの pH 7.0 での正味の電荷はどれだけか．この酵素がリン酸化に使うリン酸は，どこからくると考えられるか．

4. ジスルフィド結合はタンパク質の三次元構造を安定化する．ジスルフィド結合の形成にはどのアミノ酸が関与するか．ジスルフィド結合ができるとエントロピー ΔS は増えるか減るか．

5. 1960年代に，妊婦のつわりにサリドマイドが処方された．しかし，サリドマイドを服用した妊婦の子どもに重い四肢の障害が生じたので，つわりに対する使用は止められた．使われたサリドマイドは二つの立体異性体の混合物だったことが現在ではわかっている．一方がつわりに有効で，他方が先天異常の原因であった．立体異性体とは何か．このように非常によく似た化合物の生理的効果が全く違うのはなぜか．

6. 次の化合物の名前を答えよ．

このヌクレオチドは DNA, RNA のどちらの構築成分となるか. それとも両方か. この化合物が単独で働くときの機能を一つあげよ.

7. 血液型は赤血球の表面にある糖鎖で決まる. 糖鎖は多様な構造を形成する可能性をもっている. 実際, 4種類の糖から形成されるオリゴ糖の種類は 4 種類のアミノ酸から形成されるオリゴペプチドの種類より多い. 糖鎖のこうした多様性は何に起因するのか.

8. 純水 1 L の平衡時での pH を計算せよ. この水に強塩基である NaOH を 0.008 mol 溶かすと pH はどのように変わるか. 弱酸である 3-(N-モルホリノ)プロパン-1-スルホン酸 (MOPS) の 50 mM 水溶液の pH を計算せよ. ただし MOPS の 61% は弱酸の形で, 39% が共役塩基の形とする (MOPS の pK_a は 7.20 である). この MOPS 溶液 1 L に 0.008 mol の NaOH を加えると, 最終 pH はいくらになるか.

9. アンモニア NH_3 は弱い塩基で, 酸性の条件では H^+ を結合して次のようにアンモニウムイオンになる.

$$NH_3 + H^+ \longrightarrow NH_4^+$$

NH_3 はリソソーム膜などの生体膜を自由に透過する. リソソームは細胞小器官で pH が約 4.5〜5.0 である. 細胞質の pH は約 7.0 である. 細胞がアンモニアにさらされたとき, リソソーム内部の液体の pH はどのような影響を受けるか. ただし, H^+ を結合したアンモニウムイオンは膜を自由には通過しないことに留意.

10. $L + R \rightleftharpoons LR$ という結合反応を考える. L はリガンドで R はその受容体である. 1×10^{-3} M の L を 5×10^{-2} M の R を含む溶液に加えると, 90% の L は結合して LR を形成する. この反応の K_{eq} はいくつか. この結合反応を触媒するタンパク質を加えたら K_{eq} はどのように変わるか. この反応の K_d はいくつか.

11. 細胞質中でのリン酸の解離状態はどのようなものか. なぜリン酸は生理的に重要な化合物なのか.

12. $X + Y \rightleftharpoons XY$ という反応の $\Delta G°'$ は -1000 cal/mol である. 25℃ (298 K) で X, Y, XY すべてを 0.01 M としたときの ΔG はいくつか. この反応をエネルギー的に有利にする方法を 2 通り考えよ.

13. 健康問題の専門家によると, 動物性脂肪に由来する飽和脂肪酸が, 心臓の冠状動脈疾患の主要原因になるという. 飽和脂肪酸を不飽和脂肪酸から区別するものは何か, また, 飽和という言葉は何を意味するか. 最近, トランス不飽和脂肪酸, 別名トランス脂肪が体内の総コレステロール濃度を上げて, これもまた, 心疾患に関与していると考えられている. シス形の立体異性体はトランス形の立体構造とどこが違うか. また, シス形構造は, 脂肪酸鎖の構造にどんな影響を与えるか.

14. アミノ酸の化学修飾は, タンパク質の多様性と機能に寄与している. たとえば, あるタンパク質を生体内で活性化するのに, 特定のアミノ酸の γ-カルボキシ化が必要となる. どのようなアミノ酸がこの修飾を受けるか, また, この修飾は生物にとってどんな意味があるか. クマリンの誘導体であるワルファリンは多くの植物に存在し, このアミノ酸の γ-カルボキシ化を阻害するので, 過去には殺鼠剤として使われていた. 現在では, ヒトの臨床治療にも使われる. どのような病気にワルファリンを処方するのか. また, それはなぜか.

3

タンパク質の構造と機能

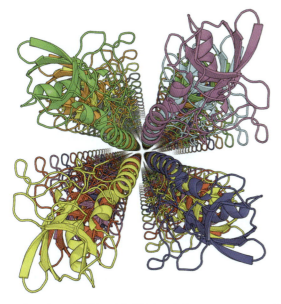

コンピューターで設計された仮想的な4本鎖フィラメントタンパク質の軸方向から見た図．タンパク質設計のための高度な方法を用いて，ブドウ球菌ヌクレアーゼタンパク質のアミノ酸配列を，折りたたまれた個々のタンパク質（異なる色で表示）が長い鎖を形成するように修正した．この設計では，4本の長いタンパク質が中心にある疎水性ヘリックス間の結合によって4本鎖フィラメントになると予想される．[H. Shen et al., 2018, *Science* **362**: 705 による．]

- 3・1　タンパク質構造の階層性
- 3・2　タンパク質の折りたたみ
- 3・3　タンパク質の結合活性と酵素触媒反応
- 3・4　タンパク質機能の調節
- 3・5　タンパク質の精製，検出，解析
- 3・6　プロテオミクス

タンパク質は**ポリペプチド**（polypeptide）とよばれるアミノ酸の重合体で，三次元的に折りたたまれ，大きさも形もさまざまである．タンパク質の三次元構造の多様性は，そのアミノ酸配列やポリペプチドの長さの違いを反映している．一般的に，ポリペプチドは，一つあるいはよく似たいくつかの三次元的な形をとる．この三次元的形（立体構造）を**コンホメーション**（conformation）とよぶ．タンパク質の働きを理解するうえで重要な概念は，その機能がしばしばその三次元構造に由来することである．その三次元構造は，アミノ酸配列とその構造を安定化させる非共有結合性相互作用によって決定される．

多くの場合，タンパク質が他の分子やイオンと非共有結合あるいは共有結合すると，タンパク質の立体構造，ひいては機能が変化する．このような結合により，タンパク質の機能（活性ともよばれる）を制御することができ，細胞が状況の変化に適応できるようになる（たとえば，"オン" "オフ"，"活性が上がる" "活性が下がる"など）．状況の変化とは，栄養の有無（21章），ホルモンのシグナル（15章，16章），他の細胞との相互作用（20章，23章），生物の発育状態，病原体の存在（24章）など，多くの要因の変化をさす．

一般的な真核細胞の中には，どれくらいのタンパク質があるのだろうか．哺乳類の肝細胞（肝臓の細胞）には，約 7.9×10^9 個のタンパク質分子があることが計算できる（§3・1）．肝細胞には約1万種類のタンパク質が含まれていると推定されるので，一つの細胞には平均して100万個近いタンパク質分子が含まれていることになる．しかし，実際には，非常にまれなインスリン結合受容体タンパク質（2×10^4 分子/細胞）から構造タンパク質であるアクチン（5×10^8 分子/細胞）まで，存在量には大きなばらつきがある．すべての細胞は，それぞれのタンパク質が，その時々に必要とされる適切な量で存在するように，厳密に調節している．この章の後半，および8章と9章で，細胞がタンパク質の量を調節するために用いる機構について，さらに詳しく学ぶ．

タンパク質は，その形状や化学的性質が多種多様であるため，細胞内外において，生命維持に必要な機能，あるいはタンパク質が含まれる細胞や生物に進化上の選択的優位性をもたらす機能など，実に多様な働きをすることができる．したがって，タンパク質の構造と活性を明らかにすること，そしてそれらが制御によってどのように変化するかを明らかにすることが，細胞の働きを理解するための基本的な前提条件であることは，驚くには当たらない．本書の大部分は，タンパク質が互いに，あるいは他の種類の分子（たとえば DNA）とどのように作用して，細胞が生き，適切に機能するのかを解説している．本章では，タンパク質の構造と機能，およびその活性の制御の基礎となる基本原理を特に説明する．また，タンパク質の研究に用いられる多くの方法の一部も紹介する．

タンパク質の構造は多岐にわたるが，ほとんどの場合，いくつかの機能的なクラスに大別することができる．たとえば**構造タンパク質**（structural protein）は，細胞や細胞外環境の形状を決定し，分子や小器官の細胞内移動を導くガイドワイヤーやレールの役割を果たす．構造タンパク質は通常，複数のタンパク質サブユニットが集合して，非常に大きく，しばしば非常に長い構造体を形成する．**足場タンパク質**（scaffold protein）は，他のタンパク質を規則正しい配列にまとめ，それらのタンパク質が集まっていないと

きよりも効率的に特定の機能を果たすようにする．**酵素**（enzyme）は，化学反応（**分子変換** molecular transformation）を触媒するタンパク質である．これらの分子変換は，代謝経路における基本的な活動である（12章）．また，タンパク質を修飾してその活性を変化させることもある（リン酸化・脱リン酸化による他のタンパク質の活性化・不活性化など）．**膜輸送タンパク質**（membrane transport protein）は，細胞膜に埋込まれ，膜を越えてイオンや分子の流れを可能にする．**調節タンパク質**（regulatory protein）は，シグナル，センサー，スイッチとして働き，他のタンパク質や遺伝子の機能を変化させることにより，細胞の活動を調節する．調節タンパク質には，ホルモンや細胞外のシグナルを細胞内に伝達する細胞表面受容体などといった，**シグナル伝達タンパク質**（signaling protein）が含まれる．**モータータンパク質**（motor protein）は，他のタンパク質，細胞小器官，細胞，さらには生物全体を動かす役割を担っている．さらに，これらのクラスのいずれにも当てはまらないタンパク質もある．たとえば，南極のノトセニアや北極のタラなど極寒の海に生息する魚は，水の結晶化を防ぐために循環系に不凍タンパク質をもっている．また，ある種の細胞表面シグナル受容体は，化学反応を触媒することで細胞外から細胞内へのシグナル伝達を行うため，酵素でもあり調節タンパク質でもある．このような多様な機能を効率的に果たすために，一部のタンパク質は非常に大きな複合体を形成し，しばしば**分子機械**（molecular machine）とよばれる．

タンパク質は，三つの単純な機構を利用して，さまざまな機能を実現している．最も基本的なものは**結合**（binding）であり，タンパク質は互いに，またDNAなどの他の巨大分子や，小分子やイオンと結合する．結合は，2章で説明したように，タンパク質とその結合相手との間の分子的な相補性に基づいて行われる．第二の機構は，酵素による**触媒作用**（catalysis）である．酵素の場合，タンパク質の立体構造が適切であれば，その骨格の一部のアミノ酸側鎖とカルボキシ基およびアミノ基が，他の分子（酵素の**基質** substrate とよばれる）の共有結合の再編成を触媒する位置に配置される．第三の機構は，タンパク質活性の**調節**（regulation）である．通常，タンパク質の形状や活性は，分子やイオンがタンパク質と非共有結合または触媒反応により共有結合することによって変化する．多くの場合，この結合や触媒反応により，タンパク質の立体構造を変化させ，その活性を変えている．

タンパク質がどのようにして生物の生存と繁栄を支えているかを完全に理解するには，細胞が使っているすべてのタンパク質を同定し，その性質を調べなければならない．いうなれば，分子細胞生物学の研究者は，完全なタンパク質部品の一覧と，これらのタンパク質部品がどのようにして働くかということをまとめた説明書をつくりたいと思っている．近年，ますます多くの生物の全ゲノム（その生物の遺伝子全体）が解読されているので，さまざまな生物で包括的なタンパク質部品の一覧をつくることは可能になってきている．ゲノム配列のコンピューター解析により，ゲノムがコードしているタンパク質のアミノ酸配列とおよその数を知ることができる（6章）．また，個々の細胞に含まれるメッセンジャーRNA（mRNA）のかなりの部分，あるいは類似した細胞の集合体から得られるmRNAの大部分（トランスクリプトーム）の配列と相対量を決定し，ゲノムにコードされているタンパク質のどの部分が特定の種類の細胞でつくられる（**発現** express）かを推定することも可能である．DNAおよびmRNAの配列決定は，細胞内の潜在的なタンパク質の全体像を特徴づける間接的な方法である．また，細胞中のタンパク質の全体像を直接測定する方法もあり，これについては§3・5と§3・6で説明する．

ある生物や臓器，生物中の特別な細胞がもつ全タンパク質は**プロテオーム**（proteome）とよばれる．ヒトゲノムにはタンパク質をコードする21,500の遺伝子がある．しかし，多様なmRNA産生（たとえば選択的スプライシング，9章）や100種類以上のタンパク質修飾によって，数十万種類ものヒトタンパク質が生み出される可能性がある．機能未知のタンパク質と機能既知のタンパク質の配列や構造を比較することで，未知のタンパク質がどのような働きをしているのか，多くの場合推測することができる．かつては，特定のタンパク質を見つけ出す前に，遺伝学的方法，生化学的方法，あるいは生理学的方法でそのタンパク質の機能を調べることが多かった．しかし，現在のようにゲノムあるいはプロテオームが研究対象となっている時代では，しばしば，タンパク

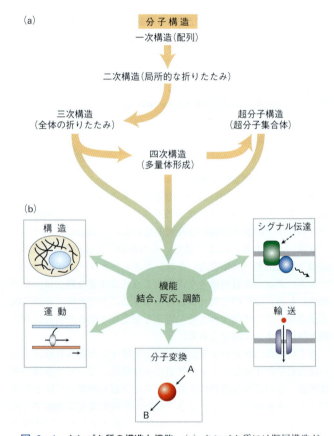

図 3・1 タンパク質の構造と機能．（a）タンパク質には階層構造がある．アミノ酸はペプチド結合で直鎖状に連なり（一次構造），これらがせんか一シート状に折りたたまれる（二次構造）．これら二次構造は，タンパク質の複雑な三次元構造（三次構造）の構築要素となる．タンパク質のなかには，複数のポリペプチド鎖が会合して複合体を形成しているものもある（四次構造）．場合によっては，この複合体は非常に大きく，数十から数百のサブユニットをもつ（超分子集合体）．（b）タンパク質はきわめて多様な機能をもつ．たとえば，ゲノムや細胞小器官，細胞質，タンパク質複合体，脂質二重層を三次元的に組織化したり（構造），環境を感知しその情報を伝達したり（シグナル伝達），膜を横切って小分子やイオンを輸送したり（輸送），化学反応を触媒しある分子を別の分子に転換したり（分子変換），運動のために力を出したり（モータータンパク質）する．こうした機能は，適切に折りたたまれたタンパク質の特異的な結合や反応，制御で生じる．

質が見つかってからその性質を調べることになる．

本章では，まずタンパク質の構造と機能の関係について述べる．これは本書で繰返し出てくるテーマである（図3・1）．§3・1では，タンパク質の構成単位であるアミノ酸からなる鎖がどのような形に折りたたまれて階層性のある三次元構造となるかを解説する．§3・2では，タンパク質が特定の構造に折りたたまれる機構について述べる．§3・3では，化学反応を触媒する特別な酵素に注目して，タンパク質の機能を扱う．タンパク質の構造と機能に焦点を当てるということは，細胞生物学で幅広く関心をもたれている生物の構造機能相関という考え方の一部分である．この考え方は，もともと Johann v. Goethe（1749～1832），Ernst Haeckel（1834～1919），あるいは D'Arcy Thompson（1860～1948）らによって提案され，生物学にとどまらず広い分野に影響を与えている．そして20世紀初頭に "機能は形に由来する（Louis Sullivan）"，"形は機能である（Frank Lloyd Wright）" に代表される有機的建築学派に大きな影響を与えた．タンパク質の構造と機能を考察したのち，細胞がタンパク質の活性と寿命を制御するために用いるさまざまな機構に目を向ける．特に重要な制御機構は，タンパク質のアロステリックエフェクター結合，共有結合によるリン酸化，ユビキチン化である．タンパク質を単離したり，その性質を調べたりするにあたってよく使われる技術についての説明がそれに続く．最後の節では，プロテオミクスという新しい分野について解説する．

3・1 タンパク質構造の階層性

ここでは，タンパク質の構造を一次，二次，三次，四次構造という四つの階層で解説する（図3・2）．

タンパク質の一次構造とは，アミノ酸の直線的配列である

2章で解説したように，タンパク質は20種類の異なるアミノ酸が重合したものである．個々のアミノ酸は**ペプチド結合**（peptide bond）とよばれるアミド結合で結ばれて，分岐のない直鎖状重合体となる．ペプチド結合は，あるアミノ酸のアミノ基と別のアミノ酸のカルボキシ基の間に形成される（図3・3a）．タンパク質鎖中のアミノ酸を**残基**（residue）とよぶこともある．それぞれのアミノ酸由来のアミド窒素原子，α炭素原子（$C_α$），カルボニル炭素原子（C），酸素原子の繰返しが，タンパク質分子の**骨格**（backbone）となり，そこからいろいろな側鎖が突き出ている（図3・3b, c）．タンパク質の一端には遊離の（結合していない）アミノ基があり（**N末端** N-terminus），他端には遊離のカルボキシ基がある（**C末端** C-terminus）．タンパク質の**一次構造**（primary structure）は，それを構成するアミノ酸残基の共有結合による直線的な配列である．N末端アミノ酸を左に，C末端アミノ酸を右に書き，N末端を1番目として順にアミノ酸に番号をつけていくのが一般的である．

最初に決定されたタンパク質の一次構造はインスリンのもので，1950年代初頭のことであった．いまでは既知のタンパク質配列の数は1千万を超え，どんどん増加している．アミノ酸の重合でできる鎖にはいろいろな名前がつけられている．ペプチド結合でつながった短い鎖で，決まった配列をもつものを**オリゴペプチド**（oligopeptide）あるいは簡単に**ペプチド**（peptide）とよび，長いものは**ポリペプチド**（polypeptide）とよぶ．一般に20～30よ

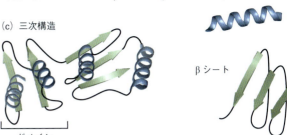

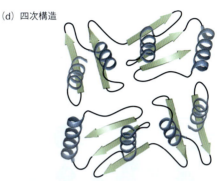

図3・2 タンパク質構造の四つの階層．（a）ペプチド結合で直鎖状につながれたアミノ酸の連なりが一次構造である．（b）ポリペプチド鎖が局所的にαヘリックスやβシートに折りたたまれて，二次構造を形成する．（c）1本のポリペプチド鎖のこうした二次構造やループ，ターンが一緒になって，三次構造という大きな独立した安定構造をつくる．三次構造中には，他の領域と区別できるドメインが存在することがある．（d）タンパク質のなかには，それぞれ独特の三次構造をもつ複数のポリペプチド鎖が会合して四次構造を形成するものがある．

り少ないアミノ酸残基からなるものがペプチドで，ポリペプチドはふつう200～500残基，あるいはそれ以上のアミノ酸からなる．現在わかっている最も長いタンパク質は筋肉のタイチン（titin, コネクチン connectin ともいう）で，34,000以上の残基からなる．**タンパク質**（protein）というときには，はっきりした三次元構造をもつポリペプチド（あるいはポリペプチド複合体）をさす．ただし，本章で後述する例外がある．

タンパク質やポリペプチドの大きさは，その質量を**ドルトン**（dalton, 1ドルトンは1原子質量単位）Daで表すか，ドルトンで表した質量と等しい無名数である分子量（MW）で表す．たとえば分子量10,000のタンパク質1個の質量は10,000 Da，すなわち10 kDaである．§3・5では，タンパク質の大きさをはじめとして，さまざまな物理的特性を計測する方法についても述べる．共有結合性の修飾を受けていないタンパク質の正確な分子量は，アミノ酸配列に各アミノ酸残基の分子量を入れれば求めることができる．たとえばこうした情報から，酵母のゲノムでコードされているタンパク質の平均の分子量は52,728で，平均して466残基のアミノ酸からなっていることがわかる．タンパク質を構成するアミノ酸の平均分子量は，相対的な存在比まで考慮に入れると113である．タンパク質の分子量からそのタンパク質を構成するアミノ酸残基数を計算したり，逆に残基数から分子量を計算したりするのに，この平均分子量を用いると便利である．タンパク質のアミ

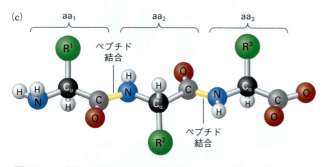

図 3・3　ポリペプチドの構造. (a) 個々のアミノ酸は，脱水反応によりペプチド結合で重合する．R^1, R^2, R^3 はアミノ酸の側鎖 (R 基) である．(b) ペプチド結合でつながった直鎖状重合体がポリペプチドで，遊離アミノ末端 (N 末端) と遊離カルボキシ末端 (C 末端) をもつ．(c) ペプチド鎖アミノ酸残基のアミノ基窒素原子 (青) とそれに隣接したアミノ酸 (aa) 残基のカルボニル基炭素原子 (灰色) とをつなぐペプチド結合 (黄) を棒球モデルで示す．側鎖 R 基 (緑) はアミノ酸の α 炭素原子 (黒) から突き出ており，個々のタンパク質に特有の性質を付与する．

ノ酸残基の共有結合性修飾（たとえばリン酸化あるいはグリコシル化，2 章あるいは 13 章）によってその質量が変わり，その結果，タンパク質の質量も変わる．

真核細胞では，平均で 7.9×10^9 個に近い数のタンパク質が含まれている．どのように見積もられたのだろうか．哺乳類の肝臓を構成する主要細胞である肝細胞を例として，簡単な計算をしてみよう．典型的な真核細胞には何個のタンパク質があるのだろうか．この細胞は一辺 15 μm (0.0015 cm) の立方体と考えてよく，体積は $3.4 \times 10^{-9}\ cm^3$ (ミリリットル，mL) となる．細胞の密度を 1.03 g/mL とすると，細胞重量はほぼ 3.5×10^{-9} g となる．タンパク質は細胞重量のほぼ 20% を占めているので，総重量は 7×10^{-10} g となる．タンパク質の平均分子量を 53,000 g/mol，アボガドロ数 6.02×10^{23} として，1 個の肝細胞当たり約 7.9×10^9 個のタンパク質が存在することになる．

タンパク質の二次構造はタンパク質構造構築の核となる

タンパク質構造の次の階層は**二次構造** (secondary structure) である．二次構造は，ポリペプチド鎖のある領域が安定な立体構造に折りたたまれたものである．こうした構造は，ペプチド骨格のアミド基とカルボニル基間の水素結合で安定化されており，繰返し構造をもつことが多い．ポリペプチド鎖のある部分がどのような二次構造を形成するかは，そのアミノ酸配列に依存する (§3・2)．一つのポリペプチドは，その配列によって，鎖のさまざまな部分に複数種の二次構造をもつことがある．おもな二次構造としては，**αヘリックス** (α helix)，**βシート** (β sheet)，あるいは短い U 字形の **βターン** (β turn) があげられる．こうした二次構造ではないが，はっきりと決まった安定な構造をとっている場合には，これを**不規則構造** (irregular structure) とよぶ．これに対して，不安定で決まった三次元構造をとれない部分を**ランダムコイル** (random coil) という．ランダムコイルは天然変性ともよばれる．平均的なタンパク質では，ポリペプチド鎖の 60% が αヘリックスか βシートを形成し，残りは不規則構造やランダムコイル，βターン，もしくは天然変性といった不定形の構造である．つまり，αヘリックスや βシートは，タンパク質内部の主要な構築要素である．ここでは，二次構造の形や，こうした構造の形成を促す力について述べる．その後，複数の二次構造がもっと大きく複雑な三次構造に折りたたまれる機構について述べる．

αヘリックス　ポリペプチド鎖が αヘリックス構造をとっている領域では，ペプチド結合のカルボニル酸素原子は，4 残基 C 末端側のアミノ酸のアミド水素原子と水素結合を形成している (図 3・4)．αヘリックス内では，ヘリックス両端以外のすべてのペプチド骨格のアミノ基とカルボニル基が水素結合して安定になる．

αヘリックス内では，水素結合を介してアミノ酸残基が規則的に並べられ，ペプチド骨格は円筒状となる．側鎖はこの円筒から外側に突き出ている．側鎖の特性は，タンパク質内の特定の αヘリックスの相対的な疎水性または親水性の質を完全に決定する．水溶性タンパク質では，極性側鎖が外側に伸びる親水性ヘリックスは，水性環境と相互作用できる外表面に存在する傾向があり，非極性で疎水性側鎖をもつ疎水性ヘリックスは，折りたたまれたタンパク質の内部に埋もれる傾向がある．細胞膜の疎水性中心部に埋込まれているタンパク質 (10 章) では，20〜25 残基からなる 1 本あるいは複数の疎水性 αヘリックスが膜を貫通している．プロリンは，ふつう αヘリックスには見いだされない．これは，プロリンのアミノ基が側鎖の炭素原子と共有結合しており (図 2・14)，水素結合を介してペプチド骨格を安定化することができないためである．上記のような典型的 αヘリックスは最も安定ならせん構造で，タンパク質中では頻繁にみられるが，もっときつく巻いたヘリックスやゆるく巻いたヘリックスなどいろいろ変わったものも存在する．たとえば，コイルドコイルという特別なヘリックス (少し先で解説する) では，ヘリックスはもっときつく巻いている (1 巻き当たり 3.5 残基，0.51 nm)．

βシート　もう一つのよくみられる二次構造は，**βストランド** (β strand) が何本か横に並んだ βシートである．個々の βストランドは短く (5〜8 残基)，ポリペプチド鎖はほぼ完全に引き伸ばされた形をとっている．水素結合は，1 本の鎖の各残基のカルボニル酸素原子と，隣接する別の鎖の残基のアミド水素原子の間に形成される．この水素結合はペプチド骨格に対して垂直に向

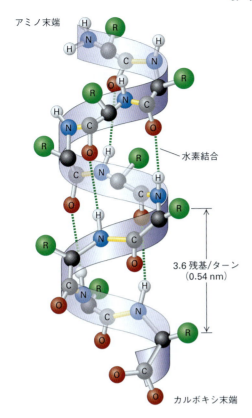

図 3・4 タンパク質の二次構造 α ヘリックス. ポリペプチド主鎖(リボンで表示)はらせん状に折りたたまれている. このらせん構造は主鎖の酸素原子と, 窒素原子につながった水素原子の間の水素結合で維持される. 水素結合にかかわる水素原子のみを表示してある. ヘリックスの外側は側鎖の R 基(緑)で覆われている. 3.6 残基ごとにらせんの完全なターンがある. 36 アミノ酸長の α ヘリックスでは, ヘリックスが 10 ターンあり, 長さは 5.4 nm(1 ターン当たり 0.54 nm)である.

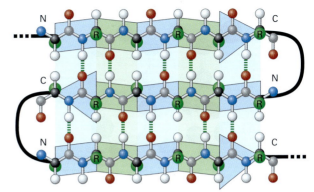

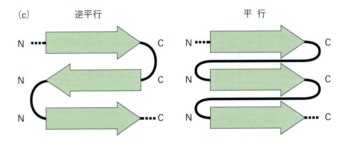

図 3・5 タンパク質の二次構造 β シート. (a) 三本鎖 β シートを上から見た図. 3 本の β ストランドはそれぞれ青と緑で交互に色づけされたリボン状の矢印で表示されている. 矢印は N 末端から C 末端方向を向くように描かれている. また, おのおのの β ストランドをつなぐループは太い黒線で表示されている. ここでは, 隣り合う β ストランドの矢印は反対方向を向いており, 逆平行 β シートを形成している. β シートは, 緑の点線で示した β ストランド間の水素結合で安定化されている. (b) β シートを横から見ると, R 基(緑)がシートの上下に突き出ている. ペプチド結合の角度が固定されているため, β シートに規則的なプリーツ状の凹凸ができる. (c) 逆平行 β シートと平行 β シート. 前者では, 隣り合うそれぞれの β ストランドの矢印は反対方向を向いており(左), 後者では同じ方向を向いている(右).

いている (図 3・5a). β シートを構成している複数の β ストランドは, 1 本のポリペプチド鎖内にあって長短のループでつながっていることもあるし, 複数のポリペプチド鎖からなるタンパク質では別々のポリペプチド鎖上にあることもある.

図 3・5(b) に, 2 本あるいはそれ以上の β ストランドが横に並んで, 二次元の **β プリーツシート** (β pleated sheet, **β シート** β sheet ともいう) となる様子を示す. この構造では, シート面内の水素結合が β ストランドをまとめており, 側鎖は面の上下に突き出している. α ヘリックスのように, β ストランドにもペプチド結合の向きで決まる方向性がある. β シート中では, 隣り合う β ストランドは互い違いに逆方向 (N 末端から C 末端) に並ぶ (逆平行) ことも (図 3・5a, 図 3・5c 左), 互いに同じ方向に並ぶ (平行) こともある (図 3・5c 右). 一部のタンパク質では, β シートが湾曲して円筒を形成しており, これは **β バレル** (β barrel) とよばれる. これらのタンパク質が膜に埋込まれると, 円筒形の β シートが親水性の中心孔を形成し, そこをイオンや小分子が流れるようなことがある (10 章).

β ターン　四つの残基からなる β ターンは, タンパク質の表面に鋭い U 字形の屈曲を形成する. β ターンは, ポリペプチドの骨格の方向を反転させ, 多くの場合, その末端残基間の水素結合によって安定化されている (図 3・6). β ターンは, 長いポリペプチドが非常に小さな構造に折りたたまれるのを助ける. また, ポリペプチドの長い部分は, さまざまな立体構造をもつ折れ曲がりやループを形成し, ポリペプチドの骨格の向きを反転させることができる.

多くの場合, ポリペプチドの部分二次構造はおもにその配列によって決定されるが, 場合によっては, ポリペプチドの異なる部分の間の長距離相互作用が, 二次構造を形成する傾向に影響を与えることがある. アミノ酸配列と二次構造の関係は, 構造のわかっている多くのタンパク質 (約 5 万個) で解析されている. これらの関係を利用して, 構造が決定されていないポリペプチド鎖の配列に含まれる二次構造を予測することができる (約 2 億 5 千万の配列があり, そこには約 860 億のアミノ酸が含まれている). 研究者たちは, 二次構造を予測するために, 進化的関係を考慮したり,

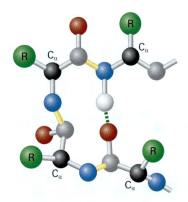

図 3・6 βターンの構造. 4 残基からなる β ターンはポリペプチド鎖の向きを逆転させる（ほぼ 180°の U ターン）．グリシンとプロリンは，一般的に β ターンでみられる．グリシンには大きな側鎖がなく，プロリンには曲がりを含むため，ポリペプチドの骨格は隙間のない U 字形に折りたたまれる．最初と 4 番目の残基の α 炭素原子はふつう 0.7 nm 以内の距離にあり，両残基は水素結合で結ばれる．β ターンがあると，長いポリペプチド鎖の球状構造への折りたたみが容易になる．

人工知能（人工ニューラルネットワークに基づく深層学習など）の適用など，さまざまな洗練された方法を用いてきた．これらの予測は完璧ではないが，非常に優れている．二次構造の予測を実験的に決定された構造と比較すると，その精度は 84% にも達することがある．注目すべきは，α ヘリックスの予測値が β シートの予測値よりも優れており，それらはコイルやループの予測値よりも正確であることである．このような予測は，ある遺伝子の突然変異が，コードされたタンパク質の二次構造に及ぼす影響や，場合によってはその機能への影響を予測するためにも用いることができる．

二次構造の規則的な組合わせを構造モチーフとよぶ

複数の二次構造が組合わさってできた特定の三次元構造は**構造モチーフ**（structural motif）とよばれ，さまざまなタンパク質に見いだされる．多くの場合，構造モチーフ（**超二次構造** supersecondary structure ともよばれる）は特定の機能を担い，ある構造モチーフがいろいろなタンパク質で共通の機能を果たしている．こうした例として，カルシウムや ATP といったイオンや小分子が結合するモチーフがあげられる．構造モチーフのなかには，タンパク質から切り離されても安定に構造を維持しているものがある．こうしたものは**構造ドメイン**（structural domain）とよばれる．構造ドメインについては後述する．しかし多くの場合，タンパク質から切り離されると構造モチーフは不安定になり，タンパク質内での構造を維持できない．こうした場合には，独立した構造ドメインとはみなされない．

構造モチーフとして多くのタンパク質でみられるのは，α ヘリックスを基礎とした**コイルドコイル**（coiled-coil）とよばれる構造である．この構造モチーフでは，α ヘリックス 2 本，3 本，あ

(a) コイルドコイルモチーフ

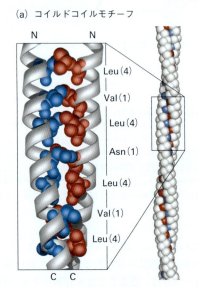

(b) EF ハンド/ヘリックス-ループ-ヘリックスモチーフ

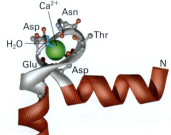

(c) ジンクフィンガーモチーフ

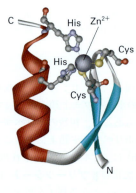

図 3・7 タンパク質の二次構造モチーフ. (a) 平行な二本鎖コイルドコイルモチーフ（左）では，2 本の α ヘリックスが互いに巻付いている．図 3・4 のように，残基の骨格をリボンで表し，一部の側鎖の原子だけを球で表現している．絡み合った α ヘリックスの接触面に沿って，規則的な間隔で疎水性側鎖（赤と青）が存在する．これら疎水性残基間の相互作用が，2 本のヘリックスの会合を安定化している．各 α ヘリックスは，多くの場合に 1 番目と 4 番目が疎水性残基となる 7 アミノ酸の繰返しからなる．この特徴的なモチーフをヘプタドリピートとよぶ．これがコイルドコイル構造形成にかかわることは，多数のヘプタドリピートをもつ長いペプチド鎖（右）をみるとはっきりする．(b) ヘリックス-ループ-ヘリックスモチーフの一つである EF ハンドでは，2 本の α ヘリックスが独特の構造をもつ短いループでつながっている．残基の骨格はリボンのように表現され，一部の側鎖のみが球（原子）と棒（結合）で表現されている．この構造モチーフは，多くのカルシウム結合タンパク質や DNA 結合調節タンパク質にみられる．カルモジュリンのようなカルシウム結合タンパク質では，グルタミン酸やアスパラギン酸を豊富に含むループ中の 5 残基の酸素原子が水 1 分子とともに，Ca^{2+}（緑）に対してイオン結合を形成する．(c) ジンクフィンガーモチーフは，転写調節を助ける多くの DNA 結合タンパク質に見いだされる．Zn^{2+} は，2 本の β ストランド（青）と 1 本の α ヘリックス（赤）の間に挟まれ，1 組のシステイン残基およびもう 1 組のヒスチジン残基と相互作用している．このモチーフは 25 残基からなり，3 番目と 6 番目の残基は必ずシステイン残基で，20 番目と 24 番目は必ずヒスチジン残基である．〔(a) は L. Gonzalez et al., 1996, *Nat. Struct. Biol.* **3**: 1011, PDB ID 1zik, 2tma. (b) は R. Chattopadhyaya et al., 1992, *J. Mol. Biol.* **228**: 1177, PDB ID 1cll. (c) は S. A. Wolfe et al., 2003, *Biochemistry* **42**: 13401, PDB ID 1llm.〕

るいは4本が互いに巻付いてコイルがさらにコイル状に巻いた形になるので，**コイルドコイル**という名がある（図3・7a）．繊維状タンパク質や**転写因子**（transcription factor）とよばれるDNA調節タンパク質（8章）など多くのタンパク質は，このコイルドコイルモチーフを介して二量体や三量体を形成する．この構造モチーフでは，個々のヘリックスの片側に沿って脂肪族（ロイシン，バリン側鎖などのように疎水性であるが芳香族ではない）側鎖が1列に並んでおり，これが隣り合ったヘリックスの同じような脂肪族側鎖の列と相互作用するため，ヘリックスどうしが互いに強く結合する．このとき，疎水基は水と接触できない環境におかれ，複数のヘリックスの集合体が安定化される．コイルドコイルを巻くヘリックスの一次構造では，7残基の繰返しが顕著である．この7残基の繰返し単位を**ヘプタド**（heptad）または**ヘプタドリピート**（heptad repeat）という．ヘプタドリピートの一次構造では，1残基目と4残基目が脂肪族側鎖となり，残りは親水性となることが多いので，疎水性側鎖がヘリックスの片側に1列に並ぶことになる（図3・7a）．親水性側鎖はαヘリックスの一方の側面から外に突き出し，疎水性残基は他方の側面から外に突き出すので，全体の構造は**両親媒性**（amphipathicity）となる．4番目の残基はロイシンであることが多く，こうした疎水性側鎖はちょうどジッパーがかみ合うように結合するので，この構造モチーフは**ロイシンジッパー**（leucine zipper）ともよばれる．

ヘプタドリピートは**配列モチーフ**（sequence motif）の一例である．タンパク質の連続した部位におけるアミノ酸配列のパターンで，多くのタンパク質に存在し，ときには一つのタンパク質内で多数みられる．配列モチーフは，すべてのタンパク質に同じ配列が正確にコピーされている場合と，ヘプタドリピートにおける疎水性残基の共通間隔のように，正確には同じ配列をもたない類似の残基のパターンである場合がある．

αヘリックスを含む構造モチーフは他にも多数ある．**EFハンド**（EF hand）というよくみられるカルシウム結合モチーフには，ループでつながった2本の短いヘリックスがある（図3・7b）．100種類以上のタンパク質で見つかっているこの構造モチーフは，**ヘリックス–ターン–ヘリックス**（helix-turn-helix）モチーフおよび**ヘリックス–ループ–ヘリックス**（helix-loop-helix）モチーフの一つであり，細胞内でのCa^{2+}濃度を検知するのに使われる．Ca^{2+}濃度が十分に高いと，ループ領域にある保存された残基の酸素原子にCa^{2+}が結合し，EFハンドをもつタンパク質の構造変化をひき起こして活性を変える．こうした機構で，Ca^{2+}濃度によって，直接タンパク質の構造と機能が調節される．これとは少し違うヘリックス–ターン–ヘリックスや**塩基性ヘリックス–ループ–ヘリックス**（basic helix-loop-helix: **bHLH**）構造モチーフはDNAに結合し，この結合を介して遺伝子の活性調節にかかわる（8章）．RNAやDNAに結合するタンパク質でよくみられる別のモチーフに，**ジンクフィンガー**（zinc finger）がある．このモチーフでは，1本のαヘリックスと逆平行に並んだ2本のβストランドが1個のZn^{2+}によって安定化され，指のような形をとる（図3・7c）．

ポリペプチド鎖の一次構造と，それが折りたたまれてできる構造モチーフの間にはっきりとした対応関係があるわけではないが，ある二次構造モチーフを形成するアミノ酸配列は互いに似通っていることが多い．つまり，ある配列モチーフは，特定の構造モチーフを形成するといえる．たとえば，ヘプタドリピートが

コイルドコイルを形成するのはそうした例である．しかし，一見して共通性のない配列どうしが特定の構造モチーフを形成することもある．そのため，どんなアミノ酸配列が特定の構造モチーフに対応するか，常に予測できるわけではない．逆に，よくみられる配列モチーフがはっきりした構造モチーフに折りたたまれないこともありうる．なお，プロリン，アスパラギン酸，グルタミン酸といった特定のアミノ酸を大量に含む短い配列をドメインとよぶことがあるが，ドメインは次項で述べるように全く違う意味をもった言葉なので，こうした短い一次構造領域は配列モチーフとよんだほうがよい．

本章やあとの章で他のタンパク質を解説するときに，多数の構造モチーフが出てくる．似た機能をもつタンパク質は同じ構造モチーフをもつという事実は，こうした有用な二次構造の組合わせが進化の過程で保存されてきたことを示唆している．

ポリペプチド鎖全体の折りたたみ方が三次構造である

三次構造（tertiary structure）とは，ポリペプチド鎖全体の立体構造，つまりすべてのアミノ酸残基の三次元的な配置をいう．水素結合だけで安定化されている二次構造とは違い，三次構造は非極性側鎖間の疎水性相互作用と，極性側鎖やペプチド骨格のアミノ基およびカルボキシ基間の水素結合で安定化されている．こうした安定化力により，αヘリックス，βシート，ターン，ループ

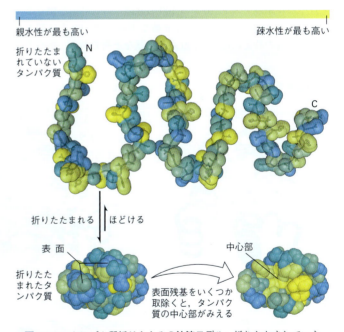

図3・8　タンパク質折りたたみの油滴モデル．折りたたまれていないポリペプチド鎖をみると，親水性残基と疎水性残基は一次構造上にばらばらに分布していることがわかる（上）．ここでは，疎水性が高い残基ほど黄に近く，親水性が高い残基ほど青に近いように色分けしてある．ポリペプチド鎖が折りたたまれると（左下），親水性側鎖（荷電しているか，電荷はないが極性の側鎖）はタンパク質の表面に分布し，まわりの水やイオンと相互作用する．これに対して，疎水性側鎖はまとまってタンパク質中心部を形成する．この様子は，水中の油が疎水性相互作用によってまわりの水から排除されて油滴となるのに似ている（2章）．タンパク質表面の親水性残基をいくつか取除いてみると，中心部にかたまっている疎水性側鎖がみえてくる（右下）．[M. C. Vaney et al., 1996, *Acta Crystallogr., Sect. D.* **52**: 505, PDB ID 193L.]

といった二次構造や構造モチーフが小さく密な形にまとめられる．これら安定化にかかわる相互作用は弱いので，タンパク質の三次構造は動きのないものではなく，常に小さくゆらいでいる．三次構造内の一部ではゆらぎが大きく，こうしたところでは構造が乱れており，安定な三次元構造をとることができない．こうした構造の多様性は，タンパク質の機能や制御にとって重要である．

アミノ酸側鎖の化学的性質によって，三次構造の特徴が決まる．タンパク質によっては（たとえば細胞から分泌されるタンパク質や細胞外に接している細胞表面タンパク質），システイン残基側鎖間の**ジスルフィド結合**（disulfide bond）でタンパク質のゆらぎが抑えられ，三次構造の安定性が高められることがある．電荷をもった親水性極性側鎖をもつアミノ酸はタンパク質の表面にあることが多い．こうした残基は水と相互作用するので，タンパク質の水溶性を増すとともに，他のタンパク質など水溶性分子と非共有結合性相互作用をする．これに対して，疎水性の非極性側鎖をもつアミノ酸は水と接触するタンパク質表面から排除されて，多くの場合に水に不溶の中心部を形成する．このように球状タンパク質の中心部は比較的疎水性で油状であるというモデルを油滴モデル（oil drop model）とよぶ（図3・8）．電荷をもたない親水性側鎖は，水溶性タンパク質表面にも中心部にも存在している．

予想されるように，一次配列からほとんどのタンパク質の三次構造を予測する能力は，配列から二次構造を予測する能力ほど高度なものではない．三次構造予測の品質を評価する一つの方法は，グローバル距離テスト（0から100の範囲）の合計値を使うことである．20点未満は明らかに不正確な予測，80～90点は個々の原子の位置の特定に近く，100点は完璧な予測である．現在の手法では，予測値は57程度で，鎖の折りたたみ全体をよく表しているが，実験結果と比較すると深刻な誤差があることが多い．現時点では，短い（長さ150残基未満）ポリペプチドのほうが予測精度が高い．

タンパク質構造の表示法はそれぞれ違った情報を担う

三次構造の最も簡単な表示法はペプチド骨格の原子を実線でつないでいくものである．このとき，α炭素だけを実線もしくは細い管で表示することが多い（α炭素骨格モデル C_α backbone trace，図3・9a）．最も複雑な表現法は，すべての原子を表示する棒球モデル（ball-and-stick model）である（図3・9b）．前者の表示法では，アミノ酸側鎖を考慮せずにポリペプチド鎖全体の折りたたみ方だけを示すことができる．後者では，タンパク質の構造を安定化し，他の分子やペプチド骨格原子と相互作用している側鎖原子間の相互作用を詳しく示すことができる．両者とも役には立つが，こうした表示法だけでは二次構造をはっきり見分けることはむずかしい．そこで，二次構造を表すのに，リボンモデル（ribbon diagram）として，コイル状のリボンあるいは円筒でαヘリックスを，平たいリボンあるいは矢印でβストランドを，折れ曲がった細いひもでβターン，ランダムコイルやループを示すことが多い（図3・9c）．こうしたリボンモデルの一部に棒球モデルや空間充填モデルを付け加えることもある（図3・7）．このような表示法を使うと，リボンモデルでタンパク質全体の二次構造が容易にみてとれるとともに，重要な側鎖を可視化できる．

しかし，こうした3種類の構造表記法のどれをとっても，他の分子との結合部位という観点から重要な意味をもつタンパク質表

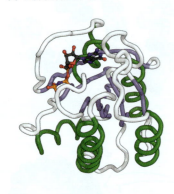
(a) α炭素骨格モデル

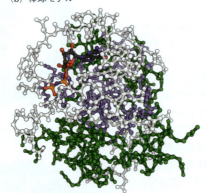
(b) 棒球モデル

図3・9 GDPを結合する単量体タンパク質Rasの5種類の表示法．(a) α炭素原子どうしを結んだ炭素骨格モデルでは，ポリペプチド鎖ができるだけ小さな体積を占めるように折りたたまれていることがよくわかる．(b) 棒球モデルでは，すべての原子の位置がわかる．(c) ターンやループは，ヘリックスとストランドのペアを接続する．(d) 水分子と接触できるタンパク質表面を連続面とした表示法では，タンパク質表面に多くの突起や溝があることがわかる．正の電荷をもつ領域は青，負の電荷をもつ領域は赤で示す．(e) (c)と(d)の表示法を重ねたハイブリッドモデル．[E. F. Pai et al., 1990, *EMBO J.* **9**: 2351, PDB ID 5p21.]

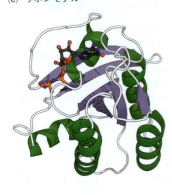
(c) リボンモデル

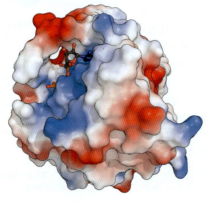
(d) 水接触可能表面表示

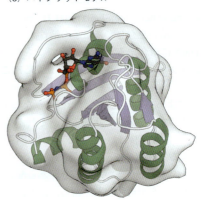
(e) ハイブリッドモデル

面についての情報を欠いている．そこで，水と接触できるタンパク質表面だけに注目し，共通の化学的性質（疎水性か親水性か）や電気的性質（正電荷をもつか負電荷をもつか）を示す領域を色別に表示するという方法がある（図3・9d）．こうした表示法で，結合部位という観点から重要な表面の様子や電荷分布を強調できる．また，小分子が結合することが多い表面上のくぼみを可視化できる．この表示法は，他の分子からみたタンパク質表面の様子を表していることになる．ハイブリッドモデル（図3・9e）は，複数の種類のタンパク質表現の特徴を組合わせたものである．

ドメインは三次構造中にあるモジュールである

タンパク質の三次構造中ではっきりと他と区別できる領域を**ド****メイン**（domain）とよぶ．タンパク質ドメインには，機能ドメイン，構造ドメイン，そしてトポロジカルドメインの3種類がある．**機能ドメイン**（functional domain）はそのタンパク質に特有な活性をもつタンパク質の一部で，この部分だけを他の領域から切り離してもその活性を維持していることが多い．たとえば，タンパク質の特定の領域がその触媒活性を担っていたり（他の分子にリン酸基を共有結合で付加する活性をもつキナーゼドメインなど），結合活性をもっていたりする（DNA結合ドメインや膜結合ドメインなど）．ペプチド結合を切断する酵素である**プロテアーゼ**（protease）でタンパク質を切断し，活性のある最小単位を探し出すという方法で機能ドメインを実験的に同定することができる．あるいは，タンパク質をコードするDNAを操作し，全長タンパク質の一部（ドメイン）だけを産生すると，タンパク質が発揮する機能を担っているのがタンパク質の一部かどうかを決めることができる．実際のところ，機能ドメインにはそれと対応する構造ドメインがあることが多い．

構造ドメイン（structural domain）は40アミノ酸残基かそれ以上の数の残基でできた領域で，複数の二次構造や構造モチーフからなるはっきり区別できる安定な構造である．構造ドメインは，それが埋込まれているタンパク質の他の領域とは独立に独特の構造をとる．特定の構造ドメインは長短さまざまなリンカー（しばしば**スペーサー** spacerとよばれる伸びたペプチド鎖）を介して連なり，ひもにつながれたビーズのように複数のドメインをもつ大きなタンパク質となる．たとえば，インフルエンザウイルスの三量体赤血球凝集素（hemagglutinin: HA）のそれぞれのポリペプチド鎖には，球状ドメインと繊維状ドメインがある（図3・10a）．

多くの場合，構造ドメインは機能ドメインでもあり，他の領域とは独立に活性を発揮する．構造ドメインはいろいろなタンパク質にモジュールとして取込まれる．タンパク質がモジュール構造をもつことは，大きなタンパク質で簡単にみてとれる．こうした大きなタンパク質は，いろいろな機能をもつドメインが組合わさってできており，さまざまな機能を一度に果たすことができる．真核生物にあるタンパク質の80%のものが複数の構造ドメインをもつ．複数ドメインタンパク質内のドメインの構成（順番）は，**ドメインアーキテクチャ**（domain architecture）とよばれている．タンパク質は文章に例えることができる．アミノ酸残基は文字，スペース，句読点のようなものであり，構造ドメインは単語のように，それぞれが明確な活性をもち，それらが連なって文章となることで特徴的な機能をもつタンパク質が生成されるのである．

タンパク質にはおよそ1000種類の異なる構造ドメインがある

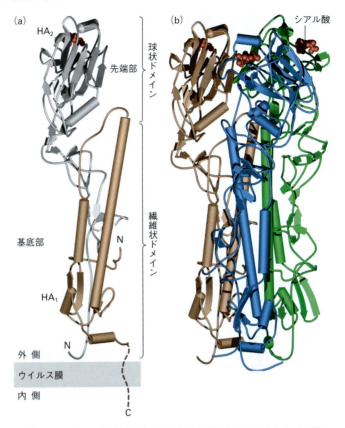

図3・10　タンパク質の三次構造と四次構造．ここに示すタンパク質は，インフルエンザウイルスの表面にある赤血球凝集素（HA）である．この細長い多量体分子はHA$_1$とHA$_2$という2本のポリペプチド鎖でできた同一のサブユニット三つから構成されている．（a）それぞれのHAサブユニットでは，αヘリックスやβストランドが折りたたまれて二つのドメインからなる長さ13.5 nmの三次構造ができあがる．膜から離れたドメイン（先端部）はおもにHA$_2$鎖（灰色）からなり，球状構造をとる．膜に接しているドメイン（基底部）はおもにHA$_1$鎖（茶）からなり，2本の長いαヘリックス（円筒）で支えられた柄のような繊維状構造をとる．短いターンや長いループは通常タンパク質の表面にあり，HA$_1$とHA$_2$それぞれでαヘリックスとβストランドをつないでいる．（b）三つのサブユニット（茶，青，緑）の繊維状ドメインにある長いαヘリックス（円筒）どうしが側面で相互作用し，3本のコイルドコイル束となって安定化されてHAの四次構造ができあがる．HAの先端にある球状ドメインは，それぞれ標的細胞表面のシアル酸（赤）に結合する．他の膜タンパク質と同じように，HAにも糖鎖が共有結合している（図には示していない）．
[S. J. Gamblin et al., 2004, *Science* **303**: 1838, PDB ID 1ruz.]

と推定されている．構造ドメインのなかには，それほど一般的ではないものと多くのタンパク質に見いだされるものがある．実際，9種類の主要な構造ドメインがタンパク質全体で使われているものの1/3を占めているという予測もある．X線結晶構造解析や核磁気共鳴（nuclear magnetic resonance: NMR）法で決めたタンパク質の構造中や電子顕微鏡像中に，構造ドメインを見いだすことができる（§3・5）．たとえば上皮増殖因子（epidermal growth factor: EGF）ドメインはいくつものタンパク質に見いだされる構造ドメインである（図3・11）．EGFは小さな水溶性ペプチドホルモンで，胚細胞や成体の皮膚あるいは結合組織の細胞に結合して増殖を促す．膜貫通ドメインで細胞膜に固定されているEGF前駆体タンパク質では，EGFドメインがいくつも繰返しており，これがタンパク質分解（ペプチド結合の切断）によって切出されて

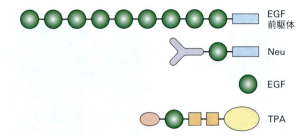

図 3・11 タンパク質ドメインのモジュール性. 複数の EGF ドメイン (緑) と一つの膜貫通ドメイン (青) をもつ前駆体がプロテアーゼで切断されて,上皮増殖因子 (EGF) が産生される. EGF ドメインは,Neu タンパク質や組織プラスミノーゲンアクチベーター (TPA) にも存在する. これらのタンパク質には,他のタンパク質にもよくみられるさまざまなドメインが使われている. ここでは,こうしたドメインをいろいろな色や形で区別した. [I. D. Campbell and P. Bork, 1993, *Curr. Opin. Struc. Biol.* **3**: 385 参照.]

EGF が産生される. この EGF ペプチドホルモンと同一ではないがよく似ている配列をもつ EGF ドメインは他のタンパク質にも存在し,タンパク質分解によって切出される. こうした EGF ドメインをもつものには,心臓発作の際に凝固血液を溶解するのに用いられる組織プラスミノーゲンアクチベーター (tissue plasminogen activator: TPA),胚の分化にかかわる Neu タンパク質,あるいは細胞膜上の受容体タンパク質で発生のシグナル伝達に重要な Notch タンパク質がある (16 章). こうしたタンパク質には,EGF ドメイン以外に,他のタンパク質でも見つかっているドメインがある. たとえば TPA のトリプシンドメインは,ある種のプロテアーゼにもみられる機能ドメインである.

空間的にみてタンパク質のある領域が他の領域とはっきり区別できるときに,これを**トポロジカルドメイン** (topological domain) とよぶ. たとえば,細胞膜に結合したタンパク質のなかに,細胞質内に突き出た領域 (細胞質ドメイン),リン脂質二重層に埋込まれた領域 (膜貫通ドメイン),そして細胞外に突き出た領域 (細胞外ドメイン) が区別できる. これらドメインはそれぞれ,一つあるいは複数の構造ドメインと機能ドメインで構成される. また,タンパク質の N 末端や C 末端の領域をそれぞれ **N 末端ドメイン** (N-terminal domain),**C 末端ドメイン** (C-terminal domain) とよぶのが一般的である.

多くのタンパク質でいろいろなドメインが見いだされるのは,それぞれのドメインに相当する遺伝子断片が進化の過程でシャッフル (切り混ぜ) された結果である. その機構については 7 章で解説する. いったんあるタンパク質で特定の機能ドメイン,構造ドメイン,トポロジカルドメインが見つかると,この情報を使って別のタンパク質でも同様のドメインを探し出すことができ,さらにこうしたドメインがそれらのタンパク質で果たす機能についても推定することが可能になる.

アミノ酸配列と立体構造の比較で,タンパク質の機能と進化が理解できる

さまざまなタンパク質の解析の結果,タンパク質のアミノ酸配列,三次元構造,そして機能の関係がはっきりしてきた. 大雑把にいえば,二つのポリペプチド鎖のアミノ酸配列が似ていれば似ているほど,その三次元構造や機能が似ている可能性が高い. こうした配列比較によってタンパク質の機能を予測することは非常に有用だが,アミノ酸配列が似ているということだけで,あるタンパク質あるいはタンパク質の一部の機能や構造を他のタンパク質に当てはめるには注意が必要である. 実際,全体の構造が似ているのに機能が異なっていたり,アミノ酸配列が違っていて機能も関係ないタンパク質でも三次構造が似ていたりする例がある. しかし多くの場合,こうした配列比較によってタンパク質の構造や機能についての重要な示唆が得られる.

より多くの生物のゲノムやトランスクリプトームが解読され,核酸配列から膨大な数のタンパク質配列 (約 2 億 5 千万) が推定されたため,研究者はタンパク質の構造や機能を研究するためにタンパク質配列比較の利用を増やしてきた. 実際,20 世紀末の生物学における分子革命は,タンパク質のアミノ酸配列の類似性と相違性に基づく新しい生物分類のしくみをつくり出したのである. こうした共通の祖先をもつタンパク質は**ホモログ** (homolog) とよばれる. **相同** (homology) なタンパク質は同一の "ファミリー" に属すると考えられ,配列比較から縁故関係を追うことができる. 進化の過程でタンパク質をコードしている遺伝子に変異がしだいに蓄積するので,縁遠いタンパク質より近縁のタンパク質どうしのほうがアミノ酸配列は似ているといえる. 仮に一次構造にほとんど相同性が認められなくても,相同なタンパク質の三次元構造は似ている.

タンパク質は,その配列,構造の類似性,進化の歴史,機能に基づいて,スーパーファミリー,グループ,サブグループ,ファミリー,サブファミリーとよばれる階層的なタンパク質集合に属するように分類されてきた. 各サブファミリーのタンパク質のアミノ酸配列は,同じファミリー内の他のサブファミリーのタンパク質のアミノ酸配列よりも互いに類似している. まず,配列が比較的よく似ていて (50% 以上が同一),似た機能と構造をもつタンパク質群は,同じ祖先から進化した**ファミリー** (family) としてまとめられる. これに対して,**スーパーファミリー** (superfamily) は複数のファミリーをまたいでおり,ファミリー間の配列の相同性はファミリー内より低い (30〜40% が同一). 配列が 30% 同一のタンパク質どうしは似た三次元構造をもつ可能性が高いが,これより配列の相同性が低い場合でも,よく似た構造をもつことがありうる.

相同なタンパク質の類縁関係は,配列比較に基づいた系統樹 (基本的には家系図) を使うと簡単に見通せる. たとえば,ヘモグロビンやミオグロビン,そして細菌,植物,あるいは動物に存在する類似タンパク質を含むグロビンのアミノ酸配列からは,これらのタンパク質が祖先の単量体酸素結合タンパク質から進化してきたことがわかる (図 3・12a). 進化の時間経過とともに,この祖先タンパク質の遺伝子はゆっくりと変化し,まず動物や植物のグロビンタンパク質に向かう経路が分かれた. つづいて起こった遺伝子の変化の結果,筋肉中で酸素蓄積を行う単量体タンパク質ミオグロビンが生まれたのちに遺伝子重複が生じ,脊椎動物の血液にある四量体タンパク質ヘモグロビン ($\alpha_2\beta_2$) の α サブユニットや β サブユニットが生まれた.

一連の重複と分岐により,一つの生物のなかで,遺伝子とそれに対応するタンパク質の大規模で高度に分岐したファミリーが生成されることがある. 図 3・12(b) は,古代の一つの前駆体から進化した 478 のヒトプロテインキナーゼ酵素の系統樹を示している. これらのキナーゼはすべて,セリン,トレオニン,またはチ

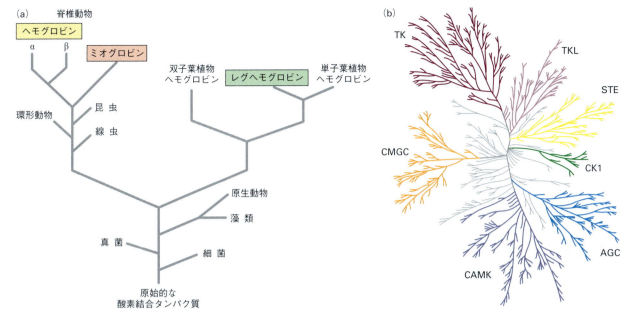

図3・12 グロビンタンパク質ファミリーの進化．(a) 現在の血液のヘモグロビン，筋肉のミオグロビン，植物のレグヘモグロビンなどは，原始的な単量体酸素結合グロビンタンパク質から進化したと考えられている．配列比較から，グロビンタンパク質の進化は動物や植物の進化と並行していることがわかる．植物のグロビンと動物のグロビンが分かれたところと，ミオグロビンとヘモグロビンが分かれたところがグロビンの進化のおもな分岐点である．のちの遺伝子重複過程でヘモグロビンのαサブユニットとβサブユニットができた．(b) 478のヒトプロテインキナーゼの系統樹は，七つの主要なプロテインキナーゼファミリー（405のキナーゼからなる CMGC, CAMK, AGC, CK1, STE, TKL, TK）に分類される．それぞれのファミリーにはサブファミリーが存在する．これらのグループのキナーゼの重要な役割については，のちの章で説明する．たとえば，TK（チロシンキナーゼ）グループのメンバーは，チロシン残基の側鎖をリン酸化するという点で特徴的である．TK のタンパク質の一つは，ホルモンであるインスリンの受容体である（16章）．〔(a)は R. C. Hardison, 1996, *Proc. Natl. Acad. Sci. USA* **93**: 5675 参照．(b)は G. Manning et al., 2002, *Science* **298**: 1912, Copyright Clearance Center, Inc. を通じて AAAS より許可を得て転載．〕

ロシンの側鎖のヒドロキシ基に ATP からリン酸基を共有結合で付加する触媒作用をもつ（約15%がチロシンをリン酸化する，図2・15参照）．少数のキナーゼはセリン（またはトレオニン）とチロシンの両方をリン酸化することから，**二重特異性キナーゼ**（dual-specificity kinase）とよばれている．さらに40種のヒトキナーゼが他の前駆体から進化したため，合計518種のキナーゼが存在することになり，これは**ヒトキノーム**（human kinome）とよばれる．このように大きな系統樹では，あるタンパク質と別のタンパク質を結ぶ線の長さの合計は，一般に二つのタンパク質間の進化的距離に比例する．つまり，系統樹の二つのタンパク質間の樹上の距離が短いほど，配列や構造・機能において類似していることになる．系統樹におけるタンパク質の分岐パターンを分析することで，グループ，ファミリー，サブファミリーに分類することがよくある（図3・12b）．

タンパク質は大きく4種類に分類できる

タンパク質は，その三次構造によって，球状タンパク質，繊維状タンパク質，膜内在性タンパク質，そして天然変性タンパク質という4種類に大きく分類できる．ここであげた4種類のタンパク質分類は，互いに排他的なものではなく，タンパク質によっては複数の分類に属することもある．**球状タンパク質**（globular protein）はふつう水溶性で，さまざまな二次構造を含み，小さく折りたたまれた球形をしている（図3・9）．**繊維状タンパク質**（fibrous protein）は大きなタンパク質で，細長く曲がりにくいものが多い．ある種の繊維状タンパク質は，同一の二次構造をつくる短い配列モチーフが多数つながってできている．こうしたタンパク質のなかには，αヘリックス，三重αヘリックス（図20・26の哺乳類に最も多く含まれるタンパク質であるコラーゲンの構造を参照），2本以上の鎖をもつらせん状コイルドコイル（図3・7）などのらせん状ポリペプチド鎖で構成されていることが多い．Gアクチンがらせん状に会合してFアクチンになるように（17章），球状タンパク質サブユニットの繰返しからなる繊維状タンパク質もある．繊維状タンパク質は会合して，多数のタンパク質からなる水に溶けにくい繊維となり，構造の維持や細胞移動にかかわることが多い．**膜内在性タンパク質**（integral membrane protein, membrane intrinsic protein）は，細胞や小器官を包んでいる膜のリン脂質二重層に埋込まれている．膜貫通ドメインは，しばしば一つまたはそれ以上の20残基の長さのαヘリックスと，ときにはβバレルから構成されている（10章）．

タンパク質の三次構造には，熱力学的に安定な構造をつくらない"天然変性構造"が存在することが知られている．天然変性部位は，非常に柔軟な構造をもっており，その柔軟性が機能的活性の鍵であるように思われる．こうした不定形な領域は，タンパク質の秩序だった領域間を柔軟につないで，他のタンパク質との結合部位となり（図3・13a），ある種の翻訳後修飾の部位となる．〔たとえばリン酸基の共有結合（リン酸化）や糖鎖の付加（グリコシル化）〕．さらに，タンパク質活性を制御するプロテアーゼ消化の標的，内包するタンパク質の活性を抑制する部位（自己抑制部位），タンパク質を細胞内で選別するシグナルとしても働く（13章）．多くの天然変性タンパク質の機能についてはあとの章で解説する．

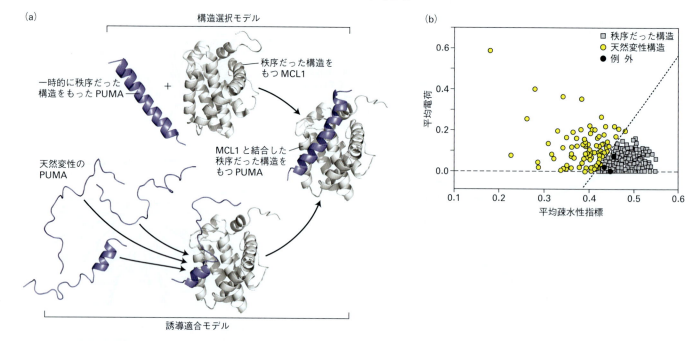

図 3・13（実験）　天然変性タンパク質が秩序だった構造をもつタンパク質に結合する機構と，疎水性と電荷に基づく構造予測．(a) 天然変性タンパク質（PUMA，紫）が秩序だった構造をもつタンパク質（MCL1，灰色）に結合し，その結果，秩序だった構造をとるようになる．PUMA と MCL1 との結合により安定で秩序だった構造の複合体が生じる機構について，二つのモデルが提唱されてきた．構造選択モデル（上の過程）では，不定形の PUMA はたまたま秩序だった構造をとることができ，このときに MCL1 と安定な複合体を形成するというものである．つまり，MCL1 との結合を介して秩序だった構造をもつ PUMA が選択されるというモデルである．誘導適合モデル（下の過程）では，PUMA は不定形のまま，まず MCL1 に結合する．その後，この結合を介して PUMA に秩序だった構造が誘導されて安定な PUMA-MCL1 複合体が形成される．実験では，PUMA と MCL1 との結合は誘導適合モデルで説明できることが示唆された．(b) 275 個の秩序だった構造をもつ単量体球状タンパク質（灰色四角）と 91 個の天然変性タンパク質（黒丸あるいは黄丸）について，各タンパク質の残基当たりの平均疎水性指標（疎水性の最も低いものを 0，高いものを 1 として計算する）を x 軸に，pH 7.0 での平均電荷を y 軸に目盛る．3 個の例外（黒丸）を除き，すべてのタンパク質は低疎水性-高電荷（天然変性タンパク質，黄丸）と高疎水性-低電荷（秩序だった構造をもつタンパク質，灰色四角）という二つの領域に分かれる．黒丸に対応する 3 個の天然変性タンパク質は秩序だった構造をもつタンパク質の領域に入っているが，それぞれ低疎水性-高電荷の不安定領域を多く含んでいる．この不安定領域がタンパク質全体の構造に影響を与え，その結果，天然変性構造をとっているのだろう．[(a)は J. M. Rogers et al., 2013, *J. Am. Chem. Soc.* **135**(4): 1415．(b)は V. N. Uversky et al., 2000, *Proteins* **41**: 415 による．]

たとえば，RNA ポリメラーゼⅡの不定形 C 末端ドメイン（CTD，図 8・13 参照）は，プロリン，トレオニン，セリンを含む 7 残基の繰返しからなり，mRNA 合成の鍵となる段階の制御にかかわる（8 章，9 章）．クロマチンで DNA の組織化を担うヒストンタンパク質 N 末端（7 章）は，重要な翻訳後修飾の場である．アクチン結合タンパク質フォルミンのプロリンに富んだ不定形な FH1 領域は，アクチンフィラメント重合の制御にかかわる（17 章）．

本書で取上げる多くのタンパク質は，通常の機能状態（ネイティブ状態）にあるときには，一つまたはいくつかの非常に密接に関連した立体構造をとるだけである．しかし，一部のタンパク質では，ポリペプチド鎖全体が変性状態になっている．これらのタンパク質は，本来の機能的な状態では秩序だった構造をもたず，ポリペプチド鎖が非常に柔軟で，決まった立体構造をもっていない．このようなタンパク質は，**天然変性タンパク質**（intrinsically disordered protein: **IDP**）とよばれ，シグナル伝達分子，他の分子の活性を制御する分子，あるいは複数のタンパク質，小分子，イオンの足場（たとえば複数の荷電残基を介してイオンを結合する）として機能することが一般的である．また，構造が整っているタンパク質にも不定形な部位が存在することがある．このような不定形な部位は，**天然変性領域**（intrinsically disordered region: **IDR**）とよばれる．

天然変性タンパク質や天然変性領域は，プロテアーゼ分解感受性（秩序だった立体構造をもたない不定形領域はプロテアーゼで分解されやすい）といった生化学的方法で同定できる．また，分光法など生物物理的方法も有効である．天然変性タンパク質は，秩序だった構造をもつものに比べて，極性アミノ酸やプロリンが多く，かつ電荷を多くもつペプチド領域のあることが特徴である（図 3・13b）．天然変性タンパク質や天然変性ドメインの予測アルゴリズムは，正味の電荷や疎水性といったアミノ酸配列の特徴を基礎にしている．ある予測では，真核細胞のタンパク質の 30% は，少なくとも 50 残基以上の長さの天然変性領域をもつとされている．条件によっては，天然変性タンパク質（または領域）が高度な秩序だった構造をとる（図 3・13a）．

タンパク質は集合して四次構造や巨大分子集合体を形成する

多量体タンパク質（multimeric protein）は二つ以上のポリペプチド鎖，つまり**サブユニット**（subunit）からなる．タンパク質の第四の階層構造である**四次構造**（quaternary structure）は，多量体タンパク質中でのサブユニットの数（当量比）や相対的配置を意味する（図 3・2）．多量体タンパク質には，複数の同一のサブユニットからなるもの（ホモマー homomer）と異なるサブユニットからなるもの（ヘテロマー heteromer）がある．インフルエンザウ

イルスの赤血球凝集体は，三つの同一のサブユニットからなる三量体である（ホモ三量体，図3・10）．多量体として機能するタンパク質では，個々のサブユニット単独では機能せず，多量体になってはじめて機能を発現することが多い．あるいは，ある反応経路で順に働く複数のタンパク質が，空間的にも順に並ぶように集合して多量体タンパク質となり，反応の効率が高まる場合もある．こうした現象は**代謝共役**（metabolic coupling）とよばれる．代謝共役の典型的な例として，真菌類の脂肪酸合成酵素や細菌の巨大多量体タンパク質であるポリケチド合成酵素があげられる．前者は脂肪酸合成にかかわる酵素であり，後者は抗生物質エリスロマイシンなど**ポリケチド**（polyketide）とよばれる薬学的に重要な一群の分子の合成にかかわる酵素である．

巨大分子集合体 タンパク質構造の最も高い階層は，タンパク質が会合してできる巨大分子集合体（超分子集合体）である．巨大分子集合体の質量は1 MDaを超えることもあり，大きさも30〜300 nmで，数十から数百のポリペプチド鎖を含み，場合によっては核酸のような他の重合体分子を含む．ウイルスゲノムを取囲むキャプシドは，構造維持という機能をもつ巨大分子集合体の例である．細胞膜を支え，その形態を維持する細胞骨格フィラメントの束もこうした例である．

巨大分子集合体には分子機械として働くものもある．分子機械は，別々の機能を遂行する多数のタンパク質を一つの大きな集合体にしたもので，細胞内での最も複雑な作業を遂行する．たとえば，転写装置はDNAを鋳型としてメッセンジャーRNA（mRNA）を合成する．この転写装置は，それ自身が多量体タンパク質であるRNAポリメラーゼのほかに基本転写因子，プロモーター結合タンパク質，あるいはヘリカーゼなど，少なくとも50種類のタンパク質からできている（図3・14）．その作用機構の詳細については5章と8章で解説する．5章で解説するリボソームも複雑なタンパク質-核酸多量体からなる分子機械で，タンパク質の合成を行う．核質と細胞質の間での巨大分子のやりとりの通路となる核膜孔は，最も複雑な多量体タンパク質集合体の一例である（13章）．この構造体はおよそ30種類のタンパク質が複数個集合して構築され，50 MDaほどの質量をもつと予想される．上述の脂肪酸合成酵素やポリケチド合成酵素も分子機械である．ミトコンドリア**超複合体**（supercomplex）I/III$_2$/IVはATPを合成するためのエネルギーを供給する電子伝達鎖の複数の段階を統合したものである．この超複合体（図12・23）は，三つの超分子集合体と64以上のポリペプチド鎖から構成されている（12章）．

生体分子凝縮体 巨大分子の大規模な集合体を組織化する別な方法として，**生体分子凝縮体**（biomolecular condensate）の生成があるが，これは細胞生物学のさまざまな側面で重要な役割を果たすと考えられている．生体分子凝縮体は，細胞内の膜に包まれない区画で，しばしば液滴にたとえられ，化学的・物理的に周囲と区別される．生体分子凝縮体では，一つまたは複数の巨大分子のコピーが，**液-液相分離**（liquid-liquid phase separation）とよばれる過程で周囲の液体から分離する．このような相分離によって，巨大分子（多くの場合，タンパク質またはタンパク質とRNAが結合したもの）は，細胞質すなわち核質の周囲の液体中よりも高濃度の領域に集合または凝縮する（図3・15）．上述の超分子集合体とは異なり，生体分子凝縮体は大きさがさまざまであり（100〜1000 nm），その成分は一般に特定の化学量論や四次構造配置をもっていない．

生体分子凝縮体は，膜に包まれた細胞小器官（小胞体，ゴルジ体，リソソーム，ミトコンドリアなど，1章）に代わるものとして，細胞内の特定の領域に分子を集中させ，さまざまな細胞活動を時間的，空間的に統合して制御するために用いられると考えることができる．14章では，小さな輸送小胞のような膜に包まれた区画が，その内容物を混合するために融合することができること，またそのような小胞がより大きな構造から芽生えたり，離れたりすることがあることを紹介する（たとえば，膜小胞が小胞体から離れ，その後ゴルジ体と融合するなど）．また，生体分子凝縮体は，サラダドレッシングなどの水中油滴のように，より小さな液滴に分解したり（分散），より大きな液滴に融合したり（合体）することができる．また，無秩序な液体からより高度に秩序だったゲル，さらには固体のような状態へと相転移する可能性ももっている．

タンパク質が凝縮体を形成する能力は，その構造と濃度，およびpH，イオン強度，温度，他の分子の存在など，周囲の流体の条件に依存する．細胞内では，このような状態の集合を細胞の**生理的状態**（physiologic state）とよぶことがある．このように，細胞内の状態を変化させることで，凝縮体の形成を制御するができ

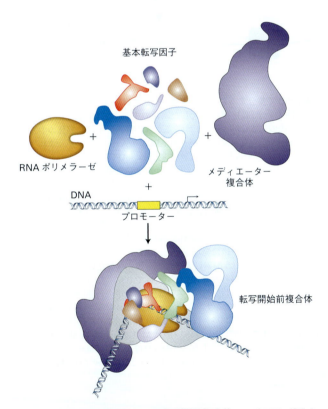

図3・14 巨大分子機械としての転写開始複合体．コアRNAポリメラーゼ，基本転写因子，約20のサブユニットを含むメディエーター複合体，およびここには描かれていない他のタンパク質複合体は，対応するRNAの合成に先立ってDNA中のプロモーターに集合する．ポリメラーゼはDNAの転写を行う．関連するタンパク質は，ポリメラーゼが特定のプロモーターに最初に結合するのに必要である．なお，転写開始前複合体では，DNAは曲がっている．複数の構成要素が一緒になって，分子機械として機能している．

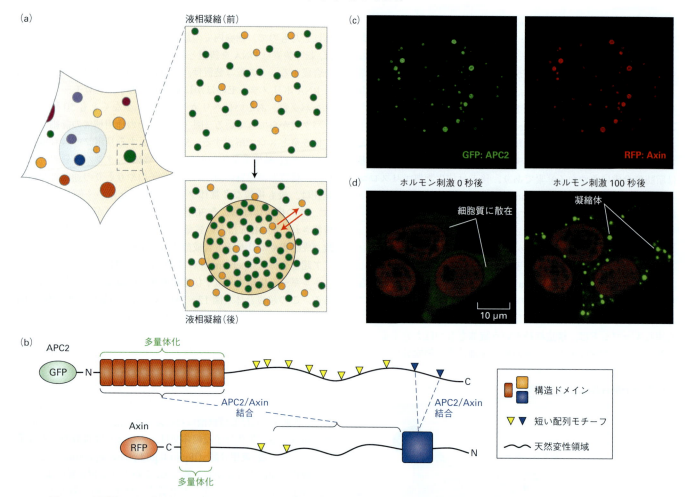

図 3・15(実験) 天然変性領域などを含む多価タンパク質は，生体分子凝縮体として集合することができる．(a) 細胞には，液滴に似たさまざまな膜のない凝縮体が細胞質および核に存在する(色のついた丸，左)．巨大分子(凝縮前の拡大した四角の中の小さな円，右上)は，液-液相分離により周囲の液体から分離し，生体分子凝縮体に濃縮される(凝縮後の大きな緑の円，右下)．これらの巨大分子は凝縮体の中にも外にも拡散することができる(赤矢印)．(b) ショウジョウバエ Drosophila melanogaster のタンパク質 APC2 と Axin のモデル．これらは Wnt シグナル伝達経路(16 章)に関与する二つの大きなタンパク質である．哺乳類を含む他の多くの生物種は，APC2 と Axin のホモログを発現している．これらの多価タンパク質には，ドメイン構造(長方形と正方形)，天然変性領域(黒線)，および重要な機能を果たす短い配列モチーフ(三角形)が含まれている．黄色の三角形で示されたモチーフは，Wnt 関連シグナル伝達分子との結合に関与している(16 章)．蛍光タンパク質(楕円)と融合した APC2 と Axin を培養細胞内で合成させると，共焦点蛍光顕微鏡で可視化することができる(4 章)．それぞれのタンパク質は，黄緑の括弧で示された多量体化ドメインを介して，より大きな複合体にオリゴマー化することができる．(c) 一緒に発現させると，APC2 と Axin は互いに結合し〔(b)の青い点線で示した結合部位〕，両方のタンパク質を含む生体分子凝縮体を形成する〔左は GFP(緑)：APC2，右は RFP(赤)：Axin，両方の色がさまざまな大きさのすべての凝縮体にみられる〕．(d) 二つの多価の人工タンパク質〔一方は蛍光(緑)であり，顕微鏡で容易に検出できる〕を，ヒト細胞内で一緒に発現させた．細胞質に存在するこの二つのタンパク質は，蛍光タンパク質がプロテインキナーゼ A(PKA，§3・4 および 15 章)という酵素によってリン酸化されない限り，互いに結合することができない．イソプレナリンというホルモンがない場合(左，ホルモン添加 0 秒)，PKA は不活性であり，二つのタンパク質は互いに結合せず，緑色の蛍光タンパク質は細胞質全体に分散している(左)．この状態では，タンパク質は核(細胞中央の赤い楕円，ヒストン 2B という DNA 結合タンパク質を蛍光標識して赤く染めた，7 章)に入らない．イソプレナリンを 100 秒間添加すると(右)，PKA が活性化され，蛍光タンパク質がリン酸化され，二つのタンパク質が結合し，細胞質内にタンパク質が濃縮された生体分子凝縮体が形成される(右図の明るい緑の点)．〔(a)は Y. Shin and C. P. Brangwynne, 2017, *Science* **357**(6357): eaaf4382.(b)は M. I. Pronobis et al., 2017, *Mol. Biol. Cell* **28**: 41, Figure 1; K. N. Schaefer and M. Peifer, 2019, *Dev. Cell* **48**(4): 429, Figure 3 による．(c)の写真は Xiaokun Shu の厚意による．左は Q. Zhang et al., 2018, *Mol. Cell*. 右は D. Yu et al., 2015, *Nat. Methods*.(d)は K. N. Shaefer and M. Peifer, 2019, *Dev. Cell* **48**(4): 429, Copyright Clearance Center, Inc. を通じて Elsevier より許可を得て転載．〕

きるようだ．生体分子凝縮体を形成する巨大分子の特徴として，他の分子と結合できる部位が複数あること，すなわち多価であることがあげられる．特に，他のタンパク質や核酸の領域と結合する能力をもつドメインを複数もつ．あるタンパク質が他の同じタンパク質のコピーと結合することを"オリゴマー化"といい，その結合部位を**多量体化部位**(oligomerization site)とよぶ．また，生体分子凝縮体を形成する多くのタンパク質は，天然変性領域をもっていることも大きな特徴である．天然変性領域のアミノ酸配列は，タンパク質が凝縮体の形成に参加する確率や形成される凝縮体の性質に影響を与えることができる．現時点では，多ドメインタンパク質や天然変性領域をもつタンパク質が，生体内で必ず凝縮体に取込まれるとは断定できないが，取込まれるタンパク質

には，これらの特徴が重要な役割を果たすと思われる．

凝縮体の構成要素の一つ以上に蛍光分子を共有結合させると，蛍光顕微鏡（4章）を用いて細胞内の凝縮体を容易に検出することができる．たとえば，16章で詳しく説明するWntシグナル伝達経路では，いくつかのタンパク質が生体分子凝縮体に集合する．そのなかには，多価で複数のタンパク質結合ドメインと天然変性領域をもつ**APC2**と**Axin**というタンパク質も含まれる（図3・15b）．図3・15(c)に示した実験では，蛍光標識したショウジョウバエのAPC2（緑色に蛍光）とAxin（赤色に蛍光）を哺乳類細胞で一緒に発現させると，両方の蛍光分子を含むほぼ球状の凝縮体に集合した．

凝縮体を形成するために会合するタンパク質（場合によってはRNA）の種類は，外部条件（pHなど）と同様に凝縮体の特性を制御することができる．たとえば，図3・15(d)は，凝縮体を形成するように設計された二つの人工的なタンパク質を発現する細胞を示している．これらのうち一つは蛍光標識されている．未処理の細胞では，この二つのタンパク質は凝縮体を形成することができず，蛍光タンパク質は細胞質全体に均一に分布している（左図，0秒，緑色の蛍光強度は比較的低い）．ホルモンで100秒間刺激すると（右図），蛍光タンパク質は化学的に修飾される〔**プロテインキナーゼ**(protein kinase)とよばれる酵素によってリン酸化される，§3・4〕．その結果，蛍光タンパク質はリン酸化タンパク質結合ドメインをもつもう一方のタンパク質と一緒になって，検出しやすい凝縮体（右図，点状の緑色の液滴で，凝縮体中の蛍光分子の濃度が細胞質中に分布しているときよりも高いので特に明るい）を形成することができる．凝縮体は時間がたつにつれて融合し，より大きな液滴になる．細胞内に球状の構造体が出現し，それらが，1) 動的に融合したり分裂したりすることができ，2) 球体内を急速に拡散したり球体と周囲の液体との間を拡散したりする成分をもつことは，標識された分子が凝縮体の形成に関与していることを示す証拠となる．生体分子凝縮体の例としては，核小体（リボソームサブユニットの合成部位，9章），P体（翻訳抑制とmRNA分解の部位，9章），Wnt経路のようなシグナル伝達複合体（16章）などがある．

3・1 タンパク質構造の階層性　まとめ

- タンパク質は，アミノ酸がペプチド結合でつなぎ合わされた直鎖状の重合体である．タンパク質は，1本のポリペプチド鎖でできていることも複数のポリペプチド鎖でできていることもある．タンパク質の構造には，一次，二次，三次，四次の四つの階層がある．共有結合でつながったポリペプチド鎖を構成するアミノ酸の配列を一次構造とよぶ．こうしてつながったアミノ酸間の非共有結合性相互作用によって，ポリペプチド鎖は折りたたまれて特有の三次元構造，つまり立体構造（コンホメーション）をとる．
- 二次構造は，ペプチド骨格の原子間の水素結合によって安定化されている．αヘリックス，βストランドやβシート，そしてβターンがタンパク質で最もよくみられる二次構造である（図3・4，図3・5，図3・6）．二次構造の特定の組合わせにより，構造モチーフが生じる．この構造モチーフは，さまざまなタンパク質に存在し，しばしば特定の機能と関連している（図3・7）．
- タンパク質の三次構造は，非極性側鎖間の疎水性相互作用や極性側鎖とペプチド骨格由来の水素結合やイオン相互作用によって生じる．こうした相互作用によって，二次構造も含めたタンパク質の構造要素や構造モチーフが小さくまとまった形に折りたたまれ，特定の三次元的な形が生じる．
- タンパク質には複数の固有のドメインがあることが多い．各ドメインは独立に折りたたまれた領域で，特定の構造的，機能的，そして空間的特徴をもつ．
- 進化の過程でドメインはいろいろなタンパク質にモジュールとして取込まれ，この結果，タンパク質の構造や機能が多様化した．
- 似たアミノ酸配列をもつタンパク質どうしは同じような三次元構造や機能をもつと考えられている．しかし，アミノ酸配列が似ていない場合にも，似たような三次構造に折りたたまれることもある．
- 相同なタンパク質は共通の祖先から進化したので，似た配列，構造，機能をもつ．こうした相同タンパク質は同じファミリーやスーパーファミリーに属する．
- あらゆるタンパク質あるいはタンパク質ドメインは，球状タンパク質，繊維状タンパク質，膜内在性タンパク質，そして天然変性タンパク質という4種の構造分類に入る．
- 天然変性タンパク質は，並外れた柔軟性をもつので，結合相手，シグナル伝達分子，他の分子の調節因子，足場，タンパク質の秩序だった領域間の柔軟な結合部位，翻訳後修飾部位，自己抑制因子，細胞内タンパク質選別のシグナルとして機能する．
- タンパク質の四次構造は，多量体タンパク質に組立てられた個々のポリペプチドサブユニットの数（二量体，三量体など）と構成によって定義される．
- 細胞には，数十本のポリペプチド鎖が集合して複雑な細胞内過程（DNA，RNA，タンパク質の合成，光合成，ATP生成，シグナル伝達など）を行う巨大な超分子集合体（分子機械とよばれることもある）が存在する．
- 生体分子凝縮体は，膜に包まれない区画を形成する分子の大規模で動的な集合体である．この液滴状の凝縮体は，周囲の液体（細胞質，核質など）とは化学的・物理的に異なる，つまり相分離した状態になっている．タンパク質が凝縮体を形成する能力は，その構造と周囲の環境（pH，温度など）に依存する．凝縮体を形成するタンパク質は，多くの場合，複数の結合ドメイン（多価である）と天然変性領域を含んでいる．

3・2　タンパク質の折りたたみ

前述のように，生体内のタンパク質の機能は，その構造で規定される．この生物学的規則を細胞内外でみたすために，特定の一次構造（配列）をもつポリペプチド鎖が合成され，これが特定の二次構造，三次構造，あるいは四次構造をもつ三次元構造へと折りたたまれることで，特定の機能を果たすタンパク質が生まれる．では特定の一次構造をもつタンパク質はどのようにして合成され

るのだろうか．ポリペプチド鎖は**翻訳**（translation）とよばれる複雑な過程を経て合成される．この翻訳過程では，**メッセンジャーRNA**（messenger RNA: **mRNA**）の配列が設計図となり，その指示のもとでアミノ酸が特定の配列をとるように並べられるが，これは**リボソーム**（ribosome）とよばれる大きなタンパク質-核酸複合体によって細胞質内で遂行される．mRNA は**転写**（transcription）とよばれる過程で産生される．転写では，核内で転写装置がDNAのヌクレオチド配列をmRNAのヌクレオチド配列に変換する．転写と翻訳の詳細については5章で解説するが，ここではリボソームから出てきた合成中のポリペプチド鎖，あるいは合成が終了したばかりのポリペプチド鎖の**折りたたみ**（folding）に関して重要な事項を解説する．

タンパク質が折りたたまれる形はペプチド結合の平面性によって制限される

ポリペプチド鎖の折りたたまれ方を制限している決定的な構造上の特徴は，ペプチド結合の平面性である．図3・3にポリペプチド鎖中のペプチド結合のアミド基を示した．ペプチド結合は半ば二重結合のように振舞う（下図中央と右）ため，ペプチド結合の両側にあるポリペプチド鎖の部分（XおよびY）は，ペプチド結合に対してトランス配置またはシス配置のいずれかに配向させることができる．

同様のシス-トランス異性体は，不飽和脂肪酸のシス-トランス異性体としてすでに2章で述べた．結晶構造解析の結果，Yの位置にプロリン以外のアミノ酸がある場合には99.97%のものがトランスの配置となっていることがわかっている（Yにプロリンがある場合については後述する）．ペプチド結合では，カルボニル炭素原子とアミド窒素原子とこれらに直接結合しているすべての原子は同じ平面上になくてはならない（図3・16）．ペプチド結合自身は回転できないが，このようにペプチド結合で固定された隣り合った2枚の平面は，α炭素原子とアミド窒素原子間の結合を軸として回転でき（回転角ϕ），またα炭素原子とカルボニル炭素原子間の結合軸でも回転できる（回転角ψ）．この2箇所の回転だけが，ポリペプチド骨格がとりうる構造の自由度を決めている．つまり，この回転によって，ポリペプチド鎖はねじれたり折れ曲がったりして，さまざまな三次元構造に折りたたまれることになる．

ポリペプチド骨格のとりうる立体構造にはさらなる制約がある．ほとんどのϕとψの角度では，ペプチド骨格か側鎖の原子が互いに近くなりすぎて構造が非常に不安定になったり，物理的にとりえない構造になったりする．そこで実際には，ϕとψの角度としてわずかに限られたものだけが可能となる．

プロリンイソメラーゼはタンパク質の折りたたみを促進する

前述のように，ペプチド結合の両端に位置するアミノ酸残基（X

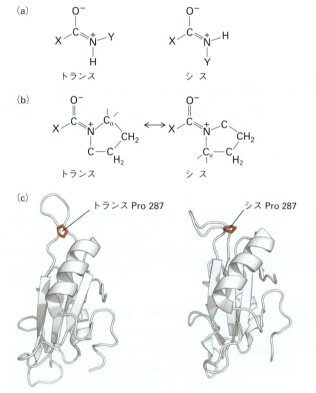

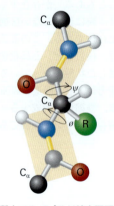

図3・16 タンパク質内でのペプチド結合平面の回転．ペプチド結合では，カルボニル炭素，アミド窒素，およびそれらに直接結合している原子はすべて同じ平面（薄黄の長方形）上にある．α炭素原子とアミノ窒素の結合（ϕ角）とα炭素原子カルボニル炭素の結合（ψ角）を軸として回転することだけが可能である．この回転によって，ポリペプチドの骨格は原理的に非常に多くの立体構造をとることができる．しかし実際には，ポリペプチド骨格とアミノ酸側鎖の大きさに由来する立体的拘束によって，タンパク質がとりうる構造は大きく制限される．

図3・17 プロリン残基のシス-トランス異性化がタンパク質の折りたたみや構造に影響を与える．(a) ペプチド結合の二重結合性と平面性から，ペプチド結合前後の残基（XとY）はシスあるいはトランスの配置をとりうる．秩序だった構造をもつタンパク質に存在するすべてのペプチド結合でYがプロリンでない場合には，99.97%のものがトランス配置をとる．(b) Yがプロリンの場合には，5~7%のものがシス配置をとる．ペプチジルプロリルイソメラーゼはペプチド結合まわりのシス-トランス異性化反応を触媒して，タンパク質の折りたたみを加速する．(c) SH2タンパク質（16章）の構造の一部を示す．1個のプロリン残基ペプチド結合まわりのシス-トランス異性化で構造は大きく変わる．この構造変化で，SH2タンパク質の機能は著しく影響を受ける．[(c)のトランス配置は E. V. Pletneva et al., 2006, *J. Mol. Biol.* **357**: 550, PDB ID 2etz, シス配置は R. J. Mallis et al., 2002, *Nat. Struct. Biol.* **9**: 900, PDB ID 1lui.]

と Y)はほとんどの場合トランス形に位置している(図3・17a).しかし,Y がプロリンのときにはトランス形がシス形に比べて特にエネルギー的に有利というわけではない(図3・17b).これまでに構造決定されたタンパク質のなかで,Y がプロリンであるペプチド結合ではほぼ 5~7% のものがシス形の構造をとっている.これに対して Y がプロリンでない場合には,シス形のものは 0.03% しかない.

プロリン含有ペプチド結合のシス形とトランス形の異性化速度は比較的遅い(ミリ秒から秒)のに対し,多くのタンパク質の折りたたみはより速く(マイクロ秒からミリ秒)行われる.そこで細胞は,ペプチジルプロリルイソメラーゼ(peptidylprolyl isomerase: PPIase)を用いて,シス-トランス異性化反応を触媒し,折りたたみ途中のタンパク質内のプロリンが適切な異性体を速やかに形成するようにしている.プロリンのシス-トランス異性化は,すでに安定に折りたたまれているタンパク質の立体構造,ひいては活性を変化させるスイッチとしても働いている.実際,このような異性化は,いくつかのタンパク質の構造を大きく変えることができる(図3・17c).ヒトには,このような重要な折りたたみと立体構造スイッチ反応を触媒する 45 種類の PPIase が存在する.

タンパク質がどのような形に折りたたまれるかはアミノ酸配列が決定する

ペプチド骨格の結合角度の制約は立体構造を非常に限定するようにみえるが,原理的には,少数のアミノ酸残基しか含まないポリペプチド鎖でも多くの構造をとりうる.たとえば,ϕ と ψ の角度が 8 通りだけの組合わせに限られていたにしても,n 個のアミノ酸残基からなるポリペプチド鎖は 8^n の構造をとりうる.これは,たった 10 残基からなる小さいポリペプチドでも,約 860 万通りもの可能な構造があることを意味している.しかし,天然変性タンパク質以外では,どんなタンパク質も天然状態とよばれる一つかあるいはわずかな数のよく似た構造をとる.天然状態では,大多数のタンパク質は最も安定になるように折りたたまれており,特定の機能を果たす.熱力学的にいうと,天然状態とは自由エネルギー G が最低の構造である(2章).

タンパク質のどんな特徴によって,非常に多くの構造からただ一つが選ばれるのだろうか.側鎖の性質(たとえば大きさ,疎水性,電荷,水素結合やイオン結合を形成する可能性)や,ポリペプチド鎖内での側鎖の並び方が重要な制約となる.たとえば,トリプトファンのような大きな側鎖は,ある領域が別の領域に近づくのを妨げるだろう.他方,アルギニンのような正電荷をもつ側鎖は,相補的な負電荷をもつ側鎖(たとえばアスパラギン酸)のあるポリペプチド鎖領域をひきつけるだろう.ヘプタドリピート中の脂肪族側鎖が α ヘリックスどうしの会合を介してコイルドコイル形成を促すことはすでに述べた.このように,ポリペプチドの一次構造は,その二次構造,三次構造,四次構造をも決定する.

タンパク質が適切に折りたたまれるのに必要な情報はその配列にコードされているという証拠は,1960 年代に Christian Anfinsen によって行われたリボヌクレアーゼ A という RNA 分解酵素を試験管内(in vitro)で巻戻すという実験で得られた.この業績に対してノーベル賞が授与されている.タンパク質の天然状態を安定化する弱い非共有結合を切断するような化学的あるいは物理的処理によって,タンパク質の三次構造が破壊されることは以前から知られていた.こうしたタンパク質の構造(二次構造や三次構造も含めて)を破壊する過程を**変性**(denaturation)とよぶ.加熱したり,pH を極端な値にしてアミノ酸側鎖の電荷を変えたり,尿素やグアニジン塩酸塩のような**変性剤**(denaturant)とよばれる化学薬品を 6~8 M 加えたりすると,タンパク質の天然状態を安定化している弱い非共有結合性相互作用が切断され,変性が起こる.ジスルフィド結合を切断する β-メルカプトエタノールのような還元剤で処理するとジスルフィド結合をもつタンパク質はさらに不安定化する.このようにポリペプチド鎖の折りたたみをほどく,つまり変性させる条件下では,均一に折りたたまれていた分子が不安定化し,ほどけて変性し,生物学的に不活性な多数の構造をとる分子に変わる.先に述べたように,こうした構造の数は莫大なものになる(たとえば 8^n-1).天然状態にないタンパク質は大きく分けて二つの構造をとる.一つはほどけて変性しているが単量体でいるもので,もう一つは凝集体である.後者では,構造が秩序だっていない場合と秩序だっている場合がある.あとで解説する病原性アミロイド繊維は秩序だっている場合の例である.タンパク質の凝集体には,1 種類がかかわっている場合(同種凝集体)と異なるタンパク質がかかわっている場合(異種凝集体)がありうる.

変性条件下でタンパク質が自然にほどけることは,エントロピーがかなり増大することを考えると驚くに値しない.しかし,驚くべきことに,未変性タンパク質を変性させたのち,注意深くもとの条件(体内の温度と pH,変性剤の除去)に戻してやると,Anfinsen が示したように変性ポリペプチドの一部が自然に巻戻されて生物学的活性のある天然状態が再生される.このような巻戻しの実験は,試験管内で合成されたタンパク質でも適切に折りたたまれるという事実とともに,巻戻しを指令するのに十分な情報がタンパク質の一次配列のなかに含まれていることを示している.変性タンパク質が巻戻るのと同様のしくみで,新しく細胞内で合成されたタンパク質も適切な構造に折りたたまれるらしい.§3・1 で述べたように,タンパク質のアミノ酸配列が似ていると折りたたまれた三次元構造も似ているという事実は,一次構造が細胞内(in vivo)でのタンパク質折りたたみも決めているというさらなる証拠になる.折りたたみ過程では,まず二次元構造や構造モチーフができ,その後,複雑なドメインの組立てが続き,これが集合してより複雑な三次構造,四次構造ができると考えられる(図3・18).

細胞内でのタンパク質折りたたみはシャペロンが促進する

試験管内での変性タンパク質の巻戻りの条件は,新しく細胞内で合成されたポリペプチド鎖が折りたたまれる条件と大きく異なる.細胞内では,新しく合成されたばかりのポリペプチド鎖や折りたたみの最中のポリペプチド鎖など他の分子があり,これらがタンパク質の自然な折りたたみ過程を妨げる可能性がある.実際,細胞質内には多くのタンパク質が高濃度に存在する(哺乳類細胞では約 300 mg/mL).新生タンパク質は,折りたたまれる前にこうした高濃度に存在するタンパク質に出会って凝集体をつくってしまう可能性が高い.折りたたまれていないタンパク質や部分的に折りたたまれたタンパク質は大きな凝集体をつくりやすく,水に不溶の塊となる.いったんこうした塊に取込まれると,抜け出して正常な立体構造を形成することはきわめてむずかしい.これ

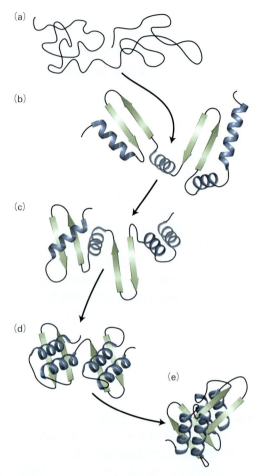

図 3・18 仮想的なタンパク質折りたたみ経路. 単量体タンパク質の折りたたみは, 一次構造(a), 二次構造(b)〜(d), 三次構造(e)という階層構造に従った過程をふむ. まず小さな構造モチーフ(c)からもっと安定なドメイン(d)が生じ, そして最終的な三次構造ができる(e).

は, ポリペプチド鎖上の疎水性側鎖が本来のタンパク質疎水性中心部に取込まれずに, 外にむき出しになって凝集体に取込まれるためである. 疎水性相互作用により, 別々のポリペプチド鎖上のむき出しになった疎水性側鎖は互いにくっつき合い (2章), 大きな凝集体を形成する. まだ折りたたみが完成していない新生ポリペプチド鎖では, 凝集体形成の可能性が高い. 天然変性タンパク質には凝集を促す疎水性側鎖が少ないこともあって, このような毒性をもつ凝集体形成は起こりにくい. いくつかのタンパク質の天然状態への折りたたみは in vitro でも起こるものの, まちがった多数の中間状態に陥る可能性を考慮すると, すべての折りたたまれていないタンパク質がすばやく天然状態に巻戻るわけではない.

そのようなむずかしさを考えると, 細胞では, 一次配列情報だけでなく, タンパク質を正しい形に折りたたむもっと効率的な機構が必要である. さもないと細胞は, まちがった形に折りたたまれた機能をもたないタンパク質の合成に無駄なエネルギーを浪費するだけでなく, こうしたタンパク質が細胞機能を阻害しないように分解することも必要になる. 細胞内ではタンパク質の95%以上は天然状態にあるから, 細胞がこうした機構をもっていることは明らかである. 実際, たまたま正常に折りたたまれなかったり, 変異などの影響で正常な折りたたみが不可能だったりしたタンパク質は, すぐに見つけ出されて加水分解される.

細胞内でタンパク質が効率よく正しい形に折りたたまれるのは, シャペロン (chaperone) とよばれる一群のタンパク質が新生タンパク質の折りたたみを促すからである. シャペロンは新生タンパク質に結合したり, これを他の折りたたまれていないタンパク質との相互作用から隔離したりして, 正常に折りたたまれる時間を確保する. シャペロンの重要性は, これが進化の過程で保存されていることからよくわかる. シャペロンは細菌からヒトに至るまですべての生物で見つかっており, 一群のものでは互いに相同性がきわめて高く, ほとんど同じ機構でタンパク質の折りたたみを助けている. 真核生物では, シャペロンは細胞質だけでなく, 小胞体, ミトコンドリア, 核などの細胞小器官の中にも存在する.

シャペロンは, 新しくつくられたタンパク質を機能的な立体構造に折りたたんだり, まちがって折りたたまれたタンパク質や折りたたまれていないタンパク質が機能的な立体構造に戻るのを助ける. シャペロンが支援するタンパク質の折りたたみのサイクルでは, 標的タンパク質が成熟した安定な立体構造をとれないことがある. この場合, シャペロンは, 適切な折りたたみが達成されるまで, シャペロンが介在する折りたたみのサイクルをさらに繰返すことができる. また, シャペロンは, タンパク質のまちがった折りたたみによって形成される毒性のあるタンパク質凝集体の分解, 大きな多タンパク質複合体の組立てと分解, いくつかのタンパク質の不活性型と活性型の間の変換 (たとえば, このあとに説明するプロテインキナーゼの開状態と閉状態の変換) を仲介することもできる. このように, シャペロンは非常に重要である.

シャペロンは, 標的タンパク質 (基質またはクライアントタンパク質ともよばれる) と結合し, そのタンパク質の折りたたみを補助する. シャペロンは ATP 結合, ATP 加水分解による ADP 産生, そして新たな ATP による ADP の置換という反応を繰返しながら, 機能発現に必要な構造変化を起こす. シャペロンにはいくつかの異なる種類のものがあるが, どれも ATP 結合と加水分解を 1) 標的タンパク質への結合促進に用いたり, 2) 自身の構造変化に用いたりする. シャペロンの ATP 依存的構造変化は, 1) 標的タンパク質の折りたたみを最適化し, 2) シャペロンの構造をもとに戻して, 再び他の標的タンパク質折りたたみに関与できるようにし, 3) 標的タンパク質が正しく折りたたまれるのに必要な時間を確保する (この時間は ATP 加水分解速度で決まる), という目的で利用される.

シャペロンには大きく分けて次の二つのファミリーがある.

- **分子シャペロン** (molecular chaperone) はタンパク質基質の短い領域に結合し, 折りたたまれていないタンパク質や部分的に折りたたまれたタンパク質を安定化して, これが凝集したり分解されたりするのを防ぐ. 分子シャペロンは, タンパク質が合成されるときやリボソームから出るときにその新生鎖に結合するので, 合成が完了する前から新しいタンパク質への結合を開始する (13章).
- **シャペロニン** (chaperonin) 内には, 折りたたまれていないタンパク質全体あるいはその一部を閉じ込めるための空孔がある. ここに閉じ込められたタンパク質には, 正しい形に折りたたまれるのに必要な時間と環境が与えられる.

3. タンパク質の構造と機能

分子シャペロン 分子シャペロンには，大きく分けて Hsp70 と Hsp90 の 2 種類がある．Hsp70 の基質は，新しく合成されたタンパク質など，折りたたまれていないタンパク質である．Hsp70 は Hsp90 と協調して，部分的に折りたたまれたタンパク質の折りたたみを助ける，あるいは特定の折りたたまれたタンパク質の立体構造を再構築するなどして変化させることができる．Hsp70 と Hsp90 が他のタンパク質の折りたたみに関与する機構を図 3・19 に示す．

Hsp70 細胞質に存在する熱ショックタンパク質 Hsp70 とそのホモログは，細胞が温度上昇によってストレスを受けたのち，すなわち熱ショック後に急速に出現することから同定された

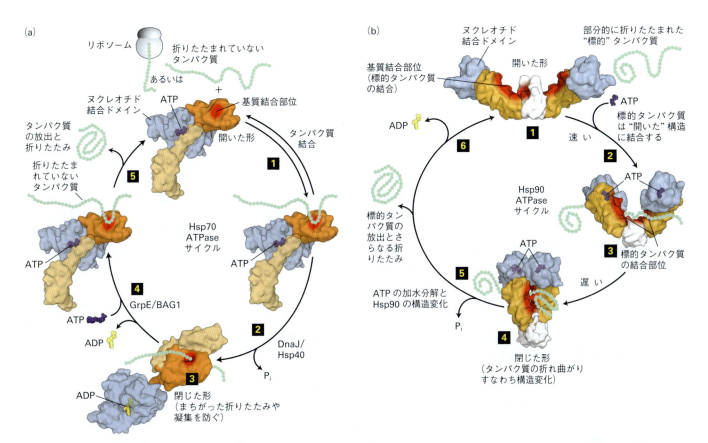

図 3・19 分子シャペロンを介したタンパク質の折りたたみ． (a) タンパク質を正しい三次元構造に折りたたむには，Hsp70 かこれに似たタンパク質の助けを借りることが多い．こうした分子シャペロンは，リボソームから出てきたばかりの新生ポリペプチド鎖や，折りたたまれていない遊離タンパク質に一時的に結合する．Hsp70 サイクルは，まず単量体 Hsp70 のヌクレオチド結合ドメイン(青)に ATP(紫)が結合した状態からはじまる．このとき，二つのサブドメイン(橙と薄橙)からなる Hsp70 の基質結合ドメインは "開いた構造" をとり，その中の基質結合部位(赤)に折りたたまれていないタンパク質が速い平衡で結合する(段階❶)．二つの基質結合サブドメインの相対位置は，その後の ATP 加水分解の各段階で変わる．DnaJ/Hsp40 などのコシャペロンは ATP を ADP(黄)に変換する加水分解反応を促し，それに伴う "閉じた構造" への Hsp70 の大きな構造変化を促進する(段階❷)．"閉じた構造" をとった Hsp70 では基質タンパク質は基質結合部位に閉じ込められ，ここで折りたたみが進行する(段階❸)．GrpE/BAG1 といった他のコシャペロンによって，Hsp70 に結合している ADP と溶液中の ATP との交換が促され，Hsp70 は再び "開いた構造" に戻る(段階❹)．このとき，正しく折りたたまれた基質タンパク質が放出される(段階❺)．基質が放出されると，Hsp70 は他の基質と相互作用できる．基質が正しく折りたたまれないときは再度シャペロンが結合し，これらの過程が繰返される．(b) すべてではないが，多くの場合，Hsp70 で部分的に折りたたまれた基質タンパク質は，Hsp90 に転送され，さらに折りたたまれる．Hsp90 は二量体構造をとる分子シャペロンで，基質タンパク質の再構築にかかわる．単量体は N 末端側のヌクレオチド結合ドメイン(薄青)，中央部の基質結合ドメイン(橙)，そして C 末端側の二量体化ドメイン(白)からなる．標的となる折りたたまれていない基質タンパク質は，基質結合ドメインと二量体化ドメインにまたがる基質結合部位(赤)に結合し，ATP 結合と加水分解による構造変化に伴って折りたたまれる．この Hsp90 サイクルは，ヌクレオチド結合ドメインにヌクレオチドが結合しておらず，二量体構造が柔軟で Y 字形の "開いた構造" をとった状態からはじまる(段階❶)．この状態では，基質タンパク質は基質結合部位に接触可能である．ATP がすばやく結合すると(段階❷)，Hsp90 にゆっくりとした構造変化が起こり，基質タンパク質を保持したままヌクレオチド結合ドメインと基質結合ドメインが互いに近づく(段階❸)．二つのヌクレオチド結合部位も接触して，Hsp90 は "閉じた構造" をとる(段階❹)．Hsp90 が閉じた状態で，基質タンパク質は折りたたみを起こす可能性がある．場合によっては，折りたたまれた基質タンパク質が閉じた Hsp90 に結合すると(段階❹)，構造変化を起こすことがある．Hsp90 上の正確な基質タンパク質結合部位(赤)は，基質の種類によって多少変わる．ATP が加水分解されると Hsp90 は非常にコンパクトな構造をとり(段階❺)，基質タンパク質の折りたたみおよび放出された基質タンパク質のさらなる折りたたみが起こる．ADP が結合した Hsp90 は，非常にコンパクトな構造も含めていくつかの構造をとる．ADP が遊離すると(段階❻) Hsp90 は最初の構造に戻り，次の基質タンパク質と相互作用する．基質の放出，ATP の加水分解，ADP の放出の順序は，まだ確定していない．[E. D. Kirschke et al., 2014, *Cell* 157: 1685; M. Taipale et al., 2010, *Nat. Rev. Mol. Cell Biol.* 11: 515 参照．Hsp90 のモデルは E. Kirschke and D. A. Agard, UCSF 提供．開いた構造(ATP): PDB ID 2ior, 閉じた構造(ATP): PDB ID 2cg9, 閉じた構造(ADP): PDB ID 2cg9.]

(Hsp は熱ショックタンパク質 heat-shock protein の略). 細胞質 Hsp70 のホモログには, ミトコンドリアマトリックスの Hsp70, 小胞体の BiP, 細菌の DnaK がある. Hsp70 とそのホモログは, すべての生物における主要なシャペロンであり, ATP 依存性のサイクルを用いて, 基質の適切な折りたたみを促進する (図 3・19a). Hsp70 サイクルの五つの段階は以下の通りである.

1. ATP が結合して "開いた" Hsp70 に基質が結合する.
2. 基質が結合すると, ATP が ADP に加水分解され, 基質をより強固に結合する "閉じた" 構造の ADP 結合型 Hsp70 になる.
3. 閉じた Hsp70 に強く結合した状態で, 基質のまちがった折りたたみや凝集が抑制される. いわば, Hsp70 はタンパク質の不適切な折りたたみを抑制することによって作用している.
4. Hsp70 の ADP が ATP と交換されることにより, Hsp70 は "開いた" 立体構造になる.
5. 基質タンパク質が放出され, 正しく折りたたまれる.

標的タンパク質がいったん正しく折りたたまれると, 再び Hsp70 に結合することはない. しかし, まだ部分的にでもほどけていると Hsp70 に再び結合して折りたたみ過程が繰返される. さまざまなコシャペロンタンパク質がこの過程を促進する. ここで示したようなヌクレオチド三リン酸のヌクレオチド二リン酸への加水分解とヌクレオチド二リン酸/ヌクレオチド三リン酸交換反応は, 種々のタンパク質の活性調節に利用されている. こうした例の一つが, 本章でのちほど解説する ATP の代わりに GTP を基質とする **GTPase** である. GTPase に結合している GDP が GTP に交換されると構造変化がひき起こされ, その活性が大きく変わる. その後, 結合 GTP は GDP に加水分解される.

真核細胞では, コシャペロンである Hsp40 (細菌では DnaJ) のようなタンパク質によって, Hsp70 と基質の結合が促されるだけでなく, ATP の加水分解活性が 100 倍から 1000 倍も加速され, その結果, Hsp70 を介したタンパク質の折りたたみ効率が増大する (図 3・19a, 段階 **2**). 4 種類のヌクレオチド交換因子 (細菌では GrpE, 真核細胞では BAG, HspBP, Hsp110) も Hsp70 (細菌では DnaK) と相互作用し, ADP と ATP との交換を加速する (段階 **4**). 複数の分子シャペロンが, リボソーム上で合成されている新生ポリペプチド鎖に結合すると考えられている. 細菌では, 合成されたタンパク質の 85% がシャペロンを介して折りたたまれる. 真核細胞では, その割合はもっと高い.

Hsp90 Hsp90 ファミリータンパク質は, 部分的に折りたたまれたタンパク質を基質とする. アーキア以外のすべての生物に Hsp90 ファミリータンパク質がある. 進化の過程でこのタンパク質がよく保存されてきたことは, 大腸菌からヒト Hsp90 に至るまでアミノ酸配列がよく似ていることからもわかる (両者で 55% の相同性がある). ほとんどの真核生物には四つの異なる Hsp90 がある. そのうち二つは細胞質に局在しており, 細胞質内で最も豊富に存在するタンパク質である (全タンパク質の 1～2%). 残りの一つは小胞体に, もう一つはミトコンドリアにある. 他のシャペロンに比べると Hsp90 の標的タンパク質の種類は限られているが (酵母では少なくとも 10% のタンパク質が Hsp90 の基質と考えられている), その役割は細胞にとって非常に重要である. Hsp90 は細胞に熱ショックのようなストレスがかかったときに生じる部分的に折りたたまれたタンパク質に対応し (図 3・19b), 標的タンパク質が不活性型から活性型になるのを促したり, その活性状態の維持を助けたりする. 場合によっては, 特定のシグナルによって Hsp90 から標的タンパク質が離れ, そこではじめてその機能が発現するという形で制御機構が働くこともある. こうした Hsp90 の標的タンパク質の一つに, エストロゲンやテストステロンといった多くのステロイドホルモンと結合して働く転写因子がある. このような転写因子は多数の遺伝子発現の調節を介して, 性分化や性機能制御にかかわる (8 章). キナーゼとよばれる酵素も, 別種の Hsp90 の標的タンパク質である. キナーゼはいろいろなタンパク質をリン酸化することで, その機能を制御している (§3・4 および 15 章, 16 章).

単量体である Hsp70 と違い, Hsp90 は二量体の形で機能する. ATP 結合, ATP 加水分解, ADP 解離というサイクルに応じて, Hsp90 は構造を変えながら標的タンパク質と結合し, 活性化してから放出する (図 3・19b). Hsp90 の機構にはまだわからない点が多いが, 部分的に折りたたまれた標的タンパク質は "開いた" 構造に結合すること (図 3・19b, 段階 **1**), ATP が結合すると Hsp90 の二つの ATP 結合ドメインが相互作用して "閉じた" 構造が生じること (段階 **1**～**4**), そして ATP 加水分解が標的タンパク質の活性化と Hsp90 からの放出を促進すること (段階 **5** と **6**) は確かである. 基質の放出, ATP の加水分解, ADP の放出の順番は, まだ確定していない. また, 少なくとも 20 種類ものコシャペロンが, Hsp90 の ATP 加水分解活性や標的タンパク質の選択に大きな影響を及ぼしていることも知られている. コシャペロンは Hsp90 と Hsp70 の機能の共役にも関与している. たとえば, まず Hsp70 によって折りたたみがはじまった標的タンパク質はコシャペロンを介して Hsp90 に渡され, ここで折りたたみがさらに進行する. Hsp90 の活性は小分子による共有結合性修飾でも影響を受ける. 細胞内で Hsp90 は, まちがって折りたたまれ正しい形に戻れないタンパク質を見つけ出し, あとで述べるような機構でこうしたタンパク質の分解を促進する. このように細胞内の品質管理機構の一部として, シャペロンはタンパク質が正しい形に折りたたまれるのを助け, まちがって折りたたまれたタンパク質の分解を促す. Hsp70, Hsp90, およびそれらのコシャペロンは, 折りたたみの過程で, 決まった順序で基質と結合する場合がある.

シャペロニン 新たに合成された多種類のタンパク質を正常に折りたたむには, シャペロニン (**Hsp60** ともよばれる) という一群のタンパク質の助けも必要である. シャペロニンは, リング状のオリゴマータンパク質からなる円筒状巨大分子集合体である. シャペロニンの中心には, 折りたたまれていないタンパク質の全部または一部が入る空孔がある. この空孔は, 後述するように, ATP の結合と加水分解のサイクルや, 折りたたみのための空間を密閉するふたの開閉によってつくられるもので, タンパク質の折りたたみを助長する環境を提供する. この折りたたみ空孔は二つのオリゴマーリングからなる. シャペロニンには, 構造, 作用機構, そして細胞内局在が異なる 2 種類のものがある. 原核生物, 葉緑体, ミトコンドリアにある I 型シャペロニンは 7 個のサブユニットでできたリング二つからなる. このリングにはコシャペロンのホモ七量体でできた "ふた" がついている. それぞれのリングは折りたたまれていないタンパク質が入る空孔をもつ.

3. タンパク質の構造と機能

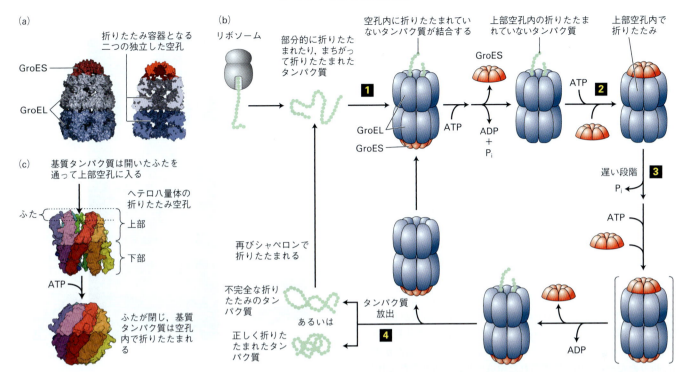

図 3・20 シャペロニンを介したタンパク質の折りたたみ. 正しい折りたたみに, 原核生物の I 型シャペロニンの GroEL や II 型の TRiC のようなシャペロニンの助けが必要なタンパク質もある. (a) GroEL では, 同一の 7 個の 60 kDa サブユニットがリング構造 (青) を形成し, これが 2 層に積み重なって樽形構造をつくり上げている. リング内部にある空孔 (GroEL 当たり 2 個) は, それぞれタンパク質折りたたみ容器となっている. 同一のサブユニット 7 個からなる GroES (赤) は, 樽状の GroEL の一端に結合し, ふたをする (右側の断面図). (b) GroEL-GroES サイクル. 部分的に折りたたまれたタンパク質やまちがって折りたたまれたタンパク質は, 折りたたみ容器の一つに入る (段階 1). このとき, もう一つの折りたたみ容器は GroES でふたをされている. GroES の結合, 解離, そして基質タンパク質の結合, 折りたたみ, 放出と協調しながら, それぞれのリングを構成する 7 個のサブユニットは決まった順序で 7 分子の ATP を結合, 加水分解し, ADP を放出する. その結果起こる GroEL リングの大きな構造変化が, 折りたたみ容器のふたとして働く GroES の結合を制御する (段階 2). ATP 加水分解の間, 基質タンパク質はふたをされた折りたたみ容器に閉じ込められたままでいる. ゆっくりした ATP 加水分解が反応の律速段階で ($t_{1/2}$ 約 10 秒), この間に折りたたみが進行する (段階 3). 上部リングで ATP が加水分解されると, もう一方のリングに ATP や GroES が結合する (括弧内の中間状態). これに続いて, 基質タンパク質を結合したリングから ADP が放出され, GroES のふたが外れる. こうして折りたたみ容器のふたが開き, 折りたたまれたタンパク質が外界に拡散していく (段階 4). ポリペプチド鎖が正しく折りたたまれていればそのまま細胞内で機能を発揮できるが, もし部分的にしか折りたたまれていなかったり, まだまちがって折りたたまれていたりすれば, 再び GroEL に結合して, 上記の折りたたみサイクルが繰返される. (c) ふたが開いた状態 (上) とふたが閉じた状態 (下) の酵母 TRiC のクライオ電子顕微鏡構造. 二つのヘテロ八量体が真核生物の細胞質 II 型シャペロニン (TRiC) の上半球と下半球を形成している. 基質タンパク質は開いたふた (黒破線) を通して折りたたみ容器に入る. ATP の結合と加水分解によってふたが閉じられ, 半球の密閉された部屋内で基質タンパク質が折りたたまれる. 無機リン酸 P_i と ADP が放出されるとふたが開き, 基質タンパク質は解放され, 次の折りたたみのために容器がもとに戻る (図示していない). [(a) は Z. Xu et al., 1997, *Nature* **388**: 741, PDB ID 1aon. (b) は D. L. Nelson and M. M. Cox, 2013, *Lehninger Principles of Biochemistry*, 6th ed., Macmillan. (c) は M. Jin et al., 2019, *Proc. Natl. Acad. Sci. USA* **116**(39): 19513, movie S1 による.]

GroEL/GroES とよばれる細菌の I 型シャペロニンの構造を図 3・20(a) に示す. 大腸菌では, GroEL は全タンパク質の 10% の折りたたみに関与すると考えられている. 真核細胞の細胞質に存在する II 型シャペロニンやアーキアの II 型シャペロニンは, 8～9 個の同一か異なるサブユニットでできた二つのリングで構成されている. GroEL/GroES にあるような "ふた" 機能はリングを構成するサブユニット自体が担っていて, そのための GroES 様サブユニットはない. II 型シャペロニンの "ふた" は, ATP 加水分解時に閉じるらしい.

図 3・20(b) に, GroEL/GroES のタンパク質折りたたみサイクルを示す. 部分的に折りたたまれたタンパク質やまちがって折りたたまれたタンパク質のうち分子量が 60 kDa より小さいものは, 円筒状 GroEL への入口近くにある疎水性残基と相互作用し, そこから折りたたみ容器の一つ (図 3・20b の上部リング内部の空孔) に入る. もう一つの折りたたみ空孔は GroES でふたをされていて, タンパク質は入れない. GroEL の 14 個のサブユニットそれぞれが ATP 結合, 加水分解, ADP 放出を行うが, これらの反応はリングを構成する 7 個のサブユニットで協調して起こり, リングに大きな構造変化をひき起こす. ATP 結合で生じる上部リングの構造変化で GroES の結合が誘導され, 折りたたみ容器のふたが閉まる. ATP 加水分解が終わるまでは, 結合したタンパク質は折りたたみ容器に閉じ込められたままでいる. ゆっくりとした ATP 加水分解は反応の律速段階で, この間に折りたたみが進行する. 上部リングで ATP が加水分解されると, もう一方のリングに ATP や GroES が結合する. これに続いて, 折りたたみが終わった上部リングから ADP が放出され, GroES が外れる. こうして上部リングのふたが開き, 折りたたまれたタンパク質が放出されて, 外界に拡散していく. ポリペプチド鎖が正しく折りたたまれていれ

ば細胞内で機能を発揮できるが，もし部分的にしか折りたたまれていなかったり，まだまちがって折りたたまれていたりすれば，再び GroEL に結合して，上記の折りたたみサイクルが繰返される．

GroEL の二つのリングは交互に働く．一つのリングにふたがされ，閉じ込められたポリペプチド鎖の折りたたみが進行する間に，もう一方のリングからは折りたたまれたポリペプチド鎖が放出される〔第二のリングでの，ポリペプチド鎖結合，折りたたみ，放出という一連の反応は図3・20(b) には描かれていない〕．タンパク質を閉じ込めて折りたたむという機能をもつ GroEL/GroES はふたつきの樽のような構造をしているが，タンパク質分解に関与する 26S プロテアソームの構造はこれと驚くほどよく似ている（§3・4）．AAA$^+$ ATPase ファミリータンパク質の一部のものは，分子シャペロンのように中央に穴のあいた六量体リング構造をもつ．ポリペプチド鎖はこの穴を通過したのち，折りたたまれたり，ほどかれたり，場合によっては加水分解されたりする．こうした例は §3・4 と 13 章で説明する．

真核生物の細胞質に存在するⅡ型シャペロニン（たとえば図3・20c の酵母 TriC）では，ATP の結合と加水分解の結果が GroEL/GroES のそれとは異なっている．TriC では，結合した基質タンパク質の存在下で ATP の結合と加水分解が起こると，ふたが閉まり，折りたたみ容器内の隔離された環境で基質が折りたたまれる．無機リン酸の放出はふたを開けて基質を放出し，ADP の放出は TriC のチャンバーをリセットして，別の基質分子を結合させることができる．

異常な折りたたまれ方をしたタンパク質は病気に関連するアミロイドとなる

変異や不適切な共有結合修飾，あるいは化学的環境（たとえば pH）や物理的環境（たとえば温度）の変化といった要因で，新生ポリペプチド鎖はまちがった形に折りたたまれることがある．すると，タンパク質は正常な活性を失うだけでなく，あとで解説するように分解（タンパク質分解）されやすくなる．しかし，分解が完了しなかったり，まちがって折りたたまれる速度に分解が追いつかなかったりすると，異常な折りたたまれ方をしたタンパク質やその分解で生じた断片が細胞の内外に蓄積し凝集する．こうした凝集体（**プラーク** plaque）は，関節，肝臓，脳といったさまざまな器官に見いだされる．天然変性タンパク質のようにふつうは凝集を起こしにくいタンパク質やその断片でも，濃度が上昇したり環境が変わったりすると凝集することがある．

前述のように，こうした凝集体は不定形のことも秩序だった構造をもつこともある．この秩序だった凝集体は**アミロイド状態**（amyloid state）をとるのがふつうである．驚くことに，多種類のタンパク質が，**交差βシート**（cross-β sheet，図3・21a）という共通の構造をもつ凝集体を形成する．折りたたまれていないポリペプチド鎖やまちがって折りたたまれたポリペプチド鎖内の短い断片（ふつう 6〜12 残基）が互いに水素結合でつながり，β シートからなる長いフィラメントとなる．この構造中では，β ストランドはフィラメントの長軸にほとんど直角に位置する．そして 2 本の長く，平たい β シートフィラメントが互いに巻付き合ってプロトフィラメントとなる．プロトフィラメントどうしがさらに集合し，**アミロイド繊維**（amyloid fibril，アミロイド線維）という太い繊維状凝集体になる．プロトフィラメント中では，β ストラ

図 3・21 まちがって折りたたまれたタンパク質は，交差βシートを介してアミロイド凝集体という秩序だった構造を形成する．(a) 折りたたまれていないタンパク質では，むき出しになった 6〜12 残基のペプチド鎖（短い平板矢印）が集合して β シートを形成し（図3・5），最終的にアミロイドプロトフィラメントとなる．プロトフィラメント中の各 β ストランドは，フィラメント長軸（この図では垂直方向）に対してほとんど直角に並び，上下の β ストランドと水素結合を形成する（矢印に重ねた黄あるいは緑の影）．2 枚の長い β シートが互いに巻付き，細長いアミロイドプロトフィラメントとなる．プロトフィラメントが互いに会合して，アミロイド繊維という太い繊維状凝集体が生じる．(b) アミロイド繊維を構成するプロトフィラメントの数は決まっていない．左：4 本のプロトフィラメントでできたアミロイド繊維モデルに酸変性インスリンからなる繊維の電子密度（青の影）を重ねたもの．右：トランスチレチン断片が凝集してできた 2 本のプロトフィラメントからなるアミロイド繊維のクライオ電子顕微鏡像．トランスチレチン断片の NMR 構造を積み重ねて 2 本のプロトフィラメントとしたもの（黄）を中央の電子顕微鏡像に重ねてある．アミロイド繊維はさらに組織内で凝集して巨視的なプラークや沈着物となり，染色すれば光学顕微鏡でも見ることができる．(c) アルツハイマー病患者の脳切片でみられるアミロイドプラークや繊維構造の沈着物．〔(b 左) は C. M. Dobson, 1999, *Trends Biochem. Sci.* **24**(9): 329, Fig. 3, Copyright Clearance Center, Inc. を通じて Elsevier より許可を得て転載．(b 右) は T. P. J. Knowles et al., 2014, *Nat. Rev. Mol. Cell Biol.* **15**(6): 384, Fig. 3a, Copyright Clearance Center, Inc. を通じて Nature Publishing Group より許可を得て転載．(c) は T. Deerinck, NCMIR/Science Source/amanaimages.〕

ンドは平行に並んでいる場合と逆平行に並んでいる場合がある（図3・5）．正常な活性のある状態のタンパク質がアミロイド繊維を形成することもあるが，ほとんどの場合はポリペプチド鎖のまちがった折りたたみに由来すると考えられている．

　アミロイドは，組織内に沈着したタンパク質の凝集体としてはじめて認識された．アミロイドは酵素による分解が困難であり，**アミロイド症**（amyloidosis）とよばれる数十種類の疾患と関連している．アミロイド症には，ヒトのアルツハイマー病やパーキンソン病，あるいはウシやヒツジの感染症である海綿状脳障害（狂牛病）などが含まれる．こうした病気の特徴は，病変をきたした脳にフィラメント状凝集体（プラーク）が現れることである（図3・21c）．アミロイド症はふつう老化に伴って発症するが，凝集タンパク質をコードする遺伝子の変異でも早い時期でのアミロイド形成と疾病発症が生じる．プラークを形成するアミロイド繊維は，体内にもともと豊富に存在するタンパク質由来である．たとえば，細胞膜に埋込まれているアミロイド前駆体タンパク質が断片化したものは，アルツハイマー病患者の脳でみられるプラークを形成する．あるいは，"感染"タンパク質プリオン（prion）からプリオン病のアミロイド繊維が生じる．またアルツハイマー病では，微小管結合タンパク質tau（18章）が過剰なリン酸化を受けて，濃縮体（tangle）とよばれるねじれたアミロイド繊維となる．こうしたアミロイドは，比較的短く水溶性のプロトフィラメントであれ，長く不溶性の繊維であれ，細胞に毒性があり，直接にアミロイド症の病変にかかわっていると考えられる．■

3・2　タンパク質の折りたたみ　まとめ

- タンパク質のアミノ酸配列がその三次元構造を決め，三次元構造がその機能を決める．つまり，機能は構造に由来し，構造は配列に由来する．
- タンパク質の機能はその構造に由来するから，新しく合成されたタンパク質が適切に機能するためには正しい形に折りたたまれなければならない．
- ペプチド結合が平面構造をとるため，ポリペプチドのとりうる立体構造の数には制限がある（図3・16）．ペプチジルプロリルイソメラーゼは，プロリンを含むペプチド結合の適切な立体構造形成を促進する．
- アミノ酸配列が，タンパク質の特定の三次元構造，つまり天然状態への折りたたみを指令する．タンパク質の三次元構造を安定化している非共有結合性相互作用を崩すような条件下では，タンパク質はほどけて変性する．
- まちがって折りたたまれたり変性したりしたタンパク質には，天然にはない2種類の立体構造がみられる．一つは，1本のポリペプチド鎖が変性してほどけたものである．もう一つは，ポリペプチド鎖の凝集体で，不定形である場合と秩序だった構造をもっている場合がある．
- タンパク質の折りたたみには，ATP依存性シャペロンの助けがいる．シャペロンは，タンパク質がまちがって折りたたまれたり，凝集したりすることを防ぐ．また，タンパク質が正しく折りたたまれることを促し，活性発現に必要な構造の維持を助ける（図3・19）．
- シャペロンは2種類ある．分子シャペロンは標的となるタンパク質の短い断片に結合する．シャペロニンは，折りたたまれていないタンパク質全体あるいはその一部を閉じ込める空孔をもち，正しく折りたたまれるための時間と環境を与える．ATP結合，ATP加水分解，そして新たなATPによるADP置換というサイクルは，シャペロンによるタンパク質折りたたみ機構において重要な役割を果たしている．
- まちがって折りたたまれたタンパク質や変性タンパク質の多くのものは，アミロイド繊維という秩序だった構造をもつ凝集体を形成する．アミロイド繊維では，ポリペプチド鎖内の短い断片が互いに水素結合でつながり，交差βシートというβシートからなる長いフィラメント状構造となる．この構造では，βストランドはフィラメントの長軸にほとんど直角に位置する．さまざまな酵素による分解に対して抵抗性のあるアミロイド繊維ができると，アミロイド症という種々の疾病がひき起こされる．アルツハイマー病やパーキンソン病という神経変性疾患は，そうした例である．

3・3　タンパク質の結合活性と酵素触媒反応

　タンパク質は細胞の内外で驚くほど幅広い活性を示す．こうした機能のほとんどは，自分自身やほかの巨大分子，小分子やイオンと結合するというタンパク質に共通する能力に基づいている．本節では，タンパク質結合の重要な特質を説明し，酵素に注目して詳しく解説する．ほかの機能をもつタンパク質（構造，運動，輸送，シグナル伝達）についてはあとの章で述べる．

リガンドの特異的結合がタンパク質の機能を支えている

　タンパク質に結合する分子を**リガンド**（ligand）とよぶ．リガンドの結合によって，タンパク質に構造変化がひき起こされることがある．リガンド結合によって起こる構造変化は多くのタンパク質の作用機構にとって不可欠のものであり，タンパク質活性の調節に重要である．

　タンパク質の次の二つの性質が，リガンドの結合を特徴づける．**特異性**（specificity）は，タンパク質が特定の分子を他の分子より強く結合する能力をいう．**親和性**（affinity）は，タンパク質とリガンドとの結合の緊密さあるいは強さを表していて，通常，解離定数 K_d で表される．タンパク質-リガンド複合体の K_d は，この結合反応の平衡定数 K_{eq} の逆数で，親和性の最もよい定量的指標である（2章）．タンパク質とリガンドの結合が強ければ強いほど K_d が小さくなる．あるリガンドに対するタンパク質の特異性も親和性も，**リガンド結合部位**（ligand-binding site）の構造を反映している．つまり，タンパク質とリガンドの間に親和性と特異性の高い相互作用が生じるには，リガンド結合部位の形や化学的性質がリガンド分子と相補的になっていなければならない．これを**分子相補性**（molecular complementarity）とよぶ．2章で述べたように，分子相補性によって，分子間の近接した領域で多数の非共有結合性相互作用が生じ，分子どうしが付着する．

　タンパク質-リガンド相互作用の高親和性，そして並外れた特異性のよい例は，**抗体**（antibody）と**抗原**（antigen）の結合であろう．抗体は血液中を循環しているタンパク質で，感染性病原体（たとえば細菌，ウイルス）中の巨大分子や外来物質（たとえば花粉

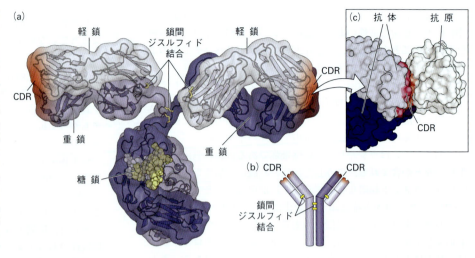

図 3・22 抗体分子とタンパク質抗原の結合. (a) 抗体分子のハイブリッドモデル(リボンモデルと表面モデルの重ね合わせ). IgG クラスに属する免疫グロブリン(抗体)分子は,ジスルフィド結合(黄)で共有結合した 2 本の同一な重鎖(濃紫と薄紫)と 2 本の同一な軽鎖(灰色)からできている.抗原結合部位(CDR)は抗体表面上の赤影で表示.(b) 2 本の重鎖(長い円柱)と 2 本の軽鎖(短い円柱)でできた抗体分子の構造の模式図.(c) 抗体は抗原上のエピトープにぴったり接触して結合する.ここではニワトリの卵白リゾチームを抗原とした例を示す.抗体の CDR の残基が抗原への接触にかかわる.〔(a) は L. J. Harris et al., 1997, *Biochemistry* **36**: 1581, PDB ID 1igt. (b) は E. A. Padlan et al., 1989, *Proc. Natl. Acad. Sci. USA* **86**: 5938, PDB ID 3hfm.〕

中のタンパク質や多糖類)が抗原となり,その侵入に反応して免疫系でつくられる.このとき,特異的な抗体が別々の抗原に応答して産生される.こうした抗体は,最初に抗体の産生を誘起する**エピトープ**(epitope)とよばれる抗原の一部分を"認識"し,抗原にだけ特異的に結合するという特徴をもつ.抗体は抗原に対する特異的なセンサーのようなもので,抗原と複合体を形成する.この結果,免疫系の細胞群による防御のカスケード反応が起こる. 24 章で抗体がどのように産生されるか,またその免疫系での役割について解説する.また本章の後半で,抗体を用いたタンパク質の研究法について述べる.ここでは,まず抗体の構造について簡単に説明し,抗体とエピトープの結合について述べる.

すべての抗体は Y 字形をした分子で,ほとんどの場合,同一の長いポリペプチド鎖(**重鎖** heavy chain)2 本と短いポリペプチド鎖(**軽鎖** light chain)2 本からなる.IgG 抗体(**免疫グロブリン** immunoglobulin ともよばれる,図 3・22a, b)では,重鎖に 4 個の球状ドメインが,軽鎖に 2 個の球状ドメインがあり,それらは**免疫グロブリン(Ig)ドメイン**〔immunoglobulin (Ig) domain〕とよばれる.IgG 抗体の二つの枝分かれした腕は,1 本の軽鎖がジスルフィド結合で 1 本の重鎖に固定されてできている.また 2 本の重鎖は 2 本のジスルフィド結合で結ばれている.それぞれの腕の端近くには,**相補性決定領域**(complementarity-determining region: **CDR**)とよばれる非常に配列変化に富む六つのループが存在し,これが抗原結合部位となっている.この六つのループのアミノ酸配列は抗体間で大きく異なり,リガンドに対して相補的で特異な結合部位を形成する.その結果,この部位は,それぞれのエピトープに対して特異的になっている(図 3・22c).多数の非共有結合性相互作用で安定化された抗体と抗原エピトープ表面の密着した接触が,抗体の非常に正確な結合特異性を生み出す.

抗体の特異性の高さは,同じ種に属する別々の個体の細胞を見分けることができるほどであり,タンパク質のアミノ酸が一つ違っていればこれを見分けることも可能である.同一の配列であっても,翻訳後修飾の違いを見分けることもできる.抗体は特異性が高く,生産するのも簡単なので(24 章),以下の章で述べるようなさまざまな実験になくてはならない試薬となっている.

今後,たとえばホルモンと受容体の結合(15 章),調節分子とDNA の結合(8 章),細胞接着分子と細胞外マトリックスの結合(20 章)といったタンパク質-リガンド結合の多くの例をみることになる.以下では酵素というタンパク質の一群に焦点を当てて,特異的な酵素-リガンド結合を介して,細胞の生存と機能発現に必須な触媒反応が進行する過程をみていく.

酵素はきわめて効率のよい特異的な触媒である

共有結合の形成あるいは切断にかかわる化学反応を触媒するタンパク質を**酵素**(enzyme),そのリガンドを**基質**(substrate)とよぶ.タンパク質のなかの重要で大きな一群が酵素である.事実,細胞内のほとんどすべての化学反応はそれに特異的な酵素によって触媒されている.細胞内の触媒作用を遂行する巨大分子には,このほかに RNA がある.触媒活性をもつ RNA は**リボザイム**(ribozyme)とよばれる(5 章).

化学反応一つだけを触媒するものから,似たような複数の反応を触媒するものまで,何千もの酵素が同定されている.どんな細胞にも存在する物質(たとえばタンパク質,核酸,リン脂質など)を合成したり,エネルギー産生の一端を担ったり(たとえば細胞呼吸に際して,グルコースと酸素を二酸化炭素と水に変換する反応,12 章)する酵素は,ほとんどの細胞に見いだされる.これに対して,ある細胞だけにみられる化学反応を触媒する酵素(たとえば神経細胞のチロシンを神経伝達物質であるドーパミンに変換する酵素)は,特定の細胞にしか存在しない.細胞生物学において特に重要な酵素群は,細胞の内外の状態に関する情報を伝達するために用いられる酵素群(シグナル伝達酵素)である.この酵素群には,タンパク質や脂質にリン酸基を付加するキナーゼやリン酸基を除去するホスファターゼ,また大小の GTP 加水分解タンパク質が含まれる.細胞生物学に重要なもう一つの酵素は,核内DNA に構造変化を起こすことにより,遺伝子発現を制御する機能をもつものである.これらの酵素には,トポイソメラーゼ,ポリメラーゼ,および DNA に結合するヒストンをアセチル化,脱アセチル化,またはメチル化するクロマチン修飾酵素が含まれる.ほとんどの酵素は細胞の中で働くが,細胞外に分泌されて血液(血液凝固酵素)や消化管(食事に含まれる巨大分子の加水分解酵素)といった細胞外で働くものや,ヘビ毒に含まれる酵素のように生体から排出されて外で働くものまである.

すべての**触媒**(catalyst)と同様に,酵素は反応速度を促進する

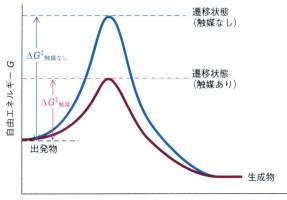

図 3・23 酵素が化学反応の活性化エネルギーに及ぼす影響．この仮想的な反応経路は反応が進行するときの自由エネルギー G の変化を表したものである．反応は生成物の全自由エネルギーが出発物より小さいときにのみ（ΔG が負になるとき）自発的に起こる．しかし，すべての化学反応は一つ以上の高エネルギー遷移状態を経て進行し，反応速度は活性化エネルギー $\Delta G^{\ddagger}$ が低いほど速い．活性化エネルギーは，出発物と遷移状態（反応経路で最も自由エネルギーの高い点）との間の自由エネルギーの差に等しい．酵素や他の触媒は，遷移状態の自由エネルギーを減少させ，その結果 $\Delta G^{\ddagger}$ を減少させて，反応速度を加速させる．

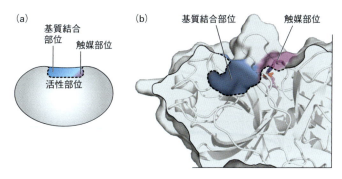

図 3・24 トリプシンの活性部位．(a) 酵素の活性部位（点線で囲まれた領域）は，基質を特異的に結合する結合部位（青）と，触媒作用を遂行する触媒部位（紫）からなる．(b) セリンプロテアーゼの一つであるトリプシンの構造の一部を表面モデルとリボンモデルを組合わせて表示した．触媒部位（紫，触媒三つ組とよばれる Ser195, Asp102, そして His57 を含む，図 3・28）と基質側鎖特異性結合ポケットという基質結合部位の一部（青）からなる活性部位のくぼみがみえる．[B. Sandler et al., 1998, *J. Am. Chem. Soc.* **120**: 595, PDB ID 1aq7.]

が，出発物と生成物間の自由エネルギー変化 ΔG で決まる反応の平衡状態に影響を与えることはない．また，酵素自体が触媒反応によって恒久的に変わることはない（2章）．酵素は，**遷移状態**（transition state）のエネルギーを下げることで，そこに達するのに必要な**活性化エネルギー**（activation energy）を小さくする（図 3・23）．試験管内では，活性炭や白金のような触媒も反応を加速するが，それにはふつう高温や高圧が必要で，非常に低い pH あるいは高い pH や有機溶媒などが必要である．これに対して，細胞のタンパク質触媒としての酵素は，水溶液中，37 ℃，1 気圧，そして生理的な pH（ふつうは pH 6.5〜7.5 で，場合によってはそれ以下）で機能する．酵素は非常に大きな触媒能をもち，同じ条件下で酵素がないときに比べると，酵素で触媒される反応の速度は，10^6〜10^{12} 倍に達する．

酵素の活性部位が基質を結合し触媒反応を進める

酵素の特異性と触媒能を決定するのに，特定のアミノ酸が特に重要である．天然状態の酵素では，これら触媒機能に必須のアミノ酸の側鎖（ポリペプチドの直鎖配列のさまざまな部分からきていることが多い）は 1 箇所に集められ，**活性部位**（active site）とよばれる酵素表面のくぼみを形成する（図 3・24）．活性部位はふつうタンパク質全体のほんの一部分だけを占めており，残りはポリペプチド鎖の折りたたみや活性部位の調節，他の分子との相互作用に関係している．

活性部位は二つの機能的に重要な領域からできている．一つは**基質結合部位**（substrate-binding site）で，基質を認識し，結合する．もう一つが**触媒部位**（catalytic site）で，この部位のアミノ酸側鎖とペプチド骨格カルボニル基およびアミド基がここに結合した基質の化学反応を進める．基質結合部位と触媒部位が重なっている酵素も，二つの領域が空間的に別々になっている酵素もある．

基質結合部位は酵素の驚くべき特異性を担っている．基質を構成する一つか数個の原子を変えたり，原子の幾何学的配置をほんの少し変えたりすると，酵素に基質として認識されなくなることがある．上述の抗原-抗体反応の場合のように，この特異性は酵素の基質結合部位と基質間の正確な分子相補性による．通常，一つか少数の基質だけが結合部位にきちんとはまり，酵素反応が生じる．

1894 年に，Emil Fischer は鍵が鍵穴にはまるように基質が酵素に結合するという考えを提案した．1940 年代後半，Linus Pauling は，酵素は基質そのものよりも反応の遷移状態に強く結合することで触媒作用を促進し，遷移状態を安定化させることで活性化エネルギー $\Delta G^{\ddagger}$ を下げることができると提唱した（図 3・23）．さらに 1958 年に Daniel Koshland は鍵と鍵穴モデルを発展させた**誘導適合**（induced fit）モデルを提案した．このモデルでは，基質結合部位が鍵穴のように硬くはなく，柔軟性があって，基質結合によって構造変化を起こして触媒作用に最適の状態になると考えられている．1913 年初頭に Leonor Michaelis と Maud Leonora Menten は，こうした酵素基質結合モデルを支持する証拠を得た．つまり，基質濃度が低いときには酵素反応の速度は基質濃度に比例し，基質濃度が高くなると速度は**最大速度**（maximal velocity）V_{max} に達して基質濃度に依存しなくなる．そして，V_{max} の値は反応混合液中に存在する酵素の量に直接比例する（図 3・25）というものである．

彼らは，高基質濃度でみられるこの飽和は，限られた数の酵素（E）への基質分子（S）の結合に起因すると考え，酵素と基質の結合したものを**酵素-基質(ES)複合体**（enzyme-substrate complex）とよんだ．高濃度の基質では，酵素のすべての結合部位に基質が結合し，それ以上結合できないので最大速度となるのである．また，ES 複合体は遊離酵素および遊離基質と平衡状態にあり，基質から生成物（P）への不可逆的変換過程の中間段階にあるとした（図 3・26）．

$$E + S \rightleftharpoons ES \longrightarrow E + P$$

原理的には，解糖系にみられるように，すべての酵素反応は可逆的である（図 12・3 参照）．しかし，反応が進行する条件や触媒される化学反応の種類によって，他の多くの酵素反応は実際には事実上不可逆的である．すると，ある基質濃度 [S] での生成物の生

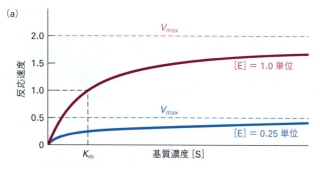

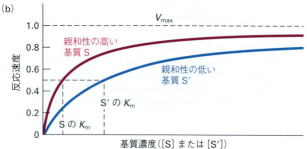

図3・25 酵素が触媒する反応の K_m と V_{max}. K_m と V_{max} は，反応初速度の基質濃度依存性から求められる．ここに示す仮想的な反応曲線は，一つの基質 S が反応生成物 P に変換されるという単純な酵素触媒反応に特徴的なものである．反応初速度は，酵素を基質に加えた直後で，まだ基質濃度があまり変化しない状態で測る．(a) 二つの異なる酵素濃度 [E] で，反応初速度を基質濃度 [S] の関数として目盛った．最大速度 V_{max} の半分の速度を与える基質濃度 [S] がミカエリス定数 K_m となる．これは，基質と酵素の親和性の指標となる．この図にみられるように，酵素濃度 [E] を4倍にすると，反応速度も4倍になり，その結果最大速度 V_{max} も4倍になる．しかし K_m は変わらない．(b) 酵素への親和性の高い基質 S と親和性の低い基質 S′ について，初速度と基質濃度を目盛った．酵素濃度 [E] は変わらないので両者で V_{max} は等しいが，K_m は親和性の低い S′ のほうが大きくなる．

成速度 V_0 は，

$$V_0 = V_{max} \frac{[S]}{[S] + K_m} \quad (3 \cdot 1)$$

となる．これはミカエリス–メンテン式（Michaelis-Menten equation）とよばれる．ここで酵素の基質に対する親和性の尺度となるミカエリス定数（Michaelis constant）K_m は，最大反応速度の半分の速度（すなわち図3・25 における $1/2V_{max}$）を与える基質濃度で，解離定数 K_d（§2・3参照）とは同一ではないものの，これに類似している．ある酵素反応の K_m が小さくなればなるほど，最大速度の半分の速度に達するのに必要な基質濃度が低くなって，基質濃度が低いときにも酵素が効率的に働く．また K_d が小さくなればなるほど，酵素上の基質結合部位の半数を占めるのに必要な基質濃度は低くてすむ．細胞にある多数の小分子の濃度はさまざまで，それらに作用する種々の酵素の K_m 値も多様であるが，おおざっぱにいって，基質の細胞内濃度はそれに作用する酵素の K_m 値とほとんど同じか少し高いくらいである．

基質濃度が飽和に達したときの反応速度も酵素によって大きく違う．1秒当たり一つの酵素活性部位で生成物に変わる基質分子の数を代謝回転数（turnover number）とよぶ．非常に反応が遅い

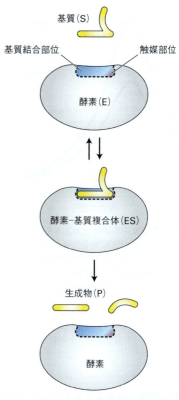

図3・26 酵素反応の模式図．酵素反応動力学によると，酵素 E は基質分子 S にの決まった数の特定部位（活性部位）に結合し，酵素-基質（ES）複合体を形成する．この ES 複合体は結合していない酵素および基質と平衡状態にあり，基質が生成物 P に変換される過程における中間状態となる．

酵素ではこれが1以下のこともある．最も速い酵素の一つである炭酸デヒドラターゼでは代謝回転数が 6×10^5 分子/秒である．

多くの酵素は，基質から生成物への変換を複数の異なる化学反応に分けて多段階で進める．そこで，生成物の最終的な放出に先立って，次のように多くの異なる酵素-基質複合体（ES, ES′, ES″ など）が生じる．

$$E + S \rightleftharpoons ES \rightleftharpoons ES' \rightleftharpoons ES'' \rightleftharpoons \cdots E + P$$

このような多段階の反応のエネルギー断面は多くの山と谷を含む（図3・27）．こうした反応の中間体をとらえて，酵素の触媒反応機構を詳細に調べる方法が開発されている．

セリンプロテアーゼ活性部位における酵素反応機構

タンパク質分解酵素（プロテアーゼ）のなかで大きな一群をなすセリンプロテアーゼは生物界に広く見いだされる．たとえば，食物の消化（膵臓のトリプシン，キモトリプシン，エラスターゼ）や血液凝固の調節（トロンビン）といった例でだけでなく，カイコがまゆを食い破るときにさえセリンプロテアーゼが働いている（コクナーゼ）．基質を生成物に変換する多段階の反応において，基質結合部位と触媒部位が協力し合っている様子を示すのに，こうした酵素は有用である．ここでは，トリプシンおよびこれに進化的に近い二つの膵臓のプロテアーゼ（キモトリプシン，エラスターゼ）を取上げて，基質であるポリペプチド鎖のペプチド結合が切断される様子をみてみよう．

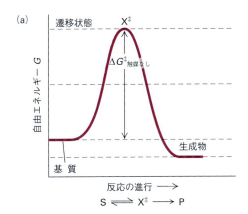

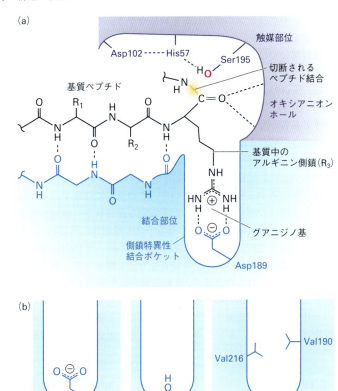

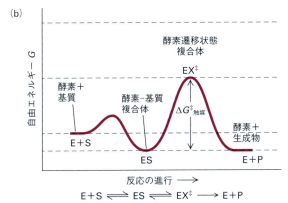

上図で，XはペプチドのN末端側のポリペプチド鎖部分，YはC末端側のポリペプチド鎖部分である．まず，セリンプロテアーゼが特異的に基質に結合する機構について述べ，次に触媒反応機構について詳しく解説する．

図3・28(a)で，基質となるポリペプチド鎖がトリプシンの活性部位の基質結合部位に結合する様子を示す．ここでは，結合にかかわる二つの重要な相互作用がある．まず，基質（ポリペプチド骨格を黒で表示）と酵素（ポリペプチド骨格を青で表示）は水素結合を形成してβシート様の構造をとる．次に，基質ペプチドの切断部位を決める鍵になる側鎖が，酵素の側鎖特異性を決める結合ポケット（**側鎖特異性結合ポケット** side-chain specificity binding pocket）の中に入り込む．トリプシンでは，この結合ポケットの底部にAsp189という負電荷をもつ側鎖がある．トリプシンは，正に荷電した長い側鎖をもつ残基（アルギニンかリシン残基）のカルボキシ基側でペプチド結合を切断するという特異性を示すが，これは正電荷をもつ側鎖が結合ポケット中で負電荷をもつ

図3・27 **非触媒反応と多段階酵素触媒反応の自由エネルギー変化**．(a) 一つの高エネルギー遷移状態を経て基質Sが生成物Pに変換される仮想的非触媒反応の自由エネルギー変化．(b) 多くの酵素は，基質を生成物に変換する反応を多段階の反応に分割して進める．ここに示す例では，まずES複合体ができ，その後に遷移状態EX‡を経てもとの酵素Eと反応生成物Pが生じる．この反応におけるそれぞれの活性化エネルギーは非触媒反応に比べてずっと小さいので，酵素存在下では反応速度が著しく上昇する．

図3・28 **トリプシン様セリンプロテアーゼの活性部位における基質結合様式**．(a) 基質(黒)を結合したトリプシンの活性部位（紫と青）．トリプシンの基質結合部位は二本鎖βシートからなる．基質のアルギニン残基側鎖R_3は，側鎖特異性結合ポケットに入り込む．アルギニン残基側鎖の正に荷電したグアニジノ基は，酵素のAsp189の負電荷で安定化される．この結合により，酵素活性部位の触媒三つ組(Ser195, His57, Asp102の側鎖)による加水分解反応に都合がよいようにアルギニン残基のペプチド結合が位置する．(b) 側鎖特異性結合ポケットを覆うアミノ酸によって，ポケットの形状と電荷が決まり，その結果，結合する基質の性質も決まる．トリプシンでは，アルギニンやリシンの正に荷電した側鎖がポケットに入り込み，キモトリプシンではフェニルアラニンのような大きな疎水性側鎖が入り込む．また，エラスターゼでは，グリシンやアラニンのような小さな側鎖が入り込む．[(a)はJ. J. Perona and C. S. Craik, 1997, *J. Biol. Chem.* **272**: 29987による．]

Asp189によって安定化されるためである．

キモトリプシンおよびエラスターゼという二つの近縁のセリンプロテアーゼは，側鎖特異性結合ポケットの細かい構造の違い以外はトリプシンとほとんど同じ構造をとるので，三者の基質特異性の違いは結合ポケットの違いで説明できる．キモトリプシンは大きな芳香環を側鎖にもつ残基（Phe, Tyr, Trp）に特異性が高く，エラスターゼはグリシンやアラニンのような小さな側鎖をもつ残基に特異性が高い（図3・28b）．キモトリプシンの結合ポケットにあるのは電荷のないSer189なので大きな電荷のない疎水性の側鎖と安定に結合できる．トリプシンの結合ポケットにあったグリシンが，エラスターゼでは分岐した脂肪族側鎖をもつ残基（Val216とVal190）に置き換わっているため（図3・28b），エラスターゼの結合ポケットは大きな側鎖を結合できないが，小さな

アラニンやグリシンの側鎖は安定に結合でき，そこで加水分解が進行する．

触媒部位では，三つの酵素ともSer195の側鎖にあるヒドロキシ基を利用して，基質タンパク質のペプチド結合の加水分解を触媒する．Ser195, His57, Asp102の三つの側鎖によって形成される触媒三つ組が，本質的に2段階の加水分解反応に参加する．ポリペプチド基質が酵素の結合部位に結合すると，切断されるべきペプチド結合が酵素の活性部位の触媒三つ組に整列する．図3・29は，Ser195のヒドロキシ基の酵素による基質のカルボニル炭素への攻撃をAsp102とHis57が補助し，触媒三つ組が協力してペプチド結合を切断する様子を示している．この反応ではまず，この炭素原子に四つの原子団が結合した不安定な遷移状態（四面体中間体 tetrahedral intermediate）が生じる．この四面体中間体のC-Nペプチド結合切断によって，タンパク質断片の一方（NH_2-P^2）は放出されるが，他方はエステル結合を介して酵素セリン残基の酸素原子に共有結合したままで，比較的安定な中間体（アシル酵素）が生じる．もう1回別の不安定な四面体中間体を経る反応で，このセリン残基の酸素原子が水分子の酸素原子と置き換わり，最終産物（P^1-COOH）が放出される．これら四面体中間体は，酵素のオキシアニオンホール（oxyanion hole）とよばれる部位にあるペプチド骨格アミド基との水素結合で安定化される．セリンプロテアーゼなど活性部位にセリンをもつタンパク質ファミリーの反応機構を比較してみると，異なる酵素がこの効率的な反応機構を使いまわして，似た反応を触媒していることがわかる．

セリンプロテアーゼの作用機構は，次のような酵素触媒機構の重要な特質を示している．第一に，酵素触媒部位の構造は，遷移状態での結合を安定化し，活性化エネルギーを低下させて，全体の反応を促進するように進化してきた．第二に，三次元的にうまく組織化された多くの側鎖とポリペプチド骨格とが一緒になり，基質を生成物に変換する化学反応を遂行する．多くの場合，この反応は多段階で進行する．

第三に，セリンプロテアーゼのHis57のイミダゾール基がSer195のヒドロキシ基から水素を引抜く塩基として働くように，酵素は一つあるいは複数のアミノ酸側鎖を介した酸塩基触媒反応を利用する．その結果，触媒部位のアミノ酸側鎖の特定のイオン化状態（プロトン化されているかいないか）で触媒反応が左右され，酵素活性はpH依存的になる．たとえば，セリンプロテアーゼのHis57のイミダゾール基のpK_aは約6.8だが，それがプロト

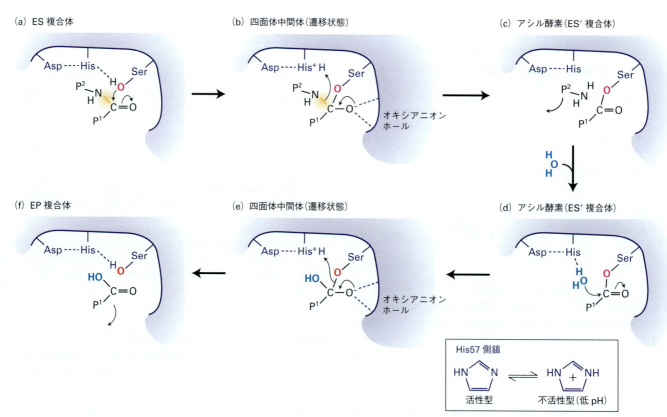

図3・29 セリンプロテアーゼが触媒するペプチド結合加水分解の機構．Ser195, His57, Asp102の側鎖からなる触媒三つ組は，多段階反応を経て標的となるタンパク質のペプチド結合を加水分解する．(a) ポリペプチド基質が活性部位に結合してES複合体ができると（図3・27），Ser195のヒドロキシ基酸素原子が基質の標的ペプチド結合（黄）のカルボニル炭素原子を攻撃する．電子の移動を矢印で示す．(b) この反応で四面体中間体ができる．この中間体では，基質酸素原子の負電荷は，酵素のオキシアニオンホールとよばれるくぼみとの水素結合で安定化される．(c) さらに電子移動が起こって，ペプチド結合が切断される．その結果，反応生成物の一つ（NH_2-P^2）が放出され，アシル化された酵素（ES′複合体）が生じる．(d) 溶媒の水分子の酸素原子が，アシル酵素のカルボニル炭素原子を攻撃する．(e) その結果，第二の四面体中間体が生じる．(f) さらに電子移動が起こって，Ser195と基質の結合が切れ（EP複合体の形成），最終生成物（P^1-COOH）が放出される．His57の側鎖は，Asp102の側鎖と水素結合をつくるような位置に固定されており，全反応を通してH^+を引抜いたり供与したりして（挿入図参照）触媒反応を加速する．pHが低すぎてHis57の側鎖がプロトン化されていると，触媒作用に関与できず，酵素は不活性になる．

ン化されていないときだけ，Ser195 のヒドロキシ基が基質を攻撃するのを助ける．そこで，プロテアーゼ活性は pH＜6.8 では低い．pH 4〜8 の間の pH 活性曲線の形は，pH 6.8 付近に変曲点をもつ His57 側鎖の滴定曲線と一致する．後者はヘンダーソン-ハッセルバルヒ式から求めることができる（図 3・30, 2 章）．pH の高い領域では，タンパク質アミノ末端のアミノ基（pK_a 約 9）がプロトン化されていないので，タンパク質の折りたたみがうまくいかず，活性が低下する．結局，pH 活性曲線は釣鐘形になる．

酵素活性の pH 感受性は，触媒反応にかかわる官能基，基質結合に直接関与している官能基，あるいはタンパク質立体構造に影響を与える官能基のイオン化状態の変化によってひき起こされる．膵臓のセリンプロテアーゼは，腸内の中性か少し塩基性の環境で働くよう進化してきた．そこで，こうした酵素の活性が最大になる pH はおよそ 8 である．一方，酸性状態で働くプロテアーゼや他の加水分解酵素は異なる触媒機構を用いている．たとえばペプシンのように胃（pH 約 1）で働く酵素や，細胞の中で巨大分子を分解するのに重要な役割を担っているリソソーム内（pH 約 4.5）で働くプロテアーゼなどがその例である（リソソーム酵素のデータは図 3・30）．実際，リソソームの加水分解酵素は多様な生体分子（タンパク質，脂質など）を分解するが，細胞質の pH（約 7）では比較的活性が低い．このため，これらの酵素が膜で囲まれたリソソームから漏れ出しても細胞の自己消化は起こらない．

セリンプロテアーゼにはないが，ほかの多くの酵素によくみられるのが 補因子（cofactor），あるいは 補欠分子族（prosthetic group）の触媒反応への寄与である．補因子あるいは補欠分子族とは，ポリペプチドでない小分子かイオン（鉄，亜鉛，銅，マンガンなど）で，活性部位に結合して，反応機構で重要な役割を演じるものである．酵素がもつ小さい有機補欠分子族は 補酵素（coenzyme）ともよばれる．これらのうちには，反応中に化学的に修飾され，反応ごとに置き換えられたり再生されたりするものと，そうでないものがある．前者の例としては，NAD$^+$（ニコチンアミドアデニンジヌクレオチド），FAD（フラビンアデニンジヌクレオチド）がある（図 2・33 参照）．後者の例としては，ヘモグロビンで酸素を結合したり，シトクロムで電子を輸送したりするヘム基がある（図 12・17 参照）．このように，酵素が触媒する化学反応には，ポリペプチド鎖中の特別なアミノ酸だけがかかわっているわけではない．補酵素として働くか，補酵素を産生するのに使われるチアミン（B_1），リボフラビン（B_2），ナイアシン（B_3），ピリドキシン（B_6）といったビタミン B 類，そしてビタミン C は哺乳類細胞では生合成できない．そこで，哺乳類細胞を実験室で培養するときには，液体培地にビタミン類を添加する（§4・1 参照）．

活性部位に結合してその化学反応を妨げる小分子を 酵素阻害剤（enzyme inhibitor）という．阻害剤は，細胞や生物個体における酵素の役割を調べる有効な研究手段となる．酵素の活性部位に直接結合して，正常な基質がここに結合するのと拮抗するものを 拮抗阻害剤（competitive inhibitor）とよぶ．一方，酵素の活性部位以外の場所に結合して構造変化をひき起こすなどして酵素活性を阻害するようなものを非拮抗阻害剤とよぶ．このように，細胞における酵素の働きを調べるのに，阻害剤は遺伝子への変異導入や RNA 干渉（RNA interference: RNAi）という方法（6 章）と補完的である．ここであげたすべての方法は，酵素活性を抑えて何が起こるかを調べることで，特定の酵素の生理的機能を推測しようというものである．同じような方法は，酵素以外の巨大分子の機能を調べるのにも用いることができる．しかし，阻害剤を用いた研究の解釈は，阻害剤が複数のタンパク質の正常な活性を阻害するときには複雑になる．

タンパク質活性の小分子による阻害という現象は，ほとんどの薬剤や化学兵器に利用されている．たとえば，アスピリンは，痛みをひき起こす物質を生成する シクロオキシゲナーゼ（cyclooxygenase）という酵素を阻害する．サリンや他の神経ガスは，セリンプロテアーゼやこれに似たアセチルコリンエステラーゼの活性部位のセリンヒドロキシ基と反応する．後者は，神経伝達を調節する重要な酵素である（23 章）．

共通の経路にかかわる酵素群は集合体となっていることが多い

よく使われる代謝経路にかかわる酵素群（たとえばグルコースを分解してピルビン酸を生成する経路，12 章）は，細胞質であれ，膜であれ，あるいは特定の細胞小器官であれ，同じ細胞領域に局在していることが多いので，代謝経路の一つの反応の産物は，次の反応を行う酵素に拡散を介して容易に到達できる．しかし，拡散は無秩序な動きなので遅く，広い範囲に散らばっている酵素間で分子を受け渡しするのは非効率な過程である（図 3・31a）．こうした欠点を克服するため，細胞では，よく使われる経路にかかわる酵素を近傍に寄せ集める機構が発達してきた．こうした機構を 代謝共役（metabolic coupling）とよぶ．

最も簡単な場合には，異なる触媒能をもつポリペプチドが多量体酵素のサブユニットとして集合するか，あるいは共通の 足場タンパク質（scaffold protein）のまわりに集合する（図 3・31b）．こうすれば，一つの反応の産物を次の反応を行う酵素に直接運ぶことができる．場合によっては，別々のタンパク質が遺伝子レベルで融合し，複数のドメインをもつ多機能酵素となることがある（図

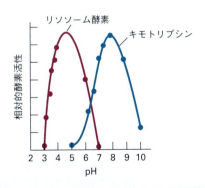

図 3・30 酵素活性の pH 依存性．基質結合や触媒作用が進行するために，あるいは酵素が正常な形を維持するために，酵素の活性部位などにあるイオン化する官能基の多くはプロトン化されているか脱プロトンされている．こうしたイオン化する官能基の pK_a は，pH を変えて酵素活性を測れば決めることができる．キモトリプシンのような膵臓のセリンプロテアーゼは pH 8 付近で最大活性を示す（右の曲線）．これは活性部位の His57（触媒に必須，pK_a 約 6.8）の脱プロトンとタンパク質の N 末端（構造維持に必要，pK_a 約 9）の H$^+$ の出入りに由来する．多くのリソソーム酵素では，最大活性はもっと低い pH にある（およそ pH 4.5，左の曲線）．これは，こうした酵素が働くリソソーム内の pH に対応している．［P. Lozano et al., 1997, *Eur. J. Biochem.* **248**: 80; W. A. Judice et al., 2004, *Eur. J. Biochem.* **271**: 1046 による．］

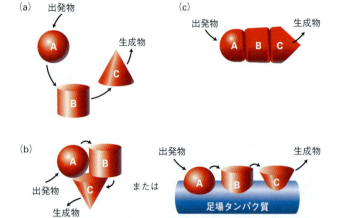

図 3・31 複数の酵素が集合して効率のよい多酵素複合体が生まれる。ここに示すような仮想的な反応経路では，出発物は 3 種類の酵素 A, B, C が順次働いて最終生成物に変換される．(a) 3 種類の酵素は溶液中で自由に動き回っているので，仮に同じ細胞区画に閉じ込められているにせよ，反応中間体は一つの酵素から他の酵素に向かって拡散していかなくてはならず，反応速度は必然的に遅くなる．(b) 個々の酵素がそれ自身で，あるいは足場タンパク質の助けを借りて集合し，多サブユニット複合体となれば，中間体の拡散は著しく抑えられるか完全になくすことができる．(c) 3 種類の酵素が遺伝子レベルで融合して，それぞれが 1 本のポリペプチド鎖のドメインとなれば，異なる酵素活性の完全な統合ができる．

3・31c)．本章のはじめに述べたように，通常は大きな多量体タンパク質複合体が代謝共役を担っている．

3・3 タンパク質の結合活性と酵素触媒反応　まとめ

- ほとんどすべてのタンパク質の機能は，他の分子（リガンド）を結合できるという能力に由来している．たとえば，抗体は抗原とよばれるリガンドを結合し，酵素は基質とよばれるリガンドを結合する．基質は化学反応により生成物に変わる．
- タンパク質の特定のリガンドに対する特異性とは，一つか少数のよく似たリガンドを選択的に結合することをさす．タンパク質と特定のリガンドとの親和性というのは，通常，解離定数 K_d で表される結合の強さである．
- タンパク質が特定のリガンドを結合できるのは，タンパク質上のリガンド結合部位とリガンド間に分子相補性があるからである．
- 酵素は触媒作用のあるタンパク質で，活性化エネルギーを低下させ遷移状態にある反応中間体を安定化させて，細胞内の化学反応を速める（図 3・23）．
- 酵素の活性部位は，タンパク質のほんのわずかの部分を占めているにすぎないが，二つの機能部位からなる．一つは基質結合部位で，もう一つが触媒部位である．基質結合部位と基質とには分子相補性があるため，酵素は驚くべき特異性を発揮する．
- 基質（S）が酵素（E）に結合すると，まず酵素-基質（ES）複合体が生じる．活性部位にある触媒基によって触媒される 1 段階か数段階の反応を経て，ES 複合体から最終的に生成物（P）が産生される．

- 反応速度と基質濃度の関係から，酵素に特徴的な二つの変数が求められる．酵素と基質とのおよその親和性を表すミカエリス定数 K_m と，触媒活性を表す最大速度 V_{max} である（図 3・25）．
- 酵素触媒反応の速度は幅広く変わる．代謝回転数（基質飽和の状態において，一つの活性部位で単位時間当たりに生成物に変わる基質分子の数）は，1 分子/秒より小さいものから 6×10^5 分子/秒にもなる．
- 多くの酵素は，基質から生成物への変換をいくつもの化学反応に分けて触媒する．それぞれの反応には，はっきり異なる酵素-基質複合体（ES′, ES″ など）が対応する．
- セリンプロテアーゼは基質タンパク質のペプチド結合を加水分解するが，このとき，Ser195, His57, Asp102 の側鎖が触媒反応にかかわる．セリンプロテアーゼの基質結合部位の側鎖特異性結合ポケットを構成しているアミノ酸が加水分解される基質タンパク質中の残基を決め，たとえばトリプシン，キモトリプシン，エラスターゼの特異性の違いを生み出す．
- 酵素反応では，アミノ酸側鎖による酸塩基触媒作用が頻繁に用いられる．セリンプロテアーゼの His57 のイミダゾール基がこうした例である．触媒にかかわる官能基のプロトン化（pK_a で決まる）の pH 依存性が，酵素活性の pH 活性曲線に反映される．
- いくつかの酵素では，活性部位に結合する小分子やイオンが酵素触媒反応で重要な役割を果たす．こうした物質は，補因子や補欠分子族とよばれる．小さな有機補欠分子族は補酵素ともよばれる．高等動物細胞で合成できないビタミンは補酵素として働いたり，補酵素を産生するのに使われたりする．
- よく使われる反応経路にかかわる酵素群は特定の細胞内領域に局在している．これら酵素は，単量体タンパク質のドメインとして存在したり，多量体タンパク質のサブユニットとして存在したり，あるいは足場タンパク質のまわりに集合した複合体の一員だったりする（図 3・31）．

3・4 タンパク質機能の調節

細胞内のほとんどの反応は互いに独立して起こるわけではないし，また，一定の速度で進行しているわけでもない．すべてのタンパク質や生体分子の活性は，生存に最適な機能を発揮すべく調節されている．たとえば，酵素の触媒活性はうまく調節されていて，細胞がちょうど必要とするだけの反応生成物ができるようになっている．その結果，定常状態での基質と生成物の量は，細胞の状態に応じて変わることになる．膜チャネルの開閉や巨大分子複合体の構築など，非酵素的なタンパク質の調節もまた重要である．

一般的に，細胞内でのタンパク質活性を調節するには三つの方法がある．第一は，定常状態でのタンパク質量を，合成速度，分解速度，あるいはその両方を変えることで，増やしたり，減らしたりするという方法である．第二は，タンパク質量とは別に，そのタンパク質の固有の活性を変えるという方法である．たとえば，非共有結合性あるいは共有結合性相互作用を介して，基質結合の

親和性を変えたり，あるいはタンパク質の活性状態と不活性状態の割合を変えたりする．第三は，タンパク質それ自身，タンパク質活性の標的になる分子（たとえば酵素の基質），あるいはタンパク質活性に必要とされる分子（たとえば酵素の補因子）など，反応にかかわる分子の細胞内での局在や濃度を変えるという方法である．この3種類の調節機構が細胞の生存と機能において基本的な役割を果たしている．ここではまずタンパク質量の調節機構について述べ，次にタンパク質の活性を調節する非共有結合性あるいは共有結合性相互作用について述べる．

タンパク質の合成と分解の調節は細胞にとって非常に重要である

タンパク質合成の速度は，そのタンパク質をコードするDNAからmRNAが合成（転写）される速度，活性のあるmRNAの定常状態での量，mRNAから新しいタンパク質が合成（翻訳）される速度によって決まる．これらの重要な経路は5章で詳しく述べる．

細胞内タンパク質の寿命には，細胞分裂の有糸分裂期の進行を調節する分裂期サイクリン（19章）のようにほんの数分という短いものから，眼のレンズのタンパク質のように生物個体が生きている限りという長いものまである．タンパク質の寿命は，主としてタンパク質分解によって制御される．

タンパク質分解には二つの特に重要な役割がある．第一は，有毒になる可能性があったり，まちがって折りたたまれたり，うまく集合しなかったり，傷害を受けたりしたタンパク質を除くことである．こうしたなかには，突然変異を起こした遺伝子の産物や，化学的に活性な代謝産物やストレス（たとえば熱ショック）によって損傷を受けたタンパク質が含まれる．シャペロンによるタンパク質の折りたたみ機構があるにもかかわらず，新しく合成されたタンパク質のうちには正しく折りたたまれなかったために即座に分解されるものがある．これは，折りたたみを促進するシャペロンがすばやく働かなかったり，シャペロン複合体がうまく集合しなかったりするからである．哺乳類細胞中では，正常なタンパク質でも1時間当たり1〜2%というゆっくりとした速度で分解される．第二は，環境条件の変化に応答して正常なタンパク質の分解速度を調節し，その合成速度も調節することで，定常状態でのタンパク質量やその活性を適切な状態（**プロテオスタシス** proteostasis，タンパク質恒常性）にすばやく変化させ，維持することである．

真核細胞のタンパク質分解にはいくつかの経路がある．主要経路の一つは，リソソーム内での酵素による分解である．リソソームは膜で区切られた細胞小器官で，その内部（pH約4.5）は加水分解酵素でみたされている．リソソームでの分解は主として，細胞中の古くなったり，損傷を受けたりした小器官を標的にする**オートファジー**（自食作用 autophagy）とよばれる過程（14章）と，細胞外から取込まれたタンパク質を標的にする場合がある．リソソームについてはあとの章で詳細に述べる．ここではプロテアソームによる細胞質タンパク質の分解という別の経路に焦点を当てる．この経路は，哺乳類細胞での分解の90%を占める．

プロテアソームはタンパク質分解に使われる分子機械である

プロテアソーム（proteasome）はタンパク質分解のための多サブユニットからなる大きな分子機械で，細胞周期（19章），転写，DNA修復（5章），**アポトーシス**（apoptosis）とよばれるプログラム細胞死（22章），外来生物の感染への反応（24章），まちがって折りたたまれたタンパク質の分解など，さまざまな細胞機能にかかわっている．プロテアソームによるタンパク質の分解には，三つの重要な段階がある．まず，タンパク質にタグを付け，プロテアソームによる分解を受けるようにする．細胞は，任意のタンパク質のタグ付けを制御することができ，それによってそのタンパク質がプロテアソームによって分解される速度を調節することができる．第二段階で，プロテアソームはタグを介して標的タンパク質に結合し，タンパク質が内部の空孔に移送される際に，タンパク質を伸展させる．第三段階で，空孔内のプロテアソームのタンパク質切断サブユニットが標的タンパク質を小さなペプチドに分解し，このペプチドは細胞質に放出され，さらに処理される．ここでは，プロテアソームの構造と，この三つの段階の機構について詳しく説明する．

典型的な哺乳類細胞にはおおよそ30,000個のプロテアソームが存在する．プロテアソームは約60のタンパク質サブユニットからできており，質量はほぼ 2.4×10^6 Daにもなる．高さ約14.8 nm，直径11.3 nmの円筒状でプロテアーゼ活性をもつ**20S プロテアソーム**（20S proteasome，Sは粒子の沈降速度を表すスベドベリ単位で，粒子サイズが大きいほど大きなS値をもつ）がその中心部を占めている（図3・32a）．この円筒の両端あるいは片端に，20Sプロテアソームの活性を調節する**19S 制御粒子**（19S reguratory particle: 19S RP）が結合している．20Sプロテアソームには19S制御粒子が1個結合する場合と2個結合する場合がある．2個の19S制御粒子が結合した場合には，実際には1個の19S制御粒子を結合した複合体より大きくなるが，両者ともに**26S 複合体**（26S complex）とよばれる．19S制御粒子には19個のタンパク質サブユニットがあり，そのうち6個はATPを加水分解でき（AAA ATPase），基質となるタンパク質をほどいたり，20Sプロテアソームの内部に折りたたまれていないタンパク質を選択的に送り込んだりするのに必要なエネルギーを供給する．酵母の遺伝学的研究で，機能をもつプロテアソームなしでは細胞は生き延びられないことがわかっており，プロテアソームの重要性は明らかである．実際，タンパク質合成に必要な量の30%にも当たるエネルギーが，プロテアソームでのタンパク質分解に消費されている．細胞周期と協調させるため，個々のプロテアソームの活性はリン酸化などによって制御される（19章）．さらに，細胞内のプロテアソームの量は，タンパク質分解に必要な量が確保されるよう，複雑なフィードバック経路によって制御されている．

20Sプロテアソームの触媒コアは，直径約1.7 nmの内室を囲む7個のβサブユニットからなる二つの内輪で構成されている．それぞれのリングには，三つのタンパク質分解活性部位があり，内側の空孔のほうを向いている．7個のサブユニットからなる二つの外側のリングは，それぞれ**コアゲート**（core gate）とよばれる入口孔を介して基質の流入を制限する（図3・32a），その開口は19S制御粒子への基質の結合によって制御されている．プロテアソームは，各βサブユニットのリングにある三つの活性部位が，疎水性残基，酸性残基，塩基性残基でペプチド結合を切断できるため，ほとんどのタンパク質を徹底的に分解することができる．ポリペプチド基質は，外側のαサブユニットリングの中心に

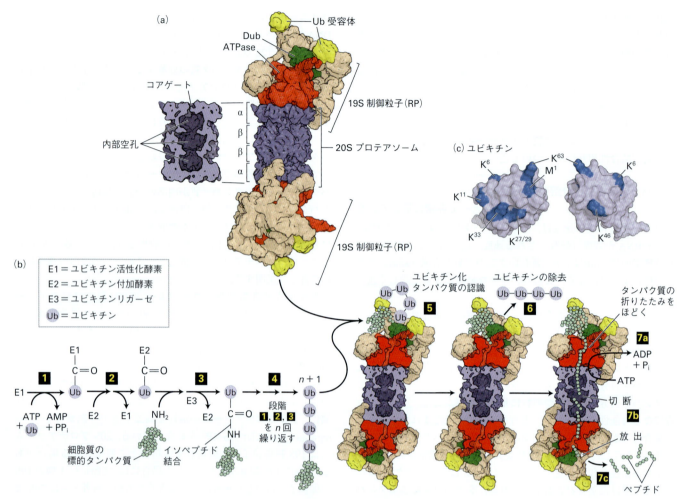

図3・32 ユビキチンとプロテアソームを介したタンパク質の分解. (a) 右: 26S プロテアソームは, 20S プロテアソームの両端に 19S 制御粒子(RP)をもつ筒状構造をしている. 19S RP には 19 種類の異なるサブユニットが含まれている. たとえば, ヘテロ六量体 ATPase リングを形成する 6 種類の AAA ATPase サブユニット(Rpt1〜6, 赤)が存在する. ここには, 3 個のユビキチン(Ub) 受容体(Rpn1, Rpn10, Rpn13, 黄)と脱ユビキチン化酵素(Dub, Rpn11, 緑)がある. 19S RP 中で, 後者は Rpn8 というタンパク質とヘテロ二量体を形成している. さらに, 足場タンパク質などのタンパク質も含まれている(薄褐色). ここに示した二つの 19S キャップは紙面に対して反対向きに位置している. 20S プロテアソーム(青紫)は, α サブユニット七量体リング(外部リング)二つと β サブユニット七量体リング(内部リング)二つが重なってできた円柱状の構造である(直径約 110 Å, 長さ約 160 Å). 左: 20S プロテアソームの切断面. 内部の空孔と制御されたコアのゲートがみえる. ユビキチン標識されたタンパク質の分解は, β サブユニットでできた内部リング中央の空孔で進行する. (b) ポリユビキチン化されたタンパク質は, プロテアソームへ運ばれて分解される. ATP 依存的なユビキチン(Ub) 分子の付加を介して酵素 E1 は活性化される(段階❶). E1 に共有結合したユビキチンは, 酵素 E2 のシステイン残基に移される(段階❷). E2 に結合した Ub 分子は, ユビキチンリガーゼ E3 を介して標的タンパク質リシン側鎖の NH_2 に移され, ここでイソペプチド結合を形成する(段階❸). 段階❶〜❸の繰返しで, さらに Ub 分子が標的タンパク質に付加されて, ポリユビキチン化されたタンパク質が生じる(段階❹). ポリユビキチン化された標的タンパク質は 19S RP 中のユビキチン受容体で認識され(段階❺), その後, 19S RP の構造変化を伴う一連の協調的な段階が続く. つづいて共有結合していたユビキチンは脱ユビキチン化酵素で取除かれる(段階❻). ヘテロ六量体 AAA ATPase(赤)での ATP 加水分解(段階❼)に共役して標的タンパク質は解きほぐされ(中央の細い孔からポリペプチドを掴んで引っ張る), リング状 ATPase 中心に開いているコアゲートを通して 20S プロテアソーム内部の加水分解活性をもつ空孔に送り込まれる(段階❼a). ここで標的タンパク質は分解されてペプチド断片となり(段階❼b), 20S プロテアソームから放出される(段階❼c). (c) ユビキチンの空間充塡モデル. リシン(K)とアミノ末端(M1)を青で示し, そこにさらにユビキチンが共有結合で付加されてポリユビキチン鎖を形成している(ポリユビキチン鎖に関する追加の議論は本章の後半にある). [(a) は A. Aufderheide and F. Foerster 提供, P. Unverdorben et al., 2014, *Proc. Natl. Acad. Sci. USA* **111**(15): 5544, PDB ID 4cr2. (c) は R. Yau and M. Rape, 2016, *Nat. Cell Biol.* **18**: 579 による.]

ある直径 1.3 nm 程度のコアゲート開口部から空孔に入る必要がある. コアゲートは狭く, 多くの場合, 折りたたまれていないタンパク質のみが入ることができる. 26S プロテアソームでは, コアゲートの開口は 19S 制御粒子の ATPase によって制御されている. これらの ATPase は, タンパク質基質をほどき, その折りたたまれていないポリペプチドを触媒コアの内部空孔に移動させる役割を担っている(図 3・32b, 右下). 空孔に入ったポリペプチドは消化され, 短いペプチド(長さ 2〜24 残基)が生成される. この短いペプチドは空孔から出て, 細胞質ペプチダーゼによって急速に分解され, 最終的には個々の("遊離") アミノ酸に変換される. ある研究者は, プロテアソームを, タンパク質が千回も切り刻まれる"死の小部屋"であると表現している.

プロテアソーム阻害剤は，基礎研究にも疾病治療にも大変役立つ．MG132のような低分子量プロテアソーム阻害剤は，さまざまな細胞内過程におけるプロテアソームの役割を解明するのに使われている．また後述のように，ポリユビキチン化の研究にも用いられる．そのほかの低分子量プロテアソーム阻害剤も治療目的で使われる．プロテアソームを介したタンパク質分解は細胞内で広範かつ重要な役割を果たしているため，プロテアソームを継続して完全に阻害すると，細胞は死んでしまう．しかし，部分的かつ断続的にプロテアソームを阻害することは，がんの化学療法，特に抗体産生細胞の異常増殖に由来する多発性骨髄腫に対する治療法として有効である．骨髄腫細胞は，細胞毒性をもつ異常免疫グロブリンを大量に産生するが，これはふつうプロテアソームで分解される．骨髄腫細胞内でプロテアソームを阻害すると，こうしたまちがって折りたたまれ毒性を示す異常免疫グロブリンが分解されずに蓄積し，細胞は死んでしまう．さらに，骨髄腫細胞の生存と増殖には，**NF-κB** とよばれる調節タンパク質（16章）に加え，他の生存や増殖を促進するタンパク質が必要である．NF-κBは，その阻害剤である **I-κB** がプロテアソームで分解されたときのみ完全に機能して，骨髄腫細胞の生存と増殖を促す（16章）．小分子阻害剤でプロテアソーム活性を部分的に阻害すると，I-κBの量が増加し，結果的にNF-κBの活性が減少して，細胞はしだいにアポトーシスとよばれる機構で死んでいく（22章）．これらの理由で，正常細胞に比べて骨髄腫細胞は，プロテアソーム阻害剤（ボルテゾミブ，カルフィルゾミブ，イキサゾミブ）に対する感受性が高い．骨髄腫細胞のみを殺して，正常細胞は殺さない量のプロテアソーム阻害剤の投与は，多発性骨髄腫には有効な治療法であることがわかっている．

ユビキチンで目印をつけて，プロテアソームによる細胞質タンパク質分解を誘導する

プロテアソームが，欠陥のあるタンパク質や取除かれるよう予定されているタンパク質だけをすばやく分解するには，まず分解する必要のないタンパク質から分解すべきタンパク質を区別しなければならない．細胞内には，酵母からヒトまで保存されている**ユビキチン**（ubiquitin: Ub）という76残基からなるペプチドがある．このユビキチンがいくつかつながったポリユビキチンを分解すべきタンパク質に共有結合で付加するという方法で，この区別がなされる．つまり，このポリユビキチン鎖はプロテアソームによる分解の目印となる．ユビキチン化の過程（図3・32b, 段階**1**〜**3**）には，次のような三つの異なる反応が含まれる．

1. 1分子のユビキチンを共有結合で付加して，**ユビキチン活性化酵素**（ubiquitin-activating enzyme）E1 を活性化する．この過程にはATPが必要である．
2. このユビキチン分子を，**ユビキチン結合酵素**（ubiquitin-conjugating enzyme）E2 のシステイン残基に転移する．
3. E2に結合しているユビキチン分子のC端Gly76のカルボキシ基と標的タンパク質のリシン残基のアミノ基の間で共有結合を形成する．**ユビキチンリガーゼ**（ubiquitin ligase）E3 がこの反応を触媒する．この結合は，α-アミノ基ではなく側鎖のアミノ基とカルボキシ基との間で形成されるので，**イソペプチド結合**（isopeptide bond）とよばれる．その後のリガーゼ反応により，一連のユビキチン分子が共有結合し，標的タンパク質に共有結合したポリユビキチン鎖を生成する（段階**4**）．リガーゼは，各ユビキチン分子のC末端グリシンを，先に付加したユビキチンのLys48の側鎖にイソペプチド結合を介して共有結合で付加する（他のリシン残基を介したユビキチン化は後述する）．

4個かそれ以上のユビキチンでできたポリユビキチン鎖が標的タンパク質上に伸びると，26Sプロテアソームの19S制御粒子が（ときには他の補助タンパク質の助けを借りながら）Ub受容体（図3・32a）を介してこれを認識し，六量体ATPaseがATPを用いて標的タンパク質を解きほぐし，分解のために20Sプロテアソームに送り込む．こうして20Sプロテアソームに結合したポリユビキチン化標的タンパク質には**脱ユビキチン化酵素**（deubiquitinase: Dub）という酵素が働いて，個々のユビキチンどうしあるいはユビキチンと標的タンパク質をつなぐ結合を切断する．この反応で生じたユビキチンは，再びタンパク質のユビキチン化に用いられる（図3・32b）．ゲノム解析の結果，ヒトにはおよそ100種類のDubがあることがわかっており，そのうち約80%のものが，前に解説したセリンプロテアーゼに似た触媒機構を用いている．ただしDubの触媒三つ組では，システイン残基がセリン残基の代わりをしている．また，亜鉛が触媒反応に重要な役割を果たしている場合もある．

分解の特異性 特定のタンパク質のプロテアソームによる分解は，主としてE3リガーゼの基質特異性に依存している（図3・32b, 段階**3**）．E3リガーゼの基質特異性の重要性は，ヒトゲノム中に600以上ものE3リガーゼ遺伝子があって，ポリユビキチン化すべき多様なタンパク質を必要なときにすぐ修飾できるようになっていることからもわかる．E3リガーゼのなかには，折りたたまれていないタンパク質やまちがって折りたたまれたタンパク質を認識するシャペロンと会合しているものがある．たとえばE3リガーゼ CHIP は Hsp70 のコシャペロンである．CHIP 以外にもいろいろなタンパク質（コシャペロン，エスコート因子，アダプターなど）があって，シャペロンでうまく巻戻すことができない欠陥タンパク質をE3リガーゼ依存的にポリユビキチン化して，プロテアソームで分解する．このようにシャペロン-ユビキチン化-プロテアソーム系が協調して働き，タンパク質の品質管理を行う．プロテアソームを介した品質管理機構は，誤訳されたタンパク質，細胞内に正しく存在しないタンパク質，凝集したタンパク質，変異したタンパク質，化学的に変化したタンパク質，正しい四次構造に組立てられないタンパク質など，その他の有害なタンパク質を細胞が排除するのにも役立つ．タンパク質品質管理のほかにも，ユビキチン-プロテアソーム系は重要な細胞タンパク質活性の制御に使われる．その例として，細胞周期（19章）を制御する**サイクリン**（cyclin）というタンパク質の分解調節がある．

ユビキチンあるいはユビキチン類似分子の他の役割 ユビキチン以外にも，E1, E2, E3を介したユビキチン化に似た機構で受容体に転移されるユビキチン類似物質がある．こうしたユビキチン類似物質による修飾は多様な細胞内過程を制御している．たとえば，ユビキチン類似物質である SUMO は核内移行を制御し，Atg8/LC3 はオートファジーを制御する（14章）．本章でのちほど述べるように，標的タンパク質のユビキチン化はタンパク質分解

の目印以外の目的にも用いられる．こうした場合には，ユビキチンのLys48以外の残基を介してポリユビキチン化が進行する．

ユビキチン化と同様に，脱ユビキチン化はプロテアソームによる標的タンパク質分解以外の過程にもかかわっている．本章の最後で説明するような質量分析に基づいた大規模なプロテオミクスと精緻なコンピューター解析から，多量体タンパク質複合体の一部となっているDubは，細胞周期制御（19章）から膜輸送（14章），そしてシグナル伝達経路（15章，16章）と広い範囲の細胞内過程に関与していることがわかっている．

非共有結合性相互作用で，タンパク質の協同的アロステリック調節が可能となる

細胞内では，タンパク質量の調節だけでなく，タンパク質活性も調節されている．タンパク質活性を調節する最も重要な機構の一つは，アロステリック相互作用を介してなされるものである．広くいえば，**アロステリック効果**（allostery, ギリシャ語の"他の形"に由来する言葉）とは，非共有結合性のリガンド結合によってひき起こされるタンパク質の三次構造，四次構造，あるいはその両方の変化をいう．リガンドがタンパク質のある位置Aに結合して立体構造の変化をひき起こし，異なる位置Bの活性に変化を起こすとき，リガンドはそのタンパク質の**アロステリック因子**（allosteric effector），位置Aは**アロステリック結合部位**（allosteric-binding site），タンパク質は**アロステリックタンパク質**（allosteric protein）とよばれる．定義からいって，アロステリックタンパク質は複数の結合部位，つまりアロステリック因子に対して少なくとも一つの結合部位，そしてこのタンパク質に結合する他の分子に対しても少なくとも一つの結合部位をもつ．活性のアロステリック変化は正でも負でもありうる．すなわち，タンパク質活性は増加したり，減少したりする．負のアロステリック変化がよくみられるのは，多段階生化学反応経路の最終生成物がこの経路のはじめのほうにある律速段階の酵素に結合し，その活性を抑えるというものである．こうすれば，最終生成物が過剰に産生されることが防げる．このような代謝経路の制御は，**最終生成物阻害**（end-product inhibition）あるいは**フィードバック阻害**（feedback inhibition）とよばれる．アロステリック調節は，一つのサブユニットの立体構造の変化が隣接したサブユニットへ伝わるような多量体酵素などに特に顕著に見いだされる．

協同性（cooperativity）はアロステリック効果としばしば同義に用いられ，ある場所へのリガンドの結合が，異なる場所への同種リガンドの結合に（正か負の）影響を与えるときにいう．リガンドである酸素分子O_2が一つヘモグロビンに結合すると，次の酸素分子の結合の親和性が増すという現象は，正の協同的結合の古典的な例である．ヘモグロビンの四つのサブユニットのおのおのは一つずつヘム分子をもっている．ヘム基はヘモグロビンの酸素結合部位である．酸素が四つのヘモグロビンサブユニットの一つに結合すると，局所的立体構造変化がひき起こされ，その効果が他のサブユニットに広がって，次の酸素分子のヘム基結合のK_dが小さくなる（親和性が増す）．その結果，酸素結合曲線がシグモイド形になる（図3・33）．酸素飽和曲線がシグモイド形なので，酸素濃度が4倍増加しただけで，ヘモグロビンの酸素結合部位の飽和度は10%から90%に達する．逆に協同性がなく，飽和曲線がミカエリス-メンテン型結合の典型的なものであれば（図3・25），

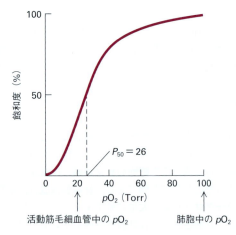

図3・33（実験） ヘモグロビンは酸素を協同的に結合する．四量体ヘモグロビン1分子には，四つの酸素結合部位が存在し，飽和状態ではすべての部位に酸素が結合する．酸素濃度はある分圧pO_2（単位はTorr. 1 Torrは1 mm水銀柱に等しい）をもつ酸素の存在下で測定する．P_{50}とは，あるヘモグロビン濃度において半分の酸素結合部位に酸素が結合したときのpO_2を表す．これは酵素反応におけるK_mに相当すると考えてよい．わずかなpO_2の変化で酸素結合量が大きく変化するため，筋肉などの末梢組織へ効率的に酸素を供給することができる．リガンド濃度に対する飽和曲線がS字形であることは，結合が協同的で，酸素分子が一つ結合するとその後の酸素分子結合に影響が出ることを意味している．酸素分子の結合が協同的でないと，結合曲線は図3・25のような双曲線になる．

同じだけの結合を達成するのに酸素濃度が81倍も増加しなくてはならない．この協同性のおかげで，ヘモグロビンは酸素濃度の高い肺で酸素を非常に効率よく取入れ，これを酸素濃度の低い組織で容易に放出できる．このように，協同性はリガンド濃度変化に対する系の感受性を増幅するので，多くの場合，進化において選択上の利点となる．

カルシウムとGTPは，タンパク質活性を調節するアロステリックスイッチである

ヘモグロビンに段階的なアロステリック変化をひき起こす酸素と違って，他のアロステリック因子はいろいろなタンパク質に非共有結合的に結合して，その活性をオンにしたりオフにしたりするスイッチとして働く．本書を通じて，特に細胞内シグナル伝達経路（15章，16章）で，何回も出てくる二つの重要なアロステリックスイッチがCa^{2+}とGTPである．

Ca^{2+}-カルモジュリンによるスイッチ機構 細胞質内の遊離（水以外の分子に結合していない）Ca^{2+}濃度は，細胞質から連続的にCa^{2+}をくみ出すのに特化した膜輸送タンパク質によって非常に低く抑えられている（約10^{-7}M）．しかし11章と15章で解説するように，細胞表面膜上にあるCa^{2+}チャネルが開き細胞外のCa^{2+}が細胞内に流入すると，細胞内Ca^{2+}濃度は10〜100倍に上昇する．こうした細胞内Ca^{2+}濃度の上昇は，特化したカルシウム結合タンパク質によって感知され，他のタンパク質の活性のオン/オフを介して細胞の挙動を変える．細胞外Ca^{2+}の細胞活性における重要性は，最初S. Ringerによって見いだされた．1883年，彼は取出したラットの心臓がCa^{2+}を豊富に含むロンドンの水道水（硬水）でつくった食塩水溶液中では収縮したが，蒸留水

3. タンパク質の構造と機能

(a) カルシウムを結合していないカルモジュリン

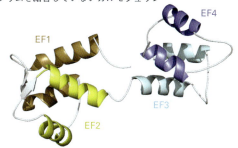

(b) 標的ペプチドに結合した Ca^{2+}-カルモジュリン

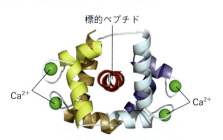

図 3・34　Ca^{2+} 結合でカルモジュリンは構造変化を起こす．カルモジュリンは細胞質に広く存在するタンパク質で，四つの Ca^{2+} 結合部位をもっている．各 Ca^{2+} 結合部位はそれぞれ 4 箇所の EF ハンド（ヘリックス–ループ–ヘリックス）モチーフの中にある（EF1〜EF4, 図 3・7）．細胞質の Ca^{2+} 濃度が 5×10^{-7} M 以上になると，カルモジュリンに Ca^{2+} が結合して，亜鈴形の構造(a)から疎水的な側鎖が溶媒に露出した構造(b)へと変化する．Ca^{2+}-カルモジュリンは，さまざまな標的タンパク質から突き出た α ヘリックスに巻きついて(b)，その活性を変化させる．〔(a) は H. Kuboniwa et al., 1995, *Nat. Struct. Biol.* **2**: 768, PDB ID 1cfd. (b) は W. E. Meador et al., 1992, *Science* **257**: 1251, PDB ID 1cdl.〕

（Ca^{2+} が除かれている）を用いたときには鼓動が弱く，すぐに止まってしまうことを発見した．小胞体の Ca^{2+} 透過性チャネルが開き，小胞体内に蓄積された Ca^{2+} が細胞質内に流れ出ると，細胞質内の Ca^{2+} 濃度が上昇することもある．

Ca^{2+} 結合タンパク質の多くは，EF ハンド/ヘリックス–ループ–ヘリックス構造モチーフを使って Ca^{2+} を結合する（図 3・7b）．**カルモジュリン**（calmodulin）は典型的な EF ハンドタンパク質で，単量体タンパク質として，あるいは多量体タンパク質のサブユニットとしてすべての真核細胞に存在している．カルモジュリンは四つの EF ハンドをもつ亜鈴形タンパク質で，各 EF ハンドでの Ca^{2+} の解離定数 K_d は約 10^{-6} M である．Ca^{2+} を結合するとカルモジュリンは構造変化を起こし，さまざまな標的タンパク質の保存された配列に結合する（図 3・34）．カルモジュリン結合によって，標的タンパク質は活性化されたり，失活したりする．このように，カルモジュリンやそれに類した EF ハンドタンパク質は**スイッチタンパク質**（switch protein）として機能し，Ca^{2+} 濃度の変化に対応して，他のタンパク質の活性調節を行う．

グアニンヌクレオチド結合タンパク質を介したスイッチ機構
細胞内で働くスイッチタンパク質のもう一つのグループが **GTPase スーパーファミリー**（GTPase superfamily）である．名前が示すように，これらのタンパク質は GTP を GDP に加水分解する酵素（GTPase）である．このファミリーに属するタンパク質には，単量体 Ras タンパク質（図 3・9）や三量体 G タンパク質の G_α サブユニットがある．両者については 15 章と 16 章で詳しく述べる．Ras も G_α も細胞膜に結合して細胞内シグナル伝達にかかわり，細胞増殖や細胞分化に重要な役割を果たしている．他の GTPase スーパーファミリータンパク質も，タンパク質合成，核-細胞質間のタンパク質輸送，被覆小胞形成，被覆小胞と標的となる膜の融合，小胞膜輸送，あるいはアクチン細胞骨格の再編成などにかかわっている．GTPase タンパク質のなかには，脂質鎖が共有結合でつながっているものがある（図 10・19 参照）．この脂質鎖は修飾された GTPase の膜結合を促す．細胞内シグナル伝達の調節などで種々の GTPase スイッチタンパク質が果たす役割については，あとの章で詳しく解説する．

すべての GTPase スイッチタンパク質は二つの構造をとる（図 3・35）．一つは GTP を結合した活性型（"オン" 状態）で，特定の標的タンパク質に結合してその活性を調節する．もう一つは GDP を結合した不活性型（"オフ" 状態）である．不活性型 GTPase に結合した GDP が GTP 分子と置き換わると，スイッチが入りタンパク質の構造が不活性型から活性型に変わる．スイッチタンパク質の GTPase 活性により，結合した GTP が GDP にゆっくりと加水分解されると，構造が活性型から不活性型となる．GTPase スイッチが活性型である時間は，結合した GTP が GDP に分解されるまでどのくらいかかるか，つまり GTP 加水分解の速度に依存する．このように，GTPase 活性が，このスイッチを制御するタイマーとして働く．

細胞内のどんな GTPase スイッチに対しても，その GTPase 活性を調節し，スイッチが入った状態にいる時間を制御する多様なタンパク質が存在する．たとえば GTPase 活性化タンパク質（GTPase-activating protein: GAP）は，GTPase の GTP 加水分解速度を上げて，これが活性化状態にいる時間を短くする．また細胞には，不活性型スイッチタンパク質に結合した GDP を GTP に置き換えることで（**GDP/GTP 交換反応** GDP/GTP exchange），不活性型 GTPase を活性型に変え，スイッチを入れる調節タンパク

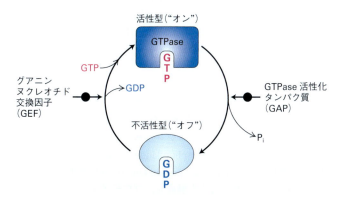

図 3・35　GTPase スイッチ．GTPase は，GTP を結合し加水分解して，GDP を産生する酵素である．GTP を結合すると，GTPase は活性型になり，スイッチが入った状態になる．GTPase がもつ酵素活性で GTP が加水分解され GDP になると，不活性型になり，スイッチが切れた状態になる．GEF（グアニンヌクレオチド交換因子）というタンパク質によって，GTPase に結合した GDP は溶媒中の GTP と置き換わる．その結果，GTPase はもとの活性型に戻り，スイッチが再び入る．GTPase 活性化タンパク質（GAP）は GTP 加水分解速度に影響を与える．活性型 GTPase は，非共有結合性相互作用を介して標的タンパク質に結合し，その活性を制御する．

質がある．こうしたタンパク質はグアニンヌクレオチド交換因子（guanine nucleotide exchange factor: **GEF**）とよばれる．また，脂質鎖で修飾された GTPase は，**グアニンヌクレオチド解離阻害因子**（guanine nucleotide dissociation inhibitor: **GDI**）による調節を受ける．GDI は GTPase に共有結合した脂質鎖に結合し，細胞膜と GTPase の相互作用に影響を与える．

GAP，GEF，GDI という GTPase 調節因子自身も調節を受けるので，GTPase やその調節因子を含んだ複雑な調節網が細胞内の多彩な活性の調節にかかわっていることになる．そこで，突然変異や病原体感染などによってこうした微妙な調節網が乱されると，種々の疾病が生じる．発生異常をきたすヌーナン症候群，網膜色素変性症，あるいは X 染色体連鎖性精神遅滞といった遺伝病が，そうした例である．病原体感染による調節網の撹乱で起こる疾病としては，食中毒，赤痢，レジオネラ症（肺の炎症を伴う激しい肺炎），ペストがあげられる．ペストは黒死病ともよばれ，1347 年から 1351 年にかけて大流行し，このため中国では人口の 50％が，ヨーロッパでは 33％が失われた．

リン酸化と脱リン酸化は共有結合を介してタンパク質機能を調節する

上記のような非共有結合性の調節因子だけでなく，細胞内ではタンパク質の活性調節に共有結合性修飾も用いられる．**翻訳後修飾**（post-translational modification: **PTM**）とよばれるこのような修飾の例としては，リン酸基の共有結合による付加（リン酸化），メチル基の付加（メチル化），一酸化窒素の付加（ニトロシル化），アセチル基の付加（アセチル化），糖鎖，脂肪酸アシル基などの炭化水素鎖（脂化），さらには小さなタンパク質〔たとえばユビキチンの付加（ユビキチン化）〕の付加などがあげられる．共有結合による修飾は，修飾タンパク質の表面特性（形状，電荷など），ひいては他の分子と結合する能力，立体構造，あるいはその両方を変えることによって，その活性を高めるまたは低下させることが可能である．標的タンパク質を共有結合で修飾する酵素はライター（writer，書き手），修飾されたタンパク質を認識するタンパク質はリーダー（reader，読み手）とよばれ，可逆的な共有結合修飾については，修飾を除去する酵素はイレーザー（eraser，消しゴム）とよばれてきた．

リン酸化と脱リン酸化がタンパク質の活性を共有結合で制御する

最もよく使われるこうしたタンパク質活性の調節機構の一つは，セリン，トレオニン，チロシン残基のヒドロキシ基にリン酸基を付加する**リン酸化**（phosphorylation）である．この反応は可逆的で，**プロテインキナーゼ**（protein kinase，単に**キナーゼ** kinase ともいう）がリン酸化反応を触媒し，**プロテインホスファターゼ**（protein phosphatase，単に**ホスファターゼ** phosphatase ともいう）が**脱リン酸化反応**（dephosphorylation）を触媒する．相反するキナーゼとホスファターゼの作用は，いろいろなタンパク質の機能をオンにしたり，オフにしたりするスイッチの役割を果たす（図 3・36）．プロテインキナーゼは，すべての真核細胞およびほぼすべての原核細胞に存在し，酵素分子のなかで最も大きなファミリーの一つを構成している．酵母の全タンパク質中ではほぼ 3％がプロテインキナーゼかホスファターゼである．このことは，酵母

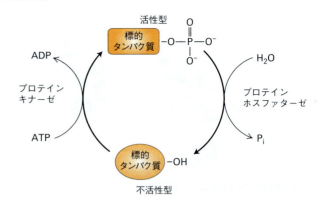

図 3・36　リン酸化と脱リン酸化によるタンパク質の活性調節．リン酸化反応と脱リン酸化反応は，細胞内でのタンパク質の活性調節によく使われる．この例では，標的タンパク質はリン酸化されれば活性をもち（上），脱リン酸化されれば不活性となる（下）．これと反対の場合もある．

のような簡単な細胞でも，リン酸化反応や脱リン酸化反応が重要な役割を果たしていることを意味している．またヒトゲノム解析から，ヒトにはおよそ 500 のキナーゼがあることがわかっており，ヒトキノームを構成している（図 3・12b）．ここでは簡単のために，真核生物のプロテインキナーゼに限定して議論することにする．

リン酸化や脱リン酸化は，細胞内のタンパク質の位置（たとえば細胞膜の内側表面への付着），その構造や固有の活性（たとえば酵素活性），代謝物，DNA，他のタンパク質などの他の分子と結合する能力，さらに共有結合修飾を受ける能力，安定性（分解速度）などに影響を与えることができる．さらに，SH2 ドメイン（図 16・9 参照）のようないくつかの保存されたタンパク質ドメインは，リン酸化されたペプチドに特異的に結合する（リーダー）．このように，リン酸化はタンパク質複合体の形成を媒介し，このあと多くの章で議論されるさまざまな細胞活動をひき起こしたり停止させたりすることができる．

構造タンパク質，足場タンパク質，酵素，膜チャネル，シグナル伝達分子などあらゆる種類のタンパク質がキナーゼ-ホスファターゼスイッチで制御されている．あとの章で解説するように，特異的なプロテインキナーゼやホスファターゼが特定の標的タンパク質に働き，特定の細胞内経路を調節する．このとき，プロテインキナーゼやホスファターゼは標的残基を含む特定の一次構造を認識することが多い．しかし，キナーゼのなかには複数のタンパク質を標的とするものがある．この場合には，1 個のキナーゼが多数の標的タンパク質の活性を同時に制御する．しばしば，キナーゼあるいはホスファターゼの標的タンパク質が他のキナーゼやホスファターゼであり，カスケード効果が生じることがある．このようなキナーゼカスケードには多数の例があり，シグナルの増幅や多段階での微調整を可能にしている（15 章，16 章）．

プロテインキナーゼ A の構造と機能は，多くのキナーゼに共通するものである

プロテインキナーゼがタンパク質の基質に転移するリン酸基は ATP によって供給され，この分子に含まれる三つのリン酸を α, β, γ（赤色）とよぶ．

γ-リン酸基はポリペプチド基質のセリン，トレオニン，チロシンのいずれかに転移される．具体的には，これら三つのアミノ酸の側鎖の一部であるヒドロキシ基がリン酸基で置換される．

反応生成物は，ADP，H^+，およびリン酸化タンパク質，すなわちリン酸エステルを含むタンパク質である（分子上の電荷は上付文字で示す）．この例では，アミノ酸配列がプロテインキナーゼA（PKA）の基質となっている．このプロテインキナーゼは，本書で何度も登場するものである．

すべてのプロテインキナーゼは，リン酸基転移反応を触媒する約250残基からなる酵素モジュールである**キナーゼドメイン**（kinase domain）を含んでいる．多くのプロテインキナーゼはさらに，基質となるタンパク質の選択，キナーゼの酵素活性の調節，他の細胞内タンパク質との複合体形成（足場），細胞内の特定部位への酵素の局在化などに関与するタンパク質ドメインや結合相手を含んでいる．

1991年，PKAの触媒キナーゼドメインのX線結晶構造がはじめて決定された．その二葉構造はインゲンマメに似ている（図3・37a）．ドメインのN末端を含むローブはNローブ，C末端を含むローブはCローブとよばれる．Cローブには**活性化ループ**（activation loop，**Aループ** A loopともいう）とよばれる領域があり，キナーゼの酵素活性の制御に関与しているが，これについては後述する．多くのプロテインキナーゼの触媒ドメインは類似した構造をもち，類似した機構で標的タンパク質のリン酸化を触媒している．ここでは，その代表的なキナーゼであり，最も研究が進んでいるキナーゼの一つであるPKAに焦点を当てる．

キナーゼ活性部位は二つのローブの間の裂け目とその周辺に位置している（図3・37a）．活性部位には二つの基質結合部位があり，裂け目内にATP分子（および結合している二つのMg^{2+}），裂け目の縁近くにポリペプチド基質を結合して適切に配置する．この結合により，リン酸化を受けるセリン，トレオニン，チロシン側鎖のヒドロキシ基が，ATPとキナーゼの主要触媒残基に対して適切に配置される（図3・37b）．基質がない場合，活性部位の裂け目は"開いた"状態である（図3・37a）．基質が結合すると，ATPのγ-リン酸がポリペプチド基質上のリン酸化されるアミノ酸のヒドロキシ基に接近し，おもにNローブの構造変化を誘導して"閉じた"構造にし，裂け目を狭め（図3・37b）触媒作用を最適化する配置を確立する．活性部位はまた，ATPからポリペプチド基質へのγ-リン酸基の転移を促進する触媒部位を含んでいる．

この活性部位に結合してリン酸化されるのは，基質となるモチーフをもつごく一部のタンパク質のみであり，そうでないタンパク質が活性部位に結合してリン酸化されることはない．異なるプロテインキナーゼ酵素は，その基質特異性において異なっている．キナーゼ酵素の基質特異性は，リン酸化されるアミノ酸残基のすぐ近くのアミノ酸配列に依存することが多いが，基質タンパク質中の他の領域にも影響されることがある．たとえば，PKAは通常，セリンあるいはトレオニン残基が配列モチーフRRXSΦまたはRRXTΦ内にある場合にのみ基質タンパク質をリン酸化する．ここでXは任意のアミノ酸，Φは疎水性アミノ酸を示し（たとえば図3・37c），リン酸化される残基は太字で示した．

PKAのキナーゼドメインの活性部位に注目すると，この基質特異性の分子的基盤を説明できる（図3・37c）．基質結合部位にある3個の負に荷電した酸性側鎖は，基質モチーフにある2本の正に荷電したArg（R）側鎖と直接結合し，PKAの疎水性ポケットは，セリンまたはトレオニン残基のすぐC末端側にある疎水性アミノ酸側鎖を認識する．その結果，この配列モチーフをもつタンパク質のみがPKAと結合し，リン酸化される．他のキナーゼの基質特異性も同様に，基質結合部位（基質表面の電荷分布や結合ポケットの位置など，図3・37d）と基質ポリペプチドの分子相補性によって決まる．基質特異性はまた，キナーゼと基質ポリペプチドの両者の他の領域によっても影響を受けることがある．

キナーゼには基質結合部位の他に，基質結合と触媒作用に決定的に重要な**Gループ**（G loop）とAループとよばれる2本のアミノ酸が存在する．ATP-$2Mg^{2+}$またはタンパク質が結合すると，もう一方の基質の結合が促進される（協同結合の例）とともに，酵素の構造変化が誘導される（誘導結合の例）．ATPとポリペプチド基質が活性部位に適切に配置されると（図3・37b），触媒部位はATPのγ-リン酸をタンパク質基質の受容体アミノ酸のヒドロキシ基に，触媒されないリン酸化反応に比べて10^9倍から10^{11}倍の速度で迅速に転移する（本項のプロテインキナーゼの反応を参照）．触媒機構は，一つのMg^{2+}が結合したリン酸化タンパク質生成物の放出と，いくつかのキナーゼでは反応経路のなかで最も遅い段階である一つのMg^{2+}が結合したADPの放出で完成する．多段階の酵素触媒反応において最も遅い段階は，通常，反応速度に最も大きな影響を与えるため，**律速段階**（rate-limiting step）とよばれる．

プロテインキナーゼの活性は，しばしばキナーゼのリン酸化によって制御される

もしタンパク質基質の活性がプロテインキナーゼによるリン酸化によって影響を受けるのであれば，プロテインキナーゼ自身を制御する機構があるはずで，実際にそのような機構が存在する．ここでは，多くのプロテインキナーゼが不活性状態から活性状態に切替わる際に採用する一般的な機構の一つを考えてみよう．この機構は，キナーゼのAループにある特定の残基にリン酸が共有

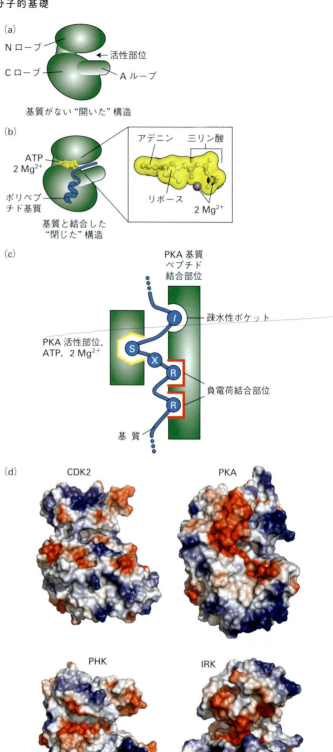

図 3・37 プロテインキナーゼのキナーゼドメイン：構造と基質結合． キナーゼドメインは二つの球状ローブ（N ローブと C ローブ）から構成される．活性部位は二つの葉の間の裂け目にあり，C ローブの A ループは活性部位に寄与し，外側に突き出ている〔(a), (b)〕．(a) 触媒活性時，基質がない場合，キナーゼドメインの活性型は基質との結合を容易にする"開いた"構造にある．(b) 基質（ATP, 2 Mg^{2+}, ポリペプチド基質）と結合した酵素基質複合体では，活性部位は"閉じた"構造に狭まり，ポリペプチド基質のリン酸化を促進する．枠内は ES 複合体中の ATP と二つの Mg^{2+} を拡大したものである．二価の金属イオンは，ATP のリン酸塩の負電荷を中和するのに役立つ．(c) ほとんどのプロテインキナーゼは，リン酸化されるヒドロキシ基含有残基の両側にある特定の残基配列（配列モチーフ）に結合することによって，基質特異性を示す．PKA の基質結合部位（右）の結合ポケットは，R-R-X-Ser/Thr-疎水性配列（たとえばイソロイシン，I で示す）に対する特異性を確立している．基質中の Arg または Lys の側鎖を認識する負電荷結合部位（長方形）と基質中の疎水性側鎖を認識する疎水性ポケット（円形）が図示されている．(d) CDK2, PKA, ホスホリラーゼキナーゼ（PHK），インスリン受容体キナーゼ（IRK）の 4 種類のタンパク質のキナーゼドメインの表面表示．それぞれ特徴的で詳細な構造をもち，表面電荷の分布が明瞭である（正電荷は青，負電荷は赤）．[(b) は PDB ID 1ATP．(c), (d) は J. A. Ubersax and J. E. Ferrell, 2007, *Nat. Rev. Mol. Cell Biol.* **8**: 530, Figures 3, 1 による．]

結合で付加されるものである．したがって，多くのキナーゼは，活性化して自身の基質をリン酸化する前に，別のキナーゼによってリン酸化される必要があり，一種の酵素的カスケードとなっている．キナーゼがリン酸化されると，その立体構造が変化し，基質結合残基と触媒残基が適切な方向に開いて，基質の結合とそれに続くリン酸の転移が効率的に行われるようになる．上記の G ループと A ループは，多くのキナーゼで保存されている配列であり，キナーゼの酵素活性を制御するうえで特に重要な役割を担っている．

G ループの保存配列は G-X-G-X-X-G-X-V で，X は任意の残基である（G ループの G は保存されたグリシン残基を意味する）．この配列の残基は，ATP の β- および γ-リン酸と相互作用して，ATP 結合と触媒反応を行う．A ループは基質との結合を制御し，触媒作用に直接影響を与える．リン酸化されると，A ループ残基の一つが活性化（activation）の引金となるため，A ループとよばれる．基質が生産的に結合し，リン酸の転移が効率的に触媒されるためには，両方のループの残基がタンパク質中で適切に配向している必要がある．図 3・38 は，A ループの Thr197 がリン酸化されていない PKA（左）では，A ループ（赤の太線）も G ループ（橙の太線）も正しい立体構造になく，その結果，キナーゼは不活性であることを示している．Thr197 をリン酸化すると（黄色の丸，中央），酵素の立体構造が変化し，基質が生産的に結合できる活性のある開いた構造になる（図 3・38a 右および図 3・38b）．多くの異なるプロテインキナーゼの活性構造における A ループの立体構造は似ているが，不活性構造における A ループの立体構造はかなり異なる．このあとの章では，細胞がどのようにしてプロテインキナーゼを活性化したり不活性化したりして重要な細胞機能を制御しているのか，多くの例をみていくことになる．また，A ループのリン酸化や G ループの構造変化に加えて，プロテインキナーゼに結合してその活性に影響を与えるさまざまな足場タンパク質や阻害タンパク質が存在することも紹介する．

ユビキチン化と脱ユビキチン化は共有結合を介してタンパク質機能を調節する

ポリユビキチン化は，プロテアソームによる分解を受けるタンパク質のタグ付けに用いられることはすでに述べたとおりであ

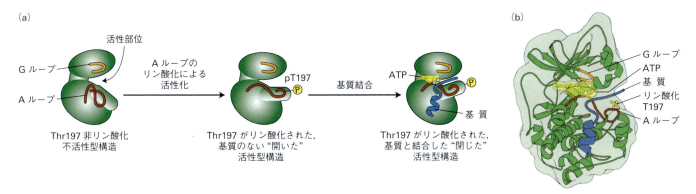

図 3・38 PKA の G ループ，触媒ループ，A ループは，A ループのリン酸化による活性化後，基質結合と触媒反応を媒介する．(a) PKA のプロテインキナーゼドメインは，A ループの Thr197（赤の太線）がリン酸化（Ⓟ）されることにより，不活性型（左）から活性型の"開いた"構造（中央）へと変化する．リン酸化により，A ループと G ループ（橙の太線）の両方が構造変化する．その後，基質（ATP：黄，$2 Mg^{2+}$：紫，ペプチド基質：青）が結合すると，基質のリン酸化が触媒される活性型の閉じた構造（右）が形成される．(b) リン酸化された PKA が，ATP（黄）とポリペプチド基質（青）を結合した活性型の閉じた立体構造をとっているときの状態を，表面表示とリボンモデル（緑）で表現している．リン酸化チロシン（T197）を黄で示す．［E. A. Madhusudan et al., 2002, *Nat. Struct. Biol.* **9**: 273; S. S. Taylor and A. P. Kornev, 2011, *Trends Biochem. Sci.* **36**: 65; J. M. Steichen et al., 2010, *J. Biol. Chem.* **285**: 3825 による．］

る．ユビキチンおよびユビキチン様タンパク質（ヒトには 10 種類以上存在する）の標的タンパク質への共有結合は，リン酸化に類似した方法で標的タンパク質の活性を制御するために使用することもできる．さらに，脱ユビキチン化酵素（Dub）は，ホスファターゼの作用に類似した方法でユビキチンを除去することができる．**ユビキチン化**（ubiquitinylation）には，標的タンパク質の一つの部位に 1 個のユビキチンが付加される**モノユビキチン化**（monoubiquitinylation），標的タンパク質の複数の部位にそれぞれ 1 個のユビキチンが付加される**多ユビキチン化**（multiubiquitinylation），そして標的タンパク質の一つの部位にユビキチン重合体が付加される，プロテアソームにより分解されるタンパク質の標識として用いられる**ポリユビキチン化**（polyubiquitinylation）がある．さらにポリユビキチン鎖ができるときに，ユビキチン鎖のいろいろなアミノ基に別のユビキチン鎖の Gly76 カルボキシ基が共有結合してイソペプチド結合ができるので，何種類もの産物が生じることになる．実際，ユビキチン鎖中のすべてのリシン残基（Lys6，Lys11，Lys27，Lys29，Lys33，Lys48，Lys63）および N 末端（図 3・32c）のアミノ基がこの鎖間イソペプチド結合形成にかかわる．これらの結合はさまざまなユビキチンリガーゼによって触媒され，それぞれがユビキチン化される標的とイソペプチド結合に関与するリシン側鎖（Lys63 や Lys48 など）の両方に特異的である（図 3・39a）．どのユビキチン分子も複数のリシンをもち，そこにさらにユビキチンが結合できるため（図 3・32c），ポリユビキチン鎖は直鎖（図 3・39a）だけでなく分岐（図 3・39b）したものもある．

このような多彩なユビキチン化によってタンパク質表面にさまざまな認識部位が生じ，ここに 10 種類以上の特異なユビキチン結合ドメイン（UBD）をもつ数百ものタンパク質（ヒトでは 200 以上）が結合する．さらに，UBD をもつ複数のタンパク質が同時に同じポリユビキチン鎖に結合して，ユビキチン依存的にタンパク質複合体が形成されることがある．また，標的タンパク質から脱ユビキチン化酵素で切出された遊離ポリユビキチン鎖が調節因子として働くこともある．

ここで述べたような多様なユビキチン化をみると，ユビキチン化と脱ユビキチン化がさまざまな細胞内過程を制御していることもうなずける．

このような機能としては，エンドサイトーシスによる分子の細胞内取込み（14 章），損傷した DNA の修復，代謝，mRNA 合成，病原体に対する防御，細胞分裂と細胞周期進行，細胞シグナル伝達経路，細胞内のタンパク質の輸送，アポトーシスが含まれる．ユビキチン間イソペプチド結合を形成するために用いられるリシンは，制御される細胞内反応系によって異なる（図 3・39）．たとえば，Lys48 を介したポリユビキチン化はタンパク質をプロテアソーム分解の標的とするために用いられることをすでにみてきたが，他の Lys 残基（たとえば Lys11 と Lys33，ただし Lys63 ではない）を介したポリユビキチン化もタンパク質をプロテアソームの標的にできることが証明されつつある．Lys63 結合によるポリユビキチン化は，細胞内のウイルスや細菌の存在を認識して防御免疫反応を誘導する系や，これらの病原体をリソソームへ誘導して分解する系など，多くの細胞識別やシグナル伝達系で利用されている．Lys11 結合ポリユビキチン鎖は，細胞分裂を制御している．Lys33 結合の鎖は，**T リンパ球**（T lymphocyte）とよばれる特殊な白血球上の受容体の活性を抑制し（24 章），リンパ球の活性と機能を制御するのに役立っている．さらに，標的タンパク質に結合したユビキチン分子の翻訳後修飾（リン酸化，アセチル化など）を追加することで，標的タンパク質の活性を操作する能力をさらに高めることができる．

分解によって不可逆的に活性化されたり不活性化されたりするタンパク質がある

可逆的なリン酸化やユビキチン化と違って，タンパク質分解はタンパク質機能を不可逆的に活性化あるいは不活性化する．たとえば，インスリンのような多くのペプチドホルモンは，長い前駆体としてまず合成され，細胞から分泌される前にペプチド結合の加水分解を受ける．その結果，適切な折りたたみが進行する．ある場合には，1 本の長い**プロホルモン**（prohormone）のポリペプチド鎖が分解されて，いくつかの異なる活性をもつホルモンが生じる．膵臓のセリンプロテアーゼは不活性な前駆体である**チモー**

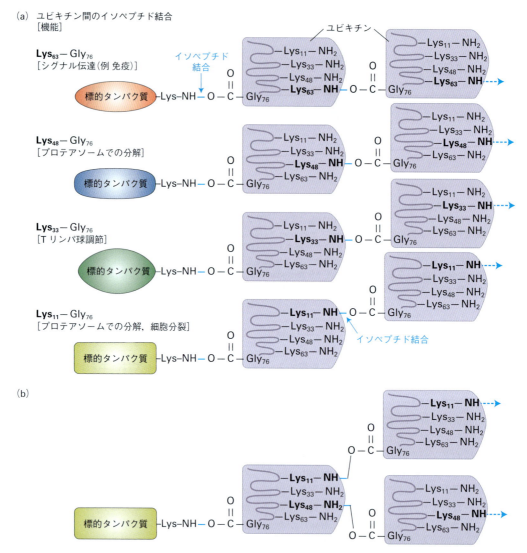

図 3・39 ユビキチン間イソペプチド結合にどのリシン残基が使われるかで，標的タンパク質ポリユビキチン化の生理的作用が決まる．(a) 異なるユビキチンリガーゼが，別々の標的タンパク質（別々に色づけされている）のポリユビキチン化反応を触媒する．それぞれのリガーゼは，すでに付加されているユビキチン（左側紫）の特定の Lys 側鎖（Lys63, Lys48, Lys33, Lys11）と新たに付加されるユビキチン（右側紫）の Gly76 との間にイソペプチド結合（青線）をつくり出す．右端の青点線矢印は，同じ反応で次々と新たなユビキチンが付加されることを意味している．イソペプチド結合形成に用いられるリシン残基の位置によって，ポリユビキチン化の細胞内での作用の仕方が決まる．たとえば，Lys48-Gly76 間のイソペプチド結合は，標的タンパク質をプロテアソームでの分解へと導く．Lys63, Lys33, Lys11 でのイソペプチド結合形成は，シグナル伝達，T リンパ球調節，そして細胞分裂に影響を与える．ユビキチンのその他のアミノ基（Lys6, Lys27, Lys29, および N 末端アミノ基）も，イソペプチド形成を介してポリユビキチン形成に用いられる．(b) 分岐したポリユビキチン鎖は，一つのユビキチン上の二つの異なるアミノ基（この場合は Lys48 と Lys11）に二つのユビキチン分子が共有結合することにより生成することができる．

ゲン（zymogen）として合成され，小腸に到着してはじめてタンパク質分解活性をもつ．トリプシノーゲン（トリプシンのチモーゲン）の N 末端付近のペプチド結合が小腸の非常に特異的なプロテアーゼで切断されると，新しい N 末端残基（Ile16）のアミノ基がポリペプチド鎖内のアスパラギン酸のカルボキシ基とイオン結合を形成する．これが立体構造変化をひき起こし，基質結合部位が開いて活性型トリプシンが生じる．こうしてできた活性型トリプシンがさらにトリプシノーゲン，キモトリプシノーゲンや他のチモーゲンを活性化する．同様に，最初のシグナルを増幅するプロテアーゼカスケード（一つのプロテアーゼがほかの不活性型前駆体を活性化する）が，血液凝固カスケードや補体系（24 章）などいくつかの系で重要な役割を果たしている．このような系を注意深く調節することの重要性は明らかで，たとえば不適切な血液凝固は循環系で致死的な血栓を生じうるし，不十分な血液凝固は止めることができない出血をひき起こす．

細菌類やある種の真核生物では，**タンパク質の自己スプライシング**（protein self-splicing）とよばれる特殊なタンパク質分解が起こる．この過程はフィルムを編集するのに似ていて，ポリペプチド鎖の途中の断片が除かれ，両端が再結合する．ほかのタンパク質分解と違い，タンパク質の自己スプライシングは自己触媒過程で，酵素の関与なしに進行する．ある種の RNA 分子のプロセシング（9 章）に用いられるのと同様の機構で，タンパク質からペプチド断片が取除かれる．脊椎動物の細胞でも，ある種のタンパク質で自己切断が起こるが，それに続く再結合は起こらない．こ

のようなタンパク質の一つにヘッジホッグという，多くの発生過程にかかわる膜結合性のシグナル伝達分子がある（16章）．

タンパク質局在の制御で高次元の調節が行われる

これまで述べてきたすべての調節機構は，局所的にその作用箇所でタンパク質活性をオンやオフにするものである．しかし，細胞が正常に機能するためには，タンパク質をミトコンドリア，核，リソソームといった細胞内の区画に閉じ込めることが必要になる．酵素の場合には，区画化により，この区画に入る基質やここから出ていく生成物を制御することを可能にしているだけでなく，互いに拮抗する反応を細胞内の違う場所で同時に行うことも可能にしている．いろいろなタンパク質を別々の区画に振り分ける機構については，13章と14章で解説する．本節ではタンパク質の基本的な性質について説明したが，次節では細胞生物学者がタンパク質を研究するために用いる方法について説明する．

3・4 タンパク質機能の調節　まとめ
- タンパク質合成とタンパク質分解を介して細胞内タンパク質量が調節され，さらに，非共有結合性あるいは共有結合性相互作用を介してタンパク質活性が調節される．
- 細胞内タンパク質の寿命は，タンパク質分解酵素に対する感受性によって決まる．
- 多くのタンパク質はユビキチンリガーゼで共有結合したポリユビキチンで標識され，分解に向けて目印がつけられる．この分解を担う大きな円筒状タンパク質複合体プロテアソームの内部には，複数のタンパク質分解部位が存在する（図3・32）．
- 脱ユビキチン化酵素があるので，タンパク質のユビキチン化は可逆過程である．
- アロステリック効果では，アロステリック因子とよばれるリガンドが非共有結合性相互作用で結合することでタンパク質に構造変化が生じ，その結果，他のリガンドに対する活性や親和性が変化する．アロステリック因子は，影響を受けるリガンドと構造が同じ場合も，違う場合もある．アロステリック因子は，活性化因子だったり，阻害因子だったりする．
- ヘモグロビンのように，同一のリガンド（ヘモグロビンでは酸素分子）が複数結合する多量体タンパク質では，リガンドが一つ結合すると，つづいて起こるリガンド結合の親和性が増大したり，減少したりする．こうしたアロステリック効果は協同性とよばれる（図3・33）．
- アロステリック機構にはスイッチのように働くものがあり，タンパク質活性を可逆的にオンにしたりオフにしたりする．
- イオンや分子が標的タンパク質に非共有結合および共有結合することで，その標的タンパク質の活性を制御することができる．
- 細胞内では，2種類のスイッチタンパク質がさまざまな細胞内過程を制御している．1) Ca^{2+} 結合タンパク質（たとえばカルモジュリン）と，2) 活性型のGTP結合状態と不活性型のGDP結合状態を交互にとるGTPaseスーパーファミリータンパク質（たとえばRas）である（図3・35）．GTPaseタンパク質の活性型と不活性型サイクルを調節するタンパク質群（GAP, GEF, GDI）とGTPaseとは複雑な相互作用ネットワークを形成している．
- プロテインキナーゼとホスファターゼによるセリン，トレオニン，チロシン側鎖のヒドロキシ基リン酸化と脱リン酸化によって，多くのタンパク質の可逆的オン/オフ制御が行われる（図3・36）．
- ほとんどのプロテインキナーゼは，二つのローブの間にある触媒ドメインと共通の触媒機構を用いて，基質タンパク質をリン酸化する．
- ユビキチン化は，プロテアソームを介した分解以外にも，タンパク質の局在や活性の変化など，さまざまな細胞機能の制御に利用されている（図3・39）．制御される系に応じて多様なユビキチン化（モノユビキチン化，多ユビキチン化，そしてユビキチン単量体どうしの種々の結合を介したポリユビキチン化）が使われる．
- 多くの共有結合性，および非共有結合性の調節は可逆的だが，タンパク質分解のように不可逆なものもある．
- 高次元の調節には，タンパク質の細胞内局在化や区画化がある．

3・5　タンパク質の精製，検出，解析

タンパク質の構造やその作用機構を研究するには，まずそのタンパク質を精製しなければならない．しかし，タンパク質の大きさ，形，集合状態，電荷，そして水溶性の程度はさまざまで，どのタンパク質の精製にも使える一般的な方法があるわけではない．細胞中には1万種類ものタンパク質があるので，そこから特定のタンパク質を単離するのは大変な作業である．このためには，タンパク質を分離する方法と特定のタンパク質の存在を確認する方法が必要になる．

タンパク質であれ糖質であれ核酸であれ，どんな分子でもその物理的あるいは化学的な性質の違いで分離できる．二つの分子（たとえばタンパク質）で違う性質が多ければ多いほど，またその差が大きければ大きいほど，分離効率はよくなる．実際には，生体試料内で量が多いものほど，その単離は容易になる．タンパク質精製に最も役立つのは，長さや質量で決まる大きさや，正味の電荷，そして特定のリガンドに対する結合の強さである．本節では，タンパク質を分離する方法をいくつか概説する．こうした方法は核酸や他の生体分子の分離にも用いることができる（生体膜から膜タンパク質を単離する特別な方法は，10章でこうしたタンパク質の特異的な性質を学んだのちに解説する）．次に，放射性物質を用いて生物活性を追跡する方法について解説する．最後に，タンパク質の質量やアミノ酸配列，あるいはその三次元構造を決める方法について述べる．

質量や密度の違う粒子や分子は遠心法で分離できる

典型的なタンパク質精製法では，その第一段階は遠心である．質量あるいは密度が違う2種類の粒子（細胞や細胞小器官，あるいは分子）を遠心管内に分散しておくと，それぞれの粒子に固有

の速度で底に向かって沈んでいくというのが遠心法の原理である．ここで質量というのは試料の重さ（ドルトン単位か分子量単位で表す），密度というのは重さの体積に対する比である（密度は測定法ゆえに g/L で表示することが多い）．タンパク質の質量はものによってさまざまだが，密度にはあまり違いがない．脂質や糖質が結合していないタンパク質の密度は，タンパク質の平均密度 1.37 g/cm^3 から15%以上ずれることはない．重い分子（密度の高い分子）の沈降速度は軽い分子（密度の低い分子）より速い．

遠心機は重力 g の100万倍にもなる遠心力を分散した粒子に加えて沈降を速める装置である．こうした強い遠心場では，10 kDa という小さなタンパク質も沈殿する．このような遠心力は1分間に15万回転（rpm）以上の回転数をもつ超遠心機で実現できるが，この速度でも5 kDa より小さな粒子は一様に沈殿させることができない．

遠心法は，1) 種々の実験に使う物質を調整する目的で，これを他の物質から分離するための精製法として用いられる場合と，2) 巨大分子の物理的性質（たとえば分子量，密度，形，結合反応の平衡定数）を測る分析法として用いられる場合がある．タンパク質の**沈降定数**（sedimentation constant，沈降係数 sedimentation coefficient ともいう）s は，遠心場での沈降速度を表す．沈降定数の単位はスベドベリ（Svedberg, S）である．スベドベリ単位で表すと，典型的なタンパク質複合体の沈降定数は3～5S，プロテアソームは26S，真核細胞のリボソームの沈降定数は80S である．

分画遠心法　細胞や組織からタンパク質を精製する場合は，水溶性の物質と不溶性の物質を**分画遠心**（differential centrifugation，分別遠心）することからはじめる．出発物はふつう細胞破砕物（細胞を外力で破砕したもの）である．これを遠心管に入れ，核のような細胞小器官や未破砕細胞，あるいは大きな細胞断片が底に沈殿するような回転速度と回転時間で遠心する．このとき水溶性タンパク質は沈殿の上にある液体，**上清**（supernatant）に残る（図3・40a）．上清画分あるいは沈殿画分を集め，ここに含まれている多種類のタンパク質を他の方法で精製する．

ゾーン沈降速度法　遠心管の底にいくに従って密度が高くなっていく**密度勾配**（density gradient）中で遠心すると，水溶性タンパク質を質量の違いで分離できる．密度勾配を形成するには高濃度のスクロースを用いるのがふつうである．遠心管の中につくったスクロースの密度勾配（遠心管上部の密度は低く，下部の密度は高くなっている，図3・40b）の上層にタンパク質混合液をのせ遠心すると，タンパク質は遠心管中をそれぞれに固有の速度で沈降していく．この沈降速度は，沈降定数に影響を与えるタンパク質の物理的性質で決まっている．すべてのタンパク質は遠心管上層の薄い層から沈降をはじめ，最終的には種々のタンパク質

図3・40（実験）　遠心分離法で質量，密度の異なる粒子を分離する．(a) 分画遠心法では，まず細胞破砕液などの粒子混合物を遠心管に注ぎ（段階1），これを遠心する（段階2）．大きな粒子（細胞小器官，細胞など）が遠心管の底に沈殿物としてたまる．小さな粒子（水溶性タンパク質，核酸など）は上清に残るので，別の管に移す（段階3）．(b) ゾーン沈降速度法では，密度や形は似ているが質量が違う分子（たとえば球状タンパク質やRNA分子など）の混合物を遠心で分離する．まずスクロース溶液などで形成された密度勾配の上部に混合物をそっと重ねてから（段階1），遠心を開始する．混合物の各成分が密度勾配に沿ってゾーン状に分離されるまで，十分に時間をかけて遠心を行う（段階2）．遠心管の底からゾーン状に分離された遠心画分を抽出し，分析する（段階3）．

がそれぞれ別の層（実際には円盤状）となり分離される．この**密度勾配ゾーン沈降速度法**（rate-zonal density-gradient centrifugation）という精製法では，目的の分子がゾーンとよばれる異なる領域に分離されるまで遠心を続ける（図3・40b）．遠心時間が短すぎると分子の分離は不十分だし，長すぎるとすべての分子は遠心管の底に沈殿してしまって分離ができない．

沈降速度は粒子の質量に大きく影響されるが，形の影響もあるので正確な分子量を求めるのにゾーン沈降速度法は使えない．特にタンパク質や一本鎖核酸のようにいろいろな形をとる分子では，形がどのように沈降定数に影響を与えるかを正確に評価するのはむずかしい．しかし，さまざまな種類のポリマーや粒子の分離には，ゾーン沈降速度法は有用である．もう一つの密度勾配技術である**密度勾配沈降平衡法**（equilibrium density-gradient centrifugation）では，遠心管にできた密度勾配中の対応する位置に巨大分子や粒子が平衡分布するまで長時間遠心を行う．この方法は，DNA，血液中での脂質輸送にかかわるリポタンパク質，あるいは細胞小器官の分離に用いられることが多い（図4・37参照）．

電気泳動では電荷−質量比で分子を分離する

電気泳動（electrophoresis）は電場をかけて混合液中の分子を分離する方法で，タンパク質や核酸の研究で最もよく使われる．分子の泳動速度は，その電荷−質量比と泳動媒質の物理的性質で決まる．たとえば，同じ質量と同じ形の分子では，正味の電荷の多いものほど，これと反対の電荷をもった電極に向かって速く移動する．

SDS-ポリアクリルアミドゲル電気泳動法　大きさや形が異なるタンパク質や核酸でも電荷−質量比は変わらないことが多いので，こうした巨大分子を溶液中で電気泳動しても長さの違いで分離することはむずかしい．しかし，溶液中ではなくゲル（デザートに使われるゼラチンのような半固体）中だとタンパク質や核酸の分離がうまくいく．ゲルは2枚のガラス板に挟んで，薄い板状にして用いる．タンパク質混合物をゲルにのせ電流を流すと，小さなタンパク質は大きなものより速くゲル中を移動する．これはゲルがふるいのような働きをして，小さな分子が大きなものよりすばやくゲルの穴を通り抜けるからである．分子の形も移動速度に影響を与える（同じ質量でも，細長いものは球状のものよりゆっくりゲル中を移動する）．

タンパク質を電気泳動で分離するには，アクリルアミド単量体を架橋重合させて半固体状態にしたポリアクリルアミドゲルを使うことが多い．ゲルにできる穴の大きさは，アクリルアミド単量体と架橋剤の濃度で調節できる．タンパク質のゲル中での移動速度は，ゲルの穴の大きさと電場の強さで決まる．このパラメーターを調節すればさまざまな大きさのタンパク質の分離が可能である．この方法を**ポリアクリルアミドゲル電気泳動法**（polyacrylamide gel electrophoresis: **PAGE**）という．

タンパク質混合物の分離法として最も有用なのが，ゲル電気泳動前と泳動中にタンパク質をSDS（ドデシル硫酸ナトリウム）というイオン性界面活性剤にさらすというものである（図3・41）．SDSはタンパク質の疎水性側鎖に結合し，タンパク質構造の安定化に大きくかかわっている内部の疎水性相互作用を不安定化する．なお，タンパク質をSDS処理するときには，SDSとともに

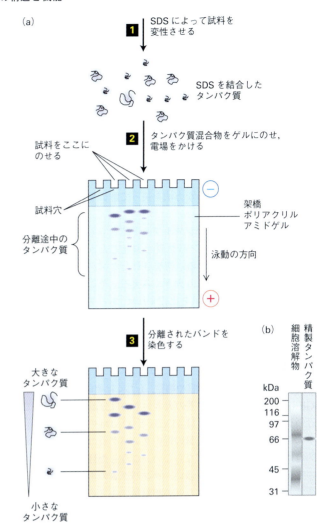

図 3・41（実験）　SDS-ポリアクリルアミドゲル電気泳動法（SDS-PAGE）では，タンパク質を質量で分離する．（a）負電荷をもつ界面活性剤であるSDSで処理すると，多量体タンパク質は解離し，すべてのポリペプチド鎖が変性する（段階❶）．電気泳動により，SDS-タンパク質複合体はポリアクリルアミドゲル中を移動する（段階❷）．小さなタンパク質は，大きなものよりゲルの穴を簡単に通り抜け，より速く移動できる．こうして，ゲル中を移動する間にタンパク質は大きさでバンド状に分離される．分離されたタンパク質は色素染色で可視化する（段階❸）．（b）細胞破砕物（界面活性剤で可溶化した細胞）のSDS-PAGEゲルの例．左：細胞内タンパク質はゲルで分離されているが，きわめて多数のバンドが互いに重なり合っているため，ほとんど連続的にゲルが染まってみえる．右：全細胞破砕物から抗体アフィニティーカラムを用いて1段階で精製したタンパク質のSDS-PAGEゲル．タンパク質は銀染色してある．［(b)はB. Liu and M. Krieger, 2002, *J. Biol. Chem.* **277**: 34125による．］

ジスルフィド結合を切断するために還元剤を入れて加熱することが多い．こうしたSDS処理で多量体タンパク質はサブユニットに解離し，アミノ酸配列にかかわらずポリペプチド鎖の長さに比例した量のSDSがそれぞれに結合する．同じような長さのポリペプチド鎖には同じ量のSDSが結合し，長さが2倍になれば2倍の量のSDSが結合する．タンパク質の混合物をSDS存在下で熱を加えながら変性させると，負に荷電したSDSが電荷を決める要因になり，すべてのポリペプチド鎖は似たような電荷−質量比をもつ長く伸びた構造をとる．SDS処理したタンパク質混合物をポリアク

リルアミドゲル中で電気泳動すると，変性の結果生じたポリペプチド鎖はゲルのふるい効果で分離される．SDS 処理で天然タンパク質がもつ形の差がなくなり，質量に比例したポリペプチド鎖の長さだけが **SDS-ポリアクリルアミドゲル電気泳動法**（SDS-polyacrylamide electrophoresis: **SDS-PAGE**）での移動速度を決めることになる．この方法で，分子量の差が 10% 以下のポリペプチド鎖も分離できる．また，未知のタンパク質のゲル中での移動距離と既知の分子量をもつタンパク質（分子量マーカーとよぶ）の移動距離から，特定のタンパク質の分子量も推定できる（分子量の log 値と泳動距離はほぼ比例する）．ゲル中のタンパク質を抽出し，以下に述べるようないろいろな方法を使って解析することも可能である．

複数のポリペプチド鎖がジスルフィド結合で架橋されている場合には，電気泳動前にタンパク質を還元したかどうかで SDS-PAGE の結果は変わってくる．架橋されたタンパク質は，還元された個々のサブユニットより大きくみえる．そこで，還元の有無による SDS 電気泳動の結果を比較すれば，あるタンパク質が複数のサブユニットを含むかどうか，どんなサブユニットを含むかを判断できる．

二次元ゲル電気泳動法 多くのタンパク質を含む生物試料，たとえば精製した細胞小器官や細胞，もしくは組織すべてを SDS-PAGE にかけると，質量の差の大きいものは分離可能だが，質量の近いタンパク質（たとえば 41 kDa と 42 kDa のタンパク質）は簡単には分離できない．質量の近いタンパク質の分離には他の物理的特性を利用しなければならない．こうした目的にはタンパク質の電荷を利用することが多い．タンパク質の正味の電荷は，正に荷電した基と負に荷電した基の相対量で決まる．そしてこれらの量は，溶液の pH とタンパク質上のイオン化する基（ふつうはアミノ末端，カルボキシ末端，あるいはリシンやアスパラギン酸などの側鎖）の pK_a で決まる（2 章）．互いに関係のないタンパク質は仮に質量がほぼ同じだとしてもアミノ酸配列が違っていて，酸性残基と塩基性残基の数が違うので，その正味の電荷が同じという可能性は低い．

二次元ゲル電気泳動（two-dimensional gel electrophoresis）では，タンパク質をまず**等電点電気泳動**（isoelectric focusing: **IEF**）により電荷で分離し，さらに SDS 電気泳動により質量で分離する．IEF はタンパク質を**等電点**（isoelectric point: **pI**，図 3・42）に基づいて分離する方法で，電荷が一つしか違わないタンパク質も分離できる．二次元電気泳動ではあるタンパク質がリン酸化状態か脱リン酸化状態かを区別できる感度がある．現在では，二次元ゲル電気泳動法の代わりに，以下に述べるような高度な質量分析法が，複雑な試料中のタンパク質成分を分離・同定したり，異なる生体試料中の成分量の変化を比較したりするためにしばしば用いられている．

液体クロマトグラフィーでは，質量，電荷，あるいは相互作用の強弱によってタンパク質を分離する

溶液中の分子と固体表面との相互作用（結合と解離）の強弱は，それぞれの物理的あるいは化学的性質に依存する．こうした相互作用の特質を利用して，タンパク質やタンパク質断片混合物から特定の成分を分離することがよく行われる．試料溶液を固体表面

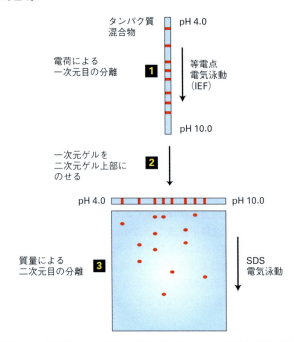

図 3・42（実験） 二次元ゲル電気泳動では，タンパク質を電荷と質量で分離する．まず等電点電気泳動法を用いて，電荷の差でタンパク質を分離する（段階 **1**）．IEF を用いた最初の段階では，細胞や組織の抽出物を高濃度（8 M）の尿素（場合によっては SDS）で完全に変性させ，尿素を含むゲルの上に重ねて，結合している SDS を除去する．このゲルには，ポリアニオン性の両性イオンと，ゲル内に鋳込まれたポリカチオン性の小分子によって形成された pH 3 から pH 10 までの連続的な pH 勾配が，その長さ方向にわたって存在する．ゲルに電界をかけると，両性溶媒は移動する．負電荷の多い両性溶媒は陽極に移動し（段階 **1** の上向き），そこで H^+ を多く含む酸性の pH を形成する．正電荷の多い両性溶媒は陰極に移動し，そこで塩基性の pH を形成する．両性溶質の混合物を注意深く選び，ゲルを慎重に準備することで，pH 3 から pH 10 までの安定した pH 勾配を構築することができる．このようなゲルの一端におかれた荷電タンパク質は，電場の影響を受けて勾配を移動し，等電点（タンパク質の正味電荷がゼロとなる pH）に到達する．電荷がゼロになると，タンパク質はそれ以上移動しなくなり，ゲルストリップにバンドまたは細い帯を形成する．二次元の分離を行うために，得られたゲルストリップを SDS-ポリアクリルアミドゲルに適用し（段階 **2**），分子量に基づいてタンパク質を分離する．IEF ゲル片を，今度は SDS で飽和した正方形または長方形のポリアクリルアミドゲルの外側の一辺に縦におき，分離された各タンパク質に対して多かれ少なかれ一定の電荷と質量の比を与える．電界をかけると，タンパク質は IEF ゲルから SDS ゲルに移動し，質量に応じて分離して，pI と分子量によって定義される二次元のスポットを形成する（段階 **3**）．ポリペプチドのスポットは，色素で染色するか，タンパク質が放射性であれば，オートラジオグラフィーで可視化することができる．

に沿って流すと，表面と頻繁に相互作用する分子は結合（または滞留）時間が長いので，そうでないものに比べてゆっくりと移動することになる．この**液体クロマトグラフィー**（liquid chromatography: **LC**）とよばれる手法では，まず球状のビーズをぎっしりと詰めた細長い管（カラム）の上部に試料をのせる（図 3・43）．その後，重力，静水圧，あるいはポンプを使って試料をゆっくりとカラムから流し出す．カラムから溶出された溶液中の成分を，たとえば分光器を用いて連続的に追跡することもできる．カラムから溶出された溶液は順に少しずつ分画し，各画分にどんな成分が含まれているか，あるいはどんな化学的活性（たとえば酵素活性）

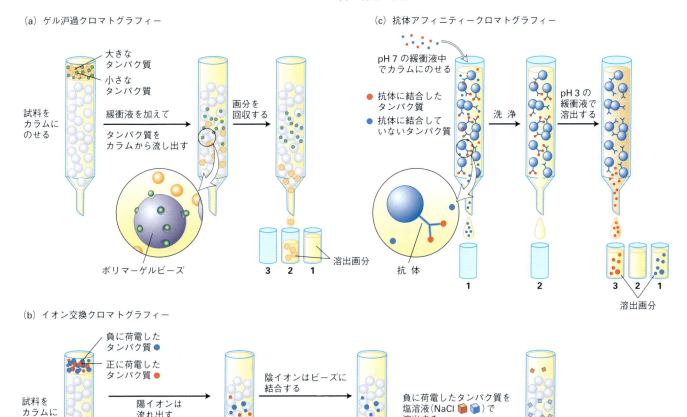

図 3・43（実験）　タンパク質を質量，電荷，特定のリガンドに対する親和性の差で分離するのに，3 種類の液体クロマトグラフィーがよく使われる．（a）ゲル沪過クロマトグラフィーでは，タンパク質を大きさで分離する．多孔性ポリマービーズを詰めたガラス管（カラム）の上にタンパク質混合溶液をそっとのせると，小さなタンパク質ほどゆっくりとカラムの中を流れ落ちる．大きさの異なるタンパク質はそれぞれの溶出体積が違うので，カラムの底で異なる画分として回収する．（b）イオン交換クロマトグラフィーでは，タンパク質を電荷で分離する．正電荷をもつビーズ（この図に示す）か負電荷をもつビーズを詰めたカラムにタンパク質混合物を流すと，ビーズと同じ電荷をもつタンパク質は，電荷の反発でビーズに結合できない．一方，ビーズと反対の電荷をもつタンパク質はビーズに結合する．ビーズとの結合の強さはタンパク質の構造による．この図では，ビーズは正電荷をもっているので，負電荷をもつタンパク質が結合している．結合したタンパク質は，塩（ふつう NaCl か KCl）の濃度勾配で溶出する．塩がビーズに結合してタンパク質と置き換わるので，強く結合したタンパク質を溶出するには高濃度の塩が必要になる．（c）抗体アフィニティークロマトグラフィーでは，特異的な抗体を共有結合させたビーズを詰めたカラムを用いる．この抗体に特異的に結合するタンパク質のみがカラムに吸着され，カラムを洗うと結合しないタンパク質はすべて流れ出てしまう．結合したタンパク質は，抗原-抗体複合体を引きはがす酸性溶液などでカラムから溶出し，分画する．

をもつか解析する．カラムに詰めるビーズの性質しだいで，質量，電荷，あるいは相互作用の強さに応じてタンパク質を分離できる．

ゲル沪過クロマトグラフィー　　質量の違うタンパク質は，ポリアクリルアミドやデキストラン（細菌由来の多糖類）あるいはアガロース（海藻由来の多糖類）でできた多孔性ビーズを用いた**ゲル沪過クロマトグラフィー**（gel filtration chromatography）で分離できる．ゲル沪過クロマトグラフィーでは，タンパク質はビーズのまわりを流れるが，ビーズ表面を覆っている大きな凹みの中にある時間とどまる．小さなタンパク質ほど簡単にビーズの凹みに入り込むので，カラムの中を大きなタンパク質よりゆっくり流れる（図 3・43a）．（これに対してゲル電気泳動の場合には，タンパク質はゲル中の孔を通り抜けながら流れるので，小さなものほど速く移動する．）あるタンパク質をカラムから溶出するのに必要な溶液量はその質量によって決まり，分子量が小さいほど溶出するのに必要な液量は多くなる．既知の質量をもつタンパク質と比較すれば，溶出液量から混合物中の特定のタンパク質の質量を予測することができる．しかし実際には，質量だけでなくタンパク

質の形状，たとえば伸びているのか，折りたたまれた形になっているのか，ということも溶出液量に影響することを考慮しなくてはならない．

イオン交換クロマトグラフィー　イオン交換クロマトグラフィー（ion-exchange chromatography）では，電荷の違いを使ってタンパク質を分離する．ここで使われるビーズの表面はアミノ基かカルボキシ基で覆われており，中性のpHで正電荷（NH_3^+）か負電荷（COO^-）をもっている．

あるpHでは，混合物中のさまざまなタンパク質の正味の電荷はそれぞれ違う．こうしたタンパク質の混合物を正に荷電したビーズのカラムに流すと，負に荷電しているタンパク質（酸性タンパク質）だけがビーズに吸着する．電気的に中性あるいは正に荷電したタンパク質（塩基性タンパク質）は邪魔されずにカラムの中を流れる（図3・43b）．次に，塩濃度をしだいに高くした（塩濃度勾配をつけた）溶液をカラムに流すと，酸性タンパク質が選択的に溶出される．塩濃度が低いときには，タンパク質分子とビーズは反対の電荷で引き合っている．塩濃度が上がると負に荷電した塩イオンが正に荷電したビーズに結合して，負に荷電したタンパク質と置き換わる．塩濃度をしだいに高くすると，まず負電荷が少ないため弱くビーズに結合したタンパク質が溶出され，最後に負電荷の一番多いものが溶出される．負に荷電したビーズを使えば，正に荷電した塩基性タンパク質を結合，分離できる．

アフィニティークロマトグラフィー　他の分子に選択的に結合するというタンパク質の性質が**アフィニティークロマトグラフィー**（affinity chromatography）の基礎である．この場合，分離したいタンパク質と相互作用するリガンドなどの分子（アフィニティー試薬）をビーズに共有結合させる．酵素基質，阻害剤，それらのアナログ，あるいは特定のタンパク質に特異的に結合する小分子がこうしたリガンドとして使われる．特に，分離したいタンパク質に対する抗体をビーズに結合させた**抗体アフィニティークロマトグラフィー**（antibody-affinity chromatography, immunoaffinity chromatography, 図3・43c）がよく使われる（次項に解説するように，抗体はタンパク質研究の道具として役に立つ．抗体産生については24章）．

原理的には，アフィニティーカラムではビーズにつけたリガンドと相互作用するタンパク質だけが結合し，残りのタンパク質はビーズに結合しないので電荷や質量にかかわりなくすべて流れ出てしまう．このようにして，細胞や組織全体を含む非常に複雑な生体試料から，1種類のタンパク質を1回の操作で分離することができる．しかし，もしカラムに結合したタンパク質が他の分子と相互作用して複合体を形成するものならば，この複合体全体がカラムに結合することになる．カラムに共有結合しているリガンドからこれに結合したタンパク質を引きはがすには，水溶性のリガンドを多量に加えたり，結合した物質を界面活性剤にさらしたり，塩濃度やpHを変えたりする．すると，カラムに結合していたタンパク質が溶出される．この方法で特定のタンパク質が精製できるかどうかは，他のタンパク質より目的のタンパク質にずっと強く結合するリガンドがあるかどうかにかかっている．

アフィニティークロマトグラフィーの一つの変法として，目的のタンパク質をある化合物で共有結合的に修飾し，ビーズ上のアフィニティー試薬に結合させる方法がある．たとえば，ビオチン（ビタミンB）などの小分子をタンパク質に化学的に架橋し，ビーズにビオチンと非常に強く結合する細菌タンパク質ストレプトアビジンを結合させたカラムで，修飾タンパク質をアフィニティー精製することができる．あるいは遺伝子を操作して，目的のタンパク質と，ビーズに付着したアフィニティー試薬に強く結合するペプチドやタンパク質からなるキメラタンパク質（融合タンパク質）を一つのポリペプチド鎖として発現させることもできる．酵素であるグルタチオン-S-トランスフェラーゼ（GST）を含む融合タンパク質は，小分子であるグルタチオンを結合させたビーズを用いてアフィニティー精製することができる．ポリヒスチジン残基の短いペプチドを含む融合タンパク質は，Ni^{2+}やZn^{2+}などの2価の金属を結合させたビーズを用いて精製することができる．また，短いペプチドを含む融合タンパク質は，そのペプチドに結合する抗体を結合させたビーズを用いて精製することができる．

特異的な酵素や抗体を使うと個々のタンパク質を検出できる

タンパク質などの分子を精製するにあたっては，他の分子から分離された目的分子がどこに（たとえば，どのカラム画分，密度勾配遠心画分，ゲルバンドあるいはゲルスポット）あるかを検出する**アッセイ法**（assay）が必要になる．こうしたアッセイ法では，特定のリガンドを結合する，特定の反応を触媒する，あるいは特定の抗体と結合するといった，そのタンパク質に特有な性質を利用する．まちがいを少なくし，またアッセイの間に目的とするタンパク質が変性したり分解したりするのを防ぐには，アッセイ法は簡便かつ迅速でなければならない．また，のちの実験に十分量のタンパク質を残しておかなくてはいけないので，得られたタンパク質のごく一部だけを使えばすむように高い感度が必要となる．ふつうのアッセイには10^{-9}〜10^{-12} gのタンパク質が使われる．

酵素による発色反応　アッセイ法はタンパク質の何らかの機能を検出するように組立てられている．たとえば酵素アッセイでは基質の減少や生成物の産生を検出する．特に反応によって色が変わる**発色基質**（chromogenic substrate）を用いるとアッセイが容易である（酵素基質のなかにはもともと発色するものもあるが，そうでない場合には基質に発色性分子を結合させておく）．酵素と基質の反応は非常に特異的なので，発色基質があればその酵素を含んだ試料だけが色の変化をひき起こす．この発色反応の速度は，そこにある酵素量の指標となる．このような発色反応を触媒する酵素と抗体とを遺伝子操作で融合したり化学架橋で結合したりすれば，この標識抗体が結合する抗原の有無あるいは抗原の位置を感度よく検出できる．

抗体アッセイ　特定のタンパク質に対する抗体は，これと分子相補性をもつ抗原タンパク質上のごく限られた領域（エピトープ）に特異的に結合する．抗体を酵素，蛍光分子，あるいは放射性同位体で標識すれば，エピトープをもつ抗原を特異的に可視化できるので，多種類のタンパク質の混合物中あるいは部分的に精製された試料中にある抗原タンパク質を検出することができる．たとえば，ホタルやある種の細菌がもっているルシフェラー

3. タンパク質の構造と機能

ゼ（luciferase）という酵素を抗体に結合させて使う．ATPとルシフェリンがあれば，ルシフェラーゼは発光反応を触媒する．ルシフェラーゼ標識抗体を抗原タンパク質に結合させ，結合しなかった抗体を洗い流してからATPとルシフェリンを入れると発光するので，抗原の有無が検出できる．この信号の強度は，標識抗体の量，つまり試料中の抗原タンパク質の量に比例する．抗体アッセイの別法として，まず一次抗体を目的タンパク質と結合させ，次に，一次抗体を認識する標識二次抗体を一次抗体-目的タンパク質複合体に結合させるというものがある（サンドイッチ法とよばれる）．この場合，二次抗体が一次抗体上の複数のエピトープに結合するので，一次抗体だけを用いる方法に比べて標識のシグナルが増幅されて，抗原タンパク質のより高感度の検出が可能となる．抗体は抗原上のエピトープだけを認識して，ここに結合する．そこで，部分的な変性や翻訳後修飾で抗原上のエピトープの構造が変わったり，抗原が他の分子と結合してエピトープが隠されたりすれば，抗原と抗体の結合は弱まったり完全に失われたりする．抗体の結合が検出されないことは，エピトープがないかあるいは抗体がエピトープに近づけないということを意味しており，試料中に抗原がないことは必ずしも意味しない．

抗体を産生するには（詳細については24章でふれる），タンパク質あるいはその断片を動物（ふつうはウサギ，マウス，あるいはヤギ）に注射する．場合によっては，標的タンパク質のアミノ酸配列に基づいて作製した10〜15残基の合成ペプチドを使って，抗体産生を誘導することもある．この合成ペプチドと大きな担体タンパク質とを架橋させ抗原として注射すると，全長の標的タンパク質に結合する抗体ができる．一方，遺伝子操作や化学反応で，ある抗体が認識するエピトープを全く関係のないタンパク質につなげて，このタンパク質の検出に用いることがある．これを，**エピトープ標識法**（epitope tagging）という．本書を通して，エピトープとなるペプチドあるいは全長タンパク質を用いて作製した抗体が，タンパク質の精製，検出あるいは解析にきわめて有用であるという多くの例が出てくる．

緑色蛍光タンパク質との融合タンパク質を用いた検出法　エピトープ標識法の変法で，クラゲがもっている天然の**緑色蛍光タンパク質**（green fluorescent protein: GFP）を用いると，生細胞内での特定のタンパク質の検出に役立つ（図4・15参照）．特定のタンパク質とGFPとが1本のポリペプチド鎖となるように両者の遺伝子を融合し，これを細胞に取込ませて融合タンパク質（キメラタンパク質）を発現させる．このキメラタンパク質の細胞内分布や存在量は，GFPが発する蛍光から簡単に計測できる．こうした実験例については4章で解説する．

ゲル中のタンパク質を検出する　電気泳動ゲル中のタンパク質はふつう見ることができない．こうしたタンパク質を検出するには二つの方法がある．ゲルの中にあるままで，タンパク質を標識あるいは染色するというのが一つである．もう一つは，ニトロセルロースあるいはポリビニリデンジフルオリド膜にタンパク質を電気泳動で転写し，検出するという方法である．たとえば，ゲル中のタンパク質は有機色素で染めるか銀染色すれば，可視光で見えるようになる．あるいは蛍光色素で染色すれば蛍光検出装置で可視化することもできる．最も繁用される有機色素であるクーマシーブルーは，ふつう1000 ng程度のタンパク質を検出するのに用いられるが，ほぼ4〜10 ngまでは検出できる．銀染色あるいは蛍光染色はもっと感度がよく，ほぼ1 ngまで検出できる．クーマシーブルーなどの染色剤も膜に転写されたタンパク質の検出に用いられるが，膜上のタンパク質の検出にはふつう免疫ブロット法が使われる．

免疫ブロット法（immunoblotting, ウエスタンブロット法 Western blottingともいう）はゲル電気泳動の分解能と抗体の特異性を組合わせたもので，まず電気泳動でタンパク質を分離し，次に目的とするタンパク質を抗体で検出する．図3・44に示すように，免疫ブロット法では，目的のタンパク質に特異的に結合する一次抗体と，この一次抗体に結合する酵素標識二次抗体を使う．酵素標識二次抗体は一次抗体を介してめざすタンパク質に結合するので，結果的にこのタンパク質を検出することになる．二次抗体に共有結合している酵素は，目に見える着色物質を産生するか，**化学発光**（chemiluminescence）という過程で発光をする．この発光はフィルムや高感度電子検出器で簡単に記録できる．免疫ブロット法の例を図15・10に示す．もし目的とするタンパク質に対する特異的抗体は手に入らないものの，このタンパク質をコードする遺伝子からのタンパク質発現が可能なときには，エピトープ標識法を用いることができる（6章）．エピトープ標識法では，遺伝子操作でこのタンパク質に小さなペプチドエピトープを挿入し，このペプチドエピトープを市販されている抗体で検出する．

免疫沈降法　免疫沈降法（immunoprecipitation: IP）は，抗体の特異性を利用して，細胞抽出物や血液のような複雑な組成の試料から特定のタンパク質を分離する手法である．特定のタンパク質に対する抗体を試料に混ぜ，抗体が標的タンパク質と結合するまで待つ．その後，抗体に結合して，これとともに遠心で沈殿するような試薬を混ぜる．遠心沈殿物には，抗体とこれに結合した目的タンパク質が含まれている．この手法の実例は図3・44および15章で詳しく説明する．遠心沈殿物を変性条件下（たとえば界面活性剤を含んだ緩衝液中）で可溶化して，抗体と標的タンパク質を分離し，後者を解析する．もし，免疫沈降した標的タンパク質が他のタンパク質と強く結合していれば，これらも一緒に沈降してくる．この現象を**免疫共沈降法**（co-immunoprecipitation: **co-IP**）という．タンパク質の四次構造や巨大分子複合体の検出や解析に，免疫共沈降法（co-IP法）がしばしば用いられる．

放射性同位体は生体分子の検出に欠かせない

タンパク質や他の生体分子を高感度で追跡するには，そうした分子に放射性同位体を取込ませ，放出される放射能を用いる．放射性標識された分子では，少なくとも一つの構成原子が**放射性同位体**（radioisotope）となっている．

放射性同位体は生物学研究に有用である　放射性同位体で標識された数百もの生体物質（アミノ酸，ヌクレオシド，多数の代謝中間体など）が市販されている．こうした物質の**比放射能**（specific radioactivity）の値はさまざまである．比放射能は，放射能を物質の単位当たりに換算した量で，1分間に起こる放射壊変の数（disintegration per minute, dpm）を物質1 mmol当たりで表す．標識化合物の比放射能は，**半減期**（half-life）で表される放射壊変の

(a) 一般的な免疫ブロット法

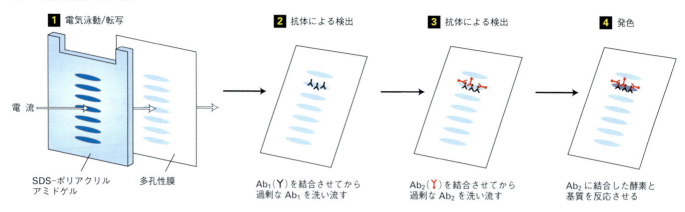

(b) 細胞破砕物中の受容体タンパク質を免疫ブロット法で検出した

(c) 免疫沈降(IP)で得られた試料について免疫ブロット法を用いた(co-IP)

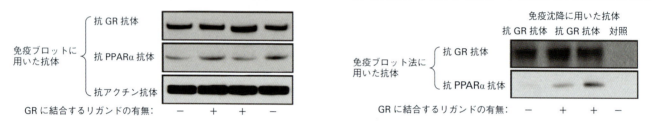

図 3・44(実験) 免疫ブロット法(IP,ウエスタンブロット法)や免疫共沈降法(co-IP)を用いて特定のタンパク質あるいはタンパク質複合体を検出する.(a) 免疫ブロット法.段階 1:タンパク質混合物を SDS 電気泳動にかけ,分離されたゲルのタンパク質バンド(二次元電気泳動の場合にはスポット)を多孔性の膜に転写(ブロット)する.膜に転写されたタンパク質は簡単にははがれない.この段階ではまだタンパク質のスポットは可視化できていない.段階 2:目的タンパク質に特異的に結合する抗体 Ab_1 溶液に膜を浸す.このタンパク質を含むバンドだけが抗体を結合し,抗体の層ができる(上から 2 番目のバンドだが,まだバンドは染まっていない).膜を洗って,結合しなかった抗体を洗い流す.段階 3: Ab_1 を特異的に認識し,これと結合する二次抗体 Ab_2 を含む溶液に膜を浸す.この二次抗体には,発色反応や化学発光を触媒する酵素や放射性同位体など感度よく検出できる物質が共有結合している.段階 4:酵素による発色反応や化学発光反応を用いたりして,二次抗体 Ab_2 が結合した場所とその結合量を検出する.ゲル電気泳動度からは目的タンパク質の質量が,二次抗体 Ab_2 結合量からはこのタンパク質の存在量がわかる.(b) ある特定のリガンドが細胞内受容体に対してどのような影響を与えるかを,免疫ブロット法で調べた.この実験では,グルココルチコイド受容体(GR)に結合するリガンド存在下で(+,中央の二つのレーンに対応),赤血球前駆細胞を培養する.対照として,このリガンドのない状態で赤血球前駆細胞を培養する(−,右端と左端の二つのレーンに対応).界面活性剤中でこれらの細胞を破砕して得られた全細胞溶解物を,免疫ブロット法(ウエスタンブロット法)で解析する.解析に用いた抗体は,GR に結合する抗 GR 抗体,PPARα という受容体に結合する抗 PPARα 抗体,細胞内に豊富に存在するアクチンタンパク質に結合する抗アクチン抗体である.〔これらの実験では,ゲルの異なるレーンにあるバンドの強度(各試料中の対応するタンパク質の存在量を表す)を比較するために,等量の細胞溶解物を各レーンに流す必要がある.この実験での量の補正は,各レーンにみられるアクチンの量で行う.抗アクチン抗体(下段)を用いて検出されたバンドの強度が等しいことから,異なる細胞溶解物がゲルの各レーンに等量流されたと結論づけることができる.したがって,レーン間のバンド強度を比較することは有効である.〕一方,抗 GR 抗体を用いた場合も抗 PPARα 抗体を用いた場合も,GR リガンドの有無でバンドの染色強度は大きく変化しなかった(上段 4 レーンと中段 4 レーン).このことは,これら受容体の細胞内存在量は GR リガンドの有無で変化しないことを示している.ここで用いた全細胞溶解物の一部を用いて以下の実験を行った.(c) 免疫沈降(IP)で得られた沈殿物を免疫ブロット法で解析する免疫共沈降法(co-IP)により,GR と PPARα を含む安定な複合体の形成が GR リガンドで誘導されるかどうかを検討した.抗 GR 抗体を用いた免疫沈降で,(b)の細胞溶解物から GR を含むタンパク質群を沈殿させる(左レーンと中央 2 レーンに対応).対照実験として,GR にも PPARα にも結合しない抗体を用いた免疫沈降を行う(右レーンに対応).遠心分離で免疫沈降物を他の細胞溶解物から分離して,これを抗 GR 抗体による免疫ブロット法で解析する.抗 GR 抗体で免疫沈降した沈殿物には,培養時の GR リガンドの有無にかかわらず GR の存在が確認できる(上段の左 3 レーン).これに対して,対照実験として免疫沈降に GR とは関係ない抗体を用いると,沈殿物には GR がない(上段の右レーン).次に,抗 GR 抗体による沈殿物を抗 PPARα 抗体による免疫ブロット法で解析すると,GR リガンドがあるときには PPARα が沈殿物中に存在するが(下段の中間 2 レーン),GR リガンドがないときには PPARα は沈殿物中にみられない(下段の左レーン).対照として GR と関係ない抗体で免疫沈降を行ったときには,沈殿物に PPRAα はみられない(下段の右レーン).このことから,GR リガンドは GR と PPARα を含む複合体の形成を促すことがわかる.しかしこの実験からは,GR リガンドが存在しているとき複合体中で GR と PPARα が直接相互作用しているのか,あるいは他のタンパク質との相互作用を介して両者が複合体に取込まれているのか,区別することはできない.[(b), (c)は H. Y. Lee et al., 2015, Nature **522**: 474, Copyright Clearance Center, Inc. を通じて Nature Publishing Group より許可を得て転載.]

確率に依存する.ここで半減期というのは,ある放射性同位体の半数が壊変するのに要する時間である.ふつうは半減期が短いほど比放射能は高い(表 3・1).細胞内分子に取込まれた放射能が正確に測れるように,標識化合物は十分な比放射能をもたなければならない.

細胞内のタンパク質,RNA,DNA などの巨大分子の放射性標識には,細胞培養液に標識生合成前駆体(たとえば ^3H 標識や ^{35}S 標識アミノ酸,^{32}P 標識 ATP 前駆体である ^{32}P 標識リン酸,^3H 標識核酸前駆体である ^3H 標識デオキシチミジンなど)を加える.これら前駆体は輸送体(11 章)を介して細胞に入り,ここで新たに

表 3・1　生物学研究でよく用いられる放射性同位体

同位体	半減期	同位体	半減期
リン32	14.3 日	トリチウム(水素3)	12.4 年
ヨウ素125	60.4 日	炭素14	5730.4 年
硫黄35	87.5 日		

合成された巨大分子に取込まれる（5章）．たとえば，高い比放射能（>10^{15} dpm/mmol）をもつアミノ酸が利用できるので，^{35}S で標識されたメチオニンやシステインは細胞内タンパク質の標識によく用いられる．細胞内あるいは細胞外で，キナーゼは ^{32}P 標識 ATP から ^{32}P 標識リン酸を標的タンパク質に転移し，標識リン酸化タンパク質を産生する．生細胞では，培地に加えられた ^{32}P 標識リン酸がリン酸輸送体を介して細胞内に入り，ATP を含むさまざまなリン酸含有分子に取込まれる．また，^{3}H 標識核酸前駆体の市販品は ^{14}C 標識品よりずっと高い比放射能をもっている．短い取込み時間で RNA や DNA を標識でき，必要な細胞数も少なくてすむので，実験には ^{3}H 標識品を使うことが多い．いろいろな位置のリン原子が ^{32}P に置き換えられたさまざまなリン酸化合物が使える．また，比放射能が高いので ^{32}P 標識ヌクレオチドは無細胞系の核酸を標識するのによく用いられる．

分子中の原子が放射性同位体に置き換えられた化合物は，対応する非放射性化合物とほとんど同じ化学的性質を示す．たとえば，酵素は放射性同位体で標識された基質もふつうの基質も区別しない．こうした放射性同位体原子を含むことは，同位体を角括弧 [ ]（ハイフンではなく）で囲み，化合物名の前において示す（たとえば [^{3}H] ロイシン）．一方，ヨウ素同位体 ^{125}I の場合には，もともとヨウ素原子をもたないタンパク質や核酸にこれを共有結合させる．こうした処理がタンパク質や核酸の化学構造を変えるので，標識された分子の生物活性はもとのものとは違っているかもしれない．このような放射性同位体をもつ場合には，放射性原子，ハイフン（角括弧ではなく），化合物の順に記述する（たとえば ^{125}I-トリプシン）．タンパク質の標準的な ^{125}I 標識法では，^{125}I がチロシン残基側鎖の芳香環に共有結合し，モノヨードチロシンとジヨードチロシンが生じる．放射性でない同位体も細胞生物学で使われるようになってきた．あとで述べるように，これは核磁気共鳴分光法や質量分析といった分析法で役立つ．

放射性標識実験と標識された分子の検出　実験の目的によって，標識化合物は**オートラジオグラフィー**（autoradiography）で検出するか，あるいは種々の放射能カウンターで検出する．前者は，写真乳剤や電子検出器といった二次元検出器を用いる半定量的方法である．これに対して，後者はきわめて定量的な方法で，試料中の放射性化合物濃度を決めることができる．

オートラジオグラフィーでは，まず組織，細胞，あるいは細胞成分を放射性化合物で標識し，結合しなかった放射性物質を洗い流してから，化学架橋による固定，あるいは凍結で試料の構造を安定化する．この試料上に放射線で感光する写真乳剤をのせる．これを現像すると，放射性物質の分布に対応した位置に小さな銀粒子が現れるので，顕微鏡で検出する．細胞全体のオートラジオグラフィーは，いろいろな巨大分子が細胞のどこで合成されるのか，あるいは合成された分子がどこに移動していくのかを調べるのに大きな役割を果たしてきたが，いまでは蛍光顕微鏡を用いたさまざまな実験法（4章）にとって代わられている．しかし，特定の DNA や RNA 配列がどの組織に分布するかを検出する in situ ハイブリダイゼーションでは，いまでもオートラジオグラフィーが使われている（6章）．

標識化合物中の放射能量を定量的に測るにはいくつかの装置がある．ガイガーカウンター（Geiger counter）は，放射性同位体から放出された β 粒子や γ 線によって気体中に生じるイオンを検出する．こうした装置は持ち運びができるので，放射性物質を扱うものが規定量以上の放射能にさらされないよう監視するのに用いられる．これに対してシンチレーションカウンター（scintillation counter）の場合には，まず放射性標識された化合物と蛍光物質を含んだ液体とを混ぜる．放射性同位体が壊変するときに放出する β 粒子や γ 線のエネルギーを吸収すると，この蛍光物質はぱっと光る．カウンターの光電管がこの発光を検出する．ホスホイメージャー（phosphorimager）という装置は二次元アレイ検出器で放射能量を測り，ピクセル当たり毎秒の壊変の数をデジタルデータとして取込む．この装置は繰返し使用可能な一種の電子フィルムとみなすことができ，ゲル電気泳動で分離された分子を定量するのによく用いられ，写真乳剤にとって代わるようになってきている．

標識法と生化学的方法を組合わせたり，可視化による検出と定量的方法を組合わせたりすることは標識実験ではよく行われる．たとえば，特定の細胞で合成される主要タンパク質を同定するために，数分間だけ ^{35}S で標識した放射性アミノ酸（たとえば [^{35}S] メチオニン）を細胞に取込ませる．この間に，標識アミノ酸は細胞内の非標識アミノ酸のプールと混じり，一部は新たに合成されたタンパク質すべてに生合成過程を経て取込まれる．取込まれなかった放射性アミノ酸を洗い流し，細胞を集め，界面活性剤などを用いて全タンパク質を抽出する．次に，こうして抽出した全細胞内タンパク質を何らかの方法で分離する．ゲル電気泳動で分離し，オートラジオグラフィーあるいはホスホイメージャーで解析するのがふつうである．放射性のゲルバンドは，放射性アミノ酸を取込んだ新生タンパク質に対応する．生合成過程を介して標識されたすべてのタンパク質ではなく，ただ1種類の放射性標識タンパク質だけを検出するには，目的のタンパク質に対する抗体を使ってこれを沈殿させ，試料中の他のタンパク質から分離する（免疫沈降法）．沈降物は SDS を含む緩衝液などの変性剤で可溶化し，抗体と目的タンパク質を引きはがす．この試料を SDS-PAGE で分離したのち，オートラジオグラフィーにかけ，標識されたタンパク質を分析する．放射線で光る蛍光物質（シンチレーター）が入った溶液に泳動ゲルを浸して，放射性標識されたタンパク質をフィルムあるいは二次元検出器で検出することもできる．この実験例を以下に示す（図3・45）．この方法は弱い β 粒子を出す ^{3}H 標識物の検出に役立つ．

パルスチェイス（pulse-chase）法はタンパク質の細胞内局在の変化やタンパク質の修飾を追跡したり，代謝物質が時間とともに変換されていく様子を追跡したりするのによく用いられる．この方法では，まず細胞試料をごく短時間だけ放射性物質にさらす（"パルス"）．この間に，放射性物質は目的の細胞内分子に取込まれたり，結合したりする．遊離放射性物質を緩衝液で洗い流してから，大量の無標識物質に細胞試料をさらす．この操作で放射性

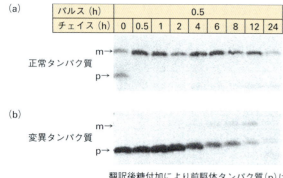

図 3・45(実験) パルスチェイス法で細胞内タンパク質の修飾や移動経路を追跡できる. (a) 細胞内で新たに合成されたタンパク質の行方を追跡するために, 細胞を30分だけ[^{35}S]メチオニン存在下で培養して(パルス), タンパク質を標識する. その後, 細胞に取込まれなかった放射性アミノ酸を洗い流し, さらに培養を24時間まで続ける(チェイス). さまざまな培養時間での試料を, 免疫沈降して特定のタンパク質(ここでは低密度リポタンパク質)を単離する. 免疫沈降物をSDS-PAGEで分離し, ゲルをオートラジオグラフィーにかけると, この特定タンパク質だけが可視化される. このタンパク質は, はじめ小さな前駆体(p)として合成されるが, すぐに糖鎖が結合して大きな成熟したタンパク質(m)へと変換されることがみてとれる. 標識されたタンパク質のうち半分はパルスの間にpからmに変換されているが, 残りはチェイス開始後30分以内にすべてmに変換される. このタンパク質は6〜8時間安定だが, バンドの濃さが低下することから判断するとその後は細胞内で分解される. (b) 同じ実験を変異タンパク質で行った. この変異体では, p型はm型に変換されず, 正常なタンパク質より速く分解される. [K. F. Kozarsky et al., 1986, *J. Cell Biol.* **102**: 1567 による.]

物質は薄められて細胞内にほとんど取込まれなくなり"チェイス"という過程が開始される(図3・45). その後一定の時間間隔で試料をとり, 時間の経過とともに放射性標識の位置や化学的性状がどのように変化するかを調べる. パルスチェイス実験後に, 集めた試料の免疫沈降, SDS-PAGE, そしてオートラジオグラフィーによって特定のタンパク質を検出すれば, このタンパク質の合成, 修飾, 分解の速度を決めることができる. たとえば, パルスの間にタンパク質前駆体として放射性アミノ酸を細胞に加え, チェイスの間に放射性標識されたタンパク質の量や性質を解析する. こうすると, チェイスの時間がたつに従いシグナルがしだいに弱くなっていくので, 電気泳動度を変えるような糖鎖付加などの翻訳後修飾(13章, 14章)や特定のタンパク質の分解速度を調べることができる. 合成場所である小胞体から細胞表面への分泌タンパク質の移行経路を明らかにした研究は, パルスチェイス実験のなかでも古典的なものである(14章).

質量分析法でタンパク質の質量とアミノ酸配列を決めることができる

質量分析(mass spectrometry: MS)はタンパク質の特徴づけのための強力な方法で, タンパク質やタンパク質断片の質量を測るのに特に役立つ. こうした情報が手に入ると, タンパク質のアミノ酸配列の一部あるいは全長を決定することもできる. 質量分析を用いると, イオン化した分子の質量 m と電荷 z の比 m/z をきわめて正確に決定することができるので, 厳密なイオン質量を決めることもできる.

質量分析計は四つの装置で構成されている. 第一はイオン化源で, これを介して電荷(ふつうは H^+)がペプチドやタンパク質に付加される. イオン化したペプチドやタンパク質は高電場を介して, 第二の装置である質量分析器に導かれる. 質量分析器は高真空状態におかれており, イオンを質量-電荷(m/z)比の違いによって物理的に分離する. 第三は検出器で, 質量に応じて分離されたイオンはここに衝突するように誘導される. 検出器によって, 試料中の個々のイオンの m/z 比を決定できる. 第四はデータ処理装置である. この装置で, 実験データを集め, 保存して処理する. それだけではなく, 最初の結果に基づいて, さらに必要とされる特別なデータを集めるよう質量分析計に指示を出すこともこの装置が行う. こうした自動化されたフィードバック作業は, 以下に解説するタンデム MS(MS/MS)ペプチド配列決定法で使われる.

タンパク質やタンパク質断片をイオン化するのに最もよく使われるのは, 1)マトリックス支援レーザー脱離イオン化法(matrix-assisted laser desorption/ionization: MALDI)と, 2)エレクトロスプレー法(electrospray: ES)である. MALDI 法(図3・46)では, ペプチドやタンパク質と紫外線を吸収する低分子量有機酸(マトリックス)とを混合し, 金属製の標的上で乾燥させる. UV レーザーのエネルギーはマトリックスに吸収され, 熱に変換される. その結果, 試料は蒸発し, タンパク質は H^+ 付加によりイオン化するので, 試料中の分子から正電荷を一つもったイオン化分子が生じる. エレクトロスプレー法では(図3・47a), ペプチドやタンパク質溶液を常圧で毛細管から噴出して細かい霧状の水滴にする. このとき高電圧を加えると, この水滴は荷電する. 質量分析器の入口に至る短い飛行(数ミリメートル)の間に, 水滴は蒸発し, ペプチドやタンパク質から複数の電荷をもつイオンが生じる. 気体状のイオンは質量分析器の分析室に取込まれ, 電場で加速されて, m/z 比に応じて質量分析器で分離される.

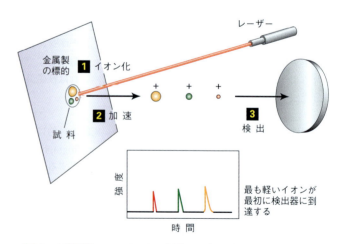

図 3・46(実験) マトリックス支援レーザー脱離イオン化-飛行時間(MALDI-TOF)型質量分析法による質量分析. MALDI-TOF 型質量分析装置では, 金属製の標的に吸着させたタンパク質やペプチド混合物にレーザーのパルス光を照射して試料をイオン化する(段階**1**). イオン化した分子は電場で加速され検出器に向かって飛んでいく(段階**2**と**3**). 検出器に到達する時間は質量-電荷比 m/z の平方根に比例する. 同じ電荷をもつイオンなら小さなイオンほど速く動く(検出器に到達する時間が短い). 標準試料の飛行時間から, 質量を換算する.

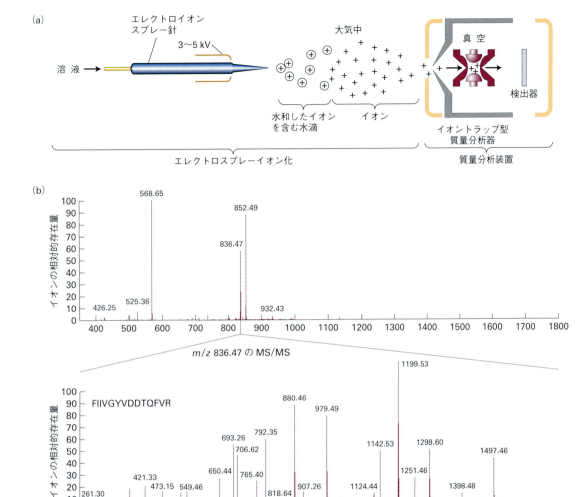

図 3・47（実験） タンパク質やペプチドの質量は，エレクトロスプレーイオン化-イオントラップ型質量分析法で決定できる．(a) エレクトロスプレー（ES）イオン化法では，小さな水滴をつくるためのエレクトロスプレー針に高電圧をかけておき（水滴に電荷を与えるため），ここにタンパク質溶液やペプチド溶液を通す．生じた水滴はすぐに蒸発し，多数の電荷をもつガス状イオンとなって，質量分析装置に入る．イオンは，m/z 比を測定するイオントラップ型質量分析器を経て検出器に向かう．(b) 上図は，3 種類の主要ペプチドとマウス H-2 クラス I 組織適合抗原 Q10 α 鎖由来のいくつかの少量のペプチドを含む混合物の質量スペクトル．このスペクトルの x 軸は質量-電荷比 m/z，y 軸は検出器に衝突したイオンの相対的存在量である．下図は，MS/MS 型装置で得られた MS/MS スペクトル（生成物イオンスペクトル）で，ここから親イオンのアミノ酸配列情報など詳細な構造情報が得られる．MS/MS 法では，(a) で示したようなイオントラップで特定のペプチドイオンを選択し，これをさらに小さなイオン断片にして，質量分析する．ここでは，m/z が 836.47 のイオンを選び，これを断片化して生成物の m/z スペクトルを得た．m/z が 836.47 のイオンは断片化されているので，このスペクトルには存在しないことに注意．断片化はペプチド結合の切断で生じることが多いという事実，個々のアミノ酸断片の既知の m/z 値，そしてデータベースに蓄積されている情報から，この図に現れるさまざまな生成物イオンの m/z 値を解析すると，この親イオンのアミノ酸配列は FIIVGYVDDTQFVR と決定できる．［(b) は S. Carr 未発表データ．］

最もよく使われる質量分析器は，飛行時間（time-of-flight: TOF）型かイオントラップ型である．TOF 型装置は，イオンが検出器に達するまでの飛行時間は m/z の平方根に比例する（電荷が同じなら，小さい分子ほど速く動く，図 3・46）という事実に基づいている．イオントラップ型装置では，可変電場によって特別な m/z 比をもつイオンを捕捉し（トラップ），質量分析器から検出器に送り込む（図 3・47a）．電場を変えれば，広い m/z 比にわたってイオンを一つひとつ調べることができ，最終的には m/z 値（x 軸）に対してイオンの相対量（y 軸）を目盛った質量スペクトル（図 3・47b，上）を得ることができる．

タンデム（MS/MS）型の装置では，もともとの質量スペクトル（図 3・47b，上）に現れたどんなイオンでも質量によって選び出し，次の分析に用いることができる．選択されたイオン種は次の容器に導かれ，不活性ガスとの衝突でさらに断片化される．その後，これら断片の m/z 比と相対量を別の質量分析装置を使って決める（図 3・47b，下，図 3・50 も参照）．こうしたすべての操作は同一の装置内で行われ，選択された 1 個のイオン当たり 0.1 秒しかかからない．2 回目の断片化と質量分析により，25 残基以下の短いペプチドのアミノ酸配列を決めることができる．不活性ガス衝突による断片化はほとんどペプチド結合で起こり，イオン間で

の質量の差はペプチド内の個々のアミノ酸の質量に対応するので，アミノ酸配列データベースを参照すると，目的のペプチドの配列を導くことができる（図3・47b，下）．

質量分析法はきわめて高感度で，ペプチドであれば0.001～0.010×10^{-18} mol（0.001～0.010アトモル），分子量20万のタンパク質では1×10^{-18} mol（1アトモル）あれば検出できる．質量決定の誤差は実験に用いる質量分析装置によるが，ペプチドではふつう±5 ppm，タンパク質では0.05～0.1%である．質量測定の感度は非常に高く，化学的に同一のペプチドであっても，一方は最も一般的な元素（たとえば^{1}H, ^{12}C, ^{14}N）のみを含み，他方は対応する重い元素（たとえば非放射性同位元素^{2}H, ^{13}C, ^{15}N）を一つ以上含むという違いだけで容易に識別することが可能である．

§3・6で解説するように，質量分析は精製したタンパク質だけでなく，複雑なタンパク質混合物，たとえば細胞や組織，血漿のような体液にも使える．一般的には，タンパク質試料をプロテアーゼで消化し，ペプチド消化産物をMSで分析することが多い．MSの強力な応用例として，生体試料からタンパク質の複合体を取出し，リシンとアルギニン残基のペプチド結合を加水分解する酵素トリプシンや他のプロテアーゼで消化する方法がある．そして，得られた複合混合物中のペプチドを液体クロマトグラフィーで分離する．液体クロマトグラフィーのカラムから流出した液体は，ESタンデム質量分析計に移される．この技術は**LC-MS/MS**とよばれ，詳細は後述するが，非常に複雑なタンパク質の混合物をほぼ連続的に分析することが可能である．

どんな試料でも，質量分析法で決まったイオンの量は相対値で，絶対値ではない．そこで，もし二つの試料（たとえば正常な生物と変異体生物）中に含まれる特定のタンパク質の絶対量を比較したいときには，両試料での存在量に差がないものを内部標準として用いる．そして，各試料中の標準物質の量に対する目的のタンパク質（またはタンパク質のペプチド断片）の量を決定する．この方法によって，試料間のタンパク質量を定量的に正確に比較することができる．もう一つの方法は，二つ以上の異なる細胞または組織試料を混合して得られたタンパク質の量を，1回のMS分析で同時に比較する方法である．異なる試料は遺伝的に異なるものであったり（野生型と変異型細胞，異なる患者の臨床試料），異なる環境条件の適用（たとえば薬剤またはホルモン処理）により生じたものであったりする．この混合法は，各試料中のタンパク質またはペプチドの m/z 比が，他の試料と対応する，化学的に同一のタンパク質またはペプチドとMSによって区別できる場合に可能となる．異なる試料から同一のタンパク質を区別するために，化学的，酵素的，または生合成的な手法により，異なる試料を異なる安定同位体（たとえば，^{1}H/^{2}H, ^{12}C/^{13}C, ^{14}N/^{15}N）で標識することが行われる．たとえば，重い同位体または軽い同位体原子を含むアミノ酸の存在下で細胞または生物を成長させ，これらのアミノ酸がその試料中のすべてのタンパク質に生合成的に組込まれるようにすることができる．ふつうは，重い同位体原子を含んだアミノ酸（重いアミノ酸）あるいは軽い同位体原子を含んだアミノ酸（軽いアミノ酸）を含んだ培地中で，5回以上細胞分裂を行わせる．この間に，細胞中のすべてのタンパク質が，重いアミノ酸か軽いアミノ酸で標識される．両者を混ぜ，酵素分解でペプチドを産生して，質量分析法で同時に解析する．重いアミノ酸を用いた試料から得られたペプチドは軽いアミノ酸を用いた試料に含

まれる化学的には同一のペプチドとは区別できるので，二つの試料中の特定のタンパク質の相対的な量を直接に決めることができる．細胞培養液中に安定同位体で標識したアミノ酸を入れる方法は，SILAC（stable isotope labeling with amino acids in cell culture）法とよばれる．

iTRAQやTMTとよばれる化学的手法では，4～16種類の生体試料中のペプチドに，化学的には同一だが同位体的には異なるラベルを付けることができる．標識後，試料を混合し，MSで同時に分析する．この同位体識別タグにより，MS分析前にすべてのタグ付き試料を混合しても，どの試料からペプチドが生成されたかを特定することができる．その結果，異なる試料のそれぞれで検出可能なすべてのタンパク質の相対量を，迅速，効率的，かつ正確に決定することができる．このようにして，遺伝的，環境的，または化学的（たとえば薬剤）な変化が，細胞タンパク質に及ぼす影響を評価することができる．§3・6では，このような変化が多くの異なるタンパク質の存在量に及ぼす影響を同時に解析することの重要性について考察する．

タンパク質の一次構造は
化学的な方法か遺伝子の塩基配列で決める

アミノ酸配列を決める古典的な方法としてエドマン分解（Edman degradation）がある．エドマン分解では，まずポリペプチド鎖のN末端のアミノ基を修飾し，次にこのアミノ酸をポリペプチド鎖から切り離す．そして，このアミノ酸が何であるかを高速液体クロマトグラフィーで決定する．この段階が終わったところで，もとのN末端アミノ酸が一つ欠け，新たなN末端アミノ酸が露出したポリペプチド鎖が残る．同じ操作を次々と繰返すと，アミノ酸配列がN末端から順次に決まっていく．

1985年ごろまで，タンパク質のアミノ酸配列を決めるにはこのエドマン分解法が使われてきた．しかしいまでは，タンパク質のアミノ酸配列は，ゲノムかmRNAの塩基配列から予想されることが多い．いくつかの生物ですでに全ゲノムの塩基配列が決まっており，ヒトをはじめとして多数のモデル生物のゲノムデータベースはどんどん拡大している．6章で解説するように，タンパク質のアミノ酸配列は，そのタンパク質をコードしていると考えられるDNAの塩基配列から導出できる．

質量分析とタンパク質一次構造のデータベースを組合わせると，単離されたタンパク質の一次構造を決定する強力な方法となる．この方法では，まず質量分析装置でタンパク質断片の**ペプチド質量フィンガープリント**（peptide mass fingerprint）を得る．ペプチド質量フィンガープリントというのは，あるタンパク質をトリプシンなど特定のプロテアーゼで切断したときにできる一群のペプチドの質量の一覧である．もとのタンパク質の質量とそのペプチド断片の質量パターンは，それに似た質量パターンのタンパク質をゲノムデータベースから探し出すのに用いる．また，上記のようにMS/MSを使ってペプチドのアミノ酸配列を直接決めることもできる．

タンパク質の立体構造決定には複雑な物理的方法が使われる

本章で強調してきたようにタンパク質の構造がその機能を決めているので，タンパク質がどのように働いているかを知るにはその三次元構造を知る必要がある．タンパク質の構造を決めるには，

手の込んだ物理的方法を駆使しなければならず，実験データの解析も大変である．ここでは，タンパク質の三次元構造を決める三つの方法を簡単に解説する．

X線結晶構造解析　1950年代にMax PerutzやJohn Kendrewは，タンパク質の三次元構造決定法として**X線結晶構造解析**（X-ray crystallography）を使いはじめた．X線結晶構造解析ではタンパク質の結晶にX線を照射する．結晶中では，それぞれに特有な形で数百万分子ものタンパク質が規則正しく整列している．このX線の波長は0.1〜0.2 nmなので，タンパク質結晶中の原子の位置を決めるのに十分である．結晶中の原子の電子で散乱されたX線はフィルムあるいは検出器にぶつかり，多数の点からなる回折パターンをつくり出す（図3・48）．この散乱パターンは複雑で，25,000もの回折点が得られる．各回折点の強度はタンパク質分子の電子分布に依存しており，この電子分布はタンパク質の三次元構造で決まる原子の配置を反映している．複雑な計算をしたりタンパク質を修飾したり（たとえば重金属を結合させる）してはじめてこの回折パターンを解釈し，タンパク質の電子分布（**電子密度図** electron density map）を決めることができる．こうした電子密度図の一部は図2・9に出てきた．こうして三次元電子密度図が得られれば，これに合うようにタンパク質の分子モデルを構築する．本書を通じて出てくるタンパク質のさまざまなモデル（たとえば図3・9）は，こうしてつくられている．この手続きは，ちょうど池に石を投げ入れてできた波紋からその石の正確な形を決めることに似ている．X線結晶構造解析で分子の構造を決定する精度は，解析に使用する結晶の品質と，分子の一部または全部が結晶格子内でどれだけ柔軟であるかに依存する．構造の精度を測る尺度としてよく使われるのが，オングストローム単位（Å）で示される**分解能**（resolution）である．分解能が非常に高いタンパク質構造では，分解能が1Å未満であり（図2・9参照），個々の原子の位置を観察することができる．分解能が1Åから3Åの構造では，多くの側鎖の位置はよくわかるが，個々の原子の位置は推定する必要がある．一部の構造がはっきり決まらないことがあるものの，ほとんどのタンパク質の代表的なものは，構造が次々と決定されている．いまでは140,000を超えるタンパク質の詳細な三次元構造がX線結晶構造解析法で解かれている．このうち35,000以上が独特の構造をもったものである．一つひとつの構造にはPDBコードがつけられタンパク質データバンクに登録されているので，ここから詳細な構造情報を得ることができる（http://www.rcsb.org/pdb/home/home.do）．

クライオ電子顕微鏡法　簡単に結晶化するタンパク質もあるが，大きな多サブユニットタンパク質や膜タンパク質の結晶化はむずかしい．仮に結晶化が可能だとしても，その条件を探し出すだけでロボットの助けを借りなければいけないような試行錯誤の連続だし，時間もかかる．構造解析に使えるような結晶をつくるのは，科学的なアプローチというより試行錯誤によることが多い．こうした結晶化のむずかしいタンパク質でも，構造を決める別の方法がいくつかある．その一つが**クライオ電子顕微鏡法**（cryoelectron microscopy）である（図3・49）．この方法では，まずタンパク質の希薄溶液を電子顕微鏡試料台（金属グリッド）に薄く載せ，液体ヘリウム中ですばやく凍結する．その結果，水和したタンパク質の構造が保たれた状態で試料が凍結される．次に，この試料を極低温に維持したクライオ電子顕微鏡試料室に入れ，観察する．電子線による構造破壊を抑えるため，少量の電子線を試料に当てていろいろな角度からの画像を高感度カメラで記録する．凍結試料中の個々のタンパク質分子はさまざまな方向を向いて固定されているので，コンピュータープログラムを用いて同じ方向を向いたタンパク質画像だけを選び出す．こうした画像が数千あれば，一定の方向を向いたタンパク質の平均像が得られる．このような操作を繰返して，さまざまな方向を向いたタンパク質分子の平均画像を集めると，タンパク質の三次元構造を再構成できる．最近のクライオ電子顕微鏡の飛躍的進歩によって，いまではその分解能は2Å程度となっている．多くの構造では4Å以上であり，タンパク質のペプチド骨格やアミノ酸側鎖まで顕微鏡像として見ることができる．こうした構造は，タンパク質機能の構造的基盤を理解するための重要な情報である．クライオ電子顕微鏡法や他の電子顕微鏡法で細胞構造を可視化することは4章で解説する．

NMR分光法　200アミノ酸残基くらいからなる小さなタンパク質であれば，その三次元構造を**核磁気共鳴分光法**（nuclear magnetic resonance spectroscopy，**NMR分光法**）で決めることが簡単にできるようになった．もっと大きなタンパク質もNMR分光法で解析できるよう工夫がなされている．この方法では，タン

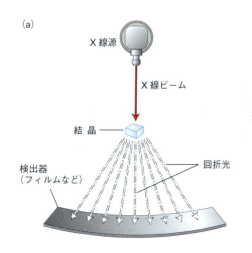
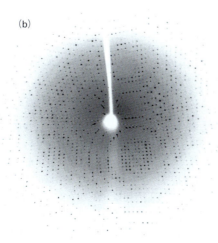

図3・48（実験）　X線結晶構造解析では，タンパク質三次元構造決定の基礎となる回折データが得られる．(a) X線結晶構造解析法の概念図．細く絞ったX線が結晶に当たるとその一部はそのまままっすぐ進むが，残りはいろいろな方向に散乱（回折）される．この回折波は周期的な配置をとる回折点となる．その強度をX線フィルムか高感度CCDカメラで記録する．(b) 高感度CCDカメラで記録した，あるタンパク質の結晶のX線回折パターン．こうした回折点パターンの複雑な解析を経て，タンパク質のすべての原子の位置が決定される．［(b)はJ. M. Berger提供．］

112　　　　　　　　　　　　　　　　　　　　　　　Ⅰ. 化学的・分子的基礎

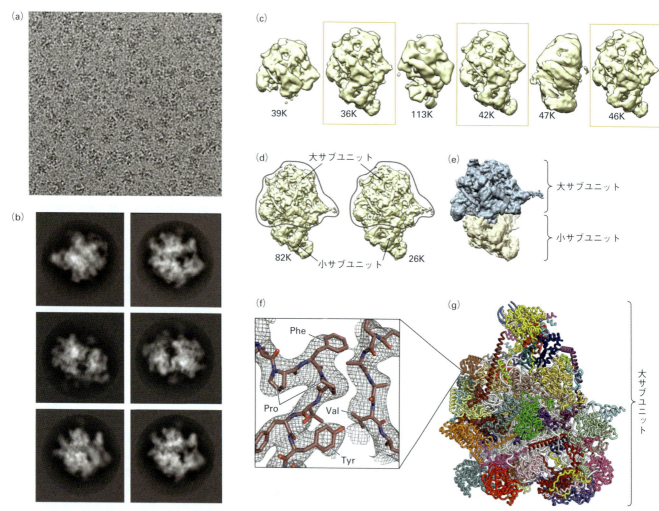

図 3・49（実験）　クライオ電子顕微鏡法でヒトミトコンドリアのリボソームの立体構造を決める． ミトコンドリアは多機能細胞小器官で，その最も重要な役割は ATP 合成である（12 章）．ヒトミトコンドリアには，多数のタンパク質（少なくとも 78 種類）と複数の RNA からなる大きなミトコンドリアリボソーム（1.7 MDa）がある．このミトコンドリアリボソーム（mitochondrial ribosome）は細胞質内のリボソームとは構造や機能が多少違っていて，ミトコンドリア DNA にコードされているタンパク質の合成を行う．(a) 単離されたヒトミトコンドリアリボソームのクライオ電子顕微鏡像．リボソームとまわりの緩衝液とのコントラストが低いので個々のリボソーム粒子をはっきりと見ることはできないが，緩衝液中で各粒子はさまざまな方向を向いて凍結されている．(b) 323,292 個のリボソーム粒子像について凍結緩衝液中での配向でグループ分けし，自動画像処理プログラムでそれぞれのグループの平均像を得た．平均化によって (a) よりはっきりした像が得られている．(c) さらに，数万もの画像のコンピューター処理の結果，いろいろな向きで見たリボソーム粒子のはっきりとした立体構造が得られた．それぞれの構造の左下に計算に用いた粒子数（K は 1000 個）を示す．四角で囲んだ構造をもとにしてさらに解析すると，ほとんど同じ大サブユニットをもつ二つのよく似たリボソーム構造モデルが得られた (d)．(e) 色づけされたリボソーム大サブユニット（青）と小サブユニット（黄）の低分解能電子密度図．小サブユニットの構造に不均一性があるので，ここで使ったデータだけではリボソーム全体の高分解能電子密度図は得られないが，大サブユニットについてはそれが可能である．(f) 大サブユニットの高分解能電子密度図から，ポリペプチド鎖部分の分子構造を構築できる．大サブユニットタンパク質の非常に小さな一部の電子密度図（メッシュで囲んだ領域）と，それに対応するペプチド鎖の分子モデルを示す．この領域にプロリン (Pro)，フェニルアラニン (Phe)，バリン (Val)，チロシン (Tyr) 側鎖の存在することがはっきりとわかる．このように，タンパク質構造を高分解能で解析するのにクライオ電子顕微鏡法は有用である．(g) リボソーム大サブユニットを構成している 48 個のタンパク質サブユニット（それぞれ別々の色をつけてある）の 3.4 Å 分解能モデル．[A. Brown et al., 2014, *Science* **346** (6210): 718, Copyright Clearance Center, Inc. を通じて AAAS より許可を得て転載．]

パク質の濃厚溶液を磁場に入れ，タンパク質の個々の原子のスピンに対するいろいろな波長のラジオ波の影響を調べる．このとき，それぞれの原子スピンの挙動は近くにある他の原子の影響を受ける．つまり，空間的に近くにある原子どうしは遠くのものより強く影響し合う．互いにどの程度影響を与え合うかを指標にすると，三角測量法のようにして原子間距離を計算できる．こうした距離情報を集めると，タンパク質の三次元構造のモデルをつくり上げることができる．X 線結晶構造解析と NMR 分光法の重要な違いは，前者ではタンパク質を構成する原子の位置が直接決まるのに対して，後者では原子間相対距離から各原子の空間位置が計算できるという点にある．

　NMR 分光法は，タンパク質結晶をつくる必要がないという点で X 線結晶構造解析法に勝る．最近の技術的進歩で，もっと大きなタンパク質の動態解析が可能になってきているものの，ふつうは 80 kDa より小さなタンパク質にしか使えない．NMR の構造の精度は，〜2 Å 程度になることもある．しかし NMR 解析から，タ

ンパク質が似たような一群の構造をとることと，こうした構造間で転移が起こる（タンパク質動態）ということがわかる．タンパク質は動きのない堅い構造をとるのではなく，個々の構成原子の位置は多少ゆらいでいるのがふつうである．タンパク質はまるで"息をしているように"ゆらぐ．このゆらぎがタンパク質間相互作用のような機能にとって重要な場合もある．NMR 構造解析は，小さくて安定な構造をとることが多いタンパク質ドメインの研究に威力を発揮している．現在までに，13,000 以上のタンパク質の構造が NMR 分光法で決められている．これらの構造もタンパク質データバンクに登録されている．

水素-重水素交換質量分析法(hydrogen-deuterium exchange mass spectroscopy: HXMS）も，タンパク質動態やタンパク質間相互作用を調べる強力な手法である．タンパク質を重水（D_2O）に入れるとペプチド結合中のアミドの水素が重水素に置き換わるが，その速度はアミドと溶媒との接触のしやすさに依存している．タンパク質表面に露出しているアミドでは交換速度が速く，タンパク質中心部に埋込まれているアミド，タンパク質間相互作用部位にあるアミド，あるいはタンパク質内の水素結合にかかわっているアミドでは交換速度が遅い．タンパク質の構造変化や他のタンパク質との相互作用の変化に伴って，タンパク質内の特定のアミドあるいは複数のアミドにおける水素-重水素交換の速度が変わる可能性がある．質量分析法を用いればこうした変化をきわめて高精度に検出することができるので，他の分子と直接結合したり，あるいは構造変化を起こしたりしているタンパク質領域を同定することができる．

3・5 タンパク質の精製，検出，解析 まとめ

- 物理的あるいは化学的な性質の違いを利用すると，特定のタンパク質を他の細胞成分あるいは他のタンパク質から単離できる．
- 遠心法では，質量と形に依存した沈降速度の違いでタンパク質を分離する（図 3・40）．
- ゲル電気泳動法では，外から電場をかけたときの移動速度の違いでタンパク質を分離する．SDS-ポリアクリルアミドゲル電気泳動（SDS-PAGE）を使うと，10%以下しか質量が違わないポリペプチド鎖も分離できる（図 3・41）．二次元ゲル電気泳動では，まず一次元目に電荷に応じてタンパク質を分離し，二次元目には質量で分離するので，いっそう分解能が上がる．
- 液体クロマトグラフィーでは，球状ビーズを詰めたカラム中の移動速度の違いでタンパク質を分離する．質量の違うタンパク質にはゲル濾過カラムを，電荷の違うタンパク質にはイオン交換カラムを使う．また，リガンド結合能の違うタンパク質にはアフィニティーカラムを使う（図 3・43）．
- タンパク質を検出したり，定量したりするさまざまなアッセイ法がある．発光を検出シグナルとするアッセイ法や，酵素と発色基質による発色反応を増幅してシグナルとするアッセイ法がある．
- 抗体は，タンパク質を検出したり，定量したり，単離したりするのにきわめて有用である．
- ウエスタンブロット法ともよばれる免疫ブロット法は，特定のタンパク質を調べるのに頻繁に使われる．これは，抗体を用いた特異性も感度も高いタンパク質検出と，SDS-PAGE による高分解能のタンパク質分離を利用している（図 3・44）．
- 免疫沈降法（IP）は，抗体を介して複雑な組成の試料中から特定のタンパク質だけを分離するのに用いられる．目的のタンパク質に対する抗体によってこのタンパク質を沈殿させ，その後の解析に用いる．このとき，この抗体が認識するタンパク質に強く結合している分子も同時に沈殿する（免疫共沈降）．
- 放射性あるいは非放射性同位体は，タンパク質や他の生体分子の研究にきわめて重要な役割を果たしている．こうした同位体原子は，分子の化学組成を変えずに標識として取込ませることができるので，タンパク質の合成，分布，プロセシング，安定性などを調べるのに使われる．
- 細胞，組織，あるいは電気泳動ゲル中の放射性標識された分子の検出には，二次元検出器（写真乳剤や光検出装置）によるオートラジオグラフィーという方法を用いる．
- パルスチェイス法を使うと，タンパク質やその他の代謝物質の細胞内変換過程を追跡できる（図 3・45）．
- 質量分析は，タンパク質やペプチドの高感度で精密な検出，同定，特徴づけに役立つ．
- X 線結晶構造解析，クライオ電子顕微鏡法，そして NMR 分光法で，タンパク質の三次元構造を決めることができる．最も精密な構造は X 線結晶構造解析で得られるが，これにはタンパク質の結晶が必要である．大きなタンパク質複合体のような結晶化しにくいものに対しては，クライオ電子顕微鏡法が最も有効である．NMR 分光法が適用できるのは，おもに小さなタンパク質である．

3・6 プロテオミクス

20 世紀には，タンパク質研究は個々のタンパク質の解析が主であった．たとえば，ある特定の酵素の活性（基質，生成物，反応速度，補因子の有無，pH 依存性など），構造，反応機構を決めるという研究などがそうした例である．場合によっては，ある代謝経路の数種類の酵素間の相互作用の研究なども行われた．もっと幅の広い研究としては，細胞内や組織内で特定の酵素の局在や活性を調べることがあげられる．こうした酵素の発現や活性と突然変異，病気，あるいは薬剤との関係が研究の対象となることもあった．このような多様な研究によって，個々のタンパク質あるいは相互作用している少数のタンパク質の機能や作用機構の詳細が明らかにされた．しかし，タンパク質一つひとつを取上げるというこれまでのやり方は，細胞小器官内，細胞内，組織内あるいは生物個体内でタンパク質全体，すなわち**プロテオーム**（proteome）に何が起こっているのかという全体像をとらえるには十分でない．

プロテオミクスでは，生体内の全タンパク質
あるいは一群のタンパク質集団を研究対象とする

ゲノミクスの進展（ゲノム DNA の配列決定や，それに伴う細

胞内や組織内の全mRNA量の同時解析といった技術開発）によって，生物全体を一つの系としてとらえるという方法で，個々の現象を対象にした場合には考えられないような情報が得られることが明らかになった．生体内でのタンパク質全体を解析すれば，ゲノム解析と同じように生物の理解に大きく寄与するだろうという考えが広まり，生物個体，組織，細胞，細胞構成要素の全タンパク質あるいは一群のタンパク質の存在量，修飾，相互作用，局在，そして機能を系統的に調べる**プロテオミクス**（proteomics）という新しい研究分野が生まれた．

プロテオミクスの研究対象は次のような広範な問題である．

- 生物個体，組織，細胞，細胞構成要素といった特定の試料中に，全タンパク質中のどんなタンパク質が特異的に発現しているか．
- こうした試料で発現しているタンパク質の相対的な量はどうなっているか．特定のタンパク質の相対的な量は，それらのタンパク質が細胞の行動や機能に与える影響や，細胞が環境とどのように相互作用するかを示す指標になる．mRNAの存在量は対応するタンパク質の生成量に明らかに影響を与えるが（8章），タンパク質の相対量と対応するmRNAの存在量との間には比較的相関がない．なぜなら，タンパク質の量は，翻訳効率や翻訳制御，翻訳後修飾，タンパク質分解速度にも影響されるためである（9章）．その結果，mRNAの存在量から細胞内のタンパク質の量を常に予測することはできない．したがって，単一細胞を含む試料中の多くの遺伝子のmRNA量を迅速，効率的，かつ低コストで測定する方法があるにもかかわらず（6章），タンパク質量の制御機構や細胞機能におけるタンパク質の役割を理解するためには，タンパク質量を直接測定することが必要である．
- こうしたタンパク質のうち，異なるスプライシングを受けたものや化学修飾（リン酸化，メチル化，脂肪酸付加）を受けたものの相対量はどうなっているか．
- どのタンパク質が大きなタンパク質複合体を形成するか．そして，それぞれの複合体にはどのようなタンパク質が含まれているか．これら複合体の機能は何か．また複合体どうしはどのように相互作用しているか．
- 細胞の生理的状態（たとえば増殖速度，細胞周期の位置，分化の程度，ストレスのかかり方）が変化したとき，細胞内あるいは細胞から分泌されるタンパク質群に特徴的変化（細胞の状態に対して特異的に対応するタンパク質発現プロファイルの変化）が起こるか．変化があるとすれば，どのタンパク質がどのように（相対量，修飾，スプライシングなど）変化するか．こうした疑問に答えるには，8章で解説する**転写(mRNA)プロファイル**〔transcriptional (mRNA) profiling〕のような**タンパク質発現プロファイル**（protein expression profiling）が必要である．
- タンパク質発現プロファイル（プロテオームフィンガープリント）の特徴的変化は，診断に用いることができるか．たとえば，ある種のがんや心臓疾患は，血液タンパク質のプロテオームフィンガープリントに特徴的変化をひき起こすか．ある種のがんが特定の治療薬に対して耐性か感受性かを，プロテオームフィンガープリントから判断できるか．〔プロテオームフィンガープリントは，こうした細胞の状態変化の基盤にある分子機構を研究する手立てにもなりうる．特定の状態変化に対応してフィンガープリント上で変化するタンパク質（あるいは他の生体分子）を**バイオマーカー**（biomarker）とよぶ．〕
- 細胞内のどのタンパク質が互いに近接しているのか．多量体タンパク質複合体として結合しているもの，独立したタンパク質として安定的に近接して存在するもの（たとえばミトコンドリアのマトリックスや膜間腔など，12章），ホルモンが細胞の状態の変化を誘導するときなど，何らかのシグナル伝達過程によって一過性に結合しているものはどれか．
- プロテオームの変化は，薬剤の標的を見つけたり，薬剤が副作用をひき起こす機構を明らかにしたりするのに役立つか．これが可能になれば，副作用が少なくなるように薬剤を改良することができよう．プロテオミクスの手法は，低分子薬剤と結合する細胞内タンパク質を同定し，薬剤の潜在的な標的タンパク質を特定するためにも用いることができる．
- タンパク質は，化学修飾，安定性の変化，他のタンパク質との相互作用，細胞内局在の変化など，翻訳後修飾を受ける．ゲノム上の遺伝子の変化（変異，コピー数変異）により，どのようなタンパク質の翻訳後修飾が起こるのか．タンパク質の翻訳後変化（リン酸化や脱リン酸化など）のなかには，タンパク質そのものを直接調べることでしか同定できないものがある．

以上のことは，プロテオミクスを用いてできることの一部である．こうした問題に答える研究法は問題自身と同様に多様であり，現在も急速に増えている．

高度な質量分析技術はプロテオーム解析に欠かせない

プロテオミクス技術（質量分析など）の進歩は，実用的に研究できる問題の種類に大きく影響する．複雑な生体試料中のタンパク質成分を同定する方法として，**ハイスループットLC-MS/MS**（high-throughput LC-MS/MS）が広く利用されている．図3・50は，一般的なLC-MS/MSのアプローチを概説したものである．この方法では，タンパク質の複雑な混合物をプロテアーゼで消化し，得られた無数のペプチドをLCペプチド数の少ない複数の画分に分画する．LCカラムから出た画分は，連続的にエレクトロスプレー法でイオン化され，タンデム質量分析計に注入される．LCカラムからの最初の画分は質量分析計に入り，その画分中の複数のペプチド（橙と青緑）は，最初のMS分析器でイオンとして捕捉される．そのうちの一つ（橙）を質量に基づいて選択し，断片化を行い，その断片を第二のMS分析器で調べ，その配列を決定する．この選択，断片化，配列決定の過程を，第一MS分析器に捕捉されたままの第一画分中の他のペプチドについて順次繰返す．その後，質量分析計に入る後続の各画分は，もとの混合ペプチド中の多くのペプチドの配列が決定されるまで，同じ一連のMS/MSの複数サイクル（ペプチドの選択，断片化，配列決定）を順次受けることになる．次に，配列決定された短いペプチドの大規模なデータとタンパク質データベースから，もとの生物学的試料に含まれるほぼすべてのタンパク質を，計算機的手法を用いて同定する．1試料当たり20〜30 μgのタンパク質を用いるだけで，細胞や組織で活発に発現しているプロテオームのかなりの部分，1万から1万2000個のタンパク質を検出・定量することができる．現在，1〜2 μgのタンパク質から5000〜7000個のタンパク質が検出されている．使用する細胞の種類や試料調製時の損失にもよる

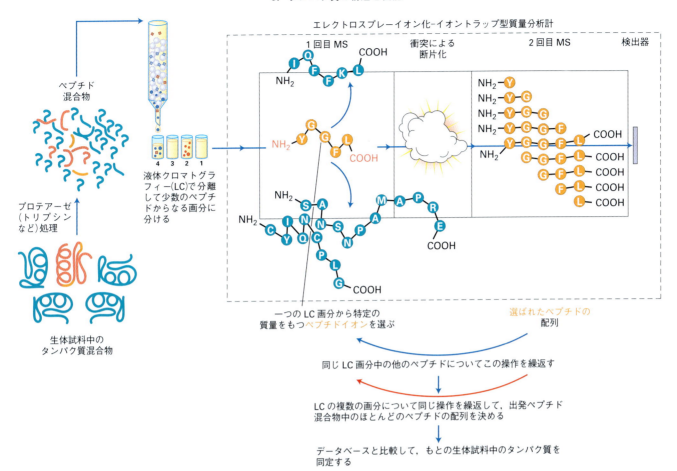

図 3・50（実験）　LC-MS/MS 法で複雑な生体試料中のタンパク質を同定できる．生体試料（たとえば単離されたゴルジ体など）中の複雑なタンパク質混合物をプロテアーゼで分解し，生じたペプチド混合物を液体クロマトグラフィー（LC）で分離して，もっと簡単な組成をもつ複数の画分に分ける．エレクトロスプレーイオン化装置を経てそれぞれの画分をゆっくりと連続的にタンデム型質量分析装置に注入する．第一 MS 分析器にトラップされた各画分のペプチド（橙と茶）から，一つ（橙）を選択して断片化と塩基配列を決定し，その画分の残りのペプチドを順次断片化し塩基配列を決定する．その後，質量分析計に入る画分は，もとの複合混合物中の多くのペプチドの質量と配列が決定され，タンパク質データベースとの比較によりもとの生体試料中のタンパク質を計算で同定するために用いられるまで，MS/MS を何度も繰返して同じ処理を順次行う．

が，この程度の量の試料は 1 万～15 万個の細胞から得ることができる．現在，この方法の感度を上げる努力が続けられており，最終的には個々の細胞のプロテオーム全体を分析できるようになるかもしれない．

図 3・51 には，いろいろな細胞小器官に含まれるタンパク質群の同定に LC-MS/MS 法を用いた例を示す．この実験では，まずマウス肝臓の細胞を機械的に破砕して細胞小器官を取出し，密度勾配遠心法で部分的に精製した．密度勾配中の各細胞小器官の位置は，以前からわかっていた細胞小器官特異的な抗体による免疫ブロット法で決定した．密度勾配から分画した試料を LC-MS/MS にかけて，それぞれの画分に含まれるタンパク質を同定した．密度勾配中のそれぞれのタンパク質の分布と細胞小器官の分布とを比較すると，個々のタンパク質がどの細胞小器官に存在しているかを明らかにできる（細胞小器官プロテオームプロファイル）．最近，こうした細胞小器官精製，質量分析，生化学的方法による局在場所の同定，そしてコンピューター解析を併用した解析で，ヒトやマウスのミトコンドリアには少なくとも 1000 種類の特異的タンパク質があることが明らかにされた．

細胞内で直接物理的に接触している，あるいは単に共局在しているなど，空間的に近接しているタンパク質を同定する強力な方法として，酵素触媒を用いた近接結合型標識と質量分析計を組合わせた方法がある．この方法では，細胞を組換え DNA で操作し，特殊な酵素と融合した目的のタンパク質を発現させる．細胞に酵素の基質を取込ませ，酵素は基質を反応性の高い化学物質に変換し，融合した目的タンパク質のすぐ近く（約 10～20 nm）のタンパク質を共有結合で標識することができる．この実験では酵素とタンパク質の融合が，細胞内の正常な位置や結合相手を破壊しないことを確認する必要がある．近接結合型標識に用いられる最も一般的な基質は，小分子のビオチンを含んでおり，このビオチンは酵素によって活性化され，近傍のタンパク質に共有結合する．生きた細胞で標識反応を行ったのち，すべてのタンパク質を細胞から取出し，抗体の代わりにビオチンと非常に強く結合するタンパク質ストレプトアビジンを含むビーズを用いたアフィニティークロマトグラフィー（図 3・43c）で，目的の融合タンパク質の近くにあるビオチン化タンパク質を分離することが可能である．分離されたビオチン化タンパク質は，タンパク質分解と

図 3・51（実験）　密度勾配遠心法と LC-MS/MS 法を用いると，細胞小器官に含まれるタンパク質が同定できる．(a) 肝細胞を機械的に破砕して細胞小器官を取出し，これらを密度勾配遠心法で部分的に精製する．いろいろな細胞小器官は密度勾配全体にわたって存在しているが，特定の細胞小器官の分布は細胞小器官に対する特異的な抗体を用いた免疫ブロット法で決めることができる．密度勾配の各画分をプロテアーゼ分解し，LC-MS/MS にかけ，それぞれの画分に含まれるペプチドを同定し，そこからタンパク質を同定する．各細胞小器官の密度勾配中の分布と，こうして同定したタンパク質群を比較（**タンパク質相関プロファイリング** protein correlation profiling）すると，個々のタンパク質がどの細胞小器官に含まれているかを決めることができる（細胞小器官プロテオームの同定）．(b) (a) に示した方法で得られたデータの階層構造．同定されたすべてのタンパク質が，必ずしも特定の細胞小器官に割り振られるわけではない．また，いくつかのタンパク質は複数の細胞小器官に割り振られている．[L. J. Foster et al., 2006, *Cell* **125**: 187 による．]

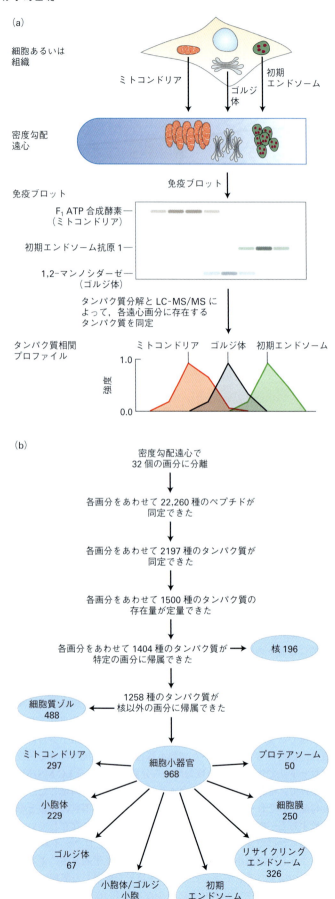

LC-MS/MS によって同定される．この方法を用いて，生化学的精製が困難なマトリックスとよばれるミトコンドリア内の区画（12章）タンパク質と細胞内の他の区画に存在する 495 個のタンパク質が同定された．近接して存在することが示されたタンパク質の機能的な関係を明らかにするためには，さらなる実験が必要である．

プロテオミクスと分子遺伝学的方法を組合わせて，真核細胞にあるすべてのタンパク質複合体を見つけ出そうという研究が進行している．たとえば，出芽酵母ではおよそ 500 種類の複合体が見いだされており，それぞれの複合体には平均して 4.9 種類の特異的タンパク質が含まれている．これら複合体間には，少なくとも 400 の複合体-複合体相互作用がある．こうした系統的なプロテオーム解析によって，細胞が生存し機能するために細胞内のタンパク質がどのように組織化され，またどのように協調しながら働いているかという問題に対する理解が深まっている．

試料中に含まれるタンパク質群のリン酸化部位についてその同定と定量を行うプロテオミクス解析（ホスホプロテオミクス）は，細胞の代謝および制御研究でますます重要になってきている．前述のように，キナーゼとホスファターゼによるタンパク質の可逆的リン酸化は，細胞内でのタンパク質機能制御のかなめである．ホスホプロテオミクスによって多数のタンパク質のリン酸化状態を同時に把握できるので，細胞内の複雑な制御ネットワークの実体を知ることができる．特定のタンパク質はほんの少ししかリン酸化されないことも考えられるので，こうした解析の出発試料としては通常のプロテオミクス解析の 50〜100 倍の細胞や組織が必要となる（総タンパク質量として 1 試料当たり 2.5〜20 mg）．これは現実的でないので，ホスホプロテオーム解析では，LS-MS/MS 解析にあたってあらかじめアフィニティークロマトグラフィーを用いてリン酸化ペプチドと非リン酸化ペプチドを分離しておく．このために，Fe^{3+} や TiO_2 のような金属を用いるか，リン酸化ペプチドに対する抗体を用いる．

3・6　プロテオミクス　まとめ

- プロテオミクスでは，生物個体，組織，細胞，そして細胞構成要素の全タンパク質あるいは一群のタンパク質の存在

量（そして存在量の変化），修飾，相互作用，局在，そして機能を系統的に調べる．
- プロテオミクスによって，細胞内のタンパク質がどのように組織化されているか，そしてこうした組織化に細胞の状態（さまざまな種類の細胞への分化，あるいはストレス，病気あるいは薬剤への応答）がどのように影響するかという知見が得られる．
- プロテオミクス解析には，二次元電気泳動，密度勾配遠心，質量分析（特に LC-MS/MS）などさまざまな方法が使われる．
- プロテオミクスによって，細胞小器官のプロテオーム解析が可能になった（細胞小器官プロテオームプロファイル）．また，個々のタンパク質が組織化されて多量体タンパク質複合体になることも解明されている（図 3・51）．
- ホスホプロテオミクスは，細胞内のリン酸化タンパク質全体（リン酸化タンパク質プロテオーム）を把握するための手段である．この方法で，細胞の状態変化に対応してタンパク質リン酸化が細胞全体でどのように影響を受けるか明らかにすることができる．

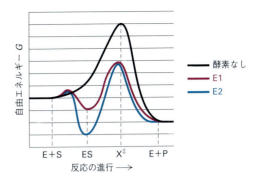

重要概念の復習

1. タンパク質の三次元構造はその一次構造，二次構造，三次構造で決まる．一次構造，二次構造，三次構造を定義せよ．よくみられる二次構造にはどんなものがあるか．二次構造や三次構造を安定化している力にはどんなものがあるか．

2. タンパク質の正確な折りたたみはその生物活性に必須である．一般的に，タンパク質が機能を発揮するときの構造は，エネルギー状態が最も低い構造に対応する．つまり，折りたたまれていないタンパク質を平衡に達するまでおいておけば，自然に天然の機能をもつ状態に至るはずである．ではなぜ，分子シャペロンやシャペロニンが細胞内で必要とされるのだろうか．タンパク質の折りたたみで，両者の役割の違いはどこにあるか．

3. 酵素は化学反応を触媒する．酵素の活性部位はどんなもので構成されているか．酵素反応の代謝回転数，ミカエリス定数 K_m，最大速度 V_{max} とは何か．炭酸デヒドラターゼの代謝回転数は 5×10^5 分子/秒である．これは反応速度定数で速度ではない．両者は何が違うのか．実際に生成物ができる速度 V を求めるには，反応速度定数に何の濃度をかけなければいけないか．どんな条件下で，V は最大速度 V_{max} に等しくなるか．

4. 次の図は，基質分子 S が酵素なしで遷移状態 $X^{\ddagger}$ を経て安定な生成物 P となる反応の反応座標と，二つの異なる酵素（E1 と E2）のどちらかが存在するものを示している．どちらかの酵素を加えると，反応のギブズの自由エネルギー変化 ΔG はどのような影響を受けるか．E1 と E2 を比較して，どちらが基質に対して親和性が高いか．どちらの酵素が遷移状態をより安定にするか．どちらの酵素が触媒として優れているか．

5. 正常な獲得免疫系は，ほぼ全ての分子を認識し，高い親和性で結合する抗体を産生する．抗体が結合する分子は抗原とよばれる．抗体は，研究や診断，治療には欠かせない道具として用いられてきた．酵素のように，複雑な化学反応を触媒する抗体をつくるという利用法もある．こうした触媒抗体を作製するには，抗原としてどんなものを選んだらよいだろうか．反応の基質でよいだろうか．反応生成物だろうか．あるいは他のものだろうか．

6. タンパク質は細胞内で分解される．ユビキチンとは何か．あるタンパク質を分解経路に向ける標識をつけるうえで，ユビキチンが果たす役割は何か．タンパク質分解においてプロテアソームが果たす役割は何か．がんの化学療法にプロテアソーム阻害剤が役立つとすると，どのようにしてだろうか．

7. タンパク質の機能はさまざまな形で調節される．協同性とは何か．この協同性はどのようにしてタンパク質の機能に影響を与えるか．また，タンパク質のリン酸化や分解はタンパク質機能をどのように調節するか．

8. 質量の違いを使ってタンパク質を分離する方法はいくつもある．こうした方法のうち，遠心法とゲル電気泳動法について述べよ．血中タンパク質トランスフェリン（質量 76 kDa）とリゾチーム（質量 15 kDa）は，ゾーン沈降速度法あるいは SDS-ポリアクリルアミドゲル電気泳動法で分離できる．遠心中に，どちらのタンパク質が速く沈殿するか．電気泳動ではどちらが速く移動するか．

9. 液体クロマトグラフィーはタンパク質を分離する分析法である．ゲル濾過クロマトグラフィー，イオン交換クロマトグラフィー，あるいはアフィニティークロマトグラフィーでタンパク質を分離する原理を説明せよ．

10. タンパク質を検出するさまざまな方法が開発されている．放射性同位体とオートラジオグラフィーを使ってタンパク質を標識し，検出する手順を述べよ．ウエスタンブロット法では，どのようにしてタンパク質を検出するか．

11. タンパク質の構造を決定するには物理的方法を使う．タンパク質の立体構造を決めるにあたって，X 線結晶構造解析やクライオ電子顕微鏡法，NMR 分光法をどのように使うか．それぞれの方法の利点と欠点は何か．小さなタンパク質，大きなタンパク質，あるいは巨大なタンパク質複合体の解析にはどの方法が適当か．

12. 質量分析は，プロテオミクスにおける強力な武器である．質量分析装置に必要な四つの要素は何か．MALDI 法と二次元ポリアクリルアミドゲル電気泳動法を用いて，がん細胞では発現しているが正常細胞では発現していないタンパク質を見つけ出すにはどうすればよいか．

4

細胞の培養と観察

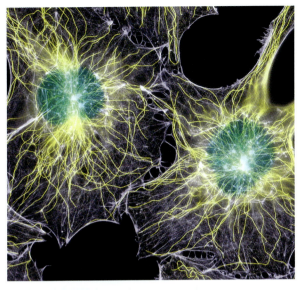

隣接する二つの培養細胞内の DNA（緑），微小管（黄），ミクロフィラメント（紫）の蛍光顕微鏡像．まず細胞を化学処理で固定し，弱い界面活性剤処理で，細胞が抗体に対して透過性をもつようにした．微小管はチューブリンに対する抗体を用いて染色した．ミクロフィラメントはFアクチンに特異的に結合する蛍光標識ファロイジンで染色した．DNAはDNA結合色素で染色した．[T. Wittman, University of California, San Francisco 提供．]

4・1　培養条件下での細胞の増殖と観察
4・2　光学顕微鏡法：細胞内の微細構造とタンパク質局在の観察
4・3　電子顕微鏡法：高分解能イメージング
4・4　細胞小器官の精製

　いまでは信じがたいことであるが，200年前にはまだ生物が細胞でできているということはわかっていなかった．しかし1655年に，Robert Hooke は簡単な光学顕微鏡を使って植物由来のコルク片の微細構造を観察し，これが長方形の繰返しからなるレース編みのような構造（レース糸にあたるところが死んだ植物の細胞壁）をもっていることを見つけた．この形が修道院の小部屋（monk's cell）に似ていたので，Hooke はそれを**細胞**（cell）と名づけた．その直後に Antonie van Leeuwenhoek も，簡単だがもっと高倍率の光学顕微鏡を作製し，生きている微生物を観察した．これが生細胞の最初の観察例である．その200年後には，多様な植物，動物，および単細胞生物といった生物体すべての構造および機能単位は細胞であるという"細胞説"が Matthias Schleiden と Theodor Schwann によって確立された．こうした発見は生物学にとってきわめて重要なものであり，その後，細胞がどのように組織化され，どのように機能するかという問題に興味が集まって，現在に至っている．

　現在でも，生体内の環境で動物や植物の個々の細胞を研究することは技術的にむずかしい．一つの解決法は，動物から臓器を取出し，その機能が維持されるような処理をしてから，実験に用いるというものである．しかし，臓器そのものがすでにきわめて複雑なものなので，仮に機能を維持したまま臓器を取出すことができても，そのなかの個々の細胞についての知見を得ることはむずかしい．そこで，生体から細胞を単離し，これを用いて細胞の構造や機能を調べるというアプローチがとられた．本章では，まずさまざまな種類の細胞を増殖させ維持する方法を解説し，種々の細胞を含む集団から特定の細胞種のみを単離する方法についても

述べる（§4・1）．

　ふつう，単離された細胞は確立された**細胞培養法**（culturing）の手順に従って増殖させ，維持する．研究材料としての培養細胞には，特定の種類の細胞を培養皿で増殖させられ，実験条件をしっかり制御でき，1個の細胞を増殖させて同一細胞の集団からなるコロニーをつくらせることができる，といった生体にはない利点がある．1個の細胞を増殖させて得られた細胞集団は遺伝的に同一で，**クローン**（clone）とよばれる．しかし，細胞培養の環境は生物個体内とは違うので，三次元細胞培養のようになるべく個体内の環境に近い培養条件が使われるようになってきている．

　細胞の構造に関する発見は，顕微鏡技術の進歩と密接に結びついている．この状況は現在も400年前も同じである．最初に光学顕微鏡によって細胞の美しい内部組織が明らかにされて以来，細胞機能を担う分子機構をさらに深く探求するため高性能顕微鏡の改良が現在に至るまで続けられている．§4・2 では，光学顕微鏡について解説し，これまで長く使われてきたさまざまな顕微鏡技術について述べるとともに，最新の顕微鏡技術についても説明する．こうした技術革新のきっかけは，1960年代から1970年代にかけて**免疫蛍光顕微鏡法**（immunofluorescence microscopy）が開発され，固定細胞内における特定のタンパク質の局在を可視化できるようになったことである．種々のタンパク質の細胞内局在を示す免疫蛍光顕微鏡静止画像（細胞は化学固定されている）の一例が本章の章頭図である．このような研究から，それぞれの細胞小器官の膜や内部空間には，特定の機能発現のために必須なタンパク質群が局在しているという重要な概念が確立された．さらに1990年代半ばになると，自然界に存在する蛍光タンパク質と可視

化したいタンパク質とを融合させた**キメラタンパク質**（chimeric protein）を細胞内で発現させ，生きた細胞内で個々のタンパク質の動きを可視化する技術が開発された．これを機に，細胞が本来もっている動的な性質を理解できるようになった．また，これまでの静止画でしか観察できなかった細胞に対する考え方が，劇的に変化した．高感度化した顕微鏡と解像度を高める手法によって，細胞の詳細な構造や細胞内のタンパク質の動態についてより多くの情報を得ることが可能になった．また，生きた細胞内でのタンパク質間相互作用を検出する蛍光測定技術などの開発も進められた．このような技術的な展開については§4・2で取上げる．光学顕微鏡の分解能には可視光の物理的特性に基づく限界（約200 nm）がある．しかし最近，この分解能の壁を打ち破るいくつかの新しい精巧な技術が考案され，**超解像顕微鏡法**（super-resolution microscopy）が開発された．§4・2の最後でこのような顕微鏡法についても解説する．

このように，近年の光学顕微鏡技術の進歩には驚くべきものがあるが，残念ながら細胞の超微細構造を調べるにはその分解能は十分でない．こうした目的には，光学顕微鏡よりはるかに高解像度で細胞の微細構造を可視化できる電子顕微鏡が使われる．しかし，電子顕微鏡試料作製時には細胞の固定化や切片作製が必要となるため，すべての細胞の運動はある時点で固定されてしまう．そうした短所があるにもかかわらず，電子顕微鏡を用いれば，巨大分子複合体や個々の巨大分子の詳細な構造解析が可能である．§4・3では，電子顕微鏡観察で用いるさまざまな試料調製方法を概説し，それぞれの方法でどんな情報が得られるか解説する．

すべての真核細胞内部が多層の膜で仕切られた**細胞小器官**（organelle）とよばれる区画に分けられていることは，光学および電子顕微鏡を用いた観察から明らかにされた．顕微鏡による観察と並行して細胞分画法が開発され，個々の細胞小器官を高純度で単離することができるようになった．§4・4で解説するこうした技術によって，それぞれの細胞小器官の特徴的なタンパク質構成や生化学的機能についての情報が得られている．

4・1 培養条件下での細胞の増殖と観察

細胞を研究するには，調整された条件下で顕微鏡観察や特殊処理ができる細胞培養法が重要である．細菌や真菌類あるいは原生動物といった単細胞生物は，栄養豊富な培地におくと，容易に増殖する．しかし，多細胞生物由来の動物細胞の場合，単独の細胞や少数の細胞集団での培養はかなりむずかしい．本節では，動物細胞をどのように培養液中で増殖させるか，また異なる種類の細胞をどのように分離・精製するかについて解説する．

動物細胞の培養には栄養に富む培地と特別な固体表面が必要である

培養組織や培養細胞が正常な機能を維持しながら生き続けるには，培養液の温度，pH，イオン強度，あるいは必須栄養成分といった培養環境がもとの生物個体のものにできるだけ近くなければならない．単離された動物細胞は，特別な表面処理をしたプラスチック培養皿やフラスコに栄養に富む液体**培地**（medium）を入れて培養する．こうした培養は，温度，大気組成，湿度が調整可能なインキュベーター内で行う．細菌やカビの混入を防ぐために抗生物質を培養液に加えることが多い．新たな培養皿に細胞を植え継いだり，培養液に試薬を加えたりするときに混入が起こることが多いので，これを防ぐために，空気中の微生物などを取除く特殊フィルターを通して空気が循環するように細工した特別なキャビネット内で細胞を取扱う．

動物細胞の培養液には，成体の動物細胞が合成することができない9種類のアミノ酸（フェニルアラニン，バリン，トレオニン，トリプトファン，イソロイシン，メチオニン，ロイシン，リシン，ヒスチジン）を添加する必要がある．さらに，ほとんどの培養細胞には3種類のアミノ酸（システイン，チロシン，アルギニン）が必要である．これらは，動物個体中では特別な細胞でしか合成されない．窒素源の役割を果たすグルタミンも必要なことが多い．ビタミン，さまざまな塩，脂肪酸，グルコース，血清も動物細胞培養に必要である．血清とは，血液から細胞を除いた非細胞部分（血漿）を凝固させたあとに残った液体成分で，ペプチドホルモンであるインスリン，細胞が利用できる形で鉄分を供給するトランスフェリン，そして多数の増殖因子といった哺乳類培養細胞に必要なさまざまなタンパク質因子が含まれている．さらにある種の細胞は，血清中に存在しない特定のタンパク質増殖因子を必要とする．たとえば，赤血球細胞の前駆体にはエリスロポエチンが必要で，Tリンパ球にはインターロイキン2が必要である（16章）．いくつかの哺乳類細胞は，アミノ酸，グルコース，ビタミン，塩，微量の無機物，特別なタンパク質増殖因子などを入れておけば，化学的に性質が明らかな無血清培地中でも育つ．

懸濁液中で培養できる細菌や酵母細胞とは異なり，ほとんどの動物細胞は固体表面上でしか育たない．この事実から，動物細胞増殖における**細胞接着分子**（cell-adhesion molecule: **CAM**）の重要性が明らかである．CAMは，細胞を他の細胞に結びつけたり，コラーゲンやラミニン，フィブロネクチンといった細胞外マトリックス（ECM）成分に細胞を結合させたりする（20章）．あらかじめECMタンパク質で覆われている培養器表面（通常ガラスやプラスチック）を使う場合と，血清中にあるECMタンパク質や培養細胞から分泌されるECMタンパク質で十分な場合がある．ガラスやプラスチック培養皿上の1個の細胞は，増殖速度によるが4〜14日で遺伝的に同一の何千もの細胞からなる**コロニー**（colony）を形成する．正常な動物細胞の増殖には固体表面が必要だが，ある種の特殊な血液細胞や腫瘍細胞は懸濁液中でも増殖させ維持することができる．

初代培養細胞と細胞株の寿命には限りがある

組織から直接単離された細胞を**初代細胞**（primary cell）という．動物の皮膚や腎臓，肝臓といった組織は**初代培養細胞**（primary cell culture）を樹立するためによく用いられる．組織の細胞から初代培養細胞を調製するためには，細胞間や細胞とマトリックス間のつながりを切断しなくてはならない．そのために，遊離 Ca^{2+} を培地から取除く2価陽イオンキレート剤（EDTAなど）とプロテアーゼ（トリプシンかコラゲナーゼというコラーゲンを加水分解する酵素，あるいは両方）とで組織断片を処理する．多くのCAMは Ca^{2+} を必要とするので，Ca^{2+} の除去によって不活性化される．Ca^{2+} を必要としない他のCAMは，プロテアーゼ処理で分解される．CAMが不活性化されると，組織中の細胞はばらばらになる．この遊離細胞を栄養豊富な血清添加培養液の入った培

皿に移すと，培養皿表面への接着と細胞どうしの接着が起こる．生化学実験に用いたり，継代培養のために別の培養皿に移し替えたりするため接着性細胞を培養皿からはがす場合には，同じプロテアーゼ/キレート剤溶液を用いる．

繊維芽細胞（fibroblast）は結合組織の主要な細胞で，コラーゲンなど ECM 成分を産生する．ECM と CAM との結合を介して，繊維芽細胞は培養皿表面に固着する．繊維芽細胞は，培養時に組織中の他の細胞よりも速く分裂するので，他種の細胞を単離したいときには特別な注意を払わないと，最終的に初代培養中のほとんどが繊維芽細胞となってしまう．

胚や成体動物由来の細胞を培養すると，ほとんどの接着性細胞はある回数分裂して，その後増殖を止める（**細胞老化** cell senescence）．たとえば，ヒト胎児繊維芽細胞は約 50 回分裂して増殖を止める．10^6 個の細胞からはじめるとすると，50 回の分裂によって $10^6 \times 2^{50}$ すなわち 10^{21} 個以上の細胞になりうる．これは 1000 人分の重さに相当する．通常，これらのほんの一部だけしか実験には使われない．このように細胞の寿命は限られているが，注意深く維持すれば，一つの培養細胞は何世代にもわたって維持できる．一つの初代培養細胞から得られるそのような細胞系統は**細胞株**（cell strain）とよばれる．

有限の寿命をもつ正常細胞の重要な例外は，**胚性幹細胞**（embryonic stem cell, **ES 細胞**）である．その名が意味するとおり胚由来で，発生過程を通して分裂し，すべての組織を形成する．22 章で述べるが，適切な条件にすれば胚性幹細胞はほぼ無限に培養できる．

必要なときに細胞を凍結・融解できるので，細胞株を用いた研究は簡便になっている．細胞にとって有害な氷結を妨げるような保存剤を添加すれば，細胞株を浮遊状態で凍らせ，液体窒素温度で長期間保存できる．凍結保存した細胞の一部は融解しても生き返らないが，多くの細胞は融解後に再び増殖を開始する．

悪性転換した細胞は培養液中で無限に増殖する

個々の細胞をクローン化したり，細胞のふるまいを変えたり，あるいは変異体を選択したりするために，分裂回数が 50 回以上になるまで培養を続けることがある．いくつかの腫瘍由来の細胞では，そのような長期にわたる増殖が可能である．さらに，初代培養の細胞集団中に，まれに発がん性の突然変異を起こし，**悪性転換**（oncogenic transformation，**トランスフォーメーション**ともいう）するものがある（25 章）．こうした悪性転換を起こした細胞は無限に増殖し，不死と考えられ，**細胞系**（cell line）とよばれる．

最初のヒト細胞系である HeLa 細胞は，子宮頸部の悪性腫瘍（がん腫）から 1952 年に樹立され，いまでもよく用いられている．ただしこの HeLa 細胞は，H. Lacks の同意なしに無断で子宮頸部から採取されたがん細胞から樹立したものであり（HeLa 細胞の HeLa とは，Henrietta Lacks の名前が由来である），生物試料の所有権に関する倫理的な問題が指摘されている．なお，他のヒト細胞系の多くもがん由来であるが，がん遺伝子の発現を介してヒト細胞を不死にしたものもある．

不死化した細胞系はその由来にかかわらず，異常な DNA 配列を含む染色体をもっていることが多い．また，正常細胞の染色体数より多くの染色体をもっていることも多い．培養中の細胞分裂に伴い，染色体数は増えたり減ったりする．ただしヒト造血細胞由来の細胞系は例外で，8 番染色体以外が一倍体である．二倍体の細胞では，2 コピーの対立遺伝子の片側だけを不活性化しても表現型に変化がないことが多い．そこで，ほとんどの遺伝子が 1 コピーしかないヒト造血細胞由来の細胞系は遺伝学的解析に適しており，モデル生物で行われているような遺伝的スクリーニング（6 章）も可能である．なお，異常な染色体数の細胞は**異数体**（aneuploid）とよばれる．

フローサイトメトリーで別種の細胞を分別する

ある種の細胞では密度の差が十分にあるので，これを使って分別が可能である．たとえば，白血球と赤血球とは，後者に核がないので密度が異なっている．この密度の差を利用すれば，密度勾配沈降平衡法で両者を分別できる（§4・4）．しかし，ふつう細胞分別はこのように簡単でなく，フローサイトメトリーのような他の分離手段が必要となる．

細胞の混合物に含まれる特定の細胞を見つけ出すには，何らかの方法で印をつけて選り分ける必要がある．蛍光タンパク質を発現させることで細胞を標識することは可能だが，蛍光タンパク質を発現しているのは細胞集団の一部にすぎない．こうした場合にも，**フローサイトメーター**（flow cytometer）を用いて標識された細胞だけを選別できる．この装置は，細胞がレーザー光の中を通過するときに発する散乱光や蛍光を測定するもので，細胞集団中に存在する蛍光タンパク質発現細胞の数を定量できる．フローサイトメトリーの原理に基づく**蛍光励起式セルソーター**（fluorescence-activated cell sorter: **FACS**）という装置を用いると，数千の細胞のなかから特定の細胞を数個だけ選び出し，これを別々の培養皿に分注できる（図 4・1）．このためまず細胞集団を緩衝液に分散し，振動ノズルを通して小さな液滴をつくり出す．つくり出されるほとんどの小さな液滴には細胞が含まれず，ごく一部の液滴にだけ 1 個の細胞が含まれるように細胞濃度を調節する．ノズルから出た液滴一つずつにレーザー光を当て，細胞の有無，細胞があるときにはその大きさを光散乱光度計で記録する．液滴中の細胞が発する蛍光は，蛍光検出器で定量する．液滴中に細胞があるときには，ノズルの先で液滴に一定の負電荷を付加する．その後，液滴は次々と 2 枚の電極間を通過していくが，電極間には各細胞の蛍光に比例した電場がかかるように設計されている．電極を通過する間に蛍光を発している液滴には力が加わり，まっすぐに流れていく無蛍光の液滴とは別になってそれぞれのチューブに分注される．液滴に加わる力は細胞が発する蛍光強度に比例しているので，蛍光の強弱で液滴を分別できる．分別した細胞は，培養して増やす．

異なる種類の白血球の表面には 1 個以上の特異的なタンパク質が露出しており，こうしたタンパク質に対するモノクローナル抗体がここに結合するので，FACS は白血球の分別によく使われる．特異的細胞表面タンパク質に対する蛍光標識抗体と細胞集団とを混ぜれば，目的とする種類の白血球だけが蛍光を発するようにできる．実際，免疫系の T 細胞表面だけに CD3 タンパク質と Thy1 タンパク質が存在しているので，これら特異的な表面タンパク質に対する蛍光標識抗体を使って，他の血液細胞や脾臓細胞から簡単に T 細胞を分離できる（図 4・2）．

フローサイトメトリーでは，細胞内のさまざまなパラメーターを測定することができる．たとえば，DNA 量（DNA 結合蛍光色

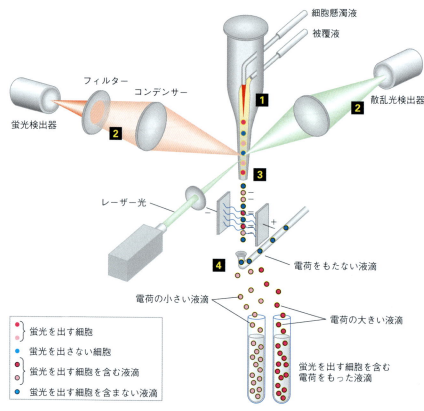

図 4・1 **FACS(蛍光励起式セルソーター)は蛍光標識した細胞を蛍光量の違いで分離できる.** 段階**1**: 標識した細胞の濃縮懸濁液に緩衝液を混合し,細胞を1列に並べて流しながらレーザーを当てる. 段階**2**: 各細胞から放射された蛍光と散乱光を測定する. 散乱光を測定することで細胞の大きさや形がわかる. 段階**3**: 細胞をノズルから押出し,細胞が最大1個しか含まれないように小さな液滴をつくる. ノズル先端で液滴が形成される際に,細胞を含む各液滴には,測定済みの蛍光量に比例した負電荷が与えられる. 段階**4**: 液滴は電場を通過し,電荷をもたないものは捨てられ,異なる電荷をもつものは分離され,回収される. 1滴を選別するのに数ミリ秒しかかからないので,1時間に1千万個ほどの細胞をこの装置にかけることができる.

素の蛍光量から決めることができる)と細胞の形や大きさ(光散乱量から決めることができる)を測定することができる. 個々の細胞の DNA 量を測定することで,細胞周期の進行に伴う DNA 複製を追跡できる(19章). また,異なる蛍光分子を結合させた複数の細胞特異的抗体を用いることで,細胞集団中の特定の細胞だけを同定することもできる. たとえば,血液中の異なる種類の細胞を識別することが可能である. そして,単一細胞レベルでの細胞内シグナル伝達経路の研究にも適用可能である. 多くの細胞内シグナル伝達経路が刺激されると,特定のタンパク質がリン酸化される(15章, 16章). これらの変化は,特定のタンパク質上のリン酸化部位を個別にかつ特異的に認識するリン酸化特異的抗体を用いたウェスタンブロットにより,細胞集団で検出できることが多い(3章). しかし,この解析方法では細胞集団の平均値しか得られないため,個々の細胞における特定のタンパク質のリン酸化量を定量するために,フローサイトメトリーが用いられる. 具体的には,リン酸化特異的抗体に,異なる蛍光色素を共有結合させたものが用いられる. たとえば,ある抗体には緑色蛍光を発する蛍光色素を結合させ,別の抗体には赤色蛍光を発する蛍光色素を結合させる. 細胞は,抗体が細胞内に浸透できるように透過性を高める処理が施されるが,この処理を施してもリン酸化タンパク質は,細胞内に保持され続ける. 透過処理された細胞にリン酸化特異的抗体を反応させ,フローサイトメトリーによって分析することで,タンパク質のリン酸化の程度が,緑もしくは赤の蛍光シグナルとして検出される. このような方法によって,異なる細胞内シグナル伝達経路の活性化に伴うタンパク質のリン酸化の状態を評価することができる.

フローサイトメーターとは異なる細胞分離技術として,特異的

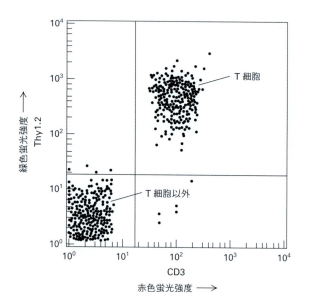

図 4・2(実験) **2種類の細胞表面タンパク質に対する蛍光標識抗体をT細胞に結合させて,FACSによって他の白血球細胞から分離する.** マウスの脾臓細胞を,CD3細胞表面タンパク質に対する赤色蛍光標識モノクローナル抗体とThy1細胞表面タンパク質に対する緑色蛍光標識モノクローナル抗体とで処理する. 細胞をFACS装置にかけると,各細胞が出す緑(縦軸)と赤(横軸)の蛍光強度が記録される. 各点は一つの細胞を示す. 数千もの脾臓細胞から得られた赤色および緑色蛍光強度のプロットから,全体の約半分がCD3とThy1の両方を表面に発現しているT細胞だということがわかる(右上部). 蛍光強度が低い残りの細胞は(左下部),わずかなCD3やThy1しか発現していないT細胞以外の白血球細胞である. グラフの両軸は対数目盛であることに注意. [C. Zhang, Whitehead Instituteによる.]

な表面分子に対する抗体を小さな磁気ビーズに結合させるという方法がある．たとえば，T細胞を分離する場合には，CD3やThy1といった表面タンパク質に対するモノクローナル抗体で覆われた磁気ビーズを調製する．これらのタンパク質をもつ細胞だけがこのビーズに吸着するので，試験管の周囲に小さな磁石を置いて磁気ビーズを回収すれば目的のT細胞が得られる．

二次元および三次元細胞培養は生体内環境を模倣する

通常の細胞培養に用いるプラスチックやガラス表面は正常組織の環境とは全く異なっていることが多い．20章で解説するように，多くの細胞は，他の細胞と相互作用しながら機能している．たとえば重要な例として，器官の外側と内側の表面を覆う**上皮**(epithelium, *pl.* epithelia)とよばれる組織のシート状の細胞層があげられる．上皮細胞には**頂端面**(apical surface)，**基底面**(basal surface)，そして**側面**(lateral surface)とよばれる三つの異なる表面がある（図20・11参照）．基底面は通常，**基底膜**(basal lamina)とよばれる細胞外マトリックスと接触している．基底膜の構成成分や機能に関しては§20・3で解説する．上皮細胞の機能の一つは，上皮シートを横切って特定の分子を運搬することである．たとえば，小腸の上皮は，栄養を頂端面から細胞内に取込み，側底面を横切って血流に放出する．プラスチックやガラス表面上で培養すると，上皮細胞はこのような機能をうまく発揮できない．ガラス表面ではなく，基底膜に相当する多孔質表面をもつ培養器を用いると，ここに上皮細胞が接着して均一な二次元シートができる（図4・3）．この二次元シートは上皮組織シートのモデルとなる．上皮組織シートの形成や機能の研究には，イヌ腎臓上皮由来の**MDCK細胞**(Madin-Darby canine kidney cell)がよく使われる．

二次元シートでも正常な環境下での細胞のふるまいを十分に模倣できないことがある．そこで，細胞外マトリックス成分（20章）を浸み込ませた支持体を用いて，三次元で細胞を成長させる工夫がなされている．こうした三次元支持体を用いて適切な条件下でMDCK細胞を培養すると，管状臓器や分泌管に似た管状シートを形成する．このとき管状シートの頂端面は管腔側に並び，側底面は細胞外マトリックス側に接している（図4・4）．

同様に，初代培養肝細胞（肝臓から分離した細胞）も培養できるようになった．適切な条件下では，肝細胞**スフェロイド**(spheroid,

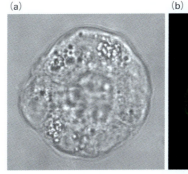
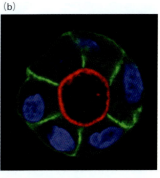

図4・4（実験） MDCK細胞は培養下で嚢胞を形成できる．(a) 細胞外マトリックスを含んだ三次元支持体内でMDCK細胞を増殖させると，**嚢胞**(cyst)とよばれる中央部に内腔をもつ1層の細胞塊を形成する．(b) 頂端面（赤）と側底面（緑）に存在するタンパク質の局在を調べることで，これら細胞が高度に極性化されていることが観察される．MDCK細胞は腎臓に由来するので，腎臓の管状組織のように，頂端面は内腔に接して存在する．核DNAは青く染色されている．[Institute of Cancer Sciences/CRUK Beatson Institute, University of Glasgow, Garscube Estate, Switchback Road.]

細胞どうしが凝集して塊になった状態）を形成し，培養して維持することもでき，生きた動物の無傷の肝臓と同様に薬剤に対しても反応する．これらは，生きている動物の細胞や組織により近い器官培養系の開発に成功した成長分野の例であり，この技術により，生理的な条件下で実施できる実験の種類を増やすことに貢献している．

幹細胞を培養して分化させオルガノイドを産生する

詳細は22章で解説するが，胚性幹細胞は，哺乳類の初期胚の内部細胞塊から分離することができる．これらの細胞は**多能性**(multipotency)をもつため，初期胚はすべての組織を生み出すことができる．成熟した動物の組織には，**成体幹細胞**(adult stem cell)が存在する．これらの細胞は多能性をもたないが，それでも細胞の再生や組織修復にきわめて重要である．動物における細胞の分裂と分化は，細胞外マトリックスや他の細胞との相互作用，水溶性因子への応答，遺伝子発現の経時的変化など，多くの要因によって制御されている．細胞外マトリックス（20章），シグナル伝達経路（15章，16章），遺伝子発現調節（8章）に関する研究が大きく進展したことにより，細胞の分化に関する詳細な分子機構について多くのことが明らかになった．そして現在では，これらの現象のいくつかを細胞培養実験により再現することが可能になっている．

腸の成体幹細胞を三次元マトリックス中で適切な条件で培養すると，小腸の陰窩と絨毛の構造をもつ腸**オルガノイド**(organoid, 類器官)が形成される．さらに研究者たちは，ヒト多能性細胞を培養して，胎児の脳に驚くほどよく似た組織構造をもつ脳オルガノイドの作製に成功するという劇的な進歩をなし遂げている（図4・5）．現在では，脳，腸，胃，腎臓，心臓，舌など，多くの臓器のオルガノイドが開発されている．これまでのところ，オルガノイドは胎児に特徴的な発生段階まで進むことがわかっているが，成体の臓器にみられるような組織化には至っていない．この驚くべき結果から，細胞が分裂，分化し，複雑な構造体に組織化されるためには，固有のプログラムが必要であることが明らかになった．

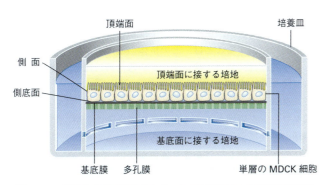

図4・3 特別な容器で培養されたMDCK細胞は上皮細胞の研究において便利な実験系である．片側をコラーゲンや基底膜の他の成分で覆った多孔膜の上で，MDCK細胞を培養すると，極性をもった上皮組織を形成する．図に示した特別な培養皿を用いると，多孔膜の両側（単層上皮細胞層の頂端側と側底側）の培地を実験的に制御でき，細胞層を横断する分子の移動を追跡できる．

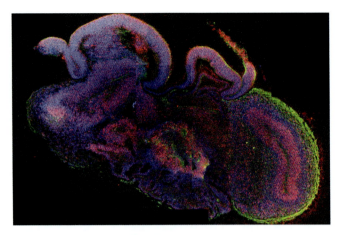

図 4・5(実験) 多能性幹細胞由来の脳オルガノイド．このオルガノイドの切片において，神経幹細胞は赤で，神経細胞は緑で示されている．すべての細胞核は青に染色されている．[IMBA/M. Lancaster.]

オルガノイドは目覚ましい研究成果をあげているが，実際にはどのような使い道があるのだろうか．まず，オルガノイドの細胞は，生きている動物の体内に存在する細胞よりも，容易にその挙動を追跡することができる．たとえば，脳のオルガノイドでは，ヒトの脳の発生の初期段階を詳細に解析することが可能である．第二に，オルガノイドの作製に用いる幹細胞に変異を導入して操作し，その変異がオルガノイドの発生にどのような影響を与えるのかについても解析が可能である．第三に，オルガノイドを用いることで，発生に対する薬剤の影響を解析することができ，それは動物を用いた実験よりもはるかに容易である．第四に，患者から採取した腫瘍細胞を用いて，特徴的な形態をもつ腫瘍オルガノイドを作製できることがわかってきた．この腫瘍オルガノイドは，患者に薬剤を投与する前の薬効試験に利用することができる．これらは，オルガノイドの驚くべき用途のほんの一部にしかすぎず，現在では，基礎科学および医学の両分野で，さらに多くの創造的な用途が研究開発されている．

患者に移植できる臓器を作製することは可能だろうか．これまで述べてきたように，培養したオルガノイドは，残念ながら成人の臓器へと成長することはない．しかし，最近の医用生体工学の進展をみると，少なくとも実験動物では，いまやそうした道筋ができつつある．たとえば，3D プリンターを利用して人工の耳を作製するという次のような試みがある．まず，耳の完全な三次元イメージをコンピューターに取込む．このイメージを使って，柔軟な基材を耳の形に成型する．この基材には，生分解性の構造支持材料や細胞外マトリックス成分が含まれている．耳の形に成型された基材を培養するとき，あるいはこれを生体の皮膚下に移植したとき，細胞外マトリックスが上皮細胞の増殖を促す．3D プリンターを用いた方法には，細胞外マトリックスを臓器の形に成型して，これに必要とされる細胞をあらかじめ埋込むというやり方もある．この技術の野心的な目標は，特定の細胞外マトリックスと特定の細胞からなる層を次々とプリンターで積み上げて，多種類の細胞からなる複雑な三次元的合成臓器を構築しようというものである．いつかは，患者の傷んだ臓器をこうした人工臓器で置き換えることが可能になるかもしれない．こうしたことを実現するには，臓器移植に伴う拒絶反応など，越えなければならない障害がいくつもある．しかし，いまでは患者自身の幹細胞を作製し，培養条件下で分化を誘導することが可能になってきているので，臓器移植に伴う拒絶反応という一番大きな問題は回避でき，さらに合成臓器の構築に必要な細胞を得ることもできるようになるだろう．

ハイブリドーマとよばれるハイブリッド細胞はモノクローナル抗体を多量に生産する

培養細胞は細胞機能の研究にだけでなく，特定のタンパク質をつくる"工場"としても用いられる．たとえば，細胞生物学でよく用いられるモノクローナル抗体の産生に，特別な培養細胞が使われる．モノクローナル抗体は，あとの章で述べるように，疾病の診断と治療にも広く利用されている．

モノクローナル抗体をつくる方法を理解するために，まず哺乳類がどのように抗体を産生するかを概観する．詳細は 24 章で解説する．抗体は白血球細胞から分泌されるタンパク質で，高い親和性で抗原と結合する(図 3・22 参照)．哺乳類の正常な抗体産生 B リンパ球は，**抗原決定基**(determinant)あるいは**エピトープ**(epitope)とよばれる抗原分子上の特定の化学基に結合する特定の抗体を 1 種類だけ生成できる．一つのエピトープは，ふつう抗原上の一つの小領域に対応し，たとえば数アミノ酸で構成される．動物に抗原を注射すると，抗原を認識して抗体をつくる B リンパ球が活性化され，増殖し，抗体を分泌する．抗原によって活性化されたそれぞれの B リンパ球は，脾臓やリンパ節で増殖しクローンを形成する．一つのクローンの細胞集団は同一の抗体を産生し，これを**モノクローナル抗体**(monoclonal antibody)とよぶ．ほとんどの自然抗原はさまざまなエピトープをもっているため，動物が抗原にさらされると，通常さまざまな B リンパ球クローンの形成が促進され，それぞれが異なる抗体を産生する．その結果，抗原が同じでも異なるエピトープを認識する抗体の集団が産生されることになる．こうしてできた抗体は，**ポリクローナル抗体**(polyclonal antibody)とよばれる．そのようなポリクローナル抗体は血液中を循環しており，ひとまとめに単離できる．

ポリクローナル抗体も有用であるが，タンパク質上のたった一つの部位に結合する試薬が必要になる実験や医学応用にはモノクローナル抗体が適している．たとえば，細胞表面受容体に結合している特定のリガンドと競合するような試薬が必要になる場合である．残念なことに，血液中から 1 種類のモノクローナル抗体を生化学的に精製することは，どの抗体の濃度も低く，またどの抗体も基本的には同じ分子構造をしているためにほとんど不可能である(図 3・22 参照)．

モノクローナル抗体を産生し精製するためには，特定の B リンパ球クローンを増殖させることが必要である．しかし，正常 B リンパ球の初代培養細胞の寿命は限られているため，モノクローナル抗体の産生に関してはあまり価値がない．そのため，モノクローナル抗体産生の最初の段階は，不死の抗体産生細胞ライブラリーをつくり出すことである(図 4・6)．免疫された動物由来の正常 B リンパ球と抗体産生はしない**骨髄腫細胞**(myeloma cell)とよばれる悪性転換を起こし不死になったリンパ球と融合すればこの不死性が獲得できる．このようなハイブリッド細胞は，**ハイブリドーマ**(hybridoma)とよばれる．ハイブリドーマは，骨髄腫細

モノクローナル抗体は，研究手段として非常に有用である．複雑な混合物の中からタンパク質を分離し精製するために，モノクローナル抗体はアフィニティークロマトグラフィーによく利用される（図3・43c参照）．本章の後半で解説するように，モノクローナル抗体は細胞内の特定のタンパク質に結合し，その局在を可視化できるため，免疫蛍光顕微鏡法に用いられている．また，免疫ブロット法を用いて，目的のタンパク質が細胞画分のどこに存在するかを特定もできる（図3・44参照）．

ウサギ，マウス，ヒトの免疫グロブリンは，2本の重鎖と2本の軽鎖からつくられており，軽鎖と重鎖の両方が抗原結合部位形成に寄与している（図24・14参照）．驚くべきことに，ラクダ科の動物（ラクダやラマを含む）には，2本の重鎖と2本の軽鎖から構成された免疫グロブリンと，2本の重鎖だけで構成された免疫グロブリンが存在する．2本の重鎖だけで構成された免疫グロブリンの抗原結合部位は比較的小さく，マウスのモノクローナル抗体の大きさが約150 kDaであるのに対し，ラクダの抗体の大きさは，約15 kDaでしかない．そのため，ラクダの免疫グロブリンは，細菌内で容易に発現させることができ，細菌から精製することが可能である．このような，特定の抗原に対して単一の高親和性結合部位をもつ，**ナノボディ**（nanobody）は，病気の治療や診断，そして研究のために開発が進められている．

モノクローナル抗体は，医療において診断や治療にも用いられるようになってきた．たとえば，病原菌から分泌される毒素に結合し不活性化するモノクローナル抗体は，特定の感染性疾患の治療に用いられる．

治療に用いられた最初のモノクローナル抗体は，マウスで作製された．しかし，これをヒトに投与すると，異物として認識され，免疫システムによって除去されてしまうことがわかった．そこでその後は，ヒトの抗体にマウスの抗原結合領域を融合させた抗体が作製された．このような治療用抗体の初期の例は，進行性乳がんの治療薬として開発されたハーセプチン®（トラスツズマブ）である．進行性乳がんは，EGF受容体チロシンキナーゼファミリーの細胞膜タンパク質であるHER2を過剰に発現していることが知られていた（16章）．そこで，HER2の細胞外ドメインに対するモノクローナル抗体が作製され，マウスのHER2を過剰に発現している腫瘍を縮小させるモノクローナル抗体が選別された．選別されたマウスモノクローナル抗体を精製し，そしてこの抗体をヒト化することで，ハーセプチン®が開発された．現在では，約50万人のHER2陽性乳がん患者の治療に，このハーセプチン®は用いられている．

現在，治療に用いられている抗体は，配列の約85〜90％がヒト由来であるが，その作製技術は，非常に複雑な過程をたどる．そのため，ヒトのB細胞から直接モノクローナル抗体を作製するほうが，はるかによい解決策になるはずである．実際最近になって，そのような作製方法が可能になった．

ヒトモノクローナル抗体の作製には，扁桃腺から数百万個もの抗原にさらされていないナイーブB細胞を分離してくる．しかし，分離してきた細胞は無限に増殖することができないため，エプスタイン–バーウイルスに感染させることで，その細胞集団を不死化する．不死化したナイーブB細胞に抗体のクラススイッチと体細胞変異（24章）をひき起こし，それぞれのクローンが特異的

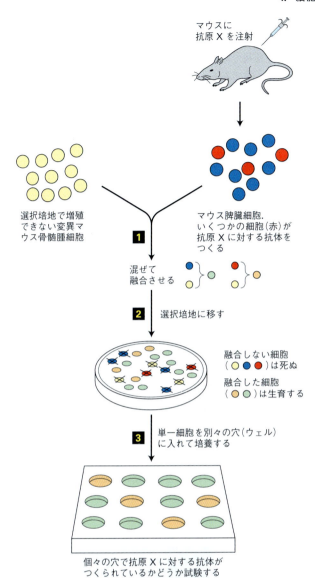

図4・6 特定のタンパク質に対するモノクローナル抗体を産生するハイブリドーマを得るために，細胞融合と選択を行う．**段階1**：チミジンキナーゼを欠損しているためプリンを合成できない不死の骨髄腫細胞を，抗原Xで免疫した動物からとった正常な抗体産生脾臓細胞と融合させる．**段階2**：選択培地にはプリンが含まれていないので，チミジンキナーゼを欠損した不死の骨髄腫細胞は増殖できない．また，脾臓細胞は，培養での寿命が限られていて，増殖できない．骨髄腫細胞と脾臓細胞が融合した細胞だけが選択培地の中で生き残り，増殖してハイブリドーマとよばれるクローンとなる．個々のハイブリドーマは，単一の抗体しかつくらない．**段階3**：個々のクローンを調べ，抗原Xを認識するものを同定する．目的の抗体を産生するハイブリドーマが同定されたら，大量の抗体を得るために培養する．

胞のようによく増殖し，しかも不死である．個々のハイブリドーマは，融合に用いたBリンパ球が産生する種々のモノクローナル抗体をつくり出す．次に，ハイブリドーマの細胞ライブラリーをスクリーニングして，目的のモノクローナル抗体を産生する細胞クローンを選別する．そして目的のモノクローナル抗体を産生する細胞クローンを大量の培地で育て，十分量の単一モノクローナル抗体を精製する．

なモノクローナル抗体を分泌するB細胞となるような広範なライブラリーを作製する．そして，このB細胞ライブラリーを抗原によってスクリーニングすることで，目的の抗原に結合するモノクローナル抗体を分泌するB細胞を選別することができる．このようにして，ヒトの治療用のモノクローナル抗体を単離することが可能になった．

培養細胞を用いるとさまざまな細胞内過程を研究できる

本章のはじめに述べたように，さまざまな操作を加えやすいため，生体内の細胞を研究するより培養動物細胞を扱うほうがずっと容易である．培養細胞は，特に細胞内の必須の過程を研究するのに便利である．生体内過程を分子レベルで理解するには，特定の細胞内成分を増減させ，その結果を解析するというのが一般的方法である．これはちょうど，車の部品を取除いて，車の動きにどんな影響が出るか調べるようなものである．特定の遺伝子の欠陥に基づくヒトの病気は，患者由来の培養細胞の研究で理解できることがある．たとえば，血中コレステロール濃度の上昇によって心疾患や脳梗塞を発症する高コレステロール血症患者は特定の遺伝的欠陥をもつが，その患者由来の培養細胞の解析から受容体依存性エンドサイトーシスの経路が明らかとなった（14章）．こうした自然に生じている遺伝子欠陥だけでなく，特定の細胞成分の発現を人為的に減少させる技術もある．6章で解説するように，特定のタンパク質に対応するmRNAの選択的ノックダウンを行い，このタンパク質の発現量を減少させて，それが細胞内過程にどんな影響を与えるか調べることができる．6章ではさらに，培養細胞ゲノム内の特定遺伝子の不活性化を行うことのできる最新のゲノム編集技術についても解説する．この方法を用いると，細胞内の特定のRNAやタンパク質が完全に欠失したとき，細胞機能にどう影響がでるか調べることが可能になる．

薬剤は細胞生物学で多用される

細胞の特定の成分に結合して，これを不活性化したり，活性化したりする薬剤で細胞を処理するというのも，細胞内過程の解析には重要な手段である．ここでは，特定の細胞内過程に影響を与える新薬の開発方法について解説する．

天然の薬剤は何世紀もの間使用されてきたが，それらがどのように作用しているかはわからないことが多かった．たとえば，イヌサフランの抽出物は，関節炎症による激痛を伴う痛風の治療に使用されてきた．いまでは，この抽出物がコルヒチンを含むことがわかっている．コルヒチンは微小管を脱重合させ（18章），白血球が炎症部位に移動するのを阻害する薬剤である．Alexander Flemingは，ある種のカビが細菌を殺す物質（抗生物質）を分泌することを見いだし，これがペニシリンの発見につながった．あとになってようやく，ペニシリンがある種の細菌の細胞壁合成を阻害することで細菌の分裂を抑えることが判明した．

これ以外にも，細胞の特定の必須過程を広範に阻害する薬剤の発見へとつながった例が多い．多くの場合，薬剤の標的が何であるか明らかにされている．たとえば，原核細胞のタンパク質合成に影響を与える多数の抗生物質が存在する．

どのようにしたら新たな薬剤を発見できるのだろうか．広く用いられている方法の一つは，数万から数十万の異なる化合物から構成される化合物ライブラリー（chemical library）を用いて，特定の過程を阻害する化合物を探索することである．いまでは，化合物ライブラリーと試料を大量処理できる顕微鏡技術とを一体化したスクリーニング法が，薬剤発見の主要な方法の一つになっている．ここでは，この方法が成功した一例を解説する．

この例では，有糸分裂を阻害する化合物を探し出すことが目的であった（図4・7a）．DNA複製により2倍になった染色体が，微小管でできた紡錘体によって正確に分離する過程が有糸分裂であ

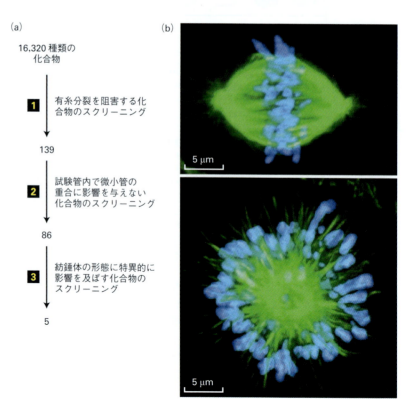

図4・7 特定の細胞内過程に影響を与える薬剤のスクリーニング．(a) この例では16,320の異なる化合物からなる化合物ライブラリーを一連の有糸分裂阻害剤のスクリーニングに用いた．そのような阻害剤は，細胞を細胞周期の有糸分裂段階で休止させることが期待される．そこで，最初のスクリーニング（段階1）では，有糸分裂段階の細胞に特異的なマーカーの発現レベルを上昇させるような化合物を検索した．その結果，139の候補が得られた．このなかで微小管重合に影響を与えるものはスクリーニングの対象外である．そこで二次スクリーニング（段階2）では139の化合物について，微小管重合に影響を与えないものを選択した．その結果，53個の候補が除かれた．次に，紡錘体の構造を破壊する化合物を同定するため，DNA染色に加えて，微小管の主要サブユニットであるチューブリンに対する抗体を用いた免疫蛍光顕微鏡法を三次スクリーニング（段階3）とした．(b) 三次スクリーニングの結果得られた五つの化合物のうちの一つ（現在モナストロールとよばれる）で処理した紡錘体（下）と，対照となる化合物未処理の紡錘体（上）におけるチューブリン（緑）とDNA（青）の局在．モナストロールは，微小管を基盤としたモーターであるキネシン5を阻害する．18章で解説するが，キネシン5は紡錘体の極の分離に必須である．キネシン5が阻害されると二つの極は分離せず，単極紡錘体が生じる．[(b)はT. U. Mayer et al., 1999, Science 286: 971, Copyright Clearance Center, Inc.を通じてAAASより許可を得て転載．]

る（18章）．紡錘体を構築するための微小管集合が損なわれると，有糸分裂が停止する．有糸分裂を停止させる化合物を探すために，多数の薬剤候補に対して自動化されたロボットで最初のスクリーニングを行った．こうして選ばれた候補化合物について，これらが有糸分裂阻害をひき起こす原因を調べた．微小管の重合阻害作用をもっている物質は有糸分裂阻害をひき起こすが，こうした物質は興味の対象外だったので除き，残った候補化合物について紡錘体の構造に与える影響を調べた．そのため，微小管の主要タンパク質であるチューブリンに対する抗体を用いた免疫蛍光顕微鏡法を用いた．16,000種類を超える化合物をスクリーニングし，正常な二つの星状体ではなく一つの星状体（mono-astral array）だけしかない異常な紡錘体を生じさせる化合物を一つ同定した（図4・7b）．モナストロール（monastrol）とよばれるこの薬剤はキネシン5という微小管モーターを阻害し，その結果，紡錘体形成を妨げることがわかった（18章で分裂紡錘体について詳細に解説する）．残念ながらモナストロールは，臨床的に有効性のある薬剤とはなり得なかったため，現在では，他のキネシン5阻害剤が開発され，臨床試験が行われている．

4・1　培養条件下での細胞の増殖と観察　まとめ

- 動物細胞を培養液中で増殖させるためには，必須アミノ酸や増殖因子を添加するなど，自然環境を模倣した培養条件が必要である．
- ほとんどの動物培養細胞の増殖には，細胞の固体表面への接着が必要である．
- 組織から直接取出された初代培養細胞は，限られた増殖能力しかもっていない．
- 動物の腫瘍由来のような悪性転換した細胞は，培地中で無限に増殖する．
- 無限に増殖できる細胞を細胞系とよぶ．
- 多くの細胞系は，もとの正常な動物細胞とは異なる染色体数をもつ異数体である．
- 蛍光タンパク質を発現している細胞は，蛍光シグナルを認識する蛍光励起式セルソーター（FACS）で分別できる（図4・1）．
- 蛍光標識された抗体を細胞表面分子に結合させ，蛍光シグナルを認識する蛍光励起式セルソーター（FACS）を用いれば，細胞表面の特定のマーカーに応じて個々の細胞種を分別できる（図4・2）．
- 上皮細胞の培養は，生体内での上皮組織の機能的な極性を模倣できるよう設計された特別な培養容器内で行う．いっそう正確に生体内環境を反映するように，三次元支持体を用いて培養することもできる．
- ある抗原上の特定の抗原決定基（エピトープ）に特異的に結合する試薬であるモノクローナル抗体は，ハイブリドーマとよばれる培養細胞で産生される．このハイブリッド細胞は，抗体を産生するB細胞と不死の骨髄腫細胞を融合し，融合細胞中から特定の抗体を産生するクローンを同定することで得られる．モノクローナル抗体は基礎研究にも治療薬としても重要である（図4・6）．
- 培養細胞は生体内の細胞より操作しやすい．
- 生体内の重要な生理過程は，遺伝子操作や薬剤を用いて特定の細胞内成分を増減することで解析できる．
- 莫大な化学物質を含む化合物ライブラリーを用いてスクリーニングを行えば，生理的過程の解析が可能で，新たな薬剤の開発につながる．

4・2　光学顕微鏡法：細胞内の微細構造とタンパク質局在の観察

生命の基本単位としての細胞が光学顕微鏡で最初に見いだされて以来，細胞生物学は，光学顕微鏡技術の向上とともに進展してきた（図4・8）．ここでは顕微鏡技術の進歩と，それが細胞内過程の研究をどのように発展させてきたかを述べる．最初に，無染色の細胞または，化学的に染色された標本の構造を観察するための光学顕微鏡について述べる．次に蛍光顕微鏡について述べ，固定された細胞内の特定タンパク質の局在を観察するために，これがどのように用いられるのか解説する．さらに，蛍光タンパク質

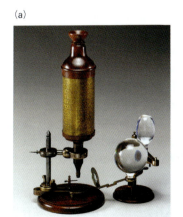

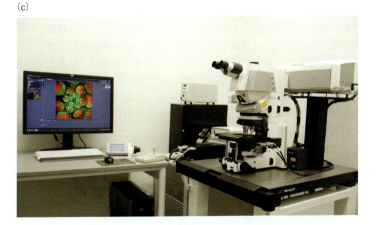

図4・8　光学顕微鏡の発達．(a) 1660年代にR. Hookeが使用した顕微鏡は，試料を照らすレンズや鏡を用いた．(b) 一般的な光学顕微鏡の光学系は特に19世紀に著しく進歩し，20世紀の中ごろまでには光の分解能の限界まで精度を上げた顕微鏡が一般的になった．(c) 20世紀後半には蛍光顕微鏡や共焦点技術を搭載したデジタルイメージングが発達し，今日の多機能顕微鏡が生まれた．［(a)はSSPL/Getty Imagesによる．(b)，(c)はA. Bretscher提供．］

と特定のタンパク質との融合タンパク質を細胞内で発現させるという分子遺伝学的手法を解説する．この融合タンパク質を用いて，タンパク質の局在や動態を生きた細胞内で追跡することが可能になり，生細胞がいかに動的な組織体であるかが明らかになってきた．こうした顕微鏡観察に用いる試料作製技術とともに，より高分解能の蛍光顕微鏡像の取得をめざした光学系やその解析システムの進歩もあり，これまでにないほどの明確な細胞内構造が明らかにされてきている．こうしたなかで，多くの先端的技術も生まれた．それらのうち重要なものをいくつか取上げる．

ここで述べる顕微鏡技術の多くは，生細胞を顕微鏡で観察することを目的としている．**生細胞イメージング法**（live cell imaging）はそうしたものの一つで，増殖因子などの特定の刺激に対する生細胞の反応，他の細胞との相互作用を精査することが可能となる．またこれらの技術は，生細胞内の個々の要素の機能解析にも役立つ．

光学顕微鏡の分解能は約 0.2 μm である

顕微鏡によって小さな対象の拡大像が得られる．どんな拡大像が得られるかは，使う顕微鏡の種類と試料の調製法による．**明視野光学顕微鏡法**（bright-field light microscopy）で使われる顕微鏡には試料像を拡大する数個のレンズが使われている（図4・9a, b）．顕微鏡の倍率は個々のレンズの倍率の積になる．仮に試料に一番近い**対物レンズ**（objective lens）の倍率を100倍（100×レンズ，ふつう使われるレンズの最高倍率）にして，**接眼レンズ**（ocular lens）あるいはカメラに試料像を投影する**投影レンズ**（projection lens）の倍率を10倍にすると，目で見た像あるいはフィルムに記録した像は1000倍の拡大率になる．

しかし，顕微鏡で一番大切な特性は拡大率ではなく，非常に近接した二つの物体を見分ける能力，すなわち**分解能**（resolution）である．像がぼけてしまったら，試料の像をただ拡大しても意味がない．顕微鏡レンズの分解能は二つの区別可能な物体間の距離 D に等しい．D が小さいほど分解能はよくなる．分解能 D は

$$D = \frac{0.61\lambda}{N\sin\alpha} \quad (4\cdot1)$$

で決まる．ここで，α は開口角で，試料から対物レンズに入る光の円錐の半分の角度に相当する（図4・9a）．N は試料と対物レンズ間にある媒質の屈折率である（つまり，真空中と比較した媒質中の光の相対速度）．λ は入射光の波長である．光の波長を短くする（λ の値を小さくする）か，より多くの光を集めれば（N あるいは α を大きくする）分解能は上がる．オイルは高い屈折率（1.0の空気と1.3の水に対して1.56と高い）をもつので，高分解能顕微鏡のレンズは，レンズと薄いカバーガラスの間にオイルを浸して試料を観察するように設計されている．これは，オイルを浸すことで屈折率をガラス（約1.52）に近づけ，より多くの光を集めるためである．そのため，角度 α（つまり $\sin\alpha$）が最大になるように，レンズも試料を覆う薄いカバーガラスの近傍に焦点が合うように設計されている．$N\sin\alpha$ は**開口数**（numerical aperture: **NA**）として知られ，通常対物レンズに表記されている．高倍率のレンズのNAは約1.4であり，最高のものは1.5に近い値を示す．なおこの数式には倍率が入っていないことに注意してほしい．

α, λ, N の値には光の物理的特性に基づく限界があるので，400 nm の波長の光を用いた光学顕微鏡の**分解能の限界**（limit of resolution）は，約 0.2 μm（200 nm）である．像をどれほど拡大しても，通常の光学顕微鏡では2つの点の距離が 0.2 μm 以下の観察対象を見分けることができず，また大きさが 0.2 μm 以下のものの詳細を見ることもできない．しかし，この分解能の壁を克服するいくつかの新しい精巧な技術が考案され，数十ナノメートルの分解能で対象を見ることが可能になった．本節の最後でこのような超解像顕微鏡について解説する．

無染色の生細胞は 位相差顕微鏡法や微分干渉顕微鏡法で観察できる

細胞は約70％の水，15％のタンパク質，6％のRNA，そして少量の脂質，DNA，小分子から構成されている．これら主要な分類に属する分子はいずれも色がなく光を透過してしまうので，細胞を顕微鏡で観察するには特別な方法が必要である．最も単純な方法は明視野光学系を用いることであるが（図4・9b），この場合は細胞の細部は観察できない（図4・10左）．これに対して，生きた細胞や染色していない組織を可視化するには，細胞内の物質の屈折率や厚さの違いを利用する**位相差顕微鏡法**（phase-contrast microscopy）と**微分干渉顕微鏡法**〔differential-interference contrast (DIC) microscopy，ノマルスキー干渉顕微鏡法 Nomarski interference microscopy ともいう〕という2種類の方法がある．両者では，像の見え方が違い，細胞構造の異なる部分が見えてくる．比較のために，図4・10に3種類の顕微鏡で見た生きた培養細胞の像を示す．光学顕微鏡は高価なので，1台の顕微鏡に異なる顕微鏡法のための装置が同時に搭載されていることが多い（図4・9）．

位相差顕微鏡法では，光は高い屈折率の媒質中ではゆっくりと進む．試料内の**屈折率**（refractive index）の違いを明暗として画像化する．そのため光は屈折率の大きい媒質から透明な試料へと通過するときと，そこから再び媒質へと出ていくときに屈折する．まず，位相差顕微鏡の環状絞りとコンデンサーレンズによってつくられた光束の焦点を試料に合わせる（図4・9c）．試料を通過したときに遮断されなかった直接光は半透明の環状位相板を通過して，減光されるとともに位相も少し変えられる．これに対して，試料を通過した光は屈折するが，その位相は変化しない．そこで，試料を通過した光と試料を通過しなかった光とは位相がずれる（同調性の消失）．位相のずれの程度は，二つの光路の屈折率の違いと試料の厚みに依存する．屈折した光と屈折しなかった光が接眼レンズの焦点面（結像面）で重なり，試料像が形成される．二つの光波が重なるときに，もし位相がずれていなければ明るくなるし，位相にずれがあれば暗くなる．つまり生体試料は暗く，背景は明るくなる（図4・10中央）．位相差顕微鏡は，独立した細胞や薄い細胞層を見るのに適しており，厚い組織には向いていない．この方法は，生きた細胞内での大きな細胞小器官の運動を観察するのに特に適している．

微分干渉（DIC）顕微鏡法は，光を垂直方向の二つの成分に分割してから試料に通し，その後試料から出てきた光を再び結合して干渉像を観察するものである．この方法は，特に小さなものを詳しく見たい場合や厚い試料の観察に適している．像の明暗は，観察対象とこれを取巻く媒質の屈折率の差で生じる．DIC像は，まるで一方に影がついたように見える．この"影"は，実際の影で

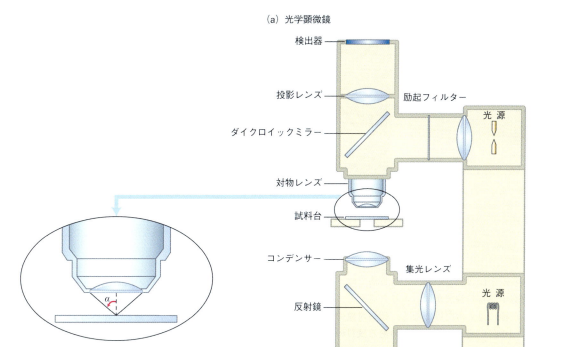

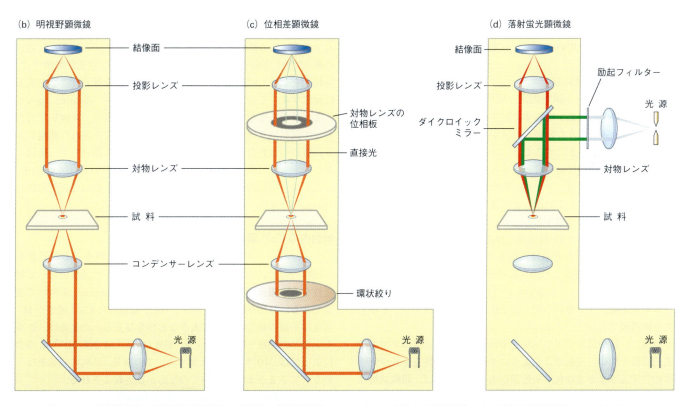

図 4・9 光学顕微鏡には明視野(透過型),位相差,蛍光顕微鏡がある.(a) 一般的な光学顕微鏡では,試料は通常透明なスライドガラス上に載せ,可動性の試料台に固定する.(b) 明視野光学顕微鏡では,タングステンランプからの光は試料台の下のコンデンサーレンズによって試料へ集光される.光路を橙線で示す.(c) 位相差顕微鏡では,環状絞りを通過した環状入射光はコンデンサーレンズで試料に集光される.試料で遮られなかった光(直接光)は対物レンズによって集光され,位相板の半透明の環状領域(灰色)を通過する.ここで光は一部吸収されて減光し,波長が 1/4 ずれる.試料で入射光が屈折したり,回折したりすると,光の位相が変化し(緑線),対物レンズで集光された光は位相板の透明部分を減光せずに通過する.試料で屈折した光と屈折しなかった光は,結像面で足し合わされ,試料の屈折率の違いを明暗差とした像となる.(d) 落射蛍光顕微鏡では,試料台の上にある水銀ランプからの光線(灰色線)は励起フィルターを通り,そこで特定の波長の光が選択される(緑線).その光はダイクロイックミラーで反射し,対物レンズによって試料へと集光される(落射照明).試料から放射される蛍光(赤線)は対物レンズとダイクロイックミラーを通過し,結像面の検出器に集光され記録される.

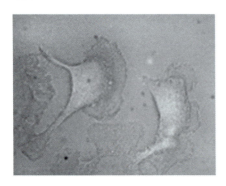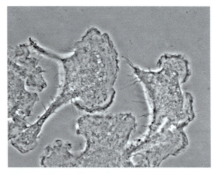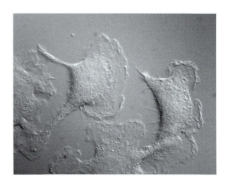

図 4・10　干渉によってコントラストをつける顕微鏡技術で生細胞を可視化できる．生きているマクロファージ培養細胞を，明視野顕微鏡法（左），位相差顕微鏡法（中央），微分干渉（DIC）顕微鏡法（右）で観察して得られた顕微鏡写真．位相差顕微鏡写真では，細胞は明暗の干渉縞によって囲まれている．この顕微鏡では焦点の合った部分の像も，焦点外の像も同時に得られる．微分干渉顕微鏡写真では，細胞は浮き出たレリーフのように見える．焦点の合った狭い領域のみ像が得られるので，この像は対象の光学的な切片として扱うことができる．[N. Watson, J. Evans 提供.]

はなく試料の屈折率の差を反映している．この方法では，核や液胞のように大きな細胞小器官の輪郭がはっきりと見える．DIC 像は三次元（浮き彫り）様に見えるだけでなく，観察対象の光学切片像でもある（図 4・10 右）．それゆえ，厚みのある試料の細胞核（たとえば，線虫 *Caenorhabditis elegans*，図 22・26d 参照）の詳細な像を一連の切片像として得ることができ，これら切片像を集めれば観察対象の三次元構造を再構成できる．位相差顕微鏡法もDIC 顕微鏡法もともに，**生細胞顕微鏡法**（live cell microscopy）に用いられ，同一細胞を一定の間隔で長時間にわたって動画撮影ができる．この方法を用いて，細胞の運動を研究できる．

細胞内構造の可視化には，試料固定，切片作製，染色が必要である

生細胞や組織には光を吸収する物質がないので，光学顕微鏡像を得るには上述のような特別な方法が必要だが，それでも細胞内の細かい構造を明らかにすることはできない．しかし，生体試料を固定すれば細胞内構造の可視化も可能となる．

生体試料の固定には，タンパク質や核酸を架橋する固定剤を用いる．ホルムアルデヒドは最もよく使われる固定剤で，隣り合った分子のアミノ基を架橋する．こうしてできた架橋はタンパク質間相互作用やタンパク質-核酸相互作用を安定化し，その後の処理によっても架橋された分子は溶解することがなく，安定である．固定後，組織試料は多くの場合にパラフィンに包埋し，切断し，約 5 μm の厚さの切片にする（図 4・11a）．カバーガラス上で増殖する培養細胞は十分薄いので，固定後そのまま切断することなく光学顕微鏡で可視化できる．

最後に，顕微鏡観察用の試料を染色し，細胞や組織の主要な構造的特徴を明確に観察できるようにする．特別な性質をもつ分子に結合するさまざまな化学染色剤がある．たとえば，組織試料は**ヘマトキシリン**（hematoxylin）と**エオシン**（eosin）で染色することが多い（HE 染色）．エオシンは，いろいろなタンパク質の塩基性アミノ酸（リシンあるいはアルギニン）に結合し，一方，ヘマトキシリンは酸性分子（たとえば DNA，アスパラギン酸，グルタミン酸）に結合する．このような結合の違いによって，これらの染色剤で違う種類の細胞を染め分けることができるので，見た目で細胞の区別ができる（図 4・11b）．無色の前駆体を基質として着色物質を産生したり，何らかの形で可視化できる物質を産生し

たりする酵素を使うと，この反応産物を指標として，細胞切片中にこの酵素があるかどうかを調べることもできる．この方法はかつてよく使われていたが，あとで述べるように，最近では特定のタンパク質を可視化する新しい方法にとって代わられている．

蛍光顕微鏡法で，生細胞内の特定の分子を可視化し定量できる

光学顕微鏡を使った方法のうちで，分子の細胞内局在を見つけ出すのに最も適しているのは，**蛍光染色**（fluorescent staining）した細胞を，**蛍光顕微鏡法**（fluorescence microscopy）で観察するものである．ある波長（励起波長）の光を吸収し，それより長波長の光（蛍光）を出す化学物質を蛍光物質という．蛍光顕微鏡では，励起光を試料に照射して，試料から放射される蛍光だけを選択的に検出する．そのため，**ダイクロイックミラー**（dichroic mirror）とよばれる特殊なフィルターで励起光を反射させ，対物レンズを介して試料に照射する（落射照明）．試料から放出された励起光より長波長の蛍光だけがダイクロイックミラーを通過して，接眼レンズの焦点面で結像するような設計がなされている（図 4・9d）．ここでは，細胞内の特定の分子を観察するための蛍光顕微鏡法について紹介する．

細胞内の Ca^{2+} 濃度や H^+ 濃度はイオン感受性蛍光色素で測ることができる

細胞内の Ca^{2+} や H^+ の濃度は，これらイオンの濃度に対して感受性をもつ**蛍光色素**（fluorescent dye, fluorochrome）を用いて測定できる．あとの章で説明するように，細胞内の Ca^{2+} 濃度や H^+ 濃度は多数の細胞内過程に大きな影響を与える．たとえば，ホルモンなどの刺激で細胞質の Ca^{2+} 濃度は 10^{-7} M から 10^{-5} M，場合によっては，10^{-4} M まで上昇する．この結果，筋肉の収縮をはじめとしてさまざまな細胞内での反応がひき起こされる．

1 分子の Ca^{2+} に結合する蛍光色素 **fura-2** を細胞に導入することで，生細胞内の一過的な Ca^{2+} 濃度上昇を観察することができる．fura-2 分子の Ca^{2+} 結合量は，広い領域で細胞質内の Ca^{2+} 濃度に比例し，特定の波長で測った fura-2 の蛍光を増加させる．一方，fura-2 の蛍光には Ca^{2+} の結合の有無にかかわらず変化しない波長もあるので，この波長を用いれば細胞のある領域に存在する fura-2 の総量がわかる．蛍光顕微鏡で細胞を連続的に観察して，これら二つの波長における fura-2 蛍光強度比の変化を追跡すれば，

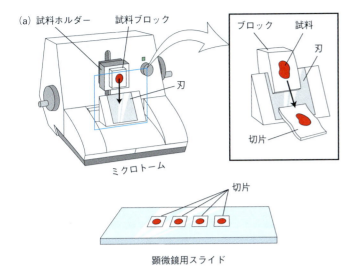

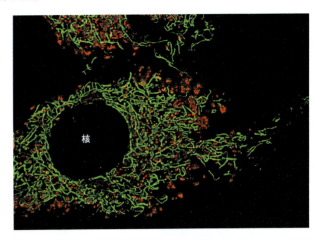

図 4・12（実験） ウシ肺動脈内皮培養生細胞のリソソームとミトコンドリアの局在．ミトコンドリアに特異的に結合する緑色蛍光色素とリソソームに特異的に取込まれる赤色蛍光色素で細胞を染色した．本章の後半で説明するデコンボリューションアルゴリズムを用いて画像を鮮明に見えるように処理した．［© 2020 Thermo Fisher Scientific, Inc. より許可を得て転載.］

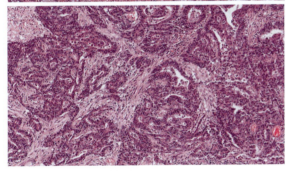

図 4・11 光学顕微鏡で組織を観察するには，化学固定してから固い媒質に包埋し，切片を作製する．(a) 固定した組織はアルコール水溶液に浸して脱水して，最後は包埋剤に合った有機溶剤に浸す．組織の包埋剤としては，光学顕微鏡での観察には液体パラフィンが用いられる．試料ブロックが硬化したら，ミクロトームのアームに載せてナイフで切片化する．光学顕微鏡用には，一般的に 5 μm の厚さの切片を作製する．切片は顕微鏡用スライドに載せて，適当な試薬で染色する．(b) HE 染色した正常ヒト結腸切片（上）と，がん化した結腸切片（下）．がん化したものでは細胞の組織化が乱れていることに注意．［(b) は A. Nikitin, Cornell University 提供.］

Ca^{2+} を結合している fura-2 分子の割合の時間変化，つまり細胞質における Ca^{2+} 濃度の時間変化を追うことができる．fura-2 は，Ca^{2+} 濃度変化の解析に広く用いられてきたが，後述するように，現在では Ca^{2+} を結合すると蛍光を発するようになるタンパク質 Ca^{2+} センサーを細胞に発現させて観察するといった手法にほぼとって代わられている．

H^+ 濃度に感受性のある蛍光色素を使って生きた細胞内の pH を観測することもできる．他の有用なツールとして，弱い塩基に結合した蛍光物質がある．中性の pH ではほとんどプロトン化せず，自由に細胞膜を通過する．しかし，酸性の細胞小器官内でプロトン化すると，膜を再び通過して流出できなくなる．その結果，細胞質に比べて，何倍も高い濃度でこうした細胞小器官の内腔に蓄積する．そこで，この蛍光色素は生細胞の特定の細胞小器官，たとえばリソソームやミトコンドリアなどを特異的に染色できる（図 4・12）．

免疫蛍光顕微鏡法で固定細胞内の特定のタンパク質を検出する

よく使われる染色剤は，核酸やさまざまなタンパク質を無差別に染める．しかし実際には特定のタンパク質の存在の有無や局在を知りたい場合が多い．**免疫蛍光顕微鏡法**（immunofluorescence microscopy）は，特定タンパク質を蛍光標識された抗体で検出する最も広く使用されている方法である．この方法では，まず注目するタンパク質に対する抗体を作製することが必要である．§4・1 で簡単に述べたように（詳細は 24 章），動物に抗原を注射すると，脊椎動物の免疫系は，抗原上の異なるエピトープを認識するポリクローナル抗体を産生する．抗原を特異的に認識する抗体は，抗原を樹脂上に固定化したアフィニティークロマトグラフィー法によって血清中に含まれる他の抗体やタンパク質の中から精製することができる（図 3・43c 参照）．あるいは前述のように，抗原上の特定のエピトープに対する単一の抗体を分泌するクローン細胞株を作製することも可能である．このような方法で作製された抗体は，モノクローナル抗体とよばれる．

これら抗体を用いて特定のタンパク質の細胞内での局在を知るためには，まず細胞や組織を化学固定して，その後の処理によって内容物がもとの位置から動かないようにしておく．次に，細胞の透過性を高める処理により，抗体が細胞内に入り込めるようにする．このため，細胞を非イオン性の界面活性剤で処理したり，有機溶媒で脂質を抽出したりする．一方，細胞膜上の表在性タンパク質の局在を知るためには，細胞は固定するが，膜を透過性にする必要はない．このようにして固定処理した細胞を免疫蛍光顕微鏡法で観察するには，まず蛍光色素を抗体に共有結合させて，

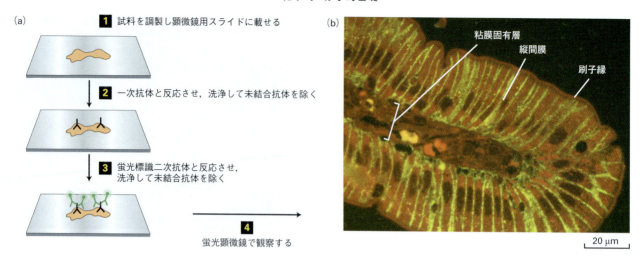

図 4・13 間接免疫蛍光顕微鏡法によって，固定組織切片上での特定のタンパク質の局在が見える．(a) 免疫蛍光顕微鏡法でタンパク質の局在を知るために，組織切片や細胞標本を化学的に固定し，抗体が透過できるようにする(段階■)．試料を一次抗体と反応させ，注目する抗原に特異的に結合させ，洗浄によって未結合の抗体を除く(段階■)．次に試料を一次抗体に特異的に結合する蛍光標識二次抗体と反応させ，再び洗浄によって過剰の二次抗体を除く(段階■)．試料を特別な封入媒質に浸したのち，蛍光顕微鏡で観察する(段階■)．(b) この例では，ラットの腸壁切片を非特異的な赤色蛍光色素エバンスブルーで染色し，間接免疫蛍光顕微鏡法でグルコース輸送タンパク質 GLUT2 の局在を見た．GLUT2 (黄) は小腸細胞の基底面と側面に局在し，小腸内腔に面した頂端面の密な微絨毛からなる刷子縁には存在しないことがわかる．毛細血管は上皮細胞層の下のゆるい結合組織である粘膜固有層を通り抜けている．[(b) は B. Thorens et al., 1990, *Am. J. Physiol.* **259**: C279 による．B. Thorens 提供．]

蛍光標識抗体を作製する．赤色光を出すローダミンやテキサスレッド，橙色光を出す Cy3，緑色光を出すフルオレセインなどが一般的に用いられる蛍光色素である．最近では，発光波長が青から遠赤色に至る光安定性蛍光色素も開発されている．透過性を高めた細胞や組織切片に蛍光標識抗体を加えると，対応する抗原に結合する．抗原に結合しなかった抗体を洗い流して，蛍光色素の励起波長で照射すると蛍光標識抗体-抗原複合体が光る．異なる波長の蛍光を発する複数の蛍光色素で試料を染色すると，一つの細胞内で DNA とともに複数のタンパク質の局在を決めることもできる．

免疫蛍光顕微鏡法の変法でよく利用されるのは，特異的抗体を間接的に検出するので**間接免疫蛍光顕微鏡法**(indirect immunofluorescence microscopy)とよばれる方法である．この方法では，細胞や固定された組織切片に未標識のモノクローナル抗体やポリクローナル抗体（一次抗体）を結合させたのち，これら一次抗体の定常領域 (Fc) に結合する蛍光標識二次抗体を加える．たとえば，ウサギ免疫グロブリン G 抗体に共通な Fc 断片を抗原として，ヤギで抗体をつくらせる．この抗体が二次抗体で，"ヤギ抗ウサギ"抗体（ウサギタンパク質を抗原としてヤギでつくらせた抗体という意味）とよばれる．これに蛍光色素を結合させれば，組織や細胞の染色に使用されるどのウサギ抗体も検出可能となる（図 4・13）．切片中のウサギ抗体 1 分子に対して数分子のヤギ抗ウサギ抗体が結合可能なので，一次抗体に蛍光色素をつけた場合に比べて蛍光は増強され，検出感度が上がる．この方法は 2 種類のタンパク質を同時に可視化する**二重標識蛍光顕微鏡法**(double-label fluorescence microscopy) で使われることが多い．たとえば，一次抗体を異なる動物（たとえばウサギやニワトリ）でつくり，異なる蛍光色素で標識された二次抗体（たとえばヤギ抗ウサギ抗体とヒツジ抗ニワトリ抗体）を用いれば，間接免疫蛍光顕微鏡法で 2 種類のタンパク質を区別して可視化できる．あるいは，一つ目のタンパク質は間接免疫蛍光顕微鏡法によって可視化し，二つ目のタンパク質は特異的に結合する色素で直接に可視化することも可能である．蛍光顕微鏡からの個々の画像をいったんコンピューターに取込めば，それら画像は簡単に重ね合わせることができる（図 4・14 および本章の章頭図）．

よく用いられるもう一つの方法では，まず，蛍光観察の対象となるタンパク質末端に**エピトープタグ**(epitope tag) とよばれる短いペプチドが付加されるよう標的タンパク質 cDNA の組換え体を作製する．この組換え体を細胞内に導入すると，エピトープタグを末端にもつ標的タンパク質が産生される．エピトープタグとしてよく使われるのは DYKDDDDK（アミノ酸一文字表記）という配列の FLAG タグと，EQKLISEEDL という配列の Myc タグである．市販されている蛍光標識抗 FLAG モノクローナル抗体あるいは蛍光標識抗 Myc モノクローナル抗体を用いれば，細胞内のこれらの組換えタンパク質を検出できる．たとえば，分子生物学的方法であらかじめ細胞内のあるタンパク質を FLAG タグで標識し，別のタンパク質を Myc タグで標識しておく．そして，Myc タグには緑色蛍光を発する標識抗体を，FLAG タグには赤色蛍光を発する標識抗体を用いて，それぞれのタグを異なる蛍光色で可視化することができる．ただし，タグを融合させたタンパク質が，もともとのタンパク質の機能や細胞内の局在に何らかの影響を与えていないかどうか，注意を払う必要がある．

生細胞内の特定のタンパク質に蛍光タンパク質を融合させて可視化する

オワンクラゲ *Aequorea victoria* は，**緑色蛍光タンパク質**(green fluorescent protein: **GFP**，分子量約 27 kDa) とよばれる天然の蛍光タンパク質をもっている．GFP はセリン，チロシン，およびグリシン残基を含んでおり，それらの側鎖は青色光照射で自然に環化し，緑色蛍光発色団を形成する．蛍光観察の標的タンパク質を

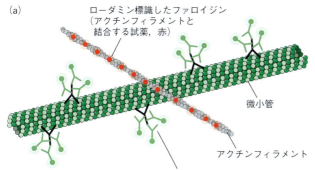

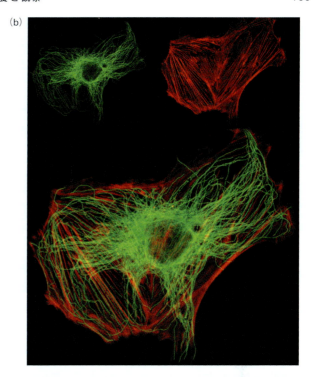

図 4・14（実験） 二重標識蛍光顕微鏡法によって，2種類のタンパク質の相対的分布を可視化できる．二重標識蛍光顕微鏡法では，それぞれのタンパク質は異なる蛍光色素で特異的に標識されている．(a) 培養細胞を固定し透過性を高め，その後，フィラメント状のアクチンに特異的に結合するローダミン標識したファロイジンと反応させる．同時に微小管の主成分であるチューブリンに対するウサギ抗体とも反応させ，その後，フルオレセイン標識された二次抗体であるヤギ抗ウサギ抗体を添加する．(b) 写真の上図はフルオレセイン染色したチューブリン（左）とローダミン染色したアクチン（右）を示す．下図は両画像をコンピューター上で重ね合わせた像である．[(b)は A. Bretscher 提供．]

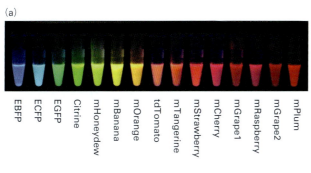

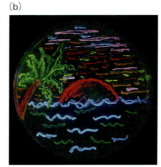

図 4・15 多くの異なる色彩の蛍光タンパク質を利用できる．(a) チューブに入れた多種の蛍光タンパク質から発せられる色と名前を示す．(b) いろいろな蛍光タンパク質を発現している細菌を寒天皿上で増殖させて，それぞれの蛍光発光を観察した．[R. Tsien 提供．]

コードする遺伝子配列と GFP をコードする遺伝子配列とを組換え DNA 技術で融合させ，できた組換え DNA を細胞で発現させると，標的タンパク質と GFP がペプチド結合で結ばれた 1 本のポリペプチド鎖が産生される．GFP は細胞内では平均的な大きさのタンパク質であるが，幸いなことに融合によって相手の機能を変化させることはあまりない．したがって，細胞内の特定のタンパク質の局在を調べるには，GFP との融合タンパク質（GFP 標識タンパク質）を用いるのが一般的な手段になっている．GFP 標識タンパク質を用いると，その局在をすぐに可視化できるだけでなく，その分布の様子を生きた細胞内で長時間にわたって観察し続けることもできる．そこで，細胞にさまざまな処理，たとえば薬剤投与したあとに，GFP 標識タンパク質の局在がどのように変わっていくかを追跡することも可能である．特定のタンパク質と GFP とを融合するというアイデアは単純だが，細胞生物学に革命をもたらした．また，緑色だけでなく他の蛍光色をもつ多くの蛍光タンパク質が開発された（図 4・15）．このようなさまざまな蛍光色を発する蛍光タンパク質を用いれば，2種類あるいはそれ以上のタンパク質の細胞内での局在を同時に可視化できる．本節の後半で蛍光タンパク質を利用したいろいろな技術をさらに説明する．

デコンボリューション顕微鏡法あるいは共焦点顕微鏡法で鮮明な三次元蛍光像が得られる

通常の蛍光顕微鏡法には問題が二つある．まず，試料からの蛍光が特定の焦点面からだけでなく，その上下からもやってくるという点である．この結果，観察する蛍光像は細胞のさまざまな深さにある分子からの重ね合わせになってしまい，像がぼける．このため，実際は分子の三次元的な配置を決めるのはむずかしい．二つ目の問題は，厚い試料を可視化するためには連続切片を作製し，それらの画像を得て，そこから全体像を再構築しなければならないことである．これらの問題の解決策として二つの強力な改良型蛍光顕微鏡法が開発され，連続切片をつくらなくとも高解像度の三次元情報が得られるようになった．どちらの方法でも，多くの像を集めて，コンピューターで解析することが必要である．

第一の方法は**デコンボリューション顕微鏡法**（deconvolution microscopy）とよばれ，コンピューターアルゴリズムを用いて試料の焦点面以外から出てくる蛍光を除いて，鮮明な三次元蛍光像を得る．この原理を理解するために，ある三次元の試料を考えてみる．この試料に関して，三つの異なる焦点面（焦点面1～3）からの画像をそれぞれ記録するとする．試料全体が照射されている

ので，焦点面 2 での画像は焦点面 1 および 3 からきた焦点のずれた蛍光も含むことになる．しかし，これら焦点面 1 と 3 由来の蛍光強度について焦点面 2 での正確な予測ができれば，適当なコンピューターアルゴリズムで除ける．そのため，次のような操作を行う．まず，実験的に点光源とみなせるほど微小な蛍光ビーズを載せたテストスライドを用いて焦点面からはずれた一連の蛍光画像を得て，**点像広がり関数**（point spread function: PSF, 点像分布関数）を決定する．PSF が決まれば，焦点からずれて"ぼけ"の原因となっている蛍光点源の分布が計算可能になる．焦点面以外から混入している蛍光を除くこの**デコンボリューション**（deconvolution）という操作で，最終的に焦点面におけるぼけのない蛍光像を得ることができる．自動的に多数の蛍光像を集めるための試料台を装備し，像のデコンボリューションを行うプログラムもついている装置が市販されている．図 4・16 に示すように，デコンボリューションで再構成された蛍光三次元像では，ぼけがなく驚くほど細かい点までが見えてくる．

第二の方法では，特定の焦点面からの蛍光だけを集め，焦点面以外からくる蛍光を光学的方法で排除する光学系を用いるので**共焦点顕微鏡法**（confocal microscopy）とよばれる．共焦点顕微鏡を用いて，特定の高さで焦点の合った蛍光画像を次々と撮り，一連の画像を垂直方向に重ねて，正確な三次元画像を構築する．現在は，**レーザー走査型共焦点顕微鏡**（laser-scanning confocal mi-

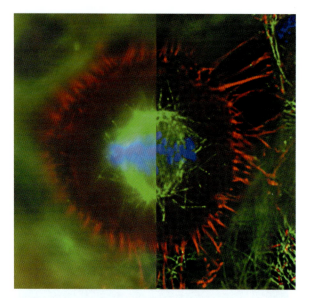

図 4・16（実験）　デコンボリューション蛍光顕微鏡法により高解像度の光学切片像が得られる．蛍光色素で標識した試薬で培養細胞のDNA（青），微小管（緑），ミクロフィラメントに結合するエズリン（赤）を特異的に染色した．焦点面の蛍光像（光学切片）を細胞全体にわたって連続して撮影した．（左）生画像．（右）デコンボリューション処理された画像．処理された画像では，染色体（青）と微小管がより鮮明に見えるようになっていることがわかる．［A. Bretscher 提供．］

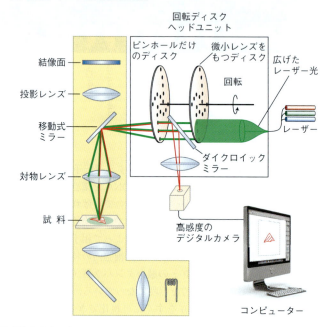

図 4・17　2 種類の共焦点顕微鏡の光路．両顕微鏡とも従来の蛍光顕微鏡（黄）をもとに組立てられている．(a)にレーザー走査型共焦点顕微鏡の光路を示す．レーザー光源から出た単一波長の光（緑太線）はまずダイクロイックミラーで反射され，次に 2 枚の走査ミラーでさらに反射され，対物レンズを通過して試料の 1 点に当たる．この照射点をテレビの走査線のように動かすため，2 枚の走査ミラーは前後に揺れ動く．図に描かれた試料面上の細いジグザグの緑線がレーザー光の走査の様子を表す．試料から出た蛍光（赤太線）は対物レンズを通り，走査ミラーで反射され，ダイクロイックミラーを通って，ピンホールに当たる．このピンホールで焦点面以外からくる光が排除されるので，光電子増倍管ではほとんど焦点面の照射点由来の蛍光のみが検出される．このシグナルをコンピューターで画像化する．(b)に回転ディスク型共焦点顕微鏡の光路を示す．レーザー走査型共焦点顕微鏡の 2 枚の走査ミラーの代わりに，多数のピンホールをもつ 2 枚のディスクがあり，両者は一緒に回転する．一方のディスクのピンホールには微小レンズが入っており，ここに広がって入射したレーザー光は，もう一方のディスクの対応するピンホール上で焦点を結ぶ．この励起光は，対物レンズを通過し，試料内の多数のスポットを照射する．放射された蛍光は対物レンズを逆向きに通過し，回転ディスク内のピンホールも通過し，2 枚のディスク間のダイクロイックミラーに当たって，高感度のデジタルカメラに入る．ディスク内のピンホールは，回転するたびに試料のすべての領域が数回すばやく照射されるように配置されている．ディスクはたとえば 5000 rpm の速い速度で回転するので，生きた細胞内の動的な事象でも記録可能である．

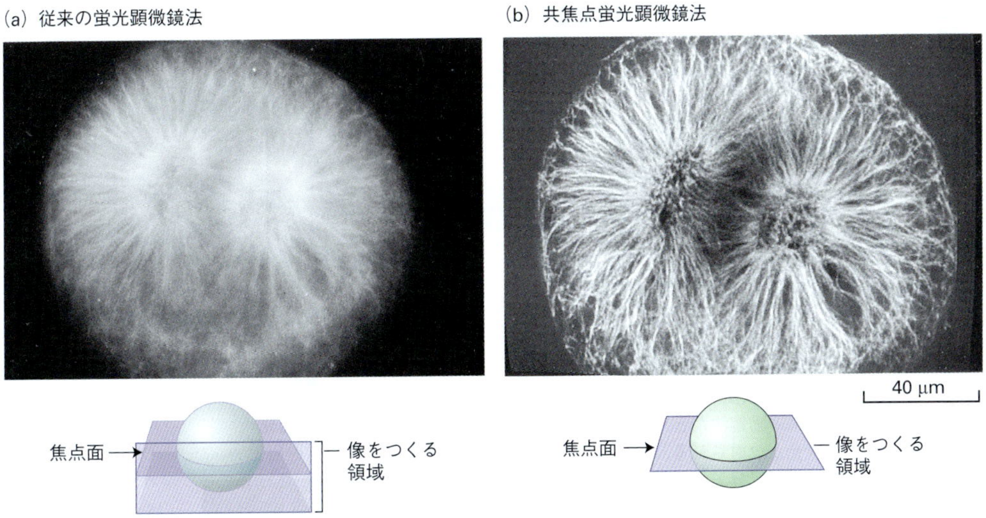

4. 細胞の培養と観察

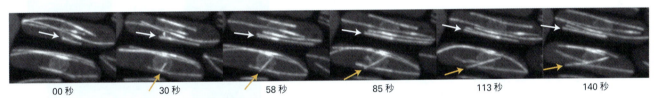

図 4・18 共焦点顕微鏡法は厚い細胞から焦点面の光学切片をつくり出す．有糸分裂中のウニ受精卵を界面活性剤で処理し，抗チューブリン抗体で処理して，この一次抗体に結合する蛍光標識抗体で染色した．(a) 従来の蛍光顕微鏡法で観察すると，紡錘体はぼけて見える．模式図に示すように，焦点面の上下に存在するチューブリンからの背景蛍光が原因で，このぼけが生じる．(b) 焦点顕微鏡像は紡錘体の中心部が特に鮮明である．焦点面の分子の蛍光だけが検出されるので，非常に薄い光学切片をつくり出すことができる．[写真は J. G. White et al., 1987, *J. Cell Biol.* **105**: 41 による．]

図 4・19(実験) 回転ディスク型共焦点顕微鏡によって微小管の動態を可視化できる．分裂酵母の 2 個の桿状細胞内の GFP 標識微小管の映像からの 6 コマを示す．矢印は短縮または成長している微小管を示している．[F. Chang 提供．]

croscope，略称 **LSCM**，**ポイント走査型共焦点顕微鏡** point-scanning confocal microscope ともいう）と**回転ディスク型共焦点顕微鏡**（spinning disk confocal microscope）の 2 種類の共焦点顕微鏡が使用されている．焦点面の小さな領域だけの蛍光分子を励起し，蛍光検出器の前に設置したピンホールを通過した蛍光だけをとらえることで，焦点面の特定の点以外からくる光は除くというのが，両顕微鏡法に共通の考えである．照射領域が焦点面を次々と移動して，最終的に焦点面全面の蛍光画像が構築される．2 種類の共焦点顕微鏡では全画像をカバーするための走査法が異なる．レーザー走査型共焦点顕微鏡は蛍光分子励起にポイントレーザー光源を使用し，試料中のある深度の平面を平行に走査して，光電子増倍管で蛍光を集め，その面の蛍光画像を形成する（図 4・17a）．試料のさまざまな深度での一連の蛍光画像を得ることで，三次元画像を構築する．レーザー走査型共焦点顕微鏡では，非常に解像度の高い二次元および三次元画像が得られるが（図 4・18），二つの問題点がある．一つは，焦点面を走査するのにかなりの時間がかかるため，生きた細胞の動的な過程を画像化しようとすると，動きを追跡するのに十分な速さで画像を集めることができないということである．もう一つは，強いレーザー光を各スポットに照射するため，蛍光色素が退色し，限られた数の画像しか集められないということである．

回転ディスク型共焦点顕微鏡はこれら二つの限界を回避できる（図 4・17b）．レーザーからの励起光をある程度広げて，高速（たとえば 5000 rpm）で回る回転ディスクの小さな領域を照射する．回転ディスクは互いに固定された 2 枚のディスクでできている．1 枚は 20,000 個のピンホールをもつディスクであり，もう 1 枚はそれぞれのピンホールにレーザー光を集光させる 20,000 個のレンズをもつディスクである．ディスクが回転するたびに試料の焦点面全体が数回走査されるよう，ピンホールは配置されている．走査光で励起された蛍光分子が発した蛍光は，2 番目のディスクのピンホールを戻って，ダイクロイックミラーで反射され，高感度デジタルカメラ上に焦点を結ぶ．回転ディスク型顕微鏡では試料をミリ秒以内で走査できるので，細胞内の蛍光分子の動きがどんなに激しくても，その局在場所を実時間でとらえることができる（図 4・19）．回転ディスク型共焦点顕微鏡の制約は，対物レンズの倍率に合わせてピンホールサイズが固定されていることである．もともと 63 倍あるいは 100 倍の対物レンズに合わせて設計されており，低倍率画像が必要な組織切片などには使いにくい．しかし最近になって，ピンホールサイズを対物レンズの倍率に合わせて可変できる回転ディスク型共焦点顕微鏡も開発された．このように，レーザー走査型共焦点顕微鏡と回転ディスク型共焦点顕微鏡は，互いに補完し合う強みがある．

二光子励起蛍光顕微鏡法で厚い試料の可視化も可能になった

上述のように共焦点顕微鏡法を用いることで，焦点面からずれた蛍光を減らすことが可能となった．こうした方法では，円錐状

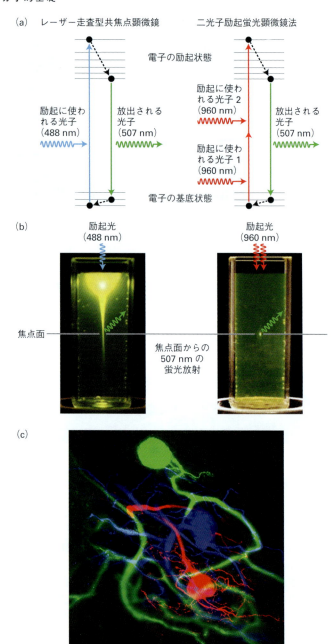

図 4・20（実験）　二光子励起蛍光顕微鏡法では焦点面の蛍光分子のみを励起するので，生体試料の深い位置が観察できる．（a）従来のレーザー走査型顕微鏡法と二光子励起蛍光顕微鏡法における蛍光分子励起法の違い．従来の励起法では，ある励起波長（たとえば青矢印 488 nm）をもつ 1 個の光子の吸収で蛍光分子の 1 個の電子が励起状態に入る．振動緩和をしたあと（黒点線矢印），この電子は基底状態に戻るが，このとき励起波長より長い波長の光子を放出する．この場合には，放出される光子の波長は 507 nm である（緑矢印）．二光子励起では，ある波長の 2 個の光子（たとえば，ここに赤矢印で示すように 960 nm）がほとんど同時に蛍光分子に到着すると，両者が同時に吸収されて，蛍光分子の電子は励起状態に入る．この励起電子は振動緩和をしたあと（黒点線矢印），基底状態に戻るが，このとき 507 nm の波長の光子を放出する．（b）従来の共焦点顕微鏡法のように，蛍光物質を入れたキュベットを 488 nm の励起光で照射した（左）．同じキュベットを，二光子励起蛍光顕微鏡法のように 960 nm の強い励起光で照射した（右）．従来の励起法だと，焦点面上部の漏斗状領域が励起され，そこから蛍光が放射される．これに対して二光子励起では，焦点面の 1 点だけで蛍光分子が励起され，そこから蛍光が放射される．（c）蛍光標識されたロブスターの神経細胞を，生体内イメージングで可視化した．［(b)は W. R. Zipfel et al., 2003, *Nat. Biotechnol.* **21**: 1369, Copyright Clearance Center, Inc. を通じて Nature Publishing Group より許可を得て転載．(c)は P. Kloppenburg, W. R. Zipfel の未発表データ．］

に集光したレーザー光を 1 点に集め，1 枚の焦点面上を走査する．このとき焦点面だけでなく上下の面もレーザー光を浴びて焦点面からずれたシグナルも生じる．これは，ピンホールを用いて除去しなければならない．さらに，強力なレーザー光源を用いるため，蛍光色素の光退色がひき起こされたり，光刺激による試料の損傷がひき起こされたりする．試料が薄いときには，こうしたことは大きな問題ではないが，試料の厚みが増すと問題が大きくなる．1 個の光子（たとえば 488 nm）でも，波長が 2 倍（たとえば 960 nm）でエネルギーが前者の半分の光子 2 個でも，蛍光色素は同じように励起されて同じ波長の蛍光を放射する（図 4・20a）．そこで，960 nm の円錐状に集光したレーザー光を 1 点に集め，集光点でのみ蛍光体を励起するのに十分な光子密度があるようにすれば（図 4・20b），焦点面以外の蛍光シグナルは得られず，光退色や光毒性が起こりにくくなる．つまり，焦点面にある蛍光色素のみが励起されるため，**二光子励起蛍光顕微鏡法**（two-photon excitation microscopy）はより厚い試料の観察に使用でき，ピンホールを使って焦点からはずれた蛍光を除く必要もない．さらに，960 nm の光は，488 nm の光よりも組織深部に浸透する．しかし，二光子励起蛍光顕微鏡法では，1 フェムト秒（1 fs = 10^{-15} 秒）以内に 2 個の光子が 1 個の蛍光色素に当たらなくてはならないため，励起光源には非常に強力な高速レーザーパルスが必要である．動物の個々の細胞が異なる色の蛍光タンパク質を発現している場合，表面から 1 mm 以内の領域で起こっている現象を二光子励起蛍光顕微鏡で追跡することができる（**生体内イメージング** intravital imaging とよばれる，図 4・20c）．

TIRF 顕微鏡法を用いると，スライドガラス近傍での高画質蛍光画像を得ることができる

これまで述べてきたように，共焦点顕微鏡を使えば驚くほど情報量に富む三次元蛍光画像を得ることができる．しかし，カバーガラスに近い焦点面だけの蛍光画像をすばやく得たいような場合，たとえば，細胞とカバーガラスとの間の接着部位に存在するタンパク質を詳しく調べたい場合や，カバーガラス面に接触している微小管の重合動態を追跡したい場合には，共焦点顕微鏡法より蛍光像の背景ノイズがずっと少ない**全反射照明蛍光顕微鏡法**（total internal reflection fluorescence microscopy，**TIRF 顕微鏡法** TIRF microscopy）が優れている．TIRF 顕微鏡の最も一般的な構成では，励起光は対物レンズから入射する．しかし，励起光がカバーガラスに入射する角度は，臨界角 θ_c よりもわずかに大きいため，励起光はカバーガラスで全反射し，対物レンズに再び戻ってくる（図 4・21a）．励起光がカバーガラス–水溶液境界で全反射すると，**エバネッセント波**（evanescent wave）とよばれる光がカバーガラスからわずかに水溶液側に漏れ出る．このエバネッセント波は，カバーガラスから約 50〜100 nm（微小管の 2〜4 倍の厚み）の深さまでしか到達せず，それ以上の領域は照射しない．蛍光試

(a)

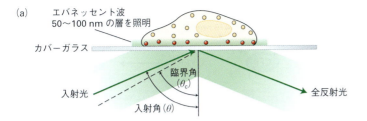

(b)

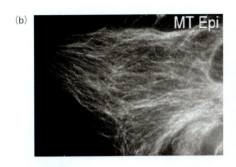 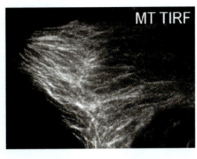 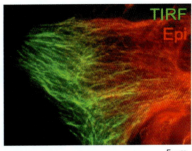

図 4・21（実験） 限定された領域にある焦点面内の蛍光試料を全反射照明蛍光（TIRF）顕微鏡法で可視化する．(a) TIRF 顕微鏡法における観察方法．ガラスと水の界面で光が反射される角度を**臨界角**（critical angle）θ_c とよぶ．この角度以下の入射光 θ は，ガラスを通り抜け試料を照射するが，臨界角以上の入射光は全反射される．TIRF 顕微鏡において，入射光の入射角は臨界角よりも若干大きく，光のほとんどが全反射されるが，エバネッセント波（薄緑）とよばれるすぐに減衰する光が試料側に漏れ出てくる．(b) 抗チューブリン抗体を用いた免疫蛍光顕微鏡法で微小管を可視化した．従来の蛍光顕微鏡法の像（左），TIRF 像（中央），そして両者の重ね合わせ像（右）を示す．重ね合わせ像では，もとの二つの画像に赤と緑の擬似色を施してある．重ね合わせによって，カバーガラス近傍の微小管（緑）が強調されている．
[(b) は J. B. Manneville et al., 2010, *J. Cell Biol.* **191**: 585 による．]

料が厚みをもつ複雑な構造をしている場合でも，TIRF 顕微鏡を用いるとカバーガラスから 50〜100 nm の領域のみが励起光で照射され，この領域の蛍光像だけが得られる．細胞をカバーガラス上で増殖させて，カバーガラスに近い細胞底面の構造だけを観察したり（図 4・21b），微小管やアクチンフィラメントの重合や解離の動態を測定したりするには，TIRF 顕微鏡は非常に有用である（17 章，18 章）．

FRAP で細胞構成成分の動態を解析できる

生細胞蛍光イメージングで多数の蛍光分子集団の平均化された位置や動態を調べることはできるが，個々の分子の動きを知ることはできない．たとえば，GFP 標識タンパク質の集まりが蛍光パッチとして細胞表面に見えたとき，これが安定な集合体で GFP 標識タンパク質の出入りがないのか，それとも個々の GFP 標識タンパク質が蛍光パッチから出たり入ったりしてパッチ外の分子と平衡状態にあるのか区別できない．この問題を解決するために，次のような方法でパッチ内の分子の動態を直接観察する（図 4・22）．まず，蛍光パッチ内の小さな領域に強い光を照射して蛍光色素（たとえば GFP）を退色させると，パッチ内に暗いスポットが生じる．蛍光パッチが蛍光標識タンパク質の安定な集合体でできていて動きが少ないなら，時間がたっても暗いスポットは暗いままでいる．しかし，暗いスポット内の蛍光タンパク質がスポット外の蛍光タンパク質と動的平衡状態にある場合には，外から入り込んでくる蛍光タンパク質があるため，暗いスポットの蛍光がしだいに回復してくる．蛍光回復の速度は蛍光分子の動きの速さを表している．**光退色後の蛍光回復**（fluorescence recovery after photobleaching: **FRAP**）として知られるこの技術によって，細胞

内の多くの構成成分の動的な状態が明らかにされた．たとえば，細胞骨格や膜タンパク質の拡散係数の決定（図 10・10 参照）などがそうした例としてあげられる．タンパク質の動態を調べるもう一つの方法は，適切なレーザー光を当てると蛍光が緑から赤に変わる蛍光タンパク質との融合タンパク質を使うというものである．この方法を使うと，レーザー光の照射で赤い蛍光を発するようになった融合タンパク質の動態を生細胞内で観察することができる．

FRET で発色団間の距離を測定する

フェルスター共鳴エネルギー移動（Förster resonance energy transfer: **FRET**，蛍光共鳴エネルギー移動 fluorescence resonance energy transfer ともいう）とよばれる現象を用いると，蛍光顕微鏡によって生体内（in vivo）の 2 種類のタンパク質間の相互作用を調べることができる．FRET 計測には 2 種類の蛍光タンパク質を利用する．このとき，一つ目の蛍光タンパク質の発光波長を二つ目のタンパク質の励起波長に合わせておく（図 4・23a）．たとえば，青色蛍光タンパク質（CFP）を波長 433 nm の光で励起すると，475 nm の蛍光が放射される．黄色蛍光タンパク質（YFP）が CFP 近傍にあると，CFP への励起エネルギーは YFP に転移して，475 nm の CFP 蛍光が放射される代わりに 530 nm の YFP 蛍光が放射される．この FRET の効率は蛍光色素間の距離の 6 乗に反比例するので，距離の微小変化に対して敏感である．両者の距離が 10 nm を超えるとエネルギー移動はほとんど起こらなくなる．そこで，試料中の CFP 標識タンパク質と YFP 標識タンパク質が非常に近接しているかどうかを，433 nm の励起光で試料を照射し 530 nm の蛍光を検出することで明らかにできる．たとえば，シグ

138　　　　　　　　　　　　　　　　　　　　　　　　　　　　　　　　Ⅰ. 化学的・分子的基礎

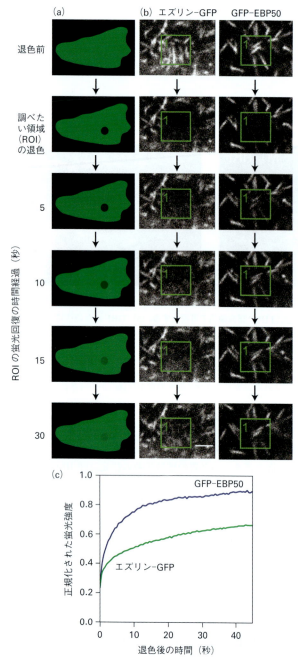

図 4・22（実験）　光退色後の蛍光回復（FRAP）で生細胞内の分子の動態を明らかにできる．生細胞内で GFP 標識したタンパク質の分布を追跡すると，タンパク質の全体としての分布を知ることはできるが，個々の分子がどのような動的集団に属するかまではわからない．(a) FRAP では，調べたい領域（ROI）にだけ強いレーザー光を短時間照射して GFP 蛍光を退色させる．GFP 蛍光の退色は迅速かつ不可逆的で，二度と検出されない．この退色領域（ROI，黒丸）に外から退色していない GFP 標識分子が移動してくると，GFP 蛍光の回復がみられる．(b) FRAP を用いて，上皮細胞頂端部微絨毛を構成する EBP50 とエズリンについて，GFP 融合体（白線）の動態を観察した．エズリン-GFP かあるいは GFP-EBP50 を発現している細胞の小領域（緑四角）を退色させ，この領域への未退色 GFP 融合体の流入の時間経過を追った．GFP-EBP50 の蛍光回復はきわめて速く，このタンパク質の ROI 内外での交換速度は速い．一方，エズリン-GFP の蛍光回復は遅く，ROI 内外での交換速度は遅い．(c) 蛍光の回復を定量化することで，EBP50 とエズリンの動力学的特性を知ることができる．[(b) と (c) は D. Garbett, A. Bretscher, 2012, *J. Cell Biol.* **198**: 195 による．]

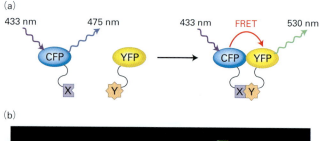

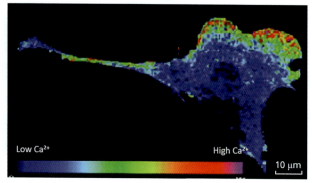

図 4・23　FRET によってタンパク質間の相互作用を可視化できる．FRET の背景にある考えは 2 種類の異なる蛍光タンパク質を利用することである．両者の距離が十分近ければ，一つ目の蛍光タンパク質が励起されると，その発光で二つ目の蛍光タンパク質が励起される．(a) この例では，CFP をタンパク質 X に融合させ，YFP をタンパク質 Y に融合させて，両者を生細胞で発現させる．この細胞を 433 nm の光で照射すると，CFP は 475 nm の蛍光を出す．もしタンパク質 X と Y が相互作用せず YFP が CFP の近傍に存在しないなら（左），YFP からの 530 nm の蛍光は検出されず CFP の 475 nm の蛍光だけが検出される．しかし，タンパク質 X がタンパク質 Y と図のように相互作用すると（右），CFP と YFP とは FRET が起こる距離まで近づき，433 nm の光照射による CFP の励起によって YFP も 530 nm の蛍光を発する．(b) このマウス繊維芽細胞では，活性型のシグナル伝達タンパク質 Rac とその結合因子が移動中の細胞の先端に局在することが FRET によって明らかになった．[(b) は R. B. Sekar, A. Periasamy, 2003, *J. Cell Biol.* **160**: 629 による．]

ナル伝達にかかわる低分子量 GTP 結合タンパク質とエフェクタータンパク質間の相互作用が細胞内のどこで起こっているか可視化するために，CFP と YFP を用いた FRET センサーが開発されている（図 4・23b）．

FRET を使って細胞内環境を感知するバイオセンサーが作製できる．生化学シグナルを感知して構造変化を起こす領域の両端に CFP と YFP を融合させたタンパク質（FRET バイオセンサー）を遺伝子操作でつくり出し，これを細胞内で発現させる．たとえば，シグナルがないときにはセンサー内の CFP と YFP は離れていて FRET は生じないが，これを感知するとセンサーの構造変化が起こり CFP-YFP 間に FRET が生じる．こうした技術は，プロテインキナーゼ活性検出に使われている．センサータンパク質中には，特定のキナーゼによりリン酸化される**センサードメイン**（sensor domain）と，リン酸化されたセンサードメインに結合する**リガンドドメイン**（ligand domain）がある．前者には YFP が，後者には CFP が融合している（図 4・24a）．センサードメインがキナーゼでリン酸化されると，リガンドドメインに結合し，CFP と YFP の距離は近づいて FRET が生じる．細胞内では，キナーゼによるタンパク質リン酸化に対してホスファターゼによる脱リン酸化が動的に拮抗しており，FRET センサーからの FRET シグナルもリン

4. 細胞の培養と観察

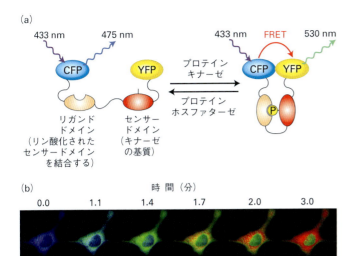

図 4・24(実験)　FRET バイオセンサーで細胞内での局所的な生化学的環境を検出する．(a) FRET バイオセンサーは 2 種類の蛍光タンパク質からなり，両者は生化学的環境に応答して構造が変わるポリペプチド鎖でつながれている．ここでは，CFP と YFP がセンサードメインとリガンドドメインからなる領域でつながれている．センサードメインは特定のプロテインキナーゼでリン酸化され，リガンドドメインはリン酸化されたセンサードメインと結合する．キナーゼ活性が低い環境では，CFP と YFP は互いに自由に動き回っており，両者間で FRET は観測されない．しかし，キナーゼ活性が高い環境では，センサードメインがリン酸化され，リガンドドメインと結合する．その結果，CFP と YFP の距離は近づき，両者間で FRET が観測される．ここにリン酸化センサードメインのリン酸基を除去するようなホスファターゼがくると，CFP-YFP 間の FRET は消える．そこで，このようなバイオセンサーによって，微小環境でのキナーゼとホスファターゼの活性の比を観測することができる．(b) FRET バイオセンサーを用いて，cAMP で活性化されたプロテインキナーゼ A を感知した．ここでは，cAMP 産生を誘導するホルスコリンという薬剤を細胞に加え ($t = 0$)，その後の cAMP 濃度変化の時間経過を追った．この画像から，キナーゼ活性化の速度と活性化された酵素の局在がわかる．[(b) は J. Zhang et al., 2001, *Proc. Natl. Acad. Sci. USA* **98**: 14997 による．© 2001 National Academy of Sciences, U.S.A.]

酸化で上昇し，脱リン酸化で減少する．そこで，センサーからの FRET シグナルは，細胞内でもリン酸化と脱リン酸化の動的状態を反映することになる．ここでは，プロテインキナーゼ A の細胞内での活性動態を検出するバイオセンサーを説明する．このキナーゼは，シグナル伝達分子である cAMP (§15・1 参照) 濃度の上昇で活性化される．このバイオセンサーを発現している細胞では，cAMP 濃度が上昇するような条件下で FRET シグナルの速やかな上昇が検出される (図 4・24b)．これ以外にも，細胞内の局所 Ca^{2+} 濃度 (図 4・27)，あるいはスイッチタンパク質 GTPase (図 3・35 参照) の活性化状態などを検出するために，多彩な FRET バイオセンサーが開発されている．

光を用いて時空間的に事象を制御できる光遺伝学 (オプトジェネティクス)

光を用いて生きた細胞の生化学反応を制御できるという発想は，緑藻類クラミドモナス *Chlamydomonas reinhardtii* の走光性 (光に引きつけられる性質) の研究から生まれた．研究者たちが，パルス状の明るい光によって，現在では**チャネルロドプシン** (channelrhodopsin) として知られているタンパク質の陽イオンチャネルを開くことができることを発見したのである．神経細胞にチャネルロドプシンを発現させると，光によってチャネルを開くことができ，その結果，非常に速い細胞内への Na^+ 流入が起こせるようになり，膜を脱分極させることができる．23 章で解説するように，特定の神経細胞にチャネルロドプシンを発現させ，局所的にパルス光を照射することで，神経回路の解明に利用が可能である．

その後，光を使って生化学反応を局所的に制御する方法が開発された．この技術は，植物の屈光性 (光に向かう，または光から遠ざかる方向) を制御するタンパク質の同定から発展した．このうち，光感受性 LOV ドメインを利用したものが，現在広く用いられている．この手法の有用性を示す一例として，核に局在するタンパク質を光によって細胞質へ移行させる実験が行われた．13 章で解説するように，核に局在するタンパク質は，短い核局在化シグナル (NLS) をもち，核から輸送されるタンパク質は，短い核外輸送シグナル (NES) をもち，**エクスポーチン** (exportin) というタンパク質と相互作用して細胞質へタンパク質を輸送する．実験では，蛍光タンパク質-NLS-LOV ドメイン-NES という融合タンパク質が作製された (図 4・25a)．エクスポーチンは，暗所でこの融合タンパク質の NLS にアクセスできるが，NES と結合できない．この融合タンパク質を細胞内で発現させると，暗所において NES はエクスポーチンと相互作用できないため，当初の予想通りこの融合タンパク質は核に局在する (図 4・25a, 上)．しかし，光が当たると，LOV ドメインが立体構造変化を起こし，NES がエクスポーチンと結合できるようになる (図 4・25a, 下)．この変化により，融合タンパク質は核から細胞質へと輸送される．光照射を止めると，LOV ドメインは再びもとの立体構造に戻るため，NES はエクスポーチンと相互作用できなくなり，融合タンパク質は核に再び輸送される (図 4・25b)．たとえば，蛍光タンパク質の代わりに核内調節因子を用いれば，光を用いて活性の制御が可能となる．この手法は，たとえば，タンパク質を細胞膜へと輸送したり，あるいは，細胞内シグナル伝達経路を活性化したりといった，さまざまな場面で用いられている．

点光源の蛍光体は，ナノメートルの分解能で位置を特定できる

従来の顕微鏡では，200 nm より近い距離にある二つの物体を識別することはできないが，静止している一つの物体の位置を数ナノメートルの分解能で特定することはできる．点光源 (たとえば蛍光標識された一つのタンパク質) から放出される複数の光子を，高感度カメラを使用して高速に撮影し画像化すると，蛍光標識されたタンパク質の正確な位置を中心とした蛍光強度のガウス曲線が得られる．そして，その蛍光強度の重心をコンピューターによって計算することで，数ナノメートルの分解能で，点光源の中心位置を特定することができる．このような解析方法によって，単一物体の位置を追跡することができる．また，各画像の露光時間が十分に短く，物体が目に見えるほど大きく移動しない限り，移動する物体の位置を追跡することもできる．あとの章で解説するように，この技術は，分子や小胞が細胞骨格のフィラメントに沿って移動する際のナノメートルサイズの移動距離を測定するのに用いられている (図 17・28 参照)．

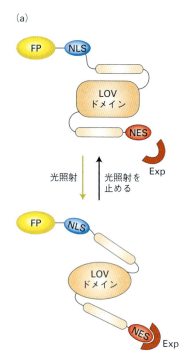
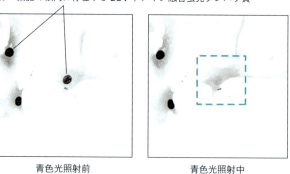

図 4・25(実験) LOV ドメインと光を用いて，タンパク質の局在を変化させる．(a) この例では，核局在化シグナル(NLS)，LOV ドメイン，および核外輸送シグナル(NES)に蛍光タンパク質(FP)を融合させた．暗所では NES はエクスポーチン(Exp)と相互作用できないが，光を照射すると LOV ドメインが構造変化することで NES が LOV ドメインから解離し，エクスポーチンと結合できるようになる．(b) この融合タンパク質を細胞内で発現させると，NLS は利用可能であるが，一方で，NES は利用可能な状況にないため，この融合タンパク質は核に局在する．しかし，四角で囲んだ一つの細胞に青色光を照射すると，LOV ドメインは構造変化を起こして NES を解離し，その結果 NES にエクスポーチンが結合できるようになるため，この融合タンパク質は細胞外へ輸送される．この反応は可逆的で，青色光の照射を止めると，融合タンパク質は再び核へと輸送される．(b) の画像は，この融合タンパク質を発現している細胞の倒立蛍光顕微鏡像である．[H. Yumerefendi et al., 2016, Nat. Chem. Biol., **12**(6): 399, Copyright Clearance Center, Inc. を通じて Nature Publishing Group より許可を得て転載.]

超解像顕微鏡法を使うと，ナノメートルの精度でタンパク質の細胞内局在を可視化できる

すでに述べたように，蛍光顕微鏡の分解能の理論的限界は約 0.2 μm (200 nm) である．この限界を克服するため，**超解像顕微鏡法** (super-resolution microscopy) と総称されるさまざまな方法が考案された．その一つが**構造化照明顕微鏡法** (structured illumination microscopy: **SIM**) とよばれるものである．明暗のストライプ構造をもった照射光を回転させながら試料に当てて画像を撮影する．この画像情報から試料の微細構造をコンピューター解析で再構成する．この解析で，これまでの共焦点顕微鏡法に比べて 2 倍である 100 nm に分解能が上がり，核膜の一部が陥入している画像を得ることができた (図 4・26a)．SIM では 4 秒間隔で試料の三次元像を撮影可能なため，生細胞の観察に向いている．**誘導放出抑制顕微鏡法** [stimulated emission depletion (**STED**) microscopy]では，レーザー走査型共焦点顕微鏡のように蛍光試料中の 1 点に励起光を照射する．さらに励起光に重なるように，励起直後にドーナツ状の STED 光 (蛍光波長とは異なる波長の光で，蛍光放射を妨げる) を照射する．STED 光で蛍光分子は脱励起され，ドーナツの穴に相当するごく一部だけが蛍光を放射することになる．コンピューターでドーナツ状の STED 光の中心位置を記録し，そこからの蛍光強度を記録していくと，最終的には分解能が 30 nm という驚くべき高分解能の蛍光像を得ることができる．図 4・26(b) に，STED で得られたアクチンフィラメントの蛍光像を示す．

理論的分解能を超えた精度で分子を可視化し，その局在位置を検出するにはさらに別の方法もある．このしくみを理解するために，まずはじめに 75 nm 離れた二つの蛍光性構造体を考えてみよう．それらを同時に可視化しようとすると，それぞれを点光源とした蛍光の広がりはガウス分布となるので，両者は重なってあたかも一つの蛍光光源から発したもののように見える．しかし，個々の点光源からの光を検出して，その光量のガウス分布を得ることができれば，光学顕微鏡の分解能を打破して 75 nm しか離れていない 2 点でも分離して検出できる．その一つは，光で活性化される GFP 様蛍光タンパク質を使う**光活性化プローブ局在同定顕微鏡法** (photoactivated localization microscopy: **PALM**) あるいは，**確率的光学再構築顕微鏡法** (stochastic optical reconstruction microscopy: **STORM**) である．光活性化 GFP 様蛍光タンパク質は，蛍光励起波長とは異なる特異的な波長の光で照射されたときにだけ活性化され，蛍光性となる．この光活性化 GFP 集団中の 1 個だけを活性化用の光照射で蛍光性にしたとしよう．GFP 集団全体を蛍光励起波長の光で照射しても，光活性化で生じた特定の 1 個の蛍光性 GFP 以外からは蛍光は放射されない．しかし，光活性化された特定の 1 個の蛍光性 GFP からは数百もの光子が放射されることになる．その強度分布は，この蛍光性 GFP が局在する点を中心としたガウス分布になる (図 4・26c)．つまり，個々の光子の解析では GFP の位置を正確に決めることはできないが，ガウス分布の中央が GFP の局在位置に対応することになる．この位置はナノメートルの精度で同定できる．GFP を次々と一つずつ活性化すれば，同じ精度でそれぞれの位置を決めることができる．PALM/STORM では，まず，互いのガウス分布が重ならないようにわずかな数の GFP を活性化し，高い精度でそれらの位置決めを行う．その後，別の GFP 集団について，一つひとつの GFP 活性化を繰返し，位置決めする．この活性化と位置決めを繰返しながら記録すると，最終的に視野全体について高い分解能の画像が得られる．実際には，超解像度画像は，焦点面において約 30 nm の解像度を有し，焦点面に対して 50 nm の垂直方向の解像度を有する．たとえば，他の光学顕微鏡法以上の明瞭さで微小管の三次元分布を可視化することができる (図 4・26c)．しかし，この種の画像を得るには時間がかかるので，生細胞を観察するのはむずかしい．こうした難点も，顕微鏡の感度を上げたり，シグナル検出速度を上

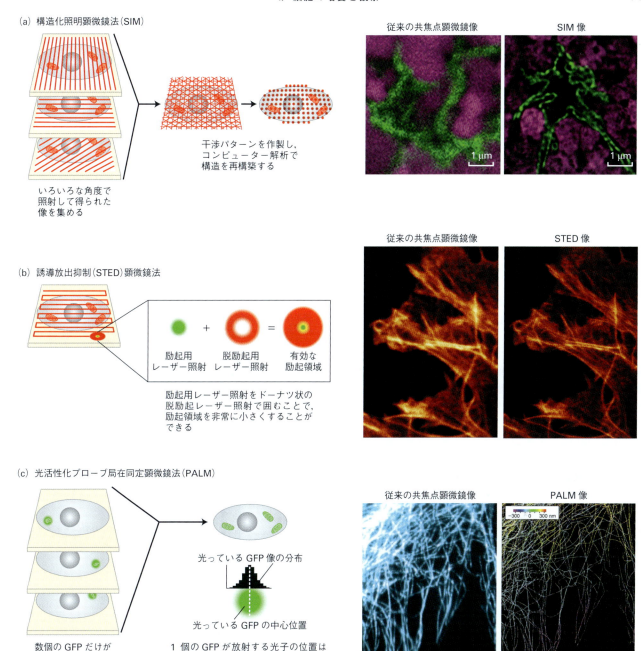

図 4・26（実験）　超解像顕微鏡法によってナノメートルの分解能で光学顕微鏡像を得ることができる．光学顕微鏡の理論的分解能は，超解像顕微鏡法によって超えることができる．（a）構造化照明顕微鏡法（SIM）では，明暗のストライプ構造をもった照射光を試料に当てる．照射光を回転させながら，異なる角度の照射で得られた像をそれぞれ記録する．こうした像から得られる干渉パターンで，数学的に試料の高分解能構造を再構成できる．右側には，従来の共焦点顕微鏡法とSIM法で得られた核の蛍光像を示す（緑がラミン，紫がDNA）．SIM法では，従来の共焦点顕微鏡法に比べて分解能がおよそ2倍上がっている．（b）誘導放出抑制（STED）顕微鏡法では，共焦点顕微鏡のように蛍光試料中の1点に励起光を照射する．さらに励起光に重なるように，励起直後にドーナツ状のSTED光（蛍光波長とは異なる波長の光で，蛍光放射を妨げる）を照射する．その結果，ドーナツの穴に相当するごく一部だけが蛍光を放射することになる．右側には，従来の共焦点顕微鏡法とSTED法で得られた細胞内アクチンフィラメント像を示す．（c）PALMでは，蛍光励起波長とは異なる波長の光で照射したときにだけ蛍光性となるGFP誘導体（光活性化GFP）を用いる．試料中のごく少量の光活性化GFPだけを選択的に蛍光性にすることができる．この試料を蛍光励起波長で照射すると少数の光活性化GFPだけが蛍光性となり，個々が数千もの光子を放出するので，それぞれについてこれを集計する．その結果，実際に光活性化GFPの存在している位置を中心に，光子数がガウス分布するグラフが得られるので，この中心位置をナノメートルの精度で決定することができる．光照射で活性化するという手続きを別の光活性化GFPについて数百回繰返すと，高分解能の蛍光像が得られる．右側に，従来の共焦点顕微鏡法とPALMで得られた微小管の蛍光像を示す．後者では微小管の三次元位置を色分けして示している．〔（a）は L. Schermelleh et al., 2008, *Science* **320**: 1332, Copyright Clearance Center, Inc. を通じて AAAS より許可を得て転載．（b）は E. Stanley, Toronto Western Research Institute による．（c）は B. Huang et al., 2008, *Science* **319**: 810, Copyright Clearance Center, Inc. を通じて AAAS より許可を得て転載．〕

げたり，空間分解能を上げたりという工夫をしていくことで乗り越えていくことができるだろう．実際，**MINFLUX** とよばれる，PALM/STORM と組合わせた新しい STED 法は，非常に特殊な状況でのみ使用されているが，それでも，約 1 nm に近い分解能をもつことが報告されている．

光シート顕微鏡で組織内の生細胞像をすばやく可視化する

これまでに解説してきた共焦点顕微鏡法では，ほとんどの場合，同じ対物レンズを用いて蛍光色素を励起してこれを検出する．その結果，同一の焦点面の試料を励起して，そこから放射された蛍光を可視化していることが保証される．これは共焦点顕微鏡の長所であると同時に，可視化できる試料の深度が制限されるという短所にもなる．この問題を回避するために，**光シート顕微鏡法**（light-sheet microscopy）という新たな方法が開発された．この方法では，焦点を絞ったレーザー光を試料側面から入射し，それと直角方向で蛍光を検出する（図 4・27a）．側面から入射したレーザー光の焦点を上下に走査すると（図 4・27a，1 枚の同一焦点面が照射される．この照射面と直角方向にある検出用対物レンズで，この焦点面の蛍光像を検出する．試料の三次元蛍光像を得るには，こうした切片蛍光像を試料すべてにわたって足し合わせる必要がある．そこで，レーザー光で照射面を走査する機構と，切片蛍光像検出の対物レンズを動かす機構とをうまく同調させ，得られた切片蛍光像すべてをコンピューターで積み重ねて，最終的に試料全体の三次元的蛍光像を作成する．

この方法を用いて，生きているゼブラフィッシュの脳の細胞内 Ca^{2+} 濃度が可視化された．この実験では，まずゼブラフィッシュの神経細胞で **GCaMP** という Ca^{2+} センサーを発現させる．このセンサーは GFP 由来で，Ca^{2+} が存在しなければ蛍光を発さないが，Ca^{2+} 存在下では蛍光を発するように設計されている（図 4・27b）．GFP を N 末端側半分と C 末端側半分に分割し，前者には Ca^{2+} 結合タンパク質カルモジュリン（図 3・34 参照）由来の Ca^{2+} センサードメインが，後者にはリガンドドメインがつながれている．GFP は二つのドメインに分割されているので，Ca^{2+} が存在しない状態では光で励起されても蛍光を発しない．しかし，Ca^{2+} 存在下で 4 個の Ca^{2+} がセンサードメインに結合すると GFP の立体構造に変化が起こり，リガンドドメイン内の標的配列に特異的に結合して，センサードメイン-リガンドドメインの複合体が生じる．その結果，二分されていた GFP の N 末端ドメインと C 末端ドメインが一体となり，光励起で蛍光を発するようになる．そこで，カルモジュリンを活性化できるまで十分に Ca^{2+} 濃度が上昇すると，GCaMP は蛍光シグナルを発するようになる．23 章で解説するように，神経細胞どうしが情報のやりとりを行う際には，Ca^{2+} 濃度上昇を伴うことが多い．そこで，GCaMP を発現させた生きたゼブラフィッシュを用いれば，光シート顕微鏡法で，生きた状態での脳の神経細胞間コミュニケーションを可視化できる（図 4・27c）．

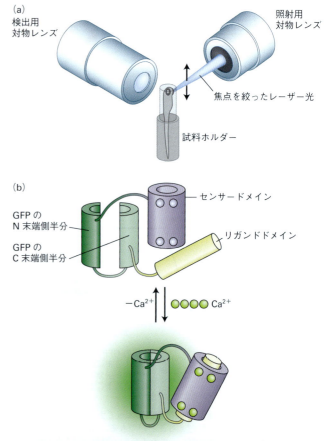

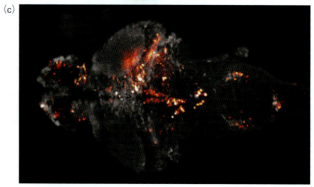

図 4・27　光シート顕微鏡で組織内の生細胞像をすばやく可視化できる．(a) 光シート顕微鏡法では，焦点を絞ったレーザー光を試料側面から入射し，上下に動かして 1 枚の同一焦点面を照射する（矢印）．検出用対物レンズを通して，それと直角方向で蛍光を検出する．試料の三次元蛍光像を得るには，レーザー光で試料を走査するための照射用対物レンズと，切片蛍光像検出用対物レンズを動かす機構とをうまく同調させ，こうした切片蛍光像を試料全体にわたって得る必要がある．(b) GCaMP という Ca^{2+} バイオセンサーの模式図．組換え DNA 技術で作製されたこのバイオセンサーでは，GFP ポリペプチド鎖の途中に挿入配列があり N 末端側半分と C 末端側半分に分割されている．GFP ポリペプチド鎖の N 末端側には Ca^{2+} 結合タンパク質カルモジュリン由来の Ca^{2+} センサードメインが，C 末端側にはリガンドドメインがつながれている．リガンドドメイン内の標的配列には，Ca^{2+} 存在下でカルモジュリンが特異的に結合する．GFP は二つのドメインに分割されているので，Ca^{2+} がない状態では光で励起されても蛍光を発しない．しかし，4 個の Ca^{2+} が結合すると構造変化が起こり，センサードメインはリガンドドメインに結合する．その結果，二分されていた GFP の N 末端ドメインと C 末端ドメインが一体となり，蛍光を発するようになる．(c) 光シート顕微鏡法でとらえた，生きているゼブラフィッシュの脳細胞における局所的な Ca^{2+} 濃度上昇（赤）．［(c) は M. B. Ahrens et al., 2013, *Nat. Methods* **10**: 413, Copyright Clearance Center, Inc. を通じて Nature Publishing Group より許可を得て転載.］

4・2 光学顕微鏡法: 細胞内の微細構造とタンパク質局在の観察 まとめ

- 光学顕微鏡の分解能 (約 0.2 μm) は観察に用いる光の波長 (400 nm) によって決まる限界である.
- 細胞成分のほとんどは色がないため, 個々の細胞の内部構造を観察するには屈折率の違いを利用した位相差顕微鏡法および微分干渉顕微鏡法が用いられる.
- 細胞や細胞小器官の構造を観察するには, 組織を固定し, その切片を作製し, 染色する.
- 蛍光顕微鏡法は, ある波長の光を吸収し, それより長波長の光を放射する蛍光分子を利用する.
- イオン感受性蛍光色素を用いると Ca^{2+} など細胞内のイオン濃度を測定できる.
- 免疫蛍光顕微鏡法では, 抗体を用いて, 固定・透過処理された細胞内にある特定の構成要素の局在位置を決める.
- 間接免疫蛍光顕微鏡法では, まず特定のタンパク質に特異的に結合する未標識の一次抗体を使い, 次に一次抗体を認識する蛍光標識二次抗体を加えて, 一次抗体の位置を可視化する.
- エピトープタグをコードする短い配列を標的タンパク質の配列に付加して, 細胞内でこの組換えタンパク質を発現させる. エピトープタグに対する抗体を用いれば, 細胞内で発現したタンパク質の位置を特定できる.
- 緑色蛍光タンパク質 (GFP) とその誘導体は, 天然の蛍光タンパク質由来である.
- GFP を特定のタンパク質と融合させ, 細胞に発現させれば, 生細胞内でその位置と動態を知ることができる.
- デコンボリューションおよび共焦点顕微鏡法を用いれば, 焦点面をはずれた点で生じた蛍光を除くことで, 非常に鮮明な蛍光画像を得ることができる.
- 全反射照明蛍光 (TIRF) 顕微鏡法を用いると, カバーガラス近傍の試料の蛍光像を非常に鮮明に観察できる.
- 光退色後の蛍光回復 (FRAP) を観測すると分子集団の動態を解析できる.
- フェルスター共鳴エネルギー移動 (FRET) は, 一つの蛍光タンパク質から隣接する別の蛍光タンパク質に光エネルギーが移動する現象であり, これを利用すると, 細胞内で二つの蛍光分子が近接しているかどうかを明らかにできる.
- 光遺伝学 (オプトジェネティクス) は, 光照射によって局所的かつ迅速な生化学的変化をひき起こすことができ, その影響を in vivo イメージングで追跡できる.
- 超解像顕微鏡法を使うとナノメートルレベルの分解能をもつ詳細な蛍光画像を得ることができる.
- 光シート顕微鏡法では, 横からシート状に光を照射することで, 厚みのある試料からも蛍光像を得ることができる.

4・3 電子顕微鏡法: 高分解能イメージング

個々のタンパク質や細胞小器官, 細胞, 組織を電子顕微鏡で観察すると, 光学顕微鏡では得られない高分解能の超微細構造を可視化できる. 電子の波長は短いので, 透過型電子顕微鏡の分解能

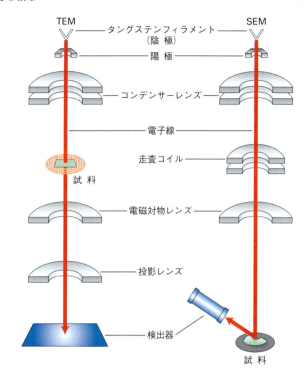

図 4・28 電子顕微鏡法では, 試料を透過した電子や金属で染色した試料から散乱された電子が像を結ぶ. 透過型電子顕微鏡 (TEM) では (左), 加熱されたフィラメントから放射された電子を電場で加速し, 電磁コンデンサーレンズによって試料に集束させる. 試料を透過した電子を電磁対物レンズや投影レンズで集束させ, 拡大された試料の像を検出器上に結ばせる. この検出器には, 蛍光板や写真フィルム, CCD (charged-coupled-device) カメラなどが用いられる. 走査型電子顕微鏡 (SEM) では, コンデンサーレンズと対物レンズを用いて金属染色した試料に電子線を集束させる (右). 走査コイルで試料を横切るように電子線を動かす. 金属で散乱された電子は光電子増倍管検出器に集められる. 電子は空気中の分子によって散乱されてしまうので, どちらの顕微鏡でも高真空状態を保たなければならない.

は理論的には 0.005 nm となり (原子の直径より短い), これは光学顕微鏡の 4 万倍, ヒトの裸眼の 200 万倍もの分解能があることになる. しかし生物試料を観察するとき, 電子顕微鏡の実際の分解能はこれよりずっと悪く, 最適な状態でも透過型電子顕微鏡で 0.10 nm であり, これは光学顕微鏡に比べて 2000 倍ほどよい.

電子顕微鏡の基本的原理は光学顕微鏡と同じである. しかし, 光学顕微鏡では光学レンズによって可視光線が焦点を結ぶのに対して, 電子顕微鏡では電磁レンズによって高速電子線が焦点を結ぶ. **透過型電子顕微鏡法** (transmission electron microscopy: **TEM**) では, 電子はフィラメントから放射され, 電場で加速される. コンデンサーレンズで試料に電子線の焦点を結ばせる. 試料を透過した電子線は対物レンズと投影レンズによって, 観察スクリーンなどの検出器に像を結ぶ (図 4・28 左). 電子は空気中の原子に吸収されるので, 電子源と検出器の間の空間は高真空に保たなければならない. このため生きた材料は電子顕微鏡法によって可視化できない.

本節では, 電子顕微鏡法による生体材料の観察方法をいくつか解説する. 最も広く使用されているのは透過型電子顕微鏡法であるが, 本節の最後で解説するように, **走査型電子顕微鏡法** (scanning electron microscopy: **SEM**）も透過型のものとは相補的な情報を提供するのでよく用いられる（図4・28右）．

ネガティブ染色や金属シャドウイングによって個々の分子や構造体を可視化する

細胞を理解するには，タンパク質や核酸といった巨大分子の詳細な形や，ウイルス，細胞骨格をつくるフィラメントなどの詳細な構造を明らかにすることが大事である．入射電子を散乱させる重金属でこうした試料を染色しておくと，透過型電子顕微鏡でこれらを観察することは比較的容易である．試料をまずプラスチックと炭素からなる薄いフィルムで覆われた3 mm径の**電子顕微鏡グリッド**（electron microscope grid，図4・29a）に吸着させる．グリッド上の試料を酢酸ウラニルなどの重金属溶液で処理し，その後に過剰な溶液を洗い流す（図4・29b）．この処理で，酢酸ウラニルはグリッドを覆うが，試料が付着している領域からは除かれる．TEMでは，電子線は酢酸ウラニルで散乱され，染色の薄い領域ほどよく通過して検出されるので，試料が付着した領域の像が得られる．**ネガティブ染色法**（negative staining）とよばれるこの染色法により，試料の形態の高分解能画像が得られる（図4・29c）．

電子顕微鏡試料は，**金属シャドウイング**（metal shadowing）に

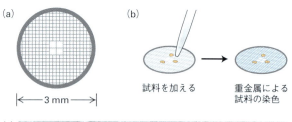

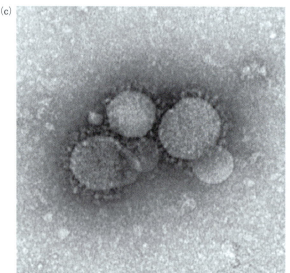

図4・29 透過型電子顕微鏡法を用いると，ネガティブ染色された試料の解析によって微細な特徴がわかる．（a）透過型電子顕微鏡法（TEM）の試料は通常小さな銅あるいは金製のグリッドに載せる．グリッドは通常，試料が接着できるようにプラスチックと炭素からなる薄いフィルムで覆う．（b）試料は酢酸ウラニルなどの重金属染色剤で覆い，過剰な金属染色剤を除く．（c）TEMで観察する場合，試料は金属染色剤を排除するので輪郭が黒く見える．（c）はCOVID-19パンデミックをひき起こしたウイルス（新型コロナウイルス）と非常によく似たコロナウイルスのネガティブ染色像を示す．［（c）はCDC/M. Metcalfe; A. Tamin.］

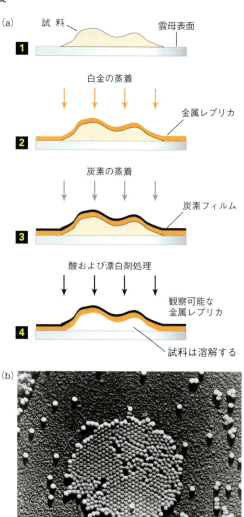

図4・30 金属シャドウイングによって，非常に小さい粒子の表面の詳細が透過型電子顕微鏡法（**TEM**）で観察できる．（a）試料を雲母表面に広げ，真空エバポレーターで乾燥する（段階**1**）．白金や金のような重金属のフィラメントを電気的に加熱すると，金属が蒸発し，一部が試料グリッドにふりかかって薄い膜になる（段階**2**）．このレプリカを安定化させるため，過熱した電極から蒸発した炭素フィルムによって標品を覆う（段階**3**）．生物試料は酸で溶かし，残った金属レプリカをTEMで観察する（段階**4**）．（b）白金蒸着したポリオウイルスのレプリカ像．［（b）はOmikron/Science Source/amana-images.］

よっても調製できる（図4・30）．この場合には，雲母片に試料を吸着させ，次に金属蒸着装置を用いて試料に白金粒子を蒸着させ，最後に酸や漂白剤で試料を溶かし，試料の形に沿ってできた白金層レプリカだけを残す．こうしてつくられた白金レプリカをグリッドに移しTEMで解析すると，試料表面の三次元の形態情報が得られる．

細胞や組織の詳細な内部構造を観察するには，一連の超薄切片の電子顕微鏡像が必要である

単一の細胞や組織断片は厚すぎるため，ふつうの透過型電子顕

免疫電子顕微鏡法を使うと，タンパク質の局在を超微細構造のレベルで特定できる

免疫蛍光顕微鏡法を用いて光学顕微鏡レベルでタンパク質の位置を特定するのと同じように，抗体を用いて電子顕微鏡レベルで切片の中のタンパク質の位置を特定する方法が開発されてきた．しかし，化学的固定やプラスチックへの包埋など従来の超薄切片調製条件では，抗原が変性したり修飾を受けたりしてしまい，もはや特異抗体に認識されなくなる．そこで，試料を光固定し，材料を液体窒素で凍結後切片化し，その後室温に戻して抗体と反応させるという穏やかな方法が開発されてきた．それが**免疫電子顕微鏡法**（immunoelectron microscopy）である．抗体を電子顕微鏡で可視化するためには，抗体と高電子密度マーカーとを結合させなければならない．一つの方法は，プロテインAで表面を覆った高電子密度の金粒子を使うことである．プロテインAは細菌由来

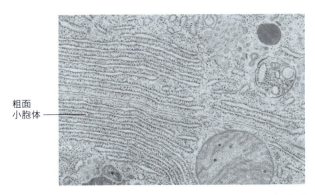

図4・31　透過型電子顕微鏡で観察した超薄切片像．膵臓細胞の超薄切片像．消化酵素の合成と分泌にかかわる多数の粗面小胞体の重なりが見える．［Keith R. Porter Archive, University of Maryland, Baltimore County.］

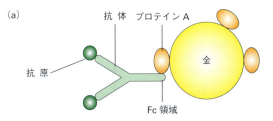

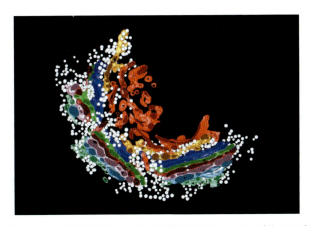

図4・32　電子顕微鏡像の三次元再構成に基づいたゴルジ体のモデル．粗面小胞体から出芽した輸送小胞（白球）はゴルジ体のシス区画の膜（水色）と融合する．14章で解説する機構により，タンパク質はゴルジ体のシス区画から中間区画，そしてトランス区画へと移動していく．最終的に，小胞はトランスゴルジ膜（橙，赤）より出芽する．あるものは細胞表面へ，他のものはリソソームへと移動していく．ゴルジ体は，粗面小胞体と同様に分泌細胞でよく発達している．［B. J. Marsh, K. E. Howell, 2002, *Nat. Rev. Mol. Cell Biol.* **3**: 789, Copyright Clearance Center, Inc. を通じて Nature Publishing Group の許可を得て転載．］

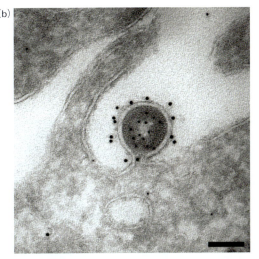

微鏡で直接観察することはできない．この問題を克服するために細胞や組織の切片の作製法が開発されてきた．こうした**切片**（thin section）の電子顕微鏡像から細胞や組織の内部構造，その構成や美しさ，複雑さが明らかになり，細胞生物学に革命が起こった．

試料切片を調製するために，まず試料を化学的に固定すること，脱水すること，液体プラスチック（プレキシガラス®）を浸み込ませ固くすること，そして最後に5～100 nmという薄さの切片（超薄切片）に切断することが必要である．構造を観察するには，試料をプラスチックに包埋する前か，あるいは超薄切片に切断したあとに，ウランや鉛塩などの重金属で染色する．超薄切片法を用いた細胞（図4・31）や組織の電子顕微鏡像の例は本書の至るところに出てくる．1枚の超薄切片で得られる画像は細胞の一断面だけを表しているにすぎないので，三次元像を得るためには試料の**連続切片**（serial section）を作製し，一連の連続画像から再構築する必要がある（図4・32）．

図4・33　透過型電子顕微鏡法では，抗体に結合したタンパク質を検出するのにプロテインAで覆われた金粒子が用いられる．(a) まず，固定した組織切片の中の特異的抗原と抗体を結合させる．次に黄色ブドウ球菌のプロテインAで覆われた電子密度の高い金粒子でこの切片を処理する．抗体分子のFc領域がプロテインAと結合するので，標的分子が電子顕微鏡で見えるようになる．(b) HIVに感染したHeLa細胞から出芽しているウイルス粒子．試料のクライオ切片を準備し，まずウイルスキャプシドに対する抗体で処理する．これにプロテインAで覆われた5 nm金粒子を加えると，細胞内に取込まれたウイルスキャプシドに抗体を介して5 nm金粒子が結合する．その後，5 nm金粒子上のプロテインAの抗体結合部位を塞いでから，この切片を細胞膜結合性Envタンパク質に対する抗体で処理する．これにプロテインAで覆われた10 nm金粒子を加えると，細胞膜に結合しているEnvタンパク質に10 nm金粒子が結合する．ウイルスキャプシド標識用5 nm金粒子とEnvタンパク質標識用10 nm金粒子の分布から，両者が細胞の別の領域に局在していることがわかる．スケールバーは100 nmを示す．［A. Pelchen-Matthews, M. Marsh, MRC-Laboratory for Molecular Cell Biology, University College London による．］

のタンパク質で，すべての抗体分子の Fc 領域と結合する（図4・33）．金粒子は入射電子を跳ね返すため，電子顕微鏡画像中で黒い点として見える．

クライオ電子顕微鏡法を使うと，未固定・無染色で試料を見ることができる

ふつうの電子顕微鏡法では，観察に必要な条件や試料調製法が厳しすぎるので生きている細胞を見ることはできない．特に高真空中での脱水によって巨大分子は変性し機能を失ってしまう．しかし，生物試料を凍結すれば，水和した未固定で無染色の生物標本を透過型電子顕微鏡で直接に観察できる．この**クライオ電子顕微鏡法**（cryoelectron microscopy）では，水に分散させた試料をグリッド上できわめて薄い層にして，液体窒素で凍結させたのち，特別な台を用いてこの状態を維持する．試料は凍ったまま電子顕微鏡内に入れて観察する．極低温（−196℃）に試料を冷やしておくと真空中でも水は蒸発しない．このようにして，固定や重金属による染色なしで未変性の水和状態にある試料を詳細に観察することができる．数百もの電子顕微鏡像をコンピューターで平均化すると，ほとんど原子レベルの分解能をもつ三次元像が得られる．たとえば，11章で解説するリボソームや筋肉の Ca^{2+} ポンプの三次元構造を構築するためにこの手法が用いられた．ここ数年，大型のタンパク質やタンパク質複合体の原子構造を決定するために，クライオ電子顕微鏡を解析に用いる技術開発がなされてきた．この技術についてはすでに3章で解説したが，氷中に埋込まれた分子のさまざまな向きの画像を100万枚も撮影し，コンピューターを用いた画像解析によって詳細な三次元構造を構築するといったものである．この解析技術は，X線結晶構造解析のようにタンパク質の結晶を作製する必要がないため，構造生物学に革命をもたらした．

この技術がさらに発展した**クライオ電子断層撮影法**（cryoelec-

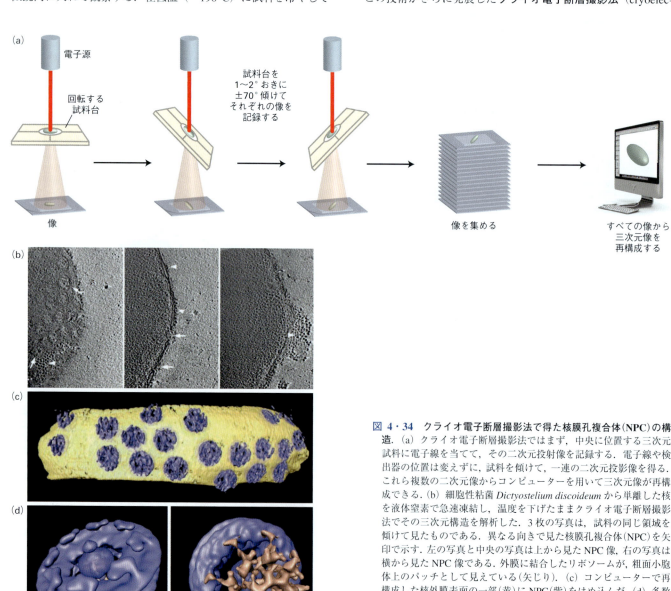

図4・34 クライオ電子断層撮影法で得た核膜孔複合体（NPC）の構造． (a) クライオ電子断層撮影法ではまず，中央に位置する三次元試料に電子線を当てて，その二次元投射像を記録する．電子線や検出器の位置は変えずに，試料を傾けて，一連の二次元投影像を得る．これら複数の二次元像からコンピューターを用いて三次元像が再構成できる．(b) 細胞性粘菌 *Dictyostelium discoideum* から単離した核を液体窒素で急速凍結し，温度を下げたままクライオ電子断層撮影法でその三次元構造を解析した．3枚の写真は，試料の同じ領域を傾けて見たものである．異なる向きで見た核膜孔複合体（NPC）を矢印で示す．左の写真と中央の写真は上から見た NPC 像，右の写真は横から見た NPC 像である．外膜に結合したリボソームが，粗面小胞体上のパッチとして見えている（矢じり）．(c) コンピューターで再構成した核外膜表面の一部（黄）に NPC（紫）をはめ込んだ．(d) 多数の核膜孔の画像を平均化することでより詳細な像が得られる．［S. Nickell et al., 2006, *Nat. Rev. Mol. Cell Biol.* **7**:225 参照．M. Beck et al., 2004, *Science* **306**: 1387, Copyright Clearance Center, Inc. を通じて AAAS より許可を得て転載．］

tron tomography）では，氷中に，すなわち生体に近い状態で，細胞小器官や細胞全体を包埋し，その三次元構造を決めることができる．一方向からみた1枚の顕微鏡像では，それと直交する方向の情報が欠けている．しかし同じ構造をさまざまな方向から見れば，三次元的な像を得ることができる．そこで，クライオ電子断層撮影法では，復元試料固定台を使い電子ビームに対して垂直な軸のまわりで少しずつ傾け，異なる方向から見た複数の像を得る（図4・34a, b）．これらの像をコンピューターで重ね合わせると，**断層写真**（tomogram）とよばれる三次元像が構築できる（図4・34c, d）．クライオ電子断層撮影法の短所は，試料がかなり薄く（約200 nm）なければならないことである．共焦点光学顕微鏡法で対象となる厚み（200 μm）よりかなり薄い．

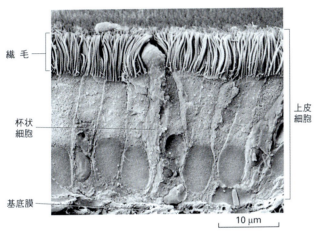

図4・35　走査型電子顕微鏡法（SEM）によって切片にしていない標品表面の三次元像が得られる．気管の細胞のSEM像．粘液を分泌する杯状細胞が中央に見える．杯状細胞に隣り合って上皮細胞がある．頂端膜側には多数の繊毛が生えている．［S. Gschmeissner/Science Source/amanaimages．］

走査型電子顕微鏡法で，金属蒸着された試料の表面の特徴をとらえることができる

走査型電子顕微鏡法（scanning electron microscopy: **SEM**）を用いると，金属で覆われた試料全体の表面状態を見ることができる．顕微鏡内で発生させた強い電子線で，金属蒸着された試料表面をすばやく走査する．電子線による表面金属分子の励起で二次電子が放出されるので，これをシンチレーション検出器に集める．このシグナルは，テレビのブラウン管によく似た受像管に表示される（図4・28右）．試料の各点から，放出される二次電子線の数は，走査電子線が試料表面に入射する角度に依存するので，走査型電子顕微鏡像は三次元的なものになる（図4・35）．走査型電子顕微鏡の分解能は蒸着した金属の厚みで決まり，約10 nm しかないので透過型電子顕微鏡に比べてずっと低い．

4・3　電子顕微鏡法：高分解能イメージング　まとめ
- 波長の短い高エネルギー電子を利用して試料を可視化するため，電子顕微鏡法では高分解能の画像が得られる．
- タンパク質やウイルスは，ネガティブ染色や重金属シャドウイングにより透過型電子顕微鏡法（TEM）の試料となる．
- 厚みのある試料をTEMで観察するためには，ふつうは固定，脱水，プラスチックへの包埋，切片化，そして高電子密度の重金属による染色を行わなければならない．
- 小さな金粒子のような重金属マーカーを結合させた抗体を利用することで，TEMによって特定のタンパク質の位置を決めることができる．
- クライオ電子顕微鏡法では，水和状態，未固定，無染色の生物試料を極低温状態に保ちながら，TEMで観察する．
- 走査型電子顕微鏡法（SEM）で金属蒸着した試料を観察すれば，その表面の微細構造が見える．

4・4　細胞小器官の精製

細胞を光学および電子顕微鏡法で解析すると，真核細胞には，1章で解説したような一群の共通な細胞小器官があることがわかる（図1・13a 参照）．しかし，細胞小器官を観察し，顕微鏡を用いてそれらの詳細な構造を記述しても，その機能や機構を明らかにすることはできない．そこで，生きた状態でそれぞれの細胞小器官を単離し，その機能を調べる必要がある．そのため，顕微鏡技術の進歩と並行して，細胞小器官を単離し，その働きを調べる方法も開発された．たとえば，1章で解説したように，リソソームは生体分子を分解する細胞小器官であるが，この存在はまず顕微鏡下で観察された．しかし，その機能はリソソーム単離法が開発されるまでわからなかった．一般的に，いったんある細胞小器官を単離する方法が開発されれば，その構成要素は何か，そしてそれぞれの構成要素の機能は何かを調べることが可能となる．別な例として，電子顕微鏡観察によって，一部のリボソームが小胞体と結合していることがわかった．この事実から，小胞体がタンパク質合成の場であることが示唆された．いまでは，細胞から分泌されるタンパク質はこれらのリボソーム上で合成され，新生タンパク質は小胞体の膜を通過して小胞体内腔に輸送されることがわかっている．13章で解説するように，こうした過程を担う機構を理解するには，小胞体の単離とともに，分泌タンパク質の合成と新生タンパク質の小胞体への輸送を調べる試験法が必要であった．このように，さまざまな細胞小器官の十分な理解には，それぞれを構成している要素を解析するための生化学的試験法を確立し，精製した構成要素から機能をもつ細胞小器官を再構成することが必要である．

ほとんどの細胞小器官は脂質二重層で囲まれ，特定の機能を担う．この機能を果たすために，それぞれの細胞小器官は独自の構造をとり，一群の特異なタンパク質を含む．この特徴を利用すると特定の細胞小器官を同定できる．たとえば12章で解説するように，細胞内のほとんどのATPは，ミトコンドリアに局在するADPからATPを合成するATP合成酵素でつくられる．そこで，ATP合成酵素はミトコンドリアのよいマーカーとなる．以下に述べるように，それぞれの細胞小器官の特異的マーカーを利用することで，細胞小器官の精製ができるようになった．

本節ではまず，細胞小器官を精製するために細胞を壊す方法について述べる．そして，それぞれの細胞小器官に局在する特異的なタンパク質の完全なリストをつくることを目的にした最近のプロテオミクスの進展を最後に説明する．

細胞を破壊して細胞小器官や細胞内容物を取出す

細胞膜や細胞壁がある場合にはこれを破壊するのが，細胞小器官などを精製する第一歩である．まず，適当なpHと塩濃度をもつ等張スクロース溶液（0.25 M），あるいは細胞内と似た組成の塩溶液に細胞を懸濁する．次に，高速ブレンダーか超音波で細胞を破砕する．ピストンを上下させて壁との狭い空間で細胞膜を破壊する特別なホモジェナイザーもある．ホモジェナイザーの壁の部分とプランジャーとよばれる棒との間に生じる圧力で細胞は破壊される．

以前に述べたように，細胞を低張液にさらすと水が細胞内に流れ込む．低張液中のイオンや小分子の濃度が細胞の内側より低いためである．この浸透流で細胞は膨張し，細胞膜が弱くなって簡単に破砕できるようになる．ふつう細胞懸濁液は0℃に保って，細胞内の安定な環境から取出したときに酵素やその他の成分が失活しないようにする．

細胞を破砕すると，細胞成分が分散した**ホモジェネート**（homogenate）とよばれる細胞破砕液が得られる．これから目的の細胞小器官を分別する．ラット肝臓はほぼ1種類の細胞からできているので，これまで細胞小器官の研究材料としてよく使われてきた．ラット肝臓で使われたのと同じ方法は，ほとんどすべての細胞や組織に当てはめることができ，多少変更すればどんな細胞構成成分の単離にも応用できる．

遠心分離法で多くの細胞小器官は分別できる

3章で遠心分離法の原理と遠心分離技術のタンパク質や核酸の分離への応用について述べた．個々の細胞小器官は，膜やタンパク質，核酸の組成が異なり，固有の密度をもつので，同じような方法で分別精製できる．大きさも密度も異なる細胞小器官は沈降速度が違うからである．

細胞小器官の分別精製ではまず，しだいに遠心速度を上げながら細胞破砕液の遠心を繰返し，細胞成分をあらく分別する**分画遠心法**（differential centrifugation，分別遠心法）を使う（図4・36）．ある速度である時間遠心したのち，遠心管の上側にくる液体を**上清**（supernatant）という．ここで上清画分と遠心沈降画分に分けられる．上清を回収し，さらに遠心速度を上げて再度遠心操作を繰返す．核やウイルス粒子のようにこの段階で完全に精製できるものもあるが，この分画遠心法で得られた沈降画分はふつうさまざまな細胞小器官の混合物である．

分画遠心法で得られた純度の低い細胞小器官画分は，密度によって分別する**密度勾配沈降平衡法**（equilibrium density-gradient centrifugation）でさらに精製を進める．細胞小器官画分を懸濁してから，これをスクロースやグリセロールのような密度の高い非塩溶液の上部にそっと載せる．遠心管を高速で（約40,000 rpm）で数時間遠心する．この間に，細胞小器官画分に含まれていた粒子は自身の密度に等しい溶媒密度の位置まで移動する（図4・37）．形成された異なる液層を遠心管から細いチューブを通じて回収する．

細胞小器官の形にはそれぞれ特徴があるので，精製の度合は電子顕微鏡で確認できる．あるいは，細胞小器官に特有なマーカー分子を定量してもよい．たとえば，シトクロムcはミトコンドリアにだけ存在しているので，リソソーム画分にこのタンパク質があればミトコンドリアが混入している証拠である．同様に，カタラーゼはペルオキシソームに，酸性ホスファターゼはリソソームに，そしてリボソームは粗面小胞体と細胞質にだけ存在する．

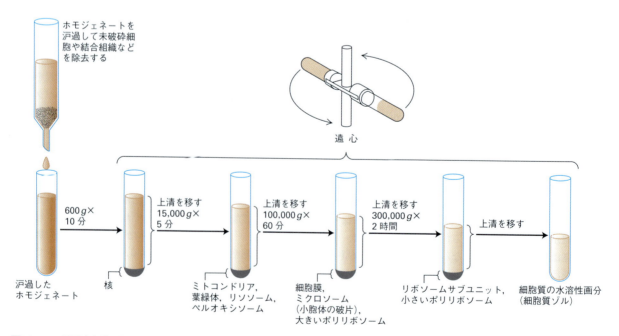

図4・36 分画遠心法は細胞破砕液（ホモジェネート）分画の第一段階に用いられる． 細胞を破砕して得られたホモジェネートはまず沪過して未破砕細胞を除去する．次に比較的低速で遠心して最も大きな細胞小器官である核を選択的に沈殿させる．沈殿しなかった画分（上清）を，前より速い速度で遠心し，ミトコンドリア，葉緑体，リソソーム，ペルオキシソームを沈殿させる．つづいて超遠心機で100,000 g, 60分遠心すると，細胞膜，小胞体の破片，大きいポリリボソームが沈殿する．リボソームサブユニット，小さいポリリボソーム，酵素複合体などの粒子を回収するには，さらに速い速度で遠心する必要がある．細胞質の水溶性画分である細胞質ゾルだけが300,000 gで2時間遠心しても上清にとどまる．

4. 細胞の培養と観察

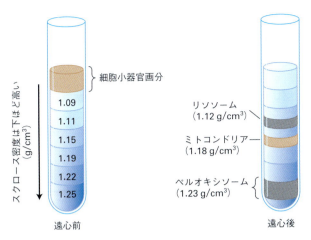

図 4・37　細胞小器官画分の混合物はさらに密度勾配沈降平衡法によって分離できる．ラット肝臓の例を示す．15,000 g で遠心して得られた沈殿（図4・36）を再懸濁し，遠心管につくったスクロースの密度勾配の上に重層する．数時間遠心する間に，各細胞小器官は自身と同じ密度のところまで移動し，そこにとどまる．リソソームをミトコンドリアからきれいに分離するため，組織を破砕する前に肝臓を少量の界面活性剤を含む溶液で灌流しておく．この間に界面活性剤はエンドサイトーシスによって細胞に取込まれ，リソソームへと運ばれるので，リソソームの比重が通常よりも小さくなり，リソソームをミトコンドリアからきれいに分離できる．

細胞小器官を認識する特異抗体は高純度精製に役立つ

　分画遠心や密度勾配遠心のあとでも，まだ精製した細胞小器官に混入物があることがある．特定の細胞小器官の膜タンパク質に特異的に反応するモノクローナル抗体を使えば，精製をさらに進めることができる．たとえば **クラスリン**（clathrin）とよばれるタンパク質で外側が覆われている被覆小胞の精製がそうした例である．クラスリン被覆小胞が，受容体依存性エンドサイトーシスで細胞膜の被覆ピットから形成される過程については，14 章で詳細に解説する．クラスリンに対する抗体をあらかじめプロテイン A を介して細菌表面に結合させておき，膜粗精製物と抗クラスリン抗体を反応させる．膜粗精製物中に存在するクラスリンで覆われた被覆小胞は，細菌表面に結合した抗体と複合体を形成する．その結果，被覆小胞は大きな細菌に結合した形になるので，低速遠心で回収できる（図 4・38）．抗体をまぶした金属ビーズを使うという方法もある．試験管の脇に小さな磁石を置いて金属ビーズを回収すると，ビーズと一緒に抗体と反応した細胞小器官も集めることができる．

　すべての細胞はほぼ同じ大きさ（直径 50～100 nm）と密度をもつ 10 種類以上の膜小胞を含んでいる．大きさも密度も似ているので，これらの小胞を遠心で分別するのはむずかしい．そこで，抗体を使う分別法は特に役立つ．たとえば，脂肪細胞や筋細胞には，特別なグルコース輸送体（GLUT4）を膜上にもつ小胞が存在している．インスリンを細胞に与えると，この小胞は細胞膜と融合する．この結果，血液からグルコースを取込むグルコース輸送体の数が細胞膜上で増加する．15 章で述べるように，この現象は血液中のグルコース濃度を一定に保つのに役立っている．GLUT4 タンパク質の細胞質に面した領域と結合する抗体を使えば，GLUT4 を含む小胞を精製することができる．同様に，14 章で解説するようなさまざまな輸送膜小胞には固有の表面タンパク質が存在しており，これに対する特異的抗体でこうした膜小胞も分別できる．

　研究中の細胞小器官に対する抗体がない場合は，変法が用いられる．細胞小器官特異的な膜タンパク質中に，細胞質側に突き出すようにエピトープタグを付加する．この組換えタンパク質を安定に発現させ，このエピトープに特異的なモノクローナル抗体を用いれば，細胞を破砕したのち，細胞小器官をすばやく精製することができる．

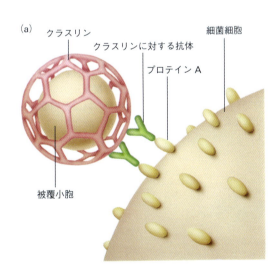
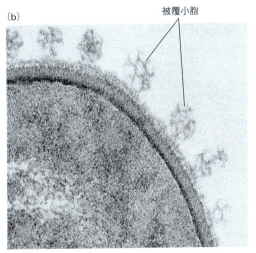

図 4・38　小胞表面タンパク質に対する抗体と，抗体に結合する細菌を用いて小胞を精製できる．ラット肝臓の膜成分懸濁液をクラスリンと特異的に結合する抗体と反応させる．クラスリンは，クラスリン被覆小胞の表面を覆っているタンパク質である．この混合物に殺菌した黄色ブドウ球菌 *Staphylococcus aureus* を加える．この細菌の表面には，抗体の Fc 領域と結合するプロテイン A が出ている．(a) クラスリン被覆小胞に反応した抗クラスリン抗体が黄色ブドウ球菌上のプロテイン A と結合して小胞-細菌複合体ができる．この複合体は低速遠心で回収できる．(b) クラスリン被覆小胞が黄色ブドウ球菌に結合した様子を示す切片の電子顕微鏡写真．［E. Merisko et al., 1982, *J. Cell Biol*. **93**: 846. 写真は G. Palade 提供．］

プロテオミクスによって細胞小器官を構成するタンパク質を明らかにできる

本節のはじめに，細胞小器官を単離し，その構成要素を同定する重要性を強調したが，それぞれの細胞小器官の構成要素の完全なカタログをつくるのに必要な技術は，これまで十分とはいえなかった．しかし，近年のゲノミクスと質量分析法の進歩によって状況が変わった．細胞小器官単離と3章で解説したようなプロテオミクス技術を組合わせて，必要な情報が手に入るようになったのである．

細胞小器官のすべてのタンパク質を同定するためには，三つの段階が必要である．最初の段階は細胞小器官を高純度で得ることである．第二に細胞小器官に存在するタンパク質のすべての配列を同定する方法をもっていることである．このタンパク質の同定には，一般的にはトリプシンのようなプロテアーゼを用いた全タンパク質の分解が行われる．トリプシンはポリペプチド中のリシン残基とアルギニン残基のカルボキシ基側ペプチド結合を切断する．その後，質量分析装置を用いてすべてのペプチドの質量と配列を決める．第三にペプチドの由来となったタンパク質を同定するためにゲノム配列を決める必要がある．この方法で多くの細胞小器官の**プロテオーム**（proteome）が決められた．最近のプロテオーム研究の一例をあげると，マウス脳，心臓，腎臓，肝臓から精製されたミトコンドリアで，591種類のミトコンドリアタンパク質が明らかにされ，そのうち163種類はこれまでミトコンドリアとの関係が知られていないタンパク質であった．数種類のミトコンドリアタンパク質は特殊な細胞種にのみ存在した．これら新たに見いだされたミトコンドリアタンパク質の機能を明らかにすることが，ミトコンドリア研究の重要な対象となっている．

4・4 細胞小器官の精製　まとめ

- 顕微鏡法によって真核細胞に共通に存在する一群の細胞小器官が明らかにされた．
- ホモジェナイザー，超音波やその他の方法を用いた細胞破砕によって，細胞小器官を細胞から取出せる．低張液で細胞を膨張させると，細胞膜が弱まり，その破壊が容易になる．
- 一連の分画遠心で，細胞破砕液から質量や密度の違う細胞小器官を部分精製できる．
- 密度に応じて物質を分離する密度勾配沈降平衡法を使えば，分画遠心法で得た細胞画分をさらに精製できる．
- 細胞小器官に特異的な膜タンパク質に対する抗体を用いた免疫学的方法は，似たような大きさや密度をもつ細胞小器官や小胞の精製には特に有効である．
- プロテオミクス解析によって，精製された細胞小器官のすべてのタンパク質成分の同定ができるだけでなく，各組織中の細胞小器官の組成の違いについても知ることができる．

重要概念の復習

1. 光学顕微鏡法も電子顕微鏡法も細胞，細胞構造，特別な分子の局在を可視化するのに使われる．それぞれの顕微鏡法はどのように使い分けるか．説明せよ．
2. どの顕微鏡でも倍率は大切な特性の一つであるが，非常に近い二つの物体を識別する分解能はいっそう重要である．顕微鏡で詳細な観察をする場合，なぜ，倍率よりも分解能のほうが大切なのか．顕微鏡レンズの分解能を表す公式を記せ．また分解能の限界を決めるものは何か．
3. 光学顕微鏡で細胞や組織を観察するために，なぜ，化学染色が必要なのか．光学顕微鏡観察のために試料染色する化学染色剤と比較して，蛍光色素と蛍光顕微鏡法はどのような長所があるか．通常の蛍光顕微鏡法に比較して，共焦点顕微鏡法やデコンボリューション顕微鏡法はどのような長所があるか．
4. ある電子顕微鏡の手法では，試料を直接には観察しない．この場合，どのようにして細胞の構造に関する情報が得られるか．構造の何を可視化しているのか．ほとんどの電子顕微鏡法にとって，どんなことが限界か．
5. 細胞株，細胞系，クローンの違いは何か．
6. 研究に利用されているモノクローナル抗体を産生するには，細胞融合の過程が必要である．その理由を説明せよ．
7. 細胞機能に関してわかっていることの多くは，特別な細胞や細胞の特別な部分（たとえば細胞小器官）を用いた実験に依存している．こうした実験では，複雑な混合物からどのような方法で特定の細胞や細胞小器官を単離するのか．単離方法の原理を説明せよ．
8. Hoechst 33258は生きた細胞内のDNAと特異的に結合する化学染料であり，UV光での励起で可視領域の蛍光を発する．Hoechst 33258を用いて，細胞周期の間期の繊維芽細胞からG_2期のものを分離したい．これに用いる方法の名前をあげて，その原理を説明せよ．

5

分子遺伝学の基礎

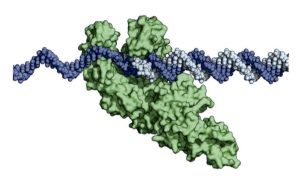

DNA 複製中の大腸菌 DNA ポリメラーゼ I の構造．DNA の情報をコピーする普遍的なしくみは，DNA ポリメラーゼによる複製である．DNA ポリメラーゼは，驚くほど精密なコピーと校正能力をもつ分子機械である．図の大腸菌 DNA ポリメラーゼ I は，1秒間に約 500 塩基のスピードで鋳型鎖の相補的なコピーを合成し，10^5 塩基に一度の割合でしか誤りをおかさない．

5・1 DNA の二重らせん構造
5・2 DNA 複製
5・3 DNA 修復と組換え
5・4 タンパク質をコードする遺伝子の転写と mRNA の形成
5・5 tRNA による mRNA の解読
5・6 リボソーム上でタンパク質合成は一歩ずつ進む
5・7 ウイルス：細胞の遺伝子システムへの寄生者

　細胞生物学の基本原則の一つは，多細胞生物を構成する細胞は自律的であるということである．各細胞は，ある特定の機能をもつ細胞となるうえで必要な細胞構造・細胞触媒・分子機械などのすべての構成要素をつくるための遺伝子命令の 1 セットをもっている．3 章で述べたように，こうした活性のある細胞の構成要素の大部分はタンパク質である．個々のタンパク質の具体的な機能は，アミノ酸の配列によって決定されるので，その機能の指示は究極的には生物学的な情報を運ぶ分子である**デオキシリボ核酸**（deoxyribonucleic acid: **DNA**）の塩基配列に書かれている．23 本の染色体を含むヒトゲノム DNA の 1 コピーは，約 $3.3×10^9$ 塩基の長さをもち，約 2 万種類のタンパク質をコードしている．物理的に表現すれば，ゲノムの 1 コピーは全長約 1 m の DNA の糸に相当するが，非常に細いので，私たちの体内の約 $4×10^{13}$ 個のすべての細胞の核に，それぞれ 2 個ずつコンパクトに収まっている．この DNA の情報は，複雑な調節ネットワークの制御のもとで，体内の特定の細胞の種類ごとに適切な一連のタンパク質を発現するように読み取られる．したがって，細胞情報の自律性という基本原則は，非常に膨大な遺伝情報を蓄積し発現するシステムの存在を意味しているのである．しかし，現在ではよく知られているように，生物学的情報の管理方法に関する一般的な規則は，実際にはとても単純で，事実上すべての生命体において同じものである．本章では，生物情報の保存，複製，発現に関する基本的な原理を説明する．このテーマを完全に理解するには，関係する分子の構造と生化学的特性の理解だけでなく，生物情報理論の適用が必要である．

　まず，情報理論を使って DNA の情報保持能力を計算し，これをコンピューターの記憶容量と比較してみよう．デジタルコンピューターでも生体システムでも，情報の最小単位はビットであり，これは二つの値のいずれかをもつことができる単位に相当する．デジタルコンピューターにおいては，これらの値は 1 と 0 にあたる．DNA は 2 本の相補的な鎖からなり，それぞれの位置に 4 種類の塩基（A, G, C, T）のうちの一つをもつことができる．n ビットの情報は 2^n 個の値を指定できるため，各塩基は 2 ビットで指定でき，したがって，2 ビットの情報を含むと表現できる．この 2 本の鎖は，A は必ず T と，G は必ず C と対になるという塩基対形成の原則に従って，互いに塩基対を形成している．塩基対の規則が決まっているため，DNA の 2 本目の相補鎖の配列は 1 本目の配列によって決まり，DNA の情報保持能力を高めることはない．しかし，情報の冗長性が加わるため，これから述べるように，DNA は容易にコピーでき，DNA の損傷は修復されるようになる．ヒトゲノムの総塩基数は $3.3×10^9$ 塩基対なので，情報量は $6.6×10^9$ ビットとなり，約 $8×10^8$ バイト（8 ビット＝1 バイト，コンピューターのメモリを表す単位）に相当する．ヒトゲノムの 1 コピーの重さはわずか $3.6×10^{-12}$ g なので，重量ベースで考えたとき，理論的には，1 テラバイトのノートパソコンのハードディスク 100 万個分の情報を，砂粒ほどの大きさの DNA の塊に格納することができる．

　細胞が分裂するとき，それぞれの娘細胞は，DNA に含まれる情報の正確なコピーを受取らなければならない．DNA のコピーすなわち複製は，DNA 分子の 2 本の相補鎖への分離と，それに続いて **DNA ポリメラーゼ**（DNA polymerase）とよばれる酵素がそれぞれの鎖を鋳型として，塩基対形成の規則に従って親分子の二つの同一コピーを合成することにより行われる．情報コピー反応の観点からは，ゲノムがコピーされる速度と，コピー中にどれだけ頻繁にエラーが発生するかに関係する反応の正確さの両方が重要である．化学原理の基礎から考えれば，正確さは複製反応における正しい塩基対と誤った塩基対のエネルギーの差によって決定される．典型的な DNA ポリメラーゼは 2 ミリ秒につき 1 塩基を組込んでいる．この時間枠では，複製におけるエラーの理論的な割合は，10^5 塩基に一つの割合となる．これは，最も単純な DNA ポリメラーゼが触媒する複製の正確さを測定したものである．しかし，このような低い正確さのポリメラーゼでヒトゲノムを複製した場合，それぞれの親は約 100 万個の新しい突然変異をそれぞれの子どもに受け渡すことになる．実際にヒトの DNA 複製の正確さを

測定すると，1世代当たり 10^8 塩基に一つの新しい突然変異が生じる．本章では，DNAの複製と情報伝達の正確さを 1000 倍に高めるために，どのようにして精巧な校正と修復の過程が進化してきたかをみていくことにする．

遺伝子発現とは，遺伝子の DNA 配列の情報が，機能的なタンパク質や RNA 分子を生成するための命令として使われるしくみのことである．タンパク質をコードする遺伝子の場合，細胞内の情報の流れは，分子生物学の**セントラルドグマ**（central dogma）とよばれる "DNA→RNA→タンパク質" という方向に起こる．DNA からタンパク質への情報の流れの詳細が解明される以前に，分子生物学者は情報理論の基本原理を用いて，4 文字（A, G, C, T）からなる DNA 配列が，どうすれば 20 種類のアミノ酸からなるタンパク質配列をコード化するかを推論していた．理論的には，20 種類のアミノ酸の一つを指定するためには，少なくとも 5 ビットの情報（32 種類の可能性を与えることができる）が必要である．DNA のヌクレオチドのひとまとまりが各アミノ酸をコードするような単純なコードを考えたとき，少なくとも 3 ヌクレオチドが必要だろう．いまやわれわれは，遺伝子の塩基配列は，実際のところ 3 塩基ずつ**コドン**（codon）とよばれる単位で読み取られていることを知っている．64 通りありうるコドンがどのアミノ酸をコードしているかという普遍的な**遺伝暗号**（genetic code）を解明したことは，20 世紀の科学における記念碑的な業績であった．遺伝暗号表は，新しいゲノム配列を解析して，それがコードするタンパク質配列を推測するために用いられる，すべてのアルゴリズムの中心的な要素である．

DNA の塩基配列の情報は，直接アミノ酸配列に翻訳されるのではない．まず，**転写**（transcription）という過程を経て，DNA に格納された情報がメッセンジャー **RNA**（messenger RNA: **mRNA**）にコピーされる．RNA は DNA と同様に四つの塩基配列の形で情報を運び，転写の過程は DNA を鋳型として塩基対の規則を用いて相補的な配列の mRNA を合成する点で複製と類似している．RNA は一般に一本鎖であり，RNA は DNA に比べて化学的に安定ではない．そのため，mRNA は遺伝子の情報の一時的なコピーでしかなく，それぞれの遺伝子配列の発現は独立に制御することができる．

mRNA のヌクレオチド配列は，タンパク質合成時にアミノ酸の

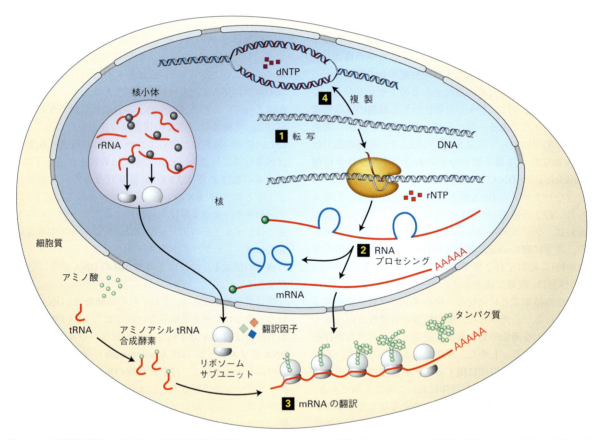

図 5・1 分子遺伝学における四つの基本的過程の概要．本章では，タンパク質産生に至る三つの過程 1～3 と DNA の複製過程 4 を扱う．転写過程では，RNA ポリメラーゼが DNA 上のタンパク質をコードする遺伝子を読み取る（段階 1）．タンパク質のアミノ酸配列を指定する四つの塩基からなる DNA コードは，リボヌクレオシド三リン酸（rNTP）単量体の重合を介して mRNA 前駆体に転写される．余分な配列の除去やその他の mRNA 前駆体の修飾（段階 2）は一括して RNA プロセシングとよばれる．この過程を経て産生された mRNA は細胞質に輸送される．翻訳過程（段階 3）では，mRNA の 4 塩基からなる "言語" が，タンパク質を構成する 20 アミノ酸の "言語" に翻訳される．転移 RNA（tRNA）は，mRNA 上の 3 塩基からなるコドンを読み取るアダプターである．翻訳の準備のため，アミノアシル tRNA 合成酵素とよばれる酵素によって，tRNA に正しいアミノ酸が付加される．リボソームは mRNA 遺伝暗号を翻訳する巨大分子機械であり，二つのサブユニットからなる．これらリボソームサブユニットは，核小体でリボソーム RNA（rRNA）や複数のタンパク質が集合したものである（左）．リボソームサブユニットは細胞質へ輸送されたあと，mRNA と結合し，アミノアシル化 tRNA や多様な翻訳因子とともにタンパク質合成を進める．DNA 複製（段階 4）は分裂する準備のできた細胞でのみ進行し，デオキシリボヌクレオシド三リン酸（dNTP）単量体が重合し，各染色体 DNA 分子と同じ配列をもつ DNA 分子がもう一つ産生される．各娘細胞は同一コピーの一つを受継ぐ．

正確な順序を決める情報を担っている．**翻訳**（translation）とよばれるこの過程では，mRNA分子のヌクレオチド配列が，**転移 RNA**（transfer RNA: **tRNA**）という2種類目のRNAによって読み取られる．この読み取りは，mRNAの三つのヌクレオチドからなるコドンが，tRNA中の相補的なアンチコドンのトリプレット（三文字コード）と塩基対を形成することによって行われる．アミノ酸がタンパク質に正確に段階的に組立てられるのは，第三のRNAである**リボソーム RNA**（ribosomal RNA: **rRNA**）と関連タンパク質からなる，驚くべき巨大分子機械である**リボソーム**（ribosome）が関係している．tRNAによってアミノ酸が正しい順序に並べられると，ペプチド結合ができてタンパク質となる．

DNAにコードされているもう一つの情報は，遺伝子の発現を制御する調節配列で，体内の細胞の種類ごとにどの遺伝子がオンでどの遺伝子がオフかを決定する．典型的な遺伝子発現は，転写の開始，mRNAの安定性，翻訳の開始という三つの事象で制御されうる．遺伝子プロモーターの調節配列およびそれと相互作用するタンパク質である**転写因子**（transcription factor）による転写開始の制御については，8章で解説する．あるmRNAの翻訳速度や分解速度を調節する配列については，9章で解説する．

本章では，まず，DNAが細胞内の遺伝情報の担い手として理想的な分子であることを示す化学的・構造的特性について概説する．次に，DNA複製にかかわる分子的な問題と，遺伝物質を正確にコピーするための複雑な細胞内機構について考察する．次の節で，損傷を受けたDNAの修復機構と組換え機構について解説する．組換え過程では，DNAの別々の部分が交換され，その結果，さまざまな新たな形質を合わせもつ生物が生まれる．

続くいくつかの節では，図5・1にまとめた基本的過程，つまりDNAからmRNA前駆体への転写，この前駆体のプロセシングによるmRNA形成について述べる．タンパク質合成におけるmRNAやtRNA，rRNAの個々の役割を概説したあとに，翻訳におけるこれらあるいは他の構成成分の生化学的反応機序について詳しく解説する．

本章の最後の節では，細胞内のDNA複製，転写，そしてタンパク質合成装置を乗っ取る寄生体であるウイルスについての基礎的なことがらを取上げる．ウイルスは，病原体としてのみならず，巨大分子合成などの細胞内過程の研究にとって重要なモデルである．ウイルスは細胞に比べて単純な構造をもち，そのゲノムも小さい．そのため，DNA複製，転写，翻訳，組換え，遺伝子発現という基本的過程の研究の初期には，扱いやすい材料だった．ウイルスは，いまでも分子細胞生物学で重要な研究対象であり，ヒトの遺伝子治療で細胞に新たな遺伝子を導入するときにも使われている．

5・1 DNAの二重らせん構造

DNAとRNAは，4種類のヌクレオチドのみからなる直鎖状**重合体**（polymer，ポリマー）で，一次構造が非常によく似ている．2章で述べたように，すべてのヌクレオチドは，五炭糖分子と塩基からなる．五炭糖の$5'$炭素にはリン酸基が結合している．細胞内のDNAとRNAの重合体は，化学的には似ていても，全く異なる立体構造をもつ．細胞内のDNAは，完全に相補的な塩基対をもつ2本の長い鎖として存在し，その長さは数億塩基にも及ぶ．

細胞内のRNAは，通常もっと短く（RNAの長さは約20から数千ヌクレオチド），一本鎖分子として存在することが一般的であるが自己相補的塩基対を形成する領域が少しある．後述するように，DNAは化学的に比較的安定しており，また固有の冗長相補構造をもつので，遺伝情報を安定して保存するための理想的な分子である．

2本の相補的逆平行鎖でDNAの二重らせんができる

DNAの四つのヌクレオチドには，**プリン塩基**（purine base）の**アデニン**（adenine，A）と**グアニン**（guanine，G），**ピリミジン塩基**（pyrimidine base）の**シトシン**（cytosine，C）と**チミン**（thymine，T）が含まれる（図2・17参照）．（これらの塩基の一文字の略称は，核酸重合体内のヌクレオチド配列を表す場合にもよく使われる．）1本の核酸鎖は，五炭糖-リン酸という繰返し構造で構成される**骨格**（backbone）をもつ．この骨格からプリンやピリミジンが側鎖として突き出ている．ポリペプチド鎖のときと同じように，核酸鎖には方向性がある．$5'$**末端**（$5'$ end）では糖の$5'$炭素原子にヒドロキシ基かリン酸基が結合しており，$3'$**末端**（$3'$ end）では糖の$3'$炭素原子にヒドロキシ基が結合している（図5・2）．核酸鎖に方向性があることと，その合成が必ず$5'$末端から$3'$末端方向に進むので，ヌクレオチド配列は$5'→3'$の方向に左から右に

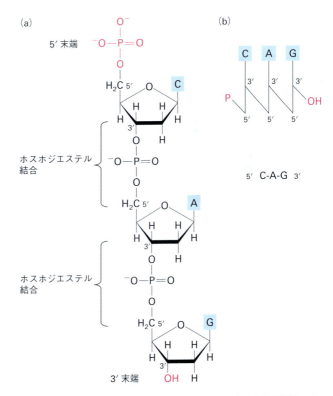

図5・2 核酸鎖の化学的方向性を表すためのいろいろな表記法．シトシン(C)，アデニン(A)，グアニン(G)の三つの塩基からなる一本鎖DNAの例．(a) $3'$末端のヒドロキシ基と$5'$末端のリン酸基の化学構造を示す．二つのリン酸エステル結合が隣接するヌクレオチドをつないでいる．この二つのリン酸エステル結合をもつヌクレオチド間の結合は一般にホスホジエステル結合とよばれる．(b) "棒"モデル図(上)では，糖を垂直な線で，ホスホジエステル結合を斜線で示している．塩基は英字一文字で略記している．最も単純な表記法は塩基のみを示していくものである(下)．通常は，$5'$末端から$3'$末端の方向のポリヌクレオチド配列を左から右へ書いていく．

書いたり読んだりする．たとえば，ATG は（5'）ATG（3'）という意味である．隣り合ったヌクレオチド間の化学結合は**ホスホジエステル結合**（phosphodiester bond）とよばれている．ホスホジエステル結合では，5' 末端側リン酸基と 3' 末端側リン酸基との間に二つのリン酸エステル結合がある．

1953 年，James D. Watson と Francis H. C. Crick が DNA が二重らせん構造であることを提唱し，DNA の塩基配列に遺伝情報がどのように格納されているかについて具体的に議論できるようになった．この二重らせん構造は，Rosalind Franklin と Maurice Wilkins が得た繊維状 DNA の X 線回折パターンの解析と，Erwin Chargaff らが得たさまざまな生物の DNA の塩基組成データに基づいている．Chargaff らは，DNA 中の A，T，G，C の割合（%）は生物によって大きく異なるが，すべての生物で A の割合はいつも T の割合と等しく，また，G の割合は C の割合と等しいことを発見した．Watson と Crick は，この事実と 4 種類のヌクレオチドの構造を使い，X 線回折パターンと一致するように DNA の立体構造モデルを組立て，**二重らせん**（double helix）構造を得るに至った．この二重らせんの中心軸に沿って，A は T と，G は C と，それぞれ水素結合している．

Watson と Crick のモデルの最大の特徴は，四つの塩基対がそれぞれ正確に同じようにらせん状の骨格の中に収まっていることだ．そのため，任意の配列のヌクレオチドを，同じ二重らせん構造で収容することができる．これは，コンピューターのメモリが "1" と "0" の並びで情報を記録しているように，DNA も A，G，C，T の 4 文字の並びで遺伝情報を伝える情報分子として機能していることを意味している．DNA の情報保持能力の高さは，ヌクレオチド塩基がわずか 50 個程度の原子からなるものでありながら，DNA 配列の中で 2 ビットの情報を保持できることに起因している．一方，最先端のコンピューターメモリでは，1 ビットの情報を記憶するのに何千もの原子が必要とされる．

DNA では，2 本のポリヌクレオチド鎖がらせんを形成しながら互いに巻付いて二重らせんとなる．2 本の糖-リン酸骨格は外側に，塩基は内側に向いている．各鎖の一連の塩基は次々に互いに平行な面に積み重なる（図 5・3a）．また 2 本のポリヌクレオチド鎖の並びは**逆平行**（antiparallel）である．つまり，それぞれの鎖の 5'→3' 方向が逆向きになっている．A と T は 2 本の水素結合で，G と C は 3 本の水素結合で規則的な**塩基対**（base pair）をつくり，2 本のポリヌクレオチド鎖は正確に向き合って会合する（図 5・3b）．この塩基対の相補性は塩基の大きさ，形，化学的性質に由来する．DNA 分子全体には何千という塩基対の水素結合があり，これが二重らせんの安定性を保証している．積み重なった塩基間の疎水性相互作用やファンデルワールス相互作用も DNA の安定性に寄与している．

天然の DNA では，A は常に T と対になり，G は C と対になって，図 5・4 に示すような A-T，G-C 塩基対を形成する．このような大きなプリン塩基と小さなピリミジン塩基の対合は**ワトソン-クリック型塩基対**（Watson-Crick base pair）とよばれる．こうした塩基対を組んだ 2 本のポリヌクレオチド鎖は互いに**相補的**（complementary）であるという．しかし，理論で予想され，実際に合成 DNA でみられるように，他の相互作用も可能である．たとえば，理論的にはグアニン（プリン）がチミン（ピリミジン）と水素結合を形成しても，らせん構造の歪みはわずかである．同様に，アデノシンとシトシンの対合も可能である．しかし，図 5・4 に示すように，標準的でない G-T あるいは A-C 塩基対は自然の塩基対の正確な幾何学的形状からずれており，本章で後述するように，DNA をコピーする酵素によって二本鎖 DNA から排除される．

細胞内では，ほとんどの DNA は**右巻きらせん**（right-handed helix）を組む．DNA の X 線回折パターンから，塩基はらせん軸に沿って 0.34 nm 間隔で積み重なっていることがわかる．このらせんは，配列にもよるが 3.4～3.6 nm で 1 回転する．つまりらせん 1 回転当たり 10～10.5 bp が存在する．この DNA は **B 形**（B form）DNA とよばれ，細胞内の DNA がふつうにとる形である．B 形 DNA の外側では，**主溝**（major groove）と**副溝**（minor groove）とよばれる大きさの違う二つのらせん状の溝がヌクレオチド鎖間にできる（図 5・3a）．それぞれの塩基の端にある原子はこの溝に露出していて，らせんの外から接触できるので，2 種類の結合面ができることになる．DNA 結合タンパク質は，主溝か副溝の原子に接触することで，二本鎖 DNA の塩基配列を読み取ることができる．

主溝と副溝の表面に面している原子は四つの塩基によって異なるが，DNA の絡み合った鎖の全体構造は，塩基配列に関係なく均一である．化学的損傷や塩基の取違えによって DNA に不規則性が生じると，この均一な構造が崩れ，§5・3 で述べるように，DNA

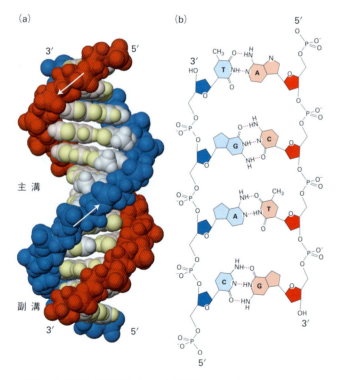

図 5・3 DNA 二重らせん．(a) 細胞内でふつうにみられる B 形 DNA の空間充填モデル．塩基（薄赤と薄青）は各鎖の糖-リン酸骨格（濃赤と濃青）から内側に突き出しているが，その端には主溝と副溝から近づくことができる．矢印は各鎖の 5'→3' 方向を示している．塩基間の水素結合は中央部に位置している．主溝と副溝には，水素結合の供与体と受容体（黄）が露出している．(b) DNA 二重らせんの化学構造．2 本の鎖の糖-リン酸骨格とワトソン-クリック型塩基対とよばれる A-T，G-C 対の水素結合を示す．[R. E. Dickerson, 1983, Sci. Am. **249**: 94 参照．(a) は R. Wing et al., 1980, Nature **287**: 755, PDB ID 1bna.]

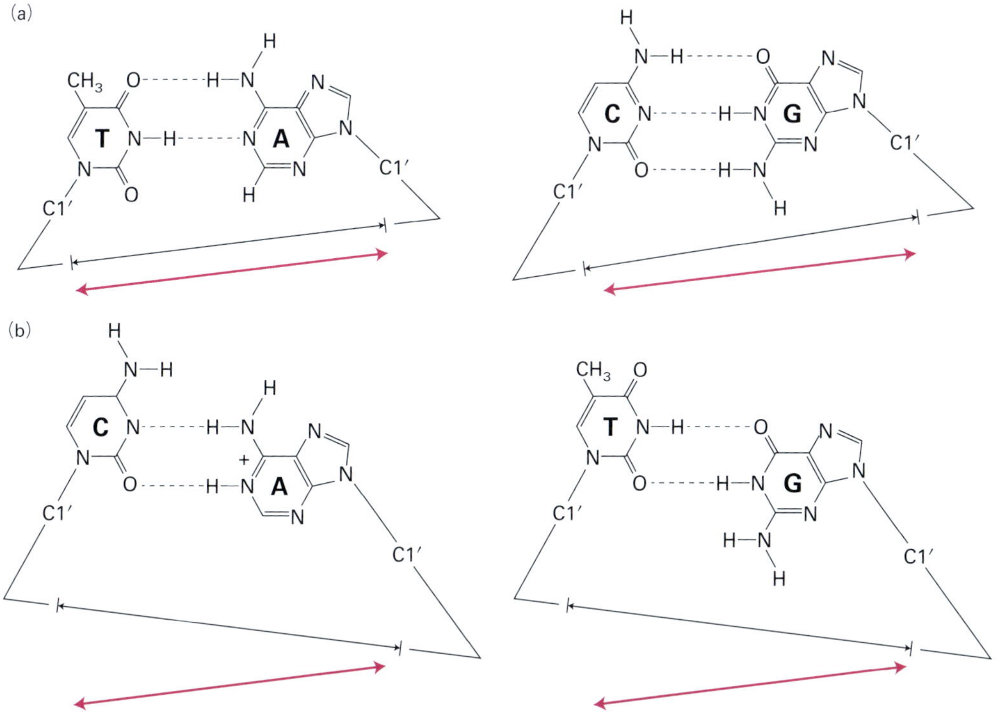

図 5・4 塩基対の構造.（a）標準的な A-T および G-C 塩基対の構造. 塩基とリボース-リン酸骨格をつなぐ結合の角度と距離を示している. 塩基対の形状がほぼ同じであるため，これらの塩基対はどちらも DNA の二重らせん構造に収容される.（b）G-T や A-C のような非標準塩基対は，結合の形状が非常に異なるため，DNA ポリメラーゼのコピー機構によって天然の DNA から排除されている.

修復酵素が損傷部位を特定して作用する.

標準的な B 形 DNA の最も重要な構造変化は，タンパク質が特定の DNA 配列に結合するとひき起こされる．塩基間の多数の水素結合や疎水性相互作用が DNA を安定化しているが，二重らせんは長軸方向には柔軟性がある．タンパク質の α ヘリックスとは違い（図 3・4 参照），DNA の長軸方向には水素結合がない．このため，DNA は転写因子 TATA ボックス結合タンパク質（TATA box-binding protein: TBP）のような DNA 結合タンパク質と結合すると折れ曲がる（図 5・5）．真核細胞では，核 DNA はクロマチンとよばれるタンパク質-DNA 複合体として存在しているが（7 章），クロマチン内での DNA の密な詰め込みにこの折れ曲がりが必須である．

RNA ではなく，なぜ DNA が遺伝情報の担い手として進化してきたのだろうか．DNA は，デオキシリボースの 2′ 位の水素のおかげで，リボースの 2′ 位にヒドロキシ基をもつ RNA よりずっと安定な分子となっている（図 2・16 参照）．RNA の 2′ 位のヒドロキシ基は，中性 pH で起こる OH^- が触媒するホスホジエステル結合の加水分解にかかわる（図 5・6）．2′ 位にヒドロキシ基のない DNA では，この加水分解が進行しない．DNA はデオキシリボースを構成成分としているために，より安定な分子となる．このことは，遺伝情報を長期間保存するという DNA の機能には必須である．

DNA 鎖は可逆的にほどける

DNA の複製や転写の際には，二重らせんはほどけて，DNA 鎖末端に位置する塩基と新たに合成されるポリヌクレオチド鎖に取込まれるヌクレオチドの塩基とが塩基対を形成する．複製や転写の際に，DNA 二本鎖を分離し，その後再会合させる細胞内機構についてはあとで述べる．ここでは，DNA 鎖の分離や再会合に影響を与える基本的な要因について解説する．こうした DNA の性質は，in vitro の実験で明らかになった．

二重らせんをほどいて 2 本の DNA 鎖を解離させることは**変性**（denaturation）あるいは**融解**（melting）とよばれ，DNA 溶液の温度を上げれば実験的にひき起こすことができる．熱エネルギーが

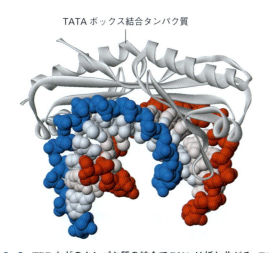

図 5・5 **TBP などのタンパク質の結合で DNA は折れ曲がる**．TATA ボックス結合タンパク質（TBP）の保存された C 末端ドメインは，A, T 塩基に富む DNA 配列の副溝に結合し，二重らせんをほどいて鋭く折り曲げる．ほとんどの真核生物の遺伝子の転写には TBP が必要とされる．[D. B. Nikolov and S. K. Burley, 1997, *Proc. Natl. Acad. Sci. USA* **94**: 15, PDB ID 1cdw.]

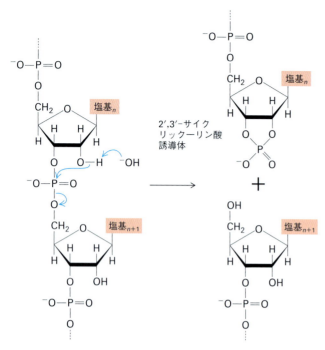

図 5・6　2′-ヒドロキシ基を触媒とするRNAの自発的加水分解．
RNAの2′-ヒドロキシ基は求核剤として働き，ホスホジエステル結合を攻撃する．2′,3′-サイクリック-リン酸誘導体はさらに加水分解されて，2′--リン酸と3′--リン酸の混合物になる．このホスホジエステル結合の加水分解は，DNAでは2′-ヒドロキシ基がないので起こらない．

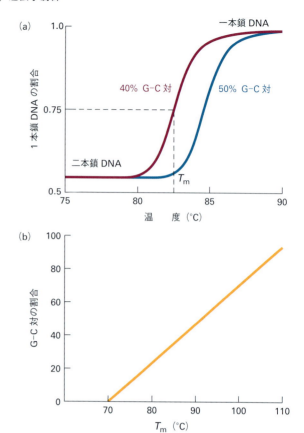

図 5・7（実験）　G-C 塩基対の割合が DNA 融解温度に影響する．
DNA の融解温度は，G-C 対の割合が増加するにつれ，高くなる．(a) 二本鎖 DNA の解離は，紫外線 (260 nm) の吸光度で調べる．二本鎖 DNA がほどけると，その領域の紫外線吸収は約 2 倍増加する．一本鎖 DNA の紫外線吸収の温度変化は二本鎖よりもずっと小さい．二本鎖 DNA 試料のうちの半分が変性する温度を T_m（融解温度）という．(b) T_m は DNA の GC 含量の関数として表される．G+C の割合が高くなるほど T_m は大きくなる．

上昇すると分子運動が活発になり，二重らせんを安定化している水素結合などが切断され，二本鎖が解離する．おもに，負に荷電したデオキシリボース-リン酸骨格間の静電的反発によって，この過程は進行する．変性温度付近でわずかに温度が上がると，二本鎖をつないでいる弱いが協同的な相互作用がほとんど一気に失われてしまい，DNAの全長にわたって変性が急激に進行する（図5・7a）．二本鎖DNAの積み重なった塩基対は，一本鎖DNAの積み重なりのない塩基より紫外線（UV）の吸収が弱いので，DNAが融解するとUVの吸光度が突然上昇する．この現象を**濃色効果**（hyperchromicity）とよび，DNAの融解を計測するのに役立つ．

融解温度（melting temperature）T_mは二重らせんがほどける温度で，いろいろな因子に依存している．G-C塩基対は3本，A-T塩基対は2本の水素結合をもつので，GC含量が多いほどDNAは安定になってT_mが上がる．実際，DNA試料中のGC含量はT_mから推定できる（図5・7b）．二本鎖の負に荷電したリン酸基が正に荷電したイオンで遮蔽されるので，イオン濃度もT_mに影響を与える．イオン濃度の低い溶液中では，この遮蔽効果が減少して鎖間の反発が大きくなり，T_mは低くなる．水素結合を弱めるようなホルムアミドや尿素もT_mを低下させる．最後に，極端なpHではDNAは低温でも変性する．低pH（酸性）で塩基はプロトン化しており，正に荷電していて互いに反発する．高pH（アルカリ性）では，塩基はH⁺を失い，負に荷電する．このときにも，塩基の電荷は互いに似ているので，塩基どうしが反発する．細胞内では，pHや温度はふつう変化しない．DNA鎖が分離しうるという性質は，実験室でDNAを操作するときに役立つ．

変性してできた一本鎖のDNA分子は規則的な構造をもたないランダムコイルとなる．温度を下げたり，イオン濃度を上げたり，あるいはpHを中性に戻すと，2本の相補的な鎖が再会合して完全な二重らせんができあがる．こうした**再生**（renaturation）の程度は，反応時間，DNA濃度，溶液のイオン濃度に依存する．相補的でない2本のDNA鎖はランダムコイルのままで，二重らせんを再生することはない．重要なことは，こうした相補的でない鎖が存在していても，相補鎖どうしが相手の鎖を探し出し，二重らせんを再生するのには影響がないということである．二つのDNAの類似性を比較したり，多数のDNA混合物のなかから特別なDNAを検出したり単離したりするのに使う核酸の**ハイブリッド形成**（hybridization，ハイブリダイゼーション）という技術は，この変性と再生に基づいている（6章）．

DNA 分子はねじれ歪みを受ける可能性がある

細菌のゲノムDNAとウイルスDNAの多くは環状分子である．ほとんどすべての真核細胞に存在しているミトコンドリア，あるいは植物やある種の単細胞真核生物に存在している葉緑体にも環状DNAが存在する．真核生物の核DNAは直鎖状だが，染色体中では長いDNAループが動かないように固定されている（8章）．環状DNAを形成している2本のDNA鎖には遊離端がない．ま

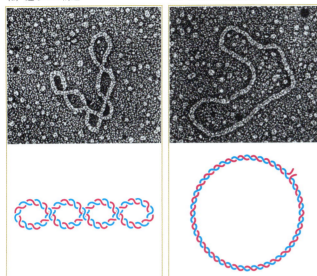

図 5・8（実験）　トポイソメラーゼ I は DNA 超らせん構造のねじれ歪みを除く．(a) SV40 ウイルス DNA の電子顕微鏡写真．結合タンパク質を除去して SV40 ウイルスの環状 DNA を単離すると，DNA 二本鎖は自ら巻付いて超らせん構造をとる．(b) 超らせん DNA にニックが入ると（一方の鎖が切断されると），鎖は巻戻って超らせん構造が消失する．トポイソメラーゼ I はこの切断反応を触媒し，さらに切断された端を再結合する．この酵素で単離した SV40 DNA を処理すると，すべての超らせん構造が失われて弛緩した環状構造が生じる．単純化した構造を下に示す．[写真は L. Polder 提供，A. Kornberg, DNA Replication, p.29, W. H. Freeman（1980），New York による．]

5・1　DNA の二重らせん構造　まとめ

- デオキシリボ核酸（DNA）は遺伝物質で，分岐のない長い直鎖状のヌクレオチド重合体である．それぞれのヌクレオチドはリン酸化された五炭糖とこれに結合したアデニン（A），グアニン（G）というプリン塩基と，シトシン（C），チミン（T）というピリミジン塩基からできている．ポリヌクレオチド鎖内で隣り合ったヌクレオチドはホスホジエステル結合でつながっている．ポリヌクレオチド鎖には全長にわたって方向性があり，5′ 末端と 3′ 末端が区別できる（図 5・2）．
- 天然の DNA（B 形 DNA）では，逆平行に並んだ 2 本のポリヌクレオチド鎖が相補的に対合し，右巻きの二重らせんを形成している．この中で，塩基は内側を，2 本の糖-リン酸骨格は外側を向いている（図 5・3）．DNA の二本鎖構造は，対向する鎖上の塩基対の間の水素結合からなる非共有結合と，らせん軸に垂直に積み重なった隣接塩基間にはたらく疎水性相互作用によって大きく安定化されている．
- 標準的なワトソン-クリック塩基対である G-C 対と A-T 対はほぼ同じ寸法であり，天然の二重らせん構造に対応する唯一の塩基対である．
- タンパク質が DNA に結合すると DNA らせんは変形し，局所的に DNA が折れ曲がったり，二重らせんがほどけたりする．
- 加熱すると 2 本の DNA 鎖は分離する（変性）．GC 含量が増えると融解温度 T_m は上昇する．いったん分離した相補的な鎖は，適当な条件下で再生する．
- DNA の巻きすぎや巻き不足は，長い DNA 分子にねじれを生じさせ，超らせんを形成する（図 5・7）．染色体 DNA が複製中に巻戻されると，大量の超らせんが生じるが，トポイソメラーゼとよばれる酵素が DNA 分子から超らせんを除去することによってこのねじれストレスを解消する．

た，真核生物染色体内の固定されたループ領域でも遊離端がなく，それ自身で独立した構造をとる．そのため，両者にはねじれ歪みの生じる可能性がある．

　DNA が過度または過小に巻かれている場合，つまり同じ鎖長の直線状 B 形 DNA よりもピッチ当たりの巻き数が多いか少ない場合，DNA 分子は自身に巻付いて**超らせん**（supercoil）を形成し，ねじれ歪みを解消する（図 5・8a）．輪ゴムを指先で転がすとねじれが生じるが，それと同じように，折りたたみと超らせんの間のトポロジー的相互変換を示すことができる．次節で述べるように，DNA が複製されるときには，2 本の鎖がほどけなければならない．ほどけなかった残りの部分は，二重らせんの鎖が完全に回転するごとに，10 bp ごとに起こる巻戻しのために一つの超らせんが生じる．一般的な複製フォークは 1 秒間に約 500 塩基の速度で動くので，超らせんは 1 秒間に 50 個の速度で，動いている複製フォークの前方の DNA に導入されることになる．複製時に発生する超らせんによるねじれ歪みを解消するために，すべての細胞は**トポイソメラーゼ I**（topoisomerase I）を備えている．この酵素は DNA に無差別に結合して，片側の鎖のホスホジエステル結合を切断する．このような DNA の一本鎖の切断を**ニック**（nick）とよぶ．切断された鎖の末端は，切れていない鎖のまわりを回って，超らせんを解消する（図 5・8b）．最後に，同じ酵素が切断された鎖の両端をつなぐ．**トポイソメラーゼ II**（topoisomerase II）とよばれる別の酵素は，DNA の二本鎖両方を切断し，その後にこれを再びつないでねじれの歪みを解消する．

5・2　DNA 複製

　ヒトの細胞では，DNA にコードされた遺伝情報が 23 対の染色体上に存在し，それらの染色体は数億個のヌクレオチドからなる二本鎖のらせん状分子で構成される．細胞が分裂するとき，二つの娘細胞はそれぞれ親細胞と全く同じ遺伝情報をもっていなければならない．そのため，細胞分裂のたびに，DNA 複製とよばれる過程によって，各染色体の DNA 配列が正確にコピーされる必要がある．Watson と Crick は，DNA の二重らせん構造の重要な特徴である塩基対の不変の規則（A と T，G と C）から，DNA 重合体の各鎖が同じ情報を保持していることにすぐに気づいた．それはつまり，DNA 重合体の 2 本の鎖を分離し，それぞれの鎖を鋳型として新たに相補的な鎖を合成し，もとの DNA 分子の二つの二本鎖コピーをつくれば，DNA 複製が可能になるということであった．

　1956 年に Arthur Kornberg らが大腸菌の細胞抽出液からはじめて鋳型指向性 DNA ポリメラーゼ酵素を単離したことにより，DNA のコピーの生化学的機構が理解されるようになった．現在では DNA ポリメラーゼ I とよばれるその単離された酵素は，大腸

158　II. 生体膜，遺伝子，遺伝子制御

菌の染色体の複製ではなく，DNA 修復に関与していることがわかっているが，すべての鋳型指向性 DNA ポリメラーゼは同じ原理で作動している．DNA ポリメラーゼ I の研究から得られた知識は普遍的なものであることがすでに証明されている．

DNA ポリメラーゼによる DNA 複製には鋳型とプライマーが必要である

新しい DNA 鎖を合成するためにすべての DNA ポリメラーゼが必要とすることを以下に示す．

1. 鋳型となる一本鎖 DNA．
2. 鋳型と塩基が対になっており，その 3′ 末端に新しいヌクレオチドを受入れるための遊離ヒドロキシ基がある DNA プライマー (primer)．

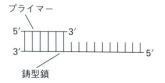

3. デオキシリボヌクレオシド 5′-三リン酸 (dNTP) 前駆体の供給．

プライマーが鋳型鎖と塩基対になると，DNA ポリメラーゼは鋳型鎖の配列の方向に従い，プライマーの 3′ 末端の遊離ヒドロキシ基にデオキシリボヌクレオチドを付加する．この反応のエネルギーは，3′ 酸素と適切な dNTP の α 位のリン酸との間にリン酸エステル結合が形成されるときに，ピロリン酸 PP_i が放出されることで供給される．この反応の平衡は，放出された PP_i を 2 分子の無機リン酸 P_i に切断する触媒酵素であるピロホスファターゼによって，さらに鎖伸長に向かう（図 5・9）．ヌクレオチドが付加されると，新しいプライマー 3′ 末端が次のヌクレオチドを受入れることができるようになる．このようにして，重合は 5′→3′ 方向に進行し，プライマーの成長端が鋳型鎖の末端に達するまで続く．

染色体 DNA を忠実に複製することは生命維持に不可欠であり，DNA ポリメラーゼは驚異的な速度と正確さで DNA を複製するために進化してきた．一般的な DNA ポリメラーゼは，約 2 ミリ秒に一つの割合でヌクレオチドを成長中の鎖に付加することができるが，これでは塩基が正しく対になっているヌクレオチドとそうでないものを識別するための時間は十分ではない．もしも重合の正確さが，正しく水素結合しているヌクレオチドとそうでないもののエネルギーの差だけに基づいているとしたら，ポリメラーゼは少なくとも 50 ヌクレオチドごとに 1 回のまちがいをおかすことになる．ポリメラーゼの活性部位は，正しい形状の標準的なワトソン-クリック型塩基対のみを受入れ，標準的でない塩基対の形状はたとえわずかに異なっていても拒否することによって，はるかに高度な正確さが達成される（図 5・4）．このような構造的選択を行うことにより，ほとんどのポリメラーゼは，重合したヌクレオチド 10^4 個（1 万個）当たり約 1 個しか誤ったヌクレオチドをつくり出さないような組込みの正確さを達成することができる．

ほとんどの生物における DNA 複製は，伸長鎖に組込まれるヌクレオチドの 10^9（10 億個）当たり一つのまちがいしかおかさな

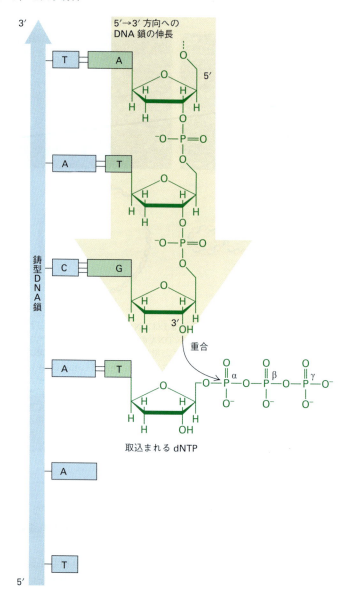

図 5・9　DNA は dNTP 前駆体から 5′→3′ の向きに合成される． DNA 合成に必要なものが三つある．3′ 末端が遊離したプライマー鎖，プライマーと塩基対になっている鋳型鎖，そしてデオキシリボヌクレオシド三リン酸 (dNTP) の供給である．DNA ポリメラーゼはこの基質に作用して，付加された塩基と鋳型 DNA 鎖との塩基対によって指定されたプライマー鎖の 3′ 末端に，新しい dNTP を付加する．DNA ポリメラーゼは，プライマー鎖の 3′ 酸素と，正しく塩基対になっている dNTP の α 位のリン酸との間にホスホジエステル結合を形成することを触媒する．新しい DNA 鎖は常に 5′→3′ 方向に合成され，鋳型となる DNA 鎖とは極性が反対である．

いほどの正確さをもち，塩基対の最適選択で説明できるよりもはるかに優れている．この驚くべき正確さは，DNA ポリメラーゼによる校正 (proofreading) 機能が大きな要因である．校正機能は，いくつかの DNA ポリメラーゼの 3′→5′ エキソヌクレアーゼ活性 (3′→5′ exonuclease activity) に依存している．DNA 合成中に誤った塩基が組込まれると，新生鎖の 3′ ヌクレオチドと鋳型鎖の間には塩基対は形成されない．この結果，ここでポリメラーゼは止まり，成長しつつある鎖の 3′ 末端をエキソヌクレアーゼ部位に移し，まちがって取込まれたヌクレオチドを除去する（図 5・10）．

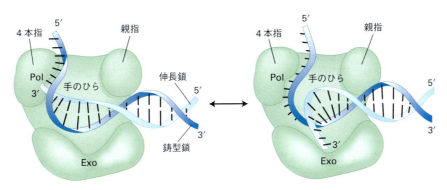

図 5・10　DNAポリメラーゼの校正機能の模式図．すべてのDNAポリメラーゼは類似の三次元構造をとっており，親指を半分開いた右手に似ている．それらの"指"は一本鎖になった鋳型鎖と結合し，ポリメラーゼの触媒活性部位(Pol)は4本指と"手のひら"との境界にある．3' 末端に正確なヌクレオチドが付加されている限り，伸長中の鎖は Pol 部位にとどまっている．3' 末端に誤った塩基が組込まれると，次のヌクレオチドの重合に必要な条件をみたさない基質となり，ポリメラーゼ反応が停止する．プライマー鎖の 3' 末端は鋳型と安定な塩基対になっていないため，Pol 部位から約 3 nm 離れた 3'→5' エキソヌクレアーゼ部位(Exo)に移動し，ここで誤って取込まれたヌクレオチドが除去される．その後，誤った塩基対を失った新しい 3' 末端は，鋳型と適切に塩基対を形成し，鎖の伸長が再開される．[C. M. Joyce and T. T. Steitz, 1995, *J. Bacteriol.* **177**: 6321; S. Bell and T. Baker, 1998, *Cell* **92**: 295 参照．]

つづいて 3' 末端をポリメラーゼ部位に戻し，正確なコピーを再開する．ほとんどの DNA ポリメラーゼは高度な正確さを必要とするため，校正機能を備えている．たとえば，大腸菌の三つの DNA ポリメラーゼはすべて 3'→5' エキソヌクレアーゼ活性による校正機能をもっている．

二本鎖 DNA がほどけ，2 本の娘鎖が複製フォークで合成される

複製過程で二本鎖 DNA を鋳型とするには，新たに合成される娘鎖に取込まれる dNTP の塩基と塩基対を形成することができるように，互いに巻付いた二本鎖をほどいて塩基を露出させなければならない．このため，特別な **ヘリカーゼ**（helicase）が **複製起点**（replication origin）あるいは **起点**（origin）とよばれる DNA 分子上の特別な部位から親 DNA 鎖をほどきはじめる．さまざまな生物の起点のヌクレオチド配列は，A-T に富んだ配列という以外にはあまり共通性がない．これまでみてきたように，すべての DNA ポリメラーゼはプライマーの遊離 3' 末端を必要とし，単独では新たに複製を開始することはできない．しかし，DNA ポリメラーゼと同様の機構をもつ RNA ポリメラーゼは，プライマーが存在していない鋳型から新しい鎖の合成を開始する能力をもっている（図 5・23a）．いったんヘリカーゼが起点で親 DNA 鎖をほどくと，**プライマーゼ**（primase）とよばれる特別な RNA ポリメラーゼが，ほどけた鋳型鎖に相補的な短い RNA プライマー（12 ヌクレオチドほどの長さ）を合成する．このプライマーは，相補的な DNA 鎖と塩基対を形成したまま，**DNA ポリメラーゼ α**（DNA polymerase α, **Pol α**）によってさらに 25 ヌクレオチドほど伸長され，5' 末端が RNA, 3' 末端が DNA でできたプライマーが形成される．このプライマーは DNA ポリメラーゼ δ によってさらに伸長され，新しい娘鎖が形成される．

これらのタンパク質が集まって娘鎖の合成を行う DNA 領域を **複製フォーク**（replication fork）とよぶ．複製が進行すると，複製フォークもそこに結合したタンパク質群も複製起点から離れる．前に述べたように，局所的に二本鎖 DNA をほどくと歪みが生じるが，これはトポイソメラーゼ I で除かれる．二本鎖 DNA に沿って DNA ポリメラーゼが移動して複製を実行するには，まずヘリカーゼが二本鎖をほどき，生じた超らせんをトポイソメラーゼが取除いておく必要がある．

DNA 複製フォークが働くときに複雑なことが起こる．これは，2 本の親鎖は逆平行に並んでいるのに，DNA ポリメラーゼは（RNA ポリメラーゼのように）伸長中の鎖の 5'→3' 方向にだけヌクレオチドを付加することに起因している．**リーディング鎖**（leading strand）とよばれる娘鎖の合成は，1 本の RNA プライマーからはじまり，複製フォークの移動方向と同じ 5'→3' 方向に連続的に行われる（図 5・11）．問題なのは，**ラギング鎖**（lagging strand）とよばれるもう一方の娘鎖の合成である．

ラギング鎖の伸長方向もやはり 5'→3' 方向なので，これは複製フォークの移動方向と反対方向に鋳型を複製していることになる．細胞は，巻戻しによって露出した鋳型鎖の 100〜200 ヌクレオチドごとに新しいプライマーを合成することで，この問題を解決している．ラギング鎖に塩基対で結合したこれらのプライマー

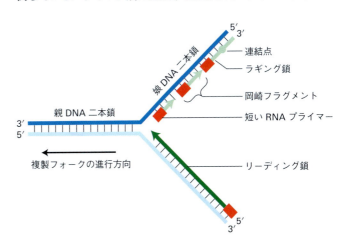

図 5・11　複製フォークでのリーディング鎖とラギング鎖 DNA 合成．ヌクレオチドは，DNA ポリメラーゼによって各娘鎖の 5'→3' 方向（矢じり）に付加されていく．リーディング鎖は 5' 末端に位置する一つの RNA プライマー（赤）から連続的に合成される．ラギング鎖の合成は不連続で，親 DNA 鎖がほどけると周期的に新たな RNA プライマーが合成され，伸長して岡崎フラグメントをつくる．伸長していく DNA 鎖が一つ手前のプライマーに到達すると，プライマーが除去され DNA 鎖がつなぎ合わされる．こうした反応の繰返しで，全ラギング鎖の合成が完了する．

は，5′→3′ 方向に伸びて不連続な断片となる．この断片は発見者の岡崎令治博士の名にちなんで**岡崎フラグメント**（Okazaki fragment）とよばれている（図5・11）．それぞれの岡崎フラグメント中の RNA プライマーはあとで除去され，隣の岡崎フラグメントから伸びてきた DNA 鎖で置き換えられる．隣り合った二つの岡崎フラグメントは最後に **DNA リガーゼ**（DNA ligase）で連結される．

DNA 複製フォークは複数のタンパク質が協調して進行する

DNA 複製にかかわる真核生物のタンパク質の詳細な研究は，おもに小さなウイルス DNA，特に，SV40 というサルに感染するウイルスの環状ゲノムを使って行われた．このウイルスに感染した細胞は，短時間のうちに多数の単純なウイルスゲノムを複製するので，DNA 複製の基礎的な面を研究するよいモデル系となる．SV40 のような単純なウイルスは宿主細胞（ここではサルの細胞）の DNA 複製装置に依存しているので，宿主細胞タンパク質が小さな同一の DNA の複製をいくつも産生する過程を調べるのに適している．図5・12 に示すように，複製フォークでは複数のタンパク質が SV40 DNA の複製を協同して行っている．複製フォーク上に集合したタンパク質群は，3 章で説明した分子機械という概念のよい実例になる．この多数の成分からなる装置は，重要な細胞機能を担う事象を順序正しく遂行していく．

SV40 DNA を複製する分子機械には，ウイルスタンパク質は一つしか含まれていない．SV40 複製にかかわる他のすべてのタン

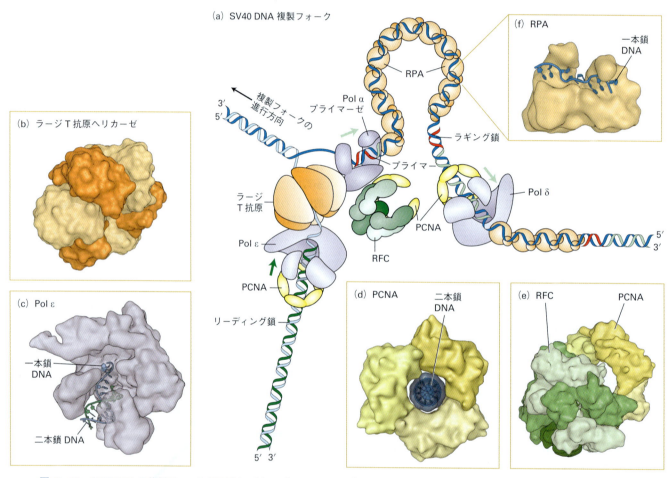

図 5・12 SV40 DNA の複製フォークのモデル．(a) ウイルスタンパク質であるラージ T 抗原六量体は親 DNA 鎖をほどくヘリカーゼとして働く．リーディング鎖は，DNA ポリメラーゼ ε (Pol ε) によって複製フォークの位置まで連続的に合成される．このとき娘二本鎖 DNA に巻付いた環状 PCNA が Pol ε に会合しており，この Pol ε-PCNA 複合体は複製フォークから離れることはない．これに対して，ラージ T 抗原によってほどかれたラギング鎖の鋳型鎖の一本鎖部位には複数のヘテロ三量体タンパク質 RPA が結合する．ラギング鎖合成のプライマー（赤が RNA，薄緑が DNA）は，DNA ポリメラーゼ α (Pol α) とプライマーゼからなる複合体が合成する．Pol α-プライマーゼ複合体によって合成された各プライマーの 3′ 末端に PCNA-Pol δ 複合体が結合し，プライマーを伸長して岡崎フラグメントのほとんど部分を合成する．(b) SV40 T 抗原のヘリカーゼドメインは六量体を形成し，複製ヘリカーゼとして働く．ここでは 6 個のサブユニットを薄橙と濃橙で交互に色づけしてある．(c) リーディング鎖の 3′ 末端を伸長中の DNA ポリメラーゼ ε の構造．(d) PCNA の三つのサブユニット（黄の濃淡で区別してある）は環状構造を形成する．この中央には，娘二本鎖 DNA の通る孔がある．(e) RFC は五量体構造（サブユニットは緑の濃淡で区別してある）の"クランプローダー"である．この図は，DNA への"クランプ（締め具）"として働く環状 PCNA に RFC が結合し，クランプを開こうとしている様子を示す．(f) RPA の大きいサブユニットには一本鎖 DNA を結合する二つのドメインがある．RPA の結合によって，一本鎖 DNA は塩基がむき出しになるように引き伸ばされており，DNA ポリメラーゼ δ による複製に都合のよい構造をとっている．[M. O'Donnell et al., 2013, *Cold Spring Harbor Perspect. Biol.* **5**: a010108 参照．(b) は D. Li et al., 2003, *Nature* **423**: 512, PDB ID 1n25. (c) は M. Hogg et al., 2014, *Nat. Struct. Mol. Biol.*, **21**: 49, PDB ID 4m8o. (d) は J. M. Gulbis et al., 1996, *Cell* **87**: 297, PDB ID 1axc. (e) は G. D. Bowman et al., 2004, *Nature* **429**: 724, PDB ID 1sxj. (f) は A. Bochkarev et al., 1997, *Nature* **385**: 176, PDB ID 1jmc.]

パク質は，宿主細胞が供給する．ウイルスタンパク質である**ラージ T 抗原**（large T-antigen）は六量体を形成し，ATP 加水分解のエネルギーを使って複製起点で親鎖をほどく複製ヘリカーゼとして働く．リーディング鎖およびラギング鎖といった娘鎖のためのプライマーは，短い RNA プライマー（12 ヌクレオチドほどの長さ）を合成する**プライマーゼ**（primase）と，RNA プライマーをさらに 25 ヌクレオチド程度デオキシリボヌクレオチドで伸長し，RNA-DNA 混合プライマーをつくる DNA ポリメラーゼ α の複合体によって合成される．

短い RNA-DNA 混合プライマーは，3′→5′ エキソヌクレアーゼ活性に基づく校正機構をもつ高い正確さをもつ **DNA ポリメラーゼ δ**（DNA polymerase δ, **Pol δ**）によって伸長される．細胞内では，Pol δ がラギング鎖の DNA を合成し，2 番目に高い正確さをもつ **DNA ポリメラーゼ ε**（DNA polymerase ε, **Pol ε**）がリーディング鎖のほとんどを合成する．Pol δ と Pol ε は **PCNA**（proliferating cell nuclear antigen）と複合体を形成し，この複合体がプライマー合成の終わったプライマーゼ-Pol α 複合体を除去する．図 5・12(d) に示すように，PCNA はホモ三量体タンパク質で，複製された二本鎖 DNA の通る孔が中心にある．この結果，PCNA-Pol δ 複合体や PCNA-Pol ε 複合体は鋳型から外れることがない．PCNA のおかげで，Pol δ と Pol ε は何千ヌクレオチドにもわたって一本鎖鋳型 DNA から解離することなく複製を継続することができる．そこで，PCNA は**滑りクランプ**（sliding clamp）ともよばれる．五量体タンパク質である **RFC**（replication factor C）は PCNA の環をいったん開環させ，これを Pol α で合成された短い二本鎖 DNA 領域に装着するという機能をもつ．そこで，RFC は**クランプローダー**（clamp loader, クランプ積込み装置）ともよばれる．

複製フォークで親 DNA 鎖が分離して鋳型一本鎖になると，Pol ε がリーディング鎖を複製フォークに再びいきつくまで伸ばしていく．ラギング鎖の鋳型となる一本鎖 DNA には多数の **RPA**（replication protein A）が結合する．RPA はヘテロ三量体タンパク質である（図 5・12f）．Pol δ による複製が容易なように，RPA が結合した鋳型一本鎖は一様な形に固定されている．Pol δ が相補鎖を合成するに従い，鋳型鎖に結合した RPA は取除かれる．

DNA 複製で働くいくつかの真核生物のタンパク質については，図 5・12 には示していない．たとえば，親鎖に結合したトポイソメラーゼ I は複製ヘリカーゼに先立って，つまり図 5・12 では T 抗原の左側に位置し，親鎖をほどくときに生じる歪みを解消する（図 5・8a）．リボヌクレアーゼ H と FEN I は，岡崎フラグメントの 5′ 末端のリボヌクレオチドを除去する．これで欠けた部分は，Pol δ が上流の岡崎フラグメントを伸長させて補う．隣り合った岡崎フラグメントは，DNA リガーゼがふつうの 5′→3′ ホスホジエステル結合をつくってつなぐ．他の特別な DNA ポリメラーゼは

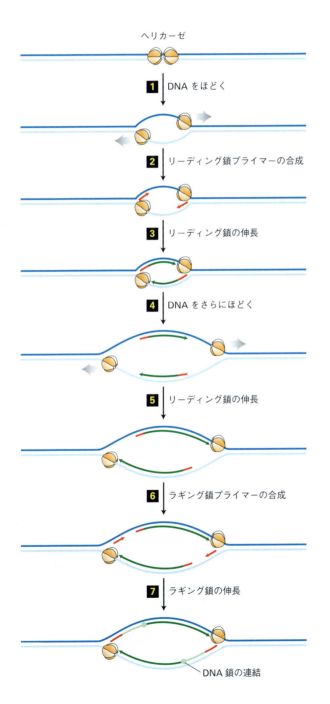

図 5・13　両方向への DNA 複製の機構．左側に向かう複製フォークは図 5・12 の複製フォークに対応している．ここではラージ T 抗原以外のタンパク質は示していない．一番上の模式図のように，まず二つのラージ T 抗原六量体ヘリカーゼが背中合わせで複製起点に結合する．段階**1**：ヘリカーゼは ATP 加水分解エネルギーを使って両方向に進み，親 DNA 鎖をほどく．できた一本鎖鋳型には RPA タンパク質（図には示していない）が結合する．段階**2**：プライマーゼ-Pol α 複合体が短いプライマー（赤矢印）を合成し，プライマーはそれぞれの親鎖と塩基対を形成する．段階**3**：PCNA-RFC-Pol ε 複合体がプライマーゼ-Pol α 複合体と置き換わって短いプライマーを伸長し，各複製フォークでリーディング鎖（濃緑）を合成する．段階**4**：ヘリカーゼがさらに親鎖をほどき，新たに露出した一本鎖部分に RPA タンパク質が結合する．段階**5**：PCNA-RFC-Pol ε 複合体がリーディング鎖をさらに伸長させる．段階**6**：プライマーゼ-Pol α 複合体が各複製フォークでラギング鎖合成のプライマーを合成する．段階**7**：PCNA-RFC-Pol δ 複合体がプライマーゼ-Pol α 複合体と置き換わり，ラギング鎖岡崎フラグメント（薄緑）を伸長させる．岡崎フラグメントはリーディング鎖の 5′ 末端とつなぎ合わされる．この連結が起こる場所を丸で示す．段階**4**〜**7**で示すような親鎖の解離とリーディング鎖およびラギング鎖合成がさらに繰返され，複製が続く．わかりやすいように各段階を個別に示したが，実際には DNA 鎖を解く過程とリーディング鎖，ラギング鎖の合成は同時に起こっている．

DNAのミスマッチや傷害の修復で働く(§5・3).

DNA複製は複製起点から両方向へ進行する

図5・11と図5・12に示すように,複製フォークで局所的にほどけてできた2本の親DNA鎖はそれぞれ娘鎖にコピーされる.一つの複製起点から複製する場合に,一つだけの複製フォークが一方向に進むこともありうる.あるいは,一つの起点でできあがった二つの複製フォークが反対方向に進んで,娘鎖を両方向に伸長 (bidirectional growth) させることもありうる.

原核細胞でも真核細胞でも,DNA複製には両方向への複製機構を使っていることが知られている.SV40 DNAの複製では,まず1箇所のSV40複製起点にラージT抗原六量体からなるヘリカーゼ二つが結合し,さらに他のタンパク質が結合して,二つの複製フォークができる.この複製フォークは互いに反対方向に移動しながら,それぞれのフォークでリーディング鎖とラギング鎖の合成を行う.図5・13に示すように,左側の複製フォークは左方向へのDNA合成を続け,右側の複製フォークは右方向への合成を続ける.

SV40 DNAとは違い,真核生物の染色体DNA分子は数十kbから数百kb対離れた複数の複製起点をもっている.**複製起点認識複合体** (origin recognition complex: **ORC**) とよばれる六つのサブユニットからなるタンパク質がそれぞれの起点に結合する.このORCには,6個の相同な**MCMタンパク質** (minichromosome maintenance protein) からなる六量体ヘリカーゼを動員するのに必要なタンパク質が結合する.二つの向かい合ったMCMヘリカーゼは,複製起点で親鎖をほどき,できた一本鎖にはRPAタンパク質が結合する.プライマー合成とそれに続く細胞のDNAの複製過程は,SV40 DNAの複製に似ていると考えられている(図5・13).

細胞分裂は染色体の複製からはじまる.したがって,DNA複製の開始は通常,細胞分裂周期の最初の段階である.細胞DNA複製は特異的なプロテインキナーゼ (DDK) によるMCMヘリカーゼの活性化によってはじまり,S期**サイクリン依存性キナーゼ** (cyclin-dependent kinase: CDK) によって制御されている.他のサイクリン依存性キナーゼは,真核細胞が二つの娘細胞に分かれる有糸分裂といった細胞増殖の複雑な過程の制御にかかわっている.体細胞分裂,あるいは精子や卵細胞といった一倍体細胞をつくり出す減数分裂のような細胞分裂については6章で解説する.細胞分裂の速度を決めるさまざまな制御機構については19章で述べる.

> **5・2 DNA複製 まとめ**
> - DNAポリメラーゼは,3'末端の遊離ヒドロキシ基をもつプライマー鎖と塩基対を形成した鋳型鎖を基質として必要とする.新たに合成されたDNA鎖は5'→3'方向に伸長する.
> - DNA複製の高い正確さは,ポリメラーゼ活性部位のA-TとG-C塩基対のみに対する厳格な構造選択と,誤った塩基対を除去する校正エキソヌクレアーゼによってもたらされている.
> - 複製は,複製起点とよばれる配列からはじまる.真核生物の染色体DNAはそれぞれ多数の起点をもっている.複製起点では,DNAがほどかれ,プライマーゼとよばれるRNAポリメラーゼによって新規合成が開始されることにより,複製がはじまる.
> - 複製は,複製フォークとなって進行する.リーディング鎖とよばれる娘鎖は連続的に伸長する.ラギング鎖とよばれるもう一方の鎖は不連続に形成される(図5・11).
> - ラギング鎖の不連続複製は,100〜200ヌクレオチドごとに合成される岡崎フラグメントの形成によって進行する.岡崎フラグメントの5'末端のリボヌクレオチドは除去され,隣り合う岡崎フラグメントの3'末端からの伸長で置き換えられる.最終的に,隣り合う岡崎フラグメントはDNAリガーゼでつなぎ合わされる.
> - ヘリカーゼはATP加水分解で得られるエネルギーで親(鋳型)DNA鎖をほどく.解けたDNA鎖には,まず複数の一本鎖DNA結合タンパク質 (RPA) が結合する.プライマーゼが合成した短いRNAプライマーが,塩基対を介して鋳型DNA鎖に結合する.このRNAの3'末端から,DNAポリメラーゼα (Pol α) の働きでDNA鎖が伸びて,短いRNA-DNA娘鎖ができる.
> - 真核細胞ではほとんどの場合,Pol δとPol εがPol αから5'→3'方向へのDNA合成をひき継いで娘鎖の伸長を続ける.Pol δはラギング鎖の合成のほとんどを担う.これに対して,Pol εはリーディング鎖の複製を担う.Pol δとPol εはPCNAを介して鋳型一本鎖DNAにしっかり結合している.PCNAは娘二本鎖DNAを取囲むように結合している三量体タンパク質で滑りクランプとして働く.
> - DNA複製はふつう両方向に進む.つまり,1箇所の複製起点に二つの複製フォークが形成され,それぞれのフォークが両方の鋳型をコピーしながら互いに反対方向に移動する.
> - MCMヘリカーゼは,染色体DNAに沿って存在する複数の起点での複製開始をin vivoで司る.真核生物DNAの合成は,MCMヘリカーゼのDNA結合と活性の制御を通じて調節されている.

5・3 DNA修復と組換え

DNAの損傷は避けられないもので,さまざまな原因で生じる.紫外線や電離放射線などの環境要因によって,あるいは正常代謝の副産物として生じたり,環境中に存在したりする遺伝子変異原によっても自然にDNA中の化学結合が切断される.**(突然)変異** (mutation) とよばれるDNA配列の変化は,複製中にDNAポリメラーゼが損傷を受けた鋳型を読もうとしたときに起こす誤りで生じる.損傷を受けていない鋳型を複製するときにも頻度は低いものの,DNAポリメラーゼはまちがいをおかして変異が生じる.ヒトの場合,ゲノムの完全性を損なう突然変異は,複数の好ましくない結果をもたらす可能性がある.生殖細胞のDNAに生じた突然変異は子孫に受け継がれ,たいていの場合有害な影響を及ぼす.一方,体細胞において細胞分裂の微妙な制御にかかわっている遺伝子に起こったとすると,細胞は無制限に増殖し,腫瘍が生じて,がんとなる.したがって,細胞が,DNAの完全性に対するさまざまな種類の損傷を,その損傷が突然変異として固定化され,

娘細胞に受け継がれる前に修復する精巧な機構を進化させてきたことは，驚くべきことではない．

DNA修復機構は，相補的なDNA鎖に含まれる情報の冗長性を利用し，まだ損傷していない鎖の情報を使って損傷した鎖を修正するものである．そのため，ほとんどのDNA修復過程は，大枠は同じ流れで行われる．すべての修復過程は，まず損傷の部位を特定しなければならない．これは通常，DNAらせんの規則正しい構造の乱れを走査することで行われる．損傷が特定されると，ほとんどの修復過程では，損傷した鎖の一部を選択的に取除き，無傷の相補鎖から欠落した情報をコピーする．ここでは，正常な塩基間のミスマッチの修復，化学的に変化した塩基の修復，DNAの切断端の修復機構について解説する．

DNAに対する化学的損傷あるいは放射線による損傷で変異が生じる

DNAは，損傷を生じるような多くの化学反応にいつもさらされている．一つの細胞で起こるDNAの損傷は，1日当たり10^4から10^6と推測される．たとえDNAが損傷をひき起こす化学物質にさらされなくても，DNAは本質的に不安定である．たとえば，プリン塩基とデオキシリボースの結合は，生理的な条件下ではゆっくりではあるが加水分解を受け，塩基を結合していない糖が生じる．このようにしてコード情報が失われ，これが複製中の突然変異につながっていく．ミトコンドリアの電子伝達系やペルオキシソームの脂肪酸酸化などの正常な細胞反応によっても（12章），DNAと反応して損傷を与えるヒドロキシルラジカルやスーパーオキシドアニオンO_2^-などの多くの化学物質が産生される．これらもまた，がんを誘発する変異をひき起こす．

自然に生じる変異の多くは，DNA配列中の単一の塩基が変化する点(突然)変異（point mutation）である．点変異が遺伝子のタンパク質コード領域内にある場合，点変異はコドンを別のものに変え，コードされたタンパク質のアミノ酸配列を変えるかもしれない．また，タンパク質の配列に終止コドンが導入され，早期に終結してしまう可能性もある．コード領域以外の点変異は，8章で述べるように，遺伝子の転写の制御を変化させることにより，遺伝子の機能を阻害することもある．最もよく起こる点変異の一つでは，シトシン(C)塩基の脱アミノ（deamination）によってウラシル(U)が生じる．あるいは，DNA中によくみられる修飾塩基5-メチルシトシンは脱アミノされるとチミンになる．もしも，これらの塩基がDNA複製時までに修復されないと，こうした反応で生じたUかTを含む鎖が鋳型になって，U-AまたはT-A塩基対ができる．この結果，恒久的なDNA配列の変化がひき起こされてしまう（図5・14）．

非常に正確なDNA除去修復系が損傷を見つけ出し修復する

DNA除去修復系（excision-repair system）については，大腸菌を用いた遺伝学的，生化学的研究によりはじめて解明された．反応の鍵となる細菌タンパク質のホモログは，酵母からヒトに至るまで真核生物にも広く見いだされ，DNA情報を保つための複製まちがいの修復系が進化の初期から存在していることを示している．これらの系はそれぞれ，損傷したDNA鎖を認識し，損傷したDNA鎖の一部を切出し，その隙間をDNAポリメラーゼとリガーゼが相補的なDNA鎖を鋳型として埋めるという，類似の機能をもっている．

T-Gミスマッチや損傷を負った塩基は塩基除去修復を受ける

ヒトで最も多く現れる点変異は，脱アミノによって5-メチルシトシン（5-MeC）がチミン(T)になり，CがTに入れ替わるものである（図5・14）．化学的に正常な塩基のミスマッチで生じたDNAの損傷を修正する際のむずかしさは，どちらが正常でどちらが変異したDNA鎖なのかが見分けにくい点である．しかし，T-Gミスマッチは，ほとんどの場合CからUの，あるいは5-MeCからTの化学的変換によって起こるものなので，Tを除去しCに置換する修復系が進化してきた．

T-Gミスマッチは，DNAグリコシラーゼによって認識される．

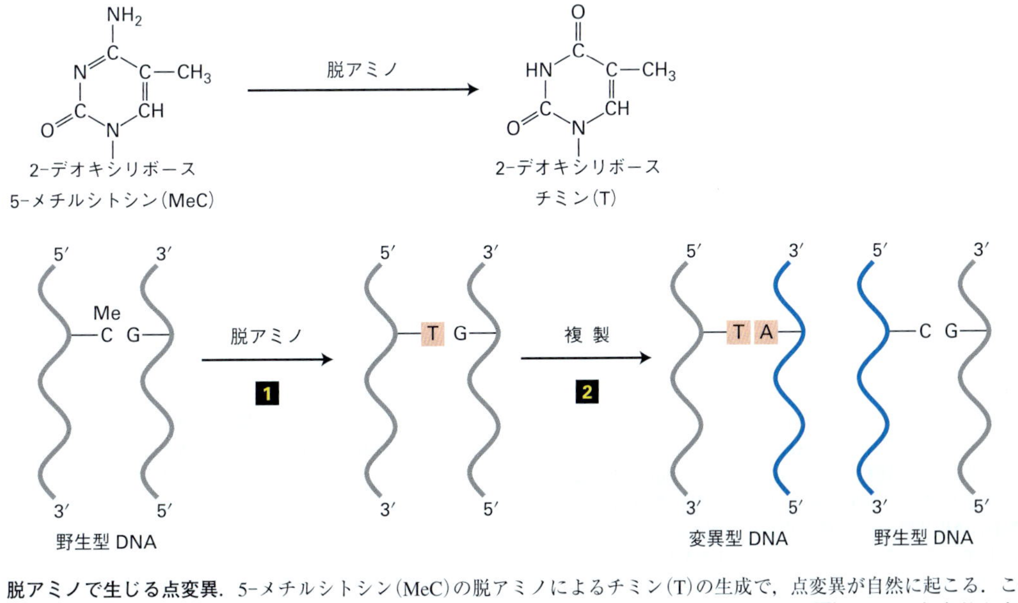

図5・14 脱アミノで生じる点変異．5-メチルシトシン(MeC)の脱アミノによるチミン(T)の生成で，点変異が自然に起こる．この結果生じたT-G塩基対(段階**1**)が塩基除去修復機構によってC-G塩基対に修復されないと，DNA複製(段階**2**)によって恒久的な変異が生じる．1回の複製後に，娘DNA分子は変異型T-A塩基対か野生型C-G塩基対をもつことになる．

DNAグリコシラーゼは，チミン塩基をDNAらせんからはじき出し，つづいてこのチミン塩基を糖-リン酸DNA骨格に結びつけていた結合を加水分解する．この最初の切断にひき続き，エンドヌクレアーゼであるAPE1が無塩基部位前後のDNAを切断する．塩基をもたないデオキシリボースリン酸は除かれ，特別な修復DNAポリメラーゼが鋳型鎖のGを読み取ってCで置き換える(図5・15).

前述のように，この修復はDNA複製の前に行わなければならない．これは，ここでミスマッチとなっているTが正常なDNA中にふつうに含まれているためである．もしそのまま複製が進むと，正常なワトソン-クリック型塩基対形成によって安定な点変異が生じてしまい，その後は修復機構では認識できなくなる(図5・14, 段階**2**).

ヒト細胞は，一連のグリコシラーゼをもっており，その一つひとつが，それぞれ異なった化学的修飾を受けたDNA塩基に特異的である．たとえば，あるものは酸化型グアニンである8-オキシグアニンを取除き，それを無傷のGと取替える．またあるものは，アルキル化剤によって修飾された塩基を取除く．こうした反応で生じた塩基をもたないヌクレオチドは，上記の修復機構で置換される．同様の機構で，**脱プリン**(depuration)によって生じる損傷も修復される．脱プリンとは，デオキシリボースと塩基の間を結ぶグリコシド結合の加水分解により，グアニン塩基やアデニン塩基が欠失することである．脱プリンは自然にも起こり，哺乳類や鳥類では体温が高いため比較的よくみられる現象である．その結果生じる欠失部位が修復されないと，正しい対合塩基が指定できなくなるので，DNA複製のときに変異が生じる．

他のミスマッチ，短い塩基対の挿入，あるいは欠失はミスマッチ除去修復を受ける

細菌からヒトまで保存されているもう一つの過程は，複製時にポリメラーゼによって誤って持込まれた塩基対ミスマッチや，一つか少数のヌクレオチド挿入や欠失を修復するためのものである．T-Gミスマッチ中のTの塩基除去修復と同様，**ミスマッチ除去修復**(mismatch excision repair)でむずかしいのは，どちらの鎖が正常で，どちらの鎖が変異の入ったDNA鎖なのかを見分けることである．大腸菌では，この判別は，最も新しく合成されたDNA鎖のうち，最もまちがっている可能性の高い塩基を優先的に修正することで実現されている．2本のDNA鎖のうちどちらが相対的に古いかを検出するには，2本鎖DNAのメチル化反応を利用する．メチル化はDNA合成のあとに起こるため，新しく合成された鎖はメチル化が比較的少ないことで識別できる．ヒトの細胞も，DNA複製直後に新しく合成された鎖と鋳型鎖を識別す

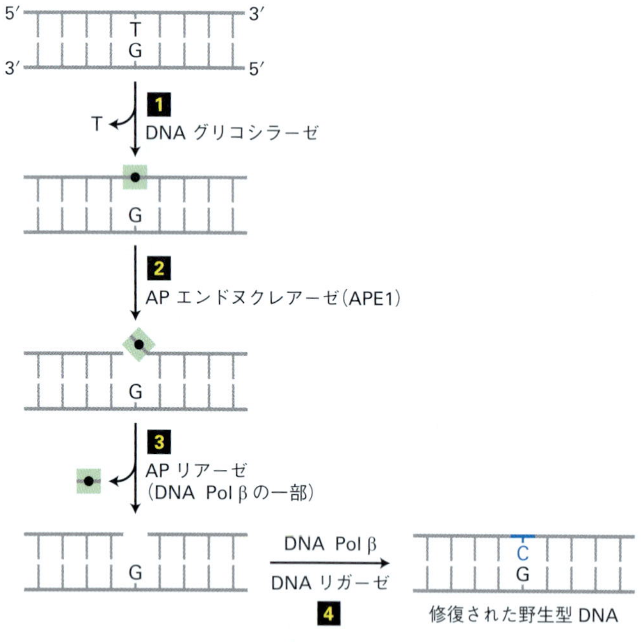

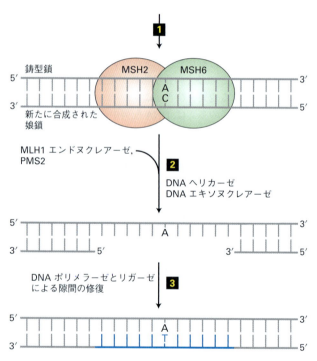

図5・15 **T-Gミスマッチの塩基除去修復**．5-メチルシトシン残基の脱アミノ反応でT-Gミスマッチ(図5・14)が生じるが，このT-Gミスマッチを特異的に認識するDNAグリコシラーゼがある．このグリコシラーゼはチミン塩基をらせんからはじき出し，塩基を糖-リン酸DNA骨格から切り出す(段階**1**)．この結果，塩基のないデオキシリボースが残る(黒の点)．この反応で生じた塩基欠落部位を特異的に認識するエンドヌクレアーゼAPE1(apurinic endonuclease I)がDNA骨格を切断し(段階**2**)，次に，APリアーゼ(apurinic lyase)というエンドヌクレアーゼがデオキシリボースリン酸を除去する(段階**3**)．なお，APリアーゼは修復専用のDNAポリメラーゼβ(Polβ)に結合している．ここで生じた隙間はDNA Polβによって埋められ，残ったニックがDNAリガーゼによってふさがれて(段階**4**)，本来のG-C塩基対が復元される．[O. Schärer, 2003, *Angewandte Chemie* **42**: 2946 参照.]

図5・16 **ヒト細胞におけるミスマッチ除去修復**．ミスマッチ除去修復経路が複製中に起こったまちがいを修復する．MSH2とMSH6タンパク質(細菌のMutS1とMutS6のホモログ)複合体は，鋳型鎖と合成されたばかりの娘鎖を見分けながら，ミスマッチをもつDNA断片に結合する(段階**1**)．これが引金となってMLH1とPMS2(両方とも細菌のMutLのホモログ)がさらに結合する．こうしてできたDNA-タンパク質複合体は，新たに合成された娘鎖を切断するエンドヌクレアーゼと結合する．娘鎖が切断されると，DNAヘリカーゼがらせんを解き，エキソヌクレアーゼが娘鎖切断末端からミスマッチ塩基を含むいくつかのヌクレオチドを除去する(段階**2**)．最後に，塩基除去修復と同様，DNAポリメラーゼ(Polδ)によって隙間が埋められ，残ったニックはDNAリガーゼによってふさがれる(段階**3**).

ることができる．しかし，この識別はDNAのメチル化に基づくものではなく，おそらく新しく合成された鎖の3′末端を認識することによると考えられている．それが認識されると，娘鎖のミスマッチ塩基対部分（複製まちがいのある部分）は切除され，鋳型鎖に相補的な鎖に修復される（図5・16）．塩基除去修復とは違い，ミスマッチ除去修復は複製後に行われる．

家族性非ポリポーシス大腸がん（hereditary nonpolyposis colorectal cancer）は，*MLH1* か *MSH2* のどちらかの対立遺伝子中の遺伝性機能喪失型変異の結果生じる．MSH2とMLH1タンパク質は，DNAミスマッチ修復に必要不可欠である（図5・16）．これらの遺伝子のどちらも，少なくとも一つのコピーが機能していれば，細胞は正常なミスマッチ修復を行う．しかし，腫瘍細胞は，二つ目のコピーにも無作為な突然変異が生じた細胞から発生することが多い．一つの遺伝子の両方のコピーが不活性化されると，ミスマッチ修復機構はもはや機能しなくなるからである．これらの遺伝子で不活性型変異が生じていることが，非家族性の大腸がんにおいてしばしばみられる．

DNA構造が歪むような化学修飾を受けた塩基は
ヌクレオチド除去修復を受ける

塩基が化学修飾（化学的付加）を受けて局所的にDNAの形が歪むと，**ヌクレオチド除去修復**（nucleotide excision repair）が働く．この修復の鍵となるのは，二重らせん上を滑りながら，出っ張りなど形の不均一性を探しだすタンパク質の機能である．たとえば，紫外線による**チミン-チミン二量体**（thymine-thymine dimer）形成（図5・17）でDNAの複製と転写とが妨害されるが，この修復機構が働き損傷が除去される．図5・18は，ヌクレオチド除去修復系による損傷DNAの修復機構を示している．

チミン-チミン二量体が，二重らせんのなかではなく，複製フォークにおけるDNAの一本鎖のなかにあったらどうなるだろうか．このような修復されない鋳型の損傷は，正常なワトソン-クリック塩基対を形成することができず，複製ポリメラーゼの進行が止まってしまうだろう．その場合，高い正確さをもつ複製型ポリメラーゼを，低い正確さをもつ**損傷乗越え型ポリメラーゼ**（translesion polymerase）に置き換えることで，複製フォークの進行を回復させるのである．

鋳型鎖上の修復されていないチミン-チミン二量体で停止した複製フォークは，滑りクランプ PCNA（図5・12）をユビキチン化するシグナルを生成し，それが引金となって通常の複製型ポリメラーゼである Pol δ や Pol ε が損傷乗換え型ポリメラーゼである Pol η に置き換わる．Pol η は，ゆがんだ塩基対を受入れることができる活性部位をもち，3′→5′ エキソヌクレアーゼによる校正活性をもたない．これらの特徴により，Pol η は標準的でない塩基間相互作用を形成し，鋳型上のチミン-チミン二量体を越えて複製することができる．しかし，これは同時に通常のDNAの複製の際にはエラーを起こしやすいポリメラーゼであることも意味する．損傷を乗越えたあと，複製は通常の複製型ポリメラーゼが再び担う．結果的に，DNAの損傷を乗越えて複製が進む過程で，損傷部近傍のDNAには，損傷乗越え型ポリメラーゼによる複製のエラーによる変異が比較的多く含まれるようになる．このことは，紫外線による突然変異誘発が，チミン-チミン二量体の近傍に多様な塩基変化をひき起こすことをよく説明する．

30種類ほどのタンパク質がヌクレオチド除去修復過程にかかわっている．こうしたタンパク質は，がん化しやすい家族性**色素性乾皮症**（xeroderma pigmentosum）患者の培養細胞で起こるDNA修復異常の研究で見つかった．この病気の患者は，皮

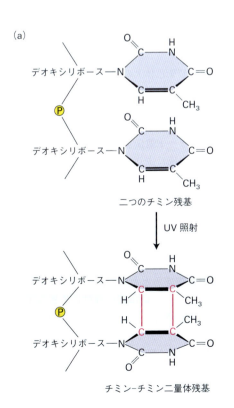
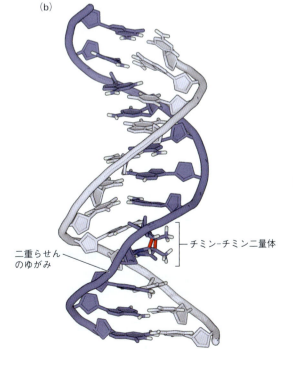

図5・17 チミン-チミン二量体の形成．（a）紫外線照射が原因で生じるチミン-チミン二量体形成は最も一般的なDNA損傷である．（b）除去修復機構が，チミン-チミン二量体形成で生じるDNA二重らせんの歪みを認識し，この損傷を修復する．（b）に示す赤線は（a）の赤線に対応し，紫外線で生じたチミン-チミン二量体のC-C結合である．[(b) は K. McAteer et al., 1998, *J. Mol. Biol.* **282**: 1013, PDB ID 1ttd.]

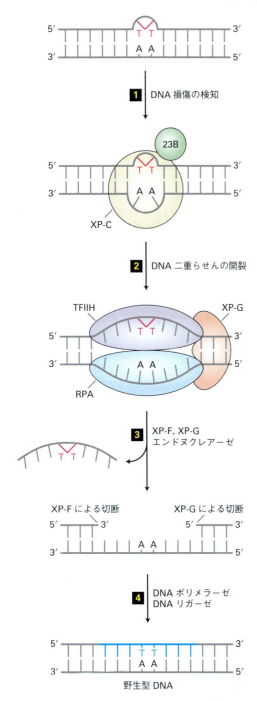

図 5・18 ヒト細胞におけるヌクレオチド除去修復. チミン–チミン二量体など二重らせんの変形の原因となる DNA 損傷は,まず XP-C (xeroderma pigmentosum C protein,色素性乾皮症 C タンパク質)と 23B タンパク質の複合体が認識する(段階 1). この複合体は,損傷部位に転写因子 TFIIH を引寄せる. TFIIH のヘリカーゼサブユニットは,ATP の加水分解を原動力として二重らせんを部分的に解く. XP-G と RPA タンパク質がさらにこの複合体に結合し,25 塩基ほどのバブルをつくって安定化させる(段階 2). 次に,エンドヌクレアーゼとして働く XP-G が二つ目のエンドヌクレアーゼである XP-F とともに,損傷部位の前後 24〜32 塩基離れた位置で損傷を受けた鎖を切断する(段階 3). この結果,損傷を受けた塩基をもった DNA 断片は解離し,最終的にモノヌクレオチドへと分解される. 最後に,隙間は DNA 複製のときと全く同様に,DNA ポリメラーゼによって埋められ,残ったニックも DNA リガーゼによってふさがれる(段階 4). [J. Hoeijmakers, 2001, *Nature* 411: 366; O. Schärer, 2003, *Angewandte Chemie* 42: 2946 参照.]

膚を太陽光中の紫外線にさらしたとき,メラノーマ(melanoma)や扁平上皮がん(squamous cell carcinoma)とよばれる皮膚がんを発症しやすい. 少なくとも *XP-A* から *XP-G* までの七つの異なる遺伝子のうちどれかに変異が生じると,ヌクレオチド除去修復系の不活性化につながり,紫外線に過敏になる(図 5・18). 紫外線に過敏になる色素性乾皮症の二つ目の種類の突然変異は Pol η 遺伝子における *XP-V* であり,紫外線によってひき起こされる損傷部位をすぎたあとの複製が阻害される.

DNA の二本鎖切断を修復するには, 組換えを介した二つの機構がある

電離放射線(たとえば X 線照射や γ 線照射)やある種の抗がん剤は,DNA 二本鎖を切断する. 切断された DNA 二本鎖の修復の失敗は,切断部位から先の染色体の損失につながり,ほとんどの場合致死性となる. 二本鎖切断の修復には二つの機構が進化してきた. 切断は,無傷の染色体の情報を使った **相同組換え**(homologous recombination)で正確に修復できる. これについては次項で述べる. 正確な修復ができない場合,切断箇所は変異が起こりやすい非相同末端結合によって修復される.

非相同末端結合による変異が起こりやすい修復 非相同末端結合(nonhomologous end-joining: **NHEJ**)経路では,切断された DNA の末端に Ku と DNA-PK という二つのタンパク質からなる複合体が結合して,さらなる分解を防ぐ. そして,DNA に結合した二つの Ku と DNA-PK のヘテロ二量体が一緒になって,DNA リガーゼなどの他のタンパク質の助けを借りて,二つの DNA 分子の末端を結合する(図 5・19). 粘性の高い核質内での DNA の拡散はかなり遅いので,切断された染色体の末端どうしは拡散する前に再結合できることが多い. ただし,正しい末端どうしが結合されたとしても,エキソヌクレアーゼの作用により,結合点での数塩基対の欠損は避けられない. 不正確な末端結合の結果として生じた欠失がコード配列内に生じた場合,影響を受けた遺伝子の機能は失われる可能性が高い.

しかし,異なる染色体や同じ染色体上の離れた場所で切断された末端が結合され,遺伝子の働きに影響を与えるような重大な染色体の再編成をひき起こすことがある. たとえば,誤った結合は,あるアミノ酸配列の N 末端部分と全く異なるアミノ酸配列の C 末端部分とを融合したハイブリッド遺伝子をつくり出す可能性がある. あるいは,染色体の再編成により,ある遺伝子のプロモーターが別の遺伝子のコード領域に近づき,その遺伝子の発現レベルや発現する細胞の種類が変化する可能性がある. このような転座はキメラ遺伝子を生成し,その結果,がん細胞の特徴である無制限な増殖のように,正常な細胞機能が大きく変化することがある.

相同組換えは DNA 損傷を修復するとともに, 遺伝的多様性にも寄与する

これまでに述べてきた機構で修復できないさまざまな DNA 損傷でも,損傷を受けていない配列か,それと非常によく似た配列を使って損傷を受けた DNA 配列は修復される. ここで修復の鋳型として使われる DNA 配列は,二倍体生物であれば相同染色体上にあるし,一倍体でも二倍体でも,複製後の姉妹染色体上に存

在している．こうした修復は，別々のDNA鎖間の組換えを使うので，まとめてDNA**組換え**（recombination）機構とよばれる．

DNA修復に使われるだけでなく，同じ種の個体間でみられる遺伝的多様性も似たような組換え機構に依存している．つまり，生殖細胞（精子や卵）を生み出す**減数分裂**（meiosis，図6・3参照）という特別な細胞分裂においては，母性および父性の相同染色体間で染色体の大きな領域の交換が起こり，多様性が生じる．実際に，減数第一分裂で染色体分離が正常に進行するには，相同染色体間でさまざまな領域の交換（**乗換え** crossing over，交差）が起こることが必要である．減数分裂と，組換えを介して母性遺伝子と父性遺伝子の新たな組合わせが生じることの意味は，6章で詳しく解説する．減数分裂時に正常な染色体分離を進める機構については19章で解説する．ここでは，組換えを行っている二つのDNA分子間のDNA鎖交換を中心に，組換えの分子機構に焦点を当てて解説しよう．

ヒト細胞では，相同組換えは副次的な修復機構にすぎないと考えられていた．しかし，相同組換え修復にかかわる遺伝子の変異によってヒトのがんが発症することがわかってから，この考えは変わった．たとえば，*BRCA1*と*BRCA2*はこの修復系を構成するタンパク質をコードしているが，遺伝的に乳がんになりやすいほとんどの女性で，どちらかの遺伝子の一方の対立遺伝子に変異が生じている．二つ目の対立遺伝子の欠損や不活性化は，相同組換え修復を阻害し，乳腺や卵巣の上皮細胞のがんを誘発する．ヒトだけでなく酵母でも，γ線で誘発した二本鎖切断は修復される．この修復機構は，相同組換え修復系が欠損している酵母の放射線感受性（*RAD*）変異体を用いた研究で明らかにされた．ほとんどすべての酵母Radタンパク質にはヒトゲノムにホモログがあり，ヒトのタンパク質も酵母タンパク質も原則的には同一の機能を果たす．

複製フォーク崩壊の修復　相同組換えによるDNA修復の例として，複製フォーク崩壊の修復がある．もし複製フォークが通過するまでに1本のDNA鎖のホスホジエステル結合切断（ニック）が修復されていないとすると，複製ヘリカーゼが親DNA鎖のニック部分に到達したとき，ニックを挟んだ親鎖の二つの断片間に共有結合がないために娘染色体の複製された領域が解離してしまう．これが**複製フォーク崩壊**（replication fork collapse）とよばれる過程である（図5・20，段階**1**）．これが修復されないとニックから染色体末端までの遺伝情報が失われるので，細胞分裂によって生じた二つの娘細胞の少なくとも一つにとっては致死的となる．複製フォーク崩壊で生じた二本鎖DNA切断を修復し，複製フォークを再生する組換え過程には，複数の酵素やいろいろなタンパク質が関与しているが，ここではそのうちいくつかのものについて述べる．

二本鎖切断修復の最初の段階は，5′末端に切断があるDNA鎖をエキソヌクレアーゼで端から分解し，切断点を3′末端として一本鎖にするという反応である（段階**2**）．ニックの入っていない親鎖（濃青）上にできた新生のラギング鎖（薄緑）が，まだ複製されていない親DNA鎖（薄青）に連結される（段階**2**）．それに続く段階に必須なタンパク質が，細菌ではRecAであり，出芽酵母やその他の真核生物ではRecAに相同なRad51である．複数のRecA/Rad51タンパク質が一本鎖DNAに結合し，相同な別の二

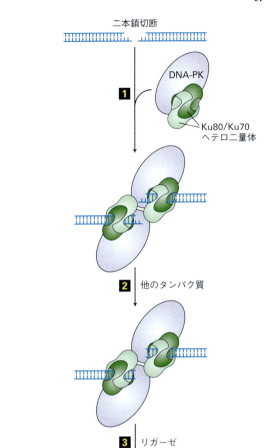

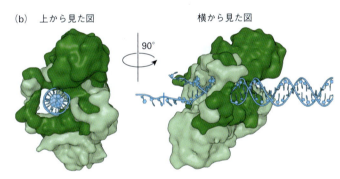

図5・19 非相同末端結合．(a) 姉妹染色分体を二本鎖切断の修復に使えないとき，切断されたDNA末端はもとの無傷のDNAでは隣り合っていない位置でつなぎ合わされる．これらのDNA末端は，通常は同じ染色体の遺伝子座からのもので，結合時にいくつかの塩基対が失われる．しばしば，異なった染色体由来の末端どうしが誤ってつなぎ合わされることもある．まず，KuとDNA依存性プロテインキナーゼ（DNA-PK）という二つのタンパク質の複合体が，二本鎖切断を受けたDNA末端に結合する（段階**1**）．結合点の形成後，末端はヌクレアーゼによりさらに削られ，結果的にいくつかの塩基が除去される（段階**2**）．そして，二つの二本鎖分子がつなぎ合わされる（段階**3**）．その結果，二本鎖切断は修復されるが，切断部位ではいくつかの塩基対が取除かれる．(b) 二つのDNA末端に結合したKu70/Ku80複合体の構造．この複合体に結合したDNAのらせん軸を上から見た図（左）と90°回転して横から見た図（右）を示す．Ku80は薄緑，Ku70は濃緑，DNAは青．[(a)はG. Chu, 1997, *J. Biol. Chem.* **272**: 24097; M. Lieber et al., 1997, *Curr. Opin. Genet. Devel.* **7**: 99; D. van Gant et al., 2001, *Nat. Rev. Genet.* **2**: 196 参照．(b)はJ. R. Walker, et al., 2001, *Nature* **412**: 607, PDB ID 1jey.]

168   II. 生体膜, 遺伝子, 遺伝子制御

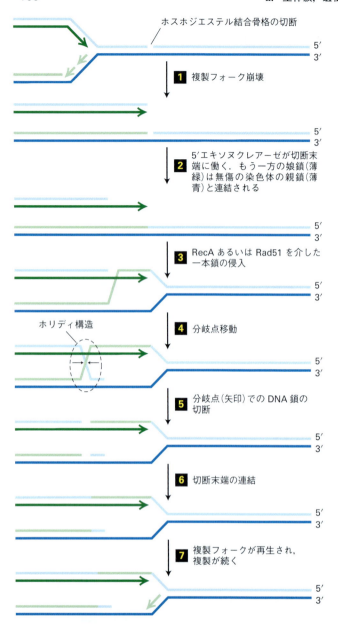

図 5・20 複製フォーク崩壊の組換え修復. 親鎖を薄青と濃青で示し, 娘鎖のリーディング鎖を濃緑, ラギング鎖を薄緑で示す, 段階 **3** 以降の図にある斜めの線は, 対応する色で表示した DNA 鎖のホスホジエステル結合一つを表す. 段階 **4** に続く図の小さい黒矢印はホリディ構造の DNA 鎖交差部分で, ここでホスホジエステル結合が切断される.

本鎖 DNA 分子内に完全またはほぼ完全なハイブリッド形成を促す. 標的となる二本鎖 DNA の相補鎖 (濃青) は, 侵入鎖と相補鎖のハイブリッド形成に従って押しのけられ, 一本鎖 DNA ループとなる (段階 **3**). この RecA/Rad51 は, 一本鎖 DNA が二本鎖 DNA に侵入する反応を触媒するが, これが組換え過程の鍵となる. この**一本鎖侵入** (strand invasion) という過程では, 塩基対は失われもせず付加されもしないので, エネルギーは必要ない.

次に, 標的 DNA と侵入鎖のハイブリッド形成領域が, 切断点から遠ざかる方向に, **分岐点移動** (branch migration) とよばれる過程によって拡大する (段階 **4**). この図では, 分岐点の斜め線が, 1箇所のホスホジエステル結合を意味している. 分子モデル作製などによって, 分岐点のどちら側でも最初の塩基は相補的なヌクレオチドと塩基対を形成していることがわかっている. この分岐点が左側に移動しても, 侵入鎖 (濃緑) に塩基対が新たに一つ増え, 親鎖 (青) の塩基対が一つ減るだけで, 全体の塩基対数に変化はない.

分岐点移動によってハイブリッド形成領域が 5′ エキソヌクレアーゼによって分解された切断鎖 (薄青) の 5′ 末端を越えると (段階 **2**), 分岐点が左に移動するとともに次々と一本鎖となり, そうして生成した一本鎖の親 DNA 鎖 (薄青) は, もう一方の親鎖の相補的な領域 (濃青) と塩基対を形成する (段階 **4**). この結果できる構造は, **ホリディ構造** (Holliday structure) とよばれる. この名は, 遺伝的組換えの中間体としてこの構造を最初に提案した遺伝学者 Robin Holliday にちなんだものである. 段階 **4** のあとのホリディ構造にある斜めの線が, ある長さの DNA ではなく, 一つのホスホジエステル結合を表していることは前と同じである. この交差するホスホジエステル結合を切断し (段階 **5**), 同じ親 DNA 鎖に対して塩基対を形成している二つの DNA 鎖断片の 5′ 末端と 3′ 末端を連結すると (段階 **6**), 複製フォークに似た構造が再生される. 複製フォークタンパク質がここに結合すると, リーディング鎖がもとの切断点を越えて伸長し, ラギング鎖の合成も再開される (段階 **7**). こうして, 複製フォークの再生が完了する. こうした全過程をみてみると, 段階 **2** のあとに描かれている下側の二本鎖 DNA のうち上側の鎖が, 段階 **7** でのリーディング鎖伸長の鋳型となっていることがわかる.

相同組換えによる二本鎖 DNA 切断の修復　上で述べたことと似た**相同組換え** (homologous recombination) という機構で, 染色体 DNA の二本鎖切断が修復され, 2本の二本鎖 DNA の大きな領域の交換が起こる (図 5・21). まず, DNA 鎖の切断末端がエキソヌクレアーゼで 5′ 末端からさらに削られて, それぞれの 3′ 末端が一本鎖になる (段階 **1**). 複製フォーク崩壊の修復同様に, ここでも, 細菌では RecA が, 真核生物では Rad51 が, 3′ 末端側の一本鎖 DNA の相同染色体への侵入を促す (段階 **2**). 侵入した一本鎖の 3′ 末端は DNA ポリメラーゼによって伸長し, 親鎖を一本鎖ループ (濃青) として広げていく (段階 **3**). この一本鎖ループがもう一方の 5′ エキソヌクレアーゼによって消化された切断鎖 (段階 **1** のあと, 左側にできた断片) の相補配列まで伸びると, 塩基対を形成する (段階 **3** のあとの図). この一本鎖ループ (濃青) を鋳型として, 切断鎖の 3′ 末端が DNA ポリメラーゼによって伸長する (段階 **4**).

次に, 新たに生じた 3′ 末端は, エキソヌクレアーゼで分解された 5′ 末端と連結される (段階 **5**). この結果, 二つのホリディ構造が 1 対の DNA 分子中にできる (段階 **5**). 図中には示していないが, このホリディ構造中で分岐点移動はどちらの方向にも起こる. 最後に, 矢印で示した二つの位置で切断し, ホリディ構造の 5′ 末端と 3′ 末端をつなぎ直すと, 生じた二つの組換え染色体は最初の切断点の片側に一方の親鎖由来 DNA (薄緑と濃緑の鎖), 切断点の反対側にもう一方の親鎖由来 DNA (薄青と濃青) を含む (段階 **6**). また, もとの切断点近傍では, 片側の親鎖由来 DNA 鎖とそれに相補的なもう一方の親鎖由来 DNA 鎖とが塩基対を形成し (薄緑または濃緑と薄青または濃青が塩基対になる), **ヘテロ二本鎖** (heteroduplex) という構造ができる. ここで生じる塩基対ミ

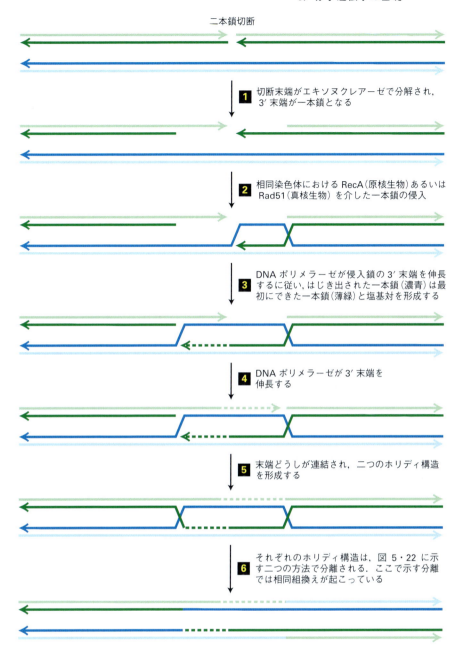

図 5・21 相同組換えによる二本鎖 DNA 切断の修復．単純化するために，DNA 二本鎖のそれぞれの鎖は，3′ 末端に矢印をつけた 2 本の平行線として表してある．上に示した分子で二本鎖切断が起こっている．上の DNA 分子では 3′ 末端が右にくる鎖が上側にあるのに対し，下の DNA 分子では，3′ 末端が右にくる鎖が下にあることに注意．詳細は本文参照．[T. L. Orr-Weaver and J. W. Szostak, 1985, *Microbiol. Rev.* **49**: 33 参照．]

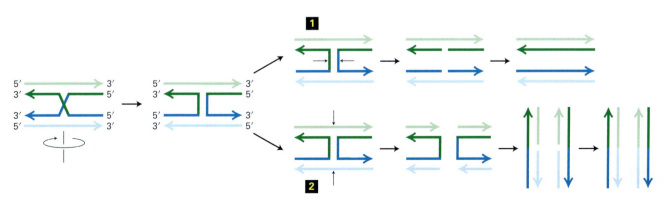

図 5・22 ホリディ構造の分離の仕方は 2 種類ある．斜めの線と垂直な線はそれぞれ 1 本のホスホジエステル結合を表す．下の DNA 分子を 180°回転させて，上の DNA 分子と下の DNA 分子の鎖の方向を同じにすると，ホリディ構造の分離過程が簡単に図式化できる．段階 1 に示すように結合を切断し，図示したように末端をつなぎ合わせると，もとの染色体が再生される．段階 2 のように切断して，図のようにつなぐと組換え染色体ができる．

スマッチは，ふつう前述のような機構で修復され，相補的な塩基対が生じる．この過程で，二つの親鎖の配列の違いは失われる．この過程は，**遺伝子変換**（gene conversion）とよばれる．

図5・22 に，ホリディ構造の 4 方向の鎖交差部での一方または他方の鎖の対の切断がどのようにして親鎖あるいは組換え鎖を生み出すのかを示す．この過程は，RecA/Rad51 による鎖の侵入によって連結された二つの DNA 分子が分離されるので，ホリディ構造の**分離**（resolution）とよばれる．図 5・21 の段階**5**のあとで生じる中間体中のホリディ構造の交差は，図 5・22 の段階**1**と段階**2**に示す小矢印で示す二つのやり方のどちらかで切断し再結合しうる．したがって，図 5・21 に示すような組換え過程で四つの産物が生じる．このうち，二つの産物は切断端を結合したのち親染色体を再生する．ただし，切断点近傍のヘテロ二本鎖領域は遺伝子変換によりどちらかの親の配列にあわせて修復される．図 5・21 に示すように，残りの二つは組換え染色体を生成する．

5・3 DNA 修復と組換え まとめ

- DNA 配列の変化は，複製の誤りや，いろいろな物理的，化学的刺激の影響による．
- 真核細胞は，ミスマッチ塩基対を修復したり，化学的付加物を DNA から除去したりするために，塩基除去修復，ミスマッチ除去修復，ヌクレオチド除去修復という三つの除去修復系をもっている．こうした修復系は高い精度で機能し，通常，誤りをおかすことはない．
- 複製フォークで一本鎖の鋳型 DNA の塩基が損傷すると，複製 DNA ポリメラーゼの進行が阻まれる．これは，複製中の適切な塩基対形成の要件が緩和された損傷乗越え型ポリメラーゼによって克服される．損傷乗越え型ポリメラーゼはエラーを起こしやすく，もとの損傷箇所の近傍に突然変異を発生させる傾向がある．
- 非相同末端結合による二本鎖切断の修復は，異なる染色体からの DNA 断片を結合することがあり，このため発がん性転座が形成される可能性がある．この修復機構では，たとえ同じ染色体中の断片どうしが結合したとしても，小さな欠損が生じる．
- DNA 鎖中の二本鎖切断の誤りのない修復は，無傷な姉妹染色分体を鋳型として用いる相同組換えを介して行われる．
- 色素性乾皮症患者のように，ヌクレオチド除去修復系に遺伝的欠陥があると，皮膚がんになりやすい．家族性の大腸がんは，ミスマッチ修復経路に欠かせないタンパク質の突然変異型が関係している場合が多い．*BRCA1* か *BRCA2* 遺伝子のどちらか一方の対立遺伝子の変異は，相同組換え修復系の欠陥をひき起こすことがあり，その結果，乳がんや子宮がんが起こりやすくなる．

5・4 タンパク質をコードする遺伝子の転写と mRNA の形成

"1本のポリペプチド鎖もしくは機能をもつ RNA（たとえば tRNA）の合成に必要な情報を含んでいる DNA 単位"というのが，**遺伝子**（gene）の最も簡単な定義である．小さなウイルスの DNA は少数の遺伝子しかコードしていないが，高等動物や植物の染色体の 1 本の DNA は数千もの遺伝子をコードしている．圧倒的多数の遺伝子はタンパク質分子構築の情報を担っている．細胞に存在している mRNA 分子を構成しているのは，こうした**タンパク質をコードする遺伝子**（protein-coding gene）から写しとられた RNA である．

転写の最も基本的な過程は，DNA がもっている一つの遺伝情報について一つの RNA コピーが形成されることである．RNA 合成は，RNA ポリメラーゼによって触媒され，DNA 複製と同じ塩基対形成機構に基づいて，A, G, C, T を含む DNA の 4 塩基の言語から，U が T に代わる以外は同一の RNA の 4 塩基の言語へとコピー，すなわち**転写**（transcription）されるのである．細胞内の RNA はもともと不安定であるため，転写開始速度を変化させることにより，転写される RNA の量を容易に制御することができる．このため，多細胞生物を構成する複数の異なる種類の細胞において，異なる遺伝子セットを発現させることができる．転写の制御については，8 章で解説する．

タンパク質をコードする遺伝子の場合，転写産物は mRNA であり，その後，タンパク質の 20 アミノ酸の言語に**翻訳**（translation）される．本節では，タンパク質をコードする遺伝子から機能をもつ mRNA をつくる過程に焦点を当てて解説する（図 5・1, 段階**1**）．同じような過程で，rRNA 遺伝子あるいは tRNA 遺伝子から，rRNA あるいは tRNA の前駆体が生じる．この前駆体がさらに修飾されて機能をもつ rRNA や tRNA ができる（8 章, 9 章）．

鋳型 DNA 鎖は RNA ポリメラーゼで相補的な RNA 鎖に転写される

転写の過程は DNA 複製過程と密接に関連しており，1 本の DNA 鎖が**鋳型**（template）となる．転写の際，**リボヌクレオシド三リン酸**（ribonucleoside triphosphate: rNTP）単量体が重合して相補的な RNA をつくるときに，この鋳型はその並び順を決める．取込まれた rNTP は，鋳型となる DNA 鎖の相補的な塩基と塩基対を形成し，**RNA ポリメラーゼ**（RNA polymerase）が触媒する重合反応で成長している RNA 鎖につながれる．伸長途中の RNA 鎖の 3′ 酸素原子が次に結合するヌクレオチド前駆体の α 位のリン酸基を求核攻撃することで，ホスホジエステル結合が生じて PP_i が放出され，この重合反応が進行する．DNA 複製と同様に，RNA 分子は常に 5′→3′ 方向に合成される（図 5・23a）．

慣習として，DNA 上で RNA ポリメラーゼが転写を開始する部位を +1 として鋳型 DNA 上のヌクレオチドに番号をふる（図 5・23b）．鋳型 DNA 鎖が転写される方向を**下流**（downstream）とよぶ．**上流**（upstream）は，これとは逆方向になる．転写開始点から下流のヌクレオチドの位置は +（プラス）記号をつけて表し，上流の位置は －（マイナス）記号をつけて表す．RNA は 5′→3′ 方向に合成されるので，RNA ポリメラーゼは鋳型 DNA 鎖上を 3′→5′ 方向に動く．新たに合成された RNA は鋳型鎖と相補的であり，チミンの代わりにウラシルが使われているということ以外は非鋳型 DNA 鎖と同一である（図 5・23c）．

転写過程 転写を遂行するには，RNA ポリメラーゼは図 5・24 に示すようないくつかの機能を果たさなくてはならない．転写**開始**（initiation）では，RNA ポリメラーゼは，開始因子の助

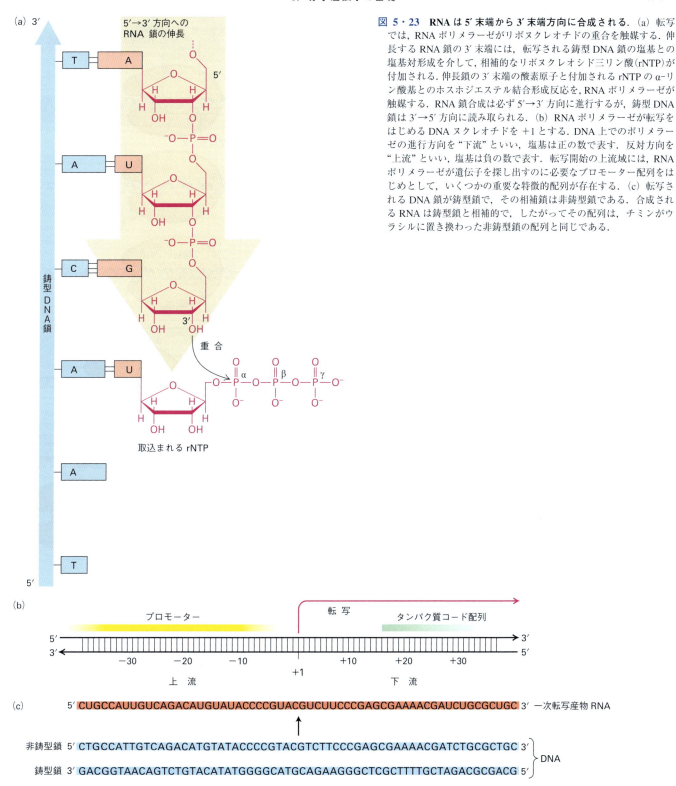

図 5・23 **RNA は 5′ 末端から 3′ 末端方向に合成される.** (a) 転写では, RNA ポリメラーゼがリボヌクレオチドの重合を触媒する. 伸長する RNA 鎖の 3′ 末端には, 転写される鋳型 DNA 鎖の塩基との塩基対形成を介して, 相補的なリボヌクレオシド三リン酸(rNTP)が付加される. 伸長鎖の 3′ 末端の酸素原子と付加される rNTP の α-リン酸基とのホスホジエステル結合形成反応を, RNA ポリメラーゼが触媒する. RNA 鎖合成は必ず 5′→3′ 方向に進行するが, 鋳型 DNA 鎖は 3′→5′ 方向に読み取られる. (b) RNA ポリメラーゼが転写をはじめる DNA ヌクレオチドを +1 とする. DNA 上でのポリメラーゼの進行方向を "下流" といい, 塩基は正の数で表す. 反対方向を "上流" といい, 塩基は負の数で表す. 転写開始の上流域には, RNA ポリメラーゼが遺伝子を探し出すのに必要なプロモーター配列をはじめとして, いくつかの重要な特徴的配列が存在する. (c) 転写される DNA 鎖が鋳型鎖で, その相補鎖は非鋳型鎖である. 合成される RNA は鋳型鎖と相補的で, したがってその配列は, チミンがウラシルに置き換わった非鋳型鎖の配列と同じである.

けを借りて**プロモーター**(promoter)とよばれる二本鎖 DNA の特別な部位を認識し, ここに結合する(段階❶). プロモーターに結合すると, RNA ポリメラーゼは DNA 鎖をほどいて, RNA 鎖に取込まれる rNTP の塩基と鋳型鎖の塩基が塩基対をつくれるようにする(段階❷). RNA ポリメラーゼと開始因子は, プロモーター領域内の鋳型鎖上にある転写開始点近傍の 12〜14 bp をほど

く. この結果, 鋳型鎖は RNA ポリメラーゼの**活性部位**(active site)に入り込む. RNA ポリメラーゼは, 鋳型鎖と相補的なリボヌクレオチドどうしがホスホジエステル結合を形成する反応を触媒する. ポリメラーゼの活性部位内でほどけた 12〜14 bp の鋳型鎖の領域を**転写バブル**(transcription bubble)という. RNA 鎖の最初の二つのリボヌクレオチドがホスホジエステル結合でつな

図 5・24 転写における三つの段階．転写開始では，RNAポリメラーゼは転写バブルを形成し，プロモーター領域に存在する開始部位からrNTPの重合をはじめる．転写が終わると，分離していた2本のDNA鎖は再会合して二重らせんを形成する．その結果，3′末端以外は新生RNA鎖が一本鎖となり，その5′末端はRNAポリメラーゼにある孔から出ていく．ポリメラーゼが特定の終止配列（終結点）に遭遇すると，転写は停止する．詳細は本文参照．簡単のために，この模式図では，ほぼ40ヌクレオチドのRNAとして転写される4ターン分のDNA二重らせんが描いてある．ほとんどのRNAがこれより長く，長い領域のDNAから転写される．

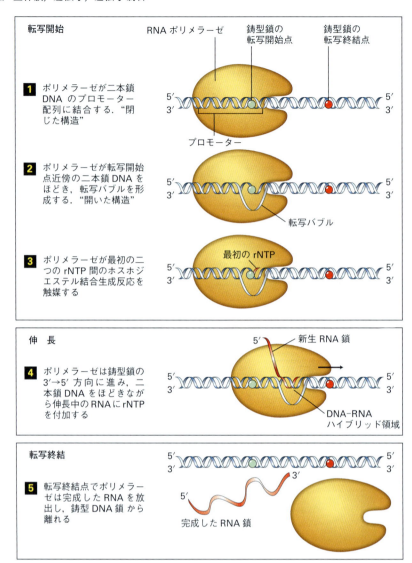

がったとき，転写開始段階が終了したとみなされる（段階 **3**）．

いくつかのリボヌクレオチドが重合すると，RNAポリメラーゼはプロモーターと開始因子〔細菌では **σ 因子**（σ-factor），アーキアと真核生物では**基本転写因子**（general transcription factor）とよばれる〕から離れる．RNA鎖**伸長**（elongation）の段階では，RNAポリメラーゼは鋳型DNA上を1塩基分ずつ移動し，移動方向の先で二本鎖DNAをほどくと同時に転写バブルの後端で二本鎖を巻戻す（段階 **4**）．こうして，伸長中のRNA（**新生 RNA** nascent RNA）鎖の3′末端に一つずつリボヌクレオチドが付加される．この間，ポリメラーゼは，12～14 bpの転写バブルを維持する．転写バブル内では，新生RNA鎖3′末端の約8ヌクレオチドはDNAの鋳型鎖と塩基対をつくっている．RNAポリメラーゼ，鋳型DNA鎖，そして新生RNA鎖からなる**伸長複合体**（elongation complex）は，驚くほど安定になりうる．たとえば，RNAポリメラーゼは，およそ2 Mbからなる哺乳類の最も長い遺伝子を転写するときでも，途中で鋳型DNA鎖から解離したり新生RNA鎖を放出したりしない．RNA合成は1分間当たり1000～2000ヌクレオチドという速度なので，この長い遺伝子からmRNA前駆体を転写し続けるには，24時間以上もこの複合体が維持される必要がある．なお，生化学的にはRNAの転写はDNAの複製と似ているが，ヌクレオチドの付加速度は約1/30と遅い．

RNA合成の最後の段階である転写**終結**（termination）では，完成したRNA分子はRNAポリメラーゼから解離し，ポリメラーゼ自身も鋳型DNA鎖から解離する（段階 **5**）．いったん解離すると，RNAポリメラーゼは同じ遺伝子でも別の遺伝子でも転写できる状態に戻る．

RNA ポリメラーゼの構造　　細菌，アーキア，あるいは真核細胞のRNAポリメラーゼは，構造や機能が似通っている．細菌のRNAポリメラーゼは，よく似た二つの大きなサブユニット（β′，β），もっと小さなαサブユニット二つ，そして5番目のωサブユニットからできている．最後のサブユニットは，転写や細胞の生存には必須でないが，酵素を安定化しサブユニットの集合を手助けする．8章で述べるように，アーキアや真核細胞のRNAポリメラーゼには，この基本となる複合体のほかにいくつかの小さなサブユニットが結合している．図5・24に示すように，転写過程を図式化するときには，ふつうRNAポリメラーゼはまっすぐなDNAに結合しているように描く．しかし，X線結晶構造解析など

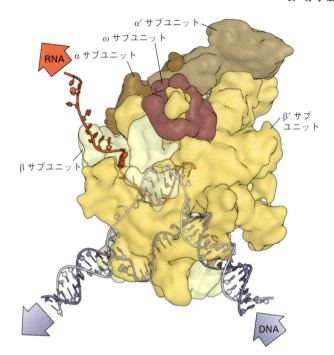

図 5・25 **細菌の RNA ポリメラーゼ**．この構造は転写における伸長段階のポリメラーゼ分子にあたる．ここでは，転写は右方向に進行している．DNA がポリメラーゼに入るところと，ポリメラーゼから出ていくところを矢印で示してある．鋳型鎖を薄紫，非鋳型鎖を濃紫，新生 RNA 鎖を赤で示す．また，RNA ポリメラーゼの β′ サブユニットを黄，β サブユニットを薄黄，この角度で見えている α サブユニットを茶で示す．鋳型 DNA 鎖に相補的なヌクレオチドが，転写バブルの左側に位置している新生 RNA 鎖の 3′ 末端に付加される．新しく合成された RNA は，鋳型鎖上流が位置しているポリメラーゼ β サブユニットの孔を通って出てくる．ω サブユニットもこの角度から見える．[S. Darst 提供．N. Korzheva et al., 2000, *Science* **289**: 619; N. Opalka et al., 2003, *Cell* **114**: 335 参照．]

キアではきわめてまれにしかないし，パン酵母のような単細胞真核生物でもあまりみられない．

真核生物では，RNA 合成は核，翻訳は細胞質と，それぞれ別の場で行われる．核では，タンパク質をコードする遺伝子の一次転写産物は **mRNA 前駆体**（precursor mRNA, pre-mRNA）で，これは **RNA プロセシング**（RNA processing）と総称される一連の修飾を経てはじめて機能をもつ mRNA になる（図 5・1, 段階**2**）．この mRNA がタンパク質に翻訳されるためには，細胞質へ輸送されなければならない，つまり，真核細胞では，転写と翻訳は同時には進行しない．

すべての真核細胞の mRNA 前駆体では，まず両端が修飾される．この修飾は，プロセシングでできる mRNA でも保持されている．RNA ポリメラーゼの表面から新生 RNA 鎖の 5′ 末端が現れてくると，ただちにいくつかの酵素が働いて **5′ キャップ**（5′ cap）が付加される．つまり，ふつうにはない 5′,5′ 三リン酸結合で RNA の末端ヌクレオチドに 7-メチルグアニル酸が付加される（図 5・26）．このキャップ構造は mRNA が酵素的に分解されるのを防ぎ，

を用いた伸長反応中の細菌 RNA ポリメラーゼの研究によると，実際には転写バブル内の DNA は曲がっていることがわかっている（図 5・25）．

真核生物の mRNA 前駆体は
プロセシングを経て機能をもつ mRNA になる

真核生物遺伝子の研究は，動物に感染するウイルスの研究が基礎になっている．こうしたウイルスの mRNA をコードしているウイルス DNA を解析すると，驚くべきことに，ウイルス DNA 配列内部には mRNA に対応しない，いくつかの領域が存在していた．その後，遺伝子クローニングや DNA 配列決定の技術が進歩し（6章），多細胞真核生物のゲノム DNA と mRNA の配列を照らし合わせることができるようになった．その結果，ウイルスの場合のようにほとんどの真核細胞の mRNA はゲノム DNA 上の複数の領域に分かれてコードされていることが明らかとなった．DNA 上で mRNA をコードしている複数の領域は**エクソン**（exon, エキソン），エクソンどうしをつなぐ領域は**イントロン**（intron）とよばれる．その後の研究で，こうした遺伝子はまず長い一次転写産物に転写され，その後，そこからイントロンが除かれエクソンどうしがつながって mRNA ができあがることがわかった（9章）．イントロンは多細胞真核生物ではふつうにみられるが，細菌やアー

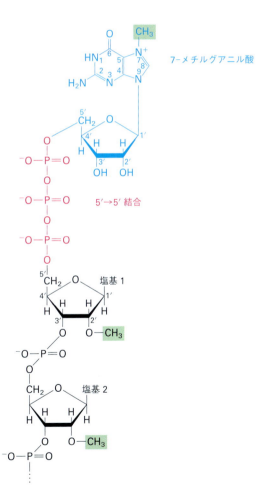

図 5・26 **5′ メチル化キャップの構造**．7-メチルグアニル酸が mRNA 分子の最初のヌクレオチドと 5′→5′ 結合していることと，最初のヌクレオチド（塩基 1）のリボースの 2′-ヒドロキシ基にメチル基が結合していることが，真核生物の 5′ メチル化キャップ構造の化学的特徴である．これらの性質は両方ともすべての動物細胞と高等植物の細胞にみられるが，酵母 mRNA ではこのメチル基がない．脊椎動物では第二のヌクレオチド（塩基 2）のリボースもメチル化されている．[A. J. Shatkin, 1976, *Cell* **9**: 645 参照．]

細胞質へのmRNAの輸送の手助けをする．また，このキャップ構造には，細胞質で翻訳を開始するのに必要とされるタンパク質因子が結合する．

　mRNA前駆体の3'末端でのプロセシングでは，エンドヌクレアーゼによる切断で遊離の3'-ヒドロキシ基が生じ，**ポリ(A)ポリメラーゼ**〔poly(A)polymerase〕という酵素がここにアデニン酸残基を一つずつ付加する．こうしてできる**ポリ(A)尾部**〔poly(A) tail〕には100～250もの塩基が含まれている．酵母や無脊椎動物のポリ(A)尾部は，脊椎動物のものより短い．転写産物の特定部位を見つけ出し，切断して，さらに正確な数のA残基を付加するという鋳型非依存的反応を進めるタンパク質複合体がポリ(A)尾部形成を担っているが，ポリ(A)ポリメラーゼはこの複合体の一部である．§5・6および9章で述べるように，ポリ(A)尾部はmRNAの翻訳で重要な役割を果たすだけでなく，mRNA前駆体の核内での安定性と，プロセシングできたmRNAの核内と細胞質内での安定性に寄与している．

　多くの真核生物mRNAのプロセシングの最後の段階は，**RNAスプライシング**（RNA splicing）である．スプライシングでは，転写産物の内部切断でイントロンが切出され，コード領域のエクソンがつなぎ合わされる．図5・27に，βグロビン遺伝子を例として，真核生物mRNAのプロセシングの基本的な過程をまとめて示す．9章で，mRNAやtRNA，あるいはrRNAのプロセシングを行う細胞装置について解説する．

　RNAプロセシングで生じた機能をもつ真核生物mRNAの5'末端，3'末端には，5'もしくは3'**非翻訳領域**（untranslated region: **UTR**）とよばれる非コード領域がある．哺乳類mRNAでは5'UTRは100塩基以上の長さで，一方，3'UTRは数千塩基にもなる．細菌のmRNAもふつう5'あるいは3'UTRをもつが，真核生物のものに比べるとずっと短く，10塩基以下の長さしかないものが多い．9章で述べるように，5'UTR配列あるいは3'UTR配列はmRNAの転写調節と安定性にかかわっている．さらに，3'UTRはmRNAの細胞質内での局在にもかかわっている．

真核生物では，一つの遺伝子から選択的RNAスプライシングで多数のタンパク質が生じうる

　多細胞真核生物の大多数の遺伝子は，イントロンによって区切られた複数のエクソンから構成される．3章で述べたように，高等真核生物の多くのタンパク質の三次構造は複数のドメインからできており（図3・11参照），タンパク質ドメイン間の境界は，遺伝子のエクソン間の接合部に対応していることが多い．このように，エクソンはコードされたタンパク質中の個別の折りたたまれたドメインに対応する傾向があることから，多くの真核生物タンパク質は，エクソンを新しい組合わせにする遺伝子組換え（エクソンシャッフリングとよばれる）によって進化してきたことが示唆される．

　本書では，同一またはほぼ同一のアミノ酸配列をもつタンパク質ドメインが複数個繰返されている哺乳類タンパク質の例を数多く紹介している．明らかに，これらの配列は，イントロンで区切られた同じエクソンの複数のコピーが連なる組換え現象によって生じたものである．複数のイントロンをもつ遺伝子からは，**選択的スプライシング**（alternative splicing）により，一つの遺伝子からでも複数の性質の異なるタンパク質が発現しうる．高等真核生物では，異なる種類の細胞で**アイソフォーム**（isoform）とよばれる少しずつ形の変わったタンパク質が発現するが，このためには選択的スプライシングが重要な役割を演じている．

　複数のドメインをもつ哺乳類の細胞外接着タンパク質であるフィブロネクチンは，選択的スプライシングの好例である（図5・28）．フィブロネクチンは細胞外マトリックスに分泌される細長い接着タンパク質で，他のタンパク質どうしをつなぎ合わせる．このタンパク質がいつ，どんなタンパク質に結合するかは，スプライシングによってどのドメインが取込まれたかに依存する．フィブロネクチン遺伝子には，きわめて多数のエクソンが存在している．これらのエクソンは，このタンパク質の特定のドメインに対応していくつかの領域に分類できる．繊維芽細胞はエクソンEIIIAとEIIIBをもつフィブロネクチンmRNAを産生する．これらのエクソンは，繊維芽細胞の細胞膜のタンパク質に強く結合するアミノ酸配列をコードしている．この結果，このフィブロネクチンアイソフォームは繊維芽細胞を細胞外マトリックスに結合させる働きがある．一方，肝臓の主要な細胞である肝細胞では，フィブロ

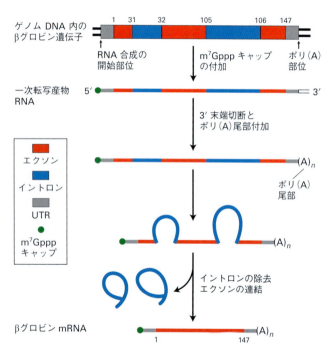

図5・27　RNAプロセシングの概略．真核生物では，RNAプロセシングを経て機能をもつmRNAができる．βグロビン遺伝子にはエクソン（赤）とよばれるタンパク質コード領域が三つと，イントロン（青）とよばれるタンパク質をコードしない介在配列が二つある．イントロンはタンパク質コード配列の31番目と32番目，105番目と106番目のアミノ酸のコドンの間に入り込んでいる．真核生物のタンパク質をコードする遺伝子の転写は1番目のアミノ酸をコードしている配列の前からはじまり，最後のアミノ酸をコードしている配列を越えて続くので，一次転写産物の両側には非コード領域（灰色）が存在する．この領域は非翻訳領域（UTR）とよばれ，プロセシングでも除去されない．5'末端のキャップ(m^7Gppp)は，一次転写産物のRNAが合成されている最中に付加される．また，一次転写産物合成はポリ(A)部位を越えて進む．ポリ(A)部位での転写産物の切断，そして切断産物の3'末端へのポリ(A)の付加のあと，スプライシングによってイントロンが除去され，エクソンどうしがつながる．一番上に記された数字は147アミノ酸残基からできているβグロビンのアミノ酸残基番号である．

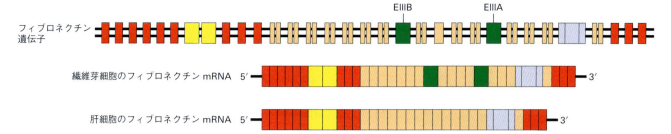

図 5・28 選択的スプライシング.約 75 kb のフィブロネクチン遺伝子（上）は複数のエクソンをもつ.フィブロネクチンのスプライシングの位置は細胞の種類によって異なる.EIIIB と EIIIA エクソン（緑）は繊維芽細胞表面に存在する特異的なタンパク質に結合する領域をコードしている.繊維芽細胞のフィブロネクチン mRNA には EIIIA と EIIIB エクソンが含まれるが,肝細胞ではこれらのエクソンはスプライシングされている.この図では,イントロン（フィブロネクチン遺伝子の上の黒線）は本来の長さどおりに描かれていない.イントロンの多くはどのエクソンよりもはるかに長い.

ネクチン一次転写産物の選択的スプライシングによって EIIIA と EIIIB エクソンを欠いた mRNA が生産される.この結果,肝細胞から血液中に分泌されるフィブロネクチンは繊維芽細胞や他の細胞には結合せず,血管中を循環する.しかし,血液凝固が起こったときには,肝細胞フィブロネクチンのフィブリン結合部位が主要な血液凝固因子であるフィブリンに結合する.こうして結合したフィブロネクチンは,まわりを通りすぎる活性化された血小板の細胞膜インテグリンと相互作用して,血餅に血小板を取込んでいく.

フィブロネクチンには 20 種類以上の異なるアイソフォームが見つかっている.それぞれのアイソフォームは,選択的スプライシングで生じたフィブロネクチン遺伝子エクソンの特異的な組合わせをもつ mRNA でコードされている.さまざまな組織からとられた多数の mRNA 配列とゲノム DNA 配列とを比較してみると,ヒト全遺伝子の約 90% が選択的スプライシングを受けて発現している.このように,高等な多細胞生物のゲノムでコードされるタンパク質の数は,選択的スプライシングによって増加する.

5・4 タンパク質をコードする遺伝子の転写と mRNA の形成　まとめ

- DNA の転写は RNA ポリメラーゼが行う.この酵素は,伸長中の RNA 鎖の 3′ 末端に 1 回の反応で一つずつリボヌクレオチドを付加する（図 5・23）.鋳型 DNA 鎖の配列が,RNA 鎖のリボヌクレオチド配列を決定する.
- 転写開始時には,RNA ポリメラーゼは DNA 上の特別な部位（プロモーター）に結合し,部分的に二本鎖をほどいて鋳型鎖をむき出しにする.そしてまず,鋳型鎖に相補的になるよう二つのヌクレオチドを重合させる.12〜14 bp の長さをもつ二本鎖 DNA がほどけた領域を"転写バブル"という.
- RNA 鎖の伸長過程では,RNA ポリメラーゼは DNA に沿って移動し,前方で DNA の一部をほどく.ほどけた鋳型鎖は酵素の活性部位に入り込み,転写が終わった領域では相補鎖と鋳型鎖が再結合する.RNA ポリメラーゼが伸長中の RNA 鎖 3′ 末端に鋳型鎖と相補的なヌクレオチドを付加しながら前進すると,転写バブルもポリメラーゼとともに移動する.
- RNA ポリメラーゼが DNA の終結配列に到達すると転写をやめて,完成した RNA を放出し,酵素自身も鋳型 DNA 鎖から遊離する.
- 真核生物の DNA では,一つひとつのタンパク質をコードする遺伝子はそれぞれのプロモーターから転写される.一次転写産物では,コード領域（エクソン）の間に非コード領域（イントロン）が挟み込まれていることが多い.
- 真核生物の一次転写産物は,RNA プロセシングを経て最終的に機能をもつ RNA となる.プロセシングの過程ではほとんどすべての一次転写産物の両末端に 5′ キャップと 3′ ポリ(A)尾部が付加される.イントロンを含む遺伝子からの転写産物はスプライシングを経て,イントロンが除去され,エクソンがつながれる（図 5・27）.
- 高等真核生物でみられる複数のドメインをもつタンパク質では,個々のドメインはそれぞれ一つあるいは少数のエクソンでコードされていることが多い.特定の細胞ではエクソンの選択的スプライシングが起こって,固有のアイソフォームが発現する.

5・5　tRNA による mRNA の解読

3 章で述べたように,アミノ酸の一次元的配列がタンパク質の三次元構造やその機能を決める.mRNA の塩基配列を用いてアミノ酸を並べ,これを互いにつないでポリペプチド鎖をつくり上げる全過程が翻訳である（図 5・1,段階 **3**）.真核細胞ではタンパク質合成は細胞質で進行する.このとき,3 種類の RNA が協力しながら違った役割を演じている（図 5・29）.

1. メッセンジャー RNA（messenger RNA: **mRNA**）は,DNA からコピーした遺伝情報を保持している.この遺伝情報は,特定のアミノ酸に対応する**コドン**（codon）とよばれる三塩基配列の形になっている.

2. 転移 RNA（transfer RNA: **tRNA**）は mRNA のコドンを解読する鍵であり,RNA 配列の 3 塩基を特定のアミノ酸に結びつけるアダプターの役割を担っている.それぞれのアミノ酸には対応する特定の tRNA がある.tRNA はアミノ酸を結合し,mRNA 上の次のコドンに応じたアミノ酸を伸長中のポリペプチド鎖の末端に運

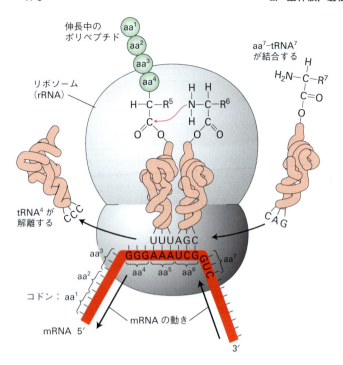

図 5・29 タンパク質合成における RNA の三つの役割. 転移 RNA (tRNA) とリボソームの協同作業によって, メッセンジャー RNA (mRNA) はタンパク質に翻訳される. ここには示していないが, リボソームは多数のタンパク質と 3 種類 (原核細胞) あるいは 4 種類 (真核細胞) のリボソーム RNA (rRNA) で構成されている. tRNA のアンチコドンとそれに相補的な mRNA のコドンが塩基対を形成することに注意. リボソームに入ってくる aa-tRNA のアミノ基窒素原子と伸長中のタンパク質 (緑) のカルボキシ末端炭素原子とのペプチド結合形成は, これら rRNA の一つが触媒する. aa: アミノ酸, R: 側鎖. ここでは tRNA やリボソームサブユニットが模式的に描かれている. 実際の構造は図 5・32(b) および図 5・35 を参照.

ぶ. それぞれの tRNA は**アンチコドン** (anticodon) とよばれる三塩基配列を含んでおり, このアンチコドンは mRNA のコドンと相補的な塩基対を形成するので, この段階で正しい tRNA-アミノ酸複合体が選択される.

3. リボソーム RNA (ribosomal RNA: **rRNA**) は多数のタンパク質と結合してリボソームを形成している. この複雑な構造体は, mRNA のコドンに合わせて tRNA のアンチコドンを順次並べるための足場を形成している. また, リボソームは, tRNA が運ぶアミノ酸の間でペプチド結合を形成し, ポリペプチド鎖を組立てる触媒の役割も担う. リボソームは, それぞれが異なる rRNA を含む大サブユニットと小サブユニットからなる.

すべての細胞のタンパク質合成経路にこの三つの RNA がかかわっている. 本節では, tRNA による mRNA 情報の解読に焦点を当てるとともに, 3 種類の RNA の構造がそれぞれの特異的な機能にどのようにかかわっているかを解説する. mRNA, tRNA, rRNA, リボソームあるいはタンパク質因子が協調しつつタンパク質合成を行う過程については, 次節で解説する. 翻訳という過程はタンパク質合成に必須なので, 両者は同じ意味で使われる. しかし, 翻訳で生じたポリペプチド鎖は, 翻訳後の折りたたみも含めてさまざまな変化 (たとえば化学修飾や他のポリペプチド鎖との会合など) を受ける. こうした翻訳後の過程は, 成熟し機能をもったタンパク質の産生に必須である (3 章).

mRNA は DNA 情報を三文字の遺伝暗号で伝える

前述のように, 細胞が用いる遺伝暗号は, **三文字コード** (triplet code, **トリプレット**) あるいはコドンとよばれる. これは mRNA の決まった開始位置から次々と読み取られる三塩基配列である. 遺伝暗号の 64 個のコドン中で (3 文字のそれぞれに四つの塩基が使われうるので, $4 \times 4 \times 4 = 64$ 個のコドンがつくられうる), 61 個がアミノ酸を指示しており, 3 個が終止コドンである. 表 5・1 に示すように, ほとんどのアミノ酸には複数のコドンが対応している. メチオニンとトリプトファンの二つだけが, それぞれコドン一つに対応する. 一方, ロイシン, セリン, アルギニンには六つのコドンが対応している. 同じ 1 種類のアミノ酸に対応する互いに異なるコドンは**同義コドン** (synonymous codon) とよばれる. また, 複数のコドンが同じアミノ酸を指定しているので, 遺伝暗号は**縮重** (degeneracy) している.

原核生物, 真核生物を問わず, すべてのタンパク質の合成はメチオニンではじまる. 細菌では, アミノ基にホルミル基が結合した特別な形のメチオニンが使われる. ほとんどの mRNA で, このメチオニンを指示している**開始コドン** (start codon, initiation codon) は AUG である. 細菌の mRNA のなかには, GUG を開始コドンとしているものもある. 真核細胞では, CUG がメチオニンを指示する開始コドンとして使われることもある. UAA, UGA, UAG というコドンはアミノ酸を指示しておらず, ほとんどの細胞でポリペプチド鎖のカルボキシ末端を指示する**終止コドン** (stop codon, termination codon) として使われる. 開始コドンからはじまって終止コドンに至るコドンの並びを**読み枠** (reading frame) という. このように mRNA 上の三塩基配列はタンパク質のアミノ

表 5・1 遺伝暗号 (アミノ酸を指定するコドン)					
1 番目 (5′ 末端)	2 番目				3 番目 (3′ 末端)
	U	C	A	G	
U ウラシル	Phe	Ser	Tyr	Cys	U
	Phe	Ser	Tyr	Cys	C
	Leu	Ser	終止	終止	A
	Leu	Ser	終止	Trp	G
C シトシン	Leu	Pro	His	Arg	U
	Leu	Pro	His	Arg	C
	Leu	Pro	Gln	Arg	A
	Leu(Met)[†]	Pro	Gln	Arg	G
A アデニン	Ile	Thr	Asn	Ser	U
	Ile	Thr	Asn	Ser	C
	Ile	Thr	Lys	Arg	A
	Met(開始)[†]	Thr	Lys	Arg	G
G グアニン	Val	Ala	Asp	Gly	U
	Val	Ala	Asp	Gly	C
	Val	Ala	Glu	Gly	A
	Val(Met)[†]	Ala	Glu	Gly	G

[†] AUG は最も一般的な開始コドンである. GUG は通常はバリン, CUG はロイシンをコードするが, まれに翻訳開始のメチオニンをコードすることもある.

酸配列を決定し，またタンパク質合成がどこからはじまりどこで終わるかを指示している．

遺伝暗号表の優れた点は，mRNA の配列から，コード化されたタンパク質のアミノ酸配列を推定できることにある．遺伝暗号は，区切りのない連続した三文字コドンの配列として読まれるので，理論的には，mRNA は三つの読み枠がありうる（図5・30）．mRNA の配列がわかったら（通常は転写された遺伝子の DNA 配列から決定される），三つある読み枠のうちどれがリボソームによってタンパク質配列に翻訳されるかを決定する必要がある．原理的には，翻訳の開始点である AUG コドンを特定すればよい．しかし実際には，正しい開始コドンの特定にはまちがいが起こりやすい．そのため，最もよく使われる方法は，長い**オープンリーディングフレーム**（open reading frame）を探すことである．この方法の考え方は，たとえばある mRNA のタンパク質をコードしない二つの誤った読み枠では，終止コドンが 64 個につき 3 個の割合で無秩序に現れるはずなので，これらの非コード読み枠では比較的短く（平均約 20 個のアミノ酸コドン）終わってしまうはずだというものである．したがって，ある mRNA には，複数の終止コドンで分断された二つの読み枠と，コードされたタンパク質の配列を表す終止コドンに邪魔されない長いオープンリーディングフレームが一つだけ存在することになる．

関連した遺伝暗号の使い方として，遺伝子の変異がコードされたタンパク質に与える影響を推測することがある．たとえば，タンパク質をコードする配列の途中にあるセリンコドン UCG の突然変異がどのような影響を及ぼすかを想像してみる．G から A への変異は UCA コドンを与える．これはセリンもコードしているので**同義変異**（synonymous mutation）であり，コードされたタンパク質の機能には影響を与えないと予測される．対照的に，C から U への変異は，ロイシンをコードする UUG コドンを与える．これは**ミスセンス変異**（missense mutation）であり，タンパク質の機能に対するその位置のセリンの重要性に応じて，タンパク質の機能に影響を与える可能性がある．一方，C から A への変異は UAG を与えるが，これは終止コドンであるため，**ナンセンス変異**（nonsense mutation）となり，タンパク質の配列が早期に終了し，機能を完全に失う可能性がある．最後に，1 個か 2 個の塩基の付加や欠損は，読み枠をずらすことになる．**フレームシフト変異**（frameshift mutation）として知られるこのような配列の変化は，アミノ酸配列が無秩序になり，タンパク質合成の早期終了につながる．フレームシフト変異がコード配列の末端近くで起こらないかぎり，機能が完全に失われる可能性が高い．

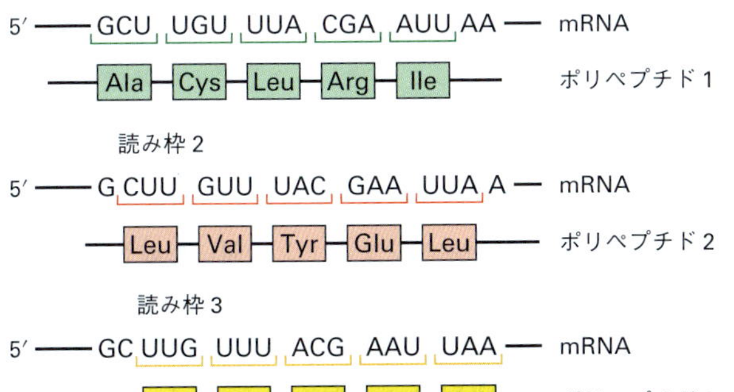

表 5・1 に示す遺伝暗号は，各コドンの意味が既知のほとんどの生物で同じであることから**標準的暗号**（universal code, 普遍暗号）とよばれ，地球上の全生物が共通の祖先から進化したことの強力な証拠である．20 種類のアミノ酸は，アミノ酸をコードする 61 個のコドンに無秩序にふり分けられているわけではない．そのため，標準的暗号の基本構造は，最適なコードがどのように進化してきたかを知る手がかりとなる．標準的暗号を全体としてみたときに浮かんでくる最も顕著な特徴は，1 番目または 3 番目のピリミジンを別のピリミジンに変える（C→U または U→C）か，1 番目のプリンを別のプリンに変える（G→A または A→G）ことにより，同義コドンとなるか，化学特性の似たアミノ酸のコドンへと変化するということである．§5・3 でみたように，これらの種類の配列変化は，DNA 複製の際に最も頻繁に起こる誤りである．明らかに，遺伝暗号は，DNA の最も一般的な種類の突然変異がタンパク質のアミノ酸配列に及ぼす悪影響を最小限に抑えるように進化してきた．

tRNA の高次構造はコドン解読に必要である

DNA と mRNA という二つの情報伝達ポリマーは，膨大な数の異なる配列に対して柔軟にその機能を発揮する．一方，tRNA は特定の固定配列をもつため，その tRNA 分子の機能に重要な三次元構造に折りたたまれる．タンパク質合成に関与するにあたって，tRNA 分子はまず高エネルギー結合を介して特定のアミノ酸と結合し，**アミノアシル tRNA**（aminoacyl-tRNA）となる（図 5・31）．**アミノアシル tRNA 合成酵素**（aminoacyl-tRNA synthetase）とよばれる酵素は，これから説明するように，tRNA 構造の特定の特徴を認識することによって，与えられた tRNA に正しいアミノ酸を付加する役割を担う．翻訳の過程で，アミノアシル tRNA はリボソームや他のタンパク質因子と相互作用し，アンチコドン配列が mRNA 中のコドンと適切に塩基対になるようにする．これらのすべての相互作用も，tRNA の折りたたみ構造に依存している（図 5・29）．

これまでに 30〜40 種類の tRNA が細菌から見つかっており，50〜100 種類もの tRNA が動物細胞や植物細胞から見つかっている．ほとんどの細胞では，tRNA の種類はタンパク質合成に使われるアミノ酸の種類（20）より多く，また遺伝暗号中のアミノ酸をコードするコドンの数（61）より少ない．その結果，多くのアミノ酸は一つ以上の tRNA と共有結合し（このためアミノ酸の数より tRNA の数が多い），多くの tRNA は一つ以上のコドンと結合することになる（このため tRNA の数よりコドンの数が多い）．

70〜80 ヌクレオチドからなる tRNA 分子は，まず tRNA 遺伝子を鋳型とした転写によって形成される．この一次転写物が，正確な三次元構造をもつ機能的な tRNA 分子になるまでには，三つの段階がある．第一段階は，特定の塩基を化学修飾し，イノシン，

読み枠1

5′——GCU UGU UUA CGA AUU AA— mRNA
    —Ala—Cys—Leu—Arg—Ile— ポリペプチド1

読み枠2

5′——G CUU GUU UAC GAA UUA A— mRNA
    —Leu—Val—Tyr—Glu—Leu— ポリペプチド2

読み枠3

5′——GC UUG UUU ACG AAU UAA— mRNA
    —Leu—Phe—Ser—Tyr—終止— ポリペプチド3

図 5・30　mRNA 配列にありうる三つの読み枠．ここに示す mRNA 配列の翻訳が，上流の異なる三つの開始部位（図には示していない）からはじまっているとすると，三つの読み枠が可能である．この例では，一番上の読み枠に対して，2 番目の読み枠はコドンが 1 塩基右にずれており，3 番目では 2 塩基右にずれている．その結果，同じヌクレオチド配列が異なるアミノ酸配列を指定することになる．ある mRNA 配列の正しい読み枠は，通常，終止コドンで中断されていない最も長いオープンリーディングフレームとして容易に特定することができる．

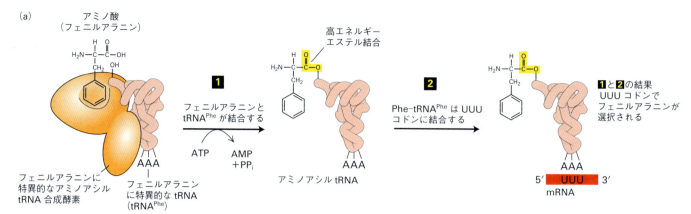

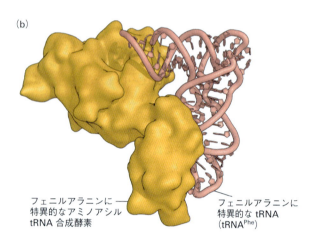

図 5・31 核酸配列をアミノ酸配列に翻訳する．(a) 2 段階の反応で，mRNA の核酸配列はタンパク質のアミノ酸配列に翻訳される．段階 **1**: アミノアシル tRNA 合成酵素によって，tRNA 末端のアデノシンの 2′-ヒドロキシ基あるいは 3′-ヒドロキシ基と，この tRNA に対応する特定のアミノ酸との高エネルギーエステル結合(黄)が形成される．段階 **2**: tRNA の三塩基配列(アンチコドン)と，アミノ酸を特定する mRNA のコドンとが塩基対を形成する．どちらかの段階でまちがいが生じると，まちがったアミノ酸がポリペプチド鎖に組込まれる．Phe: フェニルアラニン．ここでは tRNA^{Phe} は模式的に描かれている．実際の構造は図 5・32(b)を参照．(b) フェニルアラニンに対応するヒトミトコンドリアのアミノアシル tRNA 合成酵素と，それに結合している tRNA^{Phe} との複合体の構造．〔(b)は L. Klipcan et al., 2012, *J. Mol. Biol.* **415**: 527, PDB ID 3tup.〕

ジヒドロウリジン，シュードウリジン(プソイドウリジン)といった標準的でないヌクレオチドをつくり出すことである．すぐあとで述べるように，こうした修飾塩基はタンパク質合成で重要な役割を演じる．第二段階では，同じ tRNA 分子の部位の逆平行配列の間で相補的な塩基対形成が行われ，平面的に描くとクローバーの葉に似た形ができる(図 5・32a)．形成される 4 本の短い二重らせん部位は，ほとんどがワトソン-クリック塩基対によって安定化されているが，G-U のような他の非標準塩基対は，DNA のようには均一でないらせん構造によって保たれている．4 本のらせんのうち 3 本のステムの先端には 7〜8 塩基からなるループがついている．残る 1 本のステムはループをもたず，ポリヌクレオチド鎖の遊離 3′末端と 5′末端がある．アンチコドンを形成する 3 ヌクレオチドは中央のループの真ん中に位置しており，まわりから近づくのが容易で，コドン-アンチコドン塩基対形成に有利である．すべての tRNA において，ループのない**受容ステム** (acceptor stem) の 3′末端配列は CCA である．ほとんどの場合，この配列は tRNA の合成とプロセシングが完了してから付加される．最後に，第一ループと第三ループが塩基対で結合し，三次元的にみるとコンパクトな L 字形構造になっている．アンチコドンループと受容ステムは，折りたたまれた tRNA 分子の末端を形成する(図 5・32b)．

非標準的な塩基対がコドンとアンチコドン間にできる

コドンとアンチコドン間の塩基対が完全なワトソン-クリック型でなければならないとすると，アミノ酸を指定する 61 のコドンに対応するためにちょうど 61 種類の tRNA が必要になる．ところが前述のように，多くの細胞では，tRNA は 61 種類より少ない．tRNA のアンチコドンは，特定のアミノ酸のコドンを複数認識するが，必ずしもそのアミノ酸のすべてのコドンを認識するわけでもない，というのがその理由である．こうした幅のある認識は，**ゆらぎ部位** (wobble position) とよばれる位置で非標準的な塩基対ができることに由来する．このゆらぎ部位というのは，mRNA コドンの 3 番目(3′)とこれに対応する tRNA アンチコドンの 1 番目(5′)の塩基のことである．

ほとんどの場合，コドンの 1 番目，2 番目の塩基はアンチコドンの 3 番目，2 番目の塩基とワトソン-クリック型の塩基対を形成する．しかし，4 種類の非標準的な塩基対がゆらぎ部位で可能である．こうした非標準的塩基対のなかで最も重要なのが G-U 塩基対である．これはコドンとアンチコドンの間に形成される 3 bp の短い RNA-RNA 二本鎖領域に，標準的な G-C 塩基対とほぼ同じように適合する．そこで，アンチコドンのはじめの位置(ゆらぎ部位)が G である tRNA は，3 番目がピリミジン(C か U)である二つのコドンと塩基対をつくることになる(図 5・33)．たとえば，フェニルアラニンのコドンは UUU か UUC (5′→3′)であるが，両者とも GAA (5′→3′)というアンチコドンをもった tRNA が認識する．実際，NNPyr (N は任意の塩基，Pyr はピリミジンを示す)という配列の二つのコドンはどんなものも 1 種類のアミノ酸を指示しており，アンチコドンの最初のゆらぎ部位が G である 1 種類の tRNA が読み取る．

アンチコドンのゆらぎ部位にアデニンはほとんど見当たらない

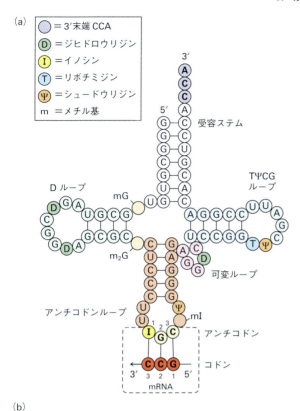

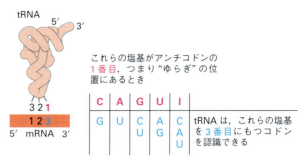

図 5・33 ゆらぎ部位におけるコドンとアンチコドン間の非標準的塩基対. mRNA コドンの 3 番目(ゆらぎ)の位置の塩基と tRNA のアンチコドンの 1 番目(ゆらぎ)の位置の塩基とは, 標準とは異なる塩基対を形成することがある. こうしたゆらぎがあると, 一つの tRNA が mRNA の 1 種類以上のコドンを認識でき, 逆に一つのコドンも 1 種類以上の tRNA で認識される. もちろんこれら複数の tRNA には同じアミノ酸が結合している. なお, ゆらぎ部位に I (イノシン) をもつ tRNA は 3 種類のコドンを "読み取る" (塩基対を形成する) ことができ, G または U をもつ tRNA は 2 種類のコドンを読み取ることができる. 理論的には A もアンチコドンのゆらぎ部位を占めることができるが, 自然界ではほとんどみられない. ここでは tRNA を単純化して描いてある. 実際の構造は図 5・32(b) に示してある.

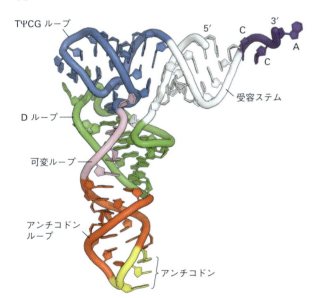

図 5・32 tRNA の構造. (a) 正確なヌクレオチド配列は tRNA 間で異なるものの, どの tRNA も塩基対を形成した 4 本のステムと 3 個のループをもつ構造に折りたたまれる. 3′末端の CCA 配列はすべての tRNA に共通している. 3′末端の A にアミノ酸が結合したものがアミノアシル tRNA である. 転写後, ほとんどの tRNA で A, C, G, U 塩基のうちいくつかで次のような修飾が起こる. ほとんどの場合, ジヒドロウリジン (D) は D ループに存在している. 同様に, リボチミジン (T) とシュードウリジン (Ψ) はほとんど TΨCG ループに存在している. ここに示す酵母のアラニン tRNA には, それ以外の修飾塩基も存在している. アンチコドンループの先端に位置する三塩基配列 (アンチコドン) は mRNA の対応するコドンと塩基対を形成する. (b) 一般化した tRNA 骨格の三次元モデル. 分子全体が L 字形をしていることに注意しよう. [(a) は R. W. Holly et al., 1965, *Science* **147**: 1462 参照. (b) は J. G. Arnez and D. Moras, 1997, *Trends Biochem. Sci.* **22**: 211, PDB ID 1vtq.]

が, 植物や動物の tRNA のこの位置には, アデニンからアミノ基を取除いた形のイノシン (inosine, I) が見いだされることが多い. イノシンは A, C, U と非標準的な塩基対を形成できる. そこでゆらぎ部位にイノシンをもつ tRNA は, 3 番目 (ゆらぎ部位) の塩基が A, C, U である mRNA コドンを認識する (図 5・33). このため, イノシンを含んだ tRNA は, 1 種類のアミノ酸をコードする同義コドンの翻訳に使われることが多い. たとえば 1 種類の tRNA (3′-GAI-5′) が, ロイシンをコードする六つのコドンのうち四つ (CUA, CUC, CUU, UUA) を認識する. このとき, アンチコドンのゆらぎ部位のイノシンは四つのコドンの 3 番目の塩基と非標準的な塩基対を形成する.

アミノ酸は同族 tRNA と高い正確さで結合する

遺伝暗号を読み取るにあたっては, あるアミノ酸のコドンを特定の tRNA が見つけ出すのに先行して, アミノ酸とそれに対応する tRNA との間に共有結合が形成される. この反応は, 一つひとつのアミノ酸に特異的な 20 種類のアミノアシル tRNA 合成酵素が触媒する. これらアミノアシル tRNA 合成酵素は, それぞれ 1 種類のアミノ酸とそれに対応するすべての tRNA (**同族 tRNA** cognate tRNA) を認識できる. この酵素は ATP を使い, tRNA 分子の 3′末端アデノシンの 2′位あるいは 3′位の遊離ヒドロキシ基にアミノ酸を結合する. アミノ酸は, この反応で tRNA と高エネルギー結合でつながれるので, "活性化された" 状態になる. この高エネルギー結合にたくわえられたエネルギーは, アミノ酸どうしをペプチド結合でつなぎポリペプチド鎖を伸長する反応に使われる. この反応で放出される PP_i の高エネルギーリン酸無水物結合がさらに加水分解されることで, このアミノアシル化反応の平衡はいっそうアミノ酸の活性化に傾く (図 5・31a).

各アミノアシル tRNA 合成酵素は, アミノ酸とそれに対応する同族 tRNA の二つの基質を特異的に認識しなければならない. 誤った tRNA がアミノアシル化されると, 翻訳に有害なエラーが生じる可能性がある. そのため, アミノアシル tRNA 合成酵素は

高い正確さをもつように進化しており、そのような誤りは 10^4 回に1回程度しか起こらない。容易に予想されるように、ほとんどのアミノアシル tRNA 合成酵素は、アンチコドンループと相互作用することで同族 tRNA を認識する。しかし、複数のコドンをもつアミノ酸の場合、すべての同族 tRNA に共通する他の特徴が、特異的な認識に寄与する。極端な例では、大腸菌におけるアラニンに対する四つの tRNA は、アンチコドンループによっては全く認識されない。その代わり、四つの tRNA はすべて、受容ステムに特有の G–U 塩基対をもち、これが対応するアミノアシル tRNA 合成酵素による特異的認識に使われる。また、構造は似ているが同族ではない tRNA の特定の塩基は、アミノアシル化反応を阻害する。このように、正しい tRNA を見分けると同時に、まちがったものがないことを確認することによって、いっそう厳密に tRNA を見分けることができる。

アミノアシル tRNA 合成酵素によるエラーの第二の原因は、まちがったアミノ酸の選択である。構造的に非常によく似たアミノ酸をまちがって結合してしまう場合に備え、アミノアシル tRNA 合成酵素は**校正**（proofreading）活性をもつ第二の活性部位を進化させてきた。たとえば、イソロイシンに対するアミノアシル tRNA 合成酵素の活性部位が一つでは、イソロイシンに似ているがメチル基を一つももたないバリンを効果的に排除することができない。この酵素には、$tRNA^{Ile}$ に付加された誤ったアミノ酸を除去することができる第二の校正部位が存在する。この部位の疎水性ポケットは小さすぎてイソロイシンは入らないが、$tRNA^{Ile}$ に誤って結合したバリンは入ることができ、それを除去する。このアミノアシル tRNA 合成酵素による校正のしくみは、DNA ポリメラーゼの $3' \to 5'$ エキソヌクレアーゼ活性による誤ったヌクレオチドの組込みの校正とその概要が似ている。

> ### 5・5 tRNA による mRNA の解読　まとめ
> - 遺伝情報は、縮重した三文字コード（トリプレット）という形で DNA から mRNA に転写される。
> - それぞれのアミノ酸は、三塩基配列（コドン）という形で mRNA にコードされる。一つのコドンは一つのアミノ酸を指定するが、ほとんどのアミノ酸は複数のコドンでコードされている（表 5・1）。
> - メチオニンを指定する AUG というコドンは、最もふつうに使われる開始コドンでもある。開始コドンは、ポリペプチド鎖の N 末端アミノ酸を指定する。三つのコドン（UAA, UAG, UGA）は終止コドンで、アミノ酸を指定しない。
> - 一つの mRNA 配列の翻訳には三つの読み枠が存在しうる。タンパク質をコードする配列は、終止コドンによって中断されない長いオープンリーディングフレームとして識別することができる。
> - 遺伝暗号は、タンパク質におけるアミノ酸配列を決定することや、遺伝子の変異がコードされたタンパク質に及ぼす影響を推測するために使用することができる。
> - すべての tRNA は、特定のアミノ酸を結合する受容ステムと三塩基アンチコドン配列のあるステム–ループを両端にもち、似たような三次構造をとる（図 5・32）。アンチコドンは、mRNA 上の対応するコドンと塩基対をつくる。
> - 非標準的相互作用を介して、tRNA は一つ以上の mRNA コドンと塩基対をつくりうる。逆に、特定のコドンは複数の tRNA と塩基対をつくりうる。どちらの場合にも、正しいアミノ酸だけが、伸長中のポリペプチド鎖に付加される。
> - 20 種類のアミノアシル tRNA 合成酵素はそれぞれ 1 種類のアミノ酸を認識し、これを特定の同族 tRNA に共有結合させ、アミノアシル tRNA を合成する（図 5・31）。この反応でアミノ酸は活性化され、ペプチド結合形成が進行する。

5・6　リボソーム上でタンパク質合成は一歩ずつ進む

前節で、mRNA とアミノアシル tRNA というタンパク質合成にかかわる二つの主要な因子について解説した。本節では、まず 3 番目の因子である rRNA を含むリボソームについて解説する。そして、リボソーム、mRNA、アミノアシル tRNA が協調しながら、タンパク質合成反応を進める様子を詳しく述べる。転写と同様に、この翻訳という複雑な過程も、開始、伸長、終結という 3 段階に分けて考えることができるので、本節でもこうした順序でみていこう。ここではおもに真核生物の翻訳について述べるが、原核生物でも翻訳の機構は本質的に同じである。

リボソームはタンパク質合成装置である

簡単にいうと、リボソームは、アミノアシル tRNA を mRNA の連続するコドンに結合させるための足場であると同時に、伸長中のポリペプチド鎖にペプチド結合を次々と形成するためのペプチド転移反応を触媒する酵素としての役割も担っている。リボソームはすべてのタンパク質合成に関与し、細胞中で最も豊富に存在する RNA–タンパク質複合体である。ポリペプチドの伸長は 3〜5 個アミノ酸/秒という速度で行われるため、小さなタンパク質なら 1 分以内につくられるが、約 3 万個のアミノ酸残基からなる筋肉タンパク質タイチン（titin）のような非常に大きなタンパク質の合成には 2〜3 時間かかる。したがって、リボソームは正確でなければならないし、持続的でなければならない。

リボソームは、タンパク質合成を活発に行う細胞中に最も多く存在する、RNA に富んだ小粒子として、まず電子顕微鏡で見いだされた。比較的高純度のリボソーム精製が可能になり、精製リボソームを用いた次のような試験管内放射性同位体標識実験が行われて、はじめてその役割が明らかになった。放射性同位体で標識されたアミノ酸は、完成したポリペプチド鎖に見いだされる前に、まずリボソームに結合した伸長中のポリペプチド鎖に取込まれていた。

細菌、アーキア、真核生物のリボソームには違いがあるにもかかわらず、すべての種にわたってリボソームの構造や機能が似ていることは、この細胞で最も基本的な構造体が共通の進化的起源をもつことを示している。リボソームは 3 種類（原核生物）あるいは 4 種類（真核生物）の異なる rRNA と 80 種類にのぼるタンパク質からなり、大サブユニットと小サブユニットで構成されている（図 5・34、表 5・2）。リボソームサブユニットや rRNA は、その大きさを表すスベドベリ単位（S、遠心力をかけたときの粒子の沈降速度で、大きさの対数表示に相当する）で名づけられている。小サブユニットは、**短鎖 rRNA**（small rRNA）とよばれる

RNAを1分子含んでおり，大サブユニットは**長鎖 rRNA**（large rRNA）1分子と 5S rRNA を1分子含み，真核生物のリボソームはこれ以外に 5.8S rRNA を1分子含む．真核細胞と原核細胞では，rRNA 分子の大きさもそれぞれのサブユニットに含まれるタンパク質の数も違っており，その結果，それぞれのサブユニットの大きさも違う（表5・2）．細菌のリボソームは全体で 70S の大きさをもち，脊椎動物のものは 80S の大きさをもつ．

数千にものぼる生物の長鎖 rRNA と短鎖 rRNA の配列がすでに決まっている．その一次構造は互いにずいぶん違っているが，それぞれの rRNA の同じ領域には，内部で塩基対を形成することができる相補的な配列があり，これらはすべて同じコア構造をもつことを示している．すべての生物はリボソームをもっているので，その rRNA 配列の違いは，生物間の進化的距離を決定する最も信頼性の高い方法であることが証明されている．全ゲノム配列解読が多くの生物で完了した今日においても，系統比較は通常それぞれの生物の rRNA 遺伝子の配列の比較からはじめられる．

これまでに，細菌および酵母リボソームの三次元構造（図5・35）とアーキアの大サブユニットの三次元構造が X 線結晶解析法で決定され，ヒトリボソームの三次元構造（図5・35d）と植物リボソームの三次元構造がクライオ電子顕微鏡法で決定された．これらさまざまなリボソームで，mRNA と tRNA が結合し，ペプチド結合形成反応が行われるコア構造は細菌，アーキア，真核生物で似通っている．進化の流れのなかで，共通祖先からアーキアは細菌よりあとで分離した（図1・1参照）ことを反映して，アーキアリボソームの rRNA とタンパク質は細菌のものより真核細胞のものに似ている．たいていの場合，どのリボソームタンパク質も rRNA よりずっと小さく，リボソーム表面に結合している．リボソーム中のタンパク質分子の数は RNA 分子の数よりずっと多いが，細菌リボソームでは総質量の 60% を rRNA が占めており，その割合はヒトリボソームでは 50% である．真核生物リボソームは細菌リボソームに似ているが，前者のほうが大きい．これは，真核細胞リボソームのコア構造を構成する rRNA には特異的な挿入があり，また，そのリボソームタンパク質の数も細菌のものより多いからである（図5・35，表5・2）．タンパク質合成の基本的な機構は真核細胞と細菌で似ているが，あとで解説するように，真核生物リボソームでは，転写開始過程が細菌リボソームよりずっと複雑で，制御機構も発達している．

最も治療効果の高い抗生物質は，細菌の生命維持に不可欠であると同時に細菌と哺乳類の細胞で根本的に異なる細胞内過程を標的とするものである．リボソームはその両方の条件を

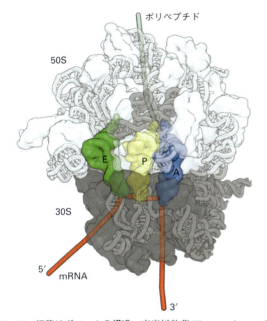

図 5・34　**細菌リボソームの構造**．高度好熱菌 *Thermus thermophilus* リボソームを大サブユニット(50S)と小サブユニット(30S)との境界面に沿って見た構造．小サブユニット中の 16S rRNA は薄灰の管構造で，これに埋込まれている複数のリボソームタンパク質の表面は濃灰で描いている．これに対して，大サブユニット中の 23S rRNA とタンパク質は薄灰で描いてある．5S rRNA には，16S rRNA と 23S rRNA の中間の色づけがされている．結合した tRNA の位置がわかるように，リボソームの一部は透かしてある．リボソームタンパク質はおもにリボソーム表面に位置していることに注意．[A. Korostelev et al., 2006, *Cell* **126**: 1065, PDB ID 4v4i.]

表 5・2　リボソーム構成因子

	共通のコア構造	大腸菌	出芽酵母	ヒト
	2.0 MDa	2.3 MDa	3.3 MDa	4.3 MDa
	34 タンパク質	54 タンパク質	79 タンパク質	80 タンパク質
	3 rRNA	3 rRNA	4 rRNA	4 rRNA
大サブユニット		50S	60S	60S
	19 タンパク質	33 タンパク質	46 タンパク質	47 タンパク質
	23S rRNA: 2843 塩基	23S rRNA: 2904 塩基	25S rRNA: 3396 塩基[†]	28S rRNA: 5034 塩基[†]
			5.8S rRNA: 158 塩基[†]	5.8S rRNA: 156 塩基[†]
	5S rRNA: 121 塩基	5S rRNA: 121 塩基	5S rRNA: 121 塩基	5S rRNA: 121 塩基
小サブユニット		30S	40S	40S
	15 タンパク質	21 タンパク質	33 タンパク質	33 タンパク質
	16S rRNA: 1458 塩基	16S rRNA: 1542 塩基	18S rRNA: 1800 塩基	18S rRNA: 1870 塩基

[†] 真核生物の 5.8S rRNA は 25S もしくは 28S rRNA と塩基対をなす．
出典：G. Yusupova and M. Yusupov, 2014, *Annu. Rev. Biochem.* **83**: 467.

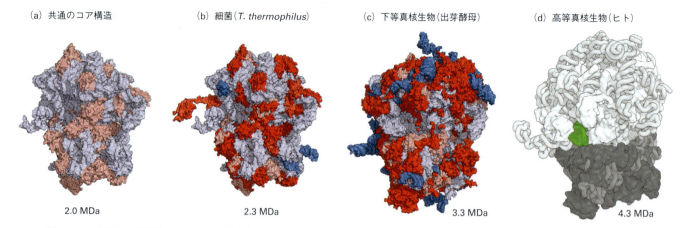

図 5・35 細菌，出芽酵母，ヒトにわたる全生物のリボソームの中心部には共通構造がある．(a) 共通構造中の RNA は薄青で，全リボソームで共通のタンパク質ドメインは薄赤で表示．これら共通構造以外では，高度好熱菌 T. thermophilus リボソーム(b)と出芽酵母リボソーム(c)について，RNA は濃青，タンパク質は濃赤で示してある．クライオ電子顕微鏡法を用いて得られたヒトリボソーム構造(d)には，E 部位に結合している tRNA が見える(緑)．〔(a)〜(c)は G. Yusupova and M. Yusupov, 2014, *Annu. Rev. Biochem.* **83**: 467. (d)は H. Khatter et al., 2015, *Nature* **520**: 640, PDB ID 4ug0.〕

みたしているため，細菌のリボソームは新しい抗生物質開発の主要な標的となってきた．高分解能のリボソーム構造が明らかになって，なぜ多数の抗生物質がヒトリボソームの機能を阻害せずに細菌のタンパク質合成だけを阻害するか，その理由がわかってきた．こうした知見は，新たな抗生物質開発の重要な手掛かりになる．現在利用できる抗生物質への耐性が広がっており，特に病院では耐性菌が発生しやすい傾向があることから，新たな抗生物質開発は医療上きわめて重要な課題である．■

メチオニル tRNA$_i^{Met}$ が AUG 開始コドンを認識する

前に述べたように，メチオニンのコドンである AUG はほとんどすべての mRNA で開始コドンとしての役割も担っている．タンパク質合成を開始コドンの位置から開始することは，mRNA 全体を正しい読み枠に沿って翻訳するために大変重要である．原核生物にも真核生物にも 2 種類のメチオニル tRNA がある．一つは tRNA$_i^{Met}$ でタンパク質合成の開始にかかわる．もう一つは tRNA^{Met} で伸長中のポリペプチド鎖へのメチオニン取込みにだけかかわる．同じアミノアシル tRNA 合成酵素（MetRS）が両方の tRNA にメチオニンを付加する．しかし，Met-tRNA$_i^{Met}$（活性化されたメチオニンが tRNA$_i^{Met}$ に結合している）だけがリボソーム小サブユニット上の特定の部位（**P 部位** P site）に結合し，タンパク質合成を開始できる．ふつうの Met-tRNA^{Met} や他のアミノ酸を結合した tRNA は，以下に述べるようにリボソーム上の **A 部位**（A site）に結合し，共有結合したアミノ酸を伸長中のポリペプチド鎖に引渡したのちに，**E 部位**（E site）に移動する．

真核生物における翻訳はふつう mRNA の 5′末端に一番近い AUG からはじまる

翻訳の最初の段階では，mRNA まわりにリボソーム大サブユニットと小サブユニットが集まる．このとき，mRNA 上の開始コドンには，リボソームの P 部位に結合した Met-tRNA$_i^{Met}$ が正確に対合する．真核生物では，この複合体の形成は，複合体を構成する個々の成分と真核生物翻訳**開始因子**（initiation factor: IF，真核生物のものを特に **eIF** という）というタンパク質群との相互作用を介して進行する．こうした開始因子のなかには GTP を結合して GDP とリン酸に加水分解するものがあり，この加水分解反応が，複合体形成反応が順序よくかつ不可逆的に進行するためのスイッチとして機能する．GTP の加水分解という本質的に不可逆な反応と共役することで，いったん形成された適切な複合体が安定になることを保証しているのである．

現在では，脊椎動物における翻訳開始は図 5・36 に示すように進むと考えられている．タンパク質合成が終わり mRNA からリボソームが解離すると，その 40S サブユニットに開始因子 eIF1，eIF1A，そして eIF3 が結合して，大小サブユニットがばらばらになる（図 5・36，最上図）．翻訳開始の最初の段階は，**43S 開始前複合体**（43S preinitiation complex）形成である．まず 40S サブユニットと開始因子 eIF1，eIF1A，eIF3 との複合体に eIF5 が結合し，これにさらに Met-tRNA$_i^{Met}$ と GTP 型 eIF2 との複合体が結合して開始前複合体となる（図 5・36，段階**1**と**2**）．開始因子 eIF2 には GTP 型と GDP 型があり，GTP 型だけが Met-tRNA$_i^{Met}$ に結合できる．GDP 型 eIF2（eIF2・GDP）のセリン残基のリン酸化でタンパク質合成は調節される．こうしたリン酸化で eIF2 の GDP と GTP の交換反応が阻害され，GDP 型 eIF2 は Met-tRNA$_i^{Met}$ と複合体をつくることができなくなり，その結果，タンパク質合成開始が阻害されるからである．

翻訳される mRNA には複数のサブユニットからなる eIF4 複合体が結合している．eIF4 複合体は mRNA の 5′ キャップと相互作用すると同時に，ポリ(A)尾部に結合している多数のポリ(A)結合タンパク質〔poly(A)-binding protein: PABP〕とも相互作用する．こうした 2 種類の相互作用によって mRNA は環状構造をとるので（段階**3**），mRNA の翻訳が効率的に進行する．eIF4 複合体は異なる機能をもついくつかのサブユニットで構成されている．たとえば，eIF4E というサブユニットは mRNA の 5′ キャップ構造に結合する（図 5・26）．大きな eIF4G サブユニットは mRNA のポリ(A)尾部に結合した PABP と相互作用すると同時に，他の eIF4 サブユニットが結合する足場ともなる．この mRNA-eIF4 複合体が，eIF4G-eIF3 相互作用を介して開始前複合体に結合する（段階**4**）．

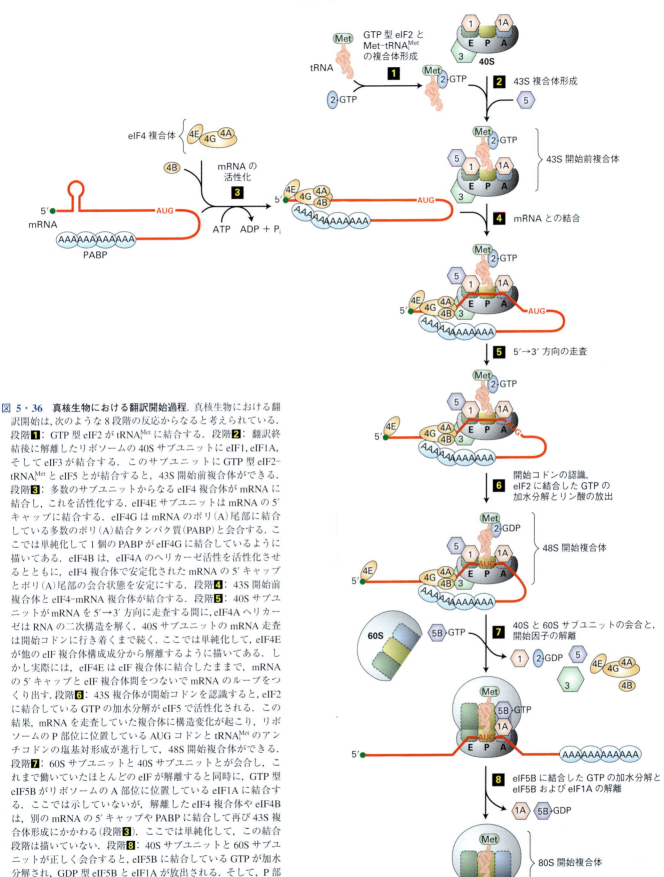

図 5・36 真核生物における翻訳開始過程. 真核生物における翻訳開始は，次のような 8 段階の反応からなると考えられている．段階❶: GTP 型 eIF2 が tRNA$_i^{Met}$ に結合する．段階❷: 翻訳終結後に解離したリボソームの 40S サブユニットに eIF1, eIF1A, そして eIF3 が結合する．このサブユニットに GTP 型 eIF2-tRNA$_i^{Met}$ と eIF5 とが結合すると，43S 開始前複合体ができる．段階❸: 多数のサブユニットからなる eIF4 複合体が mRNA に結合し，これを活性化する．eIF4E サブユニットは mRNA の 5′ キャップに結合する．eIF4G は mRNA のポリ(A)尾部に結合している多数のポリ(A)結合タンパク質(PABP)と会合する．ここでは単純化して 1 個の PABP が eIF4G に結合しているように描いてある．eIF4B は，eIF4A のヘリカーゼ活性を活性化させるとともに，eIF4 複合体で安定化された mRNA の 5′ キャップとポリ(A)尾部の会合状態を安定にする．段階❹: 43S 開始前複合体と eIF4-mRNA 複合体が結合する．段階❺: 40S サブユニットが mRNA を 5′→3′ 方向に走査する間に，eIF4A ヘリカーゼは RNA の二次構造を解く．40S サブユニットの mRNA 走査は開始コドンに行き着くまで続く．ここでは単純化して，eIF4E が他の eIF 複合体構成成分から解離するように描いてある．しかし実際には，eIF4E は eIF 複合体に結合したままで，mRNA の 5′ キャップと eIF 複合体間をつないで mRNA のループをつくり出す．段階❻: 43S 複合体が開始コドンを認識すると，eIF2 に結合している GTP の加水分解が eIF5 で活性化される．この結果，mRNA を走査していた複合体に構造変化が起こり，リボソームの P 部位に位置している AUG コドンと tRNA$_i^{Met}$ のアンチコドンの塩基対形成が進行して，48S 開始複合体ができる．段階❼: 60S サブユニットと 40S サブユニットとが会合し，これまで働いていたほとんどの eIF が解離すると同時に，GTP 型 eIF5B がリボソームの A 部位に位置している eIF1A に結合する．ここでは示していないが，解離した eIF4 複合体や eIF4B は，別の mRNA の 5′ キャップや PABP に結合して再び 43S 複合体形成にかかわる(段階❸)．ここでは単純化して，この結合段階は描いていない．段階❽: 40S サブユニットと 60S サブユニットが正しく会合すると，eIF5B に結合している GTP が加水分解され，GDP 型 eIF5B と eIF1A が放出される．そして，P 部位に位置する開始コドンと tRNA$_i^{Met}$ が塩基対で対合している 80S 開始複合体ができる．[R. J. Jackson et al., 2010, *Nat. Rev. Mol. Cell Biol.* **11**: 113 参照.]

こうしてできた開始複合体は，結合している mRNA 上を滑りながら走査するが，この間，**RNA ヘリカーゼ**（RNA helicase）である eIF4A が eIF4B により活性化され，ATP の加水分解エネルギーを使って mRNA の二次構造をほどいていく（**段階5**）．開始複合体による mRNA 走査は，tRNA$_i^{Met}$ のアンチコドンが開始コドンを見つけ出すと終わる．開始コドンは，ほとんどの真核生物の mRNA では，5′ 末端下流に現れる最初の AUG である．開始コドンが見つかると，eIF2 に結合している GTP が加水分解され，**48S 開始複合体**（48S initiation complex）ができる（**段階6**）．この GTP 加水分解反応は不可逆で，mRNA 走査が再開されるのを防いでいる．eIF2 の GTPase 活性化タンパク質（GTPase-activating protein: GAP，図 3・35 参照）である eIF5 によって，この正確な開始コドン認識が促進される．開始コドンの AUG を探し出すのに，発見者の Marilyn Kozak にちなんで**コザック配列**（Kozak sequence）とよばれている（5′）**A**CC**A**UG**G**（3′）というヌクレオチド配列も役立っている．下線をつけた開始コドン AUG に先立つ太字の A と AUG のすぐあとの G が，翻訳開始の効率に影響を与える最も重要なヌクレオチドである．

次に，GTP 型 eIF5B を介して小サブユニット（40S）と大サブユニット（60S）が会合し，その結果，多くの開始因子が解離する（**段階7**）．二つのリボソームサブユニットが正しく会合すると，GTP 型 eIF5B に結合した GTP は加水分解され，GDP 型 eIF5B と eIF1A が解離して（**段階8**），**80S 開始複合体**（80S initiation complex）が完成する．リボソームサブユニットの会合と eIF5B の GTP 加水分解が共役しているので，サブユニット間の相互作用が正しく行われたときにだけ，翻訳開始が進行する．また，サブユニット会合は不可逆となり，全 mRNA が翻訳されてタンパク質合成が終了するまでリボソームサブユニットは解離しない．

これまでに述べたように，真核細胞のタンパク質合成装置は，5′ キャップからほぼ 100 塩基以内の位置で mRNA の翻訳を開始することが多い．しかし，細胞の mRNA のなかには，5′ 末端からずっと下流に内部リボソーム結合部位（internal ribosome entry site: IRES）をもつものがある．細胞の IRES は，eIF4A と eIF4G の複合体と相互作用できるような RNA 構造を形成する．この mRNA-eIF4A-eIF4G 複合体は，eIF1-eIF1A-eIF3 を含むリボソーム 40S サブユニットに eIF3 との相互作用を介して結合する．こうしてできた構造体は，開始 tRNA を含む eIF2 三者複合体を結合し，近傍の AUG コドン上で開始複合体を形成する．なお，5′ キャップをもたないウイルスの RNA でも，翻訳がウイルス IRES ではじまるものがある．こうしたウイルス RNA の翻訳開始に必要な標準的 IRES の数は場合によって異なる．たとえば，クリケット麻痺ウイルスの場合，200 塩基ほどの IRES が複雑な構造に折りたたまれ，リボソーム 40S サブユニットと直接に相互作用する．その結果，eIF 因子や開始 Met-tRNA$_i^{Met}$ がなくても，翻訳が開始される．

ポリペプチド鎖伸長中に，アミノアシル tRNA は 3 箇所のリボソーム部位の間を移動する

mRNA の開始部位に位置したリボソーム-Met-tRNA$_i^{Met}$ 複合体には，mRNA の読み枠に沿ってアミノ酸を一つずつつないでいく伸長過程に入る準備ができている．翻訳開始のように，こうした伸長過程の進行には**伸長因子**（elongation factor: EF）とよばれる一群のタンパク質が必要になる．ポリペプチド鎖伸長で最も重要な段階は，コドンと相補的なアンチコドンをもつアミノアシル tRNA の取込み，ペプチド結合形成，そしてリボソームが mRNA 上を 1 コドンずつ移動する**トランスロケーション**（translocation）という過程である．

翻訳開始が完了すると，80S リボソームの P 部位には前述のように Met-tRNA$_i^{Met}$ が結合している（図 5・37，最上図）．伸長中のポリペプチド鎖を共有結合した tRNA はここに位置するので，リボソームのこの部位は P 部位とよばれる．2 番目のアミノアシル tRNA は GTP 型 EF1α（EF1α・GTP）との複合体としてリボソームの A 部位に結合する（**段階1**）．A 部位にはアミノアシル tRNA が結合するので，この名がある．GTP 型 EF1α と結合したさまざまな種類のアミノアシル tRNA が A 部位と相互作用するが，tRNA のアンチコドンが mRNA コード領域の 2 番目のコドンと塩基対をつくったときにだけ翻訳の次の段階が進行する．この塩基対形成が正しく進行すると，EF1α に結合した GTP は加水分解される．GTP の加水分解で EF1α に構造変化が起こり，生じた EF1α・GDP 複合体は解離してアミノアシル tRNA は強く A 部位に結合する（**段階2**）．この構造変化で，A 部位にある tRNA のアミノアシル化された 3′ 末端と P 部位にある Met-tRNA$_i^{Met}$ の 3′ 末端が近づく．入ってきたアミノアシル tRNA が，A 部位に位置している mRNA 上のコドンと塩基対をつくれないなら，GTP 加水分解は起こらず，アミノアシル tRNA の結合が強まることもない．この場合には，アミノアシル tRNA と GTP 型 EF1α との複合体は A 部位から拡散してしまい，空の A 部位が残される．ここにはすぐに別のアミノアシル tRNA-GTP 型 EF1α 複合体が結合する．この過程は，正しい塩基対を形成する tRNA が A 部位に結合するまで続く．EF1α による GTP の加水分解は，正しいアミノアシル tRNA が A 部位に結合したときにだけタンパク質合成が進行することを可能にする監視機構のもう一つの例である．これがタンパク質合成の正確さを決めている．

開始 Met-tRNA$_i^{Met}$ が P 部位に結合し，2 番目のアミノアシル tRNA が A 部位に結合すると，2 番目のアミノ酸の α-アミノ基は開始 tRNA 上の "活性化された"（エステル結合をもつ）メチオニンと反応し，ペプチド結合を形成する（**段階3**，図 5・29 も参照）．細胞で起こる触媒反応の大部分はタンパク質酵素によるため，ペプチド転移の触媒はリボソームタンパク質のいずれかであると長い間考えられていた．ところが，細菌のリボソーム大サブユニットの高分解能結晶構造から，ペプチド結合形成部位の近くにタンパク質が存在せず，ペプチド転移反応（ペプチジルトランスフェラーゼ反応）は長鎖 rRNA が触媒している可能性が高いことが明らかになり，大きな驚きをもって受け止められた．リボソーム大サブユニットから注意深くほとんどのタンパク質を除去して得られたほぼ純粋な 23S rRNA が，ペプチジル tRNA のアナログとアミノアシル tRNA 間のペプチド転移反応を触媒できる．また，P 部位のペプチジル tRNA の A 末端の 2-ヒドロキシ基も触媒作用に関与している．

ペプチド結合ができると，リボソームは 1 コドン分だけ mRNA 上を移動する．このトランスロケーションという段階は，真核生物 GTP 型 EF2 の GTP 加水分解で監視されている．いったんトランスロケーションが起こると，EF2 に結合していた GTP は加水分解される．この反応は不可逆的で，リボソームが mRNA 上をまち

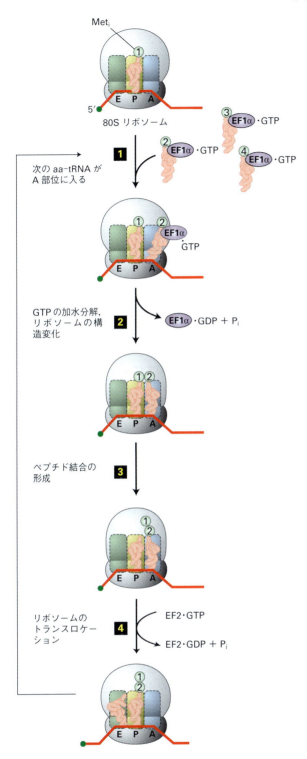

図 5・37 真核生物の翻訳過程におけるペプチド鎖伸長反応. P 部位に Met-tRNA$_i^{Met}$ が結合した 80S リボソームができると（一番上の図），mRNA にコードされた 2 番目のアミノ酸（aa²）をもった GTP 型 EF1α-tRNA 複合体が A 部位に結合する（段階 **1**）. GTP 型 EF1α の GTP 加水分解によってリボソームの構造変化がひき起こされる（段階 **2**）のに続いて，長鎖 rRNA が Met$_i$ と aa² の間のペプチド結合形成を触媒する（段階 **3**）. GTP 型 EF2 の GTP 加水分解によりリボソームが再び構造変化をすると，mRNA に沿って 1 コドン分のトランスロケーションが起こり，脱アシル化された tRNA^{Met} が E 部位に，結合ペプチドをもった tRNA が P 部位に移動する（段階 **4**）. aa³ をもった GTP 型 EF1α-tRNA 複合体が空になった A 部位に結合すると次のサイクルがはじまる. 2 番目とそれ以降の伸長サイクルでは，段階 **2** の GTP 型 EF1α の GTP 加水分解によってひき起こされる構造変化で E 部位の tRNA が放出される.

とができるように A 部位が空になる. こうして, 次の反応が再びはじまる.

図 5・37 に示すようなペプチド伸長反応の繰返しで伸長中のポリペプチド鎖 C 末端に 1 回当たり 1 アミノ酸が付加される. この反応は mRNA の指示どおりに行われ, 終止コドンが現れるまで続く. 2 回目以降の反応サイクルでは, 段階 **2** で起こるリボソームの構造変化により, E 部位から脱アシル化された tRNA が放出される. 新生ポリペプチド鎖が長くなってくると, 大サブユニットにある孔を通って外に出てくる. この位置は, 小サブユニットとの接触面とはちょうど逆に位置している（図 5・34）.

リボソームがなければ, A 部位と P 部位にある tRNA アンチコドンと mRNA コドン間の 3 塩基対を介した RNA-RNA ハイブリッドは不安定であろう. リボソームなしの生理的条件下で別々の RNA 間で安定な RNA-RNA ハイブリッドをつくろうとするなら, 塩基対はずっと長くなければならない. しかしリボソーム上では, 長鎖, 短鎖 rRNA と tRNA の共通ドメイン（D ループや TΨCG ループ, 図 5・32）との間の複数の相互作用を介して, A 部位あるいは P 部位への tRNA 結合が安定化されている. また, 他の RNA-RNA 相互作用は, コドン-アンチコドン間の塩基対形成が正しいかどうかを感知しており, 遺伝暗号を正確に読み取るのに役立っている. こうして, リボソームが mRNA に沿って一度に 3 塩基ずつ移動するのに伴い, すべての tRNA にある共通ドメインと rRNA との相互作用を介して, tRNA は A, P, E 部位を移動していく.

終止コドンが現れると
終結因子によってタンパク質合成は停止する

翻訳開始や伸長と同じように, タンパク質合成の最終段階では, mRNA-リボソーム-ペプチジル tRNA 複合体の運命を決める特異的なシグナルが必要である. 真核細胞において, このために働く 2 種類の特異的な **終結因子**（release factor: **RF**）が発見されている. 第一の終結因子 eRF1 の形は tRNA と似ていて, リボソームの A 部位に直接結合すると同時に終止コドンを認識するという形でその役割を果たす. 真核生物の第二の終結因子 eRF3 は, 前述の開始因子や伸長因子のように GTP 結合タンパク質である. GTP 型 eRF3 は eRF1 と一緒になってペプチジル tRNA の加水分解を促進する. その結果, 完成したポリペプチド鎖はリボソームから解離する（図 5・38）. eRF1 によって三つの終止コドンのどれか一つが正しく認識されてはじめて, P 部位にいる tRNA のペ

がった向きに動いたり, まちがった距離動いたりすることを防いでいる. 正しいトランスロケーションに伴うリボソームの構造変化と, その結果起こる EF2 による GTP の加水分解によって, 活性化されたメチオニンを失った tRNA^{Met} はリボソームの E 部位に移動する. これと同時に, ジペプチドを結合した 2 番目の tRNA（ペプチジル tRNA）は P 部位に移動する（段階 **4**）. トランスロケーションという過程でリボソームの状態はもとに戻り, 次に付加される GTP 型 EF1α-アミノアシル tRNA 複合体を受入れるこ

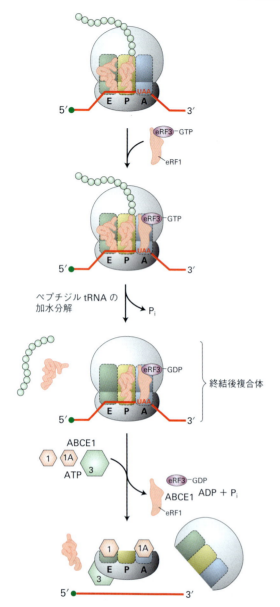

図5・38 真核生物における翻訳の終結. 新生ポリペプチド鎖を結合したリボソームが終止コドン (UAA, UGA, UAG) に到達すると, 終結因子 eRF1 が GTP型 eRF3 とともに A 部位に結合する. GTP の加水分解に伴い, P 部位の tRNA のペプチド鎖が切断され, E 部位の tRNA が放出されて, 終結後複合体ができる. ABCE1 ATPase, eIF1, eIF1A, そして eIF3 の働きでリボソームサブユニットが解離する. このような種々の eIF 因子を結合した 40S サブユニットは, 次の翻訳サイクルを進める (図5・36).

進行する (図5・36, 最上図). 図5・38 では, リボソームを全く結合していない mRNA が生じるように単純化して描いてあるが, 実際には, mRNA にはいくつものリボソームが結合しており, それぞれがタンパク質合成の違う段階を進めている. また, ポリ (A) 尾部には PABP が, 5′キャップには eIF4 複合体が結合しており, いつでも新たな 43S 開始前複合体が結合できる状態にある (図5・36).

こうして合成されたポリペプチド鎖がリボソームから出てくると, タンパク質シャペロンがその折りたたみを助ける (図3・19 参照). このときシャペロンとリボソームとは一過性に結合し, 新生ポリペプチド鎖の折りたたみの進行を促す. また 13 章で解説するように, まず小胞体膜に挿入され, 小胞体内腔を通って細胞から分泌されたりリソソームに運ばれたりするタンパク質を合成するリボソームは, シグナル認識粒子 (signal recognition particle: SRP) というリボ核タンパク質と結合する. SRP は, 新生ポリペプチド鎖先端が小胞体膜上のチャネルに入り込むまでタンパク質合成を停止させる機能をもつ. いったんポリペプチド鎖がチャネルに入り込むとタンパク質合成が再開され, SPR の助けを借りて新生ポリペプチド鎖はチャネルをうまく通り抜ける.

ポリソーム形成やリボソームのすばやい再利用で翻訳効率があがる

典型的な大きさのタンパク質をコードしている 1 本の真核細胞 mRNA の翻訳には 1〜2 分かかる. このタンパク質合成速度を大きく上げるには, 複数のリボソームで同時に 1 本の mRNA の翻訳をすればよい. また, mRNA の 3′末端から解離したリボソームサブユニットをすばやく再利用してすぐに次の翻訳に用いる, という方法もある. 電子顕微鏡観察や遠心による沈降物の分析によって, 新生ポリペプチド鎖を含んだ複数のリボソームが 1 本の mRNA に結合していることがわかる. このことから, 複数のリボソームが同時に mRNA の翻訳を行うことが確かめられた. **ポリリボソーム** (polyribosome) あるいは **ポリソーム** (polysome) とよばれるこうした構造は, ある種の組織の電子顕微鏡像では環状に見える.

精製した翻訳開始因子を用いた研究から, 次のようなポリリボソームの環状化機構や, 環状構造を利用した効率のよいリボソーム再利用の機構がわかってきた. 複数のポリ (A) 結合タンパク質 (PABP) が, mRNA のポリ (A) 尾部とともに eIF4 の 4G サブユニットと結合する. 酵母 eIF4 の 4E サブユニットは mRNA の 5′末端にあるキャップ構造に結合するので, こうした相互作用の結果, mRNA の両端は仲介役のタンパク質で架橋され, "環状" となる (図5・39a). この状態だとポリソームの両端は比較的近くにあるので, 3′末端から解離した 40S サブユニットは 5′末端近くに局在しており, 5′キャップに結合した eIF4 と相互作用しやすい. その結果, リボソームの再利用が加速される. 図5・39(b) に示した環状の経路によってリボソームの再利用が促進され, タンパク質合成効率があがると考えられている.

翻訳過程のいくつかの段階で, GTPase スーパーファミリータンパク質が品質管理にかかわっている

ここまでみてきたように, 一つあるいは複数の GTP 結合タンパク質が翻訳のそれぞれの段階にかかわっている. これらのタンパ

プチジル tRNA 結合は切断され, 翻訳が終了する. これもタンパク質合成における監視機構の例の一つである.

完成したタンパク質が放出された直後には, 80S リボソームの P 部位には遊離の tRNA が残り, A 部位には eRF1 と GDP 型 eRF3 が結合している. mRNA も 80S リボソームに結合したままである. 真核生物では, この翻訳終了後の複合体に **ABCE1** という ATP 加水分解酵素が結合し, 加水分解で生じるエネルギーで大小サブユニットの解離と mRNA 放出を促す. 遊離した大小サブユニットは, 次のタンパク質合成に再利用される. 翻訳開始因子 eIF1, eIF1A, eIF3 がまた 40S サブユニットに結合し, 次の翻訳開始が

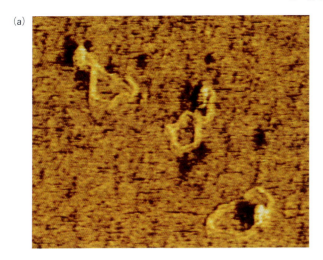

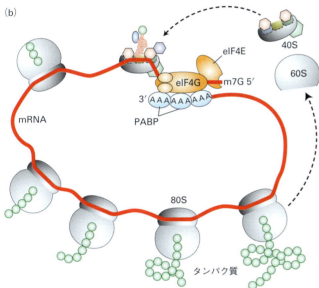

図 5・39(実験) mRNA の環状構造で翻訳効率が向上する．真核生物の mRNA は三つのタンパク質の相互作用によって環状構造を形成する．(a) 精製した酵母ポリ(A)結合タンパク質(PABP)，eIF4E，eIF4G の存在下で，真核生物の mRNA は環状構造を形成する．この構造は原子間力顕微鏡で観察できる．なお，高等真核生物が核型 PABP と細胞質型 PABP をもつのに対し，出芽酵母は一つの PABP しかもたない．タンパク質間およびタンパク質-mRNA 間の相互作用を介して，mRNA の 5′ 末端と 3′ 末端が架橋されている．(b) 環状ポリソーム上でのタンパク質合成とリボソームサブユニット再利用のモデル．1 本の真核生物 mRNA を複数のリボソームが同時に翻訳する．3′ と 5′ 末端に結合したタンパク質間の相互作用により環状構造が安定化される．翻訳を完了したリボソームが 3′ 末端から離れると，解離したサブユニットはすぐにそばの 5′ キャップ構造(m^7G) と PABP が結合したポリ(A)を発見して，次のタンパク質合成を開始できる．[(a)は A. Sachs, S. Wells 提供．]

ク質は GTPase スーパーファミリー (GTPase superfamily) に属しており，活性な GTP 型と不活性な GDP 型の間を行ったり来たりするスイッチタンパク質である (図 3・35 参照)．通常，結合した GTP の加水分解をひき起こすには，その前のリボソームの組立て段階が正しく実行されることが必要である．結合した GTP から結合した GDP への加水分解は，基本的に不可逆的であり，GTPase 自体の構造変化をひき起こす．そのため，翻訳に伴う次の相互依存的な組立て段階が，迅速かつ一方向に，高い正確さで進行することを保証する．翻訳の詳細が明らかになるにつれて，GTP 加水分解には二つの異なる，しかし互いに排他的ではない機能があることがわかってきた．一つは，タンパク質が一度正しく組合わさると，相互作用したタンパク質を固定することで，組立て反応を一方向性にすることである．このよい例が，eIF5B による GTP の加水分解と共役したリボソーム大サブユニットと小サブユニットの会合である (図 5・36, 段階 **8**)．両者が正しく会合しなければ eIF5B に結合した GTP は加水分解されず，その会合体は不安定で，大サブユニットと小サブユニットは解離してしまう．ポリペプチド鎖伸長の進行に必要とされる正確な大小サブユニット配置が整うと eIF5B に結合した GTP は GDP に加水分解され，この構造が固定される．GTP の高エネルギー β-γ 結合の加水分解から得られたエネルギーは，こうした反応を一方向に進めるのに使われる．GTP 加水分解の第二の機能は，翻訳の正確さを高めるために，分子間の結合が正しく行われていることを確認するための追加段階をつくり出すことである．このような校正活性の最もよい例が，正しいアミノアシル tRNA を mRNA 中の次のコドンに適合させるという重要な過程で起こる．EF1α·GTP と複合体化したアミノアシル tRNA のアンチコドンが，A 部位のコドンと結合することで，最初の照合が行われる．その後，アンチコドンとコドンの正しい塩基対形成が確認された場合のみ，EF1α·GTP から EF1α·GDP への加水分解が行われる．この GTP の加水分解で EF1α が構造変化を起こし，結合していたアミノアシル tRNA から離れる．その結果，アミノアシル化された tRNA の 3′ 末端がペプチド結合形成可能な位置に移動する (図 5・37, 段階 **2**)．つまり事実上，アンチコドンとコドンの塩基対は 2 回チェックされる．最初はアミノアシル tRNA の最初の選択であり，次は EF1α·GTP の加水分解と連動した段階である．分子シミュレーションによると，この 2 回目の校正段階により，翻訳の正確さが約 15 倍高まると推定されている．

ナンセンス変異は tRNA 変異の抑制により回避される

これまでみてきたように，通常アミノ酸をコードしているコドンを終止コドンに変換する突然変異はナンセンス変異とよばれ，翻訳の早期終了につながる．ナンセンス変異で生じた短く切断されたタンパク質はふつう機能を失っている．大腸菌を用いた遺伝学的研究により，ナンセンス突然変異の影響は，tRNA 遺伝子における第二の突然変異により抑制されることが発見された．これは，アンチコドンをコードする tRNA 遺伝子の配列が，終止コドンと相補的なトリプレットに変更された場合に起こる．たとえば，ある遺伝子のナンセンス変異によって UCG (セリン) コドンが UAG (終止) コドンに変換された場合，tRNA のアンチコドンが UAG 終止コドンと塩基対を形成できる CUA に変更されれば，その終止コドンが読まれて全長のタンパク質がつくられるかもしれない．これを実現する一つの方法は，$tRNA^{Tyr}$ の遺伝子を変異させ，アンチコドンを GUA から CUA に変更することである．重要なことは，アンチコドン配列は対応するアミノアシル tRNA 合成酵素による認識に必要な特徴ではないので，変異型 $tRNA^{Tyr}$ はまだチロシンアミノアシル tRNA 合成酵素に認識されうるということである．最初のナンセンス変異とともに tRNA 遺伝子アンチコドン上に第二の変異があれば，変異で生じた終止コドンはチロシ

ンとして読まれることになり，ナンセンス変異を乗越えてポリペプチド鎖合成が進行する．この機構による終止コドンの抑制の効率はよくないので，正常な位置にある終止コドン UAG では，ほとんどの場合ポリペプチド鎖の合成は停止し，問題は起こらない．もし，第二の変異の結果，ナンセンス変異をもった遺伝子でコードされるタンパク質が十分量合成され，生物に必須な機能を果たすとすれば，最初の変異の効果は tRNA 遺伝子のアンチコドン領域の第二の変異で抑制されたことになる．

このナンセンス抑制 (nonsense suppression) という現象は細菌の遺伝学的解析における強力な手段となる．たとえば，必須遺伝子にナンセンス変異があるため正常な細胞では生育できないが，ナンセンス抑制変異 tRNA を発現する細胞では生育できるウイルスが単離できたとする．ナンセンス抑制変異をもつ細胞で増殖させたこの変異ウイルスを正常な細胞に感染させると，ウイルスのナンセンス変異が抑制されないので，ナンセンス変異の起こったウイルスタンパク質が失われる．このようにしてウイルスの生活環のどこに欠陥が起こるかを解析すると，そのウイルスタンパク質の機能がわかる．

5・6 リボソーム上でタンパク質合成は一歩ずつ進む まとめ

- 原核生物でも真核生物でも，翻訳を行う大きなリボ核タンパク質複合体であるリボソームは大小の二つのサブユニットで構成されている．各サブユニットは多種類のタンパク質とそれぞれ 1 本の主要な rRNA (短鎖 rRNA と長鎖 rRNA) からなる．細菌とアーキアではリボソーム大サブユニットにさらに 1 本のアクセサリー rRNA (5S rRNA) が，真核生物では 2 本のアクセサリー rRNA (5S rRNA と 5.8S rRNA) が含まれている．
- 同類の rRNA は，種が異なっていても，多数のステム-ループ構造やタンパク質，mRNA あるいは tRNA に対する結合部位など，互いによく似た三次元構造をとっている．rRNA よりずっと小さなリボソームタンパク質は rRNA の表面に結合している．
- すべての細胞には 2 種類のメチオニル tRNA があるが，そのうち一つ ($tRNA_i^{Met}$) だけが，タンパク質合成の翻訳開始に関与する．
- 翻訳の開始，ポリペプチド鎖伸長，終結という各段階で，特別なタンパク質因子が必要とされる．こうした因子のなかに，各段階がきちんと完了したとき，結合している GTP を GDP に加水分解する GTP 結合タンパク質がある．
- 開始段階では，mRNA の開始部位近くで大小リボソームサブユニットが集合する．ここで，アミノ末端となるメチオニンを結合した tRNA ($Met-tRNA_i^{Met}$) が開始コドンと塩基対をつくる (図 5・36)．
- ポリペプチド鎖伸長は次に示す四つの反応の繰返しである．1) アミノアシル tRNA がリボソームの A 部位に弱く結合する．2) mRNA のコドンに対応するアミノアシル tRNA だけが A 部位に強く結合し，同時に，前のサイクルで使われた空の tRNA が E 部位から放出される．3) 新たに入ってきた A 部位のアミノ酸に伸長中のポリペプチド鎖を転移するという反応は，長鎖 rRNA が触媒する．4) トランスロケーションという過程でリボソームが次のコドンに移動する．その結果，A 部位のペプチジル tRNA は P 部位に移り，P 部位の脱アシルした tRNA は E 部位に移る (図 5・37)．
- ポリペプチド鎖伸長の各サイクルで，二つの GTP 結合タンパク質によって GTP 加水分解と共役したリボソームの構造変化が 2 回起こる．最初の構造変化 (EF1α が関与する) で，A 部位に入ってくるアミノアシル tRNA が強く捕捉され，同時に E 部位から空になった tRNA が放出される．次の構造変化 (EF2 が関与する) でトランスロケーションが起こる．
- 翻訳終結には 2 種類の終結因子がかかわっている．一つは終止コドンを認識し，もう一つはペプチジル tRNA の加水分解を促進する (図 5・38)．ここでも終止コドンの正確な認識は GTPase (eRF3) で監視されている．
- ポリソーム (ポリリボソーム) 形成によって，いくつものリボソームが 1 本の mRNA を同時に翻訳できるようになり，タンパク質合成効率が向上する．また，真核細胞では，タンパク質間相互作用でポリソームの両端が近づいて，リボソームサブユニットの再利用が促進される．この結果，タンパク質合成効率はさらに向上する (図 5・39b)．

5・7 ウイルス: 細胞の遺伝子システムへの寄生者

ウイルス (virus) に関する議論で本章を終えよう．ウイルスはこれまで述べてきた生物とは根本的に異なるものだが，それでも基本的な遺伝学的過程に依存している．ウイルスは，DNA または RNA にコードされた命令をもち，標準的なワトソン-クリック塩基対を用いた重合によって複製され，その遺伝子は普遍的な遺伝暗号に従って発現する．ウイルスのゲノムは，自己複製する遺伝プログラムであると考えることができる．また，ウイルスは突然変異を起こすことができ，自然選択の過程を経て進化することができる．しかし，コンピュータープログラムの命令が，実行するコンピューターなしでは完全に実現できないのと同様に，ウイルスの遺伝的命令は，ウイルスタンパク質を合成し，ウイルスゲノムを複製するための細胞宿主を必要とする．ウイルスは，ゲノムを構成する核酸の種類によって分類される．RNA ウイルスは RNA ゲノムをもち，宿主細胞の細胞質で増殖する．一方，DNA ウイルスは DNA ゲノムをもち，宿主細胞の核で増殖する (図 5・1)．ウイルスゲノムは，ウイルスの種類によって一本鎖のこともあるし，二本鎖のこともある．ビリオン (virion) とよばれる感染性のあるウイルス粒子は，核酸がキャプシド (capsid) とよばれるタンパク質外被に包まれている．この外被はウイルスの核酸を保護するとともに，宿主細胞への感染過程でも機能する．知られているなかで最も簡単なウイルスのゲノムは，4 種類のタンパク質をコードするに足るだけの RNA あるいは DNA しかもっていない．しかし，最も複雑なものは約 200 種類のタンパク質をコードしている．ウイルスはいろいろな病気をひき起こす原因になるという点で重要な研究対象である．同時に，本章で解説するように，基礎的な生物学研究にも重要な材料として有用である．

ウイルスの宿主域は狭いことが多い

感染過程は通常，感染性ウイルス粒子表面のタンパク質がウイルス宿主細胞表面の特定のタンパク質と結合し，受容体として利用するために乗っ取ることではじまる．この相互作用は通常，非常に特異的であるため，**宿主域**（host range，ウイルスが感染できる細胞の種類）は，特定の生物種における非常に狭い範囲の細胞種に限定される．

細菌にだけ感染するウイルスを**バクテリオファージ**（bacteriophage），あるいは簡単に**ファージ**（phage）とよぶ．動物細胞あるいは植物細胞に感染するウイルスを，それぞれ**動物ウイルス**（animal virus），**植物ウイルス**（plant virus）とよぶ．ほとんどの動物ウイルスは，宿主の範囲が特定の系統に限定されており，たとえば霊長類に感染するウイルスなら霊長類にだけ感染するというように，近縁種にのみ感染する．一方で，水疱性口内炎ウイルスのように，昆虫や多くの種類の哺乳類に感染するものもある．植物や動物だけでなく，それを食べる昆虫の体内でも増殖できるウイルスがある．移動性の高い昆虫は，こうしたウイルスのベクターとなって，感受性の高い宿主の間でウイルスを移動させることができる．動物ウイルスのなかには，さらに宿主域が狭く，ウイルス粒子に対する受容体をもつ特定の細胞だけにしか感染しないものもある．ポリオウイルスはその一例で，腸の細胞や脊髄中の運動ニューロンにだけ感染する．この運動ニューロンへの感染が麻痺をひき起こす．もう一つの例が HIV-1 である．このあと述べるように，このウイルスは免疫反応に必須な **CD4$^+$ T リンパ球**（CD4$^+$ T lymphocyte）という細胞に感染し，AIDS をひき起こす（24 章）．また，神経細胞や中枢神経の**グリア細胞**（glial cell）にも感染する．

ウイルスキャプシドは 1 種類か数種類のタンパク質が規則正しく配列してできる

ウイルスキャプシドは，それぞれウイルス遺伝子でコードされている 1 種類か数種類のタンパク質が多数集合してできる．こうした単純な構造のおかげで，比較的大きなキャプシド構造の情報全部を少数の遺伝子でコードできることになる．決まった量の DNA か RNA，つまり決まった数の遺伝子しかウイルスキャプシド中には入らないことを考えると，遺伝情報を効率よく利用することは重要である

複数のキャプシドタンパク質からなる規則正しい構造体によってウイルスゲノムを包むには二つの方法がある．ある種のウイルスでは，1 種類のタンパク質サブユニットがらせんを巻いて集合し，その内部にウイルス DNA や RNA を包み込んで保護する．タバコモザイクウイルス（TMV）のように，こうしたらせん形ヌクレオキャプシドをもつウイルスは棒状となる（図 5・40a）．これに対して，同じ大きさの正三角形 20 個がほぼ球状に並ぶ正二十面体構造をもつウイルスもある（図 5・40b）．正二十面体のキャプシドをつくるには，各面は正三角形で，少なくとも三つのタンパク質サブユニットで構成されていなければならないので，少なくとも 60 のサブユニットが必要である．ある種の正二十面体ウイルスは，感染時にキャプシド間のくぼみを介して細胞表面の受容体と相互作用する．ヌクレオキャプシドから突き出た長い繊維状のタンパク質を介して相互作用するものもある．

多くの DNA バクテリオファージでは，ウイルス DNA は正二十面体の"頭部"内に格納されている．頭部には棒状の"尾部"がついている．感染時には，尾部の先端にあるタンパク質が，宿主細胞の受容体に結合し，ウイルス DNA は尾部内部を通って宿主細

(a) タバコモザイクウイルス　　(b) ポリオウイルス　　(c) バクテリオファージ T4　　(d) トリインフルエンザウイルス

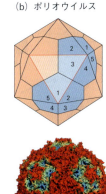
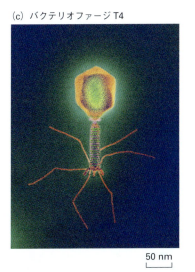
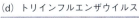
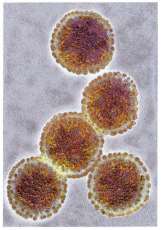

図 5・40　**ウイルス粒子の構造．**（a）らせん形のタバコモザイクウイルス．（b）上：小さい正二十面体ウイルスであるポリオウイルスの模式構造．三角形の面が 20 枚集合してウイルス粒子表面を覆っている．そのうち一つは赤線で示している．それぞれの面は，カプソメア（capsomere）とよばれる 3 種類の構造単位でできている．カプソメアにつけられた数字（1〜5）は，5 個のカプソメアが集合して正二十面体の 12 個の頂点を形成する様子を示している．下：X 線結晶構造解析から得られたポリオウイルスの空間充填モデル．このモデルでは，ウイルス粒子の中央からの距離に従ってタンパク質の色づけがなされている．赤が中心から遠いもの，青が中心に近いものである．このウイルス粒子は宿主細胞上の受容体（図には示していない）に結合する．この受容体は細胞表面にある細長いタンパク質で，ウイルス粒子上の頂点（赤）を取囲む凹み（青-緑）に結合する．（c）バクテリオファージ T4．（d）インフルエンザウイルス．エンベロープのあるウイルスの例．［(a)は Omikron/Science Source/amanaimages．(b)は D. J. Filman et al., 1989. *EMBO J.* **8**: 1567, PDB ID 2plv．(c)は Department of Microbiology, Biozentrum, University of Busel/Science Source/amanaimages．(d)は J. Cavallini/Science Source.］

胞の細胞質に送り込まれる（図5・40c）．

ある種のウイルスでは，対称的に並んだ**ヌクレオキャプシド**（nucleocapsid）の外側を**ウイルスエンベロープ**（viral envelope）とよばれる膜が覆っている．エンベロープはおもにリン脂質二重層からなり，ウイルスがコードする糖タンパク質を1種類か2種類含んでいる（図5・40d）．ウイルスエンベロープのリン脂質は，宿主細胞のものによく似ている．実際のところ，このエンベロープはウイルスが細胞膜から出芽するときに獲得したものである．しかし，エンベロープに含まれている糖タンパク質は，すぐあとで述べるようにウイルス遺伝子にコードされている．

ウイルスの溶解生活環で宿主細胞は死ぬ

細かい点はウイルスの種類によって違うが，**溶解生活環**（lytic cycle, バクテリオファージの場合，溶菌生活環）は次のような経過をたどる．

1. 吸着（adsorption） 細胞表面の受容体に多数のキャプシドタンパク質が結合して，ウイルス粒子と細胞が相互作用する．

2. 侵入（entry） ウイルスは宿主細胞の細胞質内に侵入する．膜に包まれたウイルスは，14章で説明するエンドサイトーシス経路を通って入ることもあれば，宿主の細胞膜と直接融合するものもある．タンパク質キャプシドをもつウイルスは，細胞膜保全のために，エンドサイトーシス経路を通って細胞に侵入する必要がある．

3. 初期遺伝子発現（early gene expression） 最初に発現するウイルス遺伝子は，通常，ウイルスゲノムの複製と，ウイルス構造遺伝子の効率的な発現に関与している．＋鎖RNAウイルスの場合，初期の遺伝子は，細胞質でゲノムRNAの直接翻訳によって発現

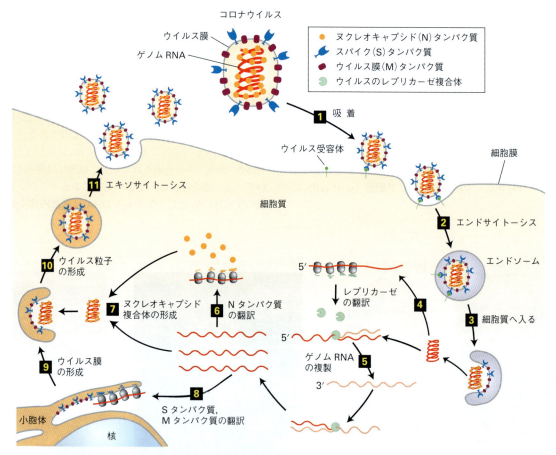

図5・41　エンベロープをもつRNAコロナウイルスの溶解生活環．コロナウイルスは，約30種類のウイルスタンパク質をコードする約30 kbの一本鎖RNAからなるゲノムをもつ．ウイルス粒子内では，RNAゲノムはウイルスのヌクレオキャプシド(N)タンパク質と複合体を形成し，らせん状のヌクレオキャプシドを形成している．ヌクレオキャプシドは，膜(M)タンパク質とスパイク(S)タンパク質を主成分とするウイルス膜に包まれている．感染は，Sタンパク質が細胞表面の受容体に結合することでウイルスが標的細胞に吸着され（段階❶），エンドソームに取込まれる（段階❷）ことからはじまる．Sタンパク質は，エンドソーム内部の酸性環境で起こるタンパク質分解によって活性化されたのち，膜融合を触媒する．Sタンパク質の触媒作用により，ウイルス膜とエンドソーム膜が融合し，ヌクレオキャプシドが細胞質へ入る（段階❸）．細胞質内の宿主細胞のリボソームは，ウイルスのゲノムRNAをmRNAとして認識し，ウイルスのレプリカーゼをコードする初期配列を翻訳する（段階❹）．レプリカーゼは，ゲノムの相補的なコピーを生成する．そのコピーにレプリカーゼが作用して，ウイルス構造タンパク質の発現のためのウイルスmRNAと，完全長のウイルスRNAゲノムの多数のコピーを生成する（段階❺）．翻訳されたウイルスNタンパク質（段階❻）は，新たに複製されたウイルスゲノムRNAと会合し，ヌクレオキャプシド複合体を形成する（段階❼）．同時に，Mタンパク質とSタンパク質が翻訳され，小胞体膜内に挿入される（段階❽）．小胞体由来の膜では，これらのウイルス膜タンパク質が集合してウイルス膜の前駆体となり（段階❾），ウイルス膜がヌクレオキャプシドを包むことでウイルス粒子構築の最終段階となる（段階❿）．小胞体内部に出芽して形成された成熟したウイルス粒子は，エキソサイトーシスによって細胞外に分泌され（段階⓫），再び細胞への感染と増殖が行われるようになる．

する．DNA ウイルスの場合，ウイルス DNA は細胞核に入り，宿主細胞の転写装置の助けを借りて，ウイルス mRNA が産生される．ウイルスの mRNA は，宿主細胞の翻訳装置で翻訳される．
4. **ゲノムの複製**（genome replication） ウイルスゲノムの複製は，ウイルスタンパク質だけで行われる場合と，宿主細胞のタンパク質の助けを借りる場合がある．RNA ウイルスは通常，細胞質で複製されるが，DNA ウイルスは核内で複製されなければならない．
5. **構造遺伝子の発現**（structural gene expression） ウイルスは宿主細胞の装置を利用して，ウイルスの構造タンパク質の転写と翻訳を行う．このような構造タンパク質には，ヌクレオカプシドのタンパク質や，エンベロープをもつウイルスのための大量の膜糖タンパク質が含まれる．
6. **集合**（assembly） ウイルスタンパク質と複製されたゲノムが宿主細胞の細胞質で集合して子孫ウイルス粒子ができる．
7. **放出**（release） 宿主細胞は突然破裂し（**溶解**あるいは**溶菌** lysis），新たにできたウイルス粒子が一度に放出される場合と，細胞がしだいに壊れて徐々に崩壊してウイルス粒子がゆっくり放出される場合がある．エンベロープをもつウイルスの場合，最後の組立て段階として，分泌経路の膜小胞への侵入がある．そして，エキソサイトーシスまたは細胞膜から直接出芽することによって細胞外に放出される．

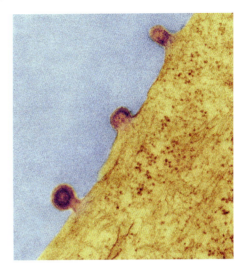

図 5・42（実験） 子孫ウイルス粒子は出芽で放出される．エンベロープウイルスの子孫ウイルス粒子は感染細胞の細胞膜から出芽し放出される．この麻疹ウイルスに感染した細胞の透過型電子顕微鏡写真では，細胞表面から出芽するウイルス粒子を明瞭に見ることができる．麻疹ウイルスは，らせん状のヌクレオカプシドをもつエンベロープ型 RNA ウイルスである．[T. Deerinck, NCMIR/Science Source/amanaimages.]

　ここでは，COVID-19 のパンデミックの原因であるコロナウイルスを例にして，溶解ウイルスが真核細胞内の区画をどのように移動するのかを紹介する．図 5・41 に描かれたコロナウイルスの生活環の特徴は，RNA ゲノムとエンベロープをもつというコロナウイルスの基本的な性質に支配されていることに注意しよう．コロナウイルスは，エンベロープのスパイクタンパク質が宿主細胞表面の受容体タンパク質と結合することにより，標的細胞への侵入を開始する．受容体への結合により，ウイルスはエンドサイトーシス小胞に入り，14 章で述べるように，細胞内部で出芽する．エンドサイトーシス区画内では，比較的低い pH がウイルスのスパイクタンパク質のタンパク質分解をひき起こし，スパイクタンパク質を活性化してウイルス膜とエンドソーム膜を融合させ，ヌクレオカプシドを細胞質へ放出させる．

　コロナウイルスは＋鎖 RNA ウイルスである．つまり，一本鎖 RNA ゲノムが細胞質内の宿主細胞のリボソームとただちに結合して，初期遺伝子の発現が行える．コロナウイルスの初期遺伝子は，レプリカーゼとよばれるタンパク質複合体をコードしており，ウイルス RNA ゲノムの複製を行う．リプリカーゼは，RNA 鋳型依存性 RNA ポリメラーゼを含んでおり，まず RNA ゲノムを鋳型として，相補的な RNA 鎖を生成する．この相補鎖は，さらに多くの RNA ゲノムのコピーと，ウイルス構造タンパク質の翻訳に適したウイルス mRNA の生産のための鋳型として使用される．翻訳されたウイルスヌクレオカプシドタンパク質は，ウイルス RNA と結合し，成熟したらせん状のヌクレオカプシド構造を形成する．

　一方，コロナウイルスの膜構造タンパク質は，小胞体膜上で合成され（13 章），ウイルス膜の前駆体となる小胞体膜の領域に集積している．そして，ウイルスが小胞体の内部に出芽する際に，ヌクレオカプシドがウイルス膜に包まれて，完全なウイルスが構築される．最後に，成熟したウイルスはエキソサイトーシスによって細胞外に放出される（14 章）．同様のエンベロープ形成過程をもつウイルスのなかには，図 5・42 の麻疹ウイルスに感染した細胞の電子顕微鏡写真に見られるように，細胞膜から直接出芽することによって細胞外に放出されるものもある．

　RNA ウイルスの場合，RNA ゲノムの複製とウイルス mRNA の産生および翻訳は，すべて細胞質内で行われることをここまでみてきた．一方，DNA ウイルスの場合，DNA ゲノムは，ウイルス mRNA に転写され，核 DNA ポリメラーゼによって複製されるために，核内に入る必要がある．宿主細胞に侵入した直後，ウイルスの DNA ゲノムは，13 章で述べるように核膜孔を通って細胞核内に輸送される．いったん核に入ると，宿主の転写装置でウイルス DNA は RNA に転写される．ウイルスの一次転写産物 RNA は宿主の酵素でプロセシングを受け，ウイルス mRNA となる．これが細胞質に運ばれ，ウイルスタンパク質に翻訳される．初期に発現するウイルスタンパク質は，その後また核に運ばれ，細胞の複製装置と協力して，ウイルス DNA を複製する．カプシドを構成するウイルスタンパク質は，通常，感染過程の後半で発現される．新たに複製されたウイルス DNA とカプシドタンパク質の集合は核内で起こり，成熟した子孫ウイルスが生じる．

　数百から数千の新しいウイルス粒子の合成が完了したあとの放出の仕方はウイルスと宿主細胞の種類によって異なる．宿主細胞が溶解してすべてのウイルス粒子を一度に放出する場合もあれば，宿主細胞が徐々に崩壊するのに伴いウイルス粒子を少しずつ放出する場合もある．

非溶解的（非溶菌的）なウイルス増殖では，ウイルス DNA は宿主ゲノムに挿入される

動物ウイルスのゲノムが宿主細胞ゲノムに組込まれることも

多い.こうしたウイルスのなかで最も重要なのは,2本の同一なRNAをゲノムとしエンベロープをもつ**レトロウイルス**(retrovirus)である.このウイルスはゲノムRNAを鋳型にしてDNAを産生する.つまり,一般的なDNAからRNAへの転写とは逆方向に遺伝情報が流れるため,この名前がついた.レトロウイルスの生活環(図5・43)では,**逆転写酵素**(reverse transcriptase)というウイルス固有の酵素が,まずウイルスのゲノムRNAを相補的な一本鎖DNAに写しとる.次に,同じ酵素がこのDNA鎖と相補的なDNA鎖を合成する.こうした複雑な反応は,これによく似た**レトロトランスポゾン**(retrotransposon)という細胞内寄生性DNAについて説明する7章で詳しく扱う.こうしてできた二本鎖DNAは,感染細胞の染色体DNAに組込まれる.組込まれたDNAは**プロウイルス**(provirus)とよばれる.プロウイルスは宿主細胞の装置でRNAに転写される.このウイルスRNAはさらにウイルスタンパク質に翻訳されるか,RNAゲノムとしてウイルスキャプシドタンパク質の中に包み込まれ,子孫ウイルスとなり,宿主細胞の膜から出芽して放出される.ほとんどのレトロウイルスは宿主細胞を殺さないので,感染細胞は増殖し,組込まれたプロウイルスDNAをもつ娘細胞をつくり出す.この娘細胞もプロウイルスDNAの転写と子孫ウイルス粒子の出芽を続ける.

レトロウイルスのなかにはがんをひき起こす遺伝子(**がん遺伝子**oncogene)をもつものがある.こうしたレトロウイルスに感染すると,細胞はがん化する.このような発がん性レトロウイルス(ほとんどがトリやマウスのウイルス)の研究で,正常な細胞ががん化する悪性転換の過程が明らかにされた(25章).

ヒトに感染するレトロウイルスのなかに,白血病をひき起こすヒトTリンパ球向性ウイルス(human T-cell lymphotropic virus: HTLV)や後天性免疫不全症候群(acquired immune deficiency syndrome: AIDS)をひき起こすヒト免疫不全ウイルス(human immunodeficiency virus: HIV)がある.両者とも特別な細胞,主として免疫系の特定の細胞にのみ感染する.HIV-1の場合には,中枢神経系の神経細胞やグリア細胞に感染する.こうした細胞だけがウイルスのエンベロープタンパク質と相互作用する細胞表面の受容体をもっており,これがウイルスの宿主域を決めている.他のレトロウイルスとは違い,HIV-1は最後には宿主細胞を殺してしまう.免疫系の細胞が大量に死滅するために,AIDSに特有な免疫不全が起こる.

HIV-1などのレトロウイルスは,ウイルスRNAに含まれる情報をDNAに複製する.この複製反応を担うのが逆転写酵素であり,DNAポリメラーゼと同様の働きをするが,ウイルスRNAを鋳型として使用する.ウイルス遺伝子としてコードされている逆転写酵素は,校正活性をもたないため,細胞のDNAポリメラーゼに比べ,はるかに誤りを起こしやすい.つまり,ウイルスキャプシド遺伝子の頻繁な変異が生じることにより,ウイルスは粒子表面の抗原を絶えず変化させ,ヒトの免疫系を回避できる.複製の正確さが低いことが,ウイルスにとって有利に働くことになる.

DNAウイルスにも宿主細胞の染色体に組込まれるものがある.いぼなどの皮膚の病変をひき起こすヒトパピローマウイルス(human papillomavirus: HPV)は宿主細胞染色体に組込まれないでも

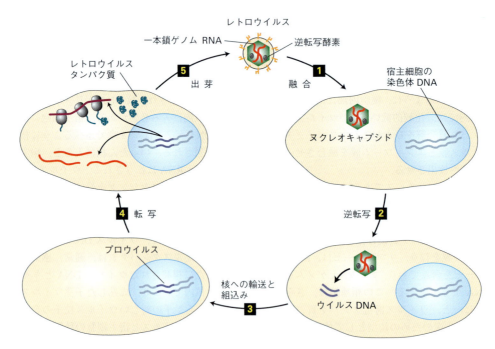

図5・43 レトロウイルスの生活環. レトロウイルスは,2本の同じ一本鎖RNAからなるゲノムとエンベロープをもつ.段階**1**: エンベロープに埋込まれたウイルスの糖タンパク質が宿主細胞の特定の膜タンパク質に結合すると,レトロウイルスのエンベロープと細胞膜が融合し,ヌクレオキャプシドが細胞質に入る.段階**2**: ウイルスの逆転写酵素などがウイルスの一本鎖ゲノムRNAを二本鎖DNAに逆転写する.段階**3**: 逆転写でつくられたウイルス二本鎖DNAは核に輸送され,宿主細胞染色体DNAに存在するたくさんの可能な部位のなかのどこか1箇所に組込まれる.ここでは単純化のため宿主細胞染色体は1本だけ示してある.段階**4**: 組込まれたウイルスDNA(プロウイルス)は宿主細胞のRNAポリメラーゼによって転写されて,ウイルスmRNA(赤紫)とウイルスゲノムRNA(赤)ができる.宿主細胞の翻訳装置が,ウイルスのmRNAを糖タンパク質とヌクレオキャプシドタンパク質に翻訳する.段階**5**: 子孫ウイルス粒子が組立てられ,図5・42のように出芽によって細胞外に放出される.

増殖できる．しかし，子宮頸部の上皮細胞に感染すると，そのゲノムが上皮細胞染色体 DNA に組込まれることがたまに起こる．レトロウイルスや溶原性ファージとは違い，この HPV の組込みはウイルスタンパク質で誘導されるのではなく，宿主細胞の DNA 修復過程でひき起こされる．染色体 DNA に組込まれた HPV は複製されることもなく，子孫ウイルスもつくれないので，この組込みは HPV にとって本来なんの意味もない．しかし，子宮頸部上皮細胞の染色体に組込まれた HPV から発がん性タンパク質が発現し，その結果，子宮頸がんが生じることがある．子宮頸がんをひき起こす HPV に対するワクチンが開発されており，HPV への初感染を防ぐことで子宮頸がんの発生を予防するのに使われている．

5・7 ウイルス：細胞の遺伝子システムへの寄生者 まとめ

- ウイルスは，ある細胞から別の細胞へ移動することができる遺伝情報の小さな包みであり，その遺伝子の発現と複製を宿主細胞に依存するものである．ウイルスゲノムは DNA だったり（DNA ウイルス），RNA だったり（RNA ウイルス），一本鎖だったり二本鎖だったりする．
- ウイルスゲノムを取囲んでいるキャプシドはウイルスがコードしている 1 種類か数種類のタンパク質が多数集合したものである．宿主細胞の細胞膜に似た成分からなり，さらにウイルスに特有の膜貫通タンパク質をも含むエンベロープで覆われているウイルスもある．
- ほとんどの動物 DNA ウイルスと植物 DNA ウイルスでは，ウイルスゲノムを mRNA に転写し，また子孫ゲノムを産生するのに，宿主細胞の核に存在する酵素群を用いる．これに対して，ほとんどの RNA ウイルスでは，RNA ゲノムをウイルス mRNA に転写し，新たな RNA ゲノムを産生するのに必要な酵素を自身のゲノムにコードしている．
- 感染細胞内におけるすべてのウイルスタンパク質の合成には，宿主細胞のリボソーム，tRNA，翻訳因子が用いられる．
- ウイルスの溶解的感染は，吸着，侵入，ウイルスタンパク質と子孫ゲノムの合成（複製），子孫ウイルス粒子の集合，数百から数千のウイルス粒子の放出，そして宿主細胞の死という段階を経て進行する（図 5・41）．エンベロープをもつウイルスは，宿主細胞の細胞膜から出芽して細胞外に出る（図 5・42）．
- レトロウイルスは，エンベロープをもつ動物ウイルスで，一本鎖のゲノム RNA をもつ．宿主細胞に侵入すると，ウイルス粒子が持込んだ逆転写酵素がウイルスゲノム RNA から二本鎖 DNA をつくる．この二本鎖 DNA が，宿主細胞の染色体 DNA に組込まれる（図 5・43）．
- 他のレトロウイルスの感染とは違い，HIV 感染で宿主細胞は死に，AIDS に特徴的な免疫系の不全がひき起こされる．
- がん遺伝子をもつ腫瘍ウイルスには，RNA ゲノムをもつもの（たとえばヒト T リンパ球向性ウイルス）や，DNA ゲノムをもつもの（たとえばヒトパピローマウイルス）がある．こうしたウイルスのゲノムが宿主細胞の染色体に組込まれると，細胞ががん化する．

重要概念の復習

1. ワトソン-クリック型塩基対とは何か．なぜこれが重要か．
2. 二本鎖環状プラスミド DNA の塩基配列決定には，相補的で短い一本鎖オリゴヌクレオチド DNA プライマーをプラスミドに結合させる．このため，ふつうはプラスミドとプライマーを 90°C に加熱し，その後，ゆっくりと温度を 25°C にする．なぜこのような方法を使うか．
3. RNA と DNA のどんな違いで，DNA のほうがずっと安定になっているか．DNA の安定性は，その機能にどんな意味をもつか．
4. 原核生物と真核生物の mRNA 合成過程と構造にはどんな違いがあるか．
5. ヒトの特定の増殖因子受容体遺伝子の機能を研究中に，この遺伝子から 2 種類のタンパク質が合成されることがわかった．大きいほうのタンパク質は膜貫通ドメインをもち，細胞表面で増殖因子を認識する．この結果，下流のシグナル伝達経路が活性化される．これに対して，小さいほうのタンパク質は，細胞から分泌され，血中にあって循環している増殖因子に結合する．この結果，上記のシグナル伝達経路が阻害される．この二つの異なるタンパク質は，一つの遺伝子からどのようにして合成されるか．
6. ポリ(A)結合タンパク質に変異が生じると翻訳にどんな影響が出るか．こうした変異によって，ポリリボソームの電子顕微鏡像にどんな変化がみられるだろうか．
7. DNA 合成に不連続なものがあるのは，DNA のどんな特徴に由来するのか．岡崎フラグメントや DNA リガーゼはここでどんな役割を果たすのか．
8. 真核生物は，DNA 複製の誤りや変異原にさらされることで起こる突然変異を防ぐ修復機構をもっている．真核細胞にある 3 種類の除去修復機構とは何か．UV 照射で DNA に生じる損傷であるチミン-チミン二量体を修復するのは，このうちどれか．
9. 高い頻度で変異を生じる事態が起こるにもかかわらず，DNA 修復系が遺伝子の正確さを維持している．(a) UV 照射，そして (b) 電離放射線照射で，どのような DNA の変異が生じるか．哺乳類細胞におけるこうした変異を修復する機構について解説せよ．こうした修復系が失われる変異が多くのがんに存在する理由を推論せよ．
10. DNA 損傷を修復するとともに遺伝的多様性獲得にも寄与する過程は何とよぶか．この二つの過程はどこが似ており，どこが違うか．
11. a. 以下に示す DNA 鎖が矢印の方向に解かれたとすると，上下の DNA 鎖のうちどちらが RNA 転写の鋳型になるか．

5′ ACGGACTGTACCGCTGAAGTCATGGACGCTCGA 3′
3′ TGCCTGACATGGCGACTTCAGTACCTGCGAGCT 5′
⟶
DNA が解かれる方向

b. その結果できる RNA 配列を記せ（5′，3′ も記せ）．
12. 原核生物遺伝子と真核生物遺伝子の違いを述べよ．
13. DNA 複製とセントラルドグマについて学んだ．次のようなことが起こったとして，こうした過程のどこに影響が現れるか．
a. ヘリカーゼは DNA を解くが，一本鎖 DNA を安定化するタンパク質に変異があって，DNA に結合できない．
b. mRNA 上に相補的な領域があって，AUG 開始コドンを含む領域にヘアピンループができてしまう．
c. 機能をもつ tRNA^{Met} を合成できない．
14. a. 次の図を見て，ラギング鎖（リーディング鎖ではなく）の合成に岡崎フラグメントが必要な理由を説明せよ．
b. この図で，DNA ポリメラーゼが下の鋳型鎖にだけしか結合しな

いとすると，どんな場合にリーディング鎖が合成されるか．

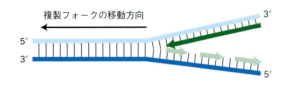

15. DNA 修復系はおもに新たに合成された鎖に対して働く．このことはなぜ重要か．

16. 以下の配列の変異は，どんな種類のものか（RNA 配列に直接対応するよう DNA 配列を記す）．

もとの配列： 5′ AUG TCA GGA CGT CAC TCA GCT 3′
変異配列 A： 5′ AUG TCA GGA CGT CAC TGA GCT 3′
変異配列 B： 5′ AUA TCA GGA CGT CAC TCA GCT 3′

17. レトロウイルスのゲノムは宿主細胞ゲノムに挿入される．多くのレトロウイルスがある種のヒト細胞に感染する．
a. レトロウイルスに固有の遺伝子は何か．なぜこの遺伝子でコードされるタンパク質が，レトロウイルスの生活環を維持するのに必須なのか．
b. ある種のヒト細胞に感染するレトロウイルスを二つあげ，この感染でどんな医学的問題が生じるか述べよ．なぜこうしたウイルスは特定の細胞だけに感染するのか．

18. a. ウイルスの溶解（溶菌）的感染と非溶解（溶原）的感染の重要な差異をあげよ．また，それぞれの例を示せ．
b. 以下の過程で，溶解（溶菌）的感染でも非溶解（溶原）的感染でもみられるのはどれか．
i) 感染細胞が破裂し，ウイルス粒子が放出される．
ii) ウイルス mRNA は，宿主細胞の翻訳装置で翻訳される．
iii) ウイルスタンパク質と核酸が集まってウイルス粒子となる．

6

分子遺伝学技術

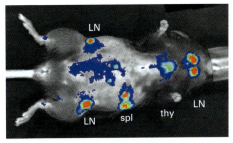

遺伝子組換えにより，生きているマウスの体内で特定の種類の細胞を見つけることが可能になった．T細胞に特異的に発現するCD2のプロモーターとつないだ昆虫ルシフェラーゼの遺伝子を導入したトランスジェニックマウスを作製し，免疫系の細胞を標識することができる．ルシフェラーゼの生物発光基質を注入したのち，皮膚を通して放出される光を30秒間画像化する．T細胞は，リンパ節(LN)，胸腺(thy)，脾臓(spl)に存在することが確認できる．[J. W. Kleinovink et al., 2019. *Frontiers in Immunology* **9**: 3097 による．]

6・1 突然変異体の遺伝学的解析に基づいた遺伝子の同定と研究
6・2 DNAのクローニングと解析
6・3 配列情報を用いた遺伝子の同定と機能推定
6・4 ヒトを特徴づける遺伝子の同定と染色体上での位置決定
6・5 クローン化したDNA断片を用いた遺伝子発現の解析
6・6 特定の遺伝子機能の意図的な改変

分子細胞生物学では，細胞の生物学的機能を化学的観点あるいは分子機構という観点から理解しようとする．新たな分子過程を調べるにあたっては，細胞生物学者は特定のタンパク質もしくはタンパク質群の機能研究に着目することが多い．彼らは以下に述べる一連の基本的な疑問に答えようとする．生きている細胞の中で，そのタンパク質はどのような働きをしているのか．精製されたタンパク質の生化学的機能は何か．そのタンパク質は細胞内のどこにあるのか．そのタンパク質はいつ，どこで発現しているのか．そのタンパク質は他のタンパク質とどのような関係にあるのか．そして，そのタンパク質の機能は進化の過程でどのように生じたのか．これらの疑問に対する答えは，ほとんどの場合，そのタンパク質をコードする遺伝子を研究し，操作することによって得られる．本章ではまず，対象となる遺伝子を同定し，単離するための戦略について考える．次に，その遺伝子産物の細胞機能を決定するための戦略を検討する（図6・1）．これらの戦略は，遺伝子操作のための実験手法に依存する．

古典的には，重要な細胞機能をもつタンパク質は，関連する生化学的活性をもつタンパク質を精製するか，適切な変異体を単離することによって発見されてきた．この二つのアプローチがいかに相互に補強し合うかを示す優れた例が，14章で述べる，分泌経路における小胞輸送に必要な重要タンパク質，NSFの発見である．哺乳類のNSFタンパク質は，輸送小胞と標的膜との融合を調べる生化学的アッセイ法を用いて精製された．一方，*sec18*として知られる酵母遺伝子の変異が，タンパク質分泌に欠陥のある変異体の遺伝子スクリーニングで同定された．やがて，*sec18*変異体に欠損のある酵母遺伝子が，NSFタンパク質をコードする哺乳類遺伝子と配列が酷似していることが示され，遺伝学的アプローチと生化学的アプローチが同じ遺伝子に収束することが明らかにされた．

今日，ヒトをはじめとする主要な実験生物の全ゲノム配列が明らかになり，遺伝子の同定とその産物の研究は非常に速くなっている．ゲノム配列から遺伝子配列とコードされたタンパク質の配列を得ることができるため，ほとんどの実験生物において，コードされたタンパク質のほぼすべてがすでに知られている．したがって，突然変異の染色体上の位置や，精製されたタンパク質の短い断片のアミノ酸配列から，目的の遺伝子配列を容易に，自動的に同定することができるようになった．さらに，異なる生物のゲノム配列を比較することで，研究すべき遺伝子を配列情報のみから特定することも可能である．この方法を用いれば，たとえばがんに関与するヒトの遺伝子の機能を，マウスや，類似の遺伝子が存在する場合にはショウジョウバエや酵母の対応する遺伝子を操作することによって研究することができる．

6・1 突然変異体の遺伝学的解析に基づいた遺伝子の同定と研究

5章で解説したように，遺伝子のDNA配列でコードされている情報は，細胞内のすべてのタンパク質のアミノ酸配列を規定しており，これらタンパク質の構造と機能を決めている．細胞や生物個体を調べる方法として遺伝学が重要なのは，研究者がある遺伝子に変化を与え，それが生物に及ぼす影響を評価できる点にある．遺伝学者は，生物を突然変異を誘発する薬剤にさらし，研究対象の生理的過程に欠陥のある突然変異体を探す．ある特定の生理的過程に欠陥のある変異体を遺伝学で調べると，1) この過程に必要な遺伝子群，2) 遺伝子産物が働く順序，そして，3) 異なる遺伝子でコードされたタンパク質どうしの相互作用の様子が明らかになる．こうした遺伝学的研究がどのように使われるかを解説するにあたって，まず，ここで使われる遺伝学の用語を説明しよう．

ある特定の遺伝子で異なる塩基配列をもつものを**対立遺伝子**

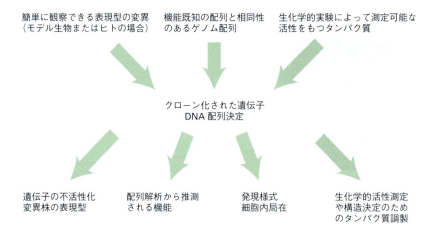

図 6・1 遺伝子やゲノムの解析は，細胞の機能を分子レベルで理解するうえで中心的な役割を担う．細胞の構成要素の機能を理解するための一般的な戦略は，まず遺伝子を同定し，単離することである．この過程は，突然変異体，精製タンパク質，またはゲノム配列データベースの分析によるタンパク質をコードする配列の同定からはじまる．実際の遺伝子は，クローンのDNAライブラリーから，あるいはゲノムDNAから特定の遺伝子配列を増幅することによって単離される．この遺伝子配列から，ゲノムデータベース中の他の類似した遺伝子配列を同定することができ，遺伝子の一般的な機能やその進化を知ることができる．クローン化した遺伝子を単離したあとは，生化学実験のためにその遺伝子がコードするタンパク質を大量に産生したり，そのタンパク質が生物のどこでいつ発現するかを研究するためのプローブを設計したりできる．また，クローン化された遺伝子をさまざまな手法で不活性化し，変異細胞や変異個体をつくり出すこともできる．特定の遺伝子を不活性化する突然変異の表現型の結果を調べることによって，コード化されたタンパク質の配列，構造，生化学的活性に関する知識を，生きた細胞や多細胞生物という文脈におけるその機能に結びつけることができる．

(allele，アレル)*1 とよぶ．遺伝学では，ある生物集団，特にヒトの集団中に自然に生じた多数の遺伝的変化を対立遺伝子とよぶことが多い．(突然)変異 (mutation) という言葉は，たとえば子孫に受け継がれるような変化を DNA にひき起こす (突然)変異原 (mutagen) で実験生物を処理したのちに，対立遺伝子に新たな変化が生じた場合に用いる．

厳密にいえば，ある個体がもっているすべての遺伝子について，それぞれの対立遺伝子の特定の組合わせが**遺伝子型** (genotype) である．しかし，もっと狭い意味で，いま考えている特定の遺伝子の対立遺伝子だけを考える場合もある．実験動物では，交配実験で対照として用いられる標準的な遺伝子型を**野生型** (wild type) とよぶことが多い．そこで，変異を起こしていない対立遺伝子を野生型とよぶことにする．ヒト集団には，自然に生じた多数の対立遺伝子が存在するので，野生型という言葉は，ほかに比べてずっと高い確率で存在している対立遺伝子を示す．

生物の遺伝子型と表現型を分けて考えることが遺伝学では重要である．**表現型** (phenotype) とは，ある遺伝子型の結果として個体に生じたすべての形質をいう．しかし実際には，実験の対象となっている対立遺伝子だけに由来する形質を表すのに表現型という言葉を使う．変異の遺伝学的解析には，簡単に観察できる表現型が重要である．

潜性あるいは顕性変異体の対立遺伝子は遺伝子機能に反対の効果をもたらす

それぞれの染色体が 1 コピーか 2 コピーかということが，実験動物間の最も基本的な遺伝的差異となる．前者は**一倍体** (haploid, 半数体)，後者は**二倍体** (diploid) とよばれる．複雑な多細胞生物 (たとえばショウジョウバエ，マウス，ヒト) は二倍体であり，簡単な単細胞生物の多くは一倍体である．ある生物は一倍体としても二倍体としても存在する．こうした生物でよく知られているのが出芽酵母 *Saccharomyces cerevisiae* である．ある種の動物，あるいは植物では，正常細胞もそれぞれの染色体を 2 コピー以上もっており，**倍数体** (polyploid) とよばれる．がん細胞はもとは二倍体であるが，がん化に伴い一つあるいは複数の染色体の個数が増え，**異数体** (aneuploid) となる．ここでは，二倍体の酵母も含めて二倍体生物にかかわる遺伝学的技術や解析を説明する．

ある遺伝子についていえば，集団中の個々の個体にはそれぞれ別々の対立遺伝子が存在している可能性があるが，二倍体生物の特定の個体では，それぞれの遺伝子が 2 コピーずつある．つまり特定の個体は最大で二つの異なる対立遺伝子をもつ．これら対立遺伝子が同じ場合を**ホモ接合体** (homozygote)，両者が異なる場合を**ヘテロ接合体** (heterozygote) とよぶ．対立遺伝子が両方とも変異を起こしているときにはじめて変異の表現型が現れる場合を，**潜性(突然)変異***2 (recessive mutation) という．つまり，潜性変異の表現型が現れるには，その個体は変異型対立遺伝子のホモ接合体でなければならない．これに対して，**顕性(突然)変異** (dominant mutation) の表現型は，対立遺伝子の一方が変異型で他方が野生型であるヘテロ接合体の個体でも現れる (図 6・2)．

変異型対立遺伝子が潜性か顕性かは，この遺伝子の機能や変異の性質に関する重要な情報となる．潜性対立遺伝子は，ふつう遺伝子機能を失活させる変異により生じる．この結果，その機能の一部か全部が失われる (**機能喪失型変異** loss-of-function muta-

---

*1 訳注：alleleは本来遺伝子に限定されない概念であることから，日本遺伝学会では"アレル(対立遺伝子)"と併記することを勧めている．本書では，複合的な用語(常染色体顕性対立遺伝子など)が頻出することから，混乱を避けるため，以降は"対立遺伝子"を主として用いる．

*2 訳注：顕性/潜性という対比は，これまで用いられてきた優性/劣性に代わる用語である．優性/劣性は"優れた"，"劣った"という意味をもつという誤解を生みやすいため，近年では用語の更新が進んでいる．

図6・2 顕性および潜性対立遺伝子が二倍体生物の表現型に与える影響．顕性対立遺伝子は1コピーだけで変異表現型を示すのに対し，潜性対立遺伝子の場合には，2コピーともが変異してはじめて表現型が現れる．潜性変異は機能喪失をひき起こすのに対して，顕性変異は機能獲得か機能の変化をひき起こすことが多い．

tion)．こうした潜性変異が起こると，ある遺伝子の一部か全部が染色体から失われ，その遺伝子が発現しなくなったり，発現してもタンパク質の構造が変わったりするので，結局のところ，遺伝子機能は失われる．これに対して，顕性変異は機能を獲得する変異（**機能獲得型変異** gain-of-function mutation）であることが多い．こうした顕性変異は，この遺伝子がコードしているタンパク質の活性を上昇させたり，新たな活性を生み出したり，発現場所や時期を変えたりする．

ある遺伝子の顕性変異が，機能を喪失させる変異である場合も考えられる．たとえば，ある対立遺伝子の双方が正常な機能の発現に必要な場合，対立遺伝子の片側が失われたり失活したりすると，変異表現型が現れる．この遺伝子は，**ハプロ不全**（haplo-insufficient）とよばれる．あるいは，変異型対立遺伝子がコードするタンパク質の構造が，野生型対立遺伝子がコードするタンパク質の機能を阻害するというまれな顕性変異もある．この形の顕性変異は**ドミナントネガティブ変異**（dominant-negative mutation）とよばれ，機能の失活をもたらす変異と同じ表現型を示す．

対立遺伝子は潜性形質と顕性形質を同時に現す場合がある．この場合には，対立遺伝子が顕性か潜性かは表現型を指定しないと決まらない．たとえば，鎌状赤血球症をひき起こす Hb^s というヒトヘモグロビン遺伝子の対立遺伝子は複数の表現型を示す．この対立遺伝子についてホモ接合体 Hb^s/Hb^s では鎌状赤血球症による貧血が起こるが，ヘテロ接合体 Hb^s/Hb^a ではこの貧血は起こらない．つまり，Hb^s は鎌状赤血球症という形質については潜性である．一方，ヘテロ接合体 Hb^s/Hb^a はホモ接合体 Hb^a/Hb^a に比べて，マラリアに対する抵抗性が高いので，この表現型については Hb^s は顕性である．■

5章で述べたように，自然突然変異は，化学物質や放射線によるDNAの損傷，DNA複製のエラーの結果として絶え間なく生じる．実験生物の遺伝子スクリーニングでは，通常，化学的変異原を制御して突然変異の頻度を増加させることが望まれる．エチルメタンスルホン酸（EMS）は，実験生物への変異誘発によく使われる薬剤である．この変異原はグアニン塩基を化学修飾し，最終的にG-C塩基対をA-T塩基対に置き換える．遺伝子の塩基配列が一つだけ変化することを**点（突然）変異**（point mutation）という．§6・3で説明するように，点変異は，突然変異の種類と遺伝子配列のどこに生じるかによって，遺伝子の機能喪失または機能獲得をひき起こすことができる．

交配後の変異の分離の様子から顕性と潜性を決めることができる

メンデル遺伝学で対立遺伝子が顕性か潜性かを調べるには，まず，配偶子（動物の精子と卵の細胞）をつくりだす細胞分裂の種類を確認する必要がある．ほとんどの多細胞生物の体細胞は体細胞分裂を行う．一方，生殖細胞は減数分裂を経て配偶子をつくりだす．減数分裂前の生殖細胞は体細胞のように二倍体で，1対の相同染色体をもつ．これら相同染色体は両親からそれぞれ受け継いだものなので，二つの相同染色体それぞれの遺伝子は異なる対立遺伝子として存在していることがある．図6・3に体細胞分裂と減数分裂における重要な事象を示す．体細胞分裂では，必ずDNA複製に続いて有糸分裂が起こり，二つの二倍体娘細胞が生まれる．減数分裂では，DNA複製が1回終わると続いて有糸分裂が2回進行して，配偶子とよばれる一倍体（$1n$）細胞が生じる．減数分裂で生じた細胞は，1対の相同染色体のうち一方だけをもっている．減数第一分裂では，複製された相同染色体それぞれは二つの娘細胞に無差別に分配もしくは**分離**（segregation）される．つまり，母親由来と父親由来の相同染色体は互いに独立に分離するので，配偶子には両者が混ざっていることになる．

ある対立遺伝子が顕性か潜性かを判断する鍵は，交配実験によってヘテロ接合体をつくり出すことである．複雑さを避けるために，ふつうは検討したい遺伝子に関してホモ接合体の純系個体を使って交配実験を行う．こうした**純系**（true-breeding）では，すべての子孫は両親から同じ対立遺伝子を受け継ぐので，代が変わっても同じ対立遺伝子をもつことになる．純系の変異個体を純系の野生型個体と交配すると，雑種第一世代 F_1 はすべてヘテロ接合体である（図6・4）．もし雑種第一世代が変異形質を現せば，変異型対立遺伝子は顕性である．逆に，雑種第一世代が野生型形質を現せば，潜性である．雑種第一世代をさらに交配すると，変異が顕性か潜性かによって，表現型の現れ方が違ってくる．顕性変異型対立遺伝子のヘテロ接合体である雑種第一世代どうしを交配すると，雑種第二世代 F_2 の3/4が変異形質を現す．これに対して，潜性変異型対立遺伝子のヘテロ接合体である雑種第一世代 F_1 どうしを交配すると，雑種第二世代 F_2 の1/4だけが変異形質を現す．

すでに述べたように，重要な実験生物である出芽酵母は，一倍体にも二倍体にもなる．この単細胞真核生物では，一倍体どうしの接合で，変異型対立遺伝子が顕性か潜性かを決めることができる．それぞれの染色体を一つずつもった一倍体酵母細胞は，**a**と**α**という接合型のどちらかである．異なる接合型の細胞どうしは接合によって**a/α**の二倍体になり，それぞれの染色体を2コピーもつことになる．仮に，一倍体株で観察可能な表現型をもつ変異が単離できたとすると，これと反対の接合型の野生型をこの変異型と接合して，変異型対立遺伝子に関してヘテロ接合体である**a/α**二倍体をつくり出す．もし，この二倍体が変異形質を現すなら，変異型対立遺伝子は顕性である．これに対して二倍体が野生型形

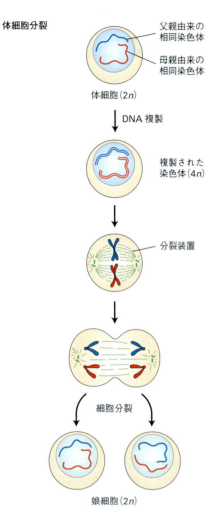
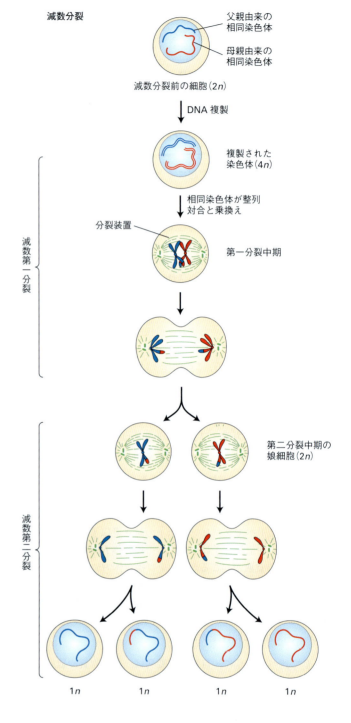

図 6・3 **体細胞分裂と減数分裂の比較**. 体細胞と減数分裂前の生殖細胞は，それぞれの染色体を2コピーずつもっており（2n），一つは母親由来，もう一つは父親由来である．体細胞分裂では，複製された2本の姉妹染色分体が細胞の中央に整列し，各娘細胞は母親由来と父親由来の相同染色体を受け継ぐ．しかし減数第一分裂では，複製された染色体の相同なものどうしが対になるように細胞中央に整列する．この対の形成は対合とよばれ，相同染色体間の乗換えもこの段階で起こる．同じ形態をもつ相同染色体の一方は一つの娘細胞に分配され，もう一方の相同染色体はもう一つの娘細胞に分配される．生じた細胞は DNA 複製を経ずに，そのまま2回目の分裂を行う．このとき，体細胞分裂と同様，姉妹染色分体が細胞中央で整列し，分離して娘細胞に分配される．第一分裂中期では相同染色体対合時の組換えが無作為に起こるので，各娘細胞は父親由来と母親由来のものが混じった染色体を受け継ぐことになる．

質を現すなら，この対立遺伝子は潜性である．**a/α** 二倍体を飢餓状態におくと，細胞は減数分裂を経て4個の一倍体胞子を形成する．このうち2個は **a**，2個は α という接合型である．ヘテロ接合体の二倍体細胞で胞子をつくらせると，変異型対立遺伝子をもつ胞子が2個，野生型対立遺伝子をもつ胞子が2個生じる（図6・5）．適当な条件下で酵母の胞子は発芽して，**a** あるいは α 接合型の栄養増殖できる一倍体細胞となる．

酵母の必須遺伝子は条件変異で調べることができる

変異体を見つけ出して単離することを，**遺伝的スクリーニング**（genetic screening）とよぶ．スクリーニングの仕方は，扱う生物が一倍体か二倍体かによって違うし，二倍体の場合には，変異が顕性か潜性かでも違う．生きていくのに必須のタンパク質をコードしている遺伝子は，最も興味深く重要な研究対象である．ところが必須遺伝子に変異が起こるとその個体は死んでしまうので，致死変異をもつ個体を単離し，保存するには，スクリーニング法に工夫が必要である．

一倍体酵母細胞では，必須遺伝子でも**条件（突然）変異**（conditional mutation）を使えば解析できる．条件変異は，ある条件下では突然変異の表現型を示すが，他の条件下では示さないことからこうよばれる．条件変異のなかで最もよく用いられるのが，**温度感受性（突然）変異**（temperature-sensitive mutation）である．これ

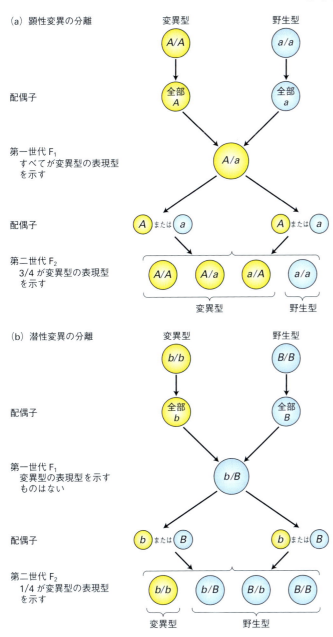

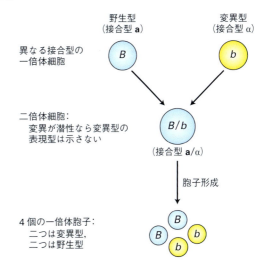

図 6・5 **酵母における対立遺伝子分離**．異なる接合型（接合型 a と接合型 α）の一倍体の酵母細胞は，接合すると a/α の二倍体となる．もし，一方の一倍体細胞が顕性の野生型対立遺伝子をもち，もう一方は潜性の変異型対立遺伝子をもっていると，ヘテロ接合二倍体は顕性の形質を示す．ある条件下では，一つの二倍体細胞から四つの一倍体胞子が生じる．そのうち二つの胞子は潜性の形質を示し，残りの二つは顕性の形質を示す．変異形質をもつ酵母を黄で，正常な表現型をもつ酵母を青で示す．

図 6・4 **純系の二倍体生物間の交配における顕性変異と潜性変異の分離様式**．第一世代 F_1 のすべての子孫はヘテロ接合体である．(a) 変異型対立遺伝子が顕性の場合，F_1 は変異型の表現型を示す．(b) 変異型対立遺伝子が潜性の場合，F_1 は野生型の表現型を示す．F_1 ヘテロ接合体どうしの交配では，第二世代 F_2 における顕性および潜性対立遺伝子の分離比は異なる．変異体の表現型をもつ二倍体生物は黄で，正常な表現型をもつ二倍体生物は青で示す．

は特に細菌や下等真核生物のように広い温度域で生息できる生物において有用である．たとえば，あるミスセンス変異により，ある温度（たとえば 23 ℃）で正常だが，これより高い温度（たとえば 36 ℃）では不活性になる変異タンパク質があるとする．一方，野生型タンパク質は，どちらの温度でも完全に活性があるとする．このような場合に，変異が表現型として現れる温度を**非許容温度**（nonpermissive temperature），変異型対立遺伝子があるにもかかわらずその表現型が現れない温度を**許容温度**（permissive temperature）とよぶ．こうした変異体は許容温度で維持し，解析をする

ときにだけ，その一部を非許容温度で培養する．

1960 年代後半から 1970 年代はじめにかけて，L. H. Hartwell らが行った出芽酵母の温度感受性株スクリーニングは特に重要である．このスクリーニングは，細胞周期の調節に重要な役割をもつ遺伝子を探し出すためのものだった．細胞周期が回るたびに，細胞ではタンパク質が合成され，DNA が複製され，有糸分裂を経て，娘細胞にそれぞれの染色体が分配されることになる．1 個の酵母細胞は指数的に増殖し，20〜30 回の細胞分裂によって固形寒天培地上で目に見えるコロニーとなる．細胞周期が完全に阻害されている変異体はコロニーを形成できないので，こうした基本的な細胞内過程に影響を与える変異を調べるには，条件変異体が必要になる．こうした変異体スクリーニングでは，まず，23 ℃ では正常に生育するが 36 ℃ ではコロニーをつくることができない酵母細胞を選択した（図 6・6a）．

いったん温度感受性変異体を単離したのち，これが実際に細胞分裂に欠陥をもつかどうかを調べた．この酵母は出芽によって分裂するので，芽体の大きさを光学顕微鏡で観察すれば，それぞれの細胞が細胞周期のどの段階にいるかがわかる．そこで，36 ℃ で生育できない細胞を非許容温度に数時間おいてから，顕微鏡で観察した．さまざまな温度感受性変異体を調べると，明らかに細胞周期に阻害のある一群が見つかった．これらを細胞分裂周期（cell-division cycle）にちなんで **cdc 変異体**（*cdc* mutant）とよぶ．ここで重要なことは，細胞の代謝に影響を与える変異で起こるように，ただ酵母細胞が生育しないというのではなく，cdc 変異では，非許容温度でも細胞周期のほとんどの過程は正常に進行し，特定の段階で成長が停止するという点である．このため，ある特定の段階で細胞周期が停止した細胞が多数観察されることになる（図 6・6b）．酵母の cdc 変異の多くは潜性である．つまり，一倍体の *cdc* 変異体と野生型を交配すると，生じたヘテロ接合の二倍

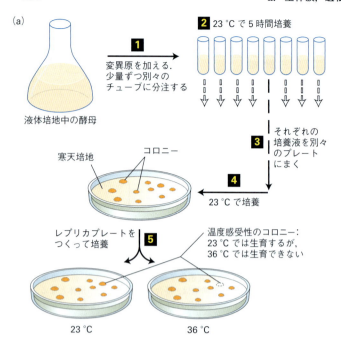

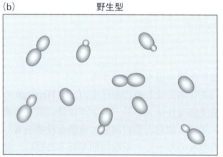
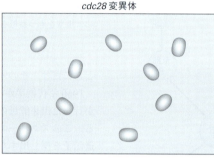
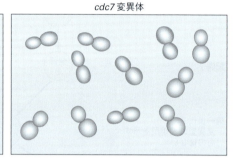

図 6・6(実験) 温度感受性の致死変異をもつ一倍体酵母細胞は許容温度で培養し，非許容温度で解析する．(a) 酵母における温度感受性の cdc 変異体の遺伝的スクリーニング．23℃(許容温度)では生育してコロニーを形成するが，36℃(非許容温度)では生育しない酵母は，細胞分裂を阻害する致死的な変異をもっていると考えられる．(b) 細胞周期が阻害されている温度感受性変異体群は，非許容温度にすると細胞周期のさまざまな段階で停止することから識別できる．非許容温度で 6 時間培養した野生型の酵母と二つの異なる温度感受性変異体の顕微鏡写真を示す．生育を続ける野生型の細胞にはさまざまな大きさの出芽がみられることから，細胞が細胞周期のさまざまな段階にあることがわかる．一方，cdc28 変異体では，出芽前で細胞周期が停止しているため，出芽していない細胞ばかりが見える．cdc7 変異体では，母細胞と娘細胞が分離する直前で細胞周期が停止しているため，大きく出芽した細胞ばかりが見える．[(a)は L. H. Hartwell, 1967, *J. Bacteriol.* **93**: 1662 参照．]

体は温度感受性でもなく細胞分裂にも欠陥がみられない．

二倍体の潜性致死変異は同系交配で見つけ出し，ヘテロ接合体で維持する

二倍体生物では，潜性変異の表現型は，変異の起こった対立遺伝子についてホモ接合体の個体でだけ観察できる．しかし，二倍体生物を変異原にさらすと，多くの場合対立遺伝子一つだけが変わりヘテロ接合体ができる．そのため，同系交配で変異型対立遺伝子についてホモ接合の子孫をつくり出す段階が必要になる．遺伝学者の Hermann J. Muller は，ショウジョウバエを使って，こうした同系交配を行う一般的で効率のよい方法を考案した．ショウジョウバエをはじめとして他の二倍体生物の潜性致死変異は，ヘテロ接合体の個体で維持し，変異による表現型の変化は同系交配で作製したホモ接合体の個体で観察できる．

Christiane Nüsslein-Volhard と Eric Wieschaus は，ショウジョウバエの胚形成に影響を与える潜性致死変異を体系的にスクリーニングしたが，これは Muller の開発した方法を踏襲している．この二人の研究者は，スクリーニングでとれた潜性致死変異のホモ接合体は最後には死んでしまうが，これを顕微鏡で観察すると胚の段階で形態異常があることを見いだした．多細胞生物の発生の分子機構に関する知識の多くは，こうしたショウジョウバエの変異の解析で明らかにされた詳細な胚発生機構の知見に基づいている．

相補性検定を用いると，複数の潜性変異が同じ遺伝子内で起こったかどうかを調べることができる

特定の細胞内過程を調べる遺伝学的方法として，同じ表現型を示す複数の潜性変異を単離することがよく行われる．これらの潜性変異が同じ遺伝子内に起こったものなのか，違う遺伝子に起こったものなのかは，**遺伝的相補性**(genetic complementation)とよばれる現象を使えば区別できる．これは，同じ表現型を示す二つの異なる変異体を交配すると，野生型が生じるという現象である．もし二つの潜性変異 a, b が同じ遺伝子に起こっていれば，両方の変異についてヘテロ接合体の二倍体個体(変異 a の対立遺伝子と変異 b の対立遺伝子を一つずつもつ)は変異表現型を示す．これは，どちらの対立遺伝子からも機能のあるタンパク質が生じないからである．一方，変異 a, b が異なる遺伝子に起こっているとすると，それぞれの変異についてヘテロ接合体の個体は変異表現型を示さない．これは，それぞれの遺伝子の野生型対立遺伝子が存在するからである．この場合，二つの変異は互いに**相補する**(complement)という．相補性検定は顕性変異体では行うことができない．これは野生型対立遺伝子が存在していても，変異型対立遺伝子の表現型が現れるからである．

同じ表現型を示す複数の変異について相補性検定を行うと，ある特定の表現形質の発現にかかわる一連の遺伝子を見つけ出すことができる．たとえば，上記の出芽酵母の cdc 変異のスクリーニ

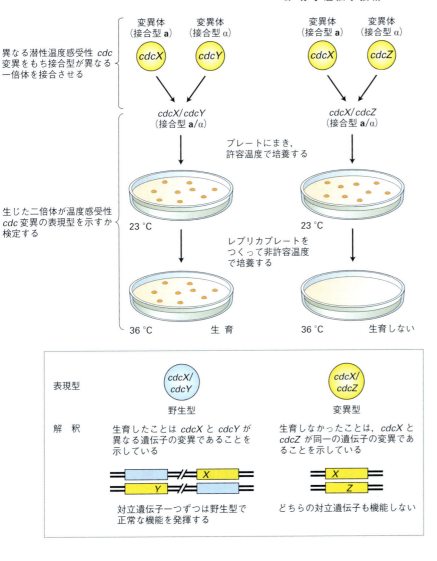

図 6・7（実験） 潜性変異が同一の遺伝子にあるか異なる遺伝子にあるかを決定する相補性検定．酵母の相補性検定では，異なる潜性変異をもつ一倍体の a 細胞と α 細胞を接合させて二倍体細胞をつくらせる．cdc 変異体の解析では，異なる一倍体温度感受性変異体を系統的に接合させ，生じた二倍体細胞を許容温度，非許容温度で生育させる．この例では，cdcX 変異体と cdcY 変異体は互いを相補するため，変異は異なる遺伝子にあることがわかる．一方，cdcX 変異体と cdcZ 変異体では，同一の遺伝子に変異が存在する．

ングでは，細胞周期の同じ段階で生育が停止したようにみえる多数の潜性温度感受性変異体が得られた．Hartwell らは，図 6・7 に示すような手順に従って，cdc 変異体のすべての対について相補性検定を行い，これらの変異でいくつの遺伝子が影響を受けたかを調べた．この結果，100 以上の cdc 変異体から 20 ほどの異なる CDC 遺伝子が同定された．19 章で解説するような CDC 遺伝子やこれらの遺伝子がコードするタンパク質の解析から，酵母からヒトに至るまで，細胞分裂がどのように制御されているか理解する枠組ができ上がった．

二重変異はタンパク質が働く順序を決めるのに使われる

特定の細胞内過程にかかわる変異表現型を注意深く解析すると，この過程で一群の遺伝子やタンパク質産物が働く順序を決めることができる．こうした方法がうまく適用できる例は，1) ある前駆体が一つあるいは複数の中間体を経て最終産物に至る代謝経路の解析と，2) いろいろな過程の制御にかかわるシグナル伝達経路の解析である．後者では，化学物質としての中間体がかかわるというより，情報の流れがかかわっている．

生合成経路の順序を決める　上記 1) の過程の簡単な例として，14 章で取上げる分泌タンパク質の生合成経路がある．分泌経路では，タンパク質は粗面小胞体での合成部位からゴルジ体，分泌小胞，そして最終的に細胞表面へと移動する．出芽酵母におけるこの経路の遺伝学的解析は，細胞周期突然変異体の解析と同様に，分泌経路に沿った異なった段階を阻害する温度感受性変異体の単離からはじまった．これらの突然変異体は，非許容温度で蓄積が起こる細胞小器官の種類によって分類することができる．たとえば sec12 突然変異体は，非許容温度で小胞体膜のような膜を蓄積するが，sec4 突然変異体は分泌小胞を蓄積した．二重変異体の分析によって，遺伝子が経路に沿って作用する順序を確立することが可能であった．sec12 と sec4 の二重変異体を作製したところ，二重変異体は分泌小胞ではなく小胞体膜を蓄積するので，sec12 は sec4 よりも経路の早い段階で作用することが決定的になった．生合成経路の二つの段階に欠損をもつ二重変異体が，そのような経路の順序づけに役立つという一般的な論理を，図 6・8(a) に示す．

シグナル伝達経路の順序を決める　あとの章で解説するように，真核生物の多くの遺伝子の発現は，細胞外ホルモンや増殖因子などで引金が引かれるシグナル伝達経路の制御下にある．こう

(a) 生合成経路の解析

Aの変異により中間体1が蓄積する
Bの変異により中間体2が蓄積する

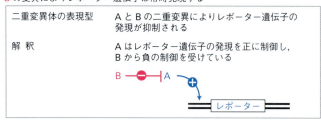

(b) シグナル伝達経路の解析

Aの変異によりレポーター遺伝子の発現が抑制される
Bの変異によりレポーター遺伝子は常時発現する

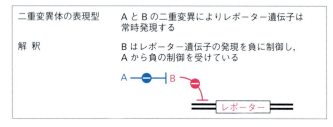

図6・8 二重変異体の解析により生合成やシグナル伝達経路の順序を明らかにできる．同じ細胞内過程に影響を及ぼす二つの遺伝子の変異で違った表現型が現れる場合，二重変異体の表現型の解析によって，二つの遺伝子の働く順序を明らかにできることがある．(a) 二つの変異が同一の生合成経路に影響を及ぼす場合，二重変異体は，野生型において先に作用するタンパク質によって触媒される段階の直前にある中間体を蓄積することになる．(b) 二つの変異がレポーター遺伝子の発現に対して逆の効果を及ぼす場合，シグナル伝達経路における二重変異体の解析が可能となる．

遺伝的抑制と合成致死を用いてタンパク質間相互作用やタンパク質機能の重複を見つけ出す

同じ細胞内過程で働く複数のタンパク質が細胞内で相互作用している様子は，ここまで述べてきたものとは違う二つの遺伝学的解析で明らかにできる．両者ともいろいろな実験生物に応用できるが，いずれも一つの変異の表現型が第二の変異によって影響されるような二重変異体を利用する．

抑制変異 第一の方法は，**遺伝的抑制**(genetic suppression)という現象に基づいている．この現象を理解するために，ある点変異でタンパク質Aの構造が少し変わると，同じ細胞内過程にかかわっているタンパク質Bと相互作用できなくなるという例を考えてみる．同じように，別の変異でタンパク質Bの構造が少し変わると，タンパク質Aと相互作用できなくなるとする．さらに，タンパク質Aとタンパク質Bの正常な機能には，両者の相互作用が必要だとする．原理的には，タンパク質Aの構造変化はタンパク質Bにおける相補的な構造変化で抑制され，両者は再び相互作用できる可能性がある．まれにではあるが，こうした**抑制変異**(suppressor mutation)が起こると，この二つの変異型対立遺伝子

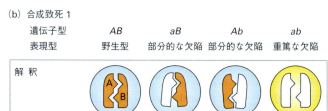

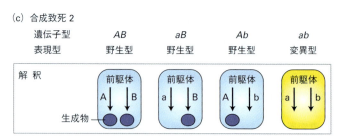

図6・9 遺伝的抑制や合成致死をもたらす変異の解析によってタンパク質の相互作用や機能重複がわかる．(a) 二つの欠損タンパク質（AとB）をもつ二重変異体は野生型の表現型をもつが，それぞれの単一変異体は突然変異型の表現型を示す場合は，それぞれのタンパク質の機能は他方のタンパク質との相互作用に依存していると考えられる．(b) 二重変異体が単独の変異に比べより重篤な変異表現型を示す場合も，二つのタンパク質の相互作用（たとえばヘテロ二量体のサブユニットなど）が正常な機能に必要であることがわかる．(c) 二重変異は致死的であるが，それぞれ単独の変異では野生型の表現型を示す場合は，二つのタンパク質は重複した必須成分の合成経路で別々に働いていることを示している．

したシグナル伝達経路は非常に多くの成分から構成されているが，これらの成分の機能や相互作用に関する情報は二重変異の解析で得られる．こうした解析から有用な情報を取出すのに必要なことは，二つの変異が同じ経路に対して全く異なるもしくは反対の影響を与えるものでなければならないという点だけである．たとえば，一方の変異では，シグナルが入ってくると特定のレポーター遺伝子の発現が抑制され，もう一方の変異では，シグナルがないときでもレポーター遺伝子が発現される（恒常的発現）というものである．図6・8(b)に示すように，こうした変異の一方だけでは，二つの簡単な調節機構が考えられるが，二重変異体の表現型を検討すれば両者を区別できる．このように，二重変異体で観察された表現型は，タンパク質が作用する順番や，それらが正の調節因子なのか負の調節因子なのかについての情報を与えてくれる．このような一般的な遺伝学的方法を用いて，さまざまな調節経路の多数の反応を順序づけることができ，その後の生化学的解析が可能となった．

この方法が遺伝的相補性検定と違うのは，顕性変異でも潜性変異でも扱える点である．潜性変異の二重変異体解析では，表現型の異なる2種類の潜性変異ホモ接合体から二重変異体をつくる．

をもつ株は正常だが，片側だけの変異型対立遺伝子をもつ株は変異表現型を示すことになる（図6・9a）．

act1-1 という変異型アクチン対立遺伝子とともに別の遺伝子にも変異（*sac6*）をもつ酵母株は，遺伝的抑制を示す．このことは，この二つの遺伝子でコードされたタンパク質が細胞内で直接に相互作用していることを示唆している．実際，その後の生化学的解析から，この二つのタンパク質（Act1 と Sac6）が会合して，細胞内でのアクチン構造の構築にかかわることがわかった．

合成致死変異 合成致死（synthetic lethality）とよばれる現象は，遺伝的抑制とは反対の効果を表現型にもたらす．つまり，ある変異に由来する欠陥が，関係のある遺伝子に起こった別の変異でいっそうひどくなる（抑制されるのではなく）というのが合成致死である．図6・9(b) に，**合成致死変異**（synthetic lethal mutation）の例を示す．この例では，あるヘテロ二量体タンパク質が，それぞれのサブユニットの変異で部分的に不活性化される．しかし，両方のサブユニットをコードする遺伝子双方に変異が起こると，サブユニット間の相互作用は大きく阻害されて，表現型がさらに悪化することになる．必須細胞成分の合成に二つの経路が重複してかかわっている場合，それぞれ一方の経路で働くタンパク質は必須でないが，その遺伝子を合成致死変異で探し出すこともできる．図6・9(c) に示すように，働きが重複した二つの経路の一方がある変異で不活性化されたとしても，もう一方の経路で必要な成分が供給される．しかし，両方の経路が同時に不活性化されると，必須成分が合成されず，二重変異体は生存できない．

二重変異体の組合わせの網羅的解析により，遺伝子機能のネットワークが明らかになる

ここまで，二重変異体の表現型を評価することによって，二つの遺伝子が同じ過程に関与しているのか，それとも重複して存在する別の過程に関与しているのかについての情報を得ることができることをみてきた．また，同じ生合成経路や調節経路に関与している遺伝子の機能の順序を決定するのに，二重変異体がどのように使われるかもみてきた．二重変異体の実験結果は，通常，複数の解釈が可能であり，ある特定の二重変異体の表現型が，その過程に参加する遺伝子がどのように相互作用するかについて決定的な結論を与えることはほとんどない．しかし，多くの遺伝子の二重変異体の組合わせを一緒に調べると，遺伝子相互作用の納得のいくパターンが浮かび上がってくることがある．

最初の二重変異体の網羅的解析は，約6000の遺伝子をもつ出芽酵母において，全ゲノムを対象に行われた．約1000の必須遺伝子の変異は，先に *cdc* 変異体について述べたように温度感受性対立遺伝子として取得し，必須ではない5000の遺伝子は，§6・6で述べたように欠失させた．遺伝的交配を自動的に行うシステムを用いて，ほとんどすべての可能な二重変異体をつくり，その表現型をそれぞれの単独変異体のそれと比較した．コンピューターのアルゴリズムが，先程述べた考え方に基づいて遺伝的相互作用の種類と強さを決定した．これらのアルゴリズムは，遺伝的相互作用の二次元地図を作成し，その機能がどれだけ密接に関連しているかによって遺伝子を分類した（図6・10）．驚くべきことに，その機能についてすでに何かわかっている遺伝子についてみると，二重変異体の表現型からの情報のみに基づいてつくられたこの相互作用地図は，既知の代謝および細胞生物学的過程の構成と密接に一致していた．重要なことは，まだ機能が不明な多くの遺伝子について，相互作用地図上の配置が，今後の生化学的・遺伝学的研究の指針となるような重要な手掛かりを与えてくれることである．§6・6で述べるように，現在ではCRISPR-Cas9を用いた方法で，哺乳類細胞で突然変異を起こすことができるようになった．これらの方法によって，ヒトの細胞においても，同様の大規模な遺伝子相互作用ネットワークが構築されるようになるは

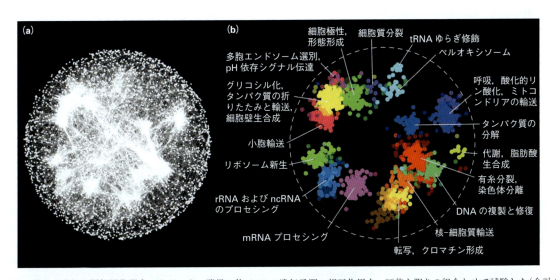

図 6・10 酵母の遺伝子間相互作用ネットワーク． 酵母の約6000の遺伝子間の相互作用を，可能な限りの組合わせで試験した（合計 2.3×10^7 の二重変異体が構築された）．そして，遺伝子間の関係を，その遺伝的相互作用の種類と強さに基づいて，コンピューターアルゴリズムにより配列した．(a) この遺伝子相互作用の全体図では，各点は一つの酵母遺伝子を表し，遺伝子間を結ぶ線の長さは，それぞれの遺伝子が類似の遺伝子相互作用を示す度合を表す．最も近い機能を示す遺伝子群は最も近くに集まるように示している．(b) 機能既知の遺伝子の試料を，その細胞機能に従って色分けし，遺伝子相互作用の全体図上に配置した．同じ過程に関与していることが知られている遺伝子は，遺伝子相互作用地図上で近接していることがわかる．[M. Costanzo et al., 2016, *Science*, **353**(6306): aaf1420, Copyright Clearance Center, Inc. を通じて AAAS より許可を得て転載．]

ずである.

6・1 突然変異体の遺伝学的解析に基づいた遺伝子の同定と研究　まとめ

- 二倍体生物は各遺伝子を 2 コピーもつ（対立遺伝子）．これに対して，一倍体生物は 1 コピーの遺伝子しかもたない．
- 潜性変異はふつう遺伝子機能を失わせるが，野生型対立遺伝子があると変異の影響は覆い隠される．変異表現型が現れるには，二つの対立遺伝子双方に同じ潜性変異が起こることが必要である．
- 顕性変異が起こると，野生型対立遺伝子があっても変異表現型が現れる．顕性変異の表現型は，変異による機能獲得に由来することが多い．
- 減数分裂では，1 回の DNA 複製と 2 回の細胞分裂が起こる．この結果，父親由来と母親由来の対立遺伝子が無作為に分配された 4 個の一倍体細胞が生じる（図 6・3）．
- 顕性変異と潜性変異は，遺伝的交配で特徴的な分離パターンを示す（図 6・4）．
- 一倍体の酵母では，生存に必須な遺伝子の同定や解析に，温度感受性変異が特に有用である．
- ある細胞内過程にかかわる一連の遺伝子の数は相補性検定で決めることができる（図 6・7）．
- 生合成経路やシグナル伝達経路の遺伝子が働く順序は，その経路の 2 箇所で欠陥が生じる二重変異の表現型から導き出せる．
- 機能上重要なタンパク質間相互作用は，抑制変異や合成致死変異が表現型に与える影響から導き出せる．
- ある生物のすべての遺伝子について，二重変異体の組合わせを評価することによって，細胞内の機能的な遺伝子相互作用のネットワークの全体図を構築することが可能である．このような地図は，出芽酵母の 6000 個の遺伝子について構築されており，哺乳類の 2 万個の遺伝子についても同様の地図を構築することが可能であろう．

6・2 DNA のクローニングと解析

遺伝子の構造や機能を分子レベルで調べようとすると，個々の遺伝子を大量に精製することが必要になる．同一の DNA 分子を大量に調製する方法として，**DNA クローニング**（DNA cloning）が使われる．DNA クローニングにはさまざまな技術が使われており，しばしば**組換え DNA 技術**（recombinant DNA technology）とよばれる．**組換え DNA**（recombinant DNA）とは，異なる生物に由来する配列を含んだ DNA 分子をさす．

目的の DNA 断片をクローン化するとき鍵になるのは，細胞内で複製する**ベクター**（vector）DNA にこの断片を挿入するという操作である．このようなベクターには，たとえば，細菌のプラスミドや改変されたウイルスゲノムが使われる．DNA 断片はベクターに挿入され，一つの組換え DNA 分子を形成する．組換え DNA が宿主細胞に入ると，挿入された DNA はベクターとともに複製され，同一の DNA 分子が大量に生じる．この方法は次のように図式化できる．

ベクター＋DNA 断片
↓
組換え DNA
↓
宿主細胞内での組換え DNA の複製
↓
DNA 断片の単離精製，配列決定，操作

DNA クローニングには実にさまざまなやり方があるが，この図式は DNA クローニングの重要な道筋を示している．

本節では，まず大量に他の DNA 配列が存在するなかから特定の DNA 配列を単離する方法を説明する．この過程では，ゲノムを小さな断片に切断し，これをベクターに挿入する．そして，それぞれのゲノム断片が挿入されたベクターすべてを，別々の宿主細胞で増幅する．いろいろなベクターが使われるが，ここでは大腸菌 *Escherichia coli* を宿主細胞とするプラスミドベクターにおもに焦点を当てよう．こうした多数の DNA 断片の集団から特定の DNA 配列をもつものを探し出すには種々の方法がある．いったん目的の DNA 断片が単離できれば，その正確なヌクレオチド配列を決定できる．本節の最後に，ポリメラーゼ連鎖反応（PCR）について解説する．この強力で用途の広い方法は，特定の配列を大量に産生するのに使ったり，DNA を操作するのに使ったりする．クローン化 DNA の利用法は，のちほど解説する．

制限酵素と DNA リガーゼを使うと DNA 断片をクローニングベクターに挿入できる

DNA クローニングのおもな目的は，特定の遺伝子を構成する DNA の短い領域を単離することである．現在使用可能なベクターでは比較的短い DNA だけがクローン化できるので，生物のゲノムを構成する非常に長い DNA は，ベクターに挿入可能な大きさまで断片化しなくてはならない．制限酵素と DNA リガーゼという二つの酵素が，こうした組換え DNA 分子の産生に使われる．

DNA 分子を小さな断片にする　　制限酵素（restriction enzyme）は細菌が合成するエンドヌクレアーゼで，**制限部位**（restriction site）とよばれる 4〜8 bp の特異的配列を認識し，ここで DNA 二本鎖を切断する．制限部位の多くは短い**回文配列**（palindromic sequence）をもつので，$5'→3'$ 方向に読んだとき両鎖の配列は同じである（図 6・11）．

それぞれの制限酵素に対して細菌は**修飾酵素**（modification enzyme）を産生し，切断部位あるいはその近辺を修飾して自分自身の DNA が切断されないようにしている．修飾酵素はふつう制限部位内の一つか二つの塩基をメチル化する．メチル基があると制限酵素は DNA を切断できなくなる．細菌では，制限酵素とメチル化酵素が一緒になって制限修飾系を構築し，自身の DNA を保護する．一方，外来 DNA（たとえば，バクテリオファージの DNA や形質転換で取込まれた DNA）の制限部位すべてを切断し，これを破壊する．

制限酵素が認識部位で 2 本の DNA 鎖を切断するとき，両鎖の切り口がずれて一本鎖の"端"が両端に飛び出すことが多い（図 6・11）．この一本鎖末端を**付着末端**（sticky end）という．ある制

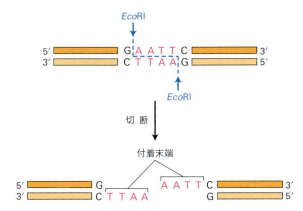

図 6・11 **制限酵素** *Eco*RI による DNA の切断. この大腸菌由来の制限酵素は, 図に示す特異的な 6 塩基の回文配列を互い違いに切断するので, 4 塩基の一本鎖の相補的な "付着" 末端をもつ断片が生じる. 付着末端をつくる制限酵素はほかにも多く存在する.

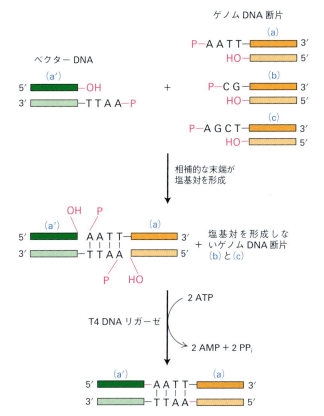

図 6・12 **相補的な付着末端をもつ制限酵素断片の連結**. この例では, *Eco*RI で切断したベクター DNA を, 複数の異なる制限酵素で切断したゲノム DNA の制限断片と混合した. それぞれの断片の付着末端の DNA 配列を示す. 切断されたベクター DNA (a′) の付着末端は, ゲノム試料の *Eco*RI 断片 (a) の付着末端とのみ塩基対を形成する. 塩基対を形成した二つの断片の隣接した 3′-ヒドロキシ基と 5′-リン酸基(赤)は, T4 DNA リガーゼにより共有結合で連結される.

限酵素で切断した断片の端は, 同じ酵素で切断されたすべての断片と相補的になる. 室温では, この一本鎖領域は同じ酵素でつくった他の DNA 断片の一本鎖領域と一時的に塩基対をつくる.

個々の生物から単離した DNA は特定の配列をもっており, これにはいくつかの制限部位がある. そこで, ある制限酵素で特定の DNA を切断すると, **制限断片**(restriction fragment)とよばれる一群の断片が再現性よく生じる. 制限酵素が DNA を切断する頻度, そして生じる制限断片の平均的長さは, おもに制限部位の配列による. たとえば, 4 bp を認識する制限酵素は, 平均して 4^4 bp (256 bp) ごとに DNA を切断し, 8 bp を認識する制限酵素は 4^8 bp (ほぼ 65 kb) ごとに DNA を切断する. 数百種もの細菌から制限酵素が単離されているので, これらの酵素の認識部位に対応するさまざまな配列で DNA を切断できる.

ベクターに DNA 断片を挿入する 付着末端か平滑末端をもつ DNA 断片は, **DNA リガーゼ**(DNA ligase)の働きでベクターに挿入できる. ふつうの DNA 複製では, DNA リガーゼは短い DNA 断片の末端どうしを連結(ligation)させる. DNA クローニングの目的では, 精製した DNA リガーゼを用い, DNA の標準的な共有結合であるホスホジエステル結合を形成させることにより, 制限酵素で切断したベクター DNA の末端と制限断片の末端を共有結合させる(図 6・12). こうした相補的な付着末端の共有結合だけでなく, バクテリオファージ T4 から精製した DNA リガーゼを使うと, 二つの平滑末端を配列にかかわらず共有結合させることもできる. しかし, 平滑末端どうしの共有結合形成は効率が悪く, 付着末端の結合に比べて高濃度の DNA と DNA リガーゼが必要になる.

単離した DNA 断片は 大腸菌プラスミドベクターに組込んでクローン化できる

ここで, ベクターとして使用されるプラスミドについて詳しくみていこう. **プラスミド**(plasmid)は環状の二本鎖 DNA (double-stranded DNA: dsDNA)分子で, 細胞の染色体 DNA とは別の分子である. こうした染色体外 DNA は, 自然界でも細菌や酵母のような下等真核細胞内に存在していて, 宿主細胞とは寄生的あるいは共生的な関係をもっている. 宿主細胞の染色体 DNA のように, プラスミド DNA も細胞分裂ごとに複製される. 細胞分裂時にはそれぞれの娘細胞にプラスミド DNA が分配され, この結果, プラスミドが宿主細胞で連続的に維持されることになる.

組換え DNA 技術で最もよく用いられるプラスミドは, 大腸菌で複製する. ふつう, こうしたプラスミドは, クローニングベクターとして使いやすいようにつくり変えてある. たとえばこうしたベクターでは, もとの大腸菌プラスミドから不必要な部分が除かれ, 全長が 1.2~3 kb くらいまで縮められている. そしてこのベクターには, 複製起点(replication origin: ORI), 薬剤耐性遺伝子などの**選択マーカー**(selectable marker), 外来 DNA 断片の挿入部位という DNA クローニングに必須の三つの領域が組込まれている(図 6・13).

図 6・14 に, 大腸菌プラスミドベクターを用いた DNA 断片のクローニングの概要を示す. 大腸菌細胞と組換えベクター DNA を混ぜて熱ショックなどを与えると, ごく一部の細胞がプラスミド DNA を取込む. この現象を**形質転換**(transformation)とよぶ. ふつう, 10,000 個の細胞のうち一つが 1 個のプラスミド DNA を取込み, 形質転換される. プラスミドを取込んで形質転換されたごく少数の大腸菌は, 選択マーカーを用いることにより大量の細胞のなかから簡単に選択できる. たとえば, 抗生物質アンピシリンに対する耐性を与える遺伝子をプラスミドがもっている場合には, アンピシリンを含む培地中で培養して形質転換細胞を選択す

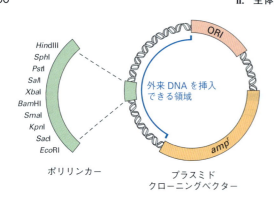

図 6・13　大腸菌細胞内で複製されるプラスミドクローニングベクターの基本要素． プラスミドベクターは複製起点(ORI)配列をもち，ここから宿主細胞の酵素によって DNA 複製が開始される．プラスミドベクターは，β-ラクタマーゼをコードし，アンピシリン耐性を与える amp^r のような選択遺伝子をもっている．複数の制限酵素認識配列をもつ合成ポリリンカーがあることでプラスミドベクターの汎用性が高まる．ポリリンカーの各制限酵素認識部位は，ベクターの中で1箇所しか現れないように設計されている．外来 DNA は，プラスミドが amp^r 遺伝子を複製・発現する能力を妨げることなく，ポリリンカーに挿入することができる．

る．ここで生じたそれぞれのコロニーのすべての細胞は，形質転換された1個の親細胞から生まれたものなので，同一細胞の**クローン**(clone)となっている．親プラスミドに挿入され，増幅された DNA 断片は，**クローン化 DNA**(cloned DNA)あるいは **DNA クローン**(DNA clone)とよばれる．

大腸菌プラスミドベクターには，使いやすいように**ポリリンカー**(polylinker)とよばれる配列が挿入してある．ポリリンカーは，プラスミド配列にはない複数の制限部位を一つずつもつ合成配列である(図6・13)．ふつうは，ポリリンカーと挿入する DNA 断片をそれぞれ異なる制限部位をもつ2種類の制限酵素で切断する．こうすると，切断されたプラスミドベクターの両端は異なる配列の付着末端をもつので，DNA 断片をここに挿入する際に，プラスミド自身の両端がリガーゼでつながってしまうことがなく，DNA 断片クローニングの効率が大きく上がる．

20 kb までの長さの DNA 断片のクローニングにはプラスミドクローニングベクターが使えるが，これより長いものの場合には，大腸菌が分裂する際にベクターの複製がうまくいかなくなる．ヒトゲノム断片の単離や操作のように，目的によっては数メガ塩基対(1 Mb は100万塩基対)もの DNA 断片をクローン化したい場合がある．このために，**BAC**(細菌人工染色体 bacterial artificial chromosome)という一連の特別なベクターが開発された．BAC のひとつに，**F 因子**(F factor)という大腸菌の内在性プラスミド由来の複製起点をもつものがある．2 Mb もの長い挿入配列がある場合でも，F 因子や F 因子由来のクローニングベクターは，大腸菌細胞当たり1個が安定に維持される．20 kb 以上の長さの DNA 断片はふつうに使うピペット操作でも簡単に切れてしまうので，BAC ライブラリー作製のための長い DNA の単離，連結，そして形質転換には特別な方法が必要になる．

酵母ゲノムライブラリーをシャトルベクターで構築し，機能相補でスクリーニングする

ベクターにクローン化された DNA 分子の集団を **DNA ライブ

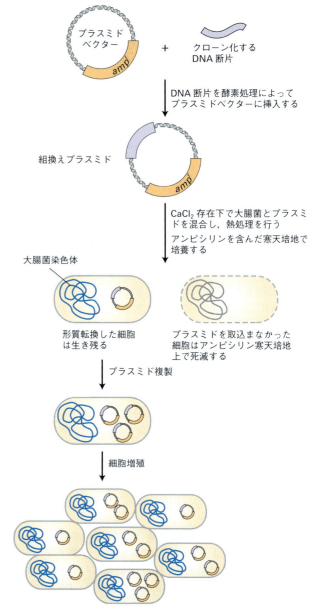

図 6・14(実験)　プラスミドベクターによる DNA クローニングで DNA 断片を増幅できる． クローン化する DNA 断片を，まず図 6・13 に示したようなアンピシリン耐性遺伝子 amp^r を含むプラスミドベクターに挿入する．プラスミドを取込んで形質転換したわずかな細胞のみがアンピシリンを含む培地中で生き残る．プラスミド DNA は形質転換細胞中で複製され，娘細胞に渡されていくので，アンピシリン耐性のコロニーが形成される．コロニー中のそれぞれの細胞にはクローン化された DNA が含まれている．

ラリー(DNA library)とよぶ．特定の生物のゲノムからとったゲノム DNA から出発すると，ゲノム中の DNA 配列すべてに対応する DNA クローンの集団が得られるが，これを**ゲノムライブラリー**(genomic library)とよぶ．ゲノムライブラリーが構築されると，研究対象の生命機能に関連するクローン化された遺伝子を単離する方法が必要となる．たとえば，ある実験生物において興味深い潜性変異を同定し，その遺伝子のクローン化された野生型コピーをゲノムライブラリーから単離したいと考える場合があ

る．このような場合によく用いられるのが，**機能相補**（functional complementation）とよばれる方法である．

酵母の機能相補性アッセイをみてみよう．大腸菌プラスミドにクローン化された酵母遺伝子を変異酵母細胞に導入し，変異株で欠損している野生型遺伝子を同定することができる．酵母遺伝子は複数のイントロンをもつことがないので，どれも短いことが多い．そこで，10個もの遺伝子を含むゲノムDNA断片をプラスミドベクターに挿入しても，これを安定に維持することができる．

酵母の機能相補スクリーニングを行うためのプラスミドゲノムライブラリーは，酵母の全遺伝子のクローンを含むように構築する必要がある．クローンを含むプラスミドベクターは，大腸菌ではクローンを生産するために，酵母では機能相補スクリーニングを行うために，大腸菌と酵母の両方で複製可能でなければならない．異なる二つの宿主細胞で複製できるこうしたベクターは**シャトルベクター**（shuttle vector）とよばれる．図6・15(a)に典型的な酵母シャトルベクターの構造を示す．このベクターは，大腸菌を用いてDNA断片をクローン化するのに必要な配列と，酵母での複製を可能にする配列を含んでいる．

酵母ゲノムの全領域がプラスミドライブラリーにうまく取込まれてクローン化される可能性を高めるために，制限酵素でゲノムDNAを部分的に切断し，重複をもつほぼ10 kbの長さの制限断片集団をつくる．相補的な付着末端をもつようにポリリンカーを制限酵素分解したシャトルベクターとライブラリーの制限酵素断片とをつなぐ（図6・15b）．酵母の10 kb制限断片は無差別にシャトルベクターに挿入されるので，酵母のある領域がライブラリーに少なくとも1回は必ず出てくるには，組換えシャトルベクターを含む大腸菌コロニーが10^5個以上あればよい．

本章のはじめに温度感受性cdc変異について述べたが，その一つに対応する野生型遺伝子を単離するためのゲノムライブラリースクリーニングの手順を図6・16に示す．ここで使う酵母は二重変異株で，$ura3^-$変異のため生育にはウラシルが必要で，表現型で見いだされたcdc28変異については温度感受性である（図6・6b）．外来DNAで酵母細胞を形質転換するのに適した条件下で，酵母ゲノムライブラリーをもとに作製された組換えプラスミドとこの変異型酵母細胞とを混ぜる．プラスミドは野生型URA3遺伝子をもつので，形質転換された変異型酵母細胞はウラシルなしでも生育し，選択できる．典型的な場合には，それぞれが500ほどの形質転換細胞を含む20枚のプレートがあれば，全酵母ゲノムが形質転換変異細胞の形で維持できる．この酵母細胞の集団を，cdc28変異体でも生育が可能な許容温度（23℃）で保存する．20枚のプレート上の全クローンをレプリカプレートに移し，cdc変異体の非許容温度である36℃におく．すると，野生型CDC28遺伝子を発現する組換えプラスミドを取込んだ変異型酵母細胞のコロニーだけがこの温度で生育する．高温耐性の酵母コロニーが同定できれば，この酵母細胞を培養してプラスミドを抽出し，サブクローニングやDNA配列決定によって解析する．この方法についてはすぐあとで解説する．

cDNAライブラリーは
タンパク質をコードする遺伝子配列に対応する

細菌や酵母のように比較的単純な生物では，ゲノムライブラリーはその生物の遺伝的実体を表すのにちょうどよい．しかし，

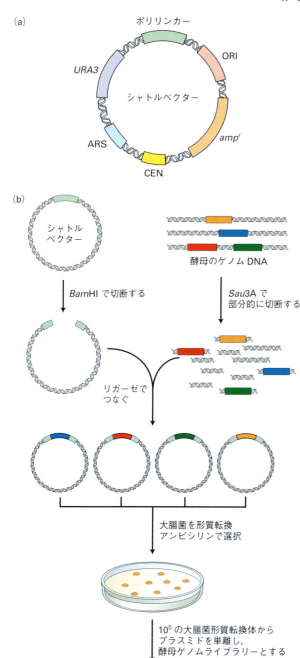

図6・15（実験） 酵母および大腸菌で複製できるプラスミドシャトルベクターを用いて酵母のゲノムライブラリーを作製する．(a) 酵母遺伝子をクローン化するのによく使われるプラスミドシャトルベクターの構成要素．酵母のDNA複製起点となる自律複製配列（autonomously replicating sequence: ARS）とセントロメア（CEN）によって，ベクターは酵母内で安定に複製，分離ができる．URA3遺伝子を$ura3^-$変異細胞に導入すればウラシルのない培地でも生育できるようになるので，この遺伝子は選択マーカーとして使える．このほかにベクターには，大腸菌での複製，選択のための配列（ORIとamp^r）と，酵母DNA断片を挿入するのに使うポリリンカーも含まれている．(b) 酵母ゲノムライブラリーを作製する標準的な方法．酵母の全ゲノムDNAをSau3Aで部分的に切断して，平均約10 kbほどの断片にする．ベクターをBamHIで切断するとSau3Aと同じ付着末端ができるため，ゲノム断片と結合することができる．アンピシリン耐性となった大腸菌の各形質転換体はそれぞれ1種類の酵母DNA断片をもっていることになる．

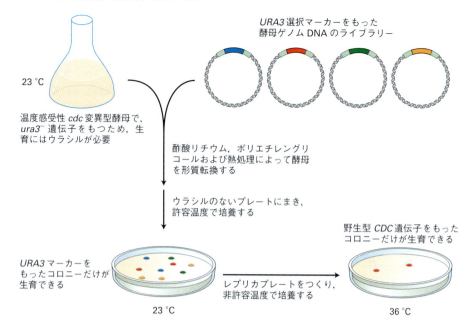

図 6・16（実験） 酵母ゲノムライブラリーを機能相補でスクリーニングして，変異型遺伝子に対応する野生型遺伝子を含むクローンを見つけ出す．この例では，温度感受性 cdc28 変異体の機能相補により野生型の CDC28 遺伝子を単離した．スクリーニングに用いるライブラリー（図6・15）は，ura3⁻ と温度感受性 cdc 変異をもつ酵母株でつくる．組換えプラスミド DNA を獲得したわずかな形質転換体のみが，ウラシルの非存在下 23 ℃で生育できる．この形質転換体のコロニーのレプリカプレートを 36 ℃（非許容温度）に移すと，ライブラリー中の野生型 CDC 遺伝子を獲得したクローンだけが生存できる．

高等真核生物の場合には，ゲノムライブラリー作製にはいろいろな実験的なむずかしさがある．まず，真核生物のゲノム遺伝子にはふつう多くのイントロン配列があり，これをそのままプラスミドベクターに挿入するには長すぎる．ゲノムライブラリーのなかでは，個々の遺伝子の配列はしばしば複数のクローンにばらばらに入ることになる．さらに，ゲノム DNA にイントロンや遺伝子間領域が存在するため，遺伝子内でタンパク質配列をコードしている重要な部分を見つけ出すのがむずかしい．たとえば，ヒトゲノムではタンパク質をコードしている配列は，全体のほぼ 1.5% しかない．そこで，ゲノム DNA にある非コード領域が取除かれている細胞内 mRNA を出発材料として DNA ライブラリーを作製すると便利である．この場合，mRNA を DNA に写しとった**相補的 DNA**（complementary DNA: **cDNA**）を作製し，これをプラスミドベクターに挿入する．こうしてできた大量の cDNA クローンの集団は，ある特定の細胞で発現しているすべての mRNA に対応しており，これを **cDNA ライブラリー**（cDNA library）とよぶ．

目的とする細胞や組織からすべての mRNA を単離することが，cDNA ライブラリー作製の第一歩である．すべての真核細胞 mRNA にはポリ(A)尾部があるので，短いチミジル酸重合体（オリゴ dT）を結合させたカラムを使えば，細胞抽出液中に豊富に存在する rRNA や tRNA から簡単に mRNA を分別できる．細胞内の mRNA から cDNA を調製するための重要な段階は，mRNA に相補的な DNA 鎖の合成である．この合成は，レトロウイルスで発見された**逆転写酵素**（reverse transcriptase）によって行われる．逆転写酵素は，RNA を鋳型として相補的な DNA 鎖を合成すること以外は，DNA ポリメラーゼと類似している．DNA ポリメラーゼと同様に，逆転写酵素による DNA 合成にも DNA プライマーが必要である．オリゴ dT は，cDNA 合成において，mRNA のポリ(A)尾部と効率的に塩基対を形成し，相補的な DNA 鎖を合成するためのプライマーとして機能する（図6・17）．こうしてできた cDNA と mRNA のハイブリッドを，いくつかの反応を介して，二本鎖 cDNA 分子に変換し，cDNA の末端に DNA 配列を付加して，適切なベクターに挿入し，クローニングする．プラスミドベクターに挿入された cDNA ライブラリーを作製するための手順は数多くあるが，図 6・17 にそのうちの一つを示す．

cDNA ライブラリには発現している遺伝子配列のみが含まれており，哺乳類のような大規模で複雑なゲノムの中で目的の遺伝子を同定するには，cDNA ライブラリのスクリーニングは非常に効率的な手段となりうる．しかし，cDNA ライブラリーの有用性には二つの技術的限界がある．一つ目は，RNA 分子が本来もっている不安定性のために，完全長 mRNA が cDNA 鎖が合成される前に部分的に分解されてしまう可能性があることである．mRNA が長ければ長いほど，分解が起こる可能性は高くなる．非常に長い mRNA の場合，cDNA が mRNA 配列の 5′ 末端を含む可能性は低くなる．

二つ目は，異なる遺伝子はそれぞれ全く違った速度で転写されるので，転写頻度の高い遺伝子に対応する cDNA は，cDNA ライブラリー中に繰返し現れることになる．これに対して，転写頻度の低い遺伝子に対応する cDNA は，ライブラリー中にごくまれにしか存在しないか，あるいは全く見当たらない．ゆっくりと転写される遺伝子に対応するクローンを哺乳類の cDNA ライブラリーから選び出すには，このライブラリーは $10^6 \sim 10^7$ 個の組換えクローンを含んでいる必要がある．

ポリメラーゼ連鎖反応を使うと
　　　　複雑な混合物から特定の DNA 配列を増幅できる

特定の DNA 領域の両端のヌクレオチド配列がわかっていると，これに挟まれた断片は**ポリメラーゼ連鎖反応**（polymerase chain reaction: **PCR**）で直接増幅できる．ここでは，PCR 法について説明し，これを用いた三つの例について解説する．

PCR 法では，二本鎖 DNA 分子の変性（融解）と相補的な一本鎖との再生（アニーリング）を，温度を制御しながら交互に行わせる．図 6・18 に概略を示すように，DNA 試料を 95 ℃で熱変性させて一本鎖にするのが典型的な PCR 法の第一歩である．次に，PCR で増やしたい DNA 断片の 3′ 末端に相補的な二つの合成オリゴヌクレオチドを，熱変性した DNA に過剰量加え，温度を 50～

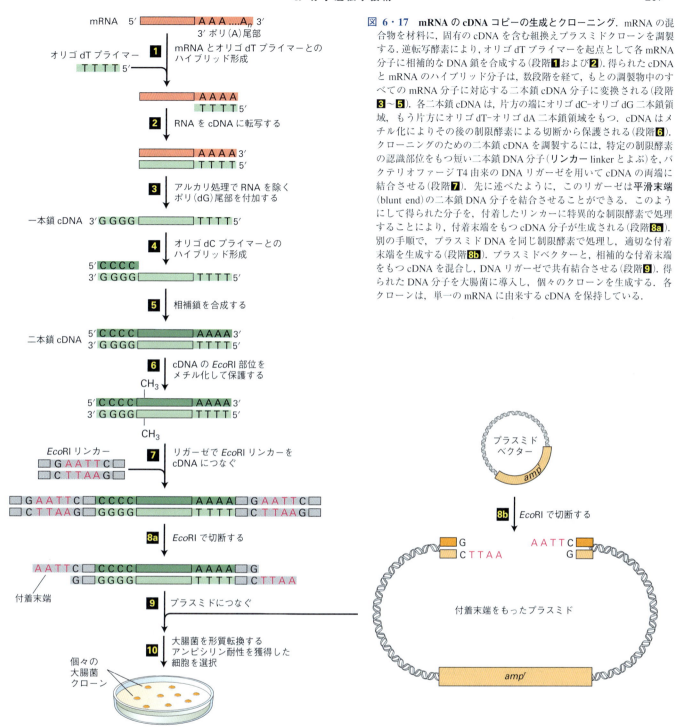

図 6・17 mRNA の cDNA コピーの生成とクローニング．mRNA の混合物を材料に，固有の cDNA を含む組換えプラスミドクローンを調製する．逆転写酵素により，オリゴ dT プライマーを起点として各 mRNA 分子に相補的な DNA 鎖を合成する（段階 **1** および **2**）．得られた cDNA と mRNA のハイブリッド分子は，数段階を経て，もとの調製物中のすべての mRNA 分子に対応する二本鎖 cDNA 分子に変換される（段階 **3**～**5**）．各二本鎖 cDNA は，片方の端にオリゴ dC-オリゴ dG 二本鎖領域，もう片方にオリゴ dT-オリゴ dA 二本鎖領域をもつ．cDNA はメチル化によりその後の制限酵素による切断から保護される（段階 **6**）．クローニングのための二本鎖 cDNA を調製するには，特定の制限酵素の認識部位をもつ短い二本鎖 DNA 分子（リンカー linker とよぶ）を，バクテリオファージ T4 由来の DNA リガーゼを用いて cDNA の両端に結合させる（段階 **7**）．先に述べたように，このリガーゼは**平滑末端**（blunt end）の二本鎖 DNA 分子を結合させることができる．このようにして得られた分子を，付着したリンカーに特異的な制限酵素で処理することにより，付着末端をもつ cDNA 分子が生成される（段階 **8a**）．別の手順で，プラスミド DNA を同じ制限酵素で処理し，適切な付着末端を生成する（段階 **8b**）．プラスミドベクターと，相補的な付着末端をもつ cDNA を混合し，DNA リガーゼで共有結合させる（段階 **9**）．得られた DNA 分子を大腸菌に導入し，個々のクローンを生成する．各クローンは，単一の mRNA に由来する cDNA を保持している．

60 ℃ に下げる．このとき合成オリゴヌクレオチドの濃度は十分に高いので，ゲノム DNA の相補的配列とハイブリッドを形成する．一方，長い試料 DNA は濃度が低すぎるので，変性した一本鎖のままである．ここでデオキシヌクレオチド三リン酸（dNTP）と好熱性の DNA ポリメラーゼ（たとえば温泉に生息する細菌 *Thermus aquaticus* から精製したもの）があると，ハイブリッドを形成したオリゴヌクレオチドがプライマーとなって DNA 鎖合成が進行する．この酵素は **Taq ポリメラーゼ**（*Taq* polymerase）とよばれ，95 ℃ まで熱しても活性を維持しており，72 ℃ までプライマーの伸長反応を行うことができる．合成が完了したら，溶液を 95 ℃ まで熱して新たにできた二本鎖 DNA を変性させる．温度を再び下げると，まだプライマーが大量に残っているので，2 回目の合成が行われることになる．変性（加熱）に続くハイブリッド形成と DNA 合成（冷却）のサイクルを繰返すと，目的の配列を迅速に増幅できる．冷却-加熱のサイクル 1 回ごとに二つのプライマーに挟まれた配列のコピー数は 2 倍になるので，目的の配列のコピー数は指数関数的に増加し，20 サイクルでほぼ 100 万倍までになる．これに対して，もとの DNA 上の他の配列は増幅されない．

ゲノム DNA の特定の断片を直接単離する　ゲノム配列決定

図 6・18 ポリメラーゼ連鎖反応(PCR)は配列がわかっている DNA 領域を増幅するのに広く用いられる．DNA の特定の領域を増幅するには，まずその領域を挟む約 18 塩基の配列と相補的な二つのオリゴヌクレオチドプライマーを化学的に合成する(薄青と濃青)．反応系には，二本鎖 DNA の混合物(標的配列を含んだゲノム DNA など)，過剰量の 2 種類のプライマー，4 種類の dNTP，Taq ポリメラーゼといった好熱性の DNA ポリメラーゼが含まれている．各 PCR サイクルでは，まず反応液を加熱して DNA 鎖を変性させ，次に温度を下げて増幅する領域を挟む相補的な配列にプライマーが結合できるようにする．すると，Taq ポリメラーゼが各プライマーの 3′ 末端から新生鎖伸長をはじめ，鋳型鎖 5′ 末端方向に進める．3 回目の反応サイクルで，増幅したい領域の長さに等しい 2 本の二本鎖 DNA が生成する．その後の各反応サイクルにおいて，プライマーは標的配列に結合してこれを複製するので，複製された標的配列の分子数は他の DNA 分子をしだいに圧倒するようになる．連続した PCR サイクルは，DNA 変性のための高温と，アニーリングおよび伸長反応のための低温を繰返すことで自動的に行うことができる．20 回反応サイクルを繰返すと，標的配列は 100 万倍に増幅される．

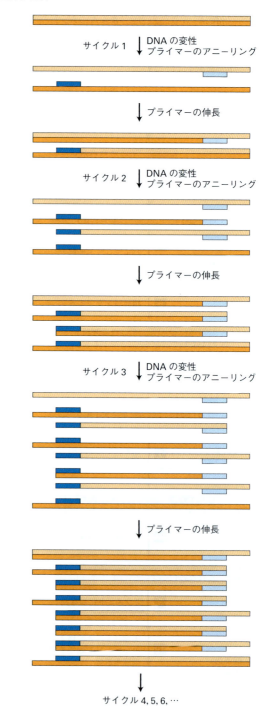

が終了したかほとんど終了した生物では，全ゲノム DNA から PCR で特定の DNA 領域を増幅し，クローン化するのが手っ取り早い．この方法では，目的のゲノム領域を挟み込む配列と相補的配列をもち，特定の制限酵素の認識部位を含む二つのオリゴヌクレオチドプライマーを設計する (図 6・19)．PCR プライマーとして使うオリゴヌクレオチドは，ゲノム中で唯一の配列であることが保証されるくらい十分の長さがなければならない．この条件は 20 ヌクレオチドほどの長さがあれば満たされる．適当に並べた 20 ヌクレオチドからなる配列が偶然に現れる確率は 4^{20} (約 10^{12}) に 1 回なので，クローン化したいゲノム配列を挟み込むような 20 ヌクレオチドからなる二つの特異的な配列を見つけることはむずかしくない．

20 サイクルほどの PCR 反応で目的とする配列を増幅し，プライマーを適当な制限酵素で切断すると，目的とする配列を含んだ付着末端をもつ断片が生じる．その後この断片は，ポリリンカーを同じ制限酵素で切断したプラスミドベクターに挿入される．こうしてできた組換えプラスミドは，PCR で増幅された同一のゲノム DNA 断片を含んでおり，大腸菌でクローン化できる．PCR の条件を最適化すれば，10 kb 以上の DNA 断片を PCR 法で増幅し，クローン化できる．

PCR 法を用いたクローン化では，ゲノム DNA の多数の制限断片は必要なく，また目的とする特定の断片を探し出すためのスクリーニングも必要ないことに注意してほしい．実際のところ，PCR 法ではこうした従来のやり方を変えて，クローン化で一番手数のかかる段階を回避できるのである．PCR 法は，遺伝子配列を単離し，このあと述べるさまざまな遺伝子操作に使えるようにする有用な手法である．さらに，変異を起こした生物から遺伝子配列を単離して，野生型との違いを明らかにするにも，PCR 法は有用である．

PCR 法の変法として，細胞の mRNA からつくった特定の cDNA を PCR で増幅するという**逆転写 PCR** (reverse transcriptase-PCR: **RT-PCR**) 法がある．この場合，以前に説明した mRNA の集団から cDNA を単離するのと同じ過程をたどる (図 6・17)．ふつう，mRNA の 3′ ポリ(A)尾部とハイブリッドを形成するオリゴ dT をプライマーとして，逆転写酵素で cDNA の最初の鎖を合成する．次に，目的の mRNA の 5′ 末端と 3′ 末端の配列に対応する二つのオリゴヌクレオチドプライマーを用い，逆転写酵素産物を鋳型として PCR を行うと，特定の cDNA を増幅できる．前述のように，これらプライマーには制限酵素部位を組込んでおくことができるので，容易にプラスミドベクターに PCR 産物を挿入できる．

この RT-PCR 法を用いると，特定の細胞内 mRNA がどの程度存在しているかを正確に定量できる．定量的 RT-PCR を行うには，特定の mRNA 配列の増幅の進行に伴って生じる二本鎖 DNA 量を決定しなければならない．この測定値を外挿して，試料中の mRNA を求める．特定の遺伝子を標的にしたプライマーを用い

ガー法ともよばれる）を開発した．この方法は，配列を調べたいDNA断片から合成される娘鎖に，その伸長を止めるジデオキシリボヌクレオチドを適度な割合で取込ませるというものである．4種類のジデオキシリボヌクレオチドのどれかを取込むことで伸長を停止した娘鎖の長さ（それぞれのジデオキシリボヌクレオチドを取込んだ結果，1塩基ずつ長さの違うものができる）から配列が読み取れる．一群の娘鎖をゲル電気泳動で分離すると，それぞれG, A, T, Cで3′末端が終わっているすべての娘鎖を1ヌクレオチドの長さの違いで分離できる．こうした情報から，もとのDNA断片のヌクレオチド配列が決まる．サンガー法は改良が重ねられ，現在では完全に自動化されている．しかし，個別のPCR反応で判明するDNA断片の長さは数百塩基なので，新たにDNA配列決定できる速さは，一度にできる配列決定反応の数によって制限される．

こうした問題を解決する突破口として，1台のシークエンサーで数百万回の配列決定反応を同時に行う方法が考案された．この方法は，固体基板表面で起こる1 cm^{2}当たり数百万の配列決定反応を同時に追跡することができる．これに基づいて2007年にいわゆる**次世代シークエンサー**（next generation sequencer）とよばれる装置が市販されるに至った．その結果，得られるDNA配列

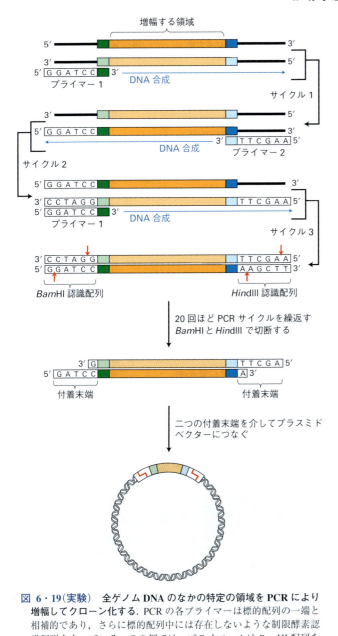

図6・19（実験） 全ゲノムDNAのなかの特定の領域をPCRにより増幅してクローン化する．PCRの各プライマーは標的配列の一端と相補的であり，さらに標的配列中には存在しないような制限酵素認識配列をもっている．この例では，プライマー1は*Bam*HI配列をもっており，プライマー2は*Hin*dIII配列をもっている．わかりやすいように，ここでは2本の鋳型鎖のうち片側の鎖の増幅のみを示している．プライマーにあらかじめ入れておいた制限酵素部位でPCR増幅されたDNA断片を切断して付着末端をつくり，プラスミドベクターに挿入して大腸菌でクローン化する（図6・14）．

て，組織，生物個体について定量的RT-PCRを行うと，これら試料における遺伝子発現の変化を正確に追うことができる．

クローン化DNA分子のヌクレオチド配列は，PCRに基づいた方法で迅速に決定できる

クローン化されたDNA断片は，そのヌクレオチド配列を決めてはじめて完全に理解できる．DNA断片の配列決定は，分子生物学のなかでも最も進歩の著しい分野である．1970年代にFrederick Sangerらは，その後30年間にわたってDNA配列決定に使われてきたチェーンターミネーション法（ジデオキシ法あるいはサン

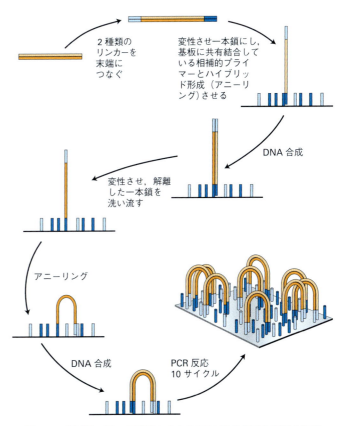

図6・20（実験） 同一の配列からなるDNA断片集団を基板上に固定する．配列決定したいDNA断片集団中のそれぞれの断片の両端に二本鎖のリンカーをつなぐ．DNA断片は，固体基板上に共通結合によって固定されているリンカー配列に相補的なプライマーを用いてPCRで増幅される．10回のPCR反応で，約1000本の同一のDNA断片が産生されて小さな集団をつくり，その両端は固体基板に結合している．これらの反応は，10^9個の相互に配列が重ならない集団を生成するように最適化されており，すぐに塩基配列を決定することができる．

図 6・21（実験） 蛍光標識前駆体を用いてハイスループット DNA 配列決定をする．(a) フローセル中での配列決定反応では，まず固体基板上で増幅された DNA 鎖（図 6・20）の一方の鎖を切断する．変性させると，フローセル中には基板に共有結合した一本鎖が残る．合成オリゴヌクレオチドをプライマーとして PCR 反応を行う．このとき，DNA 鎖伸長反応に必要な 4 種類の dNTP として，それぞれ異なる蛍光色素で標識したものを用いる．蛍光標識は dNTP の 3′-OH に共有結合しており，いったん伸長鎖に取込まれると，それ以上の伸長反応は停止する．DNA ポリメラーゼによる伸長反応で，一つのスポットにある約 1000 本の同一配列の DNA 鎖は同じ蛍光標識 dNTP を伸長鎖に取込むので，このスポットは同じ蛍光で一様に染められる．特別な顕微鏡を用いると，この蛍光を可視化できる．(b) 顕微鏡下での同視野での 5 回の dNTP 付加反応を見たもの．視野中の各蛍光スポットは，同一配列の DNA 断片集団への蛍光標識 dNTP 付加に対応する．各画像の作成後，蛍光標識は化学反応によって除去され，新しいプライマー末端が次の dNTP 付加に利用できるようになる．丸で囲んだスポットの比較からわかるように，それぞれの段階で DNA 断片にどのヌクレオチドが結合したかは蛍光スポットの色の変化でわかる（写真から，丸で囲んだ DNA 断片の配列は ACCTT であると読み取れる）．ふつうは，こうした NTP 付加反応を 100 回繰返して，一つのスポットに結合している DNA 鎖について 100 塩基の配列情報を得る．一つのフローセルには 3×10^9 のスポットが並んでいるので，2 日ほどかけて一度に 3×10^{11} 塩基の配列情報が得られる．［(b) は A. Loehr and A. W. Zaranek for the Harvard Personal Genome Project による．］

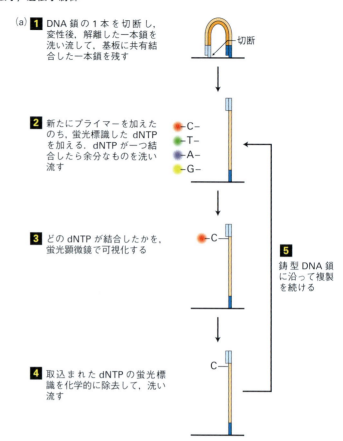

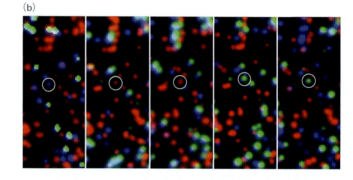

情報量は，数カ月で倍増という驚くべきペースで増大している．こうしたシークエンサーでは，次のような方法が最もよく使われている．まず数十億本もの異なる DNA 鎖の両端に，特異的な配列をもつ二本鎖リンカーをリガーゼで連結する（図 6・20）．次に，リンカー配列と塩基対をつくるプライマーを使って，これらの DNA 鎖を PCR で増幅する．ここで図 6・19 に示したふつうの PCR と違うのは，プライマーが固体基板上に共有結合でつながれているという点である．こうして，PCR の増幅が進むにつれて，それぞれの娘 DNA 鎖の一端が基質に共有結合し，増幅終了時には約 1000 個の同一の PCR 産物が表面に緊密に結合しているのである．

各スポットに結合している DNA 鎖の配列は，これを鋳型にして DNA ポリメラーゼで新たに娘鎖を合成させることで決定する．この際，伸長中の娘鎖に取込まれていく蛍光標識 dNTP を一つずつ次々と顕微鏡で可視化する（図 6・21）．まず，二本鎖 DNA のうち片方の鎖を切断して洗い流し，一本鎖の DNA 鋳型鎖をつくる．その後，各スポットにある約 1000 個の同じ鋳型に対して，1 ヌクレオチドずつ配列を決定する．4 種類の dNTP はすべて蛍光標識され，配列決定反応に加えられる．アニーリングさせたのち，基板を画像化し，各スポットの色を記録する．次に，蛍光標識を化学的に除去し，新しい dNTP を結合させる．このサイクルを約 100 回繰返すと，100 ヌクレオチド長の配列が数十億個できる．この一連の作業には約 1 日かかり，約 10^{11} ヌクレオチドの配列情報を得ることができる．

ゲノム DNA の長い領域や特定の生物の全ゲノムの配列決定は，図 6・22 に示すような手順で行われる．第一の方法では，配列が重複する一群のクローン化 DNA 断片を単離する．いったんこれら断片の一つの配列が決まれば，その配列に基づいてオリゴヌクレオチドを化学合成する．次に，このオリゴヌクレオチドを新たなプライマーとして，隣り合い重複した領域を含む DNA 断片の配列決定を行う．重複する領域をもつ多数の断片の配列を一つずつ決めていけば，長い DNA の配列も決定できる．**全ゲノムショットガン配列決定法**（whole genome shotgun sequencing）とよばれる第二の方法では，ゲノム全体を網羅するよう，連続した一群の DNA 断片を単離するという時間のかかる段階を回避する．この方法では，むしろ全ゲノムライブラリーのクローンの配列を手当たりしだいに決める．このとき，どんなゲノム断片でも平均して 10 回は配列決定されるよう，十分な数の DNA 断片の配列決定を行う．このようにすると，ゲノムのどんな断片も必ず 1 回以上は配列決定を経ることになる．コンピューターアルゴリズムを用いて，重複する領域を使いながら個々の断片の配列を組合わせていくと，全ゲノム配列が決定できる．長い DNA の配列を決めるには，全ゲノムショットガン配列決定法が最も速く，経済的でもある．ヒトのゲノムも含めて，ほとんどのゲノムの配列はこの方法で決定された．

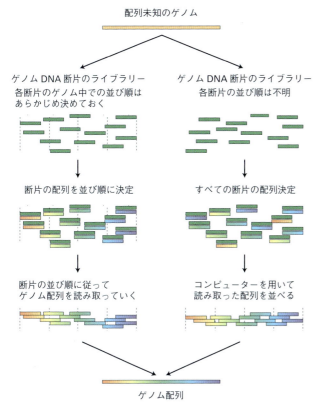

図 6・22（実験） 全ゲノム DNA 配列を決める二つの方法．第一の方法（左）では，ゲノム全体をカバーするような一群のクローン化 DNA を単離し，これを集めて全体を組立てる．これには，クローン化した断片どうしをハイブリッド形成反応で対応づけするか，各断片の制限酵素地図を比較して全断片を並べる．いったん各クローンの並び順序がわかれば，全ゲノム配列を得ることができる．もう一つの方法（右）では，自動化された DNA 配列決定が簡単であることを利用し，ライブラリー中の個々のクローンの順序を決めるという手のかかる段階を省略する．つまり，ライブラリーに含まれる大量のクローン化 DNA の配列を無差別に決定し，ゲノムのどの断片をとっても 3 回から 10 回は配列が決定されるようにする．こうして得られた莫大な数の DNA 断片の配列をコンピューターで対応づけて並べると，全ゲノム DNA 配列を再構成できる．

6・2 DNA のクローニングと解析　まとめ

- DNA クローニングでは，ベクター DNA に外来 DNA 断片を挿入して，in vitro で組換え DNA を産生する．この組換え DNA 分子は宿主細胞に入ると，そこで複製され多数の組換え DNA 分子を生み出す．
- 多くの制限酵素（エンドヌクレアーゼ）は，特別な 4〜8 bp の回文配列の位置で DNA を切断する．この結果，自身で相補的となる一本鎖末端（付着末端）をもつ断片が生じる．
- 相補的な末端をもつ二つの制限断片を DNA リガーゼでつなぐと，組換え DNA ができる（図 6・12）．
- 大腸菌クローニングベクターは小さな環状 DNA（プラスミド）で，複製起点，薬剤耐性遺伝子，DNA 断片を挿入する部位という三つの領域を含んでいる．ベクターを取込んだ形質転換細胞は，選択培地でも生育してコロニーを形成する（図 6・14）．
- ゲノムライブラリーとは，全ゲノムを切断して得られた一群の制限断片を含むクローン集団のことである．
- 酵母と大腸菌の双方で複製できるシャトルベクターは，酵母ゲノムライブラリーの構築に用いられる．特定の遺伝子は，酵母細胞の対応する変異を相補する DNA クローンを選択することで単離できる（図 6・16）．
- cDNA クローニングでは，発現している mRNA を相補的 DNA（cDNA）に逆転写する．特定の種類の細胞や組織から単離された mRNA をもとに逆転写で一群の cDNA クローンを作製したものを cDNA ライブラリーとよぶ（図 6・17）．
- ポリメラーゼ連鎖反応（PCR）法を使うと，両端の配列が既知の DNA 領域を，1 分子の鋳型 DNA から増幅することも可能である（図 6・19）．
- PCR 法を用いると，特定のゲノム DNA 断片や cDNA を増幅できる．あるいは転位性因子と隣接する染色体配列の接合部の配列を増幅できる．
- 100 ヌクレオチド長までの DNA 断片の配列は，PCR 法で同一の DNA 集団をつくり，DNA ポリメラーゼの伸長反応でここに次々と取込まれていく蛍光標識ヌクレオチドを可視化することで決定できる（図 6・20，図 6・21）．
- ゲノムライブラリーにある互いに重なりをもつ多数のクローンの塩基配列から全ゲノムの配列を決めることができる（図 6・22）．

6・3　配列情報を用いた遺伝子の同定と機能推定

自動 DNA 配列決定技術とコンピューターアルゴリズムを用いて配列データをつなぎ合わせることにより，ヒトや多くの実験生物のほぼ完全なゲノム配列など，膨大な量の DNA 配列が決定されてきた．現在までに，主要なモデル生物，数千のウイルス，細菌，アーキア，真核生物のうち多細胞動物の約 35 の門の代表的な生物について，ゲノム配列が完全に決定された．

生物のゲノム配列には，その生物のすべてのタンパク質および RNA の配列を指定する情報が含まれている．さらに，ゲノム中の調節配列は，これらのタンパク質や RNA 分子がいつ，どこで発現するかを規定している．したがって，少なくとも原理的には，ある生物について知るべきこと，すなわち，その生物が何であるか，どのように機能し，どのように進化してきたかは，そのゲノム配列を適切に読み取ることによってほぼ知ることができるはずである．配列データから有用な生物学的情報を抽出するのは，おもにコンピューターによって行われる．ある配列と別の配列を比較することにより，配列データに意味のあるパターンを探し出すのである．ゲノムから生物学的情報を抽出する努力は，**バイオインフォマティクス**（bioinformatics）という非常に強力な生物学の新分野を出現させるに至った．

この分野は高度なコンピューターアルゴリズムの応用に依存しているが，すべてのバイオインフォマティクスの根底にある基本原理は複雑なものではない．バイオインフォマティクスの推論は，地球上の生命は一度だけ発生したということと，現存生物あるいは絶滅生物のすべてのゲノム配列は，無作為な突然変異と自然選択の継続的過程を通じて，この単一の共通祖先に由来する，とい

う理解に基づくものである．したがって，異なる種に由来する二つの配列の間の実質的な類似性は，これら二つの要因のうちの一つに帰することができる．その生物は近縁で，無作為な突然変異によって違いが蓄積されるのに十分なほど時間が経過していないか，あるいは，その配列が何らかの重要な機能を果たすように制約を受けており，突然変異による変異が自然選択によって系統的に淘汰されてきたかのどちらかである．後者の場合は**保存**（conservation）とよばれ，進化的に非常に離れていて，ほとんどの配列が無作為な突然変異によって認識できるほどの類似性を失っている生物において，その配列が実質的に変化せずに残っていれば，保存されているということができるだろう．バイオインフォマティクスの推論の多くは，"遠縁の生物間で保存されている配列ほど，その機能が重要である可能性が高い"という包括的な概念に基づいている．

本節では，まずタンパク質をコードする遺伝子がゲノム配列からどのように同定されるかを示す．次に，タンパク質間の機能的および進化的関係がどのように研究されているかを述べる．最後に，生物の複雑さとタンパク質をコードする遺伝子の数との関係を探る．

ほとんどの遺伝子は，ゲノムDNA配列から容易に特定することができる

ある生物の全ゲノム配列は，その生物の細胞でつくられるすべてのタンパク質の配列を推定するのに必要な情報を含んでいる．原核生物と真核生物では，タンパク質の配列を推定するために異なる戦略が用いられている．原核生物のゲノムでは，タンパク質をコードする配列は，イントロンによって分断されていない連続したリーディングフレーム（読み枠）である．したがって，原核生物の場合，タンパク質をコードする配列の大部分は，ゲノム配列を走査して，かなりの長さの**オープンリーディングフレーム**（open reading frame: **ORF**）を探すだけで見つけることが可能である．ORFは，終止コドンを含まないコドンの連続した配列と定義される．

アミノ酸に翻訳されることのないORFは，偶然に出現することがある．あるORFが遺伝子の一部であると確信するためには，いくつのコドンを含んでいなければならないだろうか．この数は，終止コドンを含まないコドンの連続が偶然に起こる確率を利用することによって計算することができる．無作為につくった配列に終止コドンが含まれない確率は61/64で，これは単に64個の可能なコドンのうち終止コドンでないものの割合に相当する．したがって，無作為につくった配列がn個以上のコドンをもつORFを含む確率は$(61/64)^n$であり，これは終止コドンにn回連続して遭遇しないという同時結合確率である．原核生物タンパク質の平均的な長さを約300アミノ酸とすると，この長さ以上のORFが偶然に生じる確率は5.6×10^{-7}にすぎず，4×10^6塩基対の細菌ゲノム配列全体にこの長さのORFが一つでも生じることはまずありえない．実際には，原核生物の遺伝子は，約100コドン以上のORFを検索するだけで確実に見つけることができる．

ORF解析は，細菌や，イントロンをほとんどもたない出芽酵母のような真核生物において，90%以上の遺伝子を正しく同定することができる．しかし，非常に短い遺伝子のなかには，この方法では見落とされるものもあり，また，実際には遺伝子ではない長いORFが偶然に生じることもある．これらの誤判定は，より高度な配列解析や遺伝子の機能検査によって修正することができる．このようにして同定された遺伝子のうちの約半数は，突然変異の表現型など何らかの機能的基準によってすでに知られていたものである．ORF解析によって同定された残りの推定遺伝子がコードするタンパク質は，他の生物における既知のタンパク質との配列類似性に基づいて機能が割当てられることがある．

ゲノム構造がより複雑な生物の遺伝子を同定するためには，より洗練されたアルゴリズムが必要である．ORFの走査は高等真核生物の遺伝子を見つけるには不十分な方法である．なぜなら，ほとんどの遺伝子のコード配列は複数のイントロンによって分断されており（ヒトは1遺伝子当たり平均9個のイントロンをもつ），エクソンに由来する比較的短いORFは，ゲノム中に偶然生じる多くの短いORFと容易に区別することができないからである．ゲノムDNA上の典型的な遺伝子のサイズの長さのなかには，平均的なエクソンよりも長いORFが1000個以上偶然に存在することが予想される．真核生物の遺伝子を見つけるには，ORFの存在だけでなく，コードされる可能性のあるアミノ酸配列を考慮するのがはるかに確実な方法である．この方法の一つは，特定のゲノム配列をもつあらゆる長さのORFを仮想的に翻訳してできる数千のペプチド配列のリストをコンピューターに生成させることである．次に，これらのペプチド配列のそれぞれを，タンパク質配列のデータベース全体と比較し，既知のタンパク質ファミリーに有意に一致するものを探すのである．DNAの同じ領域から，ある既知のタンパク質の連続するアミノ酸配列と類似性を示す複数の短いORFのセットが見つかれば，そのORFのセットが一つのヒト遺伝子のエクソンのセットであるという強い証拠になる．

最良の遺伝子探索アルゴリズムは，特定のゲノム部位に遺伝子が存在することを示唆する可能性のあるすべての利用可能なデータを組合わせたものである．そうしたデータとしては，調査中の配列と完全長cDNA配列との配列比較，一般に200〜400 bp長の部分cDNA配列（**発現配列タグ** expressed sequence tag: **EST** とよばれる）との配列比較，エクソン，イントロン，スプライス部位配列のモデルへの当てはめ，他の生物由来の遺伝子配列との類似性などがある．これらのコンピューターを用いたバイオインフォマティクスの手法により，ヒトゲノムの約21,000のタンパク質をコードする遺伝子が同定されてきた．

ヒトの遺伝子を同定するための特に強力な方法は，ヒトのゲノム配列と他の哺乳類，特にマウスのゲノム配列とを比較することである．ヒトとマウスは十分に近縁であり，ほとんどの遺伝子は共通しているが，イントロンや遺伝子間領域など，ほとんど機能しないDNA配列は強い選択圧を受けないため，大きく異なる傾向がある．エクソンの保存されたコード配列に加えて，イントロンスプライス部位や転写調節領域など，遺伝子の構造や機能に重要なヒトやマウスのゲノム配列は保存される傾向があるため，それらを特定することができる．

バイオインフォマティクスの原理で，突然変異の機能的な影響を推測することができる

遺伝子が同定されると，変異体遺伝子の配列と野生型の配列を比較することで，突然変異が遺伝子産物に及ぼすと思われる影響

を推測することができるようになる．遺伝子のコード配列を変化させる突然変異は，発現されたタンパク質の機能について最も深い洞察を与えてくれる．最も深刻な突然変異は，早期に終止コドンを導入したり（**ナンセンス変異** nonsense mutation），塩基の付加や欠失によって遺伝子のリーディングフレームを変化させる（**フレームシフト変異** frameshift mutation）ものである．ナンセンス変異やフレームシフト変異は，ほとんどの場合，遺伝子の機能を完全に失わせるので，しばしば**ヌル対立遺伝子**（null allele）とよばれる．あるアミノ酸が別のアミノ酸に置換される**ミスセンス変異**（missense mutation）を生む**点変異**（point mutation）は，遺伝子機能に劇的な影響を与えることもあれば，全く影響を与えないこともある．遺伝子の機能的に重要な部分の保存の原則は，ミスセンス変異の影響の重大さを推測するのに貢献することがある．たとえば，高度に保存されたアミノ酸残基を化学的に異種の残基に変更するミスセンス変異は，タンパク質の機能に大きな影響を与える可能性が高いが，保存されていない位置の変更は，影響が軽いか全く影響しない可能性が高いだろう．同じアミノ酸をコードするコドンを異なるコドンに変える点変異は，ほとんど遺伝子機能に影響を与えないので，**サイレント変異**（silent mutation）と考えられている．

高等真核生物では，遺伝子のコード配列以外の点変異が表現型に劇的な影響を与えることはほとんどない．これは，プロモーター配列やスプライス部位の配列が遺伝子機能にとって重要でないからではなく，これらのシス作用配列の機能は通常，複数のヌクレオチド残基に冗長に分布しており，単一の点変異が大きな影響を与えることはないためであると考えられる．遺伝子機能に観察可能な影響を与える遺伝子コード配列外の点変異の大部分はmRNA前駆体スプライシングを妨害するものであり，これらの変異は適切なmRNA前駆体スプライス部位を選択するのにきわめて重要な高度保存残基のなかに存在することが多い．

遺伝子やタンパク質の機能と進化的起源は，その塩基配列から推測できる

3章で述べたように，類似した機能をもつタンパク質は，しばしばタンパク質の三次元構造における重要な機能ドメインに対応する類似したアミノ酸配列を含んでいる．新しくクローニングされた遺伝子によってコードされるタンパク質のアミノ酸配列を，機能既知のタンパク質の配列と比較することによって，コードされたタンパク質の機能を知る手掛かりとなる配列の類似性を探すことができる．遺伝暗号には縮重があるため，類似タンパク質どうしのアミノ酸配列は，それをコードする遺伝子の塩基配列よりも，はるかに高い保存性を示す．このため，通常は対応するDNA配列ではなく，タンパク質の配列が比較される．

この目的のために最も広く使われているコンピュータープログラムは**BLAST**（basic local alignment search tool）である．BLASTアルゴリズムは，調べるべきタンパク質配列（**クエリ配列** query sequenceとよばれる）を短いセグメントに分割し，保存されている配列のいずれかに有意に一致するものをデータベースから検索する．検索プログラムは，アミノ酸が同一の場合には高い点数をつけ，関連はあるが同一ではない（疎水性，極性，正電荷，負電荷など）アミノ酸には低い点数をつける．あるセグメントで有意な一致が見つかると，BLASTアルゴリズムは類似の領域を拡大するために局所的に検索を行う．検索が完了すると，プログラムはクエリタンパク質とさまざまな既知のタンパク質との類似度をその***p*値**（*p*-value）に従ってランクづけする．このパラメーターは，二つのタンパク質配列の間に偶然にこのような類似が見つかる確率を示す．*p*値が低いほど，二つの配列の類似性が高いことを意味する．*p*値が約10^{-3}より小さい場合，通常，二つのタンパ

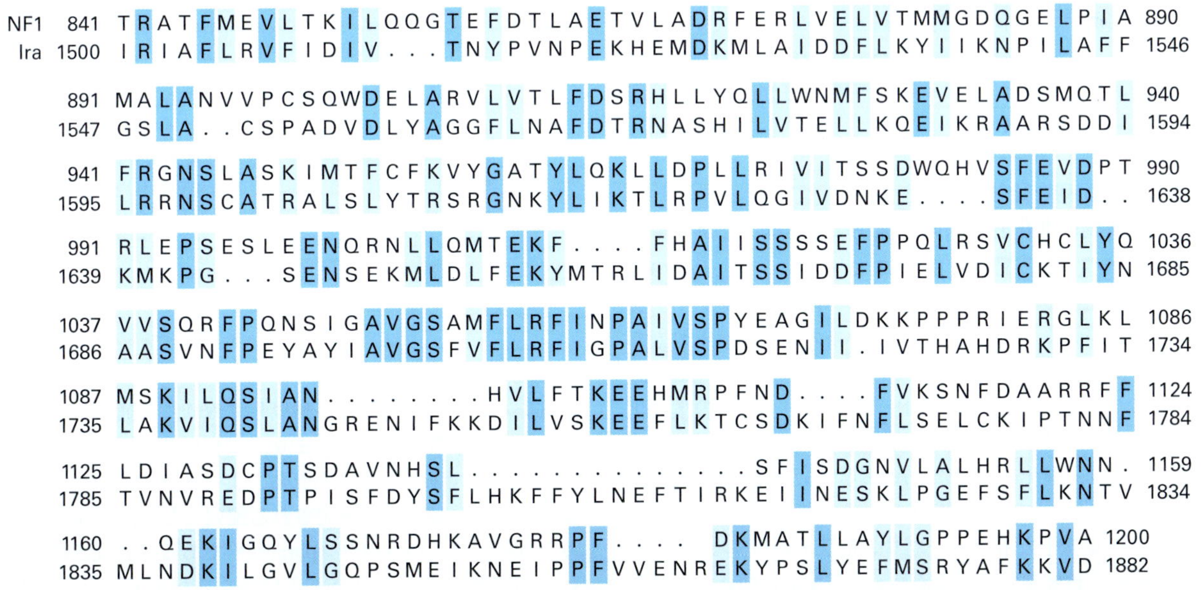

```
NF1  841 TRATFMEVLTKILQQGTEFDTLAETVLADRFERLVELVTMMGDQGELPIA  890
Ira 1500 IRIAFLRVFIDIV...TNYPVNPEKHEMDKMLAIDDFLKYIIKNPILAFF 1546

     891 MALANVVPCSQWDELARVLVTLFDSRHLLYQLLWNMFSKEVELADSMQTL  940
    1547 GSLA..CSPADVDLYAGGFLNAFDTRNASHILVTELLKQEIKRAARSDDI 1594

     941 FRGNSLASKIMTFCFKVYGATYLQKLLDPLLRIVITSSDWQHVSFEVDPT  990
    1595 LRRNSCATRALSLYTRSRGNKYLIKTLRPVLQGIVDNKE....SFEID   1638

     991 RLEPSESLEENQRNLLQMTEKF....FHAIISSSSEFPPQLRSVCHCLYQ 1036
    1639 KMKPG...SENSEKMLDLFEKYMTRLIDAITSSIDDFPIELVDICKTIYN 1685

    1037 VVSQRFPQNSIGAVGSAMFLRFINPAIVSPYEAGILDKKPPPRIERGLKL 1086
    1686 AASVNFPEYAYIAVGSFVFLRFIGPALVSPDSENII.IVTHAHDRKPFIT 1734

    1087 MSKILQSIAN........HVLFTKEEHMRPFND....FVKSNFDAARRFF 1124
    1735 LAKVIQSLANGRENIFKKDILVSKEEFLKTCSDKIFNFLSELCKIPTNNF 1784

    1125 LDIASDCPTSDAVNHSL.........SFISDGNVLALHRLLWNN.     1159
    1785 TVNVREDPTPISFDYSFLHKFFYLNEFTIRKEIINESKLPGEFSFLKNTV 1834

    1160 ..QEKIGQYLSSNRDHKAVGRRPF....DKMATLLAYLGPPEHKPVA    1200
    1835 MLNDKILGVLGQPSMEIKNEIPPFVVENREKYPSLYEFMSRYAFKKVD   1882
```

図6・23 ヒトNF1タンパク質と酵母Iraタンパク質の有意な類似性を示す領域の配列比較． NF1およびIraの配列は，それぞれ各行の上段および下段に1文字のアミノ酸コードで示されている（図2・14参照）．二つのタンパク質で同一のアミノ酸は濃青，化学的に類似しているが側鎖が非同一のアミノ酸は水色で示している．黒い点は上下のタンパク質配列にあるギャップを示しており，相同アミノ酸が最大限並ぶようにアルゴリズムが挿入した．この二つの配列のBLASTの*p*値は10^{-28}で，高度な類似性を示唆する．〔G. Xu et al., 1990, *Cell* **62**: 599による．〕

ク質が共通の祖先をもつという重要な証拠とみなされる．BLAST で検出されるよりも遠縁のタンパク質間の関係を検出することができる，多くの代替的なコンピュータープログラムが開発されてきた．このような手法の開発は，現在，バイオインフォマティクスの研究において活発な分野である．

この配列比較の威力を説明するために，ヒトの遺伝子 *NF1* について考えてみよう．*NF1* の変異は，末梢神経系に複数の腫瘍が発生し，皮膚に大きな突起ができる遺伝性疾患"神経線維腫症 1 型"と関連する．*NF1* の cDNA クローンを単離し，塩基配列を決定したのち，NF1 タンパク質の推定塩基配列を GenBank の他のすべてのタンパク質配列と照合した．その結果，NF1 タンパク質のある領域が，Ira とよばれる酵母タンパク質の一部とかなりの相同性があることが発見された（図6・23）．これまでの研究から，Ira は GTPase 活性化タンパク質（GAP）で，Ras とよばれる単量体 G タンパク質の GTPase 活性を調節していることがわかっていた（図3・35参照）．Ira との相同性から，NF1 も Ras の活性を調節していることが示唆された．16章で詳しく検討するように，通常，GAP と Ras タンパク質は，隣接する細胞からのシグナルに応答して，細胞の複製と分化を制御するように機能している．クローン化した野生型遺伝子を発現させて得られた正常な NF1 タンパク質の機能研究から，確かに Ras の活性を制御していることがわかった．これらの結果から，神経線維腫症患者では，末梢神経系の細胞に変異型 NF1 タンパク質が発現し，Ras タンパク質を介したシグナル伝達が異常に亢進していることが示唆された．このシグナル伝達の亢進が，過剰な細胞分裂をひき起こし，本疾患に特徴的な腫瘍の形成につながるのである．

BLAST アルゴリズムが全体的な類似性を見いだせない場合でも，クエリ配列は機能的に重要な短い配列を既知のタンパク質と共有している場合がある．このような短い配列は，**構造モチーフ**（structural motif）とよばれ，多くの異なるタンパク質でたびたび使われる．これらの配列は，一般に類似した機能をもつ．このようなモチーフについて3章で説明し，図3・7に示されている．新しいタンパク質に含まれるこれらのモチーフやその他のモチーフを検索するためには，クエリタンパク質配列を既知のモチーフ配列のデータベースと比較する．

異なる種の関連配列を比較することで， タンパク質間の進化的関係の手掛かりを得ることができる

関連するタンパク質の配列を BLAST で検索すると，近縁の生物間で共有されているタンパク質ファミリーに属するタンパク質が見つかることがある．たとえば，細胞骨格の重要な構成要素である微小管の基本的なサブユニットである**チューブリン**（tubulin）タンパク質について考えてみよう（18章）．図6・24(a) の単純化した図式によると，最も古い真核生物の細胞には一つのチューブリン遺伝子があり，進化の初期に重複が起こったと考えられている．この二つのチューブリン遺伝子は，その後，配列が分岐し，αチューブリン遺伝子とβチューブリン遺伝子の祖先となった．その後，初期の真核細胞から異なる種が分岐するにつれて，これらの遺伝子の配列はさらに分岐し，現在，それぞれの種でみられるわずかに異なる形態のαチューブリンおよびβチューブリンが誕生したのである．

チューブリンファミリーの遺伝子（およびタンパク質）の異な

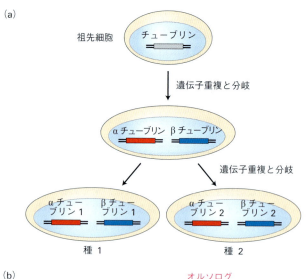

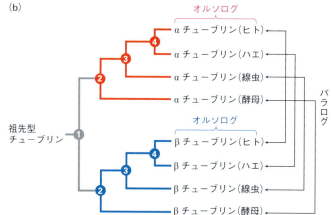

図 6・24　真核生物の進化に伴う多様なチューブリン配列の生成．(a) 現存する生物種のチューブリン遺伝子を生み出したと考えられる機構．異なる種（たとえばヒトと酵母）のαチューブリン配列は，同じ種内のαチューブリン配列とβチューブリン配列よりも似ている．このことから，種分化の前に遺伝子重複が起こったと推測することができる．(b) チューブリン配列間の関係を表す系統樹．小さな数字で示された分岐点（ノード）は，二つの配列が分岐した時点の共通の祖先遺伝子を表している．たとえば，ノード 1 はαチューブリンファミリーとβチューブリンファミリーを生み出した重複事象を，ノード 2 は酵母が多細胞生物種から分岐したことを表す．中括弧と矢印はそれぞれ，種分化の結果変化したチューブリン遺伝子のオルソログと，遺伝子重複の結果変化したパラログを示す．実際にはショウジョウバエ，線虫，ヒトにはのちの遺伝子重複によって生じた複数のαチューブリン遺伝子とβチューブリン遺伝子が存在するため，この図は多少簡略化されている．

るメンバーはすべて配列が酷似しており，共通の祖先配列から生じたことが示唆される．つまり，これらの配列はすべて**ホモログ**（homolog）であると考えられる．より具体的には，遺伝子重複の結果として分岐したと推定される配列（たとえばαとβチューブリン配列）は，**パラログ**（paralog）であると表現される．種分化によって生じた配列（たとえば異なる種のαチューブリン遺伝子）は，**オルソログ**（ortholog）であると表現される．図6・24(b) に示すように，現在の異なる生物に存在するチューブリンの配列の関連性の度合から，進化的関係を推測することができる．3種類の配列関係のうち，オルソログ配列は，同じ機能をもつ可能

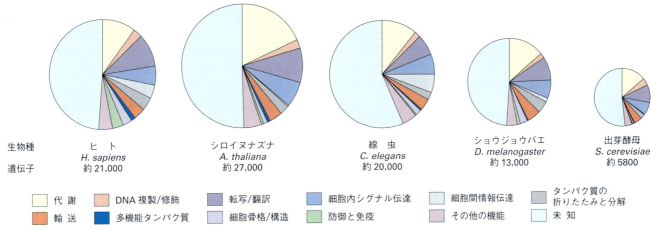

図 6・25 真核生物のゲノムにコードされているタンパク質の数と種類の比較. 各生物について，円グラフ全体の面積はタンパク質をコードする遺伝子の総数を表し，ほぼ同じ縮尺で表示されている．多くの場合，約半数の遺伝子がコードするタンパク質の機能はまだ不明である（水色）．残りの遺伝子は，機能が知られているか，機能が知られている遺伝子との配列類似性から機能が予測されている．［ENCODE Project Consortium, 2012, Nature **489**: 57; J. D. Hollister, 2014, Chromosome Res. **22**: 103; L. W. Hillier et al., 2005, Genome Res. **15**: 1651; FlyBase. FB2015_02 Release Notes, http://flybase.org /static_pages/docs/release_notes.html; Saccharomyces Genome Data Base 2015, http://www.yeastgenome.org/genomesnapshot による．］

性が最も高い．

生物の生物学的複雑さは，ゲノム中の タンパク質をコードする遺伝子の数とは直接的には関係ない

ゲノム配列決定と遺伝子探索コンピューターアルゴリズムの組合わせにより，さまざまな生物のタンパク質をコードする遺伝子の完全な一覧表ができあがった．図 6・25 は，配列がすでに完全に決定されているいくつかの真核生物ゲノムのタンパク質をコードする遺伝子の総数を示す．これらのゲノムにコードされているタンパク質の約半数は，機能がわかっているか，配列の比較に基づいて予測されている．この比較の驚くべき特徴の一つは，異なる生物内のタンパク質をコードする遺伝子の数が，その生物学的複雑さに対するわれわれの直感的な感覚と比例していないように思われることである．たとえば，線虫は，はるかに複雑なボディプランをもち，より複雑な行動をとるショウジョウバエよりも，どうやら多くの遺伝子をもっているようである．そして，ヒトのタンパク質をコードする遺伝子は，線虫よりも 5% ほど多いだけである．ヒトのゲノムは単純な線虫よりもわずかに複雑であることがはじめて明らかになったとき，タンパク質の数のわずかな増加が，どうしてこれほどまでに驚異的な複雑さの違いを生み出すのか理解することは困難であった．

異なる生物のゲノムに含まれるタンパク質をコードする遺伝子の数の単純な量的差は，生物学的複雑さの差を説明するのには明らかに不十分である．しかし，高等真核生物の発現タンパク質には，ゲノムから予測される以上の複雑さを生み出す現象がいくつか存在する．第一に，特定の遺伝子が，mRNA 前駆体の選択的スプライシングによって，複数の機能的 mRNA，ひいては複数のタンパク質を生み出すことがある（9 章）．ヒトの場合，一つの遺伝子から読み取られ，選択的スプライシングされる mRNA の数は，平均約 6 個である．第二に，多くのタンパク質の翻訳後修飾の多様性が，機能的な差異を生み出すことがある．最後に，遺伝子配列には現れないクロマチン構造の安定した修飾が，特定の細胞の

種類における遺伝子発現に大きな影響を与えることがある（9 章）．これらのいわゆるエピジェネティック効果は，生物学的複雑性に大きく貢献しうる．多細胞生物の生物学的複雑性の増大の進化は，おそらく，細胞複製のますます複雑な制御と，生物を構成する細胞における遺伝子発現の時間的および空間的制御を必要とし，胚発生の複雑性を増大させるに至ったのだろう．

ゲノム配列の解析によって同定された多くの遺伝子やタンパク質の具体的な機能は，まだ解明されていない．異なる生物における個々のタンパク質の機能が解明され，他のタンパク質との相互作用がさらに詳細にわかれば，その成果は他の生物におけるすべての相同タンパク質にもただちに適用できるようになるだろう．すべてのタンパク質の機能が明らかになったとき，複雑な生物学的システムの分子的基盤がより高度に理解されるようになることはまちがいない．

6・3 配列情報を用いた遺伝子の同定と機能推定 まとめ

- すべての生物種は共通の祖先に由来し，無作為な突然変異と自然淘汰によって進化してきた．遠縁の種の間で保存されている配列パターンは，機能的に重要であり，自然選択によって維持されてきた可能性が高い．
- バイオインフォマティクスの基本原則は，保存度の高い配列ほど，その機能が重要である可能性が高いということである．
- 細菌や酵母のように，遺伝子がイントロンで中断されていない生物では，タンパク質をコードする遺伝子は，細菌および酵母のゲノム配列全体をコンピューターで検索して，オープンリーディングフレーム（ORF）を見つけることによって同定することができる．
- イントロンで区切られた比較的短いエクソンをもつほとんどの高等真核生物では，遺伝子を確実に同定するためには，

ORF同定以外の方法が必要である．これらの方法には，cDNA配列からスプライシングを受けた遺伝子を再構築する方法，ORFの仮想的な翻訳と既知のタンパク質配列との類似性を検索する方法，イントロンとしてスプライシングを受ける部位などの保存された遺伝子の特徴を同定する方法が含まれる．

- 単離されていないタンパク質の機能は，多くの場合，そのアミノ酸配列（クエリ配列）と機能既知のタンパク質の配列との類似性に基づいて予測することができる．
- BLASTとよばれるコンピューターアルゴリズムは，既知のタンパク質配列のデータベースを高速に検索し，クエリタンパク質と有意な類似性をもつものを見つけることができる．
- タンパク質中の多くの機能モチーフをもつタンパク質は，非常に短い場合が多く，通常のBLAST検索では同定できない場合がある．このような短い配列は，構造モチーフデータベースを検索することで見つけることができる．
- タンパク質ファミリーは，同じ祖先タンパク質に由来する複数のタンパク質から構成されている．これらのタンパク質をコードする遺伝子は，最初の遺伝子重複とその後の種分化の過程で生じたものであり，対応する遺伝子ファミリーを構成している（図6・24）．
- 遺伝子重複に由来する，ある生物で発現する類似遺伝子とそれにコードされるタンパク質はパラログである．たとえば，微小管を構成するαβ二量体をつくるαおよびβチューブリンタンパク質がそれにあたる．種分化の過程で蓄積された変異に由来する類似遺伝子とそれにコードされるタンパク質はオルソログである．オルソログの関係にあるタンパク質は，通常，異なる生物で同じ機能をもつ．
- いくつかの異なる生物の全ゲノム配列の分析から，生物の複雑さはタンパク質をコードする遺伝子の数とは直接関係がないことが示されている（図6・25）．

6・4 ヒトを特徴づける遺伝子の同定と染色体上での位置決定

ヒトのタンパク質や遺伝子の機能は，細胞生物学者にとって最大の関心事である．多くの場合，細胞生物学者は，モデル生物で研究された既知の細胞生物学的機能をもつ遺伝子のオルソログであるヒト遺伝子を研究する．なぜなら，これらのオルソログは，ヒトにおいても重要な細胞生物学的機能をもつ遺伝子であることが多いからである．しかし，モデル生物では同定されなかった重要な機能をもつヒト遺伝子が，その変異がヒトに明確な影響を与えるという理由だけで同定された重要な例もある．これらの遺伝子の多くは，ヒトの疾病をひき起こす，疾病の一因となる，あるいは疾病を予防するという理由で同定された．

表6・1は，よく知られた遺伝病のリストである．遺伝病の"病因"遺伝子は，前の世代で新たな変異により生じたものかもしれないが，ほとんどは何世代にもわたって受け継がれてきた変異型対立遺伝子による．

ヒトの遺伝病の原因を明らかにする第一歩は，変異した遺伝子とそれがコードするタンパク質を探し出すことである．歴史的にみると，遺伝病の分子レベルでの理解につながることなら，どんな表現型の変化も詳しく調べられている．このような例として，ヒトの鎌状赤血球貧血がある．これは血液細胞の異常で，欠陥のあるヘモグロビンによると予測された．実際，あるアミノ酸残基の置換で，変異ヘモグロビンの重合がひき起こされることがわかった．この変異ヘモグロビンをコードするHb^s対立遺伝子についてホモ接合体のヒトでは，ヘモグロビンの重合によって赤血球が鎌のような形に変形する．

ふつうは，病因遺伝子やそれがコードするタンパク質の実体に関する何の予備知識も合理的な予測もなしに，遺伝病の病因遺伝子を探し出さなくてはならないことが多い．本節では，遺伝病が家族のなかでどのように分離していくかを追跡することで，その病因遺伝子を同定する方法を解説する．つまり，遺伝学者が数世

表6・1 ヒトの遺伝病

疾病	分子レベル，細胞レベルの欠陥	罹患率
常染色体潜性		
鎌状赤血球貧血	異常ヘモグロビンによる赤血球が変形し，毛細血管が詰まる．マラリア抵抗性を与える	サハラ以南のアフリカ系で1/625
嚢胞性繊維症(CF)	上皮細胞のCl$^-$チャネル(CFTR)の欠陥により，肺で過剰な粘液が分泌される	ヨーロッパ系で1/2500
フェニルケトン尿症(PKU)	フェニルアラニン代謝に関与する酵素（チロシンヒドロキシラーゼ）の欠陥により，過剰なフェニルアラニンが蓄積し，食事制限をしないと精神遅滞をひき起こす	ヨーロッパ系で1/10,000
テイ-サックス病	ヘキソサミニダーゼの欠陥により，神経細胞のリソソームに過剰なスフィンゴ脂質が蓄積し，神経発生を阻害する	ドイツ・東欧系のユダヤ人で1/1000
常染色体顕性		
ハンチントン病	変性神経タンパク質（ハンチンチン）が凝集して神経細胞に損傷を与える	ヨーロッパで1/10,000
高コレステロール血症	LDL受容体の欠陥により，血中コレステロール濃度が上昇し，若いうちに心臓発作が起こる	フランス系カナダ人で1/250
X染色体連鎖潜性		
デュシェンヌ型筋ジストロフィー(DMD)	細胞骨格タンパク質ジストロフィンの欠陥により，筋機能が損なわれる	男性で1/3500
血友病A	血液凝固因子VIIIの欠陥により，出血が止まらなくなる	男性で1/5000

代にわたって，どの家系にその病気があって，どの家系にその病気がないかを追跡するのである．そして，DNA配列の中に，病気をもつ家系にのみ現れる遺伝マーカーを探すのである．言い換えれば，家系内の疾患の分離は，他の多くの遺伝マーカーの分離と相関している可能性がある．すでに知られている遺伝子マーカーの位置は，病因遺伝子の染色体上の位置を特定することにつながる．この情報と，ヒトゲノムの塩基配列情報から，病因遺伝子と疾患の原因となる変異がわかる．

遺伝病は三つの遺伝パターンのうちどれか一つに従う

ここまでみてきたように，モデル生物における遺伝子解析の最も有用な点の一つは，突然変異の表現型と，その突然変異が遺伝的に潜性か顕性かを知ることによって，正常なタンパク質の機能を推論できることである．もちろん，ヒトの場合は，モデル生物で顕性・潜性を判定するために用いられるのと同じ種類の交配実験を適用することはできない．しかし，家系や集団における形質の遺伝パターンを調べることによって，ヒトのある形質が顕性か潜性かを判断することは可能である．したがって，形質の遺伝様式と，影響を受ける遺伝子（群）を特定することが，ヒトの遺伝学研究の主要な目的である．

単一遺伝子の変異で起こるヒトの遺伝病は**単因子性疾病**（monogenic disease）とよばれる．この遺伝病は，その原因となる対立遺伝子が顕性か潜性か，常染色体にあるか性染色体にあるかによって遺伝のパターンが異なる．**常染色体**（autosome，性染色体以外の22対のヒト染色体）の顕性対立遺伝子の場合が特徴的である．この**常染色体顕性対立遺伝子**（autosomal dominant allele）はヘテロ接合体でも発現するので，この遺伝病患者の少なくとも片親は，同じ病気に罹っていることになる．たとえば，常染色体顕性対立遺伝子に由来するハンチントン病（Huntington's disease：HD）は，もし片親が変異型 HD 対立遺伝子をもっていると，子どもは男か女かに関係なく50％の確率で変異型対立遺伝子を受け継ぎ，ハンチントン病を発症することになる（図6・26a）．

顕性化の分子機構はどのようなものだろうか．神経変性疾患であるハンチントン病は，神経細胞タンパク質 HTT のコード配列中の CAG コドンの繰返し数が拡大することによって発症する．グルタミン残基の数が拡大した変異型 HTT タンパク質は，タンパク質凝集体を形成することがわかっている．HD 対立遺伝子が顕性遺伝することは，ハンチントン病の症状が，正常な HTT タンパク質の機能が失われたのではなく，変異型 HTT タンパク質が凝集体を形成する傾向が強くなったことに起因することを強く示唆している．顕性対立遺伝子によるハンチントン病のような疾患は，生殖年齢を過ぎた中年から晩年にかけて発症することが多い．もしそうでなければ，人類の進化の過程で，自然選択がこれらの対立遺伝子を排除してきたはずである．

常染色体潜性対立遺伝子（autosomal recessive allele）は，これとは全く違う分離パターンを示す．子どもが発症する危険が生じるのは，両親がこの対立遺伝子についてヘテロ接合体で，**保因者**（carrier）である場合である．ヘテロ接合体の両親からそれぞれ潜性対立遺伝子を受け継ぎ，子どもが発症する確率は25％であり，対立遺伝子の一つが正常で一つが変異体となって保因者となる確率は50％，そして二つの正常対立遺伝子を受け継ぐ確率は25％である．いとこやはとこなどの親戚も，同じ潜性対立遺伝子の保

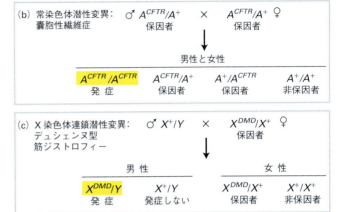

図6・26 ヒト遺伝病の3種類の分離様式．野生型の常染色体（A）と性染色体（XとY）は右肩の＋で示す．(a) ハンチントン病などの常染色体顕性変異では，変異型対立遺伝子が一つあるだけで発症する．両親のどちらかが変異型 HD 対立遺伝子についてヘテロ接合体であれば，その子どもは50％の確率で変異型遺伝子を受け継ぎ，発症する．(b) 嚢胞性線維症などの常染色体潜性変異では，対立遺伝子が二つとも変異型になっていると発症する．両親が両方とも変異型 CFTR 対立遺伝子についてヘテロ接合体であると，その子どもは発症するか保因者になる危険がある．(c) デュシェンヌ型筋ジストロフィーなどの X 染色体連鎖潜性遺伝病は，X 染色体の潜性変異による疾患であり，典型的な伴性分離パターンを示す．変異型 DMD 対立遺伝子についてヘテロ接合体である母親から生まれた息子は，50％の確率で変異型対立遺伝子を受け継ぎ，発症する．一方，娘は50％の確率で保因者となる．

因者である可能性が比較的高い．したがって，両親が親戚どうしの場合には，そうでない場合に比べて，生まれた子どもが常染色体潜性対立遺伝子についてホモ接合体になりやすく，この対立遺伝子による疾患を発症しやすい．

常染色体潜性対立遺伝子に由来する遺伝病のはっきりした例が，**CFTR** という Cl⁻ チャネル遺伝子に欠陥があるために起こる嚢胞性線維症（cystic fibrosis：CF）である（図6・26b）．この欠陥があると，肺や腸の上皮細胞層全体のイオンの釣合が乱れる．嚢胞性線維症は潜性遺伝の病気なので，この病気の影響は上皮細胞内の Cl⁻ チャネルの活性が不十分であるためと推察される．

X 染色体連鎖潜性対立遺伝子（X-linked recessive allele）は第三の遺伝パターンを示す．男性はただ一つの X 染色体を母親から受け継ぐのに対し，女性は両親から X 染色体を受け継ぐので，X 染色体の潜性対立遺伝子はほとんどの場合に男性で発現する．X 連鎖潜性遺伝子の存在によりはっきりした伴性分離パターンが生じて，この変異型対立遺伝子にかかわる疾患は女性より男性で頻繁にみられることになる．たとえば，デュシェンヌ型筋ジストロフィー（Duchenne muscular dystrophy：DMD）は男性だけにみられる筋肉が萎縮していく疾患だが，X 染色体の潜性変異が原因である．DMD は典型的な伴性分離パターンを示し，見かけは正常

な母親もヘテロ接合体の保因者であれば，*DMD* 対立遺伝子，つまりこの遺伝病を50%の確率で息子に伝えることになる（図6・26c）．

DNA 多型はヒト変異の遺伝的連鎖マッピングに役立つ

いったん遺伝形式がわかれば，次に既知の遺伝マーカーに対する病因対立遺伝子の相対的位置を決める．遺伝子マッピングの研究は，減数分裂の間に起こる遺伝情報の交換に依存する．図6・27(a)に示すように，生殖細胞では，相同染色体の組が複製されたのち，最初の減数分裂の前に遺伝子**組換え**（recombination）が起こる．このとき，母方由来の染色体と父方由来の染色体上の相同な DNA 配列は，乗換えとよばれる過程で互いに交換されることがある．

減数分裂の際の遺伝子の組換えが，どのように遺伝子間距離のマッピングの基礎として使われるかをみるために，ここで同じ染色体上の近い位置にある父親と母親から受け継いだ二つの異なる変異について考えてみよう．減数分裂時に二つの変異の間で乗換えが起こったかどうかで，二つの異なる配偶子ができる．もし，二つの変異間で乗換えが起こらないとすると，父親あるいは母親由来の変異をもつ**親型**（parental type）の配偶子が生じる．これに対して，二つの変異間で乗換えが起こると，**組換え型**（recombinant type）の配偶子が生じる．この例でいえば，二つの変異を両方もつものと，全く変異をもたないものができる．組換えは染色体に沿って多かれ少なかれ無差別に起こるので，二つの遺伝子が近ければ近いほど，減数分裂時に両者の間で組換えが起こる確率は低くなる．つまり，同一染色体上の二つの遺伝子間の組換え頻度が低いほど両者は強く連鎖しており，距離も近いことになる．二つの遺伝子が近くに位置しており，組換え型配偶子が親型配偶子よりずっと少ないときに，遺伝的に**連鎖**（linkage）しているという．組換え型配偶子の数が親型配偶子の数より目立って少なくなければ，二つの遺伝子座は連鎖しておらず，同じ染色体上で離れているか，あるいは異なる染色体上に位置している．

ここまでに，遺伝子組換えは，多くの種類のモデル生物において，適切な交配を行うことで同じ染色体上にある二つの遺伝マーカー間の距離を決定するのに使用できることをみてきた．新しい突然変異の遺伝子地図を作成する過程は，遺伝子マッピングとよばれる．これには，ゲノム全体にわたる位置のわかっている遺伝マーカーをもつ複数の組の交配を行うことが必要である．遺伝学的解析にふつうに用いられる実験生物では，変異の遺伝子マッピングのために，簡単に識別できる表現型を示す多数のマーカーが準備されている．ヒトの遺伝病については状況が違うが，組換え DNA 技術の進歩で，多数の DNA 配列に基づいた分子マーカーが利用できるようになってきた（図6・27b）．ヒトゲノムのほとんどはタンパク質をコードしていないので，個人間で多数の配列が

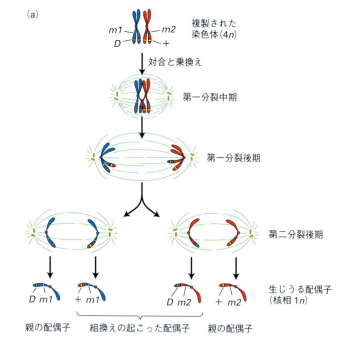

(b) 顕性疾患対立遺伝子 *D* とその野生型対立遺伝子 +，および連鎖 SNP マーカー対立遺伝子 *m1* と *m2* を考える

両親のうち一方は両方のマーカーについてヘテロ接合型で，もう一方は両方のマーカーについてホモ接合型であるとする

$$\frac{D \quad m1}{+ \quad m2} \times \frac{+ \quad m1}{+ \quad m1}$$

$$\downarrow$$

$$\underbrace{\frac{D \quad m1}{+ \quad m1} \quad \frac{+ \quad m2}{+ \quad m1}}_{\text{親 型}} \quad \underbrace{\frac{D \quad m2}{+ \quad m1} \quad \frac{+ \quad m1}{+ \quad m1}}_{\text{組換え型}}$$

この交配は，子の遺伝子型から，親型と組換え型のどちらの配偶子を受取ったかがわかるので，情報量が多い

病因遺伝子と SNP マーカー間の遺伝的距離は，両者間の交差の確率の関数である

遺伝的距離(cM) ＝ 組換えが起こった子孫の割合 × 100

図6・27 減数分裂の際の組換えは，遺伝子の位置のマッピングに利用することができる．(a) ある個体の配偶子が，一方の染色体に *D* とよばれる顕性疾患の対立遺伝子と，それに連鎖する SNP マーカー対立遺伝子 *m1*，相同染色体に + とよばれる野生型対立遺伝子と SNP マーカー *m2* をもっているとする．この対立遺伝子の配置は，その個体の親と同じであるため，これらは親型とよばれる．**病因遺伝子**（disease gene）と **SNP マーカー**（SNP marker）の間で交差が起こると，*D* と *m2* をもつ配偶子，+ と *m1* をもつ配偶子の二つの組換え型ができる．SNP マーカーが病因遺伝子に近いほど両者の間の組換えは起こりにくく，組換え型が生じる頻度はまれである．もし，マーカーが異なる染色体上にあるか，同じ染色体上で離れていれば，互いに独立して分離し，組換え型は親型と同じ頻度で発生することになる．なお，ヒトの女性の減数分裂では，卵細胞を形成する配偶子は一つだけつくられることに注意．(b) ヒトの遺伝マッピングでは，親と子の遺伝子型に点数をつけ，配偶子が組換え型となる割合を決定する．交配が情報を与えるためには，両親の少なくとも一方が両方のマーカーについてヘテロ接合型であることが必要である．図の例では，配偶子における *D* 対立遺伝子の存在は，子が顕性形質をもつことから推測でき，*m2* 対立遺伝子の存在は，子の SNP 遺伝子型から決定できる．このように多くの家系の配偶子の点数をつけることで，組換え型の割合から遺伝的距離を求めることができる．遺伝的距離の単位は，慣習的にセンチモルガン(cM)であり，100 人の子孫に 1 人の組換え個体が生じる染色体上の二つの位置の距離と定義される．親と同程度の組換え型を示す位置は，非連結とよばれる．

違っている.実際,血縁関係のない人の間では,平均して 10^3 ヌクレオチドごとに一つヌクレオチドが違っていると予測されている.こうした DNA 配列の違いは **DNA 多型**（DNA polymorphism）とよばれる.この DNA 多型を世代から世代にわたって追跡できれば,これを連鎖解析の遺伝マーカーとして使うことができる.現在では,10^6 ほどの既知の DNA 多型の位置がヒトゲノム上で決まっており,ヒトの遺伝連鎖解析に使われている.

一塩基多型（single nucleotide polymorphism: **SNP**）は最も多量に存在している多型なので,最も高精度の遺伝子マッピングに役立つ.ヒトゲノムで,2, 3, 4 塩基からなる反復配列の繰返し数に個人差があることも,DNA 多型マーカーとして利用できる.この多型マーカーは**短反復配列**（short tandem repeat: **STR**）あるいは**マイクロサテライト**（microsatellite）とよばれ,DNA 複製に際して,鋳型か新規に合成された鎖が組換えを起こすか,互いに滑るという機構で生じたものと考えられる.STR が多型マーカーとして有用であるのは,繰返し数に個体差があるという点である.いくつもの STR が同時に利用できるので,単一家系で得られる分離パターンの情報量が多く,病因遺伝子マッピングに使うには便利である.STR 多型性は,PCR 法による増幅と DNA 配列決定で検出できる.

ヒトの連鎖解析により, 100 万塩基対の分解能で病因遺伝子の位置を決定できる

技術的な詳細には立ち入らず,ある顕性形質（たとえば家族性高コレステロール血症）に対応する対立遺伝子のゲノム上の位置を決める方法をみてみよう.このためにはまず,この遺伝病患者の家族すべての DNA を手に入れる.この遺伝病を発症している人,発症していない人の DNA について,それぞれ多数の DNA 多型（STR マーカーか SNP マーカーが使える）を調べる.それぞれの DNA 多型マーカーの家族内での分離パターンを,この疾患の分離パターンと比較し,疾患とともに分離する多型マーカーを探し出す.疾患に連鎖していない多型では,マーカーの分離パターンと疾患の分離パターンには,発症している人により頻繁にみられるというはっきりとした傾向はない.しかし,多型性が疾患と連鎖しているときには,たまたまそれらの間で組換えが起こることはまれなので,発症している人に常にそのマーカーが存在する.そして,コンピューターで,それぞれの DNA 多型マーカーと病因対立遺伝子の連鎖の確率を計算する.統計的に有意な相関を見いだすには,一家族で少なくとも 10 人についての分離パターンが必要である.

実際には,同じ疾患をもつ別の家族の分離パターンも集め,すべてをまとめる.特定の疾患をもつ家族の数が多ければ多いほど連鎖の統計的な確かさが上昇し,DNA 多型マーカーと病因対立遺伝子間の距離の正確さも上昇する.こうした家族を対象とした研究では,最大で 100 人について病因遺伝子と一連の DNA 多型マーカーとの連鎖を調べることが多い.この人数の検査では,実質的な解像度の上限は 1 センチモルガン（cM）,つまり多型マーカーから 1 Mb の領域内に遺伝子を同定できることになる.

病因遺伝子の位置をクローン化 DNA 中で決めるにはさらに詳細な解析が必要になる

連鎖解析でヒト病因遺伝子を 1 Mb の領域に限定することができるが,この大きさの領域には 10 個もの遺伝子が入っていることがある.遺伝子マッピングの本来の目的は,クローン化 DNA 中の病因遺伝子を探し出し,この遺伝子のヌクレオチド配列を決定することである.染色体の遺伝子地図,プラスミドクローンを順序正しく並べた物理地図,そして塩基配列の相互関係を図 6・28 に示す.

ゲノム内の病因遺伝子をさらに特定する戦略の一つとして,研究対象の染色体領域において DNA によってコードされる mRNA の同定がある.ある疾患に罹患したさまざまな個体において,野生型 mRNA と比較して変化もしくは欠損している mRNA を見つけることが目的である.そのような mRNA は,機能障害によってその疾患をひき起こすタンパク質をコードするよい候補となる.一つの方法は,正常な人と遺伝病患者のさまざまな組織で遺伝子発現を比較し,特定の病因遺伝子が発現している組織を割り出すことである.たとえば筋肉だけに表現型の異常をもたらす変異は,筋肉だけで発現する遺伝子に生じている可能性が高い.§6・5 で述べるように,一般的に mRNA の発現レベルは,組織切片に標識した DNA や RNA の in situ ハイブリダイゼーション,マイクロアレイ解析,cDNA の超並列配列決定（RNA-Seq）により決定される.これらの方法によって,変異型組織と野生型組織における遺伝子発現を比較することができる.in situ ハイブリダイゼーションの感度は他の方法より低いが,ある組織では発現量が低いものの,その組織内の細胞のサブクラスでは発現量が非常に高い mRNA を同定することは可能である.

病因対立遺伝子を生み出す点変異は,mRNA の発現量や長さには大きな影響を及ぼさないことが多い.そこで,両者の mRNA を比較しても大きな差が認められなかったときには,この mRNA をコードしている DNA 領域で点変異を探し出すことになる.現在では,きわめて効率よく DNA 配列決定ができるので,点変異を探し出すのに,複数の遺伝病患者の特定の DNA 領域全体の配列を決めることが多い.このとき,この DNA 領域で障害をひき起こす可能性のある変異が繰返し現れるコード領域を探し出す.しかし,病因となる変異を起こした遺伝子の近くで,遺伝病とは関係ない多型が自然に存在するかもしれないので,このやり方にも限界がある.こうした多型は,遺伝病とは機能的に関係がなく,目的の遺伝子をまちがってしまうことになりかねない.そこで,解析に使える変異型対立遺伝子が増えれば増えるほど,遺伝子を正確に同定できる可能性も増す.

多くの遺伝病は複数の遺伝的欠陥に由来する

ここまでは単因子性疾病,つまり,単一の遺伝子の欠陥で,はっきりした病状が現れる疾患について考えてきた.単因子性の疾患は単一の特異的遺伝子の変異に起因し,図 6・26 に示した特徴的なパターンのどれか一つに従って遺伝する.表 6・1 に示したものを含む数百の一般的な単因子性疾患に関連する遺伝子が,先に述べたような DNA マーカーを使ってすでに決められている.

しかし,遺伝病の多くはもっと複雑な遺伝パターンを示すので,遺伝的原因を明らかにするのはずっとむずかしい.こうした複雑さの原因としてよくあげられるのが**遺伝的多様性**（genetic heterogeneity）である.この場合には,複数の遺伝子のどれか一つでも変異すると,同じ病気が起こりうる.たとえば,失明に至る網膜の変性が特徴とされる網膜色素変性症（retinitis pigmentosa）は,

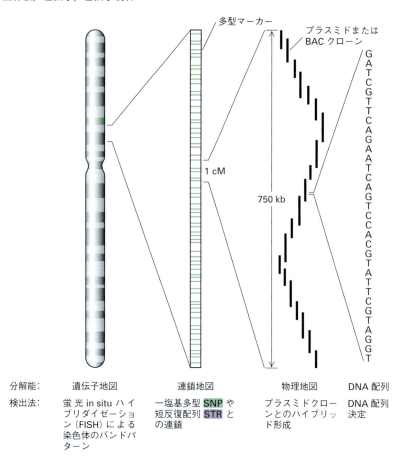

図 6・28 ヒト染色体における遺伝子地図と物理地図の比較. 本図は異なる解像度で表現したヒト染色体を表している. 染色体全体は，分裂期中期において凝縮したときに光学顕微鏡で観察できる. 染色体上での特定の配列のおよその位置は，蛍光 in situ ハイブリダイゼーション (FISH) で決めることができる. もう少し詳細には，DNA 上の遺伝マーカーに対して遺伝形質にかかわる領域の相対的位置を決めることができる. 遺伝子マッピング研究は，通常，遺伝子の位置を1cM (約1Mbp の領域に相当) 程度の精度でしか決定できない. 細菌人工染色体 (BAC) に連結された染色体の局所的部位の配列を解読することで，DNA 配列を特定することができる. 重要な遺伝子の違いは，最終的には染色体 DNA の塩基配列の違いによって規定される.

60 以上の異なる遺伝子のどれか一つの変異でひき起こされる. ヒトの連鎖解析において，ある病因遺伝子と分子マーカーの間に統計的に有意な連鎖が存在するかどうかは，複数の家族のデータを集めなければならない. しかし網膜色素変性症のように遺伝的多様性がある場合には，こうした解析がむずかしくなる. これは，ある家族でみられる連鎖の統計的傾向が，別の遺伝子が病因となっている家族のデータの影響を受けるからである.

網膜色素変性症の多数の病因遺伝子を同定するのに, ヒト遺伝学者は二つの方法を使った. 第一の方法では，この遺伝病を発症している非常に大きな家族について連鎖解析が行われた. 各家族は多くの遺伝病患者を含むので，既知の DNA 多型マーカーと統計的に有意な連鎖のある単一の病因遺伝子を，多くの候補原因遺伝子のなかから探し出すことができた. こうして見いだされた遺伝子から，網膜色素変性症をひき起こす変異のいくつかは，網膜に豊富に存在するタンパク質をコードする遺伝子内に起こっていることがわかった. この手掛かりをもとに，他の網膜色素変性症の患者について，網膜で大量に発現しているタンパク質の遺伝子が検査の対象となった. このように既知の情報を使って候補遺伝子を絞って調べた結果，網膜タンパク質をコードしているその他の遺伝子にも病因となる追加の, かつまれな変異が同定されたのである.

複合形質の構成遺伝的危険因子を同定する

外来の感染症によらないヒト疾患としては，心臓病，肥満，高血圧，糖尿病，ほとんどのがん，およびさまざまな精神障害があげられる. これらの疾患は，食事，行動，その他の環境条件が明らかに寄与しているものの，これらの疾患が家族内で発生する傾向があることから，遺伝的要素の強いことが示唆される. 遺伝の相対的な寄与は**遺伝率** (heritability) として知られる. これは，遺伝的に同一の一卵性双生児が，別々に育てられたにもかかわらず，二人ともその病気にかかった場合の割合から計算することができる. 上にあげた疾患は，発症のほとんどが遺伝性であり，遺伝の寄与は 60〜80％であるといわれている. ごくまれな例を除いて，これらの疾患は単一の対立遺伝子では説明できない複雑な遺伝パターンを示すため，これらの疾患の遺伝的要素は**複合形質** (complex trait) とよばれる. 複合形質の生成には，複数の遺伝子からの対立遺伝子が関与しているはずであり，このため，これらの遺伝子とその対立遺伝子は**危険因子** (risk factor) とよばれる. ヒトの複合形質に対する危険因子を系統的にマッピングすることは，ヒトの遺伝学における最も重要かつ困難な問題の一つである. 上にあげた各疾患について，何十，何百もの異なる遺伝子の対立遺伝子が危険因子である可能性があることがすでにわかっている.

複合形質について調べる有用な方法の一つに，染色体の特定の領域とある遺伝病の統計的相関を調べる**全ゲノム相関解析** (genome-wide association study: **GWAS**) がある. GWAS がどのように機能するかをみるために，II 型糖尿病の複合形質について考えてみよう. II 型糖尿病の遺伝的原因は非常に不均一であるため，統計的に有意な結果を得るためには，非常に大きな標本が必要である. 典型的な実験では，たとえば 5000 人の II 型糖尿病の患者を，社会経済的に近い 5000 人の正常な血糖恒常性をもつ対照群

と比較することがある．GWAS の基本的な考え方は非常に単純である．この 1 万人の中にある SNP を調査し，II 型糖尿病の人がそうでない人に比べて，わずかではあるが有意に大きな傾向を示す SNP を探し出すのである．この方法の成否は，多数の人の遺伝子データを精査し，特定の疾患とゲノムの特定の領域の間にはっきりした相関があるかどうかを探し出すコンピューターアルゴリズムにかかっている．1 万人の患者群と対照群にみられるすべての SNP を見つけるためのわかりやすい方法は，1 万人の完全なゲノム配列を入手し，調査することである．現在，この種の大規模な配列決定プロジェクトはまだ実用的とはいえない．むしろ，典型的な GWAS では，最も一般的な 10^6 箇所の SNP との相関を調査することになる．

10^6 の一般的 SNP に含まれない希少な疾患の原因となる対立遺伝子も，連鎖不平衡の現象を利用すれば，GWAS によって同定することができる．ある個体を病気にする対立遺伝子が突然変異で生じた場合，その対立遺伝子は，祖先の染色体がもっていた特定の SNP のセットの中に存在することになる．何世代経っても，病因遺伝子とその近傍の SNP との間で遺伝子組換えが起こることはまれであり，疾患をひき起こす対立遺伝子は，その染色体位置の近傍にある特定の SNP と関連したままであることが多い．このように近接した遺伝子マーカーの関連が残ることを**連鎖不平衡**（linkage disequilibrium）とよぶ．これは，遺伝子組換えによってマーカー間の関連が不規則になる，いいかえれば平衡になるのに十分な時間が経過していないからである（図 6・29）．したがって，標準的な 10^6 の SNP のセットに含まれないほどにまれな II 型糖尿病の危険因子が，連鎖不平衡にある SNP との関連によって発見される可能性がある．

GWAS は疾病の原因候補遺伝子を同定するための強力な手段となりうるが，典型的な GWAS によって見いだされた危険因子をすべて集約すると，通常は既知の遺伝率の半分以下しか占めていないことになる．この欠落した遺伝率の多くは，最終的には非常にまれな SNP や，疾患リスクへの寄与が小さいために有意な関連が認められない因子によって説明されるかもしれない．ヒトの大規模コホート（共通因子をもつ集団）における全ゲノム配列情報が利用可能になるにつれ，これらの捕捉しにくい危険因子の多くが発見されるようになるだろう．

疾患から身を守る対立遺伝子から，医学的に重要な遺伝子を同定できる

これまで，ヒトの遺伝子について，遺伝性疾患をひき起こす，あるいはそのリスクを高める遺伝子や対立遺伝子を中心に議論してきた．病気の原因となる対立遺伝子の探索を加速させたのと同じ技術の進歩が，病気を防ぐという同様に重要な対立遺伝子の探索を可能にした．ここでは，コレステロールの恒常性に重要な役割を果たすことが最近判明した PCSK9 遺伝子を例にとって，保護的対立遺伝子の要因の大きさを説明する．

14 章で述べるように，コレステロールは LDL とよばれるリポタンパク質粒子を形成して血液中を移動する．血中の LDL 濃度が高いと，過剰な LDL が動脈硬化性プラークとして冠動脈に沈着するため，心疾患のリスクとなる可能性がある．PCSK9 は，もともとある種のプロテアーゼに相同性をもつ分泌タンパク質をコードするヒト遺伝子として同定された．LDL を増加させるまれなクラスの突然変異が PCSK9 に遺伝的にマッピングされていることが発見され，コレステロール値の調節に関与していることが推測された．これらの変異した PCSK9 対立遺伝子は顕性遺伝のパターンを示し，変異による機能獲得が LDL の増加をもたらすことを示唆した．この論理で考えれば，PCSK9 の活性が失われれば，LDL 値は低下するはずである．多数の個体の PCSK9 遺伝子の塩基配列を決定し，フレームシフトやナンセンス変異をもつ対立遺伝子を見つけた結果，機能喪失の対立遺伝子をもつ個体は実際に LDL が減少していることが確認された．その後の生化学的実験により，PCSK9 のタンパク質産物が，エンドサイトーシスによって血液中の LDL を肝臓に輸送する役割を担う LDL 受容体を負に制御することが明らかにされた．PCSK9 タンパク質を不活性化すると LDL 濃度が劇的に低下することが示され，PCSK9 阻害剤はコレステロール低下剤の主要な標的となった．ヒト遺伝学の基本原理を応用して，コレステロールの恒常性における PCSK9 の役割を発見するというこの成功は，糖尿病，肥満，高血圧に対する同様の保護的対立遺伝子の発見への関心をよび起こすことになった．

がん細胞における原因変異を同定する

DNA の塩基配列を決定するコストが非常に低くなったため，がん細胞の全ゲノムを決定し，患者の腫瘍細胞に蓄積されたすべての突然変異を決定するために，その人の正常細胞のゲノムと比較することができるようになった．25 章で述べるように，正常な細胞から制御不能に分裂するがん細胞への変化には，通常，複数の突然変異が必要である．がんゲノムの配列決定の主要な目標は，

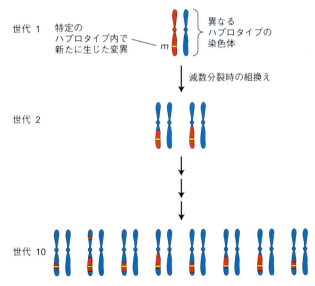

図 6・29　連鎖不平衡は近接した SNP の位置関係を保持する． 新たな病因となる変異が祖先遺伝子に生じたとする．この祖先染色体の病因変異は，特定の**ハプロタイプ**（haplotype），つまり遺伝的に連鎖している 1 組の DNA 多型（赤で示す）のなかで起こったとする．何代もの世代を経たのちにも，この病因遺伝子と組換えで分離しない祖先ハプロタイプ断片が染色体内に存在する．染色体上の青で示した領域には，病因遺伝子を含む祖先ハプロタイプとは関係のないさまざまなハプロタイプが存在している．病因変異に近い部位は祖先ハプロタイプである可能性が高い．このような現象を連鎖不平衡とよぶ．この遺伝子を含む染色体で，祖先ハプロタイプに対応する非常によく保存されている DNA 多型があるかどうかを調べれば，病因遺伝子の位置を決めることができる．

形質転換に関与する可能性のある**ドライバー変異**（driver mutation）をすべて同定することにある．しかし，この方法はむずかしい．形質転換細胞は通常 DNA 修復に欠陥があり，がん化に寄与しない**パッセンジャー変異**（passenger mutation）を大量に蓄積しがちだからである．ドライバー変異をパッセンジャー変異と区別するために，§6・3 で概説したバイオインフォマティクスの原則の重要な応用として，多数のがんゲノム配列の比較が行われた．ドライバー変異を区別する第一の基準は，それがすべてのがんに共通して存在し，また，同じ種類のがん（たとえば乳がんや結腸がん）の異なる患者の腫瘍に共通して存在することである．第二の基準は，発見された変異の種類に基づくものである．ドライバー遺伝子の変異は，遺伝子機能に大きな変化をもたらすと予想され，機能喪失の場合はナンセンス変異，フレームシフト変異，機能獲得の場合はミスセンス変異である可能性がある．一方，パッセンジャー遺伝子の変異は，サイレント変異である可能性が高い．

6・4 ヒトを特徴づける遺伝子の同定と染色体上での位置決定　まとめ

- 単一変異によって生じるヒトの遺伝病や他の遺伝形質は，常染色体顕性，常染色体潜性，X 染色体連鎖潜性という三つの遺伝パターンを示す（図 6・26）．
- ヒト遺伝病の病因遺伝子や他の形質の遺伝子の染色体上の位置は，既知のマーカーとこの遺伝子との減数分裂における連鎖を調べれば決定できる．特定のマーカーがこの遺伝子に近ければ近いほど，両者の連鎖は強い（図 6・27）．
- 高精度のヒト遺伝子マッピングには，染色体上に散らばった数千の分子マーカーが必要になる．最も有用なマーカーは，染色体非コード領域の DNA 配列の個体差（多型）である．そのような多型には，一塩基多型（SNP）と短反復配列（STR）が含まれる．
- 連鎖解析を使えば，染色体上の 10 遺伝子ほどを含む領域に，ヒト病因遺伝子を位置づけることができる．この領域内で目的遺伝子を同定するには，遺伝病患者と正常な人について遺伝子発現解析や DNA 配列比較を行う必要がある．
- ある種の遺伝病では，患者によって変異を起こした遺伝子が違っている場合がある（遺伝的多様性）．
- 最も一般的な遺伝病は，同一人物の中に複数の遺伝子の変異対立遺伝子が存在することに依存している．この種の疾患は複合形質とよばれ，これらの疾患の傾向に寄与する対立遺伝子は危険因子として知られる．危険因子は，全ゲノム相関解析で疾病と染色体の特定の領域の統計的相関を調べることでマッピングできる．
- 遺伝的関連研究は，病気を予防する対立遺伝子を同定することもできる．主要な遺伝病から身を守る対立遺伝子を探索することは，ヒト遺伝学の最も有望な将来の方向性の一つである．
- がん細胞のゲノム配列決定により，がん細胞に変化する過程で生じる数千もの変異が明らかになった．大量のがんゲノム配列を比較することにより，細胞の形質転換に寄与るドライバー変異と，細胞の形質転換に寄与しないパッセンジャー変異を区別することができる．

6・5 クローン化した DNA 断片を用いた遺伝子発現の解析

前節では，突然変異の解析やゲノム配列のバイオインフォマティクス解析により遺伝子を同定する方法と，同定した遺伝子を調べる方法について説明した．また，組換え DNA 技術を使って特定の DNA クローンを単離するための方法と，得られたクローンを調べる方法について解説した．本節では，単離したクローンを用いて，遺伝子の発現を調べる方法を解説する．遺伝子がいつ，どこで発現するかを調べるには，核酸のハイブリッド形成を用いる方法がふつう使われるので，まずこれについて述べる．また，大量のタンパク質を産生したり，タンパク質のアミノ酸配列を変えて，その発現パターンや構造，あるいは機能を明らかにしたりするという方法についても述べる．

in situ ハイブリダイゼーションによって特定の mRNA を検出する

相補的な配列をもつ一本鎖 DNA どうし，RNA どうし，あるいは一本鎖 DNA と RNA は塩基対を介して会合できる．この現象を**ハイブリッド形成**（hybridization）という．5 章で解説したように，希薄塩溶液中で温度を上げると，二本鎖 DNA は変性して一本鎖になる．ここで温度を下げてイオン濃度を上げると，相補的な一本鎖どうしのハイブリッド形成が起こって，二本鎖が生じる．核酸混合物では，相補的な一本鎖（あるいは一部に相補的な領域を含む鎖）どうしだけが会合し，相補的でない鎖が存在していても，ハイブリッド形成には影響を与えない．このハイブリダイゼーション法の威力は，完全に相補的な配列のみがハイブリッド形成するように，条件を調整することができることにある．

クローン化された遺伝子を特徴づける最も基本的な方法の一つは，生物のなかでいつ，どこで，その遺伝子が発現しているかを調べることである．特定の遺伝子の発現は，その mRNA がどの細胞や組織で見いだされるかを検出することで追跡できる．特定の遺伝子に対応する mRNA を見つける一つの方法は，蛍光標識された相補的オリゴヌクレオチドとのハイブリッド形成によって，その mRNA を検出することである．わずか 20 ヌクレオチドの長さで，特定の相補的 mRNA を標識することができる．遺伝子発現を精密に調べようとすると，こうした位置情報も知らないといけないので，組織全体あるいは組織切片，場合によっては透過性にした胚全体に対して **in situ** ハイブリダイゼーション（in situ hybridization）を用い，特定の遺伝子から転写された mRNA を検出することがある．固定された組織を蛍光顕微鏡で観察すれば，遺伝子転写の時間経過と空間的局在を同時に調べることができる（図 6・30）．

DNA マイクロアレイを使うと多数の遺伝子の発現を一度に検出できる

核酸のハイブリッド形成に基づいた **DNA マイクロアレイ**（DNA microarray）解析を用いれば，数千の遺伝子の発現を同時

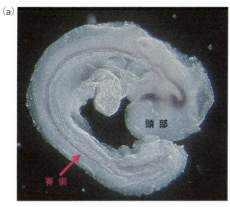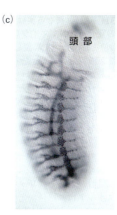

図 6・30（実験） in situ ハイブリダイゼーションによって，特定遺伝子の発現活性を胚全体あるいはその切片で検出する．観察試料を界面活性剤とプロテアーゼで処理し，mRNA がプローブと反応できるようにする．ヌクレオチドアナログを用いて，特定の mRNA に特異的な DNA あるいは RNA プローブを作製する．このアナログには抗体で認識できる化合物が結合している．ハイブリッド形成が起こりやすい条件下で，透過性にした試料をプローブと反応させてから，過剰なプローブを一連の洗浄で除く．この試料を，プローブと結合する抗体を含む液中におく．この抗体には，着色した産物が生じるようなレポーター酵素（たとえば西洋ワサビのペルオキシダーゼやアルカリホスファターゼ）が共有結合でつないである．過剰の抗体を除いたのち，レポーター酵素の基質を加えると，目的の mRNA があるところで着色沈殿が生じる．(a) マウス 10 日目の胚全体をソニックヘッジホッグ mRNA に対するプローブで調べたもの．脊髄となる部分に沿って走る棒状構造の中胚葉組織である脊索（赤矢印）が染まる．(b) (a)と同様に処理したマウス胚の切片．神経管（NT）の背腹軸が見えている．ソニックヘッジホッグを発現している脊索（赤矢印）は NT の下に位置し，内胚葉（青矢印）はずっと腹側に寄っている．(c) ショウジョウバエ胚全体を，気管発生期に産生される mRNA プローブで調べたもの．体節の繰返しパターンが見える．頭部が上で，腹が左に位置している．[L. Milenkovic, M. P. Scott 提供．]

に解析できる．DNA マイクロアレイというのは，顕微鏡のスライドガラス上に数千種類の遺伝子特異的配列を密に並べたものである．この方法とゲノム配列情報から，ある生物が特定の生理的な反応をしているとき，あるいは特定の発生段階にあるときの，遺伝子発現の全体像を知ることができる．

DNA マイクロアレイの作製法　DNA マイクロアレイ作製方法の一つは，まずそれぞれの遺伝子のコード領域約 1 kb を一つずつ PCR で増幅する．増幅した DNA 試料を自動装置で顕微鏡のスライドガラス上に並べ，化学処理をほどこして DNA をガラス表面に結合させ，変性させる．典型的なマイクロアレイでは，2 cm 四方の領域にほぼ 6000 種類の DNA 試料を並べる．

もう一つの方法では，まず起点となる 1 個のヌクレオチドをスライドガラスに共有結合させ，ここからほぼ 20 ヌクレオチド長のオリゴヌクレオチドを多数合成する．このとき，スライドガラス上の正方形の小さな領域で特定の配列のオリゴヌクレオチドを多数合成するように自動合成装置を設定する．ある遺伝子に対応する複数のオリゴヌクレオチド配列をいくつか隣り合った場所で合成し，この遺伝子の発現解析に用いる．1 枚のスライドガラス上には，数千種類の遺伝子由来のオリゴヌクレオチドを並べることができる．こうした合成オリゴヌクレオチドのアレイを構築するには，コンピューターの微細集積回路をつくる技術が利用されているので，このマイクロアレイを **DNA チップ**（DNA chip）とよぶ．

マイクロアレイを用いて異なる環境での遺伝子発現を比較する
マイクロアレイを使った発現解析の第一歩は，細胞が発現している mRNA に対応する蛍光標識 cDNA の集団を作製することである（図 6・17）．この cDNA をマイクロアレイと反応させると，アレイ上の遺伝子のうち発現しているものは蛍光標識 cDNA 集団中の相補的な cDNA とハイブリッドを形成する．マイクロアレイをレーザー走査顕微鏡で観察して，ハイブリッド形成を検出する．

図 6・31 に示す例は，ヒト繊維芽細胞を飢餓状態から血清を加えた栄養培地に移したときに，遺伝子発現がどのように変化するかを調べたものである．こうした実験では，まず，飢餓状態と血清を加えて育てた繊維芽細胞からそれぞれ cDNA を抽出し，違う色の蛍光色素で標識する．哺乳類の 8600 個の遺伝子からなる DNA マイクロアレイを，緑と赤の蛍光色素で標識した cDNA とハイブリッドを形成させる．ハイブリッド形成に参加しなかった cDNA を洗い流したあとで，アレイ上のそれぞれのスポットの緑と赤の蛍光強度を蛍光顕微鏡で測り，コンピューターで記録する．アレイ上の位置からそれぞれのスポットがどんな遺伝子に対応するかがわかる．それぞれのスポットの緑と赤の蛍光強度比は，血清添加に対応した遺伝子発現の相対値を表す．こうした条件下で発現していない遺伝子では，シグナルが検出されない．飢餓状態でも栄養状態でも同じように転写される遺伝子は，赤あるいは緑で標識された cDNA とハイブリッドを同じ程度に形成する．繊維芽細胞のマイクロアレイ解析によって，調べた 8600 遺伝子のうちほぼ 500 遺伝子の転写が血清添加によってはっきり変化することがわかった．

発現のクラスター解析で同時に制御を受ける遺伝子群がわかる
マイクロアレイ研究により，類似した遺伝子発現パターンを示す遺伝子の組が明らかになった．これらの遺伝子は，同じ組織の同じ時期に発現している．同じ条件下で，同じ細胞種で発現している遺伝子は，機能的に密接に関連している可能性が高い．しかし，1 回のマイクロアレイ実験から確かな結論が導き出されることはほとんどない．たとえば，繊維芽細胞でみられる上記のような遺伝子発現の差は，細胞がある培地から他の培地に移されたと

図 6・31(実験) 異なる実験条件下における繊維芽細胞遺伝子の発現の変化を DNA マイクロアレイで解析する．（a）この例では，血清を加えないで培養した繊維芽細胞と血清を加えて培養した繊維芽細胞から単離した mRNA から調製した cDNA を異なる蛍光色素で標識した．これら 2 種類の cDNA の等量混合物をマイクロアレイに並べた 8600 種類の哺乳類細胞遺伝子 DNA に加え，ハイブリッド形成が起こる条件下で反応させた．走査型共焦点顕微鏡で検出した各スポット上の緑と赤の蛍光強度の比は，血清の有無に応答したそれぞれの遺伝子の相対的発現量を示している．（b）実際のマイクロアレイの一部を拡大した顕微鏡写真．このアレイの 16×16 の各スポットは，緑色蛍光色素で標識された対照 cDNA（血清なし）あるいは赤色蛍光色素で標識された cDNA（血清添加後）とハイブリッドを形成した DNA を含んでいる（黄色いスポットは，緑色蛍光色素をもつ cDNA とも赤色蛍光色素をもつ cDNA とも同じようにハイブリッドを形成しており，血清によって遺伝子発現に変化がないことを示す）．［(b) は Alfred Pasieka/Science Source/amanaimages．］

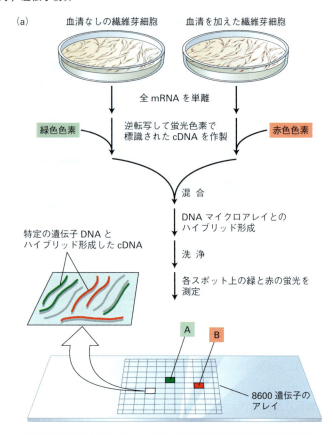

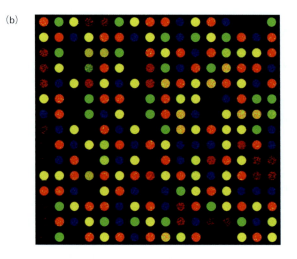

きに起こる生理的な反応の間接的な結果にすぎないかもしれない．つまり，1 種類のマイクロアレイを使った実験の結果から，複数の遺伝子が同期して制御されているようにみえても，さまざまな理由があってそうなっており，これら遺伝子がコードしているタンパク質の生物学的機能は全く異なっているかもしれない．こうした問題に対する解決策は，一連のマイクロアレイ実験で得られる情報を統合し，さまざまな条件下あるいはある時間経過で同じような制御を受けている遺伝子群を見つけ出すことである．

複数のマイクロアレイ発現実験より有益に利用するために，繊維芽細胞への血清添加後の上述の 8600 遺伝子の相対的発現量の時間変化を調べると，10^4 以上の個別データが得られる．タンパク質の一次構造比較に用いるのと似たコンピュータープログラムでこの莫大な量のデータをまとめると，血清添加後に同じような時間経過で発現パターンが変化する遺伝子をクラスター化することができる．驚くべきことに，こうした**クラスター解析**（cluster analysis）の結果，コレステロール合成や細胞周期といった特定の細胞内過程にかかわるタンパク質群をコードする遺伝子が同じグループに分類された（図 6・32）．

将来は，マイクロアレイ解析は医学的にも重要な診断法になるだろう．以前にはわからなかった病状の差異が検出可能になっている．たとえば，特定の mRNA 群を使うと，予後のよいがんと予後の悪いがんとを区別できることがわかっている．がんの生検でこうした病状の差を検出できる mRNA を使えば，最も適当な治療法を選択できる．他のさまざまな病変組織に特有な遺伝子発現パターンがわかれば，DNA マイクロアレイをいろいろな病気の診断に用いることが可能になろう．■

cDNA の塩基配列決定により，個々の細胞での遺伝子発現が解析可能になる

DNA マイクロアレイ解析の限界は，ハイブリッド形成が高い選択性をもつ一方で，感度が比較的低いことである．存在はするものの存在量の少ない mRNA の多くは，検出可能なシグナルを生成しない．細胞当たり 1 コピーしか存在しない mRNA すら検出できる強力な方法がある．**全トランスクリプトームショットガンシークエンシング**（whole transcriptome shotgun sequencing, **RNA-Seq** ともいう）として知られるこの方法は，組織から得た大量（10^6 個以上）の cDNA を直接ショットガン配列解析にかけるものである．各 cDNA に対して約 100 塩基解読できるため，それぞれの配列は特定の mRNA に明確に帰属させることができる．この方法により，各 mRNA に対応する読み取り断片（リード）の相対数を数えるだけで，相対的な mRNA の存在量を定量することが可能となる．たとえば，肝細胞から調製した cDNA を RNA-Seq 解析にかけると，血清アルブミンのような豊富に存在する mRNA に対応する読み取り断片は，100 万のうち数千回となる．非常にまれな

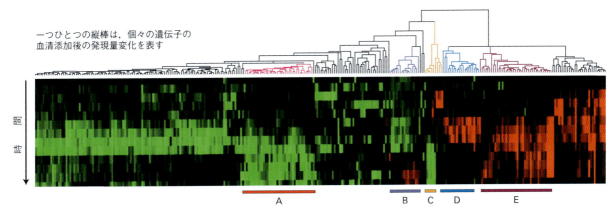

図 6・32 (実験) 複数のマイクロアレイ実験から得られたデータのクラスター解析によって，似た制御パターンを示す遺伝子群を同定できる．この実験では，飢餓状態の繊維芽細胞に血清を与えてから 24 時間周期でマイクロアレイ解析を行い，哺乳類の 8600 の遺伝子発現を検出した．ここに示したクラスター図は，飢餓状態を対照として遺伝子発現を時間ごとに比較し，発現パターンが似たものどうしをグループ化したものである．赤，緑，黒で色づけされた縦棒は，一つひとつの遺伝子の発現量の時間変化を表す．赤は対照と比較して発現が上昇したこと，緑は発現が減少したこと，また黒は発現レベルに特に大きな変化がなかったことを示している．上の "樹形図" は，発現パターンの時間変化が近い遺伝子どうしをグループ化し，階層化したものである．この実験では下の横線で示すように，協調的に制御された遺伝子の五つのクラスターが同定された．それぞれのクラスターには，特定の細胞内過程で機能している複数のタンパク質をコードしている遺伝子が含まれている．A はコレステロール生合成，B は細胞周期，C は初期応答，D はシグナル伝達と血管新生，E は創傷治癒と組織修復に関連している．[Michael B. Eisen, University of California, Berkely 提供.]

mRNA の場合は 100 万回に 1 回が最低値となるので，RNA-Seq はハイブリダイゼーションに基づく実験をはるかに超える 10^4 倍も異なる mRNA の量を測定できることがわかる．

PCR による cDNA の増幅を数回行うなどの改良により RNA-Seq の感度は向上し，単一細胞内の RNA 量を測定する**一細胞 RNA-Seq** (single cell RNA-Seq: **scRNA-Seq**) が可能になった．この方法では，組織内の異なる種類の細胞を組合わせて mRNA 試料を調製した場合には不明瞭であった，個々の細胞間の遺伝子発現の違いを検出することができる．

クローン化した遺伝子から大腸菌発現系を用いて大量のタンパク質を合成する

遺伝子を高発現させる方法の重要な応用例として，有用なタンパク質の大量生産があげられる．ホルモンやシグナル伝達タンパク質，制御タンパク質は，ごく少量しか発現していないことが多い．このため，ふつうの生化学的な方法では，これらのタンパク質を大量に調製することはむずかしい．こうしたタンパク質を治療に広く利用したり，また，その構造や機能を解析したりといった目的には，このタンパク質を大量に安くコストで生産することが必要である．組換え DNA 技術を使えば，細胞内に少量しか存在しないタンパク質の合成工場として大腸菌を使うことができる．実際，この技術で，顆粒球コロニー刺激因子 (G-CSF)，インスリン，成長ホルモン，エリスロポエチンといったヒトタンパク質が治療目的で商業的に生産されている．たとえば，G-CSF には顆粒球を増やす働きがある．顆粒球はファゴサイトーシス(食作用)を示す白血球の一種で，細菌感染に対する防御に重要な役割を果たす．G-CSF をがん患者に投与すると，顆粒球数の減少という化学療法の副作用が抑えられるので，化学療法の最中に深刻な感染症にかかる事態を防ぐことができる．■

少量しか発現していないタンパク質を大量に生産するには，まずこのタンパク質全長をコードしている cDNA を，これまでに説明したような方法でクローン化する (図 6・17)．次に，プラスミドベクターに細工をほどこして，これが大腸菌細胞に入ったとき cDNA でコードされるタンパク質が大量に発現するようにする．こうした発現ベクターの設計で重要なのは，cDNA の転写開始点であるプロモーターをベクターに組込んでおくことである．たとえば，図 6・33 に示すような簡単な G-CSF 発現系についてみてみよう．この例では，G-CSF をコードする cDNA の上流に *lac* プロモーターを組込んで発現ベクターとする．このベクターで大腸菌を形質転換すると，G-CSF が発現する．*lac* プロモーターからの転写は，ラクトースかイソプロピルチオガラクトシド (IPTG) のようなラクトースアナログを添加したときにだけすばやく進む．もっと複雑な大腸菌発現系を使えば，さらに大量のタンパク質を発現できる．

大腸菌発現系を使って発現した真核生物タンパク質の精製のため，組換えタンパク質をコードしている cDNA に手を加えて，大腸菌由来のタンパク質と組換えタンパク質との分離を容易にする．たとえば，発現したタンパク質の C 末端に 6 残基のヒスチジンが付加するように，cDNA の 3' 末端に短いヌクレオチド配列をつけ加える．このように修飾したタンパク質は，ニッケル原子を結合させたアフィニティーゲル担体に強く結合するが，ほとんどの大腸菌タンパク質は結合しない．結合したタンパク質は，まわりの pH を下げることで，ニッケル原子から遊離させることができる．タンパク質の C 末端あるいは N 末端に短いペプチドを付加してもタンパク質の生化学的性質はほとんど変わらないので，こうして機能を維持したタンパク質を精製することができる．

動物細胞で使える発現ベクターを設計する

大腸菌発現系を使って大量のタンパク質を産生することができるが，すべての場合にこれが有効であるということではない．細胞内の自然な環境でタンパク質の機能を調べたいときには，遺伝

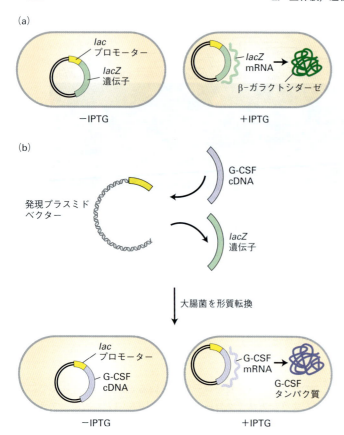

図6・33（実験）lacプロモーターをもったプラスミドベクターを利用して，大腸菌内で真核生物タンパク質を生産する．(a) 発現プラスミドベクターにはlacプロモーターとそれに続くlacZ遺伝子を含んだ大腸菌染色体断片が組込まれている．ラクトースアナログのIPTG存在下では，RNAポリメラーゼがlacZ遺伝子を転写してlacZ mRNAをつくり，これが翻訳されてβ-ガラクトシダーゼタンパク質が産生される．(b) 発現ベクターのlacZ遺伝子を制限酵素で切出し，クローン化されたcDNAと置き換える．ここでは顆粒球コロニー刺激因子(G-CSF)のcDNAの場合を示す．作製したプラスミドを大腸菌に導入すると，IPTGの添加でlacプロモーターからG-CSF mRNAが転写され，G-CSFタンパク質が産生される．

子操作したタンパク質を動物培養細胞で発現させたい．このときには，遺伝子を特別な真核細胞発現ベクターに挿入し，**トランスフェクション**（transfection, 形質導入）という方法で培養細胞に導入する．動物細胞をトランスフェクションする方法には，組換えベクター DNA が宿主細胞のゲノム DNA に挿入されるものと挿入されないものがある．

いずれの方法でも，組換えベクター取込みを促進するために，培養動物細胞にいろいろな処理をほどこさなければならない．たとえば，細胞膜に入り込む脂質で細胞を処理して DNA の透過性を高めたり，数千ボルトの短時間の電気ショックをかけて一過性に DNA の透過性を高めたりする．後者は**電気穿孔法**（electroporation）とよばれている．ふつうは，多くの培養細胞が少なくとも1個のプラスミドを取込むように，プラスミド DNA を大量に入れる．あるいは，実験室で使っているウイルスを用いることもある．目的の DNA が挿入された組換えウイルスを宿主細胞に感染させて，この DNA を取込ませる．

一過性トランスフェクション 二つのトランスフェクション法のうち簡単なほうを**一過性トランスフェクション**（transient transfection）とよぶ．この場合には，以前に述べた酵母シャトルベクターに似たベクターを用いる．哺乳類細胞で使うために，哺乳類に感染するウイルス由来の複製起点，哺乳類の RNA ポリメラーゼが認識できる強力なプロモーター，そしてこのプロモーターの下流に発現タンパク質の cDNA を組込むようにプラスミドベクターを組立てる（図6・34a）．いったんこのプラスミドベクターが哺乳類細胞に入ると，ウイルスの複製起点によって効率よく複製が進み，生じた大量のプラスミドからタンパク質が発現する．しかし細胞分裂に際して，こうしたプラスミドは娘細胞に均等には分配されず，培養中の細胞のかなりの割合のものがしだいにプラスミドを失う．このために，一過性トランスフェクションという名前がついている．

安定なトランスフェクション（形質転換） 二つ目の方法では，細胞に取込まれたベクターが宿主細胞のゲノムに組込まれ，このゲノムの変化は固定される．この現象は，**形質転換**（transformation）とよばれる．ふつうは DNA 修復や組換えに使われている酵素が形質転換をひき起こす．培養細胞を形質転換してクローン化 cDNA を発現する方法を図6・34(b)に示す．よく用いられる選択マーカーはネオマイシンホスホトランスフェラーゼ遺伝子（neo^rと書く）で，G-418 というネオマイシン類似の薬剤に対する耐性が得られる．高濃度の G-418 が存在すると，宿主ゲノムに発現ベクターが組込まれた場合にだけ細胞は生き残り，そのクローンが増殖する．プラスミド DNA の組込みはゲノム上で無差別に起こるので，G-418 耐性を示す個々の形質転換クローンを比較すると，挿入された cDNA の転写速度に差がある．そこで，目的のタンパク質を最もよく産生するものを，多数の安定な形質転換クローンから探し出すことが多い．

レトロウイルス発現系 動物細胞で組換え遺伝子を効率よく発現させるため，ウイルスが感染時に用いる機構を利用して，細胞に組換え遺伝子を導入し，染色体にこれを挿入するという方法がある．こうしたウイルスを用いた発現系の一つに，**レンチウイルス**（lentivirus）とよばれるレトロウイルスを用いたものがある．この系では，クローン化した遺伝子を RNA 化したものをウイルスの RNA ゲノムに組込んだレンチウイルス粒子を利用する．クローン化された遺伝子は，レンチウイルスの LTR 配列によって挟まれている．標的細胞では，LTR 配列が，逆転写によって RNA を二本鎖 DNA にコピーすることを指令し，その結果，図7・14に示すように，その DNA が染色体 DNA に組込まれる．

この手順の鍵は，クローン化した遺伝子を標的動物細胞に効率よく導入するのに適したレンチウイルス粒子を製造することである．図6・35に示すように，このレトロウイルス発現系では，まず一過性トランスフェクションで3種類のプラスミドを標的となる動物細胞に導入する．一つ目のプラスミドは**ベクタープラスミド**（vector plasmid）とよばれ，目的のクローン化遺伝子とそれに隣り合ったneo^rのような選択マーカーがレンチウイルスのLTR配列で挟まれている．二つのLTR配列の左側のものが，二つのレンチウイルス LTR に挟まれ，天然のレンチウイルスとよく似た性質をもつ RNA 分子の合成を指示する．適当な宿主細胞内では，この LTR 配列に挟まれた RNA はウイルス粒子に組込まれ，ウイル

(a) 一過性トランスフェクション

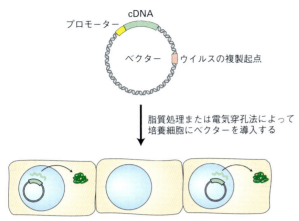

(b) 安定なトランスフェクション (形質転換)

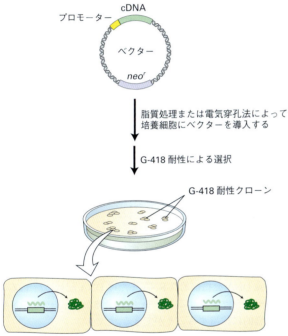

図 6・34 (実験) プラスミドベクターの一過性および安定なトランスフェクションによって，培養動物細胞内でクローン化遺伝子を発現させる．ここで利用されるプラスミドベクターも，大腸菌内で増殖できるように，ORI，選択マーカー (amp^r など)，ポリリンカーといったふつうのベクターの基本要素をもっている．クローン化されたcDNAは，動物細胞由来のプロモーターにつないでこのベクターに挿入する．簡単のために，これらは図示していない．(a) 一過性トランスフェクションに用いるプラスミドベクターはウイルス由来の複製起点をもっており，培養動物細胞内で複製できる．しかし，このベクターは培養細胞のゲノムに組込まれず，分裂によって細胞当たりの数がどんどん減少するので，cDNA にコードされたタンパク質の産生は限られた時間の間だけ進行する．(b) 安定なトランスフェクションに用いるベクターは，G-418 への耐性をもたらす neo^r などの選択マーカーをもっている．このベクター DNA がゲノムに組込まれた細胞は，たとえば G-418 を含んだ培地で選択できる．ベクターはゲノムに組込まれるため，安定なトランスフェクション (形質転換) をされた細胞は，培養している限り cDNA がコードされたタンパク質をつくり続ける．

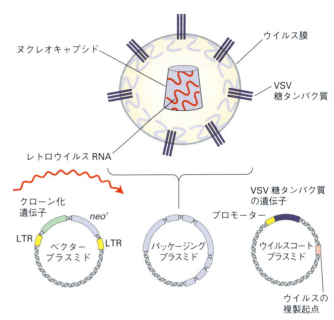

図 6・35 (実験) レトロウイルスベクターを用いると，クローン化遺伝子を哺乳類ゲノムに効率よく挿入できる．組換えレンチウイルス粒子は，パッケージングプラスミドから発現するウイルスタンパク質と，ウイルスコートプラスミドから発現する広い宿主範囲をもつコートタンパク質からつくられる．これらのウイルス粒子は，目的の遺伝子配列を含むベクタープラスミドから合成されたウイルス RNA を内部にもつ．このようにして形成された組換えレンチウイルス粒子が細胞に感染すると，クローン化された目的の遺伝子が染色体 DNA に組込まれる形で細胞に導入され，安定的に発現されるようになる．

ス感染に伴って標的細胞に取込まれる．二つ目のプラスミドはパッケージングプラスミド (packaging plasmid) とよばれ，LTR を含むウイルス RNA を感染性レンチウイルス粒子に詰め込むのに必要な，主要エンベロープタンパク質遺伝子以外のすべてのウイルス遺伝子をもっている．三つ目のプラスミドは，ウイルスのエンベロープタンパク質を発現させることができ，これを組換えレンチウイルスに組込むことで，ハイブリッドウイルス粒子が目的の細胞種に感染することができるようになる．こうした目的でよく使われるエンベロープタンパク質は水疱性口内炎ウイルス (VSV) 糖タンパク質で，完成したウイルス粒子表面で正常なレンチウイルスのエンベロープタンパク質の代わりを務める．こうしてできたウイルス粒子は，造血幹細胞，神経細胞，筋細胞，肝細胞などさまざまな哺乳類細胞に感染できる．

このウイルスが細胞に感染すると，LTR 配列に挟まれたクローン化遺伝子は DNA に逆転写され，この DNA は核に輸送されて宿主ゲノムに挿入される．もし必要なら，安定なトランスフェクションのときのように，安定に組込まれたクローン化遺伝子と neo^r 選択マーカーをもつ細胞を G-418 耐性で選択することもできる．§6・6 で解説するような特定の遺伝子を不活性化する実験では，用いる培養細胞集団のどの細胞でも標的遺伝子が不活性化されていなければならない．こうした目的には，レンチウイルスを用いた遺伝子操作は特に有用である．これは，この方法の効率が高いため，培養細胞集団中のどの細胞も少なくとも一つのレンチウイ

ルスプラスミドをもつことになるからである．

遺伝子とタンパク質の標識　発現ベクターを用いると，真核細胞でのタンパク質の発現と細胞内局在を簡単に調べることが可能となる．この場合，細胞内で簡単に検出できる**緑色蛍光タンパク質**（green fluorescent protein: **GFP**）のようなレポータータンパク質を使うことが多い（図4・15参照）．ここでは，目的のタンパク質とレポータータンパク質をつなぐハイブリッド遺伝子作製法を二つ紹介する．プラスミド発現ベクターを用いたトランスフェクションによるか，あるいは§6・6で解説するようなトランスジェニック動物作製によってハイブリッド遺伝子を細胞に導入すると，レポータータンパク質の発現を介して，目的のタンパク質がどこでいつ発現されているかを調べることができる．この方法を使うと，以前に解説した in situ ハイブリダイゼーションと似たデータを得ることができるが，分解能も感度もそれより高い．

図6・36に，GFP標識を用いて線虫の嗅覚受容体の発現を調べるために行った二つの実験を示す．一つ目の実験で，嗅覚受容体遺伝子のプロモーターを直接GFPのコード配列につないで**プロモーター融合**（promoter fusion）を行った．二つ目の実験では，GFPのコード配列と嗅覚受容体のコード配列を直接つなぐ**タンパク質融合**（protein fusion）を行った．GFPをプロモーターにつなぐと，特定の神経細胞全体にGFPが発現するため，このプロモーター融合実験では，遺伝子発現を読み取ることができる．しかし，細胞内のタンパク質をみるには，タンパク質融合法が使われる．GFPを嗅覚受容体のコード配列に連結すると，感覚ニューロンの繊毛の先端という，本来受容体タンパク質が存在する部位に局在した．

既知のモノクローナル抗体で認識されるペプチドをコードする短いDNA配列を目的のDNAに融合するのが，GFP標識に代わるタンパク質の細胞内局在検出法である．抗体が結合する短いペプチドを**エピトープ**（epitope）とよぶので，この方法を**エピトープ標識法**（epitope tagging）という．このように修飾された遺伝子を含むプラスミド発現ベクターでトランスフェクションしたのち，発現したエピトープ標識タンパク質をエピトープに特異的なモノクローナル抗体を使い免疫蛍光抗体法により検出する．エピトープ標識とGFP標識の選択は，どんな標識がクローン化遺伝子に対して可能か，そして産生される標識タンパク質が機能を維持しているかどうかにかかっている．

線虫で発現させたGFPは，生きた虫の体が透明であるため，蛍光顕微鏡で観察することができる．マウスのような大きな動物で遺伝子発現を画像化する場合は，より感度の高い生物発光レポーターを使用することができる．この方法では，ルシフェラーゼとよばれるホタルの光を生み出す酵素を用いる．ルシフェラーゼは，ルシフェリンという基質を与えると，化学反応を触媒して可視光を発生させる．可視光撮影は，生きたマウスの体内から発せられるルシフェラーゼレポーターの光を検出することができる．本章の章頭図は，T細胞特異的プロモーター CD2 のプロモーター融合を発現させたトランスジェニックマウスがルシフェラーゼを発現している様子を示したものである．

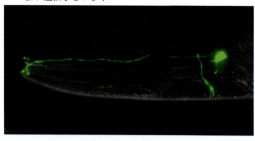

(a) プロモーター融合．Odr10遺伝子のプロモーターにGFP遺伝子をつなぐ

(b) タンパク質融合．Odr10-GFP融合タンパク質

図6・36（実験） クローン化遺伝子で発現したタンパク質の細胞内局在を，遺伝子標識やタンパク質標識を使って解析する．この実験では，線虫の嗅覚受容体の一つである Odr10 をコードしている遺伝子に緑色蛍光タンパク質（GFP）の遺伝子配列を融合した．(a) Odr10遺伝子のプロモーターにGFP遺伝子をつないで，プロモーター融合組換え遺伝子を作製した．この融合遺伝子は，Odr10が発現する線虫頭部の特定の感覚ニューロンの細胞質で発現した．(b) Odr10をコードする全長遺伝子配列の最後にGFPの遺伝子配列をつないで，タンパク質融合組換え遺伝子を作製した．この場合，Odr10-GFP融合タンパク質は感覚ニューロンの先端部の膜に輸送され，感覚繊毛の先端にのみ見いだされた．この局在は，特定の神経細胞でのOdr10タンパク質の正常な局在を反映していると予想される．(a)のプロモーター融合組換え遺伝子はOdr10の局在配列をもたないので，発現したGFPタンパク質は感覚繊毛先端に局在せず，細胞質全体に存在している．[A. Maurya 提供．]

6・5　クローン化した DNA 断片を用いた遺伝子発現の解析　まとめ

- 標識DNAを相補的な RNA または DNA 配列にハイブリダイゼーションさせることで，細胞全体から単一の mRNA を特異的に検出することができる．
- 組織内での特定の mRNA の存在や分布は，in situ ハイブリダイゼーションで検出できる．
- DNA マイクロアレイを用いると，違う細胞あるいは違う条件においた同じ細胞内にある数千の遺伝子の発現の相対的値を同時に検出できる（図6・31）．
- 複数の DNA マイクロアレイを使った遺伝子発現のクラスター解析で，さまざまな条件下で同時に制御されている遺伝子を見つけ出すことができる．このように同時に制御される遺伝子群は，生理的に関係のある機能を果たすタンパク質をコードしていることが多い．
- 数百万個の cDNA の直接塩基配列決定に基づく RNA-Seq 解析は，一つの細胞で発現しているすべての mRNA の全体像を明らかにする．
- プラスミド由来の発現ベクターによって，クローン化した遺伝子から大量のタンパク質を産生できる．
- 真核細胞発現ベクターによって，クローン化遺伝子を生体

内で発現できる．この方法を使うと，特定のタンパク質の局在を GFP で検出したり，このタンパク質をエピトープ標識して抗体で検出したりできる．

6・6 特定の遺伝子機能の意図的な改変

近年，膨大な量のゲノム DNA 配列情報が得られるようになり，多くの新しい遺伝子が同定されるようになった．新しい遺伝子の機能は，多くの場合，コードされたタンパク質が既知の機能をもつタンパク質との類似性から推測することができる．しかし，その遺伝子の変異型が得られない限り，生体内での役割を正確に知ることはできない．本節では，ゲノム中の特定の遺伝子の正常な機能を破壊する方法をいくつか解説する．遺伝子破壊の結果生じた変異表現型の解析から，正常遺伝子やそれがコードする正常タンパク質の細胞内機能を予測することができる．

ここではまず，酵母における遺伝子破壊株の構築方法について説明する．酵母は最も容易に遺伝子操作ができる生物であり，すべての遺伝子の破壊株が構築された最初の生物である．こうした遺伝子欠損株の包括的収集により，生物のもつ一つひとつの遺伝子を完全に不活性化した場合の影響を観察することができる．次に，最近開発された CRISPR とよばれる強力なゲノム編集法について説明する．CRISPR は，特定の DNA 配列に切込みを入れる細菌の反応機構を基盤にしている．この反応機構は，哺乳類を含むさまざまな生物の特定の遺伝子の編集に応用されている．CRISPR の基本的な手順では，標的とする遺伝子に小さな欠失をひき起こし，結果としてヌル対立遺伝子を生成する．しかし，遺伝子研究者は，機能を獲得した対立遺伝子など，ある遺伝子の特定の対立遺伝子の効果を研究することを望むことが多いので，CRISPR はこのようなより特異的な種類のゲノム編集を行うために改良された．

また，遺伝子不活性化の影響を調べるためにモデル生物で広く用いられる次の二つの方法についても説明する．1) トランスジェニックマウスを用いて特定の組織で選択的に不活性化できる対立遺伝子を構築する方法，2) RNA 干渉を用いて遺伝子から転写される mRNA の破壊を促進する方法．

相同組換えで酵母の正常遺伝子を変異型対立遺伝子に置き換える

次の二つの理由によって，酵母のゲノムを操作するのは特に簡単である．まず，酵母細胞は，条件がよければ簡単に外来 DNA を取込む．次に，取込まれた遺伝子と酵母染色体の相同遺伝子間で効率よく交換が起こる．同じ構造の DNA 領域間で起こる特異的な組換えのおかげで，酵母染色体のどんな遺伝子も変異遺伝子で置き換えることができる．

最もよく用いられる酵母遺伝子の破壊法は，遺伝子を選択マーカーで置き換える方法である．PCR で選択マーカーを含む**破壊コンストラクト**（disruption construct）を作製し，次にこれを酵母細胞に導入する．図 6・37(a) に示すように，選択マーカーの PCR 増幅に用いるプライマーに細工をして，破壊したい酵母遺伝子を挟み込むような配列をプライマー末端に 20 ヌクレオチドほど付加しておく．増幅されたコンストラクトは選択マーカー（たとえばネオマイシン耐性遺伝子 neo' と同様に G-418 に対する耐性を付与する KanMX 遺伝子）の両端に 20 bp ほどのヌクレオチドがついており，この部分の配列が標的酵母遺伝子の両端と一致する．これで酵母二倍体細胞を形質転換すると，二つある標的遺伝子の片側が破壊コンストラクトで入れ換わる．形質転換した酵母二倍体細胞は G-418 への耐性や他の選択可能な表現型を指標に検出できる．こうして生じたヘテロ二倍体細胞は，標的遺伝子の機能に関係なく，正常に増殖することが多い．しかし，この細胞から

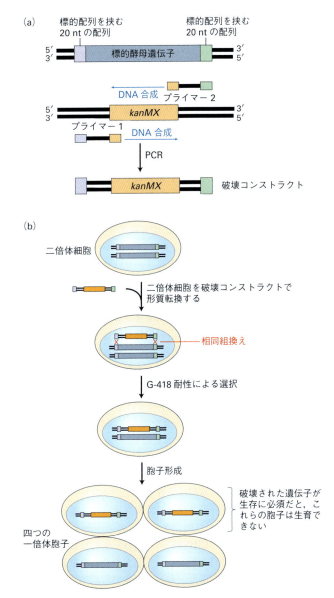

図 6・37（実験） 破壊コンストラクト導入による相同組換えにより，酵母内で特定の遺伝子を不活性化できる．(a) 標的遺伝子を破壊するコンストラクトは PCR で調製する．PCR に用いる二つのプライマーは，標的酵母遺伝子の一端と相同な約 20 ヌクレオチド (nt) の配列と，G-418 耐性を与える kanMX などの選択マーカー遺伝子を増幅する配列を含んでいる．(b) 二倍体の酵母細胞をこの破壊コンストラクトで形質転換すると，コンストラクトの両端と対応する染色体 DNA 配列の間で相同組換えが起こり，染色体の標的遺伝子が kanMX 遺伝子と置き換わる．組換え二倍体細胞は G-418 を含む培地で生育するが，形質転換されなかった細胞は生育できない．標的遺伝子が生存に必須な場合は，組換え二倍体細胞の胞子形成によってできた一倍体胞子の半分は生育できない．

生じた一倍体胞子の半分は破壊された対立遺伝子だけをもっているので（図6・37b），この遺伝子が生存に必須であれば，致死となる．

このような酵母遺伝子の破壊は，全ゲノム DNA 配列の解析で同定されたタンパク質の役割を評価するのに役立つ．この解析で見つかった 6000 ほどの酵母遺伝子一つひとつを KanMX 破壊コンストラクトで置き換え，この遺伝子破壊株から一倍体胞子が致死となるものを探し出すという作業が，世界中の研究者の協力で行われた．この解析の結果，6000 遺伝子のうちほぼ 4500 が生存に必須ではないことがわかった．このように見かけ上必須でない遺伝子の数は予想外に多い．場合によっては，ある遺伝子を破壊しても，それで生じる欠陥はごく些細なもので，実験室での生存には影響がないのだろう．あるいは，破壊された遺伝子の機能を回復させたり補完する経路があるために変異体が生存できるのかもしれない．補完経路や過程の存在は，図6・8に示すような二重変異体の解析によって明らかにされている．

酵母の KanMX 破壊コンストラクトの構築には，各欠失遺伝子に固有の 20 ヌクレオチド（nt）の二つの配列の挿入が含まれている．これらの配列は，DNA シークエンスやマイクロアレイへのハイブリッド形成によって読み出すことができる "分子バーコード" として使用することができる．あるバーコードのコピーの数を数えることによって，それに対応する欠失変異体の成長特性を，4500 種類の非必須遺伝子欠失変異体のプールされた混合物の中で追跡することができる．欠失変異体の並行スクリーニングのためのバーコード技術の初期の応用として，4500 の欠失変異体すべてのプールが，さまざまなストレス条件に対する感受性を試験された．以下のような例がある．まずマイクロアレイにハイブリダイゼーションすることによって，変異体プール中の各欠失株の相対的な数が評価された．この最初の較正ののち，プールは1M NaCl を含む増殖培地に置かれた．この条件はストレスをひき起こし，野生型酵母の成長を遅くする．塩ストレスに耐えられない欠失変異体は，1M の NaCl で培養すると，平均的な株に比べて生育が悪くなる．4500 の欠失株のなかから，1M NaCl で増殖させたのちに細胞数の有意減少を示した 62 の遺伝子欠失株が，対応するバーコードの数を数えることによって同定された．このようなスクリーニングを行うには，4500 の欠失変異株を個別に増殖試験するのが一般的であるが，各株を分子バーコードで追跡するこの方法では，一つの培養フラスコで変異株全体の増殖特性をスクリーニングすることが可能である．この効率的な変異体スクリーニング法は，次項の CRISPR 系によって生じた変異の項で述べるように，固有の配列タグによって個々の変異株を識別できるのであれば，どのような場合にも適用可能である．

CRISPR 系を用いれば正確なゲノム編集ができる

ゲノム編集（genome editing）という技術を用いれば，ほぼすべての生物でゲノム DNA 配列を正確に変えることができる．この方法は，ファージ DNA のような外来 DNA に対する防御機構としてもともと細菌がもっている **CRISPR**（clustered regularly interspaced short palindromic repeat）というしくみに基づいている．この CRISPR という名称は，これまでに配列の決まった細菌ゲノムの半数で見つかった一群の反復配列の並び（CRISPR 配列）に由来している．この CRISPR 配列の両端は，保存された1組の遺伝子で挟まれている．これら遺伝子は **Cas**（CRISPR-associated）とよばれ，ヌクレアーゼ遺伝子に相同性をもつ．

CRISPR 配列の機能は，そのなかの特定の反復配列がファージゲノムの短い配列と一致することが多いために明らかになった．つまり細菌は，CRISPR 配列とそれを挟んでいる Cas 遺伝子を介して，CRISPR の反復配列に対応するファージ DNA 配列を認識し，ここを切断する能力を獲得したと考えられる．実際，細菌は次のような2段階の過程を経て，ファージに対する免疫を獲得した．第一段階で，CRISPR 系をもつ細菌にファージが感染し，細菌はファージ DNA を短い断片に切断する．これら DNA 断片は CRISPR 配列に取込まれる．このとき，DNA 断片は高度に保存された CRISPR 反復配列の間に埋込まれる．第二段階では，ファージ DNA を取込んだ CRISPR 配列の転写と，得られた RNA のプロセシングを経て，保存された CRISPR 反復配列とファージ由来のスペーサー配列という2種類の配列を含む成熟した RNA 分子が生じる．これをガイド RNA とよぶ．ガイド RNA は Cas タンパク質と会合して干渉複合体を形成し，ガイド RNA とファージ DNA 中の相補的配列との塩基対形成により，（ウイルス粒子から放出された）感染性ファージ DNA を標的とすることができる．いったん干渉複合体が標的のファージ DNA 配列に到達すると，Cas タンパク質中のヌクレアーゼが，標的 DNA 分子の両鎖を，ガイド配列と塩基対を形成した領域の近傍で切断する．

CRISPR による真核生物ゲノムの改変　CRISPR の構成要素は原核生物でしか見つかっていないが，ガイド RNA と Cas タンパク質を真核生物で発現させれば，特異的 DNA 配列の切断が真核細胞内でも再現できるはずだと考えられた．そこで，CRISPR がどんな細胞でも機能するように，Cas9 ヌクレアーゼと遺伝子操作したガイド RNA からなる最小の CRISPR–Cas9 系が構築された（図6・38a）．Cas9 は，DNA の2本鎖それぞれの正確な切断に必要な二つのエンドヌクレアーゼも含めて，ゲノム編集に必要なすべての酵素を含んでいる．また，この系で使われるガイド RNA は二つの領域からなる．一つは，Cas9 への結合に必要なヘアピン構造を形成する2本の相補的配列からなる足場であり，もう一つは標的となる配列を探し出すためのもので，ほぼ 20 ヌクレオチド長の配列からなる．後者は，ゲノム上の特定の標的配列と完全に相補的となるように設計されている．Cas9 とこのガイド RNA が標的細胞に取込まれると，ガイド RNA で認識された染色体上の特定の部位で Cas9 が DNA 両鎖を切断する（図6・38b, c）．ショウジョウバエ，線虫，ゼブラフィッシュ，マウス，ラット，ヒトなどの細胞に，発現プラスミドによって Cas9 と特定のガイド RNA を形質導入すると，これら細胞の特定の DNA 配列が切断される．

マウスの生殖系列を修飾する効率的な手段として，Cas9 mRNA とガイド RNA を受精卵に微量注入するという手法が使われている．受精卵に取込まれた Cas9 mRNA とガイド RNA によって特定の標的配列で二本鎖 DNA が切断されるが，生じた DNA 鎖末端どうしは非相同末端結合という一群のリガーゼを介した過程でつながる（図6・38d, 左）．ふつうは，末端どうしがつながる前に切断部位に位置する数塩基が除去されるので，結合部位では数塩基対の欠損が起こる．この切断部位が遺伝子コード領域に位置していると，機能喪失変異を生み出すフレームシフトが生じて標的遺伝

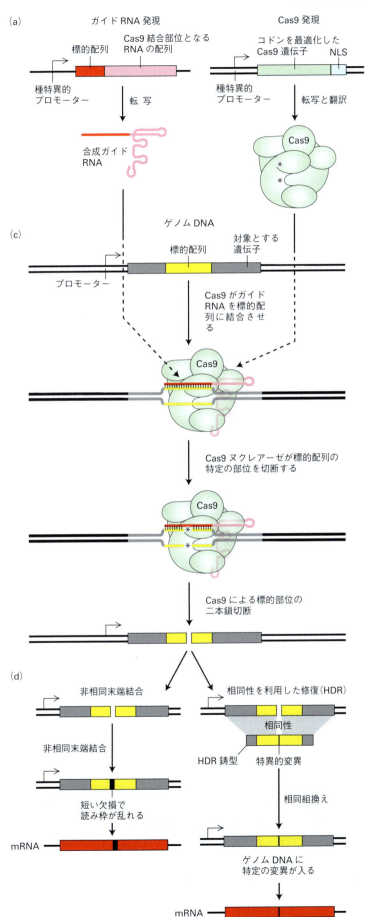

図 6・38 CRISPR-Cas9 系を用いるとゲノムに一塩基変異を入れることができる．(a) 標的細胞に二本鎖 DNA を認識するヌクレアーゼ Cas9 とガイド RNA を発現させると，そのゲノム DNA 配列を変えることができる．Cas9 遺伝子とガイド RNA を含むプラスミドで標的細胞を形質転換するか，Cas9 mRNA とガイド RNA を細胞に直接注入すれば，ここで Cas9 とガイド RNA が発現される．ガイド RNA は二つの部分からなる．一つは Cas9 結合部位となるヘアピン構造をつくる．もう一つは 20 ヌクレオチド長からなる RNA で，ゲノム上の標的配列を認識する．(b) ガイド RNA と Cas9 の複合体は，ガイド RNA と相補的なゲノム DNA 配列との塩基対形成により，ゲノム DNA に結合する．この構造により，Cas9 の二つの異なるヌクレアーゼ活性部位が，ガイド RNA とのヘテロ二本鎖に隣接する標的 DNA の二本鎖を切断することが可能となる．(c) このように，Cas9 と特定の遺伝子配列を標的とした二つの領域からなるガイド RNA を発現させることで，標的遺伝子の DNA 二本鎖を切断できる．(d) 切断された DNA 鎖は非相同末端結合（NHEJ）という過程を介して修復される．もし切断がコーディング領域内で起こった場合，NHEJ は通常フレームシフト変異を生じさせ，遺伝子機能を不活性化させる．一方，Cas9 切断部位両端に広がる配列をもつ 100 ヌクレオチド長の一本鎖 DNA を Cas9 mRNA およびガイド RNA と一緒に細胞に導入すると，相同組換えを利用した機構で切断部位が修復される．この機構を介して，修復されたゲノム DNA に一ヌクレオチド置換を導入することができる．[(b)は C. Anders et al., 2014, Nature 513: 569, PDB ID 4un3.]

子の機能が失われる．

このゲノム編集法の重要な改良点として，標的DNAの正確な一塩基変異をつくり出すことができる．この方法ではまず，Cas9の切断を目的の一塩基変異の部位に近づける必要がある．切断部位の両端に伸びた，目的の一塩基変異を含む，100ヌクレオチド長ほどの相同性DNA断片を加え，その部分を相同組換えを介して修復させると，修復されたDNAに一塩基変異が残る（図6・38d, 右）．こうしたゲノム編集の好例が，白内障をひき起こすγクリスタリン遺伝子 Crygc の一塩基変異を野生型に戻す実験である．γクリスタリン遺伝子に変異対立遺伝子をもつマウス受精卵に Cas9 mRNA，変異部位を認識するガイドRNA，そして切断部位をまたいだ90ヌクレオチド長の野生型 Crygc 配列を注入する．この受精卵から生まれたマウスでは，γクリスタリン遺伝子は野生型に戻っている．つまり，CRISPR-Cas9系は，ガイドRNAを介して野生型対立遺伝子と変異型対立遺伝子との1 bpの違いを正確に見分け，変異型を野生型に戻すことができる．この実験はCRISPR-Cas9系の驚くべき特異性を実証している．

ゲノムワイドCRISPRスクリーニング　CRISPRゲノム編集はヒトを含む遺伝子組換え哺乳類をつくり出すことができるため，世間の関心を集めるとともに論争が巻き起こっている．しかし，細胞の機能についてもっと知りたいと願う細胞生物学者の立場からすれば，培養で育てた体細胞のCRISPRによるゲノム編集は，生きている細胞のなかで哺乳類遺伝子の機能を探るための強力な（そして全く論争の余地のない）研究手段である．最も重要な体細胞ゲノム編集法の進展の一つは，約2万個の哺乳類遺伝子のそれぞれについて，機能喪失型変異の影響を1回の実験で検証できるようになったことである．これを実現する一つの方法は，培養細胞にCas9の遺伝子と，選択した遺伝子のエクソンを特異的に標的とするガイドRNAの遺伝子をトランスフェクションすることである．ただ，2万個の哺乳類遺伝子のそれぞれの機能喪失の影響を調べるには，2万通りのトランスフェクションと，CRISPR編集した細胞株の2万通りの表現型アッセイが必要になってしまう．酵母の遺伝子破壊株の集団をスクリーニングしたときと同様，このようなスクリーニングを行うよりはるかに効率な方法は，2万個のトランスフェクションした細胞株をすべてプールし，ガイドRNAの配列を固有の分子タグとして使用して，個々の細胞株の成長を追跡することである．

このようなプール型スクリーニングがどのように機能するかをみるために，変異したことによってタキソール（細胞分裂時の微小管の働きを阻害する抗がん剤）に対する耐性をもたらす遺伝子を特定したいと考えたとする．まず，Cas9の遺伝子と，2万種類の遺伝子それぞれに対応するガイドRNAをトランスフェクションした細胞の集団を大きなプールとして作製する．次に，プールから単離したDNAをもとにトランスフェクションされたガイドRNA遺伝子を取出し，大規模シークエンシングにかける．プールから，10^6以上の別々のガイドRNA遺伝子の配列が決定される．各ガイドRNAに対応する読み取り断片の相対数から，各ガイドRNAをもつ細胞の相対数を数えて，実験の基準値を定める．プールされた細胞を，タキソール感受性細胞の数が大幅に減少するのに十分な時間（たとえば36時間）タキソールに曝露したのち，プール中のガイドRNA遺伝子を再び配列決定する．典型的な細胞株は，タキソールに対する感受性によって細胞の成長が鈍化するため，実験開始時に決定した基準値と比較して相対数が減少するはずである．しかし，タキソール処理後に相対数が増加する細胞株もあるだろう．それらの細胞株は，変異によってタキソールへの耐性が高まるガイドRNA遺伝子を含んでいるだろう．あるいは，典型的な細胞株と比べてより大きく相対数が減少する細胞株もあるだろう．それらは，対応するガイドRNA遺伝子が，タキソールに対して過敏に反応する突然変異を起こしたことを示している．このように，哺乳類ゲノムのあらゆる遺伝子をCRISPRで不活性化することで，タキソールに対する耐性や感受性が高まるかどうかを1回の大規模実験で検証することができる．これは，抗がん剤としてのタキソールの効果を調節する役割を果たす可能性があるすべての遺伝子を特定するうえで重要な進歩である．

CRISPRの誘導性活性化　CRISPRを用いたゲノム編集では，一般に機能喪失型変異が生じるため，必須遺伝子の変異を調べることがむずかしいという大きな制約がある．さらに，遺伝子によっては，機能獲得型の対立遺伝子の効果を研究することが望ましい場合もある．たとえば，シグナル伝達や遺伝子制御にかかわるタンパク質の遺伝子がそれに当たる．このような場合，ゲノム編集によってある遺伝子の発現を永久に不活性化するのではなく，一過的に増加または減少させることが望まれる．このような目的のために，2種類のCRISPR系が開発されてきた．CRISPRi（CRISPR干渉 CRISPR interference）とよばれる系は，Cas9の標的をプロモーターにして，転写の開始を妨害する．一方，CRISPRa（CRISPR activation）とよばれる系は，相補的な遺伝子活性化システムであり，転写活性化ドメインをプロモーターに導入することにより，目的の遺伝子の転写を活性化する（図6・39）．CRISPRiとCRISPRaは，いずれもエンドヌクレアーゼ活性を不活性化した改良型Cas9を採用している（このヌクレアーゼ不活性型はdCas9とよばれる）．適切なガイドRNAを一過的に発現させて遺伝子のプロモーター領域を標的にさせると，dCas9はDNAを切断することなくプロモーターに結合する．CRISPRiの場合，dCas9の標的ドメインは，RNAポリメラーゼが転写を開始するプロモーターの領域と競合するため，一過的に遺伝子発現が阻害されることになる．CRISPRaでは，dCas9は強力な転写活性化ドメインと融合されている．このハイブリッドタンパク質がプロモーターに結合すると，遺伝子発現を一過的に活性化させることができる．

体細胞での遺伝子組換えで
マウスの特定の組織の遺伝子を不活性化する

相同組換えによる酵母の遺伝子改変に適用された原理は，哺乳類の遺伝子にも適用することができる．相同組換えを用いて正常なマウス遺伝子を遺伝子ノックアウトで置き換えることは，マウス遺伝子のヌル対立遺伝子を構築する歴史的に重要な方法であったが，これらの方法は強力なCRISPR-Cas9ゲノム編集法にほぼとって代わられている．研究者はしばしば，マウスの特定の組織における，特定の発生段階でのノックアウト変異の影響を調べることに興味をもつ．しかし，生殖系列にノックアウト変異をもつマウスでは，欠陥はいろいろな組織に生じたり，影響を調べたい時期より前に死んだりする可能性がある．こうした問題を回避す

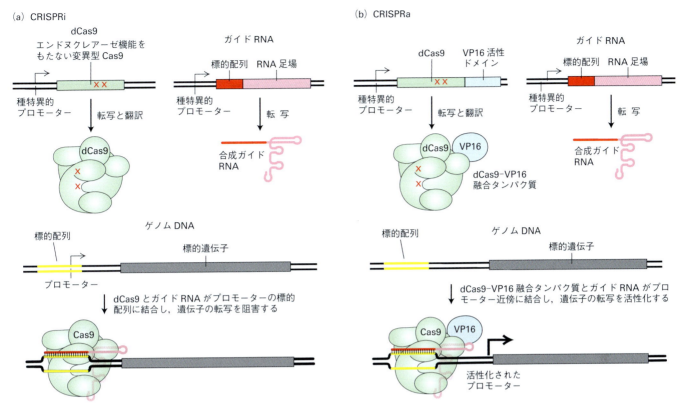

図 6・39 遺伝子の一過的不活性化または過活性化を行うよう改変された CRISPR-Cas9. (a) CRISPRi は，特定の遺伝子の転写を不活性化するために用いる．CRISPRi では，目的の遺伝子のプロモーター内の RNA ポリメラーゼ結合領域を標的とする合成ガイド RNA が設計される．このガイド RNA をエンドヌクレアーゼ活性をもたない変異型 Cas9 (dCas9) とともに発現させると，ガイド RNA は dCas9 をプロモーターに結合させ，RNA ポリメラーゼの結合を阻害し，遺伝子の転写を阻害する．(b) CRISPRa も同様の戦略を用いているが，ガイド RNA が標的とする領域が目的のプロモーターの上流にあることと，dCas9 が強力な転写活性化ドメイン (dCas9-VP16) と融合していることが異なる．dCas9-VP16 が目的の遺伝子のプロモーター領域に結合すると，活性化ドメインがその遺伝子の転写を活性化する．

るため，特定の種類の体細胞でだけ，あるいは発生の特定の段階でだけ，目的の遺伝子を不活性化するという方法が開発された．

この方法の第一段階では，特定の標的遺伝子の特異的に改変された対立遺伝子を含む DNA コンストラクトを**胚性幹細胞**（embryonic stem cell, **ES 細胞**）に導入する．こうして形質転換した胚盤胞由来の胚性幹細胞は，何世代にもわたって培養することができる（図 22・4 参照）．このうちごく一部の細胞で，導入された DNA が標的遺伝子と相同組換えを起こす．しかし同時に，もっと高確率で，この DNA は染色体上の非相同な場所でも組換えを起こす．ES 細胞に導入された組換え DNA コンストラクトは，標的遺伝子の置換に成功した細胞を選択できるように，G-418 に対する耐性を付与する選択マーカー（neo^r）を含んでいる．このコンストラクトをゲノムにもつマウスを作製するために，改変した ES 細胞をレシピエントである野生型マウスの胚盤胞に注入し，その後，偽妊娠の代理母マウスの子宮に移す．この胚から発生した子孫マウスは，本来の胚由来の細胞と ES 細胞由来の細胞からなる組織が混じった**キメラ** (chimera) である．このキメラマウスを，他の表現形質についてホモ接合体のマウスと交配させると，ノックアウト変異が生殖系列に取込まれたかどうかがわかる．最後に，ノックアウト変異についてヘテロ接合体のマウスどうしを交配すると，ホモ接合体の子孫をつくることができる．

相同組換えは，目的の遺伝子を単一の組織のみで不活性化したマウスの作製にも利用できる．この方法では，短い DNA 組換え部位（loxP 部位とよばれる）と，loxP 部位間の組換えを触媒する Cre という酵素とを利用する．この **loxP-Cre 組換え系**（loxP-Cre recombination system）はもともとバクテリオファージ P1 のものだが，マウス細胞に組込まれると，ここでも配列特異的組換え系が活性化される．Cre タンパク質の発現が細胞種に特異的なプロモーターで制御されているというのが，この方法で重要な点である．図 6・40 に示すような手順で作製された loxP-Cre マウスでは，cre 遺伝子を制御しているプロモーターが活性化されている細胞でだけ，目的の遺伝子 X が不活性化される．プロモーターを使い分けることで，さまざまな種類の細胞で遺伝子 X をノックアウトしたときの効果を調べることができる．

この技術を使った初期の重要な実験で，学習と記憶に特定の神経伝達物質受容体がかかわっていることが証明された．それまでの薬理学的，あるいは生理学的研究から，正常な学習には，海馬とよばれる脳の一領域に存在する NMDA 型グルタミン酸受容体が必要であることが知られていた．しかし，NMDA 受容体サブユニットをコードする遺伝子のノックアウトマウスは新生児のうちに死んでしまうので，この受容体が学習に果たす役割を解析することができなかった．図 6・40 に示す手順で，海馬でのみ受容体サブユニット遺伝子が不活性化され，他の組織では正常に発現するマウスがつくられた．このマウスは成体にまで成長し，学習や

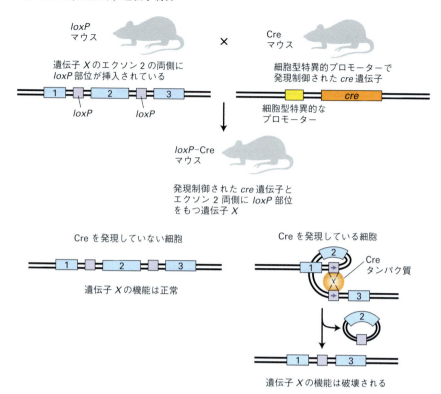

図 6・40（実験） loxP-Cre 組換え系により細胞型特異的に遺伝子ノックアウトができる．この実験法は，特定の細胞種を標的にして遺伝子 X をノックアウトするように設計されている．相同組換えで loxP 部位（紫）を標的遺伝子 X（青）の必須エクソン 2 の両側に挿入して，loxP マウスを作製する．loxP 部位はイントロン中にあるので，遺伝子 X の機能を阻害しない．Cre マウスは，遺伝子 X のノックアウト対立遺伝子一つと，細胞型特異的プロモーター（黄）とつながった P1 バクテリオファージの cre 遺伝子（橙）をもっている．cre 遺伝子は非相同組換えによってマウスのゲノムに挿入されており，他の遺伝子の機能には影響を与えない．また，Cre マウスは，遺伝子 X のノックアウト対立遺伝子をもつヘテロ接合体でもある．この二つの系統を交配すると，条件つきでノックアウトされる構造をもつ遺伝子 X を唯一の機能的コピーとしてもち，かつ特定の細胞腫でのみ発現するように制御された cre 遺伝子をもつ loxP-Cre マウスが生まれる．プロモーターが活性化している細胞でのみ生産される Cre タンパク質は，loxP 部位間の組換えを起こしてエクソン 2 の欠失をもたらし，Cre を発現するすべての細胞で遺伝子 X を完全に機能喪失させることができる．

記憶障害を示した．このことから，NMDA 受容体が経験を記憶に取込むのに役立っていることがわかった．

RNA 干渉では mRNA を破壊することで遺伝子を不活性化する

RNA 干渉（RNA interference: **RNAi**）は線虫で最初に発見されたもので，二本鎖 RNA が同じ配列の一本鎖 mRNA の発現を阻害するが，異なる配列の mRNA には影響を与えない，という現象をさす．この現象は，特定の遺伝子の機能を一過性に阻害する簡便な方法を提供する．

9 章で述べるように，RNA 干渉という現象は，真核細胞が二本鎖 RNA を切断して，**短鎖干渉 RNA**（short interfering RNA, 低分子干渉 RNA small inhibitory RNA ともいう，略称 **siRNA**）とよばれる 23 ヌクレオチド長の短い断片にする能力に基づいている．この反応を触媒する Dicer とよばれる RNA エンドヌクレアーゼはすべての多細胞動物に存在するが，酵母などの単細胞真核細胞にはない．**RISC**（RNA 誘導サイレンシング複合体 RNA-induced silencing complex）というタンパク質複合体が触媒する反応を介して，siRNA は配列が同じ mRNA を切断する．RISC に結合した siRNA の片方の鎖は，標的 mRNA 上の相補的な配列を認識してハイブリッドを形成する．次に，RISC 複合体中の特異的なヌクレアーゼがこの mRNA-siRNA ハイブリッドを切断する．この切断機構は塩基対形成に依存しているので，RNA 干渉の特異性をよく説明できる．また，siRNA 鎖に相補的な mRNA はヌクレアーゼによって切断され，取除かれてしまうので，遺伝子機能の効率よい抑制が起こることも説明できる．細胞内での Dicer と RISC の正常な役割は，**マイクロ RNA**（microRNA: **miRNA**）という小さな細胞内 RNA による遺伝子制御を遂行することである．

このマイクロ RNA 経路を利用すれば，次のような二つの方法のどちらかを使って，決まった配列をもつ siRNA をつくり出すことができ，線虫の目的の遺伝子機能を抑制できる．第一の方法では，センス鎖とアンチセンス鎖を in vitro 転写によって合成して，標的遺伝子に対応する二本鎖 RNA（dsRNA）をつくる（図 6・41a）．この dsRNA を線虫の成虫の生殖巣に注入すると，発生途中の胚では Dicer によって siRNA が生じる．この siRNA は RISC 複合体と一緒になって，標的の mRNA をすばやく分解する．その結果，線虫は対応する遺伝子を破壊したのと同じ表現型を示すことになる．場合によっては，特定の dsRNA が数分子細胞に入るだけで，これに対応する多数の mRNA が不活性になる．図 6・41(b) に，線虫の胚に注入した dsRNA が，これに対応する mRNA の合成を阻害している様子を示す．この実験では，標的 mRNA に対する特異的標識プローブを胚と反応させ，以前に説明した in situ ハイブリダイゼーションとよばれる方法で胚中でのこの mRNA 量を測定している．

第二の方法は，特異的な二本鎖 RNA を in vivo でつくり出すというものである．このためには，標的遺伝子のセンス鎖とアンチセンス鎖のつながった配列を含む合成遺伝子を発現させるのがよい（図 6・41c）．この遺伝子が転写されると，**低分子ヘアピン RNA**（small hairpin RNA: **shRNA**）というヘアピン構造をもつ二本鎖 RNA ができる．この shRNA は Dicer によって切断され，siRNA が生じる．レンチウイルス発現ベクターは，shRNA 発現のための合成遺伝子を動物細胞に導入するのに特に有用である．

この両方の RNAi 法は，ある生物の特定の遺伝子を不活性化し，どんな形質に異常が起こるかを系統的に調べるのに役立つ．たとえば，線虫を使った実験では，16,700 遺伝子（全ゲノムの 86％）の RNA 干渉で 1722 もの目に見える異常な形質が得られた．機能阻害によって特別な異常形質が得られた遺伝子はいくつかのグループに分類できる．それぞれのグループに属する遺伝子群は，似たようなシグナルや事象を制御しているのだろう．このような

(a) 二本鎖 RNA の in vitro での作製

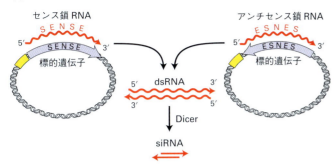

(b)

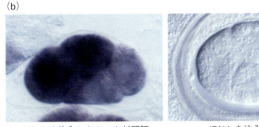

siRNA を注入しなかった対照胚　　siRNA を注入した胚

(c) 二本鎖 RNA の in vivo での作製

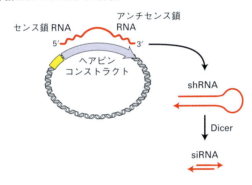

図 6・41（実験）　線虫などでは，RNA 干渉（RNAi）によって遺伝子機能を不活性化できる．(a) 標的遺伝子の RNAi に用いる二本鎖 RNA（dsRNA）の in vitro での作製．cDNA クローンやゲノム DNA 断片から得た遺伝子コード領域に強力なプロモーターをつないで，プラスミドベクターに双方向に組込んだ 2 種類のコンストラクトをつくる．RNA ポリメラーゼとリボヌクレオシド三リン酸を用いて in vitro でこの二つのコンストラクトを転写すると，センス鎖（mRNA 配列と同一）とそれに相補的なアンチセンス鎖の RNA コピーが多数産生される．適当な条件下で，これらの相補的な RNA 分子はハイブリッド形成して dsRNA となる．dsRNA を細胞に注入すると，Dicer によって分解され，siRNA となる．(b) RNAi による線虫胚での mex3 RNA 発現の阻害（機構は本文参照）．左：野生株胚における mex3 mRNA の発現は，この mRNA に特異的なプローブによる in situ ハイブリダイゼーションで検出した．プローブは紫に発色する物質を産生する酵素で標識されている．右：二本鎖 mex3 mRNA を注入した線虫由来の胚には色がついていないことから，ここでは mex3 mRNA はつくられていないことがわかる．それぞれの 4 細胞期胚は約 50 μm の長さである．(c) 細胞へのプラスミドの注入による二本鎖 RNA の in vivo 産生．標的遺伝子のセンス鎖とアンチセンス鎖をつないだ合成遺伝子コンストラクトをつくる．これが転写されると，二本鎖の低分子ヘアピン RNA（shRNA）が生じる．この shRNA は Dicer で切断され，siRNA となる．［(b) は A. Fire, 1998, *Nature* 391: 806, Copyright Clearance Center, Inc. を通じて Macmillan Publishers Ltd. より許可を得て転載．］

解析を通じて，たとえば筋肉発生にかかわる遺伝子間の制御の相関関係が明らかになろう．

　RNAi で遺伝子不活性化ができる生物には，線虫以外に，ショウジョウバエ，多くの植物，ゼブラフィッシュ，アフリカツメガエル，マウスなどがあり，どれについても大規模な RNAi スクリーニングが進行中である．たとえば，哺乳類培養細胞で発現している 10,000 以上の遺伝子を RNAi で不活性化するために，レンチウイルスベクターが使われた．レンチウイルスベクターで形質導入した細胞の生育や形態を観察すれば，不活性化された遺伝子の機能を推察できる．

6・6　特定の遺伝子機能の意図的な改変　まとめ

- いったんクローン化した遺伝子については，その変異による表現型を調べれば，野生型遺伝子の細胞内機能について重要な知見が得られる．
- 酵母では，野生型遺伝子の対立遺伝子の一つに相同組換えで選択マーカー遺伝子を挿入し，ヘテロ接合体を作製して，遺伝子を破壊できる．このヘテロ接合体が胞子をつくると，必須遺伝子が破壊されている場合には，四つの胞子のうち，生育できない一倍体胞子が二つ生じる（図 6・37）．
- 酵母の遺伝子欠損株にはそれぞれ固有の DNA 配列が付与されており，これを分子バーコードとして，すべての欠損株を含むプール集団のなかから個々の欠損株の成長を追跡することができるようになっている．
- 細菌には，外来 DNA の特定部位を標的として切断する CRISPR という系がある．これを他の種々の生物に応用して，それらのゲノム DNA に特定の変異を導入することが可能となった．対象となる生物の染色体 DNA の特定の部位を CRISPR-Cas9 で処理すると，ふつうはこの部位に短い欠損が生じる．CRISPR-Cas9 処理時に，適切に設計された短い DNA 鎖を共存させると，切断部位に一塩基置換などの特異的変異を導入することも可能である（図 6・38）．
- CRISPR-Cas9 ゲノム編集により哺乳類ゲノムのすべての遺伝子を破壊することができ，プールされた集団における特定の遺伝子破壊の成長特性を追跡することができる．
- ヌクレアーゼを不活性化した Cas9 タンパク質は，標的遺伝子の一過的干渉（CRISPRi）または活性化（CRISPRa）に用いることができる．
- マウスでは，生殖細胞のゲノムに，本来の位置を変えずに，

改変された遺伝子を相同組換えによって組込むことができる．*loxP*-Cre組換え系を使うと，マウスの特定の組織で特定の遺伝子をノックアウトできる．
- 線虫をはじめとする多くの生物では，二本鎖RNAが同じ配列をもつすべてのmRNA分子を破壊して，遺伝子を不活性化する．この現象はRNA干渉（RNAi）とよばれ，遺伝子の構造を変えずに遺伝子を不活性化する特異的かつ強力な手段である．

重要概念の復習

1. 遺伝子突然変異によって，複雑な細胞内過程や発生過程の機構を解明することができる．潜性変異と顕性変異では，遺伝学的解析にどのような違いが現れるか．

2. 温度感受性変異とは何か．遺伝子の機能を知るのに温度感受性変異は有用である．なぜか．

3. 二つの変異が同じ遺伝子に起こったのか，別の遺伝子に起こったのかを調べるのに，どのように相補性検定を使うか．顕性変異ではこれが使えないのはなぜか．説明せよ．

4. 制限酵素とDNAリガーゼはDNAクローニングに欠かせない．制限酵素を産生している細菌はなぜ自身のDNAを分解しないのか．制限部位の一般的な特徴をあげよ．制限酵素でDNAを分解したとき生じる，3種類の末端はどんなものか．DNAリガーゼはどんな反応を触媒するか．

5. 細菌のプラスミドはクローニングベクターに使える．プラスミドベクターで必須な要素は何か．プラスミドをクローニングベクターとして使うときの利点と応用例をあげよ．

6. DNAライブラリーはクローンの集団で，それぞれのクローンは異なるDNA断片が挿入されたベクターを含んでいる．cDNAライブラリーとゲノムDNAライブラリーの違いは何か．神経細胞だけで発現される遺伝子*X*を，ライブラリーを用いてベクターにクローン化したい．もし以下のようなライブラリーが使えるとしたら，どれを使えばよいか．また，それはなぜか．使えるライブラリー：皮膚細胞のゲノムライブラリー，皮膚細胞のcDNAライブラリー，神経細胞のゲノムライブラリー，神経細胞のcDNAライブラリー．

7. 1993年にKary MullisはPCR法の開発によりノーベル化学賞を受賞した．PCR反応の各サイクルにおける3段階の操作は何か．好熱性DNAポリメラーゼの発見はなぜPCRの開発に重要だったのか．

8. 細菌や哺乳類細胞を使って，多数の外来タンパク質の発現が行われている．こうしたタンパク質の発現に使われる組換えプラスミドに必要な要素は何か．精製を容易にするためには，外来タンパク質にどのような修飾をほどこすか．同じタンパク質を発現させる場合，細菌ではなく哺乳類細胞を用いる利点は何か．

9. RT-PCR，そしてマイクロアレイは遺伝子発現の解析に用いられる．グルコースあるいはガラクトースという2種類の糖の存在下で，酵母細胞の成長がどのように違うかを比較したい．*HMG2*遺伝子の発現の比較をしたいときにはどの方法を用いるか．それはなぜか．4番染色体にあるおよそ800遺伝子全部の発現の比較をしたいときはどの方法を用いるか．それはなぜか．

10. パラログ遺伝子とオルソログ遺伝子とは何か．ヒトは線虫よりもはるかに複雑な生物であるにもかかわらず，タンパク質をコードする遺伝子が5%しか多くない（21,000個対20,000個）という発見に対して，どのような説明が妥当か．

11. 新たに発見された遺伝子がコードするタンパク質がどんなものかを決めるには，この遺伝子の発現パターンを解析することが役立つ．たとえば*SERPINA6*という遺伝子は，肝臓，腎臓，そして膵臓で発現しているが，その他の組織では発現していない．ある遺伝子がどの組織で発現しているかを調べるには，どうしたらよいか．

12. DNA多型はDNAマーカーとして利用できる．SNPとSTR多型は何が違うか．遺伝子マッピングで，これらマーカーはどのように使われるか．

13. 連鎖不平衡という考えに基づいた遺伝子マッピングを行うと，古典的な連鎖解析よりは高分解能で遺伝子の位置を決めることができる．どのような解析をするか．

14. 遺伝連鎖解析によって，病因遺伝子の染色体上のおよその位置は推定できる．連鎖解析で見いだされた領域内で病因遺伝子を同定するのに，発現解析やDNA配列解析をどのように使うか．

15. マウスゲノム中の特定の遺伝子を特異的に修飾する技術によって，マウス遺伝学は革命的な変化を遂げた．特定の遺伝子座についてノックアウトマウスを作製する手順を述べよ．組織特異的に遺伝子ノックアウトを行うのに，*loxP*-Cre系をどのように使うか．ノックアウトマウスの医学的利用として，どんなことが重要か．

16. ドミナントネガティブ変異とRNAiは，遺伝子配列を変えずに遺伝子を不活性化する方法である．それぞれの方法が遺伝子発現を阻害するしくみを説明せよ．

7

遺伝子，クロマチン，染色体

FISHで鮮やかに色づけされた染色体像．この染色体像は単に美しいだけでなく，染色体異常の検出や，種間の核型の比較に役立つ．[L. Willatt/Science Source/amanaimages.]

- 7・1 真核生物の遺伝子構造
- 7・2 遺伝子と非コードDNAの染色体における構成
- 7・3 転位性(可動性)DNA因子
- 7・4 真核生物のクロマチンと染色体の構造
- 7・5 真核生物染色体の形態と機能要素

前章までに，タンパク質がその構造と組成によって多様な細胞機能をどのように果たしていくかを述べた．また，細胞のもう一つの必須の構成成分である核酸について，またDNAの配列にコードされた情報が翻訳されてタンパク質になる過程についてみてきた．本章では，真核生物の核にあるゲノムの性質を考えるにあたり，DNAとタンパク質に再び焦点を当てる．本章の主要なトピックは二つある．遺伝情報の構造と進化，およびクロマチンと染色体の構造と機能である．クロマチンとは核DNAと豊富に存在する核タンパク質の複合体であり，染色体とは細胞分裂中に凝縮して光学顕微鏡で観察できるような構造をさす．

21世紀の初頭までに，生物学者によって何百ものウイルス，何十もの細菌，また単細胞真核生物である出芽酵母 Saccharomyces cerevisiae の全ゲノム塩基配列の解読が完了した．それに加えて，今日では，分裂酵母として知られる Schizosaccharomyces pombe，多くの真菌類，植物のモデル生物シロイヌナズナ Arabidopsis thaliana，その他の植物，さらに線虫 Caenorhabditis elegans，ショウジョウバエ Drosophila melanogaster，マウス，ヒト，そのほか何百もの脊椎動物と無脊椎動物を含め，35系統ほどある多細胞動物系統のおのおので一つ以上のゲノム配列が知られている．これらの配列データの詳細な解析から，進化，ゲノム構造，遺伝子の機能についての理解が深められた．また研究者にとって，未知の遺伝子を同定したり，配列が決定されたゲノムごとに含まれるタンパク質をコードする遺伝子の総数を予測することが可能になった．遺伝子配列を比較することで，新規遺伝子の機能を考察できるようにもなっている．

DNAの配列解析により，高等真核生物のゲノムの大部分はその生物に必要なmRNAやその他のRNAをコードしていないことが明らかになった．これは多くの研究者にとって驚きであった．なかでも，ヒトの染色体DNAの約98.5%は何もコードしていなかったことは注目に値する．非コードDNAのなかには，タンパク質によって認識・結合され，線状DNA配列のうえで何万，何十万塩基も離れた遺伝子の転写を調節する配列もある．しかし，多細胞生物のほとんどの非コードDNAは，遺伝子発現の調節やDNA複製に関与しているようにはみえない領域である．個々の生物のゲノムにある非コードDNAの相当な部分（ヒトの場合は約50%）には，互いに同一ではないが，よく似た領域が存在する．この反復DNA（repetitive DNA）には個体間で十分に大きな多様性があるので，このような配列の多様性をもとにしたユニークなDNAの"フィンガープリント（fingerprint, 指紋）"によって個人を識別できる．しかも，反復DNA配列のなかには，ゲノム中の存在部位が個体によって異なるものがある．かつてはすべての非コードDNAが"ジャンクDNA"（ジャンクは"がらくた"の意味）と総称されて，何の役にも立たないと考えられていた．現在では，非コードDNA，および個体間における非コードDNAの存在部位の多様性についての進化的基盤が理解されている．細胞のゲノムには，転位性DNA因子（可動性DNA因子）という，自身を複製してゲノム中の新しい部位へ移動する配列がある．大多数の転位性DNA因子は，生物個々の生活環においてほとんど機能がないと考えられている．しかし，進化の時間のレベルでは，われわれのゲノムを形づくり，多細胞生物の速い進化に寄与してきたのである．

真核細胞のゲノムは非常に長いDNA分子によってつくられている．たとえば1個のヒト細胞中にある46本の染色体は，長さにして約2mにもなるDNAを含む．このDNAのすべてを，直径が20μmに満たない核の中に収納しなければならない．その圧縮率は1/10万以上になる．核のDNAと結合する特別なタンパク質が，DNAを折りたたんで，核内に納められるようにとりまとめている．しかも同時に，この高度に圧縮したDNAのどの部分であっても，転写，DNA複製，またDNA損傷時の修復の際には，長いDNA分子が絡まったり壊れたりすることなく利用できるようになっている．さらに，ゲノム全体が複製され娘細胞に分配される細胞分裂の過程では，DNAの完全性が維持されなければなら

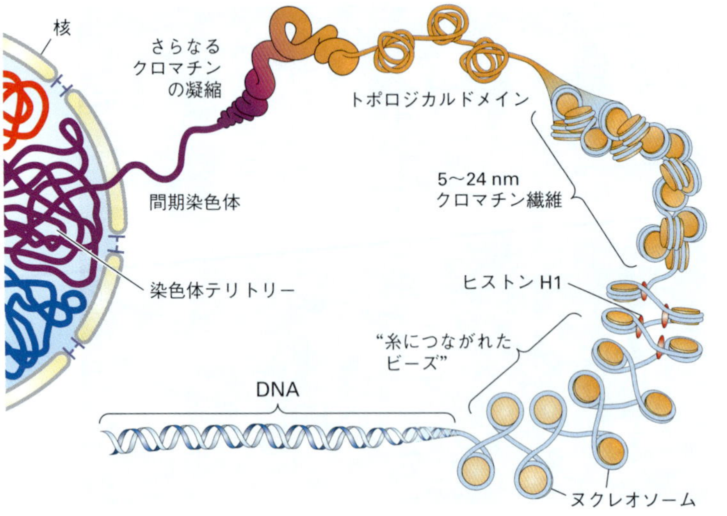

240　　　　　　　　　　　　　　　　　　　　　　　　　　　　　　　Ⅱ. 生体膜，遺伝子，遺伝子制御

図 7・1　遺伝子と染色体の構造の全体像．多細胞真核生物のDNAは，一度だけ出現する配列と反復する配列の両方から構成される．各染色体には単一の長い DNA 分子（ヒトでは約 280 Mb の長さに達する）が含まれ，ヌクレオソーム構造をとっている．ヌクレオソームは折りたたまれ，相互作用しあって，さまざまなレベルのクロマチン凝縮を起こす．この凝縮過程は，DNA と相互作用するヒストンおよび非ヒストンタンパク質によって成し遂げられる．DNA 分子とヒストンタンパク質，非ヒストンタンパク質の組合わせはクロマチンとよばれる．各染色体は，核内で独自の領域（染色体テリトリー）を占めている（青，紫，赤の染色体が核内にみえていることに注意）．

おもな DNA 配列の種類
- 単一コピー遺伝子
- 遺伝子ファミリー
- 縦列反復遺伝子
- エクソンとイントロン
- 遺伝子間 DNA
- 可動性 DNA 因子
- 単純配列 DNA

ない．真核生物では，DNA と，これに結合して構造を整えるタンパク質との複合体は**クロマチン**（chromatin）とよばれる．クロマチンは細胞分裂時には個々の染色体として光学顕微鏡で観察することができる．本章と次章で述べるように，DNA はクロマチン構造をとることによって，細菌にはないような遺伝子発現の調節機構が可能になっている．

本章のはじめの 3 節では，真核生物の遺伝子とゲノムの全体像を概観する．最初に，真核生物の遺伝子の構造と多細胞生物における遺伝子発現の複雑性について考える．この複雑性は，mRNA 前駆体が選択的なスプライシングによって，複数種類の mRNA へとプロセシングされることに起因している．ついで，真核生物における代表的な DNA 配列の種類を紹介し，転位性 DNA 因子の特別な性質，また，転位性 DNA 因子によって現在のゲノムがどのように形づくられてきたかについても解説する．最後の 2 節では，真核細胞内における DNA の物理的な構造形成についてふれる．DNA とヒストンがどのようにして**ヌクレオソーム**（nucleosome）とよばれるコンパクトな複合体を形成するかを考え，染色体の全体的な構造，染色体の複製と分離に必要な機能要素について述べる．図 7・1 にこれらの項目を互いに関連させてまとめた．本章で，遺伝子，クロマチン，染色体を理解することは，次の二つの章で，細胞内の個々のタンパク質と機能性 RNA の合成量・存在量を制御するしくみを詳しく学ぶための準備となる．

定する**プロモーター**（promoter），3′切断とポリアデニル酸付加（ポリアデニル化）の位置を特定して mRNA の 3′ 末端をつくり出す**ポリ(A)部位**〔poly(A) site〕，RNA 前駆体分子中のエクソンがスプライシングにより連結されるための**スプライス部位**（splice site）なども含まれる（図 5・27 参照）．これらの非コード領域は転写の開始や RNA プロセシングを制御しており，これらの配列が変異すると，RNA の正常な発現と機能が影響を受けるので，たとえコード領域が正常であってもさまざまな表現型が現れる．8 章と 9 章では，これらの多様な転写調節エレメントと，転写後の RNA プロセシングを調節する機構について，より詳細に検討する．

大部分の遺伝子は転写されてタンパク質をコードする mRNA になるが，その一部は，タンパク質をコードしない重要な機能性 RNA へと転写される〔たとえば tRNA や rRNA（5 章，9 章），mRNA の翻訳と安定性を調節する miRNA や siRNA（9 章），転写を調節する長鎖非コード RNA（lncRNA，8 章）〕．機能性 RNA をコードする DNA は，変異すると特異的な表現型を示すことから，最終産物はタンパク質でなく RNA ではあるが，これらの DNA 領域も一般には "遺伝子" とよぶ．

本節では，真核生物の遺伝子構造を説明し，遺伝子構造が遺伝子発現や進化にどのような影響を与えるかを考える．多細胞生物の染色体 DNA のヌクレオチド配列は，機能，および類縁配列が同一種の個体ゲノムに見いだされる頻度に基づいて分類することができる（表 7・1 と §7・2，§7・3 で説明する）．

7・1　真核生物の遺伝子構造

分子レベルでは，**遺伝子**（gene）を "機能性遺伝子産物（ポリペプチドか RNA）の合成に必要な核酸の塩基配列全体" と定義するのが一般的である．この定義に従えば，遺伝子には，タンパク質のアミノ酸配列か機能性 RNA をコードするヌクレオチド配列（**コード領域** coding region）以外の部分も含まれる．特定の RNA 転写産物の合成に必要なすべての DNA 塩基配列も遺伝子に含まれるが，これらはコード領域に対してさまざまな位置関係にある．たとえば，多細胞生物の遺伝子では，**エンハンサー**（enhancer）とよばれる転写調節領域がコード領域から 50 kb 以上離れた場所に位置することもある．5 章で学んだように真核生物遺伝子内の重要な非コード領域として，DNA 鋳型上で転写がはじまる位置を決

多細胞生物のほとんどの遺伝子にはイントロンがあり，単一のタンパク質をコードする mRNA をつくる

多くの細菌 mRNA（たとえば *trp* オペロンにコードされた mRNA）は，同一の生体内反応で協同して機能する複数のタンパク質のコード領域を含んでいる．このような mRNA を**ポリシストロン性**（polycistronic）という（"シストロン" とは一つのポリペプチドをコードする遺伝子単位である）．一方，ほとんどの真核細胞 mRNA は**モノシストロン性**（monocistronic），すなわち各 mRNA 分子は単一のタンパク質しかコードしない．細菌のポリシストロン性 mRNA と真核細胞のモノシストロン性 mRNA の違いは，翻訳機構における基本的な差異に関係がある．細菌のポリシストロン性 mRNA では，mRNA 内のおのおののタンパク質コード領域

表 7・1 核内の真核生物DNAのおもな分類とヒトゲノムにおける存在

分類	鎖長	ヒトゲノム中のコピー数	ヒトゲノム中に占める割合(%)[†1]
タンパク質をコードする遺伝子	0.5〜2200 kb	約 19,000	約 40[†2](2.0)[†3]
長鎖非コードRNA(lncRNA)遺伝子	0.2〜50 kb	約 10,000	約 15(0.9)[†3]
縦列反復遺伝子			
U2 snRNA	6.1 kb[†4]	約 20	< 0.001
rRNA	43 kb[†4]	約 300	0.4
反復 DNA			
単純配列 DNA	1〜500 bp	多様	約 6
散在性反復配列(可動性DNA因子)			
DNAトランスポゾン	2〜3 kb	300,000	3
LTR型レトロトランスポゾン	6〜11 kb	440,000	8
非LTR型レトロトランスポゾン			
LINE	6〜8 kb	860,000	21
SINE	100〜400 bp	1,600,000	13
プロセス型偽遺伝子	多様	約 12,500	約 0.4
遺伝子間領域	多様	該当なし	約 25

[†1] ヒトゲノムにおける比率の合計は可動性DNA因子が二重計上されているため100%を超える．まず，ヒト可動性DNA因子の異なるクラスとして，ついで遺伝子間領域やタンパク質をコードする遺伝子のイントロンおよび最終エクソンの3'非翻訳領域の一部分としてカウントされている．
[†2] エクソンとイントロンを含む完全な転写単位．
[†3] 全エクソンの合計．タンパク質コード領域は全ゲノムの1.2%に当たる．
[†4] 縦列反復配列の繰返し単位の鎖長．
出典： International Human Genome Sequencing Consortium, 2001, *Nature* **409**: 860; 2004, *Nature* **431**: 931.

(シストロン)の開始部位近くに，リボソーム結合部位がある．翻訳は複数の内部部位のどこからでもはじまり，単一のポリシストロン性mRNA分子から複数の異なるタンパク質がつくられる．ところが，ほとんどの真核生物mRNAでは，5'キャップ構造がリボソームの結合を導くため，翻訳は5'キャップに最も近いAUG開始コドンからはじまる．その結果，真核細胞mRNA分子が（多くのウイルス由来mRNAのように）最初のオープンリーディングフレームの下流にAUG開始コドンからはじまるオープンリーディングフレームをいくつかもっていたとしても，ほとんどの場合，翻訳はこの部位だけからはじまる．

一次転写産物 (primary transcript) とは，RNAスプライシングやポリ(A)尾部などの修飾を受ける前の，遺伝子からの最初の転写産物のことである．多くの例では，真核生物のタンパク質をコードする遺伝子の一次転写産物は単一種類のmRNAにプロセシングされ，これが単一種類のポリペプチドに翻訳される（図5・27参照）．細菌や酵母の遺伝子には一般にイントロンがないが，多細胞動植物の遺伝子のほとんどにはイントロンがあり，核内でのプロセシングの間に除かれ，その後，完全にプロセシングを受けたmRNAが細胞質に輸送されて翻訳される．多くの場合，1遺伝子中のイントロンはエクソンよりもかなり長い．ヒト遺伝子中のイントロンの長さの中央値は3.3 kbであるが，ずっと長いものもある．知られているうちで最も長いヒトのイントロンは17,106 bpで，筋細胞の巨大な構造タンパク質をコードするタイチン(titin)遺伝子の中にある（17章）．それに比べると，ほとんどのヒトのエクソンは50〜200 bpしかない．平均的な大きさのタンパク質をコードするヒト遺伝子は50,000 bp程度であり，その配列の95%以上はイントロンと5'および3'非コード領域である．

多細胞生物で重要な機能をもつ多くの巨大タンパク質は，同じドメインが反復した構造をもっている．互いに類似したエクソンが，さまざまな長さのイントロンで分断されながら，遺伝子に繰返しコードされている．この例に，細胞外マトリックスの構成成分であるフィブロネクチンがある．フィブロネクチン遺伝子には5種類のエクソンが複数コピーずつ含まれる（図5・28参照）．このような遺伝子は，エクソンの繰返し単位をコードするDNAが直列に増幅して進化したものであり，図7・2(a)に示した不等乗換え（不等交差）が減数分裂中に起こったことによって生成したと考えられる．

単一転写単位と複合転写単位が真核ゲノムに存在する

細菌のオペロンを構成する遺伝子クラスターは一つの**転写単位** (transcription unit) からなり，DNA配列中の特異的なプロモーターから終結部位まで転写され，単一の一次転写産物がつくられる．一つの転写単位にはオペロンを形成する複数の遺伝子が含まれている．したがって原核生物では通常，遺伝子と転写単位とは別のものである．一方，真核生物のほとんどの遺伝子は別個の転写単位から発現し，mRNAそれぞれが一つのタンパク質に翻訳される．

真核生物の転写単位は一次転写産物，すなわち新たに転写されて修飾を受ける前のRNAの運命によって，単一転写単位と複合転写単位の2種類に分類できる．単一転写単位は，タンパク質をコードするエクソン，これを分離するイントロンと上流の調節領域からなる（図7・3a）．**単一転写単位**(simple transcription unit)からできる一次転写産物はプロセシングを受けて単一のタンパク質をコードする1種類のmRNAになる（図7・3a）．ヒトでは，βグロビンのような単一転写単位はまれであり，転写単位の約95%は複合転写単位である．**複合転写単位** (complex transcription

(a) エクソンの重複

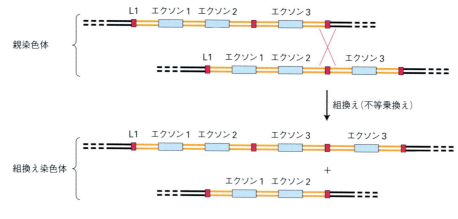

(b) 遺伝子の重複

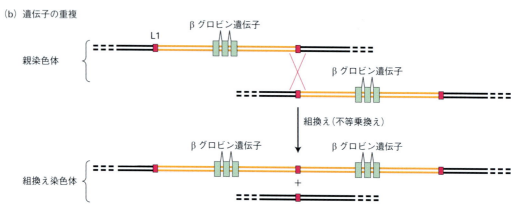

図 7・2 エクソンと遺伝子の重複. (a) エクソンの重複はしばしば，減数分裂時の不等乗換えによって起こる．それぞれの親染色体(上)には，三つのエクソン(青)と二つのイントロン(橙)を含む一つの祖先遺伝子がある．相同な非コードL1長鎖散在因子(赤)が遺伝子の5′と3′の領域およびエクソン2と3の間のイントロンに存在する．本章であとにふれるように，L1因子はヒトの進化の過程でゲノムの新しい部位へと繰返し転位しており，その結果すべての染色体にL1因子が散在している．ここでは，親染色体を互いにずらして，L1因子の配列を揃えて図示してある．L1因子間の相同組換えによって，四つのエクソン(2コピーのエクソン3)を含む遺伝子をもつ染色体と，エクソン3を失った遺伝子をもつ染色体ができる．(b) 同じ過程によって遺伝子全体の重複が起こることもある．この例では，それぞれの親染色体(上)には一つの祖先型βグロビン遺伝子が含まれる．L1因子間での不等乗換えによって重複したβグロビン遺伝子ができる．その後，重複した遺伝子に突然変異が独立に起これば，アミノ酸配列が少し変わり，コードされるタンパク質の機能上の性質も少し変化するかもしれない．類縁関係にない配列の間でまれに起こる組換えによっても，不等乗換えが起こることがある．[(b)は D. H. A. Fitch et al., 1991, *Proc. Natl. Acad. Sci. USA* **88**: 7396 参照.]

unit) からつくられる RNA 一次転写産物のプロセシングは1通りではなく，エクソンの組合わせが異なる複数の mRNA が形成される（図7・3b）．しかし，これら mRNA のおのおのはモノシストロン性であり，一般に mRNA 中の最初の AUG から翻訳が始まり，単一のポリペプチドに翻訳される．

一つの一次転写産物から複数の mRNA をつくる方法は三つある．一次転写産物が**選択的スプライス部位**（alternative splice site）をもつ場合，転写産物は同一の5′および3′側エクソンをもつが，内側のエクソンが異なる（図7・3b，上段）．また，一次転写産物が二つのポリ(A)部位をもつ場合，転写産物は異なる3′エクソンをもつようにプロセシングされる（図7・3b，中段）．複数のプロモーターが存在し，異なる種類の細胞で活性を示すこともあるかもしれない（図7・3b，下段）．たとえば，細胞種1ではプロモーター f が活性化しており，つくられる $mRNA_1$ ではエクソン1Aが最初のエクソンになる．細胞種2でプロモーター f が不活性で代わりにプロモーター g に活性がある．すると，つくられる $mRNA_2$ ではエクソン1Bが最初のエクソンになる．

一つの複合転写単位からつくられる mRNA が細胞の種類によって異なることはめずらしくない．たとえば，フィブロネクチン遺伝子（図5・28参照）は，大きな直鎖状の繊維性タンパク質をコードしており，繊維芽細胞でも肝細胞でも高い頻度で転写されている．繊維芽細胞は結合組織を構成する主要な細胞種であり，肝細胞は血液に含まれるほとんどの細胞外タンパク質の分泌に関与している．繊維芽細胞でフィブロネクチンが発現するときは，EIIIAとEIIIBでコードされたドメイン（緑）を含んだ形でつくられ，繊維芽細胞表面に固定された特定のタンパク質に接着する．対照的に，肝細胞にフィブロネクチンが発現すると，EIIIAとEIIIBの両エクソンはmRNAから除外されるので肝臓型のアイソフォームは細胞表面に結合せず，血液中を循環することができる．こうして，血液中で血栓が形成されるときには，フィブロネクチン中のドメインが血栓と相互作用して，その中に取込まれていく．この種の選択的 mRNA スプライシングはヒト遺伝子の約95％にみられ，多細胞生物ゲノムにコードされたタンパク質の数を大きく増やしている．

7. 遺伝子，クロマチン，染色体

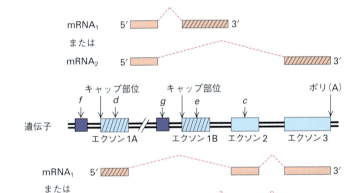

図 7・3 真核生物の単一転写単位と複合転写単位．(a) 単一転写単位にはタンパク質を一つコードする領域が含まれる．ここには 5′ キャップ部位から 3′ ポリ(A) 部位に及ぶ部分と，関連する調節部位を示す．エクソン（水色の長方形）はイントロンによって隔てられている．イントロンは一次転写産物のプロセシングの際に除去される（赤の点線）．したがって，イントロンは，機能をもつモノシストロン性 mRNA には存在しない．(b) 複合転写単位からつくられる一次転写産物は，複数の様式でプロセシングされることがある．(上段) 一次転写産物に選択的スプライス部位があるとき，同一の 5′ および 3′ エクソンをもつが，異なる内部エクソンをもつ mRNA にプロセシングされる．(中段) 一次転写産物が二つのポリ(A) 部位をもつ場合，それぞれ異なる 3′ エクソンをもつ mRNA にプロセシングされる．(下段) 細胞の種類によって異なるプロモーター（f または g）が活性をもつ場合には，f が活性をもつ細胞でつくられる mRNA₁ は，g が活性をもつ（つまり，エクソン 1B が使われる）細胞でつくられる mRNA₂ とは異なる第一エクソン 1A をもつ．

エクソン，イントロン，あるいは転写調節領域に変異が入ると，単一転写単位によってコードされたタンパク質の発現に影響する可能性がある．たとえば，図 7・3(a) にあるように，転写調節領域の変異 *a* あるいは *b* は，転写が起こるのを減じたり防いだりするかもしれず，コードされたタンパク質はほとんど（全く）合成されない．エクソン内の変異 *c* はアミノ酸配列を変えて，その結果，終止コドンが導入されたり，異常なタンパク質がつくられることもあるかもしれない．イントロン内の変異 *d* によって新たなスプライス部位が生成する場合，mRNA 分子の配列が影響され，機能のないタンパク質がつくられる．

複合転写単位では，突然変異と遺伝子の関係は必ずしも単純ではない．調節領域や，選択的スプライシングでつくられる mRNA に共有されるエクソンに起こった突然変異は，その複合転写単位にコードされるすべてのタンパク質に影響を与える．一方，選択的スプライシングでつくられた mRNA のうちの 1 種類だけに含まれるエクソンに起こった突然変異は，その mRNA にコードされるタンパク質にしか影響しない．図 7・3(b) では，複合転写単位にかかわる多様な要因と変異例を示す．

6 章で説明したように，二つの突然変異が同一の遺伝子に起こったか，異なる遺伝子に起こったかを判定するためには，一般に**遺伝的相補性**（genetic complementation）試験が用いられる（図 6・7 参照）．しかし，図 7・3(b) 中段に示した複合転写単位では，変異 *d* と変異 *e* は同一の遺伝子上であるにもかかわらず，遺伝的相補性試験を行うと互いに相補し合う．これは，変異 *d* をもつ染色体は mRNA₂ にコードされる正常なタンパク質を，変異 *e* をもつ染色体は mRNA₁ にコードされる正常なタンパク質を発現できるからである．両方の変異をもつ二倍体細胞でも，この遺伝子からつくられる二つの mRNA はともに存在し，その結果，両方のタンパク質が産生され，野生型の表現型になる．しかし，両方の mRNA に共通なエクソン中に変異 *c* をもつ染色体は，変異 *d* と変異 *e* のどちらとも相補しない．つまり，変異 *d* と *e* とは同一の相補群に入っていないにもかかわらず，変異 *c* は変異 *d* や *e* と同じ相補群に含まれることになる．

遺伝学的に遺伝子を定義しようとするとこうした複雑性が出てきてしまうため，本節のはじめに述べた分子レベルの遺伝子の定義が一般に使われている．タンパク質をコードする遺伝子の場合，遺伝子とは mRNA 前駆体に転写される DNA 配列，いわゆる転写単位と，その mRNA 前駆体の合成に必要なすべての調節エレメントを合わせたものである．

タンパク質をコードする遺伝子は単独のこともあれば，遺伝子ファミリーに属することもある

ヒトのすべてのタンパク質ひとそろいは，ヒトゲノムの約 40% を構成する転写単位によってコードされている．しかし，転写単位の配列のほとんどはイントロンである．イントロンは平均で 3.3 kb の長さをもつが，長いものは約 17 kb にもなる．一方，ヒトのエクソンのほとんどは 50〜200 bp の長さにすぎない．多細胞生物では，タンパク質をコードする遺伝子のおよそ 25〜50% は一倍体ゲノム中に一つだけ含まれ，それらは**単独遺伝子**（solitary gene）とよばれる．タンパク質をコードする単独遺伝子のなかで，よく研究されている例に，ニワトリのリゾチーム遺伝子がある．リゾチームは細菌の細胞壁に含まれる多糖類を分解する酵素で，細菌を溶解して死なせる働きがある．ニワトリの卵白に豊富にあるが，ヒトの涙にも含まれており，ニワトリの卵や眼の表面を無菌的に保つ働きがある．ニワトリリゾチームをコードする 15 kb の DNA 配列は，四つのエクソンと三つのイントロンから構成さ

れる単一転写単位である．この転写単位の上流および下流のおよそ 20 kb にわたるフランキング領域（隣接領域あるいは周辺領域）には mRNA はコードされておらず，したがって，これらは遺伝子間領域（遺伝子の間の DNA 配列）である．

もう一つの種類のタンパク質をコードする遺伝子は，**重複遺伝子**（duplicated gene）である．これらの遺伝子は同一ではないものの非常に似た塩基配列をもち，互いに 5〜50 kb の範囲内に位置していることが多い．互いに似ているが同一ではないアミノ酸配列をもつタンパク質をコードする一群の重複遺伝子は，**遺伝子ファミリー**（gene family）とよばれる．また，遺伝子ファミリーによってコードされた相同なタンパク質は**タンパク質ファミリー**（protein family）を構成する．プロテインキナーゼ，脊椎動物の免疫グロブリンや嗅覚受容体などのタンパク質ファミリーには何百ものメンバーが含まれる．しかし，大部分のファミリーは数個から 30 個程度までのメンバーで構成される．このようなタンパク質ファミリーの代表例として，細胞骨格タンパク質，ミオシン重鎖，脊椎動物の α および β グロビンタンパク質などが知られている．

β グロビンタンパク質をコードする遺伝子は，遺伝子ファミリーの好例である．図 7・4(a) に示すように，β グロビンタンパク質をコードする遺伝子ファミリーには五つの機能遺伝子があり，*HBB*（最も多量に存在する成体型 β グロビン），*HBD*（少量存在する成体型 β グロビン），*HBG1* と *HBG2*（胎児型 β グロビン），および *HBE1*（胚型 β グロビン）と名づけられている．同じ型の 2 本の β グロビンポリペプチドは同一型の 2 本の α グロビンポリペプチド（胚型，胎児型，成体型として発現する別の遺伝子ファミリーによってコードされている）および四つのヘム補欠分子族と組合わさってヘモグロビン分子を形成する（図 12・17 参照）．異なる型の α および β グロビンポリペプチドから形成されるすべてのヘモグロビンは，血中で酸素の運搬を行うが，生理的に特別な役割に適合するように，少しずつ異なる性質をもっている．たとえば，*HBG1* や *HBG2* にコードされるポリペプチドを含むヘモグロビンは，胎児期だけに発現する．これら胎児型ヘモグロビンは成体型ヘモグロビンよりも酸素に対する親和性が高いため，胎盤において母親の循環血中から酸素を効率よく受取ることができる．生後に発現する成体型ヘモグロビンの酸素親和性は相対的に低いため，組織，特に運動中に酸素を強く要求する筋肉で酸素をよく解離することができる．胚型 β グロビン遺伝子 *HBE1* と胚型 α グロビン遺伝子 *HBZ* にコードされるポリペプチドからつくられる胚期型ヘモグロビンは，胎児型や成人型ヘモグロビンよりもさらに高い酸素親和性をもつ．

これらの多様な β グロビン遺伝子は，ほぼまちがいなく配偶子（卵または精子）形成過程の減数分裂における組換えで "不等乗換え" が起こった結果，祖先遺伝子が重複して生じたものである（図 7・2b）．こうしてできた二つの遺伝子コピーは，長い時間をかけてランダムな突然変異を蓄積し，これにより**遺伝的浮動**（genetic drift）が起こる．酸素運搬というヘモグロビンの基本的機能を多少なりとも改善させるような突然変異は自然選択によって保持される．こうして遺伝子重複とその後の遺伝的浮動，自然選択が繰返し起こることによって，今日のヒトをはじめとする哺乳類にみられる β グロビン遺伝子が生じたと考えられている．

ヒトの β グロビン遺伝子クラスター領域には，**偽遺伝子**（pseudo-

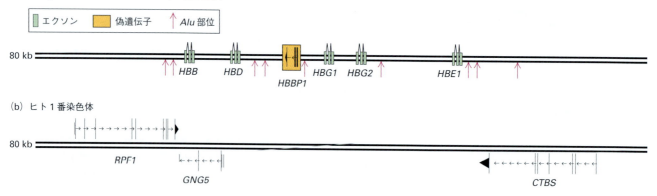

図 7・4 多細胞真核生物と単細胞真核生物の遺伝子密度の比較．（二重の黒線は遺伝子 DNA を示す．この線の上方に示された遺伝子は右に向かって，下方に示された遺伝子は左に向かって転写される．）(a) ヒト 11 番染色体上の β グロビン遺伝子クラスターの模式図．緑の四角は β グロビン関連遺伝子のエクソンを示している．これらの遺伝子はすべて左に向かって転写される．ヒト β グロビン遺伝子クラスターには偽遺伝子（橙）が含まれる，これは機能のある β グロビン遺伝子と類縁関係にあるが転写されない．赤の矢印はそれぞれ *Alu* 配列が存在する位置を示している．*Alu* 配列は §7・3 で議論するが，タンパク質をコードしない約 300 bp の反復配列で，ヒトゲノムに豊富に存在する．(b) ヒト 1 番染色体から無作為に選んだ 80 kb の領域．*RPF1* は右に向かって，*GNG5* と *CTBS* は左に向かって転写される．3′ エクソンが十分に長いところでは，3′ 末端を矢じりで表示してある．(c) 酵母染色体 III の 80 kb の領域の模式図．緑の四角は，オープンリーディングフレームを示す．これらの遺伝子のほとんどはイントロンをもたない機能遺伝子である．ヒト DNA では，酵母 DNA に比べ，コード配列に対する非コード配列の割合がずっと高いことに注目しよう．[(a) は F. S. Collins and S. M. Weissman, 1984, *Prog. Nucl. Acid Res. Mol. Biol.* **31**: 315．(c) は S. G. Oliver et al., 1992, *Nature* **357**: 28 参照．]

gene, シュードジーン) とよばれる機能をもたない配列が含まれる (図7・4a). 塩基配列を解析した結果, この偽遺伝子は機能をもつβグロビン遺伝子の配列に似ており, 見かけ上も同じエクソン-イントロン構造をもつことがわかったので, これらも同じ祖先遺伝子の重複で生成したことが示唆された. しかし, この遺伝子の機能を保持させる選択圧はほとんどなかった. その結果, 進化の過程で起こる遺伝的浮動によって, 翻訳を終結させmRNAプロセシングを阻害する配列が生じ, この領域には機能がなくなった. このような偽遺伝子は有害ではないのでゲノム内に残り, われわれの祖先の1人において遺伝子が重複し, その後の遺伝子浮動により機能喪失が起こった位置を示す目印になっている.

染色体の一部領域の重複 (**部分重複** segmental duplication) は, 多細胞動植物の進化の過程でかなりの頻度で起こった. その結果, 現生する多細胞動植物に含まれる遺伝子の大部分は重複しており, 遺伝的浮動によって遺伝子ファミリーや偽遺伝子が生じている. ゲノムの重複コピー間での配列の多様性と, 近縁な生物での相同なゲノム配列の解析から, 進化の歴史において重複が起こった時期を推定することができる. たとえば, ヒトの胎児型グロビン遺伝子 (*HBG1*と*HBG2*) は約5000万年前, 狭鼻猿類 (旧世界ザル, ヒト上科, ヒト) と広鼻猿類 (新世界ザル) の共通祖先において, βグロビン遺伝子座の*HBG*グロビン遺伝子 (当時は単一だった) を含む5.5 kbの領域が重複したあとに進化した.

ヒトβグロビン遺伝子座のように, 進化の歴史において比較的最近に成立した遺伝子ファミリーを構成する遺伝子は同じ染色体上で互いに近い部位に存在することが多いが, 同じ遺伝子ファミリーに含まれる複数の遺伝子が, 同じ生物で別の染色体に存在することもある. これに当てはまるのがヒトのαグロビン遺伝子で, これは過去に起こった染色体転座によってβグロビン遺伝子から分離した. このα, βグロビン両遺伝子は, ともに単一の祖先グロビン遺伝子から進化したものであり, この祖先遺伝子が重複して現在の哺乳類のα, βグロビン遺伝子の祖先が生じた (図7・2b). その後この祖先型のα, βグロビン遺伝子はどちらも重複を続け, 今日の哺乳類のαおよびβグロビン遺伝子クラスターにみられるさまざまな遺伝子がつくられた.

細胞骨格を構成するさまざまなタンパク質は, いくつかの異なる遺伝子ファミリーによってコードされている. これらのタンパク質はほとんどすべての細胞に異なる量比で存在する. 脊椎動物の主要な細胞骨格タンパク質はアクチン, チューブリン, およびケラチンなどの中間径フィラメントタンパク質であり, これらについては17章, 18章, 20章で詳細に述べる. これらのファミリーの一つであるチューブリンファミリーの起源については§6・3でみてきた. ケラチンファミリーは組織表面を覆う上皮細胞の形や物理的な性質を決定する重要なタンパク質であるが, ヒトでは少なくとも54の機能的遺伝子によってコードされている. これほどまでに多種類のケラチンが進化してきたことの生理学的意義はグロビンの場合ほど明確ではないが, このファミリーの異なる遺伝子は特定種類の細胞において発現し, 似てはいるが少しずつ異なる機能を果たしているのであろう.

使用頻度の高い遺伝子産物は, 複数コピーの遺伝子にコードされている

脊椎動物と無脊椎動物では, rRNAと一部の非コードRNA (RNAスプライシングに関与するものなど) は, **縦列反復群** (tandemly repeated array, 同方向反復群) の形で存在する. ほとんどの場合, これらの配列のコピーは長いDNA領域にわたって, 同じ向きに並んでいる. rRNA遺伝子の縦列遺伝子群では, 各コピーはほぼ完全に同一である. rRNA遺伝子の転写される部分は同一であるが, 転写領域間の転写されない部分は長さや配列が異なっていることがある.

これら縦列反復しているrRNA遺伝子は, 細胞複製にあたってその転写産物を多量に必要とする細胞の要求にこたえるために進化してきた. 細胞1世代当たりに一つの遺伝子から生産できるrRNA分子の数は, 遺伝子がRNAポリメラーゼ分子で完全に飽和してしまえば, それを超えることができないことを考えれば, その理由も理解できるだろう. したがって, 一つの遺伝子から転写できる量以上のRNAが必要な場合には, 遺伝子自体のコピー数を増やさなければならない. たとえば, ヒトの初期胚発生においては, 多くの胚細胞の倍加時間は約24時間であり, 細胞当たり500万～1000万個のリボソームが含まれている. これほど多くのリボソームを形成するのに十分なrRNAをつくるには, ヒトの胚細胞当たり, 大および小サブユニットrRNAをコードする遺伝子が少なくとも100コピーは必要であり, 細胞が24時間ごとに分裂するには, これらの遺伝子の大部分が最大限に活性化していなければならない. つまり, おのおののrRNA遺伝子で複数のRNAポリメラーゼが同時に転写反応を進行していなければならない. 実際, 酵母を含むすべての真核生物には, 5S rRNAと, 大および小サブユニットのrRNAをコードする遺伝子が100コピーか, それ以上含まれている.

真核細胞では, tRNA遺伝子とヒストンタンパク質をコードする遺伝子も複数コピー存在する. 本章の後半で述べるように, ヒストンは核のDNAに結合して, その構造を整える. 細胞が十分な量のリボソームとtRNAをつくり出すために複数のrRNA遺伝子とtRNA遺伝子を必要とするのと同じように, 複製のたびにつくられる大量の核DNAに結合するのに十分な量のヒストンタンパク質を供給するためにヒストン遺伝子も複数のコピーが必要である. tRNA遺伝子やヒストン遺伝子もクラスターの形で存在することが多いが, ヒトゲノムでは通常, 縦列には並んでいない.

タンパク質をコードしない遺伝子は機能するRNAをコードする

rRNA遺伝子とtRNA遺伝子のほかにも, 何千もの遺伝子がタンパク質をコードしないRNA (非コードRNA, ノンコーディングRNA) へ転写される. さまざまな機能をもつことがわかっているものもあるが, 多くは機能がわかっていない. たとえば, **核内低分子RNA** (small nuclear RNA: snRNA) はRNAスプライシングにおいて機能し, **核小体低分子RNA** (small nucleolar RNA: snoRNA) は核小体でのrRNAのプロセシングと塩基の修飾において機能している. RNase Pに含まれるRNAはtRNAのプロセシングに関与するリボザイムであり, 短鎖の**マイクロRNA** (microRNA: miRNA) の大きなファミリー (ヒトでは約19,000種) は特定のmRNAの安定性と翻訳を調節する. これらの非コードRNAの機能については9章で扱う. テロメラーゼ (図7・40) に含まれるRNAは染色体末端でのDNA配列の維持に, 7SL RNA

表 7・2 タンパク質をコードしない RNA とその機能

RNA	ヒトゲノム中の遺伝子数	機能
rRNA	約 300	タンパク質合成
tRNA	約 500	タンパク質合成
snRNA	約 40	mRNA スプライシング
U7 snRNA	1	ヒストン mRNA の 3′ プロセシング
snoRNA	約 85	rRNA 前駆体のプロセシングと rRNA の修飾
miRNA	約 19,000	遺伝子発現の調節
piRNA	$>6 \times 10^7$	生殖細胞でのトランスポゾン転位抑制．PIWI タンパク質と結合している
Xist	1	X 染色体不活化
7SK	1	転写調節
RNase P RNA	1	tRNA の 5′ プロセシング
7SL RNA	3	タンパク質の分泌（シグナル認識粒子の構成成分）
RNase MRP RNA	1	rRNA のプロセシング，ミトコンドリア DNA の複製
テロメラーゼ RNA	1	テロメア伸長のための鋳型
Vault RNA	3	Vault リボ核タンパク質の構成成分，オートファジーの調節
hY1, hY3, hY4, hY5	約 30	リボ核タンパク質の構成成分，機能未知
H19	1	未知

出典：International Human Genome Sequencing Consortium, 2001, *Nature* **409**: 860; P. D. Zamore and B. Haley, 2005, *Science* **309**: 1519 による．

(図 7・3b).

- 多くの複合転写単位（たとえばフィブロネクチン遺伝子）からは，ある細胞種で一つの mRNA が発現し，異なる細胞種では別の mRNA が発現する．
- 脊椎動物のゲノム DNA に含まれるタンパク質をコードする遺伝子の約半分は，一倍体ゲノム当たり 1 個しかない単独遺伝子である．残りは重複遺伝子であり，祖先遺伝子の重複と，その後，個々の遺伝子に起こった突然変異により生じる（図 7・2b）．遺伝子ファミリーにコードされるタンパク質は，相同であるが同一ではないアミノ酸配列をもつ．その性質は互いに似ているが，発現している細胞の種類ごとに最適になるように少しずつ異なっている．
- 無脊椎動物と脊椎動物では，rRNA は，ゲノム DNA 中の縦列反復群にある多数コピーの遺伝子によってコードされる．tRNA 遺伝子，snRNA 遺伝子，およびヒストン遺伝子も多数のコピーからなり，クラスターになっていることが多いが，ヒトでは一般に縦列反復しない．
- 多くの遺伝子が，rRNA, tRNA, snRNA などの，タンパク質には翻訳されないが重要な働きをする機能性 RNA をコードしている．マイクロ RNA もその一つで，遺伝子発現の調節において果たす生物学的重要性が，ごく最近，認識されるようになった．また，多数ある短鎖非コード RNA と新たに発見された何千種類もの核内長鎖非コード RNA (lncRNA) の機能を理解するために，現在，盛んな研究が行われている．

はシグナル認識粒子の構成成分であり，分泌タンパク質とほとんどの膜タンパク質が小胞体に取込まれる際に機能する（13 章）．これらを含め，ヒトゲノムにコードされる非コード RNA とそれらの機能を，知られている範囲で表 7・2 に示した．DNA 配列決定の近年の進歩により，哺乳類細胞の核には約 10,000 種の**長鎖非コード RNA** (long noncoding RNA: **lncRNA**) があることがわかった．その一部は，特定のタンパク質をコードする遺伝子の発現を調節していることが見いだされている．こうした lncRNA の機能を解明する研究が現在，非常に活発に行われている．

7・1 真核生物の遺伝子構造　まとめ

- 分子レベルで遺伝子は，機能をもつタンパク質分子または RNA 分子の合成に必要な DNA の全塩基配列と定義される．遺伝子には，コード領域（エクソン）のほか，調節領域があり，多細胞動植物のほとんどの遺伝子にはイントロンも含まれる．
- 真核生物の単一転写単位は 1 種類のモノシストロン性 mRNA をつくり，これが翻訳されると 1 種類のポリペプチドができる．
- 真核生物の複合転写単位から転写された一次転写産物は，スプライス部位とポリ(A)部位の選ばれ方によって，複数の異なるモノシストロン性 mRNA へとプロセシングされる．選択的プロモーターをもつ複合転写単位からも，異なる種類の細胞で，複数の異なる mRNA ができることが多い

7・2　遺伝子と非コード DNA の染色体における構成

転写単位と遺伝子の関係について概観したので，次は染色体における遺伝子の構成と，mRNA のエクソンあるいは安定な機能性 RNA (tRNA, miRNA, lncRNA など) として発現されることのない非コード DNA 配列の構成について考える．

多くの生物のゲノムには大量の非コード DNA 配列が含まれている

さまざまな種で細胞当たりの全染色体 DNA を比較した結果，ある種の生物では，大部分の DNA がタンパク質や機能性 RNA をコードせず，また明確な調節機能もないことが示唆された．たとえば，酵母，ショウジョウバエ，ニワトリ，およびヒトの一倍体染色体一式に含まれる DNA 量は，この順に多くなっており（それぞれ 11.9, 137, 1043, 2968 Mb），これはわれわれがこれらの生物に感じている複雑さの傾向と一致する．しかし，細胞当たり最も多量の DNA をもつ脊椎動物は両生類であるが，その構造や行動の複雑さはまちがいなくヒトに及ばない．さらに驚くべきことに，単細胞の原生動物であるアメーバ *Amoeba dubia* の細胞当たりの DNA 量はヒトの 200 倍である．多くの植物種でも，細胞当たりの DNA 量はヒトよりもかなり多い．たとえば，チューリップの細胞当たりの DNA 量はヒトの 10 倍である．細胞当たりの DNA 含量は，近縁の種間でもかなり差がある．昆虫類や両生類はどの種も同じような複雑性を示しているようにみえるが，一倍体 DNA の量はこれらの同じ綱に属する種間で 100 倍も異なることがあ

詳細に塩基配列を解析し，染色体DNAにおけるエクソンを同定した結果，多細胞真核生物のゲノムには何もコードしないDNA（非コードDNA）が多量に含まれることを示す直接の証拠が得られた．たとえば，長さ約80 kbからなるヒトのβグロビン遺伝子クラスターでは，配列のごく一部だけがタンパク質をコードしている（図7・4a）．同様に，1番染色体から無作為に選んだ80 kbの領域には*RPF1*遺伝子の九つの短いエクソン，*GNG5*遺伝子の四つのエクソン，そして*CTBS*遺伝子の七つのエクソンだけが含まれている．この80 kbの領域でmRNAをコードする配列は全部で9325 bp，12%にすぎない．一方，単細胞真核生物である出芽酵母の典型的な80 kbのDNA領域には，多数のタンパク質コード配列が密な間隔で並び，イントロンも非コードDNAもわずかしかない（図7・4c）．

ヒトの染色体DNAでは，転写単位が数百塩基対しか離れていない"遺伝子に富む"領域から，遺伝子間の領域が数百万塩基対の長さにもなる"遺伝子砂漠"まで，領域によって遺伝子の密度は大きく異なる．配列が決定されたヒトゲノムDNAの96%のうち，約2.9%のみがエクソンであり，1.5%ほどがタンパク質をコードしている（エクソンに対応するゲノムの割合はタンパク質をコードする割合よりもかなり多い．その理由は，多くのタンパク質をコードする遺伝子には長い3'非翻訳領域に対応するエクソンがあるから，またタンパク質をコードしないlncRNAにも多数のエクソンがあるからである，9章）．前節で，ほとんどのヒト遺伝子ではイントロンの配列はエクソン配列よりもかなり長いことを述べた．ヒトゲノムDNAの約55%が，何らかの細胞種でmRNA前駆体かlncRNA前駆体，あるいはタンパク質をコードしない他のRNAに転写されると考えられているが，このうち約95%はイントロンであり，RNAスプライシングにより取除かれる．ヒトゲノムDNAの残り約45%は，遺伝子間にある非コードDNA（遺伝子間領域 intergenic region），ヒト染色体のセントロメアとテロメアを構成する反復DNA配列の領域である．つまり，ヒトDNAの約97%は，タンパク質，機能性非コードRNA，おそらく機能をもつと考えられるlncRNAのいずれをもコードしていない．

機能をもたないDNAの量が異なる生物間で著しく違うことは，少なくとも部分的には，進化における選択圧の違いで説明できるかもしれない．たとえば，多くの微生物は同じ環境において限られた量の栄養分をめぐって他の種と競合しなければならないため，代謝の経済性が重要な特性となる．機能をもたない（つまり非コード）DNAの合成には時間，栄養分，エネルギーが必要なため，出芽酵母のような生育が速い微生物の進化においては，おそらく機能をもたないDNAを失わせる選択圧が働いたのであろう．他方，脊椎動物における自然選択は，その行動に大きく関係している．DNA合成に費やされるエネルギーは，筋肉の動きや神経系の機能に必要な代謝エネルギーに比べればとるに足らない．そのため，脊椎動物では機能をもたないDNAを除こうとする選択圧はほとんどなかったのであろう．また，ほとんどの脊椎動物や植物では，生育が速い微生物よりも細胞の複製にかかる時間がずっと長い．したがって，細胞の複製を速くするために機能をもたないDNAを除去するという選択圧はほとんどなかったと考えられる．

大部分の単純配列DNAは特定の染色体領域に集中している

ヒト細胞にみられる最も豊富な種類の核内DNAは**反復DNA**（repetitive DNA）である（表7・1）．反復DNAには単純配列DNAと散在性反復配列（可動性DNA因子）の二つの種類がある．散在性反復配列については§7・3で述べるので，ここでは単純配列DNAについて考える．

単純配列DNA（simple-sequence DNA）は**サテライトDNA**（satellite DNA）ともいい，ヒトゲノムの約6%を占めており，比較的短い配列の完全なあるいはほぼ完全な反復で構成されている．単純配列DNA中の反復単位の長さは1〜500 bpである．1〜13 bpの反復をもつ単純配列DNAはしばしば**マイクロサテライト**（microsatellite）とよばれる．ほとんどのマイクロサテライトDNAは，1〜4 bpの長さの反復単位をもち，通常は150回以下の縦列反復として存在する．マイクロサテライトは，DNA複製時に鋳型鎖上で娘鎖が"逆行スリッページ（後方へのずれ）"を起こし，その結果，同一の短い配列が二度コピーされたために生じたと考えられている（図7・5）．また，自己相補的でGを含むトリ

(a) 正常な複製

(b) 後方へのスリップ

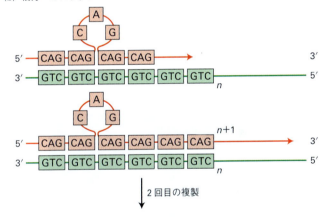

↓ 2回目の複製

(c) 2回目の複製

反復配列を一つ余分にもつ娘DNA

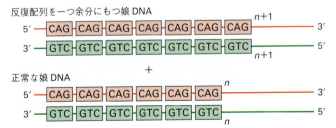

＋

正常な娘DNA

図7・5 DNA複製時に新生娘鎖が後方にスリップするとマイクロサテライト反復配列が生成する．(a) 正常な複製．娘鎖を赤で，鋳型鎖を緑で示す．(b) もし新生娘鎖が鋳型鎖に対して後方に1反復配列分スリップし，そのままDNA複製が進行すると，娘鎖に新たに反復配列が1コピー追加される．反復配列の余分なコピーは，生成した二本鎖DNA分子の娘鎖で一本鎖のループを形成する．(c) もしこの一本鎖ループが次のDNA複製までにDNA修復タンパク質によって除去されなければ，反復配列の余分なコピーが複製された娘二本鎖DNA分子の片方に付け加えられる．

プレットリピート（三塩基反復，たとえばCAG）については，酸化したG（ヒトで最も頻度の高い自然発生するDNA損傷）を除去修復するために，三塩基反復をもつ鎖を取外して合成し直すことがある．ここで取外された領域が折り曲げられてヘアピンを形成し，修復パッチに取込まれ，さらにDNA修復酵素の働きにより一本鎖ループが修復されると，反復回数が増加することになる．

マイクロサテライトはときには転写単位内にも存在する．特定の遺伝子内に一般集団にみられるよりも多い反復回数をもって生まれてくる人がいる．その原因はおそらく，祖先から受け継いだ生殖細胞におけるトリプレットリピート領域のDNA複製あるいはDNA損傷修復時に起こった娘鎖のスリッページである．少なくとも14種類の神経筋疾患の原因が，このようなマイクロサテライトの伸長であることが知られている．伸長したマイクロサテライトが，これを含む遺伝子の機能あるいは発現だけに影響する場合，潜性突然変異のような挙動を示すことがある．しかし通常は，マイクロサテライトの伸長は顕性突然変異の挙動を示す．ハンチントン病（Huntington's disease）では，トリプレットリピートがコード領域にあるので，同じアミノ酸が連続した長いタンパク質がつくられる．これが，寿命の長い神経細胞で時間とともに凝集し，最終的には正常な細胞機能に障害を与える可能性がある．具体的には，ハンチントン病の原因遺伝子の第一エクソンにあるCAGリピートの数が増すと，長いポリグルタミン配列が合成され，何十年もかけて毒性をもつ凝集体が形成される．その結果，患者の神経細胞が死んでしまう．

病気の原因となる反復の伸長は，遺伝子の非コード領域で起こることもある．このような場合は，病因遺伝子が発現している筋細胞や神経細胞において，一群のmRNAのRNAプロセシングに障害を与えるので，病因遺伝子は顕性突然変異として振舞うと考えられている．たとえば，1型筋強直性ジストロフィー（myotonic dystrophy type 1）の患者では，DMPK遺伝子の転写産物の3'非翻訳領域に50〜1500のCUGリピートがあるが，健常者では5〜34の反復である．患者にみられるCUGリピートが伸長した配列によって長いRNAヘアピン構造が形成されると考えられている．この構造は，筋細胞や神経細胞で必須の機能をもつmRNA前駆体の選択的スプライシングを調節している核内RNA結合タンパク質と結合して周囲から隔離してしまい，本来の機能を果たすのを妨げる．

1〜13 bpの縦列反復からなるマイクロサテライトDNAとは対照的に，単純配列DNA（サテライトDNA）は14〜500 bpの縦列反復群から構成される20〜100 kbの領域である．分裂中期の染色体を in situ ハイブリダイゼーション法で調べることによって，これらの単純配列DNAの多くがセントロメアに局在していることがわかった．セントロメアは体細胞分裂や減数分裂の際に紡錘体微小管が結合する特別な染色体領域である（図7・6）．分裂酵母を用いた実験から，これらの配列は細胞分裂で娘細胞に染色体を正しく分離するために必要な**セントロメアヘテロクロマチン**（centromeric heterochromatin）とよばれる特化したクロマチン構造を形成するために必要なことが示されている．単純配列DNAはテロメアという染色体末端にある長い縦列反復配列にもみられる．この反復配列はDNA複製に際して染色体の末端の短小化を防いでいるが，この話題については§7・5で取扱うこととする．

DNAフィンガープリント法は，単純配列DNAの長さの違いに基づく

一つの種のなかでは，単純配列DNA縦列反復群を構成する反復単位の塩基配列は，個体間で高度に保存されている．一方，同じ反復単位を含む単純配列縦列反復群における繰返し回数，したがって長さは，個体間でかなり異なる．このような長さの違いは，減数分裂の際に単純配列DNAの領域内で起こる不等乗換えの結果であると考えられる．この不等乗換えによって，一部の縦列反復群の長さは個体にとって固有のものになる．

ヒトなどの哺乳類では，14〜100 bpの反復単位が20〜50回繰返す単純配列DNAがあり，1〜5 kbの比較的短い領域として存在する．このような領域は**ミニサテライト**（minisatellite）とよばれ，1〜13 bpの縦列反復からなるマイクロサテライトとは区別される．サザンブロット法を使えば，さまざまなミニサテライトの全長の，個体間のわずかな違いでも検出できる．この技術は**DNA多型**（DNA polymorphism，すなわち同じ種内の個体間の配列の違い）を検出するために，**DNAフィンガープリント法**（DNA fingerprinting）が最初に応用されたときに使われた（図7・7）．

現在では，はるかに鋭敏なポリメラーゼ連鎖反応（PCR，図6・18参照）の技術が法医学的な遺伝子検査に広く用いられている．通常は，4 bpの縦列反復が30〜50回反復するようなマイクロサテライトDNA配列が分析にかけられている．ゲノム中の特定の場所におけるマイクロサテライトの正確な反復回数は，個体の二つの相同染色体（一つは母親由来，もう一つは父親由来）によって異なる．また，Y染色体については個別の男性によって異なる．このような短い縦列反復を13箇所，およびY染色体にある同じ

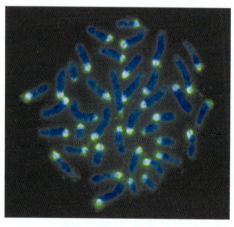

図7・6（実験）単純配列DNAはマウス染色体のセントロメアに局在する．マウスの細胞から精製した単純配列DNAを大腸菌DNAポリメラーゼIと蛍光標識したdNTPを用いて in vitro で複製し，マウスの単純配列DNAに対する蛍光標識したDNAプローブをつくった．マウス培養細胞の染色体をスライドガラス上に固定して変性させ，この染色体DNAに対して，標識プローブ（薄青）を用いて in situ ハイブリダイゼーションを行った．スライドはDNA結合色素であるDAPIでも染色してあり，染色体の全長が見えるようにしてある（濃青）．蛍光顕微鏡観察によって，単純配列プローブはおもにマウスの末端動原体染色体（すなわち，セントロメアが末端に位置する染色体）の片端とハイブリッドを形成することがわかった．[Sabine Mai, Ph.D., Manitoba Institute of Cell Biology, Canada 提供．]

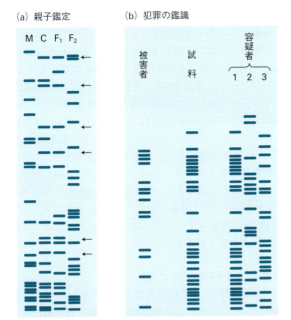

図7・7　DNAフィンガープリント法による個人の識別．(a) この親子鑑定では，複数のミニサテライトDNAの反復長をサザンブロット法によって分析している．制限酵素によって分解したゲノムDNAを用い，ゲノム中の異なる部位で反復しているミニサテライトの配列をプローブとしてハイブリダイゼーションを行った．さまざまな長さのバンドからなるパターンは，個人に特異的で，"DNAフィンガープリント"とよばれる．レーンMは，母親のDNAを用いて調製した制限酵素断片から得られるパターンである．レーンCは子どものDNAを用いたパターン，レーンF_1とF_2では2人の父親候補のDNAを用いたパターンを示している．この子どもは母親もしくはF_1から受け継いだミニサテライト反復長をもっているため，父親はF_1であることがわかる．矢印は子どものDNAでみられたF_1に由来する制限酵素断片を示す．これらの断片はF_2にはみられない．(b) ここに示した犯罪被害者と3人の容疑者から得た試料のDNAフィンガープリントでは，試料のミニサテライト反復長が明らかに容疑者1の反復長と一致している．試料DNA中に被害者由来のDNAが混入していないことを確認するため，被害者のDNAを解析に加えている．

ような反復を1箇所選び，その両側にある配列に相補的なPCRプライマー（計14組）の混合物を用いて，個別の検体からDNAを増幅する．その結果生じたPCR産物の長さは，一卵性双生児を例外として，ヒト集団の中で個体ごとに固有のパターンを示す．PCR法の導入により，微量のDNAを用いた分析が可能になり，従来のフィンガープリント法に比べてより正確かつ高い信頼性で個人を識別することが可能になった．

未分類の遺伝子間DNAはゲノムの相当な部分を占める

　ヒトDNAの約45%は転写単位の間にあり，その配列の大部分はゲノム中の他の部位ではみられない．エンハンサーは，遠く離れたプロモーターからの転写を調節する長さが50～200 bp 程度の配列であり，長い遺伝子間領域やイントロン領域内に存在する．エンハンサー（8章）は進化の過程で保存されることが多いが，これに隣接する配列は保存されない．このほかの進化的に保存されている遺伝子間領域も，未解明の重要な機能を果たしている可能性がある．たとえば，これらが§7・5で述べる染色体の構造に関係しているかもしれない．

7・2　遺伝子と非コードDNAの染色体における構成

まとめ

- 原核生物と大部分の下等真核生物のゲノムには，機能をもたない配列はほとんど含まれておらず，コード領域はゲノムDNA中に高密度に並んでいる．
- 一方，多細胞動植物のゲノムには，機能性RNAをコードしておらず，また調節機能ももたない配列が多く含まれている．この機能をもたないDNAの大部分は反復配列から構成される．
- ヒトでは，全DNAのわずか2.9%にあたるエクソンだけが，タンパク質や機能をもつRNAを実際にコードしている．
- ゲノム中の機能をもたないDNAの量は種によって異なるため，動植物の系統発生学的な複雑性と一倍体染色体に含まれるDNA量の間に一定の傾向はみられない．
- 短い配列が縦列反復群として長く繰返している単純配列DNAは，セントロメアとテロメアに選択的に局在する．
- 特定の単純配列の縦列反復群の長さは，おそらく減数分裂の際に不等乗換えが起こるため，同じ種の個体間で大きな違いがある．単純配列の縦列反復群の長さの違いが，DNAフィンガープリント法の基礎になっている（図7・7）．

7・3　転位性（可動性）DNA因子

　真核生物ゲノムにみられるもう1種類の反復DNAは**散在性反復配列**（interspersed repeat）であり，比較的少ない種類のファミリーから構成されるが，各ファミリーには非常に多数のコピーが含まれる（表7・1）．これらの配列は"中頻度反復DNA（moderately repeated DNA, intermediate-repeat DNA）"として知られ，哺乳類ゲノム全体に散在し，その25～50%を占める（ヒトでは約45%）．

　散在性反復配列はゲノム中を"動く"という，独特の能力をもつため，**転位性DNA因子**（transposable DNA element）または**可動性DNA因子**（mobile DNA element）と総称される（ここでは両方の語を用いる）．1940年代のこと，Barbara McClintockはトウモロコシを使って古典的な遺伝実験を行っていたときに，はじめて可動性DNA因子を発見した．彼女は，遺伝子に挿入されたり，切り出されたりしてトウモロコシ穀粒の表現型を変えうる遺伝因子の実体を調べた．細菌で同じような可動性因子が見いだされ，それらが特定のDNA配列であるとわかり，さらにそれらが転位する分子的基盤が理解されるまでは，彼女の理論に異議も多かった．転位性DNA因子は最初に真核生物で発見されたが，原核生物にも低頻度で見いだされる．転位性DNA因子は本質的に共生分子であり，ほとんどの場合，宿主生物のふるまいに対して特に機能をもたず，ひたすら自らを維持するために存在しているようにみえる．この理由で，Francis H. C. Crickはこれらの配列を"利己的DNA（selfish DNA）"とよんだ．

　これらの配列が複製され，ゲノムの新たな部位に挿入される過程を**転位**（transposition）とよぶ．生殖細胞で転位が起こると，新たな部位へ転位した配列は次世代以降に伝えられる．こうして，可動性因子は進化の間に真核生物のゲノム中にゆっくりと蓄積し

てきた．可動性因子は真核生物のゲノムからごくゆっくりとしか除かれないので，いまでは多くの真核生物でゲノムの大きな部分を占めている．

可動性因子はわれわれのゲノムでかなりの部分を占めるだけではない．減数分裂時に組換えが起こる可能性のある相同配列をゲノム全体にまき散らすことにより，ゲノムの再編成を大きく加速しているのである（図7・2）．可動性因子の転位はめったに起こらない．しかし，ヒトゲノムには320万もの可動性因子がある（表7・1）．たとえ個々の可動性因子の転位頻度が非常に低くても（何世代かで1回起こるか起こらないかでも），ヒトが8人いれば，生殖細胞での転位が1回くらい起こることになる．生殖細胞における可動性因子の転位は，長い時間をかけて，複数のエクソンをもつ遺伝子，また特定の細胞種や発生時期に遺伝子の発現を調節する転写調節領域の進化において必須の役割を果たしてきた（8章）．つまり，転位性因子は，おそらく共生分子として進化してきたが，複雑な多細胞生物の進化に重要な機能があったということになる．本節の最後にもう一度，この話を議論する．

転位は体細胞内でも起こるが，転位した配列が伝わるのは，その細胞に由来する娘細胞だけである．まれには，体細胞での転位が有害な表現型を与える突然変異，たとえばがん抑制遺伝子の不活性化などをひき起こす可能性がある（25章）．本節では，まずおもな転位性DNA因子の構造と転位機構を説明し，次に，進化で果たしてきた役割を考える．

可動性因子の移動にはDNA中間体かRNA中間体が関与する

可動性因子の転位様式は2通りある．DNAとして直接転位するものとRNA中間体を介するものである．後者の場合，RNAポリメラーゼによって可動性因子から転写されたRNA中間体が，**逆転写酵素**（reverse transcriptase）によって二本鎖DNAに再変換されて転位する（図7・8）．一般に，DNAとして直接転位する可動性因子は**DNAトランスポゾン**（DNA transposon）または単にトランスポゾン（transposon）とよばれる．真核生物のDNAトランスポゾンはゲノム中から自身を切り出し，もとの場所から別の場所へと移動する．RNA中間体を介してゲノム中の新しい場所に転位する可動性因子は**レトロトランスポゾン**（retrotransposon）とよばれる．レトロトランスポゾンは自身のRNAコピーをつくり，この新しいコピーを二本鎖DNAに変換し，ゲノム中の別の部位に導入しつつ，自身はもとの場所に残る．レトロトランスポゾンの移動はレトロウイルスの感染過程と似ている（図5・43参照）．実際，レトロウイルスは，ウイルス外被をコードする遺伝子により，"細胞間の転位が可能になったレトロトランスポゾン"とみなすことができる．レトロトランスポゾンは，用いる転位機構によって，さらに細かく分類できる．要約すると，DNAトランスポゾンは"カット&ペースト"機構で転位し，一方，レトロトランスポゾンはRNA中間体をコピーとする"コピー&ペースト"機構で転位すると考えることができる．

細菌の可動性因子のほとんどは，挿入配列として知られるDNAトランスポゾンである

可動性因子がはじめて分子生物学的に理解されたのは，大腸菌 *Escherichia coli* における突然変異の研究からであった．この突然変異では，長さ1〜2 kbのDNA配列が大腸菌遺伝子の中間部に挿入されていた．挿入されたDNAは**挿入配列**（insertion sequence），あるいは**IS因子**（IS element）とよばれている．これまでに，大腸菌などの細菌から1000種類以上の異なるIS因子が見つかっている．

細菌のIS因子の転位は非常にまれな現象であり，1世代で10^5〜10^7細胞当たり，わずか1個にしか起こらない．細菌DNAのごく一部だけが非コードDNAや転写調節に関与するプロモーターやオペレーターである．細菌の細胞で転位が起こると，必須の遺伝子が不活性化され，宿主細胞とその中のIS因子が死んでしまう可能性がある．結果として，細菌においてIS因子の転位の頻度が低くなるように進化したのかもしれない．おそらく，転位が高頻度で起こると宿主の種が生存するには突然変異率が高くなりすぎ

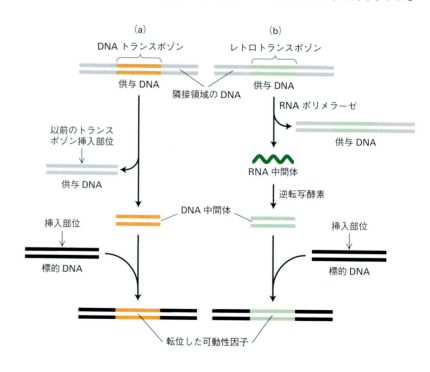

図7・8 可動性因子の二つの主要なクラス．（a）真核生物のDNAトランスポゾン(橙)は，供与部位から切り出されたDNAを中間体として移動する．（b）レトロトランスポゾン(緑)はまずRNA分子へ転写され，次に逆転写されて二本鎖DNAになる．どちらの場合も，二本鎖DNA中間体が標的部位のDNAに挿入されて移動が完了する．つまり，DNAトランスポゾンは"カット&ペースト"機構で移動するのに対し，レトロトランスポゾンは"コピー&ペースト"機構で移動する．

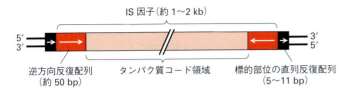

図7・9 細菌のIS因子の一般構造.IS因子の比較的大きい中央領域には,転位に必要な一つあるいは二つの酵素がコードされ,両末端の逆方向反復配列に挟まれている.逆方向反復配列は赤の領域で示し,白矢印で5′から3′への方向を示した.二つの配列はほぼ同一であるが,方向は互いに逆になっている.逆方向反復配列はそれぞれのIS因子に特徴的である.5′および3′末端の短い(逆向きではなく)同方向の反復配列(直列反復配列)は,黒の領域で示し,白矢印で5′から3′への方向を示した.これらの短い直列反復配列が挿入因子とともに転位したものではなく,可動性因子の挿入に際して,各末端で1コピーずつ重複した挿入部位の配列である.どのIS因子においてもこの直列反復配列の長さは一定であるが,その配列は挿入部位に依存するので,IS因子が転位するたびにこの配列は変わる.この模式図の領域は実際の長さに対応しておらず,実際にはコード領域がIS因子のほとんどを構成する.

るということであろう.しかし,程度こそ異なるものの,IS因子の転位は基本的に不規則に起こるので,転位した配列が宿主ゲノムの必須ではない領域(たとえば遺伝子間の領域)に挿入されれば,細胞は生き延びることができる.こうして,ある細菌株のトランスポゾンの数は,比較的少ない数(通常は20未満)で平衡に達している.IS因子はプラスミドや溶原性ウイルスに挿入され,その結果,他の細胞に移動することができる.こうして,IS因子は,新しい宿主細胞の染色体にも転位することができるのである.

IS因子の一般的な構造を図7・9に模式的に示す.IS因子の両端には,10〜40 bpからなる**逆方向反復配列**(inverted repeat)が必ず存在する.一つの逆方向反復配列中では,一方の鎖にある5′→3′配列が他方の鎖で繰返している(下図).

$$\begin{array}{l}5'\ \overrightarrow{\text{GAGC}}\ \text{———}\ \text{GCTC}\ 3'\\ 3'\ \text{CTCG}\ \text{———}\ \overleftarrow{\text{CGAG}}\ 5'\end{array}$$

IS因子中の逆方向反復配列の間の領域には,IS因子が新しい部位に転位するために必要な酵素である**トランスポザーゼ**(transposase)がコードされている.転位の頻度が非常に低いのは,トランスポザーゼがめったに発現しないことが理由である.IS因子の一つの重要な目印は,挿入したIS因子の両側に隣接して存在する5〜11 bpの**直列反復配列**(direct repeat sequence,**順方向反復配列**ともいう)である.この直列反復配列の長さはおのおののIS因子にとって特徴的であるが,配列自体は特定のIS因子のコピーが挿入されたそれぞれの標的部位に依存する.IS因子を含む変異型遺伝子の配列を野生型遺伝子の配列と比較すると,野生型遺伝子にはこの短い直列反復配列が一つだけ存在する.挿入の過程で標的部位の配列の重複が起こり,二つ目の直列反復配列がIS因子に隣接して生成する.

図7・10に示すように,IS因子の転位は"カット&ペースト"機構で起こる.トランスポザーゼはこの過程で次の三つの機能を果たす.まず,供与DNAからIS因子を正確に切り出す(段階**1**).次に標的DNAの短い配列を互いにずれるように切断する

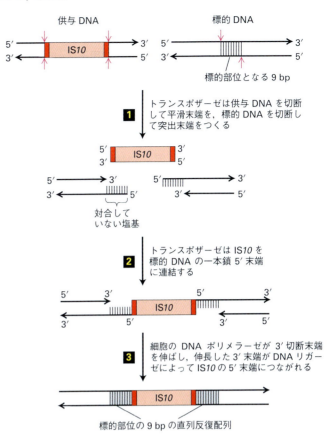

図7・10 細菌の挿入配列の転位モデル.段階**1**: IS因子(この例ではIS10)にコードされるトランスポザーゼが,逆方向反復配列(濃赤,図7・9の模式図でも濃赤)に隣接する部位で供与DNAを二本鎖切断し(左上),IS10因子を切り出す.また,トランスポザーゼはほぼ無作為に選ばれた標的部位で,突出末端ができるように標的DNAを切断する(右上).IS10の場合には,二つの切断点は9 bp離れている.薄赤の垂直の矢印はトランスポザーゼで切断されたホスホジエステル結合を示す.段階**2**: 切り出されたIS因子の3′末端が,標的DNAの5′突出末端にトランスポザーゼによって連結される.段階**3**: こうしてできた中間体に残された9 bpの一本鎖DNAのギャップは,細胞のDNAポリメラーゼによって埋められる.最後に細胞のDNAリガーゼが,伸長した標的DNAの3′末端とIS10鎖の5′末端の間に3′→5′ホスホジエステル結合を形成する.この過程によって,挿入されたIS因子の両端に標的部位の配列が重複するようになる.図の標的部位とIS10の長さは,実際の長さには対応していないことに注意.[H. W. Benjamin and N. Kleckner, 1989, *Cell* **59**: 373; 1992, *Proc. Natl. Acad. Sci. USA* **89**: 4648 参照.]

(段階**2**).さらに,IS因子の3′末端を切断した標的DNAの5′末端に連結する(段階**3**).ひき続き宿主細胞のDNAポリメラーゼが一本鎖の部分を埋めるとIS因子の両側に短い直列反復配列が形成され,最後にDNAリガーゼが遊離の末端をつなぎ合わせる(段階**3**).

真核生物のDNAトランスポゾンは"カット&ペースト"機構で転位する

McClintockによる可動性因子の発見は,トウモロコシ穀粒の紫色の色素であるアントシアニンの合成に必要な酵素の産生に影響を与える自然突然変異を観察したことからはじまる.変異型の穀粒は白色で,野生型の穀粒は紫色である.突然変異には二つの種類がみられた.第一の種類の突然変異は高頻度で野生型に復帰す

る．一方，第二の種類の突然変異では，野生型への復帰のために第一の種類の突然変異を必要としていた．McClintock は，第一の種類の突然変異をひき起こす因子を**活性化因子**（activator element, Ac 因子），また第二の変異にかかわる因子は染色体切断にも関係する傾向があるため，**解離因子**（dissociation element, Ds 因子）とよんだ．

McClintock の先駆的な発見から長い年月が経ったのち，クローニングと塩基配列決定によって，Ac 因子は細菌の IS 因子に似た因子であることがわかった．IS 因子と同様，Ac 因子にはトランスポザーゼのコード領域とそれを囲む逆方向末端反復配列が含まれる．このトランスポザーゼが末端反復配列を認識して宿主 DNA 中の新しい部位への転位を促進する．一方，Ds 因子は欠失型の Ac 因子であり，トランスポザーゼをコードする配列の一部を失っている．Ds 因子は機能的なトランスポザーゼをコードしていないので，単独では転位できない．しかし，Ds 因子はトランスポザーゼによって認識される逆方向末端反復配列をもっている．したがって，Ac 因子により機能するトランスポザーゼを発現している植物では Ds 因子も転位することができる．

トウモロコシの可動性因子に関する McClintock の初期の研究ののち，トランスポゾンは他の真核生物でも同定されるようになった．たとえば，ショウジョウバエは **P 因子**（P element）として知られる DNA トランスポゾンをもっている．P 因子は，細菌の挿入配列で用いられる機構と類似した機構で転位する．現在用いられているトランスジェニックショウジョウバエ作製法は，遺伝子操作による P 因子トランスポザーゼの高発現と，転位の標的としての P 因子逆方向末端反復配列の利用に依存した方法である．

DNA 合成が行われる細胞周期の S 期（図 1・22 参照）にカット＆ペースト機構による DNA 転位が起こると，トランスポゾンのコピー数が増加する可能性がある．トランスポゾンのコピー数は，供与 DNA がすでに複製された染色体の領域中にあり，さらに標的 DNA がまだ複製されていない領域中にある場合に増加する．S 期が終わって DNA 複製が完了したときには，新たな場所に転位した標的 DNA も複製されている．結果として，細胞中のトランスポゾンのコピー数は正味 1 個増える（図 7・11）．このような転位が減数分裂に先立つ S 期に起こると，つくられる 4 個の生殖細胞のうちの一つには，トランスポゾンのコピーが余分に含まれる．進化の間にこの過程が繰返されると，ゲノム中に多数の DNA トランスポゾンが蓄積することになる．ヒト DNA には，全長型と欠失型を合わせて DNA トランスポゾンが約 30 万コピー含まれており，これは全 DNA のおよそ 3% に相当する．すぐに述べるように，この機構によってトランスポゾンそのものの転位だけではなく，ゲノム DNA の転位もひき起こされる．

LTR 型レトロトランスポゾンは細胞内でレトロウイルスのような挙動をする

酵母からヒトまで，これまでに解析されたすべての真核生物のゲノムにはレトロトランスポゾン，すなわち逆転写酵素を用い，RNA 中間体を介して転位する可動性 DNA 因子が含まれている（図 7・8b）．これらの可動性因子は，**長鎖末端反復配列**（long terminal repeat: **LTR**）をもつものと，もたないものとの二つに大別される．ここで述べる LTR 型レトロトランスポゾンは酵母（たとえば Ty 因子）やショウジョウバエ（たとえば copia 因子）によくみられる．ヒトゲノム DNA の約 8% は LTR 型レトロトランスポゾンで占められる．哺乳類では，非 LTR 型レトロトランスポゾンが最も一般的な可動性因子であるが，これについては次項で扱う．

真核生物に見いだされる LTR 型レトロトランスポゾンの一般的な構造を図 7・12 に示す．すべての可動性因子の特徴である 5′ および 3′ の短い直列反復配列のほかに，中央にあるタンパク質コード領域の両側に LTR が存在することが，LTR レトロトランスポゾンの特徴である．LTR の長さは 250〜600 bp である．また，IS 因子や DNA トランスポゾンは逆方向末端反復配列をもつが，LTR は直列反復配列である．

LTR 型トランスポゾンと感染性のレトロウイルスには共通点が多い．LTR はゲノムに組込まれたレトロウイルス DNA の目印となるだけではなく，レトロウイルスおよびレトロトランスポゾンの生活環に重要である．LTR 型レトロトランスポゾンは，レトロウイルスと LTR を共有しているだけでなく，通常のレトロウイルスのタンパク質のうち，エンベロープタンパク質以外のすべてをコードしている．エンベロープタンパク質がないために，LTR 型レトロトランスポゾンは宿主細胞から出芽して，他の細胞に感

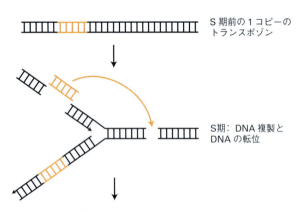

図 7・11 DNA トランスポゾンのコピー数を増加させる機構．"カット＆ペースト"機構（図 7・10）で移動する DNA トランスポゾンが S 期の間に，すでに複製された染色体領域からまだ複製されていない領域へ転位すると，染色体複製が完了したときには，二つの娘染色体の一方でトランスポゾンの挿入数が一つ増加している．

図 7・12 真核生物の LTR 型レトロトランスポゾンの一般構造．中央のタンパク質コード領域は二つの LTR（長鎖末端反復配列）に挟まれている．LTR は，因子ごとに特異的な直列反復配列である．他の可動性因子と同様に，組込まれたレトロトランスポゾンの両末端には短い標的部位直列反復配列ができる．領域の長さの違いは実際の図には反映されていないことに注意．タンパク質コード領域はレトロトランスポゾンの 80% 以上を占め，逆転写酵素，インテグラーゼなど，転移に必要なタンパク質がコードされている．

染することはできない．しかし，宿主細胞の DNA 中の新たな部位へ転位することができる．このようにレトロウイルスとは明らかな類似性があるため，LTR 型レトロトランスポゾンはしばしば**レトロウイルス様因子**（retrovirus-like element）とよばれる．

　レトロウイルスの生活環においては，組込まれたレトロウイルス DNA からレトロウイルスゲノム RNA を形成する過程が非常に重要である（図 5・43 参照）．この過程は，LTR 型レトロトランスポゾンの転位における RNA 中間体生成のモデルになるので，ここで少し詳しく述べる．図 7・13 に示すように，左側のレトロウイルス LTR はプロモーターとして機能し，宿主細胞の RNA ポリメラーゼに，約 20 塩基からなる R 配列（レトロウイルス RNA では，両末端に含まれることになる）の 5′ヌクレオチドから転写を開始させる．そこから下流のレトロウイルス DNA の全体が転写されると，宿主細胞の RNA プロセシング酵素は，右側の LTR に対応する RNA 配列を認識して，一次転写産物を切断し，R 配列の 3′末端にポリ(A) 尾部を付加する．この結果できたレトロウイルスのゲノム RNA は完全な LTR を失っていて，核から出てウイルス粒子に包まれ，宿主細胞から出芽によって出る．

　レトロウイルスが細胞に感染すると，レトロウイルスにコードされた逆転写酵素によってゲノム RNA が逆転写され，完全な二つの LTR を含む二本鎖 DNA ができる（図 7・14）．この DNA 合成は細胞質で行われる．その後，両端に LTR をもつ二本鎖 DNA は，レトロウイルスやレトロトランスポゾンにコードされるもう一つの酵素インテグラーゼと複合体を形成し，核に輸送される．レトロウイルスのインテグラーゼは DNA トランスポゾンにコードされるトランスポザーゼとよく似ており，同様の機構を用いてレトロウイルスの二本鎖 DNA を宿主細胞のゲノムに挿入する（図 7・10）．この過程で，挿入されたウイルス DNA 配列の両端には，標的部位の短い直列反復配列がつくられる．逆転写の機構は複雑であるが，レトロウイルスの生活環にとって非常に重要である．なぜなら，この過程によって，R 配列の 5′ヌクレオチドから正確に転写を開始させるプロモーター機能をもつ完全な 5′ LTR がつくられ（図 7・13），R 配列の 3′ヌクレオチドに正確にポリアデニル酸を付加させるポリ(A) 部位として機能する完全な 3′ LTR がつくられるからである．したがって，LTR 型レトロトランスポゾンが挿入，転写，逆転写，新しい部位への再挿入という連続した過程を何回経ても，LTR 型レトロトランスポゾンからは 1 ヌクレオチドも失われない．

　上述のように，LTR 型レトロトランスポゾンには逆転写酵素とインテグラーゼがコードされている．レトロウイルスの例から類推すると，この可動性因子はコピー&ペースト機構，すなわち，逆転写酵素が供与因子の RNA コピーを DNA に転換し，それをインテグラーゼが標的部位に挿入するという機構で移動すると考えられる．図 7・15 に示した実験によって，酵母の LTR 型レトロトランスポゾンである Ty 因子の転位における RNA 中間体の役割に関する強い証拠が得られた．酵母の細胞が Ty 因子を含むプラスミドで形質転換されると，通常，低頻度ではあるが，Ty 因子は新しい部位に転位する．図の上部に示したように，ガラクトースで強く活性化されるプロモーターと組換え Ty 因子が隣接したプラスミドベクターが作製された．これらのプラスミドで酵母細胞を形質転換し，Ty 因子の転写を誘導するためにガラクトース含有培地で，あるいは Ty 因子が誘導されないようにガラクトース不含培地で生育させた．実験 1 では，ガラクトース含有培地で生育させたほうが，ガラクトース不含培地で生育させるよりも，ずっと多くの転位がみられた．これは Ty 因子による転位には，mRNA 中間体への転写が必要であることを示している．実験 2 では，組換えガラクトース応答性 Ty 因子において，タンパク質をコードしていると考えられる領域に，無関係の酵母遺伝子のイントロンが挿入された．このイントロン配列は新しい部位に転位した Ty 因子からは失われていた．転位した Ty 因子からイントロンがなくなっていたことは，右下の青の囲みに示したように，イントロンが除去された mRNA 中間体を介して転位が起こることの有力な証拠である．対照的に，トウモロコシの Ac 因子のような真核細胞 DNA トランスポゾンではトランスポゼース遺伝子にイントロンが含まれており，RNA 中間体を経ないで転位することを示している．

　ヒトで最もよくみられる LTR 型レトロトランスポゾンは **ERV** とよばれており，これは endogenous retrovirus（内在性レトロウイルス）から命名された．ヒトゲノムに含まれる 443,000 個の ERV 関連 DNA 配列のほとんどは LTR だけからできている．これらは完全長のプロウイルス DNA に由来し，二つの相同な LTR 間での組換えによって内部のレトロウイルス配列が欠失したものである．このような孤立した LTR はゲノム中の新たな場所に転位できないが，おそらくゲノム中の異なる場所にある相同な LTR 間での組換えによって，染色体 DNA の再編成をひき起こしてきたのだろう．これによって，遺伝子やエクソンの重複，エクソンの新たな組合わせによるタンパク質の進化，さらに 8 章で述べるような遺伝子発現の複雑な制御の進化が起こったのかもしれない．

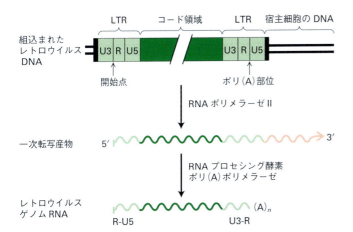

図 7・13 宿主細胞ゲノムに組込まれたレトロウイルス DNA からのレトロウイルスゲノム RNA の生成．組込まれたプロウイルス DNA の左側の LTR はプロモーターとして，右側の LTR はポリ(A) 部位として機能する（本文参照）．R は 20 塩基からなる配列で，ウイルスゲノム RNA の両端に正確に反復している．U5 と U3 はおのおのゲノム RNA の 5′および 3′末端で R 配列に隣接した配列である．組込まれたプロウイルス DNA の配列中で U5 と U3 は反復しているが（図 7・14），レトロウイルスのゲノム RNA では反復していない（U5 と U3 の "U" は unique に由来していて，ウイルス RNA の中に一つだけ含まれる配列であることを示している）．標的部位の DNA に隣接した短い直列反復配列（黒）は，レトロウイルス DNA が宿主細胞ゲノムに組込まれる際に生じる．LTR 型レトロトランスポゾンの転位の際には，同様の機構で RNA 中間体が生成すると考えられている．

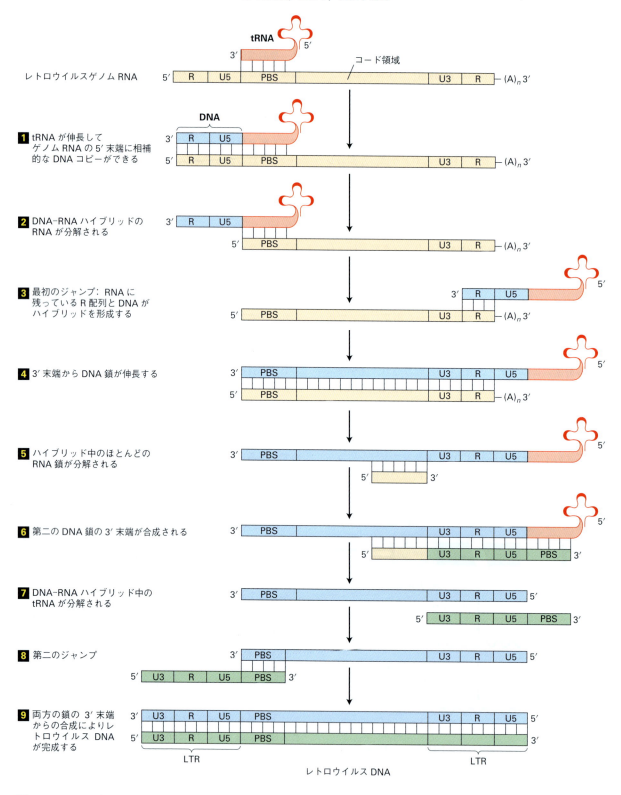

図 7・14　レトロウイルスゲノム RNA から DNA への逆転写に関するモデル． このモデルでは，9 段階からなる複雑な過程によって，レトロウイルスの一本鎖ゲノム RNA から二本鎖 DNA コピーができることを示している．ゲノム RNA はレトロウイルスに特異的な細胞由来 tRNA とともにウイルス粒子内に含まれている．この tRNA は，ゲノム RNA の 5′ 末端近くにある**プライマー結合部位**(primer-binding site: PBS)とよばれる相補的な配列とハイブリッドを形成する．レトロウイルス RNA は両末端に短い末端直列反復配列(R)をもっている．反応全体は，デオキシリボヌクレオチドの重合を触媒する逆転写酵素によって行われる．RNase H は，同様にウイルス RNA にコードされ，ウイルス粒子内に含まれている．RNase H は DNA-RNA ハイブリッドの RNA 鎖を分解する．この過程全体を経てつくられる DNA 分子は，両端に LTR(長鎖末端反復配列)をもち，鋳型 RNA よりも長い．領域の実際の長さはこの図には反映されていない．実際には，PBS と R 領域は U5 領域や U3 領域よりもずっと短く，中央のコード領域は他の領域よりもずっと長い．[E. Gilboa et al., 1979, *Cell* **18**: 93 参照.]

図 7・16 **LINE の一般構造**. 標的部位の直列反復配列の長さは, ゲノム中のさまざまな部位に存在する LINE のコピー間で異なる. LINE の完全長は約 6 kb であるが, この因子が見いだされる部位の 90% 以上では, 左側の端からさまざまな長さの領域が失われている. 長さ約 1 kb の短いオープンリーディングフレーム (ORF1) は RNA 結合タンパク質をコードする. 長さ約 4 kb の長い ORF2 は, 逆転写酵素活性と DNA エンドヌクレアーゼ活性をもつ二機能性タンパク質をコードしている. LINE は LTR 型レトロトランスポゾンに存在する LTR (長鎖末端反復配列) をもたないことに注意.

LINE ヒト DNA には, L1, L2, および L3 という三つの主要な LINE ファミリーがある. それらは転位機構の点では似ているが, 塩基配列は異なる. 現在のヒトゲノムにおいては, L1 ファミリーの因子だけが転位し, 転位に必要なタンパク質をつくることのできる機能的な L2 と L3 のコピーは存在しないようだ. LINE 配列はヒトゲノム中の約 90 万箇所に存在し, ヒトの全 DNA の約 21% という驚くべき割合を占めている. 完全長の LINE の一般的な構造を図 7・16 に模式的に示す. LINE は通常, 可動性因子の目印である短い直列反復配列に挟まれ, 二つの長いオープンリーディングフレーム (open reading frame: ORF, タンパク質をコードする領域, §6・3 参照) を含む. ORF1 は約 1 kb の長さで, RNA 結合タンパク質をコードする. ORF2 は約 4 kb の長さで, レトロウイルスや LTR 型レトロトランスポゾンの逆転写酵素と相同性を示す長い領域をもち, DNA エンドヌクレアーゼ活性も示すタンパク質をコードする.

L1 因子が可動性をもつ証拠は, 血友病や筋硬直性ジストロフィーなど, ある種の遺伝病の患者から単離した DNA の解析から最初に得られた. これらの患者の DNA には, L1 因子が遺伝子に挿入されて生じた突然変異が見いだされたが, 患者の両親の DNA の当該遺伝子にはそのような因子は存在しなかった. ヒトに重篤な病気をもたらす突然変異のうち約 600 に一つは, L1 の転位か, L1 にコードされるタンパク質に触媒された SINE の転位が原因である. その後, 酵母の Ty 因子について述べたのと同様の実験 (図 7・15) によって, L1 因子は RNA 中間体を介して転位することが確認された. この実験では, クローン化したマウスの L1 因子にイントロンを導入し, その組換え L1 因子をハムスター培養細胞に安定的に遺伝子導入した. 数回の細胞分裂後, 細胞内には挿入したイントロンを欠く L1 因子に対応する断片が検出された. この結果は, 挿入されたイントロンを含む組換え L1 因子が, RNA スプライシングを受けてイントロンが除去された RNA 中間体を介して, ハムスターゲノムの新たな部位へ転位したことを強く示唆している.

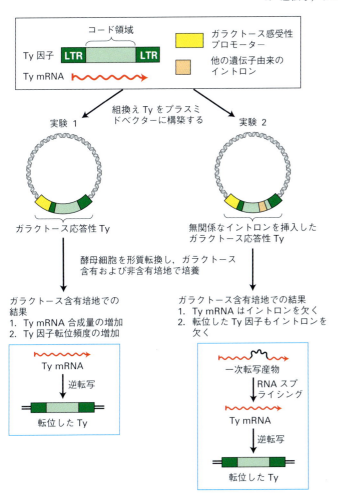

図 7・15 (実験) **酵母 Ty 因子は RNA 中間体を経て転位する**. Ty 因子を *GAL1* 転写調節領域と融合させ, プラスミドからの Ty 因子の転写を実験的に操作した. 実験 1: 細胞をガラクトース含有培地で培養して Ty 因子の転写を促進すると, Ty 転位の頻度が大きく増加した. 実験 2: このプラスミドの Ty 配列のなかほどに無関係な酵母遺伝子に由来するイントロンを挿入した. 培地にガラクトース添加すると, Ty 因子の転位が促進されたが, この Ty 因子はイントロンを含んでいなかった. この結果は, RNA スプライシングによってイントロンが除去された RNA 中間体を介して転位が起こっていることを示唆している. [J. Boeke et al., 1985, *Cell* **40**: 491 参照.]

非 LTR 型レトロトランスポゾンは別の機構で転位する

哺乳類で最も多量に存在する可動性因子は, LTR をもたない非 LTR 型レトロトランスポゾンであり, これらは**非ウイルス性レトロトランスポゾン** (nonviral retrotransposon) とよばれることもある. この種の中頻度反復 DNA 配列として, **長鎖散在因子** (long interspersed element: **LINE**) と **短鎖散在因子** (short interspersed element: **SINE**) の 2 種類が哺乳類ゲノムにある. ヒトでは, 完全長の LINE の鎖長は約 6 kb, SINE の鎖長は約 300 bp である (表 7・1). LINE と同じ特徴をもつ反復配列は原生動物, 昆虫, さらに植物にも存在し, 理由は不明であるが, 哺乳類ゲノム中に特に多量に存在する. SINE もおもに哺乳類の DNA 中に見いだされる. 哺乳類ゲノムの LINE と SINE は, ゲノム内の少数の部位にあった配列が繰返しコピーされて新たな部位に挿入されることによって, 進化の過程で大量に蓄積してきた.

LINE には LTR が含まれていないため, RNA 中間体を介する転位機構は, LTR 型レトロトランスポゾンのものとは異なる. in vitro での研究から, RNA ポリメラーゼによる転写は, ゲノムに組込まれた LINE DNA の左端にあるプロモーター配列によって導かれることが示されている. LINE RNA には, 他の mRNA と

256　　　　　　　　　　　　　　　　　　　　　　　　　　　　　　　　　Ⅱ. 生体膜, 遺伝子, 遺伝子制御

同じ転写後機構によってポリアデニル酸が付加され，細胞質へと輸送されて ORF1 タンパク質と ORF2 タンパク質に翻訳される．複数個の ORF1 タンパク質が LINE RNA に結合し，ORF2 タンパク質がポリ(A)尾部に結合する．そうすると，LINE RNA は ORF1 および ORF2 タンパク質との複合体として核に運び戻され，核内で ORF2 タンパク質によって LINE DNA へと逆転写される．図 7・17 に詳しく示すように，細胞の DNA が挿入部位において互い違いにずらして切断され，つづいて切断された細胞の DNA をプライマーとして逆転写が起こるしくみになっている．この過程が完了すると，もとの LINE レトロトランスポゾンのコピーが染色体 DNA の新しい部位に挿入される．2 本の染色体 DNA 鎖が最初に互い違いの形で切断されるため，短い直列反復配列が挿入部位に生成する．

すでに述べたように，LTR 型レトロトランスポゾンの DNA は，細胞質において RNA から細胞の tRNA をプライマーに用いて逆転写された一本鎖 DNA から合成される（図 7・14）．LTR をもつ二本鎖 DNA が生成すると核に運ばれて，レトロトランスポゾンにコードされるインテグラーゼによって染色体 DNA に組込まれる．一方，非 LTR 型レトロトランスポゾンの DNA は核で合成される．非 LTR 型レトロウイルス DNA の最初の鎖が逆転写酵素である ORF2 タンパク質によって合成されるときには，切断された染色体 DNA の 3′ 末端がプライマーとなり，これが非 LTR 型レトロウイルス RNA のポリ(A)尾部と塩基対を形成することからはじまる（図 7・17, 段階■）．最初の鎖の合成が切断された染色体の末端がプライマーとなり，また，2 番目の鎖の合成が染色体 DNA の最初の切断で生じたもう一方の鎖の染色体 DNA の 3′ 末端がプライマーとなるため（段階■），この合成機構によって非 LTR 型レトロトランスポゾン DNA が挿入される．したがって，非 LTR 型レトロトランスポゾン DNA の挿入にはインテグラーゼは必要ない．この DNA 合成は，LINE RNA のポリ(A)尾部の逆転写からはじまるため，非 LTR 型レトロトランスポゾンの片端は AT に富む．

図 7・17　LINE の逆転写と組込みに関して提唱された機構．ここには ORF2 タンパク質のみ示し，ORF1 タンパク質は示さない．また，新たに合成された LINE DNA を黒で示す．ORF1 タンパク質と ORF2 タンパク質が細胞質で LINE RNA の翻訳によって合成されたのち，LINE RNA に結合し，これを核に輸送する．段階■：核において ORF2 タンパク質が，AT に富む配列をもつ標的部位 DNA の二本鎖に，互い違いにずれた切れ目（ニック）を入れる．生成した DNA の 3′-OH を青の矢じりで示す．段階■：T に富む DNA 鎖の 3′ 末端が LINE RNA のポリ(A)尾部とハイブリッドを形成し，ORF2 タンパク質による DNA 合成が開始される．段階■：ORF2 タンパク質は，LINE RNA を鋳型に用いて DNA 鎖を伸長する．段階■および■：LINE DNA の下の鎖の合成が LINE RNA 鋳型の 5′ 末端に達すると，ORF2 タンパク質は，最初に ORF2 タンパク質が切れ目を入れた宿主 DNA の上の鎖を鋳型として，新しくできた LINE DNA を伸長する．段階■：細胞の DNA ポリメラーゼが，新しくできた LINE DNA の下の鎖を鋳型として，最初に ORF2 タンパク質が入れた切れ目によって生じた上の鎖の 3′ 末端を伸長する．このとき，細胞の DNA 合成でラギング鎖のプライマー RNA が除去されるのと同様に（図 5・11 参照），LINE RNA は分解される．段階■：細胞の DNA 合成のラギング鎖と同様に，新しく合成された DNA 鎖の 3′ 末端が細胞の DNA 鎖の 5′ 末端と連結される．［D. D. Luan et al., 1993, Cell 72: 595 参照.］

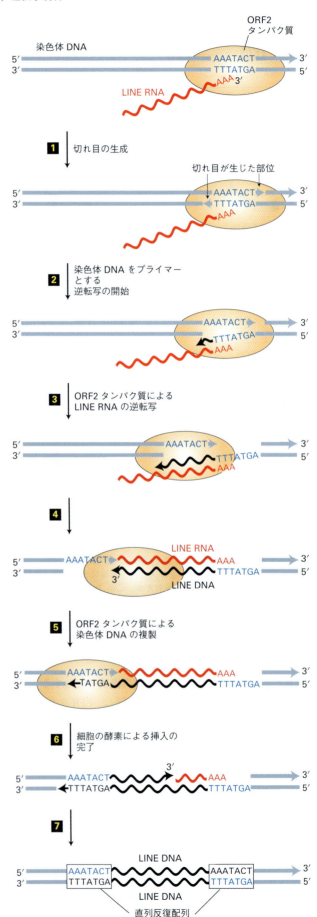

ヒトゲノムにあるLINEの圧倒的多数は5′末端が短くなっている．したがって，逆転写が完全に行われる前に停止し，結果としてポリ(A)尾部からまちまちな長さに伸びた断片が挿入されたことが示唆される．この短縮が起こるために，完全長の配列は約6 kbであるにもかかわらず，LINE因子の平均長は約900 bpにすぎない．このような短縮型のLINE因子が一度つくられると，RNA中間体を転写するプロモーターがないため，おそらく二度と転位しない．L1挿入配列のほとんどが短縮していることに加えて，完全長因子のほとんどすべてには，ORF1とORF2に終止コドンやフレームシフト変異がある．これらの突然変異は進化の過程で大部分のLINE配列中に蓄積したと考えられる．その結果，ヒトゲノムにあるLINE配列のわずか0.01％，数にして60個程度が，ORF1とORF2のオープンリーディングフレームを完全な形でもっている．

SINE ヒトゲノム中で最も量の多い可動性因子はSINEであり，全ヒトDNAの約13％を占める．このレトロトランスポゾンの長さには100〜400 bpの幅があり，タンパク質はコードしていないが，通常はLINEに似たATに富む配列が3′末端側にある．SINEはRNAポリメラーゼⅢによって転写される．RNAポリメラーゼⅢはtRNA，5S rRNA，および他の小さい安定なRNAをコードする遺伝子を転写する核内RNAポリメラーゼである．完全長のLINEから発現したORF1タンパク質とORF2タンパク質が，おそらく図7・17に示した機構によって，SINEの逆転写とゲノムへの組込みに関係している．したがって，SINEはLINE共生体の寄生者であり，LINEにコードされるORF1とORF2による結合，逆転写，組込みをめぐって，LINEと競合していると考えることができる．

SINEはヒトゲノム内のおよそ160万箇所に存在する．そのうち約110万箇所は**Alu因子**（Alu element）であり，この名称は因子が制限酵素AluIの認識部位を1個もつことに由来する．Alu因子は7SL RNA（シグナル認識粒子に含まれる細胞質RNA）と高い相同性があり，おそらくこれから進化したと考えられる．シグナル認識粒子とは細胞質に多量に存在するリボ核酸タンパク質複合体であり，特定のポリペプチドを小胞体膜に取込ませる役割がある（13章）．Alu因子はヒトゲノム全体に散在しているが，挿入されている部位は，遺伝子間，イントロン内，および3′非翻訳領域内など，遺伝子発現を妨害しない部位である．たとえば，80 kbにわたるヒトβグロビン遺伝子クラスター内には9個のAlu因子が存在する（図7・4a）．生殖細胞系列での非LTR型レトロトランスポゾンの新たな転位は，およそ8人に1人の頻度で起こると見積もられているが，そのうち，約40％はL1，60％がSINEであり，またSINEのうち約90％はAlu因子である．他の可動性因子と同様，ほとんどのSINEには，現生人類の祖先の1人の生殖系列に挿入されてからの突然変異が蓄積している．また，LINEと同様，多くのSINEでは5′末端が短縮している．

ゲノムDNA中には，ほかにもRNAが逆転写を介して転位した配列がみられる

表7・1にまとめた可動性因子のほかに，さまざまなmRNAのDNAコピーが染色体DNAに組込まれている．機能的な遺伝子のコピーとは異なり，こうした配列にはイントロンやフランキング配列（隣接配列）がない．したがって，重複した遺伝子がいつのまにか機能を失って偽遺伝子になったもの（図7・4a）でないことは明らかである．実際，このようなDNAは，スプライシングを受けてポリアデニル酸が付加したmRNAが逆転写されて転位（レトロ転位）したコピーらしい．これらの挿入配列は一般的に，mRNAをコードする正常な遺伝子と比べて，複数の突然変異を含むことが多い．これらの突然変異は，最初に逆転写されて祖先の生殖細胞ゲノムにランダムに組込まれたあと，蓄積してきたと考えられている．このような機能をもたないゲノム中のmRNAコピーは**プロセス型偽遺伝子**（processed pseudogene，プロセシングを受けたmRNAに由来する偽遺伝子）とよばれる．ほとんどのプロセス型偽遺伝子には両端に短い直列反復配列があり，これらが細胞のmRNAを用いた，まれなレトロ転位の現象によって生じたという仮説を支持している．

これ以外の散在性の反復配列として，核内低分子RNA（snRNA）やtRNAをコードする遺伝子の部分的，あるいは変異したコピーが哺乳類ゲノムから見つかっている．mRNAに由来するプロセス型偽遺伝子と同様，これら低分子RNA遺伝子の非機能性コピーの両端にも短い直列反復配列がみられ，まれに起こるレトロ転位によって進化の間に蓄積してきた可能性が非常に高い．mRNA，snRNA，およびtRNAのレトロ転位は，すべてLINEから発現した酵素によって行われてきたと考えられる．

可動性DNA因子は進化に大きな影響を与えてきた

ほとんどの可動性DNA因子は，自身の存在を維持する以外に何ら直接的な機能をもたないようにみえるが，現生生物の進化には多大な影響を与えてきた．ショウジョウバエの自然突然変異の約半数は，可動性DNA因子が転写単位内またはその近傍へ挿入されたことに起因する．哺乳類では，可動性因子が自然突然変異の要因になっている割合はずっと低く，マウスで約10％，ヒトではわずか0.1〜0.2％にすぎない．しかし，複数の例でヒトの遺伝病に関係する変異型対立遺伝子内に可動性因子が見いだされている．たとえば，血液凝固第Ⅸ因子遺伝子への挿入は血友病をひき起こし，筋タンパク質ジストロフィン遺伝子への挿入は，デュシェンヌ型筋ジストロフィーをひき起こす．第Ⅸ因子とジストロフィンの遺伝子はいずれもX染色体上にあり，転位挿入はおもに男性に病気をひき起こす．これは，男性は1コピーしかX染色体をもたず，変異を相補する第二の正常遺伝子がないからである．

多細胞真核生物に至る系統の進化の過程では，祖先のゲノム内に散在していた可動性DNA因子間の相同組換えによって，遺伝子重複やその他のDNA再編成がひき起こされた可能性がある（図7・2b）．たとえば，霊長類のさまざまな種のβグロビン遺伝子クラスターの塩基配列を決定した結果，胎児型βグロビンをコードするヒトの*HBG1*遺伝子と*HBG2*遺伝子は，祖先型グロビン遺伝子の両側にあった二つのL1配列間の相同的な不等乗換えで生じたという強い証拠が得られている．その後，重複した遺伝子に多様化が起こったことによって，各重複遺伝子がそれぞれ異なる機能を獲得した．特定の遺伝子のイントロン内に位置する可動性因子間で不等乗換えが起これば，遺伝子内でエクソンの重複につながる（図7・2a）．この過程が，フィブロネクチン遺伝子のように，類似したタンパク質ドメインをコードするエクソンが複数コピー含まれる遺伝子の進化に影響を与えた可能性は非常に高い（図5・28参照）．

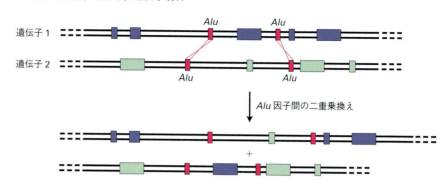

図 7・18 相同な散在性反復配列間の組換えによるエクソンシャッフリング．別個の遺伝子のイントロン内にある散在性反復配列間の組換えによって，新たなエクソンの組合わせをもつ転写単位ができる．ここに示した例では，2 組の Alu 因子の二重乗換え (2 回の交差) の結果，二つの遺伝子間でのエクソンの交換が起こっている．

多細胞真核生物の進化においては，二つの別々の遺伝子のイントロンにある可動性 DNA 因子 (たとえば Alu 因子) 間の組換えが起こり，既存のエクソンを新たに組合わせた新規遺伝子ができたことを示唆する証拠もある (図 7・18)．この進化過程は，エクソンシャッフリング (exon shuffling) とよばれており，EGF ドメインをもつ組織プラスミノーゲンアクチベーター，Neu 受容体，上皮増殖因子などをコードする遺伝子の進化の過程で起こった可能性がある (図 3・11 参照)．この場合，おそらくエクソンシャッフリングによって，EGF ドメインをコードするエクソンが各祖先型遺伝子のイントロンに挿入されたのであろう．

DNA トランスポゾンと LINE レトロトランスポゾンは，どちらも図 7・19 の模式図に示した機構によって新しい部位に転位するときに，周辺の無関係な配列 (エクソンを含む) も一緒に運ぶことがある．周辺 DNA 配列の転位も，おそらく現存遺伝子の進化過程におけるエクソンシャッフリングに寄与している．

コード配列の変化のほかにも，可動性因子間の組換えや隣接する DNA 領域の転位は，遺伝子発現を制御する調節配列の進化においても重要な役割を果たしたと考えられる．すでに述べたように，真核生物の遺伝子には，何万塩基対も離れたところから作用するエンハンサーとよばれる転写調節領域がある．多くの遺伝子の転写は，複数のエンハンサーを組合わせた作用によって調節されている．このような転写調節領域の近くに可動性因子が挿入されることで，エンハンサー配列の新たな組合わせの進化に寄与したのだろう．こうしたエンハンサーの新しい組合わせによって，現生生物において特定の細胞種に特異的な遺伝子が発現し，コードされるタンパク質の発現量が制御されるしくみがつくられた．これについては次章で解説する．

こう考えてくると，可動性 DNA 因子を完全に利己的な分子寄

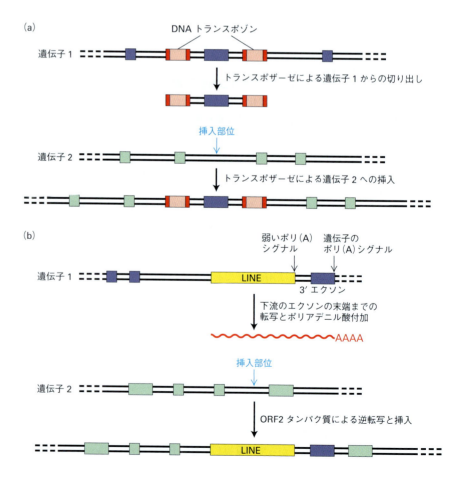

図 7・19 転位によるエクソンシャッフリング．(a) 相同な DNA トランスポゾンに挟まれたエクソンの第二の遺伝子のイントロンへの転位．図 7・10 の段階 1 でみたように，トランスポザーゼは，トランスポゾンの逆方向反復配列の両端で DNA を認識して切断することができる．遺伝子 1 で，もしトランスポザーゼが左側のトランスポゾンを左端で切断し，右側のトランスポゾンを右端で切断すると，遺伝子 1 のエクソンを含めて間にある DNA のすべてを，遺伝子 2 のイントロン内の新しい部位に転位させることができる．その結果，遺伝子 1 のエクソンが遺伝子 2 に挿入される．(b) LINE の転位によるエクソンの別の遺伝子への組込み．一部の LINE のポリ(A)シグナルは弱い．もし，このような LINE が遺伝子 1 の最も 3′ 末端側のイントロンにあれば，転位が起こるときには，LINE が自身のポリ(A)部位を越えて転写され，3′ エクソンまで続き，遺伝子 1 の切断/ポリアデニル酸付加シグナルまで転写される可能性がある．この RNA が LINE ORF2 タンパク質 (図 7・17) によって逆転写されて，遺伝子 2 のイントロンに組込まれると，新たな 3′ エクソンが遺伝子 1 から遺伝子 2 に導入される．

生体とみなす初期の見解は的外れであることが示唆される．むしろ，これらの因子は，1) 遺伝子重複による遺伝子ファミリーの形成，2) 既存エクソンのシャッフリングによる新しい遺伝子の創出，3) 遺伝子発現の多面的な制御を可能にする複合的な調節領域の形成を促進することによって，多細胞生物の進化に深く寄与してきた．また，今日，遺伝子治療の一つの方法として，転位機構を利用して治療用遺伝子を患者に導入する研究が試みられている．

病原性細菌での抗生物質耐性の急速な広がりという現代医療の大きな問題は，図7・19(a)に示したのと同じような過程が主たる要因である．抗生物質を不活性化する酵素をコードする微生物の遺伝子（薬剤耐性遺伝子）の両側には挿入配列が存在し，薬剤耐性トランスポゾンがつくられている．抗生物質の医療，農業における広範な使用によって，薬剤耐性トランスポゾンは淘汰されずに生き残った．薬剤耐性トランスポゾンはしばしば接合性プラスミドに取込まれていることが見いだされている．接合性プラスミドには，自身を複製させ，複雑巨大分子からできている線毛（pilus, pl. pili）とよばれる管を通って，他の細菌細胞（近縁で異なる種の細菌細胞の場合もある）に送り込むタンパク質がコードされている．このような **R 因子**（R factor，薬剤に耐性 resistance という意味）とよばれるプラスミドは，転位の現象により取込まれ，病院のように除菌に抗生物質を含む洗浄液を用いる環境での淘汰を経た多数の薬剤耐性遺伝子を保持している．R 因子によって多剤耐性が病原性細菌に急速に伝播した．R 因子の拡大をどうやって防ぐかは，現代医学の重要な課題である．

コードされている．ゲノム中の移動は以下の通りである．まずLTR型レトロトランスポゾンがRNAに転写され，次にそのRNAが細胞質で逆転写される．LTRを含むDNAが生成して核に輸送され，最後に宿主細胞の染色体へ組込まれる（図7・14）．

- 長鎖散在因子（LINE）や短鎖散在因子（SINE）などの非LTR型レトロトランスポゾンにはLTRがなく，一方の端にはATに富む領域がある．これらは，LINEにコードされるタンパク質によって移動するが，染色体DNAをプライマーとして逆転写が起こるなど，レトロウイルスとは異なる転位機構によると考えられている（図7・17）．
- SINEの配列はヒトゲノム全体に約160万個が散在し，RNAポリメラーゼIIIによって転写される．ヒトのSINEとして最も多い *Alu* 因子は，約300 bpの配列からなり，7SL RNA（細胞質低分子RNA）と高い相同性を示す（図7・4a）．
- 散在性反復配列の一部は，進化の歴史のある時期に，細胞RNAが逆転写されゲノムに挿入されたものに由来する．このようなプロセス型偽遺伝子はmRNAに由来しているのでイントロンを欠いている．この点で，重複遺伝子の配列が変化してできた偽遺伝子と異なる．
- 可動性DNA因子は，不等乗換えの相同組換え部位として働いて，遺伝子やエクソンの重複（図7・2），エクソンシャッフリング（図7・18）をひき起こしたり，隣接するDNAの移動をひき起こしたりする（図7・19）ことによって，進化に大きな影響を与えた可能性が高い．

7・3 転位性（可動性）DNA因子　まとめ

- 可動性DNA因子は，多細胞真核生物のゲノム全体にわたって多数の部位に散在する中頻度反復配列である．これらは，単細胞真核生物や原核生物のゲノムにも存在するが，あまり多くない．
- DNAトランスポゾンはDNAとして直接新しい部位に移動する．一方，レトロトランスポゾンは，まずRNAコピーに転写され，次にDNAに逆転写される（図7・8）．
- すべての可動性因子に共通の特徴は，その因子の配列の両側に短い直列反復配列が存在することである．これは，転位の際に標的部位のDNA二本鎖が，おのおの少しずれて切断され，DNAポリメラーゼによってこのずれによる隙間が埋められることによってできる（図7・10）．
- トランスポゾン自体にコードされる酵素トランスポザーゼが，ゲノムDNAの新たな部位へトランスポゾン配列の挿入を触媒する．
- 細菌のIS因子に構造が似たDNAトランスポゾンは真核生物にも存在する（たとえばショウジョウバエのP因子）が，特に脊椎動物ではレトロトランスポゾンのほうがずっと多く存在している．
- LTR型レトロトランスポゾンの両側には，レトロウイルスのプロウイルスDNAのものに似たLTR（長鎖末端反復配列）が存在する．また，LTR型レトロトランスポゾンには，レトロウイルスと同様に，逆転写酵素とインテグラーゼが

7・4 真核生物のクロマチンと染色体の構造

ここまでに真核細胞のゲノムに存在するさまざまな種類のDNA配列と，それらが個々の染色体に含まれる1本の極端に長いDNA分子の中にどのような形で存在しているかをみてきた．次にこの長いDNA分子が真核細胞の中に，どのような形で組込まれているかという問題を考えてみよう．細胞のDNAの全長（ヒトでは約2 m）は核の直径（ほとんどのヒト細胞では約20 μm）のおよそ10万倍にも達するので，DNAをどのように収納するかは細胞構造の設計において決定的に重要な問題である．また，細胞分裂時にはDNAを正確に娘細胞に分配しなければならないので，長いDNA分子に結び目ができたり互いに絡まったりしないようにすることも必須である．

染色体DNAを核内に収納するためにはヒストンをはじめとする多数のタンパク質が必要である．本節ではヒストンとDNAがどのような構造をとって染色体を形成するかを考える．また，これらの構造が，遺伝子発現のシグナルや細胞周期を通して起こる変化に応答する動的な性質についてもみていく．

クロマチンはヌクレオソームでできている

染色体DNAの驚くほどの圧縮を可能にしている重要な分子構造が**ヌクレオソーム**（nucleosome）である（図7・20）．ヌクレオソームでは145〜147 bpのDNAが，**ヒストン八量体**（histone octamer）とよばれる，ほぼ球状で対称性のあるタンパク質複合体

図 7・20 X線結晶構造解析によるヌクレオソーム構造. ヌクレオソーム構造の上面図(左)と側面図(右, 時計まわりに 90°回転したもの). DNA は灰色のリボンで, ヒストンは空間充填モデルで表示した. H2A サブユニットは黄, H2B は赤, H3 は青, H4 は緑で示す. 一つの H2A-H2B ヘテロ二量体は紙面の前方方向へと突き出しているが(側面図の右下), 他の H2A-H2B ヘテロ二量体は紙面の裏側へと突き出している(側面図の左下). 上面図では一つの H2A-H2B ヘテロ二量体しかみえていない. もう一つの H2A-H2B ヘテロ二量体は右上の H3-H4 からなる四量体の向こう側にあるのでみえない(図 7・26a のヒストンポリペプチド鎖のリボン表示も参照のこと. 一つの H2A-H2B ヘテロ二量体だけがヌクレオソームの上面図の左下部分にはっきりみえている). [K. Luger et al., 1997, *Nature* **389**: 251, PDB ID 1aoi.]

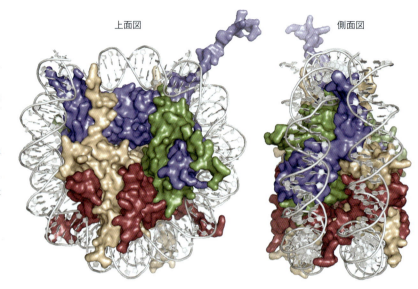

の周囲に約 5/3 周分固く巻きついている. ヒストン八量体は, 4 種類の小さな塩基性タンパク質 (約 15 kDa) の各二つずつから構成されている. 真核細胞の主要な**ヒストン**(histone) タンパク質は 5 種類ある. ヒストン八量体を形成する 4 種類のヒストン (図 7・20) H2A, H2B, H3, H4 と, **リンカーヒストン**(linker histone) に分類される H1 である. 1 分子の H1 は, ヌクレオソームのヒストン八量体コアに巻きついた DNA が出てくる部分と入っていく部分のリンカー DNA に結合する (図 7・20, 図 7・21). ヒストンは正に荷電した塩基性アミノ酸に富み, 負に荷電した DNA のリン酸基と相互作用する. DNA とヒストンおよび他の量の少ないタンパク質の複合体は**クロマチン**(chromatin) とよばれる.

単離したクロマチンを, 重金属を用いた染色法により通常の電子顕微鏡で観察すると, "糸につながれたビーズ" のような構造が見える (図 7・22). これはヌクレオソームの間に**リンカー DNA**(linker DNA) とよばれる約 50〜150 bp のさまざまな長さの DNA が入り込んで見える構造である. 最近まで, 固定した細胞核の電顕像ではクロマチン繊維をたどることはできなかった. これは標準的な電顕手法で染色すると, クロマチン繊維と他の核内巨大分子の電子密度が同程度なので区別できなかったことが理由である. しかし, 最近開発された**染色体電子顕微鏡トモグラフィー**

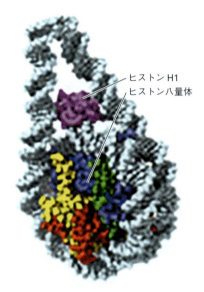

図 7・21 ヌクレオソームとリンカー DNA の両方に相互作用するヒストン H1 の構造. ヒストン H2A, H2B, H3, H4 を図 7・20 と同じように着色している. [K. Zhou et al., 2019, *Nat. Struct. Mol. Biol.* **26**: 3, Copyright Clearance Center, Inc. を通じて Nature Publishing Group より許諾を得て転載.]

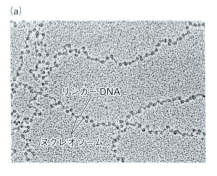
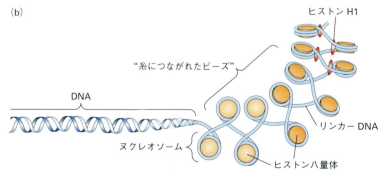

図 7・22 抽出したクロマチンにおけるヌクレオソームの "糸につながれたビーズ" 構造. (a) 低イオン強度緩衝液で単離した核から抽出したクロマチンの電子顕微鏡写真. "ビーズ" に見えるのがヌクレオソーム(直径 10 nm)で, "糸" に見えるのが, これをつないでいるリンカー DNA である. (b) 糸につながれたビーズの形状の模式図. [(a) は Steven McKnight と Oscar Miller Jr. 提供.]

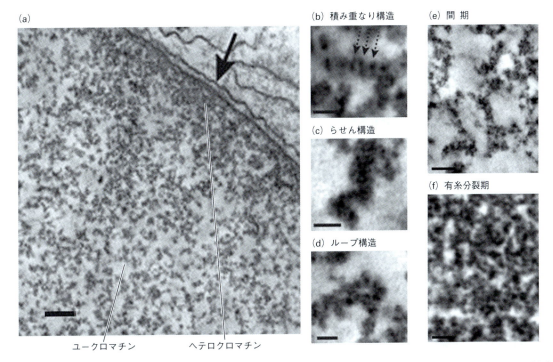

図 7・23 ヌクレオソーム相互作用と凝縮の不均一性．(a) ヒト小気道上皮細胞をグルタルアルデヒドで固定して ChromEMT (本文参照) で染色し，電子顕微鏡断層写真を構築した．スケールバーは 100 nm．矢印は核外膜を示す．ユークロマチンとヘテロクロマチンの領域を示している．(b)～(d) DNA とヌクレオソームは構造が一定しない（配列，空間配置，密度が異なる）クロマチン鎖を形成する．ここでは空間配置の状態のうち，積み重なり構造，らせん構造，ループ構造の三つを示す．スケールバーは 20 nm．(e), (f) 間期細胞と有糸分裂期の核内領域．スケールバーは 40 nm．[H. D. Ou et al., 2017, Science 357(6349): eaag0025, Copyright Clearance Center, Inc. を通じて AAAS より許可を得て転載．]

(chromosome electron microscope tomography: **ChromEMT**) という手法では，これが可能になった．ChromEMT では固定した細胞の薄切片中の DNA を，電子不透過性の四酸化オスミウムで特異的に標識する．解像度は電子顕微鏡の薄切片中でヌクレオソームの鎖をたどるのに十分なものである（図 7・23）．こうして，核内のほとんどすべての DNA がリンカー DNA で連結されたヌクレオソームに結合していることが見いだされた．標準的な電子顕微鏡像で**ユークロマチン**（euchromatin）として見える領域には発現中の遺伝子のほとんどが局在しているが，より凝縮した**ヘテロクロマチン**（heterochromatin）とよばれる領域では遺伝子はほとんど転写されていない．ユークロマチンではヘテロクロマチンよりも，ヌクレオソーム間のリンカー DNA が伸びた状態にある（図 7・23a）．ヘテロクロマチンではリンカー DNA が湾曲していて，ユークロマチンの場合よりもヌクレオソームどうしがずっと近接している．図 7・23(a) ではヌクレオソーム間の核内領域は染色されていない．これは何もないということではなく，ChromEMT で染色されない RNA や何千もの核タンパク質が含まれている．あとで取上げるが，これらの核タンパク質のなかには，核内の異なる領域でクロマチン繊維の密度とヌクレオソーム間の距離を調節していると考えられるものがある．

クロマチンは，細胞が分裂していない状態の間期には，核の大部分に広がって分散して存在する．有糸分裂期（図 6・3 参照）には，クロマチンがさらに折りたたまれて圧縮され，**中期染色体**（metaphase chromosome）として目に見えるようになる．中期染色体の形態や染色性については早期から細胞遺伝学者によって詳しく調べられていた．有糸分裂期の細胞を ChromEMT で観察したところ，クロマチン繊維はぎちぎちに詰まった状態で，つながりをたどることは困難になっていることがわかった（図 7・23f）．真核細胞のどの染色体にも何百万のタンパク質分子が含まれるが，各染色体には非常に長い直鎖状 DNA が"1 分子だけ"含まれる．たとえば，ヒト染色体中で最も長い DNA 分子は 2.8×10^8 bp，長さは約 10 cm にもなる．クロマチン構造の形成により，この長大な DNA を顕微鏡レベルの細胞核に収納することが可能になっている（図 7・1）．この圧縮度にもかかわらず，クロマチンは，その中にある特定の DNA 配列を，転写，複製，修復，組換えなどの細胞過程に際して利用できるような構造になっている．

クロマチン構造は真核生物で保存されている

クロマチンの全体構造は，真菌類，植物，動物を含むすべての真核生物の細胞で非常によく似ており，クロマチンの構造が，真核細胞の進化初期に最適化されたことが示唆される．ヌクレオソームのコアを形成する四つのコアヒストン（H2A，H2B，H3，および H4）のアミノ酸配列は，進化的に遠い生物種間でも高度に保存されている．たとえば，ウニとヒトのヒストン H3 の配列は，わずか 3 個のアミノ酸を除いて同一であり，エンドウとヒトでは 2 個のアミノ酸だけが異なる．ヒストンのアミノ酸配列の大きな変化は，進化の過程で負の選択を受けたのであろう．すべての真核生物でヒストンの配列が類似していることは，ヒストンが非常によく似た三次元構造へと折りたたまれていることを示している．しかし，H1 のアミノ酸配列は，他の主要なヒストンの配列に比べると生物種による違いが大きい．

脊椎動物などには，高度に保存された主要なヒストンとは異な

る遺伝子にコードされた，存在量が少ないヒストンバリアントが存在する．たとえば，H2A の特殊型である **H2AX** は，クロマチンの全領域にわたってヌクレオソームのごく一部で H2A に代わって取込まれている．染色体 DNA に二本鎖切断が起こると，H2AX がリン酸化され，おそらく修復タンパク質の結合部位となることによって染色体修復過程に関与する．セントロメア内にあるヌクレオソームでは，H3 が **CENP-A** とよばれるヒストンバリアントに置き換えられている．CENP-A は分裂期に紡錘体微小管と結合するタンパク質をつなぎとめる働きがある．H3.3 として知られるヒストンバリアントは，転写されている DNA 領域でヒストン H3 に置き換わっている．この置換は，RNA ポリメラーゼが DNA を転写するときに，途中にあるヒストン八量体をヒストンシャペロンが取除くときに起こるのだろう．存在量が少ないこれらのヒストンバリアントは主要なヒストンとは少しだけ配列が異なる．このようなヒストン配列のわずかな違いが，ヌクレオソームと他の核タンパク質との相互作用，ヌクレオソームの安定性，ヒストンバリアントを含むクロマチン繊維の凝縮しやすさに影響している可能性がある．

クロマチンはヌクレオソームが無秩序につながったもので，核内では異なる密度で収納されている

先に述べたように，ChromEMT の技術により，固定した細胞の切片においてリンカー DNA でつながったヌクレオソームの鎖をたどることができるようになった（図 7・23）．間期ヒト細胞の ChromEMT 画像から得られたクロマチン繊維中のヌクレオソームの構造モデルを図 7・24(a) に示す．これらのヌクレオソーム鎖は，直径が 5〜24 nm の範囲にみられる．狭いほうの直径はおもにリンカー DNA からなる部分の繊維を，広いほうの直径は複数のヌクレオソームからなる部分を測定したものと考えられる．ヌクレオソームはしばしば互いに接触している．互いに積み重なって見えることもあれば（図 7・23b），らせん構造をとったり（図 7・23c），ループを巻くように折り重なっていることもある（図 7・23d）．ヌクレオソームは複数の表面で，異なる配置をとって相互作用しているようである．核の内膜に隣接したヘテロクロマチンで濃い目に染色される領域（図 7・23a，矢印）では，ユークロマチンと比べて，5〜24 nm のクロマチン繊維が高い頻度で折り重なって互いに近接している．ChromEMT 画像に基づいたヘテロクロマチンとユークロマチンのモデルを図 7・24(b)，(c) に示す．

凝縮した中期の染色体はヘテロクロマチンに似た構造をとっているように見える．またクロマチン繊維はユークロマチンと比べてループで折返している頻度が高く，ヌクレオソーム間の相互作用が多い．結果として緊密にたたまれた高密度のクロマチン鎖となっている（図 7・23e, f および図 7・24b, c）．ここでは足場タンパク質が，柔軟なクロマチン鎖を分裂期染色体の構築になるように，動きを制限して圧縮していると考えられている．このようなクロマチン足場タンパク質ファミリーの一つが **SMC タンパク質**（染色体構造維持タンパク質 structural maintenance of chromosome protein）とよばれているものである（図 7・25）．重要なことであるが，ChromEMT 技術を用いたところ，かつてヘテロクロマチンや有糸分裂におけるクロマチンの凝縮を説明するとされていた約 30 nm の規則的ならせん構造の高次の折りたたみは観察されなかった．

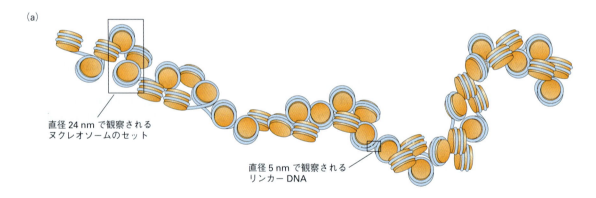

直径 24 nm で観察されるヌクレオソームのセット

直径 5 nm で観察されるリンカー DNA

(b) ユークロマチン

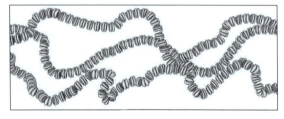

(c) ヘテロクロマチン

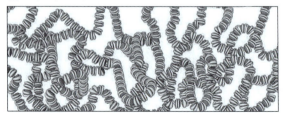

図 7・24 クロマチンは，ユークロマチン領域とヘテロクロマチン領域に異なる密度でたたみ込まれている直径 5〜24 nm の構造が一定しない鎖からなる．(a) 小気道上皮細胞の ChromEMT に基づくクロマチン繊維のモデル．ヒストン八量体は橙のディスクで，DNA は水色のチューブで示した．直径 24 nm としてみえる領域を大きな長方形で，また，直径 5 nm の領域は小さい長方形で囲んだ．(b), (c) ユークロマチンとヘテロクロマチンのクロマチン繊維の密度を表示した．[(a) は H. D. Ou et al., 2017, *Science* **357**(6349): eaag0025, Copyright Clearance Center, Inc. を通じて AAAS より許可を得て転載．(b), (c) は D. R. Larson and T. Mistel, 2017, *Science* **357**(6349): 354, Copyright Clearance Center, Inc. を通じて AAAS より許可を得て転載．]

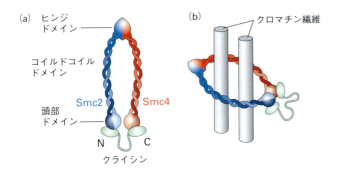

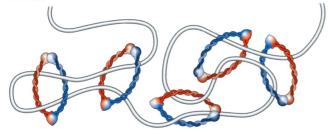

図 7・25 クロマチンに結合した SMC 複合体のモデル．(a) SMC タンパク質複合体のモデル．(b) 2 本のクロマチン繊維を空間的に結びつける環状の SMC 複合体のモデル．(c) SMC 複合体による染色体凝縮のモデル．[K. Nasmyth and C. H. Haering, 2005, *Annu. Rev. Biochem.* **74**: 595 参照．]

SMC タンパク質複合体の環状構造 SMC タンパク質は有糸分裂中の凝縮した染色体構造の維持に非常に重要である．アフリカツメガエル *Xenopus laevis* 卵の大きな核の抽出物を用いると，細胞が有糸分裂前期に入るときと同じように染色体を凝縮させることができる．SMC タンパク質の一種である**コンデンシン**(condensin) を特異的な抗体によって抽出液から取除いておくと，この凝縮は起こらない．関連した SMC タンパク質**コヒーシン**(cohesin) に変異がある酵母では，S 期で DNA が複製したのち，姉妹染色分体が正しく対合できなくなる．その結果，有糸分裂において染色体が娘細胞に正しく分配されない (19 章)．細菌やアーキアにおいても，構造的に類縁関係にある SMC タンパク質が染色体の正しい分配に必要である．このことは，SMC タンパク質は起源が古いタンパク質であり，すべての界に属する生物において，染色体の構造と分配に不可欠であることがわかる．

SMC タンパク質の一般的な構造として，SMC 単量体それぞれには，ポリペプチド鎖を分子内で折返すヒンジドメインがあり，これによって非常に長いコイルドコイル領域を折返して，N 末端側と C 末端側を相互作用させて球状の頭部ドメインをつくっている (図 7・25a)．一つの単量体 (図 7・25 の青) のヒンジドメインは，もう一つの単量体 (赤) のヒンジドメインと結合し，おおよそ U 字形の二量体複合体を形成する．単量体の頭部ドメインには ATPase 活性があり，頭部ドメインどうしは**クライシン**(kleisin) とよばれる低分子量タンパク質ファミリーのタンパク質によって連結されている．SMC 複合体全体は，2 本のクロマチン繊維を通すことができる十分な直径をもつ環を形成し (図 7・25b)，in vitro で二つの環状 DNA を結び合わせることができる．SMC タンパク質の環は，図 7・25(c) のようにクロマチン繊維をループ状にすることが提唱されている．このモデルによって，DNA を切断したときは切断部位の数が少ない場合にも凝縮した中期染色体はただちに分散するが，タンパク質をプロテアーゼで切断しても大半が分解させるまでクロマチン構造は大きな影響を受けないことが説明できる．すなわち，もし複数のクロマチンループを含む長いクロマチン領域内で DNA を切断すると，切断で生じた末端は SMC タンパク質の環を滑り抜け，クロマチンループを束ねていた結び目を解消してしまう．一方，プロテアーゼで分解したときは，個々の SMC タンパク質の環の大半が壊れないと，ループを形成している結び目を完全に解消できない．

ヒストン尾部の修飾がクロマチンの凝縮と機能を制御する

ヌクレオソームコアを構成する各ヒストンタンパク質には，N 末端に 19～39 残基からなる柔軟な天然変性領域があり，この領域はヌクレオソームの球状構造から外側に伸びている (図 7・26a)．また，H2A と H2B では C 末端側にもヒストン八量体コアから外側に伸びた柔軟な領域がある．**ヒストン尾部** (histone tail) とよばれるこれらの末端領域を，ヌクレオソームの他の部分と比べた長さがわかるように，図 7・26(a) のモデルに破線で示した．

ヒストン尾部のアミノ酸残基の側鎖は，アセチル化，メチル化，リン酸化，ユビキチン化など複数の可逆的な共有結合性翻訳後修飾を受ける．ヒトのヒストンにみられる最も一般的な翻訳後修飾の種類を図 7・26(b) にまとめた．一つのヒストンタンパク質がこれらの修飾をすべて同時に受けることはないが，一つのヌクレオソームにある複数のヒストンはこれらの修飾のうちのいくつかを同時に受ける可能性がある．クロマチンのさまざまな領域にみられるヒストン尾部の翻訳後修飾の特定の組合わせが**ヒストンコード** (histone code) を形成している．ヒストンコードは，修飾の特定の組合わせに応じて，クロマチン結合タンパク質の結合部位を形成したり除去したりすることによってクロマチン機能に影響を与える．ここでは，ヒストン尾部で最もよくみられる種類の修飾と，それらの修飾によってどのようにクロマチンの凝縮と機能が調節されるかについて述べる．最後に特殊なクロマチン凝縮の例として，哺乳類の雌における X 染色体不活性化について説明する．

ヒストンのアセチル化 N 末端にあるヒストン尾部のリシンは，可逆的なアセチル化と脱アセチル化を受ける．アセチル化型ではリシンの ε-アミノ基の正電荷は中和されている．ヒストンのアセチル化の程度は，クロマチン DNA をヌクレアーゼで消化するときの感受性と相関しており，ヒストンのアセチル化が，より開いた状態のクロマチンと関係していることを示している．この相関関係は，単離した核を DNase I で消化する実験によって証明することができる．消化後に DNA からクロマチンタンパク質を完全に除去し，制限酵素で完全消化してからサザンブロット法によって分析する．無処理の遺伝子 DNA を制限酵素で処理した場合には，特徴的な鎖長の DNA 断片が生じる．しかし，DNA を最初に DNase I で処理すると，サザンブロット法の結果には 2 通りの可能性がある．一つ目の可能性では，遺伝子 DNA は，制限酵素が切断して生成する断片がランダムな部位で DNase I により切断されてしまう．その結果，通常は検出されるはずのサザンブロットのバンドが失われる．二つ目の可能性では，遺伝子はクロマチ

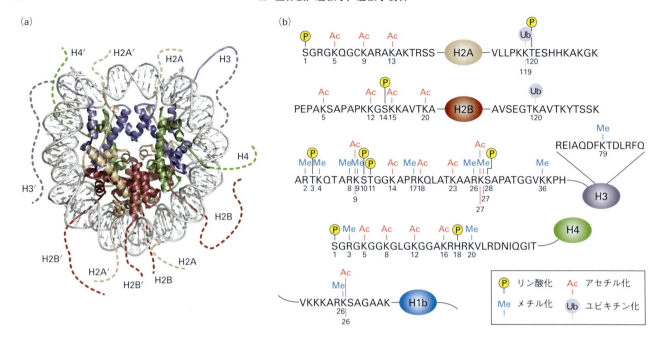

図 7・26 ヒトのヒストンにみられる翻訳後修飾. (a) ヌクレオソームを上から見たモデル. ヒストンはリボンモデルで示した. 結晶構造ではみえていないヒストン尾部(点線)は, 長さだけを描いた(図7・20). H2A の N 末端尾部は下側, C 末端尾部は上側にある. H2B の N 末端尾部は左右にから下向きに, C 末端尾部は中央下側に描いてある. ヒストン H3 の N 末端尾部は, ヒストン八量体のコアに巻きついている DNA が入ってくる場所と出ていく場所の間に伸びている. ヒストン H4 の N 末端尾部は, ディスク状のヌクレオソームから上方と下方に伸びている. ヒストン H3 と H4 は修飾を受けない短い C 末端尾部をもつ. (b) ヒトのヒストンにみられる翻訳後修飾の概要. ヒストン尾部のアミノ酸配列を, N 末端を1として, 一文字表記で示してある(図2・14参照). 各ヒストン八量体のコアにあたるヒストン主要部分は楕円で示してある. これらの修飾のすべてが同時に単一のヒストン分子に起こることはない. むしろ, 少数の修飾が特定の組合わせで, ヒストンのどれか一つに観察されている. [K. Luger and T. J. Richmond, 1998, *Curr. Opin. Genet. Devel.* **8**: 140 参照. (a)は K. Luger et al., 1997, *Nature* **389**: 251, PDB ID 1aoi. (b)は R. Margueron et al., 2005, *Curr. Opin. Genet. Devel.* **15**: 163 による.]

ン構造の中に隠れていて, DNase I が近づいて切断することができない. この場合, サザンブロットにより, その遺伝子の特徴的なバンドのパターンがみられるはずである. この分析方法は, ニワトリのβグロビン遺伝子領域のクロマチン構造を, 遺伝子が転写されていない細胞と活発に転写されている細胞で比較するために最初に用いられた(図7・27). βグロビン遺伝子は非赤血球系の細胞(MSB細胞)では転写不活性であるが, 赤血球の前駆細胞(赤芽球)では活発に転写されている. 非赤血球系細胞ではβグロビン遺伝子周辺のヒストンはアセチル化の度合が比較的低く, βグロビン遺伝子を含むクロマチンは DNase I 抵抗性である. 一方, 赤血球前駆細胞ではβグロビン遺伝子周辺のヒストンはアセチル化されていてβグロビン遺伝子を含むクロマチンは DNase I 感受性である(図7・27). この結果から, **低アセチル化状態**(hypoacetylated)の転写されていない DNA のクロマチン構造は, 転写されている**高アセチル化状態**(hyperacetylated)のクロマチン構造よりも, DNase I が DNA に接近しにくい状態にあることを示している. 提唱されているモデルによると, 非赤血球系細胞ではβグロビン遺伝子を含むクロマチンはヌクレオソームが密集した凝縮構造に折りたたまれ, そこに含まれる DNA にヌクレアーゼが近づくことが立体的に阻害されている. これは図7・23(a)に示した核膜近傍のヘテロクロマチン領域のようなものである. 一方, 転写されている遺伝子は, 図7・23(a)のユークロマチン領域のように, クロマチン構造がもっと緩んだ状態にあり, ヌクレアーゼはそこに含まれる DNA により近づきやすい. もう少し一般化すると, 非赤血球系細胞におけるβグロビン遺伝子周辺のように

凝縮したクロマチン構造では, 転写に関係するタンパク質が DNA 中のβグロビン遺伝子プロモーターや他の転写調節配列に立体障害により接近できないと推測される. したがって, ヒストンのアセチル化と脱アセチル化は転写を調節する一つの方法と考えられる(8章).

酵母の遺伝学的解析から, ヒストンに含まれる特定のリシン残基をアセチル化する酵素**ヒストンアセチルトランスフェラーゼ**(histone acetyltransferase: **HAT**)は, 多くの遺伝子の転写を活性化するために必要なことが示された. この酵素には, ヒストン以外にも遺伝子発現に影響を与える他の基質があることが知られている. そのため, **核リシンアセチルトランスフェラーゼ**(nuclear lysine acetyltransferase: **KAT**)という, より一般的な名称によっても知られている. この KAT という略称の "K" は, リシンの一文字表記である(図2・14参照). これとは逆に, 酵母における初期の遺伝学的解析から, 多くの酵母遺伝子を完全に抑制するには, ヒストン尾部にあるアセチル化リシンのアセチル基を除去する**ヒストンデアセチラーゼ**(histone deacetylase: **HDAC**)の作用が必要なことがわかっている. これについては8章で詳しく述べる.

その他のヒストン尾部の翻訳後修飾 クロマチン内にあるヒストン尾部はリシンのアセチル化以外にも, 特定のアミノ酸において, さまざまな共有結合性修飾を受ける(図7・26b). リシンのε-アミノ基はメチル化されることがあり, これによってアセチル化が妨げられ, その結果, 正電荷が維持される. さらにリシンのε-アミノ基は, メチル化を1回だけではなく, 2回あるいは3

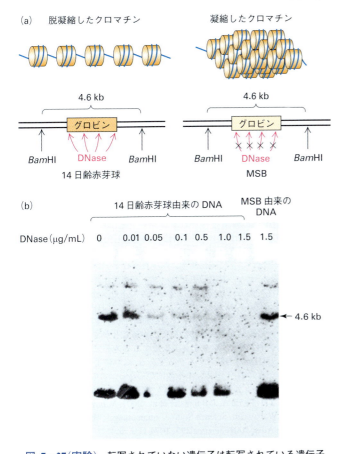

図7・27（実験） 転写されていない遺伝子は転写されている遺伝子よりもDNase Iによる分解を受けにくい．14日齢のニワトリ胚の赤芽球は活発にグロビンを合成しているが，未分化のニワトリのリンパ芽球性白血病細胞（MSB）は合成していない．(a) この2種類の細胞から核を単離し，さまざまな濃度のDNase Iで処理した．次に核DNAを抽出し，制限酵素 BamHI で処理した．この酵素はグロビン配列の両側でDNAを切断するため，通常は4.6 kbのグロビン遺伝子を含むDNA断片を生成する．(b) DNase I および BamHI で処理したDNAをサザンブロット解析した．プローブとして成体のグロビンDNAをクローン化して標識したものを用いた．このプローブは4.6 kbの BamHI 断片とハイブリッドをつくる．もし，グロビン遺伝子が最初のDNase処理に感受性で切断されてしまうと，この4.6 kbの断片は生じない．サザンブロットの結果からわかるように，14日齢のグロビン合成細胞から得られた転写活性化したDNAはDNase I処理に感受性で，DNase I濃度を高くすると4.6 kbのバンドが消失する．一方，MSB細胞から得られた転写不活性のDNAはDNase I処理に抵抗性であった．この結果から，転写が不活性なDNAは，より凝縮した形態のクロマチンの中にあって，グロビン遺伝子がDNaseによる切断から保護されていることが示唆される．
[(b) は J. Stalder et al., 1980, *Cell* **19**(4): 973, Copyright Clearance Center, Inc. を通じて Elsevier より許可を得て転載．]

回受けることがある．アルギニンの側鎖もメチル化される．セリンとトレオニンの側鎖にあるヒドロキシ基（OH）の酸素原子が可逆的にリン酸化されると，二つの負電荷が導入される．これらの翻訳後修飾は，それぞれクロマチン凝縮を調節するクロマチン結合タンパク質の結合，あるいはDNA/RNAポリメラーゼがDNAを複製/転写する能力に寄与する．ヒストン尾部の一般的な翻訳後修飾の例として，最後にモノユビキチン化をあげておく．この過程では，76アミノ酸からなるユビキチン分子一つがH2AとH2BのC末端尾部のリシンに可逆的に結合することがある．こ

のユビキチン分子は，タンパク質に多数連結して付加されると，プロテアソームによる分解を受ける目印になることを思い出そう（図3・32参照）．しかし，1個のユビキチン分子の付加の場合，クロマチンの凝縮には影響するものの，ヒストンの安定性に大きく影響しない．

ヘテロクロマチンは有糸分裂後にも完全には脱凝縮せずに，間期においても凝縮した状態のままで，通常は，核膜や核小体，その他の核内の特殊な部位に会合している（図7・28a）．ヘテロクロマチンには，転写が不活性な遺伝子のほか，染色体のセントロメアやテロメアが含まれる．ヘテロクロマチンには，通常，リシン9がメチル化されたヒストンH3が含まれる．ユークロマチンには一般的に，リシン9, 18, 27が高頻度でアセチル化されたヒストンH3が含まれ，特にプロモーターやエンハンサーではH3のセリン10のリン酸化もみられる（図7・26b，図7・28b）．ほとんどの多細胞動物遺伝子の転写開始点ではH3のリシン4のメチル化がみられる．

ヒストンコードの読み取り　ヒストン尾部における修飾アミノ酸のヒストンコードは，修飾されたヒストン尾部に結合するタンパク質によって読み取られ，クロマチンの凝縮あるいは脱凝縮を促進する．たとえば，真核生物には，特定のリシンがメチル化されたヒストン尾部に結合する**クロモドメイン**（chromodomain）とよばれるドメインを含む多くのタンパク質が発現している．**ヘテロクロマチンタンパク質1**（heterochromatin protein 1: **HP1**）はその一例である．HP1のクロモドメインは，リシン9がジメチル化/トリメチル化されているときのみ（図7・28b），H3のN末端尾部に結合する．HP1に含まれる第二のドメインは**クロモシャドードメイン**（chromoshadow domain）とよばれる．なぜならクロモシャドードメインは，クロモドメインを含むタンパク質によくみられるからである．クロモシャドードメインは別のHP1タンパク質のクロモシャドードメインに結合する．その結果，クロマチンのH3がリシン9でジメチル化/トリメチル化されていると（H3K9Me$_{2/3}$），HP1の働きによって凝縮した構造をとるようになる（図7・28c，下）．ただし，このときのクロマチンの構造はまだよくわかっていない．

HP1のクロモシャドードメインは互いに結合するほか，H3のリシン9をメチル化する酵素H3K9 **ヒストンメチルトランスフェラーゼ**（histone methyltransferase: **HMT**）にも結合する（図7・28d）．その結果，HP1が含まれるヘテロクロマチン領域に隣接するヌクレオソームでもリシン9がメチル化される．このメチル化によって，HP1が結合する部位がさらに生じ，新たに加わったHP1がH3K9 HMTを結合する．こうして染色体に沿ってヘテロクロマチン構造が拡大し，これは，さらなる拡大を妨げる**境界エレメント**（boundary element）に達するまで続く．境界エレメントは，複数の非ヒストンタンパク質がDNAに結合しているクロマチンの領域であり，境界を越えたヒストンメチル化を阻害しているようだ．

エピジェネティックな記憶　図7・28(d)のヘテロクロマチン形成のモデルをみると，細胞周期のS期にDNAが複製されたのち，どのように染色体のヘテロクロマチン領域が再形成されるかがわかる．ヘテロクロマチン中のDNAが複製されると，

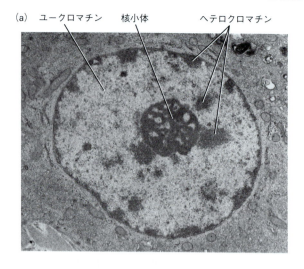

(b)

ヘテロクロマチン（不活性/凝縮した構造）

H3 ARTKQTARK STGGKAPRKQLATKAARKSAPAT (Me_{2/3} at 9)

H3 ARTKQTARKSTGGKAPRKQLATKAARKSAPAT (Me_{2/3} at 27)

ユークロマチン（活性/開いた構造）

H3 ARTKQTARKSTGGKAPRKQLATKAARKSAPAT (Me_{2/3} at 4, Ac P at 9-10, Ac at 14, Ac at 18, Ac at 27)

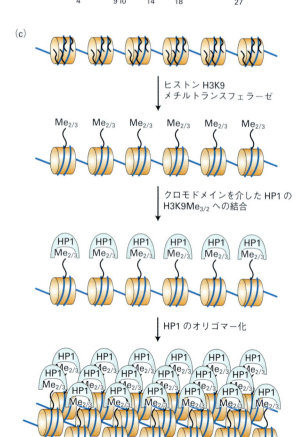

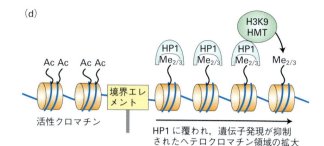

図 7・28 ヘテロクロマチンとユークロマチンにおけるヒストン尾部の翻訳後修飾．(a) 骨髄の造血幹細胞の電子顕微鏡写真．核小体の外側で濃く染まっている核内領域がヘテロクロマチンである．一方，薄く染まる白っぽい領域はユークロマチンである．(b) ヒストンN末端尾部の修飾はヘテロクロマチンとユークロマチンで異なっている．ここではヒストンH3の例を示した．ヒストン尾部は一般的に，ヘテロクロマチンよりユークロマチンでアセチル化の程度がずっと高いことに特に注意．ヘテロクロマチンは，ユークロマチンと比べてずっと凝縮しており，タンパク質も近づきにくく，転写も不活性である．(c) HP1はリシン9でトリメチル化されたH3のN末端尾部への結合と，ヒストンに結合したHP1分子どうしの結合によって，ヘテロクロマチンへの凝縮を促進する．(d) ヘテロクロマチンの凝縮が染色体に沿って広がることができるのは，HP1がヒストンH3のリシン9をメチル化するヒストンメチルトランスフェラーゼ（HMT）と結合するからである．これによって隣接するヌクレオソームにHP1が結合する部位ができる．この拡大の過程は，境界エレメントに達するまで続く．[G. Thiel et al., 2004, Eur. J. Biochem. **271**: 2855; A. J. Bannister et al., 2001, Nature **410**: 120参照．(a)はD. W. Fawcett/Science Source/amanaimages．(b)はT. Jenuwein and C. D. Allis, 2001, Science **293**: 1074による．]

H3K9Me_{2/3}を含むヒストン八量体は，新たにできた同数のヒストン八量体とともに，両方の娘染色体に分配される．H3K9Me_{2/3}を含むヌクレオソームに結合したH3K9 HMTは，新たにできた隣接するヌクレオソームのリシン9をメチル化することによって，両方の娘染色体において同じDNA配列をカバーするヘテロクロマチンが再形成される．その結果，ヘテロクロマチンには，いわゆる**エピジェネティックコード**（epigenetic code）の印がついて，分裂後の娘細胞において，その領域の遺伝子の抑制を維持する．"エピ"ジェネティックというのは，DNA配列ではなく，むしろ親クロマチンのヒストン尾部の翻訳後修飾によって決定されるからである．

ユークロマチンに特徴的なヒストン尾部に結合するタンパク質ドメインも存在する．TFIIDの最大サブユニットのように遺伝子の転写活性化に関与するタンパク質は，62アミノ酸からなる**ブロモドメイン**（bromodomain）というタンパク質ドメインをもっている（8章）．ブロモドメインはアセチル化されたヒストン尾部に結合し，そのため転写が活性化したクロマチンと関係がある．TFIIDやその他のブロモドメイン含有タンパク質にはヒストンアセチル化活性があり，クロマチンを転写に適した高アセチル化状態に維持している．

したがって，ヒストンの翻訳後修飾に関連したエピジェネティックコードが，ユークロマチンにおける転写活性と，連続的な細胞分裂におけるヘテロクロマチンの遺伝子抑制を維持するということである．これらヘテロクロマチンとユークロマチンのエピジェネティックコードは，初期発生において，異なる細胞種に

分化した細胞が何度も細胞分裂するときに，すでに確立した遺伝子発現パターンを維持するために必須である．これらのエピジェネティックコードが異常な状態に変化すると，がん細胞の病的な増殖やふるまいにつながることが知られている（25 章）．

まとめると，さまざまな種類のヒストン尾部の共有結合修飾は，ヌクレオソーム間の相互作用や，転写や DNA 複製などの過程に直接関与あるいは調節する他のタンパク質との相互作用を変化させることによって，クロマチン構造に影響を与える．転写を調節するクロマチン修飾を制御する機構と分子過程については，次章でさらに詳細に説明する．

間期の染色体テリトリー　　間期の染色体のそれぞれは中期染色体よりも凝縮が緩んでいる（図 7・23e, f）．しかし，間期のクロマチンは，核全体に広がっているのではない．染色体特異的な蛍光標識プローブ（染色体ペイントプローブ chromosome paint probe）を用いて間期の核において in situ ハイブリダイゼーションを行ったところ，おのおのの中期染色体は，核内のある領域に局在していることがわかった（図 7・29a）．この限局化した領域を**染色体テリトリー**（chromosome territory）という．図 7・29(b) で，中期の核において，染色体は互いにほとんど重なり合っていないことに注意しよう．大きな染色体は核の辺縁部に，小さな染色体は核の中心付近にある傾向にあるものの，おのおのの染色体の正確な位置は細胞によって異なる．また，13, 14, 15, 21, および 22 番染色体にある核小体形成領域（nucleolar organizer region: NOR）として知られる rRNA の反復転写単位は，核の中央付近にある核小体に結合している．

哺乳類の雌における X 染色体不活性化　　エピジェネティックな遺伝子発現抑制の重要な例として，哺乳類の雌にある二つの X 染色体のうちの一方が不活性化し，凝縮する現象がある．哺乳類の雌は二つの X 染色体をもち，そのうち一つ（X_m）は卵，もう一つ（X_p）は精子に由来する．胚発生の初期に，それぞれの体細胞で X_m か X_p のいずれかがランダムに不活性化される．それ以降に胚発生期と成人で分裂してできたすべての娘細胞は，親細胞と同じ X 染色体の不活性状態を維持する．その結果，成体の雌はクローンのモザイクとなり，約半分のクローンは X_m 由来の遺伝子を発現し，残り半分のクローンは X_p 由来の遺伝子を発現する．一方の X 染色体が不活性化されることは哺乳類の雌での**遺伝子量補償**（dosage compensation）の機構である．これにより，X 染色体にコードされるタンパク質が，X 染色体を一つしかもたない雄の細胞と同じ量発現するように調整されている．

不活性な X 染色体に結合しているヒストンは，ヘテロクロマチン領域に特徴的な翻訳後修飾を受けている．すなわち，リシンの低アセチル化，ヒストン H3 リシン 9 のジメチル化／トリメチル化，H3 リシン 27 のトリメチル化，ヒストン H3 リシン 4 の非メチル化状態である（図 7・28b）．胚発生初期における X 染色体不活性化は，X 染色体不活性化中心によって調節される．これは，二つの転写単位をもつ X 染色体上の複合遺伝子座である．X 染色体不活性化中心には *XIST* 遺伝子が含まれる．この遺伝子から長鎖非コード RNA（lncRNA）が転写されると，自身が転写された X 染色体上の複数の領域と結合し，染色体のサイレンシングを維持する．

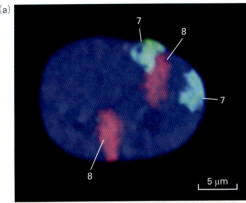

図 7・29（実験）　間期のヒト染色体は核内で，互いに重なり合わないような領域に存在する．(a) 間期のヒト繊維芽細胞を固定し，7 番染色体（青）と 8 番染色体（紫）の全長にわたる配列に特異的な蛍光標識プローブを用いて in situ ハイブリダイゼーションを行った．DNA は DAPI で青く染色してある．この二倍体細胞では，2 本の 7 番染色体と 2 本の 8 番染色体のそれぞれは，核全体に広がっているのではなく，核内の一つの領域，すなわちドメインに限局して存在する．(b) ヒト男性の間期繊維芽細胞を固定して，各染色体に特異的な染色体ペイントプローブを用い，(a) と同じように in situ ハイブリダイゼーションを行った．ほとんどすべての染色体の位置を明らかにすることができた．一部の染色体は，核の共焦点顕微鏡観察から得られたこの薄片像では見えていない．[(a) は Dr. I. Solovei 提供．(b) は A. Bolzer et al., 2005, *PLoS Biol.* **3**: 826 による．]

X 染色体不活性化の機構は完全には理解されていないが，これには，8 章で詳しく述べる **Polycomb** 複合体の作用を含む複数の過程が関与している．Polycomb 複合体の一つのサブユニットには，リシン 27 がトリメチル化されたヒストン H3 に結合するクロモドメインが含まれている．また，Polycomb 複合体には，H3 リシン 27 に特異的なヒストンメチルトランスフェラーゼも含まれている．この発見から，どのように X 染色体不活性化の過程が X 染色体の長大な領域に広がるのか，また，DNA 複製後，どのように X 染色体不活性化を維持するのか，リシン 9 がメチル化されたヒストン H3 尾部へ HP1 が結合することでヘテロクロマチン化が起こるのと同じように理解することができる（図 7・28c, d）．

X 染色体不活性化の機構はエピジェネティックな過程のもう一つの例である．つまり，特定の遺伝子の発現が影響を受け，それが娘細胞に受け継がれるものの，DNA 配列の変化を伴わない．いいかえると，哺乳類の雌の X 染色体に含まれる遺伝子の活性は，

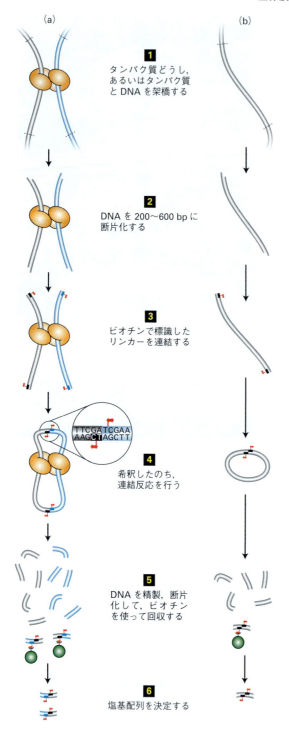

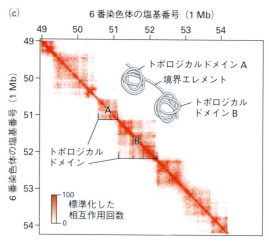

図 7・30 染色体高次構造捕捉(3C)法．(a), (b) 3C 法の原理．説明は本文参照．灰色と青のチューブはゲノム配列上で 10 kb 以上離れた DNA 領域を示す．ビオチンは赤の旗で示す．(c) マウス胚性幹細胞の 6 番染色体の一部領域について 3C 法から得られたデータをヒートマップで表したもの．6 番染色体の端から 49～54 Mb の領域のヒートマップを二つの軸に示す．数値の 100（濃赤）は，x 軸上の一つの 10 kb 領域内の配列が y 軸上のどこかの 10 kb 領域内の配列と 100 回，連結されていたことを示す．超音波処理で生じた二つの末端が連結する確率は，離れた末端よりも近い末端どうしのほうが高い．したがって，あるピクセルにおける赤の強度は，10 kb ごとに分けた領域の配列どうしが，架橋反応を行ったときに核内でより近傍に存在していたことを示す．挿入図は，この実験結果と合うクロマチンの折りたたまれ方のモデル．[(a), (b) は E. Lieberman-Aiden, 2009, *Science* **326**: 289 による．(c) は J. R. Dixon, 2012, *Nature* **485**: 376 による．]

DNA の塩基配列ではなくクロマチン構造によって制御される．不活性化された X 染色体（X_m または X_p）は，その後の細胞分裂で生まれるすべての子孫細胞において不活性な染色体として維持される．これは，ヒストンの特異的で抑制的な修飾が，細胞分裂を経ても正確に継承されるからである．

染色体テリトリー内のトポロジカルドメイン 現在では，染色体高次構造捕捉法（chromosome conformation capture，3C 法と略す）とよばれる一連の方法を使って，間期細胞の核内でクロマチンがどのような空間配置をとっているかという情報を得ることができる．この実験手法は，50～100 bp の DNA 断片を 1000 万単位で同時に配列決定することができる高効率 DNA 配列決定法を利用している（6 章）．3C 法の一般的な実験方法を図 7・30 に示す．クロマチンの離れた領域がタンパク質依存的に結合している例（図 7・30a）と，特定の領域と結合していない例（図 7・30b）を示した．まず，細胞をそのままホルムアルデヒドのような細胞膜透過性の化学架橋剤で処理し，タンパク質間およびタンパク質-DNA 間を共有結合的に架橋する（段階 **1**）．次に架橋したクロマチンを単離して，制限酵素で分解するか超音波で強く機械的に切断することによって，DNA を 200～600 bp に断片化する（段階 **2**）．さらに，この DNA 断片の両末端に短いオリゴヌクレオチドリンカーを連結する（段階 **3**）．リンカーは C5 位にビオチンが結合したシトシン（図 2・17 参照）が含まれている．そして，未反応の余分なリンカーを除き，試料を希釈したのち，DNA リガーゼで処理する（段階 **4**）．試料が希釈されているので，連結反応（ライゲーション反応）は架橋反応によって近づいた断片の末端どうしで優先的に起こる．リガーゼ反応後にタンパク質-DNA 間の架橋を外し，タンパク質をプロテアーゼで分解したのち，DNA を単離して，さらに超音波処理する．連結した DNA は段階 **3** で加えたリンカーにビオチンをもつので，これをストレプトアビジンと結合させて他の断片から分離することができる（段階 **5**）．

以上の過程で精製した多数の DNA 断片の塩基配列を決定する（段階 **6**）．連結点は，オリゴヌクレオチドリンカーの配列が重複していることでわかる（段階 **4**）．次に，この連結点の両側の配列

のゲノム上にマップする．ここで，一つの断片の両側が連結した場合（図7・30b），連結した断片の長さはもともと数百塩基対なので，オリゴヌクレオチドリンカーの両側の配列はゲノム上で互いに数百塩基対以内の位置にマッピングされる．しかし，互いにタンパク質と架橋されたことによって，ゲノム配列上離れた位置にある断片が連結した場合（図7・30a），二つの配列は離れた位置にマッピングされる．10 kb 以上離れた配列が何度も連結されているとすれば，その二つの領域はクロマチン内で存在する空間的な位置が in vivo で近いことを示している．

3C 法から得られたデータは二次元ヒートマップにプロットすることができる（図7・30c）．この図では，ゲノム上の同じ部分の配列を，1 ピクセルを 10 kb として x 軸と y 軸の両方にプロットしている．ある x 軸の配列が y 軸の配列と連結していた場合に点を赤くする．したがって，赤色の濃さは，ある x 軸上の 10 kb 間隔の配列と y 軸上の 10 kb 間隔の配列との連結が観測された数に比例する．

図7・30(c) は，マウス胚性幹細胞の 6 番染色体の約 5.5 Mb にわたる領域の 3C 法の結果を示している．このゲノム領域は，複数の**トポロジカルドメイン**（topological domain, topologically associating domain: TAD）という領域に分けられることがすぐにわかる．あるトポロジカルドメイン内の配列は，別のトポロジカルドメインの配列よりも，同じトポロジカルドメイン内の他の配列とのほうがずっと連結しやすい．こうしたトポロジカルドメインは 200 kb～1.5 Mb の長さであり，中央値は 880 kb である．たとえば，マウス 6 番染色体の 50.9 Mb～51.3 Mb にある配列（図7・30c のトポロジカルドメイン A）は，それに隣接する 51.3 Mb～52.2 Mb（トポロジカルドメイン B）や他のトポロジカルドメインの配列に対するよりも，ドメイン A 内の配列とずっと連結しやすい．固定した細胞の核を用いた in situ ハイブリダイゼーション実験から，一つのトポロジカルドメインにある配列は，DNA 鎖状で同じ距離にある隣接するトポロジカルドメインの配列よりも，互いに近接していることがわかっている．これらの結果を解釈すると，クロマチン繊維は図7・30(c) の挿入図のようにトポロジカルドメインごとに折りたたまれていることを示している．トポロジカルドメインの間は，境界エレメントとよばれる，やや短い領域によって隔てられている．境界エレメントはクロマチンの離れた領域とは相互作用しない．このような境界エレメントは，ヒストン H3 リシン 9 およびこれへの HP1 の結合の広がりを阻害することが観察されているということで，先にふれた（図7・28d）．トポロジカルドメインは，平均的な大きさの遺伝子をいくつか含むのに十分な長さがある．現在，トポロジカルドメイン間にある境界エレメントをつくるタンパク質-DNA 間相互作用を調べる研究も行われている．8 章で述べるように，3C 法に類似した手法によって，エンハンサーに結合したタンパク質が何 kb も離れたプロモーターに結合したタンパク質と相互作用していることを示す有力な証拠が得られている．

中期染色体の構造 有糸分裂前期における染色体の凝縮では（図18・38 参照），より多くのクロマチンループの形成が起こると考えられ，そのため各ループの長さは間期よりも大幅に短くなる（図7・25c）．その結果，染色体は間期よりも幅がずっと太くなり，長さは数分の 1 になって，中期に観察される竿状の凝縮

図 7・31 典型的な中期染色体．この走査型電子顕微鏡写真に見られるように，染色体が複製されると二つの染色分体ができる．各染色分体は同一の DNA 分子をもつ．セントロメアは染色分体どうしが付着するくびれた部分であり，体細胞分裂の終盤に染色分体が分離するために必要である．末端にある特別なテロメア配列は染色体の短縮を防ぐ働きがある．〔A. Syred/Science Source.〕

した染色体ができる（図7・31）．

カエル卵の抽出物を用いた実験から，**コンデンシン**（condensin）とよばれる，SMC サブユニットから構成されるタンパク質複合体（図7・25 および 19 章）が，ATP の加水分解エネルギーを利用して染色体の凝縮を行っていることがわかった．最終的には，細胞周期（図1・22 参照）の前の S 期における DNA 複製で生じた 2 本 1 組の娘染色体の全長はさらに短くなって，棒状構造（染色分体）にまで凝縮する．この 2 本の染色分体は，ほとんどの真核細胞では**セントロメア**（centromere）とよばれる中央のくびれで結合している（図7・31）．

その他の非ヒストンタンパク質が転写と複製を調節する

クロマチン中で DNA と結合しているヒストンの全質量は，DNA の全質量とほぼ同じである．間期クロマチンと中期染色体には，ヒストン以外にも多くのタンパク質が含まれている．たとえば，何千もの異なる**転写因子**（transcription factor）が間期クロマチンに結合する．転写を調節するこれらの非ヒストンタンパク質の構造と機能については，8 章で述べる．そのほかにも，存在量が少ない非ヒストンタンパク質がクロマチンに結合して，真核細胞の細胞周期で DNA 複製を調節している（19 章）．

また，非ヒストン DNA 結合タンパク質には，転写因子や複製因子よりもずっと多量に存在するものがいくつかある．これらのなかには，電気泳動で分離したときに大きな移動度を示す **HMG タンパク質**（high-mobility group protein, 高移動度タンパク質）がある．最も多量にある HMG タンパク質をコードする遺伝子を酵母細胞で欠失させると，調べた限りの遺伝子のほとんどで正常な転写が妨げられる．HMG タンパク質には，近接した特異的な

DNA 配列への複数の転写因子の協同的な結合を補助するものがあり，多量体タンパク質複合体を安定化して隣接する遺伝子の転写を調節する（8 章）．

7・4 真核生物のクロマチンと染色体の構造 まとめ

- おのおのの真核細胞の染色体は 1 本の非常に長い DNA 分子を含み，ほぼ等重量のヒストンと，より含有量の少ない何千もの異なるクロマチン結合タンパク質と会合してクロマチンとよばれる DNA-タンパク質複合体をつくっている．
- クロマチンの重要な構造単位はヌクレオソームであり，四つのコアヒストン（H2A, H2B, H3, H4）の各二つずつが球状タンパク質ドメインを形成し，ここに 145〜147 bp の DNA が固く巻きついている（図 7・20）．ヌクレオソームは，さまざまな長さのリンカー DNA（約 50〜150 bp）で数珠つなぎにされている（図 7・22）．
- 最近，開発された ChromEMT という手法では電子不透過性化合物の四酸化オスミウムで DNA を染色する．この手法を用いて固定細胞中のクロマチンを電子顕微鏡で観察すると，ヌクレオソームとリンカー DNA からなる直径 5〜24 nm の顆粒状の不規則な鎖が，核内の領域によって異なる密度に折りたたまれている（図 7・23，図 7・24）．
- DNA の転写が活発なクロマチン領域はユークロマチンとよばれ，ヌクレオソームが密な状況にあるヘテロクロマチンとよばれる領域と比べ，より引き伸ばされた形になっている．ヘテロクロマチンのほとんどの遺伝子は発現抑制されている．ヘテロクロマチンでは，クロマチン鎖が短い間隔で折返されていて（図 7・23e, f，図 7・24b, c），間期染色体よりもずっと高度に，ヌクレオソームがさまざまな相互作用表面で互いに会合している（図 7・23b〜d）．その結果，ユークロマチンと比べてヘテロクロマチンではヌクレオソームの密度がずっと大きい（図 7・23e, f）．
- ヒストン八量体コアの球状タンパク質領域から，16〜39 アミノ酸からなる柔軟な天然変性領域である N 末端尾部が伸びている（図 7・26a）．ヒストン H2A と H2B は，より短い天然変性領域を C 末端にももつ．これらのヒストン尾部のアミノ酸側鎖は，アセチル化，メチル化，リン酸化，モノユビキチン化，あるいは頻度が少なめのほかの翻訳後修飾により可逆的に修飾される（図 7・26b）．これらの修飾は，クロマチンの凝縮，転写，DNA 複製を調節する，より量の少ないクロマチン結合タンパク質とヒストン尾部の結合を制御することにより，クロマチン構造に影響する．
- 転写，複製，修復に関与するタンパク質や DNase I といった酵素は，ヘテロクロマチンのように低アセチル化されたヒストン尾部をもつクロマチンよりも，高アセチル化されたヒストン尾部をもつユークロマチンに，より容易にアクセスできる．
- ヘテロクロマチンに結合する豊富なタンパク質であるヘテロクロマチンタンパク質 1（HP1）は，クロモドメインを用いてヒストン H3 のトリメチル化されたリシン 9 に結合する．HP1 のクロモシャドードメインは自身および H3 のリシン 9 をメチル化するヒストンメチルトランスフェラーゼと会合する．このような相互作用により，境界エレメントに遭遇するまで，ヘテロクロマチン構造の染色体に沿ってクロマチン繊維凝縮領域の拡大が起こる（図 7・28c, d）．
- 哺乳類の雌のほぼすべての細胞において，X 染色体の一方は高度に凝縮したヘテロクロマチン構造となり，この不活性な染色体では，遺伝子発現がほぼ完全に抑制される．この X 染色体不活性化は哺乳類における遺伝子量補償の機構であり，X 染色体の遺伝子は雌雄で同じ量発現する．
- 間期の細胞では，各染色体は核内で互いに重なり合わないように局在する（図 7・29b）．
- 染色体高次構造捕捉法（3C 法）の実験結果により，クロマチンは境界エレメントで隔てられた 200 kb〜1.5 Mb のトポロジカルドメインからなることが示されている（図 7・30c）．トポロジカルドメイン内のクロマチンは，トポロジカルドメイン間の境界エレメントのクロマチンよりも密な状態にある．結果として，あるトポロジカルドメインのクロマチンは他のトポロジカルドメインのクロマチン領域とよりも，同一トポロジカルドメイン内の他の領域とずっと相互作用しやすい（図 7・30c）．
- 細胞分裂時に染色体は大幅に凝縮して短くなり，径が太くなることによって，光学顕微鏡で観察できる中期染色体ができる．最近の ChromEMT を用いた観察によると，凝縮した分裂期染色体のクロマチン繊維はユークロマチンと比べて短い間隔で折りたたまれている．また，分裂期の染色体でヌクレオソームは複数の可能な配向（配置）をとって，さまざまな表面で，間期染色体よりもずっと高度に相互作用している．この結果として，分裂期染色体のヌクレオソームはずっと密度が高い．

7・5 真核生物染色体の形態と機能要素

前節では染色体構造を詳しくみたので，次に，より全体的視野で染色体を俯瞰する．初期の顕微鏡観察によって，染色体の数や大きさ，またその染色パターンがわかり，染色体構造の重要な一般的性質が数多く発見された．その後の研究で，細胞分裂における染色体の複製や染色体の娘細胞への分配に重要な特定の染色体領域が同定された．本節では，これらの染色体の機能要素について述べ，まれに起こる染色体の再編成によって，染色体が祖先型染色体からどのように進化したかを考える．

中期の染色体数，大きさ，形態は，種特異的である

前に述べたように，間期の細胞では，蛍光標識 DNA プローブを用いて染色体テリトリーを観察できる（図 7・29）．しかし，体細胞分裂と減数分裂の際には染色体が凝縮して（図 7・23e, f），光学顕微鏡で見えるようになる（図 7・31）．したがって，ほとんどすべての細胞遺伝学的研究（つまり，染色体形態の研究）は，分裂中の細胞，すなわち細胞分裂中の体細胞や減数分裂中の生殖細胞から得た凝縮した中期染色体を用いて行われてきた．体細胞分裂や減数分裂を行うときには，細胞はすでに細胞周期の S 期を通

(a) ホエジカ(インドキョン)

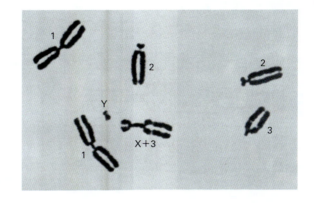

(b) キョン

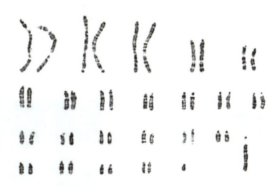

図 7・32 ホエジカとキョンの核型. これら二つ小型のシカはよく似た種であるが, 交配することはできない. また, 染色体の数は異なるが, ゲノムに含まれる DNA の量はほぼ同じである. (両種のオスの染色体を同じ倍率で示す.) [(a)左は Feathercollector/Shutterstock. 右は A. V. Carrano et al., 1976, *J. Histochem. Cytochem.* **24**(1): 348, Copyright Clearance Center, Inc. を通じて SAGE Publications より許可を得て転載. (b)左は V. Wrangel/Shutterstock. 右は J. Chi et al., 2005, *Cytogenet Genome Res.* **108**: 310, Karger Publishers より許可を得て転載.]

過して DNA 複製が完了している (19 章). したがって, 中期に見える染色体は重複した構造になっている. 中期の各染色体は, 二つの**姉妹染色分体** (sister chromatid) からなり, これは染色体のくびれた領域であるセントロメアで互いにつながっている (図 7・31).

中期染色体の数, 大きさ, および形態によって**核型** (karyotype) が決まり, これは種によって異なる. 同じ種の体細胞は同じ核型をもつのに対し, 非常に似てみえる種でも大きく異なる核型をもつことがある. 非常に近縁の種でも核型が大きく異なるということは, 同じような遺伝的機能が異なる様式で染色体に組織化されうることを示している. たとえば, 2 種の小型のシカであるホエジカ (インドキョン) とキョンのもつゲノム DNA の全量はほぼ同じである. ホエジカは, あらゆる哺乳類のなかで最も少ない染色体数をもち, わずか 3 対の常染色体しかもっていない. 性染色体の一方は物理的に分離しているが, もう一方は常染色体の 1 本の末端に融合している (図 7・32a). キョンでは, DNA は 22 対の相同**常染色体** (autosome) と, 2 本の物理的に分離した性染色体に分かれている (図 7・32b).

中期になると, 染色体をバンドパターンと染色体ペインティングによって区別できる

ある種の色素は, 中期染色体の一部の領域を他の領域より選択的に強く染め, 各染色体に固有のバンドパターン (縞模様) をつくる. この染色体バンドの規則性は, 各染色体を長軸方向に沿ってみたときの目印になるので, 大きさと形状が似た染色体を区別するのに有用である.

今日では染色体ペインティングの手法を用いて, 一つの核型に含まれる個々の染色体の多くのものが同じ大きさと形であっても, 非常に簡単に同定・識別することができる. この技術は**蛍光 in situ ハイブリダイゼーション** (fluorescence in situ hybridization: FISH) の変法で, 各染色体の長軸に沿って散在する部位に特異的なプローブを利用する. プローブは異なる励起波長と発光波長をもつ複数の蛍光色素で標識する. まず, 各染色体に特異的なプローブを, あらかじめ決めた色素で標識する. プローブを染色体にハイブリッド形成させたのち, 過剰なプローブを除き, 試料を蛍光顕微鏡で観察する. このとき, 顕微鏡の視野の中で蛍光を発した位置それぞれに存在する各色素の割合を検出器によって測定する. この情報をコンピューターに入れて, 特別なプログラムによって各染色体に擬似カラーの像を割当てる (図 7・33a). コンピューターグラフィックスを用いれば, おのおの二つの相同染色体を隣どうしに並べ, 大きさの順に番号をつけることができる. このように表示すると細胞の核型がはっきりわかる (図 7・33b).

染色体ペインティングは, ダウン症の患者に存在する 21 番染色体のトリソミーなどの染色体数の異常や, がん細胞やまれに個人で起こる染色体の転座を検出する有効な方法である (図 7・34). それぞれの正常ヒト染色体の異なる部位とハイブリッド形成するプローブをさまざまな比の蛍光色素で標識すれば, より微細な染色体構造を分析することができ, 染色体領域の欠失や重複をより簡単に示すことができる. 本章の章頭図は, 正常なヒト女性の核型を, このような**マルチカラー FISH** (multicolor FISH) を用いて分析した結果である.

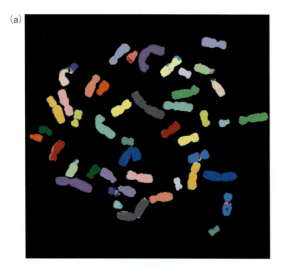
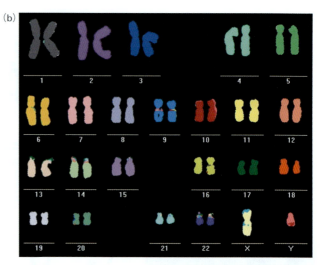

図7・33(実験) ヒト染色体は染色体ペインティングによって容易に識別される．(a) 染色体ペイントプローブを用い，蛍光 in situ ハイブリダイゼーション(FISH)を行った有糸分裂期の細胞(男性)の染色体像．(b) ペインティングされた染色体をコンピューターグラフィックスで並べると，正常なヒト核型(男性)がわかる．[Dr. M. R. Speicher 提供．]

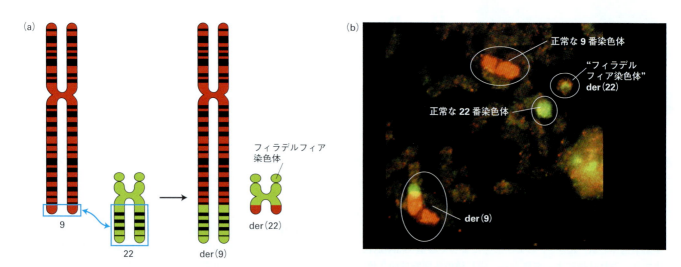

図7・34(実験) 染色体の転座は染色体ペインティングにより分析できる．特徴的な染色体の転座は，特定の遺伝病やがんと関係がある．たとえば，ほとんどすべての慢性骨髄性白血病患者では，白血病細胞にフィラデルフィア染色体とよばれる短縮した22番染色体〔der(22)〕と，異常に長い9番染色体〔der(9)，der は derivative の意味〕がみられる．これらの異常な形は，正常な9番染色体と22番染色体の間の転座の結果である．この転座は従来のバンド分析(a)や染色体ペインティング(b)で検出できる．[(b)は J. Rowley and R. Espinosa 提供．]

染色体ペインティングと DNA 塩基配列決定によって染色体の進化がわかる

さまざまな種の染色体を分析することによって，染色体がどのように進化してきたかについて重要な洞察が得られている．たとえば，ツパイ Tupaia belangeri の16番染色体に対する染色体ペインティングのプローブを用いて，ツパイの中期染色体とハイブリッド形成させると，期待どおり2コピーの16番染色体が検出される(図7・35a)．しかし，同じ染色体ペインティングのプローブをヒトの中期染色体とハイブリッド形成させると，ほとんどのプローブは10番染色体の長腕と結合する(図7・35b)．さらに，ヒト10番染色体長腕の複数のプローブを異なる色素で標識し，ツパイ中期染色体とハイブリッド形成させると，ヒト10番染色体と結合するときと同じ順にツパイの16番染色体に結合することがわかった．

ヒトとツパイの共通祖先は約8500万年前に生存していた．つまり，ツパイとヒトへと進化する間に，祖先染色体の一つで長く連続していた DNA 配列がツパイでは16番染色体になり，ヒトでは10番染色体の長腕になったことがわかる．二つの異なる種の染色体上で遺伝子が同じ順に存在する現象を，保存されたシンテニー(synteny)とよぶ(ラテン語で"同じリボン"という意味)．二つ以上の種で共通の染色体領域に二つ以上の遺伝子が存在すれば，保存されたシンテニー領域であることを意味する．

多くの霊長類の染色体間の関係性が，染色体ペインティングのプローブの種間ハイブリダイゼーションによって決定されている．これらの関係性や DNA の塩基配列決定などによるシンテニー領域の高解像度の解析から，すべての霊長類の共通祖先の核型を提案することが可能になった．この核型は，現生霊長類の染色体にみられるシンテニー領域ができるために必要となる染色体

(a) ツパイプローブがツパイ 16 番染色体とハイブリッド形成している

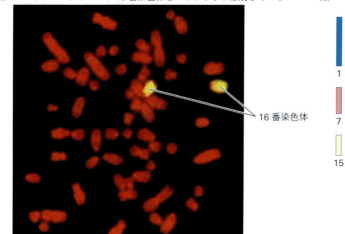

(b) ツパイプローブがヒト 10 番染色体とハイブリッド形成している

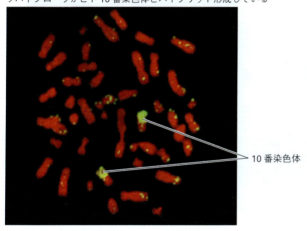

(c)
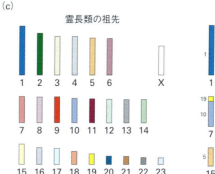
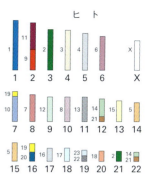

図 7・35 霊長類染色体の進化．(a) ツパイ（ヒトとは遠い関係性をもつ動物）の 16 番染色体に対する染色体ペイントプローブをツパイの中期染色体（赤）にハイブリッド形成させた（黄）．(b) 同じツパイ 16 番染色体用プローブ（緑）をヒト中期染色体（赤）にハイブリッド形成させた．(c) 全霊長類の共通祖先の染色体（左）からヒト染色体（右）への進化に関して提唱されている仮説．霊長類の共通祖先の仮想染色体には大きさの順に番号をつけて，各染色体を色わけしてある．ヒト染色体にも相対的な大きさの順に番号をつけ，起源になっている霊長類共通祖先の仮想染色体の色と同じ色で示してある．ヒト染色体で色がつけられた領域の左側にある小さな数字は，その領域が由来する祖先染色体の番号を示す．[(a), (b) は S. Muller et al., 1999, *Chromosoma* **108**(6): 393, Copyright Clearance Center, Inc. を通じて Springer より許可を得て転載．(c) は L. Froenicke, 2005, *Cytogenet. Genome Res.* **108**: 122 による．]

再編成を最小とする条件に基づいて提案されている（図7・35c）．

ヒトの染色体は，23 対の常染色体と X および Y 染色体をもっていた共通の霊長類祖先から，いくつかの異なる機構で生じたと考えられる（図7・35c）．霊長類祖先から染色体構造の大幅な再編成なしでつくられた染色体もあれば（ヒト1番染色体），祖先染色体が二つに分断することによって進化したり（ヒト 14 番と 15 番染色体は祖先染色体 5 番が分断した），逆に二つの祖先染色体の融合によっても進化した（ヒト2番染色体は，祖先染色体の 9 番と 11 番が融合した）と考えられるものもある．さらに，別のヒト染色体は，腕部の部分的交換，すなわち二つの祖先染色体が相互に転座することによって生じたと考えられる（祖先染色体 14 番と 21 番の相互転座によりヒト染色体 12 番と 22 番が生じた）．多くの哺乳類の染色体間の保存されたシンテニー領域の分析から，哺乳類の進化では，分断，融合，転座などの染色体の再編成はまれで，約 500 万年に 1 回くらいの割合でしか起こらないことが示された．そのような染色体の再編成が起こると，もとの種とは交雑できない新しい種への進化に結びつく可能性がきわめて高くなる．

霊長類の系譜で起こった染色体の再編成と同じような現象が，無脊椎動物，植物，真菌類など他の系譜でも，近縁な生物種間で起こったことが推測されている．類似した解剖学的構造をもつ生物種（たとえば哺乳類間や，同じような体構成をもつ昆虫間）の染色体のシンテニー領域の分析に基づいた進化的な関係予測と，化石記録および相同遺伝子の DNA 配列の多様化の程度に基づく進化的な関係とは素晴らしく一致する．これは，現生生物の多様性を生み出した過程が進化であることの強い根拠となっている．

間期の多糸染色体は DNA の増幅によって生じる

ショウジョウバエや他の双翅目昆虫の幼虫の唾液腺には，光学顕微鏡でも見ることのできる巨大化した間期染色体が含まれている．固定してDNAを染めると，この**多糸染色体**（polytene chromosome）は，境界が明瞭で再現性のあるバンドが多数みられるという特徴をもち，おのおののバンドは番号で標準化されている（図7・36a）．濃く染色されたバンドはクロマチンがより凝縮した領域を示し，バンド間の明るい領域は凝縮が緩やかなことを示している．ショウジョウバエ唾液腺染色体で見られるバンドパターンは再現性が非常によく，この種において特定の DNA 配列が存在する染色体上の位置を決定するきわめて有用な方法になる．染色体の転座や逆位も，多糸染色体のバンドパターンの変化によって容易に検出できる．多糸染色体の長軸に沿った DNA 配列の局在も in situ ハイブリダイゼーションによって決定することができる（図7・36c）．昆虫の多糸染色体は，すべての自然界において，高解像度顕微鏡を用いて間期の脱凝縮した染色体での局在研究に最適な実験系の一つである．

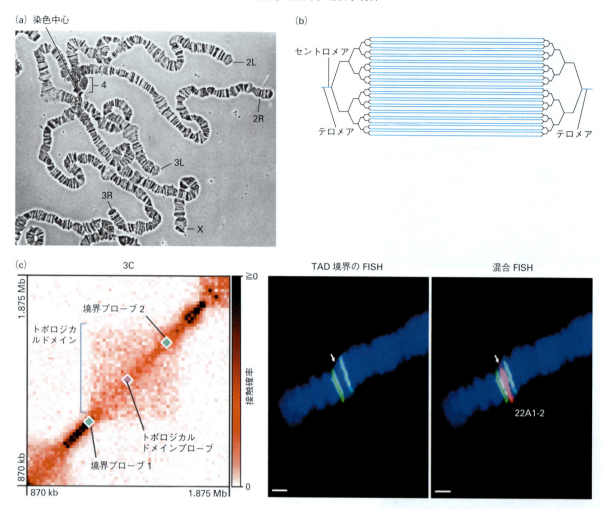

図 7・36(実験) ショウジョウバエの唾液腺多糸染色体のバンドパターン(縞模様). (a) ショウジョウバエ幼虫の唾液腺染色体の光学顕微鏡写真. 4本の染色体(X, 2, 3, 4)が観察され, 全部で約5000のバンドが識別できる. この明暗のバンドパターンは, 多糸染色体に約1000コピー配列した染色体の長軸に沿った凝縮の程度(ユークロマチン様からヘテロクロマチン様まで, 図7・23a)の再現性のある差異によって見えている. 濃いバンドは, より高度に凝縮したクロマチン領域, 明るいバンドは, より伸展したクロマチン領域である. 4本の染色体のセントロメアは, しばしば, 染色中心で融合しているように見える. 染色体2および3のテロメア領域(L: 左腕, R: 右腕), およびX染色体のテロメア領域を示した. (b) 4番染色体における5回の複製によるDNA増幅パターン. 二本鎖DNAを1本の線で示してある. テロメアとセントロメアのDNAは増幅されない. 唾液腺の多糸染色体では, おのおのの親染色体は約10回複製される(2^{10} = 1024本). (c) 蛍光ラベルしたプローブを用いたin situ ハイブリダイゼーションによる特定のDNA配列の検出. 左のパネルは2L染色体のテロメア領域近傍での3C法のデータを示す. プロットの中心に一つのトポロジカルドメインがある. トポロジカルドメインの中心に近い領域の蛍光ラベルプローブの位置はピンク菱形で示す. トポロジカルドメインの境界, あるいは隣接した境界エレメント周辺のプローブは青緑菱形で示す. 右の二つのパネルは多糸染色体の2番染色体左腕末端のハイブリダイゼーション結果の顕微鏡写真である. トポロジカルドメイン(TAD)境界の蛍光プローブ(青緑), トポロジカルドメイン中心部の蛍光プローブ(ピンク), DNAはDAPIで染色した(青). 白の矢印は, 標準化したショウジョウバエ多糸染色体マップにおける22A1-2と22A3の間の小さな中間帯を示す. ここにトポロジカルドメインのプローブがハイブリッド形成している. スケールバーは 2 μm. [(a)は J. Gall, Carnegie Institution for Science 提供. (b)は C. D. Laird et al., 1973, *Cold Spring Harbor Symp. Quant. Biol.* **38**: 311. 参照. (c)は K. P. Eagen et al., 2015, *Cell* **163**(4): 934, Copyright Clearance Center, Inc. を通じて Elsevier より許可を得て転載.]

DNAが全体にわたって増幅すると, ショウジョウバエの唾液腺にみられる多糸染色体ができる. この過程は**多糸化**(polytenization)と名づけられており, テロメアとセントロメアを除くすべての領域でDNAが繰返し複製されるにもかかわらず, 娘染色体が分離しないときに起こる. その結果できるのが, 一つの染色体のコピーが多数並列した巨大染色体であり, ショウジョウバエの唾液腺ではこのような複製が10回行われて1024コピーできている (図7・36b). 染色体DNAの増幅によって遺伝子のコピー数が著しく増加し, これによって, 巨大な唾液腺細胞におけるタンパク質合成に十分な量のmRNAが供給されると考えられる. in situ ハイブリダイゼーションの研究により (図7・36c), 多糸染色体の暗いバンドは3C法などで観察されるトポロジカルドメインが1024の染色体で配列したことによるものであり, 明るいバンドは境界エレメントに相当することが示された.

三つの機能要素が染色体の複製と安定な継承に必要である

真核細胞染色体の長さや数は種間で異なるが, 細胞遺伝学的研究から細胞分裂に際しては, 染色体はすべて同様の挙動をするこ

7. 遺伝子，クロマチン，染色体

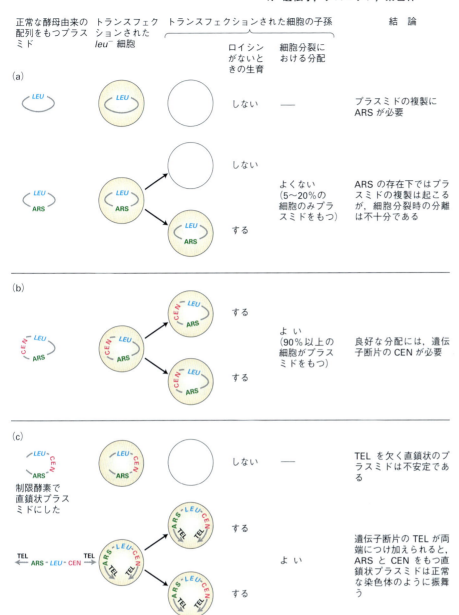

図 7・37（実験） 酵母の形質転換実験により，正常な染色体の複製と分配に必要な染色体の機能要素が同定された．この実験では，正常な酵母から得た LEU 遺伝子を含むプラスミドを構築し，トランスフェクションによって leu⁻ 細胞に導入した．leu⁻ 細胞中でこのプラスミドが維持されれば，プラスミド上の LEU 遺伝子によって細胞が LEU⁺ へと形質転換され，ロイシンがない培地でもコロニーを形成できる．(a) プラスミドの自律的な複製を可能にする配列（ARS）が同定された．クローン化した LEU 遺伝子をもつプラスミドベクターにこの配列を挿入すると，高頻度で LEU⁺ への形質転換が起こる．しかし，ARS をもつプラスミドでも，有糸細胞分裂での分配はうまくいかず，おのおのの娘細胞がプラスミドを保持するわけではない．(b) 酵母ゲノムをランダムに切断した DNA 断片を ARS と LEU を含むプラスミドに挿入してトランスフェクション実験を行ったところ，一部の細胞が大きなコロニーをつくった．細胞分裂においてプラスミドの分配効率が高くなり，娘細胞が継続的に増殖できたことがわかる．このような大きなコロニーから回収したプラスミドの DNA には，酵母のセントロメア（CEN）の配列が含まれている．(c) leu⁻ の酵母細胞を，LEU，ARS，および CEN を含むプラスミドを直鎖状にしてトランスフェクションすると，コロニーは形成されない．直鎖状の DNA の末端にテロメア（TEL）配列を付加すると，新たな染色体として複製する能力が直鎖状プラスミドに与えられ，体細胞分裂と減数分裂の両方において，通常の染色体に非常によく似た挙動を示すようになる．［A. W. Murray and J. W. Szostak, 1983, *Nature* **305**: 189; L. Clarke and J. Carbon, 1985, *Annu. Rev. Genet.* **19**: 29 参照．］

とが示されている．さらに，どんな真核生物の染色体であっても，複製と分離を正確に行うために，三つの機能要素を備えている必要がある．1) DNA ポリメラーゼとその他のタンパク質が DNA 合成を開始する**複製起点**（replication origin，図 5・12 と図 5・13 参照），2) 娘染色体を正しく分配するために必要な"くびれた領域"である**セントロメア**（centromere, 図 7・31），3) 染色体の二つの末端，すなわち**テロメア**（telomere）である．図 7・37 に示す酵母の形質転換の研究から，これら三つの染色体要素の機能が明らかになり，また，それらの染色体機能に対する重要性が確立された．

5 章で述べたように，DNA の複製は真核生物の染色体全体に散在する部位から開始する．酵母のゲノムには複製起点として働くおよそ 100 bp の配列，**自律複製配列**（autonomously replicating sequence: **ARS**）が多数含まれている．環状プラスミドに ARS を挿入すると，プラスミドが酵母細胞内で複製するようになるという観察から，真核生物 DNA の複製起点が機能的にはじめて同定された（図 7・37a）．

ARS を含む環状プラスミドは酵母細胞中で複製できるが，分裂中にプラスミドの分離が不完全なので，プラスミドを含む子孫細胞は 5〜20% だけである．しかし，酵母染色体のセントロメアに由来する CEN 配列をもつプラスミドは，細胞分裂の際に母細胞と娘細胞に均等，あるいはほぼ均等に分配される（図 7・37b）．

ARS と CEN 配列をもつ環状プラスミドを制限酵素で 1 箇所切断してできる直鎖状のプラスミドは，両末端に特別なテロメア（TEL）配列を結合していない限り，酵母細胞に導入しても，ロイシンを欠く培地で増殖する LEU⁺ のコロニーをつくらない（図 7・37c）．直鎖状プラスミドを用いた酵母の遺伝子導入実験がはじめて成功したのは，原生動物繊毛虫類のテトラヒメナにおいて直鎖状分子の形で複製することが知られていた DNA 分子の末端を用いたときだった．テトラヒメナの生活環の一部では，核 DNA の大部分が短い断片の形で繰返しコピーされ，いわゆる**大核**（macronucleus）が形成される．これらの繰返し断片の一つはリボソーム DNA の二量体であると同定されており，その末端には $(G_4T_2)_n$ の

反復配列が含まれていた．このTEL反復配列の一部を，ARSとCENをもつ酵母の直鎖状プラスミドの末端に連結したところ，その直鎖状プラスミドは複製し，うまく分配された．このテロメアの最初のクローニングと解析を対象に，2009年ノーベル生理学・医学賞がElizabeth Blackburn, Carol Greider, およびJack Szostakに授与された．

セントロメアの配列の長さと複雑性は非常に多様である

有糸分裂における染色体分配を可能にする酵母のセントロメア領域がクローン化されると，それらの配列の決定と比較が行われた．その結果，異なる染色体のセントロメア間で保存されている三つの領域（I, II, およびIII）が明らかになった（図7・38a）．領域IとIIIには，かなり保存度の高い配列が存在する．領域IIには特定の配列は存在しないが，ATに富み，長さはほぼ一定である．この一定の長さによって，領域IとIIIは，おそらくセントロメアに結合する特殊なヒストン八量体の同じ側に位置するようになっている．ヒストンバリアントの議論で先に言及したように，セントロメアに結合する特殊なヒストン八量体には，通常のヒストンH2A, H2B, H4のほかに，ヒストンH3のバリアント型が含まれている．すべての真核生物のセントロメアには，同様にこの特殊なセントロメア特異型ヒストンH3が含まれており，ヒトではCENP-Aとよばれる．出芽酵母の単純な動原体では，CBF3というタンパク質複合体がこの特殊なヌクレオソームに結合している．このCBF3複合体は，Ndc80複合体という長い形状の多量体タンパク質複合体の何個かに結合する（図7・38b）．Ndc80複合体は，はじめは紡錘体微小管の側方と相互作用しているが，その後，微小管の末端を環状に取囲む構造をつくっているDam1複合体と相互作用する（図7・38c）．この相互作用の結果，セントロメアは紡錘体微小管の末端と相互作用するようになる．出芽酵母のセントロメアは，自然界でこれまでに知られているなかで最も単純である．

分裂酵母では，セントロメアの長さは40〜100 kbで，出芽酵母のセントロメアの配列に似た配列が繰返したコピーから構成されている．出芽酵母のセントロメアと相互作用するタンパク質と相同な多数のタンパク質分子が，このずっと大きい分裂酵母のセントロメアに結合し，さらに出芽酵母よりもずっと長い分裂酵母の染色体を，分裂期の紡錘体装置を構成する複数の微小管に結合させる．植物や動物ではセントロメアの長さはMbの単位であり，単純配列DNAの多数の反復配列からできている（表7・1と図7・6）．ヒトの場合，セントロメアはalphoid DNAとよばれる171 bpの単純配列DNAが並んだ2〜4 Mbの領域を含む何種類かの反復単純配列DNAを含み，ヒストンH3のバリアントであるCENP-Aを含むヌクレオソームが結合している．

多細胞の動植物では，セントロメアの長さは何Mbもある．**動原体**（kinetochore）とよばれる複雑なタンパク質構造体がセントロメアに集合し，細胞分裂の際には多数の紡錘糸と結合する（図18・43参照）．酵母に見いだされるセントロメアタンパク質の多くに対する相同分子は，ヒトや他の多細胞真核生物にも存在する．アミノ酸配列上で多細胞生物に明確な相同タンパク質がない場合（たとえばDam1複合体）には，酵母タンパク質と同様の性質をもつ別の複合体があって，動原体で機能するとされている．体細胞分裂と減数分裂で姉妹染色分体が分離するときに動原体に結合するセントロメアタンパク質と動原体タンパク質の役割については，18章と19章で説明する．

テロメラーゼによるテロメア配列の付加によって 染色体の短小化が妨げられる

ヒトを含む多くの生物のテロメアの塩基配列を決定した結果，テロメアの大部分の領域は，染色体最末端で3′末端をもつ側の鎖に局在する高G含量のオリゴマー配列の繰返しであることがわかった．ヒトを含む脊椎動物のテロメア反復配列はTTAGGGである．この単純な配列は染色体の最末端部にあり，酵母や原生動物では全部で数百塩基対，脊椎動物では数千塩基対繰返している．Gに富む鎖の3′末端は，Cに富む相補鎖の5′末端よりも12〜16ヌクレオチド突出している．この短い一本鎖領域には，直鎖状染

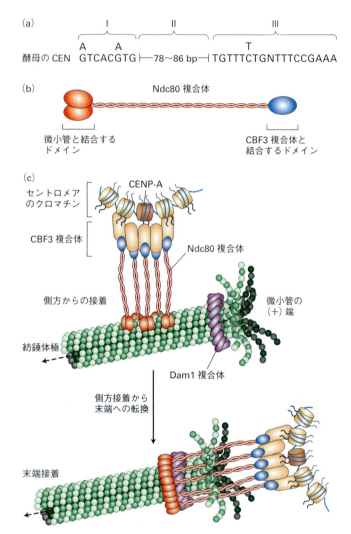

図7・38 **出芽酵母における動原体-微小管の相互作用．**(a) 出芽酵母の単純なセントロメアの配列．(b) Ndc80複合体は，微小管とCBF3複合体の両方に結合する．(c) セントロメアに結合したCBF3複合体と，この複合体に結合するNdc80複合体の模式図．Ndc80複合体は，さらに紡錘体微小管の末端にあるDam1タンパク質がつくる環状構造と結合する．Ndc80複合体は，はじめは紡錘体微小管と側方から相互作用するが（上），その後，Dam1がつくる環に結合して微小管の末端への結合に変換する（下）．［(a)はL. Clarke and J. Carbon, 1985, *Annu. Rev. Genet.* **19**: 29による．(c)はT. U. Tanaka, 2010, *EMBO J.* **29**: 4070参照．］

色体の末端をエキソヌクレアーゼの攻撃から守るタンパク質が結合している。

真核生物の染色体の末端に特殊な領域が必要なことは、すべての既知の DNA ポリメラーゼが DNA 鎖の 3′ 末端を伸長し、RNA か DNA のプライマーを必要とすることを考えれば明らかである。複製フォークが直鎖状染色体の末端に近づくと、リーディング鎖の合成は鋳型 DNA 鎖の末端まで続き、娘二本鎖 DNA の一方が完成する。しかし、ラギング鎖の鋳型は不連続的にコピーされるので、複製を完全な形に仕上げることはできない（図 7・39）。その理由は、最後の RNA プライマーが除去されたときに、できた隙間を DNA ポリメラーゼが埋めようとしても、その足場となる鋳型鎖が上流に存在しないからである。何か特別な機構がなければ、ラギング鎖の合成からできる娘 DNA 鎖は細胞分裂のたびに短縮することになる。

テロメア短小化の問題は、各染色体の末端にテロメア反復配列（TEL）を付加する酵素によって解決される。この酵素はタンパク質-RNA 複合体で、**テロメア末端トランスフェラーゼ**（telomere terminal transferase）、あるいは**テロメラーゼ**（telomerase）とよばれている。テロメラーゼの RNA 配列が、テロメア末端にデオキシリボヌクレオチドを付加するための鋳型の役割をするため、付加する配列を決めるのはテロメラーゼであって、テロメア DNA プライマーの配列ではない。このことは、テロメラーゼの RNA をコードする遺伝子の変異型を用いてテトラヒメナを形質転換した実験から証明された。このテロメラーゼは、変異した RNA 配列に相補的な DNA 配列をテロメアのプライマーの末端に付加した。つまり、テロメラーゼは特殊化した逆転写酵素であり、自らの中に RNA 鋳型をもち、DNA 合成を行っている。この実験により、テロメアの構造と機能の研究に 2009 年のノーベル生理学・医学賞が授与された。

図 7・40 に、テロメラーゼが自身のもつ RNA の逆転写をどのように行って、上述の G に富む鎖の末端で一本鎖 DNA の 3′ 末端

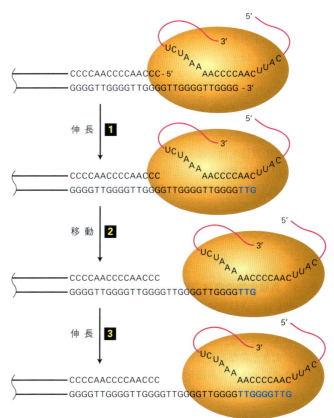

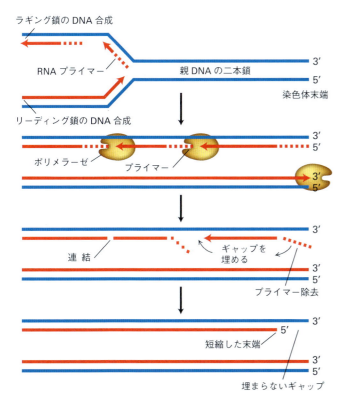

図 7・39 通常の DNA 複製では、直鎖状 DNA 分子の両鎖の 5′ 末端で DNA が失われる。ここには直鎖状 DNA の右端の複製を示したが、同じことは左端でも起こる（図を左右反転すればよい）。複製フォークが親 DNA 分子の末端に近づくと、リーディング鎖はデオキシリボヌクレオチドを失うことなく鋳型鎖の末端まで完全に合成できる。しかし、ラギング鎖の DNA 合成には RNA プライマーが必要なため、娘 DNA のラギング鎖の右端がリボヌクレオチドのままになる。この RNA プライマーは除かれるので、複製する DNA ポリメラーゼの鋳型として働かない。複製のたびにラギング鎖が短縮するのを避けるには、別の機構を用いなければならない。

図 7・40 テロメラーゼの作用機構。テロメアの一本鎖の 3′ 末端がテロメラーゼで伸長することにより、DNA の複製機構で直鎖状 DNA の最末端を合成できない欠点が解消されている。テロメラーゼは逆転写機構を繰返し使うことで、この一本鎖末端を伸長させる。ここには、T_2G_4 反復単位を付加する原生動物テトラヒメナのテロメラーゼの作用を示したが、他のテロメラーゼはこれと少し異なる配列を付加する。テロメラーゼには鋳型ラギング鎖の 3′ 末端と塩基対をつくる RNA の鋳型（赤）が含まれている。次に、テロメラーゼの触媒部位がこの RNA 分子を鋳型に用いて、TTG のデオキシリボヌクレオチド（青）を付加する（段階 **1**）。次に、この反応でできた DNA-RNA 二本鎖の二つの鎖が、互いに対してずれると考えられている（移動）。すなわち複製中の DNA 鎖の 3′ 末端にある TTG 配列は、テロメラーゼ RNA 中の別の相補配列（CAA）と塩基対を形成するようになる（段階 **2**）。複製中の DNA の 3′ 末端が再びテロメラーゼによって伸長する（段階 **3**）。テロメラーゼは段階 **2** と **3** を繰返すことによって、多数の反復配列を付加することができる。DNA ポリメラーゼの α プライマーゼは、この伸長した鋳型鎖上に新たな岡崎フラグメントの合成を開始できる。その結果、DNA 複製ごとにラギング鎖が短縮することが防がれる。[C. W. Greider and E. H. Blackburn, 1989, *Nature* **337**: 331 参照.]

を伸長させるかを示した．テロメラーゼの RNA を合成できないノックアウトマウスから採った細胞にはテロメラーゼ活性がなく，その細胞のテロメアは世代とともにしだいに短縮する．このマウスは長いテロメア反復配列の大半が失われるまでの 3 世代の間は，正常に繁殖して子をつくることができる．その後，テロメア DNA を失ったことによって，染色体末端の融合や染色体の欠失などの有害事象が出てくる．このノックアウトマウスは第 4 世代には繁殖能力が低下し，第 6 世代目以降は子孫をつくれなくなる．

テロメラーゼタンパク質とテロメラーゼ RNA を発現するヒトの遺伝子は，生殖細胞や幹細胞では活性がある．一方，成体組織中の大部分を占めるのは，限定した回数しか分裂しない細胞や，全く分裂しない細胞（このような細胞を分裂終了細胞 postmitotic cell とよぶ）であり，このような細胞では不活性である．ところが，ほとんどのヒトがん細胞ではこの遺伝子は活性化している．がん細胞では，テロメラーゼが多数回の細胞分裂を行って腫瘍を形成するために必要である．この現象を手掛かりに，がんの治療薬になる可能性を期待して，ヒトテロメラーゼ阻害剤が探索されている．

ほとんどの真核生物ではテロメラーゼがテロメアの短小化を防いでいるが，別の戦略をとる生物もいる．ショウジョウバエは，非 LTR 型レトロトランスポゾンを制御しながらテロメアに挿入することによって，テロメアの長さを保っている．これは，可動性因子が宿主生物において特定の機能をもつことを示す数少ない例の一つである．

7・5 真核生物染色体の形態と機能要素　まとめ
- 中期には，真核生物の染色体は十分に凝縮し，個々の染色体を光学顕微鏡で観察できるようになる．
- 染色体の核型は，種に固有である．非常に近縁の種でも核型が大きく異なることがあり，同じような遺伝情報が異なる様式で染色体に組織化されうることを示している．
- 染色体のバンドパターンの解析や染色体ペインティングを行うことによって，ヒトの中期染色体を区別したり，転座や欠失を検出することができる（図 7・33，図 7・34）．
- 近縁種間における染色体再編成や，保存されているシンテニー領域を分析することによって，染色体の進化を予測できる（図 7・35c）．これらの研究によって示された生物種間の進化の関係は，化石記録や DNA 配列解析に基づいて提唱された進化の関係と一致している．
- 多糸染色体のバンドパターンは再現性が非常に高く，染色体の欠失や再編成を，正常なバンドパターンの変化として可視化できる．
- 長い直鎖状の DNA が染色体として機能するには，3 種類の DNA 配列が必要である．それらは，複製起点（酵母では ARS とよばれる），セントロメア（CEN）配列，および DNA の両端にあるテロメア（TEL）配列である（図 7・37）．

- テロメラーゼはタンパク質-RNA 複合体であり，DNA 合成時にテロメアを複製する特殊な逆転写酵素活性をもつ（図 7・40）．テロメラーゼがないと，ラギング鎖合成によってできる娘 DNA 鎖が細胞分裂のたびに短くなる（図 7・39）．

重要概念の復習

1. 遺伝子は，タンパク質をコードする遺伝子の場合は転写されて mRNA になり，rRNA や tRNA などの遺伝子の場合は転写され，それらの RNA になる．遺伝子の定義を述べよ．次の三つの性質に関して，(a) 単一転写単位，(b) 複合転写単位に当てはまるものをそれぞれ示せ．
   i) 真核生物にみられる
   ii) イントロンを含む
   iii) 一つの遺伝子から複数種類のタンパク質をつくることができる

2. ヒトゲノムの配列決定から遺伝子の構成について多くのことが明らかになった．単独遺伝子，遺伝子ファミリー，偽遺伝子，および縦列反復遺伝子の違いを述べよ．

3. ヒトゲノムの大部分は反復 DNA によって構成されている．マイクロサテライト DNA とミニサテライト DNA の違いを説明せよ．DNA フィンガープリント法で個人を特定する際に，この反復 DNA はどのように役立つか．

4. 可動性 DNA 因子のうち，DNA として新たな部位に直接移動，つまり転位することのできるものは DNA トランスポゾンとよばれる．挿入配列（IS 因子）とよばれる細菌の DNA トランスポゾンの転位機構を説明せよ．

5. レトロトランスポゾンは，RNA 中間体を介して転位する種類の可動性因子である．LTR 型レトロトランスポゾンと，非 LTR 型レトロトランスポゾンの転位機構の違いを述べよ．

6. トランスポゾンが現生生物の進化に果たしたと考えられる役割を述べよ．エクソンシャッフリングとは何か．トランスポゾンがエクソンシャッフリングの過程に果たす役割は何か．

7. 細胞内にある DNA はタンパク質と結合してクロマチンを形成している．ヌクレオソームとは何か．ヌクレオソームにおいてヒストンが果たす役割は何か．

8. クロマチンの修飾はどのように転写を調節するか．転写が活性化しているゲノム領域にはどのような修飾がみられるか．また，転写が不活性な領域ではどうか．

9. 染色体ペインティングとは何か．また，この技術はどのように利用されるか．染色体ペインティングのプローブは哺乳類染色体の進化を分析する際にどのように使われるか．

10. ある生物には，多糸染色体をもつ細胞がある．多糸染色体とは何か．それはどこにあり，どのような機能をもつか．

11. 真核生物の染色体の複製と分離には，複製起点，セントロメア，およびテロメアという三つの機能要素が必要である．もし染色体から複製起点，セントロメアがそれぞれなくなったとしたら，染色体にどのような影響が現れるか．

12. DNA 複製の際に，染色体の末端で起こる問題点を述べよ．テロメアはこの問題とどうかかわっているか．

8

遺伝子発現の転写調節

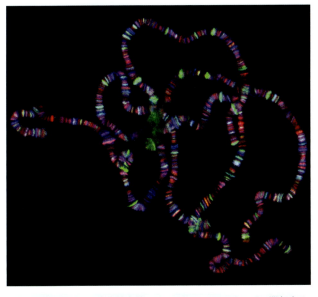

ショウジョウバエの**多糸染色体**．クロマチンリモデリングに関与する Kismet とよばれる ATPase に対する抗体（青），CTD が低リン酸化状態の RNA ポリメラーゼⅡに対する抗体（赤），および CTD が高リン酸化状態の RNA ポリメラーゼⅡに対する抗体（緑）で染色した．[S. Srinivasan, et al., 2005, *Development* **132**(7): 1623, Copyright Clearance Center, Inc. を通じて The Company of Biologists より許可を得て転載.]

- 8・1　真核生物の転写の概要
- 8・2　RNA ポリメラーゼⅡのプロモーターと基本転写因子
- 8・3　タンパク質をコードする遺伝子の調節配列とそれに結合して働くタンパク質
- 8・4　転写の活性化と抑制の分子機構
- 8・5　転写因子の活性調節
- 8・6　転写のエピジェネティック制御
- 8・7　その他の真核生物転写系

　これまでの章で，個々の細胞の性質や機能は，その細胞に含まれるタンパク質によって決まることを述べた．本章と次章では，多細胞生物の特定の細胞種でつくられる多様なタンパク質の種類と量が，どのように制御されているかを考える．**遺伝子発現**（gene expression）の制御は，ヒトのような多細胞生物の発生を調節する基本的な過程であり，これによって 1 個の受精卵から多細胞生物を構成する何千種類もの細胞がつくられる．遺伝子発現に不具合が生じると，細胞の性質が変化し，しばしばがんの発生につながる．25 章で述べるように，がん細胞では細胞増殖を抑えるタンパク質をコードする遺伝子が異常に発現抑制される一方，細胞の成長や増殖を促進するタンパク質をコードする遺伝子が不適切に活性化する．また，遺伝子発現の異常は，口蓋裂，ファロー四徴症（外科手術を必要とする重大な心臓の障害）をはじめとするさまざまな発生異常を生じる．

　遺伝子発現の基本的過程，すなわち，特定の遺伝子にコードされる情報が解読されて特定のタンパク質がつくられる過程の全体像は 5 章で述べた．mRNA の合成には，**RNA ポリメラーゼ**（RNA polymerase）が転写を開始し（**開始** initiation），DNA のコード鎖に対して相補的にリボヌクレオシド三リン酸を重合し（**伸長** elongation），その後，転写を終結すること（**終結** termination）が必要である．原核生物では，新たに転写された RNA 分子が修飾を受けることなく mRNA として機能するので，リボソームと翻訳開始因子がただちに結合する．しかし真核生物では，一次転写産物の RNA がプロセシングを受けて，機能的な mRNA になる（図 5・27 参照）．その後，mRNA は合成の場である核から細胞質に輸送され，そこでリボソーム，tRNA，および翻訳因子の作用によってタンパク質へと翻訳される．

　遺伝子発現の調節は，上述した複数の段階で起こる．たとえば，転写の開始と伸長，RNA プロセシング，mRNA の核外輸送，また，mRNA の分解，タンパク質への翻訳，そしてタンパク質の分解などである．遺伝子発現制御の方法に選択肢がいろいろある結果，細胞の種類，発生段階，外界への応答によってタンパク質の発現は実に多様な変化をみせる．しかし，遺伝子発現のすべての段階で調節が可能であるとはいえ，多細胞動物では転写の開始と伸長の調節が最も重要な調節機構である（図 8・1）．転写の開始と伸長を調節する分子機構は，多細胞生物の発生過程，病原性微生物からわれわれを守る免疫応答，さらに学習や記憶という神経科学的過程に重要である．これらの転写調節機構が適切に機能しない場合には，病的状態につながる可能性がある．たとえば，*HOXD13* 遺伝子の変異で，胎生期に手足の指が通常より多く発生する多指症（polydactyly）がひき起こされる（図 8・2a）．*HOXD13* は，四肢の発生に関与する複数の遺伝子の転写を調節する**転写因子**（transcription factor）をコードしている．このほかにも，転写因子の機能や発現に影響する変異によって，ショウジョウバエの翅が余分に生え（図 8・2b），植物で花の形態が変化する（図 8・2c）．

　転写は，複雑で高度に調節された過程である．転写の結果として，ほとんどすべての細胞が同一 DNA 配列の同じ染色体を含んでいるのにもかかわらず，細胞の種類に特異的な遺伝子発現が起こる．本章では，真核細胞において，どのタイミングで遺伝子を転写するかを決定する分子レベルの事象に焦点を当てる．真核生物の転写調節機構では，DNA がヒストン八量体に結合し，ヒストン尾部が翻訳後修飾されて，さまざまな凝縮度をもつクロマチン構造が形成されることを利用している（図 7・26 と図 7・28 参

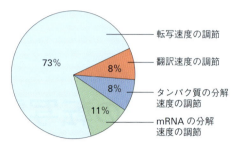

図 8・1 タンパク質の発現量を調節する主要な過程の寄与. タンパク質の発現量は，そのタンパク質をコードする mRNA の合成（転写）と分解，mRNA のタンパク質への翻訳，タンパク質分解の速度によって調節される. 培養マウス繊維芽細胞における数千ものタンパク質の発現量への，これら四つのパラメーターの相対的な寄与は，タンパク質発現量（質量分析法：3 章），mRNA 量（mRNA 配列決定法：RNA-Seq による），翻訳速度（mRNA がリボソームに結合したことによるリボヌクレアーゼからの保護：リボソームフットプリント法を用いて推定），タンパク質の分解速度（安定同位体標識法による）をそれぞれ決定し，さらに，これらの方法に付随する固有の偏りと誤差を統計学的方法で補正して求めた．〔J. J. Li and M. D. Biggin, 2014, Science **347**: 1066 による.〕

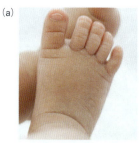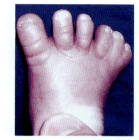

図 8・2 転写因子をコードする遺伝子が変異したときの表現型. (a) ヒト *HOXD13* 遺伝子の顕性変異によって，指が通常より多く発生する（多指症として知られる）. (b) ショウジョウバエの第三胸部体節は，正常な個体では平均棍という飛行に必要な器官になる．しかし，この体節で *Ubx* 遺伝子が発現しなくなる潜性変異をホモ接合でもつと，翅として発生する体節に変化する. (c) シロイヌナズナの三つの花器官アイデンティティー遺伝子の両方のコピーが不活性化する変異によって，正常な場合には花の部分になるものが，葉のような構造になる. いずれの場合でも，多数の遺伝子を調節する上位の転写因子（マスター転写因子）が変異している. 〔(a)左は Lightvision, LLC/Getty Images, 右は F. R. Goodman and P. J. Scrambler, 2001, *Clin. Genet.* **59**(1): 1, John Wiley & Sons, Inc. より許可を得て転載. (b)は E. B. Lewis, 1998, *Int. J. Dev. Biol.* **42**: 403, Figures 4a, 4b. (c)は D. Weigel and M. Meyerowitz, 1994, *Cell* **78**(2): 203, Copyright Clearance Center, Inc. を通じて Elsevier より許可を得て転載.〕

照). 図 8・3 に多細胞動物の転写調節と本章で紹介する過程の全体像を示す. 異なる種類の真核生物遺伝子の転写を行う RNA ポリメラーゼが，どのようにプロモーター配列に結合して RNA 分子の合成を開始するのか，また，特定の DNA 配列がどのように転写因子の結合部位となり，**転写調節領域**（transcriptional-control region，転写制御領域）として機能するのかをみる．次に，真核生物のアクチベーターやリプレッサーが，多数のタンパク質を含む大きな複合体（多量体タンパク質複合体）との相互作用によってどのように転写に影響を与えているかをみる．このような多量体タンパク質複合体にはクロマチンの凝縮度を変化させて，染色体 DNA への転写因子や RNA ポリメラーゼの接近しやすさを調節するものがある. あるいは RNA ポリメラーゼがプロモーターに結合し，転写を開始する頻度に直接影響を与えるものもある．多細胞動物では，RNA ポリメラーゼは短い RNA を転写したあとで停止する. そのポリメラーゼを停止状態から解除し，遺伝子の残りを転写できるようにすることも，遺伝子転写調節機構の一つである. また，特定の遺伝子の転写が，ヒトゲノムにコードされるおよそ 1600 の転写因子の特定の組合わせにより，どのようにして決定され，細胞特異的な遺伝子発現を起こすかをみる. さらに，転写因子自体の活性が調節されて，分化過程で正しい細胞でのみ，適切なタイミングで遺伝子が発現するように保証するさまざまな方法も議論する.

最近の研究から，核に存在する RNA-タンパク質複合体が転写を調節できることが発見された. in vitro で RNA から DNA へ逆転写して，新しい方法で DNA を配列決定した研究から，真核生物のゲノムの大部分が，タンパク質をコードしない低発現量の RNA へと転写されていることがわかった. また，複数の核内**長鎖非コード RNA**（long noncoding RNA: **lncRNA**）がタンパク質をコードする遺伝子の転写を調節することもわかった. この発見により，非コード RNA による転写調節は，現在までに理解されているよりもずっと一般的に行われている可能性が出てきた. また，さまざまな細胞で，クロマチンの特定領域への転写因子の結合を，ゲノム全体にわたって調べることができるようになり，初期胚の多能性幹細胞が組織のほとんどを形成する分化細胞になる胚発生の過程を，転写因子がどのように調節しているか，理解のための手がかりをつかむことにつながっている. このほかに真核生物の遺伝子発現を調節する RNA プロセシングなど，さまざまな転写後調節機構については 9 章で扱う. その後の章，特に 15 章，16 章，21 章では転写が細胞間の相互作用によってどのように調節されているか，そして，その結果としての**遺伝子制御**（gene control）が多細胞生物において何千とある特定の細胞種の分化と機能に，どう寄与しているかについて述べる.

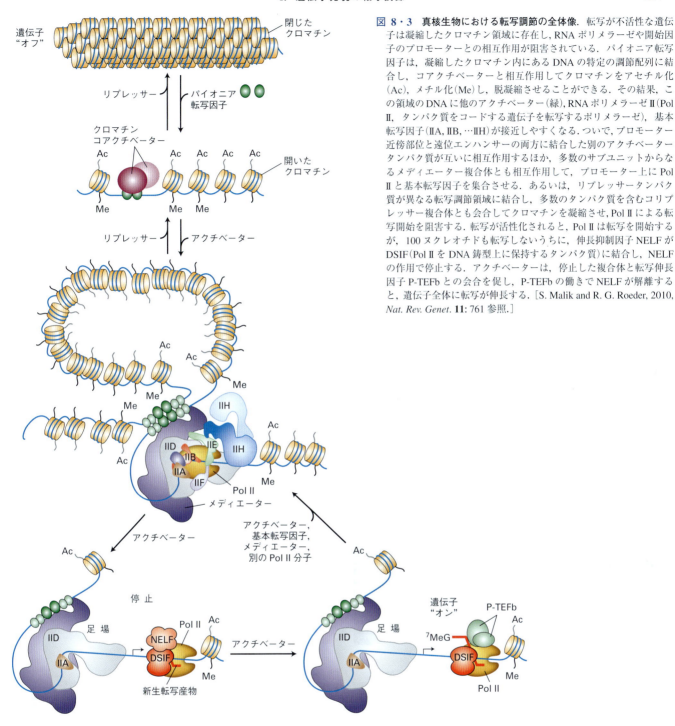

図 8・3 真核生物における転写調節の全体像. 転写が不活性な遺伝子は凝縮したクロマチン領域に存在し, RNA ポリメラーゼや開始因子のプロモーターとの相互作用が阻害されている. パイオニア転写因子は, 凝縮したクロマチン内にある DNA の特定の調節配列に結合し, コアクチベーターと相互作用してクロマチンをアセチル化(Ac), メチル化(Me)し, 脱凝縮させることができる. その結果, この領域の DNA に他のアクチベーター(緑), RNA ポリメラーゼⅡ(PolⅡ, タンパク質をコードする遺伝子を転写するポリメラーゼ), 基本転写因子(ⅡA, ⅡB, …ⅡH)が接近しやすくなる. ついで, プロモーター近傍部位と遠位エンハンサーの両方に結合した別のアクチベータータンパク質が互いに相互作用するほか, 多数のサブユニットからなるメディエーター複合体とも相互作用して, プロモーター上に PolⅡと基本転写因子を集合させる. あるいは, リプレッサータンパク質が異なる転写調節領域に結合し, 多数のタンパク質を含むコリプレッサー複合体とも会合してクロマチンを凝縮させ, PolⅡによる転写開始を阻害する. 転写が活性化されると, PolⅡは転写を開始するが, 100 ヌクレオチドも転写しないうちに, 伸長抑制因子 NELF が DSIF(PolⅡ を DNA 鋳型上に保持するタンパク質)に結合し, NELF の作用で停止する. アクチベーターは, 停止した複合体と転写伸長因子 P-TEFb との会合を促し, P-TEFb の働きで NELF が解離すると, 遺伝子全体に転写が伸長する. [S. Malik and R. G. Roeder, 2010, Nat. Rev. Genet. 11: 761 参照.]

8・1 真核生物の転写の概要

細菌での遺伝子制御には主として, 栄養分の供給状況など環境の急激な変化に対して細胞を適応させる役割があり, これによって成長や分裂を最適化することができる. 一方, 多細胞生物では細胞のおかれた環境は比較的安定している. しかし細菌と同様, 環境に突然の変化が起こると, 真核細胞は自分自身を守るための一連の遺伝子を速やかに誘導する. 21章で扱うが, 熱ショックや低酸素に対する細胞応答がよい例である. しかし, 多細胞生物における遺伝子制御の, 最も特徴的かつ生物学的に広範な意味をもつ目的は, 胚発生の遺伝的プログラムの実行である. 多細胞生物を構成する多数の異なる細胞種をつくりだすためには, 適切な遺伝子が発生中の適切な時期に適切な細胞で活性化しなければならない.

ほとんどの場合, 細胞がある発生段階に進みはじめると, 逆戻りすることはできない. このような遺伝的プログラムを実行するにあたり, 多くの分化細胞(たとえば皮膚細胞, 赤血球細胞, あるいは抗体産生細胞)は最終的な細胞死に向かって進み続け, 子孫をあとに残さない. 分化に向かう遺伝子制御の固定されたパターンは, 個々の細胞の生存のためではなく, 生命体全体の必要性をみたすことを目的としているのである.

細菌と真核生物で，転写調節の二つの重要な特徴は共通している．第一に，遺伝子には転写調節領域がある．第二に，遺伝子の転写調節領域に結合する特定のタンパク質が，どの場所から，どのくらいの頻度で転写を開始するか決定する．真核細胞は転写調節にクロマチン構造を利用する．これは細菌にはない転写調節機構である．多細胞真核生物では，多くの不活性な遺伝子は凝縮したクロマチン領域に存在する．凝縮したクロマチンには，転写開始に必要なRNAポリメラーゼや基本転写因子が結合することができない（図8・3）．**アクチベーター**（activator）タンパク質は，遺伝子の転写開始点（transcription start site: TSS）近くの転写調節領域に結合するほか，転写開始点から数kbも離れた**エンハンサー**（enhancer）とよばれる転写調節領域にも結合し，クロマチンの脱凝縮，RNAポリメラーゼのプロモーターへの結合，転写の伸長を促進する．**リプレッサー**（repressor）タンパク質は別の調節領域に結合し，クロマチンを凝縮させてポリメラーゼの結合や伸長反応を阻害する．本節では，真核生物の遺伝子制御の一般則を議論する．また，次節以降では，真核生物の転写調節に固有の特徴を詳しく述べる．

真核生物DNAの転写調節エレメントは，転写開始点の近傍にも，何千塩基も離れた位置にも見いだされる

異なる種類の細胞において多数の遺伝子の転写速度を直接測定した実験から，転写開始反応であれプロモーター近傍領域での伸長反応であれ，転写の調節が（細菌の場合と同じく）真核生物に

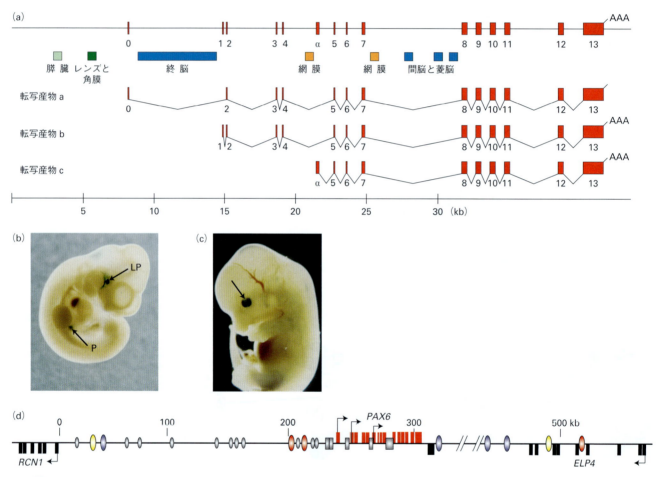

図8・4 マウス*Pax6*遺伝子とヒトのオロソログ遺伝子*PAX6*の転写調節領域．(a) *Pax6*遺伝子には，マウスの胚発生において異なる組織で異なる時期に用いられる三つのプロモーター領域がある．異なる組織で*Pax6*の発現を制御する転写調節領域を，色をつけた四角形で示す．これらの調節領域の長さは，およそ200～500 bpである．(b) エクソン0の上流8 kbのDNAと融合したβ-ガラクトシダーゼレポーター遺伝子の発現．受精後10.5日目のレポーター遺伝子導入マウス胚をX-galで染色し，β-ガラクトシダーゼの活性を検出した．水晶体窩（LP）は眼のレンズへと分化する組織である．β-ガラクトシダーゼの発現は膵臓に分化する組織（P）でも観察された．(c) (a)でエクソン4-5間の"網膜"と記した配列と連結したβ-ガラクトシダーゼレポーター遺伝子の発現を13.5日目の胚で観察した．矢印は網膜に発生途中の領域を示す．(d) ヒトのオロソログである*PAX6*遺伝子において，上流の*RCN1*遺伝子と下流の*ELP4*遺伝子プロモーターとの間の600 kbの範囲に同定された調節領域．*RCN1*と*ELP4*の転写方向（図では左向き）は，*PAX6*の転写方向と逆である．*RCN1*と*ELP1*のエクソンは，線で示したヒトDNA領域の下方に黒四角で，*PAX6*のエクソンは線の上方に赤の四角で示した．三つの*PAX6*プロモーターは右向きの矢印，(a)に示した調節領域は灰色の四角で示した．図8・5(a)に示すように，ほとんどの脊椎動物で配列が部分的に保存されている遺伝子周辺領域を楕円で示した．色をつけた楕円は，ゼブラフィッシュに遺伝子導入したときに，特定の神経解剖学的部位で発現を誘導した配列である．ゼブラフィッシュでは遺伝子導入マウスと比べて，転写調節領域をずっと短時間で検討することができる．[(a)はB. Kammendal et al., 1999, *Devel. Biol.* **205**: 79 による．(b)はB. Kammendal et al., 1999, *Devel. Biol.* **205**(1): 79, Copyright Clearance Center, Inc. を通じてElsevierより許可を得て転載．(c)はP. Gruss and B. Kammandel 提供．(d)はS. Bhatia et al., 2014, *Devel. Biol.* **387**: 214 による．]

おける最も一般的な遺伝子制御の方法であることが示されている。真核生物で，RNA ポリメラーゼが結合して遺伝子の転写を開始する場所を特定する DNA 配列は，細菌と同様，**プロモーター**（promoter）とよばれる．特定のプロモーターからの転写は，転写調節領域に結合する DNA 結合タンパク質によって調節されている．真核生物の個々の転写調節タンパク質は，他のタンパク質との会合状態により，転写活性化にも転写抑制にも作用する．そのため，一般的な名称として**転写因子**（transcription factor）とよばれている．

転写因子が結合する真核生物ゲノムの DNA 調節エレメントは，原核生物ゲノムの場合に比べ，調節の対象となるプロモーターからずっと遠くに離れて位置することが多い．転写因子がプロモーターから何万塩基対も**上流**（upstream，転写の進行方向とは逆方向の部位）あるいは**下流**（downstream，転写の進行方向と同じ方向の部位）に結合する場合がある．その結果，一つの遺伝子の転写が，多数の転写因子が別々の調節エレメントに結合することによって制御される可能性がある．こうして，同じ遺伝子を，異なる細胞種で，発生過程の異なる時期に発現させているのである．

たとえば，転写因子 **Pax6** をコードする哺乳類遺伝子の発現は，複数の転写調節領域によって制御されている．1 章で述べたように，Pax6 タンパク質は眼の発生に必要である．また，Pax6 は脳と脊髄の一部領域の発生，インスリンを分泌する膵臓の細胞機能にも必要である．ヒトでは機能をもつ *Pax6* 遺伝子を一つしかもたないヘテロ接合体になると，眼の虹彩が欠損した無虹彩症で生まれてくる（図 1・31d 参照）．哺乳類の *Pax6* 遺伝子は，異なる細胞種で胚発生の異なる時期に機能する少なくとも三つの異なるプロモーターから発現する（図 8・4a）．

遺伝子の転写調節領域を解析する研究では，転写調節能を調べたい DNA 断片を，検出・定量が容易な**レポーター遺伝子**（reporter gene）のコード領域に連結した組換え DNA 分子を構築する．代表的なレポーターにルシフェラーゼをコードする遺伝子がある．ルシフェラーゼの酵素反応による発光は，ルミノメーターを使って高感度かつ何桁もの幅広い強度範囲にわたって測定できる．また，よく用いられるレポーター遺伝子には緑色蛍光タンパク質（GFP）や他の色の蛍光を発するタンパク質をコードする遺伝子もあり，蛍光顕微鏡で観察できる（図 4・9d，図 4・14 参照）．大腸菌の β-ガラクトシダーゼもよく用いられるレポーターであり，無色のラクトースアナログである X-gal の溶液と反応させると，濃い青を呈する不溶性の沈殿が生じる．*Pax6* 遺伝子エクソン 0 の上流にある 8 kb の DNA を連結した β-ガラクトシダーゼレポーター遺伝子をもつトランスジェニックマウス（図 8・4a）を作製すると，妊娠中期の胚において発生途中のレンズ，角膜，および膵臓で β-ガラクトシダーゼの発現が観察された（図 8・4b）．この領域をさらに細分化した DNA を導入したトランスジェニックマウスを解析した結果，膵臓，およびレンズと角膜のそれぞれにおいて転写を制御している転写調節領域の位置を決めることができた．また，上記とは異なる領域を含むレポーター遺伝子が組込まれたトランスジェニックマウスを解析した結果，他の転写調節領域の存在も明らかになった（図 8・4a）．これらの領域は発生途中の網膜や脳の異なる部位での転写を制御している．これらの転写調節領域のうちの一部は，エクソン 4–5 間と 7–8 間のイントロンに存在する．たとえば，図 8・4(a)で "網膜" と記したエクソン 4–5 間の領域に制御されたレポーター遺伝子は，網膜特異的に発現する（図 8・4c）．

少なからぬ遺伝子の転写調節領域は，タンパク質をコードするエクソンから数百 kb も離れた位置に見いだされている．このように離れて存在する転写調節領域を同定するための一つの方法は，遠縁の生物種間で DNA 配列を比較することである．進化的

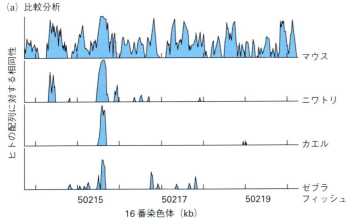

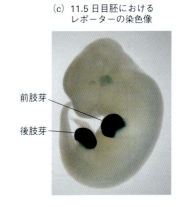

(a) 比較分析　　(b) マウス卵への微量注入　　(c) 11.5 日目胚におけるレポーターの染色像

図 8・5（実験）　ヒトの *SALL1* 遺伝子のエンハンサーは発生途中のマウス胚の肢芽においてレポーター遺伝子の発現を活性化する．(a) *SALL1* 遺伝子から約 500 kb 下流に位置するヒトゲノム領域の DNA 配列（16 番染色体の 50214～50220.5 kb の配列）の進化的保存性を示すグラフ．SALL1 遺伝子はジンクフィンガー型転写抑制因子をコードする．約 500 bp のタンパク質非コード配列の領域が，ゼブラフィッシュからヒトに至るまで保存されている．進化的に保存されたこの領域を含む 900 bp のヒト DNA を，大腸菌 β-ガラクトシダーゼのコード領域の隣に挿入したプラスミドを作製した．(b) このプラスミドをマウス受精卵の前核に微量注入し，偽妊娠させたマウスの子宮に移植し，レポーター遺伝子を含むプラスミドがゲノムに挿入されたトランスジェニックマウス胚を作製した．(c) 肢芽が発生する時期の 11.5 日目に胚を固定して透過処理を行い，X-gal 存在下でインキュベートした．X-gal は β-ガラクトシダーゼによって青を強く呈する不溶性化合物に変換される．この実験結果は，約 900 bp の DNA 領域に，肢芽特異的に β-ガラクトシダーゼレポーター遺伝子の転写を強く誘導するエンハンサーが含まれることを示している．［(a) は VISTA Enhancer Browser による．(b) は Deco/Alamy．(c) は L. A. Pennacchio et al., 2006, *Nature* **444**: 499, Copyright Clearance Center, Inc. を通じて Nature Publishing Group より許可を得て転載．］

に保存された遺伝子では転写調節領域の配列も種間で保存されていることが多い．一方で，機能をもたない配列は進化の間に変化しているので，その中に点在する保存された領域を識別することができる．たとえば，*SALL1* 遺伝子の約 500 kb 下流には，ヒト，マウス，ニワトリ，カエル，魚類の間で高度に保存された DNA 配列がある（図 8・5a）．*SALL1* 遺伝子には，四肢の正常発生に必要な転写因子がコードされている．この進化的に保存された DNA 配列を β-ガラクトシダーゼレポーターに連結し，その遺伝子を導入したトランスジェニックマウスを作製したところ（図 8・5b），胚の発生段階の肢芽に β-ガラクトシダーゼの非常に高い発現がみられた（図 8・5c）．一方，ヒトでゲノムのこの領域を欠くと，肢に異常が現れる．これらの結果は，進化的に保存されたこの領域が，発生中の肢で *SALL1* 遺伝子の転写を指令していることを示している．おそらく，別の転写調節領域が他の種類の細胞でこの遺伝子の発現を調節しており，耳，腸下部，腎臓の正常発生で機能している．**エンハンサー**（enhancer）とよばれる遠位の転写調節領域がどのように機能するかについて，真核生物で RNA ポリメラーゼとともに機能して転写を実行するタンパク質について述べたのち，再考することにする．

真核生物の 3 種類の核内 RNA ポリメラーゼは それぞれ異なる種類の RNA の生成を触媒する

これまでに調べられたすべての真核細胞の核には，I，II，および III と命名された 3 種類の RNA ポリメラーゼがある．これらの酵素は正味の電荷が異なるため，イオン交換クロマトグラフィーを行うと異なる塩濃度で溶出される．また，ある種のキノコが産生する有毒な環状オクタペプチド α-アマニチンに対する感受性にも違いがある（図 8・6）．RNA ポリメラーゼ I は α-アマニチンに対して感受性がないが，RNA ポリメラーゼ II は非常に高い感受性がある．α-アマニチンは酵素の活性部位近くに結合して，鋳型 DNA に沿った酵素の移動を阻害する．RNA ポリメラーゼ III は I と II の中間の感受性を示す．真核生物の RNA ポリメラーゼは，それぞれ異なる種類の RNA をコードする遺伝子の転写を触媒する（表 8・1）．**RNA ポリメラーゼ I**（Pol I）は核小体に局在し，rRNA 前駆体（**pre-rRNA**）をコードする遺伝子を転写する．この rRNA 前駆体からプロセシングによって 28S，5.8S，および 18S rRNA ができる．**RNA ポリメラーゼ III**（Pol III）は，tRNA，5S rRNA，および RNA スプライシングに関与する RNA（U6 snRNA）や，新生タンパク質の小胞体への輸送に関与するシグナル認識粒子（signal recognition particle: SRP）の RNA 成分（13 章）など，小さく安定な RNA をコードする遺伝子を転写する．

RNA ポリメラーゼ II（Pol II）はタンパク質をコードするすべての遺伝子を転写する．すなわち，その機能は mRNA の産生である．また Pol II は，RNA スプライシングに関与する 5 種類の核内低分子 RNA（snRNA）のうちの 4 種類を合成するほか，翻訳調節に機能するマイクロ RNA（miRNA），これに類似した内在性の短鎖干渉 RNA（siRNA），さらには，ほとんどの長鎖非コード RNA（lnc RNA，9 章）も合成する．本章では Pol II の調節をおもに扱うが，Pol I と Pol III の調節についても最後の部分で扱う．

真核生物の RNA ポリメラーゼは，細菌の RNA ポリメラーゼよりも複雑であるが，全体的な構造は似ている（図 8・7a, b）．おのおのの真核生物 RNA ポリメラーゼは 2 個の大きなサブユニットと 10〜14 個の小さなサブユニットからなり，これらサブユニットの一部は 2 種類あるいは 3 種類すべての RNA ポリメラーゼに共通している．真核生物の RNA ポリメラーゼで最もよく性質がわかっているのは，出芽酵母の RNA ポリメラーゼである．RNA ポリメラーゼのサブユニットをコードするおのおのの酵母遺伝子について，遺伝子ノックアウトが行われ（6 章），その表現型が調べられている．さらに，酵母 Pol II の三次元構造も決定されている（図 8・7b, c）．これまでに調べられた真核生物の 3 種類の核内 RNA ポリメラーゼはすべて，酵母の酵素と非常によく似ている．植物には，さらに二つの核内 RNA ポリメラーゼ（Pol IV，Pol V）

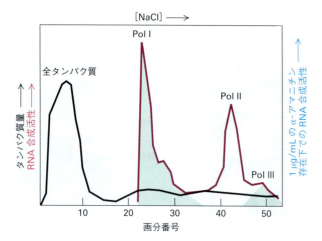

図 8・6（実験） 液体クロマトグラフィーによって α-アマニチンに対する感受性が異なる 3 種類の真核生物 RNA ポリメラーゼが分離・同定される．真核生物培養細胞の核から抽出したタンパク質を DEAE-Sephadex カラムに通し，NaCl 濃度を徐々に上げた溶液で，吸着したタンパク質を溶出させた（黒の曲線）．ここで得られた溶出液画分の一部を取り，α-アマニチン非存在下（赤の曲線）と 1 μg/mL 存在下（緑の部分）で RNA ポリメラーゼ活性を検討した．この濃度の α-アマニチンは Pol II の活性を阻害するが，Pol I および Pol III に対しては影響しない．Pol III は 10 μg/mL の α-アマニチンによって阻害されるが（図には示していない），Pol I はこれ以上の濃度でも影響されない．[R. G. Roeder, 1974, *J. Biol. Chem.* **249**: 241 による．]

表 8・1 真核生物の 3 種類の核内 RNA ポリメラーゼによって転写される RNA の分類とその機能

RNA ポリメラーゼ	転写される RNA	RNA の機能
I	rRNA 前駆体（28S，18S，5.8S rRNA）	リボソームの構成成分，タンパク質合成
II	mRNA	タンパク質をコードする
	snRNA	RNA スプライシング
	siRNA	クロマチン介在性抑制，翻訳調節
	miRNA	翻訳調節
III	tRNA	タンパク質合成
	5S rRNA	リボソームの構成成分，タンパク質合成
	snRNA U6	RNA スプライシング
	7S RNA	小胞体へのポリペプチドの挿入に機能するシグナル認識粒子
	他の安定な低分子 RNA	さまざまな機能，不明のものが多い

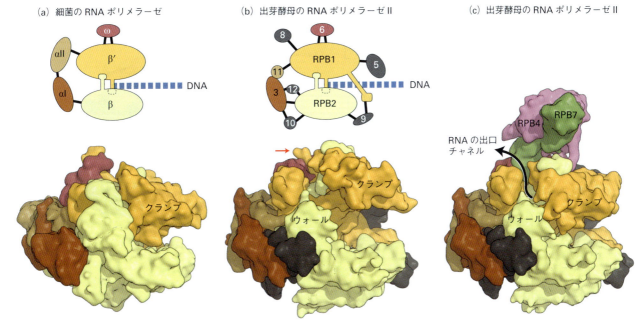

図 8・7 細菌と真核生物の RNA ポリメラーゼの三次元構造の比較．これらの空間充填モデルは，X 線結晶構造解析の結果に基づく．(a) 好熱性細菌 Thermus aquaticus の RNA ポリメラーゼ．5 個のサブユニットを異なる色で区別している．このモデルでは α サブユニットについては N 末端ドメインだけが含まれている．(b) 出芽酵母 Pol II のコア部分．このモデルでは，酵母 Pol II にある 12 個のサブユニットのうちの 10 個だけを示している．立体構造が細菌の酵素に似たサブユニットは同じ色で示した．大サブユニット RPB1 のカルボキシ末端ドメインは結晶構造中に観察されなかったが，赤の矢印の位置から伸びていることはわかっている（RPB は Pol II の別名である "RNA ポリメラーゼ B" の略称）．右方向に転写する RNA ポリメラーゼに入る DNA を上段に示した．(c) サブユニット 4 と 7 を含む酵母 Pol II の空間充填モデル．この二つのサブユニットは，(b) で示した酵素コア部分の大サブユニットのカルボキシ末端ドメイン領域周辺から伸びている．[(a) は S. Darst 提供，N. Korzheva et al., 2000, *Science* **289**: 619 参照．(b) は P. Cramer et al., 2001, *Science* **292**: 1863 による．(c) は K. J. Armache et al., 2003, *Proc. Natl. Acad. Sci. USA* **100**: 6964; D. A. Bushnell and R. D. Kornberg, 2003, *Proc. Natl. Acad. Sci. USA* **100**: 6969 による．]

が存在する．これらは Pol II に非常に似ているが，固有の大きなサブユニットが一つあるほか，いくつかの固有なサブユニットが含まれる．Pol IV，Pol V は，植物の核内 siRNA により植物トランスポゾンを転写抑制する機能がある．これらについては，本章の終わりのほうで扱う．

　真核生物のすべての RNA ポリメラーゼに含まれる二つの大サブユニットはアミノ酸配列と構造が互いに似ているほか，大腸菌 RNA ポリメラーゼの大サブユニット β′ および β にも似ている（図 8・8，図 8・7a）．また，真核生物のポリメラーゼには ω 様サブユニットと，2 種類の α 様サブユニットが含まれている．さまざまな生物由来の RNA ポリメラーゼのコア部分を構成するサブユニットの構造が非常によく似ていることは，RNA ポリメラーゼが進化の早い段階で出現し，よく保存されてきたことを示している．DNA から RNA を写しとるという基本的な過程（転写）を触媒する酵素であるから，この保存性は合理的に思われる．すべての酵母 RNA ポリメラーゼには，コアサブユニットのほかに，大腸菌 RNA ポリメラーゼにはない四つの小さなサブユニットが含まれている．さらに，真核生物の核内 RNA ポリメラーゼのそれぞれには，各酵素に特異的なサブユニットがいくつか含まれる．Pol I と Pol III の酵素特異的サブユニットのうちの三つは，Pol II 特異的な三つのサブユニットと相同である．Pol I 特異的な別の二つのサブユニットは，あとに述べる Pol II の基本転写因子である TFIIF と相同であり，Pol III の別の四つのサブユニットは，Pol II の基本転写因子 TFIIE および TFIIF と相同である．Pol I と Pol III の基本転写因子様サブユニットの機能は，TFIIE および TFIIF の機能と同様である．これらのサブユニットは酵素の精製中でも Pol I と Pol III に安定に結合しているが，機能的に同等の Pol II のサブユニットは精製中に分離してしまう．

　アーキアでは，真性細菌と同じように，単一種類の RNA ポリメラーゼが遺伝子発現に用いられる．しかし，アーキアの RNA ポリメラーゼは，真核生物の核内 RNA ポリメラーゼと同じように，10 個以上のサブユニットが含まれる．また，アーキアには真核生物と同様の基本転写因子がある．この事実は，アーキアは，真正細菌よりも真核生物に進化的により近い関係にあることと合致する（図 1・1 参照）．

　酵母での遺伝子ノックアウト実験から，3 種類の RNA ポリメラーゼのサブユニットのほとんどは細胞の生存に必須であることが示された．一方，生存には必須でない少数のポリメラーゼサブユニット（たとえば Pol II のサブユニット 4 と 7）であっても，遺伝子を破壊すると細胞の生育が非常に悪くなる．したがって，真核細胞 RNA ポリメラーゼが正常に機能するためには，すべてのサブユニットが必要ということになる．

クランプドメインは RNA ポリメラーゼ II による長い DNA 鎖の転写を可能にしている

　RBP1 サブユニットにはクランプドメイン（clamp domain）が含まれる．このドメインは，酵素に入ってくる DNA 鎖を保持する様子が観察されたことから命名された．遊離の Pol II（図 8・9a）

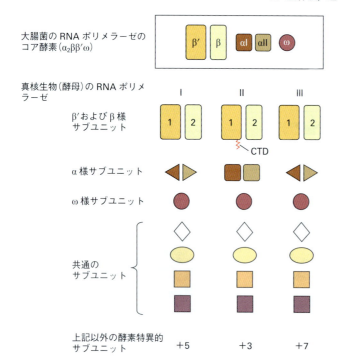

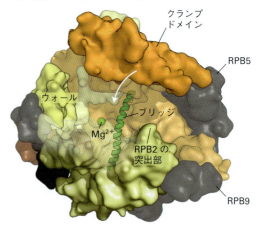

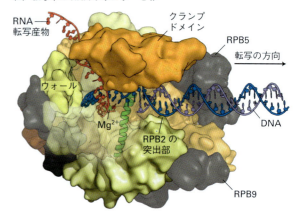

図 8・8　大腸菌 RNA ポリメラーゼのコア酵素と酵母核内 RNA ポリメラーゼのサブユニット構造の模式図．3 種類の酵母の RNA ポリメラーゼのすべてには五つのコアサブユニットが含まれている．この五つのサブユニットは，大腸菌 RNA ポリメラーゼのサブユニット β，β′，二つの α，および ω に相同である．Pol II の最大のサブユニット(RPB1)には，機能に不可欠なカルボキシ末端ドメイン(CTD)も含まれている．Pol I と Pol III では 2 種類の α 様サブユニットが共通しているが，Pol II にはそれとは異なる 2 種類の α 様サブユニットがある．3 種類の RNA ポリメラーゼには，同じ ω 様サブユニットがあるほか，共通サブユニットが四つ含まれている．さらに，酵母のポリメラーゼには，それぞれに特有な 3〜7 個の小さなサブユニットがある．

と，Pol II が伸長反応している状態を模倣した複合体（図 8・9b）の結晶構造とでは，クランプドメインの位置が異なる．このドメインは，下流の DNA が RPB1 と RPB2 の間の領域に入るときには開いていて（図 8・7b），その後，酵素が伸長反応を行う状態になると回転して閉じる（図 8・9b）．活性部位近くの 8〜9 bp の RNA-DNA ハイブリッド領域（図 8・9b で RNA が鋳型鎖と塩基対を形成している領域）が RPB1 と RPB2 の間に結合し，新生 RNA が出口チャネルを通過している間，クランプは閉じた位置に固定され，RNA ポリメラーゼが下流の二本鎖 DNA から解離しないようにしていると考えられる．さらに，あとに述べる DSIF とよばれる転写伸長因子が伸長中の RNA ポリメラーゼに結合し，クランプを閉じた立体構造に保つ．その結果，RNA ポリメラーゼは反応が非常に進行しやすくなり，転写が終結するまで，リボヌクレオチドを重合して鋳型 DNA を転写し続ける．転写が終結して RNA が出口チャネルから出ていくと，クランプが回転して開き，RNA ポリメラーゼは鋳型 DNA から遊離する．このようなしくみにより，ヒト RNA ポリメラーゼ II は，約 2 Mb にもなるヒト遺伝子で最長のジストロフィン (DMD) 遺伝子を，途中で鋳型から解離して停止することなく転写することができる．転写の伸長反応は 1 分当たり 1〜2 kb なので，DMD 遺伝子を転写するのは 1 日がかりである．

図 8・9　RPB1 のクランプドメイン．遊離の Pol II(a) と，転写中の Pol II(b) の構造の違いは，おもに RPB1 のクランプドメイン(橙)の位置である．クランプドメインは，転写複合体が形成されているときに RNA ポリメラーゼの顎のような部分の間にある裂け目の上へと移動して，鋳型 DNA 鎖と転写産物を捕捉する．クランプドメインは 8〜9 bp の RNA-DNA ハイブリッドに結合するので，クランプの閉鎖が RNA の存在と共役し，閉じた伸長複合体を安定化する．この伸長複合体のモデルでは，RNA を赤で，鋳型 DNA 鎖を濃青で，下流の非鋳型 DNA 鎖を紫で示している．クランプは，下流の DNA が入ってくるところを覆うように閉じている．このモデルでは，RNA と DNA がよく見えるように，裂け目の片側をつくる RPB2 の一部を省略して示した．ホスホジエステル結合を形成する触媒反応に関与する Mg^{2+} は緑の球で示した．ウォール(壁)とよばれる RPB2 のドメインは，ポリメラーゼの顎の部分に入ってきた鋳型 DNA を，ポリメラーゼから出ていく前に，曲げている．緑で示したブリッジの α ヘリックスは，ポリメラーゼの裂け目を横切って伸びていて（図 8・7b），RNA ポリメラーゼが鋳型鎖の下流へと 1 塩基移動するのに従って，たわんだり伸びたりすると想定されている．非鋳型鎖は，裂け目の上で柔軟な構造の一本鎖領域（図には示していない）を形成しており，伸長中の RNA の 3′ 末端と塩基対を形成している鋳型部分の 3 塩基下流から，鋳型鎖がポリメラーゼを出ていく部位へと伸びている．非鋳型鎖は，そこで鋳型鎖とハイブリッドを形成するので，"転写バブル" ができると考えられている．[A. L. Gnatt et al., 2001, Science 292: 1876, PDB ID 1i6h.]

RNA ポリメラーゼ II の最大サブユニットの　カルボキシ末端には必須の繰返し配列がある

Pol II の RPB1 サブユニットのカルボキシ末端には，7 アミノ酸が多数回反復した配列をもつ特徴的なドメインがある．この Tyr-

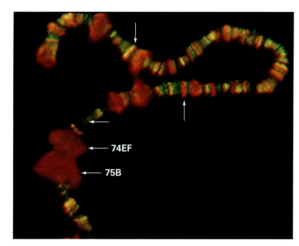

図 8・10（実験） 抗体染色によって RNA ポリメラーゼ II のカルボキシ末端ドメイン（CTD）が in vivo での転写の際にリン酸化されることがわかる．脱皮直前のショウジョウバエの幼虫から唾液腺の多糸染色体を調製した．この試料を，リン酸化されていない CTD に特異的なヤギ抗体と，リン酸化された CTD に特異的なウサギ抗体で処理した．次に，これをフルオレセイン標識した抗ヤギ抗体（緑）およびローダミン標識した抗ウサギ抗体（赤）を用いて染色した．したがって，CTD がリン酸化されていないポリメラーゼ分子は緑に，CTD がリン酸化されたポリメラーゼ分子は赤く染まる．脱皮ホルモンであるエクジソンは 74EF および 75B と記したパフ領域で転写を強力に誘導する．これらの領域にはリン酸化 CTD だけが存在することがわかる．転写が活発な小さめのパフ領域も見える．パフを形成していない領域で赤（上向き矢印）あるいは緑（水平矢印）に染まる部位，赤と緑の両方に染まって黄（下向き矢印）になる部位も矢印で示した．[J. R. Weeks et al., 1993, *Genes Dev*. **7**(12A): 2329, Cold Spring Harbor Press より許可を得て転載．J. R. Weeks and A. L. Greenleaf 提供．]

Ser-Pro-Thr-Ser-Pro-Ser という共通配列からなるヘプタペプチドの繰返しは，**カルボキシ末端ドメイン**（carboxyl-terminal domain: **CTD**）として知られている（図 8・8 の赤の波線）．酵母の Pol II には 26 回以上，脊椎動物では 52 回の繰返しがあり，ほとんどすべての他の真核生物の Pol II では，この中間の数の繰返しがみられる．CTD は細胞の生存に必須であり，酵母では最低 10 回の繰返しが生存に必要である．

モデルプロモーターを用いた in vitro の実験によって，転写を開始するときの Pol II 分子では，CTD がリン酸化されていないことが最初にわかった．Pol II が転写を開始してプロモーターから移動をはじめると，CTD にある多数のセリン残基と一部のチロシン残基がリン酸化される．ショウジョウバエ幼虫の唾液腺では脱皮直前に転写が盛んになるが，ここから調製した多糸染色体を解析した結果，in vivo での転写の際にも CTD がリン酸化されることがわかった．発生過程で脱皮直前に誘導される大きな"パフ puff"は，ゲノムが非常に活発に転写されている領域である．リン酸化された CTD あるいはリン酸化されていない CTD にそれぞれ特異的な抗体を用いて染色した結果，盛んに転写されているパフ領域に会合した Pol II では CTD がリン酸化されていることが明らかになった（図 8・10）．

8・1 真核生物の転写の概要　まとめ

- 多細胞生物における遺伝子制御の第一の目的は，胚発生と細胞分化の適切なタイミングで適切な遺伝子が適切な細胞で発現されるように，正確な発生プログラムを実行することにある．
- 真核生物においても，細菌の場合と同様，転写調節は遺伝子発現を制御するための第一の手段である．
- 真核生物のゲノムでは，DNA 上の転写調節エレメントが，調節の対象となるプロモーターから数百 kb も離れて位置することがある．また，同一遺伝子の転写が，細胞の種類に応じて，異なる調節エレメントによって調節されることがある．
- 真核細胞には，3 種類の核内 RNA ポリメラーゼが含まれる．3 種類のいずれにもコアとなる二つの大サブユニットと三つの小サブユニットがあり，大サブユニットは大腸菌 RNA ポリメラーゼの $β'$, $β$ サブユニットと，小サブユニットは $α$, $ω$ サブユニットと相同性を示す．このほかにも，いくつかの小さなサブユニットが含まれる（図 8・8）．
- Pol I は rRNA 前駆体だけを合成する．Pol II は mRNA，および mRNA のスプライシングに関与する核内低分子 RNA（snRNA）の一部，mRNA の翻訳と安定性を調節するマイクロ RNA（miRNA）と短鎖干渉 RNA（siRNA），転写を調節する長鎖非コード RNA（lnc RNA）を合成する．Pol III は，tRNA，5S rRNA，その他数種類の短い安定な RNA を合成する（表 8・1）．
- Pol II の最大サブユニットにあるカルボキシ末端ドメイン（CTD）は転写開始時にリン酸化され，酵素が鋳型 DNA を転写する間はずっとリン酸化された状態にある．

8・2 RNA ポリメラーゼ II のプロモーターと基本転写因子

Pol II は mRNA を転写するポリメラーゼであることから，その転写の開始と伸長を調節する機構は非常によく研究されてきた．Pol II による転写の開始と伸長は，タンパク質をコードする遺伝子の発現に必要な最初の生化学的過程である．この過程は遺伝子発現の各段階の中では最もよく調節されており，いつどの細胞で特定のタンパク質をつくるかを決定している．前節で述べたように，真核生物のタンパク質をコードする遺伝子の発現は，タンパク質を結合する多数の DNA 配列によって調節されており，これらの配列は転写調節領域（transcriptional-control region）と総称される．そのなかには DNA 鋳型上で転写開始点を決めるプロモーター，その他の転写開始点近傍の調節領域が含まれる．また，エンハンサーとよばれる配列は，制御対象の遺伝子から遠く離れて位置しているが，遺伝子の細胞種特異的な転写やその頻度を制御している．本節では，真核生物のタンパク質をコードする遺伝子にみられるさまざまな転写調節エレメントの性質と，それらを同定するために用いられた方法を詳しく解説する．

RNA ポリメラーゼ II は mRNA の 5′ キャップ部位に対応する DNA 配列から転写を開始する

精製した Pol II，培養細胞の核から抽出したタンパク質，および発現量が多いさまざまな遺伝子の mRNA の 5′ 末端をコードする

鋳型 DNA を用いて in vitro 転写実験を行った結果, 生成した転写産物の 5′ 末端には必ずキャップ構造があり, それは in vivo で同じ遺伝子から発現した成熟 mRNA の 5′ 末端に存在するキャップと同一のものであることがわかった (図 5・26 参照). この実験で, 5′ キャップは核抽出物に含まれる酵素によって新生 RNA の 5′ 末端に付加されたが, この酵素は 5′-三リン酸あるいは 5′-二リン酸をもつ RNA だけにキャップを付加することができる. 一方, 長い RNA が切断されて生じた 5′ 末端は 5′-一リン酸になるので, これにはキャップが付加されない. したがって, この in vitro 転写反応によってつくられたキャップ付加ヌクレオチドは, 転写が開始された最初のヌクレオチドに違いないと結論された. さらに, ある一つの遺伝子に着目して塩基配列を詳しく調べると, in vitro で転写された RNA の 5′ 末端の配列は, 細胞から単離した mRNA の 5′ 末端と同じであった. これにより, 真核生物 mRNA のキャップ付加ヌクレオチドは, 転写開始点と一致することが確認された. 今日では, 新たに見いだされた mRNA の転写開始点は一般的に, mRNA の 5′ キャップ付加ヌクレオチドをコードする DNA の配列を同定することにより容易に決定される.

TATA ボックス, イニシエーター, および CpG アイランドは真核生物 DNA 中のプロモーターとして機能する

複数の異なるタイプの DNA 配列が Pol II のプロモーターとして機能し, 二本鎖 DNA のうちの鋳型鎖に相補的な RNA の転写開始点を Pol II に指令する. このようなプロモーターには TATA ボックス, イニシエーター, CpG アイランドがある.

TATA ボックス 最初に塩基配列が決められ, in vitro 転写系を用いて研究された遺伝子は, ウイルスの遺伝子や, 細胞周期の特定の時期や特定の分化細胞で非常に活発に転写される, 細胞由来のタンパク質をコードする遺伝子であった. このような活発に転写される遺伝子のすべてには, **TATA ボックス** (TATA box) とよばれる進化的に保存された配列が転写開始点の約 26〜31 bp 上流に存在する (図 8・11). 変異導入実験から, TATA ボックス中の塩基を一つでも変えると, 隣接する遺伝子の in vitro 転写が劇的に低下することが示された. また, TATA ボックスと正常な開始点の間にある塩基対を欠失させると, この短くなった鋳型を転写するときには, TATA ボックスから約 25 bp 下流に位置する新たな部位で転写が開始する.

イニシエーター配列, BRE と DPE 真核生物の遺伝子には, TATA ボックスの代わりに**イニシエーター** (initiator) とよばれる, 別のプロモーターをもつものがある. 最もよくみられるイニシエーターエレメントでは, −1 の位置にシトシン (C) 残基が, 転写開始点 (+1) にアデニン (A) 残基がみられる. イニシエーターをもつ哺乳類遺伝子への変異導入実験から, 開始部位に隣接するヌクレオチド配列がプロモーター活性の強さを決定することが明らかになった. しかし, 高度に保存された TATA ボックス配列とは異なり, イニシエーターの共通配列として定義されるのは, 以下のような非常に多くの縮重 (複数種類の塩基が対応する) を含む配列にすぎない.

$$(5′)\text{Y-Y-A}^{+1}\text{-N-T/A-Y-Y-Y}(3′)$$

ここで, A^{+1} は転写がはじまる塩基であり, Y はピリミジン (C か T), N は 4 塩基のいずれか, +3 部位の T/A は T あるいは A を意味する. 後述するように, Pol II による転写開始には, ポリメラーゼを鋳型 DNA に結合させる数種類の**基本転写因子** (general transcription factor: GTF) が必要である. このなかで最大の TFIID は二つのサブユニットをもち, プロモーター中にイニシエーター配列があれば, ともに結合する.

このほかにも, 転写開始点から約 40 bp 以内にある DNA 配列で, 転写の開始頻度に影響することのできるものもある. もう一つの基本転写因子である TFIIB は TATA ボックスのすぐ上流の DNA の主溝に結合する. 最も強力なプロモーターは, この相互作用の至適配列である **TFIIB 認識エレメント** (TFIIB recognition element: **BRE**) をもつ (図 8・11). また, **下流プロモーターエレメント** (downstream promoter element: **DPE**) (図 8・11) は TFIID の他のサブユニットに結合することができる (後述).

CpG アイランド TATA ボックスやイニシエーター配列を含むプロモーターをもつ遺伝子の転写は, 明確に決まった開始点からはじまる. しかし, 哺乳類のタンパク質をコードする遺伝子の約 70% の転写は, TATA ボックスとイニシエーターを含むプロモーターよりも転写開始頻度が低い. このような遺伝子は, CG 配列の出現頻度が他のゲノム領域と比べて非常に高い領域 (約 100〜1000 bp 長) の複数の転写開始点のいずれかから転写がはじまり, 多量には必要とされないタンパク質 (たとえば, 一般に "ハウスキーピング遺伝子" とよばれる, すべての細胞において必要な基本的な代謝過程にかかわる酵素) をコードしていることが多い. 哺乳類のゲノム配列では 5′-CG-3′ 配列の出現頻度が相対的に非常に低いので (理由はこのあと説明する), これらのプロモーター領域は **CpG アイランド** (CpG island, "p" は C 残基と G 残基の間にあるリン酸を示す) とよばれる. CpG アイランドのプロモーター内では, 20 から 30 塩基対中に 5′-CG-3′ 配列が数回出現するが, これは哺乳類のゲノムではきわめてまれなことであり, 複数の CG 配列をもった配列の "島" が, CG 配列をもたないゲノム配列の "海" に, ぽつりぽつりと浮かんでいるようなイメージになる.

哺乳類ゲノムで CG 配列の頻度が低い理由については, 以下のような機構が考えられている. 哺乳類では, G 残基の前にある C 残基のほとんどは, ピリミジン環の 5 位がメチル化されている (5-メチル C, C^{Me}, 図 2・17 参照). このメチル化により, DNA 修復機構が, 新たに複製した DNA で, C^{Me} を含む親鎖と C^{Me} を含ま

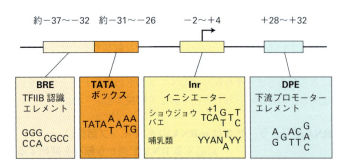

図 8・11 多細胞動物のコアプロモーターエレメント. おのおののエレメントの配列は, 5′ 末端を左に, 3′ 末端を右に示している.

ない娘鎖を識別することができる．娘鎖は，親鎖の複製における エラーにより，変異を含んでいる可能性が比較的高い．哺乳類ゲノムでのCG配列の出現頻度は，GCとATの塩基対の比率から予想される頻度の約20％にすぎない．これは5-メチルCが，ゆっくりとした自発的な脱アミノ反応によってチミジンとなるためと考えられている．つまり，哺乳類の進化の間に，CGの大部分はTGに変換されたと考えられる．こうして，ヒトゲノム中のCG配列の頻度は，Cの次にGがランダムに続くとしたときに期待される頻度のわずか21％になっている．しかし，活性をもつCpGアイランドプロモーターのCはメチル化を受けていない．そのため，自発的な脱アミノ反応が起こったときにはUに変化することになるが，これはDNA修復酵素によって認識されCに戻される．その結果，CpGアイランドプロモーターにある（メチル化されていない）CG配列の頻度は，Cの次にほかの三つのヌクレオチドがランダムに続くときに期待される頻度とほぼ同じである．

CGに富む配列は，CGが少ない配列よりヒストン八量体に結合する力が弱い．その理由は，DNA配列を曲げ，ヒストン八量体のまわりを取囲んでヌクレオソームを形成するのに必要な径の小さいループにするために，CGに富む配列のほうが多くのエネルギーを必要とするためである（図7・20参照）．したがって，CpGアイランドはヌクレオソーム間のリンカー領域に一致する（図7・22参照）．CpGアイランドプロモーターからの転写を調節する分子機構に関してはまだわかっていないことが多いが，現在考えられている仮説では，このCpGアイランド領域のDNAは，ヒストン八量体表面との相互作用によって接近が阻害されることがないので，基本転写因子（次項に述べる）が結合するとされている．

CpGアイランドプロモーターからの多様な転写　CpGアイランドのもう一つの際立った特徴は，片方のセンス鎖からの転写のみがmRNAを産生するにもかかわらず，転写が両方向に向けて開始されるということである．機構はまだ十分にわかっていないが，ほとんどのPol II分子は，"誤った"方向，すなわちナンセンス鎖（意味のない鎖）を転写したときには，転写開始点から1～3 kbくらいの位置で終結する．この現象は，Pol IIの活性部位近傍にRNA-DNAハイブリッドが結合しているときには，クランプドメインによって伸長複合体が安定化することを利用して発見された（図8・9b）．

一つの重要な実験において，ヒトの培養線維芽細胞から核を単離し，塩と弱い界面活性剤を含む緩衝液中でインキュベートした．こうすると，伸長途中のRNAポリメラーゼは鋳型DNAと安定に結合しているが，それ以外のRNAポリメラーゼが除去される．次にヌクレオチド三リン酸を加えるが，UTPの代わりに，ピリミジン環（図2・17参照）の5位にBr（臭素）原子をもつBr-UTPを用いる．さらに，この核を30℃でインキュベートして，核を単離したときに伸長途中だったRNAポリメラーゼII分子に100ヌクレオチドほど重合（転写）を進めさせる．ここからRNAを抽出し，Br-UTPを含むRNAを，Br-UTP標識RNAに特異的な抗体を用いて免疫沈降する．ここで単離した何千万ものRNA分子を逆転写し，5′末端の33ヌクレオチドの塩基配列を次世代シーケンサー（6章）によって決定し，得られた配列データをヒトゲノム上にマップした．この実験の結果，ほとんどのプロモーター（ほぼCpGアイランドプロモーター）では，ほぼ同数のRNAポリメラーゼ分子が遺伝子から正しい向きと逆の向きに転写していたことが示された．センス鎖の転写物のピークは主要な転写開始点（TSS）から約50塩基の位置（+50）にみられ，哺乳類のほとんどの遺伝子では，Pol IIがさらに伸長を続ける前に+50から+200の領域でいったん停止することを示している．センス鎖と逆方向のピークは，主要な転写開始点に対して−250から−500の領域にみられた．

最初に報告されたとき，これらの観察結果は大多数の分子生物学者を非常に驚かせたが，次項で議論するように，プロモーター配列に結合する転写因子がどのように機能するかを理解することで説明できる．簡潔にいえば，**基本転写因子**（general transcription factor）のプロモーターへの結合を可能にするようなDNAへの近接性の制御には複数の過程があるということである．TATAボックスやイニシエーター配列のような強力なプロモーターでは，Pol II結合の方向はプロモーター配列により決定され，転写は主として正しい方向に起こる．しかし弱いプロモーターでは，基本転写因子とPol IIはプロモーターDNAと両方向でランダムに結合し，半数のポリメラーゼはある方向に転写し，残りの半数のポリメラーゼは逆方向に転写することになる．9章で扱うRNAプロセシングにより，誤った方向に転写されたRNAは分解され，mRNAにはならない．アンチセンスRNAの転写が広範に行われ，その後分解されるのはエネルギーの無駄にみえるが，哺乳類の進化の過程で排除されることはなかった．これはおそらく，最も豊富に発現する遺伝子はおもに正しい方向に転写されること，また，mRNA合成にあてられるエネルギー量は，筋肉の運動などの哺乳類にとって必須の過程に必要なエネルギーと比べると微々たるものだからであろう（23章）．

広く用いられる実験技術の**クロマチン免疫沈降法**（chromatin immunoprecipitation，図8・12a）により，哺乳類のCpGアイランドプロモーターのほとんどにおいて多様な転写が起こることを支持するデータがさらに得られた．この手法では，全体で3×10^9 bpになるヒトゲノムのほぼ全長にわたって，特定のタンパク質の結合部位を約300 bpの分解能で決定することができる．まず，生きた細胞で，すべてのタンパク質を近傍のタンパク質やDNAなどの巨大分子と速やかに架橋（クロスリンク）する．通常はこの操作として，培地中にホルムアルデヒドを加える．架橋されたクロマチンを単離して，二つから三つのヌクレオソームに該当する長さ（DNAにして約300 bp）に断片化する．研究対象のタンパク質に特異的な抗体を用いて，断片化したクロマチンを免疫沈降する．この分析データは，ゲノムのある領域の特定の配列が，免疫沈降されて配列決定されたときの1 Mb当たりの出現回数として示される（図8・12b）．中間代謝にかかわる酵素をコードする*Hsd17b12*遺伝子のように両方向に転写される遺伝子では，抗Pol II抗体で免疫沈降したDNA配列に二つのピークがみられ，それぞれセンス鎖とアンチセンス鎖の方向に転写して停止したPol IIに対応している．しかし，センス鎖方向に転写しているPol IIのみが，開始点（TSS）から1 kb以上離れた部位にも検出された．この遺伝子は転写頻度が低いため，転写開始点から1 kb以上離れた領域での出現回数（1 Mb当たり）は非常に少ない．しかし，転写開始点領域の配列では，1 Mb当たりの出現回数は，センス鎖方向，アンチセンス鎖方向ともにかなり多い．これは，Pol

図 8・12（実験） クロマチン免疫沈降法によって，タンパク質が結合するゲノム上の位置がわかる．(a) 段階 1：生きた培養細胞あるいは組織を 1% ホルムアルデヒド溶液で処理し，タンパク質-DNA 間およびタンパク質間を，共有結合で架橋する．段階 2：この標品を超音波処理してクロマチンを可溶化し，200〜500 bp の DNA を含む断片に細断する．段階 3：調べたいタンパク質（ここでは Pol II）に対する抗体を加え，そのタンパク質に共有結合した DNA を免疫沈降する．段階 4：共有結合の架橋をはずし，DNA を単離する．単離した DNA を，調べたい配列に対するプライマーを用いて PCR を行う．あるいは，回収した DNA 全体を増幅し，次世代シークエンサーによって塩基配列を決定する．(b) Pol II に対する抗体を用いて免疫沈降したマウス胚性幹細胞のクロマチンに含まれる DNA の塩基配列のデータを，両方向に転写される遺伝子（左）とセンス鎖方向だけが転写される遺伝子（右）について示した．このデータは，50 bp 間隔の DNA 配列が，配列決定した 1 Mb の中に含まれる数（出現数）として標準化してプロットしたものである．遺伝子の 5′ 末端をコードする領域を下に示した．四角形はエクソンを，直線部分はイントロンを表す．［(a) は A. Hecht and M. Grunstein, 1999, *Method. Enzymol.* **304**: 399 参照．(b) は P. B. Rahl et al., 2010, *Cell* **141**: 432 による．］

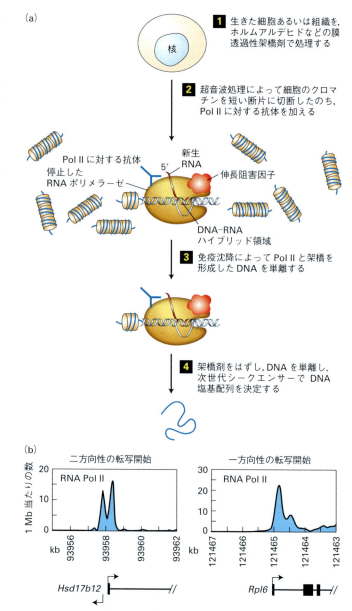

II 分子がこのプロモーターから両方向に転写を開始したが，両方向とも，開始点から 1 kb も転写しないうちに停止した事実を反映している．一方，リボソーム大サブユニットのタンパク質をコードする *Rpl6* 遺伝子は，この研究で用いた増殖中のマウス胚性幹細胞では多量に転写されているが，転写の方向は，ほぼセンス鎖方向のみである．転写開始点から 250 bp 以内に出現回数のピークがあり，RNA ポリメラーゼが遺伝子全体を転写する前に，プロモーター近傍領域でしばらく転写を停止することを示している．転写開始点からセンス鎖方向に 1 kb 以上離れた領域の 1 Mb 当たりの出現回数は，*Hsd17b12* のセンス鎖方向のものよりずっと多く，これは *Rpl6* 遺伝子の転写頻度が高いことを表している．

基本転写因子は RNA ポリメラーゼ II を転写開始点に配置し，転写開始を補助する

Pol II による転写開始には数種類の開始因子が必要である．これらの開始因子は，Pol II 分子を転写開始点に配置し，鋳型鎖が酵素の活性部位に入ることができるように二本鎖 DNA を分離させる．Pol II による遺伝子の転写のほとんどすべてで必要とされるため，**基本転写因子**（general transcription factor）とよばれる．これらのタンパク質は **TFIIA**，**TFIIB** などと命名されており，大部分は多サブユニットタンパク質である．なかでも TFIID が最大であり，1 個の 38 kDa の **TATA ボックス結合タンパク質**（TATA box-binding protein: **TBP**）と 13 種類の TBP 関連因子（TBP-associated factor: **TAF**）から構成される．同じような活性と相同な配列をもつ基本転写因子はすべての真核生物に存在する．Pol II と基本転写因子がプロモーターに結合して転写を開始する準備ができた状態の複合体を，**開始前複合体**（preinitiation complex: **PIC**）とよぶ．図 8・13(a) に，Pol II の転写開始前複合体が，TATA ボックスを含むプロモーター上に段階的に形成される過程のモデルを示した．このモデルは複合体形成の中間体のクライオ電子顕微鏡構造に基づくものである（図 8・13b〜e）．

TFIID の TBP サブユニットは TATA ボックスプロモーターに結合する最初のタンパク質である．これまで解析されたすべての真核生物の TBP には，180 アミノ酸残基からなる非常によく似た C 末端ドメインがある．TBP のこのドメインは鞍形の構造に折りたたまれており，分子の半分ずつの領域は，全体としては左右対称であるが，同一ではない．TBP は，DNA の副溝と相互作用し，らせんを大きく折り曲げる（図 5・5 参照）．TBP の DNA 結合表面はあらゆる真核生物で進化的に保存されており，TATA ボックスプロモーター配列が高度に保存されていることと合致する（図 8・11）．

いったん TBP が TATA ボックスに結合すると，TFIIA と TFIIB も結合できるようになる（図 8・13a）．TFIIA は TBP よりも大きいヘテロ三量体であり，TFIIB は TBP より少し小さい単量体タンパク質である．TFIIA は TBP と結合し，また TBP-TATA ボックス複合体の上流側の DNA とも結合する．TFIIB の C 末端ドメインは，鞍形をした TBP 分子の C 末端側の "あぶみ" 部分を締め付けて固定し（図 5・5 参照），TATA ボックスの上流あるいは下流の DNA 主溝とも接触している．次に Pol II と TFIIF のヘテロ二量体が，プロモーター DNA-TFIIA-TFIIB 複合体と結合し，コアプ

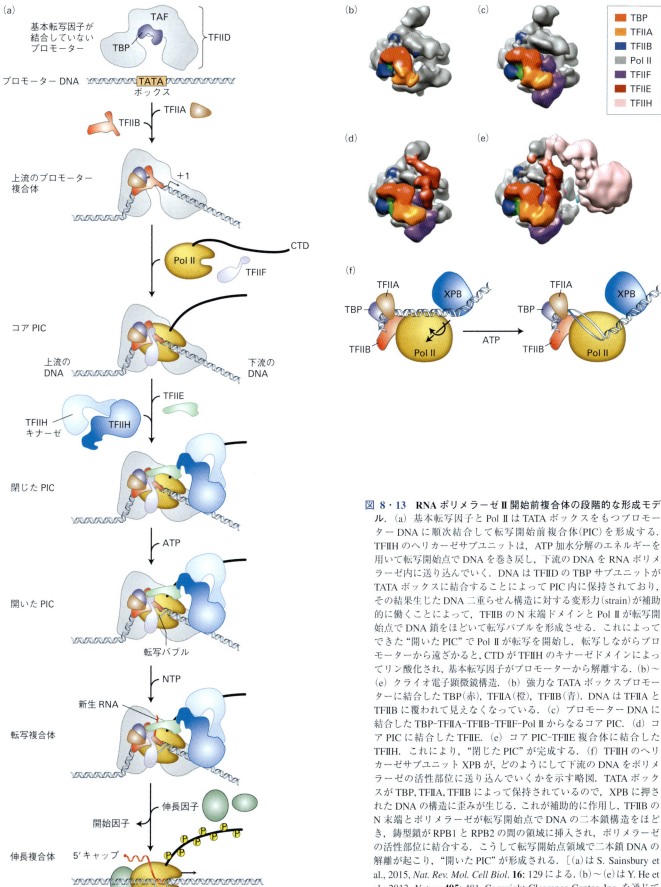

図 8・13 RNA ポリメラーゼ II 開始前複合体の段階的な形成モデル. (a) 基本転写因子と Pol II は TATA ボックスをもつプロモーター DNA に順次結合して転写開始前複合体(PIC)を形成する. TFIIH のヘリカーゼサブユニットは, ATP 加水分解のエネルギーを用いて転写開始点で DNA を巻き戻し, 下流の DNA を RNA ポリメラーゼ内に送り込んでいく. DNA は TFIID の TBP サブユニットが TATA ボックスに結合することによって PIC 内に保持されており, その結果生じた DNA 二重らせん構造に対する変形力(strain)が補助的に働くことによって, TFIIB の N 末端ドメインと Pol II が転写開始点で DNA 鎖をほどいて転写バブルを形成させる. これによってできた "開いた PIC" で Pol II が転写を開始し, 転写しながらプロモーターから遠ざかると, CTD が TFIIH のキナーゼドメインによってリン酸化され, 基本転写因子がプロモーターから解離する. (b)〜(e) クライオ電子顕微鏡構造. (b) 強力な TATA ボックスプロモーターに結合した TBP(赤), TFIIA(橙), TFIIB(青). DNA は TFIIA と TFIIB に覆われて見えなくなっている. (c) プロモーター DNA に結合した TBP-TFIIA-TFIIB-TFIIF-Pol II からなるコア PIC. (d) コア PIC に結合した TFIIE. (e) コア PIC-TFIIE 複合体に結合した TFIIH. これにより, "閉じた PIC" が完成する. (f) TFIIH のヘリカーゼサブユニット XPB が, どのようにして下流の DNA をポリメラーゼの活性部位に送り込んでいくかを示す略図. TATA ボックスが TBP, TFIIA, TFIIB によって保持されているので, XPB に押された DNA の構造に歪みが生じる. これが補助的に作用し, TFIIB の N 末端とポリメラーゼが転写開始点で DNA の二本鎖構造をほどき, 鋳型鎖が RPB1 と RPB2 の間の領域に挿入され, ポリメラーゼの活性部位に結合する. こうして転写開始点領域で二本鎖 DNA の解離が起こり, "開いた PIC" が形成される. 〔(a)は S. Sainsbury et al., 2015, *Nat. Rev. Mol. Cell Biol.* **16**: 129 による. (b)〜(e)は Y. He et al., 2013, *Nature* **495**: 481, Copyright Clearance Center, Inc. を通じて Nature Publishing Group より許可を得て転載.〕

ロモーター開始複合体（コア PIC）を形成する（図8・13a）. TFIIB の N 末端から伸びたドメインは，Pol II の RNA 出口チャネル（図8・7c）に挿入され，ここで二本鎖 DNA と相互作用する．これにより複合体を安定化し，Pol II のクランプドメインが開いた状態（図8・9a および図8・13a, c）のときに，転写開始点（TSS）領域の DNA を，RPB1 と RPB2 の間の領域に保持するのを助ける．

次に二つの異なるサブユニットのヘテロ二量体である TFIIE が TFIIF に隣接して結合し，TSS 領域の部分で鋳型 DNA をタンパク質のチャネルの中に完全に囲い込み，プロモーター DNA との複合体をさらに安定化する（図8・13d）．TFIIE には TFIIH との結合部位もある．TFIIH はポリメラーゼそのものと同じくらいの大きさで，10 の異なるサブユニットからなる多サブユニット因子である．TFIIH が結合すると，転写開始前複合体の集合は完成する（図8・13a の閉じた PIC，図8・13e）．

TFIIH のコアサブユニットの一つがもつヘリカーゼ（helicase）活性（ヒトでは XPB，酵母では Ssl2，図8・13f）が，ATP 加水分解のエネルギーを使って開始点で DNA の二本鎖構造をほどき，Pol II と開いた複合体を形成させる．開いた複合体では，開始点前後の DNA 二本鎖が一本鎖に解離しており，鋳型鎖にはポリメラーゼの活性部位が結合している（図8・13a の開いた PIC）．ポリメラーゼがプロモーター領域から転写を進めると，TFIIB の N 末端ドメインは RNA 出口チャネルから離れて，代わりに新生 RNA の 5′ 末端が入る．TFIIH の三つのサブユニットがキナーゼモジュール（図8・13a の TFIIH キナーゼ）を形成し，これが Pol II の CTD を構成する Tyr-Ser-Pro-Thr-Ser-Pro-Ser の繰返し配列の 5 番目の Ser（下線部）を複数箇所でリン酸化する．9 章で述べるように，Ser5 が複数部位でリン酸化部位された CTD は，Pol II によって転写された RNA の 5′ 末端にあるキャップ構造（図5・26 参照）を形成する酵素群の結合部位になる．完全な TFIID を TBP サブユニットで置き換えた最小の in vitro 転写系では，TBP はポリメラーゼがプロモーター領域から転写を進めて離れていっても TATA ボックスに結合したままであるが，その他の基本転写因子と，おそらく TFIID-TAF サブユニットは解離する．

ヒトからクローニングされた TFIIH の最初のサブユニットは，変異が入ると，変異原物質が塩基に共有結合するアルキル化や，紫外線によるチミジン二量体などの DNA 損傷の修復に異常がでることから同定された（図5・17 参照）．正常な個体で転写中の RNA ポリメラーゼは，鋳型 DNA に損傷がある領域で停止する．すると TFIIH のコア複合体が停止したポリメラーゼを認識し，損傷した DNA 領域の修復において TFIIH とともに機能する他のタンパク質と結合する．TFIIH のコア複合体は，キナーゼドメインをつくる三つのサブユニット（図8・13a）を欠いているが，上述のヘリカーゼサブユニットと，転写開始に必要のないヘリカーゼサブユニットを含んでいる．TFIIH のサブユニットに変異をもつ患者では，転写中の遺伝子における損傷 DNA の修復機構が損なわれている．その結果，患者は太陽光（チミジン二量体生成による DNA 損傷の一般的要因）に対する皮膚の感受性が極度に高くなり，がんの発生頻度が高まる．したがって，これらの TFIIH サブユニットは，細胞内で二つの機能を果たしている．一つは転写の開始過程で，ヘリカーゼサブユニットの一つが転写開始点で DNA 鎖を開くのを助けている．もう一つは DNA 修復で，

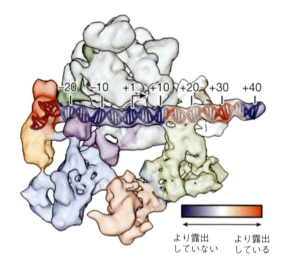

図 8・14 プロモーター DNA に結合した TFIID, TFIIA, TFIIB および Pol II の閉じた複合体のクライオ電子顕微鏡構造．TBP を赤，TFIIA を橙，TAF 複合体を水色，ピンク，薄緑で，Pol II を灰色で示した．図の下のカラースケールは，複合体中の DNA について，DNase I への感受性を示している．[R. Louder et al., 2016, *Nature* **531**: 604, Copyright Clearance Center, Inc. を通じて Nature Publishing Group より許可を得て転載.]

両方のヘリカーゼサブユニットが必要である（図5・18 参照）．TFIIH 機能の欠陥の程度によって，変異をもつ個人は色素性乾皮症（25 章）やコケーン症候群などの病気になる可能性がある．

ヒトのプロモーターの 70% 以上は TATA ボックスを含まないプロモーターであり，通常は TATA ボックスプロモーターと比べて低い頻度で転写されている．TFIID の TAF サブユニットは，TATA ボックスを含まないプロモーターからの転写開始に機能している．たとえば，TAF サブユニットの一部は，プロモーター内にイニシエーターや DPE などのプロモーターエレメント（図8・11）がある場合には，これらの配列と接触している（図8・14）．TATA ボックスを欠くプロモーターに TFIID が結合できるのは，おそらくイニシエーターや DPE の配列が，TATA ボックスの代わりになるということで説明されるであろう（図8・13）．

TBP に対する抗体を用いたクロマチン免疫沈降実験（図8・12）から，CpG アイランドプロモーターでは TBP が複数の転写開始点の間の領域に結合することがわかった．したがって，TATA ボックスを含むプロモーターからの転写開始に必要な基本転写因子が，活性が弱い CpG アイランドプロモーターからの転写開始にも必要とされるのであろう．図8・11 にまとめたプロモーターエレメントがどれも存在しない場合には，転写開始前複合体の方向と位置を正確に決める DNA 配列がないことになる．これが，CpG アイランドプロモーターでみられるように，複数の部位から両方向に転写が起こる原因なのかもしれない．TFIID とその他の基本転写因子は，CpG アイランドプロモーターに存在する同程度に弱い複数の結合部位から転写開始点を選択することになり，これが転写開始の頻度が低いことにつながっている可能性がある．

転写伸長因子によってプロモーター近傍領域での転写の初期段階が調節される

多細胞動物では，ほとんどのプロモーターにおいて，Pol II が

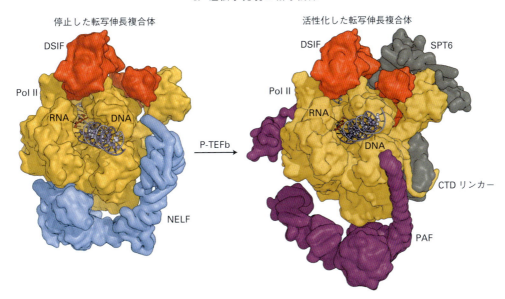

図 8・15 RNA ポリメラーゼⅡの停止から転写伸長へのスイッチ．停止した転写伸長複合体 Pol Ⅱ-DSIF-NELF と，活性化した転写伸長複合体 Pol Ⅱ-DSIF-PAF-SPT6 の構造．下流の DNA からポリメラーゼの活性中心のある裂け目を見た図になっている．転写伸長因子の DSIF（赤）は停止状態の複合体にも活性化状態の複合体にも存在しているが，立体構造が異なっている．転写伸長抑制因子の NELF（青）は停止状態を安定化する．活性化した転写伸長複合体では転写伸長促進因子の SPT6（灰色）が，Pol Ⅱ本体と CTD をつなぐリンカー部分（CTD リンカー，リン酸化している）に結合する．また，PAF 複合体（紫）が NELF と競合するようにポリメラーゼと結合している．[P. Cramer, 2019, *Nature* **573**: 45, Copyright Clearance Center, Inc. を通じて Nature Publishing Group より許可を得て転載.]

100 ヌクレオチドも転写しないうちに，**NELF**（negative elongation factor）とよばれるタンパク質が結合して転写が停止する．NELF は **DSIF**（DRB 感受性誘導因子 DRB-sensitivity-inducing factor）とよばれる転写伸長因子とともに Pol Ⅱに結合する（図 8・15 左）．DSIF 存在下では，DRB という ATP アナログによって，それ以降の転写の伸長が阻害されることが名称の由来である．DISF と NELF が結合する Pol Ⅱの表面は，転写開始前複合体の中では TFⅡF と TFⅡE によって覆われているが，ポリメラーゼが転写を開始して基本転写因子が解離すると露出される．NELF は基質の NTP が酵素の活性部位に到達するためのチャネルを閉鎖することによって，また，酵素が鋳型に沿って移動するために必要な Pol Ⅱの RPB1，RPB2 サブユニットの構造変化を阻害することにより，転写の伸長を阻害する．NELF-DSIF が Pol Ⅱに結合することによる転写伸長の阻害は，DSIF，NELF，および Pol Ⅱの CTD の Ser2（Tyr-Ser-Pro-Thr-Ser-Pro-Ser）がリン酸化されると解除される．このリン酸化は，Pol Ⅱ-NELF-DSIF 複合体に結合するヘテロ二量体のプロテインキナーゼ CDK9-サイクリン T（**P-TEFb** ともよばれる）によって行われる．リン酸化された NELF が複合体から解離すると，二つの転写伸長因子が結合できるようになる．これらの因子 **PAF** と **SPT16** により NELF が結合できなくなるので，ポリメラーゼが伸長を再開できる（図 8・15 右）．リン酸化した DSIF は RPB1 のクランプドメインと，鋳型が結合する溝の反対側にある RPB2 に結合し（図 8・9），クランプが閉じた状態を維持するのを助けるので，ポリメラーゼは停止して鋳型から解離することなく，長い距離を転写することができる．これらの同一の伸長因子は CpG アイランドプロモーターからの転写も調節する．多くの因子が調節する転写開始に加え，プロモーター近傍領域において伸長を調節するこれらの因子により，もう一つの機構で遺伝子転写の調節が行われているのである．

AIDS（後天性免疫不全症候群）の原因である HIV（ヒト免疫不全ウイルス）の転写は，**Tat** とよばれる小さなウイルスタンパク質による CDK9-サイクリン T の活性化に依存する．*tat*⁻ 変異体の HIV に感染した細胞では，約 50 ヌクレオチド長の短いウイルス転写産物がつくられる．一方，野生型の HIV に感染した細胞では，ゲノムに挿入されたプロウイルスゲノム全体にわたる長いウイルス転写産物がつくられる（図 8・16，および図 5・43 参照）．つまり，Tat タンパク質は**抗停止因子**（anti-pausing factor）として機能し，Pol Ⅱの転写について，NELF 結合による阻害を解除する働きがある（Tat タンパク質自身は，活性化 T 細

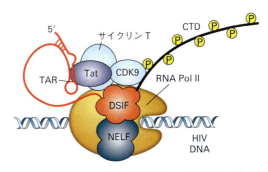

図 8・16 HIV Tat タンパク質と細胞タンパク質から構成される抗終結複合体のモデル．HIV 転写産物にある TAR 配列には，Tat タンパク質と，細胞タンパク質であるサイクリン T によって認識される配列がある．サイクリン T はプロテインキナーゼ CDK9 を活性化し，基質である Pol Ⅱの CTD 近くに配置する．Pol Ⅱ CTD にあるヘプタペプチドリピートのセリン 2 におけるリン酸化が転写の伸長に必要である．また細胞タンパク質である DSIF と NELF 複合体も Pol Ⅱの伸長制御に関与している．詳細は本文参照．[T. Wada et al., 1998, *Genes Dev.* **12**: 343; Y. Yamaguchi et al., 1999, *Cell* **97**: 451; T. Yamada et al., 2006, *Mol. Cell* **21**: 227 参照.]

胞で HIV プロモーターが高頻度で転写されているときに，まれに NELF で抑制されなかった長い転写産物から最初につくられる，24 章）．Tat は塩基配列特異的な RNA 結合タンパク質である．TAR とよばれる配列から転写された RNA に結合するが，この TAR は，HIV 転写産物の 5′ 末端近くにステムループ構造をつくる（図 8・16）．また，TAR はサイクリン T に結合して，CDK9-サイクリン T 複合体を RNA ポリメラーゼの近傍に保持し，そこで基質のリン酸化を効率的に行わせる．その結果，NELF が放出され，転写の伸長が促進される．細胞を CDK9 に特異的な阻害剤で処理してからクロマチン免疫沈降実験を行った結果から，哺乳類遺伝子の約 30% の転写は，CDK9-サイクリン T（P-TEFb）の活性を調節することで制御されることがわかった．この制御は HIV Tat のような RNA 結合タンパク質を介してというよりも，おそらく P-TEFb と配列特異的な DNA 結合性転写因子の相互作用を介して行われている．■

8・2 RNA ポリメラーゼ II のプロモーターと基本転写因子　まとめ

- Pol II は，5′ キャップ部位をコードする mRNA に対応する鋳型 DNA のヌクレオチドから遺伝子の転写を開始する．
- 真核細胞の DNA には主要な 4 種類のプロモーター配列が同定されている．TATA ボックスは，盛んに転写される遺伝子に広くみられる．イニシエーターは一部の遺伝子にみられる．多くの強力なプロモーターは転写開始点下流 30 bp 付近に DPE を，開始点上流 35 塩基付近に高頻度の転写に必要な BRE をもっている（図 8・11）．CpG アイランドは，脊椎動物のタンパク質をコードする遺伝子の約 70% のプロモーターにみられ，低頻度で転写される遺伝子に特徴的である．
- TATA ボックスプロモーターをもつ遺伝子の Pol II による転写は，以下の因子が決まった順序で結合することによって開始される．TATA ボックス DNA に結合する TBP を含む TFIID，TFIIA と TFIIB，Pol II と TFIIF の複合体，TFIIE，そして最後に TFIIH が結合する（図 8・13）．
- TFIIH のサブユニットに含まれるヘリカーゼ活性によって，ほとんどのプロモーターの転写開始点で DNA 鎖の分離が促進される．この過程には，ATP の加水分解が必要である．Pol II が転写を進めて開始点を離れると，Pol II の CTD にあるヘプタペプチドの Ser5 が，TFIIH のキナーゼドメインによってリン酸化される．
- 多細胞動物の転写では，NELF と DSIF が転写開始後の Pol II に結合し，開始点から 100 bp にみたない領域で伸長を阻害する．この伸長阻害が解除されるのは，CDK9-サイクリン T（P-TEFb）が停止した伸長複合体に結合し，CDK9 が NELF と DSIF のサブユニットおよび Pol II の CTD にあるヘプタペプチドの Ser2 をリン酸化し，NELF が伸長複合体から解離することによる．
- NELF が結合していた Pol II の表面には転写伸長因子の PAF と SPT6 が結合し，さらなる NELF の結合を阻害し，RPB1 と RPB2 の間の溝が開くのを防ぐことにより，長い距離にわたって伸長の進行を助ける．

8・3 タンパク質をコードする遺伝子の調節配列とそれに結合して働くタンパク質

すでに述べたように，真核生物のタンパク質をコードする遺伝子の発現は，複数の DNA 配列によって調節されており，これらの配列は**転写調節領域**（transcriptional-control region）と総称される．このなかにはプロモーター，転写開始点近傍の他の種類の調節エレメント，また，調節対象となる遺伝子から遠く離れた場所に位置する配列が含まれる．本節では，真核生物のタンパク質をコードする遺伝子にみられる，さまざまな調節エレメントの性質と，それに結合するタンパク質の性質を詳しくみる．

プロモーター近位エレメントは真核生物遺伝子の調節を助ける

転写調節領域を同定することを目的に，組換え DNA 技術を用いて，さまざまな真核生物の遺伝子のヌクレオチド配列を体系的に変異させる実験が行われている．たとえば，**リンカースキャニング変異**（linker scanning mutagenesis）解析によって，転写調節機能をもつ調節領域内の配列をピンポイントで特定することができる．この実験では，連続的に重なり合う変異をもつ一連の組換え体を作製し，レポーター遺伝子の発現や特異的 mRNA の産生に与える変異の影響を調べる（図 8・17a）．単純ヘルペスウイルス I 型（HSV-I）チミジンキナーゼ（*tk*）遺伝子の**プロモーター近位エレメント**（promoter-proximal element）は，このような解析により同定された．この実験結果から，HSV-I *tk* 遺伝子上流の DNA 領域には，三つの独立した転写調節配列が存在することが示された．一つは −32〜−16 に位置する TATA ボックスであり，他の二つはさらに上流にある（図 8・17b）．プロモーター近位エレメントを 1 塩基対ずつ変化させた変異体を用いた実験から，これらの調節配列は，一般的に約 6〜12 bp の長さであることがわかった．ヒト遺伝子のプロモーター近位エレメントは通常，転写開始点（TSS）から約 200 bp 以内にあるものとして定義されている．脊椎動物では，プロモーター近位エレメントは TSS の上流と下流にほぼ同じ頻度でみられる．プロモーターという用語は厳密には RNA ポリメラーゼが転写を開始する部位を決める DNA 配列という意味であるが，プロモーターとプロモーター近位エレメントの両方を合わせたものの意味に使われることが多い．

細菌では一般的に，プロモーター近傍の調節エレメントによる転写調節は，配列が TSS に対して正確な位置にあることが必要とされる．たとえば，大腸菌の CAP（cAMP 調節性タンパク質）による *lac* オペロンの転写促進は，CAP タンパク質結合部位と TSS の間に 2 bp が挿入されただけで完全に失われる．大腸菌でさらに実験による検討を進めたところ，CAP による転写活性化は，DNA の特異的な部位に結合した CAP と *lac* プロモーターに結合した大腸菌 RNA ポリメラーゼの特異性の高い直接的相互作用を必要とすることが示された．結合配列間への 2 bp の挿入により，CAP 部位がポリメラーゼに対して 72° 回転して約 70 Å 遠くなってしまうので，転写促進に必要な CAP と RNA ポリメラーゼの相互作用が阻害されるのである．

リンカースキャニング変異解析によって同定された HSV-I *tk* プロモーター領域の調節エレメントについて，エレメントの間隔に関する制約を調べるため，エレメント間に短い配列の欠失や挿入のある組換え体により，その効果が検討された．その結果，プ

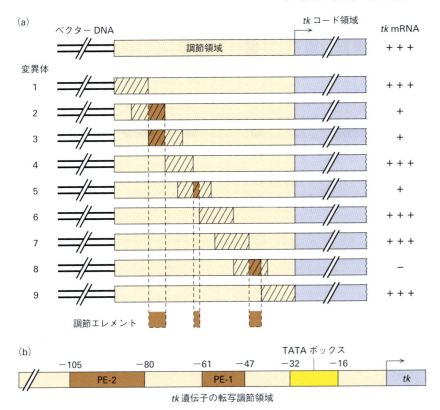

図 8・17(実験) リンカースキャニング変異によって転写調節エレメントが同定される．(a) リンカースキャニング変異の実験では，レポーター遺伝子(薄紫)を高発現させる真核生物DNAの領域(薄茶)を，プラスミドベクターにクローン化する(模式図最上段)．ついで，解析する領域の一端から他端へと，互いに重なり合うリンカースキャニング(LS)変異(斜線部分)を導入する．これらの変異は，短いDNA領域の塩基配列を無作為に並べ変えることによってつくる．各変異体プラスミドを別々に培養細胞に導入し，レポーター遺伝子産物の活性を測定する．ここに示した例では，単純ヘルペスウイルスチミジンキナーゼ遺伝子(tk)の-120から$+1$の配列において，LS変異体1, 4, 6, 7, 9はレポーター遺伝子の発現にほとんど影響を与えないことから，変異領域には調節エレメントが含まれないことが示された．変異体2, 3, 5, 8ではレポーター遺伝子発現が有意に低下しており，調節エレメント(茶)は下段に示したような間隔で存在することが示された．(b) LS変異の解析によって，TATAボックスと二つのプロモーター近位エレメント(PE-1とPE-2)が同定された．[S. L. McKnight and R. Kingsbury, 1982, Science **217**: 316 参照．]

ロモーターとプロモーター近位エレメントの間隔を変えた場合でも，20 bp以下であればほとんど影響はみられなかった．ところが，HSV-I tkプロモーター近位エレメントとTATAボックスとの間に30〜50 bpのDNAを挿入すると，このエレメントを欠失させたのと同等の効果がみられた．他の真核生物プロモーターについて行った同様の解析からも，プロモーター近位エレメント間の長さの変化は一般的にはかなり許容されるものの，数十塩基対以上離すと転写が低下する場合があることが示されている．

遠位のエンハンサーが RNA ポリメラーゼⅡ による転写を しばしば促進する

多くの真核生物プロモーターからの転写は，転写開始点から何千塩基対も離れた場所の調節エレメントによって促進されることがある．このような遠位の転写調節エレメントは**エンハンサー**(enhancer)とよばれ，真核生物のゲノムにはふつうにみられるが，細菌ゲノムでは非常にめずらしい．リンカースキャニング変異解析などの実験から，エンハンサーは，通常200 bp程度の長さで，プロモーター近位エレメントと同様，それぞれが6〜12 bp程度の数個の機能的な調節配列から構成されることがわかった．あとで述べるように，これらの調節配列のそれぞれが，配列特異的なDNA結合能をもつ転写因子の結合部位である．

多くの異なる多細胞動物のエンハンサーを解析した結果，エンハンサーはプロモーターの上流にも下流にも同じような確率でみられることがわかった．プロモーター下流のエンハンサーはイントロン内，あるいは $SALL1$ 遺伝子(図 8・5a)のように遺伝子の最終エクソンのさらに下流に位置することもある．また，多くのエンハンサーは細胞種特異的である．たとえば，網膜で $Pax6$ の発現を調節するエンハンサーはエクソン4と5の間のイントロンにある(図 8・4a)が，膵臓のホルモン分泌細胞で $Pax6$ の発現を調節するエンハンサーは，エクソン0 (この番号は，エクソン1が発見されたあとで見つかったことに由来する)の上流の約200 bpの領域に位置する．

ほとんどの真核生物遺伝子は 複数の転写調節エレメントによって調節される

当初，エンハンサーとプロモーター近位エレメントは異なる種類の調節エレメントであると考えられた．しかし，解析数が多くなるにつれて，両者の区別がはっきりしなくなった．たとえば，どちらのエレメントも逆向きに置いても転写を促進でき，両者とも細胞の種類に特異的なものが多い．現在の一致した見解としては，さまざまな調節エレメントが Pol Ⅱ による転写を制御するということである．数十 kb も離れたところにあるプロモーターから転写を促進できるエンハンサーがある一方で，HSV-I tk 遺伝子を制御する上流エレメントのように，プロモーターからの距離を30〜50 bp遠ざけただけで作用を失うプロモーター近位エレメントもある．これまでに，この二つの極端な例の中間の性質をもつ促進性転写調節エレメントが多数同定されている．

図 8・18(a) に，TATAボックスをプロモーターにもつ仮想的な哺乳類遺伝子について，転写調節配列の位置関係をまとめた．転写開始点はmRNAの第一エクソンの最初の(5')ヌクレオチドをコードしており，このヌクレオチドはキャップ付加されている．-31〜-26に位置するTATAボックスに加えて，比較的短い(約6〜10 bp)プロモーター近位エレメントが，転写開始点の上流あるいは下流の200 bp以内にある．一方，エンハンサーは通常50〜200 bpの長さがあり，6〜10 bpの複数のエレメントから構成される．エンハンサーは開始点の上流または下流の50 kb，あるいは，

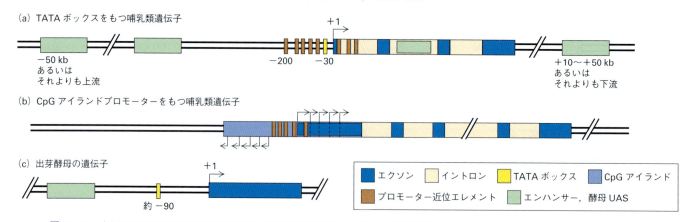

図 8・18 多細胞真核生物と酵母の遺伝子発現を制御する調節エレメントの一般的な構成. (a) TATA ボックスプロモーターをもつ哺乳類遺伝子は，プロモーター近位エレメントとエンハンサーによって調節される．図 8・11 に示したプロモーターエレメントは，Pol II を配置することによって開始点で転写を開始させ，転写開始頻度に影響を与える．エンハンサーは，転写開始点の上流にも下流にも位置することがあり，ときには数百 kb 以上も離れていることもある．また，エンハンサーがイントロンに存在する場合もある．哺乳類の遺伝子で，プロモーター近位エレメントは転写開始点の上流と下流に同じような頻度で存在する．(b) CpG アイランドプロモーターをもつ哺乳類遺伝子．転写は CpG に富む領域から複数の開始点を用いて，センス鎖方向とアンチセンス鎖方向の両方向に起こる．センス鎖方向の転写産物は伸長し，RNA スプライシングによって mRNA へとプロセシングされる．このような遺伝子からは，転写開始点が異なる複数種類の 5′ エクソンをもつ mRNA が発現する．CpG アイランドプロモーターには，プロモーター近位エレメントが存在する．CpG アイランドプロモーターが遠く離れたエンハンサーによって調節されるかどうかはまだわかっていない．(c) ほとんどの出芽酵母遺伝子は，調節エレメントを一つだけもっており，これは上流活性化配列(UAS)とよばれる．また，開始点の上流約 90 bp には TATA ボックスがある．

それ以上離れた位置にも，イントロン内にも存在することがある．Pax6 遺伝子のように，哺乳類の多くの遺伝子は，異なる種類の細胞で働く複数のエンハンサー領域によって調節されている．

図 8・18(b) には，CpG アイランドプロモーターをもつ哺乳類遺伝子のプロモーター領域の構造を要約した．哺乳類遺伝子の約 70%は CpG アイランドプロモーターによって発現するが，通常は TATA ボックスプロモーターをもつ遺伝子よりもずっと発現量が少ない．複数の転写開始点が用いられ，それらの開始点から異なる第一エクソンに対応する 5′ 末端をもつ RNA がつくられる．転写は両方向に起こるが，センス鎖方向に転写する Pol II 分子は，アンチセンス鎖方向に転写する Pol II よりもずっと高い効率で，3 kb を超えて転写産物を伸長する．

モデル生物の出芽酵母では，遺伝子が密に存在し（図 7・4c 参照），イントロンを含む遺伝子はごく少ない．この生物では，エンハンサーは**上流活性化配列**（upstream activating sequence: **UAS**）とよばれ，通常は調節される遺伝子のプロモーター上流約 200 bp 以内にある．ほとんどの酵母遺伝子には UAS が 1 個しかない．また，出芽酵母の遺伝子には，転写開始点のおよそ 90 bp 上流に TATA ボックスがある（図 8・18c）．

DNase I フットプリント法や電気泳動移動度シフト測定法によってタンパク質–DNA 相互作用が検出される

真核生物の DNA にみられるさまざまな転写調節エレメントは，転写因子とよばれる調節タンパク質が結合する部位である．最も単純な真核細胞ゲノムにも数百の転写因子がコードされており，ヒトゲノムには少なくとも 1600 の転写因子がコードされている．ゲノムに存在する遺伝子それぞれの転写は，遺伝子の転写調節領域に結合する特異的転写因子の組合わせによって独立に制御される．多数の転写因子からなる組合わせの可能な数は天文学的な数字であり，ゲノムにコードされたすべての遺伝子を個別に制御するのに十分である．

酵母やショウジョウバエなどの遺伝学的に操作しやすい真核生物では，6 章で述べたような古典的な遺伝学的解析によって，転写アクチベーターやリプレッサーをコードする多数の遺伝子が同定されている．しかし，哺乳類やその他の脊椎動物ではこうした遺伝学的解析は容易ではなく，ほとんどの転写因子は，まず活性が検出され，ついで生化学的手法で精製することによって同定されてきた．このアプローチでは，すでに述べたようなさまざまな変異解析によって同定された DNA 調節エレメントを用いて，これに特異的に結合するタンパク質を同定する．このような結合タンパク質の検出によく使われる方法は，DNase I フットプリント法と電気泳動移動度シフト測定法の二つである．

DNase I フットプリント法（DNase I footprinting）は，タンパク質が DNA のある領域に結合すると，結合した DNA 配列がヌクレアーゼによる分解から保護されることを利用する．図 8・19 に示すように，二本鎖 DNA の片方の鎖の 5′ 末端を放射性分子で標識した断片を，DNA 結合タンパク質の共存下あるいは非共存下の状態におき，注意深く設定した条件でヌクレアーゼ処理する．次に，DNA を精製・除タンパクして変性し，ゲル電気泳動したのち，そのゲルをオートラジオグラフィーにかける．タンパク質と結合していない DNA が切断されて生じた一連のバンドの間に，結合タンパク質によって保護された領域がギャップ，すなわち"フットプリント"として出現する．既知の転写調節エレメントを含む DNA 断片を用いてフットプリント法を行ったときに，フットプリントが出現すれば，調べたタンパク質試料中に調節エレメントに結合する転写因子が存在することがわかる．また，フットプリント法によって，その転写因子が結合する特異的な DNA 配列を同定することもできる．

たとえば，強力なプロモーターであるアデノウイルス主要後期プロモーターの DNase I フットプリント解析では，DNase I 処理

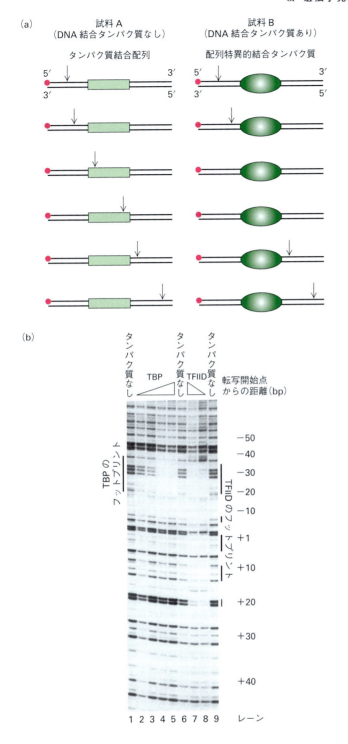

図 8・19（実験）DNase I フットプリント法によって転写因子が結合する DNA 配列の領域がわかる．(a) 転写調節エレメントを含むことがわかっている DNA 断片の一端を ^{32}P（赤丸）で標識する．次に，標識した DNA 試料の一部を，配列特異的 DNA 結合タンパク質を含むタンパク質試料の共存下，および非存在下で DNase I で処理する．DNase I は，ヌクレオチドのデオキシリボース上の 3′ 酸素と次のヌクレオチドの 5′ リン酸の間のホスホジエステル結合をランダムに加水分解する．低濃度の DNase I を用いると，各 DNA 分子は平均 1 箇所（縦矢印）で切断される．タンパク質試料がこの DNA に結合するタンパク質を含まないときには，左側の試料 A のように，DNA 断片は標識末端と非標識末端の間の多数の位置で切断される．タンパク質試料が標識 DNA 上の特異的な配列に結合するタンパク質を含む場合には，右側の試料 B のように，タンパク質が DNA に結合し，断片の一部が切断から保護される．DNase I 処理後，DNA をタンパク質から分離し，変性させて一本鎖にして電気泳動する．このゲルをオートラジオグラフィーにかけると，標識された鎖だけが検出されるので，標識末端から DNase I 切断部位までの断片が見える．試料 A を流したゲルには転写調節エレメントの配列内で切断された断片が出現するが，試料 B のゲルではそれがない．タンパク質の結合によって調節エレメント配列内での切断が阻害されたため，対応する断片が生成されなかったからである．ゲル上からなくなったバンドがフットプリント（足跡）になる．(b) 強力なアデノウイルス主要後期プロモーターに対して，TBP と TFIID を，それぞれ量を変えて加えたとき（△の印）のフットプリント．[(b) は Q. Zhou et al., 1992, *Genes Dev.* **6**(10) : 1964, Cold Spring Harbor Laboratory Press より許可を得て転載．]

する前に，TBP を標識 DNA に加えておくと，TATA ボックスを含む領域が保護されることがわかった（図 8・19b）．DNase I は，二本鎖 DNA にあるホスホジエステル結合をすべて同じ速度で切断するわけではない．そのため，タンパク質を加えていない試料（レーン 1, 6, 9）でも，DNA の配列に依存して一部のホスホジエステル結合は切断されるが，他の結合は切断されないことから，特定のバンドパターンが観察される．しかし，DNase I 処理の前に，TBP の量を徐々に増やして標識 DNA に加えておくと，TBP は TATA ボックスに結合する．十分な量の TBP が加えられ，すべての標識 DNA 分子に結合するようになると，DNase I 処理しても −35～−20 の領域が保護される（レーン 2～5）．一方，TFIID を徐々に加えると（レーン 7, 8），TATA ボックス領域だけではなく，−7～+5，+10～+15，および +20 付近の領域も保護され，TBP の場合とは違うフットプリントが生じる．これらの結果から，TFIID の別のサブユニット（TBP 関連因子，すなわち TAF）が TATA ボックス下流の DNA 領域にも結合することがわかる．

電気泳動移動度シフト測定法（electrophoretic mobility shift assay: **EMSA**）は，**ゲルシフト法**（gel-shift assay），**バンドシフト法**（band-shift assay）ともよばれ，DNA 結合タンパク質の定量的解析にはフットプリント法よりも有用である．一般に，DNA 断片の電気泳動移動度はタンパク質と複合体をつくると小さくなり，その DNA 断片のバンドの位置が変化する．EMSA は，既知の調節エレメントを含む放射性標識 DNA 断片（プローブ）を，タンパク質を含む画分と混ぜ，その中に含まれる転写因子を検出するために用いることができる（図 8・20）．結合反応に加える転写因子の量が多くなるにつれ，より多くの標識プローブが DNA–タンパク質複合体の位置へと移動（シフト）する．この実験結果では，特異的な DNA 結合タンパク質の濃度が画分 8 で最も高く，画分 7 では低め，画分 9 はさらに低い．また，カラムから溶出した他の画分では，この方法で検出できないことを示している．

転写因子を生化学的に単離するには，通常は細胞核抽出液を数種類の液体クロマトグラフィー（3 章）に順番にかける．カラムからの溶出画分を，同定されている調節エレメント（図 8・17）を含む DNA 断片を用いて DNase I フットプリント法，または EMSA で分析する．これらの分析で調節エレメントに結合するタンパク質を含むことが判明した画分は，転写因子の候補を含んでいる．転写因子を精製する最終段階でよく使われる強力な方法は，**配列特異的 DNA アフィニティークロマトグラフィー**（se-

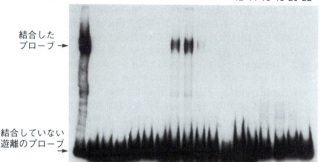

図 8・20（実験） 電気泳動移動度シフト測定法によって，精製中の転写因子を検出することができる．この例では，液体クロマトグラフィーで分離したタンパク質の画分について，放射性標識した DNA 断片プローブ（既知の調節エレメントを含む）への結合能を測定した．カラムにかける前のタンパク質試料（ON）と，カラムから連続して溶出してきた各画分（数字）から適当量を取って，放射性標識したプローブと混合した．タンパク質-DNA 間の相互作用を壊さない条件で試料を電気泳動すると，タンパク質を結合していない遊離のプローブはゲルの下方まで泳動された．未分画試料（ON）と同様に，画分 7 と 8 に含まれるタンパク質がプローブに結合し，遊離プローブよりもゆっくり泳動する DNA-タンパク質複合体を形成した．したがって，これらの画分には調節タンパク質（転写因子）が含まれると考えられる．[S. Yoshinaga et al., 1989, *J. Biol. Chem.* **264**: 10726, Copyright Clearance Center, Inc. を通じて ASBMB より許可を得て転載．]

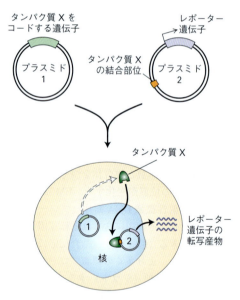

図 8・21（実験） in vivo での遺伝子導入実験により，転写因子候補タンパク質の転写活性を測定できる．この測定系には 2 種類のプラスミドが必要である．プラスミド 1 には転写因子の候補（タンパク質 X）をコードする遺伝子が含まれ，プラスミド 2 にはレポーター遺伝子（たとえばルシフェラーゼ）とタンパク質 X の結合部位が一つ以上含まれる．タンパク質 X をもたない宿主細胞に，両方のプラスミドを同時に導入する．レポーター遺伝子から転写される RNA の生成量か，あるいはレポーター遺伝子にコードされたタンパク質の活性を測定する．タンパク質 X をコードするプラスミドがある場合にレポーター遺伝子の転写が高くなれば，タンパク質 X はアクチベーターである．逆に低くなればリプレッサーである．変異導入したり，ドメインを再構成した転写因子をコードするプラスミドを用いれば，そのタンパク質の重要なドメインを同定することができる．

quence-specific DNA affinity chromatography）である．これは特別な種類のアフィニティークロマトグラフィーで，転写因子結合部位の配列を多数コピー含む長い DNA 鎖を，カラム担体（基質）に結合させて行うものである．

転写因子が一度単離・精製されると，そのタンパク質の部分アミノ酸配列を決定し，6 章で概要を述べた方法によって，その転写因子をコードする遺伝子や cDNA をクローン化できる．単離した遺伝子は，in vivo トランスフェクション法によって，コードされたタンパク質の転写活性化能，あるいは転写抑制能を調べるために使うことができる（図 8・21）．

アクチベーターは複数の機能ドメインから構成される

転写因子のドメイン構造に関する初期の考え方は，**Gal4** とよばれる酵母の転写アクチベーターの研究に基づいたものである．ガラクトース代謝に必要な酵素の発現を促進する Gal4 をコードする遺伝子は，ガラクトースを唯一の炭素エネルギー源とする寒天培地上でコロニー形成できない *gal4* 変異体の相補性試験によって同定された（6 章）．前述のような変異導入の研究により，Gal4 によって活性化される複数の遺伝子において UAS が同定された（図 8・17）．これらの UAS はいずれも，UAS$_{GAL}$ とよばれる 17 bp の配列を 1 コピー以上含むことがわかった．酵母 *GAL4* 遺伝子から大腸菌内で作製した組換え Gal4 タンパク質を用いて DNase I フットプリント法を行った結果，Gal4 タンパク質が UAS$_{GAL}$ 配列に結合することが示された．次に，TATA ボックスの上流に UAS$_{GAL}$ 配列をクローン化し，下流に β-ガラクトシダーゼレポーター遺伝子をつないで酵母に遺伝子導入すると，β-ガラクトシダーゼの発現は，野生型細胞ではガラクトース培地により活性化されたが，*gal4* 変異体細胞では活性化されなかった．これらの結果から，UAS$_{GAL}$ 配列は，ガラクトース培地において Gal4 タンパク質によって活性化される転写調節エレメントであることが示された．

さらに注目すべき一連の実験により，Gal4 転写因子は分離可能な二つの機能ドメインから構成されることが証明された．一つは特異的な DNA 配列に結合する N 末端側の **DNA 結合ドメイン**（DNA-binding domain）であり，もう一つは，他のタンパク質と相互作用して近傍のプロモーターからの転写を促進する C 末端側の**活性化ドメイン**（activation domain）である（図 8・22）．Gal4 の中央部分を除いて，N 末端側の DNA 結合ドメインと C 末端側領域のいろいろな部分を直接融合させてつくった短縮型タンパク質には，レポーター遺伝子の発現を促進する能力が残されていることが，図 8・21 に示した実験と同様の in vivo アッセイで明らかになった．したがって，Gal4 分子の中央の領域は転写因子機能には必要ない．同様の実験を，Gcn4 というもう一つの酵母のアクチベーターで行った．Gcn4 は多くのアミノ酸の合成に必要な遺伝子を調節する転写因子である．この因子は，C 末端側におよそ 50 アミノ酸からなる DNA 結合ドメイン，全配列の中央近くに約 20 アミノ酸からなる活性化ドメインがあることがわかった．

Gal4 や Gcn4 に明確な活性化ドメインが存在するさらなる証拠が，これらの活性化ドメインを全く関係ない大腸菌 DNA 結合タンパク質と融合させる実験によって得られた．このような融合タンパク質の活性を in vivo で検討すると，大腸菌タンパク質の DNA 結合部位を含むレポーター遺伝子の発現が活性化され

(a) レポーター遺伝子の構成

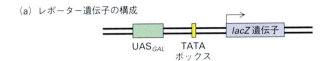

(b) 野生型と変異体のGal4タンパク質

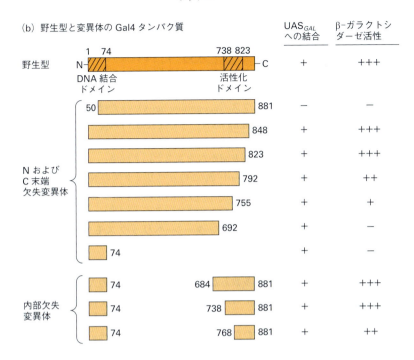

図 8・22（実験） 酵母 *GAL4* 遺伝子の欠失変異体と UAS$_{GAL}$ レポーター遺伝子を用いた解析から，転写アクチベーター内に独立した機能ドメインが存在することが証明された．
(a) *lacZ* 遺伝子（β-ガラクトシダーゼをコードする）と TATA ボックスを，UAS$_{GAL}$（数個の Gal4 結合部位を含む調節エレメント）に連結したレポーター遺伝子の模式図．レポーター遺伝子をもつプラスミドと，野生型または変異型（欠失型）の Gal4 をコードするプラスミドを同時に *gal4* 変異酵母細胞に導入し，*lacZ* から発現する β-ガラクトシダーゼ活性を測定した．導入した *GAL4* 遺伝子が機能のあるタンパク質をコードしていれば，活性は高くなるはずである．
(b) 野生型とさまざまな変異型の Gal4 タンパク質の模式図．数字は野生型タンパク質における配列の位置を示す．N 末端から 50 個のアミノ酸を欠失させると，UAS$_{GAL}$ に結合する能力と，レポーター遺伝子から β-ガラクトシダーゼの発現を促進する能力が失われた．一方，C 末端から広範囲に欠失させたタンパク質は UAS$_{GAL}$ に結合した．これらの結果から，DNA 結合ドメインは Gal4 の N 末端側に局在することがわかった．β-ガラクトシダーゼの発現を活性化する能力は，C 末端から 126～189 アミノ酸の部分，あるいはそれ以上を欠失させない限り，完全に失われることはなかった．したがって，活性化ドメインは Gal4 の C 末端領域にあることがわかった．内側に欠失をもつタンパク質（下段）でも β-ガラクトシダーゼの発現を促進できたことから，Gal4 の中央領域は，この実験で測定している機能には重要ではないことが示された．[J. Ma and M. Ptashne, 1987, *Cell* **48**: 847; I. A. Hope and K. Struhl, 1986, *Cell* **46**: 885; R. Brent and M. Ptashne, 1985, *Cell* **43**: 729 参照.]

た．つまり，細菌と真核生物のタンパク質ドメインを全く新たに組合わせることで，機能する転写因子を構築することが可能なのである．

このような研究は，多くの真核生物の転写因子について行われ，真核生物アクチベーターの"モジュール構造モデル"が浮かび上がってきた．このモデルでは，一つ以上の活性化ドメインが，柔軟性のある天然変性タンパク質ドメインを介して，配列特異的 DNA 結合ドメインとつながっている（図 8・23）．場合によっては，DNA 結合ドメインに含まれるアミノ酸残基が転写活性化にも寄与する．あとの節で述べるように，活性化ドメインは，クロマチン凝縮と転写の両方の調節にかかわるタンパク質と結合することで機能する．DNA 結合ドメインを活性化ドメインにつなぐ柔軟な天然変性タンパク質ドメイン（図 3・13 参照）が存在することは，真核生物の転写調節領域で調節エレメント間の距離に関する制約が緩いことの説明になるかもしれない．つまり，DNA に結合した転写因子の相対的位置が変化した場合でも，活性化ドメインは柔軟なタンパク質領域を介して DNA 結合ドメインに連結しているため，ひき続き相互作用することが可能なのである．また，§8・4 で議論するように，転写因子と転写に関与する他のタンパク質の天然変性領域は，多数の低親和性の相互作用により，相分離した**凝縮体**（condensate，**コンデンセート**）を核内で形成している．このような凝縮体は転写に関与するタンパク質を濃縮しており，これがタンパク質間の相互作用の比率を高くして，転写速度を大いに促進しているのである．

リプレッサーはアクチベーターと逆の働きをする

真核生物の転写はアクチベーターだけでなく，リプレッサーに

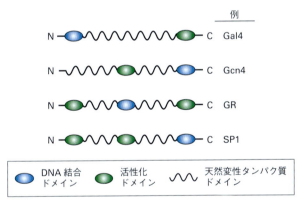

図 8・23 真核生物転写アクチベーターのモジュール構造．転写因子に複数の活性化ドメインが含まれることがあるが，複数の DNA 結合ドメインが存在することはまれである．Gal4 と Gcn4 は酵母の転写アクチベーターである．グルココルチコイド受容体（GR）は，C 末端側の活性化ドメインに特定のホルモンが結合したときに標的遺伝子の転写を促進する．SP1 は多くの哺乳類遺伝子にみられる GC に富むプロモーターエレメント（たとえば GCGGCGCGGC）に結合する．

よっても制御される．たとえば酵母で，ある種の遺伝子を継続して高発現するようになった変異体が遺伝学的に同定されている．このような制御を逸脱した異常な高発現は，**構成的発現**（constitutive expression）とよばれ，これらの遺伝子の転写を阻害するリプレッサーが不活性化されて起こる．同じように，通常は抑制されるはずの遺伝子が胚の細胞で発現するようになったために，胚発生に欠陥を生じたショウジョウバエや線虫の変異体が単離されている．これらの変異体において，変異はリプレッサーを不活性化

しており，異常な胚発生につながっている．

DNA中のリプレッサー結合部位は，図8・17に示したのと同じような体系的リンカースキャニング変異解析によって同定された．この解析では，アクチベーター結合部位に変異が起こると連結したレポーター遺伝子の発現が低下するのに対し，リプレッサー結合部位に変異が起こるとレポーター遺伝子の発現が増加する．こうした部位に結合するリプレッサータンパク質は，アクチベータータンパク質について述べたのと同じ生化学的手法を用いて精製し，抑制性DNA調節エレメントへの結合能を測定することができる．

真核生物の転写リプレッサーは，アクチベーターと逆の働きをする．リプレッサーの結合配列を，通常の状態では調節の対象としていない遺伝子の転写開始点から数十から数千塩基対の位置においたときでも，リプレッサーは遺伝子の転写を阻害できる．また，アクチベーターと同様，ほとんどの真核生物リプレッサーは，二つの機能ドメインを含むモジュール型タンパク質であり，DNA結合ドメインと**抑制ドメイン**（repression domain）をもつ．抑制ドメインは，活性化ドメインと同じように，別のDNA結合ドメインと融合させても機能することができる．たとえば，他のDNA結合ドメインの結合配列をプロモーターから数百塩基対以内に挿入し，抑制ドメインとこのDNA結合ドメインを融合させたタンパク質を発現させると，プロモーターからの転写が阻害される．さらに，抑制ドメインは，活性化ドメインと同様，他のタンパク質と相互作用することによって機能する．これについては，本章の後半で述べる．

DNA結合ドメインは構造に応じて多くの種類に分類される

転写を活性化あるいは抑制するためには，転写因子はDNA結合ドメインを介して，転写調節領域の特異的なDNA配列に結合しなければならない．真核生物の転写因子のDNA結合ドメインは，特異的なDNA配列と結合するさまざまな構造モチーフから構成されている．DNA結合タンパク質が特異的なDNA配列に結合する能力は，一般的に，DNA結合ドメインにあるαヘリックスの原子とDNAの主溝内の塩基の端にある原子との間の非共有結合性相互作用による．また，正に荷電したアルギニンやリシンと，糖-リン酸骨格の負に荷電したリン酸とのイオン性相互作用や，場合によってはDNAの副溝内の原子との相互作用も結合に寄与する．

特異的なタンパク質-DNA相互作用の基本原理は，細菌リプレッサーの研究によって最初に明らかにされた．多くの細菌リプレッサーは二量体タンパク質で，それぞれの単量体のαヘリックスがDNA二重らせんの主溝に入り込んでいて，そこにある原子と多数の特異的な相互作用をしている（図8・24）．このαヘリックスは**認識ヘリックス**（recognition helix），または**配列解読ヘリックス**（sequence-reading helix）とよばれる．DNAの塩基と接触するアミノ酸側鎖のほとんどがこのαヘリックスから伸びている．細菌リプレッサーの表面から突き出ている認識ヘリックスは，通常はタンパク質構造の中で，このαヘリックスのN末端側に隣接する第二のαヘリックスとの疎水性相互作用などによって支えられている．この構造モチーフは，多くの細菌リプレッサーに含まれており，**ヘリックス-ターン-ヘリックスモチーフ**（helix-turn-helix motif）とよぶ（図8・24）．

真核生物の転写因子にはαヘリックスをDNA主溝に接触させる構造モチーフが多数ある．これらのモチーフの大部分には特徴的なアミノ酸配列が共通にみられるため，ヒトや他の種のさまざまな組織由来のcDNAの配列がわかると，それが転写因子の候補であるかどうかもわかる．以下，三次元構造が決定されている一般的なDNA結合タンパク質をいくつか説明する．ここに示すべての例および他の多くの転写因子では，少なくとも一つのαヘリックスがDNAの主溝に挿入されるようになっている．しかし，なかにはDNAと相互作用する別の構造モチーフ（βストランドやループなど，たとえば図8・28aのNFAT）を含む転写因子もある．

ホメオドメインタンパク質　発生過程で機能する真核生物の多くの転写因子は，進化的に保存された60残基のDNA結合モチーフ，**ホメオドメイン**（homeodomain）を含んでいる．構造的には細菌リプレッサーのヘリックス-ターン-ヘリックスモチーフ

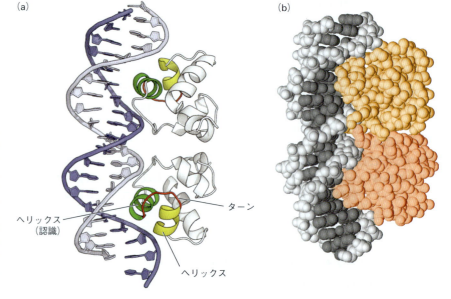

図8・24　バクテリオファージ434リプレッサーとDNAの相互作用．(a) 434リプレッサーが特異的オペレーターDNAに結合した状態のリボンモデル．認識ヘリックスを緑で，認識ヘリックスのN末端側のαヘリックスを黄で，ヘリックス-ターン-ヘリックス構造モチーフ中のヘリックス間のポリペプチド主鎖のターン部分を赤で示した．(b) このリプレッサー-オペレーター複合体の空間充塡モデル．DNA分子の片側の面が，1.5回転にわたってタンパク質と密に相互作用している．[A. K. Aggarwal et al., 1988, *Science* **242**: 899, PDB ID 2ori.]

に似ている．ホメオボックス転写因子は，発生過程で体の一部分が別の部分に変換されるショウジョウバエの変異体において最初に同定された（図8・2b）．ホメオドメインのアミノ酸配列は脊椎動物の転写因子でも保存されており，ショウジョウバエのものと同様，解剖学的構造の発生制御に必要なマスター転写因子に見いだされる．

ジンクフィンガータンパク質　脊椎動物ゲノムに最もよくみられるDNA結合ドメインは**ジンクフィンガー**（zinc finger）とよばれる．この構造ドメインのポリペプチド鎖は中央にあるZn^{2+}の周囲に折りたたまれていて，比較的短いポリペプチド（約25アミノ酸残基）からなるコンパクトなドメインを形成している．この構造モチーフは，DNA結合ドメイン内に最初に見いだされたが，現在ではDNAに結合しないタンパク質にも存在することが知られている．ここでは，真核生物の転写因子に見いだされた何種類かのジンクフィンガーモチーフのうちの二つについて述べる．

C_2H_2 **ジンクフィンガー**は，ヒトや他の脊椎動物で最も一般的なDNA結合モチーフであり，多細胞植物にもよくみられる．このモチーフは23～26残基の共通配列からなり，この中の進化的に保存された2個のシステイン残基（C）と2個のヒスチジン残基（H）の側鎖が1個のZn^{2+}を結合する（図3・7c参照）．"ジンクフィンガー"という名称は，構造の二次元模式図が指に似ていることに由来する．三次元構造が解かれると，2個のシステイン残基と2個のヒスチジン残基がZn^{2+}に結合することによって，この比較的短いポリペプチド配列が折りたたまれてコンパクトなドメインが形成され，ドメイン中のαヘリックスをDNAの主溝に挿入できることが明らかになった．C_2H_2ジンクフィンガータンパク質は少なくとも二つ，通常は多数のC_2H_2ジンクフィンガーをもち，それらが主溝内で連続した塩基対と相互作用し，タンパク質がDNA二重らせんに巻付くように結合する（図8・25a）．

第二の種類のジンクフィンガー構造はC_4**ジンクフィンガー**とよばれる．C_4ジンクフィンガーは，Zn^{2+}と接触する4個の進化的に保存されたシステインをもっており，ヒトではおよそ50の転写因子にみられる．この種類の転写因子で最初に見つかったものは，ステロイドホルモンに特異的な細胞内の高親和性結合タンパク質，つまり"受容体"であり，**ステロイド受容体スーパーファミリー**（steroid receptor superfamily）と命名された．非ステロイド性のホルモンを結合する類似した細胞内受容体がその後に見いだされたため，これらの転写因子は現在では一般に**核内受容体**（nuclear receptor）とよばれている．C_4ジンクフィンガーの特徴は，4個の重要なシステイン残基が2群あることであり，それぞれが，55～56残基のドメインの一方の末端に向いている．

C_4ジンクフィンガーという名称は，当初，C_2H_2ジンクフィンガーとの類似性からつけられたが，これらのDNA結合モチーフを含むタンパク質の三次元構造が解析されると，両者は大きく異なることがわかった．特に重要な違いは，C_2H_2ジンクフィンガータンパク質は一般にフィンガー単位が三つ以上繰返していて単量体として結合するのに対し，C_4ジンクフィンガータンパク質には一般にフィンガー単位が二つしかなく，ホモ二量体またはヘテロ二量体としてDNAに結合することである．また，C_4ジンクフィンガーDNA結合ドメインのホモ二量体は，2回対称性がある（図

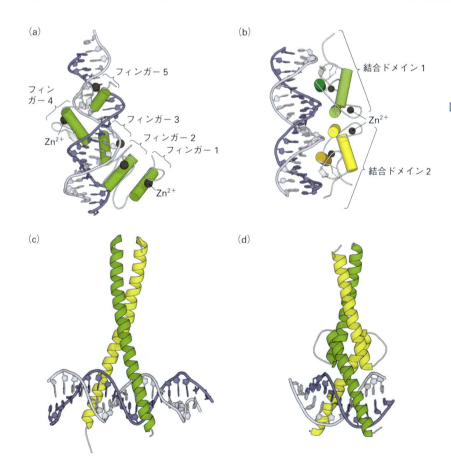

図8・25　αヘリックスを使って特異的なDNA配列の主溝と相互作用する真核生物のDNA結合ドメイン．(a) GL1のDNA結合ドメインは単量体であり，5個のC_2H_2ジンクフィンガーを含む．αヘリックスを円筒で，Zn^{2+}を黒の球で示す．フィンガー1はDNAと相互作用しないが，残りの4個のフィンガーはDNAと相互作用する．(b) グルココルチコイド受容体はホモ二量体型のC_4ジンクフィンガータンパク質である．αヘリックスを円筒で，βストランドを白の矢印，Zn^{2+}を黒の球で示す．おのおのの単量体から一つずつ，合わせて二つのαヘリックスがDNAと相互作用している．他のC_4ジンクフィンガーホモ二量体と同じように，この転写因子には2回対称性がある．(c) ロイシンジッパータンパク質では，単量体の伸びたαヘリックス領域にある塩基性残基が，隣接する主溝でDNA骨格と相互作用する．コイルドコイル二量体化ドメインは単量体間の疎水性相互作用によって安定化している．(d) bHLHタンパク質では，右側のDNA結合ヘリックス（単量体のN末端）が，らせんをつくっていないループによって，コイルドコイル二量体化ドメインを含むロイシンジッパー様領域から隔てられている．[(a)はN. P. Pavletich and C. O. Pabo, 1993, *Science* **261**: 1701による．(b)はB. F. Luisi et al., 1991, *Nature* **352**: 497による．(c)はT. E. Ellenberger et al., 1992, *Cell* **71**: 1223, PDB ID 1ysa. (d)はA. R. Ferre-D'Amare et al., 1993, *Nature* **363**: 38, PDB ID 1an2.]

8・25b). したがって，ホモ二量体の核内受容体は逆方向に繰返したDNA共通配列に結合する.

ロイシンジッパータンパク質 多くの転写因子を含むグループのDNA結合ドメインにみられるもう一つの構造モチーフは，配列上で7残基ごとに疎水性アミノ酸のロイシンを含んでいる．これらのタンパク質は二量体としてDNAに結合し，変異導入実験によって，ロイシンが二量体形成に必要なことがわかった．こうして，この二つのαヘリックスによるコイルドコイルの構造モチーフに対して，**ロイシンジッパー**（leucine zipper）という名称が与えられた.

前に述べた酵母のGcn4転写因子のDNA結合ドメインはロイシンジッパードメインである．DNAとGcn4 DNA結合ドメインからなる複合体をX線結晶構造解析した結果，この二量体タンパク質には2本の長く伸びたαヘリックスがあり，これがちょうどハサミのように，二重らせんの約半回転分を隔てて隣接する二つの主溝部分でDNA分子を"つかむ"ことが示された（図8・25c）．DNAと接触するαヘリックス部分には，DNA骨格中のリン酸基と相互作用する正に荷電した（塩基性）残基と，主溝中の特異的な塩基と相互作用する残基が存在する．

Gcn4は，αヘリックスのC末端領域間の疎水性相互作用によって二量体を形成し，コイルドコイル構造になっている．この構造は，配列中に疎水性アミノ酸が3ないし4残基ごとに規則的に出現してαヘリックスの一方の側にそれらが縞状に並ぶ両親媒性αヘリックスをもつタンパク質に共通にみられる．これら疎水性の縞が，コイルドコイル二量体中のαヘリックス単量体どうしが相互作用する表面を形成している（図3・7a参照）．

最初に解析されたロイシンジッパー転写因子では，二量体化ドメインの7残基ごとにロイシンが含まれていたが，その後，別のDNA結合タンパク質では，この位置に別の疎水性アミノ酸が含まれていることがわかった．これらもロイシンジッパータンパク質と同じように，C末端にはコイルドコイル二量体化ドメイン，N末端にDNA結合ドメインをもつ二量体を形成する．現在では，これら共通の構造的特徴をもつすべてのタンパク質をさす**塩基性ジッパー**（basic zipper: bZIP）という用語もよく使われる．多くの塩基性ジッパー転写因子は二つの異なるポリペプチド鎖からなるヘテロ二量体であり，おのおのが一つの塩基性ジッパーモチーフを含んでいる．

塩基性ヘリックス-ループ-ヘリックスタンパク質 もう1種類の二量体型転写因子のDNA結合ドメインには，塩基性ジッパーモチーフと非常によく似た構造モチーフが含まれる．しかし，ポリペプチドの非らせん性ループが，単量体のαヘリックス領域を二つに隔てている点が異なる（図8・25d）．このモチーフは，**塩基性ヘリックス-ループ-ヘリックス**（basic helix-loop-helix: **bHLH**）とよばれ，当初はタンパク質のアミノ酸配列をもとに予測されたものである．N末端側にDNAと相互作用する塩基性残基を含むαヘリックス，中央にループ領域，C末端側には疎水性アミノ酸が一定間隔で配置された特徴的な両親媒性αヘリックスが含まれ，二量体になってコイルドコイル構造をとる．塩基性ジッパータンパク質と同じように，異なるbHLHタンパク質どうしはヘテロ二量体を形成できる．

さまざまな構造の活性化ドメインと抑制ドメインが転写を制御する

大腸菌タンパク質に由来するランダムなタンパク質断片をGal4のDNA結合ドメインと融合したタンパク質を用いた実験から，大腸菌の配列全体の約1％に相当する多様なアミノ酸配列が，転写因子以外の機能をもつように進化してきたにもかかわらず，活性化ドメインとして機能できることが示された．多くの転写因子には，特定のアミノ酸残基を非常に高い割合で含むことを特徴とする活性化ドメインがある．たとえば，Gal4やGcn4，また酵母の他の転写因子の多くには，酸性アミノ酸（アスパラギン酸，グルタミン酸）に富む活性化ドメインがある．これらのいわゆる**酸性活性化ドメイン**（acidic activation domain）は一般的に，真菌類，動物，植物など，ほとんどすべての真核細胞において転写を促進する能力をもつ．ショウジョウバエや哺乳類の転写因子の活性化ドメインには，グルタミンに富むドメインや，プロリンに富むドメインがある．また，それ以外にも，ともにヒドロキシ基をもち近縁関係にあるセリンとトレオニンに富むドメインもある．しかし，強力な活性化ドメインのなかには，特定のアミノ酸を多く含まないものもある．

生物物理学的研究から，酸性活性化ドメインは一定の構造をもたないランダムコイル状の天然変性構造をとることがわかっている．これらのドメインは**コアクチベーター**（co-activator）と結合したときに転写を促進する．活性化ドメイン-コアクチベーター複合体の中で，アクチベーターはコアクチベーターとの相互作用により，αヘリックス構造をとるようになると推測されている．酸性活性化ドメインを含む転写因子でよく研究されている例に，cAMPの濃度上昇に応答してリン酸化される哺乳類のCREBタンパク質が知られている．CREBの制御されたリン酸化は，CREBがコアクチベーターのCBP（CREB結合タンパク質 CREB binding protein）に結合するために必要である．CREBとCBPが結合すると，CREB結合部位を調節領域にもつ遺伝子が転写される（図15・24参照）．リン酸化されたCREBのランダムコイル状活性化ドメインは，CBPと相互作用すると構造変化をひき起こし，短いループでつながった二つのαヘリックスを形成し，CBPの相互作用ドメインに巻付くように結合する（図8・26a）．

活性化ドメインのなかには，酸性活性化ドメインよりも大きく，一定の構造をとるものもある．たとえば，核内受容体のリガンド結合ドメインは，特異的なホルモンリガンドと結合したときに活性化ドメインとして機能する（図8・26b, c）．リガンド結合によって核内受容体の構造が大きく変化し，これによってホルモンを結合したリガンド結合ドメインと，コアクチベーター内にある短いαヘリックスとの相互作用が可能になる．その結果できた複合体は，調節領域に核内受容体が結合した遺伝子の転写を活性化する．

CREBにある酸性活性化ドメインと核内受容体にあるリガンド結合活性化ドメインは，構造的には対極に位置する例である．すなわち，CREBの酸性活性化ドメインは天然変性状態にあるランダムコイルであり，コアクチベーターの球状ドメインの表面に結合すると折りたたまれて二つのαヘリックスを形成する．一方，核内受容体のリガンド結合活性化ドメインは球状タンパク質ドメインであり，コアクチベーター内の短いαヘリックスと相互作用する．このαヘリックスは活性化ドメインが結合していないときには，おそらくランダムコイル構造をとっている．しかしどちら

8. 遺伝子発現の転写調節

互作用によりコリプレッサー（co-repressor）に結合し，本章の後半で述べる機構によって，転写開始を阻害する複合体を形成することが示されている．

転写因子間の相互作用は遺伝子制御の選択肢を増やす

前項までに解説した二つの種類のDNA結合タンパク質，すなわち，bZIPタンパク質とbHLHタンパク質は，多くの場合，単量体がさまざまに組合わされて多様なヘテロ二量体になる．言及しなかった他の種類の転写因子でも，ヘテロ二量体タンパク質を形成する場合がある．ヘテロ二量体転写因子のなかには，単量体のおのおのが同じ配列を認識するものがある．このような場合，ヘテロ二量体がさまざまに組合わされても，単量体の場合と比べて結合部位の数は増加しない．しかし，こうしたヘテロ二量体では，同じ部位に結合する活性化ドメインが新しい組合わせで形成されることになる（図8・27a）．これ以降，また次章以降でも述べるように，個々の転写因子の活性は多様な機構によって調節可能である．そのため，bZIPやbHLHが結合する単一の調節エレメントが遺伝子の転写調節領域にあるとき，細胞内で，どのbZIP，bHLH単量体が発現しているか，またそれらの活性がどのように調節されるかによって，さまざまな転写応答を起こすことができ

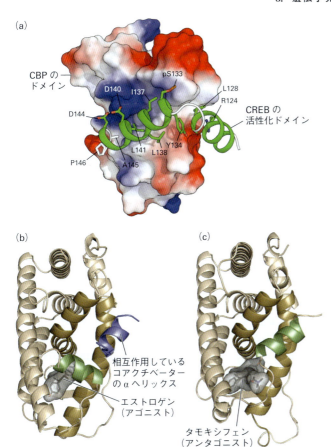

図8・26 活性化ドメインはコアクチベータータンパク質と相互作用するまでランダムコイルである場合と，折りたたまれたタンパク質ドメインである場合がある．(a) CREBの活性化ドメインは，セリン133のリン酸化によって活性化する．このドメインは，CBPコアクチベーター（空間充填モデルでは，負に荷電した領域を赤で，正に荷電した領域を青で示す）と相互作用していないときにはランダムコイルである．CREBの活性化ドメインがCBPに結合すると，二つの両親媒性αヘリックスへと折りたたまれる．活性化ドメイン内のアミノ酸側鎖で，CBPドメインの表面と相互作用するものにラベルをつけた．(b) エストロゲン受容体のリガンドを結合する活性化ドメインは，一定の形に折りたたまれたタンパク質ドメインである．エストロゲンがこのドメインに結合すると，緑で示したαヘリックスがリガンドと相互作用して，リガンド結合ドメインに疎水的な溝（濃茶のヘリックス）ができ，この溝がコアクチベーターサブユニットの両親媒性αヘリックス（青）と結合する．(c) ホルモンがないときのエストロゲン受容体の構造は，エストロゲンのアンタゴニストであるタモキシフェンとの結合によって安定化される．この立体構造では，緑で示した受容体のαヘリックスが，活性化した受容体のコアクチベーター結合溝と相互作用するため，コアクチベーターの結合が立体的に阻害される．〔(a)はI. Radhakrishnan et al., 1997, Cell 91: 741, PDB ID 1kdx. (b), (c)はA. K. Shiau et al., 1998, Cell 95: 927, PDB ID 3erd, 3ert.〕

の場合でも，コアクチベーターと活性化ドメインの特異的なタンパク質間相互作用によって，転写因子が遺伝子発現を促進する．

現在までのところ，抑制ドメインの構造はよくわかっていない．ある種の核内受容体にある球状のリガンド結合ドメインは，特異的なホルモンリガンドがないときには抑制ドメインとして機能する．活性化ドメインと同様，抑制ドメインも比較的短く，15残基かそれ以下の少数のアミノ酸残基からできているらしい．生化学的解析や遺伝学的解析によって，抑制ドメインもタンパク質間相

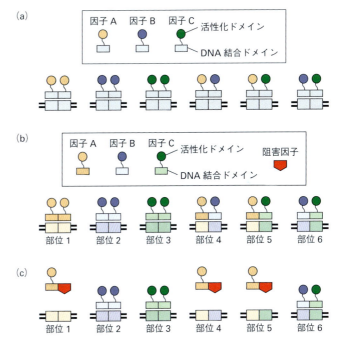

図8・27 ヘテロ二量体を形成する転写因子の可能な組合わせ．(a) ヘテロ二量体をつくる転写因子には，それぞれの単量体が同じDNA配列を認識する場合がある．ここに示す仮想的な例では，転写因子単量体のA, B, Cが，いずれとも相互作用できるとしており，同じDNA配列に結合する6種の異なる活性化ドメインの組合わせが可能になる．おのおののヘテロ二量体因子は，二つの単量体の活性化ドメインを含んでおり，結合部位も二つの半部位に分けられる．(b) 転写因子の単量体が異なるDNA配列を認識する場合には，A, B, Cの転写因子単量体の6通りの組合わせのそれぞれに，特有の組合わせの活性化ドメインが含まれ，六つの異なるDNA配列（部位1〜6）に結合することができる．(c) 転写因子Aの二量体化ドメインのみに相互作用する阻害因子（赤）が発現すると，転写因子AのDNA結合が阻害されるため，部位1, 4, 5での転写活性化が阻害されるが，部位2, 3, 6での活性化には影響がない．

る.

しかし,ヘテロ二量体をつくる転写因子のなかには,単量体がそれぞれ異なる DNA 結合特異性をもつものもある.結果として,組合わせによって一つの転写因子ファミリーが結合する可能性がある DNA 配列の数が増加する.3 種類の単量体因子が組合わされると,理論的には 6 種のホモ二量体あるいはヘテロ二量体を形成することができる(図 8・27b).単量体因子が 4 種類になると,全部で 10 種類の二量体ができ,単量体が 5 種類になると二量体は 16 種類できることになる.これに加えて,bZIP や bHLH 単量体に結合して DNA 結合を妨げる阻害因子も知られている.このような阻害因子が発現して特定の転写因子と相互作用すると,その因子による転写活性化が抑制される(図 8・27c).つまり,ヘテロ二量体をつくる転写因子間の相互作用は,複雑なルールによって支配されている.このような組合わせの複雑さは,これらの因子が転写活性化できる DNA 部位の数と,調節手段の数を増加させているのである.

組合わせによる転写調節は,構造的には全く異なる転写因子どうしが,DNA 上で近接した部位に結合して相互作用したときにも起こる.その一例が,NFAT と AP1 の相互作用である.NFAT と AP1 はインターロイキン 2(IL-2)をコードする遺伝子を調節するプロモーター近位エレメント内の隣り合った部位に結合する.*IL-2* 遺伝子の発現は免疫応答に非常に重要であり,*IL-2* 遺伝子の発現異常は,関節リウマチなどの自己免疫疾患につながることもある(24 章).NFAT も AP1 も,*IL-2* 調節領域内にある結合部位に単独では結合しない.これらの因子が単独で特定の DNA 配列と安定な複合体を形成するには,DNA に対する親和性が低すぎるからである.しかし,NFAT と AP1 が共存する場合,両者のタンパク質間相互作用によって NFAT,AP1,および DNA からなる三者複合体が安定化される(図 8・28a).さまざまな転写因子が**協同的 DNA 結合**(cooperative DNA binding)を行うことによって,組合わせによる転写調節の複雑性は,かなりなものになる.その結果,ヒトゲノムにコードされるおよそ 1600 種類の転写因子は,ずっと多数の協同的相互作用により DNA に結合することができ,これによって,約 20,000 のヒト遺伝子のおのおのに対して特有の転写調節を行っている.*IL-2* 遺伝子が転写されるのは,NFAT が活性化して細胞質から核へと輸送され,また AP1 の二つのサブユニットをコードする遺伝子が同時に活性化して AP1 タンパク質が合成されたときのみである.この二つの現象は別個のシグナル伝達経路によって調節されるため(15 章,16 章),IL-2 の発現が厳密に調節できるようになっている.

NFAT と AP1 の協同的結合は,弱い結合部位どうしが DNA 上で互いに非常に近接しているときにだけ起こる.また,効果的に結合できるように,部位どうしの間隔は正確でなければならない.

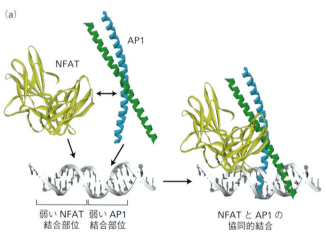

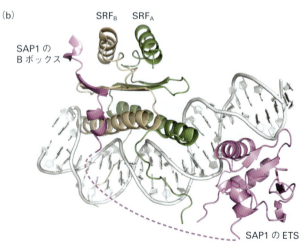

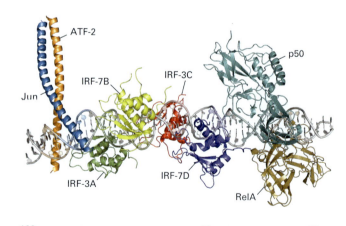

図 8・28 類縁関係にない二つの転写因子が,複合調節エレメント内の隣接部位に協同的に結合する.(a)単量体型転写因子の NFAT とヘテロ二量体型転写因子の AP1 は,どちらも単独では *IL-2* プロモーター近位領域内の各結合部位に対する親和性が低い.NFAT と AP1 のタンパク質間相互作用によって NFAT-AP1-DNA 複合体が全体的として安定化するため,二つのタンパク質は隣接する結合部位に協同的に結合する.(b)二量体型 SRF と単量体型 SAP1 の協同的な結合は,両因子の結合部位が 5~30 bp 程度離れていても,SAP1 結合配列の向きが逆になっても可能である.これは,SRF と相互作用する SAP1 のドメインが,SAP1 ポリペプチド鎖内にある柔軟なリンカー領域(点線)によって DNA 結合ドメインとつながっているからである.[(a)は L. Chen et al., 1998, *Nature* **392**: 42, PDB ID 1a02. (b)は M. Hassler and T. J. Richmond, 2001, *EMBO J.* **20**: 3018, PDB ID 1hbx.]

図 8・29 β インターフェロンのエンハンサーに形成されるエンハンソームのモデル.二つのヘテロ二量体型因子 Jun/ATF-2 と p50/RelA(NF-κB),および単量体型転写因子である IRF-3 と IRF-7 の各分子が,このエンハンサーに互いに重なり合って存在する六つの部位に結合する.[D. Penne et al., 2007, *Cell* **129**: 1111 参照.]

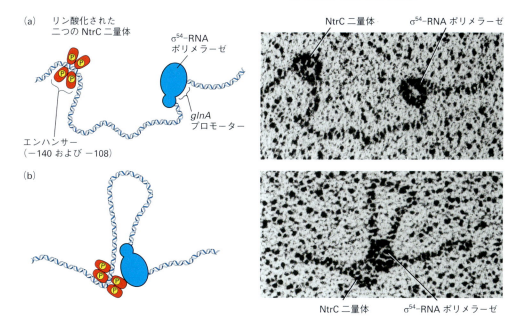

図 8・30（実験） 大腸菌アクチベータータンパク質と RNA ポリメラーゼ間の DNA ループ形成の例．DNA ループ形成により NtrC と σ⁵⁴-RNA ポリメラーゼが相互作用できるようになる．(a) 制限酵素処理した DNA 断片の模式図（左）と電子顕微鏡写真（右）．一方の末端近くのエンハンサー部位にリン酸化により活性化した NtrC 二量体が結合し，他方の末端近くの glnA プロモーターに σ⁵⁴-RNA ポリメラーゼが結合している．(b) 同じ断片の模式図（左）と電子顕微鏡写真（右）．同じ DNA 断片であるが，NtrC 二量体と σ⁵⁴-RNA ポリメラーゼが互いに結合しており，その間の DNA がループを形成している．[W. Su et al., 1990, $Proc.\ Natl.\ Acad.\ Sci.\ USA$ **87**: 5505 参照．写真は H. Echols 提供．]

しかし転写因子と調節領域によっては，協同的結合にそれほど厳密な要件を必要としない場合もある．たとえば，$EGR1$ の調節領域には，転写因子 SRF と SAP1 が協同的に結合する複合結合部位がある（図 8・28b）．この場合，SAP1 には SRF と相互作用する長く柔軟な領域があるので，DNA 上の個々の結合部位が約 30 bp 程度まで離れていても，また配列が互いに逆向きであっても，協同的に結合することができる．

エンハンサー上には多量体タンパク質複合体が形成される

前に述べたように，エンハンサーの長さは一般には約 50〜200 bp の範囲にあり，複数の転写因子の結合部位が含まれている．β インターフェロンの発現を調節する約 50 bp のエンハンサーをみてみよう．β インターフェロンは脊椎動物でウイルス感染の防御において重要なタンパク質である．β インターフェロンのエンハンサーは，いくつかの二量体型転写因子や単一サブユニットからなる転写因子と結合する．これらの転写因子は，エンハンサーを構成する特異的な転写因子結合部位と結合することができる（図 8・29）．**エンハンソソーム**（enhanceosome）とは，こうした大きな DNA-タンパク質複合体を記述するために考案された用語であり，エンハンサー中の複数の結合部位に結合した転写因子が会合することによって形成される．

転写因子には，DNA 結合ドメインと活性化ドメインや抑制ドメインとをつなぐ柔軟な領域が存在するため（図 8・23），また，離れた部位に結合したタンパク質が相互作用して結合部位間に DNA ループをつくるため（図 8・30），転写調節領域に含まれる調節エレメント間の距離の自由度は高くなる．特異的な転写調節因子の結合部位間や，プロモーターにおける基本転写因子と Pol II の結合部位間の距離の多様性が許容されることによって，真核生物における遺伝子制御が急速に進化したと考えられる．また，進化の過程における DNA 配列の転位や反復配列間の組換えによって，調節エレメントの新たな組合わせがつくられ，それが自然選択を受け，有益であれば保持されてきたのであろう．ほとんどの細菌遺伝子のように調節エレメント間の距離の制約が厳密であった場合と比べ，真核生物では調節エレメント間の距離に自由度があることによって，より多くの組合わせが進化の実験において試されてきたと推測される．

8・3 タンパク質をコードする遺伝子の調節配列とそれに結合して働くタンパク質 まとめ

- 真核生物のタンパク質をコードする遺伝子の発現は一般に，タンパク質を結合する複数の転写調節領域によって制御される．転写調節領域は，転写開始点の近傍のほか，離れた場所にも存在する（図 8・18）．
- プロモーターは，Pol II を DNA に結合させ，転写開始点を決定するほか，転写開始の頻度にも影響する．
- プロモーター近位エレメントは，開始点から約 200 bp 以内にある．6〜10 bp 程度からなるエレメント数個が，その近傍にある特定の遺伝子を制御する．
- エンハンサーには多数の短い調節エレメントが含まれ，プロモーターの上流または下流に 200 bp から数十 kb も離れて存在し，イントロン内や遺伝子の最終エクソン下流に存在することもある．
- プロモーター近位エレメントとエンハンサーはしばしば細胞種特異的で，特定の分化した細胞種だけで機能する．
- 転写を活性化あるいは抑制する転写因子は，真核生物 DNA のプロモーター近位エレメントやエンハンサーに結合する．
- 転写アクチベーターと転写リプレッサーは一般的にはモジュール型タンパク質であり，一つの DNA 結合ドメインと，一つあるいは 2〜3 の活性化ドメイン（アクチベーターの場合），抑制ドメイン（リプレッサーの場合）からなる．ドメインどうしは一般に，柔軟な天然変性ポリペプチド領域を介してつながっている（図 8・23）．
- 真核生物転写因子の DNA 結合ドメインに最も多くみられる構造モチーフには，ホメオドメイン，ジンクフィンガー，

塩基性ジッパー（ロイシンジッパー），および塩基性ヘリックス-ループ-ヘリックス（bHLH）がある．これらすべて，また他の多くの DNA 結合モチーフには，対応する結合部位の DNA 主溝と相互作用する α ヘリックスが一つ以上含まれている．

- 転写因子の活性化ドメインと抑制ドメインは，多様なアミノ酸配列と三次元構造をもつ．一般的に，これらの機能ドメインはコアクチベーターやコリプレッサーと相互作用し，この相互作用が遺伝子発現を調節する転写因子の能力にきわめて重要である．
- 大部分の遺伝子の転写調節領域には，複数の転写因子の結合部位がある．こうした遺伝子の転写は，特定の時期に特定の細胞で発現して活性化する転写因子の種類に応じて変化する．
- 組合わせによる転写調節の複雑性は，ヘテロ二量体を形成する転写因子単量体の組合わせの多様性（図 8・27）と複合調節部位への転写因子の協同的結合（図 8・28）によるものである．
- 複数の転写因子が一つのエンハンサー内にある複数の部位に結合することによって，エンハンソソームとよばれる大きな DNA-タンパク質複合体が形成される（図 8・29）．

8・4 転写の活性化と抑制の分子機構

アクチベーターとリプレッサーは DNA の特異的な部位に結合し，三つの一般的な機構によってタンパク質をコードする遺伝子の発現を制御する．第一の機構では，これらの調節タンパク質が他のタンパク質と協調してクロマチン構造を変化させ，基本転写因子がプロモーターに結合する能力を促進したり阻害したりする．7 章で述べたように，真核細胞の DNA は遊離状態にはなく，ほぼ同量のタンパク質と結合してクロマチン（chromatin）という構造をつくっている．クロマチンの基本的な構造単位はヌクレオソーム（nucleosome）である．ヌクレオソームは，ヒストン（histone）タンパク質の円盤状のコアと，これに堅く巻付いた約 147 bp の DNA から構成される．各ヒストンの N 末端領域とヒストン H2A と H2B の C 末端領域のアミノ酸残基は，ヒストン尾部（histone tail）とよばれ，ヌクレオソームの表面から伸びていて，可逆的に修飾されることがある（図 7・26 参照）．このような修飾はクロマチンの相対的な凝縮度に影響を与えるため，転写開始に必要なタンパク質の接近しやすさが変化する．第二の機構では，アクチベーターとリプレッサーは，転写複合体メディエーター（mediator of transcription complex）あるいは単にメディエーター（mediator）とよばれる大きな多量体タンパク質複合体と相互作用する．この複合体は次に Pol II に結合し，転写開始前複合体の会合を直接制御する．さらに，活性化ドメインには TFIID の TAF サブユニットや開始前複合体の他の構成因子と相互作用するものがあり，これらの相互作用が開始前複合体の会合に関与する．第三の機構として，活性化ドメインが転写伸長因子 P-TEFb（CDK9-サイクリン T）や他の未知の因子と相互作用し，プロモーター領域からの Pol II の伸長反応を促進することも考えられる．

本節では，アクチベーターとリプレッサーがクロマチン構造と転写開始前複合体の会合をどのように制御するかについて，現在の理解を概観する．次節では，アクチベーターとリプレッサーの濃度と活性がどのように制御され，細胞や生命体の要求性に合わせて遺伝子発現を正確に行うのかを説明する．

テロメアやセントロメア近傍などの領域では，ヘテロクロマチンが形成され遺伝子発現が抑制されている

真核細胞の不活性な遺伝子は，しばしばヘテロクロマチン（heterochromatin）とよばれるクロマチン領域にあることがわかっている．この領域は，高度に凝縮していて，DNA 染色色素によって濃く染まる（図 7・28a 参照）．一方，転写されている遺伝子のほとんどは，薄く染まるユークロマチン（euchromatin）に位置している．セントロメアやテロメア近傍の染色体領域，細胞の種類によって異なる特定の領域が，ヘテロクロマチンを構成している．ヘテロクロマチン領域の DNA は，ユークロマチン領域の DNA よりもクロマチン外部のタンパク質と接触しにくいため，しばしば "閉じた" クロマチンとよばれる．たとえば，7 章で述べた実験では，不活性な遺伝子の DNA は転写されている遺伝子の DNA よりも DNase I による切断に対してずっと抵抗性が高いことが見いだされている（図 7・27 参照）．

高等真核生物のヘテロクロマチンに似た挙動を示す出芽酵母の DNA 領域の研究から，クロマチンを介する転写抑制，いわゆるクロマチン介在性抑制（chromatin-mediated repression）に関する初期の知見が得られた．出芽酵母は，一倍体としても二倍体としても生育できる．一倍体細胞は a あるいは α とよばれる二つの接合型のいずれかを示す．異なる接合型をもつ細胞は接合，つまり融合して二倍体細胞をつくることができる（図 1・24b 参照）．一倍体細胞が出芽という方法で分裂すると，大きいほうの母細胞の接合型が切替わる．遺伝学的解析と分子生物学的解析によって，酵母の染色体 III 上の三つの遺伝子座が酵母細胞の接合型を制御することが明らかにされた（図 8・31）．中央にある接合型遺伝子座は MAT とよばれる．この遺伝子座だけが活発に転写され，接合型を決定する遺伝子を調節する転写因子（a1，あるいはα1 および α2）をコードしている．一つの細胞では，MAT 遺伝子座には，a か α のいずれかの DNA 配列がある．残りの二つの遺伝子座は HML，HMR とよばれ，おのおの左側と右側のテロメア近くにあり，a 遺伝子と α 遺伝子の "サイレント（転写されない）" なコピーをもっている．これらの配列は，細胞分裂時に相同配列間で起こる一種の非相互組換えによって，HMLα または HMRa から交互に MAT 遺伝子座へ移される．MAT 遺伝子座が HMLα に由来する DNA 配列をもつとき，細胞は α 細胞として振舞う．MAT 遺伝子座が HMRa に由来する DNA 配列を含むときには，細胞は a 細胞として振舞う．

ここで興味深いのは，サイレント接合型遺伝子座にある HML と HMR の転写がどのように抑制されるかである．もし，抑制機構に欠損のある変異体のように，これら二つの遺伝子が発現すると，a と α の両方のタンパク質がつくられることになり，細胞は接合できない二倍体細胞のように振舞う．a および α 遺伝子の転写を制御するプロモーターと UAS は，組換えで移る DNA 領域の中央付近に位置し，その配列は MAT 遺伝子座にあろうとサイレント遺伝子座の一つにあろうと同一である．つまり，これらの配列と相互作用する転写因子の働きが HML と HMR では何らかの

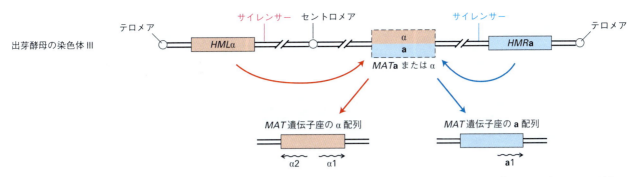

図8・31 出芽酵母染色体IIIの接合型遺伝子座における遺伝子の配置. サイレント(発現しない)接合型遺伝子(aまたはα)は,HML遺伝子座にαが,HMR遺伝子座にaがある. MAT遺伝子座にaまたはαの配列があると,その配列は転写されてmRNAになり,コードされるタンパク質によってその細胞の接合型が決定される. HMLとHMRの近傍にあるサイレンサー配列には,これらのサイレント遺伝子座の発現抑制に重要なタンパク質が結合する. 一倍体細胞では,HMLもしくはHMRから,転写活性のあるMAT遺伝子座へとDNA配列を移すことによって,接合型を切替えることができる.

しくみで阻害されている一方,MAT遺伝子座では阻害されていないことが示唆される. サイレント遺伝子座におけるこの抑制は,HMLとHMR内の転位領域に隣接する**サイレンサー配列**(silencer sequence)に依存する(図8・31). このサイレンサーを欠失させると,隣接するサイレント遺伝子座が転写される. 注目すべきは,組換えDNA技術を用いて接合型サイレンサー配列の近傍に別の遺伝子を配置すると,どんな遺伝子であっても転写抑制される,つまり"サイレント"になることである. tRNAの遺伝子はPol IIIで転写されるので,Pol IIとは異なる基本転写因子が用いられるが,tRNA遺伝子も接合型サイレンサー配列によって転写抑制される. これについては後述する.

複数の証拠から,HMLおよびHMR遺伝子座の抑制は,転写因子とDNAとの相互作用が,凝縮したクロマチン構造によって立体的に妨げられるためであることが示されている. これを示す実験の一つに,GATC配列中のアデニン残基をメチル化する大腸菌酵素をコードする遺伝子を酵母に導入し,酵母プロモーターの制御下で発現した例がある. このような細胞では,MAT遺伝子座内と大部分のゲノム領域にあるGATC配列はメチル化されるが,HMLおよびHMR遺伝子座内の配列はメチル化されないことがわかった. この結果は,サイレント遺伝子座のDNAには大腸菌メチラーゼ,また,おそらく転写因子やRNAポリメラーゼを含め,タンパク質が一般的に接近できないことを示している. また,ヒストンのさまざまな変異体を用いて同じような実験を行った結果,H3とH4のヒストン尾部が関与する特異的相互作用が,完全に抑制されたクロマチン構造の形成に必要であることがわかった. 別の研究からは,酵母の各染色体のテロメアもサイレンサー配列と同様の挙動をすることが示されている. たとえば,酵母のテロメアから2~3kb以内の位置に遺伝子を導入すると,どの染色体のテロメアの場合でもその発現が抑制される. しかも,この抑制は,サイレント接合型遺伝子座における抑制が阻害されたのと同じH3とH4のヒストン尾部の変異によって解除される.

遺伝学的解析によって,酵母のサイレント接合型遺伝子座やテロメアでの遺伝子発現抑制に必要な因子として,RAP1と3種類のSIRタンパク質など,数種類のタンパク質が同定されている. RAP1はHMLおよびHMRに隣接したサイレンサーDNA配列,および酵母の各染色体のテロメアで多数回繰返している配列に結合することがわかった. さらに生化学的解析によって,SIR2タンパク質は**ヒストンデアセチラーゼ**(histone deacetylase: **HDAC**, ヒストン脱アセチル化酵素)であり,ヒストン尾部にあるリシンのアセチル基を除去することがわかった. また,RAP1, SIR2, 3, 4タンパク質は互いに結合し,SIR3とSIR4はヒストンH3とH4のN末端尾部に結合することがわかった. これらのN末端尾部はSIR2の脱アセチル化活性によって大部分が脱アセチル化状態に維持されている. 蛍光標識抗体で染色,あるいはテロメア特異的な標識DNAプローブをハイブリダイゼーションさせた酵母細胞を共焦点顕微鏡で観察した実験により,SIRタンパク質やRAP1は,高等真核生物でみられるヘテロクロマチンに似た,凝縮した大きなテロメア核タンパク質構造を形成していることが明らかになった(図8・32a~c).

以上の結果や他の実験結果に基づいて,クロマチンを介した酵母テロメアのサイレンシングのモデルが提出されている(図8・32d). テロメアにおけるヘテロクロマチン形成では,多数のRAP1タンパク質がテロメア末端のヌクレオソームがない領域に含まれる反復配列と結合して核になる部分がつくられる. テロメアに結合したRAP1,三つのSIRタンパク質(SIR2, 3, 4),および低アセチル化状態のヒストンH3とH4の関与するタンパク質間相互作用のネットワークによって,複数のテロメアからなる核タンパク質複合体が構築される. この部分のDNAには外部のタンパク質がほとんど接近できない. ヘテロクロマチン領域のヌクレオソームはヒストン尾部のリシンが低アセチル化状態にあること,一方,ユークロマチンのヌクレオソームではヒストン尾部のいくつかのリシン残基がアセチル化されていることを思い出そう(図7・28b参照). 接合型遺伝子座のサイレンシングには,もう一つ別のタンパク質SIR1も必要である. SIR1は,RAP1や他のタンパク質とともに,HMLとHMRに隣接したサイレンサー領域に結合し,テロメアの場合と同様,多数のタンパク質からなる大きいサイレンシング複合体の形成を開始させる.

このモデルの重要な特徴は,遺伝子発現抑制がヒストン尾部の**低アセチル化**(hypoacetylation)に依存していることである. このことは,ヒストンのN末端のリシンをアルギニン,グルタミン,グリシンにそれぞれ置換した酵母変異体を用いた実験によって示された. アルギニンはリシンと同じく正電荷をもつが,アセチル化されない. 一方,グルタミンとグリシンは中性であり,アセチル化したリシンが電荷的に中性である状態のモデルになってい

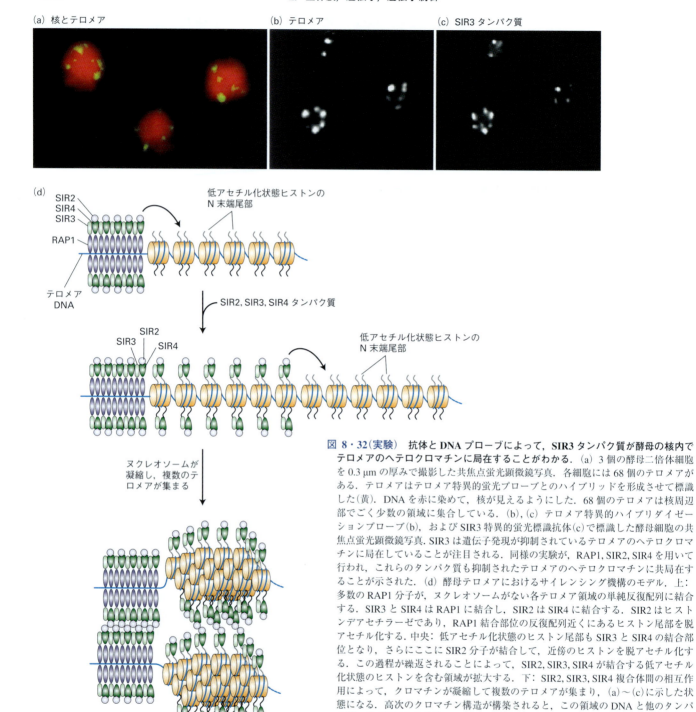

図 8・32（実験） 抗体と DNA プローブによって，SIR3 タンパク質が酵母の核内でテロメアのヘテロクロマチンに局在することがわかる．(a) 3 個の酵母二倍体細胞を 0.3 μm の厚みで撮影した共焦点蛍光顕微鏡写真．各細胞には 68 個のテロメアがある．テロメアはテロメア特異的蛍光プローブとのハイブリッドを形成させて標識した（黄）．DNA を赤に染めて，核が見えるようにした．68 個のテロメアは核周辺部でごく少数の領域に集合している．(b), (c) テロメア特異的ハイブリダイゼーションプローブ(b)，および SIR3 特異的蛍光標識抗体(c)で標識した酵母細胞の共焦点蛍光顕微鏡写真．SIR3 は遺伝子発現が抑制されているテロメアのヘテロクロマチンに局在していることが注目される．同様の実験が，RAP1, SIR2, SIR4 を用いて行われ，これらのタンパク質も抑制されたテロメアのヘテロクロマチンに共局在することが示された．(d) 酵母テロメアにおけるサイレンシング機構のモデル．上: 多数の RAP1 分子が，ヌクレオソームがない各テロメア領域の単純反復配列に結合する．SIR3 と SIR4 は RAP1 に結合し，SIR2 は SIR4 に結合する．SIR2 はヒストンデアセチラーゼであり，RAP1 結合部位の反復配列近くにあるヒストン尾部を脱アセチル化する．中央: 低アセチル化状態のヒストン尾部も SIR3 と SIR4 の結合部位となり，さらにここに SIR2 分子が結合して，近傍のヒストンを脱アセチル化する．この過程が繰返されることによって，SIR2, SIR3, SIR4 が結合する低アセチル化状態のヒストンを含む領域が拡大する．下: SIR2, SIR3, SIR4 複合体間の相互作用によって，クロマチンが凝縮して複数のテロメアが集まり，(a)〜(c)に示した状態になる．高次のクロマチン構造が構築されると，この領域の DNA と他のタンパク質の相互作用が立体的に阻害される．[M. Grunstein, 1997, *Curr. Opin. Cell Biol.* **9**: 383 参照. (a)〜(c)は M. Gotta et al., 1996, *J. Cell Biol.* **134**: 1349 による.]

る．テロメアとサイレント接合型遺伝子座における発現抑制は，H3 と H4 ヒストン尾部のリシンをグルタミンやグリシンに置換した変異体では起こらなくなったが，アルギニン置換の変異体では正常に起こった．これはアルギニンがヒストン尾部に正電荷を供給したためである．さらに，H3 と H4 のリシンのアセチル化によって SIR3 や SIR4 の結合が阻害され，その結果，サイレント遺伝子座やテロメアにおける抑制が妨げられることがわかった．また，ヒストン N 末端尾部の特定の位置にあるアセチル化リシン（図 7・26b 参照）に特異的な抗体を用いて，クロマチン免疫沈降実験（図 8・12a）を行った結果，テロメア近傍やサイレント接合型遺伝子座にある抑制領域のヒストンは低アセチル化状態であるが，この領域に存在する遺伝子が脱抑制される *sir* 変異体では高アセチル化状態になっていることがわかった．

リプレッサーは特定の遺伝子におけるヒストンの脱アセチル化を誘導することができる

クロマチン介在性遺伝子抑制におけるヒストン脱アセチル化（histone deacetylation）の重要性は，テロメアやセントロメアから

離れた染色体腕部に位置する遺伝子を制御する真核生物リプレッサーの研究によっても支持された。これらのリプレッサータンパク質は、遺伝子のTATAボックスやプロモーター近位エレメントにわたる領域のヌクレオソームでヒストン尾部を脱アセチル化することにより、ある程度の抑制作用を示す。in vitroの研究では、プロモーターDNAを含むヌクレオソームのヒストンがアセチル化されていないときには、基本転写因子がTATAボックスやプロモーター近位エレメントに結合できないことが示されている。アセチル化されていないヒストンでは、N末端尾部のリシンは正電荷をもつので、DNAの骨格のリン酸と相互作用する可能性がある。また、非アセチル化ヒストン尾部は近傍のヒストン八量体や他のクロマチン結合タンパク質と相互作用することによって、クロマチンが凝縮領域へと折りたたまれるようにする（図7・24cおよび7・27a参照）。これらの正味の効果により、基本転写因子は、低アセチル化ヒストンと結合したプロモーター上に転写開始前複合体を形成できなくなる。一方、ヒストン尾部が高アセチル化状態にあると、リシンの正電荷が中和されてクロマチン内で静電相互作用できなくなるため、基本転写因子の結合に対する抑制はずっと弱くなる。

ヒトのヒストンデアセチラーゼをコードするcDNAが、多くの酵母遺伝子を正常に抑制するために必要な酵母*RPD3*遺伝子と高い相同性をもつことにより、特定の酵母プロモーターでのヒストン脱アセチル化と転写抑制の関係性は、いっそう確かなものになった。また、その後の研究から、Rpd3タンパク質にヒストンデアセチラーゼ活性があることがわかった。Rpd3がさまざまなプロモーターでヒストンを脱アセチル化する作用は、二つのタンパク質に依存する。一つは特定の上流調節配列（URS1）に結合するリプレッサーUme6であり、もう一つはRpd3を含む大きな多量体タンパク質複合体Rpd3Lの一部であるSin3である（図8・33a）。Sin3はUme6の抑制ドメインとも相互作用することで、Rpd3ヒストンデアセチラーゼを複合体内で適切に配置し、その結果、近傍のプロモーターに形成されたヌクレオソームと相互作用してヒストン尾部のリシンからアセチル基を除くことができるようになる。ヒストンの特定のアセチル化リシンに対する抗体を用いたクロマチン免疫沈降法（図8・12aに概要を示した）の実験から、野生型酵母ではUme6結合部位に最も近い1個あるいは2個のヌクレオソームが低アセチル化状態にあることが示された。これらのDNA部位には、Ume6によって抑制される遺伝子のプロモーターが含まれる。*sin3*や*rpd3*の欠失変異体では、このプロモーターが脱抑制されるだけでなく、Ume6結合部位近傍のヌクレオソームが高アセチル化される。これらの知見はすべて、図8・33(a)に示したリプレッサーによる脱アセチル化モデルを強く支持するものである。

酵母では、Sin3-Rpd3複合体（Rpd3L）が**コリプレッサー**（co-repressor）として機能する。ヒストンデアセチラーゼを含むコリプレッサー複合体は、哺乳類細胞由来の多くのリプレッサー（p.299参照）と結合することが見いだされている。これらの複合体のなかには、Sin3の哺乳類ホモログ（mSin3）を含むものもあり、酵母の場合と同様に、リプレッサーの抑制ドメインと相互作用する（図8・33a）。哺乳類細胞で同定された他のヒストンデアセチラーゼ複合体には、哺乳類リプレッサーの抑制ドメインに結合する別種のサブユニットが含まれている。これらリプレッサーとコ

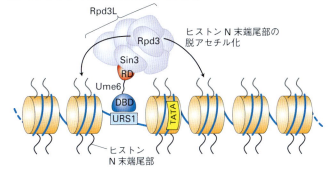

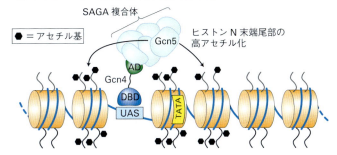

図8・33 酵母の転写調節におけるヒストン脱アセチル化と高アセチル化の機構に関する仮説. (a) リプレッサーによるヒストンN末端尾部の脱アセチル化. リプレッサーUme6のDNA結合ドメイン（DBD）は、調節する遺伝子にある特異的な上流調節配列（URS1）と相互作用する. Ume6の抑制ドメイン（RD）はSin3と結合する. Sin3はヒストンデアセチラーゼRpd3を含む多量体タンパク質複合体のサブユニットの一つである. Ume6結合部位を含む領域のヌクレオソームでヒストンN末端尾部が脱アセチル化されると、基本転写因子のTATAボックスへの結合が阻害され、遺伝子発現が抑制される. (b) アクチベーターによるヒストンN末端尾部の高アセチル化. アクチベーターGcn4のDNA結合ドメインは、調節する遺伝子にある特異的な上流活性化配列（UAS）と相互作用する. Gcn4の活性化ドメイン（AD）が、触媒サブユニット（Gcn5）を含む多量体タンパク質ヒストンアセチラーゼ複合体と相互作用する. その結果、Gcn4結合部位近傍のヌクレオソームにおいてヒストンN末端尾部が高アセチル化状態になり、転写開始に必要な基本転写因子が近づきやすくなる. 高等真核生物では、多くの遺伝子の抑制と活性化が同じような機構によって起こる.

リプレッサーのさまざまな組合わせによって、酵母の場合と似た機構で、特定のプロモーターにおいてヒストン脱アセチル化が行われる（図8・33a）。また、"閉じた"クロマチン構造の形成による抑制に加え、一部の抑制ドメインは転写開始前複合体の会合を阻害することが、精製した基本転写因子を用いたヒストン非存在下の実験からわかった。この活性も、おそらく抑制ドメインによるin vivoでの転写抑制に寄与していると考えられる。

アクチベーターは特定の遺伝子においてヒストンのアセチル化を促進することができる

リプレッサーが、その抑制ドメインに結合するコリプレッサーによって機能するように、DNAに結合するアクチベーターの活性化ドメインは、多数のサブユニットからなる**コアクチベーター**（co-activator）複合体と結合することで機能する。最初に性状解析されたコアクチベーター複合体の一つが酵母の**SAGA複合体**（SAGA complex）であり、§8・3に述べたGcn4アクチベーター

タンパク質，Gal4アクチベータータンパク質とともに機能する．初期の遺伝学的解析から，Gcn4アクチベーターの完全な活性化には，**Gcn5**とよばれるタンパク質が必要であることが示された．Gcn5機能解明の手掛かりは，原生動物テトラヒメナから最初に精製された**ヒストンアセチラーゼ**（histone acetylase，ヒストンアセチルトランスフェラーゼ histone acetyltransferase ともいう）の生化学的研究から得られている．タンパク質の配列解析から，このテトラヒメナのタンパク質と酵母のGcn5との間に相同性があることがわかり，まもなくGcn5にもヒストンアセチラーゼ活性があることが示された．さらに，遺伝学的解析と生化学的解析を行った結果，Gcn5は，SAGA複合体という多量体タンパク質複合体の一つのサブユニットであることがわかった．このヒストンアセチラーゼ複合体のもう一つサブユニットは，Gcn4を含む複数の酵母アクチベータータンパク質の活性化ドメインに結合する．図8・33(b)に示したモデルは，Gcn4アクチベーターによって制御される遺伝子のプロモーター領域近傍のヌクレオソームが，細胞内の大部分のヒストンと比べて特異的に高アセチル化されているという観察結果と合致する．このように，プロモーター領域近傍のヌクレオソームがアクチベーターの関与によって高アセチル化されると，転写開始に必要な他のタンパク質の結合が促進される．

また，ヒストンの特定のリシンがアセチル化されると，クロマチンが脱凝縮するのに加え，**ブロモドメイン**（bromodomain）をもつタンパク質の結合部位が生じる．ブロモドメインは，約110個のアミノ酸からなり，アセチル化リシンに結合するドメインである．ブロモドメインは転写活性化に寄与する何種類かの染色体結合タンパク質にみられる．たとえば，基本転写因子TFIIDの一つのサブユニットには2個のブロモドメインが含まれ，アセチル化したヌクレオソームに高い親和性で結合する．ここで，TFIIDのプロモーターへの結合がRNAポリメラーゼII開始前複合体の形成を開始することを思い出そう(図8・13)．ほとんどすべての転写活性遺伝子のプロモーター領域のヌクレオソームでは，H3とH4のヒストン尾部のリシンがアセチル化されている．

同じような活性化機構は高等真核生物でも作動している．哺乳類細胞には，酵母のSAGA複合体に相同な，多サブユニットから構成されるヒストンアセチラーゼ-コアクチベーター複合体が存在する．また，多数のドメインを含む約300 kDaの二つの類縁タンパク質**CBP**および**p300**が発現しており，ヒストン尾部のリシンをアセチル化する．前述したように，CBPの一つのドメインはCREB転写因子のリン酸化された酸性活性化ドメインに結合する(図8・26a)．CBPにはヒストンアセチラーゼ活性があり，また別のヒストンアセチラーゼ複合体への結合能もある．CREBやその他の多くの哺乳類アクチベーターには，CBPとp300，および関連したヒストンアセチラーゼ複合体を特定のヌクレオソームへ配置し，そこでヒストン尾部をアセチル化することによって，基本転写因子とプロモーターDNAの相互作用を促進する機能もある．

クロマチンリモデリング因子は転写の活性化や抑制を促進する

多くのプロモーターの転写活性化には，ヒストンアセチラーゼ複合体のほかに，多量体タンパク質複合体である**クロマチンリモデリング複合体**（chromatin-remodeling complex）が必要である．はじめて性状解析されたクロマチンリモデリング複合体は，酵母のSWI/SNFクロマチンリモデリング複合体（SWI/SNF chromatin-remodeling complex）である．SWI/SNF複合体のサブユニットの一つはDNAヘリカーゼと相同性がある．この酵素はATP加水分解のエネルギーを使って，核酸間の塩基対形成による相互作用や，核酸-タンパク質間の相互作用を阻害する．SWI/SNF複合体はDNAをヌクレオソームへと送り込み，ヒストン八量体の表面に結合したDNAを一時的に解離させて結合場所を移動させ，ヌクレオソームをDNA鎖に沿って滑り動くようにすると考えられている．このようなクロマチンリモデリングは，クロマチン内の特異的なDNA配列への転写因子の結合を促進する．多くの活性化ドメインはクロマチンリモデリング複合体に結合し，これによってin vitroでクロマチンを鋳型とした転写が促進される．したがって，SWI/SNF複合体は，もう1種類のコアクチベーター複合体ということになる．図8・34に示した実験から，活性化ドメインがどのようにしてクロマチン領域を脱凝縮できるかが劇的に示された．この脱凝縮の現象は，活性化ドメインがクロマチンリモデリング複合体やヒストンアセチラーゼ複合体と相互作用することにより起こるのである．

クロマチンリモデリング複合体は，真核細胞においてDNAが関与する多くの過程，すなわち転写調節，DNA複製，組換え，

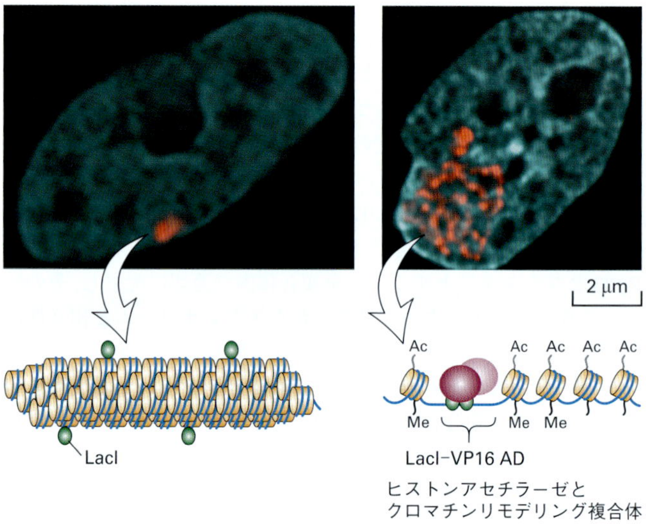

図8・34 融合タンパク質を発現させることで，活性化ドメインに応答したクロマチンの脱凝縮が明らかになった．大腸菌の*lac*オペレーター配列を多コピー直列に繰返したDNAを構築し，ハムスター培養細胞株の染色体のヘテロクロマチン領域に挿入した．(a) *lac*リプレッサー(LacI)を発現するベクターをこの細胞にトランスフェクションし，*lac*リプレッサーに対する抗体を用いて染色すると，*lac*オペレーター部位に結合した*lac*リプレッサーが凝縮したクロマチン領域に観察された(赤)．DNAをDAPI染色して核を可視化してある(青)．凝縮したクロマチンの模式図を下に示した．(b) *lac*リプレッサーに活性化ドメインを融合したタンパク質を発現するベクターを，この細胞にトランスフェクションした場合には，(a)と同じ染色によって，活性化ドメインがクロマチンのこの領域を脱凝縮することが示された．この領域のクロマチンは，より細い繊維となって，核内でずっと大きな容積を占めるようになる．下に脱凝縮したクロマチン領域の模式図を示した．ここにはクロマチンリモデリング複合体やヒストンアセチラーゼ複合体と会合したLacI-VP16活性化ドメイン(AD)融合タンパク質が結合している．[T. Tumbar et al., 1999, *J. Cell. Biol.* **145**(7): 1341 による．]

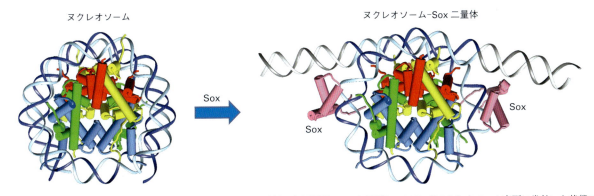

図 8・35 **Sox11-ヌクレオソーム複合体の構造**. Sox11 は，近縁の転写因子 Sox2 と同様に，DNA がヌクレオソーム表面に巻付いた状態であっても特異的結合部位に結合することができる．(左) Sox11 結合部位を二つもつヌクレオソームのモデル．一つの結合部位は，ヌクレオソームに DNA が 5/3 回巻付くはじまりの部分にあり，もう一つの結合部位は巻き終わり末端近くにある．ヒストンの α ヘリックスは円筒で示した(H2A サブユニットは黄，H2B は赤，H3 は青，H4 は緑)．(右) Sox11 がこのヌクレオソームの二つの結合部位に相互作用すると，ヌクレオソーム表面に巻付いていた DNA がほどかれて，他のタンパク質が結合できるようになる．[S. Dodonova and P. Cramer 提供.]

DNA 修復などに必要である．真核細胞には何種類かのクロマチンリモデリング複合体があり，すべてに DNA ヘリカーゼに相同なドメインが含まれる．多細胞生物の SWI/SNF 複合体や類縁のクロマチンリモデリング複合体は，アセチル化ヒストン尾部に結合するブロモドメインをもつサブユニットを含んでいる．結果として，SWI/SNF 複合体は，活性化したクロマチンのアセチル化領域に結合したままになり，クロマチンを脱凝縮した状態に維持しているのであろう．クロマチンリモデリング複合体は転写抑制にかかわることもできる．この場合には，クロマチンリモデリング複合体がリプレッサーの転写抑制ドメインに結合し，おそらくクロマチンを凝縮した構造へと折りたたむことによって抑制に寄与する．これらの重要なタンパク質がどのようにクロマチン構造を変化させ，遺伝子発現や他の過程に影響を与えているかについて，まだ多くのことがわかっていない．

パイオニア転写因子によって細胞分化における遺伝子活性化の過程が開始される

胚発生時や成体幹細胞が分化する過程 (22 章) で誘導される遺伝子の多くは，未分化前駆細胞ではヘテロクロマチンの抑制領域に存在する．これらの遺伝子が活性化するためには転写調節領域のクロマチンが脱凝縮し，転写因子がエンハンサーやプロモーター近位調節エレメントに結合し，基本転写因子や Pol II がプロモーターに結合できるようになることが必要である．多くの場合，この脱凝縮は特別な**パイオニア転写因子** (pioneer transcription factor) によって開始される．パイオニア転写因子は，DNA 上の結合部位がクロマチンのヘテロクロマチン抑制領域内にある場合でも，結合することができる．これらのパイオニア転写因子は，ヌクレオソーム中の DNA とヒストンの両方の表面に結合するが，Sox2 のように，結合エネルギーを使ってヌクレオソーム表面から DNA をほどきはじめる場合もある (図 8・35)．こうすることで，パイオニア因子は，DNA がヒストン八量体に巻付き，鎖の片側がヒストン表面に接触した状態でも，特異的結合部位に結合することができる．

パイオニア転写因子が凝縮したクロマチン中でプロモーターからの転写を活性化する例として，肝特異的遺伝子 *Alb1* があげられる．*Alb1* は血清の主成分アルブミンをコードしており，その遺伝子産物は肝臓の主要な構成細胞である肝細胞から血液中に分泌される．マウスの発生過程では，肝臓への発生が決定している未分化の前腸内胚葉細胞において，FoxA と GATA-4 または GATA-6 転写因子が *Alb1* エンハンサーに最初に結合する．FoxA は**ウィングドヘリックス** (winged helix) DNA 結合ドメインをもっており，FoxA 結合部位を含む DNA らせんの片側に結合する．GATA 因子も，ヒストン八量体に巻付いているヌクレオソーム DNA 中の特異的部位に結合することができる．FoxA と GATA-4/6 の活性化ドメインは，その後，クロマチンリモデリング複合体やヒストンアセチラーゼ複合体と相互作用して，120 bp の *Alb1* エンハンサーのクロマチンを脱凝縮するらしい．これによって，できたばかりの肝芽 (のちに肝臓へと発生する) において，さらに四つの転写因子が結合できるようになる．

メディエーター複合体は活性化ドメインと Pol II の間を結ぶ分子的な橋となる

活性化ドメインがヒストンアセチラーゼ複合体やクロマチンリモデリング複合体と相互作用すると，プロモーター領域のクロマチンは，基本転写因子が結合できる"開いた"構造になる．すると DNA 調節エレメントに結合した転写因子の活性化ドメインが，もう一つの多サブユニットのコアクチベーター複合体であるメディエーター複合体 (図 8・36) と相互作用する．活性化ドメインとメディエーターとの相互作用によって，プロモーター上で転写開始前複合体の形成が促進される．クライオ電子顕微鏡による最近の研究では，メディエーター複合体の頭部と中央部のドメインが Pol II と直接相互作用することが示されている．複数のメディエーターサブユニットが，さまざまなアクチベータータンパク質の活性化ドメインと結合する．したがって，メディエーターは，DNA 上の特異的結合部位に結合したアクチベーターと，プロモーターに結合した Pol II を橋渡しすることができる．

酵母の温度感受性変異体を用いた実験により，いくつかのメディエーターサブユニットが酵母のほぼすべての遺伝子の転写に必要であることが示された．これらのサブユニットは，メディエーター複合体の全体構造の維持や，Pol II への結合を促進している．一方で，特定のサブセットの遺伝子の活性化あるいは抑制に必要なメディエーターサブユニットもある．このような生存に必須で

(a)

酵母

頭部	中央部	尾部	CKM
Med6	Med1	Med2	Med12
Med8	Med4	Med3	Med13
Med11	Med7	Med5	Cdk8
Med17	Med9	Med14	CycC
Med18	Med10	Med15	
Med20	Med19	Med16	
Med22	Med21		
	Med31		

ヒト

頭部	中央部	尾部	CKM
MED6	MED1	MED14	MED12/12L
MED8	MED4	MED15	MED13/13L
MED11	MED7	MED16	Cdk8/CDK19
MED17	MED9	MED23	CycC
MED18	MED10	MED24	
MED20	MED19	MED25	
MED22	MED21		
	MED27	MED26	
	MED28	MED31	
	MED29		
	MED30		

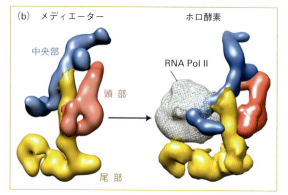

図 8・36 **酵母とヒトのメディエーター複合体構造**. (a) 出芽酵母とヒトのメディエーター複合体のサブユニット. メディエーターの頭部, 中央部, および尾部モジュールをそれぞれ構成するサブユニットと, メディエーター複合体に結合して Pol II の結合を妨げる CDK8 キナーゼモジュール (CKM) のサブユニットを示した. (b) CKM を含まない酵母メディエーターのクライオ電子顕微鏡構造. 左: (a) に示したサブユニットからなる頭部, 中央部, および尾部モジュールを同じ色で示した. 右: Pol II を含むメディエーター (ホロ酵素) の構造. メディエーターのモジュールは, 互いに回転して Pol II と結合する表面をつくることが示唆される. [(b) は K. L. Tsai, 2014, *Cell*, **157**(6): 1430, Copyright Clearance Center, Inc. を通じて Elsevier より許可を得て転載.]

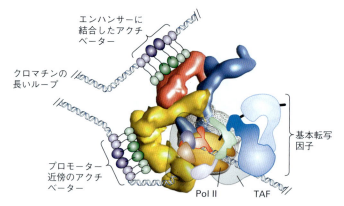

図 8・37 **DNA に結合した複数のアクチベーターが単一のメディエーター複合体と相互作用するモデル**. メディエーターのそれぞれのサブユニットが特異的な活性化ドメインと相互作用することによって, 複数のアクチベーターからのシグナルを一つのプロモーター上で統合する働きをしているらしい. 詳細は本文参照.

はないメディエーターサブユニットに欠損をもつ酵母変異体の遺伝子発現を調べるため, RNA-Seq (6章) が用いられた. その結果, おのおののサブユニットの変異は全遺伝子の 3〜10% の転写に影響し, mRNA を 2 倍以上増加あるいは減少させることが示された. 多くの場合, これらのメディエーターサブユニットは特定の活性化ドメインと相互作用している. したがって, メディエーターの一つサブユニットに欠損を生じると, そのサブユニットに結合するアクチベーターによって制御される遺伝子の転写は強く抑えられるが, 他の遺伝子の転写は影響されない. 最近のクライオ電子顕微鏡を用いた研究では, 活性化ドメインがメディエーターの頭部, 中央部, および尾部のドメインと相互作用すると (図 8・36b), ドメインが互いに回転して位置関係を変え, Pol II が結合する表面をつくり出していることが示唆されている. ポリメラーゼ-メディエーター複合体は**ホロ酵素** (holoenzyme) とよばれる. 転写開始前複合体 (図 8・13) において基本転写因子と相互作用するポリメラーゼの表面は, ポリメラーゼ-メディエーター複合体のモデルでは外へと露出されている.

個々のメディエーターサブユニットが特定の活性化ドメインに結合することを示すさまざまな実験結果から, 複数のアクチベーターが 1 個のメディエーター複合体と同時に, あるいは次々に相互作用することによって, 一つのプロモーターからの転写に影響するか可能性が示唆された (図 8・37). エンハンサーやプロモーター近位エレメントに結合したアクチベーターは, プロモーターに結合したメディエーターと相互作用できる. クロマチンは DNA 分子と同じように柔軟な構造であることから, 調節領域をプロモーターに近づけるようなループをつくることができるのである (図 8・30). 真核生物プロモーター上に形成される多量体タンパク質複合体は, 100 個ものポリペプチド鎖が含まれ, 全体の質量数が 3〜5 MDa と, リボソームに匹敵する大きさになることがある.

転写コンデンセートは転写開始速度を飛躍的に向上させる

近年開発された高解像度顕微鏡法により, メディエーターなどの転写にかかわるタンパク質は, 核内でクロマチン繊維よりもはるかに大きな直径 0.5〜0.1 μm オーダーの点状構造 (punctum, *pl.* puncta) に共局在することが明らかになっている. BRD4 は四つのブロモドメインをもつタンパク質で, ヒストンが高度にアセチル化されたプロモーター近傍領域で転写伸長を促進し, in vivo でも同様の点状構造を形成する (図 8・38a). これらタンパク質濃度の高い領域には, 数百から数千のメディエーターと BRD4 分子が存在する. この点状構造は膜で区切られておらず, 周囲の核質と連続的である. その形成は, アクチベーター, リプレッサー, コアクチベーターなどの核タンパク質の**天然変性領域** (intrinsically disordered region: IDR) に依存している (図 8・23). これらの IDR に含まれる複数の短いポリペプチド領域は, 他の核タンパク質の IDR に含まれる短いペプチドと弱く相互作用し, 複数のタンパク質が "凝縮" した**転写コンデンセート** (transcriptional condensate) の形成をひき起こす (図 8・38b). IDR 間の相互作用は一過性であるが, 多数の多価相互作用が可能であるため, タンパク質は液体のような状態で会合することになる. その結果, これらのタンパク質濃縮物を形成する過程は, **液-液相分離** (liquid-liquid phase separation: LLPS) とよばれている.

このようなタンパク質凝縮体の形成を, 精製タンパク質を用いて試験管内で観察・研究することが可能になってきた. 図 8・38 (c) は, メディエーター (MED1) の最大サブユニット中の約 200 アミノ酸のセリンに富んだ IDR からなる精製融合タンパク質を,

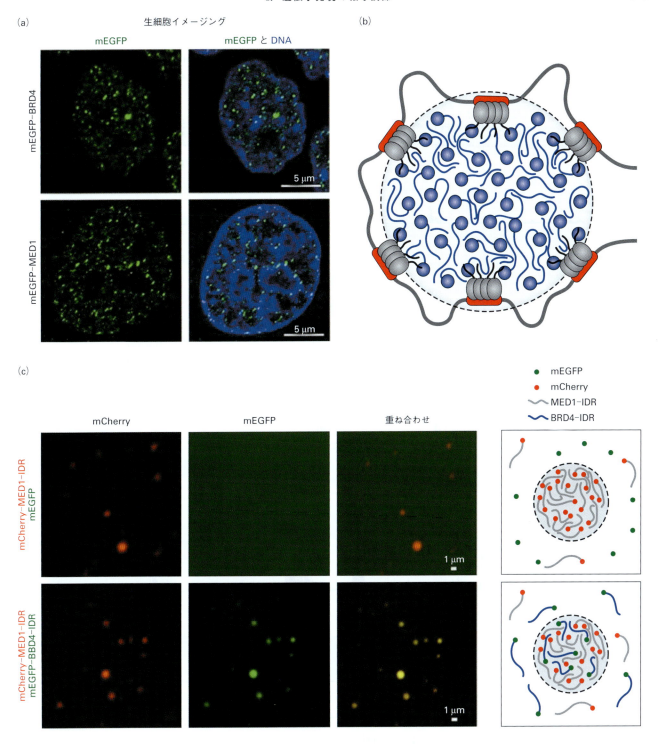

図 8・38 コアクチベーターの相分離により転写装置が周囲から区分され，濃縮される．(a) マウス胚性幹細胞(mESC)における BRD4 と MED1 の生細胞イメージング．蛍光シグナルは単独(左)あるいは DNA の Hoechst 染色と重ね合わせた形で表示した(右)．(b) スーパーエンハンサーはマスター転写因子(灰色の楕円)が結合したエンハンサー(赤)のクラスター(塊)で，高濃度のコアクチベーター(青の円)と転写装置が濃縮されていて，細胞の独自性を規定する遺伝子の安定な発現をひき起こしている．これを可能にしているのがコアクチベーターの相分離である．相分離は部分的に，天然変性領域(IDR，青の線)の多価で低親和性の相互作用により駆動されている．(c) 図に示した mEGFP あるいは mCherry との融合タンパク質を 10 mM ずつ，10%の Ficoll-400*と 125 mM の NaCl を含む緩衝液中で混合した．おのおのの混合物に対して，表示した蛍光チャネルで測定した．結果を要約した図を右側に示した．[B. R. Sabari et al., 2018, *Science* **361** (6400): eaar3958, Copyright Clearance Center, Inc. を通じて AAAS より許可を得て転載.]

---

* 訳注: Ficoll-400 は親水性ポリマーで，溶液の密度を変化させるときに用いる試薬である．

蛍光顕微鏡で検出できるようにmCherryという赤色蛍光タンパク質と融合させた実験を示したものである．IDRと融合していない緑色蛍光タンパク質とともにタンパク質の凝縮を促進する緩衝液中でインキュベートすると，mCherry-MED1-IDRは生体内で観察される凝縮体と同様の大きさの液滴に濃縮されたが，GFPはその液滴に濃縮しなかった（図8・38c, 上）．一方，同じmCherry-MED1-IDR融合タンパク質を，BRD4由来のIDRと融合したGFPとインキュベートすると，二つの融合タンパク質は同一の液滴に

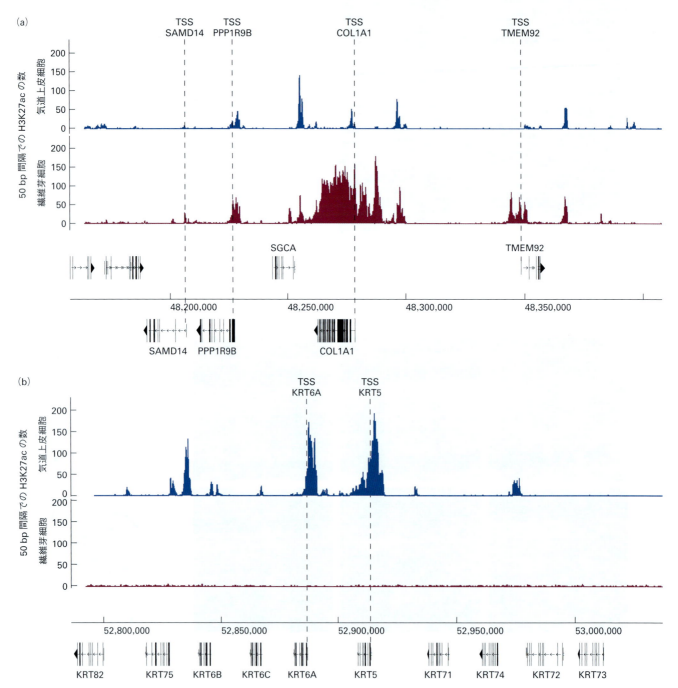

図 8・39　COL1A1とKRT 5, 6Aのスーパーエンハンサー．(a) 下：ヒト17番染色体48,200,000〜48,400,000の領域の遺伝子マップ．水平の線で表示し，50 kbごとに目盛をつけた．右方向に転写される遺伝子は線の上に，左方向に転写される遺伝子は線の下に示した．エクソンは縦の線で表示し，3′エクソンは矢じりで示した．縦の破線は，繊維芽細胞で発現する遺伝子の転写開始点(TSS)の位置を示す．上：培養ヒト気道上皮細胞，繊維芽細胞についての(左側に表示)，ヒストンH3リシン27アセチル化(H3K27ac)抗体を用いたクロマチン免疫沈降データ(図8・12)．データは，染色体中の50 bp間隔のおのおのの配列が，H3K27acに特異的な抗体で免疫沈降した架橋クロマチン断片中に検出された回数として報告されている．ほとんどのH3K27acのピークは長さが5 kb以下であることに注意しよう．一方，*COL1A1*にはずっと長い，約30〜50 kbのH3K27が高度にアセチル化したクロマチン領域がある．この並外れて長いH3K27acの領域により，この部分がスーパーエンハンサーと同定される．(b) 下：ヒト12番染色体52,800,000〜53,000,000の領域の遺伝子マップ．縦の破線は，気道上皮細胞で発現する遺伝子の転写開始点(TSS)の位置を示す．上：培養ヒト気道上皮細胞，繊維芽細胞についての，H3K27acのクロマチン免疫沈降データ．［R. Ferrari et al., 2014, *Cell Host Microbe* **16**: 663 による．］

含まれていた（図8・38c, 下）．この結果は，異なるIDRをもつタンパク質が，同じタンパク質凝縮体に濃縮されることを示している．さらに免疫蛍光染色により，図8・38(a) のようにGFP-BRD4とGFP-MED1で可視化した核抽出液中に形成された転写コンデンセートには，低リン酸化CTDをもつPol II（転写開始前複合体に集合できるPol IIの分子形，図8・13）など，転写にかかわる多くの他のタンパク質が数百から数千コピー含まれていることがわかった．転写コンデンセートの形成に必要なIDRをアクチベーターから欠失させると，変異アクチベーターの転写活性化能は大きく減弱する．

スーパーエンハンサー　哺乳類培養細胞におけるすべてのエンハンサーの性状を解析したところ，ごく一部のエンハンサーは，10 kb以上の領域にわたって高度にアセチル化されたヒストンと結合した複数のエンハンサーが密に配置された領域となっていることが明らかにされた．**スーパーエンハンサー** (super enhancer) とよばれるこれらの領域は，細胞の種類にもよるが，エンハンサー全体の約1.5～4%を占める．典型的なエンハンサーとは異なり，スーパーエンハンサーは，転写因子および関連するコアクチベーターが結合した長めのDNA領域を含んでいる．転写因子（多くはIDRをもつ）が結合したこの長い領域は，転写コンデンセートの形成を促進する．転写開始にかかわるタンパク質の濃度は，転写コンデンセート内で，核質の他の領域よりも20倍から100倍高くなり，その結果，多成分の転写開始前複合体の会合速度が大幅に上昇し，スーパーエンハンサーによる高頻度の転写に大きく貢献している．

スーパーエンハンサーはしばしば，細胞の独自性を決定する遺伝子を活性化する．このような遺伝子は正常な哺乳類の発生に重要であり，発現量も多い．たとえば，繊維芽細胞は，細胞外マトリックスに張力と柔軟性を与えるコラーゲンを非常に多く分泌しているが（20章），コラーゲン1A1遺伝子（*COL1A1*）から上流領域にかけて約30～50 kbのスーパーエンハンサーが形成されている（図8・39a）．近縁関係にある二つのヒストンアセチラーゼコアクチベーター，p300とCBPは，おそらくは特異的な結合配列に結合した複数のアクチベーターと相互作用することによって，この領域全体にわたってクロマチンと会合する．CBP/p300は，ヒストンH3をリシン18とリシン27でアセチル化する（リシンのアミノ酸一文字表記はK）．H3K27のアセチル化は，K27でアセチル化されたH3に特異的な抗体を用いたクロマチン免疫沈降法によって検出された（図8・39a, 上）．*COL1A1*遺伝子のアセチル化領域の長さは，近くにある他の遺伝子のH3K27ac領域よりもずっと長かった．COL1A1を高発現する繊維芽細胞とは対照的に，気道上皮細胞はCOL1A1を高発現せず，*COL1A1*遺伝子上にもスーパーエンハンサーが形成されない（図8・39a, 上）．むしろ，これらの上皮細胞では，*KRT5*遺伝子上に13 kbのクロマチン領域を含むスーパーエンハンサーが形成され，その結果，上皮細胞のシートに伸長性と柔軟性を与えるKRT5タンパク質の発現量が多くなっている（20章）．KRT5ほどではないが，気道上皮細胞では*KRT6A*遺伝子もかなりの発現量となっており，*KRT6A*についても広い領域にわたるH3K27アセチル化がみられる．低発現する*KRT6B*と*KRT6C*遺伝子にもH3K27acの小さなピークがみられる．この遺伝子クラスターの他のケラチン遺伝子は気道上皮細胞では発現していない．これと一致して，TSSにもH3K27acのピークがないので，プロモーターが活性化していないことが示された（図8・39b）．

in situハイブリダイゼーション実験により，転写コンデンセート（図8・38a）は，特定の細胞種で活性化しているスーパーエンハンサーと会合していることが示された．おそらく，転写コンデンセート内で転写開始に関与するタンパク質が高濃度であることが，スーパーエンハンサーをもつ遺伝子の，非常に高い頻度での転写活性化につながるのであろう．

転写バースト

最近，高解像度ビデオ顕微鏡により，高発現している多くの遺伝子は，高速度で連続的に転写されているわけではないことが明らかになった．むしろ，高発現遺伝子の転写開始は，オンとオフを繰返す不連続な反応"転写バースト"の形で起こる．これはレポーター遺伝子の5′非翻訳配列に複数コピーのステムループを人工的に結合させて，遺伝子導入したショウジョウバエ胚で観察された．ここで用いたステムループは，バクテリオファージのコートタンパク質に非常に高い親和性と特異性をもって結合する．図8・40に示した実験では，バクテリオファージMS2コートタンパク質に対する結合配列の24コピーを，ショウジョウバエ初期胚で発現する*snail* (*sna*) 遺伝子のプロモーター領域のすぐ下流に挿入している．このレポーターを一つの染色体上の一つの部位に挿入したショウジョウバエを作製したところ，導入遺伝子の発現は検出されなかった．しかし，挿入されたDNAがレポーター遺伝子下流にエンハンサー（ショウジョウバエの初期胚で*sna*の発現を活性化するエンハンサー）を含んでいると，転写が検出された（図8・40b）．転写の検出は，レポーター遺伝子コンストラクトが挿入された同じ細胞で，GFP（緑色蛍光タンパク質）を融合したMS2コートタンパク質を発現させることにより行っている．レポーター遺伝子の5′末端が転写されると，MS2コートタンパク質-GFPは24コピーのMS2コートタンパク質結合配列に結合し，共焦点蛍光顕微鏡で検出可能なシグナルを示す（図8・40a）．14回目の核分裂中の胚のビデオ画像（長さ約60分）では，挿入されたレポーター遺伝子の転写部位に，各細胞で一つのGFP蛍光領域が確認された．しかし，各細胞のGFPのシグナル強度は連続的ではなかった．むしろ，各蛍光スポットの強度は，数分間にわたって増加し，減少した（図8・40dおよび関連動画，リンクは図8・40の説明文中にある）．

強い*sna* "shadow" エンハンサーをもつコンストラクトと，弱い*rho* NEEエンハンサーをもつ第二のコンストラクトについて，核中の単一の蛍光シグナル強度を時間に対してプロットした（図8・40b, c）．蛍光のバーストは，平均約4分（ピーク幅）のさまざまな時間周期で観察された．蛍光強度から，約4分間に1回の転写バーストで20～100回の転写開始が起こっていると思われる．強い*sna* shadowエンハンサーをもつコンストラクトでは，バーストは高い頻度で発生した．弱い*rho* NEEエンハンサーをもつコンストラクトでは，20～100回の転写開始に起因するようなバーストも観察されたが，発生頻度は低かった（図8・40b, c）．

同様の現象は，他のショウジョウバエのエンハンサーについても観察されている．ほとんどの場合，エンハンサーの強さは，おもに転写バーストが開始される頻度と相関がある．転写バースト

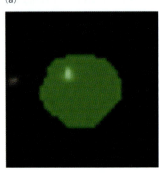
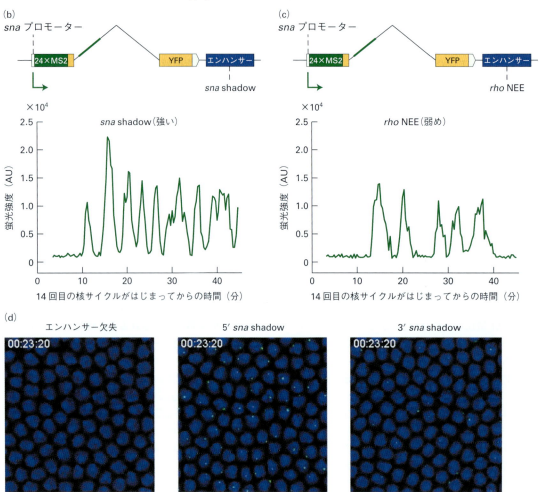

図 8・40 高発現する遺伝子では転写バーストが起こる．(a) レポーター遺伝子から転写された RNA の 5′ 末端の 24 コピーのコートタンパク質結合配列に，MS2 コートタンパク質-黄色蛍光タンパク質(MCP-YFP)が結合することにより，転写の起こっている場所が点として検出される．(b) 上：レポーター遺伝子の模式図．転写開始点を含む 100 bp の sna プロモーターと 24 コピーの MS2 RNA ステムループ(コートタンパク質結合配列)を 5′ UTR に含んでいる．1.5 kb の強力な sna "shadow" エンハンサーを 7.5 kb 下流に配置した．下：一つの核において，シグナルの蛍光強度を経時的に追跡した．(c) 実験は(b)と同様であるが，sna shadow エンハンサーを rho NE エンハンサーに置き換えた．(d) 転写バーストの動画の一コマを示す．"3′ sna shadow"(右)では，(b)で示したレポーター遺伝子をすべての細胞に組込んだショウジョウバエの生きた胚で黄色蛍光のバースト(緑に見える)が観察される．表示された時間(23 分 20 秒)は，14 回目の核分裂がはじまってから経過した時間である．"エンハンサー欠失"(左)では，(b)のレポーター遺伝子からエンハンサーを欠失したものが細胞に組込まれている．"5′ sna shadow"(中)では，sna shadow エンハンサーが sna プロモーターの 1 kb 上流にある．動画(https://www.cell.com/cms/10.1016/j.cell.2016.05.025/attachment/2184326d-3b6c-47d6-8121-c00c36c3ebeb/mmc2)は胚発生期の 14 回目の核サイクルがはじまってから原腸陥入までである．細胞は核のマーカーとして，ヒストン H2A と RFP の融合タンパク質も発現している(青)．体の前面が左側で，腹側が紙面から手前の方向になる．[T. Fukaya et al., 2016, *Cell* **166**(2): 358, Copyright Clearance Center, Inc. を通じて Elsevier より許可を得て転載．]

とエンハンサーによる制御の基盤となる分子機構を十分に理解するためには，さらなる研究が必要である．しかし，酵母抽出物を用いた in vitro 転写実験によると，添加した鋳型 DNA からの最初の転写ののち，TBP とおそらく他の基本転写因子はプロモーター DNA と結合したまま，部分的に会合した転写開始前複合体(PIC)を足場として形成し，次の転写開始前複合体の迅速な会合と Pol II による転写開始を可能にしていることが示されている．これらの観察結果や，精製した因子を用いた他の in vitro 転写実験から，エンハンサー結合因子，メディエーター，プロモーター近位エレメントに結合した転写因子間の相互作用が，Pol II 転写開始前複合体の会合を促進すること，複合体が転写を開始すると，プロモーターに結合した TBP の足場はあとに残されるが，この残された足場が転写開始前複合体を再会合させて転写を開始すること，この再会合と転写開始は足場がプロモーターから解離するまで最大 100 回起こるというモデルが導き出された．これが観察された転写のバーストをもたらすと思われる．強いエンハンサーは，転写バーストを開始する PIC への基本転写因子の会合速度を促進することによってバーストの頻度を増加させること，弱いエンハンサーは，制御対象のプロモーター上で PIC の会合をひき起こす低い頻度が低いことが提唱されている．

8・4 転写の活性化と抑制の分子機構 まとめ

- 真核生物の転写アクチベーターとリプレッサーは，主として多サブユニットから構成されるコアクチベーターやコリプレッサーとの結合を介して作用する．コアクチベーターとコリプレッサーは，クロマチン構造の変換，あるいはPol IIや基本転写因子との相互作用によって転写開始前複合体の形成に影響を与える．
- クロマチンが凝縮した領域（ヘテロクロマチン）にあるDNAには，転写因子などのタンパク質が接近しにくいため，これらの領域の遺伝子発現は抑制される．
- いくつかのタンパク質が互いに相互作用したり，ヒストンH3とH4の低アセチル化状態のN末端尾部と相互作用することによって，テロメアや出芽酵母のサイレント接合型遺伝子座でのクロマチン介在性抑制が起こる（図8・32）．
- 抑制ドメインには，ヒストンデアセチラーゼ複合体であるコリプレッサーと相互作用することで機能するものがある．この相互作用によってリプレッサー結合部位近傍のヌクレオソームのヒストンN末端尾部が脱アセチル化され，プロモーターDNAと基本転写因子の相互作用が阻害されるため，転写開始が抑制される（図8・33a）．
- 活性化ドメインは，ヒストンアセチラーゼ複合体のような，多数のタンパク質を含むコアクチベーター複合体と結合することによって機能する．この結合によってアクチベーター結合部位近傍のヌクレオソームのヒストンN末端尾部が高アセチル化され，プロモーターDNAと基本転写因子の相互作用が促進されるため，転写開始がひき起こされる（図8・33b）．
- SWI/SNFクロマチンリモデリング複合体はもう一つの種類のコアクチベーターである．この多サブユニット複合体はATP依存的な反応によってDNAをヒストンコアから一過性に解離させることができ，おそらくクロマチンを脱凝縮させることによって，転写開始に必要なDNA結合タンパク質の結合を促進する．
- メディエーター複合体も，別の種類のコアクチベーターであり，およそ30個のサブユニットからなる．この複合体は，活性化ドメインとPol IIに直接結合することによって，両者の間の分子的な橋となる．メディエーターは，数種の異なるアクチベーターと同時に，あるいは次々に結合することによって一つのプロモーター上で多数のアクチベーターの作用を統合する（図8・37）．
- 遠位のエンハンサーに結合したアクチベーターは，プロモーターに結合した転写因子と相互作用できる．クロマチンは柔軟な構造になっているため，両者の間のクロマチンが大きなループをつくるからである．

8・5 転写因子の活性調節

ここまでに，特異的なDNA調節配列に結合する転写因子の組合わせによって，真核生物遺伝子の転写がどのように制御されるかをみてきた．遺伝子の転写調節領域と相互作用する転写因子の核内濃度や活性は，多細胞生物の個別の遺伝子が，発生中の特定の時期に特定の細胞で発現するか，あるいは分化した細胞で発現するかを決定するうえできわめて重要である．これまでみてきたように，真核生物では局所的なクロマチン構造も転写調節に寄与している．その例がテロメアや酵母のサイレント接合型遺伝子座におけるSIRタンパク質による発現抑制（図8・32）である．次節では，クロマチン介在性の制御のうち，転写記憶（transcriptional memory）につながる例について議論する．本節では，転写因子の発現と活性の制御について述べる．

特定の種類の細胞で，どの転写因子が発現するかは，その種類の細胞の発生と分化の際に，転写因子遺伝子の転写調節領域と他の転写因子との間で起こる相互作用によって決定される．現在，ヒトのさまざまな細胞種の発生と分化において，転写因子の結合がどのように変化するかを高分解能で見ることができる．これはゲノム全体の規模でDNase I高感受性部位の同定が進んだことによる．

DNase I 高感受性部位には細胞分化の進行経過が反映されている

7章において，発現している遺伝子は，発現していない遺伝子よりも，DNase I に対する感受性がずっと高いことを学んできた（図7・27参照）．発現する遺伝子領域で全般的にDNase I 感受性が高いほか，ゲノム内の特定の短い領域が，クロマチンの大部分のDNA領域と比べて，DNase I 感受性が極端に高いことが見いだされている．このようなDNA配列は長さが100 bpのオーダーであり，単離した核をごく少量のDNase I で処理したときに真っ先に切断される．切断された領域は **DNase I 高感受性部位**（DNase I hypersensitive site: **DHS**）として知られている．ハイスループットDNA配列決定によって，さまざまな分化細胞や胚性細胞でDHSのゲノム上の位置を決定できるようになった．この実験の概略は次のとおりである．単離した核を少量のDNase I で処理したのち，クロマチンからDNAを単離する．既知の配列をもつオリゴヌクレオチドリンカーをDNase I 処理で生じたDNAの末端に連結する．このDNAを超音波処理して短い断片にしたのち，PCRで増幅して塩基配列を決定する．この方法によって，オリゴヌクレオチドリンカーに隣接するヒトDNA配列がDHSとして同定された．

図8・41(a)に，左側に示したヒト細胞種に由来する検体でDHSが配列決定された数のプロットを示す．この方法で，1 kbの染色体内のゲノムDNAが観察される頻度は，この1 kb領域のゲノムのDNase I 感受性の指標となる．おのおのの縦方向のバーの高さは，各種類の細胞から単離した核を消化したときに，その場所のDNA配列の感受性の程度を示している．この図は9番染色体のゲノムのおよそ600 kbの領域について結果を示している．

DHSは転写因子のような配列特異的結合タンパク質がDNAに結合する部位と思われる．したがって，クロマチン領域におけるDHSのパターンは，転写因子が結合した部位を示している．ただし，結合した転写因子を直接に同定したわけではない．

図8・41(a)では，DHSを決定した組織の種類を左側に示し，これらの組織が由来する胚組織を図8・41(b)に示すのと同じように色分けしてある．体内のさまざまな部位に由来する繊維芽細胞，あるいは，さまざまな器官の血管を裏打ちしている内皮細胞のように，類縁関係の近い細胞種どうしでは，類縁関係の遠い細

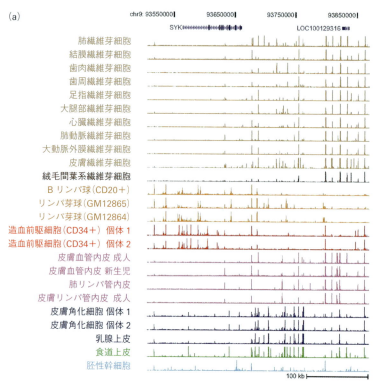

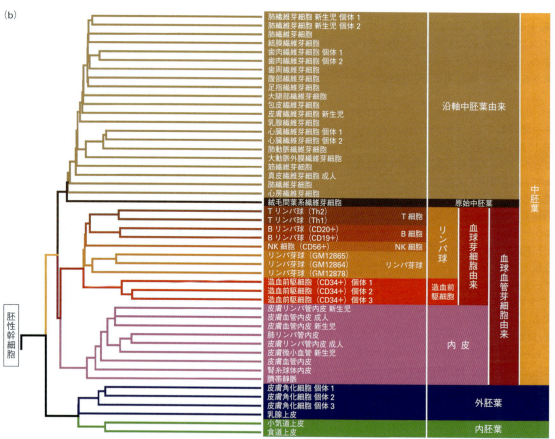

図 8・41 胚期と成体における DNase I 高感受性部位（DHS）マップには，発生過程が反映されている．(a) 左に表示したヒトの各細胞種の DHS を 9 番染色体上のおよそ 600 kb の領域に位置づけた．図中の縦線の高さは，配列を 50 bp 間隔でとったときに，その場所が配列決定された回数を示し，DNase I 感受性の指標となる．各細胞種は，由来する胚組織によって色分けを行った．(b) 各細胞の全ゲノムにわたる DHS マップの関係を示す系統樹．各細胞種が由来する胚組織を右に示した．この系統樹では，胚性幹細胞が祖先の位置にある．他の細胞種の DHS マップでは，胚性幹細胞から失われた DHS もあれば，新たに獲得した DHS もある．細胞種間の DHS マップの類縁性に基づいた系統樹は，発生上の関係と一致している．[A. B. Stergachis et al., 2013, Cell **154**: 888, Copyright Clearance Center, Inc. を通じて Elsevier より許可を得て転載.]

胞種よりも，明らかに DHS がよく似ている．コンピューターを使えば，これらの細胞種のおのおのについて，全ゲノムにわたる DHS マップの類似性を比較することができる．このようなコンピュータを用いた方法で，ある細胞の DHS マップが他の細胞の DHS マップと，どれくらい共通点があるかを示す系統樹を作成することができる（図 8・41b）．この系統樹は，遺伝子配列の関係性，すなわち進化を示す際に用いる系統樹（図 6・24b 参照）に似ている．

胚性幹細胞のDHSパターンが，すべての細胞を含めたDHS系統樹で祖先の位置にあることは重要である（図8・41b）．胚性幹細胞は哺乳類初期胚の内部細胞塊に由来しており（図22・4参照），成体の器官にあるすべての細胞の前駆細胞にあたる．胚性幹細胞のDHS数はすべての細胞のなかで最大であり，最も複雑な転写調節を行っていることが示唆される．ある研究では，胚性幹細胞のDHS数はおよそ25.7万であり，一方，分化した細胞のDHS数は9〜15万であった．この違いが胚性幹細胞の発生能を反映していると考えられる．約5〜10万のDHSは胚性幹細胞ではみられず，発生中に新たに生じるが，おのおのの成体の細胞種で生じる新たなDHSは異なっている．こうしたDHSパターンは，各遺伝子を制御する転写因子の組合わせが複雑であることを示している．

図8・41に示した細胞種では，全部でおよそ100万個のDHSが同定されている．DHSはエンハンサーに典型的な転写因子結合部位のクラスターを含んでおり，ヒトゲノムに含まれるおよそ19,000遺伝子それぞれの転写は，平均して4〜5個のエンハンサーの組合わせによって制御されていることが示唆される．DHSのマップから，初期胚での転写因子結合部位のどれが失われるか，細胞が分化していく過程で新たな細胞特異的な転写因子の組合わせが，どこに結合していくかがわかる．しかし，このように推定したところで，転写調節の複雑性を十分に把握できているとはいえない．実際，一つのDHSとして検出された転写因子結合部位の多くは，異なる細胞では似たようなDNA結合ドメインをもつ類縁の転写因子が結合して，その細胞種に適した発現量になるように転写を制御している．

核内受容体は脂溶性ホルモンによって制御される

細胞は，転写因子の発現を調節するだけではなく，いったん発現した転写因子の多くについては活性も調節する．たとえば，多くの転写因子の活性は，他の細胞から受取ったシグナルによって制御される．細胞表面に存在する膜貫通受容体タンパク質の細胞外ドメインと，他の細胞から分泌されたり，隣接細胞の表面に発現している受容体特異的なリガンドタンパク質が相互作用すると，膜貫通タンパク質の細胞内ドメインが活性化する．結果として，細胞外で受取ったシグナルが，細胞内のシグナルに変換される．細胞内シグナルは，リン酸化，アセチル化，プロテアソームによる分解（図3・32参照）などのタンパク質翻訳後修飾によって，転写因子の働きを調節する酵素の活性を制御する．これらの翻訳後調節によって転写因子は核内で活性化されたり阻害されたりする．15章と16章では，細胞表面受容体のおもな種類と，これに結合するタンパク質リガンド，および転写因子の活性を制御する細胞内シグナル伝達経路について述べる．

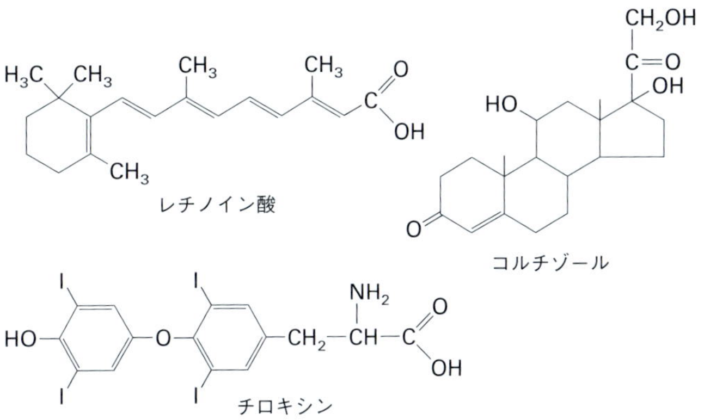

本節では，これとはやや異なる経路で転写因子の活性を調節する細胞外シグナルのグループ，すなわちステロイドホルモン，レチノイド，甲状腺ホルモンなど分子量の小さい脂溶性ホルモンについて述べる．これらの脂溶性ホルモンは，いずれも細胞膜と核膜を通過して拡散し，調節対象の転写因子と直接相互作用する（図8・42）．すでに述べた転写因子の一つのグループ，**核内受容体スーパーファミリー**（nuclear-receptor superfamily）は，転写因子を転写活性化因子に転換するために，脂溶性ホルモンの結合を必要とする．この相互作用について，より詳細に考える．

図8・42 核内受容体に結合するホルモンの例．図にあるような脂溶性ホルモンは，細胞膜と核膜を拡散して通過し，細胞質あるいは核内に局在する受容体に結合する．リガンド-受容体複合体は転写アクチベーターとして作用する．

すべての核内受容体は共通のドメイン構造をもつ

さまざまな核内受容体をコードするmRNAに由来するcDNAの配列が決定され，核内受容体のアミノ酸配列が驚くほど進化的に保存されていることが示された．また，おのおのの受容体には三つの機能領域が含まれていることが判明した（図8・43）．第一は，さまざまな長さ（100〜500アミノ酸）で独自の構造をもつN末端側領域である．ほとんどの核内受容体では，この変化に富む

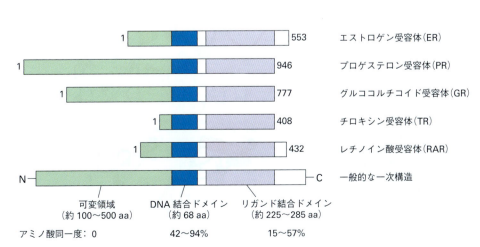

図8・43 核内受容体スーパーファミリーに属する転写因子の一般的構造．中央に位置するDNA結合ドメインは，異なる受容体の配列間でもかなりの相同性がみられ，C_4ジンクフィンガーモチーフが2個含まれる（図8・25b）．C末端側のホルモン結合ドメインの相同性は，これよりもやや低い．N末端領域は受容体によって長さが異なるほか，配列もそれぞれ独自で，1個以上の活性化ドメインを含むことがある．[R. M. Evans, 1988, Science **240**: 889 参照.]

領域の一部が活性化ドメインとして機能する．第二はDNA結合ドメインであり，これは一次構造上で中央付近に位置し，C_4ジンクフィンガーモチーフ（図8・25b）の繰返しを含んでいる．第三は，ホルモン結合ドメインであり，これはC末端近くに位置していて，ホルモン依存性の活性化ドメインを含む（図8・26b，c）．ある種の核内受容体では，リガンドがないときにホルモン結合ドメインは抑制ドメインとして機能する．

核内受容体応答エレメントには逆方向または直列反復配列が含まれる

核内受容体が結合するDNA部位は，**応答エレメント**（response element）とよばれている．いくつかの応答エレメントのヌクレオチド配列が決定されている．二つのステロイドホルモン受容体の応答エレメント，グルココルチコイド受容体応答エレメント（GRE）とエストロゲン受容体応答エレメント（ERE）の共通配列は，任意の3 bpによって隔てられた6 bpの逆方向反復配列である（図8・44a，b）．この発見から，ステロイドホルモン受容体が対称な二量体としてDNAに結合することが示唆された．のちに，この結合様式はホモ二量体型のグルココルチコイド受容体に含まれるC_4ジンクフィンガーDNA結合ドメインのX線結晶構造解析により確認された（図8・25b）．

ビタミンD_3，甲状腺ホルモン，レチノイン酸などの非ステロイドに対する核内受容体が結合する応答エレメントは，エストロゲン受容体によって認識されるものと同じ配列が，3～5 bp隔てて同方向に反復している（図8・44c～e）．これらの応答エレメントの特異性は，反復配列間の距離によって決定される．こうした直列反復型応答エレメントに結合する核内受容体は，ヘテロ二量体として結合し，**RXR**とよばれる共通の単量体が共有されている．たとえば，ビタミンD_3応答エレメント（VDRE）にはRXR-VDRヘテロ二量体が結合し，レチノイン酸応答エレメント（RARE）にはRXR-RARが結合する．これらのヘテロ二量体を構成する単量体は，二つのDNA結合ドメインが逆方向ではなく，同方向に並ぶように相互作用するため，RXRヘテロ二量体は各単量体の結合部位が直列に反復した配列に結合する（図8・44f）．これに対して，ホモ二量体の核内受容体（たとえばGRやER）に含まれる単量体は逆向きの配置になっている．

核内受容体へのホルモン結合によって転写因子としての活性が調節される

ホルモンの結合が核内受容体の活性を調節する機構は，核内受容体がヘテロ二量体型かホモ二量体型かで異なる．ヘテロ二量体型の核内受容体（たとえばRXR-VDR，RXR-TR，RXR-RAR）は核内に局在する．リガンドであるホルモンが結合していないときに，これらの受容体はDNA上の結合配列に結合して転写を抑

図 8・44 5種類の核内受容体が結合するDNA応答エレメントの共通配列．(a)，(b) グルココルチコイド受容体とエストロゲン受容体は2回対称性の二量体であり，それぞれグルココルチコイド受容体応答エレメント（GRE）とエストロゲン受容体応答エレメント（ERE）に結合する．この二つの応答エレメントには，それぞれ，任意の3 bpによって隔てられた逆方向反復配列が含まれる．(c)～(e) ヘテロ二量体型の核内受容体には，一つのRXRサブユニットと，もう一つの核内受容体サブユニットが含まれ，後者がホルモン応答性を決定する．RXR-VDRは3 bp隔てられた同方向に反復するVDREに結合し，ビタミンD_3への応答を媒介する．RXR-TRはRXR-VDRと同じ配列が4 bp隔てられた同方向直列反復配列（TRE）に結合し，甲状腺ホルモンへの応答を媒介する．同様に，RXR-RARは，上記2者と同配列が5 bp隔てられた同方向直列反復配列（RARE）に結合し，レチノイン酸への応答を媒介する．これらの受容体の認識ヘリックス（配列解読ヘリックス）が結合する反復配列を赤の矢印で示す．(f) GREを含むDNAに結合したグルココルチコイド受容体の結晶構造（上）と，TREを含むDNAに結合したRXR-TRヘテロ二量体の結晶構造（下）．赤矢印は，その下にある認識ヘリックスのN末端からC末端への方向を示す．2回対称性をもつグルココルチコイド受容体では，認識ヘリックスは，互いに逆方向を向いていて，一つはDNAの左半分の上側の鎖のAGAACAを，もう一つは3 bp隔てられた右半分の下側の鎖のAGAACAを読み取る．したがって，グルココルチコイド受容体やエストロゲン受容体のような2回対称性ホモ二量体の結合部位は逆方向に反復している．一方，RXR-TRヘテロ二量体の認識ヘリックスは同じ方向を向いている（a, b参照）．その結果，4 bp隔てて直接反復した結合部位の二つのAGGTCA配列を読み取る．VDREに結合したRXRサブユニットとビタミンD_3受容体（VDR）サブユニットの接触面は，二つの認識ヘリックスを互いに近づけるようになっているので，認識ヘリックスは4 bpよりも3 bpで隔てられたAGGTCA配列に結合するようになる．同様に，RAREに結合したRXR-RARサブユニットの接触面は，ヘテロ二量体の二つの認識ヘリックスをRXR-TRサブユニット間よりも離して配置するため，認識ヘリックスは5 bp隔てられたAGGTCA配列に結合するようになる．[K. Umesono et al., 1991, *Cell* **65**: 1255; A. M. Naar et al., 1991, *Cell* **65**: 1267 参照．(f) は F. Rastinejad et al., 1995, *Nature* **375**: 203 による．]

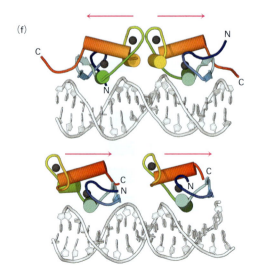

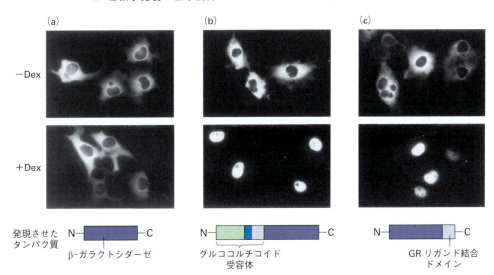

制する.この抑制作用はヒストンデアセチラーゼ複合体と結合することによって,近傍のヌクレオソームでヒストンを脱アセチル化することによる.すでに述べた他のリプレッサーの場合と同じ機構である(図8・33a).ヘテロ二量体型の核内受容体がリガンドと結合すると,受容体の構造変化が起こり,その結果,ヒストンデアセチラーゼ複合体を解離し,ヒストンアセチラーゼ複合体と結合するようになり,自身による転写抑制作用を解除する.また,リガンド結合型構造の受容体はメディエーターとも結合し,転写開始前複合体の形成も促進する.

　ヘテロ二量体型の核内受容体とは対照的に,ホモ二量体型の核内受容体は,リガンド非存在下で細胞質に局在する.ホルモンが結合すると,ホルモン-受容体複合体は核内移行する.グルココルチコイド受容体(GR)のホモ二量体がホルモン依存的に核移行することは,図8・45(a)〜(c)に示した実験によって明らかにされた.GRのホルモン結合ドメインは単独で核移行を仲介する.その後の研究によって,GRはホルモンが存在しないときには,リガンド結合ドメインの折りたたみが部分的に不完全であり,可逆的にHsp70と結合しているため,核へと移行できないことが示された.Hsp70は細胞質で新生ポリペプチドの折りたたみを補助する主要なシャペロンタンパク質である(図3・19a参照).受容体が細胞質に限局されている限り,標的遺伝子と相互作用できず,したがって,転写を活性化することはできない.ホルモンが結合すると,GRがHsp70からHsp90(図3・19b参照)へと受渡される.Hsp90はATPの加水分解と共役してGRのリガンド結合ドメインの再折りたたみを促し,ホルモンへの親和性を高めると同時に,Hsp70をGRから解離させるため,GRは核内に入ることができるようになる.リガンド結合により誘導された構造で核に入ると,GRは標的遺伝子の応答エレメントに結合できるようになる(図8・45d).ホルモンを結合した受容体が応答エレメントに結合すると,クロマチンリモデリング複合体やヒストンアセチラーゼ複合体,メディエーターと相互作用して転写を活性化する.

多細胞動物ではRNAポリメラーゼIIによる転写の開始から伸長への移行が調節される

　最近,クロマチン免疫沈降を応用した実験から予期せぬ発見があった.それは,多細胞動物の大部分の遺伝子では,PolIIが転写

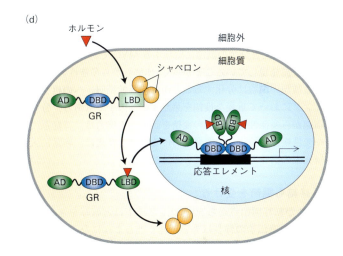

図8・45(実験) 融合タンパク質の実験から,グルココルチコイド受容体のホルモン結合ドメインがホルモン存在下で核移行を仲介することが示された.培養した動物細胞に,(a)〜(c)の下段に模式的に示したタンパク質をコードする発現ベクターを導入した.β-ガラクトシダーゼに特異的な標識抗体を用いた蛍光抗体法によって,導入細胞におけるタンパク質の発現を検出した.(a) β-ガラクトシダーゼのみを導入した細胞では,グルココルチコイドホルモン(デキサメタゾン,Dex)の存在の有無にかかわらず,β-ガラクトシダーゼは細胞質に局在していた.(b) β-ガラクトシダーゼと全長のグルココルチコイド受容体(GR)からなる融合タンパク質を発現した細胞では,融合タンパク質はホルモンが存在しないときは細胞質に局在したが,ホルモン存在下では核移行した.(c) β-ガラクトシダーゼとGRのリガンド結合ドメイン(薄紫)だけからなる融合タンパク質を発現した細胞でも,ホルモン依存的な融合タンパク質の核移行がみられた.(d) ホモ二量体型核内受容体によるホルモン依存的な遺伝子活性化のモデル.ホルモン非存在下では,受容体はリガンド結合ドメイン(LBD)とシャペロンタンパク質間の相互作用によって細胞質にとどまっている.ホルモン存在下では,ホルモンは細胞膜を通って拡散し,受容体のリガンド結合ドメインに結合し,それによって受容体の構造変化が起こり,受容体がシャペロンタンパク質から解離する.リガンド結合した受容体は核移行し,DNA結合ドメイン(DBD)が応答エレメントに結合する.こうして,リガンド結合ドメインとN末端側にある活性化ドメイン(AD)が標的遺伝子の転写を促進できるようになる.[(a)〜(c)はD. Picard and K. R. Yamamoto, 1987, *EMBO J.* **6**(11): 3333, Fig. 3, Copyright Clearance Center, Inc.を通じてJohn Wiley & Sonsより許可を得て転載.]

開始点から約 50〜100 bp 以内で伸長を停止することである．つまり，コードされるタンパク質の発現は，転写開始だけではなく，転写単位の開始点近くにおける転写伸長においても調節される．転写伸長の調節によって発現制御を受けることがわかった最初の遺伝子は，*hsp70* などの**熱ショック遺伝子**（heat-shock gene）であり，これらには変性タンパク質の巻戻しを促進する分子シャペロンや，熱ショックの影響を細胞が解決できるようにするタンパク質がコードされている．熱ショックが起こると，熱ショック転写因子（HSF1）が活性化する（21 章）．活性化した HSF1 は，熱ショック遺伝子のプロモーター近傍領域内の特異的部位に結合して，停止した Pol II の鎖伸長を再開させ，また，別の Pol II 分子の速やかな転写開始を促進する．そのため，単位時間当たり多くの転写が開始するようになる．この転写調節機構によってすばやい応答が可能になる．つまり，これらの遺伝子は常に転写停止状態にあるので，緊急事態が起こったときに，プロモーター上でクロマチンをリモデリングしてアセチル化し，転写開始前複合体の形成を行う時間が必要ない．

転写伸長を制御することが知られているもう一つの転写因子が，細胞の成長と分裂の調節に関与する MYC である．MYC はがん細胞で高発現していることが多く，体細胞から多能性幹細胞（あらゆる種類の細胞に分化することが可能な幹細胞）への再プログラミングにおいて重要な役割を果たす転写因子でもある．分化した細胞から多能性幹細胞への変換を誘導する能力は，神経系の損傷や変性疾患の治療法の開発における将来性ゆえに，非常に大きな研究上の興味をかきたてている（22 章）．

転写終結も調節を受ける

Pol II が転写開始点から 50 ヌクレオチドほど転写を進めると，ほとんどの遺伝子の伸長は非常に速く進むようになる．しかし，Pol II に対する抗体を用いたクロマチン免疫沈降実験から，転写単位内のさまざまな領域に存在する Pol II の量は大きく異なることがわかった（図 8・12b，右）．この結果から，Pol II は，一部のゲノム領域では他の領域よりもずっと速く転写伸長できることを示している．多くの場合，Pol II は，コードされた mRNA の 3′ 末端での切断とポリアデニル酸付加（ポリアデニル化）を指令する配列を通り過ぎるまで，転写を終結しない．Pol II は，その後，このポリ（A）付加部位の先 0.5〜2 kb にある複数の部位で転写を終結させることができる．この部位を変異させた遺伝子を用いた実験から，転写終結は転写産物を切断して 3′ 末端をポリアデニル酸付加する過程と共役していることが示された．これについては次章で述べる．

> #### 8・5 転写因子の活性調節　まとめ
> - 多くの転写因子の活性は，細胞外のタンパク質やペプチドが細胞表面受容体に結合することによって間接的に制御される．これらの受容体は，細胞内シグナル伝達経路を活性化し，さまざまな機構により特定の転写因子を調節する．シグナル伝達機構については 16 章で述べる．
> - 核内受容体は，二量体型 C_4 ジンクフィンガー転写因子のスーパーファミリーを構成し，脂溶性ホルモンを結合して DNA 上の特異的な応答エレメントと相互作用する（図 8・42，図 8・44）．
> - ホルモンが核内受容体に結合すると，受容体の構造変化が起こり，他のタンパク質との相互作用が変化する（図 8・26b, c）．
> - ヘテロ二量体型核内受容体（たとえばレチノイド，ビタミン D，甲状腺ホルモンなどの受容体）は核内だけに局在する．これらの受容体は，応答エレメントをもつ標的遺伝子の転写をホルモン非存在下で抑制している．リガンドを結合すると，転写を活性化する．
> - ステロイドホルモン受容体はホモ二量体型の核内受容体である．この受容体はホルモン非存在下，分子シャペロンの働きで細胞質にとどまっている．リガンドを結合すると核内に移行して，標的遺伝子を転写活性化する（図 8・45）．
> - 多細胞動物では，Pol II は転写開始点からおよそ 50〜100 bp 以内で伸長を停止することが多い．この停止状態の解除は遺伝子転写の制御に寄与している．
> - Pol II の転写終結は，転写産物の最終エクソン末端での切断およびポリアデニル酸付加と共役している．切断とポリアデニル酸付加については 9 章で詳しく考える．

8・6　転写のエピジェネティック制御

エピジェネティクス（epigenetics）という用語は，DNA 配列の変化によらずに細胞の表現型変化を継承することを意味する．たとえば，骨髄の幹細胞がさまざまな種類の血液細胞に分化するときには，造血幹細胞が二つの娘細胞へと分裂し，一つは造血幹細胞の性質をもち続け，さまざまな種類の血液細胞へと分化する能力を維持する．一方，もう一つの娘細胞は，通常，リンパ系細胞か骨髄系細胞に分化することのできる前駆細胞になる（図 22・18 参照）．リンパ系前駆細胞はリンパ球へと分化する娘細胞を生じる．リンパ球は病原体に対する免疫応答において多くの機能を果たす（24 章）．骨髄系前駆細胞から生じる娘細胞は，赤血球，貪食能のある種々の白血球，あるいは血液凝固に関与する血小板をつくり出す細胞に運命づけられている．リンパ系前駆細胞と骨髄系前駆細胞は，いずれも自身が由来する受精卵と同じ DNA 配列をもっているが，エピジェネティックな違いがあるため分化能が制限されている．

こうしたエピジェネティックな違いは，特定のマスター転写因子が発現することに起因する．マスター転写因子とは，細胞分化の上位の調節因子であり，遺伝子制御の複雑なネットワークにおいて転写因子や細胞間コミュニケーションにかかわるタンパク質をコードする遺伝子の発現を調節する．このネットワークに関する研究が現在盛んに行われている．転写因子によって開始された遺伝子発現変化は，ヒストンの翻訳後修飾と，シトシンのピリミジン環 5 位（図 2・17 参照）の DNA メチル化によって，複数の世代にわたって補強・維持される．これらのクロマチンの変化は，細胞が分裂するときにも維持され，娘細胞に伝えられる．そのため，**エピジェネティックマーク**（epigenetic mark）という用語が，ヒストンの翻訳後修飾や DNA シトシン残基 5 位のメチル化修飾をさす際に用いられる．

DNAメチル化は転写を制御する

哺乳類遺伝子のプロモーターの大半は，すでに述べたようにCpGアイランドをもつ．活性のあるCpGアイランドプロモーターのCG配列には，メチル化されていないシトシンが含まれている．メチル化されていないCpGアイランドプロモーターはヒストン八量体に対する親和性が低い．メチル化されていないCpGアイランドプロモーターに隣接するヌクレオソームでは，ヒストンH3のリシン4がメチル化されている．このようなメチル化されたヌクレオソームには，鋳型DNAのセンス鎖と非センス鎖の両方において転写が停止したPol II分子が結合している（図8・12，図8・13）．マウス細胞を用いた最近の研究から，ヒストンH3のリシン4のメチル化は，Cfp1（CXXC finger protein 1）とよばれるタンパク質により起こることがわかった．Cfp1はジンクフィンガードメインCXXCを介してメチル化されていないCpGに富む配列に結合し，ヒストンH3のリシン4に特異的なヒストンメチラーゼSetd1と会合する．基本転写因子TFIIDとクロマチンリモデリング複合体がヒストンH3のリシン4がトリメチル化されているヌクレオソームに結合すると，Pol IIの開始前複合体の形成を開始して（図8・13），Pol IIによる転写開始を促進する．

しかし，分化した細胞では，細胞種により，ごく一部の特定のCpGアイランドプロモーターのCpG配列に5-メチルCが含まれる．5-メチルCで修飾されたCpGに富むDNAに結合するタンパク質ファミリーがある．これらのメチルCpG結合タンパク質MBDが結合すると，ヒストンデアセチラーゼや抑制性クロマチンリモデリング複合体と会合してクロマチンを凝縮し，転写抑制をひき起こす．5-メチルCはCpGにDNMT3aとDNMT3bというDNAメチルトランスフェラーゼによって付加される．これらのメチルトランスフェラーゼは，どちらのDNA鎖にも5-メチルCをもたない領域のCをメチル化するので，"de novo（新生）"DNAメチルトランスフェラーゼとよばれる．DNMT3aとDNMT3bがどのようにして特定のCpGアイランドを選んで作用するかはまだわかっていない．しかし，いったんメチル化されたDNA配列は，普遍的に存在する"維持"DNAメチルトランスフェラーゼであるDNMT1の作用によって，DNA複製を経ても維持される（下図参照，赤は娘鎖を示す）．

その結果，DNMT3aやDNMT3bによって，あるCpGアイランドが一度メチル化されると，娘細胞ではDNMT1によってメチル化され続ける．したがって，DNMT3aやDNMT3bによる最初のC残基メチル化をひき起こした刺激がなくなったあとであっても，その細胞に由来するすべての娘細胞ではMBDとの相互作用によってプロモーターは抑制されたままになる．こうして，シトシンメチル化によるプロモーター抑制は細胞分裂後も引き継がれる．このようなエピジェネティックな抑制機構は，現在，盛んに研究されている．実際，がん発生の抑制作用をもつタンパク質をコードするがん抑制遺伝子が，プロモーター領域の異常なCpGメチル化によって，がん細胞で不活性化される現象がしばしばみられている．これについては25章でさらに議論する．

ヒストンの特定のリシン残基のメチル化は遺伝子抑制のエピジェネティック機構に関与する

図7・26(b)にまとめたように，ヒストンはリシンのアセチル化やメチル化など，さまざまな翻訳後修飾を受けている．特定のヌクレオソームのヒストンのリシン残基のアセチル化状態は，ヒストンアセチラーゼとヒストンデアセチラーゼの動的平衡の結果として生じる．DNAに結合したアクチベーターが一過性にヒストンアセチラーゼ複合体と結合すると，クロマチンの局所的な領域でヒストンアセチル化が優位になる．一方，リプレッサーが一過性にヒストンデアセチラーゼ複合体と結合すると，脱アセチル化が優位になる．放射性同位体によるパルスチェイスラベル実験により，ヒストンのリシンのアセチル基は，これらの拮抗する酵素が連続的に作用するので，急速に代謝回転することが示されている．

これとは対照的に，ヒストンのメチル基はずっと安定である．リシンは側鎖末端のε-アミノ基の窒素原子がメチル化される（図2・14参照）．リシン残基の末端の窒素原子において，メチル基が1，2，3個付加される修飾が起こり，いずれも1個の正電荷をもつモノメチルリシン，ジメチルリシン，トリメチルリシンができる．ヒストンのリシンのメチル基は，**ヒストンリシンデメチラーゼ**（histone lysine demethylase）によって除くことができる．しかし，この酵素によるヒストンのリシンメチル基の置換は，ヒストンのリシンアセチル基の置換よりもずっと遅いため，メチル化はエピジェネティックな情報を伝える翻訳後修飾として，より適切な方法である．

一般的なヒストン翻訳後修飾は，さらに三つ知られている（図7・26b参照）．これらのヒストン修飾が転写や他の過程，たとえば分裂期染色体を形成する過程に及ぼす影響を研究することにより，クロマチンの実態が明らかになってきたのである．クロマチン繊維からランダムコイルの形で外へと伸びているヒストン尾部は，どんな組合わせで修飾されているかによって，多数の異なるタンパク質複合体の結合に影響を与え，クロマチンに基づく転写調節過程を制御している．ヒストンの翻訳後修飾の組合わせにより，クロマチンの特定領域とタンパク質の相互作用が調節されることを**ヒストンコード**（histone code）とよんでいる．このような修飾のうち，ヒストンのリシンのアセチル化などは，速い可逆的な過程であるのに対し，ヒストンのリシンにおけるメチル化などは，エピジェネティックに継承される．表8・2に，ヒストンコードをつくり出す翻訳後修飾をまとめた．

ヘテロクロマチンにおけるヒストンH3のリシン9のメチル化

ほとんどの真核生物では，コリプレッサー複合体の一部にヒストンH3のリシン9をメチル化するヒストンメチルトランスフェラーゼのサブユニットが含まれていて，ジメチルリシンとトリメチルリシンが生成する．これらのメチル化リシンは，7章で述べたヘテロクロマチンの凝縮過程（図7・28参照）で機能するHP1タンパク質のアイソフォームの結合部位である．たとえば，KAP1

表 8・2 転写が活性化した遺伝子と抑制された遺伝子にみられるヒストンの翻訳後修飾

修飾の種類	修飾部位	転写への影響
リシンのアセチル化	H3 (K9, K14, K18, K23, K27) H4 (K5, K8, K12, K16) H2A (K5, K8, K13) H2B (K5, K12, K15, K20)	活性化
リシンの低アセチル化		抑制
セリン/トレオニンのリン酸化	H3 (T3, S10, T11, S28) H2A (S1, T120) H2B (S14)	活性化
アルギニンのメチル化	H3 (R2, R17, R26) H4 (R3)	活性化
リシンのメチル化	H3 (K4) Me$_3$ (プロモーター領域) H3 (K4) Me$_1$ (エンハンサー)	活性化
	H3 (K36, K79) (転写領域)	伸長
	H3 (K9, K27) Me$_{2/3}$ H4 (K20) Me$_{2/3}$	抑制
リシンのユビキチン化	H2B (K120：哺乳類, K123：出芽酵母)	活性化
	H2A (K119：哺乳類)	抑制

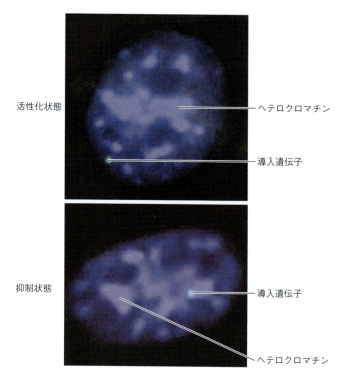

図 8・46 導入遺伝子の発現抑制とヘテロクロマチン．マウス繊維芽細胞に，改変リプレッサーに対する結合部位をもつ遺伝子を導入し，これを安定に保持する形質転換株を得た．この改変リプレッサーは，DNA 結合ドメイン，KAP1 コリプレッサー複合体と相互作用する抑制ドメイン，および核移行させるための核内受容体リガンド結合ドメインを融合したタンパク質である．このリガンド結合ドメインによって，発現した融合タンパク質をリガンド依存的に核移行させることができる（図 8・45）．DNA は色素 DAPI で青に染色してある．明るく染色された部分がヘテロクロマチン領域であり，ユークロマチンよりも DNA 濃度が高い．導入遺伝子は，蛍光標識した相補的なプローブ（緑）を用いた in situ ハイブリダイゼーション法によって検出した．組換え体リプレッサーが細胞質にとどまっているときには，導入遺伝子はほとんどの細胞でユークロマチンにあって転写された（上）．一方，ホルモンを加えて組換え体リプレッサーを核移行させると，導入遺伝子はヘテロクロマチンで発現抑制された（下）．クロマチン免疫沈降法（図 8・12）によって，発現抑制された遺伝子には，リシン 9 がメチル化したヒストン H3 と HP1 が結合しているが，活性化している遺伝子には結合していないことがわかった．[K. Ayyanathan et al., 2003, *Genes Dev.* **17**: 1855, Fig. 6, Cold Spring Harbor Laboratory Press より許可を得て転載．]

というコリプレッサー複合体は，ヒトゲノム中にコードされる 200 種以上あるジンクフィンガー転写抑制因子とともに機能する．このコリプレッサー複合体には，ヒストン H3 リシン 9 のメチルトランスフェラーゼ活性をもつサブユニットが含まれ，ジンクフィンガーリプレッサーによる抑制の標的となる遺伝子のプロモーター領域にわたってヌクレオソームをメチル化する．その結果，これらのプロモーター領域に HP1 が結合し，クロマチンの凝縮，さらには転写抑制が起こる．マウスの培養繊維芽細胞のゲノムに挿入された導入遺伝子のなかで，KAP1 コリプレッサーの作用によって抑制されているものは，大半の細胞でヘテロクロマチンになっているのに対して，同じ導入遺伝子でも活性型のものはユークロマチンとして存在する（図 8・46）．抑制された遺伝子にはリシン 9 がメチル化されたヒストン H3 と HP1 が結合しているが，活性化している遺伝子には結合していないことがクロマチン免疫沈降法によって示されている．

ここで重要なことは，ヒストン H3 のリシン 9 のメチル化は，図 8・47 に示した機構によって染色体の複製後も維持されることである．DNA のメチル化領域が S 期において複製されるとき，親 DNA に結合したヌクレオソームは，娘 DNA にランダムに分配される．H3 のリシン 9 がメチル化されていない新しいヒストン八量体もランダムに新しい娘染色体に結合して DNA 複製前のヌクレオソームの密度を回復するが，親染色体にあったヌクレオソームは両方の娘染色体に分配されているので，娘染色体のヌクレオソームではおよそ半分のリシン 9 がメチル化されている．リプレッサー複合体には，ヒストン H3 のトリメチル化されたリシン 9（H3K9me3）と結合するクロモドメイン（chromodomain）をもつサブユニットがある．こうしてコリプレッサー複合体は，およそ半分のヌクレオソームが H3K9me3 をもつ新しく複製されたクロマチンに結合する．結果としてコリプレッサー複合体のメチラーゼサブユニットは，新たに形成されたヒストン八量体の H3 ヒストンの N 末端尾部に十分に近い場所へと運ばれ，その領域のクロマチンの H3 の N 末端をすべてメチル化し，HP1 の結合とクロマチンの凝縮をひき起こす（図 7・28 参照）．細胞分裂が起こるたびにこの過程を繰返されることによって，染色体のこの領域におけるヒストン H3 のリシン 9 のメチル化が維持される．

Polycomb 複合体と Trithorax 複合体によるエピジェネティック制御

多細胞動物や多細胞植物にみられる重要なエピジェネティック

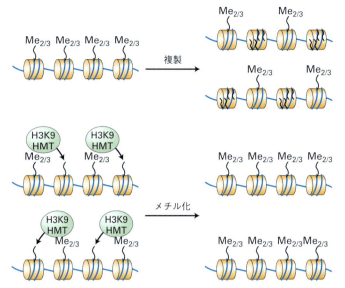

図 8・47 ヒストン H3 リシン 9 のメチル化は染色体が複製されても維持される．染色体 DNA が複製するとき，親染色体のヒストンは，二つの娘染色体にランダムに分配される．一方，S 期に合成されたメチル化されていないヒストンも，同じ二つの娘染色体に取込まれる．ヒストン H3 のリシン 9 がジメチルあるいはトリメチルに修飾された親ヌクレオソームに，ヒストン H3 リシン 9 メチルトランスフェラーゼ (H3K9 HMT) が結合しているので，これが新しく加わった未修飾ヌクレオソームをメチル化する．その結果，ヒストン H3 のリシン 9 のメチル化は，ヒストンデメチラーゼによって特異的に取除かれない限り，細胞が分裂を繰返しても維持される．

マークには，**Polycomb タンパク質**と，これと反対の働きをする**Trithorax タンパク質**と総称されるタンパク質が関与している．この名称は，これらのタンパク質をコードする遺伝子の変異体が最初に発見されたショウジョウバエの表現型に由来する．Polycomb タンパク質は，特定の細胞と，その細胞に由来するすべての子孫細胞において，個体の一生を通して抑制を維持するために必要である．Polycomb タンパク質によって抑制される重要な遺伝子として **Hox 遺伝子** (Hox gene) があり，これには発生過程の上位の転写因子（マスター転写因子）がコードされている．発生中の胚では，Hox 転写因子のさまざまな組合わせによって，特定の組織や器官の発生が方向づけられる．胚発生の初期においては，Hox 遺伝子の発現は典型的なアクチベーターとリプレッサーによって調節される．しかし，これらのアクチベーターやリプレッサーの発現は胚発生の初期段階で停止する．胚発生の残りの期間から成虫に至るまでの間，初期胚の子孫細胞で Hox 遺伝子が正確に発現するように維持しているのは Polycomb タンパク質と Trithorax タンパク質である．Polycomb タンパク質は，初期胚で特定の Hox 遺伝子が抑制されていた細胞の子孫細胞のすべてで，その Hox 遺伝子の抑制を維持する．Trithorax タンパク質は逆の機能を担っており，特定の Hox 遺伝子を発現する初期胚細胞のすべての子孫細胞で，その Hox 遺伝子の発現を維持する．Polycomb タンパク質と Trithorax タンパク質は，何千もの遺伝子を制御するが，そのなかには，細胞の成長と分裂を調節する遺伝子がある．Polycomb 遺伝子と Trithorax 遺伝子は，がん細胞で変異していることが多く，がん細胞の異常な性質（25 章）に重要な寄与をしている．

驚くべきことに，発生途中の胚でも成虫でも実質的にすべての細胞は似たような組合わせの Polycomb タンパク質と Trithorax タンパク質を発現しており，また，すべての細胞に Hox 遺伝子が等しく存在する．しかし，胚発生初期の細胞である Hox 遺伝子が抑制されると，子孫細胞でもその Hox 遺伝子だけが抑制され続ける．一方で，胚の隣接する領域の他の細胞では，同じ Polycomb タンパク質が存在するにもかかわらず，その Hox 遺伝子の発現が維持される．したがって，酵母のサイレント接合型遺伝子座と同じように（§8・4），Hox 遺伝子の発現は，核質に拡散するタンパク質が特定の DNA 配列と相互作用するという単純な機構では説明できない過程が関与している．

Polycomb タンパク質による抑制について，現在考えられているモデルを図 8・48 に示す．ほとんどの Polycomb タンパク質は，2 種類のタンパク質複合体 PRC1 と PRC2 のいずれかを構成するサブユニットである．PRC2 複合体は，発生初期に対応する DNA 配列に結合した特定のリプレッサーの抑制ドメインか，次節で述べる長鎖非コード RNA を含むリボ核タンパク質複合体と相互作用することによって，最初に働くと考えられている．PRC2 複合体には，転写を阻害するヒストンデアセチラーゼが含まれる．さらに，この複合体には，ヒストンメチルトランスフェラーゼの触媒ドメインにあたる **SET ドメイン** (SET domain) をもつサブユニット〔ショウジョウバエでは E(z), 哺乳類では EZH2〕も含まれている．PRC2 複合体の SET ドメインは，ヒストン H3 のリシン 27 をメチル化してジメチルリシンかトリメチルリシン (H3K27me2, H3K27me3) を生成する．すると PRC1 複合体は，Pc サブユニット二量体（哺乳類では CBX）という，メチル化したヒストン H3 リシン 27 に特異的なクロモドメインを含むサブユニットを介して，H3K27me2 あるいは H3K27me3 をもつヌクレオソームに結合する．この Pc 二量体が隣接するヌクレオソームに結合すると，クロマチンは転写が抑制される構造へと凝縮すると考えられている．この仮説は，電子顕微鏡の観察により，PRC1 複合体が in vitro でヌクレオソームを集合させることが示されたことからも支持される（図 8・48d, e）.

PRC1 複合体は，別の機構でも転写を抑制する．PRC1 複合体は，ヒストン H2A の C 末端尾部のリシン 119 をモノユビキチン化する（図 7・26b 参照）ユビキチンリガーゼを含んでいる．ヒストン H2A がこの修飾を受けると，ヒストンシャペロンの結合を阻害することにより，Pol II の伸長反応が抑制される．ヒストンシャペロンは，Pol II がヌクレオソームを通過して転写する際にヒストン八量体を DNA から取除き，Pol II が通過したあとに元に戻すタンパク質である．また PRC1 は，転写活性化の目印であるヒストン H3 リシン 4 のメチル基を特異的に取除くヒストンデメチラーゼにも結合する．ヒストン H3 リシン 4 のメチル化については，下記の Trithorax タンパク質の項目で述べる．

PRC2 複合体は，H3K27me3 の目印がついたヌクレオソームに結合して，その領域のヌクレオソームのヒストン H3 リシン 27 のメチル化を維持すると考えられている．このメチル化によって PRC1 複合体と PRC2 複合体は，最初に働いたリプレッサータンパク質（図 8・48a, b）の発現がなくなったあとも，クロマチンに結合したままになる．また，これによってヒストン H3 リシン 27 のメチル化が，図 8・47 と同様の機構で DNA 複製後も維持される．この機構が Polycomb による発現抑制の重要な特徴であり，一つの生命体の生涯（脊椎動物で約 100 年，マツの一種のイガゴヨ

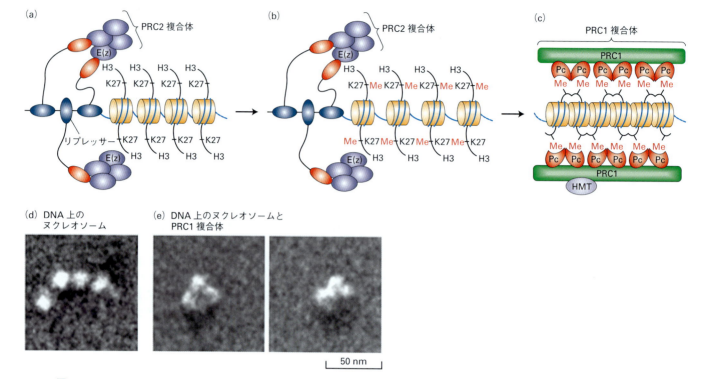

図 8・48 **Polycomb 複合体による転写抑制のモデル**．(a) 胚発生初期にリプレッサーが PRC2 複合体に結合する．(b) この結合の結果，近傍のヌクレオソームのヒストン H3 リシン 27（K27）が SET ドメインを含むサブユニット E(z) によってメチル化（Me）される．(c) PRC1 複合体は，クロモドメインを含むサブユニットからなる Pc 二量体を介して，ヒストン H3 のリシン 27 がメチル化されたヌクレオソームに結合する．PRC1 複合体は，クロマチンを凝縮させて抑制状態の構造にする．PRC2 複合体が，PRC1 複合体と結合して近傍のヌクレオソームのヒストン H3 のリシン 27 のメチル化状態を維持する．その結果，この領域に PRC1 と PRC2 が結合した状態が，(a) に示したリプレッサータンパク質の発現が停止したあとも維持される．(d)，(e) 四つのヌクレオソームを結合した 1 kb の DNA 断片の電子顕微鏡写真で，(d) は PRC1 複合体がない条件，(e) はヌクレオソーム 5 個当たり 1 個の PRC1 複合体がある条件のものである．[A. H. Lund and M. van Lohuizen, 2004, *Curr. Opin. Cell Biol.* **16**: 239; N. J. Francis et al., 2004, *Science* **306**: 1574 参照．(d)，(e) は N. J. Francis et al., 2004, *Science* **306**(5701): 1574, Copyright Clearance Center, Inc. を通じて AAAS より許可を得て転載．]

ウマツではなんと 5000 年にもなる）にわたる細胞分裂を経ても維持される．

Trithorax タンパク質は，Polycomb タンパク質の抑制機構とは逆の作用をする．これはショウジョウバエ胚において，Hox 転写因子 Abd-B の発現を調べた研究からわかった（図 8・49）．正常な状態では，Abd-B は発生中の胚の後部体節でのみ発現している．Polycomb の系に欠損があるときには，Abd-B は胚のすべての細胞で発現される．Trithorax の系に欠損があって Polycomb の系による抑制を阻止できないと，Abd-B はほとんどの細胞で発現抑制される．胚の最後部にある細胞だけが例外である．Trithorax 複合体には，活発に転写される遺伝子のプロモーターにみられるヒストン修飾であるヒストン H3 リシン 4 をトリメチル化するヒストンメチルトランスフェラーゼが含まれる．このヒストン修飾によって，ヒストンアセチラーゼやクロマチンリモデリング複合体，および転写開始前複合体の形成を開始する基本転写因子 TFIID（図 8・13）の結合部位が生成する．ヒストン H3 リシン 4 がメチル化修飾されたヌクレオソームは，ヒストン H3 リシン 9 とリシン 27 のメチル基を取除く特異的なヒストンデメチラーゼが結合する部位ともなり，HP1 と Polycomb 抑制複合体の結合を妨げる．ヒストン H3 のリシン 4 のメチル化という目印のあるヌクレオソームも DNA 複製によって生じた二つの娘 DNA の両方に分配され，その結果，図 8・47 に示したのと同様の機構でエピジェネティックマークが維持されると考えられている．

多細胞動物では長鎖非コード RNA によってエピジェネティック抑制が行われる

長鎖 RNA に結合して転写を抑制する機能をもつ多数のタンパク質からなる複合体が見つかっている．これらの RNA は長さが何 kb にもなることがあるが，オープンリーディングフレームを欠いているので，**長鎖非コード RNA**（long noncoding RNA：**lncRNA**）とよばれている．このような lncRNA-タンパク質複合体には，構成成分の lncRNA が転写されたのと同じ染色体にある遺伝子を特異的に抑制する場合がある．その例が哺乳類の雌での X 染色体不活性化である．このほかに，RNA-タンパク質複合体が，lncRNA が転写された染色体とは別の染色体にある遺伝子を抑制する"トランス"の様式で作用する場合がある．

哺乳類の X 染色体の不活性化　哺乳類の雌における X 染色体の不活性化（7 章）は，lncRNA によるエピジェネティック抑制が最もよく研究された例の一つである．X 染色体不活性化は，**X 染色体不活性化中心**（X-inactivation center）とよばれる X 染色体上の約 100 kb の領域によって調節される．注目すべきことに，この領域には，哺乳類雌の発生初期において，片方の X 染色体全体をランダムに不活性化するために必要な複数の lncRNA がコード

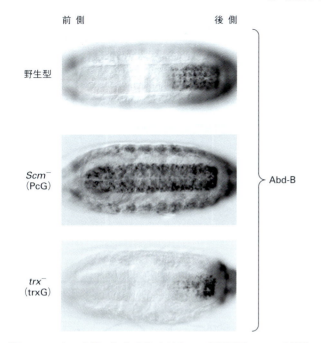

図 8・49 ショウジョウバエ胚における Hox 転写因子 Abd-B の発現に対する Polycomb 複合体と Trithorax 複合体の相反する作用. ここに示したショウジョウバエの胚発生の段階において, 野生型では Abd-B は胚後部の複数の体節だけで発現することが, 特異的な抗 Abd-B 抗体を用いた免疫染色からわかる (上段). PRC1 複合体に含まれるタンパク質をコードする Polycomb 遺伝子 (PcG) の Scm のホモ変異体の胚では, Abd-B の発現がすべての体節で脱抑制される. これに対して, Trithorax 遺伝子 (trxG) である trx のホモ変異体では, Abd-B の抑制が亢進するため, 最後部の体節だけで Abd-B の高発現がみられる. [T. Klymenko and J. Muller, 2004, *EMBO Rep.* **5**(4): 373, Copyright Clearance Center, Inc. を通じて John Wiley & Sons より許可を得て転載.]

されている. これらの lncRNA の機能は, ごく一部しかわかっていない. いくつかのものは, X 染色体不活性化中心の中央付近の相補的な DNA 鎖からおのおの転写される. このような RNA として, 40 kb の *Tsix* lncRNA と *Xist* RNA が知られている. *Xist* RNA はスプライシングされてポリ (A) 付加を受けて約 17 kb の RNA になるが細胞質へは輸送されない (図 8・50a).

分化した雌の細胞では, 不活性な X 染色体に 50〜100 もの *Xist* RNA-タンパク質複合体がほぼ全長にわたって結合している (図 8・50b, c). これらの複合体中のタンパク質は, コリプレッサーとこれに結合したヒストンデアセチラーゼ複合体, 抑制性のクロマチンリモデリング複合体, 先に述べた Polycomb 複合体などである (図 8・48). これらのタンパク質は, 先に議論した活性化転写コンデンセートの形成と同じ原理で, 天然変性領域間の多数の弱い相互作用により会合し, 抑制性の転写コンデンセートを形成していると考えられている. また, X 染色体に沿って散在する抑制性転写コンデンセートは, 不活性な X 染色体を転写が抑制されるような染色体構造に凝縮していると考えられている. 培養した胚性幹細胞で *Xist* 遺伝子を欠失させた実験から, *Xist* 遺伝子が X 染色体の不活性化に必要なことがわかった. 不活性な X 染色体にあるタンパク質をコードするほとんどの遺伝子とは異なり, *Xist* 遺伝子は活発に転写される. この *Xist* RNA-タンパク質複合体は, 活性をもつほうの X 染色体や他の常染色体と相互作用するようなことはなく, 不活性な X 染色体に結合したままになっている. 一方, *Tsix* は, *Xist* とは異なり, 活性をもつ X 染色体から転写され, 不活性な X 染色体からは転写されない.

あらゆる細胞種に分化可能な胚性幹細胞 (22 章) から構成される初期胚 (雌) では, 両方の X 染色体で遺伝子の転写が起こり, 40 kb の *Tsix* lncRNA も両方のコピーの X 染色体から転写される (図 8・50a). X 染色体不活性化中心に欠失をもつような操作を行った実験から, *Tsix* が転写されると, 相補的な DNA 鎖からの *Xist* RNA の転写が大幅に抑制されることがわかった. 発生が進んで細胞が分化するにつれて, *Tsix* の転写は一方の X 染色体で抑制されるようになる. この不活性化は, 精子由来の X 染色体 (X_p) か卵由来の X 染色体 (X_m) のいずれかの X 染色体で細胞ごとにランダムに起こることがわかっている. *Tsix* RNA の転写抑制によって, 細胞がさらに分化したときに, どの X 染色体が不活性化されるか決定される. *Tsix* 転写抑制によって, 染色体上で *Xist* lncRNA の転写が起こるようになるからである.

最近行われた染色体高次構造捕捉法 (3C 法, 図 7・30 参照) を用いた研究から, *Xist* lncRNA-タンパク質複合体は, 将来不活性になる X 染色体の立体構造の中で, X 染色体不活性化中心の近くに位置する部位に最初に結合することが示されている (図 8・50c). これらの *Xist* が最初に結合する部位は, X 染色体の中で遺伝子を多く含む領域にあり, *Xist* lncRNA-タンパク質複合体がさらに結合して隣接する領域へと広がるための最初の侵入部位として機能すると考えられている. しかし, *Xist* lncRNA-タンパク質複合体の結合が, どのように広がるかはまだわかっていない. また, 不活性な X 染色体には PRC2 複合体も結合するようになり, これがヒストン H3 リシン 27 のトリメチル化を触媒する. このメチル化によって PRC1 複合体が結合し, 前節で述べたように転写が抑制される. しかし, これらの転写抑制の機構は, 多重に制御されているに違いない. なぜなら, PRC1 と PRC2 の形成に必須である Polycomb タンパク質がなくても, 抑制は起こるからである. こうした現象と同時に, 活性をもつ X 染色体からの *Tsix* の転写が継続し, *Xist* の転写が抑制され, その結果, 活性をもつ X 染色体では *Xist* を介した抑制が妨げられている. その後, *Xist* RNA と PRC1 および PRC2 複合体は, 不活性 X 染色体で, 遺伝子に富む領域に加えて遺伝子が少ない領域にも結合し, およそ 1000 もの遺伝子を発現抑制することが観察されている.

Xist RNA-タンパク質複合体が, X 染色体不活性化の開始段階にある培養マウス胚性幹細胞から単離された. この実験では *Xist* 領域に相補的ないくつかのビオチン化オリゴヌクレオチドを, 細胞から調製した核抽出液とハイブリッド形成させ, ストレプトアビジン (ビオチンに高い親和性をもつバクテリア由来のタンパク質) を共有結合したカラムに結合させた. このアフィニティーカラムから溶出したタンパク質は質量分析にかけられ (3 章), 図 8・50 (d) の略図にあるような *Xist* lncRNA 結合タンパク質が同定された. *Xist* RNA は多量体タンパク質複合体が形成されるための大きな足場分子として機能すると考えられている. 複合体の構成成分として同定されたタンパク質の一つが, ホルモン非存在下で甲状腺ホルモン核内受容体と相互作用するコリプレッサー **SMRT** であった. X 染色体の不活性化に際して, SMRT はヒストンデアセチラーゼ HDAC3 とも相互作用する. siRNA を用いたノックダウン実験により, SMRT と HDAC3, また SMRT を *Xist* RNA に

図 8・50（実験）　X 染色体不活性化中心にコードされる Xist 非コード長鎖 RNA は，雌の哺乳類細胞で不活性な X 染色体を覆い，不活性な X 染色体にあるほとんどの遺伝子を転写抑制している．(a) 非コード RNA である Xist（不活性な X 染色体から転写される）と Tsix（活性のある X 染色体から転写される）をコードするヒトの X 染色体不活性化中心の領域．数字は X 染色体の左端からの長さ（塩基数）．(b) ヒト女性から樹立した培養繊維芽細胞を，in situ ハイブリダイゼーション法で解析した．（左）Xist RNA に相補的なプローブ（赤色蛍光色素で標識）を用いた結果．（中央）X 染色体に対する染色体ペインティングのプローブセット（緑色蛍光色素で標識）を用いた結果．（右）二つの蛍光顕微鏡画像を重ね合わせて見たもの．凝縮した不活性な X 染色体に Xist RNA が結合している．(c) 雌の胚性幹細胞の分化初期に Xist lncRNA−タンパク質複合体が，不活性な X 染色体に広がる様子を示すモデル．(d) Xist lncRNA に結合するタンパク質．PRC2 複合体（黄）が HDAC3 と RNA 結合タンパク質 SHARP にどのように結合するか，転写コンデンセートの形成によるのかもしれないが，よくわかっていない（? で表示）．[C. A. McHugh et al., 2015, Nature 521: 232 参照．(b) は C. M. Clemson et al., 1996, J. Cell Biol. 132(3): 259 による．(c)は E. Heard and A.-V. Gendrel, 2014, Annu. Rev. Cell Dev. Biol. 30: 561 参照．]

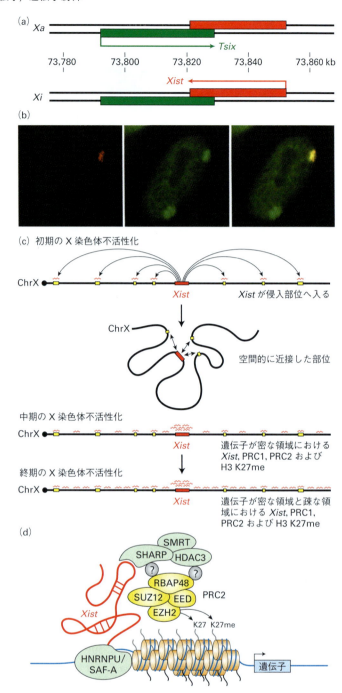

連結する SHARP など，RNA とクロマチンに結合するタンパク質が X 染色体の不活性化に必要であることが示された（図 8・50d）．これらのタンパク質は Xist RNA が不活性 X 染色体に結合するためにも必要である．Xist に関するこれらの研究は，他の安定な lncRNA も同様に，多量体タンパク質−RNA 複合体形成のための足場として機能する可能性を示唆している．

ヒストン脱アセチル化と Polycomb 複合体により X 染色体が不活性化されてまもなく，不活性な X 染色体 DNA のほとんどの CpG アイランドプロモーターがメチル化される．さらに，ヒストン H2A が**マクロ H2A**（macroH2A）とよばれるパラログに置き換わった特別なヒストン八量体が不活性な X 染色体に結合している．DNA メチル化とマクロ H2A の作用によって，その後の胚発生と個体の生涯を通じて，不活性な X 染色体が安定に発現抑制されるようになる．

長鎖非コード RNA によるシス活性化　最近，遺伝子の活性化に関与する lncRNA の例が明らかにされた．HOTTIP は HOXA 遺伝子座の 5′ 末端から転写される lncRNA であり，ヒストン H3 リシン 4 メチラーゼを結合することによって，HOXA 遺伝子群の活性化を制御する作用があるといわれている．また，lncRNA 遺伝子から転写された新生 RNA が，メディエーター複合体と相互作用し，数 kb 離れたプロモーターとの間にあるクロマチンのループ形成により，メディエーターをプロモーターに作用させ，転写を活性化することが報告されている．

ヒトでは，マウスにない XACT とよばれる lncRNA が，活性のある X 染色体の全長にわたって複数の部位で結合する．XACT は X 染色体の遺伝子活性の維持に寄与しているらしい．XACT は既知の最も長い RNA の一つでもある．全長で 252 kb あり，ほとんどスプライシングされない．

雌雄いずれにおいても X 染色体にコードされる遺伝子の発現量が同じになることを遺伝子量補償というが，ショウジョウバエでは，雌の片方の X 染色体が不活性化されているわけではない．むしろ，雄の単一の X 染色体にある転写活性が全般に 2 倍に増加していて，これは雄だけで X 染色体から転写される roX1 と roX2 という二つの lncRNA によって制御されている．roX1 RNA と roX2 RNA は，MSL（male-specific-lethal）遺伝子にコードされるタンパク質と結合し，X 染色体全体に広がる．これは，哺乳類で不活性な X 染色体に Xist lncRNA−タンパク質複合体が広がるのに似ている．

最近，さまざまな種類のヒト細胞の全 RNA の配列が決定され，約 15,000 の lncRNA が同定された．これらの lncRNA の多くは，ほとんどの哺乳類で進化的に保存された配列をもっているが，約 5000 は霊長類に特有である．配列の保存性から，こうした lncRNA は Xist と同様に，重要な機能をもつことが示唆される．多くの

lncRNA は，発生過程において特定の細胞種で特定の時期だけに発現する．たとえば，分化中の赤血球でおもに発現する lncRNA が複数ある．これらの lncRNA のうちのいくつかをノックダウン（図 6・41，9 章参照）すると，赤血球の正常な分化が阻害されるが，これらの lncRNA が，どのようにして必須の機能を果たしているかはいまのところわかっていない．進化的に保存された長鎖非コード RNA の研究，特に遺伝子発現にどのように影響を与えているかを知るための研究も，現在盛んに行われている．

ENCODE ENCODE (Encyclopedia of DNA elements, DNA エレメント辞典) は，ヒトゲノムの機能的エレメントの網羅的な公開データベースを構築する目的で，米国国立ヒトゲノム研究所 (US National Human Genome Research Institute) が財政的に支援して組織した国際研究グループによるプロジェクトである．データベースに公開されているのは DNA 調節エレメントとそれに結合する転写因子，ChIP-Seq などの方法で位置決定されたヒストンの翻訳後修飾，DNase I 高感受性部位，調節機能をもつ lncRNA とそのゲノム上の結合部位，さらには，遺伝子が活性化する細胞や状況を調節する新規調節エレメントなどである．ヒト細胞やモデル生物の細胞のデータで論文として発表するには大きすぎるものは，米国国立バイオテクノロジー情報センター (NCBI) によって管理されている **GEO** (Gene Expression Omnibus) とよばれるウェブサイトで公開されている．RNA-Seq や ChIP-Seq などのゲノミクスの手法に基づいた研究を出版する学術誌のほとんどでは，著者が得たオリジナルデータを GEO に登録することが要求されている．こうしたデータが世界中に公開されることによって，遺伝子制御の研究分野における発見のペースが大きく加速されている．

8・6 転写のエピジェネティック制御　まとめ

- 転写のエピジェネティック制御とは，DNA のメチル化やヒストンの翻訳後修飾（特に，ヒストンのメチル化）により，細胞複製を経ても維持される転写の抑制と活性化のことである．
- 哺乳類の CpG アイランドプロモーターにおける CpG 配列のメチル化によって，メチル CpG 結合タンパク質 (MBD) ファミリーのタンパク質の結合部位ができる．MBD はヒストンデアセチラーゼと結合し，これによりプロモーター領域の低アセチル化が誘導され，転写が抑制される．
- ヒストン H3 のリシン 9 のジメチル化とトリメチル化によってヘテロクロマチン結合タンパク質 HP1 の結合部位ができ，クロマチンの凝縮と転写抑制が起こる．この翻訳後修飾は，染色体が複製したあとも維持される．そのしくみは，メチル化したヒストンが二つの娘 DNA 鎖にランダムに分配され，そこにヒストン H3 のリシン 9 メチルトランスフェラーゼが結合して，娘 DNA に新たに形成されたヒストン八量体の H3 リシン 9 をメチル化することによる．
- Polycomb 複合体は，胚発生初期に発現した配列特異的なリプレッサーにより最初に抑制された遺伝子の抑制状態を維持する．Polycomb 複合体の一つである PRC2 複合体は，初期胚の細胞でリプレッサーに結合し，ヒストン H3 リシン 27 のメチル化をひき起こす．このメチル化によって PRC2 複合体と PRC1 複合体のサブユニットの結合部位ができ，これらの複合体の働きによってクロマチンが凝縮し，転写開始前複合体の形成と転写の伸長が阻害される．リシン 27 がメチル化されたヒストン H3 を含むヒストン八量体は，DNA 複製時に親 DNA 分子から二つの娘 DNA にランダムに分配されるので，これらのヌクレオソームに結合した PRC2 複合体は，細胞分裂後もヒストン H3 のリシン 27 のメチル化状態を維持している．
- Trithorax 複合体は，Polycomb 複合体による転写抑制と逆の作用をしており，ヒストン H3 のリシン 4 をメチル化して，染色体複製後もこの転写活性化の目印を維持する．
- 哺乳類の雌における X 染色体不活性化には *Xist* とよばれる長鎖非コード RNA (lncRNA) が必要である．*Xist* は X 染色体不活性化中心から転写されたのち，転写の鋳型となった X 染色体の全体にわたって結合する．*Xist* は，胚発生の初期にヒストンデアセチラーゼと PRC2 複合体に結合するコリプレッサーと相互作用し，X 染色体の不活性化を開始する．X 染色体の不活性化は，その後の胚発生から成体に至るまで維持される．これは不活性な X 染色体で Polycomb 複合体の結合と CpG アイランドプロモーターの DNA メチル化が継続するからである．
- 長鎖非コード RNA (lncRNA) には，*Xist* のようにシスに（転写された染色体に）作用して不活性化するもののほかに，トランスに（他の染色体に）作用して遺伝子抑制するものがある．この抑制も PRC2 複合体との相互作用からはじまる．
- lncRNA には遺伝子の活性化に関係するものがある．lncRNA がどのように特異的な染色体領域を標的とするかはまだわかっていないが，さまざまなヒト細胞で分化の特定の段階に発現するおよそ 15,000 もの核内 lncRNA が発見されたことから，lncRNA は転写調節に広く用いられる中心的な機能分子であることが示唆された．

8・7　その他の真核生物転写系

本章の最後に，真核生物の他の二つの核内 RNA ポリメラーゼである Pol I と Pol III による転写開始について簡単にふれる．これらの転写系，特にその制御については，Pol II による転写に比べると不完全にしか理解されていないが，同じように真核細胞の生命活動に必要不可欠なものである．ミトコンドリア DNA と葉緑体 DNA を転写するポリメラーゼについては，12 章で扱う．

RNA ポリメラーゼ I と RNA ポリメラーゼ III による転写開始は RNA ポリメラーゼ II に似ている

Pol I と Pol III の転写開始複合体の形成は，Pol II の転写開始複合体の形成にいくつかの点で似ている（図 8・13）．しかし，これら 3 種類の真核生物の核内 RNA ポリメラーゼのおのおのは，ポリメラーゼ特異的な基本転写因子を必要とし，異なる DNA 調節エレメントを認識する．さらに，Pol I も Pol III も，転写開始にあたって，Pol II のように DNA 鋳型鎖をほどくために ATP 依存的な DNA ヘリカーゼを必要としない．21 章で議論するが，rRNA

前駆体を合成する Pol I と，tRNA，5S rRNA やその他の短い安定な RNA を合成する Pol III による転写開始（表 8・1）は，細胞の成長と増殖の速度に強く共役している．

Pol I による転写開始　Pol I による転写開始を導く調節領域と転写開始点との相対的位置関係は，酵母でも哺乳類でもほぼ同じである．すなわち，転写開始点に対して -40 から $+5$ に位置する**コアエレメント**（core element）が Pol I による転写に不可欠である．これに加えて，およそ -155 から -60 に位置する**上流調節エレメント**（upstream control element）が，Pol I による転写を in vitro で 10 倍促進する．ヒトでは，Pol I の転写開始前複合体（図 8・51）の形成は，UBF（上流結合因子 upstream binding factor），SL1（選択性因子 selectivity factor），および TBP と四つの Pol I 特異的な TBP 関連因子（TAF_I）を含む多サブユニット複合体が，Pol I プロモーター領域に協同的に結合することからはじまる．TAF_I サブユニットは，Pol I 特異的な他のサブユニットと直接相互作用して，Pol I を転写開始点へと誘導する．出芽酵母の RRN3 の哺乳類相同タンパク質である TIF-1A，さらに，核内に豊富に存在するカゼインキナーゼ 2（casein kinase 2: CK2），核内アクチン，核内ミオシン，タンパク質デアセチラーゼ SIRT7，また DNA の超らせん形成を防ぐトポイソメラーゼ I（図 5・8 参照）が，14 kb の転写単位を Pol I がすばやく転写するために必要である．

この rRNA（18S, 5.8S, 28S, 9 章）の 14 kb 前駆体の転写は，リボソーム合成を細胞の成長と分裂に適合させるために厳密に調節されている．この調節は，いくつかの方法で行われる．一つは Pol I の転写開始因子活性の翻訳後修飾（リン酸化，アセチル化）による制御である．ほかに，Pol I の転写伸長速度の調節，転写活性化した rRNA 遺伝子数の調節などがある．転写活性化した rRNA 遺伝子数の調節は，エピジェネティック機構により，使われていない遺伝子をヘテロクロマチン化することによって行われる．活性化した rRNA 遺伝子では，図 8・51 に示したように配置した終結配列 $T_0, T_1, T_2, T_3, \cdots, T_{10}$ によって転写が終結する．この非対称性の配列は，正確な向きに配置されているときのみ，Pol I を停止させる機能がある．終結配列には転写終結因子が結合しており，これにより Pol I は鋳型から放出される．

rRNA 遺伝子が活性をもつか，あるいはヘテロクロマチンになって不活性になるかの切替えは，**NoRC**（No は，核内で rRNA 合成が起こる核小体 nucleolus の意味）とよばれる多サブユニットからなるクロマチンリモデリング複合体が行う．NoRC は，Pol I の転写開始点を覆っているヌクレオソームに局在し，転写開始複合体の形成を妨げる．また，NoRC は上流調節エレメントの重要な CpG をメチル化する DNA メチルトランスフェラーゼと相互作用し，これにより UBF の結合を阻害する．NoRC はさらに，ヒストンデアセチラーゼ，ヒストン H3 のリシン 9 をジメチル化あるいはトリメチル化するヒストンメチルトランスフェラーゼとも結合して，ヘテロクロマチン因子 HP1 の結合部位を生成する．さらに，**pRNA**（プロモーター結合 RNA promoter-associated RNA）という約 250 ヌクレオチドの非コード RNA が，rRNA 転写単位の約 2 kb 上流（図 8・51 の赤矢印）から Pol I によって転写される．pRNA には NoRC のサブユニットが結合しており，遺伝子をヘテロクロマチンにして転写をサイレンシングするのに必要である．pRNA は T_0 終結配列と RNA-DNA の三重鎖を形成することで，NoRC を Pol I のプロモーター領域に運ぶと考えられている．以上によって，DNA メチルトランスフェラーゼ DNMT3b の結合部位ができ，結合した DNMT3b は上流プロモーターエレメントの重要な CpG 配列をメチル化する．

Pol III による転写開始　タンパク質をコードする遺伝子や rRNA 前駆体遺伝子とは違い，tRNA 遺伝子と 5S rRNA 遺伝子のプロモーター領域のすべてが，転写される配列の内部に位置している（図 8・52a, b）．このような，**A ボックス**（A box），**B ボックス**（B box）とよばれる二つの**内部プロモーターエレメント**（internal promoter element）がすべての tRNA 遺伝子にある．このエレメントの配列は進化的に高度に保存されていて，プロモーターとして機能するだけでなく，真核生物 tRNA においてタンパク質合成に必要な 2 箇所の不変領域をコードしている．5S rRNA 遺伝子では，単一の内部調節領域である **C ボックス**（C box）がプロモーターとして働く．

Pol III が tRNA 遺伝子や 5S rRNA 遺伝子の転写を in vitro で開始するためには 3 種類の基本転写因子が必要である．まず，TFIIIC と TFIIIB という二つの多量体因子が，tRNA および 5S rRNA プロモーターにおける転写開始に関与する．第三の因子である TFIIIA は 5S rRNA プロモーターでの開始に必要である．Pol I と Pol II の

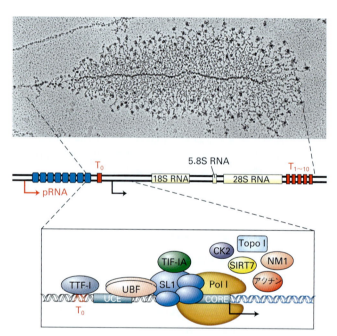

図 8・51　**RNA ポリメラーゼ I による rRNA 前駆体の転写**．（上段）ゲノム中に繰返して存在する rRNA 遺伝子から転写される RNA-タンパク質複合体の電子顕微鏡写真．（中段）単一の Pol I 転写単位．転写開始点からの Pol I による転写を促進するエンハンサーを青の四角で示す．Pol I 特異的な転写終結因子 TTF-1 が結合する Pol I 転写終結点（$T_0, T_{1\sim10}$）を赤の四角で示す．pRNA の矢印は，転写のサイレンシングに必要な非コード pRNA の転写を表す．黒の矢印は一次転写産物の開始点を示す．開始点と終結点の間で黒の平行線で表示された領域は，一次転写産物に含まれるが，rRNA プロセシングの過程で取除かれて分解される．（下段）コアプロモーターエレメントと上流調節エレメントを，Pol I とその基本転写因子 UBF, SL1, および TIF-1A の結合する位置とともに図示した．ほかに Pol I の伸長と調節に必要な他のタンパク質も示した．［写真は A. L. Beyer 提供．］

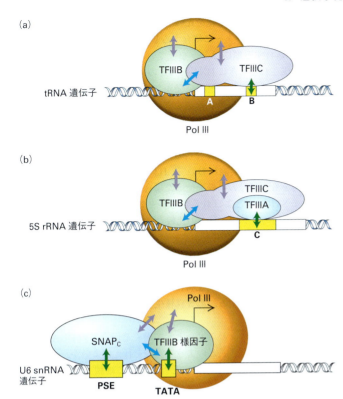

図 8・52 RNA ポリメラーゼ III によって転写される遺伝子の転写調節エレメント． tRNA の遺伝子(a)と 5S rRNA の遺伝子(b)には，いずれも開始点の下流に内部プロモーター(黄)があり，図のように A, B, C ボックスと命名されている．これらの遺伝子における転写開始複合体の形成は，Pol III 特異的基本転写因子である TFIIIA, TFIIIB, および TFIIIC が，調節エレメントに結合することからはじまる．緑の矢印は配列特異的な強いタンパク質-DNA 間相互作用を示す．青の矢印は基本転写因子間の相互作用を示す．紫の矢印は基本転写因子と Pol III との相互作用を示す．(c) 哺乳類の U6 snRNA 遺伝子の転写は，TATA ボックスをもつ上流プロモーターによって制御される．TATA ボックスには，通常とは異なる BRF サブユニットを含む特殊な型の TFIIIB の TBP サブユニットが結合し，PSE とよばれる上流調節エレメントには SNAPc とよばれる多サブユニット複合体が結合する．〔L. Schramm and N. Hernandez, 2002, *Genes Dev.* **16**: 2593 参照．〕

開始複合体の形成と同じように，Pol III の基本転写因子は決まった順序でプロモーター DNA に結合する．

BRF（TFIIB-related factor）とよばれる TFIIIB サブユニットの N 末端側半分は，Pol II 因子である TFIIB に配列が似ている．この類似性から，BRF と TFIIB とは転写開始において類似した機能，つまり転写開始点で鋳型 DNA 鎖の分離を助ける機能をもつことが示唆される．TFIIIB が tRNA 遺伝子あるいは 5S rRNA 遺伝子に結合すると，Pol III が結合し，リボヌクレオシド三リン酸があれば転写を開始できる．TFIIIB の BRF サブユニットは，Pol III に特有のポリメラーゼサブユニットの一つと特異的に相互作用しており，これによって Pol III という核内 RNA ポリメラーゼによる特異的な転写開始が行われる．

TFIIIB を構成する三つのサブユニットのうちのもう一つは TBP である．ここでも TBP が登場することから，TBP は 3 種類の真核細胞の核内 RNA ポリメラーゼすべてに共通な基本転写因子の構成成分であることがわかる．Pol I と Pol III による転写開始に TBP が関与するという発見は驚きであった．これら二つのポリメラーゼによって認識されるプロモーターには TATA ボックスがない場合が多いからである．それにもかかわらず，Pol III による転写の場合，TFIIIB の TBP サブユニットは転写開始点の約 30 bp 上流の DNA と相互作用する．このときのタンパク質-DNA 相互作用は，TBP が TATA ボックスと相互作用するときと同様である．

Pol III は低分子量の安定な RNA をコードする遺伝子も転写するが，これらの遺伝子は TATA ボックスを含む上流プロモーターをもっている．この例に，mRNA 前駆体のスプライシング(9 章)に関与する U6 snRNA がある．哺乳類の U6 snRNA 遺伝子には TATA ボックスのほか，**PSE** とよばれる上流のプロモーターエレメントが含まれる（図 8・52c）．PSE には，**SNAPc** とよばれる多サブユニット複合体が結合し，TATA ボックスには，通常とは異なる BRF サブユニットを含む特殊な型の TFIIIB の TBP サブユニットが結合する．

Pol III の転写には，MAF1 という特異的な阻害因子があり，これは，TFIIIB の BRF サブユニットと Pol III とに相互作用することによって機能する．MAF1 の機能は細胞質から核への輸送によって調節されている．MAF1 の核内輸送は，細胞へのストレスや栄養物質の枯渇に応答するプロテインキナーゼ mTORC1（16 章，25 章）によるリン酸化で活性化する．Pol III による転写は，哺乳類では，がん抑制遺伝子産物である p53 や網膜芽細胞腫（Rb）ファミリーのタンパク質によっても抑制される．ヒトでは，Pol III の RPC32 サブユニットをコードする遺伝子が二つ存在する．その一つは，複製中の細胞で特異的に発現しており，これを培養ヒト線維芽細胞で強制発現すると，発がん性の形質転換が起こる．このサブユニットによる Pol III の転写調節が変化することが，がんにつながることを示唆している．

8・7 その他の真核生物転写系　まとめ

- Pol I と Pol III による転写開始の過程は Pol II の場合に似ているが，異なる基本転写因子が必要であり，異なるプロモーターエレメントに支配されている．また，Pol II による転写開始とは異なり，開始点で DNA 二本鎖を分離するときに，ATP の β-γ 位間のリン酸エステル結合の加水分解を必要としない．

- Pol I は，多コピー存在する rRNA 前駆体遺伝子から，ただ 1 種類の 45S RNA を転写する．45S RNA は 18S, 5.8S, および 28S rRNA の前駆体となる．

- Pol III は，tRNA 領域をコードする遺伝子内にあるプロモーターによって tRNA を転写する．これは，すべての tRNA に共通している．この内部プロモーターには TFIIIC が結合し，TFIIIC は次に，TFIIIB という TATA ボックス結合タンパク質 TBP を含む多サブユニット因子に結合する．TBP は，転写開始点から約 30 bp 上流で tRNA 遺伝子に結合する．

- Pol III は，転写因子 TFIIIA が結合した 5S rRNA コード領域内部のプロモーターを用いて 5S rRNA を転写する．TFIIIA は，TFIIIC と TFIIIB に結合し，この二つの因子は tRNA の転写開始と同じような様式で Pol III と相互作用する．

- その他の安定な低分子 RNA は，まだ機能のわかっていな

いものもあるが，遺伝子のすぐ上流に結合する TBP を含む転写因子の働きで Pol III によって転写される（図 8・52）.
- Pol III による転写は，特異的な阻害因子 MAF1 によって制御される．MAF1 は，利用できる栄養物質が枯渇すると，細胞質から核へと移行する．

重要概念の復習

1. Pol I, II, III によって，どのような種類の遺伝子が転写されるか．また，ある特定の遺伝子が Pol II によって転写されるかどうかを確かめる実験を考案せよ．
2. Pol II の最大サブユニットの CTD では，複数のセリン残基がリン酸化されることがある．どのような条件によって，Pol II の CTD のリン酸化状態と非リン酸化状態が導かれるのか．
3. TATA ボックス，イニシエーター，および CpG アイランドが共通にもつ役割は何か．そのなかで最初に同定されたのはどれか．また，それはなぜか．
4. 遺伝子のプロモーター近傍領域にある転写調節エレメントの位置を同定するために用いられる方法を述べよ．
5. プロモーター近位エレメントと，遠位のエンハンサーの違いは何か．また，類似点は何か．
6. 遺伝子の制御領域内にある DNA 結合タンパク質の結合部位を同定するために用いられる方法を述べよ．
7. 転写アクチベータータンパク質および転写リプレッサータンパク質の構造上の特徴を述べよ．
8. 遺伝子配列が変化していないにもかかわらず，遺伝子発現が抑制される例を二つあげ，そのしくみを説明せよ．
9. CREB と核内受容体を例に，転写因子がコアクチベーターに結合したときに起こる構造変化を比較し，その違いを述べよ．
10. Pol II のプロモーターに結合する基本転写因子は何か．それらが in vitro で結合する順序はどうなっているか．"開いた"転写開始複合体が形成されたときに DNA にはどのような構造変化が起こるか．
11. 組換えタンパク質を酵母に発現させることは，ヒトに使用するための新たな薬剤を生産するバイオテクノロジー企業にとって重要な手段である．ある研究者が新しい遺伝子 X を酵母で発現させようと考えて，遺伝子 X を酵母ゲノムのテロメアの近くに組込んだ．この方法で遺伝子 X をうまく発現させることはできるか．また，その理由を述べよ．この実験において，H3 または H4 のヒストン尾部に突然変異をもつ酵母の系統を使った場合には，実験結果は違うか．
12. いま STICKY とよばれる新しいタンパク質を単離したとしよう．他の既知のタンパク質との比較から，STICKY には bHLH ドメインと Sin3 との相互作用ドメインが含まれると予測できる．これから STICKY の機能を予想し，STICKY の機能におけるこれらのドメインの重要性を説明せよ．
13. 酵母のような下等真核生物には，上流活性化配列とよばれる調節エレメントが存在する．高等真核生物にみられる同等の配列は何か．
14. 遺伝子発現のエンハンサーとして働く遺伝子 X の DNA 領域を同定しようとするとき，どのような実験を行えばよいか．
15. 一部の生物では，転写停止を行わせずに継続させる機構をもつ．HIV レトロウイルスには，Tat タンパク質を用いる機構がある．HIV ワクチンの標的として Tat タンパク質が好適な標的となる理由を説明せよ．
16. ある遺伝子の転写に重要な DNA 調節配列を同定したところ，それが CG 配列に富むことがわかった．この遺伝子は多量に転写されるだろうか．
17. 転写を調節する DNA 結合タンパク質の主要な 4 分類の名称を記し，それらの構造上の特徴を述べよ．

9

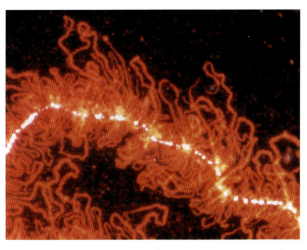

ランプブラシ染色体. イモリの一種 *Nophthalmus viridescens* の卵母細胞にあるランプブラシ染色体の一部. 新生 RNA 転写産物に結合した hnRNP タンパク質を, モノクローナル抗体で染色して赤い蛍光で可視化している. [M. Roth and J. Gall 提供.]

転写後の遺伝子制御

- 9・1 真核生物 mRNA 前駆体のプロセシング
- 9・2 mRNA 前駆体のプロセシングの制御
- 9・3 核膜を横断する mRNA の輸送
- 9・4 細胞質における転写後制御機構
- 9・5 rRNA と tRNA のプロセシング
- 9・6 核内ボディは機能的に特化した核内ドメインである

　前章では, ほとんどの遺伝子は遺伝子発現の最初の段階である転写において調節されることをみてきた. 転写は, 転写開始前複合体のプロモーター DNA 上への集合という開始段階と, プロモーター近傍領域での転写反応の伸長段階で調節されている. 遺伝子の転写がいったん開始されると, コードされた RNA を合成するために, RNA ポリメラーゼが途中で停止することなく遺伝子の全長を転写することが必要である. さらに, 真核生物遺伝子から最初につくられる一次転写産物が機能をもつ RNA になるには, さまざまなプロセシング反応を受けることが必要である. mRNA の場合, 翻訳に必要な 5′ キャップ構造が付加され (図 5・26 参照), スプライシングによって **mRNA 前駆体** (pre-mRNA) からイントロンが除去され (表 9・1), さらに, 3′ 末端にポリアデニル酸が付加 (ポリアデニル化) されなければならない (図 5・27 参照). 機能をもつ成熟した RNA が核でつくられると, リボ核タンパク質の構成成分として細胞質へと輸送される. 核内での RNA のプロセシング, 核からの運び出し, および細胞質の特定部位への輸送は, 転写開始後における遺伝子発現制御の作用点になっている.

　最近, さまざまな組織に, また胚発生と細胞分化の異なる時期に発現するヒト mRNA の膨大な配列データの解析から, ヒト遺伝子の約 95% が mRNA の選択的スプライシングを受けることがわかった. これらの選択的スプライシングを受けた mRNA には, 特定の機能ドメインの配列だけが異なる類縁タンパク質がコードされる. 多くの場合, 選択的スプライシングは, 特定のタンパク質アイソフォームが特定の細胞種で必要とされる状況に合わせて制御される. mRNA 前駆体のスプライシングの複雑さを考えると, スプライシングの誤りがしばしば起こり, 正しくスプライシングされなかったエクソンをもつ mRNA ができるのは驚くことでもない. しかし真核細胞では RNA 監視機構が発達していて, 正しくプロセシングされなかった RNA が細胞質へ輸送されるのを防ぎ, 万一, 輸送された場合には分解を誘導している.

　細胞質においても遺伝子発現の制御が行われる. タンパク質をコードする遺伝子の場合, タンパク質の生成量は, これをコードする mRNA の細胞質での安定性と翻訳の速度に依存する. たとえば, 免疫応答において, リンパ球はサイトカインとよばれるポリペプチド性の因子を分泌し, 細胞膜貫通型のサイトカイン受容体

表 9・1　9 章で説明する RNA	
mRNA	プロセシングが完了した mRNA. 5′ キャップとポリ (A) 尾部をもち, イントロンは RNA スプライシングで除去されている
mRNA 前駆体	イントロンを含み, ポリ (A) 部位での切断を受けていない
hnRNA	ヘテロ核 RNA. mRNA 前駆体とイントロンを一つ以上もつ RNA プロセシング中間体が含まれる
snRNA	核内低分子 RNA. RNA スプライシングによって mRNA 前駆体からイントロンを除去する際に働く 5 種類の RNA. また, 少数のイントロンに対しては先の 5 種類のうちの二つに代わって別の 2 種類が働く
tRNA 前駆体	成熟した tRNA と比較して 5′ 末端側と 3′ 末端側に余分な配列を含む. 一部では, アンチコドンループにイントロンがある
rRNA 前駆体	成熟した 3 種類の rRNA (18S, 5.8S, 28S) を生成する前駆体. この長い前駆体 RNA 分子がプロセシングされて, 成熟した rRNA ができる. その過程では, 切断, 切断産物の末端からのヌクレオチドの除去, さらに特定の塩基の修飾が起こる
snoRNA	核小体低分子 RNA. rRNA 前駆体の相補的な領域と塩基対を形成し, これによって rRNA の成熟における RNA 鎖の切断と塩基の修飾を導く
siRNA	短鎖干渉 RNA. 22 塩基程度の鎖長をもち, それぞれの分子は特定の mRNA に対して完全に相補的である. siRNA は, 結合したタンパク質とともに "標的" RNA の切断を行い, 迅速な分解を導く
miRNA	マイクロ RNA. 22 塩基程度の鎖長をもち, 特定の mRNA と完全ではないが塩基対を形成する. 特に miRNA の 5′ 末端側の 2〜7 塩基配列 (シード配列) は高い相補性をもつ. miRNA は, この塩基対形成によって "標的" mRNA の翻訳を阻害し, 分解を誘導する

を介して周辺のリンパ球にシグナル伝達することで細胞間コミュニケーションをとっている（24章）．このとき，リンパ球がサイトカインを短時間だけ一気に合成して分泌することが重要である．これが可能なのは，サイトカイン mRNA が非常に不安定だからである．その結果，mRNA の合成が停止すると，細胞質の mRNA 濃度は急速に低下する．これと対照的に，リボソームタンパク質のように多量に存在して長時間機能することが必要なタンパク質の mRNA は非常に安定であり，おのおのの mRNA 分子から多コピーのポリペプチドが翻訳される．

遺伝子発現の調節には，mRNA 前駆体のプロセシング，核外輸送や翻訳における調節のほかに，ほとんどでないにせよ多くの mRNA では細胞内局在が制御されていて，新生タンパク質が必要な場所で濃縮されるようになっている．特に顕著な例が多細胞動物の神経系でみられる．ヒトの脳の神経細胞（ニューロン）には，1000 個以上にもなるシナプスを他の神経細胞と形成するものがある．学習の過程では，ほかよりも高頻度で発火したシナプスは何倍にも大きくなる一方で，同じ神経細胞にある他の不活性なシナプスは大きくならない．この現象は，重要なシナプスタンパク質をコードする mRNA がすべてのシナプスに貯蔵されているものの，翻訳は局在化していて，個々のシナプスの発火頻度によって独立に行われることによる．この方法で，シナプス関連タンパク質の合成を，同じ神経細胞にある多数のシナプスでそれぞれ独

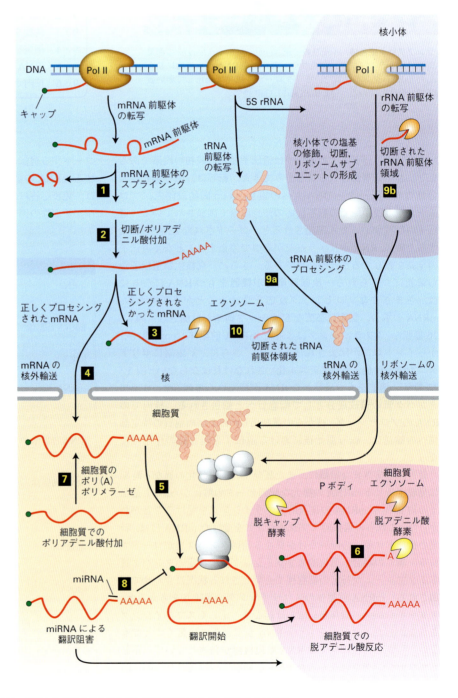

図 9・1 RNA プロセシングと転写後遺伝子制御の全体像．ほとんどすべての細胞質 RNA は，生成した一次転写産物が細胞質へと輸送される前に核内でプロセシングされる．RNA ポリメラーゼ I, II, III（Pol I, II, III）により転写された RNA について，主要なプロセシング段階を図解した．Pol II によって転写されるタンパク質をコードする遺伝子では，転写後遺伝子制御が，mRNA 前駆体のスプライシングによるエクソンの選択（段階 1）とポリ（A）部位の選択（段階 2）によって行われる．正しくプロセシングされなかった mRNA は細胞質へ輸送されず，複数の RNA 分解酵素を内部に含むエクソソーム* とよばれる大きな複合体によって分解される（段階 3）．mRNA が細胞質に輸送されると（段階 4），翻訳開始因子がポリ（A）尾部に結合したポリ（A）結合タンパク質 PABPC と協同的に 5′ キャップに結合し，翻訳を開始する（段階 5，図 5・36 参照）．mRNA は細胞質において脱アデニル酸と脱キャップされたのち，細胞質エクソソームによって分解される（段階 6）．この mRNA 分解の大部分は，RNA 濃度が高い "P ボディ" とよばれる細胞質領域で行われる．おのおのの mRNA の分解速度は調節されており，これによって，mRNA の濃度と翻訳されるタンパク質の量が制御される．mRNA には長いポリ（A）尾部をもたずに合成されるものがある．このような mRNA の翻訳制御は，細胞質のポリ（A）ポリメラーゼによる長いポリ（A）尾部の合成を制御することによって行われる（段階 7）．また，翻訳は miRNA などの他の機構によっても制御される（段階 8）．これらの約 22 ヌクレオチドの RNA が発現すると，標的の mRNA と，通常は 3′ 非翻訳領域でハイブリッドを形成して翻訳を阻害する．tRNA と rRNA も前駆体 RNA として合成され，機能する前にプロセシングされなければならない（段階 9a，9b）．成熟 RNA に含まれずに切除された前駆体領域は，核内エクソソームによって分解される（段階 10）．[J. Houseley et al., 2006, Nat. Rev. Mol. Cell Biol. 7: 529 参照．]

---

* 訳注：RNA 分解複合体のエクソソーム（exosome）は，細胞から分泌される膜小胞と同じ名称であるが，別のものである．

立に調節することができるようになっている（23章）．

別の種類の遺伝子制御では，マイクロRNA（miRNA）が関与する．miRNAは，多細胞動植物において，特異的な標的mRNAと塩基対を形成し，その安定性と翻訳を制御する．さまざまなヒト組織で鎖長の短いmiRNAを分析した結果から，多種類のヒト細胞において約1900種類のmiRNAが発現していることが示された．特定の組織において特定の発生段階で標的遺伝子の発現を阻害する働きをもつことが最近発見されたものもあるが，大多数のヒトmiRNAの機能はまだ不明であり，新しく成長しつつある研究分野の主題となっている．**RNA干渉**（RNA interference: RNAi）とよばれるよく似た現象は，ある種の生物で，ウイルス感染細胞のウイルスRNAの分解，トランスポゾンにコードされたRNAの分解に関与する．RNAiは生命医学の研究において，非常によく用いられている．こうした短鎖干渉RNA（siRNA）をデザインして，**RNAノックダウン**（RNA knockdown）とよばれる方法により，特定のmRNAの翻訳を実験的に阻害することができる．この方法によって，変異体を単離するという古典的な遺伝学的手法が適用できない生物においても，望みの遺伝子の機能を阻害することが可能になった．

転写後に遺伝子発現を制御するすべての機構を**転写後遺伝子制御**（post-transcriptional gene control）とよぶ（図9・1）．mRNAの安定性と翻訳速度は，一つの遺伝子から発現するタンパク質の量に関係するため，これらの転写後過程は遺伝子制御の重要な要素である．実際に，遺伝子からのタンパク質生成量は，mRNAの合成開始から分解までの各段階で制御されている．すなわち，DNAと同じように，RNAに対しても遺伝子制御が行われているのである．本章では，転写開始とプロモーター近傍での伸長ののちにmRNAのプロセシング過程で起こる現象や，mRNAプロセシングの各段階の制御機構について解説する．また，本章の最後にrRNAとtRNAをコードする遺伝子からつくられる一次転写産物のプロセシングについても簡単に説明する．

9・1 真核生物mRNA前駆体のプロセシング

本節では，真核細胞でRNAポリメラーゼⅡ（PolⅡ）によって合成された一次転写産物が，どのように機能をもつmRNAに変換されるかを詳しくみていく．この過程には，**5′キャップ形成**（5′ capping），**3′切断/ポリアデニル酸付加**（3′ cleavage/polyadenylation），および**RNAスプライシング**（RNA splicing）という三つの主要な反応がある（図9・2）．mRNA前駆体の5′と3′末端に二つの特異的な修飾を加えることは，RNAプロセシングによって生じたキャップのないRNA，たとえばスプライシングによって切り出されたイントロンのRNAや，ポリアデニル酸付加部位〔ポリ（A）部位〕の下流から転写されたRNAを速やかに分解する酵素からmRNA前駆体を守るうえで重要である．5′キャップと3′ポリ（A）尾部によって，mRNA前駆体とその他の多数の核内RNAを区別することができる．mRNA前駆体分子（表9・1）はmRNAを細胞質に輸送する機能をもつ核タンパク質と結合している．mRNAは，細胞質へと核外輸送されたのち，一群の細胞質タンパク質と結合し，これにより翻訳開始が促進され，細胞質で安定化される．核外輸送の前にはイントロンを取除き，mRNAのコード領域を正確につなぎ合わせなければならない．ヒトを含む脊椎動

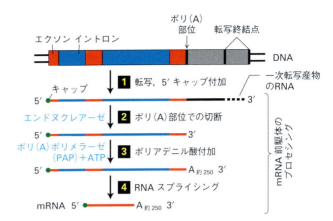

図9・2　真核生物におけるmRNAプロセシングの概要．PolⅡが遺伝子の第一エクソンの最初のヌクレオチドから転写を開始した直後に，新生RNAの5′末端には7-メチルグアニル酸のキャップが形成される（段階■）．PolⅡによる転写は，最終エクソンの3′末端に位置するポリ（A）部位の下流にある複数の転写終結点のいずれかで終結する．一次転写産物がポリ（A）部位で切断された（段階■）あとに，アデニル酸（A）が連続して付加される（段階■）．ポリ（A）尾部には，哺乳類で約250個，昆虫で約150個，酵母で約100個のA残基が含まれる．イントロンが少ない短い一次転写産物の場合，通常はここに示したように，スプライシング（段階■）は切断とポリアデニル酸付加のあとで起こる．多数のイントロンを含む大きな遺伝子の場合には，新生RNAのイントロンが，遺伝子の転写中，つまり遺伝子の転写が完了する前にスプライシングによって除去されることも少なくない．5′キャップとポリ（A）尾部に隣接する配列は，成熟mRNAにも保持されていることに留意しよう．この図では，ヒトβグロビンmRNAのプロセシングを例として示した．

物では，**選択的スプライシング**（alternative splicing）を複雑に調節することによって，非常に近縁のタンパク質間で機能ドメインを置き換えており，その結果，各生物種で発現するタンパク質の多様性を相当程度，豊富にしている．

キャップ形成，スプライシング，ポリアデニル酸付加というmRNA前駆体のプロセシング反応は，新生mRNA前駆体が転写されると核内で起こる．つまり，mRNA前駆体のプロセシングは転写中に起こる（co-transcriptional）．新生RNAが合成されてPolⅡの分子表面から外に出てくると，その5′末端がただちに5′キャップ構造付加という修飾を受ける（図5・26参照）．この構造は，すべてのmRNAにみられる．新生mRNA前駆体がポリメラーゼ表面からさらに出てくると，多量に存在するhnRNPとよばれるRNA結合タンパク質複合体の一つが結合する．hnRNPはRNAスプライシングを補助し，プロセシングが完了したmRNAを核膜孔複合体から細胞質へと輸送する．これらのタンパク質の一部は細胞質に移行したあともmRNAに結合したままであるが，多くは核内にとどまるか，mRNAが細胞質に輸送された直後に核内に戻る．このとき，核内RNA結合タンパク質は細胞質RNA結合タンパク質に置き換えられる．したがって，真核生物のmRNAは細胞内で遊離のRNA分子として存在することはなく，常にタンパク質が結合した**リボ核タンパク質複合体**（ribonucleoprotein complex: **RNP複合体**）になっている．

核内でhnRNPタンパク質と結合した新生mRNA前駆体はmRNP前駆体（pre-mRNP）とよばれ，転写されながらキャップ形成されスプライシングを受ける．3′末端で切断されポリアデニル酸付加が起こると，**核内mRNP**（nuclear mRNP）となる．細胞

質へと核外輸送されて結合タンパク質が置き換わると，**細胞質 mRNP**（cytoplasmic mRNP）とよばれるようになる．本書でも mRNA 前駆体や mRNA という用語をしばしば用いるが，これらは真核細胞では常にタンパク質が結合した RNP 複合体であることを覚えておくことが重要である．

5′ キャップは転写開始直後に新生 RNA に付加される

新生 RNA 転写産物が Pol II の RNA の出口から現れて，その長さがおよそ 25 ヌクレオチドになると，7-メチルグアノシンとメチル化リボースからなる保護キャップが真核生物 mRNA の 5′ 末端に形成される（図 5·26 参照）．この **5′ キャップ**（5′ cap）によって RNA 分子は mRNA 前駆体であるという目印がついたことになり，核や細胞質にある RNA 分解酵素（5′ エキソリボヌクレアーゼ）から保護される．この RNA プロセシングの最初の段階は，Pol II のリン酸化したカルボキシ末端ドメイン（CTD）に結合した二量体型キャッピング酵素によって触媒される．先に述べたが，この CTD は，転写開始の際に基本転写因子 TFIIH によって，7 アミノ酸の繰返し配列（ヘプタペプチドリピート）の 5 番目のセリン（Ser5）が複数箇所でリン酸化されている（図 8·7b 赤矢印，図 8·8 参照）．キャッピング酵素の活性はリン酸化 CTD への結合によって促進されるため，キャッピング酵素は Pol II から現れた 5′-三リン酸をもつ新生 RNA だけに作用し，CTD をもたない RNA ポリメラーゼ I および III（Pol I, III）によって合成された新生 RNA には作用しない．mRNA 前駆体は増殖細胞で合成される全 RNA のうちの約 80% 程度であるため，この特異性は重要である．残りの 20% は Pol I によって転写される **rRNA 前駆体**（pre-rRNA）と，Pol III によって転写される 5S rRNA, tRNA, および他の安定な低分子 RNA などである．

まず，キャッピング酵素の一つのサブユニットが，新生 RNA の 5′ 末端から γ 位を脱リン酸化する（図 9·3）．次に，このサブユニットの別のドメインが GTP の GMP 部分を新生 RNA の 5′-二リン酸に転移して，他の RNA 分子にはないグアノシン 5′-5′ 三リン酸エステル構造ができる．最後に，別の酵素が，新生 RNA の 5′ 末端にあるグアニンの N7 位と，5′ 末端から 1 番目あるいは 2 番目までのリボースの 2′ 酸素に，**S-アデノシルメチオニン**（S-adenosylmethionine）からメチル基を転移する．

新生 RNA のキャップ付加反応が Pol II の伸長反応と共役していることを示す有力な証拠があることは，すべての Pol II の転写産物には伸長期の早い段階でキャップが付加されることを示している．8 章で述べたように，多細胞動物の転写の初期段階では，プロモーター近傍領域で Pol II-DSIF 複合体に NELF（negative elongation factor）が結合するので，新生 RNA は非常にゆっくりと伸長する（図 8·3 下，図 8·15 左参照）．新生 RNA の 5′ 末端にキャップが付加されると，プロテインキナーゼ CDK9-サイクリン T（別名，P-TEFb）によって Pol II の CTD ヘプタペプチドリピートの 2 番目のセリン残基（Ser2），および NELF と DSIF がリン酸化されるため，NELF が解離する（図 8·16 参照）．これによって PAF 伸長複合体が Pol II に結合できるようになり（図 8·15 右参照），Pol II の伸長反応は速い段階に入り，プロモーターから遠ざかる方向へと転写を急速に進めていく．この調節機構の正味の効果は，新生 RNA にキャップが形成され，分解から保護されるのを待ってから，RNA ポリメラーゼが速い速度で伸長反応を進める

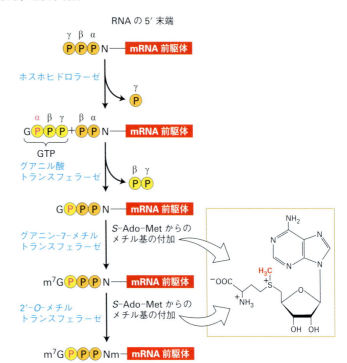

図 9·3 真核生物 mRNA における 5′ キャップの合成．新生 RNA の 5′ 末端には，転写開始点の NTP の 5′-三リン酸が含まれている．この γ 位のリン酸はキャップ形成の第一段階で除かれ，残りの α 位と β 位のリン酸（橙）はキャップにとどまる．5′-5′ 三リン酸エステルに含まれる第三のリン酸は，キャップにグアニンを供与する GTP の α 位のリン酸に由来する．キャップのグアニンと mRNA の最初の一つか二つのリボースをメチル化するメチル供与体は S-アデノシルメチオニン（S-Ado-Met）である．[S. Venkatesan and B. Moss, 1982, *Proc. Natl. Acad. Sci. USA* **79**: 304 参照．]

ようにしていることである．

RNA ポリメラーゼ II による鎖伸長は RNA プロセシング因子の存在と共役している

RNA プロセシングが mRNA 前駆体の転写と共役し，Pol II の転写産物だけが 5′ キャップ形成，RNA スプライシング，ポリアデニル酸付加を受ける機構は，どのようなものだろうか．鍵になるのは，8 章で述べたように，Pol II の長いカルボキシ末端ドメイン（CTD）であり，これはヘプタペプチド配列の多数の繰返しからなる．酵母の CTD ドメインは完全に進展した状態にすると，約 65 nm の長さになる（図 9·4）．ヒト Pol II の CTD の長さは，その 2 倍ほどである．CTD は並外れて長いので，1 分子の Pol II に複数のタンパク質が同時に結合することができると思われる．先に述べたように，TFIIH サブユニットにより転写が開始したすぐあとから新生転写産物に 5′ キャップを付加する酵素は，ヘプタペプチドリピートの 5 番目の位置のセリン（Ser5）が複数箇所でリン酸化された CTD と結合する．さらに，RNA スプライシング因子やポリアデニル酸付加因子もリン酸化 CTD に結合する．結果として，スプライシング部位やポリ (A) シグナルがポリメラーゼにより転写されるときに，これらのプロセシング因子は局所的に高濃度で存在することになり，RNA プロセシングの速度と特異性が高められている．一方で，hnRNP タンパク質が新生 RNA に結合すると，Pol II と転写伸長因子 DSIF や P-TEFb の相互作用（図

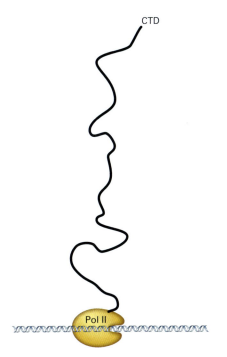

図 9・4 RNA ポリメラーゼ II の球状ドメインと比較した CTD の長さの模式図. 酵母 Pol II のカルボキシ末端ドメイン (CTD) と, それをポリメラーゼにつなぐリンカー領域の長さを, ポリメラーゼの球状ドメインと比較して示した. 哺乳類 Pol II の CTD は 2 倍長い. CTD は伸びた状態で多数の RNA プロセシング因子を同時に結合できる. [P. Cramer et al., 2001, Science **292**: 1863 参照.]

8・15 参照) が増強され, 転写速度が増加する. こうして転写速度は, 新生 RNA が hnRNP タンパク質や RNA プロセシング因子と結合する比率により調整されている. この分子機構により, RNA 前駆体はプロセシング装置が正しく配置されない限り, 合成されないようになっている.

進化的に保存された RNA 結合ドメインをもつ さまざまなタンパク質が mRNA 前駆体に結合する

タンパク質をコードする遺伝子からつくられた新生 RNA 転写産物と mRNA プロセシング中間体は, まとめて **mRNA 前駆体** (pre-mRNA) と総称されるが, すでに述べたように, 遊離の RNA 分子として真核細胞の核内に存在しているわけではない. 新生転写産物が Pol II からはじめて現れたときから成熟 mRNA として細胞質へ輸送されるまで, RNA 分子には核内タンパク質が結合している. 最も豊富に存在するのは, **ヘテロ核 RNA** (heterogeneous nuclear RNA: **hnRNA**) を含む**ヘテロリボ核タンパク質粒子** (heterogeneous ribonucleoprotein particle: **hnRNP**) の主要タンパク質成分である. hnRNA とは, mRNA 前駆体やさまざまな大きさの mRNA プロセシング中間体の総称になる. hnRNP 中のタンパク質 (hnRNP タンパク質) は, スプライシングやポリアデニル酸付加など, キャップ形成後の RNA プロセシングや, 核膜孔複合体を通過する細胞質への輸送に関与している.

hnRNP タンパク質を同定するための研究は, 培養細胞に高線量の UV を照射し, RNA の塩基とそれに密に接触しているタンパク質との間に共有結合の架橋をつくる実験からはじめられた. この処理を行った細胞から調製した核抽出液を, ポリ (A) 尾部をもつ RNA と結合するオリゴ (dT) セルロースカラムのクロマトグラフィーにかけて, 核内のポリアデニル酸付加した RNA に架橋されたタンパク質を回収した. このようなタンパク質の中に, 大きさが約 30〜120 kDa の豊富に存在する hnRNP タンパク質の複合体が含まれていた.

大部分の hnRNP タンパク質は, 転写因子と同様にモジュール構造をもつ. hnRNP タンパク質には **RNA 結合ドメイン** (RNA-binding domain) が一つ以上あり, さらに他のタンパク質と結合するドメイン (しばしば, 天然変性領域になっている) を少なくとも一つは含んでいる (図 3・13 と関連した本文参照). hnRNP タンパク質の欠失変異体の RNA 結合能を調べることによって, 数種類の RNA 結合モチーフが同定されている.

hnRNP タンパク質の機能 hnRNP タンパク質には三つの重要な機能がある. 第一の機能として, hnRNP タンパク質の RNA 結合ドメインが mRNA 前駆体に結合すると, mRNA 前駆体が内部の近接した短い相補性領域間で塩基対をつくって二次構造を形成するのが阻害される. hnRNP タンパク質と結合していない遊離の mRNA 前駆体は, mRNA ごとの特異的な配列による固有の二次構造が形成されるが, hnRNP タンパク質が結合した mRNA 前駆体は, 次のプロセシングの段階に進むとき, 分子種によらず, より均質な基質になる. hnRNP の RNA 結合ドメインは, 通常, 3〜4 塩基からなる短い RNA 配列に選択的に結合する.

第二の重要な機能は mRNA 前駆体スプライシングの制御である. 哺乳類では選択的スプライシングされた mRNA が, ほとんどすべての遺伝子 (約 95%) から発現する. これらの遺伝子から転写された mRNA 前駆体にある選択的スプライシング部位のどれを利用するかという制御は, 特異的な hnRNP タンパク質の結合に部分的に依存している. ある RNA スプライシング部位の近傍で hnRNP タンパク質が mRNA 前駆体に結合すると, mRNA 前駆体のスプライシングに必要な因子の結合を阻害し, 別のスプライシング部位が利用されるようになる (下記参照).

第三の機能は mRNA の輸送である. 細胞融合実験により, hnRNP タンパク質には核内に局在するものもあれば, 細胞質と核の出入りを繰返すものもあることが示された. これが, 核から出入りする hnRNP が mRNA の細胞質への輸送機能をもつことを示唆した最初の証拠である (図 9・5).

RNA 結合ドメイン **RNA 認識モチーフ** (RNA recognition motif: **RRM**) は, hnRNP タンパク質中に最もよくみられる RNA 結合ドメインである. 約 80 残基からなるこのドメインは他の多くの RNA 結合タンパク質にもみられ, 二つの進化的によく保存された配列 (RNP1 と RNP2) を含んでいる. この二つの配列は, 酵母からヒトに至るまで生物種を超えて存在する. このことは RNP1 と RNP2 が, 多くの DNA 結合ドメインと同様, 真核生物の進化の初期に現れたことを示している.

構造解析によって, RRM ドメインは, 4 本の β ストランドからなるシートと, シート面の裏側に位置する 2 本の α ヘリックスからなることが示された (図 9・6a). この β シートの表面は正に荷電していて, 負に荷電した RNA のリン酸基と相互作用する. 進化的に保存された RNP1 と RNP2 の配列が, 中央の 2 本の β ストランド上に隣り合って存在し, その側鎖は, β シート表面に横た

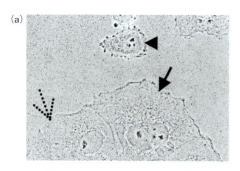 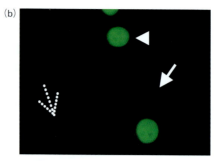 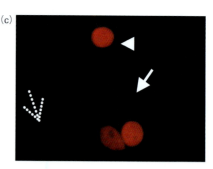

図 9・5　ヒト hnRNP A1 タンパク質は核と細胞質との間を繰返し出入りできるが，ヒト hnRNP C タンパク質はできない．培養 HeLa 細胞とアフリカツメガエル細胞をポリエチレングリコール処理して細胞融合し，おのおのの細胞に由来する核を含む異核共存体（ヘテロカリオン）を作製した．融合直後にシクロヘキシミドを添加してタンパク質合成を停止させた．その 2 時間後，細胞を固定して，特異的な蛍光標識抗体でヒト hnRNP C タンパク質（緑）と A1 タンパク質（赤）を染色した．これらの抗体はアフリカツメガエルの相同タンパク質には結合しない．(a) 固定した試料の位相差顕微鏡写真．融合していない HeLa 細胞（矢じり）とアフリカツメガエル細胞（点線の矢印）が見えている．アフリカツメガエルの核には一つのはっきりした核小体があり，HeLa 細胞の核小体を三つもつ丸い核よりも，形が楕円形に近いことに注意．融合した異核共存体（実線の矢印）では，HeLa 細胞の丸形の核が，核小体を一つもつ楕円形のアフリカツメガエル細胞核の右に見える．(b), (c) 同じ試料を蛍光顕微鏡観察で観察すると，ヒト hnRNP C タンパク質は緑に，ヒト hnRNP A1 タンパク質は赤に見える．ここで，左の融合していないアフリカツメガエル細胞は染色されないので，用いた抗体がヒトのタンパク質に特異的なことが確認できる．異核共存体では，ヒト hnRNP C タンパク質（緑）は HeLa 細胞の核だけに見られるが (b)，ヒト A1 タンパク質（赤）は両方の核に見られる (c)．細胞融合後のタンパク質合成は阻害されているため，異核共存体では，ヒト hnRNP A1 タンパク質の一部が HeLa 細胞の核から出て，細胞質を通って移動し，アフリカツメガエルの核に入ったことを示している．[R. S. Piñol and G. Dreyfuss, 1992, *Nature* **355** (6362): 730, Copyright Clearance Center, Inc. を通じて Nature Publishing Group より許可を得て転載.]

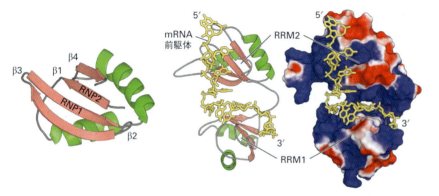 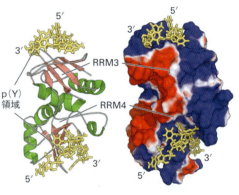

図 9・6　RRM ドメインの構造と RNA との相互作用．(a) RRM ドメインのリボンモデル．このドメインの特徴である二つの α ヘリックス（緑）と 4 本の β ストランド（赤）を示す．進化的に保存された RNP1 および RNP2 領域は，中央の 2 本の β ストランドに位置している．(b) ショウジョウバエの Sex-lethal (Sxl) タンパク質にある二つの RRM ドメインのリボンモデルと表面構造．ともに *transformer* mRNA 前駆体中の 9 塩基の連続した配列（黄）と結合している．(b) と (c) では，正に荷電した領域を青の影，負に荷電した領域を赤の影，RNA を黄で示した．Sxl タンパク質の二つの RRM ドメインは，β シートが互いに向き合った形であり，開いた状態のカスタネットの二つの部品のような配置をとっている．mRNA 前駆体は正に荷電した β シートの表面に結合し，これが各 RRM の RNP1 および RNP2 領域との接触の大部分を担っている．(c) ポリピリミジントラクト結合タンパク質 (PTB) では RRM ドメインの配置が全く異なっている．hnRNP の種類が違うと RRM の相対的な配置が異なることがわかる．p(Y) 領域は，ピリミジンが連続して含まれる配列（ポリピリミジントラクト）である．PTB では，2 個の RRM は α ヘリックスによって互いに結合しているので，正に荷電した β シートは互いに別の方向，すなわち RRM3 は上方向，RRM4 は下方向に向いている．二つの RRM のそれぞれに結合した CUCUCU という一本鎖 RNA の構造も決定され，PTB が一つの RNA 分子中で 15 ヌクレオチド以上のループで隔てられた二つの 6 塩基ピリミジン配列に，どのように結合しているかがわかった．mRNA 前駆体の 3′ スプライス部位の上流か，5′ スプライス部位の下流に二つのポリピリミジントラクトがあるときに，PTB は，mRNA 前駆体に小さなループをつくることによって，エクソンのスプライシング抑制因子として機能すると考えられる．[(a) は K. Nagai et al., 1995, *Trends Biochem. Sci.* **20**: 235 参照．(b) は N. Handa et al., 1999, *Nature* **398**: 579 による．(c) は F. C. Oberstrass et al., 2006, *Science* **309**: 2054 による．]

わる RNA の一本鎖領域との間に複数の接触点をもつ．この様子は，RNA の特異的部位に結合したショウジョウバエの Sex-lethal タンパク質 (Sxl) の二つの RRM ドメイン（図 9・6b）や，特異的 RNA 配列に結合したヒトのポリピリミジントラクト（ポリピリミジン配列）結合タンパク質 (PTB) の二つの RRM ドメイン（図 9・6c）の X 線結晶構造に見ることができる．Sxl と PTB は，異なる hnRNP において RRM の向きが全く異なっている例となっている．

45 残基からなる **KH ドメイン** (KH domain) は，hnRNP K タンパク質や他の数種類の RNA 結合タンパク質にみられる．典型

的な KH ドメインの三次元構造は RRM ドメインに似ているが，それよりも小さく，三つの鎖からなる β シートの片側を 2 本の α ヘリックスが支える形になっている．しかし，KH ドメインの RNA との相互作用は，RRM ドメインとはかなり異なる様式で行われる．RNA が KH ドメインに結合するときには，2 本の α ヘリックスと 1 本の β ストランドによってつくられた疎水的な表面と相互作用している．**RGG ボックス**（RGG box）は，hnRNP タンパク質にみられるもう一つの RNA 結合モチーフで，これには 5 回の Arg-Gly-Gly 繰返し配列（RGG リピート）に，数個の芳香族アミノ酸が散りばめられたものである．アルギニンに富んでいるという性質は，HIV の Tat タンパク質の RNA 結合ドメインに似ている．KH ドメインと RGG リピートは，一つの RNA 結合タンパク質の中に間隔をおいて複数含まれていることが多い．

スプライシングは mRNA 前駆体にある進化的に保存された短い配列を用いて，2 回のエステル交換反応によって行われる

成熟した機能的な mRNA が形成されるまでに，**イントロン**（intron）が除去され，**エクソン**（exon，エキソン）が互いにつなぎ合わされる．転写単位が短いときには，RNA スプライシングは通常，一次転写産物の 3′ 末端の切断とポリアデニル酸付加のあとに行われる（図 9・2，β グロビン RNA を例に説明）．しかし，転写単位が長く多数のエクソンが含まれるときには，新生 RNA のスプライシングは，遺伝子の転写が完了する前にはじまる．

mRNA の核内でのプロセシングに関する初期の先駆的な研究によって，mRNA は最初に，細胞質にある成熟 mRNA よりもずっと長い RNA 分子として転写されることがわかった．また，開始直後に転写された 5′ キャップに近い RNA 配列が成熟 mRNA に含まれること，hnRNA 中の mRNA 中間体のポリアデニル酸付加された 3′ 末端尾部に近い RNA 配列も成熟 mRNA に含まれることが明らかになった．一次転写産物より短い RNA が，どのようにして一次転写産物と同じ 5′ 末端と 3′ 末端をもつことができるのだろうか．この一見不思議な現象は，イントロンが発見されたことによって説明された．イントロンの発見は，アデノウイルス DNA と，ウイルスの主要キャプシド（外被）タンパク質であるヘキソンをコードする mRNA との RNA-DNA ハイブリッドの電子顕微鏡観察による（図 9・7）．また，別の研究によって，核内のウイルス RNA には，ウイルス DNA と一致するもの（一次転写産物）と，一つか二つのイントロンが除去されたもの（プロセシング中間体）とがあることがわかった．これらの結果と，長い mRNA 前駆体の両端にある 5′ キャップと 3′ ポリ(A) 尾部が，短くなった細胞質の成熟 RNA に保持されるという初期の発見により，エクソンがつなぎ合わされる際に，一次転写産物からイントロンが除去されることが認識されるようになった．

mRNA 前駆体内にある**スプライス部位**（splice site），つまりエクソンとイントロンのつなぎ目は，ゲノム DNA の配列と，対応する mRNA から調製された cDNA（図 6・17 参照）の配列とを比較することによって決定できる．ゲノム DNA 中にはあるが，cDNA 中にはない配列がイントロンであり，スプライス部位の位置も示される．多数の異なる種類の mRNA について同様の解析を行った結果から，脊椎動物の mRNA 前駆体にあるイントロンの両

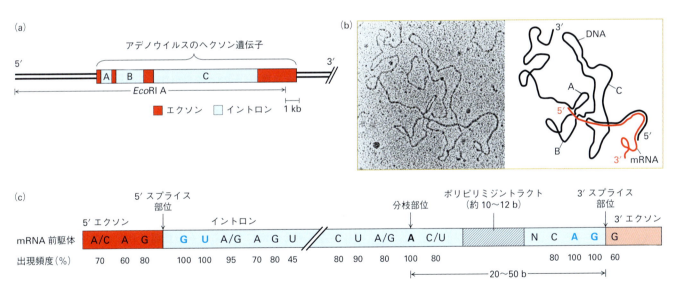

図 9・7（実験） mRNA-鋳型 DNA ハイブリッドの電子顕微鏡像から，mRNA 前駆体のプロセシング中にイントロンが除かれることがわかった．(a) アデノウイルス DNA の EcoRI A 断片の模式図．この断片には，ゲノムの左端からヘキソン遺伝子の最終エクソンの末端の少し手前までが含まれる．この遺伝子には三つの短いエクソンと一つの長いエクソン（約 3.5 kb）があり，それぞれ約 1 kb，2.5 kb，9 kb の三つのイントロンによって隔てられている．(b) EcoRI A DNA 断片とヘキソン mRNA のハイブリッドの電子顕微鏡写真（左）と模式図（右）．A, B, および C で表示したループは (a) に示したイントロンに対応する．ウイルスのゲノム DNA に含まれるイントロンの配列は成熟したヘキソン mRNA には存在しないので，mRNA の相補的配列とハイブリッドをつくるエクソン配列の間からループをつくって飛び出している．(c) 脊椎動物 mRNA 前駆体のスプライス部位周辺の共通配列．イントロンの 5′ GU と 3′ AG（青）だけがほぼ不変の塩基である．表示したその他の周辺配列の出現頻度は，ランダムな分布から予測されるものよりも高いが，不変というわけではない．ほとんどの場合，ポリピリミジントラクト（斜線で示す）が 3′ 末端近くにある．分枝部位の A 残基も不変であり，通常は 3′ スプライス部位から 20〜50 bp の位置にある．イントロンの中央部は，長さが 40〜50,000 bp であり，一般的にはスプライシングに必要ではない．[R. A. Padgett et al., 1986, *Ann. Rev. Biochem.* **55**: 1119; E. B. Keller and W. A. Noon, 1984, *Proc. Natl. Acad. Sci. USA* **81**: 7417 参照. (b) の写真は S. M. Berget et al., 1977, *Proc. Natl. Acad. Sci. USA* **74**: 3171 による. P. A. Sharp 提供.]

側のスプライス部位には，中程度に保存された短い共通配列があることが明らかになった．また，3′ スプライス部位のすぐ上流にはピリミジンに富む領域（ポリピリミジントラクト）が共通してみられた（図 9・7c）．イントロンに欠失を導入した変異遺伝子を用いた研究から，イントロンの中央部の大半を除いてもスプライシングには影響しないことがわかった．一般的に，イントロンの両端の各 30〜40 ヌクレオチドだけが，正常な速度でのスプライシングに必要である．

mRNA 前駆体の in vitro でのスプライシングにおいて形成される中間体の解析から，エクソンのスプライシングは 2 回の連続した**エステル交換反応**（transesterification reaction）によって進むことが発見された（図 9・8）．このとき，イントロンは投げ縄（ラリアット）構造として除去されるが，この構造のイントロンの 5′ G は，イントロンの 3′ 末端近くのアデノシンと，2′,5′-ホスホジエステル結合というめずらしい結合によってつながっている．この A 残基は投げ縄構造で RNA の枝分かれを形成しているため，**分枝部位**（branch point）とよばれる．おのおののエステル交換反応では，あるリン酸エステル結合が別のリン酸エステル結合と交換される．どちらのエステル交換反応でも，分子内のリン酸エステル結合の数に変化はないため，エネルギー消費は起こらない．これら 2 回のエステル交換反応の最終的な結果として，二つのエクソンが連結され，間にあったイントロンが分枝した投げ縄構造として放出される．

スプライシングの際には
snRNA が mRNA 前駆体と塩基対を形成し，
　スプライス部位を選択してエステル交換反応を誘導する

スプライシングには**核内低分子 RNA**（small nuclear RNA: **snRNA**）と約 150 のスプライシング因子タンパク質が必要である．snRNA は，mRNA 前駆体との塩基対形成などの相互作用に重要で，量的にも非常に豊富である．局在が核に限定された U に富む 5 種類の snRNA 分子，U1, U2, U4, U5, U6 は，いずれも mRNA 前駆体のスプライシングに関与する．これらの snRNA は，脊椎動物では長さが 107〜210 ヌクレオチドであり，真核細胞の核内に多量に存在する**核内低分子リボ核タンパク質粒子**（small nuclear ribonucleoprotein particle: **snRNP**）の中でおのおの，5〜12 のタンパク質と結合している（図 9・10）．

スプライシングにおける U1 snRNA の機能は，mRNA 前駆体の 5′ スプライス部位と U1 snRNA の 5′ 領域の間の塩基対形成（図 9・9a）が RNA スプライシングに必要なことを示す実験により明確に証明された（図 9・9b）．この in vitro の実験では，U1 snRNA の 5′ 末端領域とハイブリッドをつくる合成オリゴヌクレオチドが，RNA スプライシングを阻害することが明らかにされた．また，in vivo の実験では，塩基対形成を壊す mRNA 前駆体の 5′ スプライス部位の変異（図 9・9b, 赤字 A）によって，RNA スプライシングが阻害されることが示された．しかし，この変異実験で，変異型 mRNA 前駆体の 5′ スプライス部位と塩基対の形成を回復させる**補償的変異**（compensatory mutation）（図 9・9b, 赤字 U）をもつ変異型 U1 snRNA を発現させることにより，スプライシングを回復できる．これらの結果と，mRNA 前駆体の変異，変異 mRNA 前駆体との塩基対形成を回復させる U1 snRNA の補償的変異を用いた同様の実験により，すべてのイントロンで不変の 5′ 末端 GU を除けば，特異的な RNA 配列というよりも，U1 snRNA の 5′ 領域との塩基対形成こそが，RNA スプライシングに重要であることが明らかになった．

U2 snRNA がスプライシングに関与することは，この RNA が mRNA 前駆体の分枝部位の A 残基周辺の共通配列とほぼ相補的な配列を内部にもつことから推測されていた（図 9・7c）．U1 snRNA と 5′ スプライス部位に関して行われたのと同じような補償的変異導入実験によって，U2 snRNA と mRNA 前駆体の分枝部位配列（図 9・7c）の間の塩基対形成も，スプライシングに重要であることが示された．

分枝部位の A 残基自体が U2 snRNA と塩基対を形成しないで，外に突き出している（図 9・9a）ことには意味がある．これによって，A の 2′-OH が RNA スプライシングの最初のエステル交換反応に関与することが可能になっているからである（図 9・8）．X 線結晶構造解析によって A が 2 箇所で突き出した RNA-RNA のモデル二本鎖（図 9・9c）の構造が決定され，U2 snRNA が mRNA 前駆体の分枝部位領域と塩基対を形成したときにつくられる，突き出した A 残基のモデルの構造が明らかになっている（図 9・9d）．

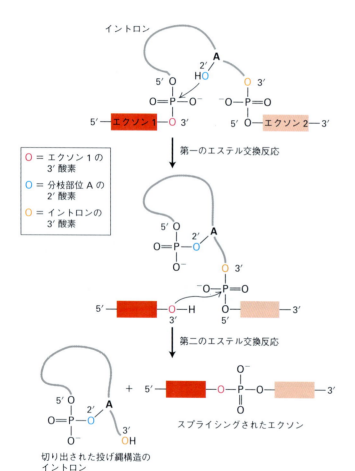

図 9・8 2 回のエステル交換反応によって，mRNA 前駆体のエクソンがスプライシングされる．第一の反応では，イントロンの 5′ のリンとエクソン 1 の 3′ 酸素（赤紫）の間のエステル結合が，分枝部位 A 残基の 2′ 酸素（青）とのエステル結合に交換される．第二の反応では，エクソン 2 の 5′ リンとイントロンの 3′ 酸素（橙）の間のエステル結合が，エクソン 1 の 3′ 酸素とのエステル結合と交換され，その結果，イントロンが投げ縄構造として放出され，二つのエクソンが結合する．矢印は OH 基の酸素原子がリン原子と反応する部位を示す．

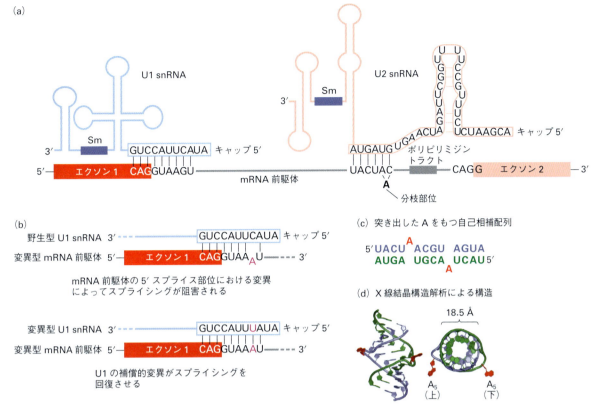

図 9・9 スプライシングの初期過程における mRNA 前駆体, U1 snRNA, および U2 snRNA 間の塩基対形成. (a) この模式図では, スプライシングの際に変化しない snRNA の二次構造を輪郭線で示した. U1 snRNA と U2 snRNA の Sm と表示した長方形の部位で, Sm タンパク質七つからなるリングが snRNA を取囲んで結合する. 同じ Sm タンパク質は, U4 と U5 snRNA でもリングを形成する(図には示していない). また, 酵母の分枝部位に保存された配列 UACUAAC を, 突き出した A とともに表示した. U2 snRNA は分枝部位 A を含む配列と塩基対を形成するが, 分枝部位の A 残基自体は塩基対を形成しないことに注意. (b) U1 snRNA の 5′ 末端と, mRNA 前駆体の 5′ スプライス部位を図示した. (上) U1 snRNA の 5′ 末端への塩基対形成を妨げる mRNA 前駆体の変異(赤の A)によってスプライシングが阻害される. (下) 塩基対形成を回復させる補償的な変異(赤の U)をもつ U1 snRNA を発現させると, 変異型 mRNA 前駆体のスプライシングが回復する. (c), (d) 突き出した A をもつ RNA-RNA ヘリックスの構造. (a)に示したような, U2 snRNA と塩基対を形成した mRNA 前駆体の分枝部位 A 残基のモデルである. RNA ヘリックスの 5 番目の位置に突き出した A(赤)がある配列の RNA 二本鎖(c)の構造を, X線結晶構造解析で決定した(d). 突き出した A 残基は, A 型の RNA-RNA ヘリックスから横に伸びている. 片方の鎖のリン酸骨格を緑で, 他方を青で示した. 右側の構造は, ヘリックスの軸を 90°手前に回転させた方向から見たものである. [M. J. Moore et al., 1993, in R. Gesteland and J. Atkins, eds., *The RNA World*, Cold Spring Harbor Press, p. 303 参照. Y. Zhuang and A. M. Weiner, 1986, *Cell* **46**: 827 参照. (c), (d) は J. A. Berglund et al., 2001, *RNA* **7**:682 による.]

スプライソームが mRNA 前駆体のスプライシングを触媒する

mRNA 前駆体のスプライシング制御機構については, 培養哺乳類細胞や酵母の抽出液を用いた生化学的研究と酵母の遺伝学的研究により理解が進んだ. RNA スプライシングの2段階のエステル交換反応は, **スプライソーム** (spliceosome) という 1.3 MDa の RNA-タンパク質複合体によって触媒される. この複合体の大きさはリボソームの小サブユニットに匹敵する. スプライソームは五つの小さめの snRNP の **U1, U2, U4, U5** と **U6** (上述した同名の snRNA にタンパク質が結合した複合体) が集合したものである (図 9・10). U3 RNA については後述するが, mRNA 前駆体のスプライシングではなく, rRNA 前駆体のプロセシングにおいて機能する (図 9・46).

U1, U2, U4, U5 と U6 の snRNP は互いに, あるいは mRNA 前駆体のスプライス部位に一過性に結合し, U2, U5, U6 からなる活性型スプライソームを形成する (図 9・11a). 活性型スプライソームはこのほかに **NTR** と **NTC** とよばれる二つの多量体タンパク質複合体を含んでいる (図 9・11a). 図 9・11(b) では snRNA をだけを表示したが, 図 9・11(a) と比べると, 活性化スプライソームはおもにタンパク質から構成されていることがわかる. 完全に集合した状態の活性型スプライソームは 2 段階のスプライシング反応を行い, その後, 解離する. 酵母の温度感受性変異体を用いた研究により, RNA スプライシングに必須の約 150 のタンパク質をコードする遺伝子が同定されたが, そのほとんどにはヒトにオルソログが知られている. 大部分は, スプライソーム形成の中間体に一過性に結合し, その後, 解離するポリペプチドや, 切除された投げ縄イントロンと結合したままスプライソームから放出される因子である. 放出された snRNP とスプライシング因子タンパク質は, 他の mRNA 前駆体上に再集合して, あらためて 2 段階のエステル交換スプライシング反応を触媒する.

タンパク質合成中のリボソームとは異なり, スプライソームは安定な複合体ではない. 活性のあるスプライソームの形成過程で, snRNP と他のスプライシング因子タンパク質は, 最初は中

図 9・10 mRNA 前駆体のスプライシングに関与する出芽酵母 snRNP の構造. snRNA の二次構造の略図を示した. また, クライオ電子顕微鏡で決定した三次元構造を, 結合タンパク質のリボンモデル表示とともに示した. 五つの核内低分子リボ核タンパク質粒子 (snRNP) のおのおのに別々の色をつけた (U1: 青, U2: ピンク, U4: 橙, U5: 黄, U6: 緑). U1, U2, U4, U5 の snRNA の二次構造略図中の "Sm 部位" は, Sm タンパク質七つからなるリング構造が snRNA のまわりに形成されている場所である. LSm2〜8 の七つのタンパク質からなるもう一つのリング構造が U6 snRNA の 3' 末端のまわりに形成されている. 〔C. Plaschka et al., 2019, *Cold Spring Harb. Perspect. Biol.* **11**: a032391 による.〕

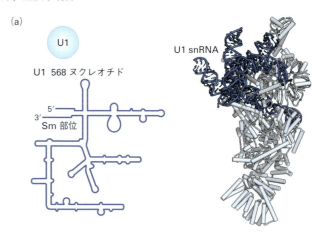

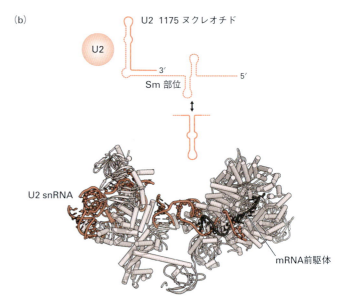

間体に結合し, やがて放出される. 上述のように, RNA スプライシング反応の前後では, ホスホジエステル結合の数に変化はなく, 自由エネルギー変化もない. しかし, 細胞内での RNA スプライシングの過程は ATP の加水分解エネルギーを利用して, RNA ヘリカーゼ酵素 (タンパク質) により, 5' エクソンと 3' エクソンが結合するように駆動される. これについては後述する.

酵母では, 5' スプライス部位と分枝部位の配列は, ほとんどすべてのイントロンにおいて厳密に保存されている (図 9・12). 対照的に, 哺乳類ではスプライス部位の配列も分枝部位の配列も, ある程度の違いが許容されている (縮重している). 例外は, ほとんどのイントロンの 5' 末端と 3' 末端の GU と AG, 分枝部位を特徴づける A である (図 9・12). これは酵母と比べて哺乳類のスプライシングでは, 配列特異的な RNA 結合タンパク質がほかに多数用いられており, snRNP の U1 と U2 が 5' スプライス部位や分枝部位に結合するのを補助し制御しているからである. より単純な酵母のスプライシング装置を, より複雑な哺乳類の装置と比較することにより, 両方のシステムについての研究が進み, 哺乳類で追加された核タンパク質が, 選択的スプライシングにどのように参画し, 制御を行っているか理解が深められた.

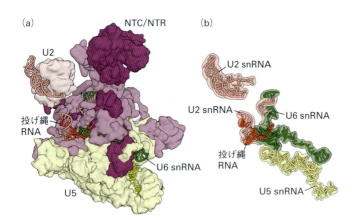

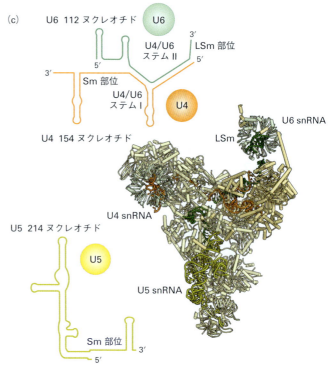

図 9・11 触媒活性のある酵母スプライソーム. (a) U5 snRNP (黄) が足場となり, その上に触媒活性のあるスプライソームの他の主要成分である U2 snRNP (ピンク), タンパク質複合体 NTR (薄紫), NTC (濃紫) が, RNA 分子と触媒中心を囲むようにして乗っている. 空間充填モデルでみえている四つの RNA 分子について, U2 を橙, U5 を黄, U6 を緑, イントロンの投げ縄 RNA を赤で表示した. (b) 触媒活性のあるスプライソーム中の U6, U5, U2 snRNA の二つの部分, およびイントロンの投げ縄 RNA (赤) の位置. 高分解能のクライオ電子顕微鏡により決定した. 〔C. Yan et al., 2015, *Science* **349** (6253): 1182, Copyright Clearance Center, Inc. を通じて AAAS より許可を得て転載.〕

図 9・12 酵母とヒトにおけるスプライス部位と分枝部位 A 残基周辺の RNA 配列. スプライス部位と分枝部位の RNA 配列は, 酵母のほうが哺乳類細胞よりも, よく保存されている. 哺乳類の配列では N(どの塩基でもよい)の数が多いことに注意.

mRNA 前駆体のスプライシングサイクル 酵母のスプライシングサイクルでは, snRNP とスプライシング因子タンパク質の組成が異なる 10 もの複合体が識別されている (図9・13). 上述のように (図9・9a), スプライソソームの形成は, U1 snRNP に含まれる U1 snRNA と, mRNA 前駆体の 5′ スプライス部位の塩基対形成による相互作用からはじまる (図9・9a, 左). 哺乳類細胞では次に, ヘテロ二量体のスプライシング因子である **U2 結合因子** (U2 associated factor: **U2AF**) が, もう一つのタンパク質因子であるスプライシング因子1 (SF1) とともに, U2 snRNP がイントロン 3′ 末端近くの分枝部位に結合するのを促進する (図9・9a, 右). U2AF の小サブユニットは 3′ スプライス部位の AG に結合し, 大サブユニットはポリピリミジントラクト (ポリピリミジン配列ともいう. ピリミジン塩基が連続する配列部分) に結合する. SF1 は分枝部位の A 残基と一過性に相互作用し, U2 snRNA が分枝部位領域と塩基対を形成するときに解離する (図9・9a). これらの相互作用により, スプライシング反応に用いられる 3′ スプライス部位の位置が特定される. ここで示していない他のスプライシング因子タンパク質も U1/U2 snRNA と mRNA 前駆体の

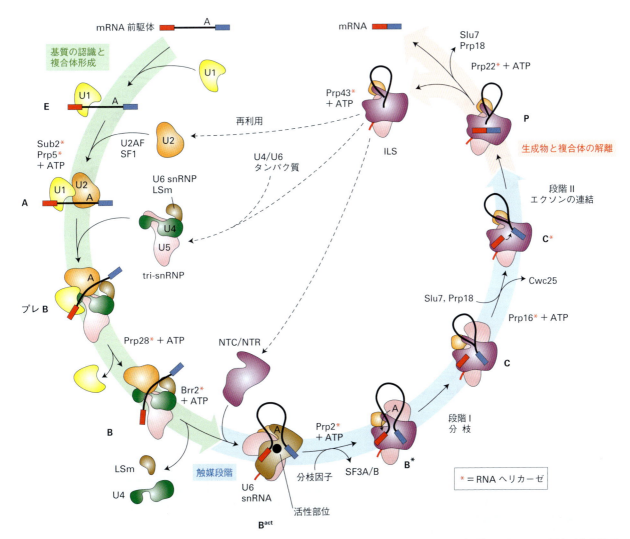

図 9・13 酵母のスプライシングサイクルでは, mRNA 前駆体と snRNP, スプライシング因子タンパク質からなる 10 の異なる複合体が識別されている. 各複合体の名称は, 略図の周囲に表示した. 説明は本文を参照のこと. [C. Plaschka et al., 2019, *Cold Spring Harb. Perspect. Biol.* **11**: a032391 による.]

相互作用を，結合により安定化する．

U2 snRNPが結合すると，snRNPの大規模な構造の再配置が起こり，前もって形成されていたU4, U5, U6からなるtri-snRNP複合体（tri-snRNP complex）（図9・10）が結合して，A複合体からプレB複合体へと移行する（図9・13）．ひき続き，U1 snRNPが解離してB複合体を形成する．さらにU4 snRNPが解離して，NTC（7本のポリペプチドからなる）とNTR（6本のポリペプチドからなる）という大きな多サブユニットタンパク質複合体が結合し，B^{act}複合体となる．B複合体からB^{act}複合体に移行するときにsnRNPが再配列し，U6とU2，またU6と5′スプライス部位が新たに相互作用するようになる（図9・14a）．この相互作用が2段階のスプライシングエステル交換反応の触媒に必要である．

snRNPとスプライシング因子タンパク質の再配列により，触媒活性部位が形成されると（図9・14c），最初のエステル交換反応が触媒され，ひき続き5′と3′のエクソンを連結する第二のエステル交換反応が起こる．二つの反応は活性部位の再配列をほとんど伴わずに進行するが，スプライス部位のリン酸エステル結合の位置は変化する（これにより複合体B*，C，およびC*が区別される．図9・13）．リボソームでは分子量の約50％をRNAが占めているが，これとは異なり，触媒活性のあるヒトスプライソームの三つのsnRNA（U2, U5, およびU6）は全分子量の5％にもならない（図9・11）．これは，スプライシング過程の多くの段階に，タンパク質が重要な機能を果たしていることと，よく一致している．スプライソームのタンパク質成分は，活性部位を構成し，反応性の化学基を活性部位に提供し，エクソン結合へと反応を駆動してスプライシング過程を制御する．

スプライシング過程はスプライソームを解体（図9・13，複合体P→ILS）することで完結するが，これにはNTCとNTRのタンパク質複合体が必要である．通常の5′-3′ホスホジエステル結合により連結した5′エクソンと3′エクソンをもつRNAスプライシング産物が複合体から放出され，U2, U5, U6のsnRNPと結合した投げ縄RNA，NTCとNTRタンパク質複合体が残される〔図9・13のILS（intron lariat spliceosome）〕．イントロンの投げ縄RNAが，分枝部位のA残基の2′-5′ホスホジエステル結合を開裂する脱分枝酵素，また5′エキソヌクレアーゼ，3′エキソヌクレアーゼにより分解されると，U2, U5, U6 snRNPとスプライシング因子が放出され，次のサイクルのスプライシングに用いられる（図9・13の再利用）．

スプライシング過程には，いくつかのRNAヘリカーゼが必要である（図9・13の＊で示した）．たとえば，RNAヘリカーゼのBrr2は，スプライシングに必要なすべてのsnRNPを不活性な立体構造で含む触媒不活性のB複合体から，触媒活性のあるB^{act}複

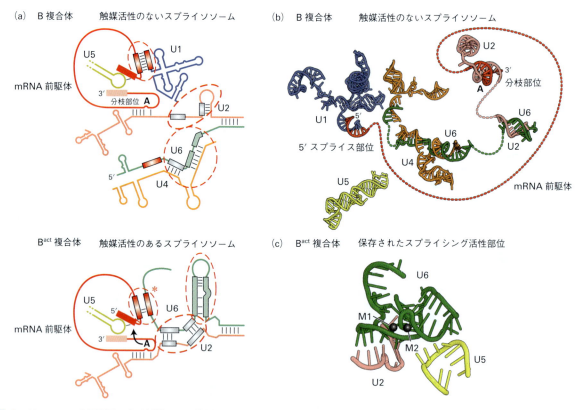

図9・14 snRNPの再配列により活性のある触媒部位が形成される．(a) 前触媒段階のB複合体（上）と触媒活性のあるB^{act}複合体（下）におけるRNA相互作用ネットワーク．活性化に伴って，U4, U6, U2からなるB複合体の塩基対相互作用（赤の破線で囲んだ部分）が大幅な再配列を起こす．U1 snRNPとU4 snRNPがスプライソームから解離し，U6 snRNAの5′末端の高度に保存されたACAGAG配列により5′スプライス部位と塩基対形成できるようになる（＊をつけた赤破線の楕円）．B^{act}複合体のそのほかの重要な塩基対相互作用を示した（赤の破線の楕円）．(b) 触媒活性をもたないB複合体のRNAの構造．高分解能クライオ電子顕微鏡による．(c) 触媒能をもつB^{act}複合体のスプライシング活性部位のRNA．Mg^{2+}がU6 snRNAによって保持され，5′と3′のスプライス部位，分枝部位のA，U2 snRNAとU5 snRNAの結合配列に対して正確な配置で2段階のエステル交換反応を触媒している．〔(a)はM. C. Wahl et al., 2009, *Cell* **136**: 701による．(b)はC. Plaschka et al., 2019, *Cold Spring Harb. Perspect. Biol.* **11**: a032391による．(c)はC. Yan et al., 2019, *Cold Spring Harb. Perspect. Biol.* **11**: a032409による．〕

合体への移行に必要である．多くのRNAヘリカーゼは，RNA二本鎖に隣接する一本鎖RNA部分にATPとともに結合し，RNA-RNA塩基対を壊すと考えられている．ATPの加水分解はヘリカーゼの構造変化と共役しており，活性中心から一本鎖RNAが3′方向に引寄せられる．これにより，RNAに結合した相補的な一本鎖RNAやタンパク質が取外される．Brr2はU4/U6/U5 tri-snRNP複合体の中で，U4/U6二本鎖（図9・10のU4/U6ステムI）に隣り合うU4 snRNAの一本鎖部分に結合してRNAを3′方向にたぐり寄せ，U4/U6二本鎖をほどき，結合タンパク質を解離させる．こうしてU4が複合体から放出され，U6が構造変化を起こすことができる．U6はこの構造変化により，ホスホジエステル結合の交換を触媒できるよう，5′スプライス部位と相互作用し，スプライス部位や分枝部位A残基に対して適切な配置で二つのMg^{2+}と結合する（図9・14c）．RNAは触媒機構において中心的な役割がある．エステル交換反応は，snRNA U6に結合した二つのMg^{2+}によって触媒される．重要な分枝部位A残基の2′-OH基は，RNA-RNA相互作用により分子表面に露出している．タンパク質がRNA-RNA相互作用を誘導して安定化し，RNAヘリカーゼがATP加水分解のエネルギーを用いて反応サイクルをエクソンの連結へと推進する．このように，スプライソソームは"タンパク質駆動性金属リボザイム（protein-directed metalloribozyme）"と考えることができる．

脊椎動物のエクソン接合部複合体 哺乳類のRNAスプライシング後，一群の特定のhnRNPタンパク質がエクソン接合部から5′側に約20塩基の場所に結合して**エクソン接合部複合体**（exon-junction complex: EJC）を形成する．エクソン接合部複合体に結合しているhnRNPタンパク質の一つにRNA核外輸送因子（REF）がある．これは§9・3で述べるように，プロセシングが完了したmRNPの核から細胞質への輸送で機能する．エクソン接合部複合体に結合する他のタンパク質は，正しくスプライシングされなかったmRNAを分解する品質管理機構であるナンセンスコドン介在性分解（nonsense-mediated decay，§9・4）で機能する．

希少な5′-AU…AC-3′イントロン mRNA前駆体の一部（ヒトでは約1%）には，スプライス部位の配列が標準的な共通配列と一致しないイントロンがある．この種類のイントロンは，通常の"GU-AGルール"（図9・7c）に従わずに，AUではじまってACで終わる．この特別な種類のイントロンのスプライシングも，図9・13に示したものと類似のスプライシングサイクルで起こるらしいが，これには通常のU5 snRNPに加え，存在量が少ない別の4種類のsnRNPが関与している点で異なる．

トランススプライシング 脊椎動物，昆虫，および植物細胞の機能をもつmRNAのほとんどすべては，対応するmRNA前駆体1分子の内部に含まれるイントロンを除去し，エクソンを連結することによって生成される．ところがトリパノソーマとミドリムシ属という2種類の原生動物では，mRNAは別々のRNA分子を連結することによってつくられる．この過程は**トランススプライシング**（trans-splicing）とよばれており，胚発生研究の重要なモデル生物である線虫でも，10～15%のmRNAの合成で起こる．トランススプライシングは，単一のmRNA前駆体分子でのsnRNPとスプライシング因子によるエクソンのスプライシングと同様の過程を経て行われる（図9・8）．ただし，イントロンのループは途中で切れている．

mRNA前駆体の3′切断とポリアデニル酸付加は緊密に共役している

真核細胞では，ヒストンmRNA*を除くすべてのmRNAには3′**ポリ(A)尾部**〔poly (A) tail〕がある．アデノウイルスやSV40のRNAをパルス標識した初期の研究から，ウイルスの一次転写産物はmRNAのポリ(A)尾部が付加する配列を越えて伸長することがわかった．この実験結果から，ポリ(A)配列は，長い転写産物をエンドヌクレアーゼで切断して生じた3′-OHに付加されることが示唆された．しかし，その結果できるはずの下流側のRNA断片は，in vivoでは全く検出できなかった．おそらく，速やかに分解されるためと考えられる．ところが，培養ヒト細胞の核抽出液を用いたin vitroのプロセシング反応では，予測どおりの切断産物が二つとも観察された．つまり，in vitroの反応では，切断/ポリアデニル酸付加の過程と切断部位下流のRNAの分解とが，in vivoよりもずっとゆっくり起こるため，下流の切断産物が容易に検出されるのである．

動物細胞から得たcDNAクローンを配列決定した初期の研究から，ほとんどすべてのmRNAにはポリ(A)尾部の上流10～35ヌクレオチドの位置にAAUAAAという配列があることが示された（図9・15）．鋳型DNA中の対応する配列を他の配列に変異させると，非常によく似た配列（AUUAAA）を除き，配列をどのように変えた場合でもRNA転写産物のポリアデニル酸付加は事実上起こらなくなる．このような変異型の鋳型からつくられるプロセシングされないRNA転写産物は，核内に蓄積することはなく速やかに分解される．また，別の部位に変異を導入した実験から，動物細胞では切断部位の下流にある第二のシグナルが，大部分のmRNA前駆体を効率よく切断してポリアデニル酸付加するために必要なことが明らかになった．この下流のシグナルは特定の配列ではなく，切断部位からおよそ20ヌクレオチド以内にあるGとUに富む，あるいは単にUに富む領域である．

in vitroでmRNA前駆体の切断とポリアデニル酸付加に必要なタンパク質を精製した結果，この過程に関与するタンパク質がはじめて同定された．ひき続き，これらのタンパク質をコードする遺伝子が単離・配列決定され，遺伝子から発現した組換えタンパク質が精製された．さらに過剰発現したタンパク質との結合実験や，エピトープタグをつけた形でin vivo発現したタンパク質との共精製実験により，結合タンパク質がさらに同定された．このような精製タンパク質の研究により，図9・15に示す切断とポリアデニル酸付加のモデルが提唱された．

出芽酵母では，14か15のポリペプチドが会合し，ポリ(A)部位での切断とポリアデニル酸付加を行う約1000 kDaの複合体を形成している．この複合体には三つのモジュールがある．第一の

＊ 主要なヒストンmRNAは，増殖中の細胞のS期に，多コピー繰返している遺伝子から盛んに転写される．このmRNAは3′末端側で切断されるが，ポリアデニル酸付加されないという特別な3′プロセシングを受ける．翻訳制御にかかわる特別なRNA結合タンパク質が，ヒストンmRNAにできた3′末端に結合する．

図 9・15 **哺乳類細胞における mRNA 前駆体の切断とポリアデニル酸付加のモデル**. 切断/ポリアデニル酸付加特異性因子 (CPSF) は上流のポリ(A)シグナル AAUAAA に結合する. 切断促進因子 (CStF) は, 下流の GU または U に富む配列 (G/U), および CPSF と相互作用し, RNA 分子内にループを形成する. 切断因子 CFI と CFII が結合し, この複合体を安定化する. 次に, ポリ(A)ポリメラーゼ (PAP) が結合することによって, 上流のポリ(A)シグナルから 3′ 側 10〜35 ヌクレオチドのポリ(A)部位での切断が促進される. 切断因子が解離すると同時に, 下流側の RNA 切断産物も解離し, この切断産物は速やかに分解される. 次に, 結合した PAP は, 切断反応で生じた 3′-OH に 12 個程度の A 残基をゆっくりした速度で付加する. この最初の短いポリ(A)尾部に核内ポリ(A)結合タンパク質 (PABPN1) が結合すると, PAP による付加反応が加速される. 200〜250 個の A 残基が付加されると, PABPN1 は PAP に重合停止のシグナルを送る.

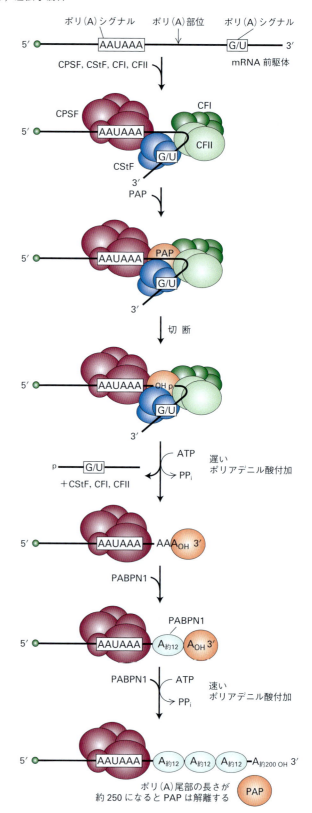

モジュールは, mRNA 前駆体中の AAUAAA 配列に結合し, 10〜35 塩基下流で RNA を切断する. この距離が一定でないことについては, それぞれの mRNA 前駆体の AAUAAA 配列と切断部位の間にある RNA の二次構造の違いによる可能性がある. 切断/ポリアデニル酸付加複合体の第二のモジュールは二つのホスファターゼであり, Pol II による転写伸長とポリアデニル酸付加を制御していると思われる. 第三のモジュールは**ポリ(A)ポリメラーゼ**〔poly(A) polymerase: **PAP**〕という酵素であり, AAUAAA 配列の下流で第一のモジュールが切断したときに生成する RNA の 3′ 末端に A を付加する.

ポリ(A)部位での切断にひき続き, ポリアデニル酸付加の過程は二つの速度相で進行する. 最初の 12 個程度の A 残基の付加はゆっくり起こり, その後の 200〜250 個までの A 残基の付加は速やかに起こる. この高速相には, RRM モチーフを含む**ポリ(A)結合タンパク質**〔poly(A)-binding protein〕が複数結合することが必要である. このタンパク質は **PABPN1** とよばれており, 細胞質のポリ(A)結合タンパク質 (**PABPC1, 2, 3**) とは異なる. PABPN1 は, PAP によってはじめに付加された短いポリ(A)尾部と結合し, PAP による A 残基の重合反応速度を亢進し, 高速相のポリアデニル酸付加をひき起こす. PABPN1 はポリ(A)尾部が 200〜250 残基の長さに到達したときに, 重合反応を停止するシグナルをポリ(A)ポリメラーゼに送る役割もある. しかし, 尾部の長さを調節する分子機能は, まだよくわかっていない. PABPN1 がポリ(A)尾部に結合することは, mRNA が細胞質へと核外輸送されるためにも必須である. PABPN1 は細胞質で PABC1, 2, 3 と置き換えられてポリ(A)尾部から解離し, 核内に戻ってくる.

選択的ポリアデニル酸付加部位　mRNA の制御は, 選択的スプライシングに加えて**選択的ポリアデニル酸付加** (alternative polyadenylation) によっても行われており, これはヒト mRNA の約 50% でみられる. 選択的ポリアデニル酸付加は, 異なる細胞種において使われる切断/ポリアデニル酸付加部位に複数の選択肢があることによって生じる. 一部の例では, 細胞種によってポリアデニル酸付加因子の濃度が異なっていることに加え, 切断/ポリアデニル酸付加因子複合体に対する親和性が異なる複数のポリ(A)部位 (G/U に富む下流配列によって規定される) があるときに起こるようである (図 9・15). この場合, 切断/ポリアデニル酸付加因子の濃度が低い細胞種では, 最も高親和性の切断/ポリアデニル酸付加部位だけが使われる. しかし, 細胞種によって切断/ポリアデニル酸付加因子の濃度が高ければ, 上流の低親和性部位が選択的に使われるようになる. 高濃度の切断/ポリアデニル酸付加因子が結合して mRNA 前駆体がいったん切断されると, 下流

の部位はもはや使うことができないからである．また，配列特異的な RNA 結合タンパク質がスプライシング抑制因子や活性化因子の結合を制御するのと同様に，切断/ポリアデニル酸付加因子の結合を妨げること，あるいは増強することがあるかもしれない．

選択的ポリアデニル酸付加部位は，mRNA の最終エクソンの選択的スプライシングとも共役することがある．結果として，C 末端アミノ酸配列が異なるタンパク質アイソフォームが発現することになる．これは B リンパ球の分化（図 24・19 参照）における複数種の免疫グロブリン分子の発現として観察されている．最初に抗体分子は，自身を細胞膜につなぎとめる膜貫通ドメイン，および細胞外ドメインが抗原と結合したときにシグナル伝達を行う細胞内ドメインをもつ形でつくられる．抗原が膜貫通型抗体分子に結合すると，mRNA 前駆体のプロセシングは，異なる 3′ エクソンが mRNA に含まれるように変更される．選択的にプロセシングされた mRNA から翻訳された抗体分子は膜貫通ドメインを欠いていて，細胞外空間に分泌され，そこで病原体を中和することができる（14 章，24 章）．

RNA ポリメラーゼ II による転写の終結　Pol II は通常，ポリ(A)部位から約 2 kb 以内にある複数の部位のいずれかで転写を終結する．DNA ウイルスである SV40 とアデノウイルスを用いた実験から，ポリアデニル酸付加シグナルを変異させると，Pol II は転写を停止せず，ウイルスゲノムにある次のポリ(A)部位に出会うまで転写を継続することがわかった．同様の結果が，ヒト β グロビン遺伝子を DNA ウイルスゲノムのウイルスプロモーター下流に挿入したときにも観察された．これらの実験から，Pol II による転写終結は，転写産物の切断およびポリアデニル酸付加に共役していること，切断部位下流の RNA は速やかに分解されることがわかった．これは，切断によって生成した RNA の 5′ 末端にはキャップによる保護がなく，核内の主要な 5′→3′ エキソヌクレアーゼである XRN1 による分解に感受性が高いからと考えられる．XRN1 による分解が進んで，まだ転写途中にある Pol II に追いつくと，できたばかりの RNA の 3′ 末端をポリメラーゼの活性中心から引出すか，ポリメラーゼの構造を変化させて，転写を終結させると考えられている．伸長反応を行っていた Pol II から新生 RNA が解離すると，Pol II のクランプ部分とポリメラーゼ内の RNA-DNA ハイブリッドの接触（図 8・9b 参照）が失われ，クランプが開いてポリメラーゼが鋳型 DNA から解離する．

9・1 真核生物 mRNA 前駆体のプロセシング　まとめ

- 真核細胞の核では，mRNA 前駆体は hnRNP タンパク質と結合し，細胞質に輸送される前に 5′ 末端へのキャップ付加，3′ 末端の切断とポリアデニル酸付加，および RNA スプライシングによる内部のイントロンの除去が行われる（図 9・2）．
- 多細胞生物では，多数のエクソンをもつ長い遺伝子のスプライシングは，通常，mRNA 前駆体が転写されている間にはじまる．mRNA の 3′ 末端を形成する切断とポリアデニル酸付加は，ポリ(A)部位が転写されたあとに起こる．
- 転写と RNA のプロセシングは，Pol II のカルボキシ末端ドメイン（CTD）によって共役している．5′ キャッピング酵素は，転写開始時に TFIIH によって 5 番目のセリンがリン酸化された CTD と相互作用する．5′ キャップは新生 RNA 前駆体を 5′ エキソヌクレアーゼから保護する．
- RNA スプライシングと 3′ 切断/ポリアデニル酸付加に関与する因子は，遺伝子転写初期に停止したポリメラーゼが阻害から解除されるときに CDK9-サイクリン T によって 2 番目のセリンがリン酸化された Pol II の CTD に結合する（図 8・13a，図 8・16 参照）．これらのリン酸化 CTD との相互作用により，新生 mRNA 前駆体がポリメラーゼの表面に出現したすぐあとに，プロセシング因子が結合できるようになる．
- スプライシングは mRNA 前駆体中の短い配列が保存されたスプライス部位で（図 9・7c），2 段階のエステル交換反応により起こる（図 9・8）．最初の反応により，分枝部位の A 残基で 2′-5′ リン酸エステルというめずらしい結合をもつ投げ縄イントロンが生成する．
- 五つの異なる核内低分子 RNA（snRNA）が，snRNA-タンパク質複合体（snRNP）の形で豊富に存在している．snRNP は snRNA 部分で互いに，あるいは mRNA 前駆体と塩基対をつくって，1.3 MDa にもなるスプライソームを形成している（図 9・11）．
- 触媒活性のあるスプライソームには多数の特異的タンパク質が結合していて，全体の質量の 95% を占めている（図 9・11b）．
- スプライソームは安定な複合体ではない．活性のあるスプライソームの形成中に，最初は中間体に結合するが，その後，解離する snRNP やスプライシング因子タンパク質がある．
- スプライシングサイクルの過程では，snRNP とスプライシング因子タンパク質からなる 10 の異なる複合体が識別されている（図 9・13）．
- スプライシングの過程には数種類の RNA ヘリカーゼが必要である．RNA ヘリカーゼは ATP 加水分解のエネルギーを利用して，エクソン連結の方向へとエステル交換反応を駆動する．
- スプライソームの基本的な触媒作用は，U6 に結合した二つの Mg^{2+} によって担われており（図 9・14c），基質のスプライス部位は snRNA とタンパク質の相互作用により RNA で形成された触媒活性中心へと運ばれるので，スプライソームはタンパク質駆動性の金属リボザイムと考えることができる．
- 脊椎動物では RNA スプライシング後，特定の一群の hnRNP タンパク質が，スプライシングされた RNA のエクソン接合部から約 20 ヌクレオチド上流の部位に結合してエクソン接合部複合体（EJC）を形成する．あとの節で議論するが，EJC は，mRNA の細胞質への核外輸送と，プロセシング不全の mRNA を除去するための品質管理監視機構に関与している．
- mRNA の 3′ 末端は mRNA 前駆体がポリ(A)部位で切断されることによって生じる．この位置を規定するのは，切断部位の 10〜35 ヌクレオチド上流にある AAUAAA 配列と，切断部位の約 20 ヌクレオチド下流にある GU あるいは U

に富んだ配列である．切断反応を行う多サブユニットの切断/ポリアデニル酸付加複合体に含まれるポリ（A）ポリメラーゼは，脊椎動物では約 250 ヌクレオチド，酵母では約 100 ヌクレオチドのポリ（A）尾部を 3′ 末端に付加する．ポリ（A）尾部には速やかに核内ポリ（A）結合タンパク質（PABPN）が結合し，3′ 末端をエクソソームによる分解から保護している．

9・2　mRNA 前駆体のプロセシングの制御

ここまで，mRNA 前駆体がどのようにプロセシングされて成熟した機能をもつ mRNA になるかを述べてきたので，本節では，この過程を調節することが，どのようにして遺伝子制御に寄与できるかを説明する．図 7・3 で示したように，多細胞真核生物の DNA には単一転写単位と複合転写単位の両方がコードされていることを思い出してほしい．前者からの一次転写産物にはポリ（A）部位が一つ含まれ，イントロンが複数存在したとしても，RNA スプライシングのパターンは一つだけである．つまり，単一転写単位は単一の mRNA をコードする．これに対して，複合転写単位（ヒトの全転写単位のおよそ 95%に相当する）から生成する一次転写産物は，複数様式のプロセシングを受けるため，異なるタンパク質をコードする別個の mRNA になることがある（図 7・3 参照）．ヒト遺伝子では一つの遺伝子は一つの一次転写産物の転写単位であるが，**選択的 RNA スプライシング**（alternative RNA splicing）は，約 19,000 のヒト遺伝子にコードされた機能的に異なるタンパク質の数を大きく増やしている．多細胞動物において，選択的スプライシングによる mRNA の複雑性の増加が最も顕著なのは中枢神経系である．中枢神経系では，選択的スプライシングの複雑なパターン制御が，神経間のシナプス結合，すなわち適切な行動に必要である（23 章）．

ヒトや他の脊椎動物では，長い mRNA 前駆体のスプライス部位の選択に寄与する核タンパク質がある

真核生物の mRNA 前駆体のプロセシングにおいて，エクソンが正確に連結されて長いオープンリーディングフレームをつくれるように，スプライス部位はどのように認識されるのだろうか．前述のように，酵母ではほとんどすべての 5′ スプライス部位が GUAUGU 配列をもっていて，これは U1 snRNA の 5′ 末端の配列と完全に相補的である（図 9・9）．補償的変異実験で最初に示されたように（図 9・9b），U1 snRNA とイントロンの最初の 6 塩基のワトソン-クリック型塩基対形成が mRNA 前駆体のスプライシングに必要である．酵母では，U2 snRNA の中ほどの 6 塩基配列とイントロンの 3′ 末端付近の分枝部位配列の完全な相補性もスプライシングに必須となる（図 9・9a, 図 9・12）．出芽酵母遺伝子の約 5%だけがイントロンをもっていて，そのほとんどは単一のイントロンである．この生物では，mRNA 前駆体のスプライス部位は，主として U1 snRNA とイントロン開始領域の 5′ スプライス部位，および U2 snRNA と 3′ スプライス部位上流にある分枝部位配列の塩基対形成により選択される（図 9・9a）．しかし，ヒトでは，5′ および 3′ のスプライス部位や分枝部位の RNA 配列は，完全に保存されているわけではない（図 9・12）．ほとんどのイントロンは 5′ GU ではじまり，10〜12 塩基のポリピリミジントラクトと分枝部位の A 残基を挟む 6 塩基の短い縮重した配列の下流の 3′ AG で終わる．これらスプライス部位の共通配列はかなり縮重しているので，ヒトゲノム配列中のスプライス部位の予測に使うことはできない．これらの縮重配列に合致する配列のほとんどは，スプライス部位として利用されないからである．したがって，ヒト mRNA 前駆体ではスプライス部位の選択に寄与する特徴がほかにあるに違いない．

多数の哺乳類遺伝子でスプライス部位から約 200 塩基以内の配列に徹底的に変異導入して解析したところ，縮重した短い 5′ スプライス部位，分枝部位，3′ スプライス部位（図 9・12 下）のほかにも，mRNA 前駆体でスプライシングに必要な配列が同定された．このような配列は，違う遺伝子では異なる特異的配列になっていて，5′ および 3′ スプライス部位から約 200 塩基以内にある．これらの RNA 調節配列に結合する核内 RNA 結合タンパク質の性状解析を行い，関連遺伝子の cDNA クローニングと配列決定を行ったところ，短い 3〜4 塩基の RNA 配列に結合する，少なくとも 1500 のヒト RNA 結合タンパク質の発見につながった．これが先に述べた hnRNP タンパク質であり，したがって他の機能ドメインに連結した RNA 結合ドメイン（RRM, 図 9・6）をいくつかもっている．これら他の機能ドメインは，調節能をもつ hnRNP の結合部位から約 200 塩基以内のスプライス部位でのスプライシングを促進したり阻害したりする．これにより，比較的短いエクソン（ヒトでは平均約 150 塩基長）が，何十 kb ものイントロンをもつ長い一次転写産物にあっても認識できるようになっている．スプライス部位の決定は，snRNA と 5′ スプライス部位や分枝部位の相互作用，また U2AF スプライシング因子タンパク質と 3′ スプライス部位の相互作用に加え，これらの RNA 結合タンパク質と mRNA 前駆体中の特異的配列との相互作用によって決定されているからである．RNA 結合タンパク質が結合して RNA スプライシングを促進する配列を**スプライシングエンハンサー**（splicing enhancer），RNA 結合タンパク質が結合して RNA スプライシングを抑制する配列を**スプライシングサイレンサー**（splicing silencer）という．

ヒトなどの多細胞動物では，スプライス部位を決定するための情報が，エクソン内にあるスプライシングエンハンサーにコードされている場合がある．これを**エクソンスプライシングエンハンサー**（exonic splicing enhancer: ESE）という．**SR タンパク質**（SR protein）とよばれる一群の hnRNP タンパク質が，エクソンスプライシングエンハンサーに結合する．SR タンパク質は RNA 結合ドメインの RRM をもっているが，このほかにアルギニン（R）とセリン（S）残基に富んだポリペプチド天然変性領域もある．このような領域は RS ドメイン（RS domain）とよばれ，他の RNA 結合タンパク質の RS ドメインと相互作用することができる．SR タンパク質がエクソンスプライシングエンハンサーに結合すると，エクソンにわたって広がるタンパク質間相互作用のネットワークを形成し，U1 snRNP を 5′ スプライス部位へ，また U2 snRNP を分枝部位へと協同的に結合させる（図 9・16）．エクソン全体にわたって集合した SR タンパク質，snRNP，その他のスプライシング因子（U2AF など）からなる複合体は，**エクソン横断的認識複合体**（cross-exon recognition complex）とよばれ，長い mRNA 前駆体中にあるエクソンを正確に特定している．しかし，他の多く

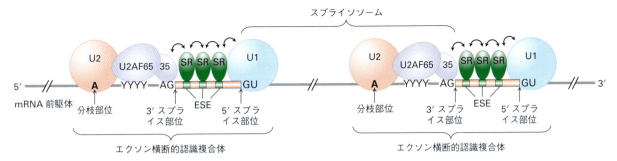

図 9・16 SR タンパク質とスプライシング因子が mRNA 前駆体に協同的に結合してエクソンを認識する．5′ GU と 3′ AG の正確なスプライス部位は，エクソンへの近接性に基づいて，スプライシング因子により識別される．エクソンには SR タンパク質の結合部位となるエクソンスプライシングエンハンサー (ESE) が含まれる．ESE に結合すると，複数の SR タンパク質が互いに相互作用し，下流イントロンの 5′ スプライス部位への U1 snRNP の結合，上流イントロンの分枝部位への SF1 と U2 snRNP の結合，上流のイントロンのポリピリミジントラクトへの U2AF 65 kDa サブユニットの結合，AG 3′ スプライス部位への U2AF 35 kDa サブユニットの結合，およびその他のスプライシング因子（図には示していない）の結合を協同的に促進する．その結果，RNA-タンパク質からなるエクソン横断的認識複合体ができてエクソン全体に広がり，正しい部位での RNA スプライシングを活性化する．一つのエクソン横断的認識複合体中の U1 および U2 snRNP は，同じスプライソソームの構成成分ではないことに注意しよう．図中の右側にある U2 snRNP は同じイントロンの 5′ 末端に結合した左側の U1 snRNP とスプライソソームを形成する．図中の右側にある U1 snRNP は，下流のイントロンの分枝部位に結合した U2 snRNP（図には示していない）と，また左端にある U2 snRNP は上流のイントロンの 5′ スプライス部位に結合した U1 snRNP（図には示していない）とスプライソソームを形成する．両矢印はタンパク質間相互作用を示す．[T. Maniatis, 2002, *Nature* **418**: 236; S. M. Berget, 1995, *J. Biol. Chem.* **270**: 2411 参照．]

のエクソンは SR タンパク質の助けがなくても正確にスプライシングされる．これらの部位は，**構成的スプライス部位** (constitutive splice site) となっていて，U1 snRNA, U2 snRNA と高い相補性があり，ポリピリミジントラクトや 3′ スプライス部位の RNA 配列も U2AF と高い親和性をもつ．

5′ および 3′ のスプライス部位の選択に調節タンパク質が関与することにより，多細胞動物では**選択的スプライス部位** (alternative splice site) の利用を制御できるようになっている．cDNA がクローン化されはじめた初期には配列決定によって，α グロビン，β グロビン，抗体の軽鎖，ニワトリのオボアルブミンなど，コードされた遺伝子から発現するスプライシングされた mRNA は 1 種類だけであることが示された．しかし，これは脊椎動物では高度に特殊化した細胞種で並はずれて高発現している mRNA にのみ適用される特殊な状況である．さらに cDNA クローニングと配列決定が進み，ゲノム DNA 配列との比較が行われた結果，約 95% の哺乳類 mRNA は一次転写産物から選択的スプライシングにより複数種の mRNA へとプロセシングされることが明らかになった．これはフィブロネクチンのように，しばしば細胞種特異的である（図 5・28 参照）．こうして多細胞動物の遺伝子にコードされた異なるタンパク質の総数は，大幅に増やされている．それだけでなく，RNA スプライシングを制御する RNA 結合タンパク質の発現と活性を調節することにより，種類の異なる哺乳類細胞は，同一の転写単位から別々の mRNA アイソフォーム，つまり別々のタンパク質アイソフォームを発現することができる．これが種類の異なる細胞間の機能の違いに貢献しているのである．

脊椎動物の内耳有毛細胞における K⁺ チャネルタンパク質アイソフォームの発現と機能

先に述べたように，選択的 RNA スプライシングは脊椎動物の神経系において，最も広範に起こっている．選択的 RNA スプライシングが神経機能に中心的なタンパク質の機能をどのように制御しているかという好例が，脊椎動物の内耳でみられる．有毛細胞 (hair cell) とよばれる繊毛をもつ神経細胞は，最も強く応答する音響の周波数が個別に異なる．内耳を構成する蝸牛（うずまき管）の一方の端には低周波（約 50 Hz）に応答するように調整された細胞があり，他方の端には高周波（約 5000 Hz）に応答する細胞がある（図 9・17a）．中間に位置する細胞は，この二つを両極端とした勾配に従う周波数に応答する．爬虫類および鳥類において有毛細胞の調整に関係する要素の一つに，細胞内 Ca^{2+} 濃度の上昇に応答する K⁺ チャネルの開口がある．どの Ca^{2+} 濃度でチャネルが開口するかによって膜電位が振動する周波数が決められ，それによって，細胞が応答する周波数が調整されている．

この Ca^{2+} 依存性 K⁺ チャネルをコードする遺伝子は，選択的スプライシングによって生じる多数の mRNA として発現する．選択的スプライシングされた mRNA によってコードされるさまざまなタンパク質は，異なる Ca^{2+} 濃度で開口する．異なる周波数に応答する有毛細胞には，蝸牛に沿った位置に応じて，異なるチャネルタンパク質アイソフォームが発現する．このタンパク質の配列の変化のしかたは非常に複雑である．すなわち，mRNA 内には選択的スプライシングされるエクソンが少なくとも 8 領域あり，これによって発現可能なアイソフォームは 576 種類にのぼる（図 9・17b）．個々の有毛細胞から得た mRNA の PCR 解析から，それぞれの有毛細胞には，選択的スプライシングされた異なる Ca^{2+} 依存性 K⁺ チャネルの mRNA 混合物が発現していることがわかった．個々の細胞の蝸牛での位置によって，主成分となる mRNA の分子形は異なっている．このアイソフォームの配置は驚くべきもので，カルシウム依存性カリウムチャネルの mRNA 前駆体のスプライシングが，蝸牛上の細胞の位置を知らせる細胞外シグナルに応答して制御されることを示唆している．

ラットを用いた別の研究では，相互作用している神経細胞のシナプス活動によって脱分極が起こると，有毛細胞で特異的なプロテインキナーゼが活性化し，カルシウム依存性カリウムチャネル mRNA 前駆体の選択的スプライシング部位のうちの一つでのスプライシングが抑制されることが示された．この結果は，このス

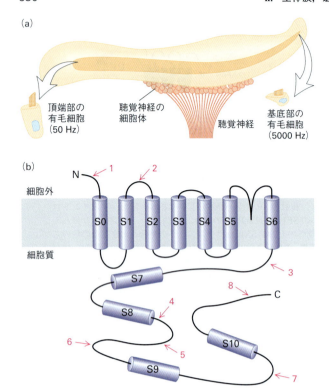

図 9・17 異なる周波数の音の感知における選択的スプライシングの役割. (a) ニワトリの蝸牛は長さが 5 mm にもなる管で, そこには聴覚有毛細胞からなる上皮があり, 頂端部(左)での 50 Hz から基底部(右)での 5000 Hz まで, 振動周波数の勾配に応じて調整されている. (b) Ca^{2+} 依存性 K^+ チャネルには七つの膜貫通 α ヘリックス(S0〜S6)があり, それらが集まってチャネルを形成している. 四つの疎水性領域(S7〜S10)を含む細胞質ドメインが Ca^{2+} に応答してチャネルの開口を制御する. 同じ一次転写産物から選択的スプライシングでつくられた mRNA にコードされるチャネルのさまざまなアイソフォームは, それぞれ異なる Ca^{2+} 濃度で開口するため, 異なる振動周波数に応答する. 赤の数字は, 選択的スプライシングによってアイソフォーム間でアミノ酸配列が異なる領域を示す. [K. P. Rosenblatt et al., 1997, *Neuron* **19**: 1061 参照.]

プライス部位に特異的なスプライシングリプレッサーが, シナプスの活動によって活性制御されるプロテインキナーゼによってリン酸化され, 活性化する可能性を示唆している. hnRNP と SR タンパク質がリン酸化やその他の翻訳後修飾によってさまざまに修飾されることを考えると, スプライシング因子の翻訳後修飾による選択的 RNA スプライシングの複雑な制御が, 神経細胞の機能調節に重要な役割を果たしているものと思われる.

スプライシングエンハンサーとサイレンサーによる RNA スプライシングの調節がショウジョウバエの性分化を制御する

ショウジョウバエの性分化の研究は, mRNA 前駆体の選択的スプライシング制御の, 最も古くから知られ, 理解も進んでいる例である. ショウジョウバエの正常な性分化に必要な遺伝子は, その過程に欠損をもつ変異体を分離することにより, はじめて性状が明らかになった. 野生型遺伝子にコードされるタンパク質の生化学的性質を調べたところ, そのなかの二つがショウジョウバエ胚において選択的 RNA スプライシングのカスケードを制御する

ことがわかった. その後の研究によって, これらのタンパク質がどのように RNA プロセシングを調節し, 反対の性の性徴が現れるのを抑制する性特異的な二つの転写リプレッサーのどちらだけを最終的に発現するかが理解された.

sex-lethal 遺伝子にコードされる Sxl タンパク質は, このカスケードで作用する最初のタンパク質であり (図 9・18), 雌胚だけに存在する. *Sxl* 遺伝子は発生初期に, 雌の初期胚だけで機能するプロモーターから転写される. 発生後期になると, この雌特異的プロモーターは働かなくなり, *sex-lethal* のもう一つのプロモーターが雄と雌の両方の胚で活性化する. しかし, 雄胚では Sxl タンパク質が初期につくられないので, *sex-lethal* mRNA 前駆体は, 配列のはじまりのほうに終止コドンを含む mRNA を生じるようにスプライシングされる (図 9・18a, 青の影). 結果として, 雄胚では発生の初期でも後期でも, 機能をもつ Sxl タンパク質はつくられない.

これに対し, 雌の初期胚で発現した Sxl タンパク質は, 機能をもつ *sex-lethal* mRNA がつくられるように, *sex-lethal* mRNA 前駆体のスプライシングを指令する (図 9・18a). Sxl タンパク質は, mRNA 前駆体中のエクソン 2 とエクソン 3 の間にあるイントロンの 3′ 末端近傍の配列に結合し, これによって U2AF と U2 snRNP が分枝部位の A と 3′-AG に結合できなくなる (図 9・16). その結果, エクソン 2 の 3′ 末端に結合した U1 snRNP は, エクソン 3 とエクソン 4 の間にあるイントロンの 3′ 末端の分枝部位に結合した U2 snRNP とともにスプライソソームを形成し, エクソン 3 をスキップして, エクソン 2 とエクソン 4 をつなぎ合わせる (図 9・18a). *sex-lethal* mRNA 前駆体中の Sxl タンパク質結合部位は, **イントロンスプライシングサイレンサー** (intronic splicing silencer) とよばれる. これは, 配列がイントロン内にあり, スプライス部位の利用を阻害する, つまり"サイレンシング"するからである. こうして生成する雌特異的な *sex-lethal* mRNA 前駆体は, 機能をもつ Sxl タンパク質に翻訳され, それがエクソン 3 のスキップを継続させることにより, 雌胚における Sxl 自身の発現を強める. 一方, 雄胚には Sxl タンパク質がなく, 転写産物にはエクソン 3 が含まれる. エクソン 3 には終止コドンが含まれ, 機能をもつ Sxl タンパク質は翻訳されない.

Sxl タンパク質は, 調節カスケードの第二の遺伝子である *transformer* 遺伝子 (*tra*) mRNA 前駆体の選択的 RNA スプライシングも調節する (図 9・18b). 雄胚では Sxl タンパク質は発現しないため, *tra* のエクソン 1 がエクソン 2 へとつながる. 雄細胞での Sxl タンパク質の阻害 (図 9・18a) とよく似ていて, エクソン 2 は, 機能のある Transformer タンパク質の翻訳を妨げる終止コドンをもっている. しかし, 雌胚では Sxl タンパク質がエクソン 1 と 2 の間にあるイントロンの 3′ 末端にあるイントロンスプライシングサイレンサーに結合するため, U2AF の結合が阻害される. Sxl タンパク質と *transformer* mRNA 前駆体の相互作用には, Sxl タンパク質に含まれる二つの RRM ドメインが関係する (図 9・6b). Sxl がイントロンスプライシングサイレンサーに結合すると, U2AF は mRNA 前駆体のさらに 3′ 末端側にある低親和性部位に結合する. その結果, エクソン 1 がこの低親和性部位近くにあるもう一つの 3′ スプライス部位につながれ, 終止コドンを含むエクソン 2 はスキップされる. こうしてできた雌特異的な *transformer* mRNA には, 構成的にスプライシングされるエクソ

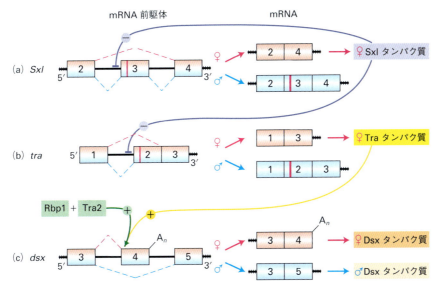

図 9・18　スプライシング調節カスケードがショウジョウバエ胚で性決定を制御する．図をわかりやすくするために，スプライシングの調節が行われるエクソン（四角の枠）とイントロン（黒の横線）だけを示した．雌でのスプライシングは mRNA 前駆体の上に赤の破線で，雄でのスプライシングは mRNA 前駆体の下に青の破線で示した．エクソン内に示した赤の縦線は，読み枠が一致した終止コドンであり，機能をもつタンパク質の合成を妨げる．雌の胚だけが機能をもつ Sxl タンパク質をつくり，Sxl mRNA 前駆体のエクソン 2 と 3 の間(a)と，tra mRNA 前駆体のエクソン 1 と 2 の間(b)のスプライシングを抑制する．(c) 一方，Tra タンパク質と二つの SR タンパク質（Rbp1 と Tra2）との協同的結合によって，雌胚での dsx mRNA 前駆体のエクソン 3 と 4 の間のスプライシングと，エクソン 4 の 3′ 末端における切断/ポリアデニル酸付加(A_n)が活性化される．機能をもつ Tra がない雄胚では，SR タンパク質がエクソン 4 に結合しないため，エクソン 3 はエクソン 5 へとスプライシングされる．このようなスプライシングを調節するカスケードの結果として，雌と雄の胚では異なる Dsx タンパク質がつくられ，反対の性への分化に必要な遺伝子の転写を抑制する．［M. J. Moore et al., 1993, in R. Gesteland and J. Atkins, eds., *The RNA World*, Cold Spring Harbor Press, p. 303 参照．］

ン 3 より下流のエクソンも含まれており，翻訳されて機能をもつ Transformer（Tra）タンパク質ができる．

　調節カスケードの最終段階では，Tra タンパク質が，*double-sex* 遺伝子（*dsx*）から転写される mRNA 前駆体の選択的スプライシングを調節する（図 9・18c）．雌胚では，恒常的に発現している二つのタンパク質（Rbp1 および Tra2）と Tra タンパク質からなる複合体が，エクソン 3 からエクソン 4 へのスプライシングを方向づけ，同時にエクソン 4 の 3′ 末端にある選択的ポリ(A)部位での切断/ポリアデニル酸付加を促進する．その結果，雌特異的な短い Dsx タンパク質ができる．雄胚では Tra タンパク質はつくられないので，エクソン 4 はスキップされて，エクソン 3 はエクソン 5 へとスプライシングされる．エクソン 5 は構成的にエクソン 6 にスプライシングされ，エクソン 6 の 3′ 末端はポリアデニル酸が付加され，雄特異的な長い Dsx タンパク質ができる．エクソン 4 にある Tra タンパク質結合 RNA 配列は，近傍のスプライス部位でのスプライシングを促進するので，エクソンスプライシングエンハンサーとよばれる．

　図 9・18 に示したようはカスケードで RNA プロセシングが制御されると，雄胚と雌胚とでは異なる Dsx タンパク質が発現する．雄の Dsx タンパク質は，雌の発生に必要な遺伝子の発現を阻害する転写リプレッサーである．逆に，雌の Dsx タンパク質は，雄の発生に必要な遺伝子の転写を抑制する．野生型のショウジョウバエにおいて，Sxl タンパク質は雄胚の細胞では発現していないが，雌胚では発現している．これは "オン/オフスイッチ" 制御の例である．雌初期胚で最初に Sxl タンパク質が発現することにより，自身の発現が正に制御されるのである．その他の例として，

神経細胞でも選択的 RNA スプライシングのスイッチ制御をしている核内 RNA 結合タンパク質が同定され，**マスタースプライシング因子**（master splicing factor）とよばれている．

　図 9・19 には，Tra/Tra2/Rbp1 複合体が，どのように *double-sex*（*dsx*）mRNA 前駆体と相互作用すると考えられているかを示した．Rbp1 と Tra2 は SR タンパク質であるが，Tra タンパク質がないときにはエクソン 4 と相互作用しない．Tra タンパク質が Rbp1

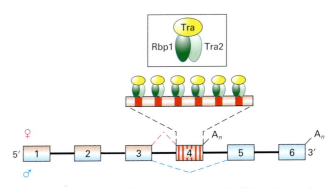

図 9・19　**Tra タンパク質，および SR タンパク質である Rbp1 と Tra2 によるスプライシング活性化のモデル**．ショウジョウバエの雌胚では，エクソン 4 にある六つのエクソンスプライシングエンハンサー部位に Tra-Tra2-Rbp1 複合体が結合することによって，*dsx* mRNA 前駆体のエクソン 3 から 4 へのスプライシングが活性化する．Tra がない場合，Rbp1 と Tra2 は mRNA 前駆体に結合できないので，雄胚ではエクソン 4 がスキップされる．詳細は本文参照．A_n は 3′ ポリアデニル酸付加を示す．［T. Maniatis and B. Tasic, 2002, *Nature* **418**: 236 参照．］

およびTra2と相互作用すると，これら三つのタンパク質がすべて，エクソン4にある6個のエクソンスプライシングエンハンサーに協同的に結合する．結合したTra2およびRbp1タンパク質は，エクソン3と4の間にあるイントロンの3′末端へのU2AFとU2 snRNPの結合を促進する（図9・18）．Tra-Tra2-Rbp1複合体はまた，エクソン4の3′末端への切断/ポリアデニル酸付加複合体（図9・15）の結合を促進している可能性がある．

スプライシングのリプレッサーとアクチベーターが選択的スプライス部位での調節を行う

図9・18からわかるように，ショウジョウバエのSxlタンパク質とTraタンパク質は，スプライシングに関して逆の効果がある．すなわち，Sxlはスプライシングを抑えてエクソンをスキップさせるのに対し，Traはスプライシングを促進する．ヒトフィブロネクチンのアイソフォームの細胞種特異的な発現も，同様のタンパク質の作用で説明できる可能性がある．たとえば，肝細胞で発現するSxl様のスプライシングリプレッサーが，フィブロネクチンmRNA前駆体のEIIIAエクソンとEIIIBエクソンのスプライス部位に結合し，RNAスプライシングの際にそれらをスキップさせているかもしれない（図5・28参照）．あるいは，繊維芽細胞で発現するTra様のスプライシングアクチベーターが，フィブロネクチンをEIIIAエクソンとEIIIBエクソンにあるスプライス部位を活性化し，これらのエクソンを成熟mRNAに取込ませているかもしれない．あるエクソンが細胞種によってmRNAに含まれたりスキップされたりするのは，複数のスプライシングリプレッサーとスプライシングエンハンサーの影響が組合わされるためであることが，いくつかの実験系で明らかにされている．リプレッサーのRNA結合部位がエクソン中に存在することがあり，**エクソンスプライシングサイレンサー**（exonic splicing silencer）とよばれる．また，スプライシングアクチベーター（通常はSRタンパク質）の結合部位がイントロン中に存在することもあり，**イントロンスプライシングエンハンサー**（intronic splicing enhancer）とよばれる．

ショウジョウバエの視神経細胞における Dscam アイソフォームの発現

ショウジョウバエ Dscam 遺伝子の発現は，これまでに発見された選択的RNAスプライシングの制御のなかで最も極端な例である．この遺伝子が変異すると，ショウジョウバエの発生で，軸索と樹状突起間の正常なシナプスの接続が損なわれる．Dscam 遺伝子の解析から，この遺伝子には選択的スプライシングされる95個のエクソンがあり，それらからなんと38,016のアイソフォームができる可能性があることが示されている（図9・20）．Ig2ドメインをコードする12個のエクソンのうち，どれか一つがおのおのの Dscam mRNAに含まれている．また，Ig3ドメインをコードするエクソンは48個，Ig7ドメインをコードするエクソンは33個，Dscamの膜貫通ドメインをコードするエクソンは2個あり，そこから一つずつ選ばれて，個々の Dscam mRNAに取込まれている．すべての Dscam mRNAで構成的にスプライシングされるエクソンは図の上方に黒線で示した．結果として，Dscam のmRNA前駆体は12×48×33×2 = 38,016もの可能なアイソフォームのどれかにプロセシングされる．一方，発現できるアイソフォームが約22,000にまで減ったショウジョウバエ変異体では，神経間の接

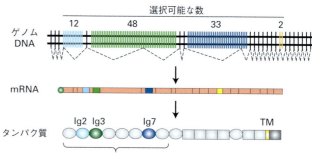

図9・20 ショウジョウバエの **Dscam** 遺伝子から膨大な数の選択的アイソフォームができる．Dscam 遺伝子は神経細胞の細胞表面タンパク質をコードしている．このタンパク質（下）は，10個の免疫グロブリン（Ig）ドメイン（楕円）と6個のIII型フィブロネクチンドメイン（四角），さらに膜貫通ドメイン（黄）とC末端側の細胞質ドメイン（濃灰）から構成される．プロセシングが完了したおのおののmRNAには，選択的RNAスプライシングにより，Ig2ドメインをコードする12個の選択可能なエクソン（淡青）のうちの一つ，Ig3ドメインをコードする48個のエクソン（緑）のうちの一つ，Ig7ドメインをコードする33個のエクソン（濃青）のうちの一つ，膜貫通ドメインをコードする2個のエクソン（黄）のうちの一つが含まれる．黒で示したエクソンは恒常的に各mRNAにスプライシングされるので，選択的スプライシングにより生成可能なアイソフォームの数は，12×48×33×2 = 38,016通りである．[M. R. Sawaya et al., 2008, *Cell* **134**: 1007 参照.]

続に特定の欠損がみられることがわかった．この結果は，RNAスプライシング制御によって可能な Dscam アイソフォームのほとんどを発現することにより，ショウジョウバエの脳に含まれる神経細胞間の，何千万もの異なる特異的なシナプス接続が特定されていることを示している．つまり，脳での神経の正確な配線にはRNAスプライシング制御が必要なのである．

RNAスプライシングの異常と疾病

ヒトの病気の多くが，RNAスプライシング異常によるものである．ここでは，エクソンの決定に影響する変異と，マイクロエクソンのスプライシング欠損の例をみていく．

エクソンの決定に影響する変異は病気の原因になる　ヒトの遺伝病の原因となる一塩基変異の約15%では，エクソンの決定に異常がある．一塩基変異の一部は5′または3′スプライス部位に起こっており，その部位近傍の正常な遺伝子配列に含まれる潜在的なスプライス部位が代わりに使われるようになっている．通常用いるスプライス部位がなくなると，エクソン横断的認識複合体（図9・16）はこうした代替部位を認識するが，スプライス部位共通配列への一致度は，変異が入ったスプライス部位のもともとの配列よりも一般的に低めである．スプライシング異常をひき起こす別の種類の突然変異では，正常なスプライス部位に代わって認識される5′あるいは3′スプライス部位の共通配列が，新たにmRNA前駆体に生じている．このような変異は一般的に，機能のあるタンパク質をコードできない異常なmRNAへのプロセシングにつながる．さらに，特異的なSRタンパク質がmRNA前駆体に結合できなくなるような変異もあるが，この場合，変異エクソンでのエクソン横断的認識複合体の形成が阻害されて，エクソンスキッピングが起こる．

エクソン決定の分子機構が理解されたことは，デュシェンヌ型筋ジストロフィー（DMD）の治療戦略の開発につながった．X染色体にコードされた伴性DMD遺伝子の変異は，およそ5000人の男性に1人の頻度でみられる筋ジストロフィーの原因であり，これは最も頻度の高いヒト遺伝病の一つである．DMD遺伝子は，筋肉の細胞膜とアクチン細胞骨格の連結に関与するジストロフィンというタンパク質をコードしている（図20・41参照）．ジストロフィンが欠損すると，この連結部が弱くなり，アクチン繊維の動きによって筋収縮する際に細胞膜が損傷され，変異筋細胞のアポトーシスにつながる．多くの患者では，進化の過程でエクソン重複して生成したDMDエクソン（同様の例として，図5・28のフィブロネクチン遺伝子の褐色のエクソン）内に変異があり，フレームシフトが起こったり終止コドンができたりする．変異のあるエクソンの5′スプライス部位とハイブリッド形成する合成オリゴヌクレオチドは，U1 snRNPの5′スプライス部位への結合を妨げ，変異エクソンをスキップさせ，前のエクソンと変異エクソンの次のエクソンをフレームシフトしない形でスプライシングさせる．こうして生成したmRNAは翻訳を終結させるような変異がなくなる．反復するタンパク質ドメインのうち1コピーはなくなるが，タンパク質の機能は野生型タンパク質とほとんど変わらない．より優れた膜透過性をもつ合成オリゴヌクレオチド誘導体や送達方法の開発は，エクソン重複により生成した反復エクソン内の変異によるDMDの治療に向けて，非常に盛んな研究分野になっている．

脊髄筋萎縮症（spinal muscular atrophy）は，幼児期の遺伝的な死亡原因としては最も多いものの一つである．この疾病は，ヒトの進化過程で遺伝子重複により生じた*SMN1*，*SMN2*という二つの近縁遺伝子を含むゲノム領域に生じた変異が原因である．*SMN2*は*SMN1*と同じタンパク質をコードしている．しかし，重複した*SMN2*遺伝子のエクソンスプライシングエンハンサーは変異しているので，正確にスプライシングされた*SMN2* mRNAは*SMN1* mRNAよりもずっと低い発現量にしかならない．この変異により，コードされたアミノ酸配列が変化しない同義コドンが生成するが，*SMN2* mRNA前駆体のこの領域へのSRタンパク質の結合は阻害される．その結果，ほとんどの*SMN2*遺伝子の一次転写産物のプロセシングにおいてエクソンがスキップされてしまう．変異のあるエクソンでは，エクソン横断的認識複合体（図9・16）が会合できず，*SMN2* mRNA前駆体において，このエクソンの5′および3′スプライス部位へのU1 snRNPやU2 snRNPの結合が促進されないからである．しかし，ほとんどのSmnタンパク質は*SMN1*遺伝子から発現するので，通常は問題にならない．

マウスでの遺伝学的解析により，Smnタンパク質が多少は発現していることが哺乳類の胚発生に必要であることが示されている．マウスでは*Smn*遺伝子が一つしかなく，父親由来と母親由来の両方のコピーに不活性化変異があると胎生初期に死んでしまうが，機能する*Smn*遺伝子のコピーを一つもっているヘテロ接合性変異であれば，正常に発生する．機能する遺伝子の一つのコピーから生成する低発現量のSmnタンパク質であっても生存には十分だからである．いいかえると，マウス*Smn*遺伝子の不活性化変異は，大多数のタンパク質をコードする遺伝子のように，潜性である．

ヒトの病気としての脊髄筋萎縮症は，ほとんどのSmnタンパク質を発現する*SMN1*遺伝子について，患者が母親由来と父親由来の両方の対立遺伝子で不活性化変異を受け継いだ結果として起こる．これらの患者では，正確にスプライシングされた少量の*SMN2* mRNAから翻訳される低い発現量のSmnタンパク質でも，胚形成と胎児の発生中の細胞の生存維持に十分である．しかし，小児期における脊髄の運動ニューロンの生存維持には十分でなく，患者は死亡したり，関連疾患を発症する．

マイクロエクソンと自閉スペクトラム症　脊椎動物の細胞では，mRNA前駆体の選択的スプライシングにいくつかの種類がある（図9・21a）．中枢神経系（central nervous system: CNS）で選択的スプライシングされるエクソンの中で最も一般的で進化的にもよく保存されたものは**マイクロエクソン**（microexon）とよばれている．非常に短いことが名称の理由で，通常は3～27塩基の3の倍数の長さになっている．このため，より長い典型的な上流と下流のエクソン（ヒトでは平均約150塩基）とコドンの読み枠が維持される．マイクロエクソンの発見は驚きであった．ここまで短いと，それまで理解されてきた標準的なエクソン横断的認識複合体が相互作用して，エクソンを決定することができないと予想されたからである（図9・16）．マイクロエクソンにコードされた短いアミノ酸配列（1～9アミノ酸残基）は通常，タンパク質分子の表面に露出してタンパク質間相互作用に関与しており，シナプスの生物学において重要な機能を担う遺伝子に有意に多くみられる（図9・21b）．ここで特に重要な点は，自閉スペクトラム症（autism spectrum disorder: ASD）の患者の約1/3では，CNSにおけるマイクロエクソンのスプライシングが異常に低いということである．

マイクロエクソンのスプライシング欠損機構についての研究が進むと，神経細胞特異的なSRタンパク質であるSRRM4が注目されるようになった．マイクロエクソンの取込みが異常に低いASD患者（全体の約1/3）では，健常者と比べてヒト*SRRM4* mRNAの発現が低下していた．さらに，これらの患者では，スキップされたマイクロエクソンの数が，SRRM4発現低下の程度と相関していた．ある種のASDにおけるSRRM4の重要性は，マウスを用いた遺伝学的実験によってさらに確かなものになった．*Srrm4*遺伝子のホモ接合性ノックアウトマウスは，ほとんどの場合，生後まもなく死んでしまう．この原因は，横隔膜の神経支配の異常に関連した呼吸障害や他の神経学的異常である．ヘテロ接合性の*Srrm4* +/−マウスは生存できるが，同腹の*Srrm4* +/+の仔と比べ，*Srrm4* mRNAの発現量が半分ほどになる．すると，CNSにおけるマイクロエクソンの取込みが有意に低下し，社会的行動の変化やシナプス密度の変化，シグナル伝達の変化を含む多数の自閉症様の特徴が現れる．これらの結果は，自閉症症例のかなりの割合がヒト*SRRM4*の制御不全と因果関係があることの証拠になっている．

マウスのSrrm4タンパク質はマイクロエクソン上流にみられるRNA配列に結合し，マイクロエクソンの取込みを促進することが見いだされている．この場所から，Srrm4はマイクロエクソンの5′スプライス部位へのU1 snRNPの結合を促進することができる．これはエクソン3′末端のエクソンスプライシングエンハンサーに結合したSRタンパク質が，典型的な長さのエクソンで5′

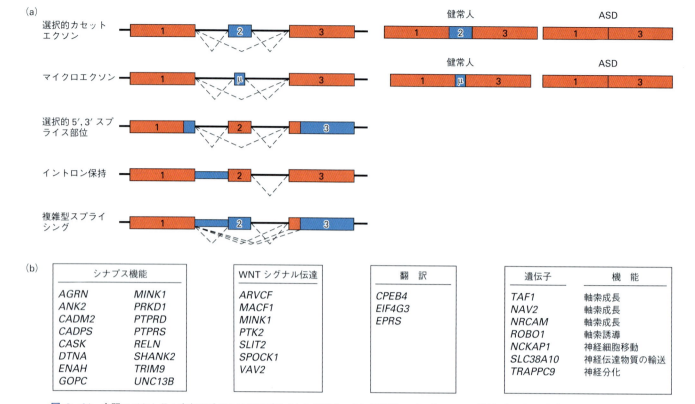

図 9・21　自閉スペクトラム症(ASD)におけるスプライシング変化．(a) 選択的スプライシングの種類．細い黒の破線は，示したスプライス部位間のスプライシングである．RNA シークエンス解析(RNA-Seq)により，正常なヒト中枢神経系では，カセットエクソンやマイクロエクソン(3～27 ヌクレオチド)が，選択的スプライシングの様式として非常に一般的であることが示された．5′,3′ スプライス部位の変化やイントロンの保持，あるいはこれらが組合わさった複雑型のスプライシングはあまり起こらない．ASD 患者の 1/3 では，健常人と比べて，カセットエクソンやマイクロエクソンのスキップが多く起こっている．選択的 5′,3′ スプライス部位のスプライシング頻度の異常は ASD 患者では，ほとんどみられない．複雑型スプライシングも起こるには起こるが，ASD 患者で有意に変化したかどうかわからない程度の発生率である．(b) ASD 患者でマイクロエクソンが異常に取込まれた遺伝子を，ASD の発症機構における重要性(左三つのボックス)や神経生物学における機能(右端のボックス)によってリストにした．[M. Quesnel-Vallières et al., 2019, *Nat. Rev. Genet.* **20**: 51 による．]

スプライス部位への U1 snRNP の結合を促進するのとほぼ同じである (図 9・16)．U1 snRNP がマイクロエクソンの 5′ スプライス部位にいったん結合すると，mRNA 前駆体の次の 3′ スプライス部位上流の分枝部位に結合した U2 snRNP と相互作用し，マイクロエクソンを下流のエクソンに連結するスプライシング反応に関与することができるようになる．

骨髄異形成症候群 (myelodysplastic syndrome: MDS) は，異形成の (異常な) 骨髄球 (貪食性の白血球) が無秩序に産生される特徴をもつ一群の血液細胞の病気である．MDS 患者は高率で急性骨髄性白血病 (acute myeloid leukemia: AML) に進展し，対策をとらなければ死に至る．注目すべきことに，MDS 患者のすべてのエクソンの配列を解析したところ (エクソーム解析 exome sequencing)，患者の約 60～70% で，少数の特定の RNA スプライシング因子をコードする遺伝子が変異していることが明らかになった．これらの変異の大部分はスプライシング因子 U2AF35, SRSF2, ZRSR2, あるいは SF3B1 にみられる (図 9・22)．U2AF35 はヘテロ二量体スプライシング因子 U2AF の小サブユニットで，U2 snRNP がイントロン 3′ 末端近傍の分枝部位 A 残基と結合するのに必要である (図 9・13)．SRSF2 と ZRSR2 は多くの遺伝子でエクソンスプライシングエンハンサーと結合する SR タンパク質である．SF3B1 は U2 snRNP のタンパク質成分である．他のスプライシング因子(U2AF65, SF1, SF3A1, および PRPF40B)の特定の変異も MDS 患者にみられるが，頻度は低い．U2AF65 は U2AF の大サブユニットであり，3′ スプライス部位のすぐ上流のポリピリミジントラクトと結合する．SF1 は U2AF とともに，U2 snRNP が分枝部位 A に結合するために必要である．SF3A1 は U2 snRNP のもう一つのタンパク質成分である．PRPF40B は必須のスプライシング因子であるが，その正確な機能はまだわかっていない．

どんな MDS 患者由来の異常骨髄球細胞であっても，これらのスプライシング因子遺伝子の変異のうちの一つだけが観察される．また，MDS 細胞は常に変異遺伝子の野生型対立遺伝子を保持している．すなわち，骨髄異形成細胞はスプライシング因子の変異について，常にヘテロ接合性である．"何よりも注目すべきことは，同じ特異的な変異が，異なる患者で繰返しみられることである"．たとえば，SRSF2 のすべての MDS 関連変異は Pro95 を他のアミノ酸，His, Leu, Arg のどれかに変換する．ほとんどのイントロンで 3′ 末端の AG 配列と相互作用する U2AF 小サブユニットの MDS 関連変異は，Ser34 を Phe/Tyr，あるいは Gln157 を Arg/Pro に変換する．

6 章で述べた遺伝学的技術により，培養細胞の野生型スプライ

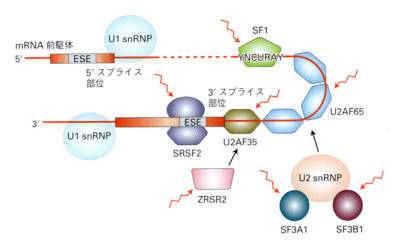

図 9・22 U2 snRNP の分枝部位 A 残基への結合に必要なタンパク質の特定のアミノ酸の変化は, 骨髄異形成症候群やある種の白血病に関係している. 骨髄異形成症候群や関連した疾病におけるスプライソソームの構成成分の変異は, 細胞複製の低下や骨髄球 (貪食性の白血球) の異常な分化の原因となる. RNA スプライシングは U1 snRNP が 5′ スプライス部位に結合することにより開始する. SF1 は分枝部位の配列に結合し, U2 補助因子の大サブユニット (U2AF65) は下流のポリピリミジントラクトに結合する. U2AF の小サブユニット (U2AF35) は 3′ スプライス部位の AG ジヌクレオチド配列に結合する. U2 snRNP が分枝部位 A と結合するためには, 二つのスプライシング因子 SF3A1 と SF3B1 が必要である. U2AF が下流エクソンの 5′ 末端近傍に結合した SR タンパク質と相互作用することも必要である (図 9・16). SRSF2 と ZRSR2 は非常に多くの 3′ スプライス部位でこの役割を果たす SR タンパク質である. 60～70% の骨髄異形成症候群患者の異常な骨髄球では, これらのスプライシング因子のうちの一つで, 特定のアミノ酸の変化 (で示した) が見つかっている. これらの変異により, 多くの mRNA 前駆体で選択的スプライシングされたエクソンやイントロンの異常な取込みが起こる. 変異はホモ接合性になると致死性であるが, ヘテロ接合性細胞で半分のスプライシング因子の特定のアミノ酸に変化があると, 何らかの形で正常な細胞複製と分化を妨げる. ESE: エクソンスプライシングエンハンサー. 本文参照. [K. Yoshida et al., 2011, *Nature* **478**: 64 による.]

シング因子遺伝子を MDS 関連変異に置換することができる. MDS 関連変異がホモ接合になった細胞は死んでしまうので, 野生型スプライシング因子が共発現することが細胞生存に必須であることを示している. これは, ヘテロ接合性の細胞が生存するのに十分な量の正常にスプライシングされた mRNA を生成するためであろう. ヘテロ接合性細胞の RNA スプライシングを解析すると, MDS 患者由来の異常骨髄細胞のように, 広範囲の異常がみられる. MDS 患者から見いだされた非常に特異的な変異は, スプライシング因子の機能を喪失させているというよりも, 機能を変化させているようにみえる. たとえば, SRSF2 を喪失すると, カセットエクソンスプライシング (図 9・21) ができなくなるが, MDS 関連の SRSF2 変異は, スプライシングされるエクソンのエクソンスプライシングエンハンサーモチーフの配列に基づいて, 配列特異的にカセットエクソンスプライシングを変化させる. 対照的に, U2AF1 は 3′ スプライス部位上流のポリピリミジントラクトと相互作用するが, 変異すると, 異常な 3′ スプライス部位を認識してスプライシングを変化させる. SF3B1 の変異は, 潜在的な 3′ スプライス部位の利用を促進する.

これらの mRNA 前駆体スプライシング異常が骨髄異形成細胞の表現型にどのように影響するかはわかっていない. 特に, 異常な表現型が, 1) 少数の異常にスプライシングされた mRNA の発現が, 骨髄系血液細胞の複製と分化を制御する少数のタンパク質の機能に影響したことによるのか, 2) 多数のタンパク質アイソフォームが異常に発現したことの多面的な効果によるのか, わかっていない.

自己スプライシングをするグループ II イントロンから snRNA の進化について手掛かりが得られた

非生理的な in vitro 条件下では, RNA 転写産物の精製標品が, タンパク質が全く存在しなくても, ゆっくりとではあるがスプライシングによってイントロンを切り離すことがある. この観察から, イントロンには**自己スプライシング** (self-splicing) を行う場合があると認識されるようになった. これまでに二つの種類の自己スプライシングイントロンが見つかっている. 一つは原生動物の核の rRNA 遺伝子に存在する**グループ I イントロン** (group I intron) であり, もう一つは植物や真菌類のミトコンドリアと葉緑体にあるタンパク質をコードする遺伝子と, 一部の rRNA 遺伝子と tRNA 遺伝子にみられる**グループ II イントロン** (group II intron) である. 自己スプライシングイントロンの触媒活性の発見によって, RNA の機能についての概念が革命的に変化した. 5 章で述べたように, 現在では RNA はリボソームでのタンパク質合成の際にペプチド結合の形成を触媒することが知られている. ここでは, ミトコンドリアと葉緑体の DNA だけで見つかっているグループ II イントロンが, snRNA の進化において果たしたであろう役割について説明する. グループ I イントロンの機能については, rRNA のプロセシングを説明するあとの節で扱う.

グループ II イントロンの塩基配列自体は高度に保存されていないが, すべて同じように, 多数のステムループを含む進化的に保存された複雑な二次構造へと折りたたまれる (図 9・23a). グループ II イントロンによる自己スプライシングは二つのエステル交換反応を介して起こり, その中間産物や最終産物は核内の mRNA 前駆体のスプライシングで生成するものに似ている. グループ II イントロンの自己スプライシング機構とスプライソソームによるスプライシング機構に類似性があることから, snRNA はグループ II イントロンの二次構造内のステムループに似た機能をもつという仮説が提唱された. この仮説によれば, snRNA は mRNA 前駆体の 5′ および 3′ スプライス部位と相互作用するほか, 互いの相互作用によってグループ II 自己スプライシングイントロンと機能的に

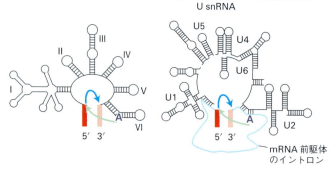

図 9・23 グループ II 自己スプライシングイントロンとスプライソソームの比較. グループ II 自己スプライシングイントロン(a)とスプライソソームに存在する U snRNA(b)の二次構造を比較した模式図. 第一のエステル交換反応を薄緑の矢印で, 第二の反応を青の矢印で示した. 分枝部位の A 残基は太字で表している. 二つの構造が似ていることから, スプライソソームの snRNA はグループ II イントロンから進化したものであり, トランスに作用する snRNA はグループ II イントロンの対応するドメインと機能的に似ていることが示唆される. (a), (b)に示したイントロンの両側の赤とピンクのバーはエクソンを示す. [P. A. Sharp, 1991, Science **254**: 663 参照.]

似た RNA の立体構造をつくる (図 9・23b).

この仮説をさらに拡張すると, 祖先型の mRNA 前駆体のイントロンはグループ II 自己スプライシングイントロンから内部 RNA 構造を失いながら進化し, 同時に失われた部分が, トランスに作用して同じ機能を果たす snRNA へと進化したということになる. この進化モデルを支持する結果が, ドメイン I の一部とドメイン V を欠失させたグループ II イントロン変異体を用いた実験から得られた (図 9・23a). これらの変異型イントロンを含む RNA 転写産物は自己スプライシングを行えないが, 欠失領域に相当する RNA 分子を in vitro の反応で加えると, 自己スプライシングが起こる. この発見から, グループ II イントロン中のこれらのドメインは snRNA と同じようにトランスに作用できることが証明された.

スプライソソームによるスプライシングが, グループ II イントロンから進化したというさらなる証拠が, 最近のグループ II イントロンのクライオ電子顕微鏡による構造解析からも示された. グループ II イントロンのスプライシング中に起こる RNA の相互作用は, スプライソソームの活性部位における RNA の相互作用と非常に似ていたのである (図 9・14b, c). グループ II イントロンは, in vitro では温度と Mg^{2+} 濃度を高くした条件で自己スプライシングを行えるが, in vivo の条件では, グループ II イントロン RNA に結合する**マチュラーゼ**(maturase)とよばれるタンパク質が, 速やかなスプライシングを行うために必要である. マチュラーゼは, イントロン RNA が 2 回のエステル交換反応を触媒するために必要な正確な三次元的相互作用を安定化すると考えられている. 同様に, 触媒活性のあるスプライソソームのクライオ電子顕微鏡像 (図 9・11) に, スプライソソームのタンパク質も, mRNA 前駆体のスプライシングを触媒するために必要な snRNA とイントロンのヌクレオチドの正確な配置を安定化している様子を見ることができる.

snRNA の進化が多細胞真核生物の進化を加速した可能性がある. つまり, イントロンでは自己スプライシングに必要な内部配列が失われるのと引換えに, その機能がトランスに作用する snRNA にとって代わられたため, 残りのイントロン配列は制約を受けずに多様化したのであろう. これによって, 新たなイントロンができるとき, その配列に対する制約がほとんどなくなったため, **エクソンシャッフリング**(exon shuffling)による新しい遺伝子の進化が容易になったと考えられる (図 7・18, 図 7・19 参照). さらに選択的 RNA スプライシングによるタンパク質の多様性の増大が起こり, 選択的 RNA スプライシングの制御というもう一つの遺伝子制御段階を可能にした.

核内エキソヌクレアーゼとエキソソームは mRNA 前駆体からプロセシングによって切り出された RNA を分解する

ヒトゲノムには長いイントロンが含まれているため, 転写の際に Pol II によって重合したヌクレオチドのうち, わずか 5%ほどだけがプロセシングされた成熟 mRNA に残される. この過程は効率が悪いようにみえるが, 長いイントロンをもつ生物ではエクソンシャッフリングの機構によって新しい遺伝子の進化が促進されたため, 多細胞生物ではこのような形に進化したと考えられる (7 章). スプライシングで切り出されたイントロンと, 切断/ポリアデニル酸付加部位の下流の領域は, RNA 鎖の 5′ 末端か 3′ 末端から 1 塩基ずつ加水分解する核内エキソヌクレアーゼによって分解される.

先に述べたように, 切り出されたイントロンの 2′,5′-ホスホジエステル結合 (図 9・13, ILS) は脱分枝酵素によって加水分解され, 末端が保護されていない直鎖状分子になり, エキソヌクレアーゼに攻撃されるようになる.

RNA スプライシングにより RNA 前駆体から切り出された RNA と, 切断/ポリアデニル酸付加の下流で転写された RNA を分解する主要な核内経路は, **エキソソーム**(exosome)とよばれる大きなタンパク質複合体 (図 9・24) による 3′→5′ 加水分解である. エキソソームは **Exo-9** とよばれる九つのよく似たポリペプチドのサブユニットからなるバレル (樽) 状の構造から構成されている (図 9・24, 灰色部分). これらのポリペプチドは細菌の RNA ホスホリラーゼと相同な配列をもっているが, Exo-9 バレルにリボヌクレアーゼ活性はない. むしろ, Exo-9 はチャネル (通路) を形成しており, このチャネルを RNA 基質が 3′ 末端を先にして, この複合体で唯一リボヌクレアーゼ活性をもつ RRP44 というエキソソーム 10 番目のサブユニットに向かって通り抜ける. RNA 消化を行うおもな部位は, チャネル末端にあるエキソヌクレアーゼの活性部位である (図 9・24b, Exo の部分). 活性部位がエキソソーム内にあるので, 外部の RNA は RRP44 エキソヌクレアーゼによる高速の消化から保護されている. 大きなエキソソームの長いチャネルは, 基質 RNA を放出することなく, 強いエキソヌクアーゼ活性によりヌクレオチドを一つずつ外していくのに至適な立体構造に RNA を保持すると考えられている. こうして, RNA 基質が酵素から放出されることなく完全に (テトラヌクレオチドにまで) 消化されるという "プロセッシブな (連続的) 分解" が起こる.

エキソヌクレアーゼ部位に加え, RRP44 は分子表面にエンドヌクレアーゼ部位をもっている. これは, 基質 RNA の構造が非常に安定であるか RNA の 3′ 末端の酸化などの化学的な損傷によって, RRP44 のエキソヌクレアーゼ活性が阻害されたときに利用さ

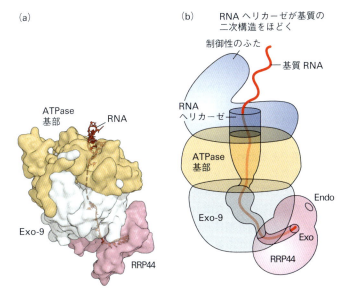

図 9・24 エクソソームの構造．(a) Exo10 とよばれる 420 kDa のエクソソームコア複合体の構造．Exo10 は，九つの近縁のサブユニット（灰色）からなる触媒不活性の Exo9 と，S1 および KH リング（橙）からなる．Exo9 複合体は，エンドヌクレアーゼ部位〔(b) の endo〕とエキソヌクレアーゼ部位〔(b) の exo〕を含む RRP44（ピンク）と会合する．(b) 多サブユニットからなるエクソソームのふた部分の模式図．ここには RNA ヘリカーゼがあり，基質 RNA を 3′ 末端からふた部分（青）にある狭いチャネル（通路）に押込んでいく．このチャネルは Exo10 の内部を通って，RRP44 が連続的に反応を進めるエキソヌクレアーゼ触媒部位までつながっている．[D. Makino et al., 2013, *Nat. Rev. Mol. Cell Biol.* **14**: 655 による．]

れると考えられている．この場合，RRP44 エンドヌクレアーゼ部位は，切断が阻害された基質 RNA がエクソソームのチャネルから出ていくときに，エキソヌクレアーゼによる消化の障害になっている部位の 5′ 側を切断することができる．これにより高速消化に感受性の 3′ 末端が生成し，RNA が完全に消化される．

エキソヌクレアーゼの活性部位は，伸展した RNA 鎖を受入れるのにぴったりの大きさのエクソソームの長いトンネルの出口のところにあるので，この高活性の酵素は他の核内 RNA や細胞質 RNA に作用することはない．むしろ，基質のほうが認識されてエクソソーム上方の孔に入っていかなければならない．その後，ふた部分にある RNA ヘリカーゼが，RNA の 3′ 末端をチャネルに押込んでいき，RRP44 のエキソヌクレアーゼ活性部位に到達する（図 9・24b）．核エクソソームの制御性のふたは **TRAMP 複合体**（TRAMP complex）とよばれ，**Mtr4** という RNA ヘリカーゼを含んでいる．一方，細胞質のエクソソームは Ski2 RNA ヘリカーゼを含む **SKI 複合体**（SKI complex）とよばれる制御性のふたと結合している．エクソソームの基本的なデザインは，真核細胞のタンパク質を分解する主要な多量体タンパク質複合体のプロテアソーム（図 3・32 参照）と似ていることは注目に値する．両方の分解複合体とも，分解はタンパク質のバレル（樽状構造）の中で行われ，細胞の他の潜在的な基質とは反応しないようになっている．速やかに分解すべき基質の選択は制御性のふた部分のタンパク質によって行われ，これが基質ポリマーの片方の端と結合し，ATP 加水分解エネルギーを用い，分解酵素に高感受性の伸展したポリマーとして消化を行う腔の中に押込んでいくのである．

イントロンを分解することに加え，核エクソソームは適切にスプライシングされなかったり，ポリアデニル酸付加されなかった mRNA 前駆体を分解し，品質管理を行っていると思われる．エクソソームが不適切にプロセシングされた mRNA 前駆体をどのように認識しているかはわかっていない．しかし，ポリ(A) ポリメラーゼ（図 9・15）の温度感受性変異体をもつ酵母細胞では，mRNA 前駆体は非許容温度においても核内の転写された場所にとどまる．これらの異常なプロセシングを受けた mRNA 前駆体は，EXOSC10 サブユニット（核内エクソソームに含まれるが細胞質エクソソームには含まれないないサブユニット，ヒトでは 100 kDa）に第二の変異が入った細胞では転写された場所から放出される．また，エクソソームはショウジョウバエの多糸染色体では，Pol II 伸長因子と結合した形で転写部位に濃縮していることが見いだされている．これらの結果から，エクソソームは異常にプロセシングされた mRNA 前駆体を認識し，細胞質への輸送を阻害し，最終的に分解する品質管理機構に関与していることが示唆される．この品質管理機構についてはまだ理解が進んでいない．

核内に存在する新生転写産物，mRNA 前駆体のプロセシング中間体，および成熟 mRNA は，核内エキソヌクレアーゼによって分解されるのを防ぐために分子の両末端を保護しておかなければならない．すでに述べたように，新生転写産物の 5′ 末端は，ポリメラーゼ分子から外へ出てくるとただちに 5′ キャップ構造が付加することによって保護される．5′ キャップが保護されるのは，核内で**キャップ結合複合体**（cap-binding complex: CBC）と結合するからである．この複合体は，5′ 末端を 5′ エキソヌクレアーゼから保護するとともに，mRNA を細胞質へ輸送する際にも機能する．新生転写産物の 3′ 末端は RNA ポリメラーゼの内部にあるので，エキソヌクレアーゼが接近することはできない（図 8・9b 参照）．前に述べたように，ポリ(A) シグナルの下流で mRNA 前駆体が切断されてできた 3′ 遊離末端は，ただちに 900 kDa の切断/ポリアデニル酸付加複合体中のポリ(A) ポリメラーゼによりポリアデニル酸付加され，その結果できたポリ(A) 尾部は PABPN1 と結合する（図 9・15）．切断とポリアデニル酸付加の緊密な連携により，3′ 末端をエキソヌクレアーゼの攻撃から保護しているのである．

多細胞動物ゲノムの“全領域にわたる転写”という問題は，RNA プロセシングによって対処される

8 章で述べたように，多細胞動物においてゲノム上で転写中の Pol II の位置を解析した結果から，Pol II はほとんどのプロモーターからコード領域に向けた下流方向と，コード領域から離れる上流方向の両方に，ほぼ同じ頻度で転写するという驚くべき事実がわかった．この発見は，哺乳類細胞から単離した低分子 RNA を高重複度で配列決定した結果からも裏づけられた．CpG アイランドプロモーター（哺乳類プロモーターの約 70% を占める）では，センス鎖とアンチセンス鎖の両方からキャップをもつ短鎖 RNA が少量転写されていることがわかったのである．さらに，細胞の全 RNA を高重複度で配列決定した結果でも，ほぼ全ゲノム領域の両方の鎖が転写されていることが支持された．もちろん，こうしてできた RNA の大半は，1 細胞当たり 1 分子にもみたないような極端に低い濃度でしか存在しない．この発見から，細胞はこうしたゲノムの**全領域にわたる転写**（pervasive transcription）にど

ように対処しているのかという新たな問題が提起された.

これらの存在量が少ない短鎖RNAの配列を決定した結果は,おそらくRNAプロセシングと異常にプロセシングされたRNAに対する核内監視機構によって,これらのRNAは高濃度で存在しないようになっていることを示している.いくつかの種類の細胞から得たRNAを配列決定したところ,アンチセンスRNAはセンス方向に遺伝子のコード領域に転写された産物より高い頻度でAAUAAAのポリアデニル酸付加配列をもっていることが示された.これはおそらく,哺乳類DNAはAT組成が高いので(ヒトでは約60%),アンチセンス転写物ではたまにAAUAAAが転写されるのであろう(AT組成が平均60%のとき,すべての6塩基配列の約 $0.6^6 = 4.7\%$).しかし,タンパク質をコードする遺伝子は,一つか少数のポリ(A)部位だけをもつように進化してきたので,AAUAAAはずっと低頻度にしか出現しない.結果として,アンチセンス転写産物にポリ(A)部位が多いので,ほとんどのアンチセンス転写産物は転写開始点から2〜3 kb以内の場所で切断/ポリアデニル酸付加因子により切断され,転写が終結する.切断されたアンチセンス転写産物の大部分は核内エクソソームによって分解される.その証拠は,エクソソームのサブユニットの温度感受性変異体を非許容温度で培養すると,プロモーター近傍の短いアンチセンスRNAが急速に増加するという実験からも得られている.結果として,多くのPol II分子は"誤った"方向に転写するが,つくられた転写産物のほとんどは2〜3 kbの長さになる前に分解されるのである.

RNA編集によってmRNA前駆体の配列が変わる場合がある

1980年代の中ごろ,さまざまな生物を用いて多数のcDNAクローンの配列とそれに対応するゲノムDNAが配列決定されたことによって,考えもしなかった種類のmRNA前駆体のプロセシングが発見された.**RNA編集**(RNA editing)とよばれるこの種類のプロセシングでは,mRNA前駆体の塩基配列そのものが変化する.その結果,成熟したmRNAの配列は,ゲノムDNAのエクソンがコードする配列とは異なったものになる.

RNA編集は原生動物や植物のミトコンドリアと葉緑体では広くみられる.ある種の病原性トリパノソーマのミトコンドリアでは,mRNAの配列の半分以上が,対応する一次転写産物の配列から改変されることもある.一定数のUの付加や欠失が,塩基対を形成する短い"ガイド"RNAを鋳型に行われる.ガイドRNAは何千もの小さな環状ミトコンドリアDNAが連結してできた少数の長いミトコンドリアDNAにコードされる.この奇妙な機構が原生動物のミトコンドリアタンパク質をコードするために用いられる理由はわかっていない.しかし,この複雑なプロセシング酵素はヒトや他の脊椎動物の宿主細胞には存在しないが,原生動物では必須であるため,阻害薬は薬になる可能性がある.

多細胞真核生物ではRNA編集はずっとまれで,哺乳類ではこれまでのところ,一塩基置換だけが観察されている.しかし場合によっては,このような微小な編集が,機能のうえでの重大な差異につながる.哺乳類におけるRNA編集の重要な例にアポB遺伝子に関するものがある.この遺伝子は,コレステロールの取込みと輸送に中心的な役割を演じる血清タンパク質の2通りの分子型をコードしており,先進国の主要死亡原因となっている血管疾病の**アテローム性動脈硬化症**(atherosclerosis,あるいは単に動脈硬化症ともいう)に至る病態経過において重要である.このアポB遺伝子から,肝臓の主要細胞種である肝細胞ではアポリポタンパク質B-100(アポB-100)が,腸上皮細胞ではアポB-48が発現する.約240 kDaのアポB-48は,約500 kDaのアポB-100のN末端ドメインに該当する.14章で詳しく述べるように,どちらのアポBタンパク質も,血清中で脂質を輸送する大きなリポタンパク質複合体の構成成分である.しかし,アポB-100を表面に含む低密度リポタンパク質(LDL)だけが,すべての細胞にあるLDL受容体に結合し,コレステロールを全身の組織に輸送している.

アポBの二つの分子形が細胞種特異的に発現するのはアポB mRNA前駆体を編集して,配列中の6666番目のヌクレオチドをCからUに変えるからである.この編集は腸上皮細胞だけで起こり,これによってグルタミンのCAAコドンが終止コドンUAAに変わり,その結果,短いアポB-48タンパク質が合成される(図9・25).転写後に6666番目のCを脱アミノしてUに変換する反応を触媒する酵素を部分精製して調べた結果,この酵素はアポB一次転写産物中の6666番目のC残基周辺のわずか26ヌクレオチ

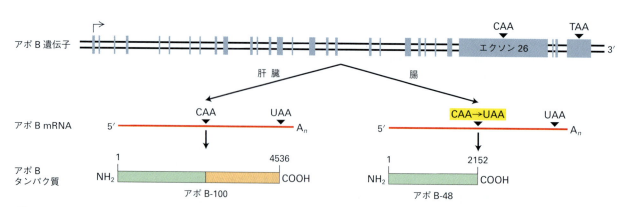

図9・25 アポBmRNA前駆体のRNA編集. 肝臓でつくられるアポBmRNAは一次転写産物のエクソンと同じ配列をもつ.このmRNAは翻訳されて二つの機能ドメインをもつアポB-100になる.一つは脂質と結合するN末端ドメイン(緑),もう一つは細胞膜上のLDL受容体に結合するC末端ドメイン(橙)である.腸でつくられるアポBmRNAでは,エクソン26にあるCAAコドンが編集されてUAA終止コドンになる.その結果,腸の細胞はアポB-100のN末端ドメインに相当するアポB-48を生成する.[P. Hodges and J. Scott, 1992, *Trends Biochem. Sci.* **17**: 77 参照.]

ドの配列を認識してRNAを編集することが示された．しかし，この酵素は他の配列中のCを脱アミノすることはない．

9・2 mRNA前駆体のプロセシングの制御 まとめ

- 一次転写産物の選択的スプライシング，選択的プロモーターの利用，あるいは異なるポリ（A）部位での切断により，細胞種や発生段階に依存して（図9・18），同じ遺伝子から異なるmRNAが発現する．これにより，選択的RNAスプライシングを行わない出芽酵母のような真核細胞と比べて，多細胞動植物のゲノムにコードされるタンパク質の種類は大きく増加している．
- ある種のエクソンに存在するエクソンスプライシングエンハンサー配列に結合するSRタンパク質は，脊椎動物の大きなmRNA前駆体において，これらのエクソンのスプライス部位を決定するために不可欠である．SRタンパク質とsnRNP，スプライシング因子間の相互作用のネットワークは，脊椎動物の小さいエクソン全体にわたってエクソン横断的複合体を形成し，スプライス部位の正確な位置を規定する（図9・16）．
- 選択的スプライシングは，調節されるスプライス部位近くの特定の配列に結合するRNA結合タンパク質によって制御される．スプライシングリプレッサーは，スプライシング因子がmRNA前駆体の特異的部位に結合するのを立体的に妨害するか，その機能を阻害する．スプライシングアクチベーターはスプライシング因子と相互作用して，調節されるスプライス部位への結合を促進することにより，スプライシングを亢進する．スプライシングリプレッサーが結合するRNA配列は，イントロンにあるかエクソンにあるかにより，イントロンスプライシングサイレンサーあるいはエクソンスプライシングサイレンサーとよばれる．スプライシンアクチベーターが結合するRNA配列は，イントロンスプライシングエンハンサーあるいはエクソンスプライシングエンハンサーとよばれる．
- 切り出されたイントロンや切断/ポリアデニル酸付加部位下流のRNAは，3′→5′エキソヌクレアーゼ活性を内部に含む多量体タンパク質複合体のエクソソームでおもに分解される．エクソソームはプロセシングがうまくいかなかったmRNA前駆体も分解する．
- ヒト遺伝病の多くが，異常なスプライシングによるものである．mRNA前駆体で塩基が変化すると5′あるいは3′スプライス部位の共通配列が生成することがあり，機能的なタンパク質をコードしていない異常なmRNAのスプライシングにつながる．エクソンスプライシングエンハンサーの塩基の変化はエクソンがスキップされる原因になる．一部のスプライシング因子で特定のアミノ酸が変化する変異が起こると，急性骨髄性白血病（AML）の前駆病変である骨髄異形成症候群の原因になる．
- 原生動物，植物，真菌類のミトコンドリアと葉緑体のグループⅡ自己スプライシングイントロンは，核内mRNA前駆体の短いスプライス部位の配列にトランスに作用するsnRNAの進化上の前駆体の可能性がある．

- RNA編集では，mRNA前駆体のヌクレオチド配列が核内で変化する．脊椎動物ではこの過程は比較的まれであり，単一塩基のCからUへの変化のみが知られている．しかし，このような変化は，編集されたコドンにコードされていたアミノ酸を変化させることにより，大きな影響を与えることがある（図9・25）．病原性トリパノソーマのミトコンドリアでは，別個に転写されたガイドRNAを使ったRNA編集が起こる．mRNAの種類によっては，全長の半分以上で挿入や塩基置換が起こることが知られている．

9・3 核膜を横断するmRNAの輸送

mRNAは，自身にコードされたタンパク質に翻訳される前に，核から細胞質へと輸送されなくてはならない．核と細胞質を隔てているのは**核膜**（nuclear envelope）であり，これは小胞体（ER）と連続した2枚の膜から構成されている（図1・16参照）．細胞を取囲む細胞膜と同様に，核の内膜と外膜は水を通さないリン脂質二重層と多数の結合タンパク質からできている．核で完全にプロセシングされたmRNAは，**核内mRNP**（nuclear mRNP）とよばれる複合体の中でhnRNPタンパク質と結合している．mRNP，tRNAやリボソームサブユニットなどを含む巨大分子は**核膜孔**（nuclear pore）を通って核膜を横断する．本節では，核膜孔を通るmRNAの核外輸送と，この過程の調節を可能にする機構に焦点を絞って解説する．核膜孔を通るその他の物質の輸送については13章でさらに詳しく述べる．

核膜孔複合体（nuclear pore complex: NPC）は，直径がおよそ30 nmの円柱状の構造体で，核膜に埋め込まれている（図13・32参照）．核膜を横断して約40〜60 kDaを超えるタンパク質やRNPを選択的に輸送するには，水溶性の輸送タンパク質の助けが必要である．これらの核輸送タンパク質は，輸送する物質（積み荷）に結合し，またNPCの壁から中央のチャネルに伸びているランダムコイルのペプチド中の短い疎水性のFGリピート領域とも可逆的に相互作用する．FGドメインとの可逆的な相互作用の結果，輸送タンパク質とそれに安定に結合した積み荷物質の複合体は，FGドメインからFGドメインへと受け渡され，濃度勾配に従って拡散することができる．輸送タンパク質と積み荷物質のタンパク質複合体の濃度は，複合体が形成される核内で高く，複合体が解離する細胞質で低くなっている．

ほとんどの種類のmRNPは**mRNPエクスポーター**（mRNP exporter, mRNP核外輸送体）によってNPCを通って輸送される．mRNPエクスポーターは，**核外輸送因子1**（nuclear export factor 1: NXF1）とよばれる大サブユニットと，**核外輸送トランスポーター1**（nuclear export transporter 1: NXT1）とよばれる小サブユニットからなるヘテロ二量体である．NXF1はmRNP複合体に含まれるRNAとタンパク質の両方に相互作用することによって核内mRNPに結合する．核内mRNPのタンパク質で最も重要なものの一つは**REF**（RNA export factor, RNA核外輸送因子）である．REFはエクソン接合部複合体（前述）の構成分子であり，エクソン-エクソン接合部から約20ヌクレオチド上流（5′側）の部位に結合する．また，NXF1-NXT1 mRNPエクスポーターは，エクソンスプライシングエンハンサーに結合したSRタンパク質と

も会合する．したがって，エクソンに結合した SR タンパク質は，mRNA 前駆体のスプライシングと，プロセシングが完了した mRNA が NPC を通って細胞質へ輸送される両方の過程に機能する．mRNP には多数の NXF1-NXT1 mRNP エクスポーターが RNA 鎖に沿って結合し，FG ヌクレオポリンの FG ドメインと相互作用して，NPC の中央チャネルを通じた mRNP の核外輸送を促進するのであろう．

　繊維状のタンパク質からなるフィラメント（繊維）が，NPC の中央の足場から核質に伸びて，**核バスケット**（nuclear basket）を形成する（図 13・32b 参照）．また，このようなフィラメントは NPC の細胞質側へも伸びている．これらのフィラメントが，mRNP の核外輸送を助ける．Gle2 は，NXF1 と核バスケットにあるタンパク質との両方に可逆的に結合するアダプタータンパク質で，核外輸送に備えて核内 mRNP を核膜孔に運ぶ．NPC の細胞質フィラメントにあるタンパク質は，mRNP が細胞質に到達したときに，NXF1-NXT1 や他の hnRNP タンパク質を mRNP から解離させる RNA ヘリカーゼ（Dbp5）と結合している．

　mRNP リモデリング（mRNP remodeling）とよばれる過程では，mRNP が NPC を通って輸送されるにつれて，核内 mRNP 複合体において mRNA に結合していたタンパク質が別の一群のタンパク質に交換される（図 9・26）．一部の核内 mRNP タンパク質は hnRNPC のように（図 9・5），輸送の初期に複合体から解離して核内にとどまり，新たに合成された新生 mRNA 前駆体に結合する．また，別の核内 mRNP タンパク質は，hnRNPA1 のように（図 9・5），核膜孔を通過するときには mRNP 複合体に結合したまま，複合体が細胞質に達するまで mRNP から解離しない．この種のタンパク質には，NXF1-NXT1 mRNP エクスポーター，5′ キャップに結合したキャップ結合複合体（CBC），そしてポリ（A）尾部に結合した PABPN1 がある．これらのタンパク質は，前に述べたように，細胞質 NPC フィラメントに結合した Dbp5 RNA ヘリカーゼの作用により，NPC の細胞質側で mRNP から解離する．その後，核内輸送によって核へと戻り，次の mRNP の核外輸送に関与できるようになる．細胞質ではキャップに結合する翻訳開始因子である eIF4E が，核内 mRNP の 5′ キャップに結合していた CBC に置き換わる．ヒトでは，核内のポリ（A）結合タンパク質 PABPN1 が，細胞質のポリ（A）結合タンパク質 PABPC1，PABPC2，あるいは PABPC3 に置き換わる．出芽酵母では 1 種類の PABP だけが知られており，核と細胞質の両方に存在する．

SR タンパク質が mRNA の核外輸送を仲介する

　出芽酵母を用いた研究により，mRNA の核から細胞質への輸送方向は，NXF1-NXT1 mRNP エクスポーターの mRNP への結合を補助する REF などの mRNP アダプタータンパク質のリン酸化と脱リン酸化によって調節されることが示されている．たとえば，酵母の SR タンパク質（Npl3）は，酵母の mRNP エクスポーターの結合を促進するアダプタータンパク質として機能する（図 9・27）．Npl3 は最初にリン酸化された形で新生 mRNA 前駆体に結合する．3′ 切断とポリアデニル酸付加が完了すると，Npl3 は，mRNP の核外輸送に必要な特異的核内プロテインホスファターゼによって脱リン酸化される．脱リン酸化された Npl3 だけが mRNP エクスポーターに結合できるため，mRNP の核外輸送と正確なポリアデニル酸付加は共役している．これが mRNA の**品質管理**（quality control）の一つの方法である．つまり，新生 mRNP が正しくプロセシングを受けていない場合には，Npl3 を脱リン酸化するホスファターゼによって認識されない．その結果，その mRNP には mRNP エクスポーターが結合せず，核から細胞質へ輸送されない．その代わり，保護されていない RNA を核と細胞質で分解する多量体タンパク質複合体であるエクソソームによって分解される（図 9・24）．

　細胞質に輸送されたのち，Npl3 タンパク質は，細胞質に局在する特異的なプロテインキナーゼによってリン酸化される．これによって，Npl3 は mRNP エクスポーターとともに mRNP から解離する．このように，アダプターとなる mRNP タンパク質は，RNA プロセシングが完了すると核で脱リン酸化され，また細胞質でリン酸化されて解離することによって，mRNP の核外輸送を駆動する．mRNP エクスポーター-mRNP 複合体は，形成の場である核では濃度が高く，解離する場である細胞質で濃度が低くなる．したがって，mRNP の輸送方向は，輸送可能な mRNP エクスポーター-mRNP 複合体の NPC を隔てた（核で高く，細胞質で低い）濃度勾配に従った単純拡散により決まっている可能性がある．

　バルビアニ環 mRNP の核外輸送　昆虫のユスリカ Chironomus tentans の幼虫の唾液腺は，mRNP の形成と NPC を通過する核外輸送を電子顕微鏡で観察できるよいモデル系である．この幼虫では，バルビアニ環（Balbiani ring）とよばれる大きな染色体パフにある遺伝子が盛んに転写されて新生 mRNA 前駆体をつくる．この mRNA 前駆体は hnRNP タンパク質と複合体を形成してプロセシングされ，最終的に鎖長が約 75 kb の mRNA を含むコイル状

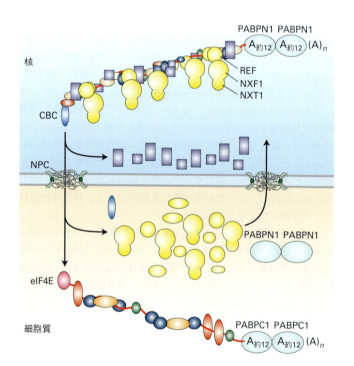

図 9・26　**核外輸送過程での mRNP リモデリング．**一部の mRNP タンパク質（紫四角）は，NPC を通る核外輸送の前に核内 mRNP から解離する．それ以外のタンパク質（黄楕円）は mRNP に結合したまま NPC を通って輸送されるが，細胞質で解離して NPC を通って核内に戻る．細胞質では，翻訳開始因子 eIF4E が 5′ キャップに結合した CBC に置き換わり，PABPC1，2，3 などが PABPN1 に置き換わる．

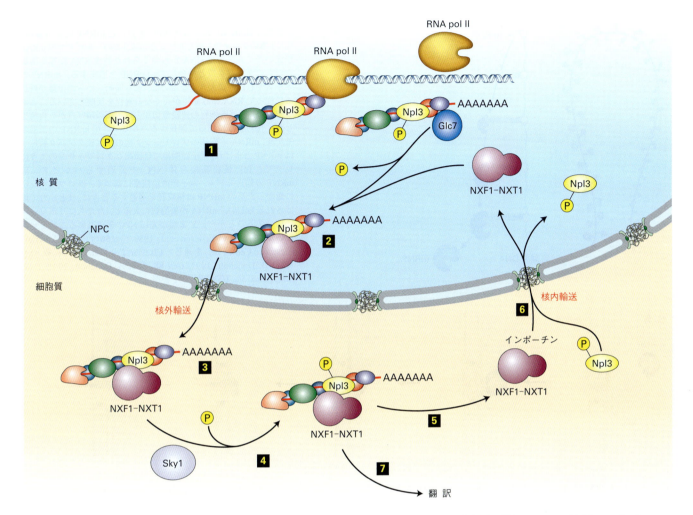

図 9・27 mRNP タンパク質の可逆的なリン酸化が mRNP の核外輸送の方向を調節している. 段階 **1**: 酵母の SR タンパク質 Npl3 は, リン酸化した形で新生 mRNA 前駆体に結合する. 段階 **2**: ポリアデニル酸付加まで順調に進むと, mRNP の核外輸送に必須な核内プロテインホスファターゼ Glc7 が Npl3 を脱リン酸化し, これにより酵母の NXF1-NXT1 mRNP エクスポーターとの結合が促進される. 段階 **3**: NXF1-NXT1 は, 核膜孔複合体(NPC)の中央のチャネルを通じて mRNP 複合体を拡散させる. 段階 **4**: 細胞質プロテインキナーゼ Sky1 が, Npl3 を細胞質でリン酸化する. 段階 **5**: おそらく NPC 細胞質フィラメントに結合した RNA ヘリカーゼの作用によって, NXF1-NXT1 mRNP エクスポーターとリン酸化した Npl3 が mRNP 複合体から解離する. 段階 **6**: NXF1-NXT1 とリン酸化した Npl3 は, NPC を通って輸送されて核内に戻る. 段階 **7**: 輸送された mRNA は, 細胞質で翻訳に用いられる. [E. Izaurralde, 2004, *Nat. Struct. Mol. Biol.* **11**: 210 参照. W. Gilbert and C. Guthrie, 2004, *Mol. Cell* **13**: 201 による.]

の mRNP となる (図 9・28 a, b). この巨大 mRNA には, 発生途中の幼虫を葉に付着させる糊の役目をする大きなタンパク質がコードされている. バルビアニ環の hnRNP 中で mRNA 前駆体がプロセシングされると, 生成した mRNP は, 核膜孔を通って細胞質へ移動する. この細胞の切片を作製して電子顕微鏡で観察すると, 核膜孔を通過するときに mRNP のコイルがほどけ, 細胞質に入るときに mRNP がリボソームに結合する様子がみられた. ここでコイルがほどけるのは前項で述べた mRNP リモデリングの結果であり, 細胞質キナーゼによる mRNP タンパク質のリン酸化と, NPC の細胞質フィラメントに結合した RNA ヘリカーゼの作用によるものである. 輸送中に mRNP がリボソームに結合するようになることが観察されており, 核膜孔複合体を通るときに 5′ 末端が先になっていることを示している. 核膜孔複合体を通るバルビアニ環 mRNP の輸送について電子顕微鏡による詳しい研究から, 図 9・28(c) に示すモデルがつくられた.

スプライソソームに結合した mRNA 前駆体は核外輸送されない

プロセシングが完了した成熟 mRNA だけを核から細胞質に輸送することは非常に重要である. プロセシングが不完全でイントロンを含む mRNA 前駆体が翻訳されると, 正常な細胞機能を妨げる欠陥タンパク質がつくられるかもしれないからである. これを防ぐために, スプライソソーム中の snRNP と結合した mRNA 前駆体は, 通常, 細胞質へは輸送されないようになっている.

このような制限が存在することを示すある実験では, 第二イントロンのみを含むウサギ β グロビン遺伝子改変体から RNA を発現させ, 細胞質と核で RNA を定量した (図 9・2). この修飾 β グロビン遺伝子は細胞質では完全にプロセシングされた mRNA を高発現していたが, 核内のスプライシングされていない hnRNA (おそらく RNA スプライシングされて細胞質輸送される前の最初の転写産物) は低発現にすぎなかった. しかし, グロビンのイントロンの 5′ 末端にある共通配列 GT, あるいはイントロンの 3′

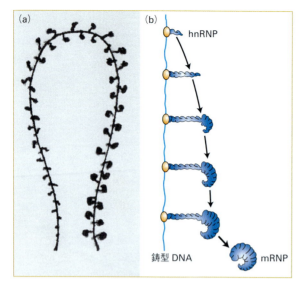

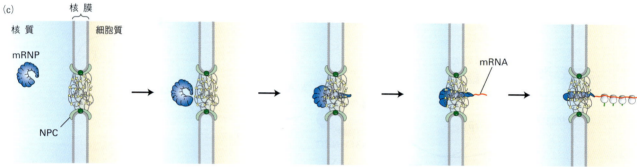

図 9・28 変態中のユスリカ唾液腺におけるヘテロリボ核タンパク質粒子(hnRNP)の形成と NPC を介した mRNP の核外輸送. (a) 1本のクロマチン転写ループとユスリカのバルビアニ環 mRNP 形成のモデル. 鋳型 DNA からつくられた新生 RNA 転写産物はただちにタンパク質と結合して, hnRNP を形成する. hnRNP のサイズがしだいに大きくなるのは, 転写開始点からの距離が離れるに従って RNA 転写産物が長くなる過程を反映している. このモデルは, 唾液腺細胞の連続薄切片の電子顕微鏡写真から再構築した. (b) 転写に伴って伸長するバルビアニ環 hnRNP の形態のモデル. mRNA 前駆体のプロセシング後のリボ核タンパク質粒子は mRNP とよばれ, 電子顕微鏡では微細なクロワッサンのように見える. (c) 核膜孔複合体(NPC)を通過するバルビアニ環 mRNP の輸送モデル. 電子顕微鏡観察に基づく. クロワッサン状に曲がった形の mRNP は核膜孔を通過するときに, ほどかれて伸ばされるらしい. mRNA が細胞質に入ると, ただちにリボソームに結合することから, 5′ 末端が先に NPC を通過することを示している. [(a)は C. Ericson et al., 1989, Cell 56(4): 631, Copyright Clearance Center, Inc. を通じて Elsevier より許可を得て転載. (b), (c)は B. Danehort, 1997, Cell 88: 585; B. Danehort, 2001, Proc. Natl. Acad. Sci. USA 98: 7012 参照.]

末端にある共通配列 AG のどちらかに変異を導入すると, この mRNA 前駆体のプロセシングは阻害され, 核内に保持された. ここで mRNA 前駆体の 5′ と 3′ のスプライス部位の両方に変異を導入すると, 予想どおり, スプライシングは起こらなかったが, スプライシングされていない変異 β グロビン RNA は細胞質へと核外輸送された. さらに研究を続けたところ, 変異していないスプライス部位を一つだけもつ転写産物には snRNP が結合し, スプライソーム集合中間体を形成するが, 第二のスプライス部位がないので, スプライシングを完了できないことがわかった. しかし, 5′ と 3′ のスプライス部位共通配列の両方が変異した遺伝子から発現した RNA は, U1 snRNP や U2 snRNP とのスプライソーム集合中間体には組込まれず, 前述のように, これらの RNA は核外輸送される. 酵母を用いたさらなる研究では, NPC にある核バスケットのタンパク質と結合する核タンパク質が, スプライソーム集合中間体に結合した mRNA 前駆体を核内に保持するために必要であることが示された. このタンパク質, あるいはこのタンパク質が結合する核バスケットのタンパク質をコードする遺伝子が欠失した場合, スプライシングされていない mRNA 前駆体は核外へ輸送される. したがって, スプライソーム集合中間体は, 細胞質への核外輸送が能動的に阻害されているのである. これらの実験で得られたもう一つの重要な観察は, 5′ あるいは 3′ スプライス部位のみが残されている変異 hnRNA は, 核に保持されているが, 高濃度にはならないということである. したがって, スプライシングできない hnRNA を分解するような何らかのしくみが存在していることになる. このような RNA がどのようにして選択され, 分解されるのかを理解することは, 現在の研究のゴールとなっている.

グロビンタンパク質の量が異常に低下する遺伝病であるサラセミアには, グロビン遺伝子のスプライス部位の変異でスプライシングの効率が低下し, 骨髄で分化中の赤血球細胞(赤血球前駆細胞)において変異 mRNA 前駆体が核外輸送されない症例が多くある. スプライシングを受けず核内にとどまったグロビン mRNA 前駆体は, まだ解明されていない何らかの機構で認識され, 核内のエクソソームにより分解される (図 9・24).

HIV の Rev タンパク質はスプライシングされていない ウイルス mRNA の輸送を調節する

前に述べたように, 成熟して機能をもつ mRNA を含むプロセシングが完了した核 mRNP を核から細胞質へと輸送することは遺伝子発現に重要であり, 複雑な機構が用いられている (図 9・26, 図 9・27). この輸送の調節は, 実際の例はそれほど多くなさそうではあるものの, 理論的には遺伝子制御の一つの手段になりうる. これまでに見つかっている mRNA 輸送の調節例は, タンパク質の変性をもたらすような条件(たとえば熱ショック)に応答する場合や, ウイルス感染時に核輸送が変化してウイルス複製を最大化する場合だけである.

mRNP の核外輸送の調節の一例は, ヒト免疫不全ウイルス(human immunodeficiency virus: HIV)によってコードされるタンパク質にみられる. HIV はレトロウイルスであり, その RNA ゲノ

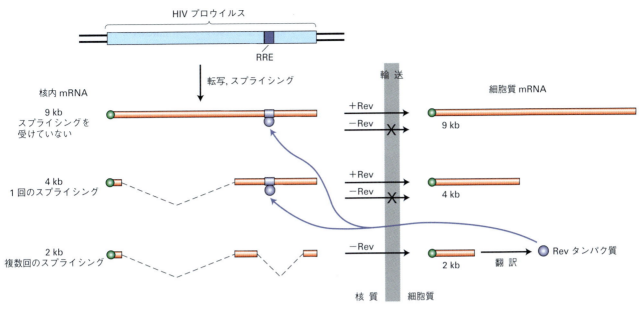

図 9・29 HIV mRNA の核から細胞質への輸送. HIV のゲノムには複数のコード領域が含まれ, 転写によって 9 kb の長さをもつ単一の一次転写産物が生じる. 選択的スプライシングによって複数のイントロンのうちの 1 個が除去されると (破線) 何種類かの約 4 kb の mRNA ができ, 2 個以上のイントロンが除去されると何種類かの約 2 kb の mRNA ができる. 各 RNA 分子は, 細胞質へ輸送されたのち, 異なるウイルスタンパク質に翻訳される. Rev タンパク質は 2 kb mRNA の一つにコードされ, スプライシングを受けていない mRNA, および 1 回だけスプライシングを受けた mRNA に存在する Rev 応答エレメント (RRE) と相互作用し, 細胞質への輸送を促進する. [B. R. Cullen and M. H. Malim, 1991, Trends Biochem. Sci. 16: 346 参照.]

ムからつくった DNA コピーを宿主細胞の DNA に挿入する (図 5・43 参照). 挿入されたウイルス DNA, つまりプロウイルスには単一の転写単位が含まれ, これが細胞の Pol II によって転写されて, 単一の一次転写産物を生じる. この HIV 転写産物は選択的スプライシングを受けて, 3 種類の mRNA になることができる. すなわち, 9 kb のスプライシングされていない mRNA, 1 個のイントロンが除去されてできる約 4 kb の mRNA, 2 個以上のイントロンを除去されてできる約 2 kb の mRNA である (図 9・29). これら 3 種類の HIV mRNA は, 宿主細胞の核で合成されたあと細胞質に輸送され, ウイルスタンパク質へと翻訳される. また, 9 kb のスプライシングされていない RNA の一部は, 細胞表面からの出芽によって生じる子孫ウイルス粒子においてウイルスゲノムとして用いられる.

9 kb と 4 kb の HIV mRNA にはスプライス部位が残っているため, それらはスプライシングの不完全な mRNA とみなすことができる. このようなスプライシングが不完全な mRNA は, スプライソソーム集合中間体の中で snRNP に結合しているため, 通常は, 核外輸送が阻害されている. したがって, HIV や他のレトロウイルスは, この阻害を乗り越えて長いウイルス mRNA の核外輸送を可能にする機構をもたなければならない.

HIV の変異体を使った研究から, スプライシングされていない 9 kb と 1 回スプライシングされた 4 kb のウイルス mRNA を核から細胞質に輸送するには, ウイルスにコードされた Rev タンパク質が必要であることが示された. その後の生化学的実験によって, Rev は HIV RNA に存在する Rev 応答エレメント (Rev-response element: RRE) に特異的に結合することが示された. 感染初期で Rev タンパク質が合成される前には, 複数回スプライシングされた 2 kb の mRNA だけが核外輸送することができる. この 2 kb mRNA の一つが Rev をコードしている. Rev はロイシンに富む核外輸送シグナルをもっていて, これを介してエクスポーチン 1 という輸送体と結合する. Rev が細胞質で翻訳されて核内に輸送されると, Rev はスプライシングされていない HIV RNA, および 1 回だけスプライシングされた HIV RNA の RRE 配列に結合する. Rev がエクスポーチン 1 に結合すると, これらのスプライシングが不完全な HIV mRNA が, 細胞性 mRNP の主要な輸送体である NXF1-NXT1 の助けを借りることなく, 核膜孔複合体を通って核外輸送される. RRE を欠く HIV 変異体が感染した細胞では, スプライシングが不完全な HIV mRNA は核にとどまることにより, RRE が Rev による核外輸送の促進に必要であることが裏づけられている.

9・3 核膜を横断する mRNA の輸送 まとめ

- ほとんどの mRNP は, 核膜孔複合体 (NPC) の中央チャネルと相互作用するヘテロ二量体の mRNP エクスポーターによって核外へ輸送される.
- この輸送の方向 (核から細胞質) は, mRNP アダプタータンパク質のリン酸化によって調節されている. たとえば, 酵母の Npl3 アダプタータンパク質はリン酸化されているときのみ核内に入り, 転写された新生 mRNA 前駆体がに結合する (図 9・27). mRNA 前駆体のポリアデニル酸付加が完了すると, 核内プロテインホスファターゼ (Glc7) が Npl3 からリン酸基を取除く. これにより, mRNA 前駆体が NXF1-NXT1 mRNP エクスポーターと結合できるようになり, mRNP 前駆体が細胞質へと輸送される. mRNP が細胞質に到達すると, 細胞質だけに局在する Sky1 プロテ

インキナーゼが Npl3 をリン酸化し，mRNP から解離させる．こうして，mRNP の細胞質への輸送が完結する．

- mRNP エクスポーターは，エクソンスプライシングエンハンサーに結合した SR タンパク質，エクソン接合部複合体に結合した REF，その他の mRNP タンパク質と協同的に，ほとんどの mRNA に結合する．
- スプライソソームに結合した mRNA 前駆体は，通常は核から輸送されない．こうして，プロセシングを完了した機能をもつ mRNA だけが細胞質に輸送されて翻訳されるように保証されている．

9・4 細胞質における転写後制御機構

本節の本題に入る前に，遺伝子発現を調節する各段階について簡単に復習しておく．8 章では，プロモーター近傍領域における転写の開始と伸長の調節が，DNA→RNA→タンパク質という遺伝子発現の経路を制御する初期機構であることを説明した．また，本章の前節までに，タンパク質のアイソフォームの発現が，選択的 RNA スプライシングと複数部位でのポリ (A) 付加と切断を制御することで調節されることを述べた．プロセシングが正しく完了した mRNP が細胞質に核外輸送される過程が調節を受けることはほとんどないが，誤ってプロセシングされたり，リモデリングがうまく進まなかった mRNP 前駆体は核外輸送されないようになっていて，こうした異常な転写産物はエクソソームで分解される．一方，HIV などのレトロウイルスは，スプライス部位を保持したままの mRNA 前駆体を核外輸送して翻訳するしくみを進化させている．

本節では，多数の遺伝子の発現に寄与するその他の一般的な転写後制御の機構を説明する．これらの機構の大部分は細胞質で作動していて，mRNA の安定性や局在性，タンパク質への翻訳を調節している．

細胞質中の mRNA 発現量は，合成速度と分解速度によって決定される

最も安定な mRNA は，リボソームタンパク質など，多量に必要なタンパク質をコードしている．このような mRNA は細胞当たり，非常に高いコピー数で蓄積している．一方，非常に不安定な mRNA は，サイトカイン（免疫応答を制御する分泌タンパク質）のように，短期間に集中的に発現するタンパク質をコードしている．このような mRNA は速い速度で転写され，プロセシングを受けて核外輸送されたとしても，細胞内で大量に蓄積されることはほとんどない．ここでは，mRNA を分解するおもな経路から説明をはじめる．次に，特定遺伝子の発現を調節する二つの機構について述べる．これらの機構は互いに関連していて，実験だけでなく治療目的にも応用される強力な新技術につながった．

この二つの機構では，約 22 ヌクレオチドの短い一本鎖 RNA である**マイクロ RNA**（microRNA: **miRNA**）と**短鎖干渉 RNA**（short interfering RNA: **siRNA**）によって遺伝子発現が調節されている．miRNA と siRNA は，どちらも特定の標的 mRNA と塩基対をつくるが，miRNA は標的 mRNA の翻訳を阻害してゆっくりとした分解を誘導し，siRNA は標的 mRNA の急速な分解をひき起こす．したがって，miRNA も siRNA も遺伝子発現制御に大きな貢献をしている．およそ 1900 のヒト miRNA が性状解析されているが，そのほとんどは，胚発生中や出生後の特定の時期に特定種類の細胞で発現する．また，miRNA の多くは複数の mRNA を標的とする．一方，siRNA は RNA 干渉（RNA interference）とよばれる現象に関与していて，ウイルス感染やレトロトランスポゾンの過剰な転位に対して細胞のもつ重要な防御手段である．さらに，ここではタンパク質合成全体の速度を調節する機構，また，特定の mRNA の翻訳と安定性を調節する高度に特異的な機構について述べる．最後に，非対称な細胞の細胞質で mRNA の局在を調節することにより，コードされたタンパク質を必要な部位で翻訳する機構について説明する．

細胞質において mRNA は複数の機構で分解される

mRNA の発現量は，合成と分解の二つの速度によって規定される．この理由で，二つの遺伝子が同じ速度で合成される場合，定常状態における mRNA の発現量は，より安定な mRNA のほうが高くなる．mRNA の安定性は，コードされたタンパク質の合成をどのくらい速く停止できるかの決定因子になっている．安定な mRNA の場合，コードされるタンパク質の合成は，その遺伝子の転写が抑制されたあとも長く続く．細菌 mRNA のほとんどは不安定であり，2～3 分という短い半減期で指数関数的に分解される．細菌細胞が速やかにタンパク質合成を調節して，自分を取巻く環境の変化に順応できるのは，これが理由である．一方，多細胞生物の大部分の細胞は，かなり一定した環境の中にあり，日単位から月単位，あるいは生物の一生にわたるほどの期間（たとえば神経細胞）にわたって，一連の特異的な役割を担っている．したがって，多細胞真核生物の mRNA の半減期は，ほとんどの場合，数時間である．

真核細胞のタンパク質には，短期間だけ必要で，短い間に集中的に発現しなければならないものもある．たとえば，哺乳類の免疫応答にかかわるサイトカインとよばれるシグナル伝達分子は，短期間に爆発的に合成，分泌される（24 章）．同様に，細胞周期の S 期の開始を調節する c-Fos や c-Jun のような転写因子の多くも，短い期間だけ合成される（19 章）．これらのタンパク質の発現が短期間集中的に起こるのは，それらをコードする遺伝子の転写を速やかにオン/オフすることが可能で，かつ mRNA の半減期がたいていは 30 分以下と非常に短く，転写が抑制されると mRNA の量が急速に低下するからである．

細胞質の mRNA は，図 9・30 に示した三つの経路のいずれかによって分解される．大部分の哺乳類 mRNA は，**脱アデニル酸依存経路**（deadenylation-dependent pathway）で分解される（図 9・30a）．ポリ (A) 尾部は，細胞質の脱アデニル酸ヌクレアーゼ複合体の作用によって，時間とともに徐々に短くなる．一定以上短くなると，PABPC 分子がもはや結合できなくなり，5′ キャップと開始因子の相互作用を安定化できなくなる（図 5・36 参照）．露出したキャップは，次に，ヘテロ二量体の脱キャップ酵素（Dcp1/Dcp2）によって除去され，保護されなくなった mRNA は 5′→3′ エキソヌクレアーゼ（XRN1）によって分解される（図 9・30, **1**）．また，ポリ (A) 尾部の除去によって，mRNA は 3′→5′ エキソヌクレアーゼを含む細胞質のエクソソームによる分解を受けやすくなる（図 9・30, **2**）．酵母では **1** の 5′→3′ エキソヌクレアーゼが主

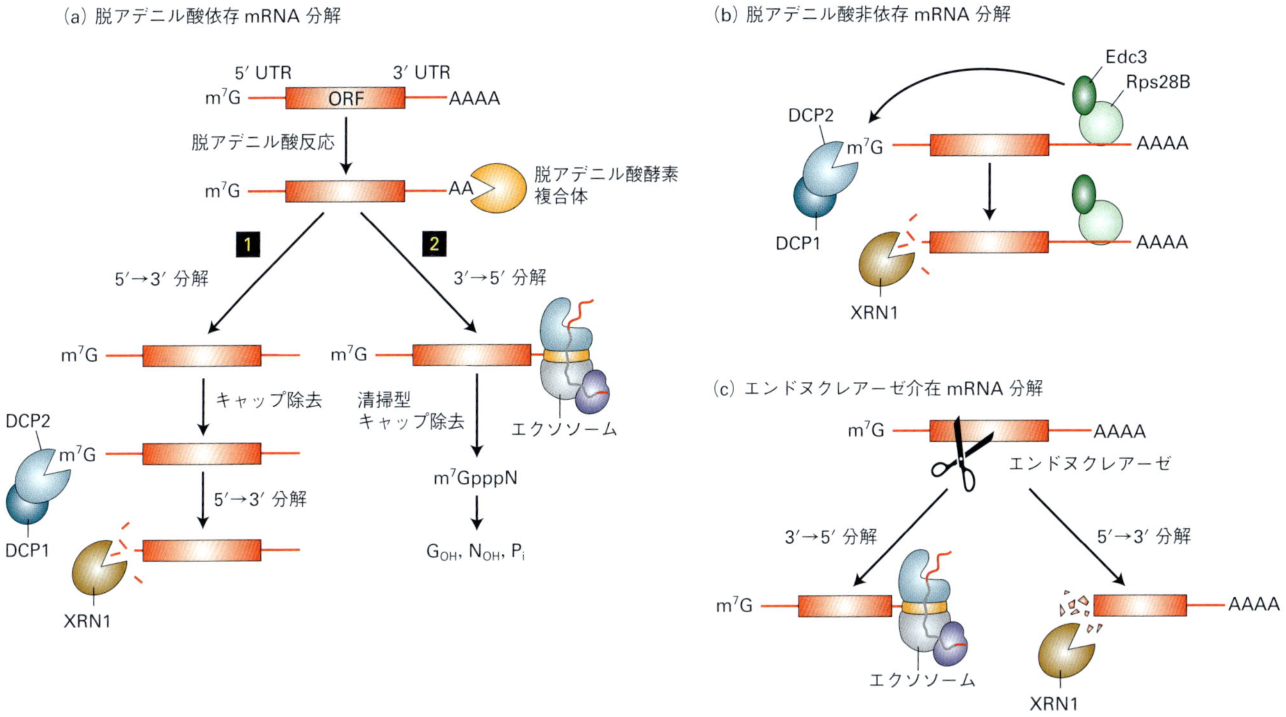

(a) 脱アデニル酸依存 mRNA 分解

(b) 脱アデニル酸非依存 mRNA 分解

(c) エンドヌクレアーゼ介在 mRNA 分解

図 9・30　真核細胞 mRNA の分解経路．(a) 最も一般的な mRNA 分解経路である脱アデニル酸依存経路では，ポリ(A)尾部は細胞質の脱アデニル酸酵素複合体(橙)によって，徐々に短縮されて 20 残基以下になる．その結果，PABPC と残存したポリ(A)の相互作用が不安定になる．これにより，5′ キャップと翻訳開始因子の間の相互作用も弱くなる(図 5・36, 段階 **3**, 図 5・39 参照)．脱アデニル酸された mRNA は，脱キャップ酵素複合体 DCP1/DCP2 によりキャップが除去されて，5′→3′ エキソヌクレアーゼ XRN1 によって分解されるか(**1**)，細胞質エキソソームに含まれる 3′→5′ エキソヌクレアーゼで分解される(**2**)．(b) 他の mRNA は，脱アデニル酸される前にキャップが外され，その後 5′→3′ エキソヌクレアーゼ XRN1 によって分解される．(c) mRNA のなかには，エンドヌクレアーゼで内部を切断されたのち，生成した断片が細胞質エキソソームやエキソヌクレアーゼ XRN1 で分解されるものもある．[N. L. Garneau et al., 2007, *Nat. Rev. Mol. Cell Biol.* **8**: 113 参照．]

として作用し，哺乳類細胞では **2** の 3′→5′ エキソソームが主として作用する．

　脱キャップ酵素と 5′→3′ エキソヌクレアーゼは，RNP が非常に高濃度に存在する細胞質の **P ボディ**(processing body)という領域に濃縮している．タンパク質が高度に濃縮したこれらの領域は，脂質二重膜によって囲まれていない．その形成は，ある種の RNA に結合した細胞質 RNA 結合タンパク質間の多価で低親和性の相互作用に依存する．この相互作用にはタンパク質の天然変性領域(intrinsically disordered region: IDR)内にある短く単純なアミノ酸反復配列が関与しており，8 章で説明した転写コンデンセートの形成に似ている(図 8・38 参照)．核や細胞質でこのようなタンパク質濃縮物をつくる過程は "液-液相分離(liquid-liquid phase separation: LLPS)" とよばれている．この過程は P ボディや大きな細胞質 mRNP 複合体をつくる細胞質の RNA 結合タンパク質において最初に研究された．細胞質の mRNP 複合体は，アクチンフィラメントの上を "歩行する" ミオシンモータータンパク質(図 9・39, 17 章)か，微小管の上を移動するキネシンとダイニンのモータータンパク質(18 章)によって細胞内の特定の領域に輸送される．

　mRNA の脱アデニル酸速度は，mRNA の翻訳開始の頻度に逆相関して変化する．つまり，翻訳開始の頻度が高ければ高いほど，脱アデニル酸速度は低くなる．この関係が成り立つのは，5′ キャップに結合した翻訳開始因子とポリ(A)尾部に結合した PABPC に相互作用があるためと思われる．すなわち，高い頻度で翻訳される mRNA には，開始因子がキャップに結合している時間が多くなるので，PABPC の結合を安定化し，それによって脱アデニル酸エキソヌクレアーゼ複合体からポリ(A)尾部が守られるのである．

AU リッチエレメント　急速に発現量が変化するサイトカインや転写因子をコードする mRNA など，哺乳類細胞の短寿命の mRNA の多くには，3′ 非翻訳領域に AUUUA という配列が何コピーも，時には重なり合った状態で含まれている．このような配列は AU リッチエレメント(AU-rich element)とよばれている．特異的な RNA 結合タンパク質が，このような 3′ 領域の AU に富む配列と結合し，脱アデニル酸酵素やエキソソームと相互作用することが知られている．これによって mRNA の速やかな脱アデニル酸反応と，それに続く分解が起こる(図 9・30a)．

　ここでは mRNA の分解速度と翻訳頻度は共役していない．したがって，AU リッチエレメントをもつ mRNA は高い頻度で翻訳されつつ，速やかに分解されることが可能であり，その結果，コードされるタンパク質を短期集中的に発現することができる．

　このほかに，おもに**脱アデニル酸非依存脱キャップ経路**(deadenylation-independent decapping pathway)で分解される mRNA もある(図 9・30b)．このような mRNA では 5′ 末端の特定の配列

がキャップを脱キャップ酵素に対して感受性にしている．いったん 5′ キャップが除去されると，mRNA は 5′→3′ エキソヌクレアーゼの **XRN1** によって速やかに加水分解されるので，脱キャップの速度が実質的に分解速度を制御している．

最後に，図 9・30(c) に示すように，脱キャップや脱アデニル酸を伴わない**エンドヌクレアーゼ経路**（endonucleolytic pathway）で分解される mRNA もある．この種類の経路の一例が，これから説明する RNAi 経路である．おのおのの siRNA-RISC 複合体は複数の標的 RNA 分子を分解する．配列内部の切断で生成した断片は，エキソヌクレアーゼで分解される．

マイクロ RNA は特異的な mRNA の翻訳を抑制して分解を誘導する

マイクロ RNA（miRNA）は，線虫の遺伝子 *lin-4* と *let-7* の変異が発生に与える影響の解析によりはじめて発見された．野生型の *lin-4* と *let-7* をクローン化して解析したところ，どちらもタンパク質産物をコードしておらず，その代わり，それぞれ鎖長わずか 21 ヌクレオチドと 22 ヌクレオチドの RNA をコードしていた．これらの RNA 産物は，特異的な標的 mRNA の 3′ 非翻訳領域とハイブリッドを形成する．たとえば，幼虫発生の初期に発現する *lin-4* miRNA は，細胞質で *lin-14* と *lin-28* の両方の mRNA の 3′ 非翻訳領域とハイブリッドを形成し，これらの mRNA を不安定化して翻訳を抑制する．*let-7* miRNA は，昆虫や哺乳類を含む左右対称の動物すべての胚発生において，対応する同じ時期に発現する．

miRNA による翻訳制御は，すべての多細胞動植物に存在すると考えられている．過去数年の間に，20〜26 ヌクレオチドの低分子 RNA が複数のモデル生物のさまざまな組織から，単離，クローン化，配列決定されている．最近，ヒト全遺伝子のおよそ 60% の発現が，さまざまな組織から単離された 556 種類のよく検証されたヒト miRNA のうちの一つ以上によって制御されていることが示唆された．1 種類の miRNA が多数の mRNA を制御する可能性は高い．これは，制御される mRNA の 3′ 末端配列と miRNA の間の塩基対形成が完全である必要がないからである（図 9・31a）．実際，合成した miRNA を用いて盛んに行われた実験から，miRNA の 5′ 末端の 2〜7 塩基の配列（"シード配列"とよばれる）と標的 mRNA の 3′ 非翻訳領域の相補性が，標的 mRNA の選択に最重要であることが示されている．

ほとんどの miRNA は，pri-miRNA（primary transcript-miRNA, miRNA 一次転写産物）とよばれる数百から数千ヌクレオチドの長さの PolⅡ 転写産物からプロセシングされて生成する（図 9・32）．一つの pri-miRNA に複数の miRNA が含まれることがある．また，切り出されたイントロンからプロセシングされてできる miRNA もある．これらの長い転写産物中には，ステム部分に不完全な塩基対をもつヘアピン構造に折りたたまれる約 60 ヌクレオチド長の配列が存在する．**Drosha** とよばれる二本鎖 RNA に特異的な核内 RNase が，ヒトでは **DGCR8** とよばれる核内の二本鎖 RNA 結合タンパク質とともに作用して，長い RNA 前駆体からヘアピン領域の大部分を切り出し，60 ヌクレオチドの pre-miRNA（miRNA 前駆体）をつくる．pre-miRNA を特異的な核外輸送因子**エクスポーチン 5**（exportin 5）が認識して結合すると，複合体は核膜孔複合体の内部チャネルを通って細胞質へと拡散できるようになる．いったん細胞質に入ると，細胞質の二本鎖 RNA 特異的 RNase の **Dicer** が，ヒトでは **TRBP**（Tar binding protein）とよばれる細胞質の二本鎖特異的 RNA 結合タンパク質とともに働くことによって，pre-miRNA をさらに二本鎖の miRNA にプロセシングする．二本鎖 miRNA は，鎖長が 21〜23 ヌクレオチドで RNA の A 形ヘリックス約 2 回転分に相当する．また，両方の 3′ 末端では二つずつ塩基対をつくっていないヌクレオチドがある．

最後に，2 本の鎖のうちの一方が選択されて，成熟した **RNA 誘導サイレンシング複合体**（RNA-induced silencing complex: **RISC**）の形成に用いられる．RISC では，一本鎖の成熟した miRNA に，**Argonaute タンパク質**（Argonaute protein）という特徴的な配列が保存された多ドメインタンパク質ファミリーのメンバーが結合している．植物をはじめとする一部の生物では，数種類の Argonaute タンパク質が発現していて，異なる機能をもつ RISC 複合体が存在する．ヒトでは，4 種類の Argonaute タンパク質が発現し，おのおのが標的 mRNA と塩基対を形成できるシード配列をもつ miRNA を含む RISC をつくり，標的 mRNA の脱アデニル酸と分解を促進する（図 9・30a）．Ago2 は mRNA の切断を触媒することもできる．四つのヒト Argonaute タンパク質は部分的に互

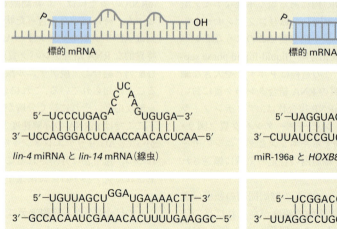

図 9・31 miRNA との塩基対形成の程度により標的 RNA の運命が決定される．(a) miRNA が標的 mRNA と不完全なハイブリッドを形成すると，mRNA の脱アデニル酸が誘導され，脱アデニル酸依存分解を受ける（図 9・30a）．miRNA の 2 番目から 7 番目のヌクレオチド（シード配列，青）が，特定の mRNA を標的とするうえで最も重要である．下段に示した CXCR4 miRNA はトランスフェクションにより細胞に導入された合成オリゴヌクレオチドである．(b) miRNA が標的 mRNA と完全なハイブリッドを形成すると，赤矢印で示す位置で mRNA の切断をひき起こし，速やかな分解へと導く．[P. D. Zamore and B. Haley, 2005, *Science* **309**: 1519 参照．]

いに重複した機能をもつ．これは，ヒト胚性幹細胞で四つのヒトArgonauteタンパク質をすべてノックアウトすると致死となるが，一つをノックアウトした場合には生存できることから明らかになった．

miRNA-RISC 複合体は，Argonauteに結合した成熟 miRNA と，標的 mRNA の 3′ 非翻訳領域（3′ UTR）にある miRNA 相補領域との間の塩基対形成によって，標的 mRNP に結合する（図 9・31）．

一般的には，mRNA の 3′ UTR に結合した RISC の数が多いほど，翻訳抑制が強くなる．したがって，特定の標的 mRNA を阻害するために必要な miRNA にプロセシングされる複数の pri-miRNA の転写を別々に調節することにより，標的 mRNA の組合わせ制御が可能である．

ヒトでは約 600 の異なる miRNA が見いだされ，そのほとんどは，特定種類の細胞のみで発現する．この事実は，分化における miRNA の機能についての興味をかき立て，盛んな研究につながっている．一例として，miR-133 とよばれる miRNA は筋芽細胞が筋細胞へと分化するときに誘導される．miR-133 は，ショウジョウバエの Sxl（図 9・18）と同じような作用をもつ PTB というスプライシング調節因子の翻訳を抑制する．PTB は，多くの遺伝子の mRNA 前駆体の 3′ スプライス部位領域に結合するので，エクソンスキッピング（エクソンをとばすこと）により別の 3′ スプライス部位が利用されるようになる．miR-133 が分化中の筋芽細胞で発現すると，PTB の濃度は低下する．その結果，筋細胞の機能に重要な多くのタンパク質の異なるアイソフォームが分化した細胞で発現する．

このほかにも，さまざまな生物において，miRNA による分化制御の例が，速いペースで発見され続けている．*Dicer* 遺伝子をノックアウトすると哺乳類で miRNA の生成ができなくなる．これにより，マウスは発生初期で胎生致死となる．しかし，肢は実験用マウスの生存にとって必須ではないので，*Dicer* を肢芽だけでノックアウトすると，マウス肢芽の発生に対する miRNA 欠損の影響が観察できる（図 9・33）．すべての主要な細胞種は分化し，肢のパターンの基本的な性質はすべて維持されるが，肢芽の発生には異常がみられ，miRNA が多数の mRNA の翻訳を適切な量で行うために重要であることが示された．実際に miRNA は，標的遺伝子の機能に適切な発現量になるように，さまざま細胞で遺伝子発現を微調整する．約 600 のヒト miRNA のうち，53 が霊長類に特有であるらしい．新たな miRNA は，進化の過程において pri-miRNA 遺伝子が重複したのち，成熟 miRNA をコードする塩基が変異することによって，容易に出現するのであろう．

ポリ(A)付加部位の選択と miRNA による mRNA の制御　　先に述べたように，mRNA プロセシングにおいて，選択的ポリアデ

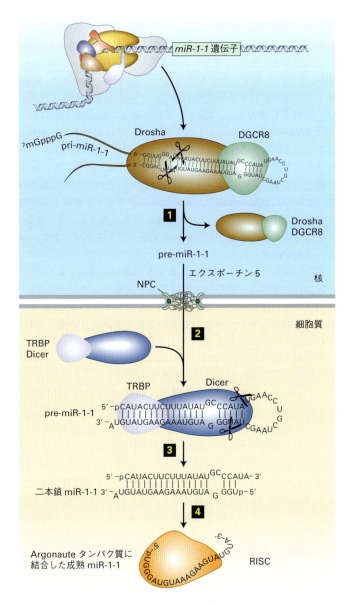

図 9・32　**miRNA の転写とプロセシング**．pri-miRNA（miRNA の一次転写産物）は，Pol II によって転写される．核内の二本鎖 RNA 特異的エンドヌクレアーゼ Drosha とその結合因子である二本鎖 RNA 結合タンパク質 DGCR8 が pri-miRNA に最初の切断を行い，約 70 ヌクレオチドの pre-miRNA（miRNA 前駆体）を生成する（段階 **1**）．これは核外輸送タンパク質のエクスポーチン 5 によって細胞質に輸送される（段階 **2**）．さらに pre-miRNA は，細胞質で Dicer と二本鎖 RNA 結合タンパク質 TRBP によって，3′ 末端に 2 塩基の一本鎖領域をもつ二本鎖 miRNA へとプロセシングされる（段階 **3**）．最後に，二本鎖のうちの一方が RISC 複合体に取込まれて，Argonaute タンパク質に結合する（段階 **4**）．[P. D. Zamore and B. Haley, 2005, *Science* **309**: 1519 参照．]

図 9・33（実験）　**肢発生における miRNA の機能**．マウス 13 日胚の胚発生における正常肢（左）と *Dicer* ノックアウト肢（右）を比較した顕微鏡写真．関節形成のマーカーである Gd5 タンパク質の抗体で免疫染色した．Cre を限定的に発現させ，発現した細胞だけで *Dicer* 遺伝子の欠失を誘導する方法により，発生中のマウス胚肢芽で *Dicer* をノックアウトした（図 6・40 参照）．[B. D. Harfe et al., 2005, *Proc. Natl. Acad. Sci. USA* **102**(31): 10898 による．]

ニル酸付加部位の利用はmiRNAによる遺伝子発現制御のもう一つの手段となっている．選択的ポリアデニル酸付加部位を使う同じ遺伝子から発現したmRNAについて，長い3′エクソンをもつほうのmRNAは，miRNAの結合部位を余分にもっている可能性がある．その結果，同じタンパク質コード配列をもつmRNAが，細胞種ごとに発現しているmiRNAに依存して，異なる調節を受けているかもしれない．したがって，選択的ポリアデニル酸付加は，miRNAによる翻訳とmRNA安定性の調節を介して，同じタンパク質をコードしたmRNAの発現量を間接的に制御することができる．

RNA干渉は完全に相補的な配列をもつmRNAの分解を誘導する

RNA干渉（RNA interference: **RNAi**）は，特定の遺伝子の発現を実験的に操作しようという試みから，思いがけず見つかった現象である．線虫において遺伝子発現を阻害するために，コードされたmRNAとハイブリッド形成して翻訳を抑制する一本鎖相補RNAの微量注入が行われた．いわゆる**アンチセンス阻害**（antisense inhibition）の手法である．ところが対照実験で，数百bp対の長さにわたって完全な塩基対を形成した二本鎖RNAを用いたところ，アンチセンス鎖単独よりも発現抑制効果がずっと強いことがわかった（図6・41参照）．導入した二本鎖RNAによる同様の遺伝子発現阻害は，植物でも観察された．いずれの場合も，二本鎖RNAは，その一方の鎖と正確に同じ配列を含むすべての細胞性RNAの分解を誘導した．RNA干渉が標的mRNAを破壊する特異性は高いので，この方法は遺伝子機能を研究する強力な実験手法となった．

その後，ショウジョウバエ胚の抽出物を用いた生化学的研究によって，RNA干渉をひき起こす長い二本鎖RNAは，最初にプロセシングを受けて短鎖干渉RNA（siRNA）になることがわかった．siRNAは21〜23ヌクレオチドで，2本の鎖はそれぞれの3′末端の2塩基が一本鎖になるようにハイブリッドをつくっている．さらに，長い二本鎖RNAを切断してsiRNAを生じる二本鎖RNA特異的な細胞質リボヌクレアーゼが，pre-miRNAが細胞質に輸送されたあとのプロセシングに関与する酵素Dicerと同じであることがわかった（図9・32）．この発見により，RNA干渉およびmiRNAを介した翻訳抑制/標的RNA分解が関連した過程であることが認識されるようになった．成熟した短い一本鎖RNAは，siRNAであれmiRNAであれ，RISC複合体に取込まれ，そのなかでArgonauteタンパク質に結合している．標的RNAと完全な塩基対を形成する短いRNAとRISC複合体が結合したときには，標的RNAの切断を誘導する．一方，標的RNAと完全な塩基対を形成しない短いRNAがRISC複合体と結合すると（図9・31a），標的RNAの翻訳阻害とゆっくりとした分解をひき起こす．

ヒトでは，Argonaute2タンパク質がRNAi複合体での標的RNA切断を行っている．Argonauteタンパク質のドメインの一つが，RNA-DNAハイブリッドのRNAを分解するRNase Hという酵素と相同性がある．RISC複合体に含まれる短いRNAの5′末端が標的mRNAと正確に塩基対をつくると，このドメインが，siRNAのヌクレオチド10と11の間に対応する標的RNAのホスホジエステル結合を切断する（図9・31b）．切断されたRNAはRISC複合体から放出されたのち，細胞質エキソソームと5′エキソヌクレアーゼXRN1によって分解される．もし，塩基対形成が不十分であれば，Argonauteのドメインは標的RNAを切断もしなければ放出もしない．その代わり，翻訳が阻害され，ゆっくり分解される．この分解機構は，完全に相補的な標的RNAに対する速い切断からはじまる分解経路とは異なるものである．

真核細胞の細胞質に二本鎖RNAを導入すると，pre-miRNAをプロセシングする細胞質酵素DicerとTRBP二本鎖RNA結合タンパク質（図9・32）によって認識されるので，siRNAをRISC複合体に会合させる経路に入る．このRNA干渉の過程は，ある種のウイルスや可動性遺伝因子に対する細胞の防御方法として，古くから植物と動物の両方にあったと信じられている．DicerやRISCタンパク質をコードする遺伝子に変異をもつ植物は，RNAウイルス感染に対する感受性が増し，ゲノム内では，トランスポゾンの動きも増大する．RNAウイルス複製の際につくられる二本鎖RNA中間体はDicerリボヌクレアーゼに認識されてRNAi応答がひき起こされ，それによって最終的にウイルスmRNAが分解されると考えられている．トランスポゾンは，転位の際に細胞の遺伝子の中に無秩序な向きで挿入される．それらが異なるプロモーターから転写されると，互いにハイブリッドを形成する相補的なRNAがつくられて，これがRNAi系を起動する．その結果，さらなる転位をひき起こすために必要なトランスポゾンタンパク質の発現が妨げられる．

植物や線虫では，二本鎖RNAを少数の細胞に導入するだけで，その個体のすべての細胞でRNAi応答を誘導することができる．このような個体全体での誘導には，RNAウイルスのRNAレプリカーゼと相同なタンパク質の産生が必要である．この発見から，これらの生物では二本鎖siRNAが複製され，他の細胞に運ばれることが明らかになった．植物でのsiRNAの移動は，細胞壁を横断して植物細胞の細胞質をつなぐ原形質連絡（プラスモデスム）によって行われる可能性がある（図20・44参照）．個体全体に広がるRNA干渉の誘導は，ショウジョウバエや哺乳類ではみられない．その理由はおそらく，これらの生物のゲノムには，RNAレプリカーゼと相同なタンパク質がコードされていないためと思われる．

哺乳類細胞では，長いRNA-RNA二本鎖分子を細胞質へ導入すると，後述するPKR経路を介してタンパク質合成の全般的な阻害が起こる．このため，哺乳類細胞ではショウジョウバエの細胞とは異なり，長い二本鎖RNAを用いて特定の標的mRNAに対するRNAi応答を誘導しようとする実験は大幅に制約される．幸いなことに，鎖長が21〜23ヌクレオチドで3′末端に2塩基の一本鎖領域をもつ二本鎖siRNAが，タンパク質合成の全般的な阻害をひき起こさずに一本鎖RNAを生成し，これが機能をもつsiRNA-RISC複合体に取込まれることが発見された．これによって，合成した二本鎖siRNAを用いてヒトを含めた哺乳類細胞で特定の遺伝子の発現を"ノックダウン"できるようになった．また，pre-miRNAを設計し，その発現ベクターを細胞に導入することもできる．これが設計どおりにsiRNAにプロセシングされると，実験的に制御したい標的mRNAに特異的にハイブリッドを形成し，その分解がひき起こされる．この**siRNAノックダウン**（siRNA knockdown）の方法は，現在ではRNAi経路自体の研究を含めたさまざまな生体過程の研究に広く用いられている．

細胞質でのポリアデニル酸付加によってmRNAの翻訳が促進されることがある

miRNAによる抑制のほかにも，タンパク質が介在する調節機構で遺伝子発現が制御されることがある．特異的なタンパク質に相互作用して翻訳を調節する配列（調節エレメント）は，一般的にmRNAの3′あるいは5′末端の非翻訳領域（UTR）にある．ここでは，3′調節エレメントが関与する種類のタンパク質介在翻訳調節について述べる．5′調節エレメントと相互作用するRNA結合タンパク質が関与する別の機構についてはあとで述べる．

多くの真核生物mRNAの翻訳は，3′UTR内の隣接した部位に協同的に結合する複数の配列特異的なRNA結合タンパク質によって制御される．これらのRNA結合タンパク質は組合わせで機能することができるので，エンハンサーやプロモーター領域の調節部位に転写因子が協同的に結合するのに似ている．これまでに研究されているほとんどの例では，3′調節エレメントにタンパク質が結合すると翻訳は抑制され，細胞や発生中の胚の適切なタイミング，適切な場所で抑制が解除（脱抑制）されると活性化する．このような抑制機構は，翻訳される前に**細胞質ポリアデニル酸付加**（cytoplasmic polyadenylation）を必要とするmRNAについて最もよく研究されている．

細胞質ポリアデニル酸付加は，動物初期胚での遺伝子発現にとって非常に重要な特徴である．多細胞動物の卵細胞（卵母細胞）には，多量のmRNAが含まれている．これらのmRNAは，多数の異なるタンパク質をコードしているが，精子によって卵が受精するまで翻訳されない．このような"貯蔵"mRNAには，わずか20〜40個のA残基しかない短いポリ(A)尾部をもつものがあり，この尾部には2〜3分子の細胞質ポリ(A)結合タンパク質（PABPC1）しか結合できない．mRNAの長いポリ(A)尾部では，結合した多数のPABPC1分子が開始因子eIF4Gと相互作用することによって，翻訳開始に必要なmRNA 5′キャップとeIF4Eの相互作用が安定化される（図5・36参照）．この安定化は短いポリ(A)尾部をもつmRNAでは起こらないため，卵母細胞に貯蔵されたmRNAが効率的に翻訳されることはない．卵母細胞の成熟，あるいは卵母細胞の受精後の適当なタイミングで，通常は外部シグナルに応答して，これらのmRNAの短いポリ(A)尾部におよそ150個のA残基が細胞質で付加され，翻訳が促進される．

アフリカツメガエルの卵母細胞に貯蔵されたmRNAの研究から，この型の翻訳調節機構を解明する手掛かりが得られた．短いポリ(A)尾部をもつmRNAを卵母細胞に注入した実験から，3′UTR内の二つの配列が細胞質ポリアデニル酸付加に必要であることが示された．一つは，AAUAAAポリ(A)シグナルで，これは核内でのmRNA前駆体のポリアデニル酸付加にも必要である．もう一つは，Uに富む**細胞質ポリアデニル酸付加エレメント**（cytoplasmic polyadenylation element: CPE）で，上流に1コピー以上が必要である（図9・34）．CPEには，**CPE結合タンパク質**（CPE-binding protein: CPEB）が結合する．CPEBはRRMドメインとジンクフィンガードメインを含む進化的に高度に保存されたタンパク質である．

刺激性シグナルがないときには，Uに富むCPEに結合したCPEBはMaskinというタンパク質と相互作用し，MaskinはmRNAの5′キャップに結合したeIF4Eと相互作用する（図9・34a）．その結果，eIF4Eは他の開始因子やリボソーム40SサブユニットやMaskinは複合体から解離する．これによって，細胞質型の切断/ポリアデニル酸付加特異性因子（CPSF）とポリ(A)ポリメラーゼ（PAP）がCPEBと協同的にmRNAに結合できるようになる．PAPがA残基の付加を触媒すると，長くなったポリ(A)尾部にPABPC1が結合できるようになり，翻訳開始に必要なすべての因子が揃って，安定な相互作用をするようになる（図9・34b，図5・36参照）．アフリカツメガエル卵母細胞の成熟過程においては，CPEBをリン酸化するプロテインキナーゼがプロゲステロンというホルモンに応答して活性化される．つまり，卵母細胞の成熟に必要なタンパク質をコードする貯蔵mRNAの翻訳のタイミングは，この外部シグナルによって制御されている．

同じような翻訳制御が，学習や記憶にも機能していることを示す相当な証拠が得られている．中枢神経系では，1000個ほどの神経細胞から伸びた軸索が，1個の神経細胞（シナプス後細胞）の樹状突起と接合部（シナプス）をつくることができる（図23・3参照）．これらの軸索のうちの1個が刺激されると，シナプス後細

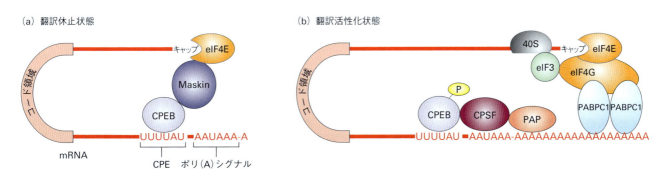

図9・34 細胞質でのポリアデニル酸付加と翻訳開始の調節モデル． (a) 未成熟卵母細胞において，Uに富む細胞質ポリアデニル酸付加エレメント（CPE）を含むmRNAには短いポリ(A)尾部しかなく，翻訳は休止状態にある．CPE結合タンパク質（CPEB）は図に示した相互作用によって翻訳を抑制し，これによって開始複合体がmRNAの5′末端に形成されるのが妨げられている．(b) 卵母細胞へのホルモン刺激によって，CPEBをリン酸化するプロテインキナーゼが活性化し，リン酸化によってMaskinが解離する．次に，切断/ポリアデニル酸付加特異性因子（CPSF）がポリ(A)部位に結合し，そこに結合しているCPEBと細胞質型ポリ(A)ポリメラーゼ（PAP）の両方と相互作用する．ポリ(A)尾部が伸長したのち，多コピーの細胞質ポリ(A)結合タンパク質1（PABPC1）がポリ(A)に結合し，eIF4Gと相互作用する．eIF4Gは，他の開始因子とともに40Sリボソームサブユニットに結合し，翻訳を開始させる（翻訳活性化状態）．[R. Mendez and J. D. Richter, 2001, *Nat. Rev. Mol. Cell Biol.* **2**: 521 参照．]

胞は，これら1000個ものシナプスのどれが刺激されたかを"記憶"する．次回，同じシナプスが刺激されると，シナプス後細胞の応答の強さは初回とは違ったものになる．この応答性の変化は，シナプス後細胞のシナプス領域に貯蔵されたmRNAの翻訳活性化によるところが大きいことが示されている．つまり，この翻訳活性化によって新しいタンパク質の合成が局所的に起こり，シナプスのサイズが大きくなり，神経生理学的な性質が変化する．CPEBが神経細胞の樹状突起に存在するという発見から，卵母細胞の場合と同じように，細胞質でのポリアデニル酸付加が，樹状突起にある特異的なmRNAの翻訳を促進するという仮説につながった．この場合，おそらく，神経の特定のシナプスでは，ホルモンではなくシナプスの活動がCPEBの局所的なリン酸化とそれにひき続く翻訳活性化を誘導するシグナルであろう．

タンパク質合成は包括的に制御されている

翻訳開始因子やリボソームタンパク質は，他の過程にかかわるタンパク質と同じように，リン酸化などの翻訳後修飾により制御することができる．このような機構によって，ほとんどのmRNAの翻訳速度，したがって細胞のタンパク質合成全体の速度が影響される．TOR経路（TOR pathway）は，リソソームと細胞質の間のコミュニケーションによりアミノ酸の供給低下を感知すると，翻訳を抑制する（詳しくは21章）．ほかにも，翻訳開始因子**eIF2**の活性を調節し，細胞での翻訳速度を調節する機構がある．ここでは翻訳開始の制御機構に焦点を絞って説明する．

翻訳開始の制御によるタンパク質合成の包括的制御には，eIF2キナーゼが介在している．図5・36に翻訳開始の各段階を要約した．翻訳開始因子eIF2は，アミノ酸（メチオニン）を充填した開始tRNAをリボソーム小サブユニットのP部位に運ぶ．eIF2は**三量体Gタンパク質**（trimeric G protein）であり，したがってGTP結合型かGDP結合型のいずれかの立体構造で存在する．GTP結合型のeIF2だけがアミノ酸を充填した開始tRNAをリボソーム小サブユニットへと運ぶことができる．リボソーム小サブユニットが開始因子-開始tRNAと結合すると，eIF4Eサブユニットを介してmRNAの5′キャップに結合したeIF4複合体と相互作用する．その後，リボソーム小サブユニットは，mRNAを3′方向に走査していき，AUG開始コドンに達する．AUGコドンは，開始tRNAとP部位で塩基対を形成することができる．この段階まで進むと，eIF2に結合したGTPはGDPへと加水分解され，結果として生じたeIF2・GDP複合体は解離する．GTPの加水分解は不可逆的な"校正"段階であり，開始tRNAが正しくP部位に結合してAUG開始コドンと正確に塩基対を形成できたときだけ，リボソーム小サブユニットが大サブユニットに会合する準備ができる．eIF2は次の開始過程に参加する前に，結合しているGDPがGTPに置き換わらなければならない．この反応は，eIF2に特異的なグアニンヌクレオチド交換因子（GEF）である翻訳開始因子eIF2Bによって触媒される．

細胞がストレスを受けたときにタンパク質合成全体を阻害する機構には，eIF2のαサブユニットの特定のセリン残基のリン酸化が関係する．この部位のリン酸化は，eIF2のタンパク質合成における機能を直接阻害するものではない．むしろ，リン酸化したeIF2はグアニンヌクレオチド交換因子eIF2Bと非常に高い親和性をもつため，リン酸化したeIF2はeIF2Bから解離しなくなり，eIF2Bが別のeIF2分子のGTP交換反応を触媒できなくなるのである．eIF2のほうがeIF2Bよりも多く存在するため，eIF2の一部がリン酸化された場合でも，細胞にあるすべてのeIF2Bが阻害されてしまう．残りのeIF2はGDP結合型で蓄積するので，タンパク質合成に関与することができない．そのため，細胞のタンパク質合成のほとんどすべてが阻害される．

しかし，mRNAのなかには，eIF2のリン酸化によってeIF2・GTP濃度が低くなっても翻訳開始を許容する5′領域をもつものがある．この例として，ストレスによって変性した細胞タンパク質を巻戻すシャペロンタンパク質のmRNA，細胞がストレスに対処するのを助ける他のタンパク質のmRNA，またストレスで誘導される遺伝子の転写を活性化する転写因子のmRNAなどがある．

ヒトの細胞には，eIF2αの同じセリン残基をリン酸化して機能を抑制する四つのeIF2キナーゼが存在する．これらはおのおの異なる細胞ストレスによって制御されており，いずれの場合もタンパク質合成を阻害して，成長する細胞でタンパク質合成に用いられていた細胞資源の大部分を，ストレスに応答する目的に使わせるようにする．

- **GCN2**（general control non-derepressible 2）eIF2キナーゼはアミノ酸を充填していないtRNAと結合することによって活性化する．細胞がアミノ酸飢餓状態になって，アミノ酸を充填していないtRNAの濃度が上昇すると，GCN2 eIFキナーゼが活性化して，タンパク質合成を強く阻害する．
- **PEK**（pancreatic eIF2 kinase）は，小胞体に移行したタンパク質が，小胞体内腔環境の異常により，正しく折りたたまれなかったときに活性化する．糖質の濃度異常は活性化因子になるが，これは多くの小胞体タンパク質の糖鎖付加を阻害するからである．多くの小胞体タンパク質の適切な折りたたみに必要な小胞体シャペロンの不活性化変異もPEKの活性化をひき起こす．
- **ヘム調節インヒビター**（heme-regulated inhibitor: HRI）は分化中の赤血球で，ヘム補欠分子の供給が遅れてグロビンタンパク質の合成速度に適応できないときに活性化するもう一つのeIF2キナーゼである．このネガティブフィードバックループは，ヘム合成の速度に合わせてグロビンタンパク質合成の速度を低下させる．HRIは他の細胞種では，酸化ストレスや熱ショックにも応答して活性化する．
- **RNA活性化プロテインキナーゼ**（protein kinase RNA activated: PKR, プロテインキナーゼR）は約30 bp以上の長さの二本鎖RNAによって活性化される．哺乳類細胞の通常環境では，二本鎖RNAはウイルス感染時にのみ合成される．二本鎖領域の長いRNAは，RNAウイルスの複製中間体として，あるいはDNAウイルスゲノムの両方の鎖からRNAが転写されて相補的な領域がハイブリッド形成したときに生成する．タンパク質合成の阻害により子孫ウイルス粒子の産生が妨げられ，隣接する細胞を感染から守る．興味深いことに，アデノウイルスはPKRに対する防御機構を進化させている．すなわち，アデノウイルスは，長い二本鎖のヘアピン領域をもつ約160ヌクレオチドのウイルス関連（VA）RNAを莫大な量発現する．VA RNAはPol IIIによって転写され，miRNA前駆体のエクスポーチンであるエクスポーチン5によって核外輸送される（図9・32）．VA RNAは高い親和性でPKRに結合し，プロテインキナーゼ活性を阻害する

ことによってタンパク質合成の阻害を解除する．実際，VA 遺伝子を欠失させたアデノウイルス変異体を感染させたときには，タンパク質合成の阻害が起こる．

配列特異的 RNA 結合タンパク質が特定の mRNA の翻訳を調節する

包括的な mRNA の翻訳調節がある一方で，特定の mRNA の翻訳を調節する機構も進化してきた．このような調節は，通常，mRNA の特定の配列や RNA 構造に結合する配列特異的な RNA 結合タンパク質によって行われる．結合が mRNA の 5′ 非翻訳領域（5′ UTR）に起こると，リボソーム 40S サブユニットが mRNA を最初の開始コドンまで走査できなくなり，翻訳開始が阻害される．また，別の領域への結合によって，mRNA の分解を促進あるいは阻害することができる．

細胞内鉄濃度の調節は，一つの mRNA の翻訳制御ともう一つの mRNA の分解制御に同じタンパク質が介在する洗練された例である．この調節を行うのは，**鉄応答エレメント結合タンパク質**（iron-response element-binding protein: **IRE-BP**）である．IRE-BP には二機能性タンパク質のアコニターゼ 1（*ACO1* 遺伝子にコードされる別名 IRE-BP1）とそのパラログである IRE-BP2（*IREB2* 遺伝子にコードされる）がある．細胞内の鉄イオン濃度を正確に調節することは細胞にとって重要である．クエン酸回路の酵素（図 12・13 参照）やミトコンドリアと葉緑体で ATP 産生に関与する電子伝達タンパク質（12 章）など，多くの酵素やタンパク質が Fe^{2+} を補因子として含んでいる．しかし，Fe^{2+} が過剰にあるとラジカルが発生し，細胞内の巨大分子と反応して損傷を与える．細胞内の鉄イオン貯蔵量が低下すると，二重の調節系が働いて細胞の鉄イオンの濃度を高め，鉄イオンが過剰になると，同じ系が作動して鉄を不活性型で貯蔵し，遊離 Fe^{2+} が毒性を示す濃度にまで蓄積されることを防ぐ．

IRE-BP は 4Fe-4S の Fe-S クラスターを含むタンパク質で，細胞内鉄センサーとして働く．細胞質ゾルの Fe^{2+} 濃度が低すぎるときには，Fe-S クラスター中の鉄がタンパク質から解離し，IRE-BP は活性型の RNA 結合タンパク質として，フェリチンと**トランスフェリン受容体**（transferrin receptor: **TfR**）の mRNA の非翻訳領域のステムループ二次構造内の特異的なヌクレオチド配列に結合する．これらの mRNA の鉄応答エレメント（iron-response element: IRE）はフェリチン mRNA では 5′ 非翻訳領域にあり（図 9・35a），トランスフェリン受容体 mRNA では 3′ 非翻訳領域にある．フェリチンは重鎖と軽鎖の合計 24 個のサブユニットから構成されており，大きな細胞内タンパク質複合体を形成して，過剰な細胞鉄を結合して貯蔵する．細胞内 Fe^{2+} 濃度が低くて IRE-BP が RNA 結合型構造をとると，フェリチン重鎖と軽鎖の mRNA ともに，IRE のループ部分の五つの特異的塩基とステム部分の二本鎖を認識して結合する（図 9・35a）．結合した IRE-BP はリボソーム小サブユニットが AUG 開始コドンへと走査する（図 5・36 参照）のを妨げ，翻訳開始を阻害する．これにより，フェリチンタンパク質の産生が低下し，フェリチン複合体内での鉄の貯蔵量も減少するので，鉄要求性酵素が鉄を利用しやすくなる．鉄濃度が高いときには，IRE-BP はフェリチン mRNA の 5′ 非翻訳領域の IRE に結合できない構造になる．その結果，フェリチンの翻訳は阻害されず，新しく合成されたフェリチンが遊離の Fe^{2+} を貯蔵で

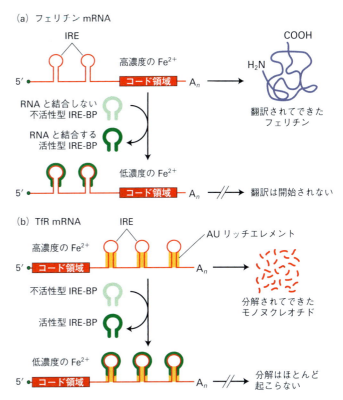

図 9・35 mRNA の翻訳と分解の鉄依存的な調節．鉄応答エレメント結合タンパク質（IRE-BP）はフェリチン mRNA の翻訳（a）とトランスフェリン受容体（TfR）mRNA の分解（b）を調節する．細胞内の Fe^{2+} 濃度が低いと，IRE-BP はこれらの mRNA の 5′ あるいは 3′ 非翻訳領域内にある鉄応答エレメント（IRE）に結合する．Fe^{2+} 濃度が高いときには，IRE-BP の立体構造が変化して，どちらの mRNA にも結合できなくなる．IRE-BP によるこの二重の調節が，細胞内の遊離 Fe^{2+} 濃度を正確に調節している．詳細は本文参照．

きるので，細胞内に有害な量まで蓄積することを防ぐ．

IRE-BP で制御される第二の mRNA はトランスフェリン受容体をコードしているが，受ける調節は異なる．脊椎動物において，鉄はトランスフェリン（transferrin）とよばれるタンパク質に結合して循環系を運ばれる．トランスフェリンがほとんどの種類の細胞の細胞膜にある TfR に結合すると，トランスフェリン-鉄複合体は受容体依存性エンドサイトーシスによって細胞に取込まれる（14 章）．TfR mRNA の 3′ 非翻訳領域には多数の IRE が含まれており，そのステム部分には不安定化配列の AU リッチエレメントが存在する（上述）．Fe^{2+} 濃度が高いときは，IRE-BP が IRE に結合することができないので，これらの AU リッチエレメントが TfR mRNA の分解を促進する．先に述べた，他の AU リッチエレメントをもつ短寿命 mRNA の急速な分解と同じ機構である．その結果，トランスフェリン受容体の産生が低下するため，ただちに鉄の取込みが下がり，細胞は過剰な鉄から保護される．しかし，Fe^{2+} 濃度が低いときには，IRE-BP は TfR mRNA の 3′ IRE に結合し，不安定化 AU リッチエレメントにタンパク質が近づくのを阻止する．その結果，TfR mRNA 発現量が増加し，トランスフェリン受容体の産生と細胞内への鉄輸送が増加する．フェリチン mRNA の翻訳制御と TfR mRNA の安定性制御の二つの翻訳後調節機構によって，細胞内 Fe^{2+} 濃度が鉄要求性酵素への結合に必要な濃度には維持され，毒性を示すような高濃度になることは回避

されている.

他の調節性RNA結合タンパク質もmRNAの翻訳や分解を制御する可能性がある. たとえば, ヘム感受性RNA結合タンパク質は, ヘム合成に重要な酵素であるアミノレブリン酸 (ALA) シンターゼをコードするmRNAの翻訳を調節する. 同様に, in vitroでの研究から, 乳タンパク質のカゼインをコードするmRNAは, プロラクチンというホルモンによって安定化されており, このホルモンがない場合にはただちに分解されることが示されている.

正しくプロセシングされなかったmRNAの翻訳は, 監視機構によって回避される

正しくプロセシングされなかったmRNAを翻訳すると, 機能がないタンパク質, あるいは異常に機能するタンパク質がつくられる可能性がある. この効果は, 6章で述べたドミナントネガティブ変異による効果 (図6・2参照) と同等である. **mRNA監視機構** (mRNA surveillance) と総称される複数の機構によって, 正しくプロセシングされなかったmRNA分子の翻訳が回避されている. これまでに, そうした二つの監視機構を述べた. 一つは, 正しくプロセシングされなかったmRNA前駆体を核内で識別し, それらを核内エキソソームで分解する機構であり, もう一つは, スプライソソーム集合中間体と結合したままの, スプライシングが不完全なmRNA前駆体の核外輸送を一般的に制限する機構である.

ナンセンスコドン介在性分解 このmRNA監視機構では, 一つ以上のエクソンが正しくスプライシングされなかったmRNAを分解する. このような不正確なスプライシングはしばしば, 不適切なエクソン接合部から3′側のmRNAの読み枠を変化させ, 読み枠がずれたミスセンス変異や誤った終止コドンが導入される. 適切にスプライシングされたmRNAであれば, ほとんどすべての終止コドンは最後のエクソンに存在する. 最後のスプライシング接合部よりも前に終止コドンをもつmRNAは, **ナンセンスコドン介在性分解** (nonsense-mediated decay: **NMD**) の過程により速やかに分解される. ほとんどの場合, そのようなmRNAはRNAスプライシングの誤りによって生じるからである. しかし, NMDは, 遺伝子内で終止コドンを生じる変異や, 読み枠を変化させる欠失・挿入によっても起こることもある. NMDが最初に発見されたのは, βグロビンmRNAの量が少ないためにβグロビンタンパク質の産生量が少なくなるβ⁰サラセミアの患者を研究していたときのことである (図9・36).

プロセシングされたmRNA中のスプライシング接合部の位置を示す分子シグナルを探す研究から, エクソン接合部複合体 (EJC) が発見された. すでに述べたように, これらの複合体は複数のタンパク質 (コア複合体のeIF4AIII, MLN51, MAGOH, Y14と, REFなどの表層因子) から構成され, RNAスプライシング後にエクソン-エクソン接合部の上流約20塩基の部位に結合し, NXT1-NXF1 mRNPエキスポーターと相互作用することによって, mRNPの核外輸送を促進する (図9・26). 酵母変異体の解析から, 核内でエクソン接合部複合体に会合する表層因子の一つ (UPF3) が, ナンセンスコドン介在性分解で機能することが示された (図9・37, 段階**1**). UPF3は核膜孔複合体を通って輸送されるときもEJCに会合し続けており, 細胞質でNMD因子UPF2と結合する (段階**2**). 翻訳が終結すると, 真核細胞終結因子1と3

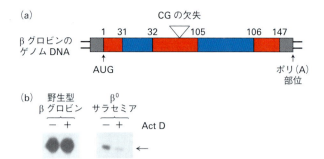

図9・36 ナンセンスコドン介在性mRNA分解 (NMD) の発見. (a) β⁰サラセミアの患者では, βグロビンmRNAの発現量が非常に低い. この病気の共通の原因は, βグロビン遺伝子のエクソン1あるいは2における1塩基の欠失である. 変異型mRNAを翻訳するリボソームは, 欠失部位の下流で読み枠がずれるため, mRNAの最後のエクソン接合部を通過する前に, 誤った読み枠にある終止コドンに達する. そのため, エクソン接合部複合体 (EJC) が, mRNAから外されることなく残る. 細胞質タンパク質がEJCに結合してmRNAの分解が誘導される. (b) 野生型βグロビン遺伝子をもつ個人とβ⁰サラセミア患者から骨髄細胞を採取した. ただちに骨髄細胞からRNAを単離するか, あるいは転写を阻害する薬剤であるアクチノマイシンD (Act D) を含む培地中で骨髄細胞を30分インキュベートしたのちにRNAを単離した. β⁰グロビンmRNAの量をS1ヌクレアーゼ保護法によって定量した (矢印). 野生型遺伝子をもつ個人ではアクチノマイシンD処理の有無にかかわらず, βグロビンmRNAは安定であった. β⁰サラセミア患者ではアクチノマイシンD処理なしでもβグロビンmRNAは大幅に低下していた. また, アクチノマイシンD処理により, βグロビンmRNAは速やかに分解された. [L. E. Maquat et al., 1981, *Cell* **27**(3): 543, Copyright Clearance Center, Inc. を通じてElsevierより許可を得て転載.]

(eRF1とeRF3) は, 終止コドンがA部位にあるリボソームと結合するが (図5・38参照), NMD因子のUPF1とSMG1 (プロテインキナーゼ) はeRF1とeRF3に結合し, SURF複合体を形成して終結中のリボソームと会合する (段階**3**). SURF複合体は, UPF1とUPF2との相互作用を介して, 翻訳中のリボソームによってmRNAから外されなかったECJ複合体に会合したUPF2と結合する (段階**4**). そうすると, SMG1がUPF1をリン酸化し, eRF1とeRF3を放出する一方, NMD因子SMG7の結合が促進される. 最後に, SMG7がmRNPをPボディに結合させ, 翻訳を阻害する. UPF2はPボディにある脱アデニル酵素複合体に結合し, これがmRNAからポリ(A)尾部を速やかに除去する. さらにキャップが除去されてPボディの5′→3′エキソヌクレアーゼXRN1によって分解される (図9・30a).

正しくスプライシングされたmRNAの場合, そのmRNAの翻訳を最初にはじめたリボソームが通過するときに, EJCがmRNPから外され, mRNAは分解から守られるというのが現在の仮説である. しかし, 最終のエクソン接合部より前に終止コドンをもつmRNAでは, 一つ以上のEJCがmRNAに結合したままになるため, ナンセンスコドン介在性分解が起こる (図9・37a).

ノンストップ分解 mRNA監視の別機構として, 伸長途中でポリ(A)が付加されたmRNAの翻訳を阻害して分解を行うのが**ノンストップ分解** (non-stop decay) である. このようなmRNAでは, 翻訳中のリボソームが読み枠の合う終止コドンに出会うことがないので, 翻訳はポリ(A)尾部の末端まで継続してしまい, そこでmRNAに強固に結合したまま立ち往生する (図9・37b). 正

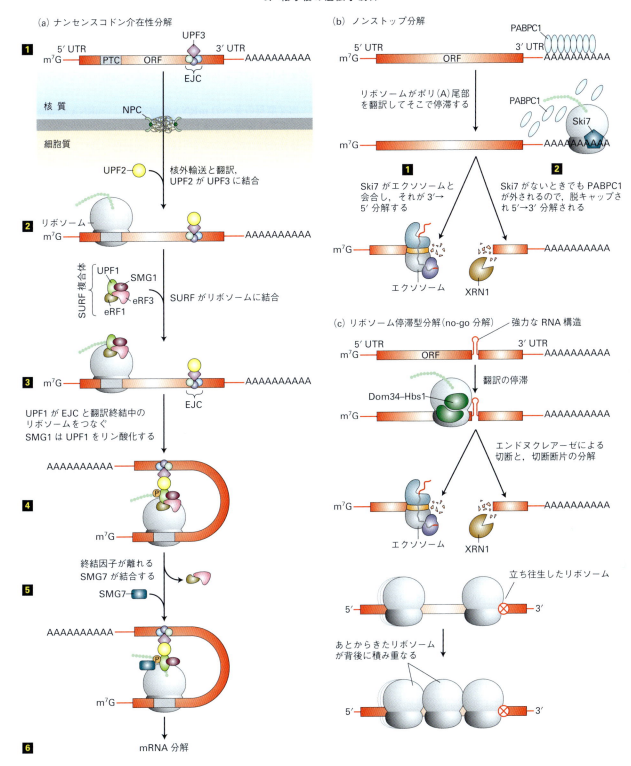

図 9・37 細胞質における mRNA 監視機構. (a) ナンセンスコドン介在性分解(NMD). 段階1: 異常な RNA スプライシングの結果, コドンの読み枠がずれて途中に生成した終止コドン(PTC)をもつ異常な mRNA が核で産生される. RNA スプライシング後, スプライシング接合部にエクソン接合部複合体(EJC)が残され, NMD 因子の UPF3 と会合する. 段階2: 細胞質へと輸送されたのち, NMD 因子の UPF2 が EJC に結合した UPF3 と会合する. リボソームが翻訳を開始して, PTC に到達する. 段階3: 真核細胞終結因子1(eRF1)と3(eRF3)(図5・38 参照)が終止コドンで停止したリボソームに会合し, UPF1 とプロテインキナーゼ SMG1 とも結合し, "SURF 複合体" を形成する. 段階4: 翻訳中のリボソームにより外されなかった mRNA 結合 EJC が, EJC の UPF2 と SURF 複合体の UPF1 の間の相互作用により, 翻訳終結したリボソームと相互作用する. これにより SMG1 が UPF1 をリン酸化する. 段階5: リン酸化した UPF1 から eRF1 と eRF3 が解離し, 代わりに NMD 因子の SMG7 が結合する. 段階6: 結合した SMG7 が mRNP 複合体を P ボディに会合させる. 翻訳が阻害されて異常な mRNA は分解される. (b) ノンストップ分解. (c) リボソーム停滞型分解(no-go 分解). 下段: 立ち往生したリボソームの 5′ 側に "積み重なる" リボソームの略図. [N. L. Garneau et al., 2007, *Nat. Rev. Mol. Cell Biol.* **8**: 113 参照. (c)は C. L. Simms et al., 2017, *Mol. Cell* **68**: 361 参照.]

常機構で終結因子による翻訳終結（図5・38参照）をすることなくmRNAの3′末端に結合したリボソームは，Ski7というタンパク質によって認識される．Ski7のC末端は，リボソームのA部位に結合する伸長因子1A（EF1A）（図5・37参照）や終結因子eRF3（図5・38参照）のGTPaseドメインと似た構造をとっている．Ski7も同様にA部位に結合し，mRNAからリボソームを解離させると考えられている．Ski7はエクソソームと会合し，転写物の脱アデニル酸反応と3′→5′方向の急速な分解をひき起こす．

リボソーム停滞型分解　本章で説明する最後の細胞質mRNA品質管理機構は**リボソーム停滞型分解**（no-go分解）である．終止コドンの5′側にmRNA鋳型の損傷や，非常に大きく安定な二次構造があると，リボソームは翻訳中に停止してしまうが，この機構はそのようなリボソームを解放する（図9・37c）．最近の研究では，リボソームの"衝突"がリボソーム停滞型分解の開始段階で起こるmRNA切断の重要な誘因であることが示されている．リボソームの"衝突"は，mRNAに沿ったリボソーム移動の障害物の5′側で，リボソームが積み重なってしまうときに起こる（図9・37c，下）．この現象は，リボソームの移動をブロックするような長い安定なステムループをもつように操作した"no-go mRNA"では，クロマチン免疫沈降（図8・12a，段階**1**参照）を行うときのように穏やかに架橋処理と透過処理をした細胞にRNaseを添加すると，障害物の5′側に30塩基の間隔で保護される領域がみられることにより実験的に検出された．この30塩基間隔のno-go mRNAの保護は，おそらくmRNAに沿って積み重なったリボソーム小サブユニット（図5・34参照）のチャネルにあるmRNAがRNaseによる分解から保護されたことによるのであろう．

生体内では，リボソーム移動の障害物の5′側にリボソームが積み重なると，no-go mRNAのエンドヌクレアーゼ切断が起こる．実際に関与しているエンドヌクレアーゼは同定されていないものの，リボソームそのものに組込まれているらしい．なぜなら，no-go mRNAの切断部位は，移動障害物の後ろで停止した小サブユニットのmRNAチャネル内のmRNA領域（図5・34参照）に起こることが示されているからである．ヒトではE3ユビキチンリガーゼのZNF598がいくつかのリボソームタンパク質をポリユビキチン化し，プロテアソームによる分解，新生ポリペプチドの分解，no-go mRNAの切断末端からのリボソームサブユニットの解離をひき起こす．その後，切断されたno-go mRNAの5′側断片は細胞質エクソソームにより，また3′側断片は細胞質XRN1により分解される（図9・37c）．

mRNAの局在化によって細胞質の特定の領域でタンパク質をつくることができる

多くの細胞過程は，特定のタンパク質が細胞内の特異的な構造や領域に局在化することに依存している．あとの章で，タンパク質が合成されたのちに，どのようにして適切な場所に輸送されるかを述べる．タンパク質を局在化させる別の方法として，mRNAを，コードするタンパク質が機能する細胞質の特定の領域に局在化させるというものもある．このようなmRNAの局在性は，これまでに調べられたほとんどの場合，mRNAの3′非翻訳領域の配列によって規定される．最近，ゲノム全体にわたってショウジョウバエの胚におけるmRNAの局在を調べた研究から，分析した3000のmRNAの約70％が細胞内で特定の部位に局在することがわかった．したがって，この機構はすべての多細胞動物で，以前考えられていたよりもずっと一般的な機構である可能性がある．

出芽酵母の芽へのmRNAの局在化　mRNAの局在に関しては，出芽酵母で最も詳しく理解されている．8章で述べたように，一倍体の酵母細胞の接合型が**a**とαのどちらになるかは，染色体ⅢのMAT遺伝子座に**a**遺伝子とα遺伝子のどちらが存在するかで決まる（図8・31参照）．染色体Ⅲのテロメア近傍にあるサイレント接合型遺伝子座からMAT遺伝子座に**a**あるいはα遺伝子が転位する過程は，HOとよばれる配列特異的なエンドヌクレアーゼの作用からはじまる．HO遺伝子の転写は，SWI/SNFクロマチンリモデリング複合体に依存する（§8・4参照）．母細胞からの出芽によって生じる娘細胞には，**Ash1**（asymmetric synthesis of HO）という転写リプレッサーがあり，これによってSWI/SNF複合体がHO遺伝子に会合するのが阻害され，したがってHO遺伝子の転写が妨げられる．一方，母細胞にはAsh1がないので，HO遺伝子の転写が起こる．その結果，母細胞では接合型が変換するが，そこから出芽した娘細胞では接合型変換は起こらない（図9・38）．

Ash1タンパク質は，コードしているmRNAが娘細胞に局在するので，娘細胞だけで蓄積する．この局在化過程には三つのタンパク質，She2とMyo4とShe3が必要である（図9・39）．She2（SWI-dependent HO expression）はASH1 mRNAに存在する特定のRNA構造もつ局在化シグナルに特異的に結合するRNA結合タンパク質である．Myo4はアクチンフィラメント上で積み荷を

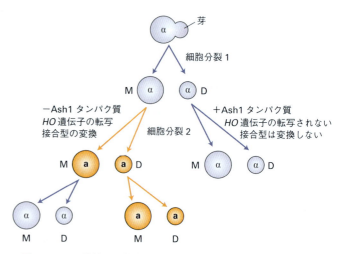

図9・38　一倍体の出芽酵母細胞における接合型の変換．出芽酵母では核内でのDNA合成にひき続き，一倍体の酵母細胞が有糸分裂して，大きな母細胞（M）と小さな娘細胞（D，図1・24参照）を生じる（細胞分裂1）．生じた娘細胞と母細胞は親細胞と同じ接合型である（この例ではα，紫で示した）．次の細胞分裂の前に，小さい娘細胞のサイズが大きくなり，母細胞のサイズになって，小さい娘細胞と大きい母細胞に分裂する（細胞分裂2）．どちらの細胞も親細胞と同じ接合型（この例ではα）をもつ．一方，細胞分裂1で生じた大きな母細胞は，DNA合成の前に接合型を変換し，逆の接合型（この例では**a**，橙で示した）をもつ母細胞と娘細胞に分裂する．この過程はその後の分裂でも続き，娘細胞の子孫は同じ接合型になるが，母細胞の子孫は接合型が変換している．

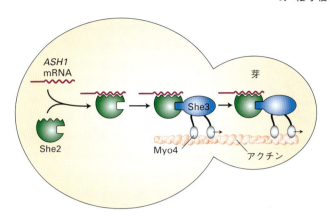

図9・39 出芽酵母の母細胞における接合型変換の制限モデル. Ash1 タンパク質は，細胞が HO 遺伝子を転写するのを妨げる．HO 遺伝子にコードされるタンパク質は接合型を α から **a** へ，あるいは **a** から α へと変換するような DNA 再編成を開始する．この変換は，新たに出芽した娘細胞が離れたのちに母細胞においてのみ起こる．その理由は，Ash1 タンパク質が娘細胞だけに存在するからである．Ash1 タンパク質の局在性の違いの分子的基盤は，ASH1 mRNA の芽への一方向性輸送にある．連結タンパク質 She2 は ASH1 mRNA の 3′ 非翻訳領域の特定の配列に結合し，また She3 タンパク質とも結合する．She3 がミオシンモーター Myo4 に結合し，Myo4 はアクチンフィラメント上を芽まで移動する．[S. Koon and B. J. Schnapp, 2001, *Curr. Biol.* **11**: R166 参照．]

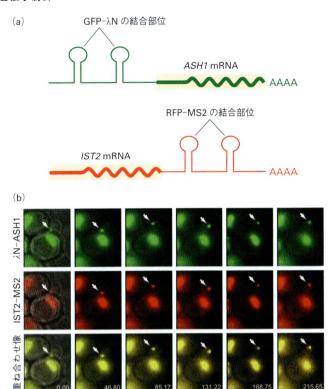

図9・40（実験） 出芽酵母の母細胞から芽への mRNP 粒子の輸送. (a) ASH1 mRNA の 5′ 非翻訳領域にバクテリオファージ λN タンパク質の結合部位を付加した RNA と，IST2 mRNA の 3′ 非翻訳領域にバクテリオファージ MS2 の外被タンパク質の結合部位を付加した RNA を，酵母細胞に発現させた．さらに，λN タンパク質に緑色蛍光タンパク質を融合したタンパク質（GFP-λN）と，MS2 外被タンパク質に赤色蛍光タンパク質を融合したタンパク質（RFP-MS2）を同じ酵母細胞に発現させた．別の実験で，これら二つの蛍光タンパク質と融合した配列特異的な RNA 結合タンパク質は，それぞれ ASH1 mRNA と IST2 mRNA に組込んだ自身の特異的結合部位には結合するが，互いの結合部位には結合しないことがわかっている．両方の蛍光タンパク質には核局在化シグナルが含まれているので，上記の mRNA に結合しなかった蛍光タンパク質は，核膜孔複合体（13章）を通過して核に輸送される．これによって，過剰の GFP-λN と RFP-MS2 が細胞質で強い蛍光を発しないようになっている．(b) 蛍光を発する細胞のビデオ画像のコマの例．GFP と RFP を励起するレーザーをミリ秒単位の間隔で交互に照射することによって，GFP-λN と RFP-MS2 をそれぞれ独立に可視化した．顕微鏡画像の中央付近にある母細胞で，大きな液胞の隣の核と，この細胞に隣接するもう一つの細胞の核に緑と赤の蛍光が見える（上列と中央列）．下列はこの二つの画像の重ね合わせで，画像間の時間的なずれがわかる．この像から，λN 結合部位をもつ ASH1 mRNA と，MS2 結合部位をもつ IST2 mRNA の両方を含む RNP 粒子が，母細胞の細胞質に観察された（左端の像の矢印）．この粒子の蛍光強度は，0.00 秒（最左端）から 46.80 秒（左から2番目）の間に増加していることから，これらの標識された mRNA がこの RNP 粒子にさらに合流したことがわかる．この RNP 粒子は，46.80 秒から 85.17 秒（左から3番目）までに芽に輸送され，その後は芽の先端に局在していた．[S. Lange et al., 2008, *Traffic* **9**(8): 1256, Copyright Clearance Center, Inc. を通じて John Wiley & Sons, Inc. より許可を得て転載．]

動かすミオシンモータータンパク質（17章）である．She3 は，She2 を介して ASH1 mRNA と Myo4 を結びつける．ASH1 mRNA は，細胞分裂前には母細胞の核で転写される．Myo4 が結合した ASH1 mRNA とともに母細胞から芽へと伸びるアクチンフィラメント上を移動することによって，細胞分裂を前にして大きくなりつつある芽に ASH1 mRNA を運ぶ．

そのほかにも，少なくとも 23 種類の mRNA が She2, She3, Myo4 からなる系で輸送される．これらの mRNA にはすべて，She2 が結合する RNA 局在化シグナルが，たいていは 3′ UTR に存在する．この輸送過程は，図9・40に示した実験によって生細胞で観察できる．RNA は，RNA 結合タンパク質に対する高親和性結合部位の配列を含めることにより蛍光標識することができる．標識には，異なる配列をもつステムループに結合するバクテリオファージ MS2 外被タンパク質や λN タンパク質が用いられる（図9・40a）．このように改変した mRNA と，異なる色の蛍光タンパク質と融合したバクテリオファージタンパク質とを，出芽している酵母細胞に発現させると，融合タンパク質は特異的な RNA 配列に結合するので，各 RNA は別々の蛍光色で標識される．図9・40(b) に示した実験では，ASH1 mRNA には λN タンパク質と融合した緑色蛍光タンパク質が結合して標識される．芽に局在化するもう一つの mRNA は IST2 mRNA で，これは成長する芽の膜構成成分をコードしている．この実験系で，IST2 mRNA は MS2 外被タンパク質に融合した赤色蛍光タンパク質の結合により標識される．出芽中の細胞の緑色蛍光と赤色蛍光のシグナルを重ね合わせてビデオ観察した結果，別々の蛍光で標識された ASH1 mRNA と IST2 mRNA が，多数の mRNA を含む細胞質の同じ大きな RNP 粒子として母細胞の細胞質に蓄積することがわかった．この RNP 粒子は，その後，約1分以内に芽に輸送された．

先に mRNA 分解の細胞質内部位である P ボディの項で述べたように，ここでみられるような RNP の大きな細胞質顆粒球の形成（図9・40b）や，多細胞真核生物の細胞で輸送される RNA 粒子の他の例では，RNA 結合タンパク質が [G/S]Y[G/S] の繰返しのような単純なアミノ酸配列を含むことが必要である．こうした

単純なアミノ酸配列を含むペプチドは，8章で核における転写コンデンセートの形成に関して説明した"液-液相分離"とよばれる過程により，in vitroで自発的に集合する（図8・38参照）．これらの単純配列の繰返しをもつペプチドからin vitroで形成されるコンデンセートは，内部のセリン残基のリン酸化により解離する．このような液-液相分離した液滴が，酵母のアクチンケーブルや高等真核生物の大きな非対称性細胞の微小管（17章，18章）の上を輸送される大きなRNP複合体の形成に関与しているのであろう．高等真核生物の神経細胞（23章）の軸索や樹状突起での例については次項で説明する．RNP粒子に会合したRNA結合タンパク質のこれらの単純配列のリン酸化を調節することによって，図9・40(b)で観察されたようなRNP粒子の形成や分解が制御されている可能性がある．

哺乳類の神経系におけるmRNAのシナプスへの局在　すでに述べたように，神経細胞では特定のmRNAが細胞体の核から遠く離れたシナプスに局在することが，記憶や学習に必須の役割を果たしている（図9・41）．酵母でのmRNAの局在化と同じように，これらのmRNAでは3′非翻訳領域にRNA局在化シグナルが存在する．その一部は，最初はポリ(A)尾部が短い形で合成されているので翻訳は起こらない．ここでも局在化シグナルをもつ複数のmRNAを含む大きなRNP粒子が細胞核近傍の細胞質で形成される．神経細胞では，RNP粒子は軸索を通ってシナプスまで輸送される．輸送しているのは，軸索の長さにわたって伸長した微小管上を動くキネシンというモータータンパク質である（18章）．細胞膜イオンチャネルの制御された開口により特定のシナプスで膜の脱分極が起こると（23章），そのシナプス領域でmRNAのポリアデニル酸付加が促進されることがある．そうするとコードするタンパク質の翻訳が活性化し，同じ神経からつくられる何百から何千もの他のシナプスに影響することなく，当該シナプスの大きさを増したり，神経生理学的性質を変えることができる．

9・4 細胞質における転写後制御機構　まとめ

- 大部分のmRNAは細胞質で分解される．具体的には，ポリ(A)尾部がしだいに短くなり（脱アデニル酸），その後エクソソームにより3′→5′分解されるか，あるいは5′キャップが除去されたのち，5′→3′エキソリボヌクレアーゼXRN1による分解を受ける（図9・30）．
- 短期集中的に発現するタンパク質をコードする真核生物mRNAには，一般的に，3′UTRにAUに富む配列（AUリッチエレメント）が繰返し含まれる．また，このエレメントに特異的に結合するタンパク質は，脱アデニル酸酵素複合体や細胞質のエクソソームと相互作用し，RNAの速やかな分解を促進する．
- 翻訳は，特定の標的mRNAの3′非翻訳領域（UTR）にある配列と不完全なハイブリッドを形成するマイクロRNA（miRNA）によって抑制される．複数のmiRNAが結合したmRNAは，細胞質にあるPボディに濃縮され，キャップが除去されたのち，細胞質エクソソームによって分解される．
- 関連した現象であるRNA干渉（RNAi）は，おそらくウイルスやトランスポゾンに対して古くから存在する防御系から進化したものであり，短鎖干渉RNA（siRNA）と完全なハイブリッドを形成するmRNAの迅速な分解を導く．
- miRNAとsiRNAは，どちらも21〜23ヌクレオチドであり，長い前駆体分子からつくられ，Argonauteタンパク質と結合して，多くのタンパク質からなるRNA誘導サイレンシング複合体（RISC）を形成する．RISC複合体は，標的mRNAの翻訳を抑制してPボディへの局在を誘導し，そこでのmRNAの分解を導くか（miRNA），標的mRNAを切断し（siRNA），末端の保護されていないRNAを生成する．こうしたRNAは，速やかに細胞質エクソソームと5′→3′エキソヌクレアーゼXRN1によって分解される（図9・31，図9・32）．
- 短いポリ(A)尾部をもつmRNAの翻訳には，細胞質でのポリアデニル酸付加が必要である．この反応は細胞内で制御されている．3′UTRにある調節エレメントに特異的なタンパク質が結合すると，これらのmRNAの翻訳は抑制される．このRNA結合タンパク質がリン酸化されると3′ポリ(A)尾部が伸長され，翻訳が行われる（図9・34）．
- 細胞のタンパク質合成の包括的な速度は，部分的には真核生物開始因子2（eIF2）によって調節されている．eIF2は翻訳するmRNAを選ぶ初期過程に必要である（図5・36参照）．eIF2キナーゼはさまざまな種類の細胞ストレスに応答してeIF2の制御部位をリン酸化する．これにより，eIF2のヌクレオチド交換が阻害され，タンパク質合成の初期過程が阻害される．
- 大部分のmRNAによるタンパク質合成の包括的な速度制御に加え，特定のmRNAの翻訳，安定性，細胞内局在も調節することができる．このような調節は一般的には，配列

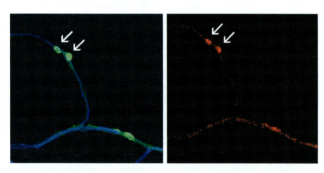

図9・41（実験）特定の神経細胞mRNAはシナプスに局在する． アメフラシ Aplysia californica の感覚ニューロンを，標的である運動ニューロンとともに培養すると，感覚ニューロンからの軸索と運動ニューロンの樹状突起の間にシナプスが形成される．左の顕微鏡写真では，運動ニューロンを青の蛍光色素で標識した．GFP-VAMP（緑）は感覚ニューロンで発現し，感覚ニューロンの軸索と運動ニューロンの樹状突起の間につくられたシナプスの位置を示している（矢印）．右の顕微鏡写真には，センソリンのmRNAのアンチセンス鎖プローブを用いたin situハイブリダイゼーションの赤色蛍光を示した．センソリンは感覚ニューロンだけで発現する神経伝達物質である．感覚ニューロンの軸索については，この試料では見えていないが，運動ニューロンの樹状突起に隣接して存在する．in situハイブリダイゼーションの結果から，感覚ニューロンのセンソリンmRNAがシナプスに局在することが示された．[V. Lyles et al., 2006, Neuron 49(3): 349, Copyright Clearance Center, Inc. を通じてElsevierより許可を得て転載．]

特異的なRNA結合タンパク質が標的mRNAの3'非翻訳領域, あるいは頻度は低めであるが5'非翻訳領域の調節エレメントに結合して行われる. たとえば, フェリチンmRNAの翻訳とトランスフェリン受容体 (TfR) mRNAの分解は, いずれも Fe^{2+} 感受性のRNA結合タンパク質, IRE-BP1とIRE-BP2によって制御される. Fe^{2+} 濃度が低いときには, IRE-BPはmRNAのステムループ構造をつくる特異的な配列に結合する活性型構造をとり, フェリチンmRNAの翻訳とTfR mRNAの分解を阻害する (図9・35). この二重の調節系によって, 細胞内の Fe^{2+} 濃度は厳密に調節されている.

- ナンセンスコドン介在性分解とその他のmRNA監視機構は, 不適切にプロセシングされたmRNAの翻訳を阻害している. このようなmRNAは, 本来の正常なタンパク質の機能を阻害する可能性のある異常なタンパク質をコードしている.
- 少なからぬmRNAが, 通常は3' UTRにある局在化配列に結合する配列特異的なRNA結合タンパク質によって, 特定の細胞内の部位へと輸送される. これらのRNA結合タンパク質は, モータータンパク質に直接, あるいは仲介タンパク質を介して間接的に結合する. モータータンパク質は, 同じ局在化シグナルをもつ多数のmRNAを含む大きなRNP粒子を, アクチンか微小管の繊維の上を細胞質の特定部位へと輸送する.

9・5 rRNAとtRNAのプロセシング

盛んに増殖している哺乳類細胞 (たとえば培養中のHeLa細胞) に含まれる全RNAのうちのほぼ80%がrRNAであり, 15%がtRNAである. したがって, タンパク質をコードするmRNAが全RNAに占める割合はごくわずかである. 大部分のrRNA遺伝子とtRNA遺伝子から生成する一次転写産物は, mRNA前駆体と同じように, さまざまなプロセシングを受けて機能のある成熟したRNA分子になる.

リボソームは, 高度に進化した複雑な構造体であり (図5・34参照), タンパク質合成に最適化されている. リボソームを合成するには, 3種類の核内RNAポリメラーゼ (Pol I, II, III) すべての機能と協調が必要である. リボソーム大サブユニットの28Sと5.8SのrRNA, 小サブユニットの18SのrRNAはPol Iによって転写される. 大サブユニットの5S rRNAはPol IIIによって転写され, リボソームタンパク質をコードするmRNAはPol IIによって転写される. 四つのrRNAと約70のリボソームタンパク質のほかに, 少なくとも150のRNAとタンパク質が, 二つのリボソームサブユニットが一連の協同的段階を経て組立てられる過程で一過性の相互作用をする. さらに, 成熟したrRNAに含まれる多数の特定塩基とリボースが, タンパク質合成に最適な機能をもつように修飾される. リボソームサブユニットの合成と組立てのほとんどの段階は核小体 (nucleolus) で行われるが, 一部は核小体から核膜孔複合体へ移動する間に核質で起こる. 核外輸送される前には品質管理の段階があり, 完全な機能をもつサブユニットだけが細胞質へと輸送され, 細胞質でリボソームサブユニット成熟の最終段階が起こる. tRNAもまた, 核内で一次転写産物からプロセシングされ, 細胞質に輸送される前に多数の修飾を受けたうえで, タンパク質合成に用いられる. 本節では, 最初にrRNAのプロセシングと修飾, およびリボソームの組立てと核外輸送について説明し, 次に, tRNAのプロセシングと修飾を考える.

rRNA前駆体遺伝子はすべての真核生物で類似していて, 核小体形成領域として機能する

多細胞真核生物では28Sと5.8S rRNAはリボソーム大 (60S) サブユニットに含まれ, 18S rRNAは小 (40S) サブユニットに含まれる. これらのRNA (および他のすべての真核生物にある機能的に同等なrRNA) は単一種類の **rRNA前駆体** (pre-rRNA) 転写単位によってコードされている. ヒト細胞では, Pol Iによる転写で約13.7 kbの45S一次転写産物 (rRNA前駆体) が生成し, プロセシングされて細胞質のリボソームに含まれる成熟した28S, 18S, 5.8SのrRNAになる. 第四のrRNAである5S RNAは, 独立にコードされ, 核小体の外でPol IIIにより転写される. 45S rRNA前駆体をコードするDNAの塩基配列をさまざまな種で決定した結果, あらゆる真核生物に共通な複数の性質があることが示された. 第一に, rRNA前駆体遺伝子は多数が同じ方向に並んでおり, 転写されないスペーサー領域で隔てられている (図9・42). 転写されないスペーサー領域は, カエルの約2 kbからヒトの約30 kbまで, 長さはさまざまである. 第二に, 3種類の成熟rRNAに対応するゲノム領域は, 常に18S, 5.8S, 28Sという同じ順番で5'→3'方向に配置されている. 第三に, すべての真核細胞で (さらに細菌でさえも), rRNA前駆体遺伝子には, プロセシングで除去されて速やかに分解される領域がコードされている. この領域は, おそらく, rRNAの正確な折りたたみに寄与しているが, その後は不要になるのであろう. いくつかの生物について, rRNA前駆体の一般的な構造を図9・43に模式的に示す.

rRNA前駆体の合成とほとんどのプロセシングの過程は核小体で行われる. 最初にrRNA前駆体遺伝子がin situハイブリダイ

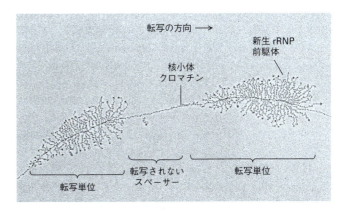

図9・42 (実験) カエル卵母細胞の核小体におけるrRNA前駆体転写単位の電子顕微鏡写真. この写真に二つ見える"羽毛"のような構造体は, 多数のrRNA前駆体分子がタンパク質と結合してリボ核タンパク質粒子前駆体 (rRNP前駆体, "羽毛"を構成する"毛"それぞれ) をつくって転写単位から伸びてきたものである. 新生rRNP前駆体の5'末端にある高密度の塊 (ノブ) はプロセソームと思われる. rRNA前駆体転写単位は同方向に並んで存在し, 各単位は核小体クロマチンの転写されないスペーサー領域で隔てられている. [Y. Osheim and O. J. Miller, Jr. 提供.]

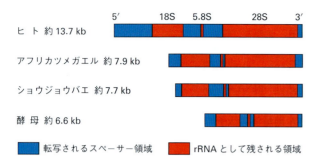

図 9・43 真核生物 rRNA 前駆体の転写単位の一般構造．三つのコード領域（赤）には，多細胞真核生物のリボソームにある 18S，5.8S，および 28S の rRNA，あるいは他の生物種の該当する rRNA がコードされる．ゲノム中でのこれらのコード領域の順番は，常に 5′→3′ である．異なる生物種で rRNA 前駆体の転写単位の長さが違うおもな理由は，転写されるスペーサー領域（青）の長さが生物によって異なることである．

ゼーションによって核小体内に同定されたときには，核小体を形成するために他の DNA が必要かどうかはわからなかった．その後，遺伝子導入したショウジョウバエの系統を使った実験から，単一の完全な rRNA 転写単位が小さな核小体の形成を誘導することがわかった．したがって，**核小体形成領域**（nucleolar organizer region: NOR）として働くには一つの rRNA 前駆体遺伝子だけで十分であり，リボソームの他のすべての構成成分は，新たに形成された rRNA 前駆体へと拡散により集まってくる．光学顕微鏡や電子顕微鏡で観察される核小体の構造は，基本的に rRNA 前駆体のプロセシングとリボソームサブユニットの会合によるものである．

核小体低分子 RNA は rRNA 前駆体のプロセシングを助ける

リボソームサブユニットの組立て，成熟，および細胞質への輸送が最もよく理解されているのは出芽酵母である．しかし，関係するほとんどすべてのタンパク質と RNA は多細胞生物にも高度に保存されているので，リボソーム生合成の基本的な性質は酵母と同じであると考えられる．mRNA 前駆体と同じように，新生 rRNA 前駆体の転写産物にはただちにタンパク質が結合し，リボソームリボ核タンパク質粒子前駆体（pre-ribosomal ribonucleoprotein particle: pre-rRNP）を形成する．rRNA 前駆体の切断は，転写がほぼ完了するまではじまらない．酵母では，rRNA 前駆体が転写されるのに約 6 分かかる．転写が完了すると，10 秒以内に rRNA が切り出され，塩基やリボースが修飾される．盛んに増殖している酵母細胞では，毎秒，大小のリボソームサブユニットが 40 個くらいずつ合成され，プロセシングを経て細胞質へ輸送されている．rRNA 前駆体を転写するのに長い時間がかかるにもかかわらず，リボソームの合成が非常に速いのは，一つの rRNA 前駆体遺伝子に PolI 分子が多数集まって同時に転写を進めているからであり（図 9・42），また酵母の核小体形成領域がある染色体 XII には 100〜200 個もの rRNA 前駆体遺伝子が含まれているからである．

酵母では約 6.6 kb の一次転写産物が一連の切断とエキソヌクレアーゼによる分解を受けて，最終的にリボソームにみられる成熟した rRNA になる（図 9・44）．プロセシングの過程で，rRNA 前駆体はかなりの修飾を受ける．大部分は，特定のリボースの 2′-OH のメチル化と，特定のウリジン残基のシュードウリジンへの変換である．実質的に，これらすべての修飾は，進化的に最も保存されたリボソームのコア構造内で起こる．コア構造は，タンパク質合成に直接関係する部分である．2′-O-メチル化とシュードウリジン形成が起こる特異的部位の位置は，核小体に限局して存在する約 150 種の**核小体低分子 RNA**（small nucleolar RNA: snoRNA）によって指定される．snoRNA は，rRNA 前駆体分子と一過性のハイブリッドをつくるが，mRNA 前駆体のプロセシングに働く snRNA と同じように，タンパク質と結合して **snoRNP** とよばれるリボ核タンパク質粒子を形成している．40 以上の snoRNP を含む第一のグループ（ボックス C および D をもつ snoRNP，ボックス C/D snoRNA，図 9・45a）は，メチルトランスフェラーゼ酵素を rRNA 前駆体のメチル化部位近傍に配置する．ボックス C/D snoRNA には種類がたくさんあって，同じような機構で多数部位のメチル化を指示する．これらの RNA には，C ボックス配列や D ボックス配列など（図 9・45a），共通の配列や構造的な特徴がみられ，共通のタンパク質群に結合する．おのおのの snoRNA には rRNA 前駆体と厳密に相補的な領域が一つか二つあり，ハイブリッドを形成した領域の特定のリボースにメチルトランスフェラーゼを反応させる（図 9・45a）．snoRNP の第二の主要なグループ（ボックス H/ACA snoRNA，図 9・45b）は，ピリミジン環の回転によりウリジンをシュードウリジンに変換する酵素を配置する（図 9・45c）．この変換では，rRNA 前駆体の修飾されるウリジンの両側にある数塩基は，それぞれ H/ACA snoRNA のステムにある突起部分と塩基対をつくる．修飾されるウリジンは，二重らせん領域から突出している．これはちょうど，mRNA 前駆体のスプライソソームによるスプライシングにおいて，分枝部位の A が突出しているのと似ている（図 9・9d）．アデニンのジメチル化など rRNA 前駆体の他の修飾は，修飾部位を特定する snoRNA の補助なしに，特異的タンパク質によって行われる．

U3 snoRNA は，小サブユニット（SSU）プロセソーム（small subunit processome）とよばれる 72 個ほどのタンパク質を含む大きな snoRNP に含まれ，rRNA 前駆体の 5′ 末端近くで最初に切断される A_0 部位の場所を特定する．このプロセソームは 6.6 kb の rRNA 前駆体を，一次転写産物の転写にひき続き何回も起こる切断に必要な構造に折りたたむのを補助する．ここで U3 snoRNA は，rRNA 前駆体の上流領域と塩基対を形成して切断部位を特定する．プロセソームは rRNP 前駆体の電子顕微鏡写真で "5′ ノブ" として見える構造をつくると考えられている（図 9・42）．他の snoRNP がつくる塩基対は，転写されたスペーサー領域を取除くための切断反応が起こる部位を決めている．大サブユニットにある 5.8S と 25S rRNA のプロセシングを開始する最初の切断は，RNase MRP とよばれる 9 個のタンパク質と RNA からなる複合体によって行われる．rRNA 前駆体から切り出されたスペーサー配列は，mRNA 前駆体のスプライシングで切り出されたイントロンを分解するのと同じ，エクソソームに会合した核内 3′→5′ エキソヌクレアーゼによって分解される．また，核内 5′→3′ エキソヌクレアーゼ（酵母では Rat1，ヒトでは XRN1）も 5′ スペーサーの一部領域を除去する．

snoRNA には，Pol II や III によって独自のプロモーターから発現するものがある．しかし，驚くべきことに snoRNA の大多数は，リボソーム合成や翻訳に関与するタンパク質をコードする機能的

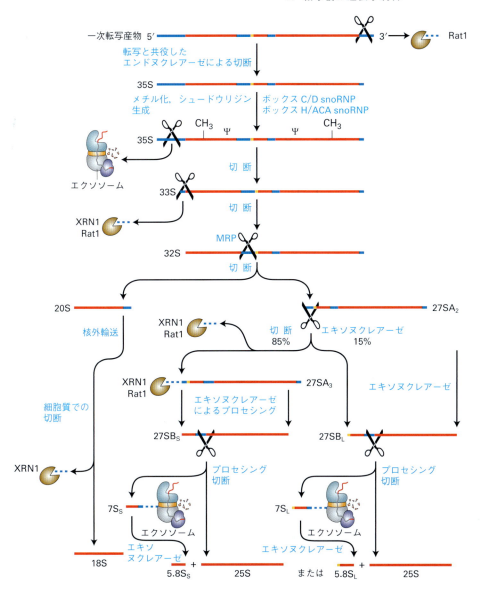

図 9・44 rRNA のプロセシング. 内部切断を触媒するエンドヌクレアーゼをハサミで示した. 5′ あるいは 3′ 末端のどちらかから分解するエキソヌクレアーゼはパックマンの形で示した. rRNA の 2′-O-リボースのメチル化 (CH_3) とシュードウリジン生成 (Ψ) は, ほとんどの場合, 3′ 末端が最初に切断されたのち, 5′ 末端が最初に切断される前に起こる. これらの過程に関与するタンパク質と snoRNP も示した. この図は酵母についての説明なので, 28S rRNA に該当するものは 25S rRNA である. [J. Venema and D. Tollervey, 1999, *Ann. Rev. Genetics* **33**: 261 参照.]

な mRNA を生成する過程で, スプライシングによって切取られたイントロンからプロセシングされてできる. また, snoRNA のなかには, 機能をもたないようにみえる mRNA のスプライシングで切取られたイントロンから, プロセシングされて生成するものもある. このような mRNA (?) をコードする遺伝子は, 切取ったイントロンから snoRNA を発現するためだけに存在するようにみえる.

rRNA 前駆体 (18S, 5.8S, 28S) 遺伝子とは異なり, 5S rRNA 遺伝子は, 核小体外の核質で Pol III によって転写される. その後, 3′ 末端の数ヌクレオチドを除去する簡単なプロセシングを受けて, 5S rRNA は拡散によって核小体に移動し, rRNA 前駆体のリボソーム大サブユニットに組込まれる領域に結合する.

リボソーム小 (40S) サブユニットに含まれるリボソームタンパク質の大部分は, 転写途中の新生 rRNA 前駆体に結合する (図 9・46). 90S の RNP 前駆体中の全長 rRNA 前駆体が切断されることによって, 40S リボソーム前駆体粒子が放出され, 結合タンパク質の入れ替え, 塩基の修飾, 立体構造変化といった再構築を経たのち, 細胞質へ輸送される (図 9・46). 40S リボソーム前駆体は, 核小体 (図 9・46 の薄紫) を離れると, 以下に述べるように,

すばやく核質 (水色) を移動して, 核膜孔複合体 (NPC) を通って細胞質 (褐色) へと核外輸送される. リボソーム小サブユニットの最終的な成熟は細胞質で起こる. 20S rRNA は細胞質の 5′→3′ エキソヌクレアーゼ XRN1 によってプロセシングされて成熟した小サブユニット 18S rRNA になる. また, 細胞質の酵素 Dim1 によって 18S rRNA の 3′ 末端近傍の二つの隣接したアデニンがジメチル化される.

小サブユニット前駆体とは異なり, 大サブユニットの前駆体は, 細胞質への核外輸送が可能な成熟度に達する前に, 非リボソームタンパク質との一過性の相互作用を介して, ずっと多くの再構築を受けなければならない. そのため, 成熟途中の 60S サブユニットが核外へ出るのには, 40S サブユニットの場合よりも, かなり長い時間が必要である (ヒト培養細胞では, 小サブユニットの輸送までが 5 分であるのに対して, 大サブユニットは 30 分かかる). 複数の RNA ヘリカーゼや低分子量 G タンパク質が, 60S サブユニット前駆体の成熟に関与している. ある種の RNA ヘリカーゼは, 最大 30 bp にわたって rRNA 前駆体と完全な塩基対を形成している snoRNP を取外すために必要である. また別のヘリカーゼ

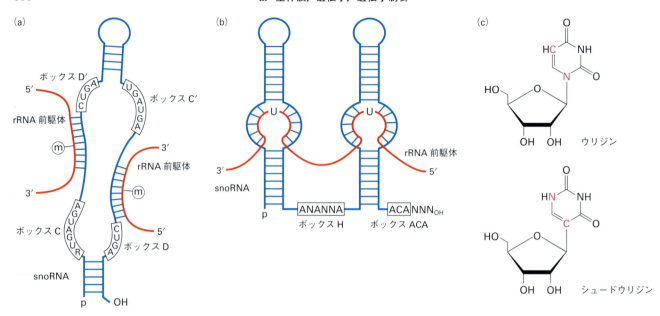

図 9・45 snoRNP が位置を指定する rRNA 前駆体の修飾. (a) ボックス C/D snoRNA とよばれる snoRNA は,リボースの 2′-O-メチル化に関与する.これらの snoRNA の配列は,複数の異なる場所で rRNA 前駆体とハイブリッドをつくり,図に示した位置でのメチル化を誘導する.(b) ボックス H/ACA snoRNA は,二つのステムループ構造に折りたたまれ,ステム内に一本鎖の突出した領域をもつ.rRNA 前駆体はこの一本鎖の領域とハイブリッドをつくり,シュードウリジンに変換されるウリジン残基が特定される.(c) ボックス H/ACA snoRNA によるウリジンのシュードウリジンへの変換.ピリミジン環の回転が起こっている.これはボックス H/ACA snoRNA の働きによる.[T. Kiss, 2001, *EMBO J.* **20**: 3617 参照.(b)は U. T. Meier, 2005, *Chromosoma* **114**: 1 による.]

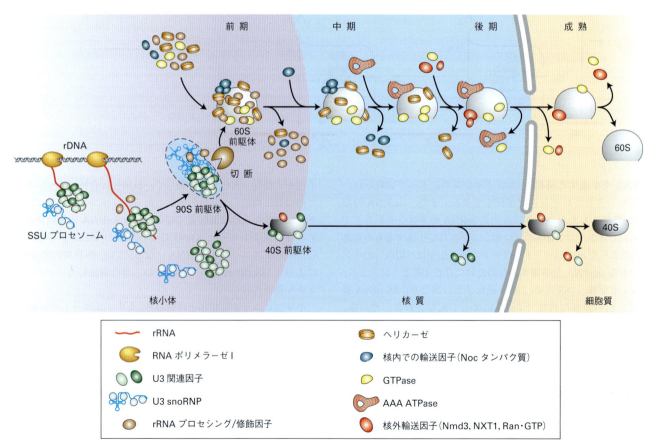

図 9・46 リボソームサブユニットの形成. 成熟途中のリボソーム大小サブユニットを灰色で示した.細胞質にある成熟したサブユニットに対しても同じ形の印を用いた.成熟途中のサブユニットに一過性に結合する他の因子は,枠内に示したように色分けして示した.[H. Tschochner and E. Hurt, 2003, *Trends Cell Biol.* **13**: 255 参照.]

は，タンパク質-RNA 相互作用を解除するように機能している可能性がある．かなり多くの低分子量 G タンパク質が必要であることから，大サブユニット前駆体の組立てや再構築には多くの品質管理チェックポイントがあり，これらの G タンパク質が 1 段階ごとに活性化することが次の段階を進めるために必要なことが示唆される．AAA ATPase ファミリーのタンパク質も一過性の結合をする．この種類のタンパク質は，分子の大きな構造変化に関係することが多く，複雑で巨大な rRNA を正しい立体構造に折りたたむために必要なのかもしれない．60S サブユニットの成熟段階の一部は，核小体から核膜孔複合体へと移動する間に核質で起こる（図 9・46，水色）．リボソームサブユニットの形成における複雑かつ興味深い必須の再構築過程については，多くのことがまだ解明されていない．

リボソーム大サブユニットは，核膜孔複合体（NPC）を通過する最も大きな構造物の一つである．核質での大サブユニットの成熟によって，**Nmd3** とよばれる核外輸送アダプターへの結合部位が生じる．Nmd3 は，核外輸送因子であるエクスポーチン 1（Crm1 ともよばれる）に結合する．正しく形成された大サブユニットだけが Nmd3 に結合して核外輸送されることから，ここも一つの品質管理段階である．mRNP エクスポーターの小サブユニット（NXT1）も，ほぼ成熟したリボソーム大サブユニットに結合する．核外輸送の通路となる NPC の中央チャネルは，チャネルの壁面を形成する構造のしっかりしたタンパク質部分から伸びた，一定の構造をとらないタンパク質ドメインの雲のような網目でみたされている（13 章）．大サブユニットは核外輸送因子の働きで，この中央チャネルを通って拡散することができる．また，NPC 中央チャネルの壁面を構成するいくつかのタンパク質サブユニットも，リボソームサブユニットの核外輸送に必要であり，この過程に特異的な別の役割があるのかもしれない．リボソームサブユニットの大きさ（直径が約 25～30 nm）と NPC 中央チャネルの大きさはほぼ同じなので，通過にはリボソームサブユニットとチャネルのどちらも変形する必要はないかもしれない．大サブユニットの細胞質における最終的な成熟には，これらの核外輸送因子の除去も必要である．tRNA や miRNA 前駆体など，多くの巨大分子の核からの輸送と同じように（ただし，ほとんどの mRNP は異なる），リボソームサブユニットの核外輸送には，**Ran** とよばれる低分子量 G タンパク質の作用が必要である（13 章）．

自己スプライシングを行うグループ I イントロンは最初に見つかった触媒 RNA の例である

1970 年代，原生動物であるテトラヒメナ Tetrahymena thermophila のすべての rRNA 前駆体遺伝子にイントロンが含まれていることが発見され，この生物では成熟 rRNA を生成するためにスプライシングが必要であることが示された．1982 年に行われた in vitro の研究から，rRNA 前駆体では，何のタンパク質もなしに正確な部位でスプライシングが起こることがわかり，RNA が酵素タンパク質のように触媒として機能できることがはじめて示された．

これに続き，他の単細胞生物の rRNA 前駆体，ミトコンドリアと葉緑体の rRNA 前駆体，ある種の大腸菌バクテリオファージの mRNA 前駆体，さらに，細菌の tRNA 前駆体の一部に自己スプライシング配列が続々と発見された．これらの前駆体すべてに存在する自己スプライシング配列は，**グループ I イントロン**（group I intron）とよばれ，いずれもグアノシンを補因子として用い，分子内の塩基対形成によって折りたたまれ，つなぎ合わせるべき二つのエクソンを近接して並べることができる．すでに述べたように，ある種のミトコンドリアと葉緑体の mRNA 前駆体や tRNA 前駆体には，**グループ II イントロン**（group II intron）とよばれる異なる種類の自己スプライシングイントロンが含まれている．

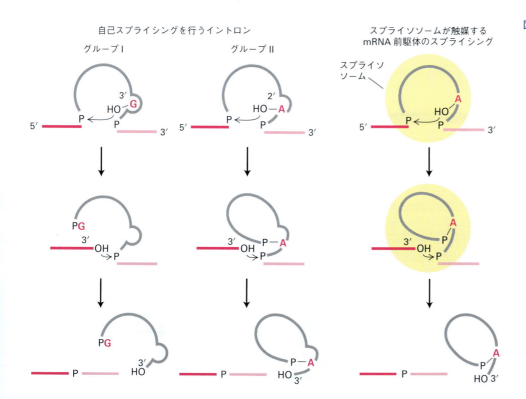

図 9・47 グループ I およびグループ II 自己スプライシングイントロンと，スプライソソームが触媒する **mRNA 前駆体スプライシングの反応機構**．イントロンは灰色で，連結されるエクソンは赤とピンクで示す．グループ I イントロンでは，RNA 鎖に含まれない補因子であるグアノシン（G）が活性部位へ結合する．このグアノシンの 3'-OH が，イントロンの 5' 末端のリン酸とのエステル交換反応にかかわる．この反応は，グループ II イントロンやスプライソソームでスプライシングされる mRNA 前駆体イントロンの分枝部位 A の 2'-OH が関与する反応に相当する（図 9・8 参照）．これにひき続いて起こる 5' エクソンと 3' エクソンをつなぐエステル交換反応は，3 種類のスプライシング機構すべてで同様である．スプライシングによって除去されたグループ I イントロンは直鎖状構造であり，他の二つの機構では分枝したイントロン産物になるのと異なることに注意しよう．[P. A. Sharp, 1987, Science **235**: 769 参照．]

グループIイントロン，グループIIイントロン，およびスプライソソームで用いられるスプライシング機構は全体としては類似しており，いずれにもエネルギーを必要としない2回のエステル交換反応で進行する（図9・47）．テトラヒメナrRNA前駆体のグループIイントロンの構造研究と，変異導入実験や生化学実験を組合わせた解析から，RNAが折りたたまれて正確な三次元構造をとり，酵素タンパク質と同じように，基質を結合する深い溝と，溶媒が接近できない領域（触媒として機能する）が形成されることが明らかになった．金属酵素と同じように，グループIイントロンは，2回のエステル交換反応に関与する原子を触媒性のMg^{2+}の近傍に正確に配置する．いまでは，グループIIイントロンやスプライソソーム中のsnRNAによるスプライシングにも，結合した触媒性Mg^{2+}の関与を示す証拠が多く得られている．グループIとIIの自己スプライシングイントロンの両方において，RNAは**リボザイム**（ribozyme），すなわち触媒能力をもつRNA配列として機能している．すでに述べたように，スプライソソームによるスプライシングも，U6 snRNAとU2およびU5 snRNAとの相互作用によって正確な位置に配置されたMg^{2+}によって触媒される（図9・14c）．ただし，これは触媒部位の形を整え，基質の結合と放出を助ける複数のタンパク質の補助があってのことである．

tRNA前駆体は核内で多数の修飾を受ける

細胞質の成熟したtRNAは平均75〜80ヌクレオチドの長さであるが，Pol IIIによって核質中で合成された大きな前駆体（tRNA前駆体）から生成する．また，成熟したtRNAには，一次転写産物にはない数多くの修飾塩基が含まれている．すべてのtRNA前駆体では，プロセシングの過程で切断と塩基の修飾が起こり，なかにはスプライシングを受けるものもある．これらのプロセシングや修飾は，すべて核内で行われる．

すべてのtRNA前駆体には，成熟したtRNAにはないさまざまな長さの5′配列が存在する（図9・48）．つまり，成熟tRNAの5′末端は転写の開始で生じるのではなく，tRNAの三次元構造によって特定される部位で，エンドヌクレアーゼにより切断されてできる．この余分な5′領域は，リボ核タンパク質酵素であるリボヌクレアーゼP（ribonuclease P: RNase P）というエンドヌクレアーゼによって除去される．大腸菌RNase Pの研究から，Mg^{2+}濃度が高いときには，RNase PのRNA成分だけで大腸菌tRNA前駆体を識別し，切断できることが示されている．RNase Pのポリペプチド成分はRNAによる切断の速度を上げ，生理的なMg^{2+}濃度でも反応が進行できるようにしている．真核生物においても，同様のRNase Pが機能している．

tRNA前駆体を構成する塩基のうちの約10%は，プロセシングの際に酵素による修飾を受ける．この塩基の修飾には次の三つの種類がある（図9・48）．

1. tRNA前駆体の3′末端にあるU残基をCCA配列に入れ替える．CCA配列はすべてのtRNAの3′末端に存在し，タンパク質合成の際にアミノアシルtRNA合成酵素によってtRNAにアミノ酸を結合するために必要である．正しい立体構造をとったtRNAだけがCCA付加酵素によって認識されることから，この段階はtRNA合成の品質管理の役割があるらしい．

2. プリン塩基の複素環にメチル基とイソペンテニル基が付加され，特定の残基のリボースの2′-OHがメチル化される．

3. 特定のウリジン残基がジヒドロウリジン，シュードウリジン，あるいはリボチミジン残基へと変換される．これらの塩基とリボースの修飾の機能はよくわかっていないが，こうした修飾が進化的に保存されていることから，おそらくタンパク質合成において何らかの役割があると思われる．

図9・48に示したように，酵母のチロシンtRNA（tRNA^{Tyr}）遺伝子から転写されたtRNA前駆体には，成熟したtRNA^{Tyr}には存在しない14塩基のイントロンが含まれている．他の真核生物tRNA遺伝子にも，またアーキアtRNA遺伝子にもイントロンが含まれている場合がある．これらの核内tRNA前駆体に含まれるイントロンはmRNA前駆体に含まれるイントロンよりも短く，

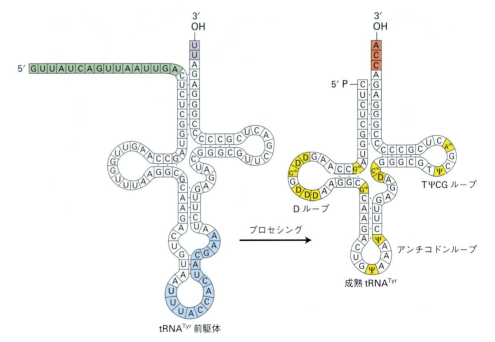

図9・48 プロセシングによるチロシンtRNA前駆体の変化． アンチコドンループの14ヌクレオチドのイントロン（青）はスプライシングによって除去される．5′末端の16ヌクレオチドの配列（緑）はRNase Pによって切断される．3′末端の二つのU残基は，すべての成熟tRNAに共通に含まれるCCA配列（赤）に置き換えられる．ステムループにある多くの塩基が特徴的な修飾塩基（黄）に変換される．すべてのtRNA前駆体がプロセシングの際にスプライシングで除去されるイントロンを含んでいるわけではないが，ここに示した他の修飾はすべてのtRNA前駆体にみられる．D: ジヒドロウリジン，Ψ: シュードウリジン．

mRNA 前駆体にみられるスプライス部位の共通配列（図 9・7c）も含まれていない．また，tRNA 前駆体のイントロンは，葉緑体やミトコンドリアの rRNA 前駆体に存在して自己スプライシングを行うグループ I やグループ II のずっと長いイントロンとも明らかに異なる．tRNA 前駆体のスプライシングの機構は，三つの基本的な点で自己スプライシングイントロンやスプライソームで用いられている機構（図 9・47）と大きく異なる．第一に，tRNA 前駆体のスプライシングは，RNA ではなくタンパク質によって触媒される．第二に，tRNA 前駆体のイントロンは 1 段階で，両端を同時に切断することにより切り出される．第三に，イントロンの両端の切断で生成した二つの tRNA の半断片をつなぎ合わせるときに，GTP と ATP の加水分解が必要である．

tRNA 前駆体が核質でプロセシングされてできた成熟 tRNA は，エクスポーチン t とよばれる tRNA の核外輸送に特化した輸送体（13 章）によって核膜孔複合体を通って細胞質へ輸送される．細胞質では，tRNA はタンパク質の合成中に，アミノアシル tRNA 合成酵素，伸長因子，およびリボソームの間を受け渡される（5 章）．このように，tRNA も mRNA や rRNA と同じように，通常，細胞内でタンパク質と結合しており，遊離状態で存在することはほとんどない．

9・5 rRNA と tRNA のプロセシング まとめ

- Pol I によって転写される大きな rRNA 前駆体（ヒトでは 13.7 kb）は，切断とエキソヌクレアーゼによる分解，および塩基の修飾を受けて，成熟した 28S，18S，および 5.8S rRNA となる．これらの rRNA はリボソームタンパク質と結合してリボソームサブユニットを形成する．
- rRNA 前駆体の合成とプロセシングは核小体で行われる．リボソーム大サブユニットに含まれる 5S rRNA は，Pol III によって核質で合成される．
- 約 150 種の snoRNA はタンパク質と結合して snoRNP となる．この RNA は rRNA 前駆体の特定の部位と塩基対を形成し，核小体における rRNA プロセシングにおいて，リボースのメチル化，ウリジンからシュードウリジンへの修飾，特定の部位での切断の位置を指定する．
- グループ I とグループ II の自己スプライシングイントロン，および，おそらくスプライソームの snRNA は，すべてリボザイム，すなわち触媒活性をもつ RNA 分子として機能し，結合した Mg^{2+} を必要とする互いに類似したエステル交換反応によって，スプライシングを行う（図 9・47）．
- tRNA 前駆体は，Pol III によって核質で合成され，5′ 末端配列の除去，3′ 末端への CCA の付加，および内部にある複数の塩基の修飾というプロセシングを受ける（図 9・48）．
- tRNA 前駆体には短いイントロンが含まれていることがある．tRNA 前駆体のイントロンはタンパク質が触媒する機構によって除去され，mRNA 前駆体や自己スプライシングイントロンとはスプライシング機構が異なる．
- すべての RNA 分子種は，核内においても細胞質へ輸送されたあとも，タンパク質と結合した状態であり，さまざまな種類のリボ核タンパク質として存在する．

9・6 核内ボディは機能的に特化した核内ドメインである

植物細胞や動物細胞の核を電子顕微鏡で高分解能観察した結果や，蛍光標識抗体で染色した実験結果から，核内には**核内ボディ**（nuclear body，核内小体，核内構造体）とよばれる特別な核内ドメインがあることが明らかになった．これらの核内ドメインは膜で囲まれていないが，特定のタンパク質や RNA が高濃度に存在する領域として，核内の他の領域と区別されるほぼ球形の構造をつくっている（図 9・49）．最も目立つ核内ボディは核小体であり，すでに述べたように，リボソームサブユニットの合成と組立ての場である．このほかの何種類かの核内ボディについても構造が解析されてきた．

蛍光標識した核タンパク質を用いた実験から，核内は非常に動的な環境であり，タンパク質が高速に核質を拡散して移動していることがわかった．核内ボディのタンパク質は，核内ボディの外側の核質にも低濃度で観察されることがしばしばあり，蛍光顕微鏡観察から，それらが拡散によって核内ボディを出入りすることが示されている．生細胞で分子の動きを測定した結果に基づくと，核内ボディは拡散状態で相互作用するタンパク質の定常状態として，数理モデルで説明することができる．必要な条件は，特定のタンパク質が高濃度に濃縮される自己組織化領域をつくるには十分な程度の親和性，かつ，この構造に拡散によって出入りできる程度には低い親和性で相互作用することである．核内ボディの状況は，8 章で説明した転写コンデンセート（図 8・38 参照）や，アクチンフィラメントや微小管の上を移動するモータータンパク質と結合して mRNA の局在化に関与する細胞質リボ核タンパク質粒子（図 9・39，図 9・40b，図 9・41）のものと似ている．電子顕微鏡観察から，これらの構造は構成因子が相互作用して，不均一でスポンジのような網目構造をつくっていることが示されている．以下に，このような核内ボディの例を述べる．

カハールボディ

カハールボディ（Cajal body，カハール体）は，0.2〜1 μm 程度の球形構造体で，100 年以上前から大きな核の中に観察されていた（図 9・49a）．最近の研究から，カハールボディは核小体と同じように，スプライソームの snRNP など，RNP 複合体の形成中心になっていることが示された．snRNA は，rRNA と同じように，特定のウリジン残基がシュードウリジンに変換されたり，特定のリボースの 2′-OH に CH_3 が付加されるなど，特異的な修飾を受ける．このような転写後修飾は，snRNP の形成や mRNA 前駆体のスプライシングにおける機能に重要である．カハールボディではこのような修飾が行われており，snoRNA 様の **scaRNA**（small Cajal body-associated RNA，低分子カハールボディ RNA）とよばれる一群のガイド RNA 分子によって反応が方向づけられる．また，カハールボディは，mRNA 前駆体からイントロンを除去するときに解離した遊離の U4, U5, U6 snRNP から，mRNA 前駆体のスプライシングに必要な U4-U6-U5 三者 snRNP 複合体として再形成させる部位であることを示す証拠もある（図 9・13）．カハールボディは主要なヒストン mRNA の特別な 3′ 末端プロセシングに関与する U7 snRNP を高濃度に含んでいることから，この過程と，おそらくテロメラーゼ RNP の形成も，カハールボディ

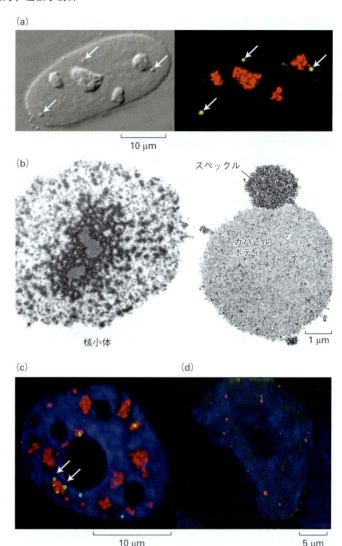

図 9・49 核内ボディの例. (a) HeLa 細胞の核に存在するカハールボディと核小体. (左)微分干渉(DIC)顕微鏡では, 4個の核小体と3個のカハールボディ(矢印)が見える. (右)同じ核をコイリン(緑)とフィブリラリン(赤)に対する抗体で免疫染色した. 三つのカハールボディは両方の抗体で染色されるので黄色に見えている. 核小体は, フィブリラリンに対する抗体だけで染色される. フィブリラリンは核小体では rRNA, カハールボディでは snRNA の 2′-O-メチル化を行うメチルトランスフェラーゼである. (b) アフリカツメガエル卵母細胞の核にある核内ボディの透過型電子顕微鏡像. この細胞の核は非常に大きく, ほとんどの脊椎動物のものより大きい. 核小体と, スペックルが結合したカハールボディはこの卵母細胞の核内では比較的近くにあったので, 同一の顕微鏡写真で観察された. (c) HeLa 細胞を DAPI(青), "スペックル"とよばれる核内ボディに貯蔵されるスプライシング因子 SC35 に対する抗体(赤), スペックル近傍によくみられることから"パラスペックル"とよばれる核内ボディにある PSPC1 というタンパク質に対する抗体(白矢印)で染色した. (d) H1299 細胞(肺がん細胞株)の核にある PML ボディ. DNA を DAPI(青)で, PML ボディを主要タンパク質である PML に対する抗体で染色した. [(a)は J. G. Gall, 2003, *Nat. Rev. Mol. Cell Biol.* **4**(12): 975, Copyright Clearance Center, Inc. を通じて Nature Publishing Group より許可を得て転載. (b)は K. E. Handwerger and J. G. Gall, 2006, *Trends Cell Biol.* **16**(1): 19, Copyright Clearance Center, Inc. を通じて Elsevier より許可を得て転載. (c)は A. H. Fox and A. I. Lamond, 2010, *Cold Spring Harb. Perspect. Biol.* **2**(7): a000687, Cold Spring Harbor Laboratory Press より許可を得て転載. (d)は M. A. Pennella et al., 2010, *J. Virol.* **84**(23): 12210, Copyright Clearance Center, Inc. を通じて ASM より許可を得て転載.]

でも起こるものと考えられる.

核スペックル

核スペックルは, snRNP タンパク質など, mRNA 前駆体のスプライシングに関与するタンパク質に対する抗体で蛍光標識した画像で観察された. 直径が 0.5～2 μm の不揃いで不定形の構造で, 脊椎動物細胞の核質全体におよそ 25～50 個存在する(図 9・49 c, d). 核スペックルは, 転写に共役した mRNA 前駆体のスプライシングが行われるクロマチン近傍の領域には存在しないことから, mRNA 前駆体のスプライシングに関与する snRNP やタンパク質の貯蔵領域として働き, 必要なときに核質に放出すると考えられる.

核パラスペックル

パラスペックルは, 長鎖非コード RNA (lncRNA) の NEAT1 と DBHS (*Drosophila* behavior human splicing) ファミリーのタンパク質, P54NRB/NONO, PSPC1, PSF/SFPQ などが相互作用してつくられた RNP から構成される. パラスペックルは, アデノシンをイノシンへと編集された二本鎖 RNA 領域を含む RNA を核内にとどめおくことによって, 遺伝子発現調節に重要な働きをもつ. このようにして, 核パラスペックルは, まだよくわかっていない核内の mRNA 品質管理機構において機能をもつ可能性がある.

PML ボディ

PML 遺伝子は, 前骨髄性白血病 (promyelocytic leukemia: PML) というまれな病気の患者の白血病細胞で, 染色体転座がみられる遺伝子として発見された. PML タンパク質に特異的な抗体を用いて免疫蛍光顕微鏡観察を行ったところ, このタンパク質は哺乳類細胞の核内におよそ 10～30 個ある直径 0.3～1 μm のほぼ球形の領域に局在することが見いだされた. この **PML ボディ** (PML nuclear body, PML 小体)に関しては多数の機能が提唱されているが, DNA の修復やアポトーシスの誘導に関係するタンパク質複合体の形成と修飾の場であるという共通の認識ができつつある. たとえば, 重要ながん抑制遺伝子産物 p53 は, DNA 損傷に応答して PML ボディでリン酸化とアセチル化の翻訳後修飾を受け, DNA 損傷応答遺伝子の発現を活性化する作用を高めているらしい. また, PML ボディは, DNA ウイルスに対する細胞の防御 (24 章) に必要である (この防御機構は, ウイルス感染細胞や免疫応答に関与する T リンパ球から分泌されるタンパク質インターフェロンによって誘導される).

PML ボディは, **SUMO1** (small ubiquitin-like moiety-1) とよばれる小さなユビキチン様タンパク質を付加する翻訳後修飾の場でもある. SUMO 修飾されたタンパク質は, 活性と細胞内局在が調節される. 多くの転写アクチベーターに SUMO が付加されると活性が阻害され, また, この SUMO 付加部位を変異させると, 転写活性化能が上昇する. この結果は, PML ボディが, まだよく理解されていない転写抑制の機構に関与することを示している.

核小体にはリボソームサブユニット形成以外の役割もある

最初に観察された核内ボディである核小体の内部には，さらに特殊化した構造領域が存在し（図9・49b），そこにはリボソーム形成以外の機能があるらしい．タンパク質の分泌や小胞体膜への挿入に関与するSRPリボ核タンパク質複合体（13章）は，核小体で未成熟な複合体として形成され，細胞質に輸送されたのち，最終的な成熟が起こる．有糸分裂の最終段階を調節するCdc14プロテインホスファターゼは，細胞の核小体に隔離されていて，染色体が娘細胞に正しく分配されるまでここにとどまる（19章）．また，ARFとよばれるがん抑制タンパク質は，ヒトのがん細胞で最も高頻度で変異する遺伝子にコードされたタンパク質p53の制御に関与しているが，これも核小体に隔離されていて，DNA損傷に応答して遊離する（25章）．さらに，ヘテロクロマチンは核小体の表面に形成されることが多いことから（図7・28a参照），核小体にあるタンパク質が，転写抑制されたクロマチン構造の形成にも関与していることが示唆されている．

9・6 核内ボディは機能的に特化した核内ドメインである まとめ

- 核内ボディは核の中で機能的に特殊化した領域で，タンパク質相互作用による自己組織構造である．核小体も含めて，これらの構造体の多くはRNP複合体形成の場となっている．

重要概念の復習

1. タンパク質をコードする遺伝子にみられる3種類の転写後調節を説明せよ．
2. 次の文章が正しいか誤りか．理由を付して答えよ．
   CTDは，mRNAに特異的なRNAプロセシングに重要であり，他のRNAのプロセシングには関与しない．
3. mRNA前駆体には保存された配列が多数存在して，スプライシングが起こる場所が決定される．これらの配列がどこに存在するかについて，エクソン/イントロン接続部との位置関係から述べよ．また，これらの配列のスプライシング過程における重要性を述べよ．スプライシングに重要な要素の一つに，イントロン中にある分枝部位のA残基がある．スプライシング過程におけるこの分枝部位A残基の機能を述べよ．また，この機能では，A残基にあるOH基のうち，$2'$炭素と$3'$炭素のどちらの位置にあるものが用いられるか．
4. hnRNA, snRNA, miRNA, siRNA, snoRNAの違いは何か．
5. グループⅡイントロンの自己スプライシングと，スプライソソームのスプライシングとの機構上の類似点は何か．この二つの間の進化上の関係を示す証拠は何か．
6. 10個のエクソン，9個のイントロン，およびポリ(A)付加共通配列をもつ$3'$UTRを含む遺伝子の配列が決定された．5番目のイントロンにもポリ(A)付加部位が存在した．二つのポリ(A)付加部位がともに使われるかどうかを調べるため，mRNAを単離したところ，筋組織からは長い転写産物が，他のすべての組織からは短いmRNA転写産物が見いだされた．これら二つの異なる転写産物の生成に関与する機構を推測せよ．
7. RNA編集は，トリパノソーマや植物のミトコンドリアと葉緑体では一般的であり，まれに高等真核生物でも起こる現象である．RNA編集とは何か．また，ヒトのアポBタンパク質を例として，この現象がもたらす利点を述べよ．
8. DNAは核に存在するので，転写は核に局在化した過程である．タンパク質合成を担うリボソームは細胞質に存在する．hnRNPの細胞質への輸送は，なぜ核膜孔複合体に限定されているのか．
9. ある種の核内にあるタンパク質複合体には，mRNA分子を細胞質に輸送する役割がある．この核外輸送因子複合体を構成するタンパク質について説明せよ．また，mRNPと輸送タンパク質が細胞質へと向かって一定の方向に動く機構の背景にある二群のタンパク質は何か．
10. RNAノックダウンは，遺伝子発現を抑制する有力な手法となっている．どのようにして遺伝子発現をノックダウンすることができるのかを簡潔に述べよ．
11. Dicer活性を欠く植物ではRNAウイルスの感染に対する感受性が高まる理由を推測せよ．
12. mRNAの安定性は，細胞内のタンパク質量を決める重要な調節因子である．3種類のmRNA分解経路を簡潔に説明せよ．ここで，酵母細胞のDCP1遺伝子に変異があって，脱キャップ活性が減少しているとする．この変異細胞に存在するPボディには変化がみられることが予想されるか．
13. mRNAの局在化は一般的な現象と思われる．細胞にとって，mRNAの局在化にはどのような意義があるか．ある種のmRNAが特定の細胞内領域に蓄積されるように誘導されていることを示す証拠は何か．

10 生体膜の構造

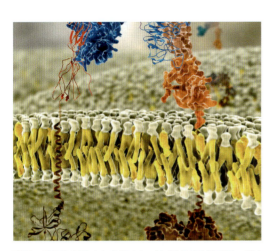

脂質二重層と埋込まれた膜タンパク質を示す模式図．膜内在性タンパク質には，反細胞質ドメイン，細胞質ドメイン，および膜貫通ドメインがある．図は細胞内での代謝を調節しているインスリン受容体の一部分である．［Ramón Andrade, 3Dciencia/Science Source/amanaimages．］

10・1 脂質二重層膜: 脂質組成と構造
10・2 膜タンパク質: 構造と基本的な機能
10・3 リン脂質，スフィンゴ脂質，および
　　　コレステロール: 合成と細胞内での輸送

　生体のもつ膜（生体膜）は，さまざまな細胞の構造や機能と深くかかわっている．たとえば，**細胞膜**（cell membrane, plasma membrane, 原形質膜）は，細部の外側と内側を仕切る境界を決める．真核細胞内では，核，ミトコンドリア，リソソームなどの細胞内部の細胞小器官を仕切る重要な構造でもある．これら**生体膜**（biomembrane）の基本的構造はリン脂質二重層にタンパク質が埋込まれたものである（図10・1）．この脂質二重層膜は，水溶性物質にとっては容易には透過できないので，物質の拡散を防ぐ重要な障壁として働き，細胞内外，細胞小器官内外で特徴的な物質の濃度差が維持できるのである．一方で，膜内にあるタンパク質のなかには，この拡散障壁となる細胞膜を通しての物質輸送のように特異的な働きを担うものもある．各細胞の膜には，独特のタンパク質群が存在し，細胞ごとに異なるさまざまな機能を担う源にもなっている．

　原核生物の細胞は，長さ1～2 μmほどで，多くの場合，1層の細胞膜で囲まれた単純な構造をしており，内部には生体膜で区画分けされるような構造はみられない（図1・12参照）．しかし，この1枚の細胞膜には数百もの異なる種類のタンパク質があって，それらのなかには，ATPの合成やDNA複製開始にかかわるタンパク質もある．また，脂質二重層膜を通過できないイオン，糖，アミノ酸，ビタミンなどを細胞内へ取込んだり，代謝物を細胞外へ運び出したりする**膜輸送タンパク質**（membrane transport protein）が含まれている．細胞膜に存在する**受容体**（receptor）もタンパク質で，細胞外にある化学物質によるシグナルを認識し，代謝を調節したり，遺伝子発現のパターンを変化させたりする役割を担う．このような膜内在性のタンパク質のほかにも，§10・2で紹介するような，膜内のタンパク質や脂質分子と非共有結合的に相互作用する**膜表在性タンパク質**（peripheral membrane protein）

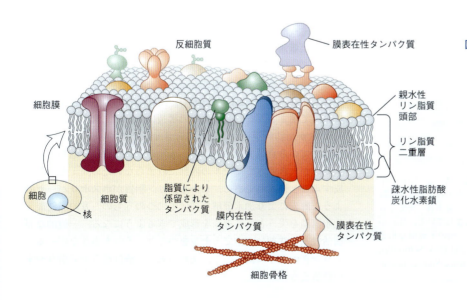

図 10・1　生体膜の流動モザイクモデル．すべての細胞の膜の基本構造は厚さ約3～4 nmのリン脂質二重層である．それぞれの膜の独特な機能はタンパク質による．リン脂質分子は膜の面内を自由に動き回ることができ，膜にはオリーブ油のような流動性がある．リン脂質どうしあるいはリン脂質とタンパク質の間の非共有結合性相互作用が膜に強さと弾力を与え，二重層の疎水性中心層のために，水溶性物質が一方から他方へ自由に通り抜けることができない．膜内在性（膜貫通）タンパク質は二重層を貫通し，しばしば二量体や高次複合体を形成する．脂質により係留されるタンパク質は，共有結合した長い炭化水素鎖により膜の一方のリーフレットにつながれる．膜表在性タンパク質は膜内在性タンパク質や膜脂質との特異的非共有結合性相互作用により膜と結合する．細胞膜のタンパク質は細胞骨格とも強く結合している．［D. Engelman, 2005, *Nature* **438**: 578 参照．］

も数多く知られている．

真核生物の細胞膜にも，膜輸送，シグナル伝達，細胞間の結合などにかかわるさまざまなタンパク質がみられる．さらに，真核生物の細胞は原核生物のものより大きく，内部には生体膜で囲まれた多様な細胞小器官がみられる（図1・13参照）．それぞれの細胞小器官の膜には，ATP合成（ミトコンドリア），DNA合成（核）のように，それぞれ固有の機能を果たすためのタンパク質群が存在している．細胞膜のタンパク質の中には，細胞内で複雑なネットワークをつくるタンパク質の繊維からなる**細胞骨格**（cytoskeleton）に結合したものもある．この細胞骨格は細胞膜の構造を内部から機械的に支えている．細胞骨格と膜構造の間の相互作用は，細胞が特有の形を維持したり，移動したりするために重要である．

細胞膜は，細胞の形を維持する役割を担ってはいるが，決して，固定された硬い構造物ではない．決まった構造を維持しつつも，柔軟に折れ曲がり，三次元的にも変形できる．これは生体膜を構成する脂質分子や膜のタンパク質が，強固な共有結合ではなく，緩やかな非共有結合性相互作用によって結びついているからである．さらに，生体膜の面内では，個々の脂質分子やタンパク質は自由に動き回れることがわかっている．1970年代に示された仮説，**流動モザイクモデル**（fluid mosaic model）では，脂質二重層膜は，いわば二次元的な液体のように振舞い，脂質分子は，自由に入れ替わったり，回転したりしているものと考えられた．そのような高い流動性と柔軟性があるので，細胞小器官がその独自の形態を維持できる．また，ウイルスが細胞に感染し，その後放出されるときのように，融合・分裂・出芽という動的性質を示すこ

ともできる（図10・2a）．細胞内にあるゴルジ体でも，その膜から細胞質ゾルに向かって小胞が出芽し（図10・2b），やがて移動してほかの細胞小器官と融合する．このしくみによって細胞小器官の間で物質が輸送される（14章）．

本章では，まずは，生体膜の脂質分子成分から詳しくみていこう．脂質分子は，生体膜の形や機能にかかわるばかりでなく，膜にタンパク質をつなぎとめたり，その活性を変えたり，細胞内部へと信号を伝える役割を担ったりしている．次に，膜タンパク質の構造について解説する．膜タンパク質の多くは，リン脂質二重層の中心部にあたる炭化水素鎖の間に埋没する大型のドメイン部分をもつが，そうしたタンパク質にはどのような種類のものがあるのかについて焦点を当てる．最後に，リン脂質，コレステロールなどの脂質分子がどのように細胞内で生合成され，細胞膜や細胞小器官に輸送されるかを紹介する．

10・1 脂質二重層膜：脂質組成と構造

2章で学んだように，生体膜を構成する主要な成分はリン脂質である．さまざまな種類のリン脂質があるが，最も一般的なものがホスホグリセリドである（図2・20参照）．すべてのリン脂質は**両親媒性**（amphipathicity）分子で，化学的性質の異なる次の二つの部分からなる．一方は脂肪酸の炭化水素鎖の"尾部"で，**疎水性**（hydrophobicity）なため水とは混ざらない．もう一方は強い**親水性**（hydrophilicity）の"頭部"で，水と相互作用しようとする．リン脂質の間の，およびリン脂質と水との間の相互作用が生体膜の構造を決めている．

生体膜には，リン脂質のほかにも糖脂質やコレステロールといった膜の機能に深くかかわる両親媒性分子も少量含まれている．最初に純粋なリン脂質二重層の構造と性質についてみていき，それから天然の細胞膜の組成と特性について説明する．さまざまな生体膜の物理的性質には，その脂質組成が大きく影響していることがわかるだろう．

リン脂質は自動的に二重層を形成する

リン脂質分子の間の相互作用には両親媒性という特性が大きくかかわり，これが，生体膜の構造を決めている．リン脂質の懸濁液を水中で分散させると，球形の**ミセル**（micelle），**リポソーム**（liposome），およびシート状でリン脂質分子二つ分の厚みをもった**脂質二重層**（phospholipid bilayer）の3種類の集合体ができる（図10・3）．純粋なリン脂質であれ，リン脂質の混合物であれ，これらの構造のなかでどれができるかは，脂肪酸炭化水素鎖の長さ，その飽和度（C−CとC＝Cの数），温度などの，さまざまな要因によって決まる．それらすべての構造において，疎水性相互作用（2章）が脂肪酸炭化水素鎖を集合させ，その"中心部"から水を排除している点は共通している．天然のリン脂質は，脂肪酸炭化水素鎖が大きすぎてミセルの内部に収まらないため，ミセルを形成することはまれである．しかし，リン脂質がホスホリパーゼのような酵素により加水分解を受けて二つのうちの一方の脂肪酸炭化水素鎖を失うと，ミセルを形成できるようになる．一般的な界面活性剤や洗剤は水中でミセルをつくり，それが小さなボールベアリングのように働くので，洗剤の入った液は滑らかで滑りやすい性質をもつ．

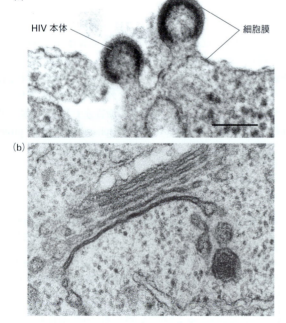

図10・2 真核細胞の細胞膜はさまざまに形を変える．(a) HIV粒子が感染した細胞から培養液中に出芽するところをとらえた電子顕微鏡写真．ウイルス本体が出芽する際に細胞の膜に包まれて出てくるが，その膜にはウイルス特有のタンパク質が含まれている．(b) 小胞が出芽しているゴルジ体の重なり合った膜．膜の不規則な形と曲率に注目してほしい．[(a) は W. Sundquist and U. v. Schwedler, University of Utah 提供．(b) は Biology Pics/Science Source/amana-images．]

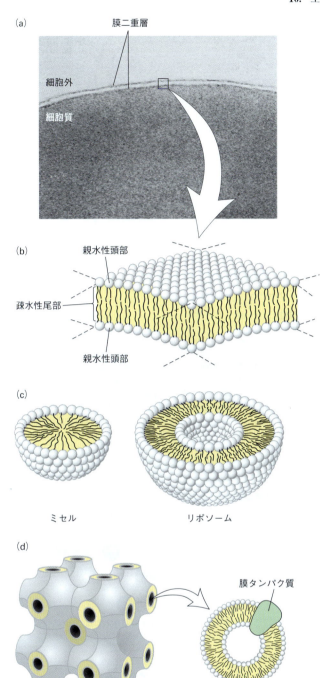

図 10・3 生体膜の二重層構造. (a) 四酸化オスミウムで染色した赤血球膜切片の電子顕微鏡写真. この膜の特徴的な "鉄道の線路" 状の外見は, 二つの極性層の存在を示しており, これはリン脂質膜の二重層構造と一致する. (b) リン脂質二重層の模式図. 疎水性の脂肪酸炭化水素鎖尾部を水から遮蔽するように親水性頭部が外側を向いている. 脂肪酸炭化水素鎖間の疎水性相互作用とファンデルワールス相互作用によって二重層構造が形成される (2章). (c) 水中に分散させられたリン脂質がつくるその他の二つの構造の断面図. 球形のミセル内部は疎水性炭化水素鎖だけでできている. 球形のリポソームはリン脂質二重層が内部に水を包み込んだものである. (d) ある条件下ではリン脂質二重層が全く別の構造をとることがある. ここに示したものは脂質が立体になったもので, 規則正しい繰返し構造のおかげで, 通常だと結晶化がむずかしい膜のタンパク質の結晶化が可能となった. [(a)は W. Rosenberg/Fundamental Photographs.]

生体と似た組成のリン脂質は, 自動的に表裏対称的な構造のリン脂質二重層を形成する. 二重層の片方のリン脂質層を**リーフレット** (leaflet) とよぶ. 各リーフレット中の疎水性脂肪酸炭化水素鎖は, 水との接触を最小にするために中央部で互いに寄り集まって, 厚さ 3〜4 nm の疎水的な中心層となる (図 10・3b). この疎水性の尾部どうしを安定に密着させているのが炭化水素鎖間のファンデルワールス相互作用である. リン脂質の親水性頭部どうしや親水性頭部と水との相互作用はイオン結合や水素結合による. リン脂質の親水性頭部によく結合する四酸化オスミウムで染色した生体膜を電子顕微鏡写真で観察すると二重層構造が明確である (図 10・3a). ほぼ 2 nm 幅の明るい部分 (疎水性尾部の長さに相当) の両側に 2 本の細い暗い線 (染色された頭部に相当) が見られ, 鉄道のレールようにも見える断面像となる.

リン脂質二重層の面積には制約がない. 何千万ものリン脂質分子を含み, 縦横の長さがマイクロメートル (μm) からミリメートル (mm) にまでなりうる. このリン脂質二重層がほとんどすべての生体膜の基本構造となっている. その中心部には疎水性な層があるため, 水溶性の分子が一方の側から他方の側へ通り抜けることを妨げている. 生体膜はコレステロール, 糖脂質, タンパク質といった他の分子も含んではいるが, 疎水性中心部をもったリン脂質二重層が二つの水溶液を隔離し, 透過障壁となっている. リン脂質二重層は, このようにして細胞内区画の境界を決め, 細胞内部と外界とを分けている.

リン脂質が水溶液中で形成する構造はここに述べた 3 種類だけではない. Gタンパク質共役型受容体のような膜タンパク質は一般に結晶にすることはむずかしいが, それらを脂質と混ぜ合わせることで独特の複合体をつくり, 実際の脂質に取囲まれた状態のタンパク質の構造を研究することができるようにもなった (図 10・3d).

リン脂質二重層は閉じて内部に水溶液を含んだ小胞を形成する

リン脂質二重層は, 純粋なリン脂質からでも細胞膜と同様な組成をもったリン脂質混合物からでも, 簡単な実験操作で作製できる (図 10・4). こうして作製した二重層には次のような重要な三つの性質がある. 第一は, 水溶性 (親水性) の物質が, 二重層膜を通過してほとんど拡散できない点である. この物質には, 塩, 糖, および水分子を含む, ほとんどの小さな親水性分子が含まれる. 第二は, 二重層の構造が安定している点である. この安定な二重層構造は, 脂肪酸炭化水素鎖間の疎水性相互作用とファンデルワールス相互作用によるものである. 外部水溶液のイオン強度や pH が大きく変わっても, 二重層はその特徴的な構造を維持するだけの強度をもっている. 第三は, すべてのリン脂質二重層が自動的に閉じて内部に水溶液を含んだ隔離された区画をつくれるという点である. 図 10・3(b) で図示したようなリン脂質二重層の "端" は, 実際は, 疎水性の部分が水溶液に露出しているので不安定である. この露出した脂肪酸炭化水素鎖はまわりを水で囲まれているより, 他の脂肪酸炭化水素鎖で囲まれているほうがはるかにエネルギー的に安定となる. したがって, 水溶液中のリン脂質二重層は自発的に端を閉じ, 内部に水溶液を包み込んだ袋状の二重層膜となる. その例であるリポソームの断面を図 10・3 (c) に示した. 脂質二重層は, スライドガラスなどの硬い構造物上でも安定して作製することができる. こうした脂質二重層にタンパク

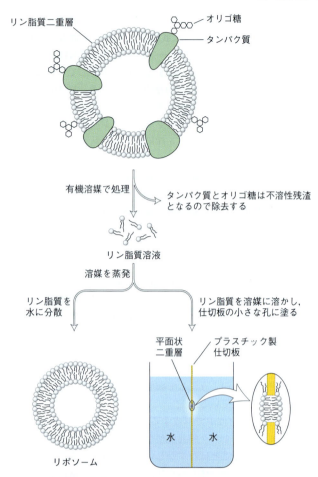

図 10・4(実験) 純粋なリン脂質二重層の作製とそれを使った実験.
(上)生体膜標品をクロロホルムメタノール混液(3:1)のような有機溶媒で処理すると,リン脂質とコレステロールだけを可溶化できる.タンパク質や炭水化物は不溶性残渣となる.溶媒は蒸発させて除去する.(左下)もし,リン脂質を水中で分散させると,内部に水を包み込んだリポソームを自発的に形成する.(右下)仕切板に空いた小さな穴の中で平面状の二重層ができ,この膜は両側の液を分断する.このような系は,二重層の物理的性質や溶質の膜透過性を研究する際に利用できる.

質を取込ませ,顕微鏡下で分子の運動を観察するといった実験も可能である.

リン脂質二重層のこうした物理化学的性質から,細胞の膜についても脂肪酸炭化水素鎖が露出するような"端"は存在しないと推測できる.すべての生体膜は,リポソームと同じ,閉じた袋状の区画を形成する.細胞のすべての膜は,細胞自身を取囲んだり,細胞内区画をつくったりするので,内側を向いた面(区画の内側に向いた面)と外側に向いた面(まわりと接する面)が生じる.一般に,細胞膜は,**細胞質側面**(cytosolic face)と**反細胞質側面**(exoplasmic face)とに分類される.この区別は,図10・5や図10・6に示すように,異なる生体膜の間で,どこが空間配置的に等価となる部分かを考えるときに便利である.たとえば,細胞膜の反細胞質側面は,細胞質とは反対の方向を向いていて,細胞外の空間,つまり外部に面している.細胞の一番外側にある境界である.

同じように,1枚の膜で包まれた細胞小器官や小胞にとっては,細胞質側面は,細胞質に面している.反細胞質側面は細胞質とは反対向きで,この場合は細胞小器官の内部溶液,すなわち**内腔**

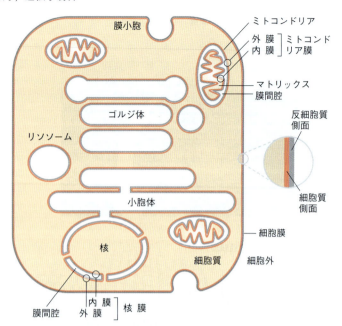

図 10・5 細胞膜の二つの面.細胞を包んでいるのは1枚の二重層からなる細胞膜である.模式的に表したこの図では,二重層の細胞質側面(赤)と反細胞質側面(灰)とが,細胞内部である細胞質(薄茶)と外部環境(白)のどちらに面しているかで定義されている.膜小胞やいくつかの細胞小器官は1枚の二重層膜に包まれており,その内部の水性領域(白)は空間的には細胞外と同等である.核,ミトコンドリア,葉緑体(図には示していない)の三つの細胞小器官は小さな膜間腔によって隔てられた2枚の膜に包まれている.これらの細胞小器官の内膜および外膜の反細胞質側面は膜間腔に向いている.単純化するため,疎水性膜内部はこの図には示していない.

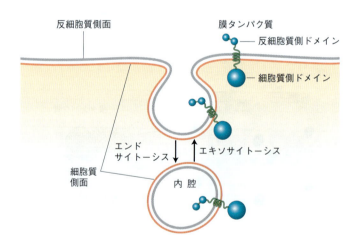

図 10・6 膜の出芽や融合においても膜の面は維持される.赤で示した面は細胞質側面で,灰で示した面は反細胞質側面である.エンドサイトーシスでは細胞膜が内側に出芽し,くびり切られて小胞となる.この過程で,細胞質側面は小胞になっても細胞質側を向き,反細胞質側面は小胞の内腔を向く.エキソサイトーシスでは細胞内小胞が細胞膜と融合するが,そのとき,小胞の内腔(反細胞質側)は細胞外液とつながる.膜貫通タンパク質も小胞出芽や融合によってその方向性を変えない.細胞質側のドメインは常に細胞質側を向き続ける.

(lumen)の方向となる.つまり,小胞の内腔側は,空間配置的には,細胞表面と等価となり,これは細胞膜の陥入(エンドサイトーシス)で生じた小胞のケースを考えると理解しやすい.エンドサイトーシスでは,細胞膜の外側が小胞膜の内腔に面した側となり,

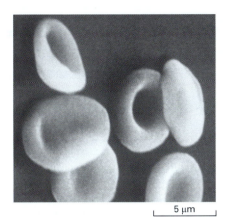

図 10・7 赤血球細胞の膜. 走査型電子顕微鏡写真に見られるように, 円盤状の赤血球細胞は滑らかで柔軟な膜で覆われている. [Omikron/Science Source/amanaimages.]

小胞膜の細胞質に面した側はそのままである (図 10・6).

核, ミトコンドリア, および葉緑体は, 1枚ではなく2枚の膜に包まれた細胞小器官である. この場合, 反細胞質側面というのは2枚の膜の間腔に面した側となる. この点は12章で述べる**内部共生説** (endosymbiont hypothesis) を考えるとよく理解できるだろう. この説は, 進化の早い時期に真核細胞が取込んだ酸化的リン酸化や光合成を行える細菌が, ミトコンドリアや葉緑体になったというものである (図12・7参照). 大腸菌のようなグラム陰性菌の細胞膜も2枚の細胞膜で囲まれた構造をしている (図1・12参照).

生体でみられる細胞膜は, 細胞の種類によってさまざまな形態をとり, 細胞の機能と密接に関係している. 赤血球は滑らかで柔軟な細胞膜をもっているので狭い血管の中を通り抜けられる (図10・7). **繊毛** (cilium, *pl.* cilia) や**鞭毛** (flagellum, *pl.* flagella) とよばれる長い細胞質突起を表面にもつ細胞 (図1・15参照) では, 鞭のような波打ち運動を行い, 細胞表層に水の流れを起こすことができたり, 精子のように卵に向かって泳いだりできる. こういった形や性質の異なる生体膜から, 細胞生物学における重要な問が提起される. いったい, 生体膜の組成はどのように調節され, 異なった膜構造や膜で覆われた区画の独特な形はどのようにしてつくられ維持されているのだろうか. この点に関しては§10・3と14章で説明する.

生体膜に含まれる3種類の主要な脂質

リン脂質 (phospholipid) は, リン酸を含む頭部と2本の長い疎水性尾部をもつ両親媒性分子である. 典型的な生体膜はリン脂質だけでできているわけではなく, 実際は, 3種の両親媒性脂質, すなわちホスホグリセリド, スフィンゴ脂質, ステロイドを含んでいる. それらは異なる化学構造をもち, 膜内での量や機能も異なる (図10・8). ホスホグリセリドのすべて, スフィンゴ脂質のうち一部のものがリン脂質であるが, ステロイドのリン脂質はない.

ほとんどの生体膜で一番豊富に存在しているのは**ホスホグリセリド** (phosphoglyceride) で, グリセロール3-リン酸の誘導体である (図10・8a). 典型的なホスホグリセリド分子は, グリセロール3-リン酸の二つのヒドロキシ基にエステル結合した2本の脂肪酸炭化水素鎖からなる疎水性尾部と, リン酸基に結合した親水性頭部をもつ. グリセロールに2個の脂肪酸がエステル結合したものをジアシルグリセロール (diacylglycerol) とよぶ. 2本の脂肪酸炭化水素鎖は, 長さが違ったり (ふつうは16か18の炭素原子をもつ), 飽和度が違ったりする (二重結合は0～2個) 場合もある. 頭部に結合している基の種類でホスホグリセリドは分類される. 細胞膜に一番多く含まれるリン脂質のホスファチジルコリンでは, 頭部にはコリンが結合している. コリンは正に荷電したアルコールで, 負に荷電したリン酸とエステル結合している. 他のホスホグリセリドでは, エタノールアミン, セリン, あるいは糖の一種であるイノシトールのようにヒドロキシ基をもつ分子がリン酸基に結合している. 頭部にイノシトールをもつものでは, イノシトールの他のヒドロキシ基がさらにリン酸化される. これらのリン脂質は**ホスホイノシチド** (phosphoinositide) とよばれ, 15章, 16章で紹介するようにシグナル伝達において重要な役割を果たす. 頭部中の負に荷電したリン酸基や, 正に荷電した基, そしてヒドロキシ基などが水と強く相互作用する. pHが中性のとき, ある種のホスホグリセリド (たとえばホスファチジルコリンやホスファチジルエタノールアミン) は正味の電荷が0になるが, 他のもの (たとえばホスファチジルイノシトールやホスファチジルセリン) は1価の負電荷をもつ. このような電荷の違いにもかかわらず, すべてのリン脂質は集合して特徴的な二重層構造をつくり上げる. ホスホリパーゼがホスホグリセリドに作用すると, 二つの脂肪酸炭化水素鎖のうちの一方が失われたリゾリン脂質ができる. リゾリン脂質は細胞から放出されるシグナル伝達分子として働くだけでなく, それが埋込まれている膜の物理的性質にも影響を与える.

プラスマローゲン (plasmalogen) は, グリセロールのC2にエステル結合した脂肪酸炭化水素鎖1本と, C1にエーテル結合 (C-O-C) した長い炭化水素鎖1本を含むホスホグリセリドである. この分子はヒトの脳や心臓で特に含有量が高い. プラスマローゲンのエーテル結合はエステル結合に比べて化学的に安定であり, 他のホスホグリセリドと比べて三次元構造が微妙に異なるのでよくわかっていない生理的に重要な意味をもつのかもしれない.

膜脂質の第二のグループが**スフィンゴ脂質** (sphingolipid) で, すべてがスフィンゴシンの誘導体である. スフィンゴシンは長い炭化水素鎖をもつアミノアルコールで, そのアミノ基に長鎖脂肪酸が結合している (図10・8b). ホスホグリセリドと同様に, ある種のスフィンゴ脂質もリン酸基を含む親水性頭部をもっている. 最も大量に存在するスフィンゴ脂質であるスフィンゴミエリン (SM) では, スフィンゴシンの末端ヒドロキシ基にホスホコリンが結合している (図10・8b). スフィンゴミエリンはリン脂質で, その分子の形はホスファチジルコリンに非常によく似ている. そのため, スフィンゴミエリンとホスホグリセリドは, よく混ざり合って二重層を形成する. その他のスフィンゴ脂質は親水性頭部が糖である**糖脂質** (glycolipid) で, 尾部との結合にリン酸を介さない (リン脂質ではない). 一番簡単なスフィンゴ糖脂質であるグルコセレブロシドでは, 1個のグルコースがスフィンゴシンに結合している. **ガングリオシド** (ganglioside) という複雑な構造のスフィンゴ糖脂質では, シアル酸基を含む分岐した糖鎖 (オリゴ糖) が一つか二つスフィンゴシンに結合している. 糖脂質は細胞膜の2～10%を占めており, 神経組織に最も多く存在する.

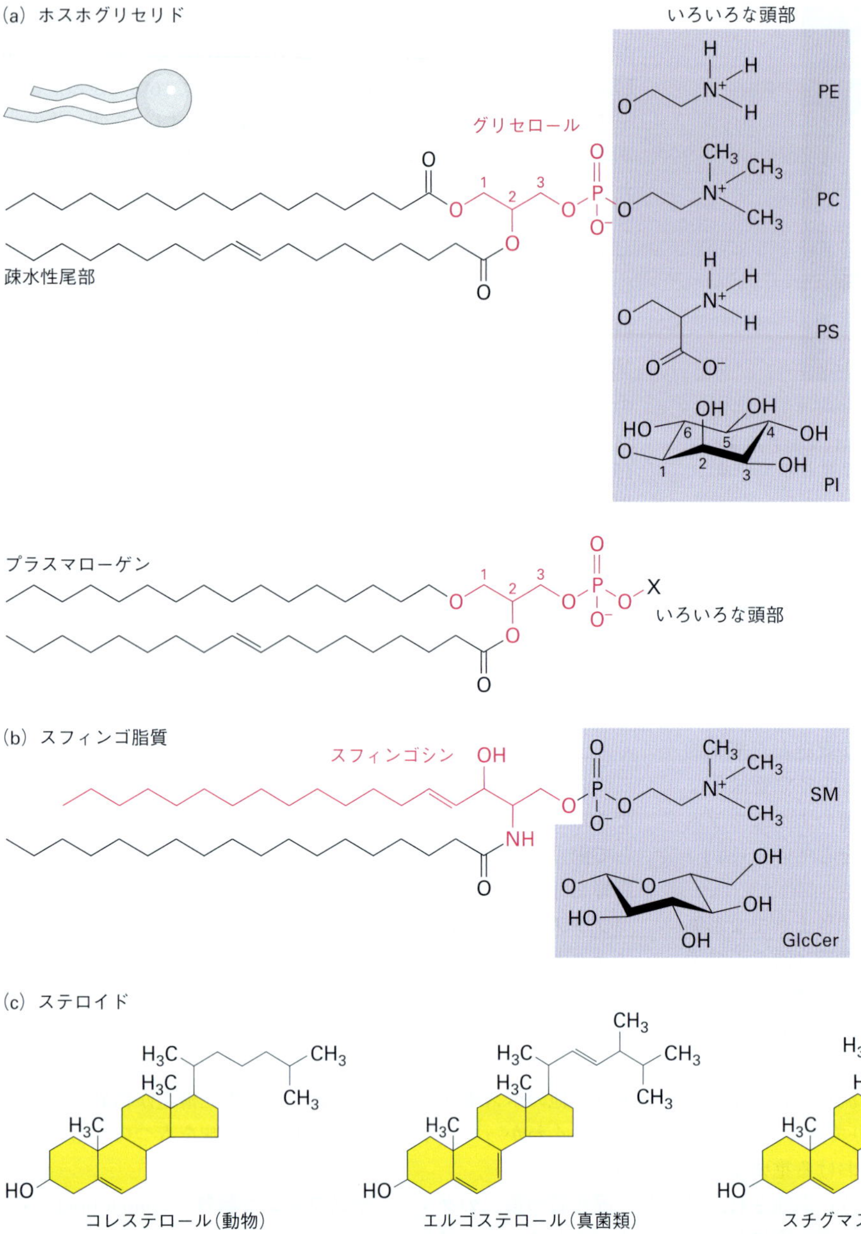

(a) ホスホグリセリド　　　　　　　　　　　　　　　　いろいろな頭部

グリセロール
疎水性尾部

PE
PC
PS
PI

プラスマローゲン　　　　　いろいろな頭部

(b) スフィンゴ脂質
スフィンゴシン

SM
GlcCer

(c) ステロイド

コレステロール(動物)　　エルゴステロール(真菌類)　　スチグマステロール(植物)

図 10・8　3 種類の生体膜脂質. (a) ホスホグリセリドの大半はグリセロール 3-リン酸(赤)の誘導体であり，エステル結合した脂肪酸の炭化水素鎖 2 本からなる疎水性 "尾部" と，エステル結合したリン酸基による親水性 "頭部" をもつ．脂肪酸はさまざまな長さをもち，飽和(二重結合をもたない)なものも不飽和(二重結合を 1～3 個もつ)なものもある．ホスファチジルコリン(PC)では，頭部にコリンがついている．ここでは，一般的なホスホグリセリドであるホスファチジルエタノールアミン(PE)，ホスファチジルセリン(PS)，ホスファチジルイノシトール(PI)のリン酸基に結合している分子も示す．プラスマローゲンは，グリセロールに脂肪酸炭化水素鎖が，一つはエステル結合で，もう一つはエーテル結合でついている．頭部はホスホグリセリドとほぼ同じである．(b) スフィンゴ脂質は，長い炭化水素鎖をもつアミノアルコールのスフィンゴシン(赤)の誘導体である．さまざまな脂肪酸炭化水素鎖がアミド結合でスフィンゴシンと結合している．ホスホコリンを頭部にもつスフィンゴミエリン(SM)はリン脂質である．1 個の糖残基あるいは枝分かれしたオリゴ糖がスフィンゴシン骨格に結合したスフィンゴ脂質は，糖脂質である．たとえば，簡単な糖脂質のグルコセレブロシド(GlcCer)は頭部にグルコースを一つもつ．(c) 細胞膜の重要な構成成分であるステロイドは，動物(コレステロール)，真菌類(エルゴステロール)，および植物(スチグマステロール)で構造が異なる．ステロイドの基本構造は 4 個の炭化水素環(黄)である．他の膜脂質と同様に，ステロイドも両親媒性である．一つのヒドロキシ基が他の脂質の親水性頭部と同じ役割をしており，連結した炭化水素環と短い炭化水素鎖が疎水性尾部となっている．[H. Sprong et al., 2001, *Nat. Rev. Mol. Cell Biol.* **2**: 504 参照.]

膜脂質の第三のグループである**ステロイド**(steroid)は，**コレステロール**(cholesterol)とその誘導体からなる．ステロイドの基本構造はイソプレノイドからつくられた 4 個の炭化水素環である．動物細胞の主要ステロイドであるコレステロールは酵母の主要なステロール(エルゴステロール)や植物のフィトステロール(たとえばスチグマステロール)とは少し構造が異なる(図 10・8c)．現在使われている抗真菌薬は，真菌類と動物のステロール生合成経路と構造のこの微妙な違いを利用してつくられている．他の二つのステロールと同様，コレステロールの炭化水素環の一つにはヒドロキシ基がついている．コレステロールは組成からみるとほとんど炭化水素であるが，ヒドロキシ基が水と相互作用するため両親媒性である．コレステロールはリン酸を含む頭部をもっていないので，リン脂質ではない．コレステロールは哺乳類細胞の細胞膜に特に豊富に含まれているが，すべての植物細胞やほとんどの原核細胞には存在しない．植物細胞の細胞膜脂質のうち 30～50% が植物に特有のステロイドである．哺乳類細胞のコレステロールのうち 50～90% は細胞膜かそれ由来の膜小胞に含まれている．コレステロールや他のステロールは疎水性が強すぎて，それらだけでは二重層構造をつくることができない．しかし，天然の膜に存在するような濃度なら，リン脂質の間に入り込んで生体膜に組込まれる．このようにして膜にコレステロールが入り込むと，リン脂質の脂肪酸炭化水素鎖が近づきすぎることが抑えられるので，膜は流動性を維持でき，同時に細胞の支持に必要な機械的強度も得ることができる．このあと説明するラフトのように，そのような効果を局所的に起こすこともできる．

膜の構造を維持する役割に加えて，コレステロールはいくつかの重要な生理活性物質の前駆体でもある．肝臓でつくられ，食物中の脂質を消化されやすいように分散させ，小腸での吸収も助けている**胆汁酸**(bile acid)，内分泌細胞(たとえば副腎，卵巣，精巣)でつくられるステロイドホルモン，皮膚や腎臓でつくられる

ビタミンDなどはコレステロールからつくられる。コレステロールのもう一つの重要な機能として，胚発生時の重要なシグナルとなるヘッジホッグタンパク質との結合がある（16章）。

脂質分子や膜タンパク質は生体膜内で横方向に移動できる

二重層の二次元平面内で，脂質分子は熱運動により長軸のまわりを自由に回転し，またそれぞれの膜リーフレット内であるなら，横方向に拡散できる。こうした分子の動きは，回転か並進運動に限られるので，炭化水素鎖は二重層の疎水性中心部に埋まったままとなる。天然の膜であっても人工的な膜であっても，37 ℃では，脂質分子は隣接する分子と1秒間に10^7回もの頻度で置換し，1秒間に数マイクロメートルもの速度で拡散する。この拡散速度から，二重層の粘度は水の粘度より100倍も高く，オリーブ油程度であることがわかる。二重層内の脂質の拡散速度は，水溶液中に比べるとずっと遅いが，脂質分子が細菌の細胞（1 μm）の端から端までを移動するのには1秒しかかからないし，動物細胞の端から端までを移動する場合でも20秒しかかからない。合成した純粋なリン脂質でつくった膜を37 ℃以下に冷やすと，水が凍ったり，溶けたバターが固まったりするように，液状からゲル状への**相転移**（phase transition）が起こる（図10・9）。相転移温度より下では，拡散速度が急激に落ちる。通常の生理的な温度下では，生体膜の疎水性中心部の粘度は，低温下でのゲル状のものとは異なり液状のものに近い。

二重層膜内でリン脂質やスフィンゴ脂質は回転したり横方向へ移動したりはできるが（タンパク質を含まないとき），一方のリーフレットから他方のリーフレットへと反転（フリップ-フロップ flip-flop）することはない。反転するためには極性頭部をそれが接している水溶液から引き離し，二重層膜中心部の炭化水素鎖の間を通り抜けて反対側の水溶液側に動かさねばならず，そのエネルギー障壁が非常に高いからである。膜脂質や極性分子が一方のリーフレットから他方のリーフレットへ移るためには11章で説明するような特殊なタンパク質が必要である。

膜タンパク質や脂質の横方向の動きは，**光退色後の蛍光回復**（fluorescence recovery after photobleaching: **FRAP**）を測るという方法で観測することができる。この場合，蛍光色素と結合したリン脂質を使って解析する。タンパク質の場合は，そのタンパク質の反細胞質側面にあるドメインに対するモノクローナル抗体（24章）のFab断片を蛍光色素で標識して用いる（代わりに，GFPを

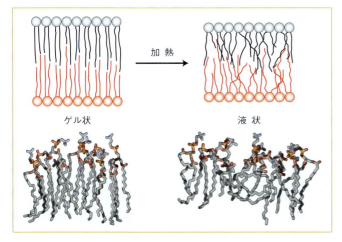

図10・9 リン脂質二重層のゲル状および液状構造．（上）ゲル状から液状への転移．長鎖飽和脂肪酸の炭化水素鎖をもつリン脂質は集合して秩序だったゲル状の二重層を形成する．このとき二つのリーフレットの疎水性尾部の重なりはほとんどない．加熱すると疎水性尾部の秩序だった構造が失われ，わずか数度の温度範囲内でゲル状から液状への転移が起こる．無秩序な構造になることで，二重層の厚みも減少する．（下）分子動力学計算に基づいたリン脂質単層のゲル状および液状構造の分子モデル．[H. Heller et al., 1993, *J. Phys. Chem.* **97**: 8343 による．]

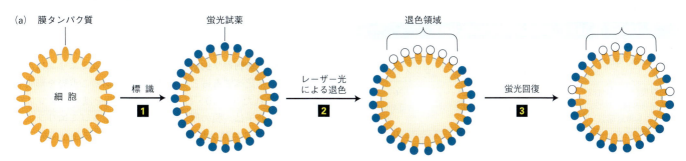

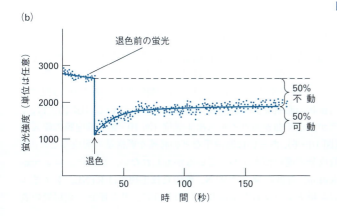

図10・10（実験） 光退色後の蛍光回復（FRAP）を調べる実験によって細胞膜内におけるタンパク質や脂質の横方向への動きを定量化できる．（a）実験方法．段階**1**：特定の膜脂質や膜タンパク質と結合して均一に標識できる蛍光試薬で染色する．目的のタンパク質に遺伝学的な方法でGFPを導入してもよい．段階**2**：表面の小さな領域にレーザー光を照射すると，結合した蛍光色素（またはGFP）が不可逆的に退色し，照射領域の蛍光量が減少する．段階**3**：時間が経つと，退色していない蛍光色素（またはGFP）が拡散によってまわりから流れ込み，退色したものが流れ出すので，退色領域の蛍光量がしだいに増加する．退色領域の蛍光回復の程度は膜内で移動可能な蛍光分子の割合に比例する．（b）ヒト肝臓がん細胞をアシアロ糖タンパク質受容体に特異的な蛍光抗体で処理してFRAP実験を行った結果．退色領域の蛍光が50%回復したことから，膜の照射領域にある受容体の50%は移動可能だが，残りの50%は移動できないことがわかる．蛍光回復速度は標識分子が退色領域に流入する速度に比例するので，それらのデータから膜内でのタンパク質や脂質の拡散定数を計算することができる．[Y. I. Henis et al., 1990, *J. Cell Biol.* **111**: 1409 による．]

目的のタンパク質に融合させたものを発現させる方法もある).図10・10に示すような方法で,脂質やタンパク質が膜内で動く速度,つまり拡散係数を決めることができ,また横方向に動ける分子の割合も求めることができる.

蛍光標識したリン脂質を使ったFRAP実験から,繊維芽細胞の細胞膜ではリン脂質はすべて0.5 µmほどの範囲で自由に動き回っているが,それ以上の距離を動くものはほとんどないことがわかった.このことは,直径1 µmほどのタンパク質に富んだ領域が,脂質に富んだ領域を区切っていることを示唆している.この脂質に富んだ領域内ではリン脂質は自由に拡散しているが,タンパク質に富んだ領域を乗り越えて隣の領域に拡散していくことはない.さらに,細胞膜内での脂質の拡散係数は10^{-8} cm^2/秒で,精製したリン脂質二重層での値10^{-7} cm^2/秒に比べて1桁も小さい.これは,脂質が特定の膜内在性タンパク質と可逆的であるが強い結合と解離を繰返しているためであることが最近明らかにされた(環状リン脂質の項,p.399参照).

脂質組成が膜の物理的性質に影響する

細胞には多くの種類の膜が含まれる.それぞれの膜は,決まった比率で脂質とタンパク質が混ざり合い,それぞれの特徴的な性質を示す.表10・1のデータは,いろいろな生体膜で脂質組成に差があることを示す.この違いには複数の要因がある.たとえば,小胞体膜とゴルジ体膜の間では,ホスホグリセリドとスフィンゴ脂質の含量が異なる.これは,ホスホグリセリドが小胞体膜で合成されるのに対して,スフィンゴ脂質はゴルジ体で合成されるからである.その結果,膜の総リン脂質に占めるスフィンゴミエリンの割合は,ゴルジ体のほうが小胞体より6倍も多い.他の例として,細胞のある区画から別の区画へ膜が輸送されることで,膜中の特定の脂質(たとえばコレステロール)の割合が増加することもある.脂質組成の差は,生体内で細胞がおかれた環境によっても変わる.たとえば,食物が分解処理されるような厳しい環境にさらされている小腸上皮細胞の膜では,スフィンゴ脂質,ホスホグリセリド,コレステロールの比は1:1:1であるが,弱いストレスにしかさらされない細胞の膜のそれらの比は0.5:1.5:1である.小腸上皮細胞膜でスフィンゴ脂質の割合が比較的高くなるのは膜の安定性を高めるためだろう.これは,スフィンゴシン部分の遊離ヒドロキシ基が強い水素結合をつくるためである(図10・8).

二重層の流動性は,脂質組成,リン脂質の疎水性尾部の構造,そして温度によって変わる.すでに述べたように,ファンデルワールス相互作用や疎水性相互作用によってリン脂質の疎水性尾部が会合する.長い飽和脂肪酸鎖の炭化水素鎖が最も会合しやすく,密に詰込まれてゲル状になりやすい.短い炭化水素鎖をもつリン脂質は,ファンデルワールス相互作用する表面積が小さいので,流動性の高い脂質二重層を形成する.同様に,シス形不飽和脂肪酸があると,炭化水素鎖の折れ曲がりによって(2章)ファンデルワールス相互作用が不安定になり,飽和脂肪酸の場合に比べて二重層の流動性が増す.

コレステロールは適切な膜の流動性を維持するうえで重要で,正常な細胞の成長や増殖に必須である.コレステロールは膜リーフレットの表層付近でのリン脂質頭部の無秩序な動きを抑えるが,濃度によっては長いリン脂質尾部の動きにも影響する.通常の細胞膜のコレステロール濃度では,ステロイド環とリン脂質の長い疎水性尾部との相互作用によって,リン脂質の動きが抑えられ,その結果,生体膜の流動性が低くなる.固有の組成の脂質やタンパク質からなるラフトのような領域が細胞膜に形成できるのはこのためである.これに対してコレステロール濃度が低いと,ステロイド環がリン脂質の疎水性尾部の間隔を広げるので,膜の内部領域の流動性は少し高くなる.

二重層の脂質組成は膜の厚さにも影響するので,膜に埋込まれたタンパク質のような成分の分布にも影響する可能性はある.ゴルジ体に局在するある種の酵素(グリコシルトランスフェラーゼ)の膜貫通領域が短いのはゴルジ体の膜の脂質組成に対応した結果で,この酵素がゴルジ体にとどまるのはそのためだという説もある.人工膜の生物物理学的研究から,スフィンゴミエリンはホスホグリセリドに比べてもっとゲル状で厚みのある二重層を形成することが示された(図10・11a).膜の流動性を減らすコレステロールなどの分子は,膜の厚さを増す.スフィンゴミエリン二重層はスフィンゴミエリン尾部だけですでに安定になっているので,コレステロールを加えても厚さは変化しない.

二重層の脂質組成の違いが,膜の局所的な曲率にも影響する.これは,膜の曲率が,膜を構成するリン脂質分子の親水性頭部と疎水性尾部の相対的な大きさの違いに依存するからである.長い尾部と大きな頭部をもつ脂質は,円筒状の形をもつ.これに対して,小さな頭部をもつものは円錐状になる(図10・11b).その結果,円筒状の脂質でできた二重層は比較的平坦であるのに対して,円錐状の脂質を大量に含む二重層は曲がっている(図10・11c).膜が大きく曲がるウイルス出芽部位(図10・2),細胞膜の陥入部(図10・6),あるいは微絨毛などの特殊な膜構造の形成などに,脂質成分の違いがかかわっているかもしれない.レチキュロン(reticulon,脊椎動物ではRTN,他の真核生物ではRTNL,レチキュロン様タンパク質とよばれる)のように,リン脂質二重層膜の表

表 10・1 生体膜を構成するおもな脂質

部 位	組 成[†] (mol%)			
	PC	PE + PS	SM	コレステロール
細胞膜(ヒト赤血球)	21	29	21	26
ミエリン膜(ヒト神経細胞)	16	37	13	34
細胞膜(マメ)	47	43	0	0
ミトコンドリア内膜(カリフラワー)	42	38	0	0
ミトコンドリア外膜(カリフラワー)	47	27	0	0
細胞膜(大腸菌)	0	85	0	0
小胞体膜(ラット)	60	25	3	7
ゴルジ膜(ラット)	51	26	8	13
ミトコンドリア内膜(ラット)	40	37	2	7
ミトコンドリア外膜(ラット)	54	31	2	11
おもに局在するリーフレット	反細胞質側面	細胞質側面	反細胞質側面	両 方

[†] PC: ホスファチジルコリン,PE: ホスファチジルエタノールアミン,PS: ホスファチジルセリン,SM: スフィンゴミエリン.
出典: S. E. Horvath and G. Daum, 2013, *Prog. Lipid Res.* **52**: 590.

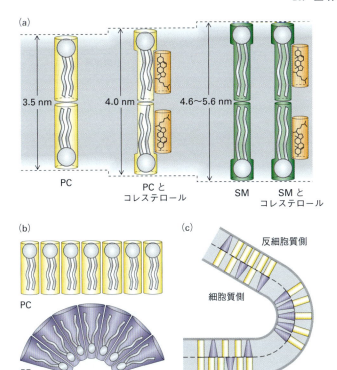

図 10・11 脂質の組成が二重層の厚みと曲率に与える影響. (a) スフィンゴミエリン(SM)のみからなる二重層は，ホスファチジルコリン(PC)などのホスホグリセリドからなる二重層に比べて厚い．コレステロールは，ホスホグリセリド二重層の脂質を規則正しく並べ，厚さを増す効果がある．一方，より秩序だった構造をとっている SM 二重層に対しては，厚さを増す効果はない．(b) PC などのリン脂質は円筒状の形をしており，比較的平らな層を形成するが，ホスファチジルエタノールアミン(PE)などの小さな頭部をもつものは円錐状の形をしている．(c) 細胞膜のように，反細胞質側のリーフレットに PC を，細胞質側のリーフレットに PE を多くもつような二重層は自然と曲がった構造をとる．[H. Sprong et al., 2001, *Nat. Rev. Mol. Cell Biol.* **2**: 504 による．]

(図 10・11c)．リン脂質とは違い，コレステロールは細胞の膜系の 2 枚のリーフレットに比較的均等に分布している．

2 枚のリーフレットでのリン脂質の相対的な量比を調べるには，脂肪酸炭化水素鎖や親水性頭部の結合に使われているエステル結合を切断する**ホスホリパーゼ**(phospholipase)という酵素(図 10・12)を使う．この酵素は細胞膜を通り抜けることができないので，細胞外液に酵素を入れたとき細胞の外側に出ている脂質のみが切断され，細胞質側面のリーフレットのリン脂質は切断されない．

どのようにして膜リーフレットにおけるリン脂質分布が非対称性になっているのか，そのしくみはよくわかっていない．前に述べたように，二重層中でリン脂質は自由には一方のリーフレットから他方に移動することはない．小胞体やゴルジ体のどこでその脂質が合成されたかによって，非対称なリン脂質分布になる可能性もあるだろう．スフィンゴミエリンはゴルジ体の内腔側で合成され，この面は細胞膜の反細胞質側になる．これに対して，ホスホグリセリドは小胞体の細胞質面で合成される．この面は空間配置的には細胞膜の細胞質側面に相当する(図 10・5)．しかし，これはホスホグリセリドであるホスファチジルコリンが細胞外表面に多く存在していることの説明にならないのは明らかである．このホスホグリセリドや他の脂質が一方のリーフレットからもう一方に移るには，11 章で述べるように，**フリッパーゼ**(flippase)という ATP で駆動される輸送体の触媒作用が必要である．

二重層のどちらかのリーフレットに脂質分子が偏在することは，さまざまな膜の機能にとって重要である．たとえば，二次メッセンジャーの材料となるリン酸化されたホスファチジルイノシトール(PI, 図 10・8a)の頭部はすべて細胞質側を向いている．いろいろなホルモンにより細胞表面受容体が刺激されると細胞質にあるホスホリパーゼ C が活性化され，この酵素は PI 内のホスホイノシトールとジアシルグリセロールの間の結合を加水分解する．15 章で述べるが，この生成した水溶性ホスホイノシトールと膜に残ったジアシルグリセロールはともに細胞代謝のさまざまな面に結合して膜を曲げ，もとの膜から輸送小胞が出芽する際に重要な役割を果たしているタンパク質もある(14 章).

細胞質側リーフレットと反細胞質側リーフレットとで膜脂質の組成は異なる

生体膜では，脂質二重層の内外それぞれのリーフレットで脂質組成が非対称的になっているのが特徴である．大半のリン脂質は両方のリーフレットでみられるが，どちらか一方により豊富に含まれている場合が多い．たとえば，ヒト赤血球やイヌ腎臓上皮由来の MDCK 細胞の細胞膜では，流動性の低い二重層をつくるスフィンゴミエリンやホスファチジルコリンは，ほとんどすべて反細胞質側のリーフレットに存在している．これとは逆に，流動性の高い二重層をつくるホスファチジルエタノールアミンやホスファチジルセリン，ホスファチジルイノシトールなどは細胞質側のリーフレットに多い．ホスファチジルセリンやホスファチジルイノシトールの頭部は負電荷をもっているので，1 回膜貫通タンパク質の膜を抜けたすぐの細胞質側領域には正電荷をもったアミノ酸(Lys, Arg)が多い．これを"内側正電荷の法則"という．二重層の表裏での脂質の割合の違いは，膜の曲率にも影響を与える

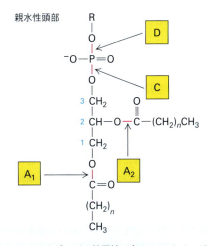

図 10・12 ホスホリパーゼの特異性. 各ホスホリパーゼは赤で示した結合を切断する．グリセロールの炭素原子に小さい青字で番号をつけてある．無傷の細胞では，細胞膜の反細胞質側リーフレットに存在するリン脂質のみが外液のホスホリパーゼで切断される．細胞質に存在する酵素であるホスホリパーゼ C は，細胞膜の細胞質側リーフレットに存在するある種のリン脂質を切断する．

面に影響する細胞内シグナル伝達経路にかかわっているのである．ホスファチジルセリンも，通常は細胞膜の細胞質に面したリーフレットに最も豊富に含まれている．血清による血小板刺激の初期段階で，おそらくフリッパーゼの働きにより，ホスファチジルセリンは細胞外面に一時的に移送され，ここで血液凝固にかかわる酵素を活性化する．細胞が死ぬとき，リン脂質分布の非対称性はもはや維持できなくなり，通常は細胞質側リーフレットに多いホスファチジルセリンが細胞表面へと出てくる．この表面への露出は，ホスファチジルセリンと特異的に結合するアネキシンVというタンパク質で検出でき，プログラム細胞死（アポトーシス）のはじまりを調べるときに使われる．22章で解説するように，貪食細胞は，この細胞表面のホスファチジルセリンの増加を識別し食作用を開始するので，死んだ細胞の残骸をよいタイミングで取込んで，アポトーシス小体をつくって処理することができる．

コレステロールとスフィンゴ脂質が特定のタンパク質と集合して膜の微小領域を形成する

　膜の脂質分子は二重層のそれぞれのリーフレットの面内でもランダムに（均等に）分散しているのではない．最初にリーフレット内で脂質分子が組織化されているということが示唆されたのは，Triton X-100 のような非イオン性界面活性剤で生体膜を抽出したあとに残るものが，おもにコレステロールとスフィンゴミエリンであるという発見であった．この2種類の脂質は，組織化されて流動性の低い脂質二重層に多く存在するため，これら2種類の脂質を含む微小膜領域が，界面活性剤で簡単に抽出される流動性の高い脂質からなる領域内に点在しているのではないかと想定されたのである．この微小領域を**脂質ラフト**（lipid raft）とよぶ．（イオン性および非イオン性界面活性剤が膜のタンパク質抽出において果たす役割については§10・2で詳しく述べる．）

　脂質ラフトが存在することは生化学あるいは顕微鏡観察によっても支持されていて，生体膜における典型的な大きさは直径50 nmくらいである．膜からコレステロールだけを抽出するメチル-β-シクロデキストリン，あるいはコレステロールを会合させることにより膜内で隔離するフィリピン（filipin）のような抗生物質によって，ラフトは破壊される．このことから，コレステロールがラフトを維持するのに重要な役割を演じていることが示された．非イオン性界面活性剤で処理したあとに残るラフトのタンパク質のなかには細胞外シグナルを感知し，それを細胞内に伝達するタンパク質が豊富に含まれている．ラフトには糖脂質が多く含まれているので，ある種のガングリオシド（糖脂質）と特異的に結合するコレラ毒素タンパク質を蛍光標識したものを使うと，顕微鏡下でラフトを観察できるようになる．重要な働きをするタンパク質をこうして集め，安定的に相互作用させることにより，脂質ラフトは細胞表面受容体からのシグナル伝達や，細胞質内での反応を促進しているかもしれない．しかし，脂質ラフトの構造や生理的機能についてはまだわかっていないことが多い．ラフトに含まれる糖脂質のように独特な性質をもつものが疎水性の中心層を介して相互作用し，細胞質側リーフレットの脂質を組織化してシグナル伝達のための足場をつくっているのかもしれない．

細胞は余分な脂質を脂肪滴としてたくわえる

　脂肪滴（lipid droplet）はトリグリセリドとコレステロールエス

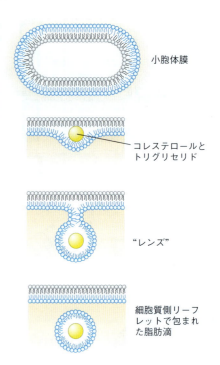

図 10・13　脂肪滴は小胞体膜から出芽し切り離されてつくられる．脂質二重層の疎水性中心層にコレステロールエステルとトリグリセリド（黄）が蓄積して脂肪滴の生成がはじまる．二重層の層間剥離により"レンズ"がつくられ，それがさらに大きくなり，首のところで切れて球形の脂肪滴となる．生じた脂肪滴は小胞体の細胞質側リーフレットに由来する1層の脂質で覆われている．

テルからなる小胞で，小胞体でつくられ，脂質を蓄える機能をもつ．細胞への脂質供給量が当座の膜生成に必要な量より多いと，余分な脂質は脂肪滴となる．この脂肪滴はコンゴーレッドのような脂溶性色素を使うと容易に観察できる．細胞に脂肪酸の一種であるオレイン酸を与えると，この脂肪滴形成が促進される．脂肪滴はトリグリセリドとコレステロールエステルの貯蔵区画であるだけではなく，分解予定のタンパク質をたくわえる場所でもある．脂肪滴の生成は，小胞体の脂質二重層にトリグリセリドとコレステロールエステル（コレステロールよりも疎水的）が挿入されて発生する膜のはく離からはじまる（図10・13）．さらに脂質が挿入されると，"レンズ"状に膨らんだ脂質は大きくなり，最後は小胞体から切り離されて分離する．したがって，細胞質に生じた脂肪滴は1層のリン脂質で覆われている．脂肪滴の生成とその機能については，まだ詳しくはわかっていない．

> **10・1　脂質二重層膜：脂質組成と構造　まとめ**
> - 細胞の構造と機能にとって膜は重要である．真核細胞は細胞膜により外部環境から区切られており，内部にも膜で仕切られた区画構造（細胞小器官や膜小胞）がある．
> - すべての生体膜の基本構造単位であるリン脂質の二重層は，2分子の厚みをもった二次元シートで，親水性の表面と疎水性の中心層をもつ．脂質二重層膜は水溶性の分子やイオンを透過させない．膜に埋込まれているタンパク質が，膜特有な機能をもたらしている（図10・1）．

- リン脂質は自動的に，二重層となり，さらに閉じて水溶液を取囲んだ区画を形成する（図10・3）．
- 生体内のすべての二重層膜は内部（細胞質側）に向いた面と外部（反細胞質側）に向いた面をもつ（図10・5）．大腸菌のように，1枚ではなく2枚の二重層膜をもつ生物もいる．
- ホスホグリセリド，スフィンゴ脂質，およびコレステロールのようなステロイドが，生体膜の主要な脂質成分である．"リン脂質"とは脂肪酸炭化水素鎖からなる尾部とリン酸を含む頭部をもった両親媒性脂質分子の総称である（図10・8）．
- 膜は，温度や脂質組成に応じて，流動性をもった状態からゲル状態へ相転移を起こす（図10・9）．
- 脂質分子とタンパク質の多くが，生体膜の面内で横方向に移動できる（図10・10）．
- 細胞膜の種類によって脂質組成は異なる（表10・1）．リン脂質とスフィンゴ脂質は二重層の2枚のリーフレット間で非対称的に分布している．これに対して，コレステロールは比較的均一に分布している．
- 天然の生体膜は粘度の高い液体のような性質をもつ．一般的に，スフィンゴ脂質とコレステロールは膜の流動性を下げ，ホスホグリセリドは流動性を高める．脂質組成は，厚さや曲率にも影響を与える（図10・11）．
- 脂質ラフトとはコレステロール，スフィンゴ脂質，およびある種のタンパク質を含む二重層平面内の小領域である．この構造は，ある種の細胞膜受容体によるシグナル伝達を促進する役割を担っているかもしれない．
- 脂肪滴は脂質をたくわえる小胞で，小胞体でつくられる（図10・13）．

10・2 膜タンパク質：構造と基本的な機能

リン脂質二重層内あるいはその表面に存在するタンパク質を膜タンパク質という．すべての生体膜は同じ二重層構造をもつが，特定の膜に固有の性質はそこに存在するタンパク質によって決まる．生体膜に結合しているタンパク質の種類や量は，細胞の種類や細胞内での場所によってそれぞれ異なっている．たとえば，ミトコンドリア内膜では76%がタンパク質であるが，神経軸索を包んでいるミエリン膜ではたった18%でしかない．23章で説明するが，ミエリン膜の高いリン脂質含量のおかげで，神経細胞は外部と電気的に絶縁された状態になる．膜タンパク質の重要性は，酵母の全遺伝子のうち1/3が膜タンパク質をコードしているという事実からもうかがえる．膜タンパク質をコードしている遺伝子の割合は多細胞生物ではもっと高くなる．これは，膜タンパク質が細胞接着や他の細胞との情報伝達（細胞間相互作用）という機能も果たすからである．事実，ヒトの遺伝子約20,000種の中で，約7000種が膜タンパク質をコードしている．

脂質二重層は，膜タンパク質にとって独特の二次元的な疎水性の環境となっている．ある膜タンパク質はその一部が疎水性の高い二重層中心部に埋込まれており，別の膜タンパク質は二重層の細胞質側面あるいは反細胞質側面とだけ結合している．細胞膜の外側に突き出ている膜タンパク質ドメインには，他の細胞外分子が結合することが多い．そうした分子として，外部のシグナル伝達タンパク質，イオン，および小さな代謝産物（たとえばグルコース，脂肪酸など）のほかに隣接細胞表面の膜タンパク質や外部環境中のタンパク質があげられる．細胞膜内に埋込まれている膜タンパク質ドメインにもさまざまな機能があり，細胞内外の分子やイオンの輸送にかかわるチャネルや孔を形成するものもある．膜に埋込まれているドメインは，複数の膜タンパク質を膜内で大きな集合体にする機能ももつ．細胞膜の細胞質側に突き出ているドメインは，細胞骨格を膜に係留することで細胞内のシグナル伝達経路の引金となったり，ATP合成を行ったり，さまざまな機能を果たすものがある．

膜タンパク質の機能や，膜内でのタンパク質の折りたたまれ方は，ほかのよく知られているタンパク質との相同性から予測できることが多い．本節では，膜タンパク質の構造的特徴やその基本的な機能のいくつかを解説する．膜タンパク質と膜との相互作用がどのようなものか感じとってほしいので，いくつかの膜タンパク質の構造を例にあげて説明する．いろいろな他の膜タンパク質の構造と機能については，あとに続く章の中で，細胞の機能と関連づけてもっと詳しく説明する．

タンパク質は3通りのやり方で膜と相互作用する

膜タンパク質は膜との相互作用の仕方に基づいて，三つに分類できる．膜内在性タンパク質，脂質アンカー膜タンパク質，そして膜表在性タンパク質である（図10・1）．

膜内在性タンパク質（integral membrane protein）は**膜貫通タンパク質**（transmembrane protein）ともよばれ，リン脂質二重層を横切った三つのドメインから構成されている．細胞質側と反細胞質側のドメインの表面は親水性で，膜のそれぞれの面で水溶液と接している．このドメインのアミノ酸組成や構造は，ふつうの水溶性タンパク質のものと似ている．これに対して，膜を貫通しているドメインは多くの疎水性アミノ酸を含み，その側鎖は外側に突き出して，リン脂質二重層の疎水性領域と相互作用している．これまでに研究されてきたすべての膜貫通タンパク質では，膜貫通ドメインは1本かそれ以上のαヘリックス，あるいは複数のβシートからできている．細胞質の水溶性タンパク質の合成とその後のプロセシングについては5章と9章で，膜内在性タンパク質が合成される途中で膜に挿入される過程については13章で取上げる．

脂質アンカー膜タンパク質（lipid-anchored membrane protein）には，一つあるいは複数の脂質分子が共有結合している．結合した脂質の疎水性炭化水素鎖は膜の一方のリーフレットに埋込まれ，その結果，タンパク質は膜につなぎとめられる．ポリペプチド鎖自体はリン脂質二重層に入り込まない．

膜表在性タンパク質（peripheral membrane protein）は，リン脂質二重層の疎水性中心層とは直接相互作用しない．その代わり，こうしたタンパク質は膜内在性タンパク質や脂質アンカー膜タンパク質と相互作用して間接的に膜に結合するか，あるいは脂質頭部と相互作用して直接膜に結合する．膜表在性タンパク質は，膜の細胞質側にも反細胞質側にも存在する．膜にしっかり結合しているこうしたタンパク質のほかに，細胞骨格フィラメントが，1個あるいは複数の膜表在性アダプタータンパク質を介して，膜の細胞質側面にゆるく結合している．こうした細胞骨格との結合で，

さまざまな細胞の膜が支えられ，細胞の形や機械的強度が維持されている．また17章で解説するように，こうした会合は，細胞内外の双方向の情報のやりとりにも役立っている．反細胞質側に存在する膜表在性タンパク質や膜内在性タンパク質の外側ドメインのなかには，細胞外マトリックスあるいは細菌や植物細胞を取囲んでいる細胞壁と結合し，細胞外部との重要な接触部位形成に役立っているものもある．

膜貫通タンパク質は膜を横切る疎水性αヘリックスをもつものが多い

水溶性タンパク質は，多様な独特な折りたたみ構造，つまりモチーフをもつ（図3・7参照）．これに対し，膜内在性タンパク質の膜貫通ドメイン部分の折りたたみ構造は非常に限られていて，ほとんどが疎水性のαヘリックスである．膜貫通αヘリックスドメインをもつ膜内在性タンパク質は，膜内に安定して埋込まれている．これは，貫通部の疎水性アミノ酸側鎖とリン脂質尾部との疎水性相互作用やファンデルワールス相互作用，さらに，おそらくはリン脂質の親水性頭部とのイオン相互作用によるものであろう．

膜内在性タンパク質を膜内で安定化させるには膜貫通αヘリックス1本だけで十分であるが，多くのタンパク質は複数の膜貫通αヘリックスをもつ．通常，膜に埋込まれたαヘリックスは20～25残基の疎水性（電荷をもたない）アミノ酸からなる（図2・14参照）．このαヘリックスの予想される長さ（3.75 nm）はリン脂質二重層の疎水性部分を貫通するのに十分である．多くの膜タンパク質において，このαヘリックスは膜に対して垂直に埋込まれているが，なかには斜めになっているものもある．αヘリックスの中で疎水性側鎖は外に突き出して，二重層の炭化水素鎖とファンデルワールス相互作用する．これに対し，親水性のペプチド結合部分はαヘリックスの内側にあり（図3・4参照），各カルボニル基（C=O）はαヘリックスの内部でC末端側に4残基ずれたところにあるアミノ基と水素結合している．これらの極性基はこうして膜の疎水性領域から遮蔽されている．

このようなαヘリックスをもったタンパク質の構造についてよりよく理解するために，以下に四つの例を紹介する．グリコホリンA，Gタンパク質共役型受容体，アクアポリン（水/グリセロールチャネル）およびT細胞抗原受容体である．

グリコホリンAは赤血球膜の主要なタンパク質で，膜貫通αヘリックスを1本だけもつ1回膜貫通タンパク質（single-pass transmembrane protein）の典型である（図10・14a）．アミノ酸23残基からなる膜貫通αヘリックスは疎水性（電荷をもたない）アミノ酸からなり，二重層中の脂肪酸炭化水素鎖と相互作用する．グリコホリンAの膜貫通αヘリックスは，細胞内で別のグリコホリン分子のαヘリックスと結合し，コイルドコイル二量体を形成する（図10・14b）．こうした膜貫通αヘリックスの相互作用は，膜タンパク質が二量体を形成する際によく使われ，多くの膜タンパク質がこうした膜貫通αヘリックス間の相互作用によってオリ

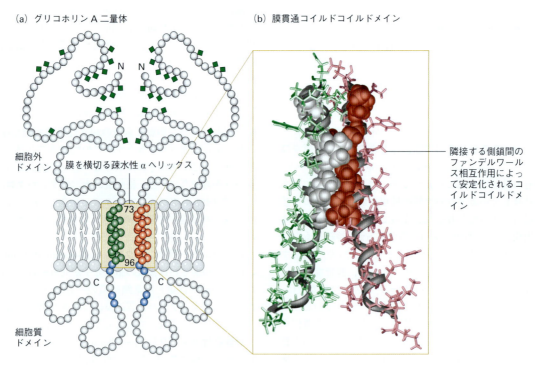

図 10・14 典型的な1回膜貫通タンパク質であるグリコホリンAの構造．(a) グリコホリンA二量体の模式図．おもなアミノ酸配列の特徴と，膜との関係を示している．23残基からなる膜を横切る1本のαヘリックスは，疎水性で電荷のない側鎖をもつアミノ酸（赤と緑の球）から構成されている．負に荷電したリン脂質頭部と，ヘリックスの細胞質側面近くの正に荷電したアルギニン，リシン残基（青球）が相互作用することで，グリコホリンが膜から抜けないようになっている．反細胞質ドメインと細胞質ドメインのいずれも，電荷をもった残基や電荷はもたないが極性のある残基に富んでいる．反細胞質ドメインはグリコシル化されており，糖鎖（緑の菱形）が特定のセリン，トレオニン，アスパラギン残基に結合している．(b) 二量体グリコホリンの残基73～96に相当する膜貫通ドメインの分子モデル．片方の分子のαヘリックスの疎水性側鎖をピンクで，もう一方の分子の疎水性側鎖を緑で示す．コイルドコイル二量体を安定化する分子間ファンデルワールス相互作用に寄与している残基を空間充填モデルで示す．疎水性側鎖が脂肪酸炭化水素鎖のある外側に向かって突き出していることに注意してほしい．[(b)は K. R. MacKenzie et al., 1997, *Science* **276**: 131, PDB ID 1afo.]

ゴマーを形成している（複数のポリペプチドが非共有結合性相互作用で集合する）．

膜貫通αヘリックスを7本含んでいる膜内在性タンパク質は多く，重要なタンパク質ファミリーを形成している．この7回膜貫通タンパク質には，15章で解説するGタンパク質共役型受容体の大きなファミリーが含まれ，結晶構造がわかっているものも多い．光合成細菌の膜に存在するバクテリオロドプシンから，複数回膜貫通タンパク質（multipass transmembrane protein）の典型的な構造がわかるだろう（図10・15a）．共有結合したレチナール基が光を吸収すると，タンパク質に構造変化が起こり，膜を通して細胞質から細胞外へH^+がくみ出される．光合成では，膜を境にしてできたこのH^+濃度勾配を使ってATPが合成される（12章）．バクテリオロドプシンの高解像度の構造から，一つ一つのアミノ酸残基やレチナール，そしてこれを取囲んでいる脂質の位置がわかった．予想されるように，バクテリオロドプシンの膜貫通領域表面のほとんどすべてのアミノ酸は疎水性で，まわりの脂質二重層の疎水性領域とエネルギー的に安定な相互作用をしている．

アクアポリン（aquaporin）は高度に保存された大きなファミリーに属するタンパク質で，生体膜を横切って，水，グリセロールおよび他の親水性分子を透過させる．複数回膜貫通タンパク質の構造上の特徴をよく示している．同一サブユニット4個からなる四量体である．各サブユニットは6個の膜貫通αヘリックスをもち，そのうちのいくつかは膜に対して垂直ではなく斜めに走っている．アクアポリンはいずれも似た構造をもつので，そのなかでX線結晶構造解析によって最も詳しく構造がわかっているグリセロールチャネルGlpfに焦点を当てよう（図10・15b）．このアクアポリンは中央で曲がった長い膜貫通αヘリックスをもち，さらに衝撃的なことに，膜の途中までしか届かない2本のαヘリックスをもつ．それらのαヘリックスのN末端どうしが向き合い（図中の黄のN）二つ合わせて膜を斜めに貫通するαヘリックスになっている．このように，膜に埋込まれたαヘリックスには（あとで述べるヘリックスになっていない構造もそうだが）膜の二重層を貫通しないものがある．11章に出てくるが，アクアポリンのこれらの短いαヘリックスはサブユニットの中央にあるグリセロール/水選択的通路の一部となっている（図11・8参照）．膜貫通αヘリックスと脂質二重層およびタンパク質内の他の領域との相互作用の形は，実にさまざまあることがわかる．

アクアポリン0（図10・16）という別のアクアポリンの構造をみると，リン脂質とタンパク質の相互作用の特徴が明らかである．アクアポリン0は哺乳類の眼の水晶体をつくっている繊維細胞の細胞膜に大量に存在するタンパク質である．他のアクアポリンと同様に同じサブユニット4個からなる四量体構造をとっている．このタンパク質の表面はリン脂質とは均等に相互作用するようになっておらず，一部の脂肪酸炭化水素鎖が不規則に並んだタンパク質の疎水性面と非常に強く結合している．これらは二重層中の他のリン脂質と容易に入れ代わることはなく，タンパク質のまわりを環状に取囲んで結合しているので，**環状リン脂質**（annular phospholipid）とよばれている．脂肪酸炭化水素鎖のあるものは全トランス形（2章）でまっすぐだが，他のものはタンパク質表面の大きな疎水性側鎖と相互作用して折れ曲がっている．脂質頭部のあるものは膜表面と平行に並んでいて，これは純粋なリン脂質二重層中での配置と同じである．しかし，他の脂質分子の頭部は膜面にほぼ垂直に立っているものもある．このようにリン脂質と膜貫通タンパク質の間には特異的な相互作用があり，多くの膜タンパク質の機能は二重層中に存在するリン脂質によって影響を受ける．

膜内在性タンパク質内には，疎水性（電荷をもたない）アミノ酸からなり脂質二重層に埋込まれているαヘリックスが多いが，

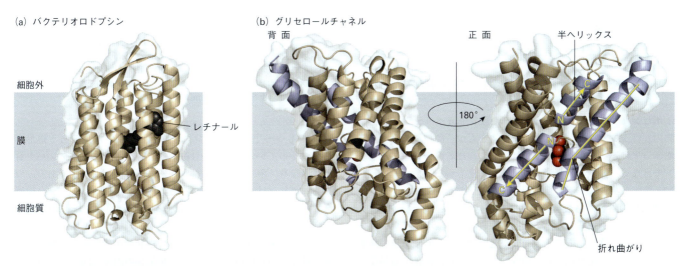

図 10・15　2種類の複数回膜貫通タンパク質．(a) ある種の細菌のもつ光受容体であるバクテリオロドプシン．バクテリオロドプシンの7個の疎水性αヘリックスは，膜面にほぼ垂直に脂質二重層を貫通している．αヘリックスの一つに共有結合したレチナール(黒)が光を吸収する．真核細胞に多数存在するGタンパク質共役型受容体も7個の膜貫通αヘリックスをもつ．それらの三次元構造はバクテリオロドプシンのものに近いと考えられている．(b) 膜面に垂直な軸のまわりに180°回転した二つの方向から見たグリセロールチャネルGlpfの構造．斜めに走った膜貫通αヘリックスがあり，また2本のαヘリックスは膜の中央までしか到達しておらず(紫に黄の矢印)，1本の長い膜貫通αヘリックスには中央に"乱れ"，すなわち折れ曲がりがある(紫に黄の線)ことに注目してほしい．親水性中心部に入っているグリセロール分子を赤で示す．膜内での配置は，このタンパク質の最も疎水性が強い高さ3μmの筒状部分が膜に垂直になるようにして決めた．[(a)は H. Luecke et al., 1999, *J. Mol. Biol.* **291**: 899 による．(b)は J. Bowie, 2005, *Nature* **438**: 581, PDB ID 1c3w; D. Fu et al., 2000, *Science* **290**: 481, PDB ID 1fx8.]

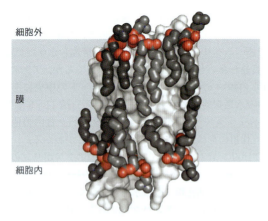

図 10・16 環状リン脂質. レンズ水晶体特異的アクアポリン 0 四量体の一つのサブユニットの立体構造を側面から見た図. 炭素数 14 の飽和脂肪酸を含むリン脂質であるジミリスチルホスファチジルコリン共存下で結晶化された. リン脂質分子が二重層状にタンパク質を取囲んでいる点に注目. タンパク質は表面構造だけを示している(背後にある明るい部分). リン脂質分子は空間充填モデルで示している. 親水性頭部(灰と赤)と脂肪酸炭化水素鎖(黒と灰)がタンパク質のまわりを一様な厚さの二重層をつくるように取囲んでいる. 膜の中では脂質の脂肪酸がタンパク質の疎水性表面をすべて覆っているのだろう. 結晶構造解析で見えてくるのは最も整然とタンパク質と結合している脂質分子だけだからである. [A. Lee, 2005, *Nature* **438**: 569; T. Gonen et al., 2005, *Nature* **438**: 633, PDB ID 2b6o.]

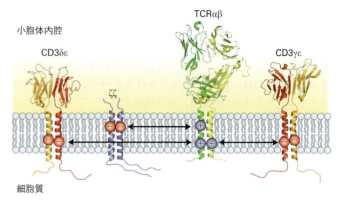

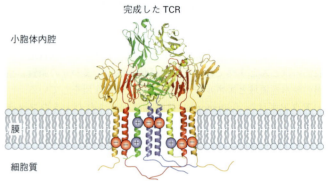

図 10・17 電荷をもった側鎖が多量体膜タンパク質の集合を調整している. 抗原に対する T 細胞受容体(TCR)は四つの異なる二量体からなる. α と β の対が直接抗原認識にかかわっており, まとめて CD3 複合体とよばれるサブユニット群がそれに結合している. その複合体には γ, δ, ε, および ζ サブユニットが含まれている. ζ サブユニットはジスルフィド結合によってホモ二量体を形成する. γ と δ サブユニットはそれぞれ ε サブユニットと結合し, γε と δε 対となっている. TCRα と β の膜貫通領域には正電荷をもった側鎖がある(青). これらの電荷が, 脂質二重層の疎水性中心層内でちょうど同じ深さに負電荷(赤)をもつ γε と δε のヘテロ二量体を引寄せる. ζ ホモ二量体は TCRα 鎖(緑)の電荷と結合するが, γε と δε の二量体はかなり深いところで TCRα 鎖と TCRβ 鎖(黄)の電荷と結合する. 非極性の膜貫通領域に存在する電荷をもった側鎖は, このように高次構造形成を助けている. [K. W. Wucherpfennig et al., *Cold Spring Harb. Perspect. Biol.* **2**: a005140, PDB ID 1xmw; M. E. Call et al., 2006, *Cell* **127**: 355, PDB ID 2hac; L. Kjer-Nielsen et al., 2003, *Immunity* **18**: 53, PDB ID 1mi5.]

極性あるいは電荷をもった残基を含む膜貫通 α ヘリックスもある. それらの側鎖は多量体膜タンパク質を形成し安定化するための構造である. T 細胞抗原受容体はそのような使われ方を示すよい例である. この受容体は四つの異なる二量体からなるが, その結合は脂質二重層の疎水性中心層に入り込んだ α ヘリックス間の同じ "深さ" のところにある電荷-電荷相互作用による(図 10・17). 各二量体は正電荷と負電荷の引力によって結合する相手を見つける. このように, 他のほとんどの部分が疎水性アミノ酸からなる膜貫通領域であるが, そのなかで電荷をもった側鎖が多量体膜タンパク質として会合体をつくらせる役割を担っている.

ポリンの複数の β シートは膜を貫通する "樽形構造" をつくり上げる

ポリン(porin)は, これまで述べた膜貫通 α ヘリックスをもつ膜内在性タンパク質と全く違った構造をもつ一群のタンパク質である(先に述べたアクアポリンは同じような名前をもつが, ポリンではなく, 複数の膜貫通 α ヘリックスをもつ). 大腸菌(図 1・12a 参照)などのグラム陰性細菌の外膜やミトコンドリアあるいは葉緑体の外膜から数種類のポリンが見つかっている. 外膜は, 腸内細菌を有害物質(たとえば抗生物質, 胆汁酸塩, プロテアーゼなど)から守る一方で, 栄養分や老廃物を含む低分子量の親水性分子の出入りを可能にしている. 大腸菌外膜に存在する異なるポリンは, 特定の二糖あるいは他の小分子やリン酸などのイオンが出入りする通路となっている. ポリンのアミノ酸配列をみると, 膜貫通 α ヘリックスドメインをもつタンパク質に特徴的な長い疎水性領域がない. 立体構造をつくったときのポリンで疎水性なのは脂質二重層の疎水性中心層と接する外周部だけである. X 線結晶構造解析の結果, このタンパク質は同じサブユニットの三量体でできていることがわかった. それぞれのサブユニットは, 16 本の β シートが少しずつねじれて, 真ん中に孔のある樽形構造をつくっている(図 10・18). 典型的な水溶性球状タンパク質とは異なり, ポリンでは内部が親水性で外側が疎水性である. つまり, ポリンは水溶性タンパク質の内外が逆になったような構造をしている. ポリン単量体では, それぞれの β シートの外側に向いている側鎖が疎水性で, それらが樽形構造の外側を取巻いている. この疎水性の帯が, 膜脂質の脂肪酸炭化水素鎖や他のポリン単量体と相互作用する. ポリン単量体の内部に向いている側鎖はほとんど親水性で, 膜を横切る水溶性小分子の通路を形成している.

近年, 構造生物学分野の手法が大きく発展し, なかでもクライオ電子顕微鏡法(4 章)を応用することで, 膜貫通部分も含めた膜タンパク質の構造を原子スケールの分解能で調べられるようになった. その研究対象には, ATP 結合カセット輸送体(ABC 輸送体)も含まれている.

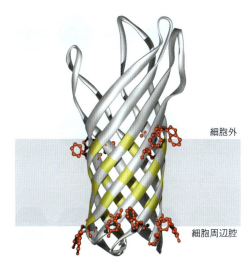

図 10・18　大腸菌外膜のポリン OmpX のサブユニットの構造. すべてのポリンは三量体の膜貫通タンパク質である. それぞれのサブユニットは樽形構造をしており, βシートが壁をつくって真ん中に膜を貫通する孔ができている. 帯状の脂肪族側鎖 (黄) と境界に位置する芳香族側鎖 (赤) が脂質二重層におけるタンパク質の位置を決めている. [J. Vogt and G. E. Schulz, 1999, *Structure* **7**: 1301, PDB ID 1qj8.]

共有結合でつながった炭化水素鎖によって膜と結合するタンパク質もある

真核細胞には, 典型的な水溶性タンパク質であるのに, ある種の脂質との共有結合によって細胞膜のどちらかのリーフレットに係留されたものがある. こうしたタンパク質では, 脂質の炭化水素鎖は二重層に埋込まれているが, タンパク質自身は二重層に入っていない. 膜の細胞質側面と反細胞質側面ではアンカーに使われる脂質が異なる.

一群の細胞質タンパク質は, N末端のグリシン残基に脂肪酸 (たとえばミリスチン酸やパルミチン酸) が**アシル化** (acylation) により結合し, それを介して細胞質側面に係留されている (図 10・19a). N末端に結合したアシル基による膜への局在は, こうしたタンパク質が膜上で機能するうえで重要な役割を果たしている. たとえば, 細胞内チロシンキナーゼの変異体である v-Src は異常な増殖をひき起こし細胞をがん化させるが, それが起こるのは N末端にミリスチン酸が結合しているときだけである (25章).

C末端近くにあるシステイン側鎖に**プレニル化** (prenylation) によって炭化水素鎖が結合し, これを介して細胞質側の膜表面に係留される細胞内タンパク質の一群もある (図 10・19b). 膜への係留に使われるプレニルアンカーは炭素を5個含むイソプレンが単位となってつくられる. 詳細は §10・3 で述べるが, このイソプレンはコレステロール合成にも使われる. それらのタンパク質のプレニル化では, 炭素数 15 のファルネシル基や炭素数 20 のゲラニルゲラニル基が C末端近くの Cys-Ala-Ala-X という配列 (CAAX ボックス. X はどのアミノ酸でもよい) 中のシステイン残基の SH 基とチオエステル結合する. プレニル化が終わったあと, Ala-Ala-X 配列がプロテアーゼによって除去されることもある. 場合によっては, もう一つのゲラニルゲラニル基あるいはパルミチン酸が近傍のシステイン残基に結合することもある. 炭化水素鎖のアンカー構造が追加されることで, タンパク質の膜への結合が強化されると考えられる. 細胞内シグナル伝達 (16章) に

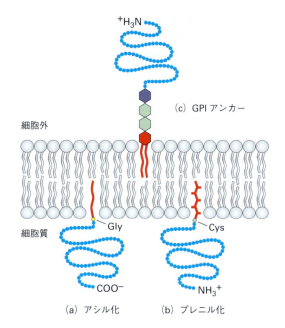

図 10・19　炭化水素鎖との共有結合によって膜タンパク質がリン脂質二重層へ係留される様子. (a) v-Src などの細胞質タンパク質は, N末端のグリシン (Gly) 残基に結合した1本の脂肪酸炭化水素鎖を介して細胞膜に係留される. 通常, ミリスチン酸 (C14) やパルミチン酸 (C16) がアンカー部分の脂肪酸として使われる. (b) 他の細胞質タンパク質 (Ras や Rab など) は, C末端やその近くの一つまたは二つのシステイン (Cys) 残基のプレニル化によって膜につなぎとめられている. アンカーとして通常使われるのはファルネシル基 (C15) やゲラニルゲラニル基 (C20) であり, ともに不飽和炭化水素である. (c) 細胞膜の胞質外側リーフレットの脂質アンカーはグリコシルホスファチジルイノシトール (GPI) である. このアンカーのホスファチジルイノシトール部分 (赤) には2本の脂肪酸炭化水素鎖が結合し, 二重層中に入り込んでいる. アンカー内のホスホエタノールアミン部分 (紫) がタンパク質と結合している. 二つの緑の六角形は糖を表しており, GPI アンカーによって数や種類が異なる. 酵母の GPI アンカーの完全な構造を図 13・15 に示す. [H. Sprong et al., 2001, *Nat. Rev. Mol. Cell Biol.* **2**: 504 による.]

かかわる GTPase スーパーファミリータンパク質である Ras は, こうした二重のアンカーで細胞膜の細胞質側面につなぎとめられている. やはり GTPase スーパーファミリーに属する Rab タンパク質も, 2個のプレニルアンカーで細胞内小胞の細胞質側面に結合する. Rab は, 標的となる膜に小胞が融合する際に必要とされる (14章). 膜に近いシステイン残基がパルミチン化されるだけでその他の脂質の結合なしに膜に係留されるものもある.

ある種の細胞表面タンパク質や, **プロテオグリカン** (proteoglycan, 20章) のように独特の糖鎖がついたものは, グリコシルホスファチジルイノシトール (glycosylphosphatidylinositol: GPI) という第三のアンカーで細胞膜の反細胞質側面に結合している. GPI アンカーの構造は, 細胞ごとに大きく異なるが, 必ずホスファチジルイノシトールを含み, その2本の脂肪酸炭化水素鎖は, 膜のリン脂質と同じように脂質二重層の内部に入り込む. ホスホエタノールアミンがアンカーとタンパク質の C末端を結合させ, その間に複数の糖残基が入っている (図 10・19c). したがって GPI アンカーは糖脂質である. GPI アンカーはタンパク質が膜に結合するうえで必要であり, また, 十分な構造でもある. たとえば, リン脂質や GPI アンカーのリン酸-グリセロール結合を切断する

ホスホリパーゼ C という酵素（図 10・12）で細胞を処理するだけで，GPI で膜につながれていた Thy-1 や胎盤アルカリホスファターゼ（placental alkaline phosphatase: PLAP）のようなタンパク質が細胞表面から解離してくる．

膜貫通タンパク質や糖脂質は二重層内で決まった配置をとる

すべての膜貫通タンパク質は，膜面に対して決まった向きで配置している．つまり，タンパク質の細胞質側ドメインはいつも細胞質側を向き，反細胞質側のドメインは必ず反細胞質側に向くという配置となる．こうしたタンパク質の配置が，二つの膜面に異なる性質を与えることになる．13 章で述べるが，この膜貫通タンパク質の膜面での配置は生合成のときに決まる．膜タンパク質が膜を横切って反転する（フリップ-フロップ）ことは決してない．こうした動きが起こるためには，一時的にせよ親水性アミノ酸残基が膜の疎水性領域を通過しなくてはならないだろう．これはエネルギー的に不利である．したがって，生合成に際して膜に埋込まれるときの向きが決まり，この膜貫通タンパク質の空間配置は，そのタンパク質の寿命が尽きるまで維持されることになる．図 10・6 に示したように，膜タンパク質の空間配置は膜の出芽や融合の際にも維持される．すなわち，ある片側が細胞質側を向き，もう一方が常に反細胞質側に出る．膜貫通領域を複数個もつタンパク質（複数回膜貫通タンパク質）の場合，それぞれの膜貫通領域の配置はリン脂質の組成に影響される．

膜貫通タンパク質のポリペプチド鎖では，セリン，トレオニン，あるいはアスパラギン側鎖に糖鎖が共有結合しているものが多い．こうした膜貫通**糖タンパク質**（glycoprotein）では，必ず反細胞質側に糖鎖が結合している（グリコホリン A の例は図 10・14）．同様に，グリセロールやスフィンゴシン骨格に糖鎖が結合した糖脂質は，常に反細胞質側リーフレットに局在し，糖鎖は膜表面から外に向かって突き出している．タンパク質に対する糖鎖付加については 13 章と 14 章で紹介する．糖タンパク質や糖脂質は，真核細胞の細胞膜および分泌経路やエンドサイトーシス経路で使われる膜区画に特に多く存在する．一方，これらはミトコンドリア内膜や葉緑体ラメラ，あるいは他のいくつかの細胞内膜系には存在しない．細胞膜の糖タンパク質や糖脂質の糖鎖は細胞外に突き出していて細胞外マトリックスの成分や**レクチン**（lectin，特定の糖と結合するタンパク質），増殖因子あるいは抗体などと相互作用するときに使われる．

A, B, O 血液型抗原は，こうした相互作用の重要性を示すよい例である．ヒト赤血球や他の多くの細胞表面では，構造の似た 3 種類のオリゴ糖をもつ糖タンパク質や糖脂質が発現している（図 10・20）．O 型抗原を合成する酵素はすべてのヒトがもっている．血液型が A 型のヒトは，O 型抗原にさらに N-アセチルガラクトサミン（N-acetylgalactosamine）を付加して A 型抗原にするグリコシルトランスフェラーゼをもっている．B 型のヒトはこれとは違ったトランスフェラーゼをもち，O 型抗原にガラクトースを付加して B 型抗原をつくる．両方のトランスフェラーゼをもつヒトは，A 型抗原と B 型抗原の両方をつくる（AB 型血液）．これらのトランスフェラーゼをもたないヒトは O 型抗原だけをつくる（O 型血液）．

赤血球表面の A 型抗原，B 型抗原，あるいはその両者を欠くヒ

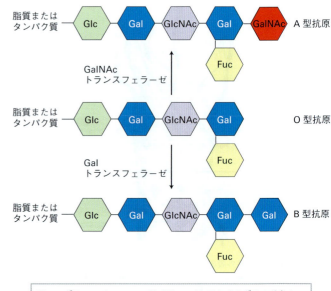

図 10・20 ヒトの ABO 血液型抗原．これらの抗原は，細胞膜の糖脂質や糖タンパク質に共有結合したオリゴ糖鎖である．末端のオリゴ糖の種類が異なる三つの型の抗原がある．O 型抗原にガラクトース（Gal）あるいは N-アセチルガラクトサミン（GalNAc）を付加するグリコシルトランスフェラーゼをもつかどうかでヒトの血液型は決まる．

トの血清中には，自分にない抗原に対する抗体ができているのがふつうである．もし，A 型あるいは O 型のヒトに B 型血液を輸血すると，B 型抗原に対する抗体が輸血された赤血球に結合し，これを破壊してしまう．こうした有害な反応を避けるため，すべての輸血の際に血液の提供者と輸血を受ける人の血液型を表 10・2 に示すように揃える必要がある．

表 10・2 ABO 血液型

血液型	赤血球表面の抗原†	血清の抗体	輸血可能な血液型
A	A	抗 B	A, O
B	B	抗 A	B, O
AB	A, B	なし	すべて
O	O	抗 A, 抗 B	O

† 抗原の構造は図 10・20．

膜表在性タンパク質は脂質結合モチーフにより膜と結合する

膜のリン脂質を基質とする多くの水溶性酵素は膜表面と結合する必要がある．たとえば，ホスホリパーゼはリン脂質頭部のさまざまな結合を切断することで（図 10・12），傷害を受けたり古くなったりした細胞膜を破壊したり，シグナル伝達分子をつくったり，細胞内でさまざまな役割を果たしている．また，これらの酵素は，多くのヘビ毒素の活性成分でもある．ホスホリパーゼを含むこれらの膜表在性酵素は，まず膜のリン脂質の極性頭部に結合してから触媒として働く．ホスホリパーゼ A_2 の作用機構を調べることで，こうした水溶性酵素がどのようにして膜と可逆的に相

互作用し，脂質面と水溶液の接触面での反応を触媒するかが明らかにされた．水溶液中で，この酵素の Ca^{2+} を含む活性部位は疎水性アミノ酸からなるチャネルの奥に埋込まれている．この酵素は，負に荷電したリン脂質（たとえばホスファチジルセリン）からなる二重層に最も強く結合する．このことは，触媒部位の入口を取囲んでいる正に荷電したリシンやアルギニンが膜への結合に重要であることを示している（図10・21a）．膜との結合で，ホスホリパーゼ A_2 に構造変化が起こり，この酵素とリン脂質頭部の結合を強めるとともに，疎水性のチャネルが開く．二重層から1分子のリン脂質がチャネル内部に入っていくと，酵素に結合している Ca^{2+} がリン脂質頭部のリン酸基と結合する．こうして切断されるエステル結合を活性部位近傍に配置させ，炭化水素鎖を切り離す（図10・21b）．

界面活性剤や高濃度塩溶液によりタンパク質を膜から引き離すことができる

膜タンパク質は膜脂質や他の膜タンパク質と強く結合しているので，精製して調べることがむずかしい．**界面活性剤**（detergent）は両親媒性の分子で，リン脂質でできた二重層内に入り込み膜を壊すので，脂質や多くの膜タンパク質を可溶化するのに使われる．界面活性剤分子の疎水性部分はリン脂質の炭化水素鎖に引寄せられて混ざり合い，親水性部分は水に引寄せられる．胆汁酸のような天然に存在する界面活性剤もあるが，多くのものは洗浄用に，あるいは食品加工の際に，油を水に分散させるために合成されたものである（たとえば，サラダドレッシングが分離しないようにするためなど）．デオキシコール酸ナトリウム（胆汁酸塩）やドデシル硫酸ナトリウム（SDS）といったイオン性界面活性剤は分子内に電荷をもつ基がある．Triton X-100やオクチルグルコシドといった非イオン性界面活性剤は電荷をもたない（図10・22）．低濃度のとき，界面活性剤は純水中に溶けて分散するが，濃度が上昇するとミセルを形成する．ミセルとは，分子の親水性部分が外を向き，疎水性部分が中央に集まってつくられる，小さな球状構造である（図10・3c）．このミセル形成が起こる濃度を**臨界ミセル濃度**（critical micelle concentration: CMC）とよび，疎水性部分と親水性部分の構造によって決まる界面活性剤固有のものである．

イオン性界面活性剤と非イオン性界面活性剤ではタンパク質との相互作用が異なるので，研究室での使われ方も異なる．イオン性界面活性剤は膜タンパク質の疎水性表面だけでなく水溶性タンパク質の疎水性中心層にも結合する．それらは電荷をもっている

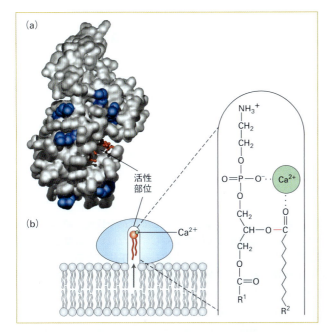

図 10・21 ホスホリパーゼ A_2 の脂質結合面と作用機序．(a) 膜と相互作用する表面をもつホスホリパーゼ A_2 の構造モデル．この酵素の脂質結合面では，基質の脂質（赤）が結合する触媒活性部位のくぼみのまわりを，青で示した正電荷をもったアルギニンやリシンが取囲んでいる．(b) ホスホリパーゼ A_2 による触媒作用の図．結合面にある正荷電の残基が，膜表面の負に荷電した極性基に結合する．この結合がきっかけとなって小さな構造変化が起こり，二重層から触媒部位へとつながる疎水性アミノ酸でできたチャネルが開く．リン脂質がこのチャネルに入り込むと，酵素に結合した Ca^{2+}（緑）が頭部と結合し，切断されるエステル結合（赤）を触媒部位近傍に配置させる．〔(a)は D. L. Scott et al., 1990, *Science* **250**: 1563, PDB ID 1poc. (b)は D. Blow, 1991, *Nature* **351**: 444; M. H. Gelb et al., 1999, *Curr. Opin. Struc. Biol.* **9**: 428 参照．〕

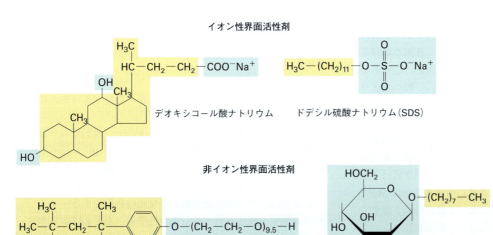

図 10・22 よく使われる四つの界面活性剤の構造．各分子の疎水性部分を黄で，親水性部分を薄緑で示している．胆汁酸塩であるデオキシコール酸ナトリウムは天然物であるが，他の物質は合成品である．イオン性界面活性剤はタンパク質を変性させるが，非イオン性界面活性剤は変性させないので，膜内在性タンパク質を可溶化させるときに使われる．

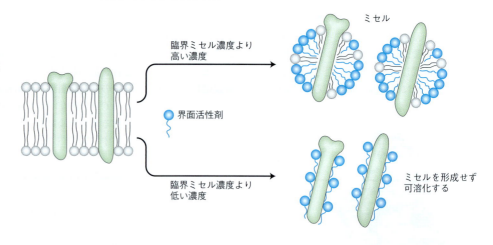

図 10・23 非イオン性界面活性剤による膜内在性タンパク質の可溶化. 臨界ミセル濃度(CMC)以上の濃度の界面活性剤は，脂質，膜内在性タンパク質を可溶化して，界面活性剤，タンパク質，および脂質分子の混在したミセルを形成する．CMC 以下の濃度の非イオン性界面活性剤(オクチルグルコシド，Triton X-100など)は，膜貫通領域を覆うことでミセルを形成せずに膜タンパク質を可溶化できる．

ので，イオン結合や水素結合も壊す．たとえば，高濃度のドデシル硫酸ナトリウムでタンパク質を処理すると，全側鎖にそれが結合して完全に変性する．SDS ゲル電気泳動はこの性質を利用したものである (図3・41 参照). 通常，非イオン性界面活性剤はタンパク質を変性させないので，膜タンパク質を精製する際に，活性を保ったまま膜から抽出するときに使われる．タンパク質間相互作用は，特にそれが弱い相互作用のとき，イオン性であれ非イオン性であれ，界面活性剤に敏感である．

高濃度 (CMC 以上) の非イオン性界面活性剤を加えると，生体膜を溶かし，界面活性剤，リン脂質および膜内在性タンパク質からなる混合ミセルが形成される．それは水中に分散できない大型の疎水性構造物である (図10・23 上). 低濃度 (CMC 以下) だと界面活性剤は膜内在性タンパク質の疎水性部分に結合するだけでミセルはつくらないが，タンパク質を可溶化できる (図 10・23 下). 膜内在性タンパク質精製の第一歩はこうした可溶化されたタンパク質溶液をつくることである．

培養細胞を Triton X-100 などの非イオン性界面活性剤を含む緩衝塩溶液で処理すると，細胞内の水溶性タンパク質だけでなく膜内在性タンパク質も抽出できる．前に述べたように，膜内在性タンパク質でも反細胞質側や細胞質側のドメインは通常親水性なので水に溶ける．しかし，膜貫通ドメインには疎水性や電荷をもたない残基が多く (図 10・14)，膜から引き離されるとこれらの部分が水中で相互作用し，絡まり合って沈殿となってしまう．非イオン性界面活性剤分子の疎水性部分がこの膜内在性タンパク質の疎水性部位に結合すると，タンパク質どうしの相互作用を妨げるので，膜タンパク質を溶けた状態に保つことができる．こうして界面活性剤で可溶化された膜内在性タンパク質は，一般の水溶性タンパク質と同様にアフィニティークロマトグラフィーやそのほかの手法によって精製できる (3章).

前述したように，膜表在性タンパク質の多くは特定の膜内在性タンパク質や膜のリン脂質とイオン結合あるいは他の弱い非共有結合性相互作用をしている．一般に，膜表在性タンパク質はイオン結合を切断する高イオン強度 (高塩濃度) 溶液あるいは Mg^{2+} のような 2 価陽イオンを除去する試薬によって膜から引き離すことができる．膜内在性タンパク質とは異なり，膜表在性タンパク質の多くは非イオン性界面活性剤がなくても可溶化できる．

膜タンパク質は，リン脂質二重層内に局在しているものばかりではない．ホスファチジルイノシチドに特異的なホスホリパーゼ C は，疎水性尾部で膜に結合している膜タンパク質のアンカー部分を加水分解して切り離す．似た例で，膜貫通ドメインを1個ももつタンパク質の反細胞質側領域を削りとる酵素もある．実験的には，細胞や分離した細胞膜をパパインなどの酵素溶液にさらすことで，細胞外ドメイン部分を回収して構造や機能を調べることができる．これは哺乳類細胞を培養していた皿から分離して細胞懸濁液をつくるときなどにもよく使われる手法である．しかし，多くの1回膜貫通タンパク質が，16章で紹介するメタロプロテアーゼファミリーの一つ，シェダーゼ (shaddase) の天然の基質となっている．この酵素によって切り離される細胞外ドメインが体内を循環し，膜に係留されていたときとは全く異なる生理的な機能を果たす可能性もある．

> **10・2 膜タンパク質：構造と基本的な機能 まとめ**
>
> - 通常の生体膜には膜内在性タンパク質 (膜貫通タンパク質) のほかに二重層の疎水性領域まで入り込まない脂質係留膜タンパク質と膜表在性タンパク質が存在する (図10・1).
> - ほとんどの膜内在性 (膜貫通) タンパク質には，1本あるいはそれ以上の膜貫通疎水性 α ヘリックスと，それを両側から挟むように膜の細胞質側面と反細胞質側面から突き出た親水性ドメインがある (図 10・14, 図 10・15, 図 10・17).
> - 膜内在性タンパク質の疎水性領域のまわりには脂肪酸の炭化水素鎖だけでなく親水性頭部も不規則に密着して結合している (図 10・16).
> - 他の膜内在性タンパク質とは異なり，ポリンは膜を貫通する β シートをもち，それらが二重層を貫通する樽形の構造をつくる (図 10・18).
> - 特定のアミノ酸に結合した脂質によって，膜のリーフレットに係留されるタンパク質がある (図 10・19).
> - すべての膜内在性タンパク質と糖脂質は膜の二重層内で決まった配置をとっている．どのような場合でも糖鎖がみられるのは，タンパク質や脂質の反細胞質側である．
> - リン脂質を反応基質とする水溶性酵素 (たとえばホスホリパーゼ) は，その酵素反応のためには膜と結合しなければならない．こうした結合は，タンパク質中のリシンやアルギニンといった塩基性残基の正電荷と二重層中のリン脂質

頭部の負電荷との間のイオン結合によることが多い．
- 非イオン性界面活性剤を使うことにより膜内在性タンパク質を選択的に抽出できる．

10・3 リン脂質，スフィンゴ脂質，およびコレステロール：合成と細胞内での輸送

本節では，細胞内液にほとんど溶けない脂質の合成と輸送において細胞が直面する特有の問題について説明する．細胞膜の主要な脂質であるリン脂質，スフィンゴ脂質，およびコレステロールとその前駆体の生合成と輸送に焦点を当てる．脂質の生合成では，水溶性前駆体が会合して膜結合型中間体となり，それが膜脂質に変えられる．それらの脂質の輸送，特に膜成分の細胞小器官間の輸送は膜の適切な組成と性質および細胞の形を維持するうえで重要である．

膜の生合成の基本原理は，細胞はすでにある膜の拡張によってのみ，新たな膜をつくるということである．[例外の一つがオートファジーである．オートファジーでは，ユビキチン様のタンパク質Atg8とホスファチジルエタノールアミンが結合し，三日月形の新たな膜をつくる（図14・34参照）]．初期段階の膜脂質合成は細胞質において起こるが，最後の段階はもともとある膜に結合している酵素が触媒し，生成物は産生されしだい，膜に組込まれる．短い時間，細胞に放射性同位体標識した前駆体（リン酸塩または脂肪酸など）を与える実験で確認できることであるが，この前駆体を取込んだすべてのリン脂質とスフィンゴ脂質は，細胞内の膜構造に結合しており，細胞質に遊離して存在するものは一つもない．

真核細胞では，合成された膜脂質は，その膜のリーフレット間，あるいは離れたところにある異なる細胞小器官の膜や細胞膜との間で適切に分配されなければならない．ここでは脂質がいかに正確に分配されるかについて焦点を当てる．膜タンパク質がどのように膜に挿入され，細胞内の適切な部位へ運ばれるかについては13章と14章で説明する．

脂肪酸は複数の重要な酵素によって炭素数2の材料から合成される

脂肪酸（2章）は細胞内で多くの重要な役割を果たしている．脂肪酸はエネルギー源となるだけでなく（12章の好気的酸化を参照），細胞の膜をつくっているリン脂質とスフィンゴ脂質の両方にとって重要な構成成分であり，またタンパク質を細胞膜へ結合させる役割も担う（図10・19）．そのため膜合成全体の制御において，脂肪酸合成の制御は，重要な役割を果たす．リン脂質中のおもな脂肪酸は，14，16，18，または20個の炭素原子をもち，飽和鎖，不飽和鎖の両方がみられる．スフィンゴ脂質の脂肪酸鎖はホスホグリセリドのものより長く，炭素数26のものもあり，違った修飾（ヒドロキシ化など）を受けていることもある．

脂肪酸は二炭素化合物である酢酸CH_3COO^-を基本単位として合成される．細胞内で酢酸や脂肪酸生合成中間体は大きくて水溶性である補酵素A（coenzyme A，CoA）とのエステルとして存在している．その例として**アセチルCoA**（acetyl CoA）の構造を下に示す．

12章で詳しく述べるが，アセチルCoAは，グルコース，脂肪酸，および多くのアミノ酸の重要な代謝中間体である．また，多くの生合成経路でアセチル基の供給源となっている．14または16個の炭素原子を含む**飽和脂肪酸**（saturated fatty acid，二重結合をもたない）は，アセチルCoAカルボキシラーゼと脂肪酸合成酵素という二つの酵素によってアセチルCoAから合成される．動物細胞では，これらの酵素は細胞質に存在し，植物ではこれらは葉緑体に存在する．パルミトイルCoA（炭素数16の脂肪酸がCoAに結合したもの）は，小胞体あるいはミトコンドリアにおいて，炭素2個ずつの付加によって，炭素数18〜24にまで伸長する．小胞体に局在するデサチュラーゼによって決まった位置に二重結合を導入し**不飽和**（unsaturated）にされる脂肪酸もある．たとえば，オレイルCoA（オレイン酸がCoAに結合したもの，表2・4参照）はステアリルCoAから2個のHが除去されたものである．脂肪酸とは異なり，脂肪酸CoAはCoAの親水性のため水溶性である．

脂肪酸は小さな細胞質タンパク質によって細胞内を移動する

遊離脂肪酸（CoAとエステル結合していない状態）は，通常，**脂肪酸結合タンパク質**（fatty acid-binding protein: FABP）と結合して細胞内を輸送される．このタンパク質は，小さな細胞質タンパク質のグループに属し，βシート構造で囲われた疎水性のポケットをもっていて（図10・24），多くの脂質の細胞内輸送を行

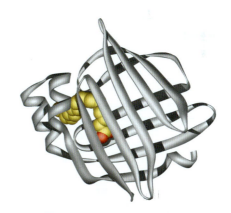

図10・24 **脂肪酸結合タンパク質（FABP）の疎水性ポケットへの脂肪酸の結合**．脂肪細胞のFABP（リボンダイヤグラムで示した構造）の疎水性結合ポケットは，互いにほぼ直交する二つのβシートからできていて，それが二枚貝の貝殻のような構造をつくっていることが結晶構造から明らかになっている．脂肪酸（炭素：黄，酸素：赤）は，このポケット内の疎水性アミノ酸残基と非共有結合性相互作用をする．[Z. Xu et al., 1993, *J. Biol. Chem.* **268**: 7874, PDB ID 1lid.]

補酵素A（CoA）

うシャペロンとして働いている．長鎖脂肪酸はこのポケットの中にすっぽり収まり，包み込むまわりのタンパク分子とは非共有結合的な相互作用をしている．

　細胞内の FABP の発現は，細胞における脂肪酸の吸収や放出の必要度に応じて制御されている．つまり，ATP 合成のために脂肪酸を利用している活動的な筋組織や，脂肪酸をトリアシルグリセロールとして保存するために取込んだり他の細胞の利用のために放出したりしているときの脂肪細胞では，FABP の発現量は多い．肝臓では細胞質中の全タンパク質の約 5% が FABP で占められていることや，遺伝的に心筋細胞中の FABP が不活化されていると，本来は脂肪酸を燃やすはずの心筋がグルコースを燃やす心筋へと変わってしまうということからも，脂肪酸代謝における FABP の重要性が浮き彫りにされている．

脂肪酸は小胞体膜上でリン脂質に組込まれる

　真核細胞内では，脂肪酸はリン脂質に直接組込まれるのではなく，まず CoA エステルに変換される．続いて起こるリン脂質の合成は，動物細胞の場合，通常，滑面小胞体膜の細胞質側面に結合している酵素によって行われる．一連の反応により，脂肪酸アシル CoA，グリセロール 3-リン酸，および親水性頭部残基の前駆体が結合し，小胞体膜に挿入される（図 10・25）．この合成にかかわる酵素が膜の細胞質側に結合しているので，膜は合成されるときから非対称性をもつことになる．すなわち，新たに合成される脂質は片側のリーフレットにだけ挿入される．このことがいろいろな膜のリーフレットの脂質非対称性に大きな影響を与えることになる．小胞体膜上で合成されたリン脂質は他の細胞小器官および細胞膜に運ばれていく．ミトコンドリアは，自身の膜脂質を合成するものと，まわりから取込む場合と 2 通りある．

　スフィンゴ脂質も多くの前駆体から合成される．これらの脂質の構成要素であるスフィンゴシンは小胞体でつくられる．はじめにパルミトイル CoA からパルミトイル基がセリンに移され，さらに同じく小胞体内でもう一つの脂肪酸アシル基の付加が起こって，N-アシルスフィンゴシン（セラミド）ができる．これに続き，ゴルジ体において親水性頭部残基がセラミドに付加される．頭部がホスホリルコリンである**スフィンゴミエリン**（sphingomyelin）や，頭部が単糖，あるいはより複雑なオリゴ糖であるさまざまな**スフィンゴ糖脂質**（glycosphingolipid）がこうしてつくられる（図 10・8b）．スフィンゴ脂質合成はミトコンドリアでも行われる．セラミドとその代謝産物は，スフィンゴ脂質の骨格となるだけでなく，細胞の成長，増殖，エンドサイトーシス，ストレスへの抵抗性，そしてアポトーシスに関与するシグナル伝達分子として重要である．

　スフィンゴ脂質は，ゴルジ体での合成が完了すると，14 章で述べるような小胞を介する機構によって他の細胞区画へと輸送される．小胞輸送は，本来の搭載物であるタンパク質だけでなく小胞の膜をつくっている脂質も結果的に輸送することになる．これに対して，ホスホグリセリドのようなリン脂質とコレステロールは，以下に述べる異なった機構により細胞小器官間を移動する．

フリッパーゼはリン脂質を膜の一方のリーフレットから反対側のリーフレットへ移動させる

　合成されたばかりのリン脂質は小胞体膜の細胞質側リーフレットに組込まれるが，その後，小胞体膜や他の細胞膜の両側のリーフレットへ非対称的に分配されていく．しかし，前に述べたよう

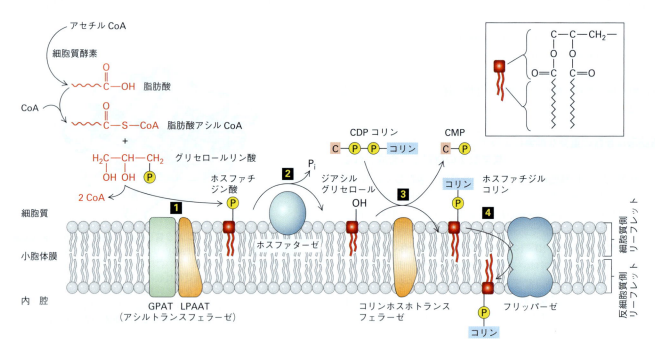

図 10・25　**小胞体膜におけるリン脂質の合成**．リン脂質は両親媒性分子なので，合成の最後の段階は膜と細胞質の界面で行われ，その反応は膜結合型酵素群によって触媒される．段階**1**：脂肪酸アシル CoA 由来のアシル基 2 個がグリセロールリン酸とエステル結合し，2 本の長い炭化水素鎖を介して膜に入り込んだホスファチジン酸になる．段階**2**：ホスファターゼが，ホスファチジン酸をジアシルグリセロールにする．段階**3**：シチジンジホスホコリン（CDP コリン）から親水性頭部残基（ホスホリルコリン）が露出したヒドロキシ基に渡される．段階**4**：フリッパーゼが，合成されたリン脂質を細胞質側リーフレットから反細胞質側リーフレットへ移動させる．GPAT はグリセロールリン酸アシルトランスフェラーゼ，LPAAT はリゾホスファチジン酸アシルトランスフェラーゼの略．

に，リン脂質が膜の一方のリーフレットから他方へと反転することは容易ではない．小胞体膜が両側のリーフレットで成長し拡張し，また非対称なリン脂質分布をもつためには，その構成成分であるリン脂質が一方のリーフレットから他方へ反転する必要である．膜リン脂質の非対称性を生み出し，維持するのに働く機構についてはあまり理解が進んでいないが，フリッパーゼが鍵となることは明らかである．11章で述べるように，これらの膜内在性タンパク質はATP加水分解のエネルギーを使い，一方のリーフレットから他方へのリン脂質の移動を促進する．細胞死が起こると，この脂質分布の非対称性が失われ，ホスファチジルセリンのように通常は細胞内側のリーフレットだけにあるようなリン脂質が，細胞表面に現れるようになる．

コレステロールは細胞質と小胞体膜中の酵素によって合成される

次に動物細胞の主要なステロイドであるコレステロールに焦点を当てる．コレステロールはおもに肝臓で合成される．コレステロール合成（図10・26）の第一段階となる3分子のアセチルCoAから炭素6個を含むβ-ヒドロキシ-β-メチルグルタリル基がCoAと結合したもの（HMG-CoA）が生じる反応は細胞質で行われる．HMG-CoAからメバロン酸への変換はコレステロール生合成における重要な律速段階であり，**HMG-CoAレダクターゼ**(HMG-CoA reductase) によって触媒される．この酵素は，その基質と反応生成物が水溶性であるにもかかわらず，小胞体膜内在性タンパク質である．HMG-CoAレダクターゼの水溶性触媒ドメインは細胞質へ伸びているが，酵素全体は8個の膜貫通αヘリックスによって強固に小胞体膜へ埋込まれている．膜貫通αヘリックスのうちの5個がいわゆる**ステロール感受性ドメイン**(sterol-sensing domain)

を構成していて，それにより酵素の安定性が調節されている．小胞体膜のコレステロール濃度が高いとこのドメインにコレステロールが結合し，それがこの酵素を小胞体膜内在性タンパク質Insig-1およびInsig-2と結合させる．このことがHMG-CoAレダクターゼのユビキチン化（図3・32参照）とプロテアソーム経路での分解を促すので，コレステロール生合成の重要な中間体であるメバロン酸の生成量が減る．

アテローム性動脈硬化症(atherosclerosis) はコレステロール依存性動脈梗塞（cholesterol-dependent clogging of the artery）ともよばれ，動脈血管壁の内層にコレステロールや他の脂質，細胞，および細胞外マトリックス物質などが徐々に沈着していく病気である．その結果，動脈壁の歪みが，ときに血餅を伴い，血流を妨害するようになる．アテローム性動脈硬化症は米国内の心臓血管疾患による死因の75%を占めている．

アテローム性動脈硬化症に対する最も効果的な治療薬はおそらく**スタチン**(statin) であろう．この薬剤はHMG-CoAレダクターゼに結合し，直接その活性を阻害してコレステロールの生合成を抑える．その結果，しばしば悪玉コレステロールとよばれる低密度リポタンパク質（コレステロールの脂肪酸エステルを包み込んだ小胞，図14・27参照）の血中濃度が下がり，動脈硬化斑の形成が減る．■

メバロン酸は，HMG-CoAレダクターゼによってつくられる六炭素生成物であり，いくつかの段階を経て五炭素イソプレノイド化合物であるイソペンテニル二リン酸（IPP）とその立体異性体であるジメチルアリル二リン酸（DMPP）へと変換される（図10・26）．コレステロール合成経路におけるこれらの反応と，つづいて起こる6個のIPP単位からスクアレンという30炭素からなる枝

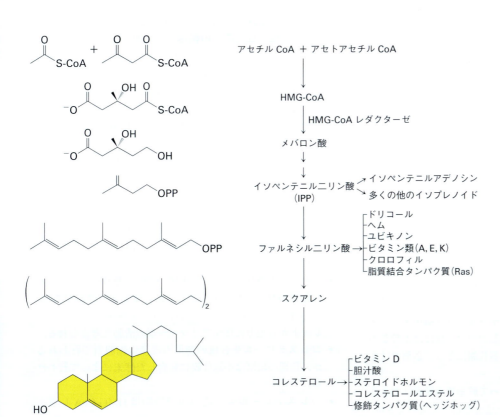

図10・26 **コレステロールの生合成経路．** コレステロール生合成における調節的な律速段階となるのは，小胞体膜のタンパク質であるHMG-CoAレダクターゼによる，β-ヒドロキシ-β-メチルグルタリルCoA (HMG-CoA) からメバロン酸への変換である．メバロン酸はさらに，基本となる五炭素イソプレン構造をもつイソペンテニル二リン酸（IPP）へと変換される．IPPは，ここに示しているようなポリイソプレノイド中間体を経て，コレステロールや他の脂質へと変換される．図中には，イソプレノイド中間体やコレステロール自身に由来する化合物の名称を示した．

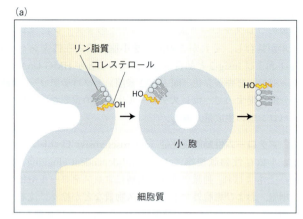 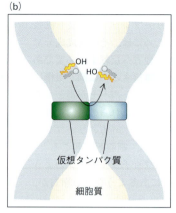 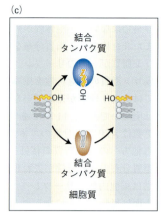

図 10・27 コレステロールとリン脂質の膜間輸送として提案されている機構. (a)では，脂質が小胞によって膜間を輸送される．(b)では，脂質は膜に埋込まれたタンパク質によって仲介される膜の直接的な接触で輸送される．(c)では，小さな水溶性脂質輸送タンパク質が脂質を輸送する．[F. R. Maxfield and D. Wustner, 2002, *J. Clin. Invest.* **110**: 891 による.]

分かれした中間体をつくる縮合反応は，細胞質内の酵素によって触媒される．小胞体膜に結合している酵素がスクアレンからの多段階反応を触媒し，哺乳類ではコレステロールが，他の生物種では類似したステロールが生成される．この経路の中間体の一つがファルネシル二リン酸で，これは Ras や類縁のタンパク質を細胞膜の細胞質側面に係留するプレニル脂質（図 10・19）の前駆体であるだけでなく，ほかの重要な生理活性をもつ分子の前駆体でもある（図 10・26）．

細胞小器官間でのコレステロールとリン脂質の輸送には複数の機構がある

すでに紹介した，コレステロールとリン脂質の合成は，おもに小胞体膜上で行われるので，細胞膜や膜によって囲われている他の細胞小器官へは，何らかの細胞内輸送経路が必要となる．14 章で紹介する分泌経路では，水溶性タンパク質や膜タンパク質と一緒に膜脂質も輸送される．小胞体から出芽した膜小胞がゴルジ体と融合し，ゴルジ体から出芽した膜小胞が細胞膜と融合する（図 10・27a）．しかし，相当量のコレステロールやリン脂質がそれ以外の機構で細胞小器官を輸送されることを示唆する実験的な証拠が示されている．たとえば，古くから知られている分泌経路を阻害する薬剤や，この経路中の小胞輸送を阻害するような突然変異が起こっても，膜間でのコレステロールやリン脂質の輸送が妨げられることはない．

二つ目の輸送機構は，小胞体あるいは小胞体由来の膜と他の細胞小器官膜との，タンパク質を介した直接的な接触によるものである（図 10・27b）．三つ目は，小さな脂質輸送タパク質が，異なる膜間でのリン脂質あるいはコレステロールの交換を促進させるというものである（図 10・27c）．これらの輸送タンパク質は in vitro の実験で調べられたもので，実際に細胞内で起こっているリン脂質の細胞内輸送に，どれだけ寄与しているかは，まだ，はっきりしていない．たとえば，ホスファチジルコリン輸送タンパク質をコードする遺伝子をノックアウトしたマウスはほぼ正常なので，このタンパク質は細胞でのリン脂質代謝にとって必須ではないことが示唆されている．

前に述べたように，細胞小器官によって膜脂質の構成は大きく異なる（表 10・1）．これは合成される場所の違いで説明できる．たとえばカルジオリピン（cardiolipin）というリン脂質はミトコンドリア膜に局在しているが，これはミトコンドリアでのみ合成され，他の細胞小器官にはほとんど輸送されないからである．脂質構成の違いは，脂質輸送の違いによって，もたらされることもある．たとえば，コレステロールは小胞体で合成されるが，細胞膜におけるコレステロール濃度（リン脂質に対するコレステロールのモル比）は，他の細胞小器官膜（小胞体，ゴルジ体，ミトコンドリア，リソソーム）よりも 1.5〜13 倍も高い．これらの差異が生まれ，維持するための機構はあまり解明されていないが，それぞれの膜における固有の脂質構成は，その物理的および生物学的特性に大きく影響することがわかっている．

> **10・3 リン脂質，スフィンゴ脂質，およびコレステロール：合成と細胞内での輸送 まとめ**
> - リン脂質とスフィンゴ脂質には，さまざまな長さの鎖をもつ飽和および不飽和脂肪酸がある．
> - 脂肪酸は水溶性の酵素によってアセチル CoA から合成され，小胞体上で伸長，不飽和化などの修飾を受ける．
> - 遊離脂肪酸は脂肪酸結合タンパク質（FABP）によって細胞内を輸送される．
> - 脂肪酸は多段階の過程によってリン脂質内に組込まれる．ホスホグリセリド，スフィンゴ脂質の合成の最終段階は，小胞体膜に結合した酵素群により，おもに細胞質側面で行われる（図 10・25）．
> - 脂質は，それぞれが合成された場所にすでに存在している膜の中へと組込まれる．したがって，膜は新たな膜材料が合成される場となっている．
> - ほとんどの膜リン脂質は二重層の細胞質側リーフレットか細胞外側リーフレットのどちらかに偏在する傾向がある．この非対称性の原因の一部は，リン脂質を一方のリーフレットから他方に移すフリッパーゼの活動と考えられる．
> - コレステロール生合成の初期の段階は細胞質で行われるが，後期の段階は小胞体膜に結合した酵素によって行われる．
> - コレステロール生合成の律速段階は HMG-CoA レダク

ターゼによる酵素反応である．この酵素の膜貫通領域は小胞体膜に埋込まれていて，ステロール感受性ドメインをもつ．
- 小胞輸送，異なる膜間でのタンパク質を介した直接的な接触，水溶性脂質輸送タンパク質，あるいはこの三つの全部によって，細胞小器官間におけるコレステロールとリン脂質の輸送を説明できるということが，多くの証拠から示唆されている（図10・27）．

重要概念の復習

1. 電子顕微鏡で観察すると，脂質二重層は線路のような二重線に見える．二重層のどのような構造がこうした像の原因か，説明せよ．

2. 次の文章を説明せよ．すべての生体膜の構造は，リン脂質の化学的な性質によってつくられる．一方，それぞれの生体膜の機能は，この膜に結合したタンパク質によって決まる．

3. 生体膜には多種類の脂質分子が含まれている．生体膜に存在する3種類の主要な脂質分子は何か．これらはどこが似ていて，どこが違うか．

4. 脂質二重層は二次元の液体のように振舞うといわれている．これはどんな意味か．二重層内での脂質分子やタンパク質の動きを駆動するのは何か．こうした動きはどうやって測定するのか．膜の流動性に影響を与える因子は何か．

5. 水溶性分子が細胞膜の脂質二重層を自由に通り抜けられないのはなぜか．細胞は，この透過性障壁をどのように克服しているのか．

6. 膜に結合しているタンパク質を三つに分類したとき，それぞれをどんな名称でよぶか．それぞれに属するタンパク質が生体膜と結合する機構を解説せよ．

7. 構造からみて，次の膜タンパク質が何であるか答えよ．(a) 6個の膜貫通αヘリックスをもつサブユニットのホモ四量体．(b) 16個のβシートからなるサブユニットのホモ三量体で樽形構造をとる．

8. リン脂質に共有結合して細胞膜の細胞質側や反細胞質側に結合するタンパク質が存在する．そうしたタンパク質の係留に使われる3種類の脂質はどのようなものか．細胞外部に面した細胞表面タンパク質やグリコシル化されたプロテオグリカンを係留するのに使われているのはどれか．

9. 生体膜の両面は主として脂質やタンパク質といった同じような成分でできているが，それぞれの面は同一ではない．何が両面の非対称性を生み出すのか．

10. 界面活性剤とは何か．イオン性のものと非イオン性のものでは，細胞膜構造の壊れ方は，どのように異なるのか．

11. 次の膜タンパク質はどのようなものと考えられるか．(a) 高塩濃度の溶液で処理すると，イオン結合が切れて膜から解離するもの．(b) 高塩濃度の溶液にさらしても解離しないが，リン酸-グリセロール間の共有結合を切る酵素で処理すると膜から解離するもの．(c) 高塩濃度の溶液にさらしても解離しないが，ドデシル硫酸ナトリウム（SDS）という界面活性剤を入れると膜から解離するもの．(c)の処理で解離するタンパク質は解離後も活性は維持されているか．

12. 非イオン性界面活性剤であるTriton X-100を使って抽出したあとの膜成分を質量分析にかけるとコレステロールとスフィンゴ脂質が高濃度で検出された．さらに，その膜溶液を生化学的に分析したところ，キナーゼ活性をもつことがわかった．この膜成分は何と考えられるか．

13. 小胞体と細胞質の間でのリン脂質の生合成では，細胞にとっての課題がいくつかある．以下のそれぞれはどのように対処されているか説明せよ．

a. リン脂質の生合成の基質はすべて水溶性である．しかし，最終産物は水に不溶性である．

b. すべての新しく生合成されたリン脂質が組込まれるのは小胞体膜の細胞質側リーフレットである．しかし，リン脂質は膜の両側のリーフレットに組込まれなくてはならない．

c. 細胞の多くの膜系（たとえば細胞膜）は，自身のリン脂質を合成することはできない．しかし，これらの膜は，細胞が成長したり分裂したりするとき，拡張しなければならない．

14. ホスホグリセリドに多く含まれる脂肪酸はどのようなものか．また，なぜこれらの脂肪酸鎖の炭素数は2ずつ異なるのか．

15. 脂肪酸が細胞内で移動するためには脂質シャペロンが必要である．なぜそうしたシャペロンが必要なのか．脂肪酸の細胞内輸送にかかわっているタンパク質群は何とよばれているか．脂肪酸の細胞内輸送にかかわるこれらのタンパク質の重要な特徴は何か．

16. コレステロールの生合成過程は高度に調節されている．コレステロール生合成の調節において重要な酵素は何か．この酵素はフィードバック阻害を受ける．フィードバック阻害とは何か．この酵素は細胞内のコレステロール濃度をどのように感知するのか．

17. リン脂質とコレステロールは細胞内の合成部位からさまざまな膜系へと輸送されなければならない．小胞輸送は，この輸送手段の一つで，古くから知られているタンパク質の分泌経路も，同じしくみである（14章）．しかし，リン脂質およびコレステロールの膜間輸送は小胞輸送だけによるものではない．その根拠は何か．また，リン脂質とコレステロール輸送のおもだった機構とはどのようなものか．

18. スタチンが"悪玉"コレステロール濃度を下げるしくみを述べよ．

11

細胞膜における
イオンや小分子の輸送

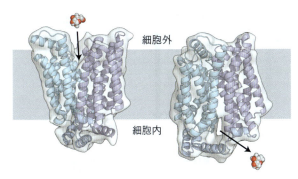

膜貫通しているヒトグルコース輸送体（GLUT1）を横から見た図．他のグルコース輸送体と同様に，GLUT1は細胞外に開いた構造（左）と，細胞内に開いた構造（右）を行き来しながら細胞膜をまたいだグルコースの輸送を行う．細胞外に開いた構造ではグルコースがGLUT1に結合し，この結合によりGLUT1の構造が細胞内に開いた構造に変化する．この構造変化により，グルコースは細胞内に輸送される．[D. Deng et al., 2014, *Nature* **510**: 121, PDB ID 4PYP.]

- 11・1 膜輸送の概略
- 11・2 グルコースと水の促進輸送
- 11・3 ATP駆動ポンプと細胞内イオン環境
- 11・4 開閉調節を受けないイオンチャネルと静止膜電位
- 11・5 等方輸送体と対向輸送体による共輸送
- 11・6 経細胞輸送

すべての細胞において，細胞膜は透過障壁となり，細胞と外部環境とを物理的および化学的に分けている．分子やイオンの細胞への出入りを調節することにより，細胞膜は細胞外液と細胞質ゾルの組成の違いを維持している．たとえば，細胞質ゾルのNa^+濃度は約15 mMである一方，動物の血液や細胞外液のNaCl濃度は10倍程度高く，150 mMにもなる．反対に，動物細胞においてK^+濃度は細胞質ゾルのほうが細胞外液より10倍程度高い．§11・4で後述するように，細胞膜を挟んだこれらのイオン組成の違いは細胞の静止膜電位の維持に必要不可欠である．

細胞質ゾルと細胞小器官内部を隔てる細胞小器官の膜も透過障壁となっている．たとえば，リソソーム内部のpHは5で，H^+濃度は細胞質ゾルより100倍高く，小胞体やゴルジ体内の特定の代謝産物濃度は細胞質ゾルより高い．

細胞膜や細胞小器官の膜はすべてリン脂質二重層を基本構造とし，そこに他の脂質や特別な種類のタンパク質が埋込まれてできている．この脂質とタンパク質の組合わせが細胞の膜に独特な透過性を与えている．もし細胞の膜が純粋なリン脂質二重層だったら優れた透過障壁となり，イオン，アミノ酸，糖，および他の水溶性分子のほとんどすべてを透過させないだろう．実際，純粋なリン脂質膜を容易に透過できるのは気体分子と電荷をもたないいくつかの小分子だけである（図11・1）．しかし，細胞の膜は単に障壁となるだけではいけない．選択的に分子やイオンを一方から他方へと輸送しなければならない．たとえば，エネルギーに富んだグルコースは細胞内に取込み，老廃物は外に放出せねばならない．

細胞の膜では，複数の膜貫通領域をもつ**膜輸送タンパク質**（membrane transport protein）とよばれる膜内在性タンパク質が膜を横切る小分子やイオンの輸送を行っている．それらの膜貫通タンパク質はシャトルやチャネル，ポンプとして働き，分子やイオンが膜の疎水性中央部を通り抜けられるようにしている．ある場合には，分子やイオンは濃度の高いほうから低いほうへ輸送される．これはエントロピーを増大させ，熱力学的にみて有利な過程である．血液中から細胞内への水やグルコースの移動がその例である．別の場合には，濃度勾配に逆らって分子やイオンを移動させることも行われる．これは熱力学的には不利な過程で，外からエネルギーを与えなければ起こらない．リソソーム内にH^+を輸送し，内腔のpHを下げることがこの例としてあげられる．多くの

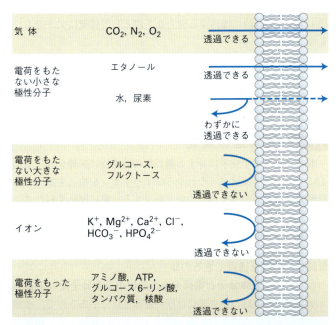

図 11・1 純粋なリン脂質二重層に対する種々の分子やイオンの相対的透過性．純粋な脂質二重層は，気体分子の多くと小さくて電荷をもたない水溶性（極性）分子を透過させる．水はわずかに透過できるが，イオンや大きな極性分子は全く透過できない．

場合，この移動は ATP の加水分解により放出されるエネルギーを機械的動きと共役させることにより行われる．ある分子やイオンが濃度勾配に従って移動する際に得られるエネルギーと共役して，別の分子あるいはイオンを濃度勾配に逆らって移動させる輸送タンパク質も存在する．このようにさまざまな分子やイオンの取込みと放出のバランスを正確に制御することは，細胞が適切に機能するために重要である．

まず膜輸送に関する一般的原理について復習し，3 種類の主要な輸送タンパク質の区別をはっきりさせることから話をはじめよう．その後の節で，それぞれの種類の輸送タンパク質の代表例となるものの構造と作用機構について説明する．そして，同種の輸送タンパク質ではあっても異なった性質をもつものがあり，それらの存在が異なる細胞を適切に機能できるようにしているということを説明する．さらに，細胞の重要な生理機能，すなわち，細胞質 pH の維持や動植物細胞での方向性をもった水の流れ，糖やアミノ酸の細胞内への輸送などが，細胞膜や細胞小器官膜上の特定の輸送タンパク質の組合わせに依存していることを示す．

膜輸送タンパク質のさまざまな変異が疾患をひき起こすことがわかってきており，この種の輸送体がヒトの健康維持においていかに重要かを物語っている．これらの疾患には，嚢胞性繊維症，致死性の不整脈をひき起こす QT 延長症候群，ある種のてんかん，偏頭痛，運動失調，多発性嚢胞腎，先天性難聴などさまざまなものが含まれる．本章で繰返し強調するように，チャネル，輸送体，ポンプは近年疾患治療薬の標的としてますます注目を浴びている．また，クライオ電子顕微鏡法（図 4・34 参照）など，最近の強力な画像解析技術の発展により，これらの多くの膜タンパク質について構造と機能に関する新発見が相次いでおり，命を脅かす疾患の治療法開発に新たな光を当てている．これまで蓄積してきたチャネルの構造と機能に関する詳細な知見は，光（光遺伝学）や薬剤（化学遺伝学）で活性化させられる人工的なチャネルの開発を可能にした．これらは，生化学的な反応（4 章）や神経回路（23 章）を人為的に操作する強力な手段として研究に欠かせないものとなっている．

本章においては，小分子およびイオンの輸送に限って述べ，より大きなサイズのタンパク質や多糖類などの輸送については 13 章，14 章にて扱う．

11・1 膜輸送の概略

本節では，まず分子に対する脂質膜の透過性に影響を与える因子について簡単に述べ，それから分子やイオンを輸送する三つの主要な膜輸送タンパク質について解説する．膜に埋込まれたタンパク質がいろいろなやり方で分子やイオンを輸送していることがわかるだろう．

単純拡散で膜を透過できるのは気体分子と電荷をもたない小さな分子だけである

リン脂質二重層の中央部には厚い疎水性部分があるので，水溶性分子やイオンはほとんど通り抜けられない．純粋なリン脂質あるいはリン脂質とコレステロールからなる膜を通り抜けられるのは O_2 や CO_2 などの気体と，尿素やエタノールのような小さくて電荷をもたない極性分子だけである（図 11・1）．それらの分子は

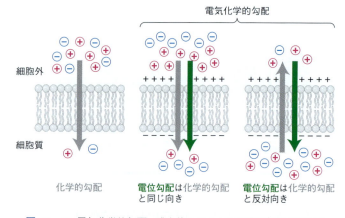

図 11・2 電気化学的勾配．膜を挟んでイオンの濃度勾配が存在するとき，化学的勾配（灰色矢印）が形成される．正に荷電したイオンと負に荷電したイオンが膜を挟んで非対称に分布すると，電位勾配（緑矢印）も形成される．電位勾配は，化学的勾配と同じ方向の場合もあるし，逆方向の場合もありうる．それらは一緒に働き，電気化学的勾配として膜を通過するイオンの原動力となる．

輸送タンパク質がなくても細胞膜を通り抜けられる．この**単純拡散**（simple diffusion）は濃度の高いほうから低いほうへと濃度勾配に従う方向なので，代謝エネルギーを必要としない．そのような輸送は ΔS が正（エントロピーの増大）で，したがって ΔG が負（自由エネルギーの減少）となるので自発的に進行する．ある物質が純粋なリン脂質二重層を通り抜ける拡散速度は，膜を挟んでの濃度勾配，その分子の疎水性，そしてその分子の小ささに比例する．

電荷をもつ分子の場合は，膜を通過する際に濃度差に加えて膜を挟む電位差（電圧）である**膜電位**（membrane potential）の影響も受ける．これら二つの原動力の組合わせ，**電気化学的勾配**（electrochemical gradient）が，膜を透過する荷電分子がエネルギー的にどちらに動きやすいかを決定する（図 11・2）．多くの場合，細胞の膜を挟んでの電位差は，膜の両側での陽イオンや陰イオンのわずかな均衡のずれによって生じる．§11・4 で，このイオンの均衡のずれとその結果生じる膜電位がどのようにして形成され，維持されるのかについて議論する．

生体膜を通り抜ける分子とイオンの輸送は 3 種類の膜タンパク質によって行われる

図 11・1 で明らかなように，純粋なリン脂質二重層をある程度の速度の単純拡散で透過できる分子はごくわずかしかなく，イオンに至っては皆無である．したがって，ほとんどの分子の細胞内外への輸送には特殊な膜タンパク質の助けが必要となる．いくつかの電荷をもたない分極した小さな分子（たとえば尿素や脂肪酸）や，CO_2 や NH_3 などの気体分子の輸送さえもしばしば輸送タンパク質により促進される．単純拡散の速度では細胞の要求にこたえるには遅すぎるからである．

すべての輸送タンパク質は複数の膜貫通領域をもつタンパク質で，その貫通領域は多くの場合 α ヘリックスである．これら輸送体は，タンパク質によって覆われた通路をつくることにより膜内部の疎水性領域と接触させないようにして，親水性分子を通過させると考えられている．本章に出てくる 3 種類の主要な膜輸送タ

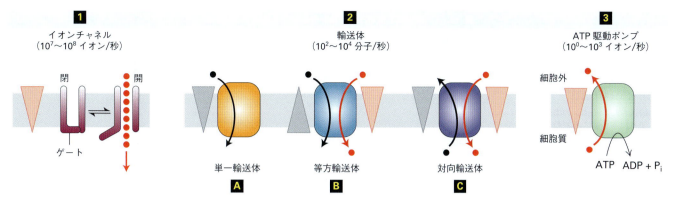

図 11・3 膜輸送タンパク質の概観．三角形によって濃度，電位，あるいは両方の勾配を示している（細くなっているほうが低い）．**1**：チャネルは特定のイオン（あるいは水）を電気化学的勾配に従って移動させる．**2**：輸送体は特定の小分子やイオンの移動を助けるものであり，三つのグループに分けられる．単一輸送体は1種類の分子を濃度勾配に従って輸送する（**2A**）．共輸送体（等方輸送体**2B**あるいは対向輸送体**2C**）は一つあるいは複数のイオン（赤丸）が電気化学的勾配に従って動くことを利用して，他の分子（黒丸）を濃度勾配に逆らって動かす．**3**：ポンプはATPを加水分解したときのエネルギーを使い，特定のイオンあるいは小分子（赤丸）を電気化学的勾配に逆らって移動させる．これら三つの主要な膜輸送タンパク質は輸送の機構が異なっているので，溶質の移動速度もそれぞれ異なる．

ンパク質を図11・3にて紹介しよう．

チャネル（channel）は水分子，特定のイオンあるいは親水性小分子を濃度や電位勾配に従って移動させる．この場合の輸送はタンパク質があればエネルギーを必要としないので，**受動輸送**（passive transport）あるいは**促進拡散**（facilitated diffusion）とよぶが，正しくは**促進輸送**（facilitated transport）とよぶべきものである．チャネルは膜の中に親水性通路をつくり，そこを水分子あるいはイオンが一列縦隊となって高速で通り抜ける．ある種のイオンチャネルは常時開いているので**開閉調節を受けないチャネル**（non-gated channel）とよばれる．しかし，他の多くのチャネルはふだん閉じていて，特定の化学的あるいは電気的シグナルに応じて開くようになっている．これらのチャネルは，タンパク質の一部が通路を塞いだり，それが外れて通れるようにしたりするので**開閉調節を受けるチャネル**（gated channel）とよばれる（図11・3）．他の輸送タンパク質と同様に，チャネルも輸送する分子に対する選択性は非常に高い．

輸送体（transporter，運搬体carrierともいう）は，さまざまなイオンや分子の膜輸送を行うが，その輸送速度はチャネルと比べるとかなり遅い．3種類の輸送体が同定されている．**単一輸送体**（uniporter）は1種類の分子を濃度勾配に従って輸送する．一般的に哺乳類細胞が細胞膜を通してグルコースやアミノ酸を輸送するときにはこの単一輸送体を使う．チャネルと単一輸送体は，濃度勾配や電気化学的勾配に従って輸送するので，あわせて**促進輸送体**（facilitated transporter）とよばれることもある．

これに対して，**対向輸送体**（antiporter）や**等方輸送体**（symporter）は，あるイオンまたは分子に濃度勾配に逆らった動きをさせるために，一つあるいは複数の別のイオンの濃度勾配に従った動きを共役させる．対向輸送体ではそれらの共役する分子の移動方向が反対であり，等方輸送体では同一である．これらのタンパク質は2種類以上の異なる溶質を同時に輸送するのでしばしば**共輸送体**（cotransporter）とよばれる．

ATP駆動ポンプ（ATP-powered pump，単にポンプpumpともよぶ）は，ATPの最末端のリン酸無水結合を加水分解してADPと無機リン酸P_iにするATPaseである．ポンプはATP加水分解の

エネルギーを使い，濃度勾配や電位，あるいはその両方に逆らってイオンや小分子を膜の反対側へ輸送する．この過程は**能動輸送**（active transport）とよばれ，共役した化学反応の例である（2章）．この場合，電気化学的勾配に逆らってイオンや小分子を輸送するというエネルギーを必要とする反応とATPを加水分解してエネルギーを放出する反応とが共役している．ATPの加水分解と勾配に逆らった小分子やイオンの移動を合わせた全体としての反応はエネルギー的に有利なものとなっている．

共輸送体，ポンプはともに，エネルギーを必要とする反応（濃度勾配に逆らった輸送）とエネルギーを放出する反応（濃度勾配

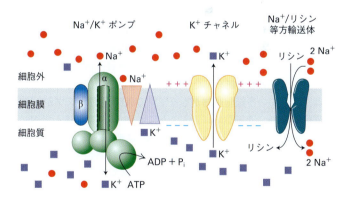

図 11・4 多細胞動物細胞膜では複数の輸送タンパク質が協調して働いている．濃度勾配の方向を三角形で示している（細くなっているほうが低い）．細胞膜のNa^+/K^+ ATPaseは，ATP加水分解のエネルギーを使い，Na^+（赤丸）を細胞の外に，K^+（紫四角）を細胞の中へ移動させ，外部が内部より高いNa^+と内部が外部より高いK^+の濃度勾配をつくっている．膜のK^+チャネルを通って正に荷電したK^+が細胞から出ると，細胞膜を挟んで細胞質側が負で細胞外側が正の膜電位が生じる．典型的なNa^+/アミノ酸共輸送体であるNa^+/リシン輸送体は，細胞外液から2個のNa^+と一緒にリシンを細胞内に移動させる．濃度勾配に逆らってのアミノ酸の移動は，濃度勾配と内側が正電荷を引きつける負の膜電位であることで動くNa^+の移動が駆動する．このアミノ酸取込みの根源的なエネルギー源はNa^+/K^+ ATPaseによるATP加水分解のエネルギーである．なぜなら，Na^+の流入を駆動しているNa^+濃度勾配とK^+チャネルによる膜電位の形成は，ともにこのATPaseがつくり出したものだからである．

表 11・1　細胞膜を横切ってイオンや小分子を輸送するしくみ

性　質	単純拡散	促進輸送	共輸送[†]	能動輸送
特別なタンパク質が必要	−	＋	＋	＋
濃度勾配に逆らって溶質を輸送	−	−	＋	＋
ATP 加水分解と共役	−	−	−	＋
共輸送されるイオンの濃度勾配に従った動きにより駆動	−	−	＋	−
輸送される分子の例	O_2, CO_2, ステロイドホルモン, 多くの薬剤	グルコースとアミノ酸（単一輸送体），イオンと水（チャネル）	グルコースとアミノ酸（等方輸送体），種々のイオンとスクロース（対向輸送体）	イオン, 小さな親水性分子, 脂質（ATP 駆動ポンプ）

[†]　二次的能動輸送ともいう.

に従った輸送）を共役させている．しかし注意してほしいのは，これら2種類のタンパク質においてエネルギーを供給する反応の性質が異なるという点である．ATP 駆動ポンプは ATP 加水分解のエネルギーを使うが，共輸送体は電気化学的勾配にたくわえられたエネルギーを使う．後者の過程を**二次的能動輸送**（secondary active transport）とよぶこともある．

　すべての輸送タンパク質の機能にとって構造変化が重要である．チャネルが開状態と閉状態を行き来するのに対して，ATP 駆動ポンプと輸送体は結合部位を膜の一方に向ける構造とそれを膜の反対側に向ける構造とを繰返す．これは，**交互アクセスモデル**（alternating access model）とよばれる．輸送体の高分解能での構造解明により，交互アクセスモデルを行う分子機構に異なるもののあることがわかってきた．輸送体やポンプの一連の構造変化1回で1個（多くても2〜3個）の基質分子しか移動させられないので，これらのタンパク質が輸送する速度は毎秒 10^0〜10^4 個のイオンあるいは分子と比較的遅い（図 11・3）．対照的に，開状態のイオンチャネルは，それ以上の構造変化を起こさなくても多くのイオンがそこを通り抜けていく．そのため，チャネルは毎秒 10^8 個もの速度でイオンを輸送するという特徴をもつ．

　一般的に，いくつかの異なる輸送タンパク質が細胞膜で協同して働き，生理的な機能を果たす．図 11・4 にその例を示す．ここでは，すべての多細胞動物がもっている ATP 駆動ポンプが Na^+ を細胞外に，K^+ を細胞内に運ぶことにより，細胞膜を挟んで Na^+ と K^+ の濃度勾配が逆になっている（K^+ は細胞内に多く，Na^+ は細胞外に多い）．これらの濃度勾配は，たとえば共輸送体がアミノ酸を取込むときのエネルギーとして使われている．このように Na^+ の濃度勾配と電位差という形でたくわえられたエネルギーを使ってさまざまな分子を濃度勾配に逆らって細胞内に取込む輸送タンパク質の遺伝子がヒトのゲノムには何百も存在する．

　表 11・1 に細胞膜を横切る小分子やイオンの移動にかかわる四つの機構をまとめた．次節では，最も単純な膜輸送タンパク質の例としてグルコースの単一輸送体と水分子の輸送を担うチャネルについて考える．

11・1　膜輸送の概略　まとめ
- 細胞の膜は細胞や細胞小器官への分子やイオンの出入りを調節している．単純拡散によりある物質が膜を通り抜ける速度はその物質の濃度勾配と疎水性に比例する．
- 気体（O_2 と CO_2 など）と電荷をもたない小さな水溶性分子を除いて，ほとんどの分子は細胞が必要とする速度で純粋なリン脂質二重層を通り抜けることはできない．
- 輸送タンパク質は，疎水性領域で構成される膜内部に親水性通路をつくることにより，分子やイオンを通過させる．
- 3種類の膜貫通タンパク質がイオン，糖，アミノ酸や他の代謝産物の膜透過を助ける．それらはチャネル，輸送体，ATP 駆動ポンプである（図 11・3）．
- チャネルは水やイオンが濃度勾配に従って移動できるように親水性のチューブをつくる．この過程を促進輸送とよぶ．
- 開閉調節を受けず，常に開状態にあるチャネルがある一方で，特定の電気的または化学的シグナルに応じてのみ開くチャネルがある．この種のチャネルには光刺激で開口するチャネルもあり，光遺伝学で利用されている（4章, 23章）．
- 輸送体は三つのグループに分けられる．単一輸送体は1種類の分子を濃度勾配に従って輸送する（促進輸送）．等方輸送体や対向輸送体は，ある基質の濃度勾配に逆らった動きと別の基質の濃度勾配に従った動きを共役させる．この過程を二次的能動輸送あるいは共輸送とよぶ（表 11・1）．
- ATP 駆動ポンプは ATP 加水分解と，濃度勾配に逆らっての基質の輸送とを共役させる．この過程を能動輸送とよぶ．
- すべての膜輸送タンパク質の機能にとって構造変化が必要不可欠である．輸送速度はこのタンパク質の中を同時に通り抜けられる基質分子やイオンの数に依存する．
- 多くの輸送体やポンプが，膜を介して分子を輸送する際にとる構造変化は，交互アクセスモデルが当てはまる．

11・2　グルコースと水の促進輸送

　ほとんどの動物細胞はグルコースの異化によって ATP を産生する．このグルコースを血液あるいは他の細胞外液から取込む際にはグルコース単一輸送体を使っている．また，多くの細胞が細胞膜での水の透過速度を高めるためにアクアポリンとよばれるチャネルのような膜輸送タンパク質を使っている．本節では，こうした促進輸送体の構造と機能をみていこう．

単一輸送体による輸送は単純拡散より速く特異性も高い

　輸送タンパク質を介して，グルコースや他の小さな親水性分

子が1種類だけ濃度勾配に従って膜を透過することは**単一輸送** (uniport) とよばれ, 次のような点で単純拡散とは異なる.

1. 単一輸送体による基質の輸送速度は純粋リン脂質膜を単純拡散で透過する速度よりはるかに大きい.
2. 輸送される分子がリン脂質二重層の疎水性中心部に決して入らないため脂質膜に対する溶解度は関係ない.
3. 単一輸送体による輸送は限られた数の輸送体によって行われる. したがって, この輸送速度には輸送体の数に依存する上限 (最大速度 V_{max}) がある. その最大速度は膜を挟んでの濃度勾配が非常に大きく, 全輸送体が最大速度で働いているときに達成される.
4. 単一輸送体による輸送は可逆的であり, 濃度勾配の向きが変われば輸送方向も変わる.
5. 単一輸送体による輸送は分子に特異的なものである. 各輸送体は1種類の特異的な分子あるいはよく似た一群の分子しか輸送しない. 基質に対する輸送体の親和性を表すのがミカエリス定数 K_m で, それは輸送速度が V_{max} の半分になるときのその基質の濃度である.

これらの性質は, 図11・3に示した他の種類の輸送タンパク質にも当てはまる.

最も詳しく性質が調べられている単一輸送体は多くの哺乳類細胞の細胞膜に存在する **GLUT1** とよばれるグルコース輸送体である. GLUT1 は赤血球細胞膜に特に多く含まれている. 赤血球細胞は核や細胞内膜構造をもたず細胞膜も一重なので (図10・7参照), 細胞膜の輸送タンパク質を単離するのが容易である. そのため, 成熟した赤血球を使って GLUT1 をはじめとして他の多くの輸送タンパク質の性質が詳しく調べられてきた. さらに, ヒトの GLUT1 の三次元構造が2014年に解明されたので, GLUT1 の機能の分子的詳細がわかってきた (本章の章頭図, 図11・6).

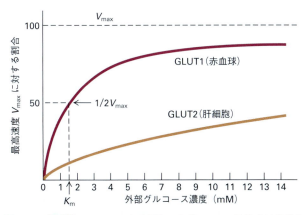

図11・5(実験) GLUT による細胞へのグルコース取込みは**単純な酵素反応速度特性を示す**. 最初の数秒におけるグルコース取込み初速度 v_0 (μmol/mL 細胞・h) を測定し, 最高速度である V_{max} に対する割合を細胞外グルコース濃度に対してプロットした. この実験で, 細胞中のグルコースの初期濃度は0である. 赤血球で発現している GLUT1 と肝細胞で発現している GLUT2 は, ともにグルコースを取込む. 酵素触媒反応と同様に, GLUT によるグルコース取込み速度にも最大値 V_{max} がみられる. K_m はグルコース取込み速度が最大値の半分になる細胞外グルコース濃度である. K_m が約20 mM (図には示されていない) の GLUT2 は, K_m が1.5 mM の GLUT1 に比べてグルコースに対する親和性がかなり低い.

図11・5に示すように, 赤血球や肝細胞によるグルコースの取込み速度は, 単一基質に対する単純な酵素触媒反応と同じ反応速度特性を示す. 単一輸送体以外のタンパク質による輸送速度特性はずっと複雑であるが, すべての輸送反応は単純拡散より速く, 基質特異性を示し, 最大速度 V_{max} がある.

ほとんどの哺乳類細胞へのグルコース取込みは K_m 値の小さい GLUT1 単一輸送体が行っている

他の単一輸送体と同様に, GLUT1 もグルコース結合部位を細胞の外側に向けた状態と細胞質に向けた状態を行き来する. 後者の高解像度構造が図11・6(a) にある. ふつう, グルコース濃度は細胞内より外部 (赤血球の場合は血液) のほうが高いので, GLUT1 は外部から内部へと一方向にだけ輸送を行っている. 図11・6(b) は細胞外のグルコースを細胞内に取込むときの一連の交互アクセスモデルに基づいた構造変化を示している. この過程で膜貫通 α ヘリックスのいくつかが位置を変えていることに注意してほしい. 細胞質グルコース濃度が細胞外より高いとき, GLUT1 は細胞質から外への輸送を行うこともできる. 内と外に向いた二つの構造の途中で, 輸送体は細胞質からも細胞外からもグルコース結合部位に到達できない閉じた構造をとる.

GLUT1 によるグルコースの一方向的輸送の速度は単純な酵素反応速度を表す式と同じ形の式で記述できる. 単純にするために, 初期状態では基質 (S) であるグルコースが膜の外側にだけ存在していると考える. 実験的には, 最初にグルコースを含まない液の中に細胞をおいておくと, 内部のたくわえがなくなり, このような状態をつくれる. すると, 式は次のように書ける.

$$S_{外} + GLUT1 \xrightleftharpoons{K_m} S_{外}-GLUT1 \xrightarrow{V_{max}} S_{内} + GLUT1$$

ここで $S_{外}$-GLUT1 は外側に向いた GLUT1 にグルコースが結合した状態を表している. この式は単純な酵素反応においてタンパク質が基質と結合し, それを異なる分子に変えるときのものと似ている. しかし, ここでは GLUT1 に結合したグルコースに何の化学的変化も起こらず, 細胞膜を通り抜けて移動するだけである. にもかかわらず, この輸送反応は単純な酵素反応と似ているので, ミカエリス-メンテンの式 (3章) の誘導と同じように, GLUT1 によって行われる基質 S の輸送初速度 v_0 は次のように書ける.

$$v_0 = \frac{V_{max}}{1 + K_m/C} \quad (11・1)$$

ここで C は外側の基質 $S_{外}$ の濃度 (内側の初期濃度 $S_{内}$ は0), V_{max} は $S_{外}$ の濃度が無限大に高く, 全 GLUT1 が S と結合した状態になっているときの輸送速度である. K_m が小さいほど基質と輸送体との結合は強い. (11・1) 式は図11・5に示した赤血球でのグルコース取込み曲線を表すだけではなく, 他の単一輸送体による輸送速度曲線をも表すものである.

ヒトの赤血球膜の GLUT1 の K_m は1.5 mM である. したがって, 細胞外グルコース濃度が1.5 mM のとき, 結合部位が外側に向いている輸送体の約半分がグルコースと結合しており, 輸送速度は最大値の50%となる. 通常, 血中グルコース濃度は5 mM なので, グルコース輸送体は最大速度 V_{max} の77%の速度で働いていることが, (11・1) 式からわかる. 血液中から常時高速でグル

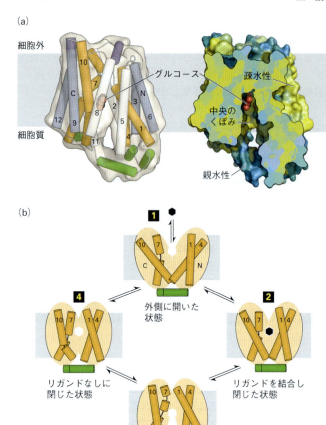

図 11・6 ヒト GLUT1 単一輸送体は細胞膜でグルコースを輸送する．(a) ヒト GLUT1 タンパク質がグルコース結合部位を内側に向けているときの構造を横から見た図．この輸送体は 12 個の膜貫通 α ヘリックスをもち，N 末端ドメインと C 末端側ドメインを形成するが，それぞれのドメインは三つの対になった膜貫通 α ヘリックス構造(橙，白，薄紫)で形成されている．N 末端側ドメインと C 末端側ドメインは，細胞内(緑)の α ヘリックスによってつながっている．また濃紫は細胞外部分の α ヘリックスを表している．縦に切断して表面静電ポテンシャルを描き込んだ図(右)から，中央部分にグルコース(赤)を輸送するくぼみがあることがわかる．この図ではアミノ酸の疎水性の程度を色で表している．疎水性は黄，親水性は青である．(b) GLUT1 の動作モデル．この交互アクセスモデルでは，グルコース結合部位が外側を向いたときにグルコースと結合し(段階❶)，次にそれを閉じ込める構造をとり(段階❷)，最後はグルコース結合部位が内側に向く構造をとって(段階❸)グルコースを細胞質に放出する．その後，グルコースなしで閉じた構造を経由して(段階❹)最初の構造に戻り，次のグルコース輸送を行う．もし細胞質のグルコース濃度が細胞外より高いと，この順番が逆転して(段階❹から逆順で段階❶まで)，グルコースを細胞外に送り出す．橙は(a)における 1, 4, 7, 10 のヘリックスに対応している．実際の構造変化はおそらくここに示したほど大きくないだろう．[(a) は D. Deng et al., 2014, *Nature* **510**: 121, PDB ID 4pyp.]

コースを取込まなくてはならないすべての体細胞では，GLUT1 (あるいはそれによく似た GLUT3) が発現している．こうした細胞のグルコース取込み速度は血液中のグルコース濃度のわずかな変動には影響されず高い値を示す．なぜなら，血中グルコース濃度は K_m 値よりかなり高く，細胞内のグルコース濃度は活発な代謝で使われるため低いからである．GLUT1 の発現は多くの悪性のがんで増加しており，活発に分裂するがん細胞のエネルギー源としてグルコースが必要であることを物語っている．

D-グルコースに対して炭素の立体配置が 1 箇所だけ違う異性体である D-マンノースや D-ガラクトースも GLUT1 によってある程度の速度で輸送される．しかし，グルコースに対する K_m が 1.5 mM であるのに D-マンノースや D-ガラクトースに対する K_m はそれぞれ 20 mM と 30 mM と非常に高い．このように GLUT1 は，本来の基質である D-グルコースに対して他の基質よりはるかに高い親和性を示す(低い K_m から示唆される)特異性の高い輸送体であるといえる．

赤血球の膜タンパク質の 2% はこの GLUT1 である．赤血球内に運び込まれたグルコースは速やかにリン酸化されグルコース 6-リン酸となるので，細胞から出られなくなる．解糖系の第一段階であるこの反応(図 12・3 参照)は非常に速く起こるので，グルコースを次々と取込んでも細胞内グルコース濃度は上がらない．したがって，膜を挟んだグルコース濃度勾配(外が内より高い)は大きいまま保たれ，細胞の代謝要求を十分にみたすグルコースが高速かつ継続的に取込まれる．

ヒトゲノムには糖を輸送する GLUT タンパク質ファミリーがコードされている

ヒトゲノムには，互いによく似た 14 個の **GLUT タンパク質** (GLUT protein) GLUT1~GLUT14 がコードされている．そのすべてが 12 個の膜貫通 α ヘリックスをもつと考えられることから，共通の一つの祖先輸送タンパク質から進化してきたと想定される．ヒトの GLUT1 タンパク質では，α ヘリックスを構成しているアミノ酸側鎖のほとんどは疎水性であるが，いくつかの α ヘリックスにセリン，トレオニン，アスパラギン，グルタミンといったグルコースの OH 基と水素結合をつくることのできる側鎖をもったアミノ酸残基が存在する．タンパク質内部でこれらの残基が細胞の内側あるいは外側を向いたときにグルコース結合部位を形成していると考えられている(図 11・6)．

すべての GLUT アイソフォームの構造はよく似ていると想定され，いずれも糖を輸送する．しかし，それらアイソフォームは細胞の種類によって発現が異なり，細胞表面にある数も違い，機能的な性質も異なっている．異なる性質をもつ各アイソフォームを活用することで，体内のいろいろな細胞が独自にグルコース代謝を調節することができると同時に，血中グルコース濃度を一定に保つ機構も備えることが可能になる．これらのことを具体的に示していこう．脳の神経細胞では GLUT3 が発現している．神経細胞の代謝は安定したグルコースの流入に依存しているが，GLUT3 の K_m は GLUT1 と似て低いので ($K_m = 1.5$ mM)，外液からグルコースを高速かつ安定して取込むことができる．

肝細胞やインスリンを分泌する膵島 β 細胞で発現している GLUT2 の K_m は約 20 mM で GLUT1 の約 13 倍である．その結果，食後に血中グルコース濃度が通常の 5 mM から 10 mM に上昇したとき，GLUT2 を発現している細胞ではグルコース流入量が約 2 倍に増すが，GLUT1 を発現している細胞ではほんのわずかしか増えない (図 11・5)．肝臓では過剰に細胞内に入ってきたグルコースを重合体のグリコーゲンとしてたくわえる．β 細胞ではグルコース濃度の上昇がインスリンというホルモンの分泌を促す

（図21・1b参照）．インスリンは筋肉におけるグルコースの取込みと消費を増やし（図15・32参照），肝臓でのグルコース産生を妨げることにより血中グルコース濃度を下げる．実際に，β細胞におけるGLUT2の不活性化はグルコース濃度が高くてもインスリン分泌を妨げ，肝細胞でのグルコース感受性遺伝子発現の調節不全が起こる．

GLUT4という別のアイソフォームは脂肪細胞と筋細胞でだけ発現している．これらの細胞にはインスリンに応答してグルコースの取込みを増し，血中グルコース濃度を下げる働きがある．インスリン濃度が低いとき，GLUT4は細胞膜ではなく細胞内部の膜小胞上に存在していて，細胞外からのグルコース取込みは行えない．図21・2で詳しく説明するが，インスリンはGLUT4が局在している細胞内小胞膜を細胞膜に融合させて細胞表面のGLUT4分子数を増し，グルコース取込み速度を上昇させる．これがインスリンが血中のグルコース濃度を下げる際の主要なしくみの一つであり，このGLUT4の細胞膜への移動の過程に欠陥が生じると，成人型すなわちII型糖尿病とよばれる血糖値が常時高い病態の原因となる．

GLUT5はGLUTタンパク質のなかで唯一フルクトースに対する親和性が高い．GLUT5はおもに小腸上皮細胞の内腔に面した膜に発現していて，食物中のフルクトースの取込みを行っている．

人工膜や遺伝子導入細胞を使って輸送タンパク質を研究できる

V_{max}やK_mを測定したり，結合に重要なアミノ酸残基を同定するなど，輸送タンパク質の特性を調べるさまざまな方法がある．ほとんどの細胞膜は多数の異なる種類の輸送タンパク質を含んでいるが，それぞれの濃度はかなり低いので，特定のタンパク質の機能を調べるのはむずかしい．そのような研究を行えるようにするため，対象となる輸送体を濃縮し，そのタンパク質が膜の主成分となるようにする2通りの方法が使われている．一つは精製して人工膜に埋込むことであり，もう一つは細胞に遺伝子を導入して過剰発現させることである．

第一の方法では，界面活性剤を使って特定の輸送タンパク質を膜から抽出し精製する．輸送タンパク質を膜から単離し精製することはできるが，それらのタンパク質の機能特性，たとえば基質の輸送における役割などは膜に埋込まれた状態でないと調べられない．したがって，精製されたタンパク質は，基質輸送が容易に計測できるリポソーム（図10・3参照）などの純粋なリン脂質二重層膜に再挿入される．このような膜であれば，通過する基質の輸送速度を容易に測定できる．

もう一つの方法は，輸送タンパク質の遺伝子を，通常それを発現していない細胞で高発現させるというものである．その遺伝子を発現させた細胞と発現させなかった細胞で，ある物質の輸送に差がでたら，それは発現した輸送タンパク質の働きといえる．この系を使うと抽出・精製過程におけるタンパク質の変性などを考えなくてよいので，不確定さを排除して種々の膜タンパク質の機能を調べることができる．たとえば，培養繊維芽細胞でGLUT1を過剰発現させるとグルコース取込み速度は数倍に上昇する．いろいろなアミノ酸を置換した突然変異GLUT1を同様に発現させることにより，基質結合に重要な役割を果たすアミノ酸残基を同定できる．

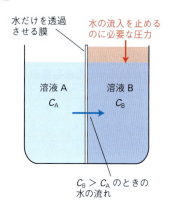

図11・7 浸透圧．この図で溶液Aと溶液Bは，水は通すがすべての溶質を通さない膜によって隔てられている．溶液Bの全溶質濃度C_BがC_Aより大きいと，水はAからBへ流れ込む．浸透圧Πとは，この水の流入を止めるためにB側にかけなければならない静水圧のことをいう．ファントホッフの式によると，この場合の浸透圧は$\Pi = RT(C_B - C_A)$で与えられる．ここで，Rは気体定数，Tは絶対温度である．

水は浸透圧により膜を透過する

細胞への水の出入りはすべての生物の活動にとって重要である．**アクアポリン**（aquaporin）は，水や電荷をもたない一部の小分子（グリセロールなど）の生体膜透過を助けている膜チャネルタンパク質のファミリーである．これらの輸送タンパク質について述べる前に，膜を透過する水の移動を駆動する力である浸透について復習しておこう．

水は溶質濃度の低いほう（水濃度は高い）から高いほう（水濃度は低い）へと濃度勾配に従って半透膜を通り抜けていく．この水の流れを**浸透**（osmosis）あるいは**浸透流**（osmotic flow）とよぶ．要するに，浸透は半透膜を透過する水の拡散に等しい．**浸透圧**（osmotic pressure）は2種類の水濃度が異なる溶液を膜で仕切ったときに，一方から他方へ流れようとする水を止めるために必要な静水圧で定義される（図11・7）．別の言葉でいうと，水が濃度勾配に従って動こうとするエントロピーに駆動された熱力学的力を止めるのに必要な力が浸透圧である．この場合，"膜"とは，水は通すが溶質を通さない性質があればよいので，細胞膜でも細胞の層でもかまわない．浸透圧は膜を挟んだ全溶質分子の濃度差に完全に比例する．たとえば，0.5 M NaCl溶液中には0.5 MのNa^+と0.5 MのCl^-が存在するので，この溶液は1Mのグルコースあるいはスクロースの溶液とほぼ同じ浸透圧を示す．

細胞膜での水の移動は個々の細胞の体積を決めるので，細胞に害がないように調節されねばならない．多くの動物細胞は細胞外液の浸透圧のわずかな変化によって膨張したり収縮したりする．**低張液**（hypotonic solution，膜を透過しない溶質濃度が細胞質より低い）中では浸透によって水が流入するので動物細胞は膨張する．逆に，**高張液**（hypertonic solution，膜を透過しない溶質濃度が細胞質より高い）中では浸透によって水が外に出ていくので動物細胞は収縮する．したがって，動物培養細胞を培養する場合は**等張液**（isotonic solution，溶質濃度すなわち浸透圧が細胞質と等しい）を使わなければならない．

維管束植物では，根によって土壌から吸収された水や塩類は道管（木部）により植物体内を上昇していく．おもに葉

での水の蒸散がこの水の動きを駆動している．動物細胞とは異なり，植物，藻類，真菌類，および細菌の細胞は丈夫な細胞壁で囲まれているので，細胞内の浸透圧が上昇しても体積の膨張に抵抗できる．動物細胞にはそうした細胞壁がないので，内部の浸透圧が高まると膨張する．もしその圧が高すぎると，細胞は膨らみすぎた風船のように破裂してしまうだろう．細胞壁をもつ植物細胞を低張液中においたとしても（たとえ純水でも），浸透を介する水の流入により内部圧力は上昇するが，細胞体積は変化しない．

植物細胞において液胞の溶質（糖と塩）濃度は細胞質より高く（図1・13a参照），細胞質の溶質濃度は細胞外液のものより高い．細胞質と液胞への水の流入により，**膨圧**（turgor pressure）とよばれる浸透圧が生じ，細胞質と細胞膜を堅固な細胞壁に押しつける．植物細胞は，この圧力を直立する力や成長に利用する．成長期に起こる細胞伸長は，ホルモンにより細胞壁の特定の部位がゆるみ，その細胞の液胞への水の流入による体積増加が細胞体積自体の増加をひき起こし起こる．

多くの原生動物は動物細胞と同様，堅い細胞壁をもたないが，浸透圧による破裂を防ぐために**収縮胞**（contractile vacuole）をもっている．収縮胞は植物の液胞のように細胞質から水を取込むが，植物の液胞と違って，定期的に細胞膜と融合して内容物を捨てる．こうして，水が常時浸透流として原生動物細胞に入ってきても，収縮胞が細胞内に水がたまるのを防いでいるので，細胞が膨潤し破裂することはない．

アクアポリンが細胞膜の水透過性を増す

浸透圧により水が細胞膜を透過するというのが自然の法則だとすると，なぜ淡水中で生活している動物の細胞は破裂しないのだろうという疑問がわく．たとえば，カエルは卵を池の水（低張液）の中に産みつける．卵内の塩濃度（おもにKCl）は 150 mM で他の細胞と変わらないが，卵母細胞や卵自身は膨らまない．研究者たちはこうした観察から，多くの細胞の膜には浸透圧による水の流れを促進する水のチャネルがあるが，カエルの卵母細胞にはそれがないのではないかと考えた．カエルの卵にアクアポリンをコードするmRNAを導入すると，純水の中で卵が破裂するという知見は，アクアポリンが細胞の水透過性を増加させるのに十分であることを示した．

アクアポリンは水分子に特異性をもち，浸透圧勾配に従ってどちら側へも水を輸送する．アクアポリンの機能単位は 28 kDa サブユニットのホモ四量体である（図11・8a）．それぞれのサブユニット内には膜貫通αヘリックスが6個あり，それらが水を通す中央の孔をつくっている（図11・8b, c）．それぞれの単量体の中央には長さ約 2 nm のチャネル，すなわち孔があり，その直径は水分子の直径よりわずかに大きい 0.28 nm である．この細くなった部分の分子ふるい的性質はチャネルの中央部に突き出しているいくつかの保存された親水性アミノ酸残基の側鎖や主鎖のカルボニル基と，比較的疎水性な他方の側面とによって決まる．いくつかの水分子が同時にこのチャネルを通り，各水分子は順々にチャネル内のアミノ酸と特異的水素結合を形成し，先に結合したものを下流に押しやる．水を輸送する際にアクアポリンは構造変化を起こさないので，GLUT1がグルコースを輸送するより何桁も大きな速度で水を輸送できる．水の酸素原子と二つのアミノ酸側鎖のアミノ基との間で水素結合ができたときだけチャネルを通ることができるので，電荷をもたない水（H_2O はよいが H_3O^+ は不可）しかそこを通れない．チャネル内の水分子の配向のせいでH^+だけ

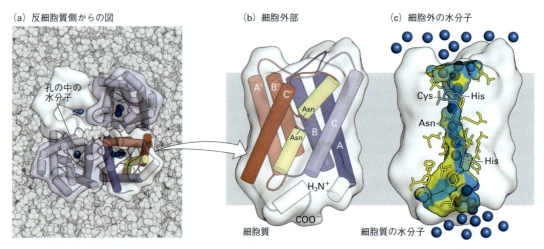

図11・8 アクアポリンの構造．(a) 4個の同一のサブユニットからなるアクアポリン四量体の構造モデル．反細胞質側から見たこの図からわかるように，各サブユニットがそれぞれ水チャネルをもっている．水が入る孔がわかるように，サブユニットの一つだけ（左上）水接触可能表面モデルで描いてある．(b) 一つのアクアポリンサブユニットについて，ポリペプチド鎖が膜をどのように貫通しているかを示す模式図．類似した3対の膜貫通αヘリックス（AとA′，BとB′，CとC′）は，膜を対称面として反対方向を向いていて，膜を貫通していないヘリックスと保存されたアスパラギン（Asn）残基を含む親水性ループ二つにつながっている．それらのループは6個の膜貫通αヘリックスによってつくられたくぼみの中に膜の相反する側から入り込み，中央で向き合い，水選別通路の一部となっている．(c) 一つのアクアポリンサブユニット内の通路を横から見た図．通路の細胞質側と反細胞質側には水でみたされた前室があり，その間をつなぐ 2 nm の長さの水選別通路内に何個かの水分子（青の球）がみられる．通路には非常によく保存された親水性アミノ酸残基が存在し，その側鎖が輸送中の水と水素結合する．通路の表面にあるそれらのアミノ酸は親水性のものを青，疎水性のものを黄で示した．水素結合をつくる残基の配置と通路の狭い直径(0.28 nm)のため，オキソニウムイオン H_3O^+ や他のイオンは通ることができない．[H. Sui et al., 2001, *Nature* **414**: 872, PDB ID 1j4n.]

が水分子の上をジャンプして移動することもできないため，H^+の輸送は起こらない．結果として，水がアクアポリン内を流れても，膜を挟んだイオン濃度勾配は維持されるのである．

哺乳類はアクアポリンファミリーを発現していて，ヒトでは14種類あることがわかっている．アクアポリン1は赤血球で大量に発現している．類似したアクアポリン2は尿からの水の再吸収を行う腎上皮細胞で発現し，体内の水の量を調節している．アクアポリン2の活性は，抗利尿ホルモン（antidiuretic hormone）であるバソプレッシンによって調節されている．その調節は脂肪や筋組織におけるGLUT4の調節と似ている．細胞が静止状態にあり水が尿として排出されるべきときに，アクアポリン2は細胞内の膜小胞上にあり，細胞内への水の輸送に関与できなくなっている．ペプチドホルモンであるバソプレッシンが細胞表面のバソプレッシン受容体に結合すると，cAMPを細胞内シグナルとして使ったシグナル伝達経路が活性化され（詳細は15章で述べる），アクアポリン2を含んだ膜小胞が細胞膜と融合し，水の取込み速度と循環系への返還速度を増す．バソプレッシン受容体あるいはアクアポリン2の遺伝子のどちらかに活性を損なうような突然変異が起こると，大量の薄い尿が出る尿崩症（diabetes insipidus）という病気になる．この発見により腎臓における原尿からの水の再吸収はアクアポリン2の量が律速になっていることが示された．

別のアクアポリンファミリーのなかには，水の他にグリセロールなどのヒドロキシ基をもつ化合物を輸送するものもある．たとえば，ヒトのアクアポリン3はグリセロールを輸送し，アミノ酸配列や構造が大腸菌のグリセロール輸送タンパク質GlpFと似ている．

11・2　グルコースと水の促進輸送　まとめ

- タンパク質による膜を横切っての溶質の輸送は単純拡散よりずっと速く，存在するすべての輸送体分子が基質で飽和されたときに最大速度 V_{max} を示し，基質に対する特異性は非常に高い（図11・5）．
- グルコース輸送体（GLUT）のような単一輸送体は，基質結合部が外側を向く構造と内側を向く構造の間を行き来すると考えられている（図11・6）．
- GLUTタンパク質ファミリーに属するものはすべて糖を輸送し，似た構造をもつ．それぞれの K_m が異なること，細胞により発現パターンが異なること，そして基質特異性が異なることが体内での適切な糖代謝にとって重要である．
- 輸送タンパク質の機能を調べる実験系として，精製した輸送タンパク質を埋込んだリポソームを使うものと，個別の輸送タンパク質遺伝子を組込んで発現させた細胞を使うものとがある．
- 生体膜の多くは半透性で，イオンや他の溶質より水を通しやすい．水は溶質濃度の低いほうから高いほうへと膜を通って浸透していく．
- 植物細胞は強固な細胞壁に囲まれているので膨張することはないが，浸透による水の流入で膨圧が生じている．

- アクアポリンは水チャネルタンパク質で，細胞膜の水透過性を特異的に高めている（図11・8）．
- ある種の腎臓細胞の細胞膜に存在するアクアポリン2は原尿から水を再吸収する際に必須なタンパク質である．このタンパク質が機能しないと尿崩症になる．

11・3　ATP駆動ポンプと細胞内イオン環境

前節では，濃度勾配に従った分子の移動を助ける促進輸送タンパク質について解説した．本節では，もう一つの主要な輸送タンパク質であるATP駆動ポンプについて説明する．このタンパク質はATP末端のリン酸無水物結合の加水分解のエネルギーを使い，濃度勾配に逆らってイオンや種々の小分子を膜輸送する．すべてのATP駆動ポンプは膜貫通タンパク質で，細胞質側に面したセグメントあるいはサブユニット上に一つあるいは複数のATP結合部位をもっている．これらのタンパク質はATPaseとよばれているが，通常，イオンや他の分子を輸送せずにATPをADPとP_iに加水分解することはない．ATP加水分解と輸送が強く共役しているので，リン酸無水物結合にたくわえられていたエネルギーは熱として散逸せず，イオンや他の分子を電気化学的勾配に逆らって輸送することに使われる．

主要なATP駆動ポンプは4種類に分類できる

図11・9に四つの異なるATP駆動ポンプの一般的構造と，それらに属するのポンプの具体例のリストを示す．それらのうちの3種類（P，F，およびV型ポンプ）はイオンだけしか輸送しないが，第四のABCスーパーファミリーのなかでイオンを輸送するのはそのうちの一部であることに注目してほしい．ABCスーパーファミリーの多くのものはアミノ酸，糖，ペプチド，脂質および各種薬剤などの小さな分子を輸送する．

すべての**P型ポンプ**（P-class pump）はATP結合部位をもつαサブユニット2個からなる．そのうちの多くは，調節機能をもつ小さなβサブユニットを二つ含んでいる．輸送の過程で少なくとも1個のαサブユニットがリン酸化され（それでP型とよばれる），イオンはそのリン酸化されたサブユニット内を輸送される．異なるP型ポンプでも，このリン酸化される残基のまわりのアミノ酸配列はよく似ている．このグループには，細胞膜のNa^+/K^+ ATPaseが含まれ，このポンプは動物細胞で典型的にみられる細胞質にNa^+が少なくK^+が多いというイオン状態を維持している（図11・3）．ある種のCa^{2+} ATPaseはCa^{2+}を細胞質から細胞外へ放出する．別種のCa^{2+} ATPaseは細胞質から小胞体あるいは筋細胞の特殊な小胞体である筋小胞体へCa^{2+}を送り込む．もう一つのP型ポンプである胃のプロトンポンプは，哺乳類の胃の酸分泌細胞に存在し，H^+を細胞の外に放出し，K^+を取込む．最近解明されたこのポンプの結晶構造の情報は，胃酸による傷害が起こる胃潰瘍や逆流性食道炎などの疾患に対して用いられる薬剤の結合部位に関して有用な知見を提供している．

V型ポンプ（V-class pump）と**F型ポンプ**（F-class pump）の構造は互いに似ているが，P型とは全く異なり，もっと複雑である．V型とF型には数種の膜貫通および細胞質サブユニットが含まれている．いままでに知られているV型とF型のポンプはすべて，

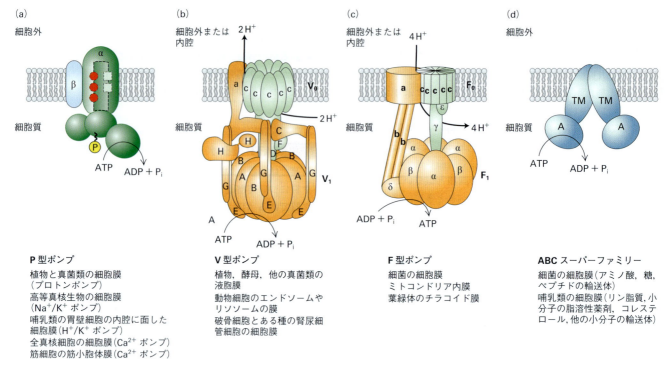

図 11・9 4種類のATP駆動輸送タンパク質．それぞれの種類のポンプの代表例の存在部位は，各ポンプの名称の下に記してある．(a) P型ポンプは，輸送過程においてリン酸化される触媒αサブユニット二つからなる．ある種のP型ポンプに付随している2個のβサブユニットは輸送を調節していると考えられている．ここではNa$^+$/K$^+$ ATPase のαサブユニットとβサブユニットを1個ずつ示しており，三つの赤丸がNa$^+$ 結合部位，二つの薄緑の四角がK$^+$ 結合部位を示している．(b), (c) V型とF型ポンプは輸送過程においてリン酸化されず，ほぼすべてのものがH$^+$ だけを輸送する．V型ポンプはATP加水分解のエネルギーを使いH$^+$ を濃度勾配に逆らって輸送するが，F型ポンプは通常逆方向に働いていて，H$^+$ の濃度勾配あるいは電位勾配のエネルギーを使ってATPを合成している．(d) ABCスーパーファミリーに属するすべてのタンパク質は，膜を貫通する(TM)ドメイン2個と，細胞質にあってATP加水分解と溶質の輸送を共役させるATP結合(A)ドメイン2個とをもっている．ある種のABCタンパク質では，(図中に示したように)この主要ドメインが別々のサブユニットからできているが，他のものでは融合した1本のポリペプチドでできている．[S. Sharma et al., 2019, *J. Biol. Chem.* **294**: 6439; C. Toyoshima et al., 2000, *Nature* **405**: 647; D. McIntosh, 2000, *Nat. Struct. Biol.* **7**: 532; H. Okamoto and M. Futai, 2013, *Encyclopedia of Biophysics* 参照．]

H$^+$ を輸送するもので，その過程でサブユニットのリン酸化は起こらない．V型ポンプは膜の細胞質側から反細胞質側へ，電気化学的勾配に逆らってH$^+$ を輸送し，植物細胞の液胞や動物細胞のリソソーム，他の酸性小胞においてpHを低く保つ働きをしている．それに対して，植物，真菌類，および細菌の細胞膜で膜電位を形成・維持しているプロトンポンプはP型に属する．

F型ポンプは細菌の細胞膜，ミトコンドリア，そして葉緑体の膜に存在する．V型と異なり，このポンプはふつう逆回転し，H$^+$ が反細胞質側から細胞質側へ電気化学的勾配に従ってエネルギー的に有利な方向に流入する際に生じたエネルギーを利用して，自然には起こらないADPとP$_i$ からのATPの合成を行っている．**ATP合成酵素**（ATP synthase）とよばれるこのF型プロトンポンプは葉緑体やミトコンドリアでのATP合成という非常に重要な役割を果たしているので，12章で別に取上げる（図12・27参照）．

ATP駆動ポンプの最後のファミリーは他のものより種類が多く，機能も多様である．このタイプは**ABCスーパーファミリー**〔ABC superfamily，ABCはATP-binding cassette（ATP結合カセット）の略〕とよばれ，細菌からヒトまでの生物種において広く存在し，数百種の異なった輸送タンパク質が含まれている．あとで詳細に説明するが，この輸送タンパク質ファミリーのあるものは多剤耐性タンパク質として発見された．そのタンパク質ががん細胞で過剰発現すると，抗がん剤を排出してしまい，薬剤が効かなくなる．それぞれのABCタンパク質は一つの基質あるいは関連した一群の基質に特異的で，基質としてはイオン，糖，アミノ酸，リン脂質，コレステロール，ペプチド，多糖類だけでなく，タンパク質まで含まれる．すべてのABCタンパク質の共通点は四つのコアドメインをもつことである．それらは，輸送する分子が膜を通り抜けるための通路をつくる2個の膜貫通（TM）ドメインと細胞質に存在する2個のATP結合（A）ドメインとである．ある種のABCタンパク質（多くは細菌のもの）では，4個のドメインが別々のポリペプチド鎖であるが，他のものではそれらが融合し，1〜2個の多ドメインポリペプチド鎖となっている．ほとんどのABCタンパク質ではATPの結合と加水分解が輸送過程の駆動力となっている．しかし，あとで述べる嚢胞性繊維症膜貫通調節タンパク質（CFTR）においては，ATPの結合と加水分解のエネルギーがチャネルの開閉にも使われる．

ATP駆動イオンポンプが
　　　細胞膜を挟んだイオン濃度勾配をつくり，維持する

通常，細胞質のイオン組成は細胞外液と大きく異なる．微生物，植物，動物を含むほとんどすべての細胞の細胞質pHは外液のpH

表 11・2　典型的な細胞内外のイオン組成		
イオン	細胞内(mM)	海水中(mM)
イカの軸索[†1]（海中の無脊椎動物）		
K^+	400	10
Na^+	50	440
Cl^-	40〜150	560
Ca^{2+}	0.0003	10
X^{-}[†2]	300〜400	5〜10
イオン	細胞内(mM)	血液中(mM)
哺乳類細胞（脊椎動物）		
K^+	139	4
Na^+	12	145
Cl^-	4	116
HCO_3^-	12	29
X^-	138	9
Mg^{2+}	0.8	1.5
Ca^{2+}	<0.0002	1.8

[†1] イカの巨大神経軸索は電気インパルスがどう伝わるかを研究するときによく使われる.
[†2] X^-はタンパク質を表している. pHがほぼ中性である血液中や細胞内でタンパク質は負電荷をもつ.

に関係なくすべて 7.2 近くに保たれている. 最も極端な例では, 胃の内腔に面した上皮細胞の細胞質と食事のあとの胃の内容物とでは H^+ 濃度が 100 万倍も違っている. 細胞質の K^+ 濃度も Na^+ 濃度よりかなり高い. また, 脊椎動物においても無脊椎動物においても, 細胞質の K^+ 濃度は血液中より 20〜40 倍高く, 細胞質の Na^+ 濃度は血液中の 1/12〜1/8 である（表 11・2）.

細胞質には, ATP, タンパク質, および他の分子の負に荷電した部分と結合した Ca^{2+} が存在するが, シグナル伝達経路や筋収縮にとって重要なのは結合していない（すなわち遊離した）Ca^{2+} の濃度である. 細胞質の遊離 Ca^{2+} 濃度は血液中の 1/1000 以下で, 通常 0.2 μM（$2×10^{-7}$ M）以下である. たとえ塩濃度の低い環境で育てられようとも, 植物細胞や微生物の細胞質の K^+ 濃度は高く保たれ, Ca^{2+} や Na^+ 濃度は低く保たれる.

本節で解説するイオンポンプが細胞膜や細胞内膜を挟んでのイオン濃度勾配をつくり, それを維持している. これを行うために細胞はかなりのエネルギーを消費している. たとえば, 神経細胞や腎細胞では産生した ATP の 25% をイオン輸送に使っているし, ヒトの赤血球では利用可能な ATP の 50% をこのために使っている. どちらの場合も, ほとんどの ATP が Na^+/K^+ ポンプによって消費されている（図 11・3）. 23 章で詳しく解説するが, 神経細胞が電気シグナルを速く効率よく伝導するためには, このポンプによって維持される Na^+ と K^+ の濃度勾配が必須である. 細胞内でタンパク質合成に関与している酵素のあるものは高 K^+ 濃度が必要で, 高 Na^+ 濃度下では阻害される. Na^+/K^+ ポンプの働きがなければそうした酵素は活性を失うだろう. 2,4-ジニトロフェノールのような毒物で細胞の ATP 産生を止めてしまうと, ポンプは止まり細胞内のイオン濃度は徐々に外部の濃度に近づいていく. イオンが電気化学的勾配に従って細胞膜チャネルを通り抜けていくからである. そして細胞は死ぬ. これはタンパク質合成に高 K^+ 濃度が必要であるためと, 膜を挟んでの Na^+ の濃度勾配が なくなると, 細胞に必要なアミノ酸などの栄養素を取込めなくなるためである（図 11・3）. 初期のころ, そのような毒物を使った研究からイオンポンプの存在と重要性が示された.

筋肉の Ca^{2+} ATPase は
　　細胞質の Ca^{2+} を筋小胞体内に送り込み筋肉を弛緩させる

骨格筋細胞内で, Ca^{2+} は**筋小胞体**（sarcoplasmic reticulum: **SR**）とよばれる特別な小胞体に濃縮されたくわえられている. Ca^{2+} が筋小胞体内腔からイオンチャネルを通って細胞質に放出されると, 17 章で述べるように筋肉の収縮が起こる. 筋小胞体膜に存在する P 型 Ca^{2+} ATPase によって細胞質の Ca^{2+} が筋小胞体内腔へ再度くみ上げられると筋肉の弛緩が起こる.

筋肉の Ca^{2+} ATPase は細胞質遊離 Ca^{2+} 濃度が上昇すると活性が上がる. 細胞内の遊離 Ca^{2+} 濃度は, 休止時の 0.1 μM から収縮時の 1 μM 以上へと変化するが, 筋小胞体内腔の全 Ca^{2+} 濃度は 10 mM にも達する. 筋小胞体内腔には, カルセケストリンと, 一般的に高親和性カルシウム結合タンパク質とよばれる 2 種類のタンパク質が大量に存在している. それらが複数の Ca^{2+} と強く結合することにより, 筋小胞体内腔の"遊離" Ca^{2+} 濃度を下げている. これにより, 細胞質と筋小胞体内腔との間の Ca^{2+} 濃度勾配が小さくなるので, 細胞質から Ca^{2+} をくみ上げるのに要するエネルギーが下がる.

骨格筋細胞では筋小胞体の Ca^{2+} ポンプが細胞膜にある類似のポンプと協調して働き, 休止時の細胞質の遊離 Ca^{2+} 濃度が確実に 0.1 μM 以下になるようにしている. 筋小胞体の Ca^{2+} ポンプは筋小胞体内腔へ, 細胞膜の Ca^{2+} ポンプは細胞外へそれぞれ Ca^{2+} を輸送する. 細胞膜の Ca^{2+} ATPase は, 細胞質の Ca^{2+} 結合タンパク質である**カルモジュリン**（calmodulin, 図 3・34 参照）により制御を受けている. 細胞質の Ca^{2+} 濃度上昇は Ca^{2+} とカルモジュリンの結合をひき起こし, その結果 Ca^{2+} ATPase が活性化する. このように, 遊離 Ca^{2+} 濃度は筋細胞の細胞質と筋小胞体内腔において協調的に制御されている.

Ca^{2+} ポンプの詳細な作用機序が解明されている

筋小胞体の膜内在性タンパク質の 80% 以上が Ca^{2+} ポンプで占められ, 精製が容易であったため, このタンパク質は詳しく調べられてきた. このタンパク質は輸送過程におけるさまざまな段階の立体構造が明らかにされている. これらの構造は作動原理の視点から詳しく解析されており, 他の P 型 ATPase ポンプを理解する際の範例となっている.

現在提唱されている, 筋小胞体膜の Ca^{2+} ATPase の作動原理のモデルでは, 複数の構造を遷移すると考えられている. この Ca^{2+} ATPase は膜貫通領域の中心に二つの Ca^{2+} 結合部位をもつ. 単純化するために, この二つの Ca^{2+} 結合部位が細胞質側に向いているいくつかの構造を E1 とよび, それらの結合部位が反細胞質側すなわち筋小胞体内腔に向いている構造を E2 とよぶとする. ATP 加水分解とイオンの輸送を共役させるためにはいくつかの構造変化が図 11・10 に示すような決まった順番で起こる必要がある. タンパク質が E1 構造のとき, 細胞質側を向いた二つの高親和性結合部位に Ca^{2+} が結合する. Ca^{2+} 濃度が非常に低くても（表 11・2）, カルシウムイオンはこの部位に結合する.

次に, ATP が細胞質側の部位に結合する（段階**1**）. Mg^{2+} 存在

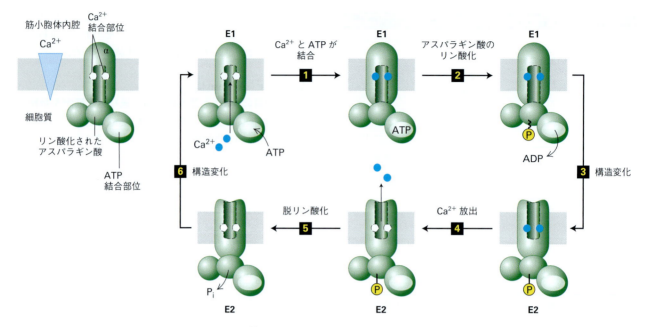

図 11・10 骨格筋細胞の筋小胞体膜に存在する Ca^{2+} ATPase の作動モデル．図は，この P 型ポンプの二つある触媒 α サブユニットの一方だけを示している．E1 と E2 は Ca^{2+} 結合部位が細胞質側面と反細胞質側面（筋小胞体内腔）に向いている二つの異なった構造を表している．ここに示したような決まった順番で反応が起こることが，膜を通過する Ca^{2+} の輸送と ATP 加水分解とが共役するために必要である．図中の〜P はアスパラギン酸残基との高エネルギーリン酸結合を示し，−P は低エネルギーリン酸結合を示す．E1 の細胞質に向いた Ca^{2+} 結合部位の親和性は，E2 の反細胞質側に向いた結合部位より 1000 倍高いので，このポンプは細胞質から SR 内腔へ一方通行で Ca^{2+} を輸送する．詳細は本文と図 11・11 を参照．[C. Toyoshima and G. Inesi, 2004, *Annu. Rev. Biochem.* **73**: 269 参照．]

下で ATP が ADP と P_i に分解されると，P_i は特定のアスパラギン酸残基に転移し，E1〜P で表される高エネルギーアシルリン酸結合を形成する（段階**2**）．次に，このタンパク質は構造変化を起こし，二つの Ca^{2+} 結合部位は筋小胞体内腔を向き E2 構造になり，Ca^{2+} に対する親和性が下がる（段階**3**，その詳細な構造を図 11・11 に示す）．アスパラギン酸残基のアシルリン酸結合が加水分解されたときの自由エネルギー変化は E1〜P のほうが E2−P より大きい．この自由エネルギーの低下が E1 から E2 への構造変化を起こさせる駆動力であるといえる．

筋小胞体内腔の Ca^{2+} 濃度は細胞質より高いとはいえ，親和性の下がった結合部位の K_d よりは低いので，Ca^{2+} は自発的に解離して筋小胞体内腔に入る（段階**4**）．最後にアスパラギン酸とリン酸の結合が加水分解される（段階**5**）．この脱リン酸化と，E1 の高親和性部位への細胞質 Ca^{2+} の結合が共役して E1 を E2 より安定化させる．このことが E2 から E1 という構造変化を駆動するといってよい（段階**6**）．E1 は再び 2 個の Ca^{2+} を輸送できる状態になる．このようにしてサイクルは完了し，ATP のリン酸無水物結合の加水分解が筋小胞体への濃度勾配に逆らった二つの Ca^{2+} 輸送を駆動する．

多くの構造上および生物物理学的研究からの証拠によって，図 11・10 に示すモデルは支持されている．たとえば，重要な役割を果たすアスパラギン酸残基がリン酸化された筋小胞体膜 Ca^{2+} ポンプが単離されているし，E1 から E2 への変換に伴う微妙な構造変化が分光学的研究で検出されている．リン酸化された E1 に ADP を加えると，図 11・10 の段階**2**の逆反応が起こって ATP が合成される．しかし，リン酸化された E2 に ADP を加えてもそれは起こらないことから，これら二つのリン酸化された構造の違いも生化学的に区別できている．反応サイクル中の主要な構造は，トリプシンのようなプロテアーゼを作用させたときの分解の受けやすさの違いで区別できる．

図 11・11(b) は E1 構造の Ca^{2+} ポンプの立体構造を示している．図 11・11(c) からわかるように，触媒サブユニットがもつ 10 個の膜貫通 α ヘリックスが Ca^{2+} が移動する際の通路を形成している．それらのうちの 4 個の α ヘリックス中のアミノ酸が E1 の二つの高親和性 Ca^{2+} 結合部位を形成している（図 11・11a，左）．結合部位の一つはグルタミン酸とアスパラギン酸の側鎖の負に荷電したカルボキシ基 COO− の酸素および結合している水分子から構成されている．もう一方は側鎖と主鎖の酸素原子から構成されている．こうしてポンプと結合するときに，通常水溶液中で Ca^{2+} を取巻いている水分子（図 2・7 参照）が失われ，同じ位置に輸送タンパク質の酸素原子が配置される．それに対して E2 構造（図 11・11a，右）では，それらの結合部位を形成している側鎖のいくつかが 1 nm の数分の一程度動いていて Ca^{2+} と相互作用できなくなっている．E2 構造で Ca^{2+} との親和性が低下するのはこのためである．

Ca^{2+} ポンプへの Ca^{2+} の結合は，本章で繰返し出てくる輸送タンパク質へのイオンの結合の一般原則を示している．イオンが結合するとき水和水はほとんど失われるが，水和水の酸素原子と同じ位置に輸送タンパク質の酸素原子が配置される．これにより，イオンがタンパク質に結合する際の熱力学的障壁が下がり，濃度の低い溶液でもイオンはタンパク質と強く結合できる．

Ca^{2+} ポンプの細胞質部分は三つのドメインからなり，E1 構造ではそれらが離れている（図 11・11b）．それらのドメインは短いペプチド鎖により膜貫通ヘリックスとつながっているので，ポン

11. 細胞膜におけるイオンや小分子の輸送

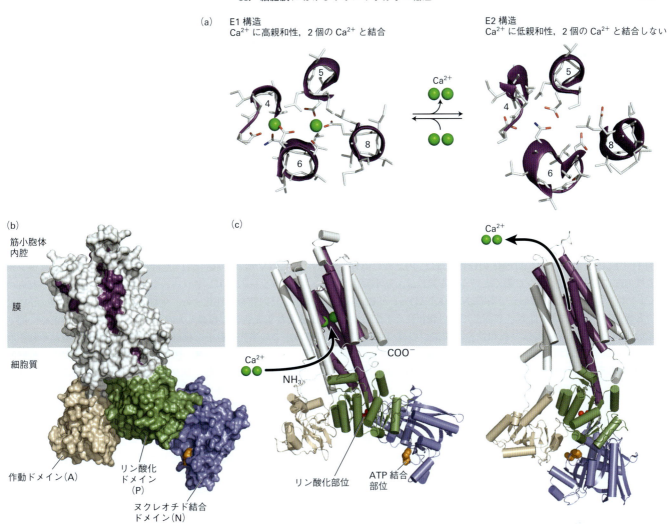

図 11・11 筋肉 Ca^{2+} ATPase の触媒 α サブユニットの構造. (a) 2 個の Ca^{2+} を結合した E1 構造の Ca^{2+} 結合部位(左)と, Ca^{2+} を結合していない E2 構造の低親和性 Ca^{2+} 結合部位(右). 重要なアミノ酸の側鎖を白で, グルタミン酸とアスパラギン酸の側鎖の酸素原子を赤で示している. 高親和性 E1 構造では, Ca^{2+} は膜内のヘリックス 4, 5, 6, および 8 の間にある二つの部位に結合する. そのうちの一つはグルタミン酸とアスパラギン酸の負電荷をもった酸素原子と水分子(図には示していない)によって構成されている. もう一つは側鎖と主鎖の酸素原子によって構成されている. 両部位において Ca^{2+} は 7 個の酸素原子によって囲まれている. (b) X 線結晶構造解析によって決定された E1 の立体構造. 10 本の膜貫通 α ヘリックスがあり, そのうちの 4 本(紫)に Ca^{2+} 結合に関与するアミノ酸残基が含まれている. 細胞質側には三つのドメインがある. ヌクレオチド結合ドメイン N (青), リン酸化ドメイン P (緑), 膜貫通ヘリックスのうちの二つをつないでおり, エネルギーを動きに変換する作動ドメイン A (薄茶)である. (c) E1 (左)と E2 (右)の構造モデル. E1 と E2 におけるヌクレオチド結合ドメインと作動ドメインの構造の違いに注目してほしい. これらのドメインの動きが Ca^{2+} 結合部位を形成している膜貫通 α ヘリックス(紫)に構造変化を起こさせ, Ca^{2+} 結合部位が細胞質側に向いている状態(E1 構造)から, Ca^{2+} が弱く結合し, 反細胞質側に出ていける状態(E2 構造)にする. [C. Toyoshima and G. Inesi, 2004, *Annu. Rev. Biochem.* **73**: 269, PDB ID 1su4; K. Obara et al., 2005, *Proc. Natl. Acad. Sci. USA* **102**: 14489, PDB ID 1agv.]

プが働くときにこれらの細胞質ドメインが動くと, それとつながっている膜貫通 α ヘリックスも動く. たとえば, リン酸化される Asp351 は P ドメインにあり, ATP のアデノシン部分は N ドメインと結合するが, γ 位のリン酸は P ドメインの特定の残基と結合するので, 両ドメインは接近する. そこで, ATP と Ca^{2+} が結合したあと, ATP の γ 位のリン酸が P ドメインのアスパラギン酸の近くに位置し, リン酸を渡せるようになる. この構造変化の詳細はまだはっきりしていないが, この N ドメインと P ドメインの動きがつながっている領域にレバーのような動きをひき起こし, いくつかの膜貫通 α ヘリックスの配置換えが起こる. この構造変化は二つの Ca^{2+} 結合部位を形成している 4 本の α ヘリックスで特に顕著に現れる. この変化により結合していた Ca^{2+} は細胞質側に戻れなくなるが, その代わりに反細胞質側(内腔側)へ解離できるようになる.

すべての P 型ポンプは, 輸送するイオンに関係なく, 輸送過程で高度に保存されたアスパラギン酸残基がリン酸化を受ける. cDNA 塩基配列を比較したところ, これまでにわかっている P 型ポンプの触媒 α サブユニットはすべて類似したアミノ酸配列をもつことから, 膜貫通 α ヘリックス, 細胞質に面している A, P, および N ドメインの配置も類似していると思われる(図 11・11). こうした知見から, それらのタンパク質は, 現在輸送しているイオンは異なっているが, すべて共通の祖先タンパク質から進化し

たものと考えられる．このことはNa^+/K^+ ATPase の膜貫通部分の構造がCa^{2+}ポンプのものと互いによく似ていることから示唆された．三つの細胞質ドメインの構造もよく似ている．したがって，図 11・11 に示した輸送機構モデルは，すべての ATP 駆動 P 型ポンプに当てはまるだろう．

Na^+/K^+ ATPase は動物細胞内のNa^+やK^+濃度を維持している

すべての動物細胞の細胞膜に存在する重要な P 型ポンプがNa^+/K^+ ATPase である．このイオンポンプは$\alpha_2\beta_2$というサブユニット構造をもつ四量体で，構造はCa^{2+}ポンプのものとよく似ている．糖鎖のついた小さな膜貫通ポリペプチドであるβサブユニットは，イオンポンプの機能に直接かかわっているわけではない．このポンプは触媒サイクルにおいて 1 ATP 当たり 3 個のNa^+を細胞外に送り出し，2 個のK^+を細胞内に取込む．

図 11・12 に示すNa^+/K^+ ATPase の作動原理は，内と外の両方へ濃度勾配に逆らってイオンが動くという点を除けば，筋小胞体のCa^{2+}ポンプのものとほぼ同じである．Na^+/K^+ ATPase が E1 構造のとき，その細胞質側にはNa^+に対して高い親和性を示す三つの結合部位とK^+に対して低い親和性を示す二つの結合部位が開いている．細胞質側のNa^+との結合部位の強さを示すK_dは 0.6 mM である．この値は細胞内Na^+濃度（約 12 mM）よりずっと低いので，通常この部位にはNa^+が必ず入っている．逆に，細胞質側K^+結合部位の親和性はとても低く，タンパク質により内側に輸送されてきたK^+は細胞内の高いK^+濃度にもかかわらず E1 構造から解離する．E1 が構造変化を起こし E2 となると，結合していた 3 個のNa^+は反細胞質側に向き，その結合親和性が低下するため，細胞外のNa^+濃度が高いにもかかわらず，1 個ずつ外液中へ解離していく．E2 へ構造変化を起こすと，反細胞質側に 2 個の高親和性K^+結合部位ができる．高親和性K^+結合部位のK_dは 0.2 mM で細胞外K^+濃度（4 mM）より低いので，Na^+の解離とともにこの部位はK^+でみたされる．先ほどと同様 E2 から E1 への構造変化に伴い，結合した 2 個のK^+は内側に輸送され，細胞質に放出される．

ある種の薬剤（たとえば，ウワバインやジゴキシン）はNa^+/K^+ ATPase の反細胞質側ドメインと結合し，その ATPase 活性を特異的に阻害する．その結果起こる細胞のNa^+とK^+のバランスの崩壊は，このイオンポンプが正常なK^+およびNa^+濃度勾配維持にどれだけ重要な役割を果たしているかを如実に示すものである．

V 型H^+ ATPase はリソソームや液胞の内部を酸性に保つ

すべての V 型 ATPase はH^+だけを輸送する．V 型プロトンポンプはリソソーム，エンドソームや植物液胞に存在し，それらの細胞小器官内腔を酸性化する．生細胞のリソソーム内腔の pH は pH 感受性蛍光色素で標識した粒子を使うことにより正確に測定できる．この蛍光性粒子を細胞外液に入れると，細胞はそれを取込み（ファゴサイトーシス，図 1・19 および 17 章参照），最終的にリソソームへ送り込む．リソソーム内の pH はそこから発せられた蛍光のスペクトルから計算で求められる．別の方法として，pH によって発する蛍光が変わるタンパク質の DNA を改変して（13 章と 14 章で説明する"シグナル配列"をコードする DNA をつけ加えて），そのタンパク質がリソソーム内腔に送られるようにすれば，その蛍光を測定することによって内部の pH を決めることもできる．

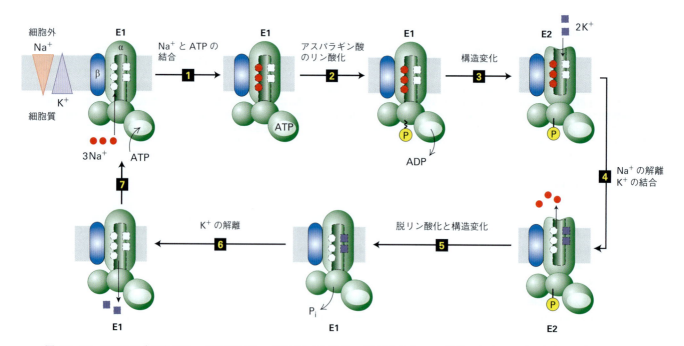

図 11・12 細胞膜Na^+/K^+ ATPase の作動モデル．図にはこの P 型ポンプを構成する二つの触媒αサブユニットのうちの一方だけしか示していない．イオン輸送を行うのが ATPase のαサブユニットの一方だけなのか，それとも両方なのかはわかっていない．Na^+/K^+ ATPase によるイオン輸送は筋肉のCa^{2+} ATPase と同様に（図 11・11），リン酸化，脱リン酸化，そして構造変化を伴う．ここでは E2-P 中間体が加水分解されることにより E2→E1 への構造変化が起こり，2 個のK^+が内側に輸送される．Na^+は赤丸，K^+は紫四角で表している．高エネルギーアシルリン酸結合は～Ⓟで，低エネルギーリン酸エステル結合は−Ⓟで示している．

これらの測定により，リソソーム内（pH 4.5〜5.0）と細胞質（pH 7.0）との間では100倍以上のH^+濃度勾配が維持されていることがわかった．リソソーム内の低pHは内腔に存在する多くのプロテアーゼ，ヌクレアーゼ，および他の加水分解酵素が最適な活性をもつために必要である．逆に，もし細胞質pHが5になったら，pH 7を至適pHとする多くのタンパク質の活性が失われ，細胞は死に至るだろう．細胞内のH^+濃度勾配はV型ATPaseにより維持されているので，細胞のATP産生に依存している．

細胞内小胞内腔を酸性化するには，比較的少量のH^+を輸送するだけで十分である．このことを理解するにはpH 4の溶液とは1 Lに10^{-4} molのH^+，すなわち1 mLに10^{-7} molのH^+が溶けているということを思い出せばよい．1 mol中には$6.02×10^{23}$個（アボガドロ数）のH^+が存在するので，1 mLのpH 4の溶液中には$6.02×10^{16}$個のH^+が存在することになる．直径 0.2 μmの球形リソソームの体積は$4.18×10^{-15}$ mLなので，内腔のpHが4のとき，内部に存在するH^+はわずか252個である．pH 7のこの細胞小器官内腔には平均してたった0.2個のH^+しか存在しない．したがって，このリソソームを酸性化するには約250個のH^+を運び込めばよいのである．

ATP駆動プロトンポンプだけでは細胞小器官内腔（あるいは細胞外の空間）を酸性化できない．なぜなら，これらのポンプは**電位発生的**（electrogenic）だからである．つまり，この輸送には電荷の移動が伴う．たった2〜3個のH^+を輸送しただけで正に荷電したH^+が細胞小器官膜の内側に蓄積する．H^+を輸送するたびに陰イオン（OH^-やCl^-）が細胞質側面に残され，そこに蓄積する．こうして反対の電荷をもったイオンが膜を隔てて引き合うという電荷の分離，すなわち電位差が膜に生じてしまう．すると，リソソーム膜は電気回路でのコンデンサーのように，荷電粒子を通さない障壁の両側に相反する電荷（負電荷と正電荷）を分離させることになる．

H^+が輸送されればされるほど反細胞質側の面に正電荷が蓄積し，増加した電位差のため次のH^+を輸送するために必要なエネルギーがとても高くなり，十分なH^+濃度勾配ができないうちにH^+輸送は止まってしまう（図11・13a）．実際，植物や酵母の細胞膜ではP型プロトンポンプがこのようにして細胞膜の負の膜電位をつくっている．

細胞小器官の内腔あるいは細胞外の空間（胃の内腔など）が酸性になるためには，H^+の移動と同時に，1）同数の陰イオン（Cl^-など）が同方向に動くか，2）同数の陽イオンが反対方向に動かねばならない．リソソームや植物の液胞では前者の過程が起こっていて，それらの膜にはV型H^+ ATPaseだけでなくCl^-を通す陰イオンチャネルが存在している（図11・13b）．後者の過程は胃壁で行われている．そこにはH^+を一つ放出しながらK^+を一つ取込む電位発生的でないP型H^+/K^+ ATPaseが存在する．このポンプの動作については本章のあとのほうで説明する．

リソソームや液胞膜のV型プロトンポンプは分離・精製され，リポソームに埋込む実験が行われている．図11・14に示したように，V型プロトンポンプは二つの異なるドメインからなる．それらは細胞質側にある親水性ドメインV_1とリング状の膜貫通ドメインV_0である．V_1とV_0は3本の棒のような付属構造でつながれており，V_1とV_0はそれぞれ回転式モーターのように働く．V_1ドメインによるATP加水分解が両方のドメインの回転運動をひき起こし，H^+の膜透過をひき起こすことになる．より詳しく説明すると，ATP1分子の加水分解でV_1ドメインが構造変化を起こし120°回転する．V_1ドメインの回転はV_0ドメインのaサブユニットに対してV_0ドメインのcサブユニットを回転させるトルクを生じさせ，その結果，膜をH^+が通過するのである．

最近明らかになった，酵母の液胞にあるV型 ATPaseのV_0サブユニットのクライオ電子顕微鏡構造から，V_0によりどのようにH^+が膜を透過するのか分子的な情報が得られた．この構造では，膜の細胞質側に面したものと内腔側に面したものの二つの負に荷電したくぼみが見つかった．この二つのくぼみは，膜中心部分にある正に荷電したアミノ酸側鎖により隔てられている．細胞質側のくぼみから侵入したH^+は，保存されたグルタミン酸またはアスパラギン酸のプロトン化と脱プロトンのサイクルを繰返しながら液胞の内腔へと輸送される（図11・14b）．サブユニットの回転は，細胞質側への接続を切り，H^+をポンプの中に一時的に保持する．さらなる回転により液胞の内腔側にH^+が放出されることになる．

ABCタンパク質はさまざまな薬剤や毒素を細胞から排出する

現在，哺乳類においては約50個のABCタンパク質が知られており，それらの遺伝子変異は多くのヒト疾患と関連している（表11・3）．真核細胞では，ABCタンパク質は細胞膜のみならず，多くの細胞小器官の膜に存在している．いくつかは，自然の毒素や

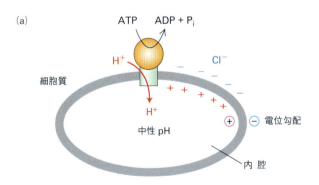

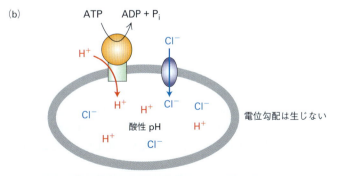

図11・13 細胞膜を挟むH^+濃度勾配と電位勾配に対するV型プロトンポンプの影響．(a) 細胞小器官膜にV型ポンプだけが存在している場合，H^+の輸送は細胞質側が負に，内腔側が正に荷電した膜電位を発生させてしまい，内部pHはほとんど変化しない．(b) もし細胞小器官膜にCl^-チャネルも存在すると，H^+輸送に伴い陰イオンも受動的に流入するので，内腔にH^+とCl^-が蓄積する（pHの低下）が膜電位は生じない．

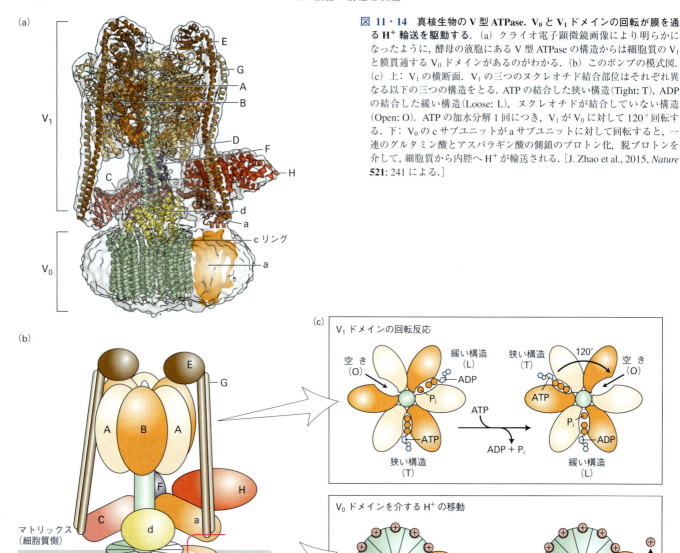

図 11・14 真核生物の V 型 ATPase. V_0 と V_1 ドメインの回転が膜を通る H^+ 輸送を駆動する．(a) クライオ電子顕微鏡画像により明らかになったように，酵母の液胞にある V 型 ATPase の構造からは細胞質の V_1 と膜貫通する V_0 ドメインがあるのがわかる．(b) このポンプの模式図．(c) 上: V_1 の横断面．V_1 の三つのヌクレオチド結合部位はそれぞれ異なる以下の三つの構造をとる．ATP の結合した狭い構造(Tight: T)，ADP の結合した緩い構造(Loose: L)，ヌクレオチドが結合していない構造(Open: O)．ATP の加水分解 1 回につき，V_1 が V_0 に対して 120°回転する．下: V_0 の c サブユニットが a サブユニットに対して回転すると，一連のグルタミン酸とアスパラギン酸の側鎖のプロトン化，脱プロトンを介して，細胞質から内腔へ H^+ が輸送される．[J. Zhao et al., 2015, Nature **521**: 241 による．]

老廃物が体外に排出される場である肝臓，腸，腎臓に多く発現している．これらの ABC タンパク質の基質は，糖，アミノ酸，コレステロール，胆汁酸，リン脂質，ペプチド，タンパク質，毒素そして外来物質が含まれる．ABCB1 の通常の機能は，さまざまな自然の，もしくは代謝により生成した毒素を，胆管や腸管に排泄したり，腎臓でつくられる尿中に排出することである．進化の過程で，ABCB1 はこれら内在性の毒素に近い構造をした薬物も輸送する機能を獲得したと考えられる．肝細胞がんなどの多剤耐性遺伝子を発現する種類の細胞から形成された腫瘍は，実質的にすべての化学療法剤に耐性であり，治療がむずかしいことがしばしば見受けられる．これは，おそらくこの腫瘍では ABCB1 や近縁の ABC タンパク質が多く発現してしまっているからである．

前述したように，非常に数が多く，多様性の高い膜輸送タンパク質である ABC スーパーファミリーに属する分子は，すべて二つの膜貫通ドメイン（TM）と，ATP が結合する二つの細胞質ドメイン（A）からなる（図 11・9）．TM ドメインはそれぞれ 10 本の α ヘリックスから構成され，膜を通過する基質の通り道を形成し（図 11・15a），ABC タンパク質の基質特異性を決めている．A ドメインのアミノ酸配列は，全スーパーファミリー内でおよそ 30〜40％の相同性があり，同一の祖先から進化してきたことを示唆する．

腫瘍細胞や培養細胞が化学構造の異なる複数の化学療法剤に対して耐性になることを調べていたときに，真核細胞で初の ABC タンパク質が発見された．こうした細胞が**多剤耐性輸送タンパク質**〔multidrug-resistance (MDR) transport protein〕を大量に発現していることがわかり，それらは当初 **MDR1** とよばれていたが，いまは **ABCB1** と名づけられている．このタンパク質は ATP 加水分

表 11・3 おもなヒトの ABC タンパク質

タンパク質	発現している組織	機能	タンパク質欠陥による病気
ABCB1 (MDR1)	多くの上皮, 血液脳関門	グルコシルセラミドや脂溶性薬物の排出	炎症性腸疾患
ABCB4 (MDR2)	肝臓	胆汁へのホスファチジルコリンの排出	
ABCB11	肝臓	胆汁への胆汁酸塩の排出	進行性家族性肝内胆汁鬱滞症
CFTR	外分泌組織	Cl^- の輸送	嚢胞性線維症
ABCD1	すべてのペルオキシソーム膜	超長鎖脂肪酸を酸化するペルオキシソーム内酵素の活性に影響を与える	アドレノロイコジストロフィー (ALD)
ABCG5/8	肝臓, 腸	コレステロールや他のステロールの排出	β-シトステロール血症
ABCA1	すべての組織	高密度リポタンパク質 (HDL) に送り込むためのコレステロールやリン脂質の排出	タンジール病
ABCA4	網膜	N-レチニルホスファチジルエタノールアミン	光受容細胞のシュタルガルト病 (若年性黄斑変性)
ABCA2	脳, 腎臓, 心臓, 肺	コレステロールの輸送	アルツハイマー病
ABCA3	肺	肺サーファクタント脂質の輸送	サーファクタント代謝障害 3 型
ABCA12	肺, 皮膚	脂質の輸送	ハーレクイン魚鱗癬
ABCB4	肝臓	長鎖ホスファチジルコリンの輸送	進行性家族性肝内胆汁鬱滞症 3 型
ABCC2	肝臓, 腎臓, 腸	ビリルビンと胆汁酸塩の輸送	デュビン-ジョンソン症候群
ABCD1	すべての組織	極長鎖脂肪酸の輸送	副腎白質ジストロフィー
ABCG5	肝臓, 腸	コレステロールと植物ステロールの輸送	シトステロール血症
ABCG8	肝臓, 腸	コレステロールと植物ステロールの輸送	シトステロール血症, 胆石

解のエネルギーを使い，かなり広い範囲の薬剤を細胞質から外へ排出する．多剤耐性になった細胞では，その *Mdr1* 遺伝子の重複がしばしば起こっていて，ABCB1 タンパク質が過剰に産生されている．四つの独立したサブユニットで構成される細菌の ABC タンパク質と異なり，哺乳類の ABCB1 はそれらすべてが融合して，170 kDa の一つのタンパク質となっている．

哺乳類の ABCB1 によって輸送される基質は平板状の脂溶性分子で，一つあるいは複数の正電荷をもっている．それらは輸送される際に競合するので，タンパク質の同じ部位あるいは重なり合う部位に結合するようだ．ABCB1 によって細胞外に輸送される多くの薬剤は，細胞外液から輸送タンパク質の助けなしに拡散により細胞膜を通り抜けて細胞質に入ってきたものである．ひとたび細胞内に入ると，それらはさまざまな細胞機能を妨害する．ある種のがん治療に使用されるコルヒチンとビンブラスチンはそうした薬剤で，微小管の重合を阻害する（18 章）．MDR1 が ATP のエネルギーを使ってそれらの薬剤を排出するので，細胞内の薬剤濃度は低くなる．したがって，ABCB1 を発現している細胞を殺すには，発現していない細胞を殺す場合に比べて非常に高濃度の薬剤を細胞外に処置する必要がある．ABCB1 が ATP に駆動される小分子ポンプであるということは，精製したこのタンパク質をリポソームに埋込んだ実験によって証明された．異なる薬剤がそのようなリポソームの ATPase 活性を用量依存的に亢進させたが，それは，薬剤の ABCB1 による輸送されやすさに相関していた．

相同的な細菌と真核生物の ABCB1 タンパク質から得られた ABCB1 の立体構造から，輸送のしくみや，親水性分子から疎水性分子まで広く結合し輸送できる理由が明らかになった（図 11・15）．2 個の TM ドメインが膜中央に結合部位をつくり，交互アクセスモデルに合うように，それは内側を向く構造（図 11・15b）と外側を向く構造（図 11・15c）とをとれる．その二つの構造間の変換は二つの A ドメインによる ATP 結合とその後の ADP と P_i への加水分解により駆動される．

ABCB1 の基質を結合するくぼみは大きい．このくぼみの表面にあるアミノ酸のいくつか（おもにチロシンとフェニルアラニン）は芳香族側鎖をもち，いろいろな種類の疎水性リガンドと結合できるようになっている．くぼみの他の部分の表面には親水性側鎖があり，親水性分子や両親媒性分子が結合できるようになっている．結合部位が内側を向いているときは，内部の水溶液に直面していて，親水性分子が細胞質から直接結合できるようになっている．さらに，このタンパク質には裂け目があり，膜二重層の内側リーフレットの疎水性部分とつながっている．これにより，疎水性分子はリン脂質二重層の内側リーフレットから直接結合部位に入ることができる（図 11・15b）．ATP に駆動され外向きの構造になると，結合していた分子は外側リーフレットあるいは細胞外溶液に直接出ていく（図 11・15c）．

最近，ヒトの ABCG2 について基質や ATP に結合した構造が明らかになり，この構造情報から ATP に駆動されてどのように基質が輸送されるのか，機構がより詳しくわかってきた（図 11・15d, e）．ABCG2 は乳がん耐性タンパク質（breast cancer resistance protein）としても知られ，その発現量は乳がんや他のがんの予後不良と相関している．基質輸送と ATP 加水分解の速度が低下した ABCG2 の変異体をうまく使った研究が行われ，輸送直前の内部に面して基質と結合している状態と，基質を輸送したあとに ATP と結合している状態について高解像度のクライオ電子顕微鏡画像が得られた．この結果から，このタンパク質は，内部に面している際は非常に大きな基質結合のくぼみがあり，外側に面する方向のくぼみは栓のような構造で止められ小さなものになっている．ATP の結合は A ドメインの α ヘリックスの回転をひき起こし，基質結合部位のくぼみを圧縮することで栓を通過して基質を外側のくぼみへ押出し，最終的に外へ基質を輸送する．はっきりしてはいないが，ATP の加水分解はこの輸送タンパク質がもとの内部に面した構造に戻るために必要だと考えられている．

図 11・15 多剤耐性輸送体 ABCB1(MDR1)の構造とリガンド輸送機構のモデル. (a) ABCB1 タンパク質が, 2 分子の薬剤類似物質 qz59-sss(黒)と結合している状態を中心部切断図から見ると, リガンド結合部位はリン脂質二重層の中央部であることがわかる. すなわち, リガンドが結合するくぼみは両リーフレットの境界面に近い. 輸送中, このくぼみは交互に膜の反細胞質側面と細胞質側面に向く. 289 番目と 290 番目のセリン残基が輸送体のリガンド特異性に影響を与える. それらのセリンが結合したリガンドのそばにあることを強調するため赤の球で示した. 表面の疎水性残基は黄, 親水性残基は青に色づけしてある. (b) リガンド結合部位が内側の細胞質に向いている ABCB1 の立体構造. この構造のとき, 親水性リガンドは細胞質側から直接結合できる. 疎水性リガンドは, 細胞膜の内側リーフレットに溶け込み, そこからタンパク質の裂け目を通って直接リガンド結合部位に入る. (c) リガンド結合部位が外側に向いた ABCB1 の構造モデル. これは, 類似した細菌の ABC タンパク質の構造をもとにつくられている. 輸送体がこの構造をとっていると, リガンドは外側のリーフレットに拡散していくか, 直接外液中に拡散していく. (d) クライオ電子顕微鏡により得られたヒト ABCG2 が ADP と結合し細胞質側に面している構造から, 細胞質側に基質が入り込むことのできる大きなくぼみがあることがわかる. (e) ATP 結合と活性に重要な Mg^{2+} が薄緑の球で示してある. 黄の球で示してある ATP が結合すると α ヘリックスの回転をひき起こし, 大きなくぼみが圧縮され, 基質が細胞の外側に放出される. [S. G. Aller et al., 2009, Science 323: 1718, PDB ID 3g61; I. Manolaridis et al., 2018, Nature 563: 426, PDB ID 6FEQ.]

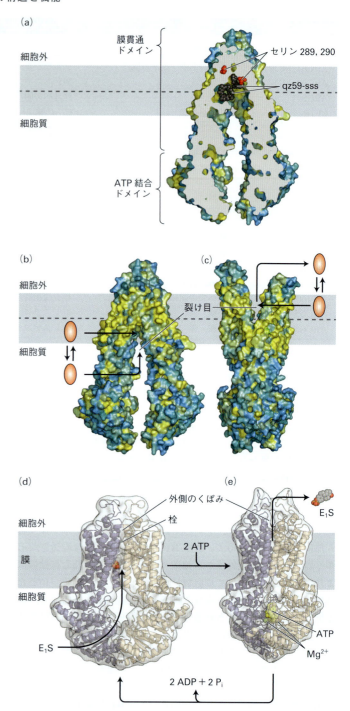

ある種の ABC タンパク質はリン脂質や他の脂溶性基質を一方のリーフレットから反対側のリーフレットへ"反転"させる

図 11・15 に示したように, ABCB1 や ABCG2 は疎水性あるいは両親媒性基質を膜の内側から外側リーフレットに "反転(flip)" させて移すことができる. この反応はエネルギー的には不利で ATPase 活性により駆動されるが, 細胞質側と反細胞質側の膜リーフレットにおけるリン脂質の非対称分布(10 章)や, 細胞膜間の脂質輸送に必要である. ABCB1 による輸送がいわゆるフリッパーゼ(flippase)型であることを支持する事実が ABCB4(以前は MDR2 とよばれていた)の解析から得られている. ABCB4 は, 肝細胞において胆汁を集める細い小管に面した細胞膜上に存在する. ABCB4 はホスファチジルコリンを細胞質側のリーフレットから反細胞質側リーフレットへ反転させる. このホスファチジルコリンは他の ABC 輸送体によって輸送されたコレステロールや胆汁酸と一緒に胆汁液中に放出される. ほかにもいくつかの ABC スーパーファミリーの仲間が, フリッパーゼとして ABCB1 と類似したやり方で細胞外への種々の脂質の輸送に関与している(表 11・3).

膜間における脂質の反転は, 真核細胞の小胞体や原核生物のペリプラズムにおいて, 糖タンパク質を産生するためにも必要である(13 章). この過程は, 糖タンパク質の産生に必要な親水性のオリゴ糖が疎水性の膜を横切って通過することを可能にする. オリゴ糖はまず細胞質側の長いポリイソプレノール膜脂質に付加され, 脂質結合糖鎖(lipid-linked oligosaccharide: LLO)ができる. LLO は小胞体内腔(原核生物の場合ペリプラズム)側の膜に反転され, 膜タンパク質や分泌タンパク質へとオリゴ糖が付加され糖タンパク質ができる. 最近, 食中毒を起こす細菌である Campylobacter jejuni から得られた LLO を反転させる二量体の ABC 輸送体について, 内側に向いた状態と, 外側に向いた状態の X 線結晶構造解析が報告された(図 11・16). これらの構造から脂質を反転する新しい機構が明らかになった(図 11・16d). はじめ, LLO の脂質部分が, フリッパーゼサブユニットの細胞外に面したヘリックスに結合する(段階❶). その結合により ADP が ATP に置き換えられ, 二量体が細胞外側に開いた構造になる(段階❷)ことで, LLO のオリゴ糖部分が輸送体の正電荷を帯びた孔に入り込む(段階❸). ATP の加水分解により二量体は細胞質側に開いた構造に戻り, LLO の糖鎖部分を膜の細胞外側に向けた状態で絞り出す(段階❹). その後, LLO の脂質部分はフリッパーゼから外れ, 膜の細胞質側に伸びる. このように, 輸送体は親水性である LLO のオリゴ糖部分を膜の疎水性領域から保護し, 膜の逆

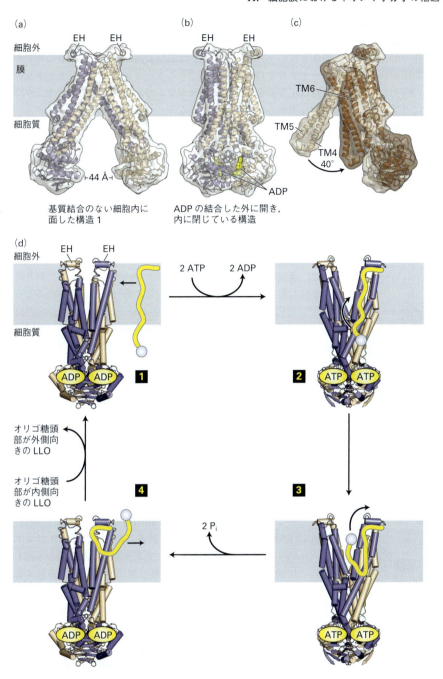

図 11・16 *Campylobacter jejuni* の ABC 輸送体は，脂質に結合したオリゴ糖を膜内で反転させる．(a) 細胞質に面している PglK ABC 輸送体の構造．大きなくぼみを細胞質側に向けているのがわかる．薄茶と紫でサブユニットが示されており，細胞外に面したヘリックス(EH) も示してある．(b) ADP が結合し，細胞質側のくぼみは閉鎖され，細胞外に面している構造．(c) 細胞質に面している構造(薄茶)が細胞外に面している(濃茶)になる際，立体構造の変化が起こる．(d) この反転機構のモデルでは，PglK のサブユニットは EH とともに薄茶と紫で模式的に描かれている．脂質に結合したオリゴ糖(LLO)の脂質尾部は黄で，オリゴ糖頭部は薄紫で示している．脂質尾部がまず EH と相互作用する(段階❶～❷)．ADP が ATP に置換されると，細胞外側のくぼみが開き(段階❷)，LLO の大きなオリゴ糖頭部が入ってくる(段階❸)．ATP の加水分解で細胞外側のくぼみが閉じられ，オリゴ糖頭部が送り出されてペリプラズムに放出される(段階❹)．その際，膜内では脂質尾部の向きが反転している．[C. Perez et al., 2015, *Nature* **524**: 433.]

方向に脂質を反転させるのである．

ABC 囊胞性線維症膜貫通調節タンパク質(CFTR)はポンプではなく Cl⁻ チャネルである

ABC タンパク質の欠陥に起因するヒトの遺伝病がいくつかある（表 11・3）．最も患者数が多い（頻度 1/2500) ものが囊胞性線維症（cystic fibrosis: CF) で，この病気は**囊胞性線維症膜貫通調節タンパク質**（cystic fibrosis transmembrane regulator: **CFTR，ABCC7** ともよばれる）をコードしている遺伝子に突然変異が起こると発症する．他の ABC タンパク質と同様に，CFTR も二つの膜貫通(TM) ドメインと二つの細胞質側 ATP 結合(A) ドメインをもつ．CFTR は，その他に細胞質側に調節(R) ドメインをもつ．R ドメインはタンパク質内の類似した半分の構造どうしをつなぎ，TM1-A1-R-TM2-A2 という構造をつくり上げる．CFTR はリン酸化と ATP の結合により開口し，電気化学的勾配に従う形で Cl⁻ を通すチャネルである．このタンパク質は肺，汗腺，膵臓などの上皮細胞の頂端側の膜に存在しており，このタンパク質に変異が起こると膜を介した Cl⁻ の輸送能が低下する．CFTR は汗腺細胞からの発汗で失われた Cl⁻ の再吸収に重要なので，囊胞性線維症の赤ちゃんをなめたとしたら，再吸収が阻害されているために"塩辛い"味がすることだろう．塩と水の恒常性が崩壊してしまっているので，時間が経つにつれて囊胞性線維症の患者は肺や他の組織に水分を失った粘液が蓄積し，慢性的な呼吸器感染や消化機能の障害が起こり最終的に臓器不全に陥る．

最近まで，われわれの CFTR チャネルの構造や機能に関する知識は，生化学的，生物物理学的実験や，CFTR タンパク質の一部

分のX線結晶構造解析から得られるものに限られていた．しかし，2017年にゼブラフィッシュおよびヒトの全長のCFTRチャネルの構造が，クライオ電子顕微鏡により高解像度で得られた（図11・17）．このチャネルはリン酸化とATPの結合で開閉が制御されていることはわかっていたが，開状態と閉状態のCFTRチャネルの構造を比較することにより，チャネルが開く際にリン酸化とATP結合でどのような構造変化が起こっているか明らかになった．チャネルの開閉制御は，プロテインキナーゼA (protein kinase A: PKA, 15章) による細胞質側にあるRドメインのリン酸化と，それにひき続く細胞質側にあるAドメインへのATPの結合という二つの過程により制御されていた．リン酸化されていない状態では，Rドメインがくさびのように膜貫通αヘリックスを隔てており，A1ドメインとA2ドメインは離れていて負電荷イオンチャネルはふさがれている．PKAによるリン酸化で，RドメインはA1とA2の相互作用部位から離れる構造変化を起こし，ATPの結合が起こると，二つのAドメインは結合し，細胞質側のチャネルの開きを狭め（閉じはしない），反細胞質側の開きは広げることでそのチャネルを負電荷が通過できるようになる．イオンチャネルの通路は正電荷をもつアミノ酸が並んでおり，負電荷のイオンが特異的に流れるようになっている．

囊胞性繊維症の約2/3はCFTRに起こった一つの突然変異が原因である．それはATPを結合するA1ドメインのPhe508の欠損（F508del）である．通常の体温では，この突然変異を起こしたタンパク質は正しく折りたたまれず，機能する場所である細胞膜へ移動することができない．おもしろいことに，この突然変異タンパク質を発現している細胞を室温（約25℃）で培養すると，突然変異タンパク質は正常に折りたたまれ，細胞膜へ移動し，野生型CFTRとほぼ同じように機能することができる．最近，囊胞性繊維症患者の突然変異タンパク質と結合して折りたたまれた形を安定化し，37℃でも正常に細胞膜へ輸送されるようにして症状を軽くできるいくつかの小分子が化学的に合成された．これらの分子は **CFTRコレクター**（CFTR corrector）とよばれ，一部のCFTRチャネルを細胞膜表面へ輸送させるだけなので，症状に対する効果も小さい．囊胞性繊維症患者の5%ではCFTRのGly551がAspに変わる変異があり（G551D），この場合，チャネルは正常に折りたたまれ，細胞膜に到達するが，ATP結合に不具合があってCl^-輸送が行えない．2012年にアイバカフトール（ivacaftor）というこの変異型チャネルを通るCl^-を増やせる小分子の薬剤が米国食品医薬品局（U.S. Food and Drug Administration: FDA）に承認され，この変異をもつ囊胞性繊維症患者の治療に使われている．この **CFTR強化剤**（CFTR potentiator）として知られる薬剤は，病気の原因となったタンパク質の分子的な理解を活かして生まれた個別治療の最初の成功例の一つである．最近，FDAはF508del型の囊胞性繊維症患者に対して，CFTRコレクターとCFTR強化剤であるアイバカフトールの併用療法を承認した．これは，変異型CFTRを細胞膜に到達させ，かつ通過するCl^-を増やすことになる．この薬剤の組合わせ方は，特別な遺伝子変異がどのように疾患につながるか詳しく分子レベルで理解することで可能になった薬剤併用療法の例証となっている．

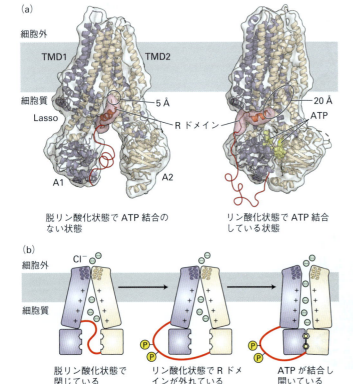

図11・17 囊胞性繊維症膜貫通調節タンパク質(CFTR)の構造と機能．(a) ヒトCFTRのリボン構造．左は脱リン酸化されATPと結合していない状態，右はリン酸化されATPと結合している状態．構造が解明されていない部分は細い赤線で，調節(R)ドメインの不定形な部分はピンクで示している．Rドメインがリン酸化されるとATP結合部位から離れ，そこにATPが結合して二つのATP結合ドメイン(A)が二量体化する．これにより細胞質側の開きは狭くなり，膜外側の孔を広げる．(b) CFTRの模式図．二量体のそれぞれのサブユニットを紫と薄黄で示してある．リン酸化されておらず，ATPが結合していないとき，赤線で示されたRドメインは二つのサブユニット間にくさびを打つように入り込んでいる．Rドメインのリン酸化により，Rドメインはそこから離れて，ATPが結合して二つのATP結合ドメイン(A)が二量体化する．二量体化すると，細胞質側の孔が狭まると同時に細胞外側の孔が広がり，電気化学的な勾配にしたがってCl^-が正電荷のアミノ酸で裏打ちされた孔を通過できるようになる．[Z. Zhang et al., 2017, *Cell* **170**: 483; Z. Zhang et al., 2018, *Proc. Natl Acad. Sci. USA*, **115**: 12757 参照．]

11・3　ATP駆動ポンプと細胞内イオン環境　まとめ

- ATP加水分解のエネルギーを使い，濃度勾配に逆らって物質を輸送する膜輸送タンパク質にはP型，V型，F型ポンプとABCタンパク質の4種類がある（図11・9）．
- 細胞膜のP型Na^+/K^+ ATPaseおよび細胞膜あるいは筋小胞体膜に存在するP型Ca^{2+} ATPaseが動物細胞の一般的なイオン環境をつくる．それは，細胞内はK^+が多くCa^{2+}とNa^+が少なく，細胞外液はNa^+とCa^{2+}が多くK^+が少ないというものである．
- P型ポンプでは，触媒αサブユニットのリン酸化とそれによる構造変化がATP加水分解とH^+，Na^+，K^+，あるいはCa^{2+}の輸送を共役させるために重要である（図11・10〜図11・13）．
- H^+だけを輸送するV型とF型のATPaseは大きく，多量体構造をもつ．膜貫通ドメインにH^+が通るチャネルがあ

- り，細胞質ドメインに ATP 結合部位がある．
- 動物のリソソーム膜やエンドソーム膜，そして植物の液胞膜に存在する V 型プロトンポンプは，それらの細胞小器官内部を周囲の細胞質に比べて低い pH に保っている（図 11・14）．
- V 型と F 型の ATPase は，回転モーターの機構を使って H^+ の膜輸送を行っている．
- 数が多く多様性に富む ABC スーパーファミリーに属するタンパク質はすべて四つの主要なドメインからなる．そのうちの二つは膜貫通ドメインで，溶質の通る通路を形成し，基質特異性を決定している．あとの二つは細胞質側にある ATP 結合ドメインである（図 11・15）．
- 多剤耐性輸送体 ABCB1 の二つの TM ドメインは膜平面の中央付近にリガンド結合部位をつくる．リガンドは細胞質から直接そこに結合することができ，膜の細胞質側リーフレットから ABCB1 タンパク質の裂け目を通ってそこに結合することもできる．
- 哺乳類の ABC スーパーファミリーには 50 種ほどのタンパク質（たとえば ABCB1, ABCA1）が含まれ，それらは毒素，薬剤，リン脂質，ペプチド，タンパク質などさまざまなものを細胞内外へ輸送する．
- 生化学的実験により ABCB4（MDR2）がリン脂質に対するフリッパーゼ活性をもつことが明らかにされた（図 11・16）．
- *Campylobacter jejuni* のフリッパーゼに対するクライオ電子顕微鏡解析により，ABC 輸送体を使って脂質結合糖鎖が膜を挟んで反転する新しい機構がわかった．
- ABC タンパク質である CFTR はイオンポンプではなく，Cl^- チャネルである．このチャネルはタンパク質のリン酸化と二つの A ドメインへの ATP の結合により開く（図 11・17）．
- CFTR の遺伝子変異は嚢胞性繊維症をひき起こす．これらの変異に焦点を当てて，CFTR コレクターや CFTR 強化剤といった小分子が嚢胞性繊維症患者の治療に使われている．

11・4 開閉調節を受けないイオンチャネルと静止膜電位

ここまで，濃度勾配に逆らってイオンを運ぶ ATP 駆動ポンプをみてきた．これらに加えて，細胞膜には生体内の主要なイオン（Na^+, K^+, Ca^{2+}, Cl^-）を通すチャネルタンパク質が存在し，濃度勾配に従ってそれらを運んでいる．イオンポンプとチャネルは協同して働き，細胞膜を挟んだ電位差を形成している．ATP 駆動ポンプが細胞膜を挟んでイオンの濃度勾配をつくり，その濃度勾配に従って，特異的なイオンチャネルを通ってイオンが移動する（図 11・3）．すべてのチャネルタンパク質は，膜貫通ドメインにイオンが膜を透過するための親水性通路または孔をもつ．その孔の大きさや，配置されているアミノ酸の組成によってどのイオンがそのチャネルを通るかが決まる．膜を通して特定のイオンだけを通過させる機能により，チャネルは膜を挟んだ電位差を厳密に制御する．

どんな細胞でも，その電位差は一般的に 60〜90 mV で，常に細胞膜の外側（反細胞質側）に対して内側（細胞質側）が負である．この値は膜の厚さがたった 3.5 nm であるということに気づかなければ，そう大きな値とは感じられないだろう．膜を挟んでの電圧勾配は $0.07 V/3.5 \times 10^{-7}$ cm，すなわち 200,000 V/cm なのである．高圧送電線の電圧勾配が 200,000 V/km であることを考えるとこの強さがよくわかるだろう．この値は膜での電圧勾配の $1/10^5$ なのである．

細胞膜を挟んでのイオン濃度勾配と膜電位は多くの生体反応において重要な役割を果たしている．15 章でより詳しく説明するが，前にも述べたように，細胞質の Ca^{2+} 濃度の上昇は重要な調節シグナルとなっている．たとえば，筋肉では収縮が起こり，膵臓における消化酵素の分泌など，多くの細胞でタンパク質分泌がひき起こされる．多くの動物細胞で，Na^+ の濃度勾配と膜電位が駆動力となって，等方輸送体や対向輸送体を介してアミノ酸や他の分子が濃度勾配に逆らって取込まれる（図 11・3，§11・5）．さらに，神経細胞における電気的信号の伝導・伝達も膜電位に応じて開閉するイオンチャネルにより行われる（23 章）．

ここでは，静止状態の非神経細胞における膜電位（しばしば**静止膜電位** resting membrane potential とよばれる）の起源について議論する．また，どのようにしてイオンチャネルが特異的なイオンだけを膜透過させるのか検討し，イオンチャネルタンパク質の機能特性を明らかにするうえで役に立つ実験手法について説明する．神経の電気的シグナルにおけるイオンチャネルの役割については 23 章で述べる．

イオンの選択的移動により膜を挟んでの電位差が生じる

細胞膜を挟んで電位差が生じることをわかりやすくするために，次のような簡単な実験系を考えてみよう．15 mM NaCl と 150 mM KCl を含む溶液（細胞質に対応，図 11・18a, 左）が，150 mM NaCl と 15 mM KCl を含む溶液（細胞外液に対応，図 11・8a, 右）と膜によって隔てられている．膜の両側に電位差が生じるかどうかをみるために電位差計が両方の溶液につけられている．最初は両方の溶液が同じ数の正電荷，負電荷イオンを含んでいる．もしこの膜がすべてのイオンを透過させないなら，図 11・18(a) のように膜をまたいだイオンの動きはなく，膜を挟んだ電位差（電気的勾配）も生じない．

ここで，膜が Na^+ と Cl^- を通さず K^+ だけを通すような K^+ チャネルタンパク質をもっているとすると（図 11・18b），K^+ はその濃度勾配に従って細胞質（左）から細胞外液（右）へと移動する．この際，負電荷をもつ水色の Cl^- はピンクの K^+ に比べて細胞質側（左）に多く残り，逆に細胞外液側（右）では余分な正電荷をもつ K^+ が Cl^- に比べて多く存在する．右側にある過剰な K^+ と左側にある過剰な Cl^- は，膜の片側の過剰な正電荷が反対側の過剰な負電荷によってひき寄せられるため，膜の近傍にとどまる．すると，そこに膜を挟んで左側（細胞質）が右側（細胞外液）に比べて負電荷を余分にもつという電荷の分離が起こり，電位差が生じる．

K^+ がさらにチャネルを通り抜けて移動すると電荷の差（電位）はもっと増すが，右側（細胞外液）に蓄積した正電荷による反発と左側（細胞質）で強くなっていく負電荷の引力によって最終的にその動きは阻害される．K^+ を移動させる二つの相反する要因

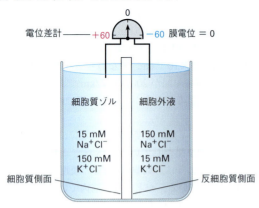
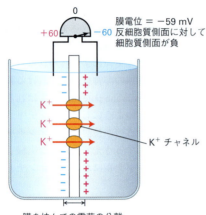
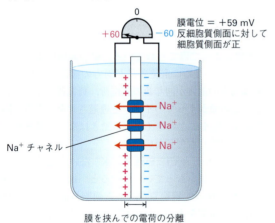

図 11・18（実験）　半透膜をイオンが選択的に移動すると膜を挟んで電位が生じる．この実験系では，細胞質を模した 15 mM NaCl/150 mM KCl 溶液（左）と，細胞外液を模した 150 mM NaCl/15 mM KCl 溶液（右）が膜で隔てられている．これらのイオン濃度はそれぞれ実際の細胞質と血液に近い．もし，この膜がすべてのイオンを通さない場合 (a) は，どのイオンも膜を透過しないので，両液をつないだ電位差計の読みは 0 である．膜が K^+ だけ (b)，あるいは Na^+ だけ (c) を選択的に透過させる場合は，それぞれのチャネルを通ってイオンが移動し，膜を挟んで電荷の分離が生じる．平衡状態になったとき，電荷の分離による膜電位は電位差計に示されているようにネルンストの式で求められる平衡電位 E_K あるいは E_{Na} となる．(b) と (c) では，K^+ あるいは Na^+ は赤の + で表され，Cl^- は青の − で表されている．詳細は本文参照．

である膜電位と濃度勾配が釣合うところでこの系は平衡状態になる．平衡状態では見かけ上 K^+ の移動は起こらない．このように，すべての生体膜と同様に，この膜はコンデンサーのように働く．コンデンサーとは電導性のない物質からなる薄いシート（膜の疎水性内部に対応）を両面から電導性のある物質（リン脂質の親水性頭部やまわりの溶液中のイオンに対応）が挟むという構造になっていて，片側に正電荷，逆側に負電荷をたくわえる装置である．

膜が K^+ だけを通すとき，平衡状態において観測される膜電位は K の平衡電位 E_K と等しくなる．E_K の値は物理化学の基礎原理から導かれるネルンストの式（Nernst equation）によって求められる．

$$E_K = \frac{RT}{ZF} \ln \frac{[K_{右}]}{[K_{左}]} \quad (11・2)$$

ここで，R（気体定数）は 8.28 J/(deg・mol)，T（ケルビンで示される絶対温度）は 20 ℃ のとき 293 K，Z（電荷の数または原子価）は K^+ の場合 +1，F（ファラデー定数）は 96,500 クーロン/(mol・V) である．$[K_{左}]$ と $[K_{右}]$ はそれぞれ平衡時における左側と右側の K^+ 濃度である．慣習として電位は反細胞質側に対する細胞質側の値で表されるので，式においては反細胞質側（ここでは膜の右側）のイオン濃度を分子に，細胞質のイオン濃度を分母に入れる．

室温 20 ℃ では，(11・2) 式は次のように簡略化できる．

$$E_K = 0.059 \log_{10} \frac{[K_{右}]}{[K_{左}]} \quad (11・3)$$

もし図 11・18(b) のように K^+ 濃度に 10 倍の差があるとすると，$[K_{右}]/[K_{左}] = 1/10$ となり，$E_K = -0.059$ V (-59 mV) となる．この場合は左の細胞質側が右の反細胞側に対して負である．

もし膜が Na^+ だけを透過させ，K^+ や Cl^- は透過させないとすると，そのときの Na の平衡電位 E_{Na} は以下のようになる．

$$E_{Na} = 0.059 \log_{10} \frac{[Na_{右}]}{[Na_{左}]} \quad (11・4)$$

膜電位差は同じ（濃度差が 10 倍のとき 59 mV）であるが，この場合は左の細胞質側が右の細胞外液側に対して正となっていて（図 11・18 c），K^+ だけが透過できる場合と極性が逆である．

動物細胞の静止膜電位は開口している K^+ チャネルを通り外に抜ける K^+ にほぼ依存している

動物細胞の細胞膜には開いた K^+ チャネルが多く，Na^+, Cl^-, および Ca^{2+} チャネルの開いたものはほとんど存在しない．その結果，細胞膜では K^+ だけが濃度勾配に従って内側から外側に動くこととなる．これは図 11・18(b) で示した実験系とよく似た状態で，細胞膜の細胞質側に負の電荷が残り，反細胞質側に正の電荷が蓄積する．この K^+ の外側への流れが，内部が負の膜電位を形成するおもな要因である．この K^+ の外側への流れを担う**静止 K^+ チャネル**（resting K^+ channel）とよばれるチャネルも他のチャネルと同様に開状態と閉状態を行き来するが（図 11・3），この開閉は膜電位や低分子量シグナル伝達分子などによって影響を受けないので，**開閉調節を受けないチャネル**（nongated channel）とよばれる．それに対して，23 章に出てくる神経細胞やその他の興奮性

細胞に発現するさまざまな開閉調節を受けるチャネルは，特定のリガンドが結合したときや膜電位が変化したときだけ開く．

定量的にいうと，通常細胞の約 $-60\,\mathrm{mV}$ という静止膜電位は，細胞内外の K^+ 濃度（表 11・2）とネルンストの式から計算される平衡電位に近い（一方で，細胞が異なれば静止膜電位が $-90\sim-60\,\mathrm{mV}$ まで変わることにも注意）．しかし，一般的な静止膜電位は，少数の開いている Na^+ チャネルがあるため，K^+ チャネルだけ開いているとしてネルンストの式で計算した値より少し正方向（絶対値が減る方向）にずれる．これは，Na^+ チャネルから細胞内に流入した Na^+ が細胞膜の細胞質側に正電荷を与えることを考えれば理解できる．

K^+ の濃度勾配がない限り勝手に K^+ が細胞外に流れ出すことはない．静止 K^+ チャネルを通って K^+ を動かす原動力である K^+ の濃度勾配は前に述べた Na^+/K^+ ATPase によって生じたものである（図 11・4，図 11・12）．このポンプが存在しなかったり阻害されたりすると，K^+ の濃度勾配が維持できなくなるので，膜電位は失われて 0 になり，最終的に細胞は死ぬ．

動物細胞の細胞膜の膜電位形成には静止 K^+ チャネルが主要な役割を果たしているが，細菌，植物，および真菌類では違っている．植物と真菌類の細胞における内側が負の膜電位は，ATP に駆動されるプロトンポンプが正電荷をもった H^+ を細胞外へくみ出すことで形成される．これは Cl^- チャネルがない場合にリソソーム膜で起こる現象と似ている（図 11・13a）．H^+ は細胞からくみ出されるが Cl^- が残るので，膜を挟んで電位勾配（細胞質側が負）が生じる．好気性細菌の内側が負の膜電位は電子伝達による H^+ のくみ出しによる．この過程は 12 章で詳しく解説するミトコンドリア内膜での H^+ くみ出しと似ている（図 12・19 参照）．

細胞の膜を挟んでの電位は微小電極を細胞内に挿入し，細胞外液に入れた参照電極との間の電位差を測ることにより知ることができる（図 11・19）．ほとんどの動物細胞の膜電位は時間が経っても変化しない．それに対して，神経細胞や筋細胞のような電気的に活発な細胞は，23 章で述べるように，制御された膜電位変化を示す．

イオンチャネルは分子レベルの選択フィルターにより特定のイオンに対して選択的である

すべてのイオンチャネルは特定のイオンに対する特異性を示す．K^+ チャネルは類似した Na^+ でさえ通さず，K^+ のみを通すし，逆に，Na^+ チャネルは K^+ は通さず Na^+ だけを通す．K^+ チャネルはその構造と機能に基づき以下の四つのクラスに分けられる．タンデムポア型 K^+ チャネル（常に開いており，静止 K^+ チャネルが一例である），リガンド依存性 K^+ チャネル，内向き整流性 K^+ チャネル（正電荷の K^+ を内向き，つまり細胞内側方向に輸送しやすい性質をもつ）と，電位依存性 K^+ チャネル（23 章で，神経の電気的シグナル伝達における役割に関連して述べる）である．すべての K^+ チャネルは脂質二重膜を貫通するヘリックスをもち，孔を形成するドメインと調節ドメインに分けられる．K^+ は孔を形成するドメインを通過し，調節ドメインは異なる刺激に応答してその孔を開いたり閉じたりする．K^+ チャネルのクラスごとに，調節ドメインは異なっているが，孔を形成するドメインはすべての K^+ チャネルで類似している．

ある細菌の K^+ チャネルの立体構造が解明されたことにより，K^+ チャネルの精巧なイオン選択性がどのように達成されているのかはじめてわかった．この機構は，近年明らかになってきている多くの細菌や真核生物の K^+ チャネルにも保存されていることもわかっている．すべての K^+ チャネルについて，イオン選択性をつくり出す構造的特性が類似していることから，おそらく，すべての K^+ チャネルは 1 種類のチャネルタンパク質から進化してきたと思われる．

他の K^+ チャネルと同様，細菌の K^+ チャネルは同一サブユニット 4 個からなり，それらが中央の孔のまわりに対称に配置されている（図 11・20a, b）．各サブユニットは 2 個の膜貫通 α ヘリックスと短い P (pore) セグメントを含み，P セグメントは反細胞質側から部分的に膜二重層内に入り込んでいる．四量体 K^+ チャネルでは 8 個（各サブユニットから 2 個ずつ）の膜貫通 α ヘリックスが逆向き三角錐をつくるように配置され，チャネルの中央に，膜の中ほどから細胞質に達する**前室**（vestibule）とよばれる水にみたされた空間をつくっている．この前室のすぐ上の反細胞質側面近くの孔は P セグメントの一部であるループが 4 個張り出して狭くなっており，そこが実質的な**イオン選択フィルター**（ion-selectivity filter）になっている．

P セグメントがイオン選択に関与することを示唆する証拠が複数あがっている．第一に，すべての K^+ チャネルの P セグメントのアミノ酸配列は高い相同性を示し，それは他のイオンチャネルのものとは異なっている．第二に，この P セグメントの特定のアミノ酸を変異させると，チャネルが K^+ と Na^+ を区別する性能が変化する．最後に，細菌 K^+ チャネルの P セグメントを哺乳類 K^+ チャネルの相同部位で置き換えたキメラタンパク質をつくっても，K^+ と他のイオンとを区別する能力に変化はなかった．このように，すべての K^+ チャネルは K^+ と他のイオンとを区別するのに同じしくみ（P セグメントによる選択）を使っていると考えられている．

知られているすべての K^+ チャネルの P セグメントには，相同

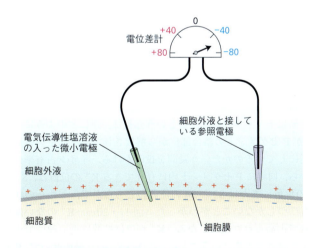

図 11・19（実験） 生細胞の細胞膜を挟んだ電位を測定できる．非常に細いガラス管内に電気伝導性液体として KCl 溶液をみたしてつくった微小電極を，電極のまわりが細胞膜で密封されるように細胞に刺す．細胞外液には参照電極をおく．この二つの電極の間に電位計を入れ測定すると，この場合細胞質側が負となる $-60\,\mathrm{mV}$ という値が得られる．電位差は微小電極が細胞内に挿入されたときだけ観測でき，微小電極の先が細胞外液中にあるときには電位差は観察されない．

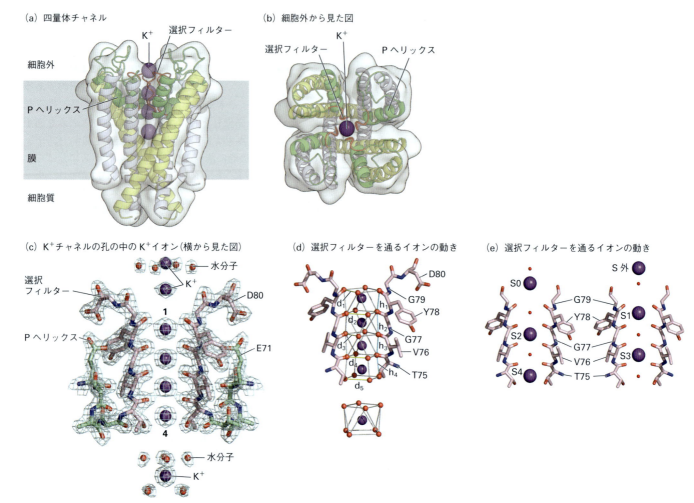

図 11・20 細菌 *Streptomyces lividans* の静止 K$^+$ チャネルの構造．すべての K$^+$ チャネルタンパク質は同一のサブユニットからなる四量体で，各サブユニットは 2 本の保存された α ヘリックスと，短い P(pore) セグメントをもつ．開閉機構をもつ K$^+$ チャネルの場合には，23 章で触れるように余分な α ヘリックスをもつ．(a) 横からみた KcsA (K channel of streptomyces A) という K$^+$ チャネルの構造．個々の単量体は，二つの膜貫通 α ヘリックスをもち紫の球で示される K$^+$ を選択的に通す孔を構成する．(b) 4 回対称を示すチャネルを細胞外から見た図．中心の孔に一つの K$^+$ がある．(c) 向かい合った二つのサブユニットの電子密度図．カルボニル酸素原子 (赤) が突き出して K$^+$ に配位している様子がわかる．(d) 四つの Thr-Val-Gly-Tyr-Gly という保存されたアミノ酸配列が選択フィルターを構成している．負に荷電したカルボニル基が水和水の外れた K$^+$ を安定化し，K$^+$ が一列に孔を通過できるようになっている．(e) K$^+$ は通過の際に S2 と S4 にある状態か，S1 と S3 にある状態のどちらかの状態にある．このとき空いている部位には赤の球で示した水分子が入っている．[Y. Zhou et al., 2001, *Nature* **414**: 43, PDB ID 1k4c; D. Naranjo, 2016, *J. Gen. Physiol.* **148**: 277; Q. Kuang et al., 2015, *Cell. Mol. Life Sci.* **72**: 3677.]

的な位置に Thr-Val-Gly-Tyr-Gly という一連のアミノ酸配列 (一部のチャネルでは Tyr が Phe になっている) が存在し，この部分の主鎖のカルボニル酸素原子が Na$^+$ よりも K$^+$ を通すという K$^+$ チャネルの選択フィルターの性質をおもに担っている．K$^+$ が選択フィルターに入ると，四つの隣り合ったサブユニットから出ている四つの P セグメントのフィルター配列の間の狭いスペースを通る．そこでは，K$^+$ は自身を取巻く八つの水和水を失い，その代わりに全く同じ配置で提供されている Thr-Val-Gly-Tyr-Gly 配列の主鎖のカルボニル酸素原子と結合する．八つのカルボニル酸素原子はチャネルに配置された四つの P セグメントの張り出したループから二つずつ提供されている (図 11・20c, d)．これらのカルボニル酸素原子は等間隔に並んだ四つの K$^+$ 結合部位を形成し，実際に四つの K$^+$ が結合する．このタンパク質から提供された酸素原子は，水和水の酸素原子を模倣しているため，水溶液から K$^+$ がチャネルに入る際の活性化エネルギーを低くすることができる．

容易にチャネル内に入れるという知見は，逆にどのようにして K$^+$ が P セグメントの結合部位から解放されて，すばやい輸送を可能にしているのかという疑問を投げかける．イオン占有率の解析から，同時に P セグメント内に存在できる K$^+$ の位置は，S1 と S3 の位置，または S2 と S4 の位置のどちらかで，どちらの状態でも二つしかないことがわかった (図 11・20e)．K$^+$ のない部位は水で占められた空席となる．K$^+$ がほぼ拡散に近い速度でチャネルを通過できるということは，二つの K$^+$ の反発のせいで，P セグメントの結合部位と K$^+$ の結合は弱くなり，そのおかげで孔の通過速度が速くなっていると考えられる．

Na$^+$ は K$^+$ より小さい．K$^+$ チャネルはどのようにしてより小さな Na$^+$ を通さずに K$^+$ を通すことができるのだろう．この問に対する答えは単純かつ美しい．選択フィルターのカルボニル酸素は，Na$^+$ が水溶液中で取囲まれている八つの水和水と同じ配置をし

ているが，水和水を失ったNa⁺の大きさは，これらすべてのカルボニル酸素原子に結合するには小さすぎるのである．そのためNa⁺はフィルター内に入るより水分子に囲まれていたほうが安定なので，チャネルを通り抜けるときに必要な活性化エネルギーは高くなってしまう（図11・21a, 右）．この活性化エネルギーの違いのため，K⁺はNa⁺に比べて1000倍このチャネルを通りやすい．Na⁺と同様水和水を失ったCa²⁺はK⁺より小さいので，選択フィルターの酸素原子とうまく相互作用できない．また，Ca²⁺は正電荷を2個もちNa⁺やK⁺より水分子の酸素原子を強く引きつけるので，Ca²⁺から水和水をはぎ取るにはNa⁺やK⁺に比べると大きなエネルギーが必要となる．

細菌の電位依存性Na⁺チャネルの立体構造は2011年末にはじめて解明された．その構造から，Na⁺チャネルはK⁺チャネルよりも少し大きな選択フィルターをもつことがわかり，Na⁺の場合水和水を外さずに付けたままチャネルを輸送されることがわかった（図11・21b）．複数の真核生物の電位依存性Na⁺チャネルの構造が近年明らかにされている，23章では，神経の電気的シグナルにおけるそれらの構造と機能についてもう少し詳しく述べる．

パッチクランプ法により 1個のチャネルを通るイオンの流れを測定できる

ほとんどの細胞では，細胞膜の1 μm²中には1あるいは2～3個のイオンチャネルしか存在しないので，**パッチクランプ法**（patch clamping）とよばれる手法を使うと単一イオンチャネル内のイオンの動きを記録できる．この技術により，チャネルが開閉する頻度と特定のイオンがチャネルを流れる速度を測定できる．図11・22(a), (b) に示すように，細いガラスピペットを吸引により細胞表面に密着させると，電極の先端が囲んでいる膜の小領域内には1あるいは2～3個のイオンチャネルしか存在しない．この膜の小領域（パッチ）を流れる電流は，これらのチャネルを通り抜ける

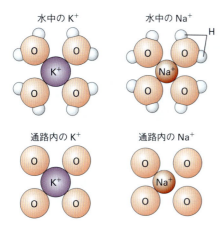

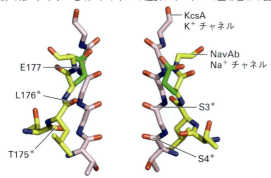

図 11・21 **静止K⁺チャネルの選択性と輸送機構**．(a) 溶液中で水和しているK⁺とNa⁺，およびK⁺チャネルの孔内のK⁺とNa⁺を模式的に描いた図．K⁺が選択フィルターを通るとき，配位している水を失うが，主鎖の8個のカルボニル酸素原子がそこに配位する．図にはそのうちの4個を示した．これらはチャネルの内壁を覆っている各Pセグメントのなかで保存性の高いアミノ酸残基の一部分である．K⁺より小さなNa⁺は，水分子の囲みがより小さいため，チャネルのカルボニル酸素原子と完璧に配位できないので，チャネルを通り抜けることはほとんどない．(b) ピンクで示したKcsA K⁺チャネルと，黄で示したNavAb (Nav of Arcobacter butzleri) という電位依存性Na⁺チャネルの選択フィルター部分を重ね合わせた図．NavAb Na⁺チャネルの選択的孔はKcsA K⁺チャネルのものに比べてより幅広く，短い．〔C. Armstrong, 1998, *Science* **280**: 56; R. F. Stephens et al., 2015, *Front. Phsiol.* **6**: 153 参照．〕

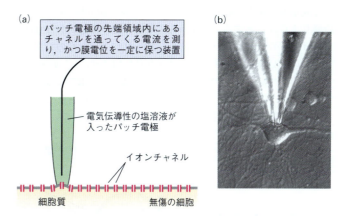

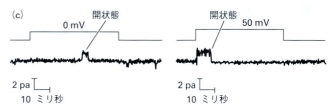

図 11・22（実験） パッチクランプ法により，個々のイオンチャネルを流れる電流を計測できる．(a) 生細胞の細胞膜にある個々のイオンチャネルを流れる電流を測定する基本的な実験方法．電気伝導性の生理食塩水が内部にみたされているパッチ電極を少し陰圧にしながら細胞膜に接触させる．直径0.5 μmの電極の先端が接する膜領域には，1個あるいはせいぜい2～3個のイオンチャネルしか存在しない．記録装置は，このパッチ膜内にあるイオンチャネルを通る電流だけを測定できる．(b) 培養神経細胞の細胞体と，その細胞膜に接しているパッチ電極の先端の光学顕微鏡写真．(c) 単一の電位依存性K⁺チャネルの活性を測定したパッチクランプ法の実験から得られた電流トレース．上は単一の電位依存性K⁺チャネルが含まれる膜に与えられた電位変化．最初，膜は負の電位に固定され，その後膜電位は0 mV（左）または+50 mV（右）に固定される．下の電流トレースは，K⁺チャネルの開口の増加で，閉鎖を急激な電流の低下で示している．膜がより脱分極した+50 mVの場合，0 mVの脱分極に比べて電流の量が多く（開いている時間が長い），よりすばやくチャネルが開いている〔電位変化から電流変化までにかかる時間が短い（より左で電流が流れる）〕．〔(b)はJ. Achiro提供．(c)はW. N. Zagotta et al., 1988, *J. Neurosci.* **8**: 4765 による．〕

イオンの流れである．電流測定機器がこのチャネルを通るイオンの流れを電流として検出する．通常，このイオンの流れはチャネルが開いたときに小さな突発波として観察される（図11・22c）．この電子機器は膜を挟む電位をあらかじめ設定された値に保とう（クランプ）として，電流を流すので（したがってパッチクランプとよばれる），内側あるいは外側に向かって膜パッチを通り抜けるイオンの動きは，それにより生じる電位差を打消して，設定した膜の電位を保つために必要な電流値から測定できる（図11・22a）．

卵母細胞発現系とパッチクランプ法を用いて新規イオンチャネルの性質を調べることができる

図11・22(c)に示した電流トレースは電位依存性K^+チャネルの機能を解析するために単一チャネルパッチクランプ法を行ったものである．この種のK^+チャネルは神経の興奮性や，心筋の活性の制御などさまざまな生理機能に重要である．ここでは一つのK^+チャネルを含む膜の一部が，まず負の膜電位（K^+チャネルが閉じる電位）に固定されており，その後，膜を挟む電荷を逆転させて膜が脱分極する電位に固定されたとする．脱分極の電位は，2段階与えられたとする．すなわち，最初は負の膜電位から 0 mV に上げたもの，次は負の膜電位から 50 mV に上げたものである．どちらの脱分極もチャネルを約7ミリ秒開口させ，K^+ が細胞外に流れ出している．この単一チャネルを通過した K^+ の流出は，図11・22(c)において一過性の電流の増加で可視化されており，この実験の結果は，測定したチャネルの電位依存性について以下のことを物語っている．脱分極が弱い場合（0 mV のとき）に比べて強い場合（50 mV のとき）は，チャネルがより早く開口し，より多くの K^+ が流れ出している．

病原遺伝子のクローニングやヒトゲノムの塩基配列決定により，多くのイオンチャネルと思われる遺伝子が同定され，そのなかには K^+ チャネルタンパク質と思われるものが 79 個，Na^+ チャネルタンパク質と考えられるものが 23 個もある．それらのタンパク質の性質を調べるための方法の一つとしてクローン化された cDNA を無細胞系で転写して，その mRNA をつくることがあげられる．この mRNA をカエル卵母細胞に注入し，新たに合成されてきたチャネルタンパク質をパッチクランプ法で測定することにより，しばしばその機能が明らかになる（図11・23）．この実験系は非常に有用である．なぜなら，カエル卵母細胞は通常チャネルタンパク質を発現していないので，膜に出現するのは調べようとしているチャネルタンパク質だけとなるからである．さらに，カエル卵母細胞は大きいので，ほかの小さな細胞で行うよりパッチクランプ実験がやりやすい．

11・4 開閉調節を受けないイオンチャネルと静止膜電位 まとめ

- すべての細胞の細胞膜には内側が負となる膜電位が存在する（大きさは $-90 \sim -60$ mV）．
- 膜をイオンが選択的に通り抜けるときに生じる膜電位はネルンストの式で計算できる〔(11・2)式〕．
- 動物細胞の静止膜電位は，ATP 駆動 Na^+/K^+ ポンプがつくる膜を挟んだ Na^+ と K^+ の濃度勾配と，静止 K^+ チャネルがその濃度勾配に従って選択的に K^+ を細胞外液に出すという複合的な作用により生じる（図11・4）．
- 種々のシグナルに応じて開閉する他の多くのイオンチャネルとは異なり，開閉調節を受けない静止 K^+ チャネルは常に開いている．
- 植物や真菌類においては，ATP 駆動ポンプが H^+ を細胞質から細胞外へ放出することにより膜電位が維持されている．
- K^+ チャネルは同一のサブユニット 4 個から構成されていて，それぞれのサブユニットは少なくとも 2 個の保存された膜貫通 α ヘリックスとヘリックスを構成しない P セグメントをもつ．P セグメントは，イオンの通路を内張りし，選択フィルターを形成する（図11・20）．
- K^+ チャネルタンパク質のイオン特異性は，おもに水和水を外された K^+ と，P セグメントの特定のアミノ酸残基の 8 個のカルボニル酸素原子の結合で規定されている．この結合により K^+ が通過する際の活性化エネルギーは Na^+ や他のイオンが通過する場合に比べて低くなっている（図11・21）．
- Na^+ チャネルの孔は K^+ チャネルのものに比べて大きく，部分的に水和された Na^+ を通過させている．
- 単一チャネルを通るイオンの動きを測定できるパッチクランプ法により，チャネルのイオン透過性や，いろいろな薬剤がイオンチャネルの活性に及ぼす影響を調べることができる（図11・22）．
- 組換え DNA 手法とパッチクランプ法を使うと，カエルの卵母細胞の中でチャネルタンパク質を発現させ，その機能を調べることができる（図11・23）．

図 11・23（実験） 卵母細胞でチャネルタンパク質遺伝子を発現させると，正常なものと突然変異を起こしたものの活性を比較できる．カエルの卵胞をコラゲナーゼで処理し，卵母細胞のまわりの卵胞細胞を除去して，被膜のない卵母細胞にする．そこへ調べたいチャネルタンパク質の mRNA を微量注入する．[T. P. Smith, 1988, Trends Neurosci. 11: 250 による．]

1. 調べたいチャネルタンパク質をコードしている mRNA を微量注入する
2. 合成されたチャネルタンパク質が細胞膜へ移動するまで 24〜48 時間インキュベートする
3. パッチクランプ法によりチャネルタンパク質の活性を測定する

11・5 等方輸送体と対向輸送体による共輸送

ここまでの節で，ATP駆動ポンプがどのように細胞膜を挟んでK⁺濃度勾配をつくり，K⁺チャネルがどのようにその濃度勾配を利用して細胞膜の膜電位を形成するかということをみてきた．本節では，共輸送体がどのように膜電位やNa⁺やH⁺の濃度勾配としてたくわえられたエネルギーを使って，濃度勾配に逆らってグルコースやアミノ酸のような小さな有機物あるいは他のイオンを移動させるのかということをみていこう．こうした**共輸送**（co-transport）の重要な点は，どちらの分子も単独では動けず，両者が一緒に動くこと，すなわち**共役**（coupling）が必須ということである．

共輸送体はある面でGLUTタンパク質のような単一輸送体と似ている．これら二つの輸送体には構造上類似性があり，同じような速度で輸送を行い，基質を輸送するたびに一連の構造変化を繰返す．両者の違いは，単一輸送体は熱力学的に有利な濃度勾配に従う輸送しかできないが，共輸送体はエネルギー的に有利な輸送を，別の物質の濃度勾配に逆らう不利な輸送と共役させることができるという点である．

輸送されるべき分子と共輸送イオンが，同じ方向に移動する場合を**等方輸送**（symport）とよび，移動が反対方向の場合を**対向輸送**（antiport）とよぶ（図11・3）．共輸送体には，正電荷をもつイオン（陽イオン）のみを輸送するものや，負電荷をもつイオン（陰イオン）のみを輸送するものがある．また，陽イオンと陰イオンを共輸送するものも存在する．こうした共輸送体は細菌から動植物まであらゆる生物に存在する．本節では生理的に重要ないくつかの等方輸送体や対向輸送体の作動原理や機能について説明する．

哺乳類細胞にNa⁺が入ることは熱力学的に有利である

哺乳類細胞は多くの種類のNa⁺と共役した等方輸送体を発現している．ヒトゲノムには，膜電位とNa⁺濃度勾配にたくわえられたエネルギーを利用して，濃度勾配に逆らってさまざまな種類の分子を細胞内に輸送する輸送体遺伝子が何百もある．こうした輸送体が，かなりの濃度勾配に逆らって物質を細胞内に濃縮させることを理解するために，まずNa⁺が細胞に流入する際の自由エネルギー変化 ΔG を計算してみよう．前に述べたように，イオンが選択的透過性を示す膜を通り抜けて移動するときには，膜電位とそのイオンの濃度勾配という二つの力が鍵を握っている．それらを合わせた力が電気化学的勾配となる．あるイオンが膜を輸送される際の自由エネルギー変化 ΔG を計算するには，それぞれの力を独立に考慮しなくてはならない．

たとえば，Na⁺が細胞の外から内へ移動するとき，Na⁺濃度勾配から計算される自由エネルギー変化は次式で表される．

$$\Delta G_\text{c} = RT \ln \frac{[\text{Na}^+_\text{内}]}{[\text{Na}^+_\text{外}]} \quad (11 \cdot 5)$$

Na⁺内とNa⁺外の値として図11・24に示す多くの哺乳類細胞に典型的な値を用いると，Na⁺ 1 molが細胞の外から内に移動したときの濃度勾配に起因する ΔG_c は膜電位を無視すれば -6067 Jとなる．自由エネルギー変化が負ということは，Na⁺の濃度勾配に従う細胞内への動きは自発的に起こることを意味している．

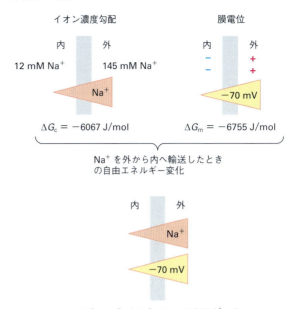

図11・24 膜を隔ててNa⁺に働く力． 他のすべてのイオンと同様に，細胞膜を通るNa⁺の動きはイオン濃度勾配と膜電位という二つの独立した力によって支配されている．典型的哺乳類細胞における細胞内外のNa⁺濃度では，ふつうこの二つの力は同じ方向に作用し，Na⁺の細胞内への移動がエネルギー的に有利になる．

一方，膜電位による自由エネルギー変化は

$$\Delta G_\text{m} = FE \quad (11 \cdot 6)$$

となる．ここで，F はファラデー定数〔$=96{,}500$ J/(mol・V)〕，E は膜電位である．E が -70 mVだとするとNa⁺ 1 molが細胞の外から内に移動したときの膜電位に起因する ΔG_m はNa⁺濃度勾配を無視すれば -6755 Jとなる．両方の力がNa⁺に働くので，ΔG の総量は両方の値の和となる．

$$\Delta G = \Delta G_\text{c} + \Delta G_\text{m} = (-6067) + (-6755) = -12{,}822 \text{ J/mol}$$

この例では，Na⁺の膜輸送に関して，Na⁺濃度勾配と膜電位がほぼ同程度 ΔG に貢献している．ΔG が負なので，細胞内へのNa⁺の流入は熱力学的に有利である．次項で述べるが，哺乳類細胞ではこのNa⁺の流入によるエネルギーが他のイオンや，いくつかの小分子の濃度勾配に逆らった細胞内外への移動のために使われている．開閉調節のあるNa⁺チャネルを通って入ってくる速くてエネルギー的に有利なNa⁺の移動は，23章で解説する神経や筋細胞における活動電位の発生にとっても欠かせない．

動物細胞ではNa⁺との等方輸送により，高い濃度勾配に逆らってグルコースやガラクトースなどの糖や，アミノ酸が取込まれる

ほとんどの体細胞は，GLUTタンパク質を使い，血液中のグルコースを濃度勾配に従って取込む．しかし，いくつかの細胞では，かなり大きな濃度勾配に逆らって細胞外からグルコースを取込む必要がある．たとえば，小腸や腎尿細管などの内腔に面した細胞では細胞内のほうがグルコース濃度が高いので，消化物や原尿から非常に大きな濃度勾配に逆らってグルコースを取込まなければならない．そのような細胞では2個のNa⁺の取込みに共役させ

て，1分子のグルコースを取込む，**2Na⁺/1グルコース等方輸送体**（two-Na⁺/one-glucose symporter）が使われている．

$$2Na^+_\text{外} + グルコース_\text{外} \rightleftharpoons 2Na^+_\text{内} + グルコース_\text{内}$$

2Na⁺/1グルコース等方輸送による自由エネルギー変化を表すと次のようになる．

$$\Delta G = RT\ln\frac{[グルコース_\text{内}]}{[グルコース_\text{外}]} + 2RT\ln\frac{[Na^+_\text{内}]}{[Na^+_\text{外}]} + 2FE \quad (11\cdot7)$$

反応全体の ΔG は，グルコース1分子がグルコース濃度勾配のなかで移動したことによる自由エネルギー変化と，Na⁺ 2個がNa⁺濃度勾配のなかで移動したことによる自由エネルギー変化，およびNa⁺ 2個が膜電位のなかで移動したことによる自由エネルギー変化を足し合わせたものである．図11・25に示すように，哺乳類細胞へNa⁺が電気化学的勾配に従って流入する際のΔGはNa⁺ 1 mol 当たり約 $-12,552$ J である．Na⁺の移動が2 mol だと，2倍になり約 $-25,104$ J となる．自由エネルギー変化が負となるNa⁺の流入と，自由エネルギー変化が正となる濃度勾配に逆らったグルコースの輸送が共役する．Na⁺の流入と共役したグルコースの輸送が平衡に達しているときは$\Delta G = 0$になると考えると，このNa⁺に駆動される等方輸送体がどのくらいの濃度勾配（外より内が高濃度）に逆らってグルコースを輸送できるか計算できる．(11・7)式のNa⁺の流入の項に上記の値を入れ，$\Delta G = 0$ とすると

$$0 = RT\ln\frac{[グルコース_\text{内}]}{[グルコース_\text{外}]} - 25,104 \text{ J}$$

となる．これから平衡状態の際のグルコース内/グルコース外を計算すると，約30,000となる．このように，2 mol のNa⁺が細胞内に流入すると細胞内部のグルコース濃度を外部より30,000倍も高くできる．もし，グルコースとともに流入するNa⁺が1 mol だけだとすると（$\Delta G = -12,552$ J/mol），このエネルギーではグルコース濃度比（内側/外側）を約170倍にしかできない．このように，2Na⁺/1グルコース等方輸送体は，1分子のグルコースの輸送に2個のNa⁺輸送を共役させることで，細胞内グルコース濃度を外液に比べて非常に高くすることができる．これにより，小腸内腔や腎尿細管内のグルコース濃度が低くても，効率よく内腔に面している細胞内にグルコースを取込むことができ，体内からグルコースが失われないようにしている．

細菌のNa⁺/ガラクトース等方輸送体の高解像度のクライオ電子顕微鏡画像が2008年に明らかにされ，Na⁺と糖の等方輸送体の機能モデルが提示された．この特殊な等方輸送体（および他の限られた等方輸送体）においては，Na⁺と糖の輸送比率は2：1で

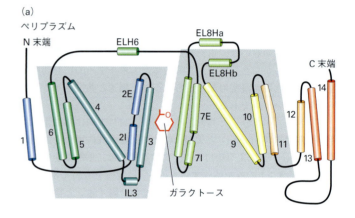

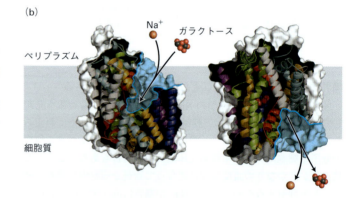

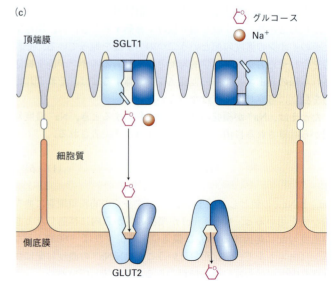

図 11・25 *Vibrio parahaemolyticus* の **Na⁺/ガラクトース等方輸送体である vSGLT の構造と輸送機構**．(a) vSGLTの膜貫通(TM)αヘリックスが膜に対してどのように配置されているか示してある．N末端ほど青く，C末端にいくほど赤くなるレインボーカラーで示している．2～6番目のTM αヘリックスと7～11番目のTM αヘリックスは，灰色の台形で強調したように反転した相同配列を示している．(b) 外に向いた構造では，水色で示した細胞外に向いたくぼみにNa⁺（橙の球）とガラクトース（赤と黒の球）が結合すると，構造変化が起こり，右に示した内向きの構造に変わる．そうなると，水色で示した内に面したくぼみからNa⁺とガラクトースが細胞質に放出される．構造変化はTM αヘリックスの配置の変換を含んでいる．(c) Na⁺/グルコース等方輸送体SLGT1とグルコース単一輸送体GLUT2の孔のモデル．これらはどちらも腸上皮細胞（図11・30）におけるグルコース輸送で協調して働いている．Na⁺/グルコース等方輸送体では，TM αヘリックスの回転は交互アクセスモデルにおいて，細胞外部分を閉じるか，細胞内部分を閉じるかを決めている．グルコース単一輸送体では，輸送体の二つのドメインの互いに対する回転は，基質結合部位を細胞内側に開くか，細胞外側に開くかを決めている（図11・6）．[S. Faham, 2008, *Science* **321**: 810; N. K. Karpowich and D. N. Weng. 2008, *Science* **321**: 781 による．]

はなく1:1である．図11・25に示すようにNa+/ガラクトース等方輸送体は14回の膜貫通(TM)αヘリックスをもち，TMの2～6番目と7～11番目は膜内で逆向き相同構造を示している．この輸送タンパク質のN末端もC末端もペリプラズム側，つまり細菌の細胞膜（内膜）と外膜の間のゲル状の空間に向いている．ガラクトースとNa+は，それらの結合部位のTMαヘリックスの特別な側鎖と結合する．基質はペリプラズム側から輸送体の反細胞質側のくぼみを通って入ってくる．基質が結合すると，反細胞質側のくぼみは閉じ，細胞質側のくぼみが開き，Na+とガラクトースが細胞質に放出される．このタンパク質が構造変化を起こし基質結合部位が外側から内側に変わるためには，反細胞質側の結合部位にすべての基質が結合していなくてはならない．このことがガラクトースとNa+の内側への輸送を確実に共役させている．図11・25(c)にはNa+/グルコース等方輸送体とグルコース単一輸送体〔これは共輸送されるイオンを必要としない（図11・6）〕の交互アクセスモデルを比較して示してある．

ヒトには2種類のNa+/グルコース等方輸送体がある．SGLT1は小腸内壁と一部の腎尿細管内壁を覆う吸収細胞で発現している．SGLT2は腎尿細管でのみ発現していて，SGLT1と一緒に原尿からグルコースを再吸収して血液に送り込んでいる．SGLT2を阻害するとグルコースが尿に放出され，血糖値は下がる．そのため，SGLT2の阻害剤はII型糖尿病の治療に使える可能性をもつ．実際，SGLT1を阻害せずSGLT2だけを選択的に阻害する薬剤の候補がいくつか開発され，現在臨床試験が行われているものもある．そのうちのいくつかは米国食品医薬品局の承認を受け，米国とカナダで使用されている．

細胞は，グルコース以外の物質を高い濃度勾配に逆らって取込むときにもNa+で駆動される等方輸送体を使う．たとえば，何種類かのNa+/アミノ酸等方輸送体が多くのアミノ酸の取込みに使われている．他にも，Na+/神経伝達物質等方輸送体がNa+の流入と神経伝達物質の回収を共役させ，神経伝達物質の再利用に役立っている．これらの輸送体は抗うつ剤などの治療薬の標的となっている．また，コカインやアンフェタミンなどの依存性薬物もこの輸送体に作用する．

細菌のNa+/アミノ酸等方輸送体の構造から等方輸送の機構が明らかになった

最近まで，哺乳類のNa+と共役した等方輸送体の三次元構造の情報はなかったが，類似した細菌のNa+/基質等方輸送体（たとえばNa+/ガラクトース等方輸送体）の構造から等方輸送機構について多くの情報が得られている．細菌の等方輸送体は，多くの抗うつ薬の標的であるヒトの神経伝達物質輸送体に近いことから，細菌の2Na+/1ロイシン等方輸送体の構造は，抗うつ薬がどのように機能するか理解するために特に有用なモデルを提供した．

図11・26(a)に示したように，細菌の2Na+/1ロイシン等方輸送体は12個の膜貫通αヘリックスがある．そのうちの二つ（1と6）は膜の中央部分に非ヘリックス部分をもち，それがロイシン結合部位の一部となっている．ロイシンや2個のNa+との結合に関与するアミノ酸残基は，膜貫通ヘリックスの中央部分にあり空間的に近い．このことは，この輸送体におけるアミノ酸とイオンの輸送の共役が，これら基質間の直接的あるいはほぼ直接的相互作用の結果であることを示している．実際，Na+の一つは輸送されるロイシンのカルボキシ基に結合している（図11・26b）．このように，どちらの基質も単独では輸送体と結合できない．2個のNa+は輸送体内でそれぞれ6個の酸素原子と結合している．たとえば，一方のNa+は一つのトレオニンのカルボニル酸素とヒドロキシ酸素と結合するほか，輸送体中の他のいくつかのアミノ酸のカ

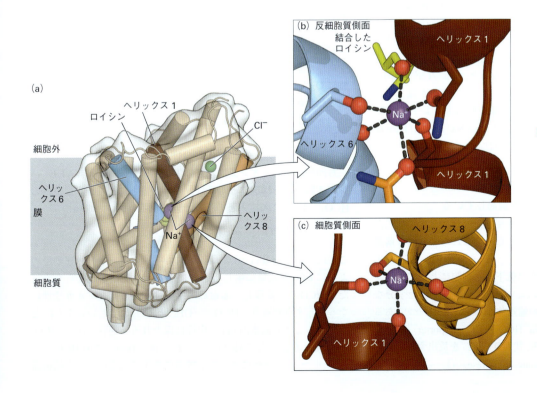

図11・26 細菌 *Aquifex aeolicus* の2Na+/1ロイシン等方輸送体の立体構造．(a) 結合しているL-ロイシン，2個のNa+，および1個のCl-をそれぞれ黄，紫，および緑で示している．Na+やロイシンと結合する三つの膜貫通αヘリックスを茶，水色，および橙で色づけした．(b), (c) 2個のNa+はヘリックス1(茶)，6(水色)，および8(橙)に含まれる主鎖のカルボニル酸素原子，あるいは側鎖のカルボキシ酸素原子(赤)と結合している．Na+の一つが，共輸送されるロイシンのカルボキシ基と結合している点(b)が重要である．
[A. Yamashita et al., 2005, *Nature* **437**: 215, PDB ID 2a65.]

ルボニル酸素とも結合している．重要なことは，K^+ チャネルの場合と同様に，どちらの Na^+ にもまわりに水和水が存在しないという点である（図 11・20）．Na^+ が輸送体と結合する際に，水和水と同じように配置された 6 個の酸素が Na^+ を取囲むことによって水から切り離される．これにより Na^+ 結合の活性化エネルギーは下がるが，K^+ などの他のイオンはそこに入りにくくなっている．

図 11・26 の構造から読み取れる驚くべき特徴は，結合した Na^+ とロイシンが閉じ込められているということである．すなわち，それらは細胞外へも細胞内へも拡散できない状態になっているのである．この構造は，反細胞質側に結合部位が向いている状態から細胞質側に向こうとしている輸送途中の段階を示している．

Na^+ を利用した Ca^{2+} 対向輸送体が心筋の収縮力を調節する

すべての筋細胞において Ca^{2+} 濃度の上昇は収縮をひき起こす．したがって，筋肉が弛緩しているとき，細胞質の Ca^{2+} 濃度は低く保たれなければならない．心筋細胞質の Ca^{2+} 濃度を下げている主要なタンパク質は，前に述べた細胞膜の Ca^{2+} ATPase ではなく **3 Na^+/1 Ca^{2+} 対向輸送体**（three-Na^+/one-Ca^{2+} antiporter）である．この**陽イオン対向輸送体**（cation antiporter）による反応は次のように書ける．

$$3Na^+_{外} + Ca^{2+}_{内} \rightleftharpoons 3Na^+_{内} + Ca^{2+}_{外}$$

Ca^{2+} の濃度勾配はおよそ 10,000 倍（細胞内約 2×10^{-7} M，細胞外約 2×10^{-3} M）なので，1 個の Ca^{2+} を細胞質から放出するには 3 個の Na^+ の流入が必要である点に注目してほしい．3 Na^+/1 Ca^{2+} 対向輸送は細胞質 Ca^{2+} 濃度を下げることにより，心筋の収縮強度を減らしている．

Na^+ と共役した Ca^{2+} 対向輸送体が Ca^{2+} を放出するのに必要な Na^+ 濃度勾配は，他の体細胞と同様に，心筋においても細胞膜の Na^+/K^+ ATPase がつくっている．前に述べたようにウワバインやジゴキシンといった薬剤により Na^+/K^+ ATPase を阻害すると，細胞内の K^+ 濃度が下がり，Na^+ 濃度が上昇する（ここでは，後者のほうがより重要である）．このようにして膜を挟んだ Na^+ の電気化学的勾配が小さくなると，Na^+/Ca^{2+} 対向輸送体が効率よく働けなくなる．その結果 Ca^{2+} の放出が減るので細胞内 Ca^{2+} 濃度は上昇し，心筋はより強く収縮するようになる．このようにウワバインやジゴキシンのような Na^+/K^+ ATPase 阻害剤は心筋の収縮力を増すので，うっ血性心不全の治療に広く使われている．

いくつかの共輸送体が細胞質 pH を調節している

グルコースの嫌気的代謝では乳酸が生じ，好気的代謝で生じた CO_2 は H_2O と反応して炭酸 H_2CO_3 となる．これらの弱酸は解離して H^+ を放出する．そうして生じた H^+ を細胞内から運び出さなければ，細胞質の pH は急激に低下し，細胞にとって危険な状態となるだろう．動物細胞には，代謝によって生じた余分な H^+ を細胞内から取除く 2 種類の輸送体がある．その一つである **$Na^+HCO_3^-$/Cl^- 対向輸送体**（$Na^+HCO_3^-$/Cl^- antiporter）は 1 個の Na^+ と 1 個の HCO_3^- を取込み，代わりに Cl^- を放出する．細胞内の**炭酸デヒドラターゼ**（carbonic anhydrase）は，この HCO_3^- と H^+ を反応させ H_2O と CO_2 にする．

$$HCO_3^- + H^+ \xrightleftharpoons{\text{炭酸デヒドラターゼ}} CO_2 + H_2O$$

したがって，この酵素の反応は，細胞質の H^+ を消費し，細胞質の pH を上げることになる．細胞質 pH を上げるもう一つの重要なものは **Na^+/H^+ 対向輸送体**（Na^+/H^+ antiporter）である．このタンパク質は濃度勾配に従って細胞内に流入する Na^+ と H^+ の放出を共役させるものである．

ある種の条件下では，細胞質 pH が通常の 7.2〜7.5 より高くなることがある．この pH 上昇に伴う OH^- の増加に対応するため，多くの細胞は膜を挟んで Cl^- と HCO_3^- を 1：1 で交換する反応を触媒する**陰イオン対向輸送体**（anion antiporter）をもっている．pH が高いとき，この **Cl^-/HCO_3^- 対向輸送体**（Cl^-/HCO_3^- antiporter）が Cl^- の取込みと交換で HCO_3^-（OH^- と CO_2 が一緒になったものとみなせる）を細胞外に放出するので細胞質 pH は低下する．細胞内の HCO_3^- と外部の Cl^- を交換する駆動力となるのは $Cl^-_{外} > Cl^-_{内}$ という濃度勾配である（表 11・2）．

これら 3 種の対向輸送体の活性は細胞質 pH に依存していて，細胞質 pH は細かく調節されている．最初に述べた pH を上げる二つの対向輸送体は，細胞質 pH が下がると活性化される．同様に pH が 7.2 以上になると Cl^-/HCO_3^- 対向輸送体が活性化され，HCO_3^- の放出を増し，細胞質 pH を下げる．こうして，成長中の細胞の細胞質 pH は厳密に 7.4 近くに保たれる．

赤血球による CO_2 の輸送に陰イオン対向輸送体が必須である

肺で換気するために末梢組織から廃棄された CO_2 を輸送するという赤血球の重要な機能において，膜での陰イオン交換が必須である．組織から毛細血管に放出された CO_2 は，自由に拡散して赤血球膜を透過する（図 11・27a）．この気体状態の CO_2 は，細胞質や血漿といった水溶液にあまり溶けない．このことは，炭酸飲料の入った瓶を開けたときの泡の出方から推定できるだろう．そこで，赤血球内に大量に存在する炭酸デヒドラターゼが CO_2 と OH^- を結合させて，水に溶けやすい HCO_3^- にする．この反応は，赤血球が全身（組織）の毛細血管を流れているときに起こり，同時に O_2 が血漿に放出される．ヘモグロビンは O_2 を放出すると構造変化を起こし，グロビンペプチドのヒスチジン側鎖が H^+ と結合できるようになる．したがって，赤血球が全身の毛細血管中を流れているとき，H_2O はヘモグロビンと結合する H^+ と，CO_2 と反応して HCO_3^- になる OH^- に分けられることになる．

対向輸送体**陰イオン交換輸送体 1**（anion exchanger 1：**AE1**，バンド 3 陰イオン輸送体ともよばれる）の働きにより，赤血球内の HCO_3^- は，Cl^- の流入との交換で外に出る（図 11・27a）．

$$HCO_3^-_{内} + Cl^-_{外} \rightleftharpoons HCO_3^-_{外} + Cl^-_{内}$$

この陰イオン交換は 50 ミリ秒以内で完了する．もし，運動中のように CO_2 が大量に生じるときに陰イオン交換が起こらなかったら HCO_3^- が蓄積し，赤血球内は毒性が出るほどアルカリ性になってしまうだろう．HCO_3^-（OH^- と CO_2 に等しい）を Cl^- と交換することで細胞内 pH は中性に保たれる．通常，血中の CO_2 の 80% は赤血球内で HCO_3^- にされて運ばれる．この HCO_3^- の 2/3 が陰イオン交換によって血漿中に放出されるので，末梢組織

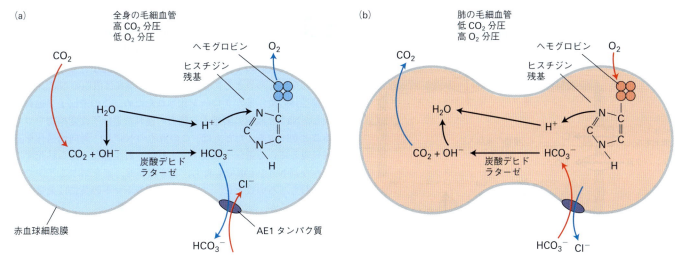

図 11・27 血液による CO_2 の輸送には Cl^-/HCO_3^- 対向輸送体が必要である．(a) 全身の毛細血管において，気体の CO_2 は赤血球の細胞膜を拡散で通り抜け，炭酸デヒドラターゼによって水に溶けやすい HCO_3^- に変えられる．同時に O_2 は細胞から出ていき，ヘモグロビンは H^+ と結合する．どちら方向へも働く陰イオン対向輸送体である AE1(紫) は，細胞膜で Cl^- と HCO_3^- を入れ替える．反応全体では赤血球から HCO_3^- が放出されることになる．これはできるだけ多くの CO_2 を末梢組織から肺へ輸送するためと，赤血球細胞内の pH を中性に維持するために必須のことである．(b) 肺では，すべての反応が逆転し，CO_2 が放出される．詳細は本文参照．

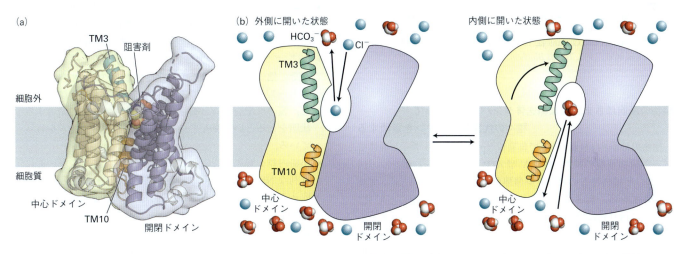

図 11・28 対向輸送体である AE1 は，細胞外に HCO_3^- を運び，細胞内に Cl^- を運ぶ．(a) ヒト AE1 の膜における空間配置．14 本の膜貫通 α ヘリックス(TM)が膜内に円筒状に描かれており，中心ドメインは黄で，開閉ドメインは薄紫で色づけされている．予想される結合部位は，3 番目の TM(緑)と 10 番目の TM(橙)の間にある．(b) HCO_3^- と Cl^- は TM3 と TM10 の間の陰イオン結合部位に結合する．中心ドメインと開閉ドメインの相対的な動きによってひき起こされる交互アクセスモデルにより，これらの陰イオンは膜を通って輸送される．

から肺へ運ばれる CO_2 の量を増やせる．肺ではこの陰イオン交換過程が逆転し，CO_2 は身体から放出される（図 11・27b）．

AE1 は細胞内の電気的中性を保つために正確に細胞膜における 1:1 の交換反応を行う．逆向きの陰イオンの輸送なしに一方だけを送ってしまうことは 1 万回に 1 回あるかどうかである．AE1 は赤血球において最も多く発現する膜タンパク質であり，その数は 1 細胞当たり 1,000,000 分子近くにもなる．最近解明されたヒト赤血球の AE1 の結晶構造から，このタンパク質が 14 個の膜貫通 α ヘリックスをもち，アンキリンなどある種の細胞骨格タンパク質を膜につなぎとめる働きをする細胞質側ドメインももっていることがわかった（図 17・21 参照）．14 個の膜貫通 α ヘリックスは，中心部とゲートと定義される二つの構造的に異なるドメインを形成している（図 11・28a）．中心部とゲートは裂け目で分断されており，構造が解明されている細胞外側に面している構造で，その裂け目はタンパク質の反細胞質側にある．Cl^- に対する陰イオン結合部位は，中心部ドメインの二つの α ヘリックスの間にある双極子の正に荷電した部分で形成される．AE1 の構造を $Na^+/$ ロイシン輸送体（図 11・26）などの近縁の輸送体と比較すると，この対向輸送体が交互アクセスモデルを用いていることがわかる．つまり，Cl^- が外向き状態のタンパク質の陰イオン結合部位に結合すると，中心部ドメインがゲートドメインに対して回転する構造変化をひき起こし内向きの構造に変化する．Cl^- は HCO_3^- に置き換わり放出され，今度はこれとは逆の構造変化が生じて HCO_3^- が移動する．

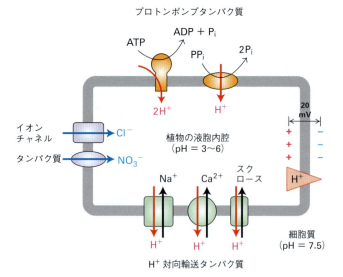

図 11・29　植物の液胞によるイオンやスクロースの濃縮．液胞膜には2種類のプロトンポンプ（橙）が存在する．それはV型 H^+ ATPase（左）と，他のすべてのイオン輸送タンパク質とは異なる植物特有なピロリン酸駆動プロトンポンプ（右）である．これらのポンプが H^+ を内腔に送り込むので pH は低くなり，液胞膜電位も内側が正となる．Cl^- や NO_3^- は，その正電荷に引かれて別々のチャネルタンパク質（紫）を通って流入する．H^+ 濃度勾配を使った対向輸送体（緑）により，Na^+，Ca^{2+}，およびスクロースが液胞内にたくわえられる．
[B. J. Barkla and O. Pantoja, 1996, *Annu. Rev. Plant Phys.* **47**: 159; P. A. Rea et al., 1992, *Trends Biochem. Sci.* **17**: 348 参照．]

植物の液胞はさまざまな輸送体タンパク質を使って種々の代謝物やイオンを蓄積する

植物の液胞内 pH は 3～6 で細胞質（pH 7.5）よりずっと酸性である．植物液胞の酸性 pH は V 型 ATP 駆動プロトンポンプ（図 11・9）と植物特有のピロリン酸駆動プロトンポンプによって維持されている．両者は液胞膜上にあり，濃度勾配に逆らって H^+ を液胞に送り込んでいる．液胞膜には Cl^- と NO_3^- のチャネルも存在しており，それらの陰イオンを細胞質から液胞に送り込んでいる．これら陰イオンを濃度勾配に逆らって液胞内に輸送する原動力は，プロトンポンプによって形成された内側が正の膜電位である．2種類のプロトンポンプと陰イオンチャネルが働くことにより，液胞膜は内側が約 20 mV 正の膜電位をもち，かなり急な pH 勾配も生じている（図 11・29）．

動物細胞膜を挟んだ Na^+ の電気化学的勾配が，さまざまな対向輸送体を使った特定のイオンや小分子の取込みや放出に利用されるのと同じように，植物の液胞膜では H^+ の電気化学的勾配が使われている．たとえば，葉では昼間光合成でつくられた余分なスクロースを液胞にたくわえ，夜間にはそれを細胞質に移して CO_2 と H_2O に代謝し，ADP と P_i から ATP をつくっている．スクロースは，液胞膜に存在する H^+/スクロース対向輸送体（H^+/sucrose antiporter）によって液胞へ運び込まれる．内腔へのスクロース輸送の原動力となっているのは，濃度勾配（内腔＞細胞質）と細胞質側が負の膜電位になっていることによる H^+ の外側への動きである（図 11・29）．濃度勾配に逆らった細胞質から液胞への Ca^{2+} と Na^+ の輸送も似た形で，H^+ との対向輸送によって行われている．

植物液胞膜の輸送タンパク質についての理解を深めると，全世界でみられる高塩（NaCl）濃度土壌での農業生産性を高められる可能性がある．ほとんどの有用農作物はそのような土壌では育たないので，農学者は長い間，伝統的な育種技術で耐塩性植物をつくろうとしてきた．しかし，現在は液胞の Na^+/H^+ 対向輸送体の遺伝子がクローン化されたため，この遺伝子を過剰発現し，Na^+ を液胞に隔離する能力の優れた遺伝子改変植物をつくることができる．たとえば，この液胞の Na^+/H^+ 対向輸送体を過剰発現している遺伝子改変トマト株は，野生株だったら枯死するような高 NaCl 土壌でも育ち，花を咲かせ，実を結ぶことができる．おもしろいことに，この遺伝子改変トマトの葉には大量の塩が蓄積するが，実の塩濃度はかなり低い．■

11・5　等方輸送体と対向輸送体による共輸送　まとめ

- 半透膜における電気化学的な勾配が膜貫通タンパク質の中を移動するイオンの方向を決める．電気化学的勾配には膜電位とイオンの濃度勾配の二つの力が含まれる．両者は同じ方向に働くことも反対の方向に働くこともある（図 11・24）．
- 共輸送体はある種のイオン（通常 H^+ か Na^+）が電気化学的勾配に従って動くときのエネルギーを使って，小分子や別のイオンを濃度勾配に逆らって取込んだり放出したりする．
- Na^+/ガラクトース等方輸送体は，Na^+/グルコース輸送体やその他の糖輸送体のモデルを提供している．Na^+ とガラクトースの結合が特定の TM ヘリックスの回転をひき起こし，膜の反細胞質側と細胞質側それぞれで基質に結合する状態をとるという交互アクセスモデルに合った動きを行っている．
- 小腸内腔や腎尿細管に面している細胞は，エネルギー的に有利な Na^+ の流入とグルコースの濃度勾配に逆らっての取込みとを共役させる等方輸送タンパク質を発現している（図 11・25）．アミノ酸も Na^+ と共役した等方輸送体により細胞内に取込まれる．
- 細菌の Na^+/アミノ酸等方輸送体の構造から，Na^+ とロイシンの結合がどのようにして共役するかが明らかになり，結合した基質がタンパク質内に閉じ込められる状態が共輸送の中間段階で起こることが示された（図 11・26）．
- 心筋細胞で Ca^{2+} の放出は Na^+ の流入と共役し，駆動されている．この陽イオン対向輸送体は 1 個の Ca^{2+} を放出するために 3 個の Na^+ を流入させている．
- 代謝によって炭酸や乳酸が生じているにもかかわらず，動物細胞内 pH が厳密に 7.4 付近に保たれているのは二つの共輸送体が低 pH で活性化されるからである．そのうちの一つである Na^+/H^+ 対向輸送体は余分な H^+ を細胞外に放出し，もう一つの Na^+ HCO_3^-/Cl^- 共輸送体は HCO_3^- を細胞内に取込む．この HCO_3^- は細胞内で OH^- を生成し pH を上げる．
- Cl^-/HCO_3^- 対向輸送体は細胞内 pH が通常より高くなったときに活性化され，HCO_3^- を細胞から放出して pH を下げる．
- 赤血球膜の Cl^-/HCO_3^- 対向輸送体の一つである AE1 は，

- 血液が末梢組織から肺へCO_2を輸送する能力を高めている（図11・27）.
- ヒト赤血球のAE1の構造が明らかになっており，その構造から中心部とゲートドメインの相対的な動きによってひき起こされる交互アクセスモデルにより，陰イオンが膜輸送されることがわかった．
- 植物液胞へのスクロース，Na^+，Ca^{2+}および他の物質の取込みは，液胞膜上に存在するH^+対向輸送体によって行われる．これらのイオンや代謝産物をH^+対向輸送体によって液胞に取込むためには，液胞膜上のイオンチャネルとプロトンポンプが十分なH^+濃度勾配をつくっておく必要がある（図11・29）.

11・6 経細胞輸送

ここまでで，種類の異なるいくつかの輸送体が一緒に働いて細胞の重要な機能を支えていることをみてきた．本節では，この概念をさらに拡張して，細胞膜が非対称（異なる側面をもつ）で，それゆえ異なる生化学的特徴をもつ細胞膜からなる極性をもった細胞を題材として，その細胞自体を通り抜けて輸送されるいくつかの種類の分子やイオンの移動に焦点を当てよう．極性をもつ細胞で特に詳しく調べられているものは，われわれの臓器の内外を覆っているシート状の層をつくる上皮細胞である（上皮細胞については20章でさらに詳しく説明する）．他の上皮細胞と同様に，消化管から栄養分を吸収する小腸上皮細胞の細胞膜は，大きく異なる二つの領域からできている．身体の外側（腸上皮細胞の場合は内腔側）に向いた面を**頂端**（apical）面あるいは上部面とよび，身体の内側（すなわち血流側）に向いた細胞の基底面と側面を合わせた面を**側底**（basolateral）面とよぶ（図20・11参照）.

密着結合（tight junction）とよばれる上皮細胞膜上の特殊化した領域が頂端面と側底面を分け，すべてではないが多くの水溶性物質が細胞どうしの隙間を通って，上皮の一方側から反対側へいかないようにしている．この結合があるため，小腸内腔から栄養素を取込むときは，腸上皮細胞の頂端面から細胞内に取込み，それを血液に接している側底面から放出するという2段階の**経細胞輸送**（transcellular transport）を行っている（図11・30，図11・25 d）.小腸内腔に面した頂端膜は，食物を消化酵素で分解して生成した糖，アミノ酸，そのほかの分子を吸収するように特殊化している．

グルコースやアミノ酸が上皮細胞を通り抜けるには複数の輸送タンパク質が必要である

グルコースを小腸内腔から血液中へ輸送する輸送タンパク質群を図11・30に示す．この図は，上皮細胞の頂端膜と側底膜にそれぞれ異なるタンパク質が局在するという重要な点も示している．K^+とNa^+は，開閉調節を受けないK^+チャネルとNa^+/K^+ ATPaseによって移動し，それぞれの濃度勾配と内側が負の膜電位を形成する．小腸内腔のグルコースは，頂端面に局在する2Na^+/1グルコース等方輸送体により，Na^+の濃度勾配と膜電位を使ってグルコースの濃度勾配に逆らって取込まれる．前に述べたが，この等方輸送体はエネルギー的に不利なグルコース1分子の流入とエネルギー的に有利なNa^+ 2個の流入とを共役させている．定常状態では，Na^+/グルコース等方輸送体や同様に頂端面に存在するNa^+/アミノ酸等方輸送体によって小腸内腔から細胞に入ってきたNa^+は，すべて血液に面している側底膜から排出されるので，細胞内Na^+濃度は低く保たれる．このNa^+放出を行っているNa^+/K^+ ATPaseは細胞の側底膜にだけ存在している．これらの輸送体の連携によりグルコースやアミノ酸は濃度勾配に逆らって小腸から細胞へと入ってくる．この経細胞輸送の第一段階は，結局は，Na^+/K^+ ATPaseによるATP加水分解により駆動されている．

第二段階で，頂端側の等方輸送体によって小腸上皮細胞に濃縮されたグルコースやアミノ酸は，側底膜に存在する単一輸送体により，濃度勾配に従って血液中に放出される．グルコースの場合はGLUT2という輸送体がそれを行う（図11・30，11・25 c）.前述したように，このGLUTアイソフォームはグルコースに対する親和性は低いが，膜を挟んでのグルコース濃度勾配が大きくなると輸送速度が大幅に高くなるという性質をもつ（図11・5）.

この2段階の過程により，Na^+，グルコース，そしてアミノ酸が小腸内腔から小腸上皮細胞を経て，その側底面を取囲む細胞外液へ運ばれ，それは血液に入っていく．上皮細胞間の密着結合は，それらの分子が小腸内腔へ拡散で戻ってしまわないよう防いでいる．塩，グルコース，アミノ酸の小腸上皮細胞を横断する輸送によって生じた浸透圧上昇により，おもに密着結合を通って小腸内腔側から側底面を取囲む細胞外液への水の流れが起こる．このとき，アクアポリンは働いていないとされている．ある意味で，塩，グルコース，アミノ酸がそれらと一緒に水を体内に運んだともいえる．

グルコースとNa^+の吸収により生じた浸透圧を利用する簡単な補水療法がある

浸透現象と腸での塩やグルコースの吸収についての知識をもとにした簡単な療法が，特に開発途上国で，毎年何百万

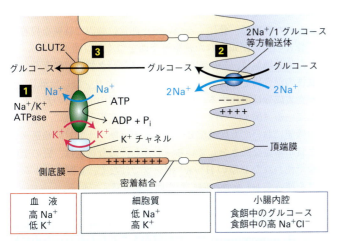

図11・30 小腸内腔から血液中へのグルコースの経細胞輸送．側底膜に存在するNa^+/K^+ ATPaseが，Na^+とK^+の濃度勾配をつくる（段階❶）．開閉調節を受けないK^+チャネルを通るK^+の流出により，内側が負の膜電位が細胞膜全体に発生する．Na^+の濃度勾配と膜電位の両方を使い，頂端膜にある2Na^+/1グルコース等方輸送体がグルコースを小腸内腔から取込む（段階❷）．そのグルコースは，側底膜に存在するGLUT2という単一輸送体を通り，促進輸送で細胞から出ていく（段階❸）．

もの人命を救っている．それらの国ではコレラや他の腸内病原体が子どもの死因の大部分を占めている．これらの細菌が放出する毒素は小腸上皮細胞の頂端面から小腸管腔へのCl^-分泌を活発化させ，水もこの浸透圧変化に従って動くため多くの水分が失われ，下痢や脱水状態になり最後は死に至る．これを治療するには，抗生物質で細菌を殺すだけでなく，血液や組織から失われた水を補う**補水**（rehydration）が必要である．

単に水を飲んでも，それはすぐ消化管から排出されてしまうので役に立たない．しかし，今まさに学んだように，小腸内腔から上皮細胞を抜けてNa^+とグルコースが血液中へ運ばれると，上皮細胞を挟んでの浸透圧が生じ，小腸内腔から上皮細胞を通って血液へと水を動かす．したがって，病気になった子どもに糖と塩の溶液（糖だけとか塩だけではなく）を与えると，上皮細胞を通過するNa^+とグルコースの輸送が増え，浸透圧に従った小腸内腔から血液への水の流れも起こり，補水効果が得られる．運動選手が水と糖を速やかに効率よく取込むために飲む一般的な飲料も，この原理に基づく糖-塩溶液である．■

壁細胞は胃内腔を酸性にするが自身の細胞質pHは中性に保つ

哺乳類の胃の中は 0.1 M 塩酸（HCl）溶液になっている．この強酸性溶液は口から入った多くの病原菌を殺し，摂取したタンパク質を変性させ，ペプシンのように酸性pH下で働く消化酵素が作用しやすくしている．塩酸は胃壁に存在する特別な上皮細胞である**壁細胞**（parietal cell，酸分泌細胞 oxyntic cell ともいう）から分泌される．それらの細胞の胃内腔に面した頂端膜には**H^+/K^+ ATPase**が存在し，K^+を取込む代わりにH^+を胃へ送り出している．このATPaseの働きで，内腔のH^+濃度が細胞質の100万倍になる（胃内腔のpH 1.0に対して細胞質はpH 7.2）．この輸送タンパク質はP型のATP駆動ポンプで，前に述べた細胞膜のNa^+/K^+ ATPaseと構造や機能がよく似ている．壁細胞には無数のミトコンドリアがあり，H^+/K^+ ATPaseに大量のATPを供給している．

もし壁細胞がK^+と交換でH^+を放出するだけだと，細胞質のOH^-濃度が上がり，pHも大きく上昇してしまう（$[H^+] \times [OH^-]$は常に一定で$10^{-14} M^2$だから）．壁細胞は，胃内腔を酸性化する際に起こる細胞質pHの上昇を回避するために側底膜にあるCl^-/HCO_3^-対向輸送体を使い，細胞質の過剰なOH^-を血液中に放出している．前述したように，この陰イオン対向輸送体は細胞質pHが上昇すると活性化される．

壁細胞が胃内腔を酸性化する際の全反応を図11・31に示す．細胞内の過剰のOH^-は，炭酸デヒドラターゼにより血液中から拡散してきたCO_2と結合させられてHCO_3^-となる．生じたHCO_3^-は側底膜に存在する陰イオン対向輸送体によりCl^-と交換で側底膜の外（最終的には血液中）に放出される．ここで入ってきたCl^-は頂端膜に存在するCl^-チャネルを通って胃内腔へ出ていく．電気的中性を保つため，Cl^-が外に出るときには別のK^+チャネルから同数のK^+が外へ出る．H^+/K^+ ATPaseによって取込まれた余分なK^+はこうして胃内腔に出ていき，細胞内K^+濃度は維持される．すべてを足し合わせると，同数のH^+とCl^-（すなわち塩酸）が胃内腔に放出され，余分なOH^-はHCO_3^-として血液中に放出されるので細胞質の中性は保たれるという結果になる．HCO_3^-による血液のpH変化はごくわずかである．

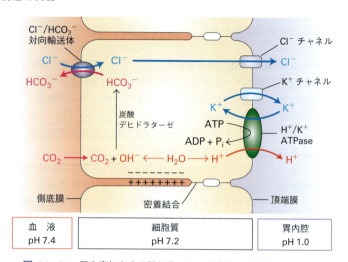

図11・31 胃を裏打ちする壁細胞による胃内腔の酸性化．壁細胞の頂端膜には，H^+/K^+ ATPase（P型ポンプ）と，Cl^-およびK^+チャネルが存在する．頂端膜においてK^+が循環して輸送されている点に注意してほしい．すなわち，K^+はH^+/K^+ ATPaseによって取込まれ，K^+チャネルを通って出ていく．側底膜には陰イオン対向輸送体が存在し，HCO_3^-とCl^-を交換している．それら4種類の輸送タンパク質と，炭酸デヒドラターゼにより胃内腔は酸性化されるが，細胞質pHの中性は保たれる．

骨吸収にはV型プロトンポンプと特殊なCl^-チャネルの協調が必要である

骨の総量としての成長は思春期が終わるころに止まるが，精密に調節された動的な分解（骨吸収）と再合成（骨形成）が成人になったあとも続いている．こうした骨の再構築が続くことにより破損した骨の修復が行われるだけでなく，石灰化した骨からカルシウム，リン酸，あるいは他のイオンが血中に放出され，身体の中で必要とされる別の部位に供給される．

骨を溶かす**破骨細胞**（osteoclast）は，感染から身体を守る機能でよく知られているマクロファージの一種である．破骨細胞は極性をもった細胞で，骨にくっついて，非常に強固で特殊な接着をし，骨との間に閉鎖された細胞外空間をつくる（図11・32）．接着した破骨細胞は，この空間にHClとタンパク質分解酵素を含む腐食性の混合物を分泌し，無機成分はCa^{2+}とリン酸に分解し，タンパク質成分は消化する．HClの分泌は胃での消化液の産生とよく似ている（図11・31）．胃におけるHCl産生と同様に，破骨細胞の機能においても炭酸デヒドラターゼと陰イオン対向輸送タンパク質が重要な働きをしている．しかし，破骨細胞は，胃の上皮細胞で使われたP型のH^+/K^+ポンプではなく，V型プロトンポンプを使ってH^+を骨に面した空間に送り込んでいる．

骨の密度が高くなる非常にまれな遺伝病である**大理石骨病**（osteopetrosis）は，骨吸収があまり行われないために起こる．患者の多くは，破骨細胞と骨との間の空間を酸性化するために必要なV型プロトンポンプのサブユニットの一つであるTCIRG1の遺伝子に突然変異を起こしている．他の患者は，骨との空間に面した破骨細胞の細胞膜に存在するCl^-チャネルであるClC-7の遺伝子に突然変異を起こしている．リソソームの場合と同じように（図11・13），Cl^-チャネルがないとプロトンポンプ

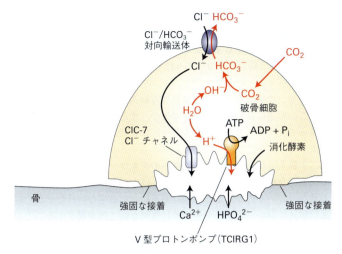

図 11・32 極性をもつ破骨細胞による骨の溶解には，V 型プロトンポンプと ClC-7 という Cl^- チャネルが必要である．破骨細胞の細胞膜は，骨表面と細胞膜の間にできる強い環状の接着領域によって二つの領域に分けられている．骨に面している膜領域には，V 型プロトンポンプと ClC-7 という Cl^- チャネルが存在する．反対側の膜領域には HCO_3^- と Cl^- を交換する陰イオン対向輸送体がある．それら 3 種類の輸送タンパク質と炭酸デヒドラターゼの働きにより，骨と膜の間にできた閉じられた空間は酸性化され，骨吸収が起こるが，細胞質 pH は中性に保たれる．[ClC-7 については R. Planells-Cases and T. Jentsch, 2009, *Biochim. Biophys. Acta* **1792**: 173 参照．]

は細胞と骨との間の閉鎖空間を酸性化できないので，骨吸収がうまくいかなくなる．■

11・6 経細胞輸送　まとめ

- 上皮細胞の細胞膜の頂端側と側底側には異なった輸送タンパク質群が存在し，全く異なった輸送を行っている．
- 腸上皮細胞では，頂端膜にある Na^+ と共役した等方輸送体が，側底膜にある Na^+/K^+ ATPase や単一輸送体と協同して働き，小腸内腔のアミノ酸やグルコースを血液中へ経細胞輸送している（図 11・30）．
- 小腸上皮細胞の経細胞輸送で塩，グルコースおよびアミノ酸が取込まれることにより，浸透圧の上昇が起こり，小腸内腔から体内に水が取込まれる．糖と塩の溶液による補水療法は，この現象を利用している．
- 炭酸デヒドラターゼと 4 種類の異なる輸送タンパク質が協調して働くことにより，胃内腔に面して並んだ壁細胞は，HCl を内腔に放出するが，その細胞内 pH はほぼ中性に保つことができる（図 11・31）．
- 骨吸収には，破骨細胞に存在する V 型プロトンポンプと ClC-7 という Cl^- チャネルの協調した働きが必要である（図 11・32）．

重要概念の復習

1. 一酸化窒素 (NO) は気体で，O_2 や CO_2 と同様な脂溶性を示す．動脈血管内皮細胞は NO を使って取巻いている平滑筋を弛緩させ，血流を増大させる．どのような機構で，血管内皮細胞の細胞質でつくられた NO が，作用部位である平滑筋の細胞質まで輸送されるのか．

2. 酢酸 (pK_a 4.75 の弱酸) とエタノール (アルコール) はともに 2 個の炭素原子，そして水素と酸素からなり，どちらも自然拡散で細胞内に入る．pH 7 のとき，どちらか一方がより膜を透過しやすい．それはどちらか，そしてなぜそうなるのか．典型的な胃の pH である pH 1.0 に細胞外が変化したら，それぞれの透過性はどう変化するか．

3. 単一輸送体とイオンチャネルは，生体膜で促進輸送を行っている．どちらも促進輸送の例としてあげられるが，チャネルを通るイオンの速度のほうが単一輸送体より $10^4 \sim 10^5$ 倍大きい．どのような機構上の違いがこのような大きな輸送速度の違いを生むのか．輸送方向は自由エネルギー変化 ΔG がどうなることにより決まるのか．

4. 3 種類の輸送体の名称をあげよ．そのうちのどれがグルコースを輸送し，どれが HCO_3^- を電気化学的勾配に逆らって輸送することができるのか．グルコースの場合は違うが，HCO_3^- の場合，輸送過程の ΔG は二つの項を含む．その二つの項とは何で，第二の項はなぜグルコース輸送にはないのか．これらの共輸送体はしばしば二次的能動輸送とよばれる．それはなぜか．

5. H^+ は H_2O より小さく，三つの炭素を含むアルコールであるグリセロールは H_2O よりずっと大きい．両者はともに水に溶けやすい．なぜアクアポリンのあるものはグリセロールを輸送できるのに H^+ は輸送できないのか．

6. 赤血球細胞膜にある GLUT1 は単一輸送体の古典的例である．
   a. GLUT1 がガラクトースやマンノースではなくグルコースにだけ特異的な単一輸送体であることを証明する実験計画をたてよ．
   b. グルコースは六炭糖で，リボースは五炭糖である．リボースはグルコースより小さいのに GLUT1 により輸送されにくい．どのようにこれを説明するか．
   c. 血糖値が 5 mM から 2.8 mM 以下に低下すると錯乱や失神が起こる．この低下により，GLUT1 を発現している細胞におけるグルコース輸送がどれくらい影響を受けるかを計算せよ．
   d. 肝臓や筋肉細胞は，どのようにして V_{max} を変えずにグルコースの取込みを増加させるのか．
   e. GLUT1 を発現している腫瘍細胞は，同じ種類の正常細胞よりグルコース輸送の V_{max} が高い．これらの細胞はどのようにして V_{max} を上昇させているのか．
   f. 脂肪細胞と筋肉細胞はインスリンシグナルに応答してグルコース輸送の V_{max} を変化させている．それはどのようにして行われるのか．

7. イオンや分子を能動輸送する 4 種類の ATP 駆動ポンプの名称をあげよ．そのうちのどれがイオンだけを輸送し，どれがおもに小分子を輸送するのか．ATP 駆動ポンプのうちの一つは，天然の基質ではなく，がんの化学療法のために使われる人工基質の輸送について調べているときに発見された．現在，研究者はこの特別な ATP 駆動ポンプの天然基質はどのようなものだと考えているのか．

8. P 型イオンポンプの機構において ATP → ADP + P_i という共役反応はリン酸無水物結合の直接的加水分解ではない．その理由を説明せよ．

9. 細胞の正常な機能のために Ca^{2+} 濃度の急激な変化が必要な細胞における細胞質 Ca^{2+} 濃度上昇を制御するネガティブフィードバック機構を説明せよ．このしくみで調節されている細胞にカルモジュリンの活性を阻害する薬を投与したら細胞質 Ca^{2+} 濃度はどうなるか．たとえば，骨格筋細胞であったらその機能にどのような影響がでるか．

10. 胃酸の分泌を阻害するある種のプロトンポンプ阻害剤は，今日

世界中でとてもよく売れている医薬の一つである．この医薬が阻害するのはどんなポンプで，それは体内のどこに局在するか．

11. 植物とは違い，動物細胞の膜電位はおもに静止 K^+ チャネルによって生じる．これらのチャネルはどのようにして静止膜電位形成に寄与するのか．なぜこれらのチャネルは開閉調節を受けないとみなされているのか．これらのチャネルはどのようにして K^+ より小さい Na^+ を排除して K^+ を選択的に通しているのか．

12. パッチクランプ法により個々のイオンチャネルの電気伝導度を測定することができる．K^+ チャネルと思われる遺伝子産物が実際に K^+ あるいは Na^+ チャネルであることを確認するうえでパッチクランプ法はどのように使えるか述べよ．

13. 植物は液胞膜を挟んだ H^+ の電気化学的勾配を使って液胞に塩や糖をたくわえている．これにより液胞は高張になる．植物細胞はなぜこれによって膨張し，破裂しないのか．等張条件下であっても，動物細胞にはゆっくりとしたイオンの流入がある．動物細胞膜の Na^+/K^+ ATPase はその浸透による細胞の破裂を防いでいるが，Na^+/K^+ ATPase はどのようにしてそれを達成しているのか．

14. 細菌の $2Na^+/1$ ロイシン等方輸送体において，Na^+ だけを選別し，特に K^+ は結合できないようにしている特別な Na^+ の結合様式は何か．

15. 小腸上皮細胞がグルコースを等方輸送で取込むしくみを説明せよ．この輸送に使われるイオンは何か．また，このイオンが細胞膜を通って流入することがエネルギー的に有利になる二つの理由をあげよ．

16. 小腸上皮細胞の片方から逆側へのグルコース輸送は経細胞輸送の代表的な例である．Na^+/K^+ ATPase はどのようにこの過程の原動力となっているのか．この過程に密着結合が必須なのはなぜか．経細胞輸送において頂端膜や側底膜に特別な輸送体が局在することが必要なのはなぜか．スポーツドリンクなど補水のための飲料は糖と塩を含んでいる．なぜその両方が水分補給に重要なのか．

細胞内エネルギー変換

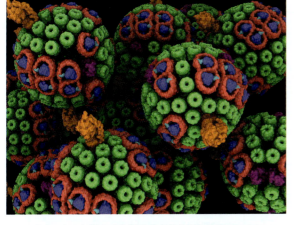

コンピューターに描かせた光合成を行う紅色細菌 *Rhodobacter sphaeroides* の色素胞．それぞれの色素胞は光を使って ATP を合成する膜タンパク質を含んでいる．光のエネルギーは 2 種類の集光性複合体(緑と赤)に含まれる色素に吸収され，反応中心(水色)に集められ，そこで高エネルギー電子が生じる．そのエネルギーはポンプ(紫)によって利用され，色素胞内に H^+ が送り込まれる．それによって生じた H^+ 濃度勾配が ATP 合成酵素(橙)によって使われ，ADP と P_i から ATP がつくられる．[Angela M. Barragan 提供．]

12・1	化学浸透，電子伝達，プロトン駆動力，および ATP 合成
12・2	グルコースからエネルギーを取出す最初の過程：解糖
12・3	ミトコンドリアの構造
12・4	ミトコンドリアおよびミトコンドリア-小胞体膜接触部位の動態
12・5	クエン酸回路と脂肪酸酸化
12・6	電子伝達鎖とプロトン駆動力の発生
12・7	プロトン駆動力を利用した ATP 合成
12・8	葉緑体と光合成
12・9	光合成の過程 1〜3：光エネルギーを使った O_2, NADPH，および ATP の生成
12・10	光合成の過程 4：ATP と NADPH を使ったカルビン回路での炭素固定と炭水化物合成

　細胞の成長や分裂から心臓の拍動，思考の基礎となる神経細胞の電気的活動に至るまで，生命活動にはエネルギーが必要である．エネルギーは仕事をする能力と定義でき，細胞における仕事には，多数の化学反応や輸送を行わせそれを制御すること，成長と分裂，高度に組織化された構造をつくり維持すること，そして他の細胞と相互作用することが含まれる．本章では細胞が太陽光や栄養物質をエネルギー源として利用する分子機構，特に外部からのエネルギーを生物界において普遍的に通用する細胞内化学エネルギー運搬体である**アデノシン三リン酸**（adenosine triphosphate: **ATP**）に変換する分子機構について解説する．すべての生物が ATP をもち，それは生命が生まれた初期のころから存在していたと思われる．この ATP は ADP に無機リン酸（HPO_4^{2-}，しばしば略して P_i と記される）を付加すること，すなわち**リン酸化**（phosphorylation）によってつくられる．細胞は ATP の末端のリン酸無水物結合が加水分解される際に放出されるエネルギー（図 1・7 および図 2・31 参照）を利用し，エネルギー的に不利な過程を進行させる．その例として，アミノ酸からのタンパク質合成とヌクレオチドからの核酸合成（2 章，5 章），ATP 駆動ポンプによる濃度勾配に逆らっての物質の輸送（11 章），筋収縮（17 章），鞭毛の波打ち運動（18 章）などがあげられる．細胞内エネルギー変換の重要なテーマの一つは，ある過程（たとえば，ATP 加水分解）で放出されたエネルギーを他の熱力学的に不利な過程（たとえば，分子の膜輸送）と共役させ駆動するためにタンパク質がどう働くかという点である．

　ADP から ATP を合成する際のエネルギー（$\Delta G^{\circ\prime} = 7.3$ kcal/mol）はおもに二つのエネルギー源から供給される．それは栄養分の化学結合に含まれるエネルギーと太陽光のエネルギーである（図 12・1）．それらのエネルギー源を使って ATP をつくる代表的な過程として，ほとんどの真核細胞のミトコンドリアで行われている**好気的酸化**（aerobic oxidation，**好気的呼吸** aerobic respiration ともいう，図 12・1 上）と植物細胞の**葉緑体**（chloroplast）および藻類とシアノバクテリアなど一部の単細胞生物で行われる**光合成**（photosynthesis，図 12・1 下）があげられる．さらに，動物においても植物においても，解糖系とクエン酸回路（図 12・1 左上）という二つの過程は ATP の直接的あるいは間接的供給源として重要である．

　好気的酸化では，食物の消化に由来する糖（炭水化物）や脂肪酸（炭化水素）の分解産物が O_2 により酸化され，CO_2 と H_2O になる．この反応により放出されたエネルギーは ATP 分子中のリン酸無水物結合という化学エネルギーに変換される．これは木（炭水化物）や油（炭化水素）を炉で燃やして熱を発生させたり自動車のエンジン内で燃やして動力としたりするのと似ている．どちらも O_2 を消費し，CO_2 と H_2O を生じる．重要な違いは，細胞内では全体の反応が多数の中間段階に分けられているという点である．こうすることにより，それぞれの段階で放出されるエネルギー量が保存しやすい量（たとえば ATP として）になったり，次の段階で必要とされるエネルギー量と同じくらいになったりする．もしこの量が合っていないと，余分に放出されたエネルギーが熱として散逸したり（非効率），エネルギーが不足して ATP としてたくわえられなかったり，次の段階を進行させられなかったり（無効）する．

　光合成では，光のエネルギーがクロロフィルのような色素に吸

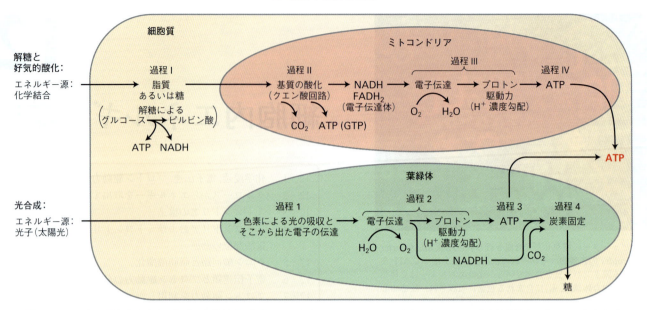

図 12・1 好気的酸化と光合成の概略. 真核細胞は外界からのエネルギー源をATPに変える際に二つの基本的機構を使う. 上: 好気的酸化において, "燃料"分子(おもに糖や脂肪酸)は細胞質で前処理を受ける. たとえば, グルコースは分解されてピルビン酸になる(過程I). 次にミトコンドリアに運び込まれ, そこでO_2により酸化されCO_2とH_2Oになる(過程IIとIII). これに伴いATPが合成される(過程IV). 下: 葉緑体での光合成において, 光の放射エネルギーは特別な色素に吸収される(過程1). 吸収されたエネルギーは, H_2Oを酸化してO_2を発生させると同時に, 電子伝達によってH^+濃度勾配を形成したりNADPHをつくったりし(過程2), ATPの合成(過程3)とCO_2からの炭水化物合成(炭素固定, 過程4)に使われる. どちらの機構においても還元された高エネルギー電子運搬体(NADH, NADPH, $FADH_2$)がつくられ, 特殊な膜の中に構築された電子伝達鎖の上を電位差に従って電子が移動していく. それらの電子から放出されたエネルギーはH^+の電気化学的勾配(プロトン駆動力)として捕捉され, ATP合成に使われる. 細菌も同様な過程を使っている.

収され, ATPや炭水化物(おもにスクロースやデンプン)の合成に使われる. 好気的酸化では炭水化物とO_2を使ってCO_2を出すが, 光合成ではCO_2を材料とし炭水化物とO_2をつくり出す.

ミトコンドリアでの好気的酸化と葉緑体での光合成が逆方向の反応であるということは光合成生物と非光合成生物の間の密接な共生関係の基礎である. 空気中のO_2のほとんどは光合成の際に生じたものであり, ほぼすべての非光合成生物のエネルギー源は光合成によってつくられた炭水化物である. (例外は深海の熱水噴出口に生息する細菌とそれを捕食している生物群である. この細菌は熱水噴出口から出てくる無機還元物質を酸化してCO_2から炭水化物を生産している.)

本章では, ミトコンドリアと葉緑体の構造と機能, および好気的酸化と光合成の分子機構について説明する. まず, 真核細胞のミトコンドリアと葉緑体, および細菌が, ADPとP_iからATPを合成する際に使っている**化学浸透**(chemiosmosis, **化学浸透共役** chemiosmotic coupling ともよばれる)という機構について説明しよう.

12・1 化学浸透, 電子伝達, プロトン駆動力, およびATP合成

化学浸透は単純だが深い意味をもつ概念を基礎としている. §2・4で, 生物におけるポテンシャルエネルギーの三つの形について説明した. それは, 化学結合のもつエネルギー, 濃度勾配に蓄えられたエネルギー, および電位勾配に蓄えられたエネルギーである. これらすべてのものは相互に変換できる. たとえば, 11章で述べたように, ATPの加水分解により放出された化学結合のエネルギーは, ATPase活性をもつポンプによって, 膜を挟んでの濃度勾配あるいは電位勾配に変換される. この相互変換という考えに従えば, 濃度勾配に従って物質が膜を横切ったり, 電位勾配に従ってイオン(たとえばH^+)が膜を横切ったりすることがエネルギーを放出することも理解できるだろう. 放出されたエネルギーは熱として散逸することもあるが, ADPとP_iからATPを合成することにも使える. 2章では, 酸化還元反応において, 電子が電位勾配に従って高エネルギー状態から低エネルギー状態へ(より負の還元電位をもつ原子あるいは分子からより正の還元電位をもつものに)と動くときにエネルギーを放出するということも学んだ. そうして放出されたエネルギーは化学反応を進行させ, 膜を挟んでの電気的あるいは化学的勾配の形成に使える.

化学浸透において, まず電子が**電子伝達鎖**(electron-transport chain)を電位勾配に従って伝わっていくことで生じるエネルギーによって, 膜を挟んでのH^+の電気化学的勾配がつくられる. 電子伝達鎖についてはこのあと説明する. H^+の電気化学的勾配に蓄えられたエネルギーは**プロトン駆動力**(proton-motive force)とよばれ, H^+が電気化学的勾配に従って膜を横切る際に生じるエネルギーは, ATPの合成(図12・2)あるいはエネルギーを必要とする他の過程で使われる. H^+が電気化学的勾配に従って**ATP合成酵素**(ATP synthase)の中を通って戻るとき, ADPとP_iからATPが合成される. この過程は, 11章で述べたATP駆動イオンポンプが行う過程の逆である. ATP駆動イオンポンプは, ATP加水分解のエネルギーを使って, いろいろな物質を電気化学的勾配に逆らって移動させる. ATP合成酵素は, H^+が電気化学的勾配

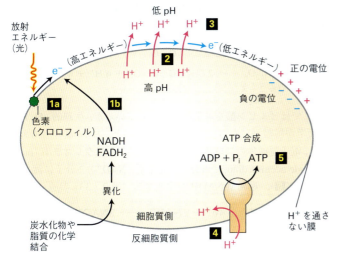

図 12・2 プロトン駆動力により ATP は合成される．プロトン駆動力とは膜を挟んでの H^+ の濃度勾配と電気的勾配（電位差）を合わせたもので，真核生物や原核生物（細菌）での好気的酸化や光合成の際に発生する．色素（クロロフィルなど）が光を吸収したときに生じた高エネルギー電子（段階 1a）や糖や脂質の異化の際に生じた還元型電子運搬体（NADH, FADH$_2$ など）に含まれている高エネルギー電子（段階 1b）は電子伝達鎖（青矢印，段階 2）を流れていき，エネルギーを放出する．このエネルギーが放出されるときに膜を横切って H^+ を輸送（赤矢印，段階 3）するので，プロトン駆動力が発生する．H^+ が濃度勾配に従って ATP 合成酵素の中を流れる（段階 4）ときに放出されるエネルギーが化学浸透共役により，ATP を合成する（段階 5）．プロトン駆動力は濃度勾配に逆らって代謝物質を膜輸送するときや細菌の鞭毛を回転させるときにも使われている．

に従って移動するときに生じるエネルギーを使って，ADP と P_i から ATP を合成する．ATP 合成酵素が，どのように H^+ の電気化学的勾配を利用して ATP を合成するかについては，本章の後半で詳しく説明する．

12・1 化学浸透，電子伝達，プロトン駆動力，および ATP 合成　まとめ

- 細胞は，好気的酸化という過程により，グルコースや脂肪酸の酸化で放出されるエネルギーを ATP の末端にあるリン酸無水物結合の合成に変換する．
- 化学浸透は，生物における 3 種類のポテンシャルエネルギー間の相互変換を使っている．それらは，化学結合のエネルギー，膜を隔てた物質の濃度勾配，および膜を隔てた電位勾配である．
- 電子が電位勾配に従って電子伝達鎖内を流れていく際に放出されるエネルギーは，ミトコンドリアの膜，葉緑体の膜，および細菌の細胞膜を挟んでの H^+ の電気化学的勾配をつくるために使われる．
- H^+ の電気化学的濃度勾配にたくわえられたエネルギーはプロトン駆動力とよばれる．
- H^+ が電気化学的勾配に従って戻るときにエネルギーが放出される．
- H^+ は ATP 合成酵素の中を通って膜を横切り，この酵素は放出されたエネルギーを使って ADP と P_i から ATP をつくる．

12・2 グルコースからエネルギーを取出す最初の過程：解糖

自動車のエンジンの中で燃料である炭化水素は酸化的に爆発し，一挙に力学的仕事（ピストンを動かすこと）および CO_2 と H_2O に変換される．この過程は，燃料に含まれている化学エネルギーが十分利用されずに熱となって散逸するといった点と，燃料のかなりの部分が部分的にしか酸化されず，場合によっては有毒な排ガスになって放出されるといった点から，かなり非効率である．生存競争のなかでしばしばエネルギー源が不足することもある生物は，そのような非効率なやり方でエネルギーを浪費するわけにはいかないので，もっと効率よく燃料を仕事に変換するしくみを進化させてきた．そのしくみが好気的酸化で，次のような利点をもつ．

- エネルギー変換過程を複数の段階に分け，多くの高エネルギー中間体をつくるので，化学結合のエネルギーが効率よく ATP 合成に向けられ，熱損失が少なくなる．
- 異なる燃料（糖や脂肪酸）が分解されて同じ中間体となるので，その後の燃焼と ATP 合成には共通の経路を使える．

もとの燃料分子にたくわえられていたエネルギーは ATP 合成に必要なエネルギー（約 7.3 kcal/mol）よりかなり大きいので，分けることにより多数の ATP を生成することができる．燃料となる栄養物質を CO_2 と H_2O に分解し ATP をつくる際に重要なのは，連続した酸化還元反応からなる電子伝達鎖を含む**呼吸**（respiration）とよばれる一群の反応である（図 12・1 上）．これらの反応と ADP のリン酸化による ATP 生成とが組合わさったものを**酸化的リン酸化**（oxidative phosphorylation）とよび，これはほぼすべての真核生物においてミトコンドリアで行われる．O_2 が利用でき，電子伝達鎖で運ばれてきた電子の最終受容体として使われるとき，この過程によって栄養分のエネルギーを ATP に変換することを**好気的酸化**（aerobic oxidation）あるいは**好気的呼吸**（aerobic respiration）とよぶ．O_2 が強い酸化剤であるので，好気的酸化は栄養物質のエネルギーを最大限 ATP に変換できる非常に効率のよいやり方である．O_2 以外の弱い酸化剤である硫酸イオン SO_4^{2-} あるいは硝酸イオン NO_3^- が電子伝達鎖で運ばれてくる電子の受容体として使われる場合，その過程は**嫌気的呼吸**（anaerobic respiration）とよばれる．ある種の原核微生物は嫌気的呼吸を行っている．例外はあるが，ほとんどの多細胞真核生物は好気的呼吸によって ATP をつくる．

好気的酸化を解説するために，食物の主要な消化産物である糖（おもにグルコース）と脂肪酸がどのように代謝されていくかを追ってみる．ある種の条件下（たとえば飢餓状態）ではアミノ酸もこの代謝経路に入ってくる．まずグルコースの酸化をみて，その次に脂肪酸の酸化をみよう．

グルコース 1 分子を好気的に完全に酸化すると 6 分子の CO_2 が生じ，放出されるエネルギーから 30 分子もの ATP が合成される．反応全体をまとめると以下のようになる．

$$C_6H_{12}O_6 + 6O_2 + 30P_i^{2-} + 30ADP^{3-} + 30H^+ \longrightarrow 6CO_2 + 30ATP^{4-} + 36H_2O$$

真核生物のグルコース酸化は四つの過程により行われる（図 12・1 上）．

過程 I: 解糖　細胞質における一連の反応によって炭素数 6 のグルコース分子が炭素数 3 の**ピルビン酸**（pyruvate）分子 2 個に変えられる．グルコース 1 分子当たり 2 分子の ATP がつくられる．

過程 II: クエン酸回路　ミトコンドリア（mitochondrion, pl. mitochondria）においてピルビン酸が CO_2 に酸化されることと共役して高エネルギー電子の運搬体である NADH と $FADH_2$ がつくられ，そのエネルギーはあとで利用される．これら二つの運搬体が高エネルギー電子の供給源となる．

過程 III: 電子伝達鎖　NADH と $FADH_2$ から放出された高エネルギー電子が一群の膜タンパク質を介して O_2 に向かって流れていく過程で，そのエネルギーがプロトン駆動力（H^+ 電気化学的勾配）に変換される．電子が放出するエネルギーで H^+ を膜輸送し濃度勾配をつくる．

過程 IV: ATP 合成　ミトコンドリア膜に埋込まれた ATP 合成酵素の中を H^+ が濃度勾配と電位勾配に従って流れていくとき，プロトン駆動力によって ATP が合成される．グルコース 1 分子当たり，この酸化的リン酸化（過程 II〜IV）で 28 分子の ATP がつくられる．

本節では過程 I について説明する．この過程は細胞質でグルコースをピルビン酸に分解する生化学的経路である．この経路がどのように調節されているかについても学び，好気的条件下と嫌気的条件下でグルコース代謝がどう異なるのかを比較する．ピルビン酸がミトコンドリアに入ったあとどうなるのかについては §12・5 で解説する．

解糖（過程 I）では細胞質酵素がグルコースをピルビン酸にする

真核生物でも原核生物でもグルコース酸化の最初の過程である**解糖**（glycolysis）は細胞質で行われる．解糖は O_2 を必要としないので嫌気的過程である．**異化**（catabolism）とは複雑なものを分解してより単純なものにする生体反応のことで，解糖は異化の代表的な例である．10 種の細胞質水溶性酵素が**解糖系**（glycolytic pathway）の反応を触媒して 1 分子のグルコースを 2 分子のピルビン酸にする（図 12・3）．グルコースをピルビン酸にするのになぜそれほど多くの段階が必要なのかについては，このあと説明する．

これらの酵素により生成するすべての反応中間体は水溶性のリン酸化合物で**代謝中間体**（metabolic intermediate）とよばれる．中間体を経て 1 分子のグルコース分子を 2 分子のピルビン酸に変えるだけではなく，これらの酵素反応では ADP のリン酸化により 4 分子の ATP が生成する（反応 **7** と **10**）．これらの ATP は，リン酸化代謝中間体のリン酸が酵素によって直接 ADP に付加されてできたものである．これを**基質レベルのリン酸化**（substrate-level phosphorylation）とよび，好気的酸化の過程 III と IV で行われる酸化的リン酸化と区別する．解糖系の基質レベルのリン酸化では，プロトン駆動力を使わないが，2 分子の ATP を使ったリン酸付加反応が必要である（反応 **1** と **3**）．最初に少量のエネルギーを使い，あとでより多くのエネルギーを得るのである．しかし，解糖系ではグルコース 1 分子当たり，たった 2 分子の ATP しか得ることができない．

この一連の反応でグルコースがピルビン酸になるときに水素原子 4 個（4 個の H^+ と 4 個の電子）が生成する．

$$C_6H_{12}O_6 \longrightarrow 2\,CH_3\text{-}\underset{\underset{O}{\|}}{C}\text{-}\underset{\underset{O}{\|}}{C}\text{-}OH + 4\,H^+ + 4\,e^-$$
グルコース　　　　　ピルビン酸

（ここではピルビン酸を非解離型で示しているが，生理的 pH 下では大半が解離型になっている．）電子 4 個と，H^+ 4 個のうちの 2 個は，電子運搬体のニコチンアミドアデニンジヌクレオチド（nicotinamide adenine dinucleotide）の酸化型（NAD^+）2 分子に渡されて（反応 **6**），還元型 NADH が生成する（図 2・33a 参照）．

$$2\,H^+ + 4\,e^- + 2\,NAD^+ \longrightarrow 2\,NADH$$

あとで説明するが，NADH やフラビンアデニンジヌクレオチド（flavin adenine dinucleotide: FAD, 図 2・33b 参照）が還元されて生じた $FADH_2$ がもつ高エネルギー電子は，電子伝達系を使うことによって，ATP をつくることに利用できる．グルコース代謝のこの初期反応の全体は，次式のように表すことができる．

$$C_6H_{12}O_6 + 2\,NAD^+ + 2\,ADP^{3-} + 2\,P_i^{2-} \longrightarrow$$
$$2\,C_3H_4O_3 + 2\,NADH + 2\,ATP^{4-}$$

グルコースをピルビン酸にする過程で，なぜこれほど多くの酵素反応が行われ，多数の代謝中間体がつくられるのだろう．理由の一つは，これらの代謝中間体のいくつかが細胞に必要な分子の合成に利用されるからである．たとえば，ジヒドロキシアセトンリン酸はグリセロールの合成に使われる．もう一つの理由は前に述べたが，過程を増やしグルコースの化学結合に含まれる大きなエネルギーを小分けにして取出すことにより，熱損失を減らして ATP の合成（反応 **7** と **10**）や NADH の生成（反応 **6**）を行うためである．さらに，反応過程が多いと，それぞれの過程およびそれに関連した細胞過程を調節する機会が増え，代謝経路の微調整が可能になる．

解糖が終わってもグルコースがもつエネルギーのごく一部が ATP と NADH として取出されたにすぎない．残りのエネルギーは 2 分子のピルビン酸の共有結合の結合エネルギーとなっている．このピルビン酸がもつエネルギーを効率よく ATP に変換するには O_2 が必要である．このあと電子伝達鎖のところで説明するが，O_2 が存在するときのエネルギー変換効率は酸素の存在しないときと比べてかなり高い．

解糖の速度は細胞の ATP 需要に合わせて調節されている

ATP を適切な濃度に保つため，細胞はグルコースの異化速度を調節しなければならない．解糖系（過程 I）だけでなくクエン酸回路（過程 II）の進行も，アロステリック機構によって常に調節されている（アロステリック調節の一般原理については 3 章参照）．解糖系で使われている 3 種類の酵素が解糖系全体の調節において重要な役割を果たしている．**ヘキソキナーゼ**（hexokinase）は自身が触媒してつくり出したグルコース 6-リン酸により阻害される（図 12・3, 反応 **1**）．ヘキソキナーゼはグルコース濃度センサーとして働き，少なくともあと 2 箇所でエネルギー代謝の調節にかかわっている．哺乳類と植物のヘキソキナーゼアイソフォームは，**ミトコンドリア外膜**（mitochondrial outer membrane）の細

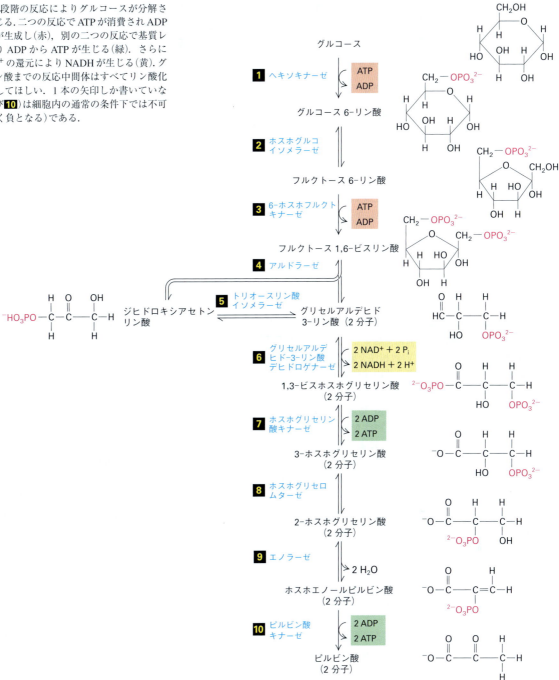

図 12・3 解糖系. 10 段階の反応によりグルコースが分解されてピルビン酸を生じる. 二つの反応で ATP が消費され ADP とリン酸化された糖が生成し(赤), 別の二つの反応で基質レベルのリン酸化により ADP から ATP が生じる(緑). さらに一つの反応では NAD^+ の還元により NADH が生じる(黄). グルコースからピルビン酸までの反応中間体はすべてリン酸化合物である点に注目してほしい. 1 本の矢印しか書いていない反応(**1**, **3**, および **10**)は細胞内の通常の条件下では不可逆な反応(ΔG が大きく負となる)である.

胞質側と結合しながら活性をもち, 細胞質の解糖系とミトコンドリアの呼吸活性などを調和させ, 全体として効率よく ATP がつくれるようにしているようだ. 哺乳類, 植物, および酵母のヘキソキナーゼアイソフォームのあるものは核内に入ることができ, 転写因子の補助因子として働いて, いくつかの重要な酵素の合成を制御することでエネルギー代謝を調節している. 第二のアロステリック酵素は**ピルビン酸キナーゼ**(pyruvate kinase)で, ATP によって阻害されるので, ATP が余っていると解糖系は遅くなる(反応 **10**). 第三のアロステリック酵素である **6-ホスホフルクト-1-キナーゼ**(6-phosphofructo-1-kinase)は解糖系の主要な律速酵素である(反応 **3**). この酵素はいくつかの分子によってアロステリックに調節を受ける(図 12・4).

たとえば, 6-ホスホフルクト-1-キナーゼは ATP によってアロステリックに阻害され, AMP によってアロステリックに活性化される. その結果, 解糖の速度は**エネルギー充足率**〔energy charge, 全アデノシンリン酸化合物中の高エネルギーリン酸無水物結合の割合 $([ATP]+0.5[ADP])/([ATP]+[ADP]+[AMP])$ で表される〕に強く影響を受ける. ATP は 6-ホスホフルクト-1-キナーゼの基質なので ATP がアロステリックに阻害するというのはおかしいと思うかもしれない. しかし, 基質結合部位の ATP に対する親和性はアロステリック部位よりずっと高い(K_m が小さい). したがって, ATP 濃度が低いとき, ATP は基質結合部位に結合する

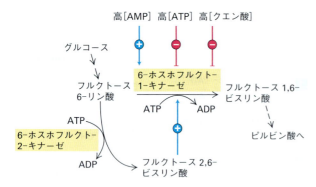

図 12・4　グルコース代謝のアロステリック調節．解糖系の調節で主要な役割を果たしている 6-ホスホフルクト-1-キナーゼは細胞内のエネルギー貯蔵が減ったときに高濃度になる AMP とフルクトース 2,6-ビスリン酸によってアロステリックに活性化される．この酵素は細胞が活発にグルコースを CO_2 に酸化しているとき（エネルギーが充足しているとき）に濃度が上昇する ATP とクエン酸によりアロステリック阻害を受ける．

がアロステリック阻害部位には結合しないので，反応はほぼ最大速度で進行する．ATP 濃度が高くなると，ATP はアロステリック部位にも結合し，酵素に構造変化を起こさせ，もう一方の基質であるフルクトース 6-リン酸との親和性を低下させる．その結果，この反応の速度が下がり，解糖全体の速度も下がる．

6-ホスホフルクト-1-キナーゼのもう一つの重要なアロステリック活性化因子は**フルクトース 2,6-ビスリン酸**（fructose 2,6-bisphosphate）である．この代謝産物は **6-ホスホフルクト-2-キナーゼ**（6-phosphofructo-2-kinase）によってフルクトース 6-リン酸から生成する．フルクトース 6-リン酸はフルクトース 2,6-ビスリン酸の生成を促進し，その結果，6-ホスホフルクト-1-キナーゼを活性化する．こうした調節は**フィードフォワード活性化**（feed-forward activation）とよばれ，ある種の代謝産物が大量に存在するとき（ここではフルクトース 6-リン酸），その物質の代謝を促進する．フルクトース 2,6-ビスリン酸は，高濃度 ATP による阻害を弱め，基質の一つであるフルクトース 6-リン酸に対する親和性を高めることにより，肝細胞において 6-ホスホフルクト-1-キナーゼをアロステリックに活性化する．21 章で，インスリンというホルモンが，どのようにしてフルクトース 2,6-ビスリン酸を介してエネルギー代謝に影響を与えるかを説明する．6-ホスホフルクト-1-キナーゼは高濃度のクエン酸によっても阻害される．本章のあとのほうで，クエン酸はグルコース酸化の過程 II で生じることがわかる．

アロステリックに調節されるそれら 3 種類の解糖系酵素が触媒する反応の $\Delta G^{\circ\prime}$ は大きく負なので，通常の条件下では不可逆といってもよい．だから，それらの酵素は解糖系全体を調節するのに適したものなのである．そのほかに，NAD^+ を NADH に還元するグリセルアルデヒド-3-リン酸デヒドロゲナーゼ（図 12・3, 反応 6）も調節されている．このあと述べるが，NADH は高エネルギー電子をもっていて，それはミトコンドリアの酸化的リン酸化で使われる．ミトコンドリアでの酸化が遅くなって細胞質に NADH が蓄積すると，反応 6 は熱力学的にみて進みにくくなる．

哺乳類の種々の組織におけるグルコース代謝は，生物体全体の要求に合うように，異なった調節を受ける．たとえば，食物によるグルコースが得られないとき，肝臓は血液中にグルコースを放出しなければならない．そのため，肝臓はグルコースの貯蔵形態であるグリコーゲン（2 章）をグルコース 6-リン酸にする（図 12・3, 反応 1 のヘキソキナーゼを経ずに）．このような状況下で，フルクトース 2,6-ビスリン酸濃度は下がり，6-ホスホフルクト-1-キナーゼの活性も落ちる（図 12・4）．その結果，グリコーゲンからつくられたグルコース 6-リン酸は，ピルビン酸にはされず，ホスファターゼによってグルコースに変えられて，血液中に放出される．このグルコースは，脳や赤血球のようにエネルギー源をおもにグルコースに依存している細胞で利用される．すべての場合において，それらの調節を受ける酵素の活性は，低分子量代謝産物の濃度によりアロステリックに，あるいはホルモンを介したリン酸化あるいは脱リン酸化によって調節されている．（肝臓や筋肉におけるグルコース代謝のホルモンによる調節については 15 章と 21 章で詳しく説明する．）

O_2 がないときグルコースは発酵によって処理される

ヒトを含む多くの真核生物は**絶対好気性生物**（obligate aerobe）で，O_2 の存在下でのみ生育することができ，グルコース（あるいは類似した糖）を完全に CO_2 にまで代謝し大量の ATP を得ている．しかし，ほとんどの真核生物は嫌気的代謝によっていくらかの ATP をつくることができる．真核生物の一部のものは**通性嫌気性生物**（facultative anaerobe）で，O_2 があってもなくても生育できる．たとえば，環形動物，軟体動物やある種の酵母は，O_2 がなくても発酵によって ATP をつくり，生きることができる．

酵母は，O_2 のないときに，解糖で生じたピルビン酸をエタノールと CO_2 にする．この反応によりピルビン酸 2 分子がエタノールになるときに 2 分子の NADH が酸化されて NAD^+ が再生され，解糖系を持続させるために必要な NAD^+ を供給する（図 12・5a, 左）．このグルコースの嫌気的分解は**発酵**（fermentation）とよばれ，ビールやワインはこれによってつくられている．

動物細胞でも発酵は行われている．ただし，つくられるものはエタノールではなく乳酸である．たとえば運動により骨格筋が長時間収縮を繰返していると組織中の O_2 が不足し，グルコースの異化を解糖系だけでしか行えなくなる．その結果，筋肉は解糖で生じたピルビン酸を還元して乳酸とし，同時に NADH を酸化して NAD^+ にする（図 12・5a, 右）．乳酸はモノカルボン酸輸送体により筋肉から血流中に放出される．血流中に放出された乳酸の一部は肝臓にいき，再酸化されてピルビン酸となり，さらに好気的に代謝されて CO_2 になるかグルコースに再生される．乳酸の多くは心臓で代謝され CO_2 になる．心臓には大量の血液が流れ込むので，骨格筋が運動によって O_2 不足になり乳酸を放出するようなときでも好気的代謝を続けていられるのである．もし大量の乳酸が血液中に蓄積すると，血液の pH は酸のために低下する（乳酸アシドーシス）．乳酸菌（乳を腐敗させる細菌）や他の原核生物もグルコースを乳酸にする発酵により ATP を得ている．

発酵は好気的酸化に比べるとかなり効率が悪いので，動物細胞では O_2 が不足したときにだけ行われる．O_2 存在下では解糖により生じたピルビン酸はミトコンドリアに送り込まれ，図 12・5(b) に示した一連の反応で O_2 によって酸化され，CO_2 と H_2O になる．このグルコースの好気的代謝は，図 12・1 の過程 II〜IV で行われ，グルコース分子当たりつくられる ATP の量は，嫌気的グルコース代謝（発酵）による ATP 量より 28 個も多い．

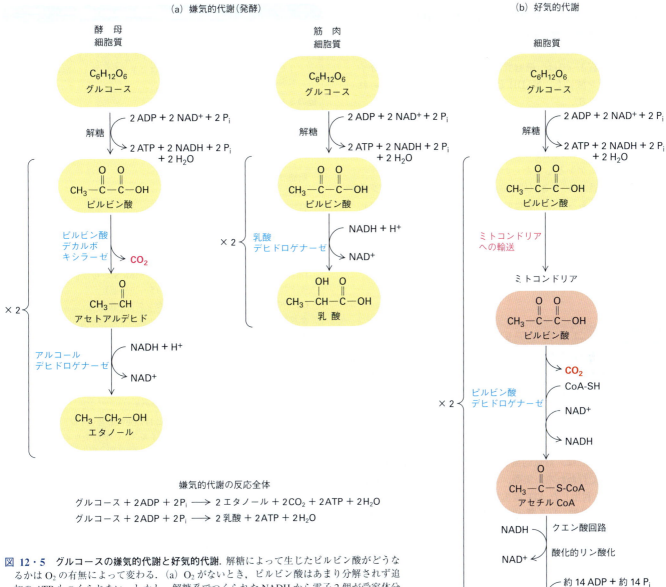

図 12・5 グルコースの嫌気的代謝と好気的代謝. 解糖によって生じたピルビン酸がどうなるかは O_2 の有無によって変わる.（a）O_2 がないとき，ピルビン酸はあまり分解されず追加の ATP もつくられない．しかし，解糖系でつくられた NADH から電子 2 個が受容体分子に移され，NAD^+ が再生する．これは解糖を持続させるために必要な反応である．酵母（左）では，アセトアルデヒドが電子受容体で，エタノールが生じる．この過程は**アルコール発酵**（alcoholic fermentation）とよばれる．O_2 の供給が少ないときの筋肉（右）では，NADH はピルビン酸を還元して乳酸にし，NAD^+ が再生する．この過程は**乳酸発酵**（lactic acid fermentation）とよばれる．（b）O_2 があるとき，ピルビン酸はミトコンドリアに輸送される．そこでまずピルビン酸デヒドロゲナーゼによって 1 分子の CO_2 と 1 分子の酢酸に変えられ，後者は補酵素 A（CoASH）と結合してアセチル CoA となる．この反応と同時に 1 分子の NAD^+ が NADH に還元される．このアセチル CoA と NADH のさらなる代謝により，1 グルコース当たり約 28 分子の ATP がつくられる．

好気的酸化でなぜそれほど効率よく ATP がつくられるのかを理解するために，まずそれを行っている細胞小器官であるミトコンドリアの構造と機能について説明する．ミトコンドリアの構造，動的性質，および機能が次の二つの節の主題である．

12・2 グルコースからエネルギーを取出す最初の過程: 解糖 まとめ

- 好気的酸化という過程によって，細胞はグルコースあるいは脂肪酸を酸化したときに放出されるエネルギーを ATP の末端にあるリン酸無水物結合に変える.
- 1 分子のグルコースが好気的に完全酸化されると 6 分子の CO_2 と約 30 分子の ATP が生じる．細胞質ではじまりミトコンドリアで終わるこの過程は I〜IV に分けられる．過程 I: 細胞質におけるグルコースからピルビン酸への分解（解糖），過程 II: ミトコンドリアにおけるピルビン酸の CO_2 への酸化とそれと共役した高エネルギー電子の運搬体である NADH や $FADH_2$ の産生（クエン酸回路），過程 III: 電子伝

達鎖によるプロトン駆動力の発生と O_2 の H_2O への変換，過程IV：ATP合成（図12・1）．グルコース1分子から過程Iで2分子，過程II〜IVで約28分子のATPがつくられる．

- 解糖（過程I）では，細胞質の酵素がグルコースを2分子のピルビン酸にし，NADHとATPが2分子ずつつくられる（図12・3）．
- 解糖によるグルコースの酸化は，細胞のATP需要に応じ，いくつかの酵素を阻害したり活性化したりして調節されている（図12・4）．ATPが豊富に存在するとき，グルコースはグリコーゲンとしてたくわえられる．
- O_2 が存在しないとき（嫌気的条件下），細胞はピルビン酸を乳酸に，あるいは（酵母の場合）エタノールと CO_2 にしてNADHを NAD^+ に戻す．これは解糖を持続させるためである．O_2 が存在するとき（好気的条件下），ピルビン酸はミトコンドリアに送り込まれて CO_2 になり，大量のATPがつくられる（図12・5）．

表 12・1 ミトコンドリアの多様な機能

生合成あるいは加工
脂肪酸，ステロイドホルモン，ピリミジン，鉄–硫黄クラスター，ヘム，リン脂質（ホスファチジルエタノールアミン，ホスファチジルグリセロール，カルジオリピン），ユビキノン，アミノ酸（合成，相互変換，異化）

他のミトコンドリア機能
酸化的リン酸化とATP合成
活性酸素分子種（ROS）の恒常性維持
イオン（たとえば Ca^{2+}）の恒常性維持
アンモニアの解毒
脂肪酸酸化
褐色脂肪での熱発生
自然免疫と炎症反応に寄与
細胞死経路（たとえばアポトーシス）の制御

ミトコンドリア–小胞体膜接触部位（MCS）により影響を受ける細胞過程
ミトコンドリアの形と動態
PINK1/パーキン依存性マイトファジー（MCSからはじまる）
ミトコンドリアへの Ca^{2+} 輸送（図15・29参照）
Ca^{2+} の恒常性維持と Ca^{2+} を介したシグナル伝達
グルコースとエネルギー代謝
小胞体からミトコンドリアへのホスファチジルセリンやコレステロールを含む脂質の輸送
ミトコンドリアにおけるホスファチジルエタノールアミンやステロイドホルモンを含む脂質の生合成
ストレス応答
調節された細胞死(22章)による細胞の生存
インフラマソームによる炎症反応と自然免疫応答(24章)
ウイルス感染経路(サイトメガロウイルス，C型肝炎ウイルス)
神経変性疾患(アルツハイマー病，パーキンソン病)

12・3 ミトコンドリアの構造

光合成により O_2 を発生するシアノバクテリアは約27億年前に地上に出現した．シアノバクテリアはその後の10億年ほどで大気中に大量の O_2 を放出したので，効率のよい好気的酸化経路をもつ生物の出現に道を開いた．これにより，カンブリア爆発（Cambrian explosion）とよばれる時期に特に多くみられた大きく複雑な体型とそれを支える代謝経路をもつ生物が出現できたのである．真核生物では，好気的酸化（図12・1の過程II〜IV）はミトコンドリアで行われる．実際，ミトコンドリアは多量に存在する O_2 をうまく利用したATP産生工場なのである．まずミトコンドリアの構造，動態，およびATP産生だけでない多様な機能をみてから，ピルビン酸を分解してATPを産生する反応について説明しよう．

ミトコンドリアは大量に存在する多機能細胞小器官である

ミトコンドリア（図12・6a）の大きさは大腸菌とほぼ同じである．このあと述べるが，進化の過程でミトコンドリアの祖先は細菌と考えられているから，これは驚くにあたらない．多くの真核細胞は多数のミトコンドリアをもち，それらが互いに融合して大きな網目のようになることもあり，その体積が細胞質体積の25%になることもある．多くの哺乳類細胞中のミトコンドリアの数は数百から数千個であるが，卵母細胞では50万個にもなる．この数は細胞のATP需要によって変わる．たとえば，酸分泌のために大量のATPを使用する胃の細胞は多数のミトコンドリアをもっている．

本章での主題はミトコンドリアの構造とATPをつくるしくみだが，ミトコンドリアが細胞のさまざまな過程においても重要な役割を果たしていることを認識しておくべきである（表12・1）．ミトコンドリアは多くの小分子の生合成にかかわっている．そのいくつかの場合では，生合成経路の何段階かがミトコンドリア内で行われ，残りは外部で行われる．そのため，前駆体や生成物は輸送タンパク質によってミトコンドリア内外を行き来しなければならない．たとえば，多くの真核生物においてミトコンドリアはヘム生合成の律速段階となる最初の反応を行っている．この最初の反応の生成物は細胞質に送り出されて修飾を受け，またミトコンドリアに戻されて最終段階の反応が行われる．細胞質で行われるさまざまな小分子の生合成はミトコンドリアに依存している．グルタチオン，プリン，脂肪酸およびコレステロールなどを細胞質でつくる際に必要なNADPH（エネルギー源），アセチルCoA（炭素源），および他の前駆体物質の生成に使われるクエン酸，イソクエン酸，リンゴ酸，ギ酸および2-オキソグルタル酸などの有機小分子はミトコンドリアが細胞質に供給している．

ミトコンドリアは構造と機能が異なる二つの膜をもつ

ミトコンドリアの詳細な構造は電子顕微鏡（図1・21および図12・6b）や超解像蛍光顕微鏡（図12・8）で観察できる．ミトコンドリアは上下に重なった二つの性質の異なる膜（**内膜** inner membrane と**外膜** outer membrane）をもつ．外膜は滑らかでミトコンドリアと外部とを分ける境界となっている．内膜は外膜の下にあり，連続した1枚の膜であるが，組成的にも構造的にも異なった三つの領域からなると考えられている．**境界膜**（boundary membrane）は外膜の直下にある平らな領域である．**クリステ**（crista, pl. cristae）は内膜がミトコンドリア中央部に向けて陥入している領域である．多数のクリステが陥入することで内膜の表面積はとても大きくなる．このあと説明するが，クリステ膜はATP合成の場なので，この陥入によってミトコンドリアのATP産生能力も高まる．境界膜とクリステが接続している部分を**クリスタジャンク**

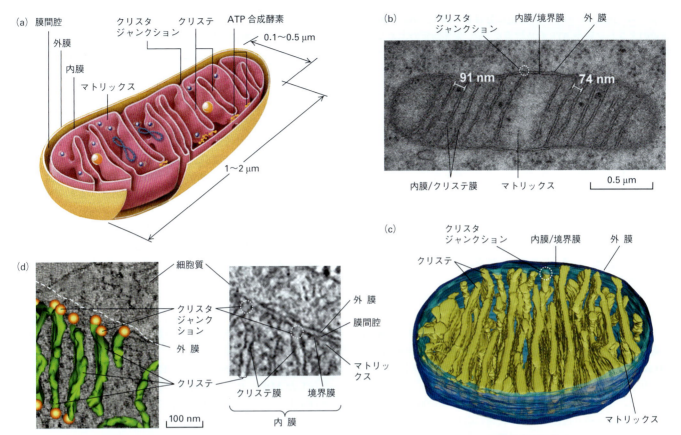

図 12・6　ミトコンドリアの内部構造．(a) ミトコンドリアの主要な膜と区画を示した模式図．滑らかな外膜がミトコンドリアと外部との境界となる．内膜は連続した 1 枚の膜であるが境界膜，クリステ，およびクリスタジャンクションという三つの異なる領域からなる．境界膜は外膜の直下にある平らな領域である．クリステは境界膜からミトコンドリア中央部に向けて板状あるいは筒状に陥入している領域である．境界膜とクリステが接続している鋭く曲がった部分をクリスタジャンクションとよぶ．膜間腔は外膜と内膜に挟まれた空間である．マトリックスは内膜に包まれた内部である．ATP を合成する ATP 合成酵素（F_oF_1 複合体ともよぶ，黄色の小球）は二量体となってクリステ膜が曲がる部分に並び（このあと図 12・30e で説明する），マトリックスに向かって突き出ている．マトリックスにはミトコンドリア DNA（青糸），リボソーム（青色の小球），顆粒（黄色の大球）が存在する．(b) ヒト HeLa 細胞超薄切片の透過型電子顕微鏡写真．ミトコンドリアの内膜と外膜および梯子の横棒のように平行に並んだクリステがみられる．クリスタジャンクションの一つを白い点線円で囲んで示した．梯子の横棒のように重なったクリステは超解像蛍光顕微鏡（図 12・8）でも観察できる．(c) コンピューターによって再構築されたニワトリ脳のミトコンドリアの断面図．この図は角度を少しずつずらして撮影した電子顕微鏡写真（b のような）の二次元画像をコンピューターで処理して三次元画像にし，これをもとにして描いている．この手法は，医療の画像診断で使われている X 線トモグラフィーと同じ原理に基づくものである．密集したクリステ（黄緑），内膜（薄青），外膜（濃青），およびクリスタジャンクション（白い点線円）がよくわかる．(d) 電子顕微鏡像とその三次元再構成像で可視化されたヒト繊維芽細胞のクリステとクリスタジャンクション．右側の写真はミトコンドリアをいろいろな角度から透過型電子顕微鏡で写真撮影したものの一つで，ミトコンドリアのいろいろな膜がはっきりと識別できる．境界膜とクリステの間に鋭く曲がったジャンクションがあることがよくわかる（点線の丸で囲った部分）．左側の図は三次元再構成されたモデルを電子顕微鏡写真と重ねたもので，重なり合ったクリステ（緑）とクリスタジャンクション（橙）を際立たせて示した．〔(b) は T. Stephan et al., 2019, *Sci. Rep.* **9**: 12419 による．(c) は T. G. Frey, G. A. Perkins 提供．(d) は D. C. Jans et al., 2013, *Proc. Natl. Acad. Sci. USA* **110**: 8936, Fig. 6A, C による．〕

ション（crista junction）とよぶ（図 12・6）．

　クリステは筒状だったりパンケーキ状だったりし，一つのミトコンドリア内でも長さと形はいろいろである．それらは折り重なるように陥入しているので，ミトコンドリアの断面図を見ると梯子の横棒のように見える（図 12・6b, c，図 1・21 および図 12・8 も参照）．ミトコンドリア内でもクリステが密に重なっているところと疎なところがあり，なかにはほとんどクリステが見られない部分もある．クリスタジャンクションおよびクリステの先端と縁の膜は急角度に曲がっている．クリスタジャンクションの曲がり（図 12・6 および図 12・30e）は MICOS（mitochondrial contact site and cristae organizing system）とよばれるタンパク質複合体による．その複合体中にはホモオリゴマーとなって内膜を大きく曲げる膜内在性タンパク質が含まれている．さらに，MICOS は外膜のタンパク質と結合して内外膜を接近させている．MICOS と結合する外膜タンパク質には Tom と SAM というタンパク質複合体が含まれる．13 章で述べるが，これらの複合体はミトコンドリアへのタンパク質の輸送にかかわっている．MICOS はミトコンドリア内でクリステの形状を維持するためにも必要である．さらに MICOS は境界膜とクリステ膜に局在するタンパク質や脂質が混ざり合わないようにする拡散障壁としても働いているようだ．クリステの先端と縁の膜が大きく曲がることの分子機構については§12・7 で説明する．

　内膜と外膜はミトコンドリア内を，外膜と内膜の間にある**膜間腔**（intermembrane space）および内膜の内腔となる中央部の**マト**

リックス (matrix) の二つの区画に分ける (図 12・6a). 電子伝達鎖のタンパク質や ATP 合成酵素などの, 栄養物質のエネルギーを ATP に変換することに直接関与するタンパク質の多くはミトコンドリア内膜に存在する. 典型的な肝細胞ミトコンドリアでは, クリステを含む内膜の面積は外膜の約 5 倍である. 肝細胞において, 全ミトコンドリア内膜の面積は細胞の 17 倍にも達する. 心筋や骨格筋のミトコンドリアには肝細胞のミトコンドリアの 3 倍ものクリステがある. 筋細胞ではより多くの ATP が必要とされることを反映しているのだろう.

ミトコンドリアをつくり, 維持し, その機能を行わせるために 1000 以上の異なったポリペプチドが必要である. ミトコンドリアに関係するタンパク質の遺伝子変異による機能欠陥がひき起こすヒトの病気が 250 以上知られている. 一番多いのは電子伝達鎖を構成する 150 種のタンパク質のいずれかに変異が起こることによるもので, 筋肉, 心臓, 神経系, 肝臓をはじめとしたさまざまな器官に異常が起こる. その他のミトコンドリアに関連する病気にミラー症候群 (Miller syndrome) があり, 解剖学的レベルでの多数の奇形と結合組織の欠陥が現れる.

外膜に最も大量に存在する β バレル構造をもつ**ポリン** (porin) は**電位依存性陰イオンチャネル** (voltage-dependent anion channel: **VDAC**) ともよばれる多機能膜貫通チャネルタンパク質で, 細菌のポリンと構造が似ている (図 10・18 参照). ポリンが開いているときは, イオンやほとんどの親水性小分子 (5000 Da まで) がこのチャネルを通り抜けられる. 代謝に応じたミトコンドリアポリンの開閉によって代謝産物の外膜通過が調節されることはあるが, 細胞質とミトコンドリアマトリックス間の主要な透過障壁となっているのは内膜で, ミトコンドリアでの酸化と ATP 産生はここで調節されている.

ミトコンドリア内膜の重量の 76% はタンパク質で, このタンパク質含量は細胞内のどの膜よりも高い. これらのタンパク質の多くが酸化的リン酸化において重要な役割を果たしている. そのなかには ATP 合成酵素, 電子伝達を行うタンパク質, および細胞質とミトコンドリアマトリックス間の代謝産物の輸送にかかわる各種の輸送タンパク質が含まれている. ヒトのゲノム上にはミトコンドリア輸送体ファミリーに属するタンパク質の遺伝子が 48 存在する. そのうちの一つに ADP/ATP 対向輸送体がある. このタンパク質は, マトリックスで新たに産生された ATP を細胞質で生じた ADP との交換で膜間腔 (最終的には細胞質) に輸送するものである. この対向輸送体がなければ, マトリックス内でつくられた ATP にたくわえられている化学結合のエネルギーを細胞内の他の部位で利用できなくなる.

植物も動物と同じようにミトコンドリアをもち, 好気的酸化を行っている. 植物では, 多くの場合デンプンとしてたくわえられている炭水化物が加水分解され, グルコースになる. 動物細胞と同様に, それが解糖によってピルビン酸にされ, ミトコンドリアに運び込まれる. 光合成細胞でも光合成が行えない暗期にはミトコンドリアでのピルビン酸の酸化と ATP 合成が行われ, 根などの非光合成組織では常時それが行われている. 葉緑体での光合成については §12・8 で説明する.

ピルビン酸や脂肪酸の CO_2 や H_2O への酸化反応およびそれと共役した ADP と P_i からの ATP の合成はミトコンドリアの内膜およびマトリックスで行われるが, それぞれの反応過程はミトコンドリア内の異なる膜あるいは区画で行われている (図 12・11).

ミトコンドリアは進化の過程で α プロテオバクテリアの細胞内共生によってでき, 内部に DNA が存在する

ほとんどの真核生物において, ほぼすべての DNA が核に存在するが, 動物, 植物, 真菌類ではミトコンドリア, 植物ではさら

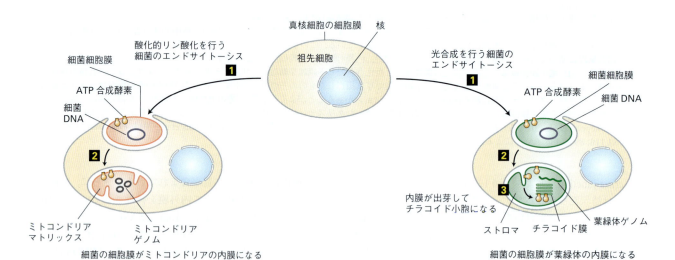

図 12・7 **ミトコンドリアと葉緑体の起源についての内部共生説**. 祖先真核細胞が細菌をエンドサイトーシスで取込むことによって, 2 枚の膜をもつ細胞小器官ができたと考えられる (段階❶). 外膜は真核細胞の細胞膜に由来し, 内膜は細菌の細胞膜に由来する (段階❷). そのとき, 祖先細胞が, ここで描いたようにすでに核をもっていたか, 細菌取込みと同時あるいはそのあとに核をもつようになったかについてははっきりしていない. 細菌細胞膜に局在したタンパク質は方向がそのまま保たれ, かつて細胞外空間へ向いていた部分は, いまは膜間腔に向いている. たとえば, ATP 合成酵素の F_1 サブユニットは細菌の細胞質に面した側に存在していたが, 進化後のミトコンドリア内 (左) や葉緑体内 (右) ではマトリックス (葉緑体ではストロマ) に面した側に存在している. ストロマに F_1 サブユニットを向けた葉緑体チラコイド膜は, 現生植物の葉緑体の発生時に起こるような葉緑体内膜からの小胞の出芽によってつくられたと考えられる (段階❸). 細胞小器官の DNA も図中に示した. 色で塗りつぶした領域に面している側が細胞質面で白い領域に面している側が反細胞質面である.

に葉緑体にもいくらかのDNAが存在する．さまざまな証拠から，ミトコンドリアと葉緑体は，真核細胞様の核をもっていた祖先細胞に取込まれて**内部共生者**（endosymbiont）になった真正細菌に由来すると考えられている（図12・7）．進化の過程で，それらの細菌遺伝子のほとんどは細胞小器官のDNAから失われた．あるものは核DNAが機能を代行するようになったためであり，あるものは核染色体に移されたためである．それでも，現生する真核生物のミトコンドリアと葉緑体には，細胞小器官の機能に不可欠ないくつかのタンパク質と，これらのタンパク質を内部で合成するために必要なrRNAとtRNAをコードするDNAが残されている．したがって，真核細胞は，主要な核の遺伝子システムのほかに，ミトコンドリアと葉緑体の独自のDNA，リボソーム（図3・49参照），およびtRNAからなる第二の遺伝子システムをもつ，複数遺伝子システムとなっている．13章で詳しく述べるが，ミトコンドリアや葉緑体のタンパク質の大半は核DNAにコードされており，細胞質リボソーム上で合成されたのち，それぞれの細胞小器官に輸送される．

複数の真核生物の**ミトコンドリアDNA**（mitochondrial DNA: mtDNA）の塩基配列を分析した結果は，ミトコンドリアがαプロテオバクテリア（図1・1参照）と近縁の細菌の細胞内共生により生じたという説を強く支持した．これに属する細菌は，偏性細胞内寄生体*である．したがってミトコンドリアの祖先もおそらく細胞内をすみかとしていて，細胞内共生体へと進化するのに適していたのであろう．

mtDNAが少数の遺伝子しかもたない生物では，同じミトコンドリア遺伝子が，その生物が属する門のすべてに保持されている．これらの遺伝子が核ゲノムへ移行できなかった理由として，それらにコードされるポリペプチドの疎水性が高すぎてミトコンドリア外膜を通ることができず，細胞質で合成されてもミトコンドリアに取込めないからという仮説がある．同様に，rRNAは大きいため，核から細胞質を通ってミトコンドリアまでうまく輸送できない可能性がある．別の可能性として，これらの遺伝子は，個々のミトコンドリア内の状況に応じて発現を制御するほうが有利なため，進化の間に核へ移行しなかったとも考えられる．つまり，もしこれらの遺伝子が核にあると，そのミトコンドリアタンパク質の量を個々のミトコンドリア内の状況に応じて変えることができないのである．

mtDNAの大きさ，構造，遺伝子収容量は生物種によって大きく異なる

驚くべきことに，mtDNAの大きさ，コードするタンパク質の数と性質，さらにはミトコンドリアの遺伝暗号自体も，生物種間で大きく異なる．ほとんどの多細胞動物のmtDNAは約16 kbの環状分子で，DNAの両方の鎖にイントロンがない遺伝子が密にコードされている．脊椎動物のmtDNAには，ミトコンドリアのリボソームに含まれる2個のrRNA，ミトコンドリアのmRNAの翻訳に用いられる22個のtRNA，および電子伝達とATP合成に関与する13個のタンパク質がコードされている．知られているなかで最も小さなミトコンドリアゲノムはわずか約6 kbで，ヒトにマラリアをひき起こすマラリア原虫（図1・25参照）という単細胞の細胞内寄生生物中に存在する．マラリア原虫のmtDNAは，三つのタンパク質とミトコンドリアrRNAをコードしているだけである．

植物のmtDNAは，多細胞動物のmtDNAに比べて何倍も大きい．その理由として，タンパク質をコードしてないイントロン，偽遺伝子，可動性DNA因子，および外来DNA（葉緑体，核，ウイルスに由来するDNA）の断片の存在があげられる．これらは，進化の過程で植物DNAに起こった多くの変化の証拠である．たとえば，アブラナ科のシロイヌナズナ *Arabidopsis thaliana* のmtDNAは366 kbであり，ウリ科植物（たとえば，メロンやキュウリ）のものは約2 Mbである．

ある生物種のmtDNAにコードされるいくつかのタンパク質が，近縁の他の種では核のDNAにコードされていることがある．この現象の最も明確な例が，ミトコンドリア電子伝達鎖の複合体IV（詳細はこのあと説明する）を構成するシトクロム *c* オキシダーゼのサブユニット2をコードする *coxII* 遺伝子でみられる．この遺伝子は，リョクトウやダイズを含む一部の近縁なマメ科植物では核にあるが，他のすべての多細胞植物ではmtDNA内に存在する．

これまでに同定されているミトコンドリアで合成されるポリペプチドのほとんどは，電子伝達あるいはATP合成に使われる多量体複合体のサブユニットである．しかし，表12・1にあげた過程に関与するタンパク質を含めて，ミトコンドリアに局在するタンパク質のほとんどは核の遺伝子にコードされ，細胞質のリボソームで合成されて，13章で述べる機構によってミトコンドリアへ輸送される．

mtDNAはマトリックスにあり，有糸分裂時に細胞質遺伝によって娘細胞に伝えられる

mtDNAはミトコンドリアマトリックスにあり，図12・8に示すような急速に成長している細胞では，クリステがあまりない部分にみられる．mtDNAの複製とミトコンドリアの分裂は，生きた細胞の経時的顕微鏡観察により追跡することが可能である．こうした研究から，大部分の生物ではmtDNAの複製は間期の間ずっと起こっていることが示された．分裂期になると，それぞれの娘細胞は，親細胞の細胞質からほぼ同数のミトコンドリアを受取るが（この過程は**細胞質遺伝** cytoplasmic inheritance とよばれる），娘細胞に正確に等しい数のミトコンドリアを割り当てる機構はないので，一方の細胞に他方の細胞よりも多くのmtDNAが含まれることがある．細胞内にあるmtDNAの一つに突然変異が起こったとき，細胞分裂後の娘細胞の一方だけに，この突然変異を起こしたmtDNAが伝えられるということも起こる．しかし，その娘細胞でも，ほとんどのmtDNAは変異遺伝子をもっていない．細胞当たりのmtDNAの全量は，ミトコンドリアの数と，mtDNAの大きさ，およびミトコンドリア一つ当たりのmtDNAの分子数によって決まる．細胞の種類が違うと，これらの数値も大きく異なる．ヒトの典型的な細胞には1000〜2000個のmtDNAが存在するが，卵母細胞では約50万，精子ではわずか100ほどである．

この卵母細胞と精子の細胞当たりのmtDNA量の大きな違いは，mtDNAの遺伝に大きく影響する．哺乳類や他の大部分の多細胞生物では，接合子細胞質への精子の寄与はあったとしても

＊ 他の生物の細胞内でのみ増殖可能で単独では増殖できない微生物のこと．

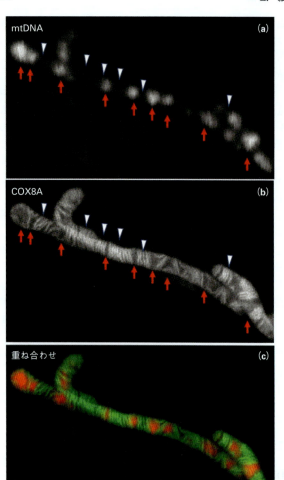

図 12・8（実験） マトリックス内には複数のミトコンドリア DNA が存在することが二重染色によって明らかになった．ミトコンドリア内膜のクリステに局在するタンパク質（COX8A）を蛍光標識し，それを発現しているヒト HeLa 細胞を，二本鎖 DNA と結合する蛍光色素 PicoGreen で処理したものを，共焦点顕微鏡でミトコンドリア DNA（a）を可視化し，超解像蛍光顕微鏡で内膜およびクリステ膜（COX8A の蛍光，b）を可視化した．(a)では，1個のミトコンドリア内で，DNA 染色ではとんど染まらないところと濃く染まるところを，それぞれ白の矢じりおよび赤の矢印で示した．(b)は同じミトコンドリアの画像だが，クリステが密に並んでいるところとほとんどないところが見られる．全体としてみると，ミトコンドリア DNA はクリステのほとんどないところに多く見られる．(c)は両方の画像を重ね，DNA が染色された部分を赤，クリステおよび内膜（COX8A の蛍光）を緑に着色した．［T. Stephan et al., 2019, *Sci. Rep.* **9**: 12419 による．］

非常にわずかで，胚に含まれるミトコンドリアは，事実上すべてが卵のミトコンドリアに由来する．マウスを用いた研究から，mtDNA の 99.99％は母親から遺伝したものであるが，ほんのわずか（0.01％）は雄の親に由来することが示されている．高等植物では，mtDNA は例外なく雌親（卵）から遺伝し，雄親（花粉）からは遺伝せず，片親性の様式をとる．

ミトコンドリア遺伝子の産物はミトコンドリア外へは輸送されない

mtDNA の RNA 転写産物とその翻訳産物は，つくられた場所であるミトコンドリアから外に出ず，mtDNA にコードされるすべてのタンパク質の合成は，ミトコンドリアのリボソーム上で行われる．このリボソームの構成タンパク質のほとんども細胞質から輸送されてくるが，ミトコンドリアのリボソームを構成する rRNA は mtDNA にコードされている．動物や真菌類では，ミトコンドリアでのタンパク質合成に使われる tRNA もすべて mtDNA にコードされている．しかし，植物や多くの原生動物では，ほとんどのミトコンドリア tRNA が核 DNA にコードされていて，ミトコンドリアへ送り込まれる．

ヒトミトコンドリアリボソームの構造を図 3・49 に示した．ミトコンドリアの祖先が細菌であることを反映し，ミトコンドリアのリボソームは細菌のリボソームに似ており，RNA とタンパク質の構成比，大きさ，ある種の抗生物質への感受性などが真核生物の細胞質にあるリボソームとは異なる（表 5・2 参照）．たとえば，クロラムフェニコールは細菌と大部分の生物のミトコンドリアのリボソームによるタンパク質合成を阻害するが，真核生物の細胞質リボソームでのタンパク質合成を阻害するシクロヘキシミドはミトコンドリアリボソームに作用しない．ミトコンドリアのリボソームがクロラムフェニコールなどのアミノグリコシドに分類される重要な抗生物質に感受性を示すことが，これらの抗生物質がひき起こす毒性のおもな原因となっている．

ミトコンドリアの遺伝暗号は標準的な核の遺伝暗号とは異なる

動物と真菌類のミトコンドリアで用いられる遺伝暗号は，すべての原核生物，真核生物の核，および植物のミトコンドリアの遺伝子で用いられている標準的な暗号とは異なる．さらに，ミトコンドリアの暗号は種間でも異なる．なぜ，そしてどのように，この違いが進化の過程で生じたのかは謎である．たとえば，UGA は多くの遺伝子で終止コドンだが，ヒトと真菌類のミトコンドリアの翻訳系ではトリプトファンと読まれる．AGA と AGG は標準的な核の暗号ではアルギニンを意味し，真菌類と植物の mtDNA でも同様にアルギニンと読まれるが，哺乳類の mtDNA では終止コドンであり，ショウジョウバエの mtDNA ではセリンと読まれる．

mtDNA の突然変異は，いくつかのヒト遺伝病の原因となる

mtDNA の突然変異が原因となる病気がどの程度重篤になるかは，突然変異の性質と，特定の細胞に存在する変異型 mtDNA と野生型 mtDNA の割合によって決まる．mtDNA に突然変異が起こった場合，細胞は野生型 mtDNA と変異型 mtDNA が混在する**ヘテロプラスミー**（heteroplasmy，異質性）とよばれる状態になる．哺乳類の体細胞や生殖系列細胞が分裂するたびに，変異型と野生型の mtDNA がランダムに娘細胞に分配される．したがって，mtDNA の遺伝子型は，一つの世代から次の世代，また 1 回の細胞分裂ごとに変動し，おもに野生型 mtDNA を含むようになったり，おもに変異型 mtDNA を含むようになったりする．哺乳類のミトコンドリアの複製と成長に必要な DNA ポリメラーゼや RNA ポリメラーゼなどの酵素はすべて核にコードされていて細胞質から運ばれてくるため，変異型 mtDNA 自体が複製において不利になることはない．むしろ，mtDNA に大きな欠失をもつ変異型のほうが，より速く複製できるために選択に有利に働く可能性すらある．

最近の研究から，mtDNAにおける変異の蓄積が哺乳類の老化の重要な要素であることが示唆された．mtDNAの変異は年齢とともに蓄積されることが観察されており，これはおそらく哺乳類のmtDNAがDNA損傷に対する修復を受けないためと思われる．

少数の例外を除き，ヒト細胞には必ずミトコンドリアが存在するが，mtDNAの突然変異が影響を与えるのはいくつかの組織に限られる．酸化的リン酸化でつくられるATPを最も強く必要とする組織，ならびに細胞に含まれるmtDNAの大部分あるいはすべてが，十分な量の機能をもつミトコンドリアタンパク質を合成しなくてはいけない組織が影響を受けやすい．たとえば，レーバー遺伝性視神経症（Leber's hereditary optic neuropathy，視神経の変性）は，ミトコンドリアによるATP産生に必要なタンパク質であるNADH-CoQ レダクターゼ（複合体I）のサブユニット4をコードするmtDNA遺伝子に起こったミスセンス変異が原因である．mtDNAのどこかに大きな欠失が起こるとその他の疾患がひき起こされるが，そのなかには眼に欠陥を生じる慢性進行性外眼筋麻痺（chronic progressive external opthalmoplegia）および，眼の欠陥，心拍異常，中枢神経系の変性が起こるカーンズ-セイヤー症候群（Kearns-Sayre syndrome）がある．3番目の症例では，赤色ぼろ筋繊維（ミトコンドリアの不適切な集合が起こっている）とよばれる異常な筋繊維がみられ，制御不可能なけいれんがひき起こされる．これはミトコンドリアのリシンtRNAのTΨCGループに起こる単一の突然変異が原因である．この変異によって，いくつかのミトコンドリアタンパク質の翻訳が阻害される．

め，これらの細胞小器官のDNAは，生物種によって異なる遺伝子の組合わせをもつようになった．
- 起源が細菌であることを反映し，動物のmtDNAは環状分子である．植物のmtDNAと葉緑体DNAは他の真核生物のmtDNAよりも一般に長いが，これはおもに非コード領域や反復配列が多いためである．
- mtDNAは，マトリックス内のクリステがあまり発達していないところにある．
- mtDNAのほとんどは精子ではなく卵細胞から継承されるので，mtDNAに起こった突然変異は母性細胞質遺伝の様式を示す．同様に，葉緑体DNAも母系親だけから遺伝する．
- ミトコンドリアのリボソームは，構造，クロラムフェニコールに対する感受性，シクロヘキシミドに対する耐性の点で細菌のリボソームに似ている．
- 動物と真菌類のmtDNAの遺伝暗号は，細菌や核ゲノムの暗号と少し異なり，また動物種間や真菌類の種間でも違いがみられる．それに対して，植物のmtDNAは標準的な遺伝暗号に従っている．
- ヒトの神経筋疾患のいくつかは，mtDNAの突然変異に起因する．一般に，患者の細胞内には野生型と変異型のmtDNAが混在し（ヘテロプラスミー），変異型mtDNAの割合が高いほど，表現型が重篤になる．

12・3 ミトコンドリアの構造 まとめ
- 真核細胞内でミトコンドリアは好気的酸化によってATPをつくる．この多機能細胞小器官は，そのほかにもさまざまな小分子の合成や代謝および調節された細胞死を含む多くの重要な活動を行っている（表12・1）．
- ミトコンドリアには二つの膜があり（内膜と外膜），二つの内部区画がある（二つの膜に挟まれた膜間腔と内膜の内側であるマトリックス，図12・6）．好気的酸化はミトコンドリアマトリックスと内膜で行われる．
- 内膜は連続した1枚の膜であるが，構成成分，構造，および機能が異なる三つの領域からなる．それらは境界膜，クリステ，およびクリスタジャンクションである．
- 哺乳類ミトコンドリアの構成にかかわっているタンパク質は1000以上あり，それらの遺伝子のほとんどは核にコードされている．
- ミトコンドリアと葉緑体はDNAをもち，そこにはミトコンドリアあるいは光合成での電子伝達やATP合成にかかわるタンパク質（哺乳類では13種類），rRNA，および内部のmRNAを翻訳する際に必要なtRNAがコードされている．
- ミトコンドリアと葉緑体は，真核細胞様の核をもっていた祖先細胞と共生関係をつくった細菌から進化した可能性が非常に高い（図12・7）．
- 進化の時間のなかで，ミトコンドリアと葉緑体の祖先に含まれていた遺伝子のほとんどは，機能が核遺伝子と重複するために失われたり，核ゲノムに移行したりした．そのた

12・4 ミトコンドリアおよびミトコンドリア-小胞体膜接触部位の動態

ミトコンドリアは動的細胞小器官で，細胞質内を動き回り，融合して網目状になったり，分裂してそこから離れたりする．ミトコンドリアの機能は，これらの動態およびその外膜が細胞膜や他の細胞小器官と接触することにより影響を受ける．ここでは，ミトコンドリアの動態とミトコンドリア-小胞体膜接触部位について解説する．

ミトコンドリアは動的な細胞小器官である

蛍光標識したミトコンドリアを生細胞内で観察するなど，多くの実験からからミトコンドリアは非常に動的であることがわかった．ミトコンドリアは細胞内を動き回り，頻繁に融合（fusion）と分裂（fission）を行い，管状になったり枝分かれして網目状になったりする（図12・9a, b）．ミトコンドリアの形状が細胞によって異なるのはこのためである．傷害を受けたり機能不全に陥ったりしたミトコンドリアはその動きから検知され，品質管理機構により分解される．

細胞内のミトコンドリアの動き ミトコンドリアは細胞内移動により適切な位置に分配される．このあと説明するが，細胞内でのミトコンドリアや他の細胞小器官などの活性には調和が必要である．たとえば，軸索という数センチから1mにもなる長い突起をもつ神経細胞（23章）で，ミトコンドリアは，エネルギー（ATP）供給とカルシウム濃度調節（以下に述べることと15章参照）のために，核の近く（細胞体）から他の神経細胞と接続している軸索末端まで輸送されなければならない．ミトコンドリア外

膜の細胞質側にあるタンパク質がキネシン(18章)のような微小管上を動くモータータンパク質(図18・28参照)と相互作用して，神経軸索内のような長距離移動が行われる．そうしたタンパク質の一つであるMiroは，GTPaseであるとともにカルシウムを結合するEFハンド構造(図3・7参照)をもつので，ミトコンドリアの動きはカルシウム濃度に影響を受ける．Miroは間接的にミトコンドリアとキネシンを結びつけ，同時に内膜にあるMICOSとも結合するので，クリステの構造と機能にも影響を与える．このあと述べるように，Miroはミトコンドリアと小胞体の相互作用およびパーキンソン病にもかかわっているようだ．細胞内を動き回るだけでなく，mtDNA，そしてミトコンドリアそのものまで，トンネルナノチューブ(tunneling nanotube)とよばれる膜ででき

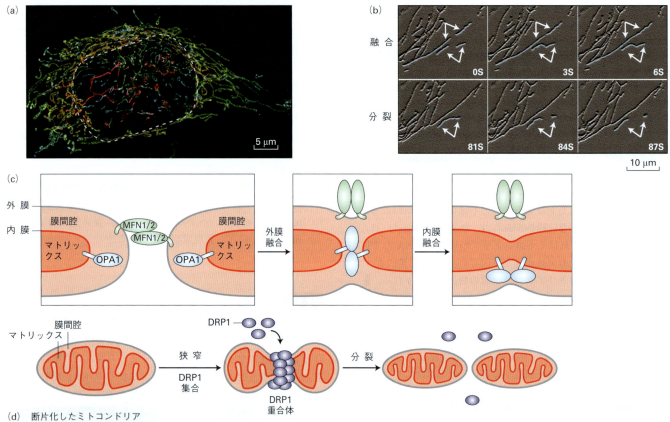

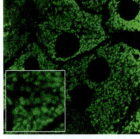

ストレスを受けATP産生減

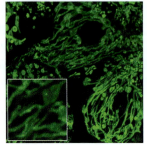

ストレスがなくATP産生増

図12・9(実験) ミトコンドリアは急速な融合と分裂を繰返している．(a) ヒトHeLa細胞ミトコンドリアを，特異的な蛍光色素(MitoTracker Green)で標識し，三次元構造化照明蛍光顕微鏡法で観察した(細胞全体を厚さ6.1μmの断層として観察した)．融合し枝分かれした網目をつくっているミトコンドリアが細胞質に見られるが，核(白破線で囲った部分)の上や下にはあまり存在していないことがわかる．ミトコンドリア内の縞模様が何によるのかはわかっていない．ミトコンドリアには，細胞接着面からの高さに応じて人為的に色がつけられている(接着面に一番近いところが青で，一番遠いところが赤)．(b) 生きている正常なマウス胚繊維芽細胞のミトコンドリアを蛍光タンパク質で標識し，蛍光顕微鏡を使うタイムラプス撮影した．融合(上段)したり，分裂(下段)したりするいくつかのミトコンドリアに人為的に青く色をつけ，矢印で示した．(c) ミトコンドリアの融合(上段)と分裂(下段)には一群のGTPase(MFN1, MFN2, OPA1, およびDRP1)が関与している．MFN1およびMFN2(MFN1/2)という膜内在性タンパク質がミトコンドリア外膜の融合に関与し，それに続いてOPA1という膜内在性タンパク質により内膜が融合する．マトリックスと膜間腔はそのまま維持される．細胞質の水溶性GTPaseであるDRP1がミトコンドリア表面の狭窄部位に集まり，重合して切断することで分裂が起こる．DRP1がさまざまな翻訳後修飾を受けることで分裂は調節される．(d) 上: ラットの肝臓から取出し，細胞培養して1日目の肝細胞はストレスを受けて極性が失われ(上皮細胞としての形態および代謝特性のいくつかが失われる，20章)，酸化的リン酸化によるATP産生も減り，ミトコンドリアは断片化する(MitoTracker Greenで染色し観察した)．下: 6日間培地で育てると，細胞は極性を取戻し，ミトコンドリアは融合により網目構造をつくり，酸化的リン酸化によるATP産生は増す．挿入図はミトコンドリアの強拡大像である．[(a)はShao et al., 2011, *Nature Methods* **8**(12): 1044, Copyright Clearance Center, Inc. を通じてNature Publishing Groupの許可を得て転載．(b)はD. C. Chan, 2006, *Cell* **125**(7): 1241 より改変，Copyright Clearance Center, Inc. を通じてElsevierより許可を得て転載．(c)はP. Mishra and D. C. Chan, 2014, *Nat. Rev. Mol. Cell Biol.* **15**: 634 による．(d)はD. Fu et al., 2013, *Proc. Natl. Acad. Sci. USA* **110**(18): 7288, Fig. 3 Day 1, Day 6 による．Jennifer Lippincott-Schwartz 提供．]

た管により細胞から細胞へ輸送されるとの報告がある．それについては20章で述べる．

ミトコンドリアの融合と分裂　ミトコンドリアが融合するとき，二つの膜どうしが融合し（内膜は内膜と，外膜は外膜と），各区画どうしが混ざり合う（マトリックスはマトリックスと，膜間腔は膜間腔と）．進化の過程で保存されてきた4個のGTP加水分解酵素群〔MFN1（マイトフュージン1 mitofusin 1），MFN2（マイトフュージン2 mitofusin 2），OPA1，DRP1〕がこうした動的過程で重要な役割を果たしている（図12・9c）．これらの酵素はダイナミンファミリーに属するGTPaseである．このファミリーで最初に発見されたダイナミンは，エンドサイトーシス小胞が細胞膜から切り離される際に同様な膜融合反応を仲介する（14章）．これらのGTPaseの遺伝子に突然変異が起こると，内膜の構造や膜電位を適切に保てなくなってミトコンドリアの機能が損なわれる．この機能については§12・6で説明する．こうした突然変異が起こると，ミトコンドリアが短くなったり巨大になったりして，ヒトでは病気をひき起こす．遺伝性常染色体顕性神経筋肉疾患であるシャルコー–マリー–トゥース病（Charcot-Marie-Tooth disease）サブタイプ2AはMFN2が突然変異を起こして機能を失ったことにより発症し，末梢神経機能の欠陥により，おもに足や手の進行性筋力低下をひき起こす．OPA1の突然変異では網膜の神経に異常が現れ，常染色体顕性視神経萎縮症を発症する．

ミトコンドリアが分裂と融合を繰返す利点は何だろう．融合は細胞内に比較的均質なミトコンドリアを維持するのに役立つのではないかといわれている．もし一部のミトコンドリアの重要な成分に有害な修飾や欠失が起こったとしたら，他のミトコンドリアと融合してそうした成分を共有すれば機能を回復できるであろう．融合機構に関係する遺伝子に突然変異を起こした細胞や生物の研究から，ミトコンドリアの融合は，細胞内の適切な位置にミトコンドリアを配置し，ミトコンドリアの適切な形態とクリステの構造を維持し，mtDNAを分配し，電子伝達鎖の機能を維持するなどの役割を果たしていることが示唆されている．

ミトコンドリアの分裂も多くの機能を果たしている．たとえば，ミトコンドリアの分裂は細胞分裂時に盛んになる（特に細胞周期のG_2期およびM期，19章）．その結果，分裂によって複数個に分かれたミトコンドリアは，容易に娘細胞に分け与えることができる．さらに，ミトコンドリアの分裂は，互いにつながった健康な網目構造から欠陥をもった領域を除去し，品質を維持する強力な手段でもある．もし，大きなミトコンドリアの網目構造の中の一部に，高濃度活性酸素分子種の発生（以下で述べる）やmtDNAの突然変異などで傷害や機能不全が起こったら，分裂により悪くなった部分を健康な部分から切り離すことができるのである．

ミトコンドリアの品質管理はマイトファジーで行う　細胞には，ミトコンドリアの網目構造内で傷害を受けたり機能不全に陥ったりした部分を察知する能力があり，その部分を切り離してから膜で包み，リソソームに送り込んで分解する．こうしたミトコンドリアの分解は**マイトファジー**（mitophagy，ミトコンドリア貪食）とよばれ，細胞が細胞小器官や細胞質の一部を膜で包んで分解する**オートファジー**（autophagy，自己貪食）という過程のうちの一つである（14章）．細胞のおかれた環境の酸素濃度が低すぎると，ある種の酵素がミトコンドリア外膜のタンパク質を修飾し，マイトファジーを誘導する．

遺伝性早期発症型パーキンソン病は，このマイトファジーにかかわる2種類のタンパク質の突然変異によってひき起こされる．これらのタンパク質はPINK1（キナーゼの一種）とパーキン（Parkin，標的タンパク質にユビキチンという小さなタンパク質を結合させ，プロテアソームによって分解させるユビキチンリガーゼE3の一種，3章）である．健康なミトコンドリアではPINK1はマトリックスに取込まれる．ミトコンドリアが傷害を受けているか機能不全に陥っていると，PINK1はマトリックスに入れず外膜上にとどまり，細胞質に存在するパーキンをその部位に呼び込む．パーキンはその部分の外膜タンパク質をポリユビキチン化して分解の目印をつけ，マイトファジーを誘導する．マイトファジーにはPINK1/パーキンによらない機構もある．いくつかの研究は，ミトコンドリアへのストレス（加齢や病原体などによる）が炎症や病状をひき起こし，マイトファジーがミトコンドリアの欠陥をもつ部分を取除くことで，そうしたストレス由来の炎症を軽減することを示唆している．

ミトコンドリアの動態には以下に述べるような注目すべき性質もある．ミトコンドリアの構造と機能は細胞の代謝状態に応じて変化する．たとえば，ラットから肝細胞を取出し培養すると，そのストレスにより極性が失われる（上皮細胞としての性質のいくつかが失われる，20章）．それらの細胞のミトコンドリアは断片化し（図12・9d，上），酸化的リン酸化によるATP産生も減る．細胞が培地での生育に適応すると，それらは極性を取戻し（肝臓の中にいたときと似た形態と代謝状態になる），ミトコンドリアでの酸化的リン酸化によるATP産生は増し，ミトコンドリアの融合による網目構造がつくられる（図12・9d，下）．

ミトコンドリアの機能と動態は他の細胞小器官との直接的接触により影響を受ける

細胞が効率よく，効果的に機能するためには，ミトコンドリアと他の細胞小器官の活動が互いに調和しないといけない．そうした調和のためには，イオン，小分子，および巨大分子を細胞小器官の間でやりとりすることなどによる連絡が必要である．そうしたやりとりの仕方を四つあげると，輸送体，ポンプ，およびチャネルによる細胞質中へのイオンや小分子の放出と細胞小器官による受容（11章），膜内在性タンパク質のつくる通路を介してのタンパク質のやりとり（13章），膜小胞を介しての輸送（14章），および**膜接触部位**（membrane contact site: **MCS**）でのタンパク質を介する細胞小器官の直接的結合である．ミトコンドリアは，小胞体，リソソーム（酵母の液胞），ペルオキシソーム，細胞膜，ゴルジ体，エンドソームだけでなく，脂肪滴（10章）とさえMCSを形成する．ここでは，ミトコンドリア–小胞体MCSについて説明する．小胞体膜上でミトコンドリアと接触する特別な部位は**ミトコンドリア接触領域**（mitochondria-associated membrane: **MAM**）とよばれる．

ミトコンドリア–小胞体MCSは電子顕微鏡や蛍光顕微鏡によって観察することができる（図12・10）．その部分（MAM）の脂質やタンパク質の組成は小胞体の他の部分とは異なる．係留タンパク質がMAMとミトコンドリア外膜を約10～30 nmの距

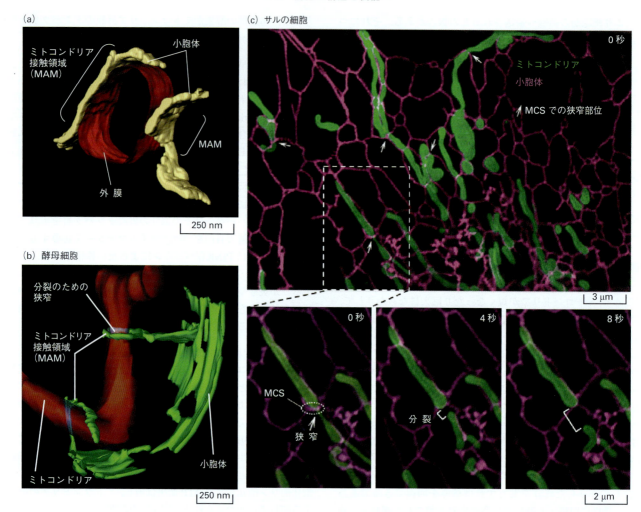

図 12・10(実験) ミトコンドリア–小胞体接触部位(MCS)における小胞体膜の特定の領域はミトコンドリア接触領域(MAM)とよばれ，ミトコンドリアと直接接触し，ミトコンドリアの形，機能，および分裂位置に影響を与える．(a) 鳥類リンパ腫細胞の電子顕微鏡トモグラフィー(連続切片の像から三次元構造を再構築するもの)で得られたミトコンドリアの一部(赤，外膜だけを示した)とそれに接触する小胞体(黄)の三次元構造モデル．膜接触部位(MCS)で，小胞体膜の一部(MAM)はミトコンドリア外膜と非常に接近している(距離 10～30 nm)．角括弧をつけた領域が MAM である．(b) 電子顕微鏡トモグラフィーで得られた酵母細胞のミトコンドリア(赤)と接触しているMAM(緑)の三次元構造モデル．二つの MAM が管状の小胞体から出ており，一方はミトコンドリアのまわりを 1 周している．この MAM は締め金具のような形になっていて，ミトコンドリア分裂の準備のため，その部分を狭窄しているように見える．(c) ミトコンドリア分裂の多くはミトコンドリア–小胞体接触部位で起こる．生きているサルの Cos-7 細胞を蛍光顕微鏡で 8 秒間観察して得られたミトコンドリア分裂の様子．超解像度(97 nm)で高速な構造化照明顕微鏡法(grazing incidence-structured illumination microscopy: GI-SIM)を使って，4 秒間隔でミトコンドリア(緑)と管状小胞体(紫)を観察した．上の写真の矢印は，小胞体との膜接触部位で，DRP1 による分裂が起こりそうなミトコンドリア上の狭窄点をさす．この写真は時間 0 秒のもので，白い破線で囲われた部分の時間経過(0, 4, 8 秒後)を示したのが下の写真である．小胞体との接触部位(一番左の写真の白い点線の楕円で囲われた部分)からはじまるすばやい分裂がわかる(白い角括弧は切れたミトコンドリアの端との距離を示す)．ミトコンドリアと小胞体を可視化するために，Cos-7 細胞にミトコンドリア外膜にだけ集まる蛍光タンパク質(mEmerald-Tomm20)と小胞体内腔にだけ集まる蛍光タンパク質(mCherry-KDEL)の遺伝子を導入した．[(a) は G. Csordás et al., 2006, J. Cell Biol. 174: 915. (b) は J. R. Friedman et al., 2011, Science 334(6054): 358, Copyright Clearance Center, Inc. を通じて AAAS より許可を得て転載．(c) は Y. Guo et al., 2018, Cell 175(5): 1430, Copyright Clearance Center, Inc. を通じて Elsevier より許可を得て転載．]

離に保つ．酵母のそうした係留タンパク質として ERMES(ER-mitochondria encounter structure)というタンパク質複合体が同定されている．この ERMES 複合体は哺乳類には存在しない．哺乳類は，さまざまな他のタンパク質を使ってミトコンドリアを小胞体に係留しているようだ(図 15・29 参照)．

ミトコンドリア–小胞体 MCS は多くの細胞過程に関与している(表 12・1)．たとえば，この MCS はミトコンドリアの動態において重要な役割を果たしている．ミトコンドリアの分裂が起こるのは，多くの場合ミトコンドリア–小胞体 MCS のところである．

ただ，大半の MCS は分裂にかかわらない．MCS は，ミトコンドリアにくびれを生じさせるため，アクチンフィラメントの密度を局所的に高めているようだ．そこにミオシンというモータータンパク質がかかわって収縮を起こさせると(17 章)，ミトコンドリアのその部分が絞り込まれる．ミトコンドリア外膜に変形が起こると，そこに DPR1 が集まって分裂を完了させる(図 12・9c)．酵母では，管状の MAM がミトコンドリアのまわりを 1 周している様子が観察されている(図 12・10b)．哺乳類細胞では，MAM がミトコンドリアの分裂部位と接触することは観察されているが，

ミトコンドリアのまわりを 1 周してはいないようだ（図 12・10c）.

MCS は，小胞体とミトコンドリアの間でイオン（たとえば Ca^{2+}）や小分子（たとえばグリセロリン脂質）をやりとりする窓口ともなっている．この MCS は，細胞内 Ca^{2+} とエネルギー代謝においても重要な役割を果たしている．細胞内のさまざまな活動を調節するために，細胞質，ミトコンドリア内，および小胞体内における Ca^{2+} 濃度の違いが使われている．これを**カルシウムシグナル伝達**（calcium signaling）とよぶ（15 章）．Ca^{2+} は血液凝固などの細胞外過程においても重要である．ミトコンドリア内の Ca^{2+} 濃度はミトコンドリアの機能調節において重要な役割を果たし，MCS は小胞体からミトコンドリアに Ca^{2+} を送り込むことでその調節に関与している．たとえば，マトリックスの Ca^{2+} 濃度が上昇すると ATP 産生が増す．Ca^{2+} 濃度の上昇は NAD^+ から NADH をつくる三つのミトコンドリア酵素〔ピルビン酸デヒドロゲナーゼ（図 12・5 参照），2-オキソグルタル酸デヒドロゲナーゼ，およびイソクエン酸デヒドロゲナーゼ（図 12・13）〕の活性を上昇させる．本章のあとのほうで学ぶことだが，NADH は ATP 合成に必要な高エネルギー電子を供給する物質である．細胞が休止状態のとき，小胞体の MAM からミトコンドリアへの Ca^{2+} の流入を抑えることで ATP 合成量を減らしている．筋細胞が刺激されて収縮するときのように細胞がエネルギーを必要とするとき，MAM からミトコンドリアへの Ca^{2+} 流入は増大する．Ca^{2+} 伝達は筋収縮をひき起こす（17 章）だけではなく，それと協調してミトコンドリアでの ATP 合成も増加させて，収縮のエネルギーを供給させているのである．ミトコンドリア内の Ca^{2+} 濃度が上昇するとマイトファジーも起こる．ミトコンドリア内の Ca^{2+} が増えすぎると調節された細胞死経路（22 章）が活性化される．ミトコンドリア内 Ca^{2+} 濃度は，まさに細胞の生死を握っているのである．

12・4 ミトコンドリアおよびミトコンドリア-小胞体膜接触部位の動態　まとめ

- ミトコンドリアは動的な細胞小器官で，細胞内を移動するだけでなく，細胞の状態に応じて融合と分裂を行う．多くの細胞において，融合したミトコンドリアは，内部でつながった枝分かれした管からなる大きな網目構造をつくる．ミトコンドリア膜の融合と分裂には一群の GTPase がかかわっている（図 12・9）．それらの遺伝子に突然変異が起こることによって発症するヒトの病気がある．
- ミトコンドリアの分裂と融合は，比較的均質なミトコンドリア群を維持するため，細胞分裂時に娘細胞に等しく分配するため，および正常なミトコンドリアから欠陥をもった部分を切り捨てるという品質管理のために役に立つと考えられている．
- 欠陥をもったミトコンドリアあるいはそうなった部分はマイトファジーとよばれる工程によって分解される．マイトファジーにかかわる PINK1 およびパーキンという二つのタンパク質に突然変異が起こると遺伝性早期発症型パーキンソン病になる．
- 膜接触部位（MCS）は細胞小器官膜の特殊な領域で，係留タンパク質を介して細胞小器官どうしを直接結合させる．
- ミトコンドリアは他の多くの細胞小器官と MCS を形成する．
- ミトコンドリア-小胞体 MCS は，ミトコンドリアの形態や動態を含むさまざまな細胞機能に影響を与える（表 12・1）．小胞体膜上でミトコンドリアと接触する部位はミトコンドリア接触領域（MAM）とよばれる（図 12・10）.
- ミトコンドリアの分裂が起こるのは，多くの場合，ミトコンドリア-小胞体 MCS のところである．ただ，大半の MCS は分裂にかかわらない．
- MCS は，小胞体とミトコンドリアの間でイオン（たとえば Ca^{2+}）や小分子（たとえばグリセロリン脂質）をやりとりする窓口ともなっている．この MCS は，細胞内 Ca^{2+} とエネルギー代謝においても重要な役割を果たしている．MAM からミトコンドリアへ Ca^{2+} が流れ込むと ATP 合成が活発になり，ミトコンドリア内の Ca^{2+} が多くなりすぎると調節された細胞死の機構が動き出す．

12・5 クエン酸回路と脂肪酸酸化

ここからグルコースの酸化と ATP 産生の詳細についての話に戻り，解糖（過程 I，図 12・1 および図 12・3）でつくられたピルビン酸がミトコンドリアマトリックスに輸送されたあとどうなるのかについてみていく．四つの過程のうちの最後の三つは以下のとおりである（図 12・11）．

過程 II　過程 II は二つの部分に分けられる．1) ピルビン酸をアセチル CoA と CO_2 にする部分と，2) アセチル CoA のアセチル基をクエン酸回路で CO_2 に酸化する部分である．これらの酸化は NAD^+ の NADH への還元や FAD の $FADH_2$ への還元と共役している．これら二つの電子運搬体は高エネルギー電子の供給源である．脂肪酸も，脂肪酸アシル CoA がアセチル CoA にされたのち，同じ経路をたどる．ほとんどの反応はマトリックス内かマトリックスに面した内膜上で行われる．

過程 III　内膜の電子伝達系を使った NADH や $FADH_2$ から O_2 への電子伝達により膜を挟んでの電気化学的勾配であるプロトン駆動力が生じる．

過程 IV　プロトン駆動力のエネルギーを使ったミトコンドリア内膜上での ATP 合成．過程 III と IV を合わせて酸化的リン酸化とよぶ．

過程 II の前半で，ピルビン酸が　アセチル CoA と高エネルギー電子に変換される

ミトコンドリアマトリックスでピルビン酸が補酵素 A と反応して CO_2，アセチル CoA および NADH を生じる（図 12・11，過程 II）．ピルビン酸デヒドロゲナーゼ（pyruvate dehydrogenase）が触媒するこの反応はとても発エルゴン的（$\Delta G^{\circ\prime} = -8$ kcal/mol）でほぼ不可逆である．ミトコンドリア-小胞体 MCS でのミトコンドリアへの Ca^{2+} の流入はピルビン酸デヒドロゲナーゼを活性化し，アセチル CoA 産生を促す．

アセチル CoA（acetyl CoA）は，2 個の炭素を含むアセチル基が**補酵素 A**（coenzyme A，**CoA**）という長い分子と共有結合した

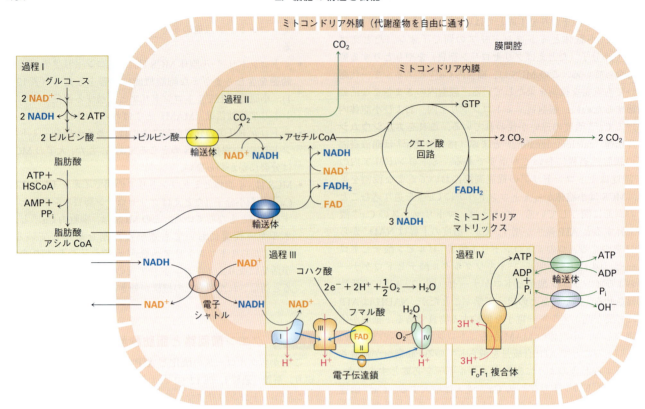

図12・11 グルコースと脂肪酸の好気的酸化の概要. 過程 I: 細胞質において, グルコースはピルビン酸に(解糖), 脂肪酸は脂肪酸アシル CoA になる. ピルビン酸と脂肪酸アシル CoA はミトコンドリアへ運ばれる. 外膜に存在するポリンによりこれらの代謝産物は外膜を容易に通り抜けられるが, 内膜を通り抜けマトリックスに入るためには特別な輸送体が必要となる(黄と青の楕円). このとき, 脂肪酸アシル基は中間運搬体に渡されてから内膜を通って輸送され, マトリックス内で再び CoA と結合する. 過程 II: マトリックス内でピルビン酸と脂肪酸アシル CoA はアセチル CoA に変えられてから酸化され, CO_2 を放出する. ピルビン酸がアセチル CoA になるときに NADH と CO_2 が生じる. 脂肪酸アシル CoA は2炭素ずつ切取られアセチル CoA となり, そのたびごとに $FADH_2$ と NADH が生じる. アセチル CoA がクエン酸回路で酸化されるとさらに NADH, $FADH_2$, GTP および CO_2 が生じる. 過程 III: 電子伝達により O_2 は還元されて H_2O となり, 同時にプロトン駆動力が発生する. 還元型補酵素(NADH と $FADH_2$)からの電子は電子伝達複合体により O_2 に伝達され(青線), 同時に H^+(赤)がマトリックスから膜間腔に輸送されプロトン駆動力が生じる. NADH からの電子は複合体 II (黄)を通らずに複合体 I (青)から III (橙)へ流れる. コハク酸からの電子は FAD/$FADH_2$ を経由して複合体 I を通らずに複合体 II から III へ流れる. 過程 IV: F_oF_1 複合体ともよばれる ATP 合成酵素(橙)がプロトン駆動力を使いマトリックス内で ATP を合成する. 対向輸送タンパク質(紫と緑の楕円)が ADP と P_i をマトリックスに取込み, OH^- と ATP を放出する. 細胞質で生じた NADH は, 内膜が NAD^+ や NADH を通さないため, 直接マトリックスに入ることはない. その代わり, シャトルシステム(赤楕円)が細胞質の NADH からマトリックス内の NAD^+ へ電子を運ぶ. O_2 はマトリックスに拡散で入っていき, CO_2 は拡散で出ていく.

図12・12 アセチル CoA の構造. アセチル基が CoA に共有結合したこの化合物は, ピルビン酸, 脂肪酸, 多くのアミノ酸の好気的酸化における重要な中間体である. また, 多くの生合成過程におけるアセチル基の供給源でもある.

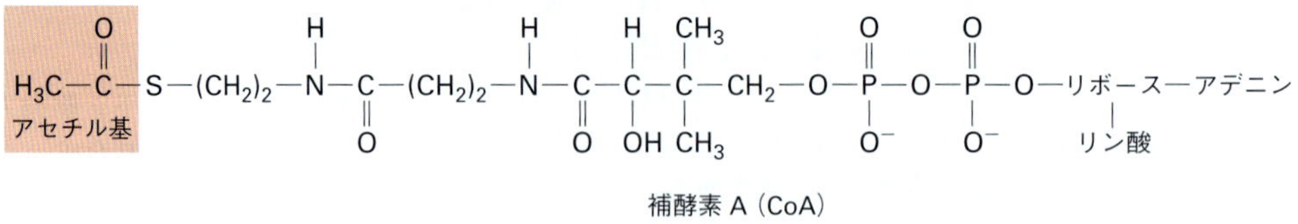

ものである(図12・12). この分子はピルビン酸, 脂肪酸, およびアミノ酸の酸化において重要な役割を果たす. さらにアセチル CoA は, ヒストンタンパク質(図8・33 参照)や多くの哺乳類タンパク質へのアセチル基の転移や, コレステロール(図10・26 参照)などの脂質の合成といった多数の生合成反応の中間体でもある. しかし, 呼吸中のミトコンドリアにおいて, アセチル CoA のアセチル基は, ほとんどすべてクエン酸回路で酸化され CO_2 になる. アセチル基の2個の炭素はピルビン酸からきていることを忘れないでほしい. もう一つの炭素はアセチル CoA 生成時に二酸化炭素として放出されている.

過程 II の後半で, アセチル CoA のアセチル基がクエン酸回路で酸化されて CO_2 となり, 高エネルギー電子をつくり出す

9段階の反応が環状につながり, アセチル CoA のアセチル基を CO_2 に酸化する(図12・11の過程 II, および図12・13). この回路は**クエン酸回路**(citric acid cycle), **トリカルボン酸回路**(tricarboxylic acid cycle, TCA 回路), あるいはクレブス回路(Krebs cycle)などとよばれている. アセチル CoA からこの回路に入ったアセチル基当たり2分子の CO_2, 3分子の NADH, 1分子の $FADH_2$, および1分子の GTP がつくられる. NADH と $FADH_2$ は高エネ

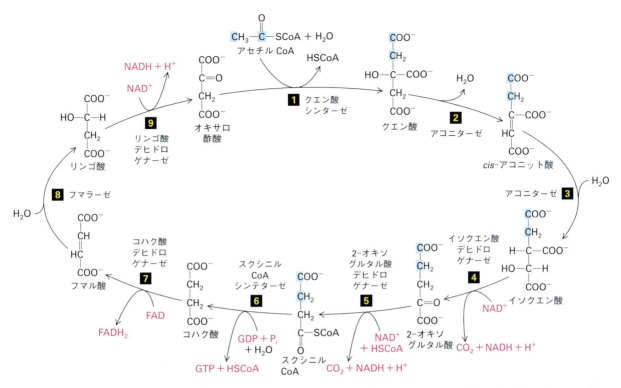

図 12・13 クエン酸回路. アセチル CoA が代謝され CO_2 と高エネルギー電子をもつ NADH や $FADH_2$ となる. 反応 **1** ではアセチル CoA のアセチル基 (炭素数 2) が炭素数 4 のオキサロ酢酸と縮合して炭素数 6 のクエン酸を形成する. 残りの酵素反応 **2**〜**9** を経て, クエン酸は 2 分子の CO_2 を失ってオキサロ酢酸に戻る. 回路を 1 周する間に, 4 対の電子が炭素原子から奪われ, 3 分子の NADH, 1 分子の $FADH_2$ および 1 分子の GTP が生じる. アセチル CoA 由来の 2 個の炭素は, スクシニル CoA のところまで青で囲んだ. コハク酸やフマル酸は対称構造をもつので, 上の二つの炭素か下の二つか区別がつかなくなる. 放射性同位体を使った実験から, それらの炭素は入ったときの周回では失われないことが示されている. 平均すると, 次の周回で 1 個, そのあとの何周かでもう 1 個の炭素が CO_2 として失われる.

ギー電子の運搬体で, ミトコンドリアでの酸化 (過程 III: 電子伝達鎖) において重要な役割を果たす.

図 12・13 に示すように, アセチル CoA に由来する 2 炭素のアセチル基と 4 炭素の **オキサロ酢酸** (oxaloacetate) が縮合して (反応 **1**) 6 炭素の **クエン酸** (citric acid) を生じるところからこの回路ははじまる (そのためクエン酸回路と名づけられた). 反応 **4** と **5** で CO_2 が 1 個ずつ放出され, NAD^+ が NADH に還元される. CO_2 をつくるときの酸素の供給源は水 H_2O であり, 酸素分子 O_2 ではない. 反応 **4** と **5** を触媒する酵素の活性は, 小胞体 MAM からミトコンドリアへの Ca^{2+} 流入によって高まる. NAD^+ の NADH への還元は反応 **9** でも起こる. したがって, 回路 1 周で 3 分子の NADH が生じる. 反応 **7** では 2 個の電子と 2 個の H^+ が補酵素 FAD に渡され, 還元型の $FADH_2$ が生じる. 反応 **7** はクエン酸回路の反応 (過程 II) というだけでなく, 触媒する酵素が電子伝達鎖 (過程 III) においても重要な役割を果たす膜結合タンパク質であるという点で他のものとは違っている. 反応 **6** では, スクシニル CoA の高エネルギーチオエステル結合の加水分解が基質レベルのリン酸化による GTP 合成と共役している. GTP と ATP は相互変換可能なのでこの段階は ATP 産生反応とみなせる.

$$GTP + ADP \rightleftharpoons GDP + ATP$$

反応 **9** でオキサロ酢酸が再生されるので回路は再び回ることができる. クエン酸回路では O_2 が使われていないことに注意しよう.

クエン酸回路に関係する酵素や小分子のほとんどはミトコンドリアマトリックスの水溶性画分に存在する. CoA, アセチル CoA, スクシニル CoA, NAD^+, NADH および回路の酵素のうちの 8 種もそれに含まれる. しかし, **コハク酸デヒドロゲナーゼ** (succinate dehydrogenase, 反応 **7**) は, 活性部位をマトリックスに向けているが, 内膜の膜内在性タンパク質である. ミトコンドリアを穏やかな超音波振動にさらすか浸透圧ショックを与えて破壊すると, クエン酸回路の非膜結合酵素は巨大な **多量体タンパク質複合体** (multiprotein complex) として遊離してくる. そのため, ある酵素の反応生成物は溶液中に拡散せず, この複合体の中で直接次の酵素に渡されると考えられている (図 3・31 参照).

グルコース 1 分子の解糖で 2 分子のアセチル CoA が生じるので, グルコース 1 分子から解糖系とクエン酸回路で生じるのは 6 分子の CO_2, 10 分子の NADH, 2 分子の $FADH_2$ となる (表 12・

表 12・2 解糖系とクエン酸回路の反応収支

反 応	CO_2 生成	NAD^+ 還元	FAD 還元	ATP (または GTP)
グルコース 1 分子から ピルビン酸 2 分子	0	2	0	2
ピルビン酸 2 分子から アセチル CoA 2 分子	2	2	0	0
アセチル CoA 2 分子から CO_2 4 分子	4	6	2	2
合 計	6	10	2	4

2). これらの反応に伴い，2分子の ATP と 2分子の GTP という形で四つの高エネルギーリン酸無水物結合が生じるが，これはグルコースの好気的完全酸化により放出されるエネルギーのごく一部でしかない．残りのエネルギーは，還元型補酵素である NADH と $FADH_2$ 内に高エネルギー電子としてたくわえられている．これらの分子は高エネルギー電子運搬体とみなせる．過程 III と IV はこのエネルギーを ATP の形で回収するためにある．

ミトコンドリア内膜上の輸送体が細胞質とマトリックスでの NAD^+ および NADH 濃度を適切な値に保っている

細胞質では解糖系の反応**6**に NAD^+ が必要で（図 12・3），ミトコンドリアマトリックスでは，ピルビン酸をアセチル CoA にする段階とクエン酸回路の三つの段階（図 12・13 の反応**4**, **5**, および**9**）で NAD^+ が必要である．いずれの場合も反応の結果 NADH が生じる．解糖やピルビン酸の酸化を持続させるためには NADH を酸化して NAD^+ を再生させる必要がある．（同様に，FAD 依存的反応を持続させるには過程 II で生じた $FADH_2$ を再酸化し FAD にしなければならない．）§12・6 で説明するが，ミトコンドリア内膜の電子伝達鎖が NADH や $FADH_2$ を NAD^+ や FAD にするとともに O_2 を還元して H_2O にし，それら還元型分子に含まれていた高エネルギー電子のエネルギーをプロトン駆動力に変換している（過程 III）．クエン酸回路のどの反応にも O_2 は使われていないが，O_2 がないと電子伝達鎖が NADH や $FADH_2$ を酸化できなくなり，ミトコンドリア内での NAD^+ や FAD の供給が止まるため，回路は止まってしまう．では，細胞質での NAD^+ の再生はどのように行われているのだろうという疑問がわく．

もし細胞質の NADH がミトコンドリアマトリックスに入ることができ，再酸化された NAD^+ が細胞質に戻ることが可能なら，好気的条件下での細胞質 NAD^+ の再生は簡単なことである．しかし，ミトコンドリア内膜は NADH を透過させない．この障壁を回避し，細胞質 NADH の電子を間接的ではあるが電子伝達系を介して O_2 に渡すため，細胞質 NADH からミトコンドリア内の NAD^+ に電子を渡す**電子シャトル**（electron shuttle）がいくつか存在する．最も広く使われている**リンゴ酸-アスパラギン酸シャトル**（malate-aspartate shuttle）を図 12・14 に示す．

このシャトル経路が完全に 1 周したとき，NADH や NAD^+ の数だけでなくシャトルとして使われる中間体のアスパラギン酸やリンゴ酸の数も変わらない．しかし細胞質では NADH が酸化されて NAD^+ となり，それは解糖でまた使われる．マトリックスの NAD^+ は NADH に還元され，それは電子伝達系で使われる．

$$NADH_{細胞質} + NAD^+_{マトリックス} \longrightarrow NAD^+_{細胞質} + NADH_{マトリックス}$$

ミトコンドリアでの脂肪酸の酸化も ATP を産生する

ここまでは炭水化物，すなわちグルコースの酸化による ATP 産生について説明してきたが，細胞のエネルギー源としては脂肪酸も重要である．細胞はグルコースや脂肪酸を特異的輸送体の助け

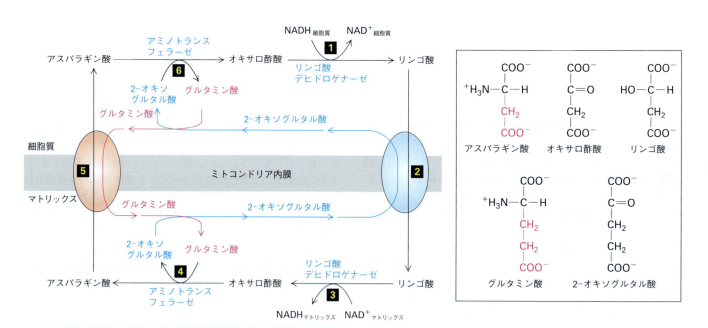

図 12・14　リンゴ酸-アスパラギン酸シャトル．ミトコンドリア内膜は NADH を透過させないので，この一連の反応サイクルによって細胞質（膜間腔）の NADH の電子をミトコンドリア内に運び込みマトリックスの NAD^+ に与えている．その結果，細胞質の NADH が NAD^+ に，マトリックスの NAD^+ が NADH になる．**段階1**：細胞質のリンゴ酸デヒドロゲナーゼが NADH の電子をオキサロ酢酸に与えてリンゴ酸にする．**段階2**：ミトコンドリア内膜にある対向輸送体（青楕円）が 2-オキソグルタル酸との交換でリンゴ酸をマトリックスに送り込む．**段階3**：ミトコンドリア内のリンゴ酸デヒドロゲナーゼがリンゴ酸をオキサロ酢酸に戻し，同時にマトリックスの NAD^+ を NADH とする．**段階4**：オキサロ酢酸は内膜を透過できないので，グルタミン酸からアミノ基をもらい，アスパラギン酸となる．マトリックスで行われるこのアミノトランスフェラーゼが触媒する反応により，グルタミン酸は 2-オキソグルタル酸になる．**段階5**：第二の対向輸送体（赤楕円）がグルタミン酸との交換でこのアスパラギン酸を細胞質に出す．**段階6**：細胞質のアミノトランスフェラーゼがアスパラギン酸をオキサロ酢酸にし，2-オキソグルタル酸をグルタミン酸にすることでこのサイクルは完結する．青と赤の矢印はそれぞれ 2-オキソグルタル酸とグルタミン酸の動きを表し，黒の矢印はアスパラギン酸とリンゴ酸の動きを表している．アスパラギン酸とリンゴ酸の動きが時計回りなのに対して，グルタミン酸と 2-オキソグルタル酸の動きは逆である点に注目してほしい．

を借りて細胞外から取込む（11章）．これらの分子をただちに燃やす必要がない場合，細胞はグルコースをグリコーゲンという重合体にしてたくわえ（おもに筋肉と肝臓で），脂肪酸は3分子がグリセロールと共有結合した**トリアシルグリセロール**（triacylglycerol，**トリグリセリド** triglyceride ともいう）としてたくわえる．

$$CH_3-(CH_2)_n-\overset{O}{\underset{}{C}}-O-CH_2$$
$$CH_3-(CH_2)_n-\overset{O}{\underset{}{C}}-O-CH \quad + \quad 3H_2O \longrightarrow$$
$$CH_3-(CH_2)_n-\overset{O}{\underset{}{C}}-O-CH_2$$
トリアシルグリセロール

$$3\;CH_3-(CH_2)_n-\overset{O}{\underset{}{C}}-OH \quad + \quad \begin{array}{l}HO-CH_2\\HO-CH\\HO-CH_2\end{array}$$
脂肪酸　　　　　　　　グリセロール

細胞によっては過剰のグルコースを脂肪酸に変換し，トリアシルグリセロールとしてたくわえる．しかし，微生物は別として，動物は脂肪酸をグルコースに変換することができない．細胞がこうした貯蔵エネルギーを燃やしてATPにする必要が生じると（たとえば休息していた筋肉が運動をはじめ，グルコースや脂肪酸を燃料として燃やす場合），酵素がグリコーゲンやトリアシルグリセロールを分解してグルコースや脂肪酸に戻し，それらが酸化されてATPが産生される．

脂肪酸は多くの組織，特に成人の心筋において主要なエネルギー源となっている．ヒトの体内で，1gの脂肪の酸化によりつくられるATP量のほうが1gのグルコースの酸化によるものより多い．トリアシルグリセロール1gをCO_2に酸化したときに生成するATP量は，水和したグリコーゲン1gを酸化して生成するATP量の約6倍なのである．トリアシルグリセロールは水を含まない状態で貯蔵でき，本質的に炭水化物より還元された状態（水素を多く含む）なので酸化したときに多くのエネルギーを放出するため，生物のエネルギー貯蔵形態としては炭水化物より優れている．哺乳類では，トリアシルグリセロールはおもに脂肪組織に，グリコーゲンはおもに筋肉と肝臓にたくわえられる．動物が筋肉運動をするときのように，ある組織が大量のATPを必要とするような場合，必要としている組織に届くようにトリアシルグリセロールを分解して脂肪酸を血流中に放出せよとのシグナルが脂肪組織に送られる．

グルコースの酸化に四つの過程があるように，脂肪酸の酸化にも四つの過程がある．ATP産生の効率を上げるため，過程Ⅱの一

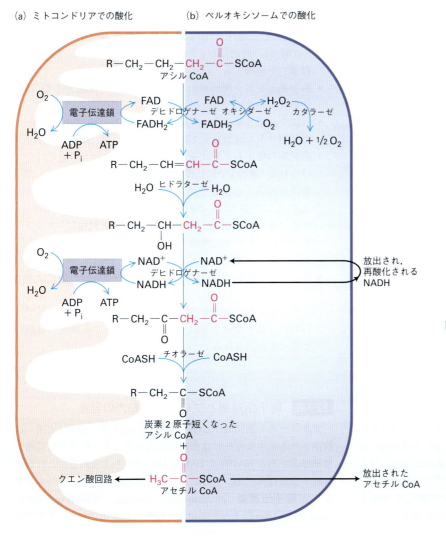

図12・15　ミトコンドリアとペルオキシソームにおける脂肪酸の酸化． ミトコンドリアでの酸化（a）とペルオキシソームでの酸化（b）の両方で，図の中央に書かれた同じ四つの酵素反応によって，アシルCoAはアセチルCoAと炭素2原子分短いアシルCoAに変えられる．同時に，1分子のFADがFADH$_2$に，1分子のNAD$^+$がNADHに還元される．このサイクルが短くなったアシルCoAにも繰返されて，炭素数が偶数の脂肪酸はすべてアセチルCoAになる．ミトコンドリアではFADH$_2$とNADHの電子は電子伝達鎖に入りATP合成に使われる．アセチルCoAもクエン酸回路で酸化され，さらにATPがつくられる．ペルオキシソームには電子伝達系の複合体もクエン酸回路の酵素もないので，この細胞小器官での脂肪酸の酸化はATP合成に結びつかない．

部（クエン酸回路によるアセチル CoA の酸化）と過程 III と IV のすべてはグルコース酸化の場合と同じである．異なるのは細胞質での過程 I とミトコンドリアでの過程 II の第一部分である．過程 I で，脂肪酸は ATP を AMP と PP_i（ピロリン酸）に加水分解する反応と共役して脂肪酸アシル CoA になる（図 12・11）．

$$\underset{\text{脂肪酸}}{R-\overset{\overset{O}{\|}}{C}-O^-} + HSCoA + ATP \longrightarrow$$

$$\underset{\text{脂肪酸アシル CoA}}{R-\overset{\overset{O}{\|}}{C}-SCoA} + AMP + PP_i$$

次に PP_i が 2 分子の P_i に加水分解されることにより放出されるエネルギーによってこの反応は完結する．ミトコンドリアマトリックスへの輸送のため，脂肪酸アシル基は**カルニチン**（carnitine）という分子と結合し，アシルカルニチン輸送タンパク質（図 12・11 の青楕円）によりミトコンドリア内膜を通り抜ける．脂肪酸アシル基はマトリックスに入るとカルニチンから切り離され，別の CoA 分子と結合する．細胞が十分なエネルギー（ATP）をもっているときに脂肪酸が酸化されるのを防ぐため，アシルカルニチン輸送体の活性は調節されている．

過程 II の前半で，ミトコンドリア内の脂肪酸アシル CoA は四つの反応の繰返しにより酸化され，炭素 2 個ずつをアセチル CoA として切取られ，同時に $FADH_2$ と NADH を生じる（図 12・15a）．たとえば，炭素数 18 のステアリン酸 $CH_3(CH_2)_{16}COOH$ がミトコンドリア内で酸化されると 9 分子のアセチル CoA と 8 分子ずつの NADH と $FADH_2$ が生じる．過程 II の後半で，これらのアセチル CoA のアセチル基は，ピルビン酸から生じたアセチル CoA のアセチル基と同様にクエン酸回路に入り，分解されて CO_2 になる．次節で詳しく述べるが，過程 II で生じた還元型の NADH や $FADH_2$ は高エネルギー電子をもち，過程 III でプロトン駆動力の発生に使われ，それが過程 IV で ATP 合成に使われる．

ペルオキシソームでの脂肪酸酸化では ATP が生じない

哺乳類肝細胞において ATP の主要供給源はミトコンドリアでの脂肪酸の酸化であり，一時期，生化学者はすべての種類の細胞でもそうであると信じていた．しかし，脂質代謝に影響を与える薬剤であるクロフィブレート（clofibrate）を投与したラットでは脂肪酸酸化速度が上昇し，肝臓の**ペルオキシソーム**（peroxisome）数の増大がみられた．この発見は，ミトコンドリアだけでなく，ペルオキシソームも脂肪酸を酸化できることを示唆するものである．直径 0.2〜1 μm のこの細胞小器官は単層の膜で囲まれている（図 1・13 参照）．哺乳類では赤血球以外のすべての細胞に存在し，植物，酵母などほぼすべての真核細胞にも存在している．

ミトコンドリアでは短い（炭素数 8 以下，$<C_8$）ものから，中程度（$C_8 \sim C_{12}$）および長い（$C_{14} \sim C_{20}$）脂肪酸が酸化されるが，ペルオキシソームではミトコンドリアで酸化できない非常に長い脂肪酸（very long-chain fatty acid: VLCFA，$>C_{20}$）が選択的に酸化される．食餌中の脂肪酸は $C_{14} \sim C_{20}$ なので，そのほとんどはミトコンドリアで酸化される．ミトコンドリアでの脂肪酸の酸化は ATP 産生と共役しているが，ペルオキシソームでの酸化は ATP 生成を伴わず，エネルギーは熱となって放出されてしまう．

ペルオキシソームで脂肪酸がアセチル CoA に分解されていく反応経路はミトコンドリアでのものと似ている（図 12・15）．しかし，ペルオキシソームには電子伝達鎖がなく，脂肪酸酸化の際につくられた $FADH_2$ の電子は**オキシダーゼ**（oxidase）により O_2 に渡され，FAD と過酸化水素 H_2O_2 が生じる．ペルオキシソーム内には**カタラーゼ**（catalase）が大量に存在しているので，この細胞毒性の強い H_2O_2 はただちに分解される．脂肪酸の酸化でつくられた NADH は細胞質に放出され，再酸化される．この放出にリンゴ酸-アスパラギン酸シャトルは必要ない．ペルオキシソームにはクエン酸回路もないので，脂肪酸の分解で生じたアセチル CoA をさらに酸化することはできない．アセチル CoA は細胞質に放出され，コレステロールなどの代謝産物の合成に利用される（10 章）．

12・5 クエン酸回路と脂肪酸酸化 まとめ

- グルコース酸化の過程 II において，ピルビン酸がまず酸化されて CO_2，NADH，およびアセチル CoA が 1 分子ずつ生成する．次にアセチル CoA のアセチル基がクエン酸回路によって CO_2 に酸化される（図 12・11）．
- クエン酸回路が 1 周するごとに 2 分子の CO_2 が放出され，3 分子の NADH，1 分子の $FADH_2$ および 1 分子の GTP が生じる（図 12・13）．
- グルコース酸化の過程 I と II で放出されたエネルギーは高エネルギー電子として還元型補酵素 NADH あるいは $FADH_2$ に一時的にたくわえられ，その後，電子伝達鎖（過程 III）を駆動する．
- 解糖系とクエン酸回路のどちらにおいても酸素分子 O_2 は使われていない．
- 解糖を持続させるうえで必要な細胞質 NAD^+ はリンゴ酸-アスパラギン酸シャトルにより再生される（図 12・14）．
- 脂肪酸の酸化もグルコースの酸化と同様に四つの過程に分けられる．過程 I で脂肪酸は細胞質で脂肪酸アシル CoA に変換される．過程 II で脂肪酸アシル CoA は複数のアセチル CoA に分解され，その際に NADH と $FADH_2$ が生じる．次にアセチル CoA は，グルコースの酸化と同様に，クエン酸回路に入る．脂肪酸酸化の過程 III と IV はグルコースと同じである（図 12・11）．
- 多くの真核細胞において短鎖から長鎖の脂肪酸の酸化はミトコンドリアで行われ，ATP が産生される．しかし，非常に長い鎖をもつ脂肪酸の酸化はおもにペルオキシソームで行われ，ATP は産生されず（図 12・15），エネルギーは熱となって放出される．

12・6 電子伝達鎖とプロトン駆動力の発生

グルコースや脂肪酸が CO_2 に酸化されたとき（過程 I と II）に放出されるエネルギーのほとんどは高エネルギー電子として還元型補酵素である NADH や $FADH_2$ 内にたくわえられる．これから解説する過程 III では，一時的に補酵素内にたくわえられたエネルギーが**電子伝達鎖**（electron-transport chain，**呼吸鎖** respiratory chain ともいう）によってプロトン駆動力に変換される．まずその

原理と電子伝達鎖の構成員について説明する．次に電子伝達鎖での電子の移動とミトコンドリア内膜での H^+ のくみ出し（proton pumping）について述べる．本節の最後に，電子伝達と H^+ くみ出しによって生じたプロトン駆動力の大きさについて解説する．§12・7 ではプロトン駆動力によりどのように ATP が合成されるのかについて述べる．

NADH や FADH$_2$ の酸化により多量のエネルギーが放出される

電子伝達鎖では，NADH や FADH$_2$ から放出された電子が最終的には O_2 に渡され H_2O となる．全体としての反応は次のようになる．

$$\text{NADH} + \text{H}^+ + 1/2\, \text{O}_2 \longrightarrow \text{NAD}^+ + \text{H}_2\text{O}$$
$$\Delta G^{\circ\prime} = -52.6\, \text{kcal/mol}$$

$$\text{FADH}_2 + 1/2\, \text{O}_2 \longrightarrow \text{FAD} + \text{H}_2\text{O}$$
$$\Delta G^{\circ\prime} = -43.4\, \text{kcal/mol}$$

1 分子のグルコースが解糖系とクエン酸回路で CO_2 にまで酸化されたときに 10 分子の NADH と 2 分子の FADH$_2$ が生じたことを思い出してほしい（表 12・2）．これらの還元型補酵素をすべて酸化したときの $\Delta G^{\circ\prime}$ は -613 kcal/mol である〔10(-52.6)＋2(-43.4)〕．したがって，グルコースの化学結合に含まれていた自由エネルギー（-686 kcal/mol）のうち，約 90% が還元型補酵素中にたくわえられていたことになる．ところで，なぜ NADH と FADH$_2$ という異なった補酵素が使われているのだろう．グルコースや脂肪酸の酸化にかかわる反応の多くは NAD$^+$ を還元するのに十分なエネルギーを放出できるが，いくつかのものはそうではない．そこで，それらの反応ではエネルギーが少なくてもよい FAD を還元するのである．

還元型補酵素にたくわえられていたエネルギーはそれらを酸化することにより放出される．ミトコンドリアにとって必要なことは，この酸化により放出されたエネルギーを，可能な限り効率よく ATP 末端のリン酸無水物結合に変換することである．

$$\text{P}_i^{2-} + \text{H}^+ + \text{ADP}^{3-} \longrightarrow \text{ATP}^{4-} + \text{H}_2\text{O}$$
$$\Delta G^{\circ\prime} = +7.3\, \text{kcal/mol}$$

補酵素の酸化と ATP の合成が 1：1 で起こるという比較的単純な反応だと，とても非効率なものとなってしまう．ADP と P$_i$ から ATP をつくる際に必要なエネルギーが補酵素の酸化で放出されるエネルギーよりかなり小さく，大部分が熱として失われるからである．このエネルギーを効率よく回収するために，ミトコンドリアは補酵素の酸化で生じたエネルギーを一連の電子伝達体を使ってプロトン駆動力に変換する．これらの伝達体は，一つを除いてすべて内膜に埋込まれている（図 12・11 の過程 III）．こうしてプロトン駆動力にすることにより効率よく ATP 合成に利用できる．

ミトコンドリアでの電子伝達は H$^+$ くみ出しと共役している

電子が NADH や FADH$_2$ から O_2 へ伝達される際，ミトコンドリアマトリックスから内膜を通って H$^+$ がくみ出される．これにより，ミトコンドリアマトリックスの pH は膜間腔や細胞質より高くなり，内膜を挟んでマトリックス側が膜間腔に比べ負となる電位差が生じる．いいかえると，NADH と FADH$_2$ の酸化に伴い

放出されるエネルギーは内膜を挟んでの H$^+$ 濃度勾配および電位差としてたくわえられ，両者を合わせたものを**プロトン駆動力**（proton-motive force）とよぶ（図 12・2）．§12・7 で説明するが，この駆動力に従って H$^+$ が内膜を通って戻ろうとする動きが ATP 合成酵素内で ADP と P$_i$ から ATP を合成する反応と共役している（過程 IV）．

NADH あるいは FADH$_2$ から O_2 への電子伝達により発生するエネルギーで ADP と P$_i$ から ATP を合成するこのしくみは，好気性非光合成細胞における主要な ATP 供給源である．ミトコンドリアや細菌での酸化的リン酸化は，内膜（ミトコンドリアの場合）あるいは細菌の細胞膜を挟んでのプロトン駆動力に依存しており，多くの証拠から，電子伝達，H$^+$ のくみ出し，および ATP 合成が一体となって起こることの重要さが示されている．たとえば，研究室で単離したミトコンドリアにピルビン酸やコハク酸などの酸化される基質と O_2 を与えると，ミトコンドリア内膜に傷がなければ ATP の合成が起こる．内膜の透過性を上昇させる界面活性剤を少量入れておいても電子伝達と代謝産物の O_2 による酸化は起こる．しかしこの場合，ATP は合成されない．それは，H$^+$ が内膜を透過してしまい，プロトン駆動力を維持できないからである．

NADH（あるいは FADH$_2$）から O_2 への電子伝達とミトコンドリア内膜での H$^+$ の輸送が共役しているということは，単離した無傷のミトコンドリアを使って実証することができる（図 12・16）．ミトコンドリア懸濁液に O_2 を除いた状態で NADH を加え，そこに O_2 を与えると，ミトコンドリアから H$^+$ が出て，それは外膜を自由に透過するので，外液が一過性に酸性（H$^+$ 濃度増）となる．（リンゴ酸-アスパラギン酸シャトルあるいは他のシャトルが外液の NADH をマトリックス内の NADH に変換できるので．）O_2 が還元されて消失すると，外液の H$^+$ はマトリックス内に少しずつ戻っていく．こうした実験の pH 変化を分析したところ，

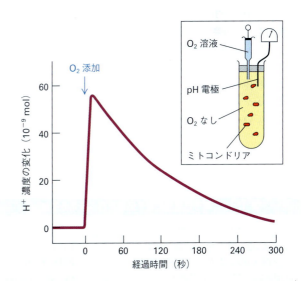

図 12・16（実験）　NADH から O_2 への電子の伝達は膜を横切る H$^+$ 移動と共役している．O_2 のない状態で NADH をミトコンドリアの懸濁液に加えても酸化されない．少量の O_2 を加えると（矢印），ミトコンドリアを取囲む溶液の H$^+$ 濃度が急激に増加する（pH は急激に低下する）．このように，O_2 による NADH の酸化は H$^+$ がマトリックスから出ていくことと共役している．O_2 を使い切ってしまうと，過剰の H$^+$ はミトコンドリア内にゆっくりと戻り（ATP を合成し），懸濁液の pH は最初の値に戻る．

NADHからO_2へ1対の電子が伝達されるごとに約10個のH^+がミトコンドリアマトリックスから外へ輸送されることがわかった．

$FADH_2$により輸送されるH^+数を調べるためには，基質としてNADHではなくコハク酸を使って同様な実験を行う．（クエン酸回路でコハク酸がフマル酸に酸化されるときに$FADH_2$が生じる，図12・13）生じる$FADH_2$の量が最初の実験のNADHの量と同じになるようにコハク酸の量を調節して入れる．そこにO_2を与えると，最初の実験と同様に外液が酸性になったが，その程度はNADHのときほどではなかった．なぜなら，$FADH_2$からの電子のポテンシャルエネルギー（43.4 kcal/mol）はNADHのもの（52.6 kcal/mol）より小さいので，マトリックスからくみ出せるH^+の数が少なく，pHの変化も小さいからである．

電子は一連の伝達体の中を"下流"へ流れエネルギーを放出する

ここでは補酵素NADHや$FADH_2$から最終電子受容体であるO_2へ電子が流れるというエネルギー的に有利な反応について少し詳しく解説する．話を単純にするためNADHに焦点を絞る．呼吸しているミトコンドリアで，NADH分子は2個の電子を電子伝達鎖に渡し，その電子は酸素原子一つ（酸素分子O_2の半分）を還元して水1分子を生成する．

$$NADH \longrightarrow NAD^+ + H^+ + 2e^-$$
$$2e^- + 2H^+ + 1/2O_2 \longrightarrow H_2O$$

NADHからO_2に電子が移動するまでに，その電位は1.14 V低下し，それは伝達される電子 1 mol 当たり26.29 kcal，すなわち電子対 1 mol 当たり約53 kcalに相当する．このエネルギーの多くは，前に述べたようにミトコンドリア内膜でのプロトン駆動力としてたくわえられる．

電子伝達鎖はミトコンドリア内膜を貫通する4個の大きな多量体タンパク質複合体（複合体I〜IV）からなり，それらがプロトン駆動力をつくりだす（図12・11の過程III）．各複合体は電子の輸送に関与する**補欠分子族**（prosthetic group）を何個か含んでいて，それらは共役した酸化還元反応（2章）により電子供与体から電子受容体へ電子を移動させる．これらの低分子量非ペプチド性有機分子や金属イオンは多量体タンパク質複合体と特異的に強く結合している（表12・3）．

ヘムとシトクロム　ヘモグロビンやミオグロビン中のものとよく似た鉄を含む補欠分子族**ヘム**（heme）が何種類かあり（図12・17a），それがミトコンドリア内の**シトクロム**（cytochrome）とよばれるタンパク質と共有結合あるいは非共有結合性相互作用で強く結合している．各シトクロムはa, b, c，あるいはc_1というようにアルファベットをつけて区別されている．シトクロムでの電子伝達はヘムの中央に存在する鉄の酸化と還元によって行われる．

$$Fe^{3+} + e^- \rightleftharpoons Fe^{2+}$$

シトクロムのヘム環には単結合と二重結合が交互に並んでいて，多数の共鳴構造が存在するので，入ってきた電子は鉄イオンだけでなくヘムの炭素や窒素原子の間にも潜り込める．

それぞれのシトクロムは，少し構造の異なったヘムをもち，まわりを取囲む原子も異なっているので，鉄は異なった環境下におかれる．そのため，各シトクロムは異なった還元電位すなわち電子受取り能力の差をもつことになる．これは電子伝達鎖に沿って電子をエネルギー的に低いほうへ一方向的に流すために重要な性質である．水が位置エネルギーの高いほうから低いほうへ自発的に流れるように，電子も一つのヘム（あるいは他の補欠分子族）から次のものへと還元電位の違いに応じて移動していく（還元電位については2章）．このあと述べるが，シトクロムc以外のシトクロムはミトコンドリア内膜の多量体タンパク質複合体の構成成分である．

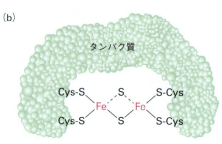

図12・17 電子伝達鎖の補欠分子族であるヘムと鉄-硫黄クラスター．（a）$CoQH_2$-シトクロムcレダクターゼ（複合体III）の構成成分であるシトクロムb_Lとb_Hのヘム部分．すべてのヘムには，同じポルフィリン環（黄）がある．電子伝達鎖内の他のシトクロムでは，そのポルフィリン環についている置換基が異なる．すべてのヘムは一度に1個の電子を受容したり放出したりする．（b）二量体型鉄-硫黄クラスター（Fe-S）．各鉄原子は4個の硫黄原子（2個の無機硫黄原子と2個のタンパク質システイン側鎖中の硫黄原子）と結合している．すべての鉄-硫黄クラスターは一度に1個の電子を受容したり放出したりする．

表12・3　電子伝達鎖で電子伝達を行う補欠分子族	
結合タンパク質	補欠分子族[†]
NADH-CoQレダクターゼ（複合体I）	FMN, Fe-S
コハク酸-CoQレダクターゼ（複合体II）	FAD, Fe-S
$CoQH_2$-シトクロムcレダクターゼ（複合体III）	ヘムb_L, ヘムb_H, Fe-S, ヘムc_1
シトクロムc	ヘムc
シトクロムcオキシダーゼ（複合体IV）	Cu_a^{2+}, ヘムa, Cu_b^{2+}, ヘムa_3

[†] ここに電子伝達体であるCoQが含まれていないのは，恒常的にタンパク質複合体と結合していないからである．
出典: J. W. De Pierre and L. Ernster, 1977, *Annu. Rev. Biochem.* **46**: 201.

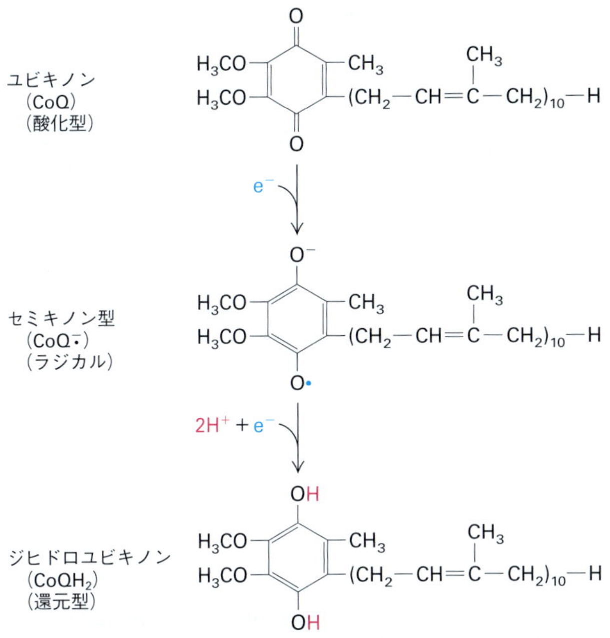

ユビキノン
(CoQ)
(酸化型)

セミキノン型
(CoQ⁻・)
(ラジカル)

ジヒドロユビキノン
(CoQH₂)
(還元型)

図 12・18 **2個の H^+ と2個の電子の伝達体である補酵素 Q (CoQ) の酸化型と還元型**. CoQ (ユビキノンともよばれる) はイソプレン単位からなる長い炭化水素の"尾"をもっているので, リン脂質二重層の中心部に溶け, 膜内を自由に移動する. 酸化型 CoQ が完全に還元された CoQH₂ (ジヒドロユビキノン) になる反応は, 中間にセミキノンとよばれる半分還元されたラジカルを経る2段階反応である.

鉄-硫黄クラスター 鉄-硫黄クラスター (iron-sulfur cluster) は非ヘム補欠分子族で, 無機硫黄原子とタンパク質のシステイン残基の硫黄原子に結合した複数の鉄原子で構成されている (図 12・17b). クラスター中の鉄原子には電荷が +2 のものと +3 のものが存在するが, それぞれの鉄原子の電荷は +2 から +3 の間の値をとっていると考えたほうがよい. その理由は, 最も外側の軌道上の電子と電子伝達鎖によって送り込まれてきた電子は鉄原子間を高速度で移動し分散しているからである. 鉄-硫黄クラスターは一度に1個の電子を受容したり放出したりする.

補酵素 Q (CoQ) 補酵素 Q (coenzyme Q, CoQ) はユビキノン (ubiquinone) ともよばれ, 電子伝達鎖内で唯一の低分子量電子伝達体であり, タンパク質に結合した補欠分子族ではない (図 12・18). CoQ は H^+ と電子両方の伝達体である. 酸化されてキノンとなった CoQ は電子を1個受取って, 電荷をもったラジカルであるセミキノン CoQ⁻・となり, そこに第二の電子と2個の H^+ が加わって (合わせると2個の水素原子になる) 完全に還元されたジヒドロユビキノン CoQH₂ となる. CoQ と還元型 CoQH₂ はともにリン脂質膜に溶け込んでいて, ミトコンドリア内膜中を自由に拡散する. CoQ はこの性質を使って膜に埋込まれた電子伝達鎖の複合体から次の複合体へ電子と H^+ を伝達している.

4個の大きな多量体タンパク質複合体 (I～IV) が電子伝達とミトコンドリア内膜での H^+ くみ出しを共役させる

これから, それらの補欠分子族を含む多量体タンパク質複合体の詳細な構造と, その中を電子や H^+ がどう通り抜けていくのかについてみていくことにしよう.

電子伝達鎖のなかの一つの電子伝達体から次の伝達体へと電子が下流に流れていく際に放出されたエネルギーは, ミトコンドリア内膜の電気化学的勾配に逆らって H^+ をくみ出すことに使われる. 4個の大きな多量体タンパク質複合体が電子の流れと H^+ のくみ出しを共役させている. それらは **NADH-CoQ レダクターゼ** (NADH-CoQ reductase, 複合体 I, 40 以上のサブユニットを含む), **コハク酸-CoQ レダクターゼ** (succinate-CoQ reductase, 複合体 II, 4 サブユニットからなる), **CoQH₂-シトクロム *c* レダクターゼ** (CoQH₂-cytochrome *c* reductase, 複合体 III, 11 サブユニットからなる), および**シトクロム *c* オキシダーゼ** (cytochrome *c* oxidase, 複合体 IV, 13 サブユニットからなる) である (図 12・19). 電子は I → III → IV あるいは II → III → IV のどちらかの経路で流れる. 複合体 I, III, および IV はすべて H^+ をくみ出すが複合体 II はそれをしない. NADH からの電子は複合体 I から CoQ/CoQH₂ を介して複合体 III に渡され, そこから水溶性タンパク質であるシトクロム *c* (Cyt *c*) を介して複合体 IV に渡され, それが O_2 を還元する (複合体 II は通らない, 図 12・19a). 一方, FADH₂ からの電子は複合体 II から CoQ/CoQH₂ を介して複合体 III に渡され, そこからシトクロム *c* を介して複合体 IV に渡され, O_2 を還元する (複合体 I は通らない, 図 12・19b).

図 12・19 に示すように CoQ は NADH-CoQ レダクターゼ (複合体 I) あるいはコハク酸-CoQ レダクターゼ (複合体 II) から放出された電子を受取り, CoQH₂-シトクロム *c* レダクターゼ (複合体 III) に渡す. このとき H^+ がマトリックス (膜の細胞質側) から膜間腔 (反細胞質側) へと輸送される. CoQ は必ず複合体のマトリックス側で電子を受取り, マトリックス中の H^+ を取込む. CoQH₂ が電子を放出するときは必ず複合体の膜間腔側で行い, そのときに膜間腔側 (反細胞質側) 溶液中に H^+ を放出する. このように, CoQ が2個の電子を輸送するときには必ず2個の H^+ がマトリックス側から膜間腔側へ輸送されるようになっている.

NADH-CoQ レダクターゼ (複合体 I) NADH-CoQ レダクターゼは NADH の電子を CoQ に渡す (図 12・19a). 電子顕微鏡観察と X 線結晶構造解析から, この複合体は細菌のものも (約 500 kDa で 14 サブユニットからなる), 真核細胞のものも (約 1.7 MDa, 細菌のものと似ている中心的サブユニット 14 と付随的サブユニット 26～32 からなる) L 字形をしていることがわかった (図 12・20a). L 字形の構造のうち, 膜に埋込まれた長さ約 180 Å のアームの部分は少し曲がっていて, その部分にあるタンパク質の膜貫通 α ヘリックスの総数は 60 以上もある. このアームには 4 個のサブドメインがあり, そのうちの 3 個は陽イオン対向輸送体ファミリーに属するタンパク質である. 膜から突き出ている親水性アームのほうは膜から 95 Å 以上マトリックス側 (細菌では細胞質側) に出ている.

NAD^+ は本質的に電子 2 個の運搬体である. NAD^+ は一度に 1 対の電子を授受する. NADH-CoQ レダクターゼの中で NADH 結合部位は突き出た部分の先端にある (図 12・20a). NADH からの電子は最初に FMN (フラビンモノヌクレオチド flavin mononucleotide) という FAD と似た構造をもつ補欠分子族に渡され, 次にアームの中で約 95 Å もの距離をいくつかの鉄-硫黄クラスターによって運ばれ, 最後に部分的に膜面に埋込まれている CoQ

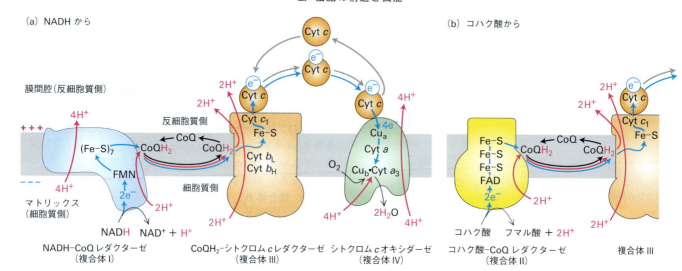

図 12・19　ミトコンドリアの電子伝達鎖． 電子は四つの主要な多量体タンパク質複合体(I～IV)の中を流れる(青矢印)．複合体間の電子の移動は脂溶性補酵素 Q(酸化型 CoQ, 還元型 $CoQH_2$)あるいは膜間腔に存在する水溶性タンパク質シトクロム c(Cyt c)によって行われる．多量体タンパク質複合体のうちの三つは電子が放出するエネルギーを使ってマトリックス(細菌では細胞質)から膜間腔(細菌では細胞外)へ H^+ をくみ出す(赤矢印)．(a) NADH からの経路．NADH からの電子(酸化される NADH 当たり2個)は複合体Iの中を流れ，最初にフラビンモノヌクレオチド FMN，その後7個の鉄-硫黄クラスター(Fe-S)を経て CoQ に渡され，それにマトリックスの H^+ が2個結合して $CoQH_2$ となる．この電子の流れに伴う複合体Iの構造変化によりマトリックスから膜間腔へ4個の H^+ がくみ出される．電子は $CoQH_2$ を介して複合体IIIへ，そして Cyt c を介して複合体IVへと流れる．2分子の NADH に由来する電子を受取った4個の Cyt c が複合体IVに電子を渡すと，1分子の O_2 が還元されて2分子の H_2O になると同時に4個の H^+ が輸送される．2分子の NADH が酸化され1分子の O_2 が還元されるたびに，20個の H^+ がマトリックスから膜間腔へ輸送される．(b) コハク酸からの経路．コハク酸からの2個の電子は $FAD/FADH_2$ および鉄-硫黄クラスター(Fe-S)を経由して複合体II内を移動し，複合体IIから $CoQ/CoQH_2$ を介して複合体IIIへ，そして Cyt c を介して複合体IVへと流れる．複合体IIでコハク酸がフマル酸に酸化されたときに放出された電子は CoQ を $CoQH_2$ に還元するときに使われるだけで，H^+ の輸送は起こらない．$CoQH_2$ から先の電子伝達は(a)の NADH からの経路と同じである．したがって，2分子のコハク酸が酸化され1分子の O_2 が還元されるごとに12個の H^+ が輸送される(複合体IIIのQ回路で8個と複合体IVで4個)．

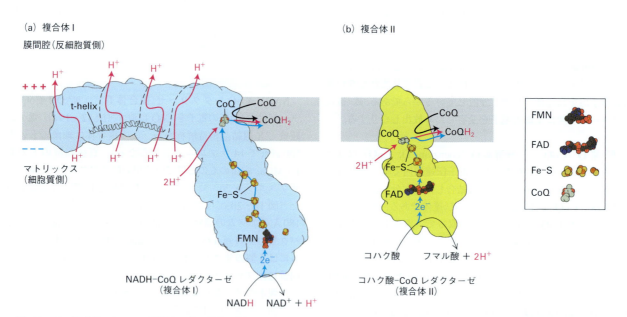

図 12・20　複合体IとIIでの電子と H^+ の輸送． (a) 三次元構造をもとに作成した複合体Iのモデル．X線結晶構造解析で決められた酵母 *Yarrowia lipolytica* の複合体Iの中心部の外形を薄青で表し，サブユニットどうしの間を細い黒の破線で示した．NADH からの電子は，まずフラビンモノヌクレオチド(FMN)に，次に鉄-硫黄クラスター(Fe-S, 赤と黄の球)を経由して CoQ に渡され，そこにマトリックスからの H^+ が2個結合して(赤矢印)$CoQH_2$ ができる．電子の流れと CoQ の変化に伴う構造変化が横行らせん(t-helix)に水平方向への動きを起こさせ，それが膜貫通サブユニットによるマトリックスから膜間腔への H^+ のくみ出し(赤矢印)を起こさせる．(b) 三次元構造をもとにした複合体IIのモデル．コハク酸からの電子は $FAD/FADH_2$ と鉄-硫黄クラスター(Fe-S)を経由して CoQ へ伝えられ，$CoQ/CoQH_2$ によって複合体IIから複合体IIIに渡される．コハク酸がフマル酸に酸化されたときに放出された電子は CoQ を $CoQH_2$ に還元することに使われるだけで，H^+ のくみ出しは起こらない．[(a)は V. Zickermann et al., 2015, *Science* **347**: 44, PDB ID 3m9s. (b)は F. Sun et al., 2005, *Cell* **121**: 1043, PDB ID 1zoy.]

に渡される．FMN は FAD と同様 2 個の電子を受取れるが，一度に 1 個ずつ受取る．

　輸送される各電子は約 360 mV の電位差を下るので，1 対の電子の $\Delta G°'$ は -16.6 kcal/mol となる．複合体Ⅰによって酸化される 1 分子の NADH 当り放出されるエネルギーの多くは，内膜を横切って 4 個の H^+ を輸送するために使われる．これら 4 個の H^+ は，図 12・18，図 12・19(a)，図 12・20(a)に示すように，CoQ に渡される 2 個の H^+ とは別のものである．膜から突き出たアームの部分を電子が輸送されるときに放出されたエネルギーがどのように使われて膜内のアームのサブユニットの構造を変化させ，膜を横切って 4 個の H^+ を輸送させるのかはよくわかっていない．3 個の H^+ は，陽イオン対向輸送体ドメイン内の，プロトン化されうる極性側鎖がジグザグに並ぶ膜貫通部分を通るようだ．4 個目も似たような経路を通るのだろう．膜内のアームには膜面に平行な α ヘリックス（t-helix）が走っている．この α ヘリックスが対向輸送体ドメインと突き出たアームの間を機械的につなぎ（図 12・20a），電子伝達によってひき起こされた突き出たアーム内の構造変化を対向輸送体の膜貫通部分に伝え，H^+ 輸送を起こさせているのだろう．

　この複合体での全反応をまとめると次のようになる．

$$NADH + CoQ + 6H^+_{マトリックス} \longrightarrow$$
（還元型）（酸化型）

$$NAD^+ + H^+_{マトリックス} + CoQH_2 + 4H^+_{膜間腔}$$
（酸化型）　　　　　　　　　（還元型）

コハク酸-CoQ レダクターゼ（複合体Ⅱ）　クエン酸回路でコハク酸をフマル酸にする（同時に還元型補酵素 $FADH_2$ が生じる）コハク酸デヒドロゲナーゼは複合体Ⅱの 4 個のサブユニットのうちの一つである（図 12・20b）．このように，クエン酸回路は物理的にも機能的にも電子伝達鎖と密接にかかわっている．コハク酸がフマル酸になるとき放出される 2 個の電子はコハク酸デヒドロゲナーゼ内の FAD に渡され，次に鉄-硫黄クラスターを経て（FAD を再生して）複合体Ⅱのマトリックス側のくぼみに結合している CoQ に渡される（図 12・19b, 図 12・20b）．この経路は複合体Ⅰを思わせるものである（図 12・20a）．

　この複合体の触媒する反応全体は次のようになる．

$$コハク酸 + CoQ \longrightarrow フマル酸 + CoQH_2$$
（還元型）（酸化型）　　（酸化型）（還元型）

この反応の $\Delta G°'$ は負であるが，放出されるエネルギーは，CoQ を $CoQH_2$ に還元することはできても，さらに H^+ をくみ出すには不十分である．したがって，コハク酸-CoQ レダクターゼでの H^+ 輸送はなく，電子伝達鎖のこの部分ではプロトン駆動力は発生しない．このあとすぐに，複合体ⅠとⅡで生じた $CoQH_2$ の H^+ と電子がプロトン駆動力の発生に寄与することを説明する．

　複合体Ⅱはコハク酸と $FAD/FADH_2$ を介した酸化還元反応によって $CoQH_2$ をつくる．マトリックスと内膜に存在するもう 1 組のタンパク質群が，類似した $FAD/FADH_2$ を介した酸化還元反応を行う．これらのタンパク質群も $FADH_2$ を使って $CoQH_2$ をつくり，電子伝達鎖に電子を送り込む（詳細は次の段落と図 12・15 参照）．

脂肪酸アシル CoA デヒドロゲナーゼ（fatty acyl-CoA dehydrogenase，図 12・15）は水溶性酵素で，ミトコンドリアマトリックスでの脂肪酸アシル CoA 酸化の最初の段階を触媒する．脂肪酸アシル CoA デヒドロゲナーゼには脂肪酸炭化水素鎖の長さに特異性をもつものがいくつか存在する．これらの酵素は脂肪酸炭化水素鎖の β 位を酸化して炭素 2 個分短くする 4 段階反応の最初の段階を触媒する（この過程は **β 酸化** β oxidation とよばれる）．これらの反応によりアセチル CoA が生じ，それはクエン酸回路に入る．この反応はまた，$FADH_2$ と NADH を生じる．複合体Ⅱのときと同様に，生じた $FADH_2$ は酵素に結合したまま残る．**電子伝達フラビンタンパク質**（electron transfer flavoprotein: ETF）という水溶性タンパク質がアシル CoA デヒドロゲナーゼ内の $FADH_2$ から高エネルギー電子を受取り，**電子伝達フラビンタンパク質: ユビキノンオキシドレダクターゼ**（electron transfer flavoprotein: ubiquinone oxidoreductase, ETF:QO）という膜タンパク質に渡し，それが内膜の CoQ を $CoQH_2$ に還元する．この $CoQH_2$ も複合体ⅠとⅡによって生じた $CoQH_2$ と混ざり合って複合体Ⅲによるマトリックスからの H^+ 輸送に利用される．

$CoQH_2$-シトクロム c レダクターゼ（複合体Ⅲ）　複合体Ⅰ, Ⅱ あるいは ETF:QO によって生じた $CoQH_2$ が 1 対の電子を $CoQH_2$-シトクロム c レダクターゼ（複合体Ⅲ）に渡すと酸化型 CoQ が再生する．同時に，CoQ はマトリックスから取込んだ 2 個の H^+ を膜間腔に放出し，プロトン駆動力形成にも貢献する（図 12・19）．放出された電子はこの複合体Ⅲ内の鉄-硫黄クラスターに渡され，次にシトクロム c_1，あるいは 2 種類のシトクロム b（b_L と b_H, Q 回路の説明参照）に渡される．電子 2 個は最終的には 2 分子の酸化型シトクロム c に渡される．シトクロム c は水溶性のタンパク質で膜間腔に拡散していく．1 対の電子が伝達されたときに複合体Ⅲによって触媒される反応全体は以下のとおりである．

$$CoQH_2 + 2Cyt\ c^{3+} + 2H^+_{マトリックス} \longrightarrow$$
（還元型）（酸化型）

$$CoQ + 4H^+_{膜間腔} + 2Cyt\ c^{2+}$$
（酸化型）　　　　　（還元型）

この反応の $\Delta G°'$ は大きく負なので，1 対の電子が複合体Ⅲを通して伝達されるとき，$CoQH_2$ からの 2 個の H^+ のほかに，さらに 2 個の H^+ がマトリックスからミトコンドリア内膜を経てくみ出される．これは以下に述べる Q 回路によるものである．ヘムタンパク質であるシトクロム c と脂溶性小分子である CoQ は電子伝達鎖のなかで似たような役割を果たしている．すなわち，それらは可動性電子シャトルとして働き，電子（そのエネルギー）を複合体から複合体へと伝達しているのである．

Q 回 路　$CoQH_2$ からの 1 対の電子が複合体Ⅲ内を流れると 4 個の H^+ が膜を横断して輸送されることが実験から示された．それら 4 個の H^+ はサイクル中に 2 分子の $CoQH_2$ が CoQ になるときに放出されたものである．しかし，その際に，もう一つの CoQ がマトリックスから 2 個の H^+ を受取り $CoQH_2$ になる．したがって，全体としては 1 個の $CoQH_2$ が CoQ となり，2 個の電子を一つずつ，受容体であるシトクロム c に渡したことになる．この複合体Ⅲにおける 1 電子当たり $2H^+$ 輸送は進化のなかでもよく保存されてきた **Q 回路**（Q cycle）という機構によって行われ

ている（図12・21）．

複合体IIIの基質であるCoQH$_2$は，複合体I，複合体II，およびETF:QO（β酸化で使われる）を含むいくつかの酵素によってつくられるが，次に述べるように，複合体III上でもつくられる．

図12・21に示すように，このQ回路では，Q$_o$部位で2分子のCoQH$_2$が酸化され全部で4個のH$^+$が膜間腔に放出されるが，Q$_i$部位（Q$_i$ site）において1分子のCoQがマトリックス内の2個のH$^+$と結合してCoQH$_2$がつくられる．輸送されたH$^+$は先に述べたようにCoQが還元されてCoQH$_2$になった際にマトリックスから取込まれたものである．少々複雑なしくみではあるが，Q回路によって複合体IIIの中を通る電子1対当たりのH$^+$輸送を4個に増やすことができる．このQ回路は動植物だけでなく細菌にも存在する．Q回路が細胞進化のかなり早い時期に出現したということは，CoQH$_2$のポテンシャルエネルギーをプロトン駆動力として最大限に活用することがすべての生命体にとって必須であることを示唆している．また，これにより，NADHやFADH$_2$からO$_2$へ電子が伝達される際に合成されるATPの量も最大になる．

では，Q$_o$部位に結合したCoQH$_2$からの2個の電子はどのようにして異なる受容体，すなわちFe-S，シトクロムc_1，そしてシトクロムc（図12・21の上へいく経路），あるいはシトクロムb_L，シトクロムb_HからQ$_i$部位のCoQ（図12・21の下へいく経路）に振り分けられるのだろうか．答えは，複合体IIIの鉄-硫黄クラスターを含むサブユニットに折れ曲がりやすい部分が存在するからであった．最初，鉄-硫黄クラスターはQ$_o$部位にとても近づいていて，そこに結合したCoQH$_2$からの電子を受ける．すると，折れ曲がりやすい部分が動き，鉄-硫黄クラスターはQ$_o$部位から離れ，シトクロムc_1のすぐ近くにきて電子を渡すことができるようになる．この状態になってしまうと，Q$_o$部位に結合したCoQH$_2$からの第二の電子は鉄-硫黄クラスターが遠すぎて，そこにいけなくなる．そこで電子は熱力学的には少し不利なシトクロムb_Lからシトクロムb_Hを経てQ$_i$部位のCoQへいくことになる．

シトクロムcオキシダーゼ（複合体IV）　シトクロムcは複合体IIIによって還元されたあと，電子を1個ずつシトクロムcオキシダーゼ（複合体IV）に移し再酸化される（図12・19a）．ミトコンドリアのシトクロムcオキシダーゼは13の異なるサブユニットを含んでいるが，触媒の中心となるのはたった3個のサブユニットだけで，そのほかのサブユニットの機能はまだよくわかっていない．細菌のシトクロムcオキシダーゼはその3個のサブユニットだけしか含んでいない．ミトコンドリアでも細菌でも，4分子の還元されたシトクロムcが1個ずつこのオキシダーゼに結合する．各シトクロムcのヘムからの電子は1対の銅イオンCu$_a^{2+}$，シトクロムaのヘムを経て，第二の銅イオンCu$_b^{2+}$とシトクロムa_3のヘムからなる酸素還元中心に伝達される．これらの電子はO$_2$を挟み込むように取巻き，還元して2分子のH$_2$Oにする．O$_2$は，水溶液中ではなく，溶け込みやすい膜の疎水性中心部を流れてきて，複合体IVタンパク質中の一つあるいは複数の疎水性チャネルを通ってこの還元中心にたどり着く，ということがいくつかの証拠から示唆されている（図12・19a）．

複合体IVにより4個の電子が最終電子受容体であるO$_2$に渡され2分子のH$_2$Oが生じる．このH$_2$OもCO$_2$とともに酸化経路の最終産物である．酸素還元の中間体として考えられているのは，ペルオキシドアニオンO$_2^{2-}$，ヒドロキシルラジカルOH・，および鉄と酸素原子のめずらしい複合体である．これらの中間体が複合体IVから漏れ出てきたら細胞に害を及ぼすことになるが，Cu$_b^{2+}$とシトクロムa_3のヘムが取囲んでいるので，そのようなことはめったに起こらない．還元されたO$_2$からH$_2$Oをつくるには H$^+$を還元中心に送り込まねばならない．それに加えていくつかのH$^+$がマトリックスから膜間腔に送り出される．4個の電子が複合体IV中を輸送されている間に4個のH$^+$がマトリックスから

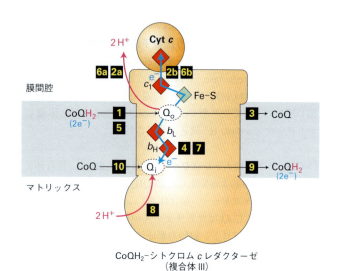

CoQH$_2$-シトクロムcレダクターゼ
（複合体III）

Q$_o$部位：
2CoQH$_2$ + 2Cytc^{3+} ⟶ 2CoQ + 2Cytc^{2+} + 2e$^-$ + 4H$^+$（膜間腔/反細胞質側）
(4H$^+$, 4e$^-$)　　　　　　　　　　　　　　(2e$^-$)

Q$_i$部位：CoQ + 2e$^-$ + 2H$^+$（マトリックス/細胞質側） ⟶ CoQH$_2$
　　　　　　　　　　　　　　　　　　　　　　　　　　(2H$^+$, 2e$^-$)

全Q回路（Q$_o$とQ$_i$における全反応）：
CoQH$_2$ + 2Cytc^{3+} + 2H$^+$（マトリックス/細胞質側） ⟶
(2H$^+$, 2e$^-$)
　　　　　　　　　　　　　　　　CoQ + 2Cytc^{2+} + 4H$^+$（膜間腔/反細胞質側）
　　　　　　　　　　　　　　　　　　　　　(2e$^-$)

複合体IIIからシトクロムcへ伝達される電子2個当たり4個のH$^+$が膜間腔に放出される

図12・21　Q回路．複合体IIIのQ回路は実質1分子のCoQH$_2$を酸化して4個のH$^+$を膜間腔に放出し，2個の電子をシトクロムcに伝達するものである．この回路は，さまざまな経路でつくられたミトコンドリア内膜の還元型CoQH$_2$が複合体IIIの膜間腔側（反細胞質）側面にあるQ$_o$部位に結合することによりはじまる（段階**1**）．CoQH$_2$は結合後2個のH$^+$を膜間腔に放出し（段階**2a**），2個の電子を残してCoQは解離する（段階**3**）．2個の電子のうち1個は鉄-硫黄タンパク質とシトクロムc_1を経て直接シトクロムcに伝達される（段階**2b**）．（シトクロムcは複合体IIIから複合体IVへ1個の電子を輸送するシャトルであることを思い出そう．）もう1個の電子はシトクロムb_Lとb_Hを通ってマトリックス側（細胞質）側面のQ$_i$部位に結合している酸化型CoQ分子を部分的に還元し，セミキノンアニオンQ・$^-$にする（段階**4**）．第二のCoQH$_2$がQ$_o$部位に入ったときにもこの過程が繰返される（段階**5**）．すなわち，H$^+$の膜間腔への放出（段階**6a**），シトクロムcの還元（段階**6b**），およびもう1個の電子をシトクロムb群を介してQ$_i$部位に結合しているQ・$^-$に渡す段階（段階**7**）．そこにマトリックスから2個のH$^+$が加わると Q$_i$部位で完全に還元されたCoQH$_2$ができあがり（段階**8**），このCoQH$_2$は複合体から離れていく（段階**9**）．その空いたQ$_i$部位に新たなCoQが入り（段階**10**），Q回路がまたはじまる．[B. Trumpower, 1990, *J. Biol. Chem.* **265**: 11409; E. Darrouzet et al., 2001, *Trends Biochem. Sci.* **26**: 445 参照．]

膜間腔に輸送される．このように，複合体IIIではQ回路を使って1個の電子当たり2個のH^+を輸送できたのに，複合体IVでは伝達する電子1個当たり1個のH^+しか輸送できない．しかし，複合体IVでのH^+輸送のしくみおよびその輸送とO_2の還元がエネルギー的にどう共役しているかはよくわかっていない．

運ばれてきた4個の電子により複合体IV内で起こる反応は次のようになる．

$$4\text{Cyt } c^{2+} + 8H^+_{\text{マトリックス}} + O_2 \longrightarrow$$
（還元型）
$$4\text{Cyt } c^{3+} + 2H_2O + 4H^+_{\text{膜間腔}}$$
（酸化型）

> シアン化物は，捕えられたスパイが自殺するとき，囚人処刑のガス室，およびナチスがユダヤ人を大量殺戮したとき（チクロンB）などに使われた化学兵器で，ミトコンドリアのシトクロム c オキシダーゼ（複合体IV）内のヘム a_3 と結合し，電子伝達を阻害して，酸化的リン酸化によるATP産生を止めてしまうため非常に毒性が強い．ミトコンドリアでのエネルギー産生を妨害する有毒低分子量物質は多数あり，シアン化物もその一つである．

電子伝達体の還元電位は
NADHからO_2へ電子が流れるようになっている

2章で述べたように，ある半反応の**還元電位**（reduction potential）Eは

酸化された分子 $+ e^- \rightleftharpoons$ 還元された分子

というこの半反応の平衡定数の目安になる．複合体III（CoQH$_2$-シトクロム c レダクターゼ）中の b 型シトクロムだけは例外だが，ミトコンドリアの電子伝達鎖中の伝達体の標準還元電位 $E^{\circ\prime}$ はNADHからO_2に至るまで順に高まっていく．たとえば

$$NAD^+ + H^+ + 2e^- \rightleftharpoons NADH$$

という半反応の標準還元電位は -320 mVで，電子2個が運ばれたとすると $\Delta G^{\circ\prime}$ は $+14.8$ kcal/molに相当する．したがって，この半反応は左へ進みやすい．すなわち，NADHは酸化されNAD^+となりやすい．

それに対して

$$\text{Cyt } c_{\text{酸化型}}(Fe^{3+}) + e^- \rightleftharpoons \text{Cyt } c_{\text{還元型}}(Fe^{2+})$$

という半反応の標準還元電位は $+220$ mVで，電子が1個運ばれ

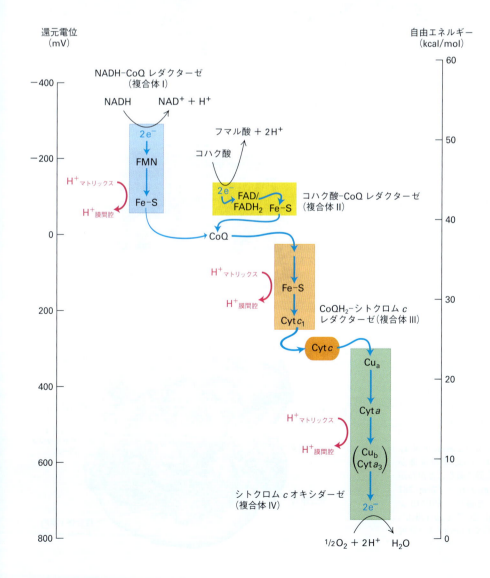

図 12・22 電子が電子伝達鎖を流れていくときの還元電位と自由エネルギーの変化．青矢印は電子の流れを示し，赤矢印はミトコンドリア内膜でのH^+の輸送を表す．左側に示した還元電位目盛でわかるように，電子は還元電位の低い電子伝達体から高いほう（より正）へと伝達されていく．右側の自由エネルギーの目盛に注目すると，電子が伝達されていく間に自由エネルギーが低下していくことがわかる．複合体のうちの三つでは，電子が伝達される際に放出されるエネルギーが十分大きいので，H^+をマトリックスから膜間腔に輸送し，プロトン駆動力を発生させることができる．

たとすると $\Delta G^{\circ\prime}$ は -5.1 kcal/mol となる.したがって,この半反応は右へ進みやすい.すなわち,シトクロム c は Fe^{3+} から Fe^{2+} に還元されやすい.

電子伝達鎖の最後の反応は O_2 が還元され H_2O になる反応で,

$$2H^+ + 1/2 O_2 + 2e^- \longrightarrow H_2O$$

標準還元電位は $+816$ mV(電子が2個運ばれたとすると $\Delta G^{\circ\prime}$ は -37.8 kcal/mol)と全反応中で最も正となっており,反応は右へ進みやすい.

図 12・22 に示すように,電子伝達鎖中の各伝達体の標準還元電位が順に高くなり,対応する $\Delta G^{\circ\prime}$ が順に減少していくということは,NADH や(コハク酸から生じた)$FADH_2$ からの電子は O_2 へ流れやすいということを意味する.電子が電子伝達鎖複合体の中をエネルギー面からみて"下流"に流れたときに放出されるエネルギーが,H^+ を,濃度勾配に逆らって,ミトコンドリア内膜を横切りくみ出すことに使われているのである.

電子伝達鎖の多量体タンパク質複合体は超複合体をつくっている

50年以上前,Britton Chance は電子伝達鎖複合体が集まって**超複合体**(supercomplex)をつくっているとの考えを提唱した.そうすることによって複合体が近づき,全過程の速さと効率が上がるのだ.実際,遺伝学的,生化学的,および生物物理学的研究から電子伝達鎖超複合体が存在するという強い証拠が得られている.巨大なタンパク質複合体を分離することのできるブルーネイ

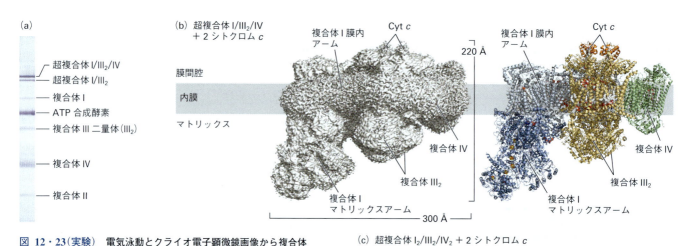

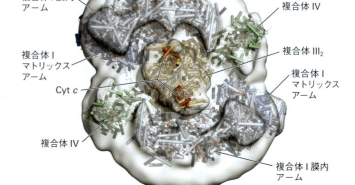

図 12・23(実験) 電気泳動とクライオ電子顕微鏡画像から複合体 I, III, IV がつくる超複合体の構造が決定された.(a) ウシ心筋ミトコンドリアの膜タンパク質を界面活性剤で可溶化し,ブルーネイティブ(BN)-PAGE 法により電気泳動して(3章),複合体と超複合体を分離した.青く染色されたゲル中の各バンドは複合体あるいは超複合体を表している.染色の濃さは複合体や超複合体の存在量にほぼ比例している.超複合体 I/III$_2$/IV の見かけの分子量は約 1.7 MDa である.(b), (c) 超複合体の(I/III$_2$/IV + 2 シトクロム c)および(I$_2$/III$_2$/IV$_2$ + 2 シトクロム c)を,ヒト HEK293 培養細胞のミトコンドリアから界面活性剤によって抽出し,スクロース密度勾配遠心で分離した.クライオ電子顕微鏡断層撮影法を使い,解像度 3.9 Å(I/III$_2$/IV + 2 シトクロム c)および 17.4 Å(I$_2$/III$_2$/IV$_2$ + 2 シトクロム c)で構造を決定した.(b) 左の画像は,超複合体 I/III$_2$/IV + 2 シトクロム c の三次元表面構造を膜面に平行な方向から見たものである.右の画像は,その中に複合体 I(外に突き出たマトリックスアームは濃青,膜に埋込まれたアームは薄青),複合体 III の二量体(金色),複合体 IV(緑),およびシトクロム c(橙)の分子構造モデルを組込んだものである.複合体 I に含まれる鉄-硫黄クラスターや脂質のような小分子には,以下のように色がつけられている.炭素:白,鉄:濃褐,硫黄:黄,酸素:赤,リン:橙,窒素:青.色のつけ方は(c)でも同じである.こうしたデータから超複合体の構造のほとんどすべてが明らかになった.たとえば,複合体 I に含まれる 45 個のタンパク質サブユニットの位置および 8499 個のアミノ酸残基の位置が決定できたのである.(c) 上図は,超複合体 I$_2$/III$_2$/IV$_2$ + 2 シトクロム c の電子密度図に各複合体とシトクロム c の分子モデルを組込んだものである.下図は,上図を 90° 回転させたものである.シトクロム c は,複合体 III から複合体 IV へ速やかに電子を渡しやすい位置にあることがわかる(図 12・19).[(a)は E. Schafer et al., 2006, *J. Biol. Chem.* **281**(22): 15370, Copyright Clearance Center, Inc. を通じて ASBMB より許可を得て転載.(b), (c)は R. Guo et al., 2017, *Cell* **170**(6): 1247, Copyright Clearance Center, Inc. を通じて Elsevier より許可を得て転載.]

ティブ(blue native: BN)–PAGE やカラーレスネイティブ（colorless native: CN)–PAGE とよばれるポリアクリルアミドゲル電気泳動法（PAGE）を使うと，さまざまな割合で各種複合体が含まれている超複合体が検出できた（図 12・23a）．そうした超複合体のなかで，複合体 I と IV を 1 個ずつ，複合体 III を 2 個含むもの（I/III$_2$/IV）を，ユビキノン（CoQ）およびシトクロム c が結合した状態で BN–PAGE ゲルから抽出すると，NADH から O_2 へ電子を輸送することが示された．すなわち，この超複合体は呼吸をする呼吸体とよぶべきものなのである．そうした超複合体のうちの二つの三次元構造をクライオ電子顕微鏡で解析した結果を図 12・23(b)(I/III$_2$/IV +2 個のシトクロム c)および図 12・23(c)(I$_2$/III$_2$/IV$_2$ +2 個のシトクロム c)に示す．ミトコンドリア内膜のタンパク質濃度はもともと高いので，この超複合体形成の本来の機能についてはまだ確定していないが，電子伝達の速度と効率を高め，個々の多量体タンパク質複合体の安定性を高め，場合によってはタンパク質の不適切な集合を防ぐ機能を果たすのではないかと考えられている．

独特なリン脂質であるカルジオリピン（cardiolipin, ジホスファチジルグリセロール diphosphatidyl glycerol ともいう）がこの超複合体形成と機能発現に重要な役割を果たしているらしい．

カルジオリピンはミトコンドリア内膜にだけ存在し，内膜脂質の約 20% を占め，膜内在性タンパク質（たとえば複合体 I や II）と結合することがわかっている．カルジオリピン合成を阻害された酵母変異体の遺伝学的および生化学的研究から，カルジオリピンはミトコンドリア超複合体の形成と活性発現に関与していることがわかり，機構の詳細は不明だが，電子伝達鎖をつなぎとめる糊なのではないかと考えられている．さらに，カルジオリピンが内膜への H^+ の結合と透過性（したがってプロトン駆動力）に影響を与えているという証拠もある．ミトコンドリアが傷害を受けると，カルジオリピンは外膜に移動し，そこでマイトファジーに関与する．カルジオリピンの重要性は，バース症候群（Barth's syndrome）の患者からもわかる．この病気は X 連鎖遺伝病で，カルジオリピンの脂肪酸鎖構造を決める酵素の欠陥が原因で起こる．バース症候群患者ではカルジオリピンの構造に異常があり，正常なものの量が減るので，心筋や骨格筋の欠陥，発育遅延，およびさまざまな異常が起こる．

活性酸素分子種は電子伝達の副産物である

好気性生物が代謝する酸素の 1〜2% は水にならず，部分的に還元されてスーパーオキシドアニオンラジカル O_2^- になる（この・は不対電子を表す）．ラジカルとは最外殻（結合殻）に 1 個あるいは複数の不対電子をもつ原子あるいはそうした原子をもつ化合物のことである．すべてではないが，ラジカルの多くは化学反応性が高く，反応した相手の構造や性質を変えてしまう．そうした反応の生成物もラジカルになることが多いので，連鎖反応的に多くの分子の性質を変えることになる．スーパーオキシドや他の反応性の高い酸素を含む化合物は，ラジカル（たとえば O_2^-）も非ラジカル（たとえば過酸化水素 H_2O_2）も合わせて，活性酸素分子種（reactive oxygen species: ROS）とよばれる．ROS は脂質（特に不飽和脂肪酸とその誘導体），タンパク質，および DNA といった生体にとって重要な分子と反応し，正常な機能を妨げるので注目されている．ROS が中濃度から高濃度になると細胞酸化ストレス（cellular oxidative stress）とよばれる状態になり，とても有害である．実際，生体防御にかかわる細胞（たとえばマクロファージや好中球）は病原菌を殺すために意図的に ROS をつくっている．ヒトにおいては，ROS の過剰あるいは不適切な産生が心不全，神経縮退症，アルコール依存性肝炎，糖尿病などの広範な病気および加齢に関係すると考えられている．

ROS はいくつかの代謝経路において発生するが，真核細胞における主要な発生源はミトコンドリア（以下に述べるように葉緑体も）の電子伝達鎖である．ミトコンドリアの電子伝達鎖を流れていく電子はエネルギーが高いので酸素分子をスーパーオキシドアニオン（superoxide anion O_2^-，図 12・24 上）に還元できる．しかし，これが起こるのは O_2 が電子伝達鎖内の還元状態の電子伝達体（鉄，FMN，$CoQH_2$）と接近したときだけである．通常，そうした電子伝達体は複合体タンパク質内に隔離されているので，

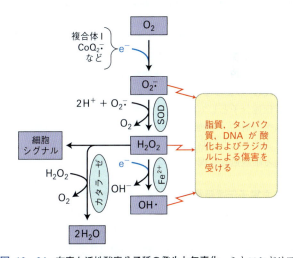

図 12・24 有毒な活性酸素分子種の発生と無毒化． ミトコンドリアや葉緑体の電子伝達鎖からの電子および他の酵素反応によって生じた電子が，O_2 を還元してスーパーオキシドという非常に反応性の高いラジカルアニオン O_2^- をつくる．スーパーオキシドはスーパーオキシドジスムターゼ（SOD）によってただちに過酸化水素 H_2O_2 にされ，それは Fe^{2+} などの金属イオンによってヒドロキシルラジカル OH・にされるか，カタラーゼのような酵素によって無毒な水に変えられる．O_2^-，H_2O_2，OH・などの分子は，化学反応性が高く，活性酸素分子種（ROS）とよばれる．それらは，脂質，タンパク質，および DNA を含む多くの生体分子に対して，酸化およびラジカルによる傷害を与える．これらの傷害が細胞酸化ストレスとなり，病気の原因になったり，もしそれが強いと，細胞を殺したりする．一方で，ROS は細胞内および細胞間シグナル伝達分子にもなりうる．

接触は起こらないようになっている．しかし，ある部位（特に複合体IとCoQ⁻，図12・18）やある条件下（たとえばマトリックスのNADH/NAD⁺値が高いときやATPがつくられずプロトン駆動力が強いとき）では電子が"漏れ出てきて"O_2をO_2^-に還元する．

スーパーオキシドアニオンは特に不安定で反応性の高いROSである．O_2^-の毒性から身を守るためミトコンドリアはいくつかの防御機構を発達させてきた．その一つとして，スーパーオキシドをまずH_2O_2にする酵素（Mnを含んだスーパーオキシドジスムターゼ，SOD），次にそれをH_2Oにする酵素（カタラーゼ）の利用があげられる（図12・24）．SODやカタラーゼは酵素のなかで最も触媒速度の高いものに属するが，それはROSの蓄積を防ぐためである．SODはミトコンドリア以外の細胞内区画にも存在する．H_2O_2もROSで膜を容易に通り抜けて細胞内のすべての分子と反応を起こす．H_2O_2は，Fe^{2+}などの金属イオンによって，もっと危険なヒドロキシルラジカルOH・になる．したがって，細胞はH_2O_2を不活性化するためにカタラーゼだけでなくペルオキシレドキシンやグルタチオンペルオキシダーゼといった他の酵素も使う．それらの酵素は，ROSが不飽和脂肪酸アシル基と反応してできたヒドロペルオキシド脂質を無毒化するためにも使われる．さらに，低分子量物質のビタミンEとα-リポ酸がラジカルを除去するラジカル消去剤として働き，酸化ストレスから守っている．多くの細胞でカタラーゼはペルオキシソームにしか存在しないが，心臓ではミトコンドリアにもカタラーゼが存在する．哺乳類で重量当たり最も酸素を消費している臓器は心臓なので，これは驚くにはあたらない．

ミトコンドリアや葉緑体でROSがつくられる速度はそれらの細胞小器官における代謝状態（たとえばプロトン駆動力の強さ，NADH/NAD⁺比）を反映しているので，細胞はROS/酸化還元を感知する転写因子のように，それらの細胞小器官における代謝状態を感知するシステムを発達させ，それらの細胞小器官に特異的なタンパク質の遺伝子の転写速度を調節し，対応してきた．そのため，H_2O_2のようなROSは，細胞内外で生理的な意味をもつシグナル伝達分子として働くこともある．ROSは，低酸素状態やストレスへの適応，増殖因子や栄養素による細胞増殖の調節，細胞分化，調節された細胞死，およびオートファジーといった広範囲にわたる細胞過程に関与することが報告されている．

精製した電子伝達鎖複合体を使った実験によりH^+くみ出し数がわかった

各電子伝達複合体をミトコンドリア膜から界面活性剤で選択的に抽出し，精製し，人工的リン脂質小胞（リポソーム）に組込むことにより，これらの複合体が電子伝達と共役してH^+輸送を行っていることがわかった．そうしたリポソームに適切な電子供与体と受容体を加えたとき，組込んだ複合体がH^+を輸送すれば外液pHが変化する．こうした研究からNADH-CoQレダクターゼ（複合体I）は伝達する1対の電子当たり4個のH^+を輸送することが示された．一方，シトクロムcオキシダーゼ（複合体IV）は1対の電子を輸送する際に2個のH^+を輸送することがわかった（図12・19）．

現在得られている証拠によると，NADHからO_2へ伝達される電子1対当たり10個のH^+がマトリックスから内膜を通過して輸送されることが示唆されている（図12・19）．コハク酸-CoQレダクターゼ（複合体II）はH^+を輸送せず，コハク酸由来の$FADH_2$からの電子は複合体Iを通らないので，$FADH_2$からO_2に伝達される電子1対当たり6個のH^+しか膜を通過して輸送されない．

ミトコンドリアでのプロトン駆動力の大部分は内膜を挟んでの電位差によるものである

電子伝達鎖がつくり出すプロトン駆動力は，ミトコンドリア内膜を挟んでのH^+濃度（pH）勾配と電位差（電圧）を合わせたものである．全プロトン駆動力への両者の相対的寄与は，内膜がH^+以外のイオンをどのくらい透過させるかによる．内膜が他の陽イオンや陰イオンをほとんど通さない場合，かなりの電位差が生じる．そうでない場合，陰イオンがH^+と一緒にマトリックスから膜間腔に出ていけば電位差は生じないし，陽イオンが膜間腔からマトリックスに入ってくれば（電荷の交換になり），やはり電位差は生じない．実際のミトコンドリア内膜は他の陽イオンや陰イオンをほとんど通さないので，H^+をくみ出すと電位差が生じ，その電気的反発によりすぐにくみ出し不能となってしまう．したがって，電子伝達系によるH^+のくみ出しでは，強い電位差を生じるが，pH勾配はあまり生じない．

ミトコンドリアは小さすぎて中に電極を刺し込むわけにはいかず，ミトコンドリア内膜を隔てた膜電位やH^+濃度勾配を直接測定することはできない．しかし，呼吸中のミトコンドリアの膜電位は，放射性$^{42}K^+$と少量のバリノマイシンを溶液中に入れ，マトリックスに入った放射能を測定することで間接的に知ることができる．ふつう，ミトコンドリア内膜はK^+を通さないが，小さな脂溶性分子であるバリノマイシンは**イオノホア**（ionophore）で，その親水性内部にK^+を選択的に取込み，膜を通り抜けさせてしまう．バリノマイシンがあると$^{42}K^+$は膜電位に従って平衡に達するまで輸送される．内膜のマトリックス側がより負なら，より多くの$^{42}K^+$がそこに輸送され蓄積する．

平衡に達したとき，マトリックス内のK^+濃度[$K^+_{マトリックス}$]はまわりのK^+濃度[$K^+_{外}$]の約500倍であった．この値をネルンストの式（11章）に代入して計算すると，呼吸中のミトコンドリア内膜の膜電位E（mV）は内側が負となり-160 mVであることがわかった．

$$E = -59 \log \frac{[K_{マトリックス}]}{[K_{外}]} = -59 \log 500 = -160 \text{ mV}$$

ミトコンドリア内膜の膜電位はテトラメチルローダミンメチルエステルのような陽イオンをもつ脂溶性色素によっても測定できる．こうした蛍光色素がミトコンドリアマトリックスに蓄積する量もネルンストの式に従う．ミトコンドリア内の蛍光を測定するには，フローサイトメトリー，分光蛍光分析法，および定量的蛍光顕微鏡法などが使われる．

ミトコンドリア内膜でつくった小胞内にpH感受性蛍光色素を取込ませることによって酸化的リン酸化時のマトリックス内のpHを測定できる．また，小胞の外側の（膜間腔に相当する）pHも測定できるので，pH勾配（ΔpH）がわかる．その勾配はおよそ1 pH単位であった．1 pH単位の差はH^+濃度にして10倍違うから，膜を隔てた1 pH単位のH^+濃度勾配はネルンストの式により

膜電位 59 mV（20 ℃）に相当する．膜電位と pH 勾配がわかったのでプロトン駆動力（pmf）を次式により計算できる．

$$\mathrm{pmf} = \Psi - 2337(RT/F) \times \Delta\mathrm{pH} = \Psi - 59\Delta\mathrm{pH}$$

ここで，R は気体定数 1.987 cal/(degree・mol)，T は絶対温度（K），F はファラデー定数 23,062 cal/(V・mol)，Ψ は膜電位である．Ψ と pmf の単位は mV である．内膜でのΨ は約 -160 mV（マトリックスが負）で，ΔpH は 1 なので約 60 mV に相当する．したがって，全体としての pmf は約 -220 mV となり，膜電位の寄与はそのうち 73 % である．

12・6 電子伝達鎖とプロトン駆動力の発生　まとめ

- グルコースや脂肪酸の共有結合にたくわえられていたエネルギーの多くは，クエン酸回路（過程 II）が終わったところで，還元型補酵素 NADH および $FADH_2$ 内の高エネルギー電子に変換される．これらの電子のエネルギーがプロトン駆動力発生に使われる．
- ミトコンドリアでは，電子の流れ（NADH あるいは $FADH_2$ から O_2 への）をマトリックスから膜間腔への濃度勾配に逆らっての H^+ 輸送と共役させ，プロトン駆動力を発生させている．この過程と，プロトン駆動力を使って ADP と P_i から ATP を合成する過程をあわせて酸化的リン酸化とよぶ．
- $FADH_2$ および NADH から O_2 への電子は，多量体タンパク質複合体の中を伝わっていく．四つの主要な複合体は，NADH-CoQ レダクターゼ（複合体 I），コハク酸-CoQ レダクターゼ（複合体 II），$CoQH_2$-シトクロム c レダクターゼ（複合体 III），およびシトクロム c オキシダーゼ（複合体 IV）である（図 12・19）．
- 各複合体は一つあるいは複数の電子伝達補欠分子族を含んでいる．それらは鉄-硫黄クラスター，フラビン，ヘム族，および銅イオンである（表 12・3）．ヘムを含むシトクロム c と脂溶性小分子である補酵素 Q（CoQ）は可動性伝達体で，複合体間の電子シャトルとして働く．
- 複合体 I，III，IV は，H^+ をマトリックスから膜間腔にくみ出す．複合体 I と II は CoQ を $CoQH_2$ に還元する．$CoQH_2$ は H^+ と高エネルギー電子を複合体 III に伝える．ヘムタンパク質であるシトクロム c は電子を複合体 III から IV に運ぶ．複合体 IV はその電子を使い，H^+ をくみ出し，O_2 を還元して H_2O にする．
- NADH からの高エネルギー電子は複合体 I から電子伝達鎖に入るが，$FADH_2$（クエン酸回路のコハク酸由来）からの高エネルギー電子は複合体 II から電子伝達鎖に入る．脂肪酸アシル CoA の β 酸化の最初の段階で生じた $FADH_2$ に由来する電子がこれに加わり，電子伝達鎖への $CoQH_2$ の供給を増す．
- Q 回路があるため，複合体 III の中を 1 対の電子が流れる際に，4 個の H^+ が輸送される（図 12・21）．
- 各電子伝達体は自身より還元電位の低い伝達体から電子あるいは電子対を受取り，自身より還元電位の高い伝達体に電子を渡す．各電子伝達体の還元電位が異なるので，NADH や $FADH_2$ から "下流の" O_2 に向けて一方向的に電子が流れる（図 12・22）．
- 内膜中の電子伝達複合体は，特殊なリン脂質であるカルジオリピンによって超複合体を形成する．超複合体を形成することによりプロトン駆動力生成の速度と効率が上がるなどの効果があると考えられている．
- 電子伝達鎖の副産物として生じる活性酸素分子種（ROS）はタンパク質，DNA，および脂質を修飾して傷害を与えるので有毒である．この ROS による傷害から細胞を守るため特異的酵素（たとえばグルタチオンペルオキシダーゼやカタラーゼ）および低分子量ラジカル消去剤（たとえばビタミン E）が存在している（図 12・24）．ROS は細胞内シグナル伝達分子としても使われている．
- NADH から O_2 へ 1 対の電子が流れるとき，全部で 10 個の H^+ がマトリックスから輸送されるが（図 12・19），$FADH_2$ から O_2 へ 1 対の電子が流れるときに輸送される H^+ は 6 個である．
- H^+ のくみ出しによって生じるプロトン駆動力の大半は内膜を挟んでの電位差としてたくわえられる．pH 勾配の寄与はあまり大きくない．

12・7　プロトン駆動力を利用した ATP 合成

プロトン駆動力が ATP 合成の直接的なエネルギー源であるという説が 1961 年に Peter Mitchell によって最初に発表されたとき，光合成と酸化的リン酸化の研究者のほとんどすべてが彼の**化学浸透圧説**（chemiosmotic hypothesis）を拒否した．彼らは，基質（解糖系ならホスホエノールピルビン酸）の化学変化が ATP 合成と直接的に共役するという当時よくわかっていた解糖系の基質レベルのリン酸化と類似したしくみを好んだ．しかし，多くの研究者が努力を重ねたが，そのような直接的機構はついに発見されなかった．

細胞小器官の膜や膜タンパク質を精製し，それを再構成する技術が開発されるまで Mitchell の仮説を支持する明確な証拠は得られなかった．図 12・25 に示すような **ATP 合成酵素**（ATP synthase）を含む葉緑体チラコイド膜（このあと述べるミトコンドリア内膜と同等）由来の小胞を使った実験は，そのタンパク質が ATP を合成する酵素であることと ATP の生成が電気化学的勾配に従った H^+ の移動によることを示したものの一つである．そして，H^+ が膜を通って戻るときに ATP 合成酵素内を通ることも明らかになった．

このあと説明するが，ATP 合成酵素は多量体タンパク質複合体で，大きく二つの複合体，F_o（複合体の膜貫通部分）と F_1（内膜表面からミトコンドリアマトリックスに向かって突き出した球状部分）に分けることができる．したがって，ATP 合成酵素はしばしば F_oF_1 **複合体**（F_oF_1 complex）とよばれる．本書でもそうよぶことがある．

ATP 合成機構は細菌，ミトコンドリア，葉緑体で共通である

真核生物は細胞小器官（ミトコンドリアと葉緑体）内の特殊な膜を使って ATP をつくる．細菌にミトコンドリアや葉緑体はない

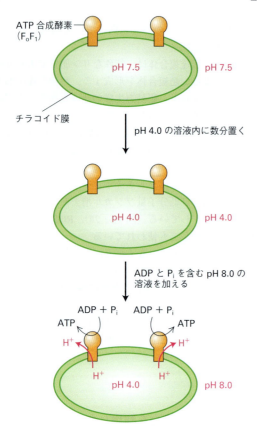

図 12・25(実験) ATP 合成酵素による ATP 合成は膜を挟んでの pH 勾配を使う. ATP 合成酵素を含む葉緑体チラコイド膜由来の小胞を, 暗所で pH 4.0 の溶液中におき平衡化させる. 小胞内腔の pH が 4.0 になったところで, 外液を ADP と P_i を含む pH 8.0 の溶液にすばやく置換する. 内腔と外液の間の 1 万倍もの H^+ 濃度勾配(10^{-4} M 対 10^{-8} M)に駆動されて動く H^+ によって ATP の急激な合成が起こる. ミトコンドリア内膜を"裏返し"にした小胞を使い, 人為的な膜電位をかけた類似実験によっても ATP は合成される.

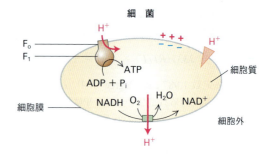

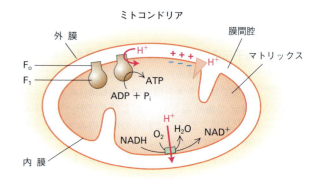

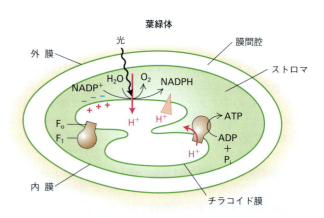

図 12・26 細菌, ミトコンドリア, および葉緑体における化学浸透による ATP 合成は類似点が多い. 膜での H^+ くみ出しによって生じたプロトン駆動力が ATP 合成に使われるというのが化学浸透圧説である. その機構と膜での方向性は細菌, ミトコンドリア, および葉緑体でよく似ている. それぞれの図の中で色をつけた部分に向いた面は細胞質側面で, 白い部分に向いた面は反細胞質側面である. 細菌細胞膜の細胞質に面した側, ミトコンドリア内膜のマトリックスに面した側, および葉緑体チラコイド膜のストロマに面した側が同等である点に注目してほしい. 電子伝達の際に, H^+ は常に細胞質側から反細胞質側に向かってくみ出される. そこで膜を挟んで H^+ 濃度勾配(反細胞質側＞細胞質側)と電位差(細胞質側が負, 反細胞質側が正)が生じる. ATP 合成が行われるとき, すべての場合において H^+ は細胞質側に突き出している ATP 合成酵素(F_oF_1 複合体)の中を電気化学的勾配に従って流れる.

が, ATP は必要である. そして, 好気性細菌は真核細胞のミトコンドリアや葉緑体と同じやり方で酸化的リン酸化を行っている(図 12・26). 解糖系やクエン酸回路を触媒する酵素はすべて細菌の細胞質中に存在している. NADH を酸化して NAD^+ にし, 最終的には O_2 に電子を伝達する酵素系は細菌の細胞膜に存在している. これら膜上の伝達体を経由する電子伝達は細胞外への H^+ のくみ出しと共役し, 濃度勾配に従って H^+ が ATP 合成酵素の中を通って細胞内に流入することが ATP 合成の駆動力となる. 細菌の ATP 合成酵素(F_oF_1 複合体)はミトコンドリアの ATP 合成酵素と基本的には同一の構造と機能をもっていて, 精製が容易なのでよく調べられている.

なぜ原核生物と真核生物の細胞小器官が同じ ATP 合成機構をもっているのだろう. それは原始的好気性細菌が真核細胞のミトコンドリアや葉緑体の祖先だからである(図 12・7). この**内部共生説**(endosymbiont hypothesis)によれば, ミトコンドリアの内膜は細菌の細胞膜由来であり, 細菌の細胞質に面した側がマトリックス側ということになる. 同様に植物では細菌の細胞膜がチラコイド膜になり, 細胞質側がストロマ側となる. 葉緑体の構造と機能については §12・8 で説明する. すべての場合において, ATP 合成酵素で実際に ATP 合成を触媒する球状 F_1 ドメインは膜の細胞質側に突き出していて, ATP は細胞質側でつくられる(図 12・26). H^+ はいつも膜の反細胞質(ミトコンドリアでは膜間腔)側から細胞質(ミトコンドリアではマトリックス)側に向かって ATP 合成酵素内を流れる. プロトン駆動力がこの流れを起こしている. 膜の細胞質側は反細胞質側に対して必ず負の電位をもつ.

細菌の細胞膜を隔てたプロトン駆動力はATP合成以外にH$^+$/糖等方輸送体による糖などの栄養分の取込みや鞭毛の回転運動にも用いられる．ここで示した化学浸透共役は11章の能動輸送に関する説明の際に導入した重要な原則をよく表している．その原則とは，"膜電位，膜を挟んだH$^+$（あるいは他のイオン）の濃度勾配，およびATPのリン酸無水物結合はポテンシャルエネルギーとして等価で相互変換が可能である"というものだった（2章）．実際，ATP合成酵素によるATP合成は能動輸送を逆転させたものと考えられる．

ATP合成酵素はF_oとF_1という二つのタンパク質複合体からなる

Mitchellの化学浸透圧説が広く受け入れられるようになると，研究者はATP合成酵素の構造と作用機構に注意を向けるようになった．ATP合成酵素はF_oおよびF_1という二つの主要な部分からできており，それぞれが多量体タンパク質である（図12・27a）．F_oは3種類の膜内在性タンパク質 **a, b, c** からできている．細菌および酵母ミトコンドリアのF_oは $a_1b_2c_{10}$ という組成だが，他の真核生物において**c**サブユニットの数は8〜15とさまざまである．いずれの場合も**c**サブユニットは膜平面内でドーナツのような環状構造（"**c**環"）をつくっている．1個の**a**と2個の**b**サブユニットは互いに強く結合しているが**c**環とは強く結合していない．このあとすぐに説明するが，この性質は非常に重要な意味をもっている．図12・27(a)からわかるように，ATP合成を行っているときに，動かない部分（橙）と膜面に垂直な軸のまわりを回転する部分（緑）がある．H$^+$がATP合成酵素内を通るとき**c**, γおよびεサブユニットからなる複合体を回転させ，それがβサブユニット上でADPとP$_i$からATPを合成させる原動力となるのである．

F_1部分は水溶性複合体で，5種類のポリペプチドを$α_3β_3γδε$とい

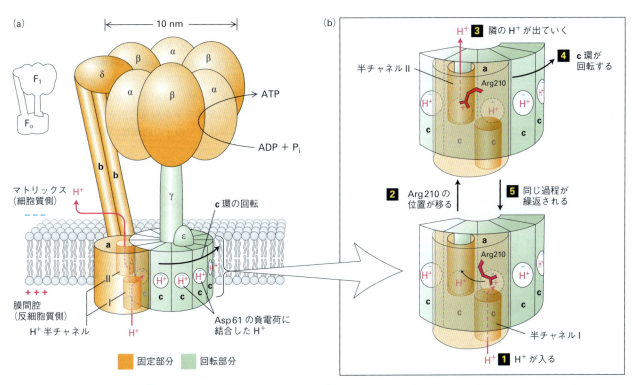

図 12・27　細菌細胞膜のATP合成酵素（F_oF_1複合体）の構造とH$^+$輸送機構．(a) ATP合成酵素の膜に埋込まれた部分F_oは3種類の膜内在性タンパク質**a, b, c**からなる．**a**は1分子，**b**は2分子，**c**は平均すると10分子で，膜平面内で環状に並んでいる．**a**サブユニットが**c**サブユニットと接するところにある二つの半チャネルを通ってH$^+$は膜を通り抜ける(H$^+$の流れを赤矢印で示した)．半チャネルIを通ってH$^+$が反細胞質側（ミトコンドリアでは膜間腔）から1個ずつ入り，膜の中ほどにある**c**サブユニット中央のAsp61の負電荷を帯びた側鎖と結合する．各**c**サブユニットのH$^+$結合部位を白い円形で描き，その中にAsp61の側鎖の負電荷を意味する青い"−"を書き込んだ．すぐ隣の**c**サブユニットのAsp61から離れたH$^+$は半チャネルIIを通って細胞質側へ出る．**c**環およびそこに接している**a**サブユニットの一部の詳細な構造を図12・30に示したが，H$^+$が通り抜けていくためには**c**環が膜平面内で回転しなくてはならない．F_1部分では3分子ずつの $α$ と $β$ サブユニットが六量体を形成し，それはF_oの**c**環に入り込んでいる棒状のγサブユニットの上にのっている．εサブユニットはγサブユニットと強固に結合し，同時に何個かの**c**サブユニットとも結合している．δサブユニットはF_1のαサブユニットの一つとF_oの**b**サブユニットとを強く結びつけている．このように，F_oの**a, b**サブユニットとF_1のδサブユニットと$(αβ)_3$の六量体は膜にしっかりと固定された頑丈な構造（橙）をつくっている．H$^+$が流れると，**c**環とそれに結合しているF_1のεとγサブユニットが一体となって（緑）回転し，F_1のβサブユニットの構造を変え，ATPを合成させる．(b) H$^+$輸送機構モデル．**段階1**：反細胞質側から1個のH$^+$が半チャネルIに入り，"空いている"（H$^+$が結合していない）Asp61の結合部位に入る．H$^+$が結合していないときのAsp61の側鎖の負電荷（青い"−"）は部分的にArg210の側鎖の正電荷（赤い"+"）と引き合っている．**段階2**：H$^+$が空いていた結合部位に入るとArg210の側鎖は追い出され，隣の**c**サブユニットのH$^+$が入ったH$^+$結合部位のそばに移動する（曲がった矢印）．その結果，そこにあったH$^+$が追い出される．**段階3**：追い出された隣のH$^+$は半チャネルIIを通って細胞質側へ出ていき，Asp61のところに"空いている"結合部位が生じる．**段階4**：**c**環全体が反時計回りに動いて，"空いている"結合部位をもった**c**サブユニットが半チャネルIのところにくる．**段階5**：この過程が繰返される．［M. J. Schnitzer, 2001, *Nature* **410**: 878; P. D. Boyer, 1999, *Nature* **402**: 247; C. v. Ballmoos et al., 2009, *Annu. Rev. Biochem.* **78**: 649 参照．］

う組成で含み，F_o部分の**b**サブユニットと強く結合している．棒状のγサブユニットの下のほうはコイルドコイル構造で，F_oの**c**サブユニットの環状構造の中心部に収まり，それと強く結合している．したがって，**c**環が回転するとγサブユニットも回転する．F_1のεサブユニットはγと強く結合しており，F_oの**c**サブユニットのいくつかとも結合している．F_1の球状部分を構成しているαとβは，互いに挟み合うように結合して六量体αβαβαβすなわち$(αβ)_3$をつくり，細長いγサブユニットの上にのっているが，強く結合してはいない．F_1のδサブユニットはαサブユニットの一つと結合し，さらにF_oの**b**サブユニットと結合している．このようにF_oの**a**および**b**サブユニットとF_1のδサブユニットおよび$(αβ)_3$六量体は膜にくい込んだ丈夫な構造をつくっている．棒状の**b**サブユニットは"固定子"となっていて，γサブユニット上にある$(αβ)_3$六量体が一緒に回転しないようにしている．以下に述べるが，F_oの**c**サブユニットと一緒にγサブユニットが回転するということが，ATP合成機構において非常に重要な意味をもっている．

ATP合成酵素はF_1部分をドアの取手のように細胞質側に（ミトコンドリアではマトリックス側に）突き出すように膜に埋込まれている．膜から抽出されたF_1は，F_oがなくても，ATPの加水分解（ATPをADPとP_iにする）を触媒することができるので，しばしば**F_1 ATPase**とよばれる．しかし，F_1の本来の機能はATPの合成にある．ATP加水分解は自発的に進行する過程である（$\Delta G <$ 0）．したがって，このATPaseを逆転させてATPを合成するにはエネルギーが必要である．

F_oでのH^+の流入によって回転するF_1のγサブユニットがATP合成をひき起こす

反細胞質側（ミトコンドリアでは膜間腔側）から細胞質側（マトリックス）へのH^+の流入により，ADPとP_iからATPを合成するのは球状F_1内に3個あるβサブユニットである．しかし，F_1のβサブユニット上のATP合成部位は膜に埋込まれたF_o表面から9～10 nm離れているので，H^+の流入とATP合成の共役はこのタンパク質内の同じ部位で起こっているのではない．最も広く受け入れられているF_oF_1複合体によるATP合成機構のモデルである**結合状態変化機構**（binding-change mechanism）はちょうどこの間接的共役に合っている（図12・28）．

この機構によると，H^+が濃度勾配に従ってF_oを通って流入するときのエネルギーは**c**サブユニット環とそれに結合しているγとεサブユニットの回転に使われる（図12・27a）．γサブユニットは，自動車のエンジンのカムシャフトのような，非対称性回転軸で，それがF_1内の動かない$(αβ)_3$六量体の中心部で回転することにより，周期的にβサブユニットのヌクレオチド結合部位に三つの異なる構造をとらせ，ADPとP_iからATPを合成させる．図12・28は$(αβ)_3$六量体を下から見た図を模式的に示したが，固定された$(αβ)_3$六量体内でのγの回転は，周期的に各βサブユニッ

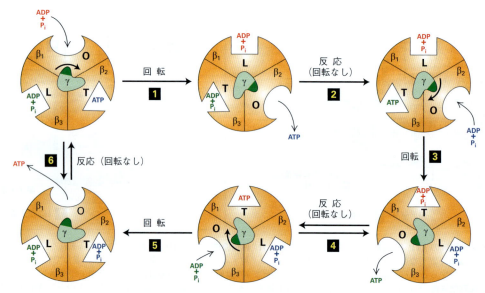

図12・28　ADPとP_iからATPを合成する結合状態変化機構．この図は内膜表面からF_1を見上げるようにして描いている（図12・27）．中央のγサブユニットが120°回転すると，3個のβサブユニットはATP, ADP, P_iに対する親和性の異なる三つの状態（結合部位が楕円形をした開いた状態O，角形をした弱く結合する状態L，三角形をした強く結合する状態T）を交互にとる．各部位における反応をわかりやすくするために，それぞれの部位に出入りするADP+P_iや生成されたATPに，赤，青，あるいは緑の色をつけた．反応サイクルはヌクレオチド結合部位がO状態になっているβサブユニット（ここでは仮に$β_1$としておく）にADPとP_iが結合するところからはじまる（上段左）．F_o部分をH^+が通ることによる力でγサブユニットが（固定されたβサブユニットに対して）120°回転する（段階**1**）．これにより非対称な形をしたγサブユニットとβサブユニットの接触の仕方が変わり，$β_1$サブユニットはADPとP_iに対する親和性が少し増す状態となり（O→L），$β_3$サブユニットはすでに結合していたADPとP_iに対する親和性がより高まる状態となり（L→T），$β_2$サブユニットは結合していたATPに対する親和性の低い状態となり（T→O），ATPを放出する．段階**2**：回転とは関係なくT状態結合部位のADPとP_i（この場合は$β_3$のもの）はATPとなるが，T状態結合部位の特殊な環境のため，この反応にエネルギーは必要ない．それと同時に，空いていたO状態の$β_2$サブユニットにADPとP_iが弱く結合する．段階**3**：H^+の流入によりγサブユニットがさらに120°回転し，βサブユニットの結合部位は再び（L→T，O→L，T→O）という構造変化を起こし，$β_3$サブユニットからATPが放出される．段階**4**：回転とは関係なくT状態になった$β_1$の結合部位のADPとP_iがATPとなり，空いていたO状態の$β_3$サブユニットにADPとP_iが弱く結合する．回転（段階**5**）とATP形成（段階**6**）を繰返すことによって，γサブユニットが360°回転するうちに3個のATPが生成する．[P. Boyer, 1989, *FASEB J.* **3**: 2164; Y. Zhou et al., 1997, *Proc. Natl. Acad. Sci. USA* **94**: 10583; M. Yoshida et al., 2001, *Nat. Rev. Mol. Cell Biol.* **2**: 669 参照.]

トのヌクレオチド結合部位に三つの状態をとらせる．その順番は以下のとおりである．

1. O (open) 状態．ATP はほとんど結合できず，ADP と P_i を弱く結合する．
2. L (loose) 状態．ADP と P_i を少し強く結合するが，ATP とは結合しない．
3. T (tight) 状態．ADP と P_i を非常に強く結合するので，それらが反応し ATP になる．

T 状態は合成された ATP との結合が強いので，ATP は解離しない．γ がもう少し回転すると β サブユニットは O 状態に戻り，ATP は放出され，次のサイクルに入る．ATP や ADP は 3 個の α サブユニット上の調節部位とも結合する．この結合はマトリックス内の ATP と ADP の濃度に応じて起こり，ATP 合成速度を変化させるが，ADP と P_i から ATP を合成することはない．

結合状態変化機構はいろいろな証拠により支持されている．まず，単離した F_1 粒子中の β サブユニット 3 個のうち 1 個は強く ADP と P_i を結合し，それを ATP にするが，ATP は強く結合したまま離れないことが生化学的研究から明らかになった．この反応の ΔG はほぼ 0 であり，ひとたび T 状態の β サブユニットに ADP と P_i が結合すると，それらは自発的に ATP となることを示唆している．大切な点は，単離した F_1 粒子中の β サブユニットからの ATP の解離が非常に遅いということである．この結果から，ATP の解離には β サブユニットの構造変化が必要で，それは H^+ 流入による c 環の回転によって行われるということが示唆された．

その後，$(\alpha\beta)_3$ 六量体の X 線結晶構造解析から衝撃的事実が明らかになった．3 個の β サブユニットはアミノ酸配列と全体的構造が同じであるにもかかわらず，その ADP/ATP 結合部位はそれぞれのサブユニットで異なっていた．最も妥当な説明は，β サブユニットがヌクレオチド結合部位の構造が異なる三つの状態 (O, L, T) をエネルギー依存的に順番にとっていくというものだろう．

別の実験で，F_oF_1 複合体に化学架橋試薬を作用させ，γ と ε サブユニットを c 環に共有結合で結びつけてしまうというものがある．こうした F_oF_1 複合体でも ATP を合成でき，ATP 加水分解によって H^+ をくみ出すこともできたので，架橋されたそれらのサブユニットは通常も一緒に回転していることが示唆された．

最後に，固定された $(\alpha\beta)_3$ 六量体に対して γ サブユニットが回転するという結合状態変化機構から示唆されることが図 12・29 に示したような巧妙な方法によって直接観察された．F_1 のγ サブユニットに蛍光標識したアクチンフィラメントを結合させ，ATP 分解を行わせると，アクチンフィラメントが 120° 刻みでプロペラのように回転したのである．この実験を改変し，アクチンの代わりに金粒子を γ サブユニットにつけた実験により，毎秒 134 回転という回転速度が観測された．この酵素本来の反応の逆と考えると，1 回転には 3 個の ATP の加水分解が必要なので，実験に使われた F_oF_1 による ATP 加水分解速度 (約 400/秒) とよく合う．こうした実験で，γ サブユニットは，ε サブユニットや c 環とともに回転し，それが ADP と P_i の結合，ATP の合成，そして放出という β サブユニットの構造変化をひき起こすということが明らかになった．

1 分子の ATP の合成には複数の H^+ が ATP 合成酵素内を通り抜けることが必要である

簡単な計算から，ATP 1 分子を ADP と P_i から合成するには 1 個以上の H^+ の流れが必要であることがわかる．標準状態での ATP 合成の $\Delta G^{\circ\prime}$ は +7.3 kcal/mol であるが，ミトコンドリア内のこれら反応物の濃度では $\Delta G^{\circ\prime}$ の値はもっと高いだろう (約 10～12 kcal/mol)．1 mol の H^+ が電気化学的勾配 220 mV (0.22 V) の中を流れるときに放出される自由エネルギー量はネルンストの式を用いて計算できる．n を 1 とおき，ΔE を V の単位で入れると

$$\Delta G^{\circ\prime} \text{(cal/mol)} = -nF\Delta E = -(23{,}062 \text{ cal V}^{-1} \text{ mol}^{-1})\Delta E$$
$$= -(23{,}062 \text{ cal V}^{-1} \text{ mol}^{-1})(0.22 \text{ V})$$
$$= -5074 \text{ cal/mol}, \text{すなわち} -5.1 \text{ kcal/mol}$$

となる．このように，1 mol の H^+ からは約 5 kcal の自由エネルギーしか得られないので，ADP と P_i から ATP を 1 分子合成するには少なくとも 2 個の H^+ の移動が必要である．

膜内チャネルを通る H^+ の流れが F_o の c 環を回転させる

c サブユニットには膜貫通 α ヘリックスが二つあり，それがヘアピン状になっている (図 12・30a, 右)．そのヘリックスの一つの中央部にあるアスパラギン酸残基 Asp61 (大腸菌の ATP 合成酵素での番号) が，H^+ と結合・解離することによって，H^+ の膜通過に重要な役割を果たすと考えられている．ジシクロヘキシルカルボジイミドでこの残基を化学修飾したり，この残基をアラニンに変異させたりすると，F_o を通る H^+ の流れは特異的に阻害される．現在認められているモデルによると，H^+ は，位置のずれた二つの H^+ 半チャネル I と II を通って膜を通過するとされている (図 12・27)．それらは膜の中ほどまでしか行っていないので半

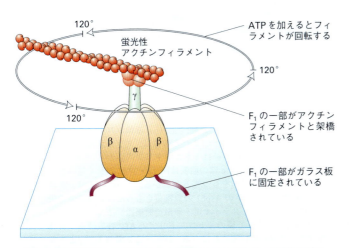

図 12・29 (実験) F_1 複合体の γ サブユニットが $(\alpha\beta)_3$ 六量体に対して回転する．F_1 複合体中の β サブユニットには $(His)_6$ という配列が遺伝子操作によって組込まれており，この部分がガラス表面を覆っている金属含有試薬と結合する．γ サブユニットには蛍光標識したアクチンフィラメントを結合させてある．蛍光顕微鏡で観察すると，ATP が存在するときだけアクチンフィラメントが反時計方向に 120° 刻みで回転するのが見られる．このエネルギーは β サブユニットでの ATP 加水分解によって供給されている．[H. Noji et al., 1997, Nature **386**: 299; R. Yasuda et al., 1998, Cell **93**: 1117 参照．]

チャネル（half-channel）とよばれるが，その到達点がちょうど膜の中ほどにある Asp61 の位置なのである．半チャネル I は反細胞質側にだけ開口部があり，半チャネル II は細胞質側にだけ開口部がある．回転する前に，半チャネル I と向き合っているもの以外の c サブユニットの Asp61 のカルボキシ側鎖にはすべて H^+ が結合している．H^+ が結合していないカルボキシ基（"空いている" H^+ 結合部位，図 12・27b，下）の負電荷は a サブユニットの Arg210 の側鎖の正電荷によって中和されている．H^+ の膜通過は，

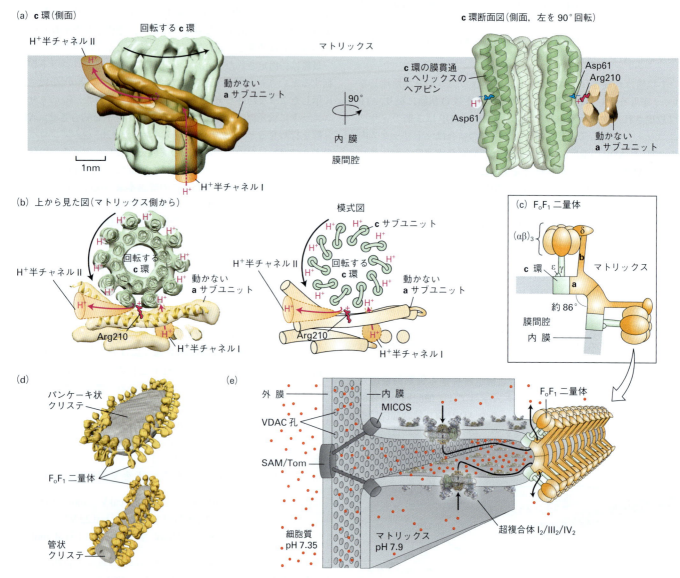

図 12・30（実験） 高解像度電子顕微鏡像に基づく H^+ 輸送機構と ATP 合成酵素によるクリステ膜の湾曲．(a), (b) 藻類ポリトメラ属のミトコンドリアから界面活性剤で可溶化した ATP 合成酵素の c 環（緑）と a サブユニット（橙）の接触面．これらの像は，クライオ電子顕微鏡で ATP 合成酵素分子をさまざまな角度から撮影し三次元画像化したもので（解像度約 0.62 nm），(a) はミトコンドリア内膜から（側面から）見たもの，(b) は 90°変えて上から見たものである．半チャネル I および II を通る H^+ の動きと c 環の回転は図 12・27 に詳しく述べたとおりである．(a) c 環の断面図（右）から，c サブユニットは膜貫通 α ヘリックスのヘアピン構造をもつことがわかる．二つの α ヘリックスは膜のマトリックス側にある短い非ヘリックス部分によってつながれている．c サブユニットの Asp61 の負電荷をもった側鎖は膜の中央にあり，H^+ と結合し，a サブユニットの Arg210 とも相互作用すると考えられている．(c) クライオ電子顕微鏡断層撮影法で可視化した像と人工膜に埋込んだ ATP 合成酵素の結晶構造から得られた像をもとにしてつくったウシ心臓のミトコンドリアの ATP 合成酵素二量体の構造モデル．それぞれの F_oF_1 単量体は膜を約 43°湾曲させるので，二量体だと約 86°曲げることになる．回転する c 環および γ と ε サブユニットは緑で，残りの動かない部分は橙で表している．(d) クライオ電子顕微鏡断層撮影法で可視化した酵母ミトコンドリアから精製したクリステ膜の像．ATP 合成酵素複合体（橙）と膜（灰色）の表面画像から見て，合成酵素は (c) のように二量体化し，長く連なり，膜を曲げて特徴的な筒状あるいはパンケーキ状クリステにしていることがわかる．(e) クリステの屈曲部にある ATP 合成酵素二量体（緑と橙）と他の内膜成分（電子伝達超複合体 $I_2/III_2/IV_2$ およびクリスタジャンクション複合体 MICOS，灰色）および MICOS を外膜とつないでいる成分（SAM および Tom 複合体，灰色）の位置関係を描いた模式図．H^+（赤球）が電子伝達鎖によってマトリックスから膜間腔に輸送され，ATP 合成酵素の中を通ってマトリックスに戻る経路を黒矢印で示した．タンパク質と膜二重層の相対的大きさは，実際のものとは違う．[(a), (b) は M. Allegretti et al., 2015, *Nature* **521**: 237, Copyright Clearance Center, Inc. を通じて Nature Publishing Group の許可を得て転載．(c) は C. Jiko et al., 2015, *eLife* **4**: e06119．(d) は K. M. Davies et al., 2012, *Proc. Natl. Acad. Sci. USA* **109**(34): 13602, Fig. 4C, D．(e) は W. Kühlbrandt, 2015, *BMC Biol.* **13**: 89 による．]

反細胞質（ミトコンドリアの膜間腔）側から1個のH$^+$が半チャネルIに入ってくることではじまる（図12・27b，段階①）．空いているH$^+$結合部位にH$^+$が入ると，Arg210の側鎖は押しのけられ，すぐ隣にある半チャネルIIと向き合っているcサブユニットのH$^+$結合部位の近くにいく（段階②）．その結果，Arg210の側鎖の正電荷がそのcサブユニットのAsp61に結合していたH$^+$を追い出す．このH$^+$は半チャネルIIの中を移動して細胞質（ミトコンドリアマトリックス）側へ出ていく（段階③）．このように，反細胞質側から1個H$^+$が半チャネルIに入ってきてc環に結合すると，別なH$^+$が半チャネルIIの中を移動して反対側へ出ていくのである．熱/ブラウン運動によりc環全体が回転すると（段階④），新たにH$^+$を放出したcサブユニットが半チャネルIのところへ，そしてH$^+$が結合した隣のcサブユニットが半チャネルIIのところへくる．H$^+$が反細胞質側から細胞質側へ電気化学的勾配に従って移動するたびにそのサイクルが繰返される（段階⑤）．360°をcサブユニットの数で割った角度を動く際に，c環が一方向だけに動くよう留め金機構が働く．膜を通ってH$^+$が移動する際のエネルギー，すなわちc環を回転させるエネルギーは，膜を挟んでの電位とpH勾配に由来する．もし，人為的にH$^+$濃度勾配やプロトン駆動力を逆転させ，H$^+$が移動する方向を変えると，c環の回転方向も逆転する．

F_1のγサブユニットはF_oのc環に強く結合しているので，H$^+$の流入によってc環が回転するとγサブユニットも回転する．結合状態変化機構説によると，γが120°回転したときに1個のATPが合成される（図12・28）．したがって，360°回転すると3個のATPが生じることになる．大腸菌のF_oの組成は$a_1b_2c_{10}$なので，10個のH$^+$によって360°の回転が起こり，3個のATPが合成されることになる．この値は実際のATP合成の際のH$^+$の流入量とよく一致しているので，H$^+$の移動とc環の回転が共役しているとする図12・27に示したモデルを支持するものとなっている．哺乳類のF_oのc環には8個のcサブユニットが含まれている．葉緑体のF_oのc環には14個のcサブユニットが含まれているので，3個のATPを合成するのに14個のH$^+$が必要となる．全体としてはよく似ているF_oF_1複合体がなぜ進化の過程で異なるH$^+$/ATP比をもつようになったのかはわかっていない．

高解像度の電子顕微鏡断層撮影法がc環とaサブユニットとの接触面およびF_oF_1の構造と機能について新たな知見をもたらした（図12・30）．この実験では，F_oF_1を界面活性剤で可溶化してから人工的リン脂質膜に埋込んだもの，あるいは単離したミトコンドリア膜中のF_oF_1が使われた．図12・30(a)，(b)は，それぞれのcサブユニット（緑）内の二つの膜貫通αヘリックスを異なる方向から見たものである．ミトコンドリア内膜とほぼ平行になって埋込まれているaサブユニット（橙）内の四つのαヘリックスの束がc環との接触部位となっていて，Arg210の側鎖はc環に近い位置に配置されAsp61からのH$^+$の離脱を仲介できるようになっている（図12・27）．cとaサブユニットの接触面は，H$^+$が膜間腔から（赤矢印）c環を回って（図12・30bの黒矢印）マトリックスに出る（赤矢印）ための二つの半チャネルを形成している．それぞれのF_oF_1は膜面から約43°傾いている（図12・30c）．それらが二量体化することで膜に大きな湾曲（約86°）をひき起こし，それらが多く連なることでパンケーキ状や管状のクリステの縁がつくられる（図12・30d, e，図12・6a）．

ATPをつくるためにミトコンドリア内膜でのATP-ADP交換およびリン酸輸送が必要である

大人のヒトの体内には約50 gのATPが存在するが，一日の活動に必要なエネルギーを得るためには65 kgのATPを加水分解しないといけない．したがって，ミトコンドリアは，一日に65 kgのATPをADPとP_iから合成し，マトリックスから細胞内の必要なところに送り出さないといけない（図12・11，図12・26）．これだけのATP合成を維持するためには大量のADPとP_iをマトリックスに取込む必要がある．この輸送は内膜に存在する2種類のタンパク質によって行われる（図12・31）．その二つとは，HPO_4^{2-}の取込みとH^+の取込みあるいはOH^-の放出を共役させるリン酸輸送体（phosphate transporter，図ではOH^-と共役するようになっており，このあともそう仮定して話を進める）と**ATP/ADP対向輸送体**（ATP/ADP antiporter）である．分子量30 kDaのATP/ADP対向輸送体は，内膜の全タンパク質の10〜15%を占め，ミトコンドリア構成タンパク質のうちで含量の多いものの一つである．これら二つの輸送体は，ミトコンドリア内膜に存在するSLC25輸送体ファミリーの一員である．このSLC25輸送体は6個の膜貫通αヘリックスをもち，交互に開閉する機構で基質を輸送する（図11・6参照）．リン酸輸送体とATP/ADP対向輸送体が同時に働くと，ADP^{3-}とP_i^{2-}の流入およびATP^{4-}とOH^-の放出が起こる．外側に出されたOH^-は，電子伝達の際に膜間腔に

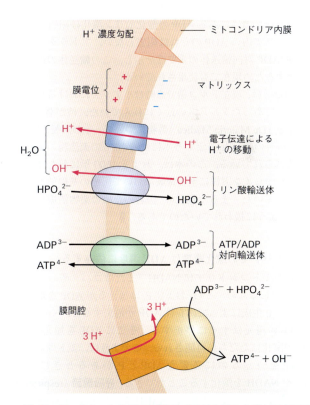

図 12・31　ミトコンドリア内膜におけるリン酸およびATP/ADP輸送系．2種類の対向輸送体(紫と緑の楕円)の協調した働きにより，ADP^{3-}とHPO_4^{2-}各1個の取込みと交換に，ATP^{4-}とOH^-各1個が放出される．この輸送は電子伝達鎖のタンパク質(青四角)によって外に輸送されたH$^+$1個分のエネルギーを利用したものである．赤い矢印は，H$^+$とOH^-がマトリックスから放出されることがH_2Oの放出と同じであることを示している．外膜は5000 Da以下のものは自由に通すので，図には示していない．

放出されたH^+と結合してH_2Oを生じる．電子伝達により生じたH^+とマトリックスでの比較的高いATP濃度のため，全体としての反応は，ATPを外に出し，ADPとP_iを取入れる方向に進行する．成人の体内で，1分子のATPは1日に1300回内膜を行き来する．

電子伝達のときにミトコンドリアからくみ出されるH^+の一部は放出されたOH^-と結合してATP-ADP交換のための動力源となり，ADPより多いATPの負電荷を中和するためにも使われるので，その分ATP合成に用いられるH^+は少なくなる．推定では，くみ出される4個のH^+のうち3個はATP合成に使われ，1個はADPやP_iと交換でATPをミトコンドリアから出すために使われる．H^+濃度勾配のエネルギーを使い，ADPとP_iを取込み，ATPを放出しているので，細胞質中のATP/ADP比は高い値に保たれる．このATPのリン酸無水物結合のエネルギーは，細胞質でエネルギーを必要とする多くの反応を進行させるのに用いられる．

約2000年前にDioscorides（AD約40～90年）が記述した地中海沿岸で広くみられる有毒薬用アザミ*Atractylis gummifera*についての記述がATP/ADP対向輸送体の活性と関係することがわかった．同じ成分がズールー族の汎用治療薬であるインピラ（impila，*Callilepis laureola*）にも含まれている．ズールー語のインピラは"健康"という意味だが，この薬は多くの中毒をひき起こしていた．この薬用植物の有効成分であるアトラクチロシド（atractyloside）はATP/ADP対向輸送体を阻害するので，ミトコンドリアの外にあるADPの酸化的リン酸化は阻害するがミトコンドリア内のADPのそれは阻害しない．アトラクチロシドはATP/ADP対向輸送体の重要性を示し，この輸送体の作用機構を研究するため現在でも使用されている．

Dioscoridesは，現在トルコ領で当時は小アジアにおけるローマの州の一つであったタルススの近くに住んでいた．彼が著した5巻からなる『De Materia Medica（薬物について．その調製，性質，および効き目の調べ方）』という本には約1000の天然物の薬理的性質が述べられている．この本は，およそ1600年にわたり，北ヨーロッパからインド洋に至る地域において医療の基礎的参考書とみなされていた．まるで現代の"医者のための薬物治療ガイドブック"のように扱われていたのである．

ミトコンドリアでの酸化速度はADP濃度に依存する

単離したミトコンドリアにNADH（またはコハク酸のような$FADH_2$を生じるもの）とO_2およびP_iは加えるがADPを加えないとき，ATP生成によって内在性ADPが消失すると，NADHの酸化とO_2の還元はすぐに停止する．そこにADPを加えると，NADHの酸化はただちに再開される．このように，ミトコンドリアはATPをつくるのに必要なADPとP_iがあるときにのみ$FADH_2$やNADHを酸化することができる．**呼吸調節**（respiratory control）とよばれるこの現象は，NADHやコハク酸（$FADH_2$）の酸化がミトコンドリア内膜を通過するH^+輸送と密接に共役していることによる．もしその結果生じるプロトン駆動力がADPとP_iからのATP合成のため（あるいは他のエネルギーを必要とする過程のため）に使用されないと，膜を隔てたH^+濃度勾配と膜電位は非常に高くなってしまう．そうなるとプロトン駆動力に逆らってのH^+輸送には多大なエネルギーが必要となり，ついには

NADHや他の基質の酸化が停止する．

褐色脂肪組織のミトコンドリアは
プロトン駆動力で熱を発生している

褐色脂肪組織（brown-fat tissue）は発熱のために分化した組織で，多数のミトコンドリアを含んでいるため，色が褐色なのである．それに対して，脂肪の貯蔵のための**白色脂肪組織**（white-fat tissue）はあまりミトコンドリアを含んでいない．

褐色脂肪組織のミトコンドリアの内膜には，酸化的リン酸化とプロトン駆動力発生に対する天然の**脱共役剤**（uncoupler）となる**脱共役タンパク質1**（uncoupling protein 1：UCP1）とよばれるタンパク質が含まれている．UCP1は，発酵を行う酵母を除くほとんどの真核生物に存在する脱共役タンパク質の一つである．UCP1は，ATP/ADP対向輸送体やリン酸輸送体と同様，SLC25輸送体ファミリーの一員である．UCP1は脂肪酸を補因子として結合し，膜間腔-マトリックス間のH^+輸送体として働く．脂肪酸と結合したUCP1はミトコンドリア内膜をH^+透過性にしてプロトン駆動力を消失させる．その結果，電子伝達鎖によるNADHの酸化の際に放出され，H^+濃度勾配形成に使われていたエネルギーはATP合成に使われなくなる．その代わり，H^+が濃度勾配に従いUCP1を介してマトリックスに戻るときに，そのエネルギーは熱として放出される．UCP1はH^+チャネルではなくH^+輸送体で，H^+を通過させる速度は典型的なチャネルタンパク質の1/100万でしかない（図11・3参照）．ある種の小分子毒物はH^+がミトコンドリア内膜を透過できるようにする脱共役剤として働く．その一つの例が脂溶性化学物質2,4-ジニトロフェノール（DNP）で，この物質は可逆的にH^+を結合したり放出したりできるので，シャトルのようにH^+を膜間腔からマトリックスへ運ぶことができる．驚くべきことに，ATP/ADP対向輸送体に脂肪酸が結合すると，この輸送体はH^+を輸送し，UCP1と同じように，NADHの酸化によるプロトン駆動力発生とATP合成とを脱共役させる．

褐色脂肪組織ミトコンドリアのUCP1量は外界条件によって調節されている．たとえば，ラットを寒冷条件下におくと，組織のUCP1合成が誘導され，熱発生が増す．寒冷な環境に適応した動物では，褐色脂肪組織のミトコンドリア内膜タンパク質中のUCP1量が15％に達することもある．

新生児や冬眠中の動物では，この褐色脂肪組織のミトコンドリアによる熱発生が生命維持に重要である．成人でも首，鎖骨などのあたりに褐色脂肪組織がごくわずか存在し，その量が，寒冷条件下で増えることが明らかになった．アザラシなどのような寒冷な環境に適応した動物では，筋細胞のミトコンドリアにもUCP1が存在しており，プロトン駆動力のエネルギーのかなりの部分を熱に変換して体温を保つために用いている．さらに，生化学的性質の詳細な研究および熱発生脂肪細胞の発生学的由来から，こうした細胞には少なくとも2種類のサブタイプが存在することがわかった．一つは，骨格筋細胞と同じ前駆体細胞から発生した古典的褐色脂肪細胞である．もう一つは，白色脂肪細胞あるいはその前駆体細胞からつくられる**ベージュ脂肪細胞**（beige-fat cell）で，遺伝子発現パターンやホルモンに対する応答が褐色脂肪細胞とは異なる．したがって，脂肪組織には，褐色，白色，およびベージュの3種類が存在する．このベージュ脂肪細胞の性質をさらに調べ，正常な代謝や病気への影響を調べると，ある種の代謝異常の予防

12・7 プロトン駆動力を利用した ATP 合成　まとめ

- Mitchell は，ミトコンドリア内膜におけるプロトン駆動力が ATP 合成の直接のエネルギー源であるという化学浸透圧説を提唱した．
- 細菌，ミトコンドリア，および葉緑体は，同じ化学浸透圧機構と類似した ATP 合成酵素を使って ATP を合成している（図 12・26）．
- ATP 合成酵素（F_oF_1 複合体ともよばれる）は，H^+ が電気化学的勾配に従ってミトコンドリア内膜（細菌では細胞膜）を通ってマトリックスへ戻る際に，ATP を合成する．
- F_o には種によって異なる 8～14 個の c サブユニットからなる環状構造があり，そこには F_1 の棒状 γ サブユニットと ε サブユニットが強く結合している．ATP 合成の際，これらは一緒に回転する．γ サブユニットの上にのっているのが F_1 の $(αβ)_3$ 六量体で，これはミトコンドリアマトリックス（細菌では細胞質）に突き出している．3 個の β サブユニット上で ATP が合成される（図 12・27，図 12・30a, b）．
- 動かない $(αβ)_3$ 六量体の中央で F_1 の γ サブユニットがカムシャフトのように回転すると，3 個の β サブユニットのヌクレオチド結合部位に構造変化が起こる（図 12・28）．この結合状態変化機構により，β サブユニットは ADP および P_i と結合し，縮合して ATP を生成し，それを放出する．c 環，γ および ε サブユニットからなる複合体が 1 回転すると 3 個の ATP が合成される．
- F_o の a サブユニットと c 環との間にある二つの半チャネルを H^+ が流れると，c 環は結合している F_1 の γ と ε サブユニットとともに回転する．
- F_oF_1 複合体はミトコンドリア内膜を湾曲させ，曲率の高い部分をもつ管状やパンケーキ状のクリステをつくらせる（図 12・30c, d, e）．
- プロトン駆動力はミトコンドリア内の ATP および OH^- との交換で細胞質の ADP および P_i を取込むときにも使われるので，ATP 合成に使えるエネルギーが少し減る．この交換に使われる ATP/ADP 対向輸送体はミトコンドリア内膜で最も多いタンパク質の一つである（図 12・31）．
- ミトコンドリアでの NADH の酸化と O_2 の還元が続くかどうかは十分な量の ADP がマトリックスに供給されることに依存する．この呼吸調節とよばれる現象はミトコンドリアでの酸化と ATP 合成を調和させる機構として重要である．
- 褐色脂肪組織のミトコンドリア内膜には UCP1 という脱共役タンパク質があり，それはプロトン駆動力を熱に変える H^+ 輸送体である．ある種の化学物質（たとえば DNP）も同じ作用をもち，酸化的リン酸化と電子伝達を脱共役させる．熱発生脂肪細胞には褐色脂肪細胞とベージュ脂肪細胞という 2 種類のものがある．

12・8　葉緑体と光合成

ここで 2 番目に重要な ATP 合成経路である光合成に目を向け

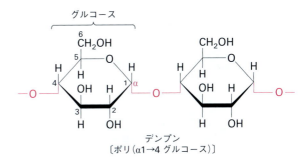

図 12・32　デンプンの構造．光合成の主要な最終産物はこの大きなグルコース重合体と二糖類のスクロース（図 2・19 参照）である．両者とも六炭糖を構成成分としている．

よう．植物の光合成は，おもに葉の細胞にある巨大な細胞小器官である葉緑体（chloroplast）で行われる．光合成において，葉緑体は太陽光のエネルギーをとらえ，ATP や NADPH という化学エネルギーに変換し，それを使って CO_2 と H_2O から複雑な炭水化物をつくる．地球上では，1 年間に，CO_2 由来の炭素 $104.9×10^{15}$ g が光合成で有機分子に変換されている．シアノバクテリア，藻類，および植物は，光合成で H_2O から O_2 もつくっている．光合成でつくられる主要な炭水化物は六炭糖の重合体で，グルコースとフルクトースからなる二糖類のスクロース（図 2・19 参照），およびアミロース（amylose）とアミロペクチン（amylopectin）という不溶性グルコース重合体の混合物である**デンプン**（starch）である．デンプンは植物における炭水化物の主要貯蔵形態である（図 12・32）．デンプンは葉緑体で合成され，そこにたくわえられる．スクロースは葉緑体でつくられる三炭素化合物の前駆体から細胞質で合成され，光合成を行わない根や種子などに輸送され，そこで前節で述べた経路によって代謝されエネルギーを放出する．

植物の光合成は葉緑体のチラコイド膜で行われる

葉緑体は直径約 5 μm，厚さ約 2.5 μm のレンズ状で（図 12・33，図 1・20 参照），2500 種以上のタンパク質が含まれているが，その 95% は核 DNA にコードされ，細胞質で合成されてから葉緑体内の適切な部位に送り込まれる（13 章）．葉緑体は二重膜で包まれているが，これらの膜にはクロロフィルがなく，光による ATP や NADPH の合成には直接関与していない（図 12・33，図 12・34）．外側の膜はミトコンドリアの外膜と同様にポリンを含んでいて低分子量の代謝産物を自由に通過させる．内側の膜が葉緑体内と細胞質の透過障壁となっていて，代謝産物の出入りを調節する輸送タンパク質が存在している．

ミトコンドリアと違って葉緑体には第三の膜（**チラコイド膜** thylakoid membrane）があり，光による ATP や NADPH の合成はそこで行われる．葉緑体のチラコイド膜は複雑に入り込んでいて，**チラコイド**（thylakoid）という平らな小胞を多数形成しているものの，内腔はつながった 1 枚の膜と考えられている．通常チラコイドは，何枚も積み重なった**グラナ**（granum, pl. grana, 図 12・33）とよばれる構造をつくる．つながっているチラコイド内の空間を**チラコイド内腔**（thylakoid lumen, 図 12・34）とよぶ．チラコイド膜には数多くの膜内在性タンパク質が埋込まれており，それらには重要な補欠分子族やクロロフィルを代表とする光吸収色素が結合している．デンプンの合成と貯蔵は，チラコイド膜と内

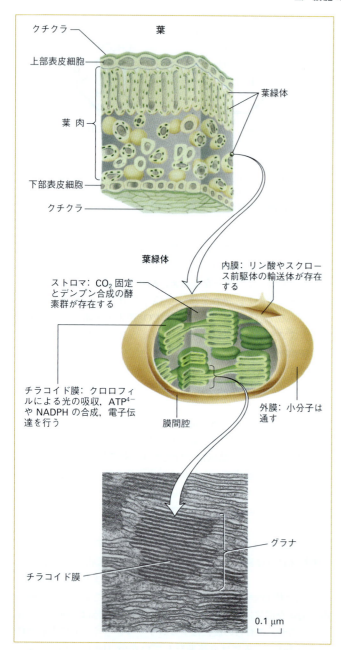

図 12・33 葉と葉緑体の構造. 葉緑体は，ミトコンドリアと同じように，膜間腔で隔てられた 2 枚の膜で包まれている. 光合成は第三の膜であるチラコイド膜で行われる. チラコイド膜は内膜の中にあり，扁平な袋（チラコイド）が連なった構造をつくり，その内腔はすべてつながっている. 植物の緑色はチラコイド膜に存在するクロロフィルとカロテノイドによるものである. 隣り合ったチラコイドが重なった部分をグラナという. 内膜の内側でチラコイドを取巻く空間をストロマという. [Katherine Esau, D-120, Special Collections, University of California Library, Davis による.]

膜の間の区画である**ストロマ**（stroma）で行われる. 光合成細菌では細胞膜が大量に細胞内に陥入し内膜を形成する. これらの内膜もチラコイド膜とよばれ，ここで光合成が行われる.

葉緑体には 100 以上のタンパク質をコードする大きな DNA が含まれる

葉緑体は，ミトコンドリアと同じように，大昔に内部共生した光合成細菌から進化したと考えられている（図 12・7）. しかし，ミトコンドリアの進化につながった内部共生（15～22 億年前）よりも葉緑体をつくった内部共生はあと（12～15 億年前）に起こった（図 1・1 参照）. そのため，現在の葉緑体 DNA は mtDNA よりも構造の多様性が少ない. 葉緑体 DNA は，mtDNA と同様に，雌親（卵）だけから遺伝する.

種によって異なるが，高等植物の葉緑体 DNA は 120～160 kb の大きさをもつ. 植物の葉緑体 DNA は直鎖状に長く連結した線状分子（鎖状体）で，これに加えてこの鎖状体の組換え中間体も存在する. 葉緑体 DNA には 120～135 の遺伝子が含まれ，重要なモデル植物であるシロイヌナズナでは 130 の遺伝子が含まれている（図 1・23h 参照）. シロイヌナズナの葉緑体 DNA は 76 のタンパク質と，rRNA や tRNA などの 54 の RNA 産物をコードしている. 葉緑体 DNA には細菌様の RNA ポリメラーゼのサブユニットがコードされていて，細菌と同じようにポリシストロン性のオペロンから遺伝子を読み取る（1 本の mRNA から複数のタンパク質を翻訳する）. イントロンをもつ葉緑体遺伝子もあるが，それらは核遺伝子のイントロンよりもある種の細菌遺伝子および真菌類と原生動物のミトコンドリア遺伝子にみられる特殊なイントロンに似ている. 進化の時間のなかで，葉緑体の機能に必須な遺伝子の多くが植物の核ゲノムへと移行した. 核にコードされた葉緑体タンパク質は，細胞質リボソーム上で合成され，葉緑体に取込まれる（13 章）. 最近行われたシロイヌナズナとシアノバクテリアのゲノム配列の解析から，約 4500 個の遺伝子がもとの細胞内共生体から核ゲノムへ移行したと示唆された.

葉緑体 DNA を，酵母の形質転換（6 章）に用いたものと類似した手法あるいは CRISPR-Cas9 のような手法で操作し，細菌や真菌類の感染を防いだり，乾燥や殺虫剤に対して耐性をもつようにするだけでなく，ヒトにとって有用な薬剤をつくらせることができるようになった. そのようにしてつくられた最初の薬剤が遺伝病であるゴーシェ病の治療に使われる酵素で，米国では，2012 年に成人に対して，2014 年には子どもに対して医薬品として認可された. こうしたやり方で，ヒトの必須アミノ酸のすべてを大量に含む食用作物をつくり出せるかもしれない.

葉緑体の光化学系で吸収した光のエネルギーが NADPH と ATP の合成および H_2O からの O_2 発生に使われる

生物物理学者 Robert Emerson らは，1950 年代に波長 700 nm の光による光合成がそれよりも波長の短い（より高エネルギーの）光の照射によって著しく活性化されることを発見した. つまり，600 nm と 700 nm の光を同時に照射したときの光合成量は，それぞれの波長の光を別々に照射したときの和よりも，はるかに高いことを発見したのである. このいわゆる**エマーソン効果**（Emerson effect）から，植物だけでなく真核単細胞藻類やいくつかの光合成細菌（たとえばシアノバクテリアや原核緑藻類）の光合成には，異なった波長の光を利用する 2 種類の**光化学系**（photosystem）の相互作用が関与していると考えられるようになった. 光化学系は真核生物と原核生物のどちらにもある. 本書では植物にみられる二つの光化学系に焦点をしぼって解説する. **光化学系 I**（photosystem I: PSI）はおもにチラコイド膜が重なっていない部分にあり，**光化学系 II**（photosystem II: PSII）はおもにチラコイド膜が

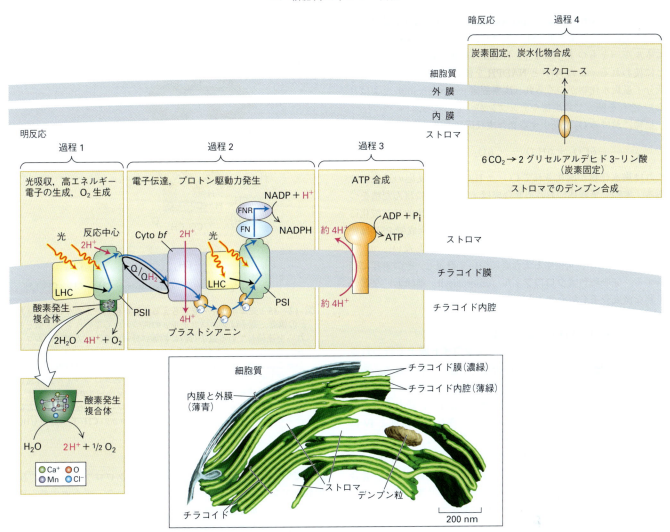

図 12・34 光合成の四つの過程. 過程1で, 光は集光性複合体(LHC)や光化学系Ⅱ(PSⅡ)の反応中心に吸収される. 反応中心は, LHCから送り込まれたエネルギー(黒矢印)あるいは反応中心が直接吸収したエネルギーを使い, 高エネルギー電子(電子の流れを青の矢印で示す)と酸素発生複合体で H_2O を酸化して O_2 をつくる. PSⅡ において, 酸素はチラコイド膜の内腔側でつくられ, 高エネルギー電子はストロマ側(細胞質側)に結合しているキノン Q に渡される. Q は2個の H^+ と結合して脂溶性の QH_2 となり, チラコイド膜内を拡散してシトクロム bf 複合体 (Cyto bf) に到達する (過程2). PSⅡの酸素発生複合体は, H_2O の酸化に直接かかわるマンガン(紫), カルシウム(緑), および酸素(赤)からなるクラスター (Mn_4CaO_5, 棒球モデルで表した)と反応速度を調節する Cl^- (青緑)を含む. 過程2で, 過程1でつくられた QH_2 がプロトンポンプである Cyto bf のチラコイド内腔に面した部位に結合する. QH_2 に蓄えられていたエネルギーは, ミトコンドリアの複合体Ⅲのものと似た Q 回路によって放出される (図 12・21). このエネルギーによって, QH_2 の H^+ およびストロマの H^+ がチラコイド膜を横切って輸送され, プロトン駆動力が生じる. QH_2 から Cyto bf に渡された電子は, エネルギーを失い, プラストシアニンという水溶性タンパク質によって光化学系Ⅰ(PSⅠ)に輸送される. PSⅠや付随する LHC が吸収した光のエネルギーで高エネルギーとなった電子はフェレドキシン(FN)およびフェレドキシン-$NADP^+$ レダクターゼ(FNR)に渡され, それらのタンパク質が $NADP^+$ を還元して高エネルギー電子運搬体 NADPH にする. 過程3で, ミトコンドリアと同じように H^+ が濃度および電位勾配に従って F_oF_1 ATP 合成酵素内を流れると ATP が合成される. 葉緑体の F_oF_1 ATP 合成酵素は 4〜5 個の H^+ で1個の ATP を合成する. 植物の過程1〜3は葉緑体のチラコイド膜で行われる. 過程4では, NADPH と ATP にたくわえられたエネルギーを使って, ストロマ内で, CO_2 をまず三炭素化合物(グリセルアルデヒド 3-リン酸)内に取込む. これが炭素固定の最初の段階である. これらの分子は細胞質に輸送されて六炭糖となり, その二量体であるスクロースとなる. グリセルアルデヒド 3-リン酸は葉緑体内でのデンプン合成にも使われる. 下図はクライオ電子顕微鏡断層映像から再構成した単細胞緑藻クラミドモナスの葉緑体の三次元構造である. チラコイド膜(濃緑), チラコイド内腔(薄緑), 内膜および外膜(薄青), および小さなデンプン粒(薄茶)が一つ見られる. [下図は B. D. Engel et al., 2015, *eLife* **4**: e04889 による.]

重層している部分 (グラナ, 図 12・33) にある.
図 12・34 に光合成の四つの過程の概略を示した. PSⅠ (過程2) は 700 nm 近辺の光で励起される. PSⅡ (過程1) は 680 nm 以下の短い波長で励起される. 過程1で, シアノバクテリア, 藻類, および植物の PSⅡ が光を吸収して高エネルギー電子を生成し, それを CoQ と似た構造をもつ電子伝達体である QH_2 というキノンに渡す. さらに, PSⅡ では H_2O から O_2 がつくられる. 過程2で, QH_2 の電子のエネルギーを使い, 複数のタンパク質からなるシトクロム bf 複合体中の**プロトンポンプ** (proton pump) が H^+ をくみ出し, チラコイド膜を挟んでプロトン駆動力を発生させる. ミトコンドリアと同様, このプロトン駆動力を使い ATP が合成される (過程3). シトクロム bf 複合体内でエネルギーを放出したあとの

電子は，プラストシアニン（plastocyanin）という低分子量タンパク質電子伝達体によってPSIに運ばれ，そこで光によって再び高エネルギーをもつようになり，$NADP^+$をNADPHに還元することに使われる．このATPとNADPHを使い，過程4でCO_2から低分子量炭水化物がつくられ（**炭素固定** carbon fixation とよばれる），それを使って六炭糖やデンプンがつくられる．

植物におけるO_2を発生する光合成反応は以下のように表せる．

$$6CO_2 + 6H_2O \longrightarrow 6O_2 + C_6H_{12}O_6$$

これは炭水化物が酸化されてCO_2とH_2Oになる反応の逆反応である．実際，葉緑体における光合成はエネルギーに富んだ糖をつくり出し，そのエネルギーがミトコンドリアで酸化的リン酸化によって回収されている．緑色および紅色細菌の光合成でPSIIは使われず，PSIに似た系が使われるので，O_2は発生しない．

本節では，O_2を発生する光合成について概説し，その過程に登場する，光吸収色素**クロロフィル**（chlorophyll，葉緑素）などの主要な構成分子を紹介する．

光合成の過程1〜3は光の当たっているときにチラコイド膜上で行われる

光合成の四つの過程は葉緑体内の特定の部位で行われる．過程1〜3のすべての反応はチラコイド膜中の多量体タンパク質複合体によって触媒される．プロトン駆動力の発生と，それを使ったATP合成は，ミトコンドリアの酸化的リン酸化の過程IIIとIVに似ている．CO_2を取込んで中間体とし，それからデンプンをつくる炭素固定にかかわる酵素はストロマの水溶性画分に存在する．三炭素中間体からスクロースをつくる酵素は細胞質にある．光合成のすべての過程は強く共役していて，植物が必要とする量だけ炭水化物をつくり，外界の状況に適切に対応するように調節されている．

炭素固定に使われるATPとNADPHを生成する反応は光のエネルギーを必要とするため，光合成の過程1〜3は光合成の**明反応**（light reaction）とよばれている．過程4の反応は直接的には光のエネルギーに依存していない．光エネルギーでATPやNADPHが生成されていれば，この段階は光がなくても進行して，炭水化物の合成が行われる．そのため，この反応は光合成の**暗反応**（dark reaction）とよばれることがある（図12・34）．しかし，この反応は夜にだけ行われているわけではない．むしろ，過程4の反応も光が当たっているときのほうが活発である．

光合成の過程1と2は太陽光を高エネルギー電子に変換しプロトン駆動力とNADPHをつくる

植物における光の吸収と化学エネルギーへの変換は，光化学系II（PSII）における過程1および光化学系I（PSI）における過程2で行われる（図12・34）．光化学系は，光合成の主要な反応である光の吸収と高エネルギー電子の生成を行う**反応中心**（reaction center）および**アンテナ複合体**（antenna complex）という密接に連携した二つの要素から構成されている．それぞれの光化学系には，光のエネルギーをとらえて効率よく反応中心に渡す特殊化したタンパク質からなる**集光性複合体**（light-harvesting complex：LHC）とよばれる外部アンテナが付随している（図12・34）．

反応中心とアンテナ複合体には光を吸収する色素分子が強く結

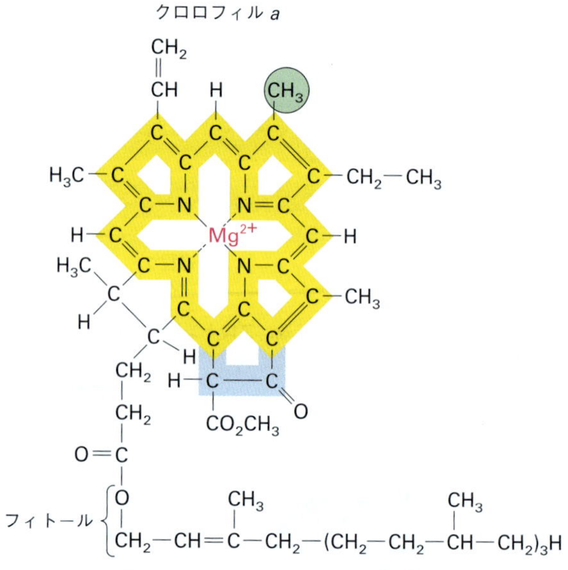

図12・35 光エネルギーをとらえる主要な色素であるクロロフィルaの構造．電子はクロロフィルaの四つの中心環のうちの3個とそれらを連結している原子（黄）に均等に分布する．ヘムではポルフィリン環の中心にFe^{2+}が配位されているが，クロロフィルではMg^{2+}がそこにあり，5員環がヘムより一つ多い（青）．これ以外は，ヘモグロビンやシトクロムのヘム（図12・17a）とクロロフィルは非常によく似た構造をもっている．炭化水素鎖フィトールの"尾部"によって，クロロフィルはクロロフィル結合タンパク質の疎水性領域と結合する．クロロフィルbではクロロフィルaのCH_3基（緑）がCHO基になっている．

合している．光合成の主要な色素であるクロロフィルaは，反応中心とアンテナ複合体の両方に存在している．光合成の第一段階はクロロフィルaおよび他の色素による光の吸収である．クロロフィルは，シトクロムのヘムのように，長い炭化水素側鎖に結合したポルフィリン環からなる（図12・35）．ヘムの中心にはFe^{2+}があるが（図12・17），クロロフィルではMg^{2+}があり，中央部の5員環以外に，もう一つ5員環がある．

アンテナ複合体にはクロロフィルa以外の光吸収色素も存在する．維管束植物には，**クロロフィルb**（chlorophyll b）があり，植物，藻類，および光合成細菌には**カロテノイド**（carotenoid）がある．カロテノイドにはいくつかの種類があるが，二重結合と単結合を交互にもつ枝分かれした長い炭化水素鎖からなる．この構造は眼において光を吸収する視物質のレチナールと似ている（図15・34b参照）．吸収する光の波長が異なる色素がアンテナに存在することにより，広い範囲の波長の光を吸収し，光合成に利用することができる．クロロフィルとカロテノイドが光合成に関係していることを示す強力な証拠の一つとして，これらの色素の吸収スペクトルと光合成の作用スペクトルがほぼ一致することがあげられる（図12・36）．作用スペクトルとは，波長の異なる光がどれだけ光合成を行わせるかを相対値で表したものである．

量子力学では，電磁波である光は波と粒子の両方の性質をもつとされている．光が物質と相互作用するとき，光子とよばれる固有のエネルギーをもった塊（量子）として振舞う．**光子**（photon）のエネルギーは光の波の振動数，すなわち波長の逆数に比例する．したがって，波長の"短い"光子ほど"高い"エネルギーをもつことになる．可視光のもつエネルギーはかなりのもので，太陽光に

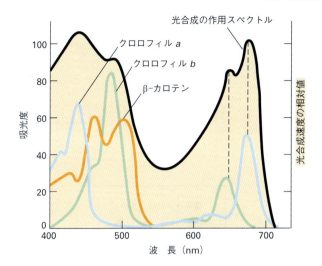

図 12・36（実験） 光合成速度は 3 種類の植物色素が吸収する波長で最大となる．植物の光合成の作用スペクトルとは，波長の異なる光がどれだけ光合成を行わせるかを相対値で表したもので，図では黒線で示してある．光のエネルギーは葉緑体内の色素によって吸収されたときのみ ATP 合成に使われる．アンテナに存在する 3 種類の光合成色素の吸収スペクトルを色線で示している．吸収スペクトル曲線は，それぞれの色素がある波長の光をどのくらい効率よく吸収するかを示すものである．この図は，横軸の波長をとり，光合成の作用スペクトル（右縦軸）とそれら 3 種の色素の吸収曲線（左縦軸）を比べたものである．この図から，680 nm の光による光合成はクロロフィル a，650 nm の光による光合成はクロロフィル b，さらに短い波長の光での光合成はクロロフィル a, b，および β-カロテンなどカロテノイド色素が吸収した光によることがわかる．

多く含まれる波長 550 nm（$550×10^{-7}$ cm）の光は，光子 1 mol 当たり約 52 kcal のエネルギーを含む．もしこのエネルギーのすべてを ADP と P_i から ATP をつくるために使ったら，数モルの ATP をつくることができる．しかし，図 12・34 の過程 1～3 に示した電子伝達鎖では，吸収された 28 個の光子（PSII で 14 個，PSI で 14 個）が 14 個の電子にエネルギーを与え，それを使って約 9 分子の ATP および 7 分子の NADPH がつくられる．

クロロフィル a などの色素が可視光を吸収すると，クロロフィル a 分子内の電子は光のエネルギーにより高エネルギーの励起状態になる．基底状態（励起されていない状態）との違いは，おもにポルフィリン環の C 原子と N 原子のまわりの電子の分布状態である．励起状態は不安定なため，いくつかの経路により基底状態に戻る．エタノールのような有機溶剤に溶けたクロロフィル a では，励起状態のエネルギーを 1) 光（蛍光やリン光）の放出，2) 項間交差（intersystem crossing）とよばれる過程で活性酸素分子種へのエネルギー転移，あるいは 3) 熱として放出することにより基底状態に戻る．しかし，同じクロロフィル a 分子が反応中心の特異的タンパク質と結合した場合は，エネルギー放出方法が高エネルギー電子の放出という全く異なったものとなる．§12・9 で述べるが，それが光合成にとって非常に重要な点なのである．

中核部のアンテナ複合体と集光性複合体が光合成の効率を高める

反応中心にある 6 個のクロロフィルのうち 2 個は直接光を吸収し，このあと説明するしくみによって光合成を開始することができる．光合成細菌のそうした二つのクロロフィルはスペシャルペアバクテリオクロロフィル（special-pair bacteriochlorophyll）とよばれる．植物にも，反応中心での位置が細菌のものと似ているスペシャルペアクロロフィル（special-pair chlorophyll）がある．植物の場合，光合成を開始することができるペアがそれらのクロロフィルであるかは明確でないが，説明をわかりやすくするために，反応を開始するのはスペシャルペアクロロフィルであるとしておく．

スペシャルペアクロロフィルが直接光を吸収して光合成を開始することもできるが，ふつうは，まわりにある光吸収色素からのエネルギー移動により間接的にエネルギーを受ける．これらの色素のなかにはクロロフィルも含まれるが，その役割は光を吸収してエネルギーを反応中心のスペシャルペアクロロフィルに渡すことである（図 12・37）．そうした色素の一部は光化学系の中核的構成員とみなせるタンパク質に結合している．色素を結合したそれらのタンパク質は中核アンテナ複合体（core antenna complex）とよばれる．他の色素は光化学系の中核的構成員ではないタンパク質複合体と結合しており，そうしたものは集光性複合体（LHC）とよばれる．図 12・37(d) と (e) はエンドウ Pisum sativum の PSII-LHC 二量超複合体における反応中心，中核アンテナ，および LHC の位置関係を示したものである．光合成を行う生物が得られる最高の照度（熱帯の正午の太陽）であっても，反応中心のクロロフィル a に直接当たる光子は 1 秒に 1 個ほどなので，植物が必要とするだけの光合成を行うことはできない．中核アンテナ複合体と LHC を使うことにより 680 nm の光の吸収が増すだけではなく，他のアンテナ色素のおかげで吸収できる波長領域が広がるため，通常の光強度の下であっても光合成の効率はとても高くなる．たとえば，植物の PSII では，それぞれの反応中心当たり約 150 個ものアンテナクロロフィルが存在する．

光化学系の中核部タンパク質と LHC のタンパク質は色素分子の位置と角度を適切に整え，吸収した光のエネルギーを反応中心のスペシャルペアクロロフィル a のどちらかへ急速に（約 0.2～$200×10^{-12}$ 秒）移動させる（**共鳴エネルギー移動** resonance energy transfer）．この共鳴エネルギー移動は電子の移動ではない．シアノバクテリアに二つある光化学系のうち高等植物のものに似ている一方についての研究から，吸収された光のエネルギーはまず各 LHC にある "橋架け" クロロフィルに集められ，それから反応中心にあるスペシャルペアクロロフィルに渡されることが明らかになった（図 12・37a）．しかし，驚いたことに，高等植物とシアノバクテリアの LHC の分子構造は緑色あるいは紅色細菌のものとは全く違っていた．図 12・37(b) は，エンドウの PSI および周辺の LHC アンテナにおけるクロロフィル色素の分布を示す．中核部アンテナおよび LHC アンテナにある多数のクロロフィルが中央にある反応中心内のスペシャルペアクロロフィルを取囲み，吸収した光のエネルギーを効率よく伝えるようになっている．葉緑体内のそれぞれの反応中心には，複数の中核部アンテナと集光性複合体が付随している．PSII に付随する LHC（LHCII）と PSI に付随する LHC（LHCI）では，タンパク質の組成も異なる．エンドウの PSII と LHCII の二量超複合体の構造がクライオ電子顕微鏡法によって解明された（図 12・37d, e）．これらの図は，反応中心のタンパク質（薄緑），中核部アンテナ複合体のタンパク質（黄緑），LHC アンテナのタンパク質（薄黄），および他の PSII 中核タンパク質（濃緑）を膜面に平行な方向から(d)あるいはストロマ

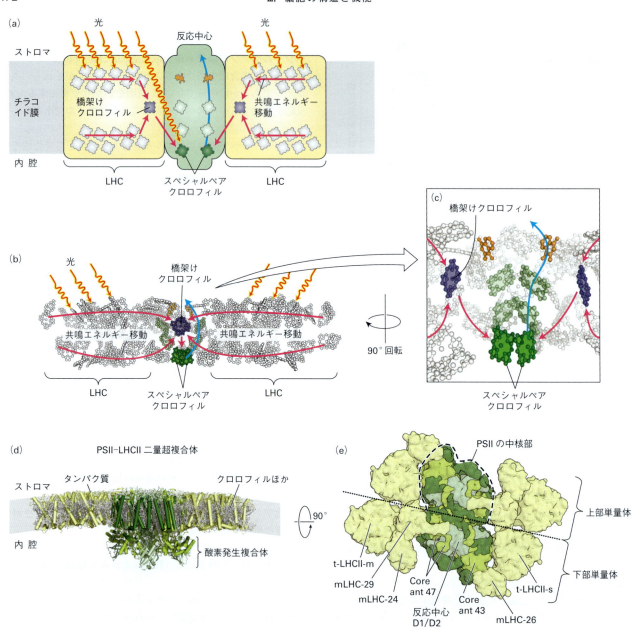

図 12・37　シアノバクテリアおよび植物の集光性複合体と光化学系．(a) シアノバクテリアの膜にある集光性複合体（LHC, 黄）には 90 個のクロロフィル（灰色）と 31 個の他の色素が光吸収とエネルギー移動を最適にするように配置されている．反応中心にある 6 個のクロロフィル（薄緑と濃緑）のうち 2 個がスペシャルペアクロロフィルで，励起されると光電子伝達（青矢印）を行う．橙は反応中心にある 2 個のキノンである．吸収された光（赤波矢印）のエネルギーは共鳴エネルギー移動（赤矢印）により二つの"橋架け"クロロフィル（紫）のうちの一つに渡され，そこから反応中心のスペシャルペアクロロフィル（濃緑）に渡される．(b) X 線結晶構造解析で決定されたエンドウの光化学系 I とそれに結合する LHC の三次元構造を膜に平行な方向から見たもの．LHC のクロロフィル（灰色の輪郭線）と反応中心の電子伝達体〔色づけは (a) と同じ〕のみを示している．植物で，この位置のクロロフィルが光電子伝達の電子を放出するか（青矢印）は明らかになっていない．(c) 横に 90°回った方向から見た (b) の拡大図．(d), (e) クライオ電子顕微鏡法で決定されたエンドウの光化学系 II とそれに付随する LHC の二量超複合体の三次元配置図．膜面と平行な方向から見たもの (d) と 90°回転してストロマ側から見たもの (e)．各超複合体には 28 個のポリペプチド鎖が含まれ，それらを機能と位置によって色づけした．反応中心タンパク質 D1 および D2（薄緑），中核部アンテナ複合体（Core ant 47 および Core ant 43，黄緑），およびさまざまな LHC アンテナタンパク質（薄黄）．PSII の中核部には，反応中心および中核部アンテナのほかに，12 個の小さなタンパク質（濃緑）と内腔側に酸素発生複合体〔(d) の黄緑〕が含まれている．157 個のクロロフィル，2 個のフェオフィチン（Mg^{2+} を含まないクロロフィル），44 個のカロテノイド，および他の小分子は白と灰色で示した．PSI (a) の反応中心にある 6 個の電子伝達クロロフィルのうち 2 個が，PSII ではフェオフィチンに置き換わっている（図には示されてない）．この二量超複合体は 10 万個もの原子からなり，そのうちの 73%がタンパク質のものである．(e) で，上部と下部の超複合体の境界に黒の点線を引いた．上部超複合体中の PSII 複合体中核部（反応中心，内部アンテナ，および付随する小タンパク質）を破線で囲んだ．下部超複合体では個々のタンパク質名を記した．反応中心の D1/D2，中核部アンテナ複合体 Core ant 47 および Core ant 43，そして外部アンテナ複合体では三量体 LHCII 複合体の t-LHCII-m と t-LHCII-s，そして単量体アンテナ複合体の mLHC-24, mLHC-26, mLHC-29 などである．〔(a) は W. Kühlbrandt, 2001, *Nature* **411**: 896; P. Jordan et al., 2001, *Nature* **411**: 909 参照．(b), (c) は A. Ben-Sham et al., 2003, *Nature* **426**: 630, PDB ID 1qvz; Y. Mazor et al., 2015, *eLife* **4**: e07433, PDB ID 4y28. (d) は X. Su et al., 2017, *Science* **357**: 815, PDB ID 5XNL.〕

側から(e)見たものである．光の状況に応じてLHCIIはPSIIから離れてPSIと結合する．LHCアンテナクロロフィルは吸収した光のエネルギーを送ることはできるが電子を放出することはできない．すでに述べたように，それができるのは反応中心のクロロフィルだけである．

さまざまな機構が光電子伝達の過程で生じる活性酸素分子種による細胞傷害を防ぐ

前にミトコンドリアのところで述べたが，電子伝達鎖を電子が移動する際に発生する活性酸素分子種ROSはミトコンドリアの機能を調節するためのシグナルであると同時に，多くの生体分子を傷つける物質でもある（図12・24）．これは葉緑体においても同じである．たとえば，過酸化水素 H_2O_2 は，乾燥ストレスにさらされた植物の気孔におけるガス交換を調節し，脱水を防ぎ循環型電子伝達を制御する．

集光性複合体を備えたPSIやPSIIは非常に効率よく放射エネルギーをATPやNADPHといった有用な化学エネルギーに変換できるが，それでも完璧ではない．光の強さと細胞の生理状態によるが，集光アンテナや反応中心で吸収されたエネルギーの一部がクロロフィルを"三重項クロロフィル"とよばれる励起状態に変える．この状態になったクロロフィルは酸素分子 O_2 を，通常の不活性な三重項酸素（triplet oxygen, $^3O_2$）から，とても反応性の高いROSである一重項酸素 $^1O_2$ に変える．この $^1O_2$ の一部は葉緑体の代謝状態を細胞の他の部分に伝えるシグナルとなるが，もし残りのものがただちに除去されないと，近隣の分子と反応して傷害を与えることになる．こうしてチラコイドの効率が低下することを**光阻害**（photoinhibition）とよぶ．

葉緑体は，こうした強い光による傷害を避ける非光化学的消光（non-photochemical quenching）のために，二つの戦略をとる．第一の戦略は， $^1O_2$ を除去するスカベンジャー（scavenger）とよばれる特別な有機小分子を光化学系/LHC超複合体内に入れておくことである．その例として，カロテノイド（不飽和度の高いイソプレン基の重合体で，ニンジンの赤い色のもとになっているβ-カロテンはその一種である）とα-トコフェロール（ビタミンEの一種）があげられる．第二の戦略は，吸収した光のエネルギーを熱に変えることで散逸させ，危険な $^1O_2$ の発生を抑えることである．エネルギー散逸の程度は光の状況に応じて調節される．強い光が当たり $^1O_2$ 発生による危険性が高まると，速やかに非光化学的消光が行われ，光が弱まると，それが解除される．この第二の戦略は，ある種のカロテノイドの酵素による構造変化およびチラコイド内腔のPSII依存的 H^+ 濃度上昇に対する速やかな応答により行われる．

12・8 葉緑体と光合成 まとめ

- 葉緑体は太陽光のエネルギーを吸収し，それをATPやNADPHという化学エネルギーに変換し，そのエネルギーを使って CO_2 と H_2O から複雑な炭水化物をつくる．
- 植物の光合成の主要最終産物は O_2 と六炭糖の重合体（デンプンとスクロース）である．
- 光合成反応における光の吸収とATPやNADPH生成は葉緑内のチラコイド膜で行われる．チラコイド膜を包んでいる透過性の高い外膜と透過性の低い内膜は直接的には光合成に関与していない（図12・33，図12・34）．
- 葉緑体は，ミトコンドリアと同じように独自のDNAを含み，大昔に内部共生した光合成細菌から進化したと考えられている．
- 植物にはPSIとPSIIという二つの光化学系があり，それらは機能が異なりチラコイド膜上でも空間的に離れて存在している．PSIIは，高エネルギー電子を発生し，それによりキノンQを QH_2 に， H_2O を O_2 にする．PSIは $NADP^+$ を還元してNADPHにする．シアノバクテリアも類似した二つの光化学系をもっている．
- 光合成には四つの過程がある．それは，1) 光の吸収，高エネルギー電子の発生および H_2O からの O_2 の産成，2) 電子伝達によるプロトン駆動力の生成，光吸収による高エネルギー電子の再生，および $NADP^+$ のNADPHへの還元，3) ATP合成，および4) CO_2 の炭水化物への変換（炭素固定）である．植物における O_2 を発生する光合成反応は以下のように表せる（図12・34）．

$$6CO_2 + 6H_2O \rightarrow 6O_2 + C_6H_{12}O_6$$

- 光化学系（PSIとPSII）において，吸収された光のエネルギーは，直接あるいは間接的に，チラコイド膜に埋込まれた反応中心タンパク質と結合したスペシャルペアクロロフィル a 分子に渡される．このエネルギーが，クロロフィルから電子を分離する光電子移動という過程により，高エネルギー電子を生じさせる．この高エネルギー電子がNADPHとATPをつくる．
- 光化学系において，各反応中心のまわりには複数の中核部アンテナと外部アンテナがあり，そこにはいろいろな波長の光を吸収できるようにクロロフィル a, b，カロテノイド，およびそのほかの色素が含まれている．外部アンテナは集光性複合体（LHC）とよばれる．LHCIIは，光の条件によりふだん結合しているPSIIから離れ，PSIと結合する．中核部アンテナやLHCのクロロフィルで吸収された光のエネルギーは共鳴エネルギー移動により反応中心のスペシャルペアクロロフィルに渡されるので，光を高エネルギー電子に変える効率が高まる（図12・37）．
- 葉緑体色素による光の吸収は一重項酸素 $^1O_2$ や過酸化水素のような活性酸素分子種（ROS）を生じる．少量だと細胞内シグナル分子として使えるが，大量にあると毒性を発揮する．
- 傷害をひき起こす $^1O_2$ の蓄積を防ぐため，葉緑体はいくつかの戦略を用いる．たとえば，カロテノイドのような小分子スカベンジャーや抗酸化酵素はROSによる傷害から葉緑体を守る．葉緑体は，調節された非光化学的消光機構も使って，光による傷害から身を守る．

12・9 光合成の過程1〜3：光エネルギーを使った O_2，NADPH，およびATPの生成

前節で，光合成の四つの過程について概略を説明した．本節では，過程1および2で，どのように光のエネルギーが使われて

H₂O から O₂ が，NADP⁺ から NADPH が，そしてプロトン駆動力がつくられ，過程3で，どのようにプロトン駆動力を使って ADP と P_i から ATP を合成するのかについて分子レベルで詳しく説明する（図12・34）．

光合成の最初の3過程

過程1：PSIIによる光エネルギーの吸収，高エネルギー電子の生成および H₂O からの O₂ の発生　PSIIの反応中心には，二つの近接したスペシャルペアクロロフィルがあり，それらはチラコイド膜の内腔付近に存在する（図12・38）．紅色細菌では，そのクロロフィルの一つが波長680 nmの光子を吸収したとき，エネルギーは 42 kcal/mol だけ増加する（第一励起状態）．高エネルギー状態になった反応中心のクロロフィルは速やかに電子を近接したクロロフィルに渡し，その電子はPSII内の一連の中間受容体に渡されていく．この様子は，図12・34および図12・38（左）にジグザグな青線で示されている．最終的にその電子はチラコイド膜のストロマ側表面に存在する一次電子受容体であるキノン（quinone: Q）に伝達される．Qの構造と機能はミトコンドリアのCoQと似ている．同じように脂溶性有機物電子伝達体で，電子の授受によって酸化型のQになったり，還元型の QH₂ になったりする．この光による電子伝達は**光電子伝達**（photoelectron transport）とよばれ，反応中心内のクロロフィルや中間受容体の独特な配置によって効率よく行われる．光子を吸収するたびに起こる光電子伝達により，チラコイドの内腔側表面（ストロマの反対側）付近には正に荷電したクロロフィルa^+が，ストロマ側表面には還元され，負に荷電した受容体 Q^- が生じる．

第二の光子が吸収され，それによる電子が Q^- に伝達されると，そこに2個の H^+ が加わって，強い還元力をもつ還元型 QH₂ がつくられる．QH₂ は，これから述べる過程2で，高エネルギー電子と

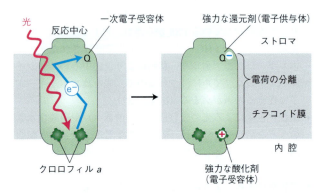

図 12・38　光合成の最初の反応である光電子伝達．反応中心にあるスペシャルペアのクロロフィルaのどちらかが光子の吸収によって励起されると（左），いくつかの中間体（図には示していない）を介してチラコイド膜のストロマ側にゆるく結合した受容体であるキノンQに電子を渡し，膜を挟んだほぼ不可逆的な電荷の分離をつくり上げる（右）．この電子が伝達されると，放出されたエネルギーによってATPやNADPHがつくられる（図12・34）．光によって励起された電子がQに移ってしまったあとの正に荷電したクロロフィルa^+は他の電子によって徐々に中和される．植物では，光化学系IIでH₂Oを酸化してO₂にすることにより，この中和のための電子をつくる（図12・34）．光化学系Iという複合体も類似した光電子伝達経路をもっているが，正に荷電したクロロフィルa^+の中和は，水を酸化することではなく，プラストシアニンというタンパク質が運んでくる電子を使って行う（図12・34）．

H^+の供給源となる．除草剤のアトラジン（atrazine）は米国の農業において最も広く使われている．アトラジンはPSIIに結合して酸化型Qの結合を妨げ，QH₂ の生成とその下流の電子伝達を止める．

一方，反応中心の正に荷電したスペシャルペアクロロフィルa^+は，生物界で最も強い酸化剤である．植物では，PSIIに付随した**酸素発生複合体**（oxygen-evolving complex, Mn₄CaO₅, 図12・34）において，4分子のクロロフィルa^+が，内腔側に結合した2分子の H₂O から4個の電子を奪い，1分子の O₂ を生成する．

$$2H_2O + 4 \text{クロロフィル } a^+ \longrightarrow 4H^+ + O_2 + 4 \text{クロロフィル } a$$

しかし，1個の光子を吸収したPSIIが放出する電子の数は1個である．したがって，2分子の H₂O を酸化して1分子の O₂ を発生させるには，単一のPSIIが4回連続して光子により電子を失いつつ，そのたびに電子を1個ずつ酸素発生複合体から受取る必要がある．これらの強力な還元剤と酸化剤およびPSIがこのあとの光合成の諸反応，すなわち電子伝達，H^+輸送，および NADPH 生成（過程2），ATP 合成（過程3）および炭素固定（過程4）に必要なすべてのエネルギーを供給する．

クロロフィルaには680 nmより短い波長の光（より高エネルギー）に対する特異的な吸収帯もある（図12・36）．この波長の光を吸収すると，クロロフィルa分子は上で述べた第一励起状態より高い励起状態になるが，約 $100\sim200\times10^{-15}$ 秒（約 $100\sim200$ フェムト秒, fs）以内に余分なエネルギーを熱として放出しながら第一励起状態になる．光電子伝達と電荷の分離は，反応中心のクロロフィルaが第一励起状態に励起された場合にのみ起こるので，量子収量，すなわち吸収された1光子当たりの光合成量は，680 nmより波長が短いすべての可視光で同じである．光の波長が色素の吸収スペクトルに合うかどうかで光子が色素に吸収される確率は変わるが，一度吸収されてしまえば，光子がクロロフィルを第一励起状態に高めるだけのエネルギーをもっているかぎり，その波長はあまり重要な意味をもたない．

葉緑体のPSIIとPSIで光電子伝達を行う反応中心のスペシャルペアクロロフィル分子は，周囲のタンパク質が異なるので，光の吸収極大波長が異なる（それぞれ680と700 nm）．そのため，それぞれの反応中心のクロロフィルを P_{680}（PSII），P_{700}（PSI）と表すことがある．さらに，二つの光化学系はチラコイド膜での局在も異なっている．PSIIはおもにチラコイド膜が重なったグラナ（図12・33）に存在し，PSIは重なりのないところに存在する．チラコイド膜が重なり合うのはPSIIの集光性複合体（LHCII）に含まれるタンパク質のせいかもしれない．

過程2：プロトン駆動力とNADPHの生成　過程2では，過程1でつくられた一次電子受容体である還元型キノン QH₂ から放出された電子がシトクロム bf 複合体（cytochrome bf complex）とよばれるプロトンポンプに渡される（図12・34）．シトクロム bf 複合体は，QH₂ からの高エネルギー電子のエネルギーを使い，QH₂ の H^+ だけでなくストロマの H^+ もチラコイド内腔に輸送し，チラコイド膜を挟んでのpH勾配（$pH_{内腔} < pH_{ストロマ}$）をつくり出す．この過程は，ミトコンドリア内膜や細菌の膜で電子伝達によってプロトン駆動力がつくり出される過程と似ている（図12・25）．エネルギーの低下した電子は，プラストシアニンとよばれる銅を含

む電子伝達タンパク質によってシトクロム bf 複合体から PSI に渡される（図 12・34）．QH$_2$ からの電子は，H$^+$ 輸送でかなりのエネルギーを失っており，プラストシアニンによって PSI に渡されたときには低エネルギー状態になっている．PSI に含まれるスペシャルペアクロロフィルによる光吸収でそれらの電子にエネルギーが与えられると，それらはまずフェレドキシン（FN）に，それからフェレドキシン-NADP$^+$ レダクターゼ（FNR）に渡される．これらのタンパク質は，電子のエネルギーを使って，通常は酸化型のニコチンアミドアデニンジヌクレオチドリン酸（nicotinamide adenine dinucleotide phosphate: **NADP$^+$**）を還元して NADPH にする．NADP$^+$ の構造はリン酸基が一つ余分にある以外は NAD$^+$ と同じである．電子の受容や放出のしかたも同じである（図 2・33 参照）．

過程 1 と過程 2 の化学反応をまとめると次式になる．

$$2H_2O + 2NADP^+ \xrightarrow{光} 2H^+ + 2NADPH + O_2$$

循環型電子伝達の過程 2 ではプロトン駆動力を生成するが NADPH や O$_2$ はつくらない　図 12・34 に示した過程 2 は**線形電子伝達経路**（liner electron flow pathway）とよばれ，H$^+$ 濃度勾配（過程 3 で ATP 産生に使われる）と NADPH を生じる．しかし，植物が，干ばつ，強い陽光，低 CO$_2$ 濃度などのストレスを受けると，線形電子伝達のときより NADPH に対する ATP の生成量を増す必要が生じる．その場合，植物は PSI で NADPH をつくらず ATP をつくる．これは**循環的光リン酸化**（cyclic photophosphorylation）あるいは**循環型電子伝達**（cycline electron flow）とよばれる PSII に依存しない過程によって行われる（図 12・39）．この過程で，電子は PSI，フェレドキシン，プラストキノン（Q），およびシトクロム bf 複合体の間を循環し，NADPH をつくるフェレドキシン-NADP$^+$ レダクターゼを迂回する．したがって，循環型電子伝達では H$^+$ くみ出しによる ATP 合成は行われるが，NADPH はつくられず，H$_2$O の酸化による O$_2$ の発生もない．

高等植物には二つの異なる循環型電子伝達経路が存在して ATP と NADPH の生成比を調節している（図 12・39）．主要な経路は PGR5-PGRL1 依存性のもので，それについてはこのあとすぐに説明する．この経路は光合成を効率よく行わせつつ，植物をストレスから守るものである．副次的な経路は NADH デヒドロゲナーゼ類似複合体に依存するもので，ストレスに応答し H$_2$O$_2$ を介した調節を受けているようだ．NADH デヒドロゲナーゼ類似複合体は，形や構成成分がミトコンドリアの複合体 I（図 12・19）によく似た多量体タンパク質複合体である．しかし，複合体 I が NADPH あるいは NADH を酸化すると同時に Q を還元して QH$_2$ にするのに対して，NADH デヒドロゲナーゼ類似複合体は NADPH を酸化するうえで必要なサブユニットをもっていないようである．

循環型電子伝達において，光の吸収によって生じ，PSI 内を伝達されてきた電子はフェレドキシンから PGR5-PGRL1 ヘテロ二量体あるいは NADH デヒドロゲナーゼ類似複合体に渡される．それらの電子受容体が LHC のサブユニットを介してそれぞれ別々に PSI と超複合体をつくるという証拠がある．両受容体とも Q

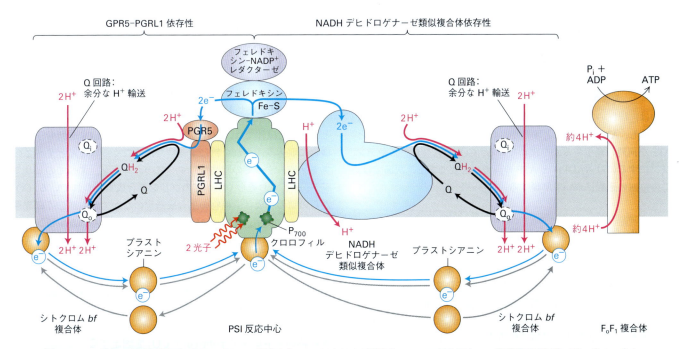

図 12・39　植物の循環型電子伝達で，プロトン駆動力と ATP は生じるが酸素や NADPH は生じない．循環型電子伝達では，光のエネルギーが PSI によって電子の循環に使われ，プロトン駆動力と ATP は生じるが H$_2$O の酸化や NADPH の生成は起こらない．PSI の高エネルギー電子は，フェレドキシンから PGR5-PGRL1 ヘテロ二量体（赤，左の経路）あるいは NADH デヒドロゲナーゼ類似複合体（青，右の経路）に渡され，それぞれプラストキノン（Q）を還元して QH$_2$ にする．これらの電子受容タンパク質は集光性複合体（LHC）のサブユニット（黄）を介して別々に PSI と超複合体を形成している．（PGR5-PGRL1 ヘテロ二量体と NADH デヒドロゲナーゼ類似複合体の両方を含む超複合体は存在しないが，両者による循環型電子伝達の類似性を強調するため，ここでは一つの PSI に両者が結合しているように描いた．）QH$_2$ からの電子はシトクロム bf 複合体からプラストシアニンに渡され，最後に PSI に戻ってくる．これは線形電子伝達のときと同じである（図 12・34）．

を還元して QH_2 にし，それは線形電子伝達で述べたように（図 12・34），Q回路によってシトクロム bf 複合体に H^+ と電子を伝える．H^+ はシトクロム bf 複合体と NADH デヒドロゲナーゼ類似複合体によってチラコイド膜を横切って内腔へと輸送される．最後に，プラストシアニンによって電子がシトクロム bf 複合体から PSI に戻されてこの回路が完了する．循環型電子伝達で生じたプロトン駆動力により F_0F_1 複合体が ATP を合成し，NADP に対する ATP の比を高める．

過程3: ATPの合成　過程1と2で，光によってチラコイド膜を挟んでつくられた H^+ 濃度勾配が ATP 合成に使われる（図12・34）．H^+ が濃度勾配に従って葉緑体 F_0F_1 複合体（ATP 合成酵素）を通ってチラコイド内腔からストロマへ移動するときに ATP がつくられる．葉緑体の ATP 合成酵素が H^+ の動きと ADP および P_i からの ATP 合成を共役させる機構はミトコンドリア内膜や細菌細胞膜の ATP 合成酵素のものと同じである（図12・27, 図12・28, 図12・34）．

PSIとPSIIの相対的活性は調節されている

葉緑体は外光の波長や強度の変化（時刻や雲などによる）に応じて二つの光化学系の相対的活性を変え，ATP と NADPH を適切な比率で産生する．

チラコイド膜が積層していない部分に多く存在する PSI と積層したグラナに多く存在する PSII の活性を調節する機構の一つが，PSII や LHCII を含むチラコイド膜タンパク質のリン酸化および脱リン酸である．特に LHCII のリン酸化状態の変化は，チラコイド膜内での分布（グラナか積層していない部分か）を変え，このアンテナ複合体と PSI および PSII との相互作用も変える．LHCII が多く付随すればするほど，その光化学系は効率よく励起され，そこでの電子伝達も活発になる．電子伝達鎖の効率的運用のため，機能的複合体は個々のタンパク質から複合体，超複合体，超-超複合体へと，大きさと複雑さを増すように進化してきたようである．植物は，周囲の光条件と代謝需要に応じて光化学系の超分子配置を調節し，ATP 産生を主とするか，あるいは還元剤 (NADPH) と ATP を同時に産生するかを決めている．CO_2 をスクロースやデンプンにするには NADPH と ATP の両方が必要である．次節では，この第四の過程について解説する．

12・9　光合成の過程1〜3: 光エネルギーを使った O_2, NADPH, および ATP の生成　まとめ

- 光合成の過程1で（図12・34），光のエネルギーは光化学系II (PSII) によって高エネルギー電子に変換され，それは光電子伝達により中間体を介して膜の反対側に位置するキノンに渡されるので，電荷の分離が起こる（図12・38）とともに脂溶性小分子電子伝達体である QH_2 が生じる．
- 緑色植物では，PSII での光電子伝達により生じた正電荷をもったクロロフィルが，酸素発生複合体により，還元され無電荷となる．酸素発生複合体は H_2O から電子を奪い，正電荷をもったクロロフィルに与え，同時にチラコイド内腔で酸素分子 O_2 を発生する．
- 過程2では（図12・34），過程1で還元されたキノン QH_2 が高エネルギー電子をプロトンポンプ（シトクロム bf 複合体）に渡し，それが QH_2 の H^+ とストロマの H^+ をチラコイド内腔に輸送する．これにより，チラコイド膜を挟んで pH 勾配（プロトン駆動力）ができる．
- シトクロム bf 複合体による H^+ 輸送でかなりのエネルギーを失った電子は，プラストシアニンとよばれる水溶性タンパク質によって PSI に渡される．PSI に含まれるスペシャルペアクロロフィルによる光吸収でそれらの電子は再び高エネルギーになる．
- PSI での光電子伝達で再び高エネルギーになった電子は，最終受容体である $NADP^+$ に至り，還元して NADPH にする．
- ATP と NADPH の適切なバランスを維持するため，PSI と PSII の活性は調節されている．
- PSI と PSII の相対的活性を変え，つくられる ATP と NADPH の相対的量を調節するために，集光性複合体IIの可逆的リン酸化と脱リン酸化により，チラコイド膜上での光合成装置の機能的配置転換が行われる．非常に大きな超-超複合体がこの調節にかかわっている．
- 過程3では，過程2でつくられた H^+ の電気化学的勾配（プロトン駆動力）に従って H^+ が F_0F_1 複合体（ATP 合成酵素）中を通り抜けることで ADP と P_i から ATP が合成される．

12・10　光合成の過程4: ATP と NADPH を使ったカルビン回路での炭素固定と炭水化物合成

過程4では，過程2と3でつくられた NADPH と ATP を使って，CO_2 と H_2O から六単糖（およびその重合体）をつくる．全体の化学式は，

$$6CO_2 + 18ATP^{4-} + 12NADPH + 12H_2O \longrightarrow$$
$$C_6H_{12}O_6 + 18ADP^{3-} + 18P_i^{2-} + 12NADP^+ + 6H^+$$

となる．葉緑体では，CO_2 の固定（気体である CO_2 を低分子量有機物に取込み，それを糖にする）だけでなく，ほとんどすべてのアミノ酸，すべての脂肪酸，すべてのカロテン，すべてのピリミジン，そしておそらくすべてのプリンの合成も行われている．CO_2 からの糖の合成は，植物の生合成過程のなかで最も詳しく研究されている．まず，発見者 Melvin Calvin にちなんで**カルビン回路** (Calvin cycle) とよばれる経路について説明する．この回路は ATP の加水分解と NADPH の酸化によるエネルギーを使って CO_2 を三炭素化合物内に固定するものである．この経路では，CO_2 がまず三炭素化合物内に取込まれるので，炭素固定の C_3 **経路** (C_3 pathway) とよばれている．

葉緑体のストロマで rubisco が CO_2 を固定する

カルビン回路の第一段階で（図12・40上），**リブロース-1,5-ビスリン酸カルボキシラーゼ** (ribulose-1,5-bisphosphate carboxylase, **rubisco** ともよばれる）という酵素が前駆体分子に CO_2 を取込ませ，炭水化物合成の材料をつくる．rubisco は葉緑体のストロマに局在している．この酵素は，CO_2 と五炭糖のリブロース 1,5-ビスリン酸を反応させて，2分子の 3-ホスホグリセリン酸にす

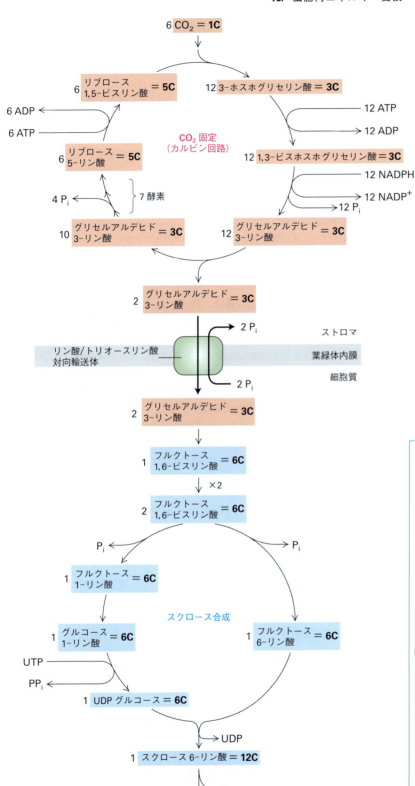

図 12・40 光合成における炭素の代謝経路．（上）6分子の CO_2 から2分子のグリセルアルデヒド 3-リン酸が生じる．このカルビン回路の反応は葉緑体のストロマで行われる．リン酸/トリオースリン酸対向輸送体により，グリセルアルデヒド 3-リン酸の一部がリン酸との交換で細胞質へ輸送される．グリセルアルデヒド 3-リン酸としてストロマのリン酸が失われるので，固定された CO_2 はリン酸との交換でないと葉緑体から外に出ない．（下）細胞質では，一連の発エルゴン反応によってグリセルアルデヒド 3-リン酸からフルクトース 1,6-ビスリン酸がつくられる．2分子のフルクトース 1,6-ビスリン酸から二糖類であるスクロースが生成し，リン酸が放出される．このリン酸はストロマに戻される．グリセルアルデヒド 3-リン酸から六単糖がつくられる反応は，解糖反応のほぼ逆である（図 12・3）．ここでは示してないが，グリセルアルデヒド 3-リン酸からは，植物の成長に必須なアミノ酸や脂肪も生合成される．

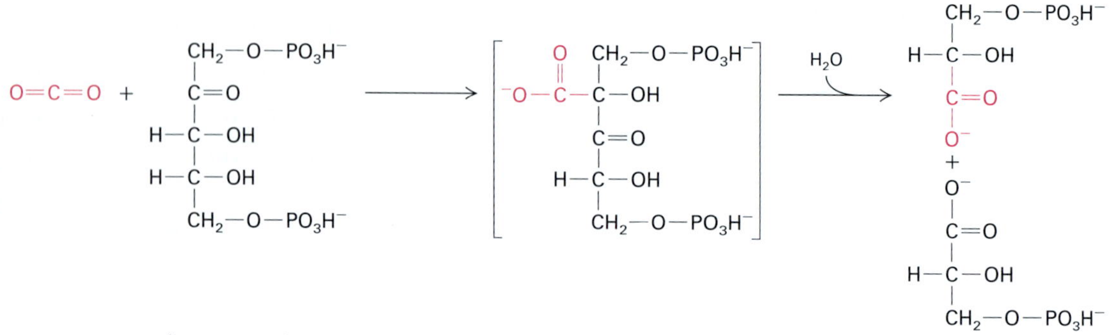

図 12・41 最初に CO_2 を有機化合物に固定する rubisco の反応. リブロース-1,5-ビスリン酸カルボキシラーゼ(rubisco)によって触媒されるこの反応で, CO_2（赤）は五炭糖のリブロース 1,5-ビスリン酸と縮合する. 生成物は 2 分子の 3-ホスホグリセリン酸である.

る（図 12・41）. rubisco は非常に大きな分子（約 520 kDa）で, 通常 8 個の大サブユニットと 8 個の小サブユニットからなる. 触媒活性をもつ大サブユニットは葉緑体の DNA に, 小サブユニットは核の DNA にコードされている. この酵素の触媒活性は低いので, 十分な量の CO_2 を固定するには大量の酵素が必要となる. 実際この酵素は, 葉緑体の水溶性タンパク質全体の 50% を占め, この地球上で最も大量に存在するタンパク質であるといわれている. rubisco が 1 年間に固定する大気中の CO_2 は 10^{11} トンであると推定されている.

rubisco は光/酸化還元状態の影響を受ける酵素の一つだが, その調節機構は複雑で, まだ完全にはわかっていない. CO_2 と Mg^{2+} が高濃度に存在すると rubisco は自発的に活性化される. この活性化は, CO_2 が活性部位のリシン側鎖と結合してカルバモイル基となり, そこに活性に必要な Mg^{2+} が結合することによる. しかし, 通常の大気中 CO_2 濃度下でこの反応は遅いので, AAA^+ ファミリー ATPase の一員である **rubisco 活性化酵素**(rubisco activase) が触媒する必要がある. rubisco 活性化酵素は ATP 加水分解のエネルギーを使って rubisco の活性部位にある小分子阻害物質を除去し, 活性中心のリシン残基に CO_2 が結合しやすくする. rubisco 活性化酵素には rubisco を活性型構造にする働きもある（閉じた不活性な状態から開いた活性な状態へ）. 少なくともある種においては, **チオレドキシン**（thioredoxin: Tx）による rubisco 活性化酵素の活性調節が, rubisco の光/酸化還元状態感受性に影響を与えている. 暗所でチオレドキシンはジスルフィド結合をもつ. 明所では PSI からの電子がフェレドキシンを経由してチオレドキシンに渡され, ジスルフィド結合を次のように還元する.

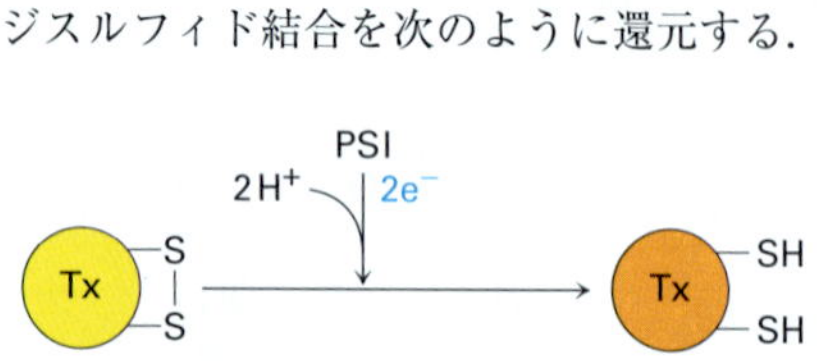

暗所でチオレドキシンは再酸化されるので, rubisco 活性化酵素およびその他の酵素も再酸化され, 不活性化される. このように, これらの酵素はストロマの酸化還元状態すなわち明暗の影響を受ける. これが光によって酵素活性が変化するしくみである.

さらに, ATP/ADP 比が rubisco 活性化酵素の活性に影響を与える. その比が小さい（ADP が多い）と活性化酵素は rubisco を活性化しない. したがって細胞は少ない ATP を CO_2 の固定には使わなくなる. 光合成は, 熱, 低温, 干ばつ（水の制限）, 高塩濃度, 強光, 紫外線といった典型的な植物に対するストレスに感受性がある. それらのうちのいくつかは, rubisco 活性化酵素の活性を低下させ, rubisco の活性を下げることで炭素固定に影響を与えている. 炭素固定が阻害されると NADPH の消費も減る. 強光条件下では $NADPH/NADP^+$ 値が高まり, $NADP^+$ への電子の流れが減り, O_2 へ漏れ出る電子が増えるので ROS 生成が増す. それにより細胞内シグナル伝達経路が活性されると同時にさまざまな細胞内過程に傷害が起こる. 個々の葉緑体内だけでなく生命圏全体におけるエネルギー利用と炭素の流通に果たす rubisco の重要な役割を考えると, その活性が厳密に調節されているということは驚くにあたらない

rubisco によりつくられた 3-ホスホグリセリン酸のその後の代謝は複雑である. その一部は六炭糖に変換され, デンプンやスクロースになるが, 残りはリブロース 1,5-ビスリン酸の再生に利用される. 6 分子の CO_2 を固定して 2 分子のグリセルアルデヒド 3-リン酸を合成するには（図 12・40 上）, 光合成の明反応で得られた 18 分子の ATP と 12 分子の NADPH が必要である.

固定された CO_2 からのスクロース合成は細胞質で行われる ストロマでつくられたグリセルアルデヒド 3-リン酸はリン酸と交換で細胞質に輸送される. スクロース合成の最終段階は葉肉細胞の細胞質で行われる（図 12・40 下）.

デンプンの合成はストロマで行われる デンプンという巨大な重合体をつくるのに使われる重要な単量体基質は ADP グルコースである. この重合反応はストロマで行われ, デンプンの重合体は, 密な結晶性の凝集体である顆粒として, そこにたくわえられる（図 12・33, 図 12・34）. グルコース 1-リン酸と ATP から ADP グルコースを生成する酵素は細胞質だけでなくストロマにも存在する. このことは, 細胞質中にあるさまざまな構造のヘキソースがストロマに取込まれ, デンプンの合成に利用されていることを示している.

C_4 経路を使う植物では炭素固定と拮抗する光呼吸が少ない

上で述べたように rubisco は光合成の過程でリブロース 1,5-ビ

スリン酸に CO_2 を付加させる反応を触媒するが，同じリブロース 1,5-ビスリン酸に対して CO_2 ではなく O_2 を反応させる**光呼吸**（photorespiration）という競合する反応も触媒する（図 12・42）．第二の反応の生成物は 1 分子の 3-ホスホグリセリン酸と 1 分子のホスホグリコール酸という二炭素化合物である．炭素固定反応は外界の CO_2 濃度が比較的高いときに起こりやすいが，CO_2 濃度が低く O_2 濃度が比較的高いときには光呼吸が起こりやすい．光呼吸は明るいときに起こり，O_2 を消費してリブロース 1,5-ビスリン酸の一部を CO_2 に変えてしまう．図 12・42 に示すように，光呼吸は植物にとってエネルギーの浪費でしかない．ATP と O_2 を消費して，炭素固定はせずに CO_2 を発生するだけである．実際，CO_2 濃度が低く O_2 濃度が高いときは，カルビン回路で固定された炭素のかなりの部分が光呼吸によって失われてしまう．rubisco の中でこの驚くべき無駄な反応が起こるのは，この酵素が比較的特徴

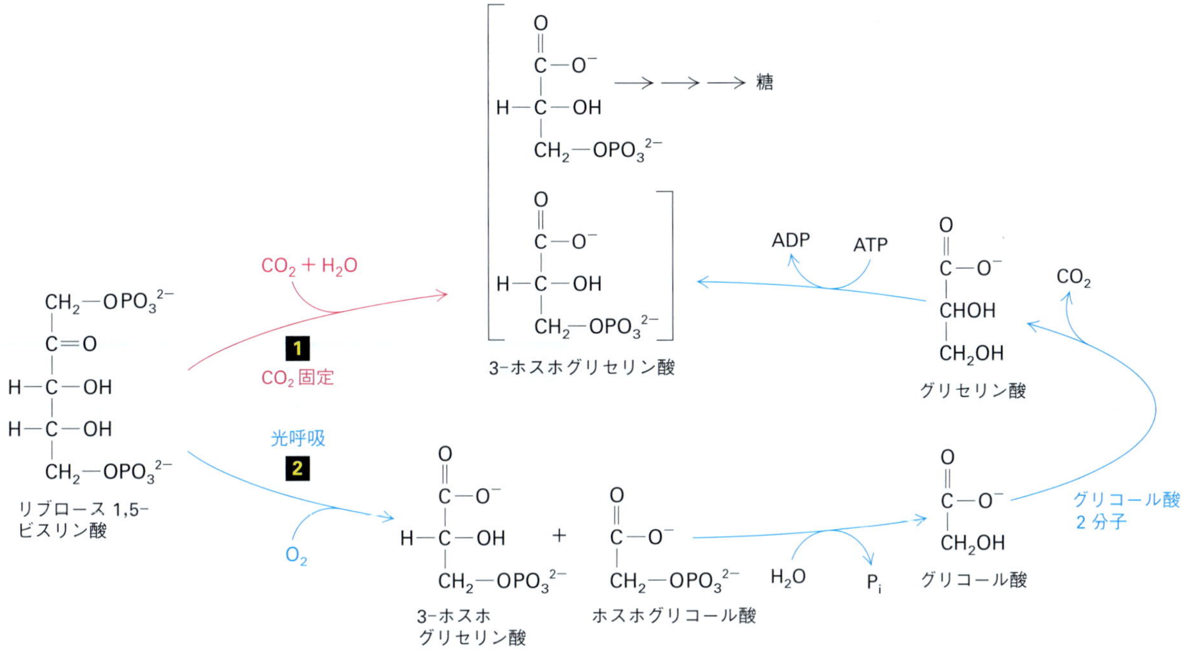

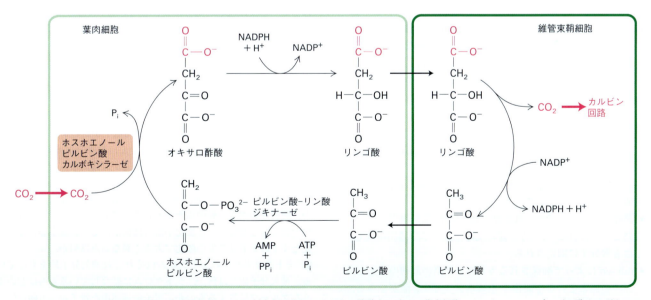

図 12・42 炭素固定と光呼吸．この競合する二つの反応は，どちらもリブロース 1,5-ビスリン酸が基質となり，リブロース-1,5-ビスリン酸カルボキシラーゼ(rubisco)によって行われる．CO_2 固定(経路❶)は，CO_2 濃度が高く，O_2 濃度が低いと起こりやすい．光呼吸(経路❷)は CO_2 濃度が低く，O_2 濃度が高いとき(通常の大気組成)に進行する．生じたホスホグリコール酸は，葉緑体だけでなくペルオキシソームやミトコンドリアも巻込んだ複雑な反応によって再利用される．それらをまとめると次のようになる．光呼吸によって生じたホスホグリコール酸 2 分子(4 炭素)当たり 1 分子の 3-ホスホグリセリン酸が最終的につくられ再利用され，1 分子の CO_2 が失われる．

図 12・43 C_4 経路．C_4 経路で重要な酵素は，CO_2(赤)を同化してオキサロ酢酸をつくる，葉肉細胞のホスホエノールピルビン酸カルボキシラーゼである．維管束鞘細胞ではリンゴ酸などの C_4 中間体の脱炭酸により CO_2 が放出され，通常のカルビン回路によって固定される（図 12・40 上，図 12・41）．

のない CO_2 分子と特異的に結合する能力をもたないことと，CO_2 と O_2 がともに酵素-リブロース 1,5-ビスリン酸中間体と反応でき，異なる物質を生成することが可能だからである．

　暑く，乾燥したところに生える植物は，水分の損失を防ぐために，葉の通気口（気孔）をできる限り閉じておく必要があるので，光呼吸が亢進してしまうという問題を抱えることになる．気孔を閉じると葉の中の CO_2 濃度は rubisco の CO_2 に対する K_m 値よりも低くなってしまう．このような条件下では，光合成が遅くなり光呼吸が活発になるので，植物は十分な量の CO_2 を固定できなくなるという危険にさらされる．トウモロコシ，サトウキビ，メヒシバなど，高温乾燥地帯に生育する植物は，上記の問題を回避するために 2 段階の CO_2 固定を行っている．すなわち，**維管束鞘細胞**（bundle sheath cell）におけるカルビン回路の前に**葉肉細胞**（mesophyll cell）で CO_2 を確保しておく段階が付随しているのである（図 12・43）．通常のカルビン回路で，CO_2 はまず三炭素化合物に取込まれる（C_3 経路）が，葉肉細胞内のこの経路ではオキサロ酢酸やリンゴ酸などの四炭素化合物に取込まれるので，これを **C_4 経路**（C_4 pathway）とよぶ．これらの四炭素化合物は維管束鞘細胞に輸送され，そこで CO_2 が放出され，カルビン回路に入る．維管束鞘細胞内は CO_2 濃度が高く O_2 濃度が低いので，rubisco はおもに CO_2 を固定して 3-ホスホグリセリン酸を生成し，光呼吸をあまり行わない．

　ホスホエノールピルビン酸カルボキシラーゼ（phosphoenol-pyruvate carboxylase）の CO_2 に対する親和性は rubisco よりも高いので，CO_2 の効率的な利用という点では C_4 植物のほうが C_3 植物より優れている．しかし，C_4 循環過程でピルビン酸からホスホエノールピルビン酸を生成する際に ATP が AMP にされているので，NADPH と ATP を使って糖を合成する光合成反応の効率は，CO_2 固定にカルビン回路のみを使用する C_3 植物のほうが優れている．それでも，光呼吸による損失がないトウモロコシやサトウキビなどの C_4 植物の光合成の正味の速度は，イネやムギなどの C_3 植物の 2 倍から 3 倍に達する．

12・10　光合成の過程 4：ATP と NADPH を使ったカルビン回路での炭素固定と炭水化物合成　まとめ

- 過程 4 では，過程 2 と 3 でつくられた NADPH と ATP がエネルギーと電子を供給して，CO_2 を固定して炭水化物をつくる．これらの反応は葉緑体のストロマと細胞質で行われる．
- 過程 1 から過程 3 までは，光エネルギーを必要とするため，光合成の明反応とよばれている．過程 4 の反応は，直接的には光のエネルギーに依存しておらず，暗くても起こりうるので，光合成の暗反応とよばれることがあるが，この反応は光が当たっているときでも起こる．
- 葉緑体ストロマで行われるカルビン回路（炭素固定の C_3 経路ともよばれる）という一連の反応によって，大気中の CO_2 は有機分子に固定される．
- rubisco によって触媒されるカルビン回路の最初の反応で，三つの炭素を含む中間体 3-ホスホグリセリン酸ができる．カルビン回路で生成したグリセルアルデヒド 3-リン酸の一部は細胞質に輸送され，スクロースに変換される（図 12・40）．
- rubisco は光と酸化還元状態に感受性がある．その活性は rubisco 活性化酵素により調節される．
- ストロマにおいて，ADP グルコースからデンプンという重合体ができ，顆粒とよばれる密な凝集体となって，そこにたくわえられる．
- C_3 植物では，カルビン回路によって固定された CO_2 のかなりの部分が光呼吸によって失われてしまう．この反応は CO_2 濃度が低く，O_2 濃度が高いときに rubisco によって触媒される無駄な反応である（図 12・42）．
- C_4 植物では，CO_2 はまず外側の葉肉細胞内でホスホエノールピルビン酸との反応によって固定される．つくられた四炭素化合物は内側の維管束鞘細胞に送られ，そこで CO_2 が放出されてカルビン回路に入り rubisco により固定される．C_4 植物の光呼吸は C_3 植物よりかなり少ない．

重要概念の復習

1. ミトコンドリアと葉緑体のどちらの機能にもプロトン駆動力（pmf）が必須である．何が pmf をつくり出し，そして pmf は ATP とどう関係するのか．2,4-ジニトロフェノール（DNP）という化合物は 1930 年代にダイエット薬として使われていたが，危険な副作用があることがわかった．この化合物は H^+ を膜透過させる作用がある．DNP を服用するとなぜ危険なのか．

2. ミトコンドリアと葉緑体は内部共生した細菌から生じたと考えられている．この仮説を支持する実験結果として本章で述べられたことは何か．

3. ミトコンドリア内膜は典型的細胞膜の性質をすべてもっているが，そのほかに酸化的リン酸化を行うための特別な性質をもっている．その特別な性質とは何か．それらは内膜の機能とどのようにかかわっているのか．

4. グルコースから最大量の ATP をつくるためには解糖系，クエン酸回路，電子伝達系での反応が必要である．これらのうちで O_2 を必要とするものはどれで，それはなぜか．ある種の生物で，あるいはある種の生理的条件下で，O_2 なしでも進行するのはこれらのうちのどれか．

5. 発酵を使うと O_2 のない条件下でもグルコースからエネルギーを取出せる．嫌気的条件下でグルコースの異化が行われるとき，解糖を続けるためになぜ発酵が必要なのか．

6. 細胞質でのグルコース異化で生じた電子がどのようにミトコンドリア内膜の電子伝達鎖に運ばれるかを，段階を追って説明せよ．その説明のなかに，各段階での電子伝達が直接的なものか間接的なものかも明示せよ．

7. ミトコンドリアでの脂肪酸の酸化は ATP の主要な供給源であるが，脂肪酸の酸化は他の場所でも起こっている．ミトコンドリア以外で脂肪酸を酸化できる細胞小器官は何か．その細胞小器官での酸化とミトコンドリアでの酸化で大きく異なる点は何か．

8. ミトコンドリアのシトクロムはそれぞれ補欠分子族をもっている．補欠分子族とは何か．シトクロムに結合しているものはどのようなグループに属するものか．電子伝達鎖中を電子が一方向に伝達されていくのは種々のシトクロムのどのような性質によるのか．

9. 電子伝達鎖は複数の多量体タンパク質複合体からなり，それらが

連結してNADHのような電子運搬体からの電子をO_2に渡す．ATP合成におけるそれら複合体の役割は何か．呼吸に必要なタンパク質複合体をすべて含んだ超複合体の存在が示されている．それらはなぜATP合成にとって好都合なのか．超複合体が存在することを実験的に示す方法にはどのようなものがあるか．補酵素Q（CoQ）はタンパク質ではなく，小さな疎水性分子である．CoQが疎水性であるということは，電子伝達鎖の機能にとってなぜ重要か．

10. NADHから1対の電子が伝達されると約3分子のATPが合成されるが，$FADH_2$からだと約2分子しか合成されない．この電子対当たりのATP合成量の違いは何によるのか．

11. ミトコンドリアのATP合成酵素の構成タンパク質の主要な機能について説明せよ．構造の似た酵素がリソソームやエンドソーム内の酸性化を行っている．ATP合成酵素の作用機構の知識を使って，これらの酸性化がどのようにして行われているかを説明せよ．

12. ATP合成酵素に関する知識の多くは好気性細菌の研究によって得られた．この生物のどのような点が研究にとって有利なのか．この生物の解糖系，クエン酸回路，電子伝達鎖は細胞のどこで行われているのか．好気性細菌のpmfはどこに形成されるのか．これらの生物において，pmfは他のどのような細胞活動に使われているのか．

13. ミトコンドリア内膜の重要な機能の一つは選択的透過性によって水溶性分子の透過を制限し，膜の内外で異なった化学環境をつくることである．しかし，酸化的リン酸化の基質や生成物の多くは水溶性であるのに内膜を通り抜ける．この輸送はどのように行われているのか．

14. ミトコンドリア，葉緑体，および細菌の電子伝達鎖においてQ回路は重要な役割を果たしている．Q回路の機能は何か．それはどのように行われているのか．ミトコンドリア，紅色細菌，および葉緑体のQ回路に関与している電子伝達鎖の構成成分は何か．

15. "葉緑体でATPを合成できるので，光合成を行っている細胞にミトコンドリアは不要である"というのは正しいか，まちがいか．理由も述べよ．真核細胞のミトコンドリアと葉緑体の起源についての説の名前を答え，その内容を説明せよ．

16. O_2を発生する光合成の全反応式を書け．"光合成におけるO_2の発生は炭水化物やATPをつくる反応の副産物にすぎない"という文の意味を説明せよ．

17. 光合成は複数の過程に分けることができる．光合成にはどのような過程があり，それらは葉緑体のどこで行われるのか．光合成においてスクロースはどこでつくられるのか．

18. 光のエネルギーを吸収する光化学系は反応中心とアンテナ複合体という二つの密着した成分からなる．どのような色素成分が含まれており，それらが光吸収過程で果たす役割は何か．それぞれに含まれている色素が光合成に関与していることを示す証拠はどのようなものか．

19. 緑色および紅色細菌の光合成でO_2は発生しない．なぜか．これらの生物はどのように光合成を使ってATPを合成するのか．これらの生物では何が電子供与体となっているのか．

20. 葉緑体には二つの光化学系が存在する．それぞれの機能は何か．線形電子伝達で，光吸収からNADPH生成までの電子の流れを図で示せ．NADPHにたくわえられたエネルギーから何がつくられるのか．

21. CO_2を固定するカルビン回路の反応は，暗所では，あまり活発でない．その理由として何が考えられるか．これらの反応はどのようにして光によって調節されるのか．

22. 地球上に最も大量に存在するタンパク質であるrubiscoは光合成生物における炭水化物合成に重要な役割を果たす．rubiscoとは何で，細胞内のどこに存在し，どのような機能を果たしているのか．

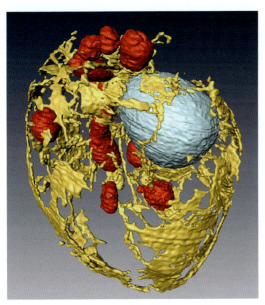

走査型電子顕微鏡画像から三次元構造を再構成した酵母細胞の内膜．細胞膜を取除き，各細胞小器官は小胞体を黄，ミトコンドリアを赤，核を青というように擬似カラーで色づけした．細胞の直径は 3.5 μm である．[D. Wei et al., 2012, *Biotechniques* **53**(1): 41 による．]

13

膜や細胞小器官への タンパク質の輸送

13・1 小胞体内部へのタンパク質の輸送
13・2 膜タンパク質の小胞体膜への挿入
13・3 小胞体内でのタンパク質の修飾，折りたたみ，および品質管理
13・4 ミトコンドリアや葉緑体へのタンパク質の輸送
13・5 ペルオキシソームへのタンパク質の輸送
13・6 核への輸送と核からの輸送

　典型的な哺乳類細胞には10,000種，酵母細胞には約5000種もの異なるタンパク質が存在する．そうしたタンパク質の大部分は細胞質のリボソーム上で合成され，その多くは細胞質にとどまる（5章）．しかし，典型的な細胞がつくるタンパク質全種類のうちの実に半分は細胞内のさまざまな膜で構成された細胞小器官，あるいは細胞表面へと運ばれる．たとえば，多くの受容体タンパク質や輸送タンパク質は細胞膜に送り込まねばならず，消化酵素やポリペプチドでできたシグナル伝達分子などは分泌のために細胞表面へと運ばねばならず，RNAポリメラーゼやDNAポリメラーゼなどは核に運ばれなければならない．細胞が正常に働くためには，これらのタンパク質を含むすべてのタンパク質が正しく配置されることが必要である．

　新たに合成されたポリペプチド鎖を正しい場所に送り込む過程は**タンパク質輸送**（protein targeting）あるいは**タンパク質選別**（protein sorting）とよばれ，さまざまな細胞小器官へ向けた**シグナルによる選別輸送**（signal-based targeting）と分泌経路における**小胞による輸送**（vesicle-based trafficking）という非常に異なる二つの輸送を含んでいる．第一の輸送は，新たに合成されたタンパク質を，細胞質から細胞内の適切な細胞小器官に向かわせるものである．この輸送は，タンパク質の合成途中あるいは合成完了直後に行われる．それらが膜タンパク質の場合は細胞小器官の膜に挿入され，水溶性タンパク質の場合は膜を通り抜けて細胞小器官内部に送り込まれる．小胞体（ER），ミトコンドリア，葉緑体，ペルオキシソーム，および核に送り込まれるタンパク質はこの輸送を使う（図13・1）．

　第二の輸送過程は**分泌経路**（secretory pathway）とよばれ，タンパク質は小胞体から膜小胞に包まれたまま最終目的地まで輸送される．この経路で輸送される細胞外マトリックスタンパク質を含む多くのタンパク質の最終目的地は細胞の外である（それゆえこの名称がつけられた）．ゴルジ体膜，リソソーム膜，および細胞膜の膜内在性タンパク質もこの経路で輸送される．この分泌経路は小胞体からはじまる．したがって，この経路に入るタンパク質はまず小胞体膜に運ばれる．

　小胞体への輸送はリボソーム上でタンパク質が合成されている最中に行われる．したがって，新たにつくられているタンパク質はリボソームから直接小胞体膜に向かって押出されることになる．小胞体膜を通過したタンパク質は，内腔に存在する折りたたみを触媒するタンパク質に助けられて，本来の構造をとる．実際，典型的細胞のタンパク質の1/3が小胞体内で折りたたまれて本来の構造をとり，小胞体常在タンパク質のほとんどがその折りたたみ過程に直接的あるいは間接的に関与している．小胞体内では，タンパク質の折りたたみ過程と同時に，翻訳後修飾が行われる．この過程は注意深く監視されていて，正しく折りたたまれたもののみが小胞体から他の細胞小器官に分泌経路によって輸送される．最終目的地がリソソーム，細胞膜，あるいは細胞外のタンパク質は，一つの細胞小器官から出芽して次の細胞小器官と融合する膜小胞に組込まれ，分泌経路を運ばれていく（図13・1の灰四角内，図14・1参照）．この小胞によるタンパク質輸送のしくみは他の細胞小器官への小胞によらない輸送とは大きく異なっているので14章で取扱う．

　本章では，五つの細胞小器官，すなわち小胞体，ミトコンドリア，葉緑体，ペルオキシソーム，および核へタンパク質がどのように輸送されるかについてみていく．このタンパク質輸送を行うには二つの難問を解決しなくてはいけない．その一つは，タンパク質をどのようにして特定の細胞小器官だけに輸送するかという点．もう一つは，比較的大きな親水性タンパク質をどのようにイ

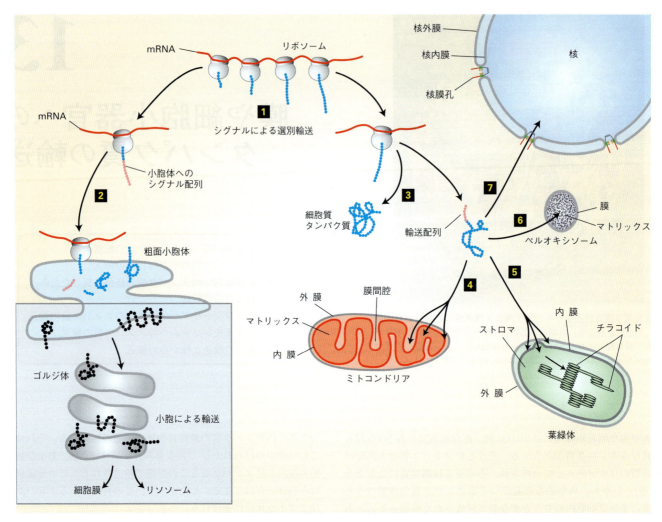

図 13・1 真核細胞の主要なタンパク質選別経路の概観. 核 DNA から転写された mRNA はすべて細胞質リボソームによって翻訳されるが (段階 ■1), タンパク質はポリペプチド配列内の標的シグナルによって, 細胞内のさまざまな場所に輸送される. 左 (分泌経路): 分泌タンパク質を合成したリボソームは, 小胞体へのシグナル配列によって粗面小胞体 (ER) に誘導される (ピンク, 段階 ■2). 小胞体で翻訳が完了したのち, これらのタンパク質は小胞による輸送によってゴルジ体へ, さらに細胞膜またはリソソームへと移動する. 分泌経路の基礎となる小胞による輸送 (灰色の部分) については, 14 章で説明する. 右 (シグナルによる選別輸送). 輸送配列をもっていないタンパク質は細胞質に放出され, そこにとどまる (段階 ■3). 細胞小器官に特異的な輸送配列 (ピンク) をもったタンパク質は一度細胞質に放出されるが, その後ミトコンドリア, 葉緑体, ペルオキシソームあるいは核に取込まれる (段階 ■4〜■7). ミトコンドリアや葉緑体のタンパク質は, それぞれマトリックスやストロマに入るために外膜と内膜を通り抜けていく. そこからさらに選別され, これらの細胞小器官内の別の区画にいくものもある. 核タンパク質は, 核膜に開いた大きな核膜孔から出入りする.

オンや小分子さえも通さない脂質二重層膜の疎水性中心部を通り抜けさせるかという点である. タンパク質の生化学的精製法と輸送の特定の段階が行えない変異体の遺伝子解析を組合わせることにより, 細胞生物学者は異なる細胞内膜のそれぞれへの輸送に必要な多くの構成要素を同定してきた. さらに, 精製したタンパク質構成要素を人工的リン脂質膜に入れて細胞内の主要な輸送過程の多くを再構築し, 自由に実験操作をすることも可能となっている.

こうした研究により, 多少の差異はあるが, 種々の細胞小器官へのタンパク質の輸送は基本的に同じしくみで行われていることが明らかになった. 表 13・1 に示したように, 本章で扱う 5 種類の細胞小器官への輸送は以下の四つの基本要素によって説明することが可能である. 1) タンパク質の送り先に関する情報はそのタンパク質のアミノ酸配列の中に含まれていることが現在わかって

いる. それは, 包括的に**輸送配列** (targeting sequence) とよばれる約 20 個のアミノ酸からなる配列である. この配列は**シグナル配列** (signal sequence) あるいは**シグナルペプチド** (signal peptide) ともよばれる. 通常, この輸送配列は一番先に合成される N 末端にあるが, まれに, そうした配列が C 末端あるいは配列の中央に存在することもある. 2) 各細胞小器官の膜には特定の輸送配列とだけ結合する受容体が存在しているので, 輸送配列に含まれる情報に従った特異的輸送が行われる. 3) ある輸送配列をもったタンパク質がそれに対応する受容体と相互作用すると, そのポリペプチド鎖はある種の**輸送チャネル** (translocation channel) のところへ運ばれ, 二重層膜に埋込まれるか通り抜けて内部に入る. 4) この輸送は GTP や ATP の加水分解と共役しているので, 一度入ったタンパク質が細胞質に戻ってくることはない. すなわち, 輸送は一方向性である. ある種のタンパク質は輸送された細胞小器官

表 13・1　タンパク質を細胞質から細胞小器官に送り込むための輸送配列

標的細胞小器官	標的配列	受容体	輸送チャネル	エネルギーの供給源
小胞体(内腔)	N末端, 一つあるいは複数個の塩基性アミノ酸(Arg, Lys)のあとに疎水性アミノ酸6~12個からなる	SRP(リボソームと結合するリボ核タンパク質複合体)と小胞体膜上のSRP受容体. SRPとSRP受容体はともにGタンパク質である	Sec61複合体. タンパク質は折りたたまれていない鎖として輸送され, チャネルは小分子に対して密閉されたままである	GTP加水分解による翻訳伸長反応
ミトコンドリア†(マトリックス)	N末端の20~50残基の両親媒性ヘリックスで, その一方の側面にArgとLysが, 他方には疎水性残基がある	ミトコンドリア外膜に存在するTom20/22輸送受容体	ミトコンドリア外膜のTom40と内膜のTim23/17で構成されるチャネル	マトリックスにおけるHsp70によるATP加水分解
葉緑体†(ストロマ)	N末端には, 共通する配列特徴は見当たらない. ふつうSer, Thrや小さい疎水性のアミノ酸が多く, GluやAspは少ない	外膜にあるGTPaseであるToc159とToc34	外膜のToc75と内膜のTic20からなるチャネル	ストロマにおけるHsp70によるATP加水分解
ペルオキシソーム(マトリックス)	PTS1シグナル(Ser-Lys-Leu)がC末端に, PTS2シグナルがN末端に存在する	細胞質とペルオキシソーム膜の間を循環するPex5	Pex5とペルオキシソーム膜タンパク質Pex14の複合体, 積み荷タンパク質は折りたたまれた状態で輸送されることがある	Pex5のユビキチン化・脱ユビキチン化に伴うATP加水分解反応
核(核質)	NLS配列はタンパク質のどの位置でも機能する. 共通点はLysとArg残基を多く含む短い領域である	細胞質内と核内を循環する核内輸送受容体	核膜孔複合体の中心的なチャネルで, FGリピートタンパク質の流動相で満たされている. 核内輸送受容体と結合すると, タンパク質とRNAは折りたたまれた状態で通過することができる	Ran GTPaseの核内・核外の循環と連動したGTP加水分解

† ミトコンドリア(内膜など)や葉緑体(チラコイドなど)の細胞内区画への輸送には, 本文で説明する輸送配列, 受容体, 輸送チャネルがさらに必要となる.

内でさらに選別され, 内部の特定の区画に送られる. こうした選別はまた別のシグナル配列とそれに対応する受容体によって行われる.

本章では, まず小胞体へのタンパク質の輸送とそこから分泌経路に入ったタンパク質が受ける翻訳後修飾について述べる. 小胞体への輸送は最もよく調べられているものなので, 輸送過程の典型的な例となるだろう. 次にミトコンドリア, 葉緑体, およびペルオキシソームへのタンパク質輸送について述べる. 最後に, 核膜孔を通ってのタンパク質の出入りについて解説する.

異なる種類の輸送配列の性質を知ることは, ある遺伝子によってコードされたアミノ酸配列のみから, その遺伝子産物の最終的な細胞内の位置を確実に推測することができるという点で重要である. 実際, ヒトゲノムによってコードされている, ほとんどのタンパク質の細胞内での位置は, 本章で述べるさまざまな種類の輸送配列の性質に関する情報を用いて正確に予測されてきた.

13・1　小胞体内部へのタンパク質の輸送

すべての真核細胞が小胞体をもつ. 小胞体は入り組んだ細胞小器官で, 管状あるいは扁平な袋状の膜からなり, その膜は核膜ともつながっている. 小胞体は大きな表面積をもち, その膜は脂質が合成される場である (10章). 小胞体膜は細胞膜, リソソーム膜, 小胞体膜, およびゴルジ体膜などの膜タンパク質が組立てられる場でもある. さらに, 細胞から分泌されるすべての水溶性タンパク質や, 小胞体, ゴルジ体, およびリソソームの内腔に輸送されるタンパク質も, 一度小胞体の内腔に送り込まれる (図13・1). 小胞体はタンパク質分泌において重要な役割を担っているので, 小胞体を経由して輸送される経路のことを"分泌経路"とよぶ. 単純化のために, 小胞体に送り込まれるタンパク質すべてを"分泌タンパク質"とよぶが, それらのすべてが細胞から分泌されるわけではないことに注意しよう.

本節で, 分泌タンパク質であることがどのようにして認識され, どのようにしてそれらが小胞体膜を横切って輸送されるかについて説明する. まず, 小胞体膜を完全に通り抜けて内腔に入る水溶性タンパク質について説明する. 次節で, 小胞体膜に挿入される膜内在性タンパク質について説明する.

精製した小胞体膜を使ったパルスチェイス法により分泌タンパク質は小胞体膜を通り抜けることが示された

すべての細胞が多様なタンパク質(たとえば細胞外マトリックスタンパク質)を分泌するが, ある種の細胞は特定のタンパク質を大量に分泌するように特異化している. たとえば, 膵臓の腺房細胞は何種類かの消化酵素を大量に合成し, 小腸につながっている細管に分泌している. このような分泌細胞には分泌経路を構成している細胞小器官(小胞体やゴルジ体など)が大量に存在しているので, 小胞体膜上で起こる最初の段階を含む分泌経路の研究によく使われてきた.

分泌タンパク質の合成直後の挙動が膵臓の腺房細胞を使ったパルスチェイス法から明らかになった. こうした実験では, 放射性アミノ酸を小胞体表面に結合しているリボソーム上で合成されている分泌タンパク質に取込ませる. 分泌経路に入るタンパク質の受け入れ口となる小胞体上の部位は, リボソームが結合しているためでこぼこしているので, 他の部位と区別して粗面小胞体(rough endoplasmic reticulum, rough ER)とよばれている(図13・2). 実験から, 分泌タンパク質はリボソーム上で合成されている最中あるいは合成終了直後に小胞体膜を通り抜け, 内腔に入ってしまうことがわかった.

輸送段階を詳しく調べるためには小胞体を単離しなければならない. レースのような構造をもち, 他の細胞小器官と絡まり合っ

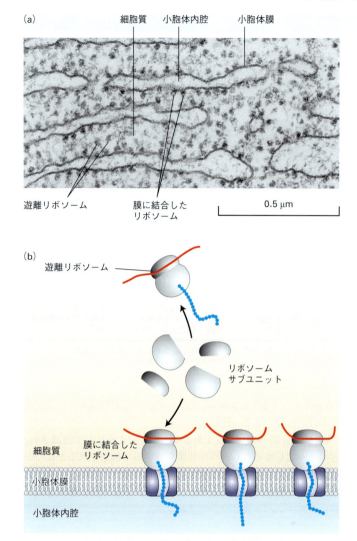
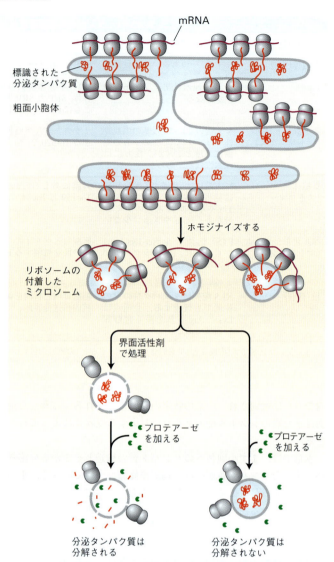

図 13・2 粗面小胞体の構造. (a) 膵臓腺房細胞内の粗面小胞体膜に結合したリボソームの電子顕微鏡写真. この細胞で合成されるタンパク質のほとんどは分泌タンパク質なので, 膜に結合したリボソーム上で合成される. 少数ながら膜に結合していないリボソームも見られる. これは細胞質タンパク質などの非分泌タンパク質を合成しているのだろう. (b) 小胞体膜上でのタンパク質合成の模式図. 膜に結合したリボソームも細胞質のものと同じであることに注意してほしい. 膜に結合したリボソームは小胞体へのシグナル配列をもつタンパク質を合成している途中で小胞体膜へと誘導される. [(a)は Dr. Marilyn G. Farquhar, University of California, San Diego 提供.]

図 13・3 分泌タンパク質は小胞体内腔に入る. 標識実験から, 分泌タンパク質は合成された直後に小胞体内腔に入っていることが示された. 新たに合成されたタンパク質だけが標識されるように細胞に短い時間だけ放射性アミノ酸を取込ませる. そうした細胞をホモジナイズすると, 細胞膜は壊れ粗面小胞体は小胞(ミクロソーム)となる. このミクロソームにはリボソームが結合しているので他の細胞小器官由来の膜小胞より比重が大きい. そのため, 分画遠心とスクロース密度勾配遠心によって他のものと分けることができる(4章). 精製したミクロソームを界面活性剤の存在下と非存在下でプロテアーゼ処理する. 新たに合成され放射性標識された分泌タンパク質は, 界面活性剤によってミクロソーム膜が通過可能になったときのみプロテアーゼによって分解される. したがって, 新たに合成された分泌タンパク質はミクロソームの内部, すなわち粗面小胞体内腔に存在することが示唆される.

ている小胞体を無傷で単離するのはむずかしいと思われた. しかし, 細胞をホモジナイズすると, 粗面小胞体はちぎれ, リボソームを外側につけたミクロソーム (microsome) という閉じた小胞になり, それは, タンパク質輸送能も含めた小胞体としての生化学的性質を保っていることがわかった. 分泌タンパク質は粗面小胞体膜の細胞質側に結合したリボソームによって合成されるが, 合成されながら小胞体内腔に入ってしまうということが図 13・3 に示すようなパルス標識した細胞から単離したミクロソームをプロテアーゼで処理する実験で証明された. このような実験結果から, 合成がはじまってまもないタンパク質がどのようにして分泌タンパク質であると認識され, どのようにして合成中に小胞体膜を通過するのだろうかという疑問がもち上がった.

伸長中の分泌タンパク質は
N末端の疎水性シグナル配列により小胞体に輸送される

分泌タンパク質の合成は細胞質の遊離リボソーム上ではじまるが, タンパク質中の 16～30 残基のアミノ酸からなる小胞体への輸送配列がそのリボソームを小胞体膜へと向かわせ, 伸長していくポリペプチド鎖を小胞体内に送り込む(図 13・1 左). 通常, 小胞体への輸送配列は N 末端にありシグナル配列ともよばれる. 異なる分泌タンパク質のシグナル配列を比較すると, 6～12 個連続

した疎水性アミノ酸（疎水性中心部）の近くに一つあるいは複数の正電荷をもったアミノ酸が存在するという特徴はあるが，他の点では互いに全く似ていない．多くの分泌タンパク質のシグナル配列はそのタンパク質がリボソーム上で合成されている最中に切り離されてしまう．したがって，小胞体内の完成されたタンパク質は通常シグナル配列をもたない．

小胞体へのシグナル配列中の疎水性中心部は，シグナル配列が正常に機能するために必要である．たとえば，その疎水性アミノ酸のいくつかを除去したり，そこに電荷をもつアミノ酸を加えたりすると，シグナル配列として働かなくなってしまう．その結果，変異をもったタンパク質は小胞体膜を通り抜けられず，細胞質に残ることになる．逆に，組換えDNA手法を使い細胞質タンパク質のN末端にシグナル配列を付加することができる．もしその配列が十分長くて疎水性なら，その細胞質タンパク質は小胞体内腔に輸送される．したがって，小胞体へのシグナル配列中のそのような疎水性残基は小胞体膜への輸送装置との結合に重要な役割を果たす部位と考えられる．

無細胞タンパク質合成系に分泌タンパク質のmRNAを入れ，そこにリボソームの結合していないミクロソームを加えるといった生化学的実験により，小胞体へのシグナル配列がどのように機能してタンパク質の局在化が起こるのか明らかになった．この系を使った最初の実験で，典型的な分泌タンパク質は合成中にミクロソームが存在している場合にのみミクロソーム内に取込まれ，シグナル配列が除去されるということが示された．タンパク質合成中に加えるのではなく，タンパク質合成が終わったあとにミクロソームを加えたのではタンパク質の輸送は起こらなかったのである（図13・4）．その後，タンパク質合成のどの時期にミクロソームが存在していると取込みが起こるのかが詳しく調べられた．タンパク質合成を開始してからミクロソームを入れるまでの時間を変える実験が行われ，その結果，分泌タンパク質がミクロソームの内腔に取込まれるためには翻訳がN末端から約70アミノ酸残基に達する前にミクロソームを混合しなければならないということがわかった．このときリボソーム上では，のちに切り離されるシグナル配列を含んだ約40残基が表面から突き出し，約30残基はリボソーム内部に隠れている（図5・34参照）．したがって，ほとんどの分泌タンパク質の小胞体内腔への輸送は合成されているタンパク質がまだリボソームに結合しているときに行われる．この過程を**翻訳時輸送**（cotranslational translocation）とよぶ．

翻訳時輸送は
　　二つのGTP加水分解タンパク質によってはじめられる

分泌タンパク質の合成は小胞体膜以外の膜上では起こらないので，そこへ輸送するためのシグナル配列認識機構が存在するはずである．その機構において重要な役割を果たしているのが**シグナル認識粒子**（signal recognition particle: **SRP**）とその受容体である．SRPは細胞質に存在するリボ核タンパク質粒子で，一時的ではあるが合成されつつあるタンパク質のシグナル配列およびリボソームの大サブユニット（60S）の両方と結合し，巨大な複合体を形成する．その後SRPは，小胞体膜上の**SRP受容体**（SRP receptor）と結合することにより，伸長中のポリペプチド鎖-リボソーム複合体を小胞体膜に運ぶ．

SRPは6個のタンパク質とそれらの足場となる300ヌクレオチドのRNA鎖からできている．SRPタンパク質の一つ（P54）はシグナル配列と化学的に架橋される．この結果は，P54が合成途中の分泌タンパク質のシグナル配列と結合するサブユニットであることを示すものである．P54には多数のメチオニンと疎水性側鎖をもつアミノ酸からなる**Mドメイン**（M domain）という領域があり，そこには疎水性側鎖が表面に並んでいる溝がある（図13・5a）．シグナル配列の疎水性中心部はこの溝と疎水性相互作用により結合する．他のSRPタンパク質はリボソームとの相互作用や小胞体内腔への輸送に必要である．

SRPはSRP受容体と結合することにより，伸長中のポリペプチド鎖-リボソーム複合体を小胞体膜に結合させる．SRP受容体はαサブユニットと小さなβサブユニットの2本のポリペプチド鎖から構成されている小胞体膜内在性タンパク質である．SRP-伸長中のポリペプチド鎖-リボソーム複合体とSRP受容体との結合は，SRPのP54サブユニットとSRP受容体のαサブユニットにGTPが結合していると強まる．アーキア *Thermus aquaticus* のP54サブユニットとSRP受容体のαサブユニット（FtsY）の構造から，GTPの結合と分解がどのようにこれらのタンパク質の結合と

(a) ミクロソームの存在しない無細胞タンパク質合成系

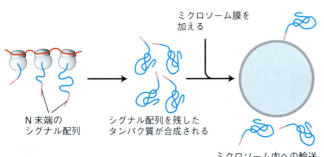

(b) ミクロソームの存在する無細胞タンパク質合成系

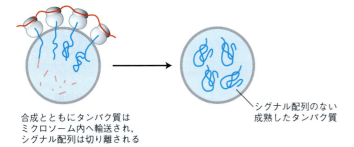

図13・4　**翻訳と輸送は同時に行われる**．無細胞系による実験から，分泌タンパク質のミクロソームへの輸送が翻訳と共役していることが示された．ミクロソームを，Mg^{2+}をキレートするEDTAで処理すると，結合しているリボソームが除去されたミクロソーム膜が得られる．これは小胞体膜そのものと考えられる（図13・3）．リボソーム，アミノアシルtRNA, ATP, GTP, そして細胞質酵素を含む無細胞タンパク質合成系に分泌タンパク質のmRNAを入れて分泌タンパク質の合成を行う．(a) 分泌タンパク質の合成が完了したあとにミクロソームを添加しても，すでに形成されている分泌タンパク質はミクロソームには入らない．(b) しかし，タンパク質合成中にミクロソームが存在すると，分泌タンパク質は小胞膜を越えて移動し，合成に伴ってシグナル配列が失われる（分子量が減少する）．

(a) Ffh のシグナル配列結合ドメイン

(b) Ffh の GTPase ドメイン（SRP の P54 サブユニットと類似，左）と FtsY（SRP 受容体の α サブユニットと類似，右）

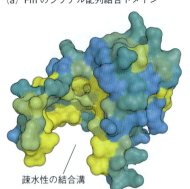
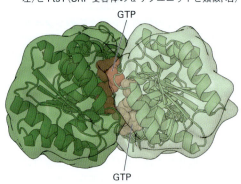

図 13・5　シグナル認識粒子(SRP)の構造．(a) シグナル配列結合ドメイン．真核生物において小胞体へのシグナル配列と結合する P54 の一部分と細菌の Ffh タンパク質は類似した構造をもつ．Ffh の表面には疎水性側鎖が露出した溝があり（黄），それがシグナル配列と相互作用する．(b) Ffh の GTP および受容体結合ドメイン．GTP と結合した FtsY（SRP 受容体の α サブユニットと似たアーキアのタンパク質）および Ffh の構造から，どのように両者の相互作用が GTP の結合と加水分解により調節されているかがわかる．Ffh と FtsY はそれぞれ 1 分子の GTP を結合する．Ffh と FtsY が結合するとき，結合している 2 分子の GTP は両タンパク質間の境界面にあり，その結合を安定化させる．対称性のよい二量体になると，結合した GTP を加水分解する活性部位が生じる．GTP が加水分解されて GDP になると境界面が不安定になり，二量体は解離する．[(a)は R. J. Keenan et al., 1998, *Cell* **94**: 181, PDB ID 2ffh. (b)は P. J. Focia et al., 2004, *Science* **303**: 373, PDB ID 1okk.]

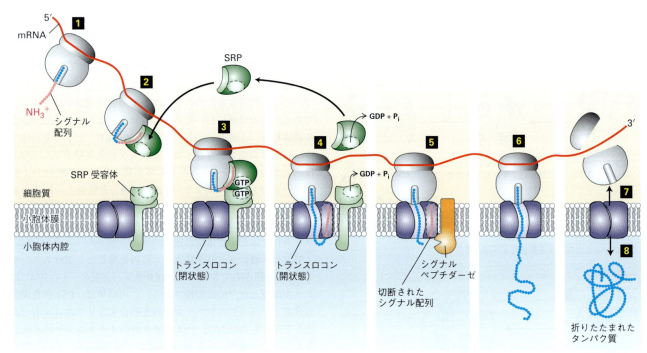

図 13・6　翻訳時輸送．段階 **1**, **2**: 小胞体へのシグナル配列がリボソームの外に出た途端にシグナル認識粒子(SRP)が結合する．段階 **3**: SRP は伸長中のポリペプチド鎖-リボソーム複合体を小胞体膜上の SRP 受容体に運ぶ．この相互作用は SRP とその受容体に GTP が結合することによって強まる．段階 **4**: 伸長中のポリペプチド鎖-リボソーム複合体がトランスロコンに渡されるとこの輸送チャネルが開き，シグナル配列に続いて伸長するポリペプチド鎖が入るようになる．疎水性のシグナル配列自体は中央孔の隣にある疎水性結合部位に移動する．トランスロコンから離れた SRP とその受容体は GTP の加水分解とともに解離し，次の分泌タンパク質のポリペプチド鎖を挿入できる状態に戻る．段階 **5**: ポリペプチド鎖は伸び続けトランスロコンの中を通って小胞体内腔に入る．シグナルペプチダーゼは活性部位が小胞体内腔に面しており，認識部位が内腔に入ると，速やかにシグナルペプチドを切除する．段階 **6**: mRNA が 3′ 末端に向かって翻訳されるに従いポリペプチド鎖はますます長くなる．リボソームがトランスロコンに密着しているので伸長するペプチド鎖はトランスロコンを通って小胞体内腔に押し出される．段階 **7**, **8**: ポリペプチド鎖の翻訳が完了するとリボソームは離れていく．残った分泌タンパク質の C 末端部は小胞体内腔に引込まれ，トランスロコンは閉じる．中に入った分泌タンパク質は本来の立体構造をとる．

解離に影響を与えるかがわかった．図 13・5(b) は，GTP 結合型の P54 と FtsY が疑似 2 回対称性をもったヘテロ二量体を形成することを示したものである．どちらの GTP 加水分解部位も単独では構造が不完全だが，一緒になるとその構造が完全なものとなって GTP を加水分解できるようになる．GTP が GDP に加水分解されると表面が不安定化し，ヘテロ二量体は解離する．

SRP やその受容体が分泌タンパク質の合成過程でどのような役割を果たしているかについて，現在わかっていることを図 13・

6にまとめた．結合していたGTPが加水分解されるとSRPとSRP受容体は解離し，伸長中のポリペプチド鎖とリボソームは小胞体膜に移され，そこで膜輸送が行われる．SRPとSRP受容体が解離したあと，それぞれは結合していたGDPを放出し，SRPは細胞質に戻る．こうして両者は再び合成途中の分泌タンパク質とリボソームの複合体を小胞体膜に輸送できる状態となる．

SRPとSRP受容体によるGTP加水分解と，シグナル配列のトランスロコン（膜貫通チャネル）への輸送が共役する利点はどのようなものだろうか．このGTPの加水分解は，膜透過過程が開始する際にのみ起こるので，継続的な膜透過のための運動エネルギーにならないことは明らかである．図13・6に示したGTPaseサイクルは，図5・36に示したリボソーム上での**翻訳**（translation）開始と共役したGTPの加水分解に類似しているようにみえる．GTP加水分解と共役させることによって，複雑な巨大分子の集合反応は，反応の確実性を高める校正段階を加えることができ，効率をよりよくすることができる．

伸長中のポリペプチド鎖がトランスロコンを通る際には翻訳時に放出されるエネルギーが使われる

SRPとその受容体が分泌タンパク質を合成しているリボソームを小胞体膜へ輸送すると，リボソームとポリペプチド鎖はただちに**トランスロコン**（translocon）とよばれる小胞体膜に埋込まれたタンパク質複合体からなるチャネルに渡される．翻訳の進行によって伸長するポリペプチド鎖はリボソームの大サブユニットから直接トランスロコン中央の孔に入っていく．リボソームの大サブユニットはトランスロコンの孔と密着するので，伸長しつつあるポリペプチド鎖は細胞質ゾルと接触することなく，かつ折りたたまれることなく小胞体内腔に入っていく（図13・6）．

トランスロコンは，酵母の**Sec61α**とよばれるタンパク質の遺伝子の突然変異から最初に同定された．この突然変異が起こると分泌タンパク質を小胞体内腔へ送り込めなくなる．のちに，3種のタンパク質からなる**Sec61複合体**（Sec61 complex）が哺乳類のトランスロコンであることがわかった．この複合体は10個の膜貫通αヘリックスをもつSec61α，および二つの小さなタンパク質**Sec61β**と**Sec61γ**からなる．化学架橋実験を行うと，合成途中の分泌タンパク質とSec61αが架橋されるので，輸送途中の分泌タンパク質はSec61αと接触していることが示され，トランスロコンの孔はSec61αであることが確定した（図13・7）．

無細胞合成系においてミクロソームの代わりにSRP受容体とSec61複合体だけを含むリン脂質小胞を使っても，新たに合成される分泌タンパク質はSRP-リボソーム複合体からその小胞の中へと輸送される．この発見は，小胞体膜でのタンパク質輸送において絶対必要なものはSRP受容体とSec61複合体だけであることを示唆している．リボソーム上でペプチド鎖が伸長する際に得られるエネルギーが，膜を越えてポリペプチド鎖を一方向に押し出す駆動力になっているようである．

トランスロコンはポリペプチド鎖を通さねばならないが，小胞体膜の不透過性を維持するために，ATPなどの小分子が隙間を通ることのないようにしている．さらに，通常は閉じていて，伸長中のポリペプチド鎖とリボソーム複合体が結合したときだけ開くようなトランスロコンの調節機構があるにちがいない．X線結晶構造解析によりアーキアのSec61複合体の高解像度の構造が解か

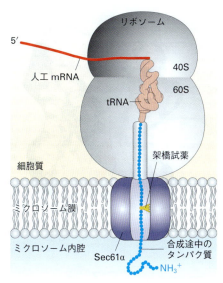

図13・7 **Sec61αはトランスロコンの構成成分である**．架橋試薬を用いた実験から，合成途中の分泌タンパク質は小胞体内腔へ送り込まれるときにトランスロコンの構成タンパク質であるSec61αのすぐ近くにくることが示された．分泌タンパク質プロラクチンのN末満の70アミノ酸に対応するmRNAをミクロソームの入った無細胞系で翻訳させる（図13・4b）．このmRNAは終止コドンをもっておらず，配列の中央付近に1個だけリシンのコドンを含んでいる．架橋反応を起こさせるためにリシルtRNAのリシン側鎖の先に光で活性化される架橋試薬を結合させておく．そのmRNAの全長が翻訳されても，終止コドンがないのでポリペプチド鎖はリボソームから離れることができず，小胞体膜を貫通した状態で止まってしまう．架橋試薬を活性化するために強い光を照射すると，リシン残基の近くにあるトランスロコンのタンパク質との間で無差別化学架橋が起こる．哺乳類ミクロソームを使ってこの実験を行うと，ポリペプチド鎖はSec61αと架橋された．架橋試薬が結合したリシンとリボソームとの位置関係を変えた別のプロラクチンmRNAを使った実験も行われた．Sec61αとの架橋はそうしたリシン残基が輸送チャネル内にあるときのみ起こった．[T. A. Rapoport, 1992, *Science* **258**: 931; D. Görlich and T. A. Rapoport, 1993, *Cell* **75**: 615 参照．]

れ，トランスロコンがどのようにして膜の構造を壊さずにそれを行っているかが明らかになった（図13・8）．Sec61αの10個の膜貫通αヘリックスがポリペプチド鎖の通る中央孔を形成している．Sec61αがポリペプチド鎖の移行を受入れるときには二つの段階を経ねばならない．10個の膜貫通αヘリックスは5個ずつの束に分かれていて，第一の段階では，二つの束が蝶番のような部分で二枚貝のように開き，開いた切れ目付近にシグナル配列の疎水性中心部と結合する疎水性結合ポケットを露出する．シグナル配列はN末端が細胞質側を向くようにしてSec61αと結合し，伸長するポリペプチド鎖は二つに折れて中央孔を進む．ポリペプチド鎖と結合していない状態，すなわち閉じた状態で単離されたSec61αでは，短いらせん状のペプチドが中央孔をふさいでいた．Sec61複合体の生化学的研究から，移行中のポリペプチド鎖がないとき，イオンや小分子を通さないようにこの短いペプチドがトランスロコンに栓をすることが示されている．第二の段階では，開いたチャネルにシグナル配列が結合したあと，伸長するペプチド鎖がチャネルの中央孔に入っていき，この栓をしているペプチドを押しのけて移行していく．中央孔の中ほどに複数の疎水性イソロイシン残基で内張りされた部分があり，移行中のペプチド鎖

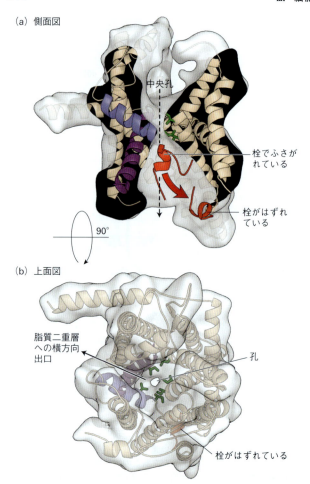

図 13・8 アーキア Sec61 複合体の構造. アーキア *Methanocaldococcus jannaschii* の Sec61 複合体(SecY 複合体ともよばれる)を界面活性剤で溶出し,X 線結晶構造解析で構造を決めた.(a) 中央孔に砂時計のような形をしたチャネルがあることを示す側面図.細くなっている部分を環状に取囲んでいるイソロイシン残基がガスケットとなり,ポリペプチド鎖が通り抜けているときも小分子は通さないようにしている.ペプチド鎖を輸送していないときは短いらせん状の栓(赤)がチャネルをふさぐ.この栓は,ペプチド鎖輸送中はチャネルから外へ出る.この図では孔を見せるためにタンパク質の手前の半分を除去してある.(b) チャネル中央を上から見た図では,ポリペプチド鎖の疎水性膜貫通ドメインがリン脂質二重層中へ出ていけるように,二つの α ヘリックスの間が広がる部分(左側)が見える.[B. van den Berg et al., 2004, *Nature* **427**: 36, PDB ID 1rhz, 1rh5.]

のまわりを極性分子がすり抜けて入っていかないようにガスケットとして働いている.

伸長中のポリペプチド鎖が小胞体内腔に入ると,トランスロコンに結合した小胞体膜貫通タンパク質である**シグナルペプチダーゼ**(signal peptidase)によってシグナル配列は切断される(図 13・6,段階**1**).シグナルペプチダーゼは,シグナル配列の疎水性中心部の C 末端側にある配列を特異的に認識し,それが小胞体内腔に現れるとすぐ切断する.シグナル配列が除去されたあともポリペプチド鎖はトランスロコンを通って小胞体内腔に入ってくる.翻訳が完了し,全ポリペプチド鎖が小胞体内腔に入るまでトランスロコンは開いている.全ポリペプチドの輸送が終わると,栓をするらせん状ペプチドが中央孔に戻り,トランスロコンチャネルは閉じた状態に戻る.

酵母ではある種の分泌タンパク質を ATP 加水分解のエネルギーを使って翻訳後輸送する

多くの真核生物において,分泌タンパク質は翻訳時輸送によって小胞体内に入る.しかし,酵母ではいくつかの分泌タンパク質が翻訳終了後に小胞体内腔に入る.このような**翻訳後輸送**(post-translational translocation)においても,タンパク質は翻訳時輸送において使われたのと同じ Sec61 トランスロコンを通って入る.しかし,翻訳後輸送においては SRP や SRP 受容体は関与しない.この場合,小胞体膜との結合は,トランスロコンと翻訳が完了したタンパク質のシグナル配列との直接的相互作用だけで十分らしい.さらに,小胞体内腔への一方向的輸送のために **Sec63 複合体**(Sec63 complex)および Hsp70 ファミリーの分子シャペロン(3 章)である **BiP** が使われる.四量体になっている Sec63 複合体は小胞体膜上のトランスロコンの近くに存在しているが,BiP は小胞体内腔に存在している.他の Hsp70 ファミリーのタンパク質と同様に,BiP にはペプチド結合ドメインと ATPase ドメインがある.これらのシャペロンは折りたたまれてないタンパク質あるいは部分的に折りたたまれたタンパク質と結合し,それを安定化する(図 3・19 参照).

小胞体へのタンパク質の翻訳後輸送について現在考えられているモデルを図 13・9 に示す.タンパク質の N 末端部分が小胞体内腔に入ると,翻訳時輸送の場合と同様に,シグナルペプチダーゼがシグナル配列を切断する(段階**1**).BiP・ATP が Sec63 複合体の内腔側の部分と相互作用すると ATP の加水分解が起こり,それにより BiP は構造を変え,内腔側に出てきたポリペプチド鎖と結合しやすくなる(段階**2**).Sec63 複合体はトランスロコンのすぐ近くにいるので,BiP はできたばかりのポリペプチド鎖が小胞体に入ってくる部位で活性化されることになる.ある種の実験から,BiP が結合しないと折りたたまれていないポリペプチド鎖はトランスロコンチャネルの中で行ったり来たりすることが示されている.そのような無秩序な動きではポリペプチド鎖全体が小胞体膜を通り抜ける可能性は非常に低い.BiP・ADP が 1 分子結合することによりポリペプチド鎖が小胞体内腔から出るという動きを止めることができる.無秩序な動きの結果,ポリペプチド鎖がさらに小胞体内腔に滑り込むと,次の BiP・ADP がその部分に結合してそこから戻れないようにする(ラチェット機構).このようにして,2〜3 秒でポリペプチド鎖全体が小胞体内に引込まれる(段階**3**と**4**).しばらくすると BiP は自発的に ADP を ATP と交換し,ポリペプチド鎖から離れる.そうなったポリペプチド鎖は折りたたまれて本来の構造をとる(段階**5**と**6**).遊離した BiP・ATP は再び Sec63 と相互作用し次の輸送を助ける.BiP と Sec63 複合体は翻訳時輸送にも必要である.それらがどのような役割を果たしているのかはまだよくわかっていないが,シグナルペプチドをトランスロコンの中央孔に誘導するときなどのごく初期に働くと考えられている.

BiP によって行われるこの反応は,ATP 加水分解によって放出されたエネルギーがどのようにしてタンパク質の膜輸送という機械的運動に変換されるのかを示す重要な例である.このあと述べるが,ミトコンドリアや葉緑体へのタンパク質の輸送は,これらの細胞小器官内に存在する ATPase シャペロンタンパク質による ATP の加水分解を動力源としており,通常は翻訳後に輸送される.そのため,粗面小胞体とは異なり,それらの細胞小器官にリ

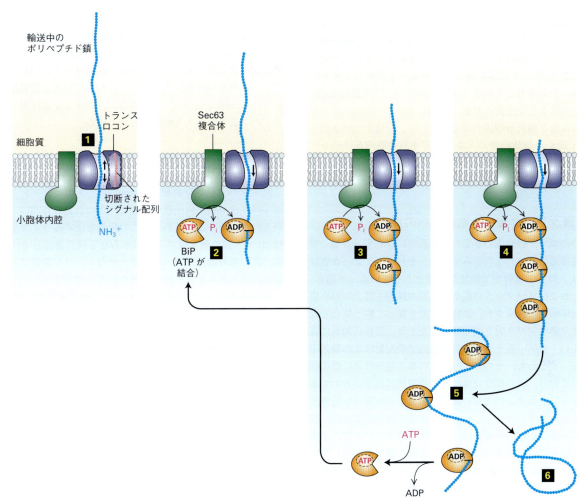

図 13・9　翻訳後輸送．酵母ではこの機構による輸送が一般的で，高等真核生物でも起こっていると思われる．段階■1■：翻訳後輸送される酵母タンパク質の場合，完全に翻訳されたタンパク質のシグナル配列がトランスロコンに結合し，シグナル配列とタンパク質のN末端部分が小胞体に入り，シグナル配列が切断される．トランスロコンの内側にある小さな矢印は，輸送されるポリペプチド鎖が内側と外側に無秩序にスライドする可能性を表している．段階■2■：小胞体の内腔で，BiP・ATPはSec63複合体によってBiP・ADPに変換される．BiP・ADPは輸送されるポリペプチド鎖の露出した疎水性領域と高い親和性をもって結合する．BiP・ADPが結合すると，ポリペプチド鎖は細胞質に向かって自由に滑り出すことができなくなるが，内向きの矢印で示すように内側に滑り込むことは可能である．段階■3■〜■5■：BiP・ADPは，小胞体に入ったポリペプチド鎖に次々と結合し，小胞体内腔に完全に入るまで徐々に内側に移動させる．段階■6■：比較的ゆっくりとしたATPとADPの交換によりBiP・ATPが再生され，輸送されたポリペプチド鎖は放出され，小胞体内腔で折りたたみを完了する．
[K. E. Matlack et al., 1997, *Science* **277**: 938 参照.]

ボソームは結合していない．

13・1　小胞体内部へのタンパク質の輸送　まとめ

- 分泌タンパク質，細胞膜内在性タンパク質，小胞体やゴルジ体，あるいはリソソームのタンパク質の合成は細胞質リボソーム上ではじまるが，その後小胞体膜に結合するので粗面小胞体ができる（図13・1左）．
- 通常，分泌タンパク質の小胞体へのシグナル配列はN末端にあり，疎水性アミノ酸が並ぶ部分を含んでいる．
- 翻訳時輸送において，シグナル認識粒子（SRP）がまず合成途中の分泌タンパク質の小胞体へのシグナル配列を認識して結合する．次にSRPが小胞体膜上のSRP受容体と結合するので，伸長中のポリペプチド鎖-リボソーム複合体が小胞体に輸送される．
- SRPとSRP受容体は伸長中の分泌タンパク質のポリペプチド鎖をトランスロコン（Sec61複合体）に挿入する．SRPとSRP受容体がそれぞれGTPを加水分解することにより，SRPはそこから解離する（図13・5, 図13・6）．シグナル配列をもつタンパク質のトランスロコンへの結合をGTPの加水分解と共役させることで，この反応の確実性が高まると考えられている．
- トランスロコンに結合したリボソームが翻訳を続けるので，折りたたまれていない状態のポリペプチド鎖が小胞体内腔に挿入される．
- トランスロコンの中央孔は疎水性アミノ酸で覆われているので，折りたたまれていないポリペプチド鎖は通すがイオンや親水性分子は通さない．さらに，この中央孔はポリペプチド鎖が輸送されているときだけ開くようになっている．

- 翻訳後輸送において，完成した分泌タンパク質はそのシグナル配列とトランスロコンとの相互作用によって小胞体膜へ輸送される．そのポリペプチド鎖はBiPというシャペロンによるATP加水分解を使ったラチェット機構により小胞体内へ引込まれる．内腔に入ったポリペプチド鎖はBiPとの結合により安定化される（図13・9）．
- 翻訳時輸送と翻訳後輸送の両方において，分泌タンパク質のN末端が小胞体内腔に入るとすぐ小胞体膜内在性のシグナルペプチダーゼがシグナル配列を切断する．

13・2 膜タンパク質の小胞体膜への挿入

これまでの章で，細胞内のさまざまな部位に存在する多数の膜内在性（膜貫通）タンパク質をみてきた．それらのタンパク質はそれぞれリン脂質二重層中で独特な配置をとっている．小胞体，ゴルジ体，およびリソソームの膜や細胞膜の膜内在性タンパク質は粗面小胞体膜上で合成され，独特な配置を保って膜と結合したまま水溶性分泌タンパク質と同じ経路をたどり，最終目的地に運ばれる（図13・1左）．膜タンパク質の膜内での配置はこの輸送中も保たれる．すなわち，そのタンパク質のある部分は常に膜の細胞質側に出ており，別の部分は常に反細胞質側に出ているのである．このように，膜タンパク質の最終目的地での配置は小胞体膜上で合成されるときに決まってしまう．本節で述べるように，膜タンパク質の小胞体膜への挿入は，水溶性分泌タンパク質の小胞体内腔への侵入についてすでに述べたのと同じ機構を採用している．膜タンパク質はまず，疎水性シグナル配列とSRPおよびSRP受容体の相互作用によって，Sec61複合体で構成されるトランスロコンと結合する．トランスロコンと結合した膜タンパク質の親水性部分は小胞体内腔に入り，疎水性部分はトランスロコンの横方向の開口によって小胞体膜に埋込まれる．膜タンパク質の膜領域と親水性領域の最終的な配向は，疎水性配列と隣接する正電荷アミノ酸残基の配置に依存する．これらの配列は**空間配置決定配列**（topogenic sequence）と総称され，さまざまな種類の内在性膜タンパク質の膜挿入と配向を方向づける．

小胞体膜上で合成される膜内在性タンパク質がとるいくつかの空間配置

膜タンパク質の**空間配置**（topology, トポロジー）とは，そのポリペプチド鎖が何回膜を貫通し，その貫通の方向はどうなっているのかということである．この配置を決めるうえで重要な要素は20〜25個の疎水性アミノ酸からなる膜貫通部分そのものである．この部分は通常αヘリックスとなり，リン脂質二重層膜の疎水性内部とエネルギー的に有利な相互作用をする．

膜内在性タンパク質は図13・10に示すように，その配置により五つのグループに分類される．そのうちのⅠ, Ⅱ, Ⅲに分類されるものと尾部係留タンパク質は膜を貫通するαヘリックスを1個しかもたない**1回膜貫通タンパク質**（single-pass transmembrane protein）である．Ⅰ型タンパク質はN末端にあとで切断されるシグナル配列をもち，N末端側の親水性部分を小胞体内腔（反細胞質側）に突き出し，C末端側の親水性部分を細胞質側に突き出している．Ⅱ型タンパク質にはシグナル配列がなく，N末端側親水性部分を細胞質側に突き出し，C末端側親水性部分を反細胞質側に突き出している（Ⅰ型と逆の配置）．Ⅲ型タンパク質はN末端が疎水性膜貫通部分で，シグナル配列をもたないが，配置はⅠ型と同じである．最後の尾部係留タンパク質はC末端に膜を貫通する

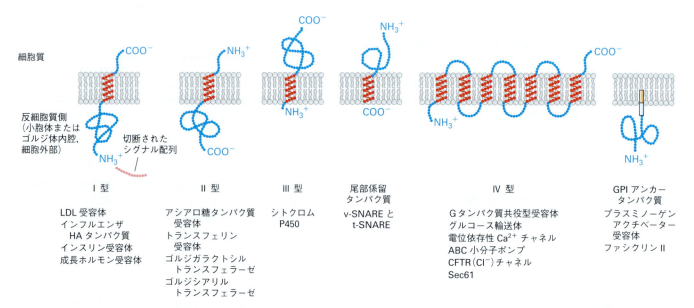

図13・10 いろいろな小胞体膜タンパク質．粗面小胞体上では空間配置の異なる5種類の膜内在性タンパク質およびリン脂質により膜に係留される第六の膜タンパク質が合成される．これらの膜タンパク質は，膜内での方向と膜に挿入される際に使われるシグナルの種類によって分類される．膜内在性タンパク質は疎水性領域が膜二重層内にαヘリックスをつくって埋込まれ，外に出た部分は親水性でさまざまな構造をとる．Ⅳ型タンパク質はすべて複数の膜貫通αヘリックスをもつ．ここに示したⅣ型タンパク質はGタンパク質共役型受容体で，7個の膜貫通αヘリックスをもち，N末端は反細胞質側，C末端は細胞質側にある．同じⅣ型でも，異なるタンパク質ではヘリックスの数が変わったり，N末端やC末端の出る方向が異なったりする．[E. Hartmann et al., 1989, *Proc. Natl. Acad. Sci. USA* **86**: 5786; C. A. Brown and S. D. Black, 1989, *J. Biol. Chem.* **264**: 4442 参照．]

疎水性領域をもつ．これらの配置の違いは，このあとすぐに述べるように，タンパク質が膜に埋込まれる際の機序の違いによるものである．

IV 型タンパク質は二つ以上の膜貫通領域をもっていて，しばしば**複数回膜貫通タンパク質**（multipass transmembrane protein）とよばれる．11 章で説明した多くの膜輸送タンパク質や，15 章で説明する G タンパク質共役型受容体はこのグループに属する．

膜タンパク質がどのように組立てられるかを考えるとき，個々の膜貫通領域の空間配置を考慮することはしばしば有用である．N$_{細胞質側}$-C$_{反細胞質側}$膜貫通領域は，N 末端が細胞質側を向き，C 末端が反細胞質側（小胞体内腔またはそれに相当する細胞の外側）を向くように配向している．もう一つの可能な方向は N$_{反細胞質側}$-C$_{細胞質側}$である．したがって，I 型膜タンパク質の膜貫通領域は N$_{反細胞質側}$-C$_{細胞質側}$であり，II 型膜タンパク質の膜貫通領域は N$_{細胞質側}$-C$_{反細胞質側}$である．なお，複数の膜貫通部をもつ IV 型タンパク質では，N$_{細胞質側}$-C$_{反細胞質側}$と N$_{反細胞質側}$-C$_{細胞質側}$が厳密に交互に配置される．

脂質によって膜に係留されるタンパク質のいくつかは小胞体膜上で合成される．それらの膜タンパク質は疎水性の膜貫通領域を全くもっていない．その代わり，それらのタンパク質は膜に埋込まれた両親媒性リン脂質と結合している（図 13・10 右）．

内部にある輸送阻止-膜係留配列やシグナル-膜係留配列が1回膜貫通タンパク質の配置を決める

まず疎水性膜貫通領域を 1 個しかもたない膜内在性タンパク質がどのように膜に挿入されるかをみていこう．このあと説明するが，タンパク質を小胞体膜に向かわせ，内部で適切な配置をとらせる空間配置決定配列には主要なものが 3 種類ある．N 末端にある小胞体シグナル配列についてはすでに説明した．これから説明するほかの二つは，ペプチド鎖中央部にあるもので，輸送阻止-膜係留配列とシグナル-膜係留配列とよばれている．シグナル配列とは異なり，ポリペプチド鎖中央にある空間配置決定配列は膜貫通部分として完成したタンパク質内に残る．しかし，それら二つの空間配置決定配列の膜内での向きは逆である．

I 型タンパク質 すべての I 型膜貫通タンパク質は，N 末端に小胞体へ向かわせるシグナル配列をもつだけでなく，ペプチド鎖の中央部に約 22 個の疎水性アミノ酸からなる配列をもち，そこが膜貫通 α ヘリックスとなる．合成途中の I 型タンパク質の N 末端のシグナル配列は，水溶性分泌タンパク質の場合と同様に，SRP や SRP 受容体と協同して翻訳時輸送の引金になる．伸長中のポリペプチド鎖の N 末端が小胞体内腔に入るとシグナル配列は切り離され，伸長するポリペプチド鎖は小胞体膜を通り抜け内腔に押出される．しかし，分泌タンパク質と異なり，膜貫通ドメインとなるポリペプチド鎖がトランスロコンに入ったところで内腔への輸送が止まり，膜貫通部分は横に移動して膜に入る（図 13・11）．横移動を起こさせるしくみはトランスロコンがシグナル配列の疎水性部分を受入れたときと同じである．Sec61α の 5 個のヘリックスからなる二つの束が開き，疎水性膜貫通ペプチドを，シグナル配列結合部位を経由してトランスロコンの切れ目からリン脂質二重層へ横移動させる（図 13・8）．こうしてペプチド鎖がトランスロコンから出ると，その疎水性により膜の疎水性中心部に係留されることになる．このようにポリペプチド鎖がトランスロコンを通り抜けることを止め，疎水性膜貫通部分となるので，この

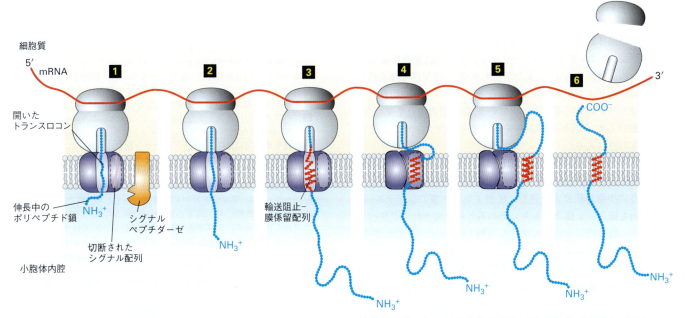

図 13・11 I 型 1 回膜貫通タンパク質の小胞体膜への挿入．段階**1**：小胞体膜上のトランスロコンに伸長中のポリペプチド鎖-リボソーム複合体が結合すると，N 末端のシグナル配列は除去される．この過程は水溶性分泌タンパク質と同じである（図 13・6）．段階**2**～**3**：ペプチド鎖が伸長し，輸送阻止-膜係留配列が小胞体内腔に入ると，そのあとから合成されてくるペプチド鎖は小胞体内腔に入れなくなる．段階**4**：輸送阻止-膜係留配列はトランスロコンサブユニット間の疎水性割れ目を横方向に抜け，リン脂質二重層中に出て膜に係留される．それと同時にトランスロコンも閉じるのであろう．段階**5**：合成が続くと，ポリペプチド鎖はトランスロコンとリボソームの間の隙間から細胞質側へループ状に出てくる．段階**6**：合成が終わると，リボソームは細胞質に戻っていき，タンパク質は膜内を自由に拡散していく．［H. Do et al., 1996, *Cell* **85**: 369; W. Mothes et al., 1997, *Cell* **89**: 523 参照．］

配列は**輸送阻止-膜係留配列**（stop-transfer anchor sequence: **STA**）とよばれる．

膜輸送が阻止されてもリボソームは閉じたトランスロコンに結合したまま翻訳を続ける．ポリペプチド鎖のC末端側が合成されていくと，その部分は細胞質側にループをつくる．翻訳が終了するとリボソームはトランスロコンから離れていき，この新たに合成されたI型タンパク質のC末端側は細胞質に出たままとなる．最終的に，輸送阻止-膜係留配列は，$N_{反細胞質側}$–$C_{細胞質側}$の方向で膜にとどまる．

さまざまな突然変異をもったヒト成長ホルモン（HGH）受容体のcDNAを培養哺乳類細胞内で発現させるという実験の結果も，この機構を支持する．野生型のHGH受容体は典型的I型タンパク質で正常に細胞膜に移行する．しかし，膜貫通αヘリックス部分に電荷をもったアミノ酸が入っていたり，その部分がほとんど欠けているような突然変異受容体はすべて小胞体内腔に運び込まれてしまい，その後，水溶性タンパク質として分泌される．この結果から，HGH受容体およびその他のI型に属するタンパク質の膜貫通αヘリックスは，輸送阻止機能をもつと同時にタンパク質のC末端が小胞体膜を通り抜けるのを妨げることが確定した．

II型とIII型タンパク質　I型と異なり，II型とIII型タンパク質はN末端に切断を受けるシグナル配列をもたない．その代わり，それらはポリペプチド鎖中央に小胞体へのシグナル配列と膜係留の両方の機能をもつ疎水性の**シグナル-膜係留配列**（signal-anchor sequence: **SA**）を一つもつ．II型とIII型では膜内での配置が正反対であったことを思い出してほしい（図13・10）．この違いは，それぞれのもつシグナル-膜係留配列がどちらを向いてトランスロコン内に入るかによって決まる．II型タンパク質の内部にあるシグナル-膜係留配列はシグナル配列のところで述べたのと同じようにSRPを使い，N末端側のペプチドが細胞質側に向くように小胞体膜に入り込む（図13・12a）．しかし，このシグナル-膜係留配列はシグナルペプチダーゼによる認識配列をもっていないために除去されない．またシグナル-膜係留配列は疎水性であるため，シグナル配列結合部位からトランスロコンの切れ目を通り抜けてリン脂質二重層中に出ていき，膜係留の役目を果たす．伸長を続けるC末端側は翻訳時輸送によりトランスロコンを通り小胞体内腔に入る．

シグナル-膜係留配列がN末端近くにあるIII型タンパク質では，II型タンパク質とは逆の向きで，N末端が小胞体内腔に突き出すように小胞体膜に入り込む．III型タンパク質のシグナル-膜係留配列も輸送阻止機能をもち，そのあとに合成されるポリペプチド鎖が小胞体内に入るのを妨げる（図13・12b）．シグナル-膜係留配列よりC末端側の伸長はI型タンパク質と同じように行われ，シグナル-膜係留配列はトランスロコンサブユニットの間から出てリン脂質二重層に入りタンパク質を小胞体膜に係留する（図13・11）．

II型タンパク質とIII型タンパク質の重要な違いは，疎水性膜貫通領域がSec61αの切れ目にあるシグナル配列結合部位と結合するときの方向性にある．II型タンパク質の膜貫通領域は$N_{細胞質側}$–$C_{反細胞質側}$の方向であるのに対し，III型タンパク質の膜貫通領域は$N_{反細胞質側}$–$C_{細胞質側}$の方向である．膜貫通タンパク質が，II型かIII型かを決定する最も重要な特徴は，膜貫通領域の直前に存在する

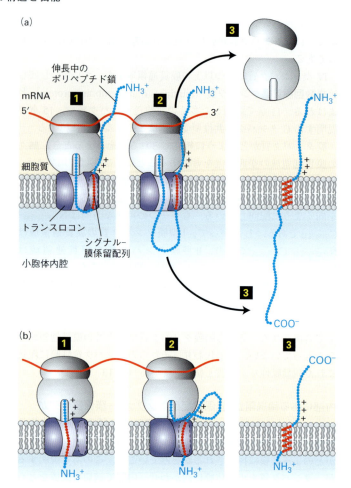

図13・12　II型とIII型の1回膜貫通タンパク質の小胞体膜への挿入．（a）II型．段階**1**：ペプチド鎖の途中にあるシグナル-膜係留配列が細胞質リボソーム上で合成されるとSRPがそれに結合し（図には示していない），リボソーム-伸長中のポリペプチド鎖複合体を小胞体膜へと運ぶ．この点は水溶性分泌タンパク質の場合と同じであるが，疎水性シグナル配列はN末端には存在せず，合成後に切断されることもない点が異なる．伸長中のポリペプチド鎖はN末端が細胞質に向くようにトランスロコンに入る．この配置はシグナル-膜係留配列のN末端側に存在する正電荷をもつ配列のせいである．段階**2**：ペプチド鎖が伸長し小胞体内腔に押出されるようになると，シグナル-膜係留配列部分はトランスロコンサブユニット間の疎水性割れ目を横方向に抜け，ペプチド鎖をリン脂質二重層中に係留する．段階**3**：タンパク質合成が完了するとポリペプチド鎖のC末端は小胞体内腔に放出され，リボソームは細胞質に戻っていく．（b）III型．段階**1**：膜に結合するまではII型と同じだが，正電荷をもった配列がシグナル-膜係留配列のC末端側にあるため，膜貫通部分は，C末端を細胞質側にN末端を小胞体内腔側に向けるように，トランスロコン内に入る．シグナル-膜係留配列がトランスロコンと結合するとき，先行する親水性領域はトランスロコンチャンネルを自然に通過できる短さであることに注意されたい．段階**2**，**3**：伸長するC末端側は細胞質中に出ていき，合成が完了するとリボソームは細胞質に戻っていく．[M. Spiess and H. F. Lodish, 1986, Cell **44**: 177; H. Do et al., 1996, Cell **85**: 369 参照．]

親水性配列の長さである．もし親水性配列が数アミノ酸以上の長さであれば，III型タンパク質のように$N_{反細胞質側}$–$C_{細胞質側}$と配向するために，親水性配列が膜を越えるエネルギーコストが大きすぎる．親水性アミノ酸が数個だけ近傍に存在するシグナル-膜係留配列の配向は，疎水性領域のどちらの端に正に荷電したアミノ酸残

基が配置されているかによって決定される．それらの正に荷電したアミノ酸残基は小胞体膜を通過せず細胞質側に残ろうとする傾向がある．そのようにしてシグナル-膜係留配列がトランスロコンに入る際の方向およびそれ以降のペプチド鎖が小胞体内腔に入るかどうかが決まる．II型タンパク質ではその正電荷をもった配列はシグナル-膜係留配列のN末端側にあるのでN末端が細胞質側に出てC末端が小胞体内に入る（図13・12a）が，III型タンパク質の場合はそれがC末端側にあるためN末端側がトランスロコンに入り，C末端側が細胞質に残る（図13・12b）．II型タンパク質のシグナル-膜係留配列の疎水性領域は分泌タンパク質のシグナル配列と同じく，N$_{細胞質側}$-C$_{反細胞質側}$方向に向き，多くの点でシグナル配列と同じように働くことに注意してほしい．ただし，その配列は切断されない．

膜内での配置を決定する際にシグナル-膜係留配列の前またはあとにある正電荷が重要であることをはっきりと示す実験としてインフルエンザウイルスの表面に存在するII型タンパク質であるノイラミニダーゼを使ったものがある．この酵素はシグナル-膜係留配列のN末端側に3個のアルギニン残基をもつ．その正電荷をもった3残基を負電荷をもったグルタミン酸に変えると，ノイラミニダーゼの膜への入り方は逆になってしまう．他のタンパク質でも，それがII型であるかIII型であるかにかかわらず，シグナル-膜係留配列の近傍の電荷をもった残基を反対の電荷に変えることにより，小胞体膜への入り方を逆にさせることができる．

尾部係留タンパク質　ここまでみてきたさまざまな空間配置をもつタンパク質群のすべてにおいて，膜への挿入は，リボソームから出てきた疎水性空間配置決定配列をSRPが認識したときにはじまる．C末端に疎水性空間配置決定配列をもつ尾部係留タンパク質の認識には説明に困る問題がある．それは，疎水性C末端がリボソームから現れるのは翻訳が終わり，タンパク質がリボソームから離れるときだからである．尾部係留タンパク質の小胞体膜への挿入にはSRP，SRP受容体，およびトランスロコンは使われず，図13・13に示したような，このタンパク質だけの経路を使う．輸送には尾部係留タンパク質のC末端の疎水性領域と結合するGet3とよばれるATPaseの二量体が関与する．Get3二量体は二量体の境界領域に二つのATP結合部位をもち，これは図13・5(b)に示したSRPとSRP受容体のヘテロ二量体境界領域の二つのGTP結合部位と類似した構造になっている．尾部係留タンパク質とGet3二量体との複合体は，Get1-Get2二量体からなる膜内在性受容体によって小胞体膜と結合する．そこで尾部係留タンパク質はGet3から解離し，Get1-Get2の膜貫通部分の助けにより尾部が小胞体膜に挿入される．Getタンパク質群による尾部係留タンパク質の小胞体膜への挿入は，機構としては，シグナル-膜係留配列をもつII型およびIII型タンパク質がSRPやSRP受容体により小胞体へ運ばれるしくみと似ている．構造的な類似性から，両者の機構は基本的に関連していることが示されている一方で，Get3は尾部係留タンパク質の輸送をATP加水分解を共役させているのに対し，SRPはタンパク質の輸送をGTPの加水分解と共役させている．

IV型（複数回膜貫通）タンパク質　11章で述べたように，チャネルタンパク質，膜輸送体やポンプ，受容体タンパク質のような

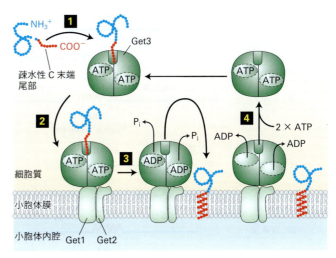

図13・13　尾部係留タンパク質の挿入．C末端尾部で係留されるタンパク質の場合，疎水性C末端部は翻訳が終わり，タンパク質がリボソームから離れるときまで出てこない．段階**1**: Get3の二量体は，Get3どうしの相互作用部位に疎水性結合部位をもっているので，ATP結合状態のGet3がタンパク質の疎水性C末端尾部に結合する．このときSgt2，Get4，およびGet5という3種類のタンパク質複合体が疎水性C末端尾部を水から隔離して，Get3・ATPとの結合を助けている（図には示していない）．段階**2**: C末端尾部と結合したGet3・ATPは，小胞体膜に埋込まれているGet1-Get2からなる受容体と結合する．段階**3**: 続いて，ATPはADPに加水分解され，Get3から放出される．それと同時に，疎水性C末端尾部もGet3から放出され，Get1-Get2に助けられて小胞体膜に埋込まれる．段階**4**: Get3にATPが結合すると，Get3・ATPはGet1-Get2複合体から離れ，溶液中に出ていき，次の疎水性C末端尾部と結合する．

多くの生理学的に重要なタンパク質は，12個以上の膜を貫くαヘリックスをもつことがある．それらの三次元構造は非常に複雑であるが，膜内での空間配置は1回膜貫通タンパク質の配置を決める原理を応用して推定できる．図13・14に1回膜貫通タンパク質と複数回膜貫通タンパク質における空間配置決定配列の配置を示す．多くの複数回膜貫通タンパク質は，二つの重要な原則のもとに組立てられている．1) 膜貫通領域はリボソームから出た順番に翻訳と協調してトランスロコンから膜へと送られる．2) 最初の配向部分は1回膜貫通タンパク質と同様にSRPとSRP受容体に依存してトランスロコンと結合するが，そのあとのすべての膜貫通領域はSRPとは無関係にトランスロコンと相互作用する．これらの原理から，複数回膜貫通タンパク質の最初の膜貫通領域は，すでにI型，II型，III型タンパク質について述べたような方法で，配向を決定する配列として機能すると考えられる．一度，最初の膜貫通領域の方向が決まると（I型，III型タンパク質ではN$_{反細胞質側}$-C$_{細胞質側}$，II型タンパク質ではN$_{細胞質側}$-C$_{反細胞質側}$），そのあとの膜貫通領域は前のものと反対の方向をとるようになる．したがって，N$_{反細胞質側}$-C$_{細胞質側}$膜貫通領域のあとには必ずN$_{細胞質側}$-C$_{反細胞質側}$膜貫通領域が続き，その逆もしかりである．このように向きが厳密に入れ替わるのは，親水性部分はトランスロコンのチャネルを通らない限り，膜を横切って移動することができないという事実による単純な結論である．もし複数回膜貫通タンパク質が偶数個の膜貫通αヘリックスをもっていると，N末端とC末端は膜の同じ側にくる（図13・14d）．逆に奇数個の膜貫通αヘリックスをもっていると両端は反対側に突き出すことになる（図

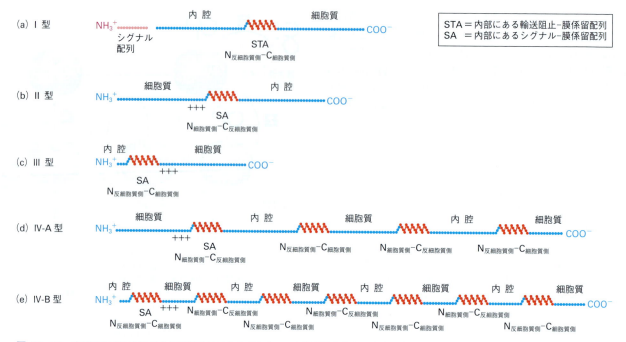

図 13・14 空間配置決定配列が小胞体膜内での方向を決める．空間配置決定配列を赤，水溶性で親水性な部分を青で示す．この内部にある空間配置決定配列は膜貫通αヘリックスとなり，タンパク質あるいはタンパク質の一部を膜に係留する．(a) I 型タンパク質は切断を受けるシグナル配列と内部にある輸送阻止-膜係留配列(STA)を 1 個もつ．(b)，(c) II 型と III 型は内部にシグナル-膜係留配列(SA)を 1 個もつ．これらのタンパク質の膜内での配置の違いは正電荷をもつアミノ酸の多い配列(+++)がシグナル-膜係留配列の N 末端側にあるか(II 型)それとも C 末端側にあるか(III 型)による．(d)，(e) ここに示すように複数回膜貫通タンパク質のほとんどのものは切断を受けるシグナル配列をもたない．N 末端が細胞質側に出る IV-A 型タンパク質は，II 型タンパク質と類似した SA 配列ではじまっている．IV-B 型タンパク質は N 末端が内腔に出ており，III 型タンパク質に類似した SA 配列ではじまる．最初の空間配置決定配列ののち，すべての膜貫通領域は前の領域と反対の極性で膜に挿入される．

13・14e)．

N 末端が細胞質側にくる IV 型タンパク質　N 末端が細胞質側にくる複数回膜貫通タンパク質の例として，11 章で解説した種々のグルコース輸送体(GLUT)および多くのイオンチャネルがあげられる．これらのタンパク質では，N 末端に最も近い疎水性領域が II 型タンパク質の膜係留配列のように機能し，$N_{細胞質側}$-$C_{反細胞質側}$の向きで小胞体膜に挿入される(図 13・12a)．膜貫通領域に続く新生鎖が伸長するにつれて，2 番目の疎水性領域が翻訳されるまでトランスロコンを通過する．この第二のαヘリックスは I 型タンパク質の輸送阻止-膜係留配列と同じように働き，ポリペプチド鎖がトランスロコン中をこれ以上先に進まないようにする(図 13・11)．

最初の二つの膜貫通αヘリックスが合成された段階で，ペプチド鎖の両端は細胞質に，二つのαヘリックス間のループは小胞体内腔に出ている．III 型タンパク質と同様に C 末端が細胞質側に伸び続けると，リボソームもトランスロコンに結合したままになるので，そのあとにリボソームから出てきた疎水性配列は SRP や SRP 受容体の助けを借りずにトランスロコンの中に入っていくようだ．新しい疎水性空間配置決定配列がトランスロコンに入り込むと，その前の疎水性空間配置決定配列は I 型，II 型および III 型膜タンパク質のときと同じようにトランスロコンから横方向に出ていく．

N 末端が細胞外側にくる IV 型タンパク質　N 末端が反細胞質側にくる IV-B 型という最も数の多いグループには 7 個の膜貫通αヘリックスをもつ G タンパク質共役型受容体という大きなファミリーが含まれる．これらのタンパク質では，N 末端に最も近い疎水性膜貫通領域のすぐあとに III 型タンパク質のシグナル-膜係留配列と同じように正電荷をもつアミノ酸がある(図 13・12b)．そのため，この最初のαヘリックスは N 末端を小胞体内腔に突き出すようにしてトランスロコンに入る(図 13・14e)．ポリペプチド鎖がさらに伸びていくと，IV-A 型タンパク質と同様に交互に小胞体膜に挿入される．

ある種の細胞表面タンパク質はリン脂質によって膜に係留される

細胞表面のタンパク質のあるものは，疎水性アミノ酸の配列によらず，**グリコシルホスファチジルイノシトール**(glycosylphosphatidylinositol: GPI，図 13・15a，10 章)という両親媒性分子との共有結合によってリン脂質二重層に係留されている(GPI アンカータンパク質)．それらのタンパク質も，最初は I 型膜貫通タンパク質と同様に，N 末端の切断を受けるシグナル配列と途中にある輸送阻止-膜係留配列とにより小胞体膜に係留される(図 13・11)．しかし，膜貫通部分から少し小胞体内腔に出たところにある短いアミノ酸配列が小胞体膜に局在しているトランスアミダーゼによって認識される．この酵素はもとのタンパク質の小胞体内腔側部分を輸送阻止-膜係留配列から切り離し，すでに膜に埋込まれている GPI アンカーと結合させる(図 13・15b)．

なぜ膜係留配列をもつのに別の膜係留型に変えるのだろうか．

13. 膜や細胞小器官へのタンパク質の輸送

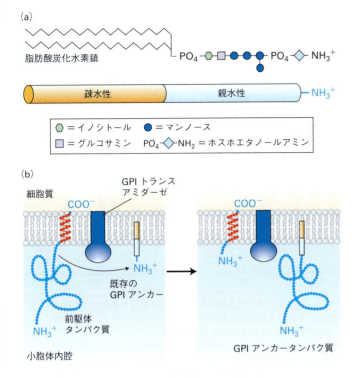

図 13・15　GPI アンカータンパク質. (a) 酵母のグリコシルホスファチジルイノシトール (GPI) の構造. 疎水性部分は脂肪酸の炭化水素鎖からなり, 親水性部分は糖残基とリン酸基からなる. 他の生物のものでは炭化水素鎖の長さや糖鎖の構造がここに示すものとは異なる. (b) GPI アンカータンパク質の小胞体膜上での形成. この種のタンパク質は, まず図 13・11 に示したような I 型膜貫通タンパク質として合成され, 小胞体膜に挿入される. 特異的トランスアミダーゼが疎水性輸送阻止-膜係留配列 (赤) の近くにある反細胞質ドメインの一部を切断し, 新たに生じた C 末端のカルボキシ基を既存の GPI アンカーのアミノ基と結合させる. [C. Abeijon and C. B. Hirschberg, 1992, *Trends Biochem. Sci.* **17**: 32; K. Kodukula et al., 1992, *Proc. Natl. Acad. Sci. USA* **89**: 4982 参照.]

重要なのは, GPI との結合の際に, もとのタンパク質の細胞質側に突き出た親水性部分からも切り離されるという点である. GPI で係留された膜タンパク質はリン脂質二重層の表面を比較的自由に動き回れるが, 膜貫通 α ヘリックスで係留されたタンパク質の多くはあまり自由に動けない. それは細胞質側に出た部分が細胞骨格と結合しているからである. また, 14 章で紹介するが, ある種の極性をもった上皮細胞では, GPI により係留されるタンパク質は選択的に細胞膜の頂端側に運ばれる.

膜タンパク質の空間配置はしばしばアミノ酸配列から決定できる

これまでみてきたように, 小胞体上で合成される膜タンパク質のポリペプチド鎖とトランスロコンとの相互作用の仕方は種々の空間配置決定配列によって決まる. 機能の不明なタンパク質を研究する際にその遺伝子から決まるアミノ酸配列中に空間配置決定配列があることがわかると, そのタンパク質の膜内での構造や機能についての重要な手掛かりとなる. たとえば, 細胞間シグナル伝達にかかわることがわかっているタンパク質の配列中に明らかな N 末端シグナル配列と内部の疎水性配列があったとしよう. このことから, このタンパク質は I 型膜内在性タンパク質で, たぶん細胞表面にあって外部リガンドの受容体となっていることが示

唆される. さらに, 空間配置が I 型ということは, シグナル配列と内部疎水性配列の間の N 末端部分が反細胞質側にドメインを形成して, リガンド結合に関与し, 内部疎水性配列以降の C 末端部分は細胞質側にあって, 細胞内シグナル伝達に関与することも示唆される.

空間配置決定配列を見いだすためにはアミノ酸配列データベースからシグナル配列あるいは膜係留配列となれるほど十分疎水性の強い領域を検出する手法が必要である. 現在, コンピュータープログラムを使って対象となるタンパク質の**疎水性分布図** (hydropathy profile) をつくることにより空間配置決定配列が同定されている. その第一段階はタンパク質中のアミノ酸それぞれについて**疎水性指標** (hydropathic index) を決めることである. 慣習的に疎水性アミノ酸には正の値が, 親水性アミノ酸には負の値が与えられる. 異なる尺度で決められた値が疎水性指標として使われることもあるが, どのような場合でも, 側鎖がほとんど炭化水素鎖でできているアミノ酸残基 (フェニルアラニンやメチオニン) に正の最も大きな値が与えられ, 電荷をもつアミノ酸残基 (アルギニンやアスパラギン酸) に最も負となる値が与えられている. 次の段階は N 末端のシグナル配列あるいは内部の輸送阻止-膜係留配列やシグナル-膜係留配列となれるほど十分に長く疎水性の強い配列部分を同定することである. これを見つけるために 20 個の連続したアミノ酸の疎水性指標の和を, アミノ酸を一つずつずらしながら, タンパク質全体にわたって計算していく. これらの値をアミノ酸配列上にプロットしたものが疎水性分布図となる.

図 13・16 に三つの異なる膜タンパク質の疎水性分布図を示す. 図中の際立ったピークが空間配置決定配列の候補とその位置やおよその長さを示している. たとえば, ヒト成長ホルモン受容体の疎水性分布図には N 末端の疎水性シグナル配列と内部にある疎水性輸送阻止-膜係留配列がはっきりと現れている (図 13・16a). この分布図から, ヒトの成長ホルモン受容体が I 型の膜内在性タンパク質であることを正しく推定できる. 異常な細胞表面糖タンパク質の除去にかかわるアシアロ糖タンパク質受容体の疎水性分布図には明らかな内部の疎水性シグナル-膜係留配列がみられるが, N 末端には疎水性シグナル配列がない (図 13・16b). したがって, アシアロ糖タンパク質受容体は II 型あるいは III 型の膜タンパク質であると推定できる. アシアロ糖タンパク質受容体の N 末端部分に 30 個の親水性残基があり, トランスロコンとの結合を開始するシグナル配列がなければ膜を越えて移動できないため, この領域は細胞質にとどまるはずであると推測できる. よって, これが II 型タンパク質であると正しく予測することができる.

グルコース輸送体 GLUT1 は複数回膜貫通タンパク質で, その疎水性分布図は膜貫通 α ヘリックスに十分なりうる領域が多数存在することを示している (図 13・16c). この分布図の複雑さは, 最初の空間配置決定配列の方向を予測することと, すべての膜貫通領域を明確に同定することのむずかしさの両方を物語っている. 疎水性領域近傍の正電荷の配置や疎水性領域の長さ, さらに疎水性領域間の間隔を考慮に入れたコンピューターアルゴリズムも開発されている. こうした情報をすべて入れて最良のアルゴリズムで計算すると, 複数回膜貫通タンパク質の複雑な空間配置を 80% 以上の精度で予想できる.

すでに知られているタンパク質とのアミノ酸配列の類似性も新

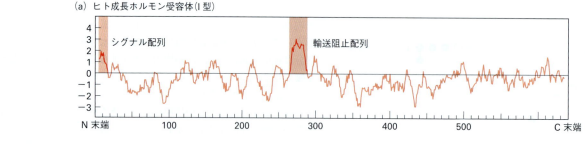
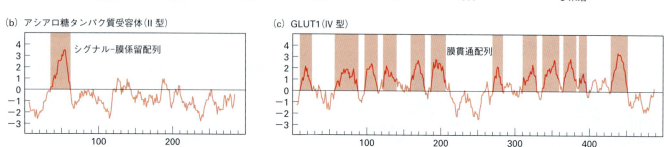

図 13・16 3種類の型のタンパク質における疎水性分布図. 疎水性分布図から膜内在性タンパク質の空間配置決定配列と考えられる部分を同定できる. 疎水性分布図は, 連続した20アミノ酸の疎水性指標の総和をタンパク質全体にわたって計算してつくられる. 正の値は比較的疎水性の強い部分, 負の値は比較的親水性が強い部分を表す. 疎水性空間配置決定配列と思われるところはマークしてある. (a) ヒト成長ホルモン受容体は明らかな二つの疎水性空間配置決定配列として, N末端のシグナル配列と内部の疎水性輸送阻止-膜係留配列をもっている. 膜を貫通する輸送阻止-膜係留配列はシグナル配列よりも著しく疎水的であることに注意してほしい. この配置から, これは成長ホルモンを結合するN末端ドメインをもつI型膜タンパク質であると正しく推論することが可能であろう. (b) アシアロ糖タンパク質受容体は, 疎水性の空間配置決定配列を一つもっている. この配列の前には30アミノ酸の親水性領域があるため, この配列はII型タンパク質のシグナル-膜係留配列であると正しく予測できる. II型タンパク質であることから, C末端ドメインがアシアロ糖タンパク質結合ドメインであると予測される. (c) GLUT1のような複数回膜貫通タンパク質(IV型)の複雑な分布図から空間配置を決めるためには他の分析結果も加味しなくてはならない.

たに発見された複数回膜貫通タンパク質の空間配置を正確に予想するのに役立つ. たとえば, 多細胞生物のゲノムには非常に多くの7個の疎水性膜貫通領域をもったタンパク質がコードされている. アミノ酸配列の類似性から, それらのタンパク質はよく知られているGタンパク質共役型受容体と同じ空間配置, すなわちN末端が反細胞質側でC末端が細胞質側に向いていることを強く示唆する.

13・2 膜タンパク質の小胞体膜への挿入 まとめ

- 粗面小胞体上で合成されるタンパク質には膜内在性タンパク質5種類と脂質によって膜に係留されるタンパク質がある (図13・10).
- N末端のシグナル配列, 内部にある輸送阻止-膜係留配列, および内部にあるシグナル-膜係留配列といった空間配置決定配列が伸長中のポリペプチド鎖を小胞体膜に挿入させ, 膜内での配置を決定する. この配置は完成した膜タンパク質が最終目的地 (たとえば細胞膜) に輸送されていく途中でも変わらない.
- SRPとの相互作用によって開始され, トランスロコンに結合したリボソーム上で合成される1回膜貫通タンパク質には, I型, II型, III型の3種の配向が存在する. これらの配向の種類は, シグナル配列の有無, 親水性N末端部分の長さ, 疎水性膜貫通領域に隣接する正電荷残基の配置に依存する (図13・14).
- C末端に1回の膜貫通領域をもつ尾部係留タンパク質は, 翻訳後に膜に挿入される. その挿入は細胞質に存在する受容体Get3に依存している. Get3はSRPおよびSRP受容体のGTPaseドメインと類似したATPaseである.
- 複数回膜貫通 (IV型) タンパク質の配向は, 1回膜貫通タンパク質と同じ原理で, 最初の膜貫通領域の方向によって決定される. それぞれの膜貫通領域はリボソームから出るときに順次トランスロコンと結合し, その結果, 交互に配向して膜に挿入される.
- ある種の細胞表面タンパク質は最初に小胞体膜上でI型として合成され, 次にその内腔側のドメインがGPIに移され, 膜に係留される (図13・15).
- 疎水性分布図を作成しアミノ酸配列内の疎水性空間配置決定配列を同定するコンピュータープログラムにより, 膜タンパク質の空間配置を正しく予想することが可能である (図13・16).

13・3 小胞体内でのタンパク質の修飾, 折りたたみ, および品質管理

粗面小胞体上で合成された膜タンパク質と水溶性分泌タンパク質は最終目的地に達するまでの間に次の四つの重要な修飾を受ける. 1) 小胞体とゴルジ体での糖鎖の付加とそれに続くプロセシング (**グリコシル化** glycosylation), 2) 小胞体でのジスルフィド結合の形成, 3) 小胞体でのポリペプチド鎖の適切な折りたたみと多量体形成, 4) 小胞体, ゴルジ体, および分泌小胞でのプロテアー

ゼによる特異的切断．多くの場合，これらの修飾は分泌タンパク質が本来の構造に折りたたまれることを助け，細胞外環境にさらされたときにタンパク質をより安定化させる．グリコシル化のような修飾は細胞表面に化学的性質の異なる多様なタンパク質を並べることを可能にし，それが細胞接着や細胞間情報伝達の基礎となっている．

粗面小胞体上で合成されて内腔に入るタンパク質のほとんどに一つあるいはそれ以上の糖鎖が付加される．炭水化物の付加されたタンパク質を**糖タンパク質**（glycoprotein）とよぶ．糖タンパク質のセリンやトレオニンのヒドロキシ基に結合する糖鎖は**O結合型オリゴ糖**（O-linked oligosaccharide），アスパラギンのアミドの窒素に結合する糖鎖は**N結合型オリゴ糖**（N-linked oligosaccharide）とよばれる．O結合型オリゴ糖にはムチン〔mucin，粘液（mucus）中に大量に存在するのでこの名がついた〕や20章で説明するプロテオグリカンに付加されるものが含まれる．O結合型糖鎖は一般に直鎖状で，ゴルジ体内腔に存在する**グリコシルトランスフェラーゼ**（glycosyltransferase）という酵素によりタンパク質に付加される．より一般的なN結合型オリゴ糖鎖はいくつかの枝分かれをもち，小胞体で最初に付加される．本節では，N結合型オリゴ糖鎖に焦点を当てる．この糖鎖の前駆体は小胞体内で最初に付加され，その後，小胞体内，そして多くの場合ゴルジ体内でさらに修飾を受ける．

小胞体内でだけ起こるジスルフィド結合形成，タンパク質の折りたたみ，そして多量体形成についても本節で説明する．適切に折りたたまれ，正しく会合したタンパク質だけが小胞体からゴルジ体へ，そして細胞表面あるいは他の最終目的地へと送られる．折りたたまれなかったタンパク質，正しく折りたたまれなかったもの，部分的に折りたたまれ集合塊をつくったものなどは識別されて小胞体内に残され，分解される．本節の後半ではこの"品質管理"のしくみについてもみていく．

前に述べたが，分泌タンパク質とI型膜タンパク質のN末端にあるシグナル配列は小胞体内に入ると切断される．ある種のタンパク質はゴルジ体や分泌小胞内において別の種類の特異的切断を受ける．ゴルジ体でだけ起こるこれらの切断や糖鎖の修飾については次の章で扱う．

粗面小胞体内では，あらかじめつくられたN結合型オリゴ糖鎖が多くのタンパク質に付加される

粗面小胞体における N 結合型オリゴ糖鎖形成は 14 残基からなる既成のオリゴ糖前駆体が付加されることによりはじまる（図13・17）．植物，動物，および真核単細胞のオリゴ糖前駆体はすべて同じで，3個のグルコース（Glc），9個のマンノース（Man），2個のN-アセチルグルコサミン（GlcNAc）からなり，枝分かれ構造をもつ．この構造を $Glc_3Man_9(GlcNAc)_2$ と書くこともある．付加されたのち，この枝分かれした糖鎖構造は小胞体やゴルジ体において単糖の付加あるいは除去といった修飾を受ける．その修飾は糖タンパク質ごとに異なり，生物によっても異なるが，14個のうちの5個は必ず残り，分泌タンパク質や膜タンパク質のすべてのN結合型糖鎖において保存されている．

このオリゴ糖前駆体は，**ドリコールリン酸**（dolichol phosphate）とよばれる膜に結合した長いポリイソプレノイド脂質（10章）上でつくられてから，タンパク質に付加される．ドリコールリン酸に最初の糖であるGlcNAcが二リン酸結合で付加されたのち，他の糖は粗面小胞体膜の細胞質側あるいは内腔側に結合した酵素が触媒する一連の複雑な反応によってグリコシド結合で付加されていく（図13・17）．最終的につくられたドリコール-二リン酸-オ

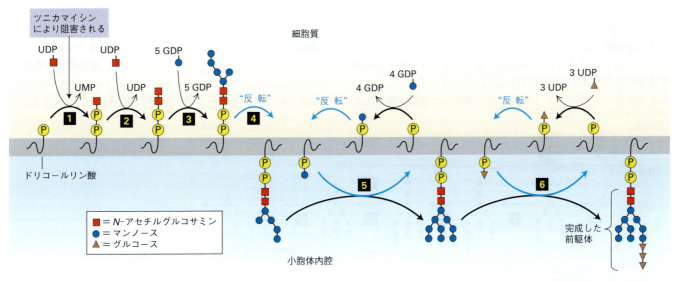

図 13・17 オリゴ糖鎖前駆体の生合成．ドリコールリン酸は75〜95個の炭素を含む疎水性の強い脂質で小胞体膜に埋込まれている．2個のN-アセチルグルコサミン（GlcNAc）と5個のマンノースが，小胞体の細胞質側にあるドリコールリン酸に1個ずつ付加されていく（段階 **1**〜**3**）．この反応やその後の反応に使われるヌクレオチド糖供与体は細胞質で合成される．ドリコールに最初に付加された糖との間は高エネルギー二リン酸結合になっている点に注意してほしい．ツニカマイシンはこの経路の最初の酵素を阻害するので，細胞内でのN結合型オリゴ糖の合成は止まってしまう．7個の糖がついたところでドリコール-二リン酸-オリゴ糖鎖中間体は反転して内腔側に突き出す（段階 **4**）．そこで残りの4個のマンノースと3個のグルコースが1個ずつ付加される（段階 **5**，**6**）．この後半の反応で付加される糖はヌクレオチド糖から小胞体の細胞質側にあるドリコールリン酸にまず渡される．次にそれが内腔側に反転し，結合しているグルコースやマンノースを伸長中のオリゴ糖鎖に与える．その後，"空になった"ドリコールは再び反転し細胞質側を向く．[C. Abeijon and C. B. Hirschberg, 1992, *Trends Biochem. Sci.* **17**: 32 参照．]

リゴ糖鎖は小胞体内腔側に向いている．前駆体の合成の際，最後に付加された3個のグルコースは，オリゴ糖鎖が完成し，タンパク質に付加される準備ができたというシグナルになっているようである．

この14残基からなるオリゴ糖前駆体は運搬体であるドリコールから小胞体内腔に入ってきたばかりのポリペプチド鎖のアスパラギン残基に渡される（図13・18，段階**1**）．Asn-X-Ser/Thr（Xはプロリン以外のどのアミノ酸でもよい）という配列内のアスパラギンだけが**オリゴ糖転移酵素**（oligosaccharyl transferase）の基質となり糖鎖を付加される．この転移酵素の3個のサブユニットのうち2個は小胞体膜内在性タンパク質で，それらの細胞質に面しているドメインはリボソームと結合する．こうして小胞体内腔側にある転移酵素活性をもつ第三のサブユニットが，伸長してきたポリペプチド鎖の近くにくるようになっている．すべてのAsn-X-Ser/Thr という配列にオリゴ糖鎖が付加されるのではない．そして，そのような配列をもったもののうち，どれが実際に修飾を受けるかをまわりのアミノ酸配列から予測することはできない．Asn-X-Ser/Thr という配列をもった領域がすばやく折りたたまれてしまうと，オリゴ糖鎖の転移が妨げられるのだろう．前駆体 $Glc_3Man_9(GlcNAc)_2$ が合成途中のポリペプチド鎖に付加されるとすぐに三つの異なる**グリコシダーゼ**（glycosidase）によって3個のグルコースすべてとマンノースのうちの特定の1個が除去される（段階**2**〜**4**）．

オリゴ糖鎖は糖タンパク質の折りたたみと安定性に寄与しているのだろう

糖タンパク質に付加されたオリゴ糖鎖はさまざまな機能を果たしている．たとえば，ある種のタンパク質は，小胞体内で正しく折りたたまれるために，N結合型オリゴ糖鎖を必要とする．この機能は**ツニカマイシン**（tunicamycin）という抗生物質を使った実験によって明らかにされた．ツニカマイシンはN-グリコシド結合する糖鎖合成の最初の段階であるドリコールリン酸への結合を阻害する（図13・17左上）．たとえば，インフルエンザウイルスの赤血球凝集素前駆体タンパク質HA_0は，ツニカマイシンによってオリゴ糖鎖のN-グリコシド結合が阻害されると適切に折りたたまれず，正常な三量体になれない．この正しくない構造をとったものは粗面小胞体内に止められる．さらに，HAタンパク質中の糖鎖が結合するはずのアスパラギンをグルタミンに変えてしまうと，N結合型オリゴ糖鎖の付加が起こらなくなり，折りたたまれないHAタンパク質が小胞体内に蓄積する．

N結合型オリゴ糖鎖は，タンパク質の適切な折りたたみを促すだけでなく，多くの分泌糖タンパク質の安定性にも寄与している．多くの分泌タンパク質は，N結合型オリゴ糖鎖の付加がツニカマイシンなどによって妨害されても正常な立体構造をとり，本来の目的地に運ばれる．しかし，糖鎖が付加されていないタンパク質は，付加されたものに比べると不安定であることが示されている．たとえば，細胞外マトリックスの成分であるフィブロネクチンの場合，糖鎖が付加されたものは付加されないものに比べて，組織中のプロテアーゼによって分解されにくいことが知られている．

細胞表面の糖タンパク質のオリゴ糖鎖は細胞間接着にも大切な役割を果たしている．たとえば，白血球細胞膜には多くの糖鎖がついた細胞接着分子（CAM）がある．このオリゴ糖鎖は血管内壁の内皮細胞上の別なCAMの糖鎖結合ドメインと相互作用する．この相互作用により白血球は内皮細胞に接着し，細菌感染により炎症を起こしたとき，すばやく組織中に出ていくことができる（図20・42参照）．他の細胞表面糖タンパク質のオリゴ糖鎖は免疫応答をひき起こす．その代表的な例がABO式血液型抗体である．これは赤血球や他の細胞の表面に存在する糖タンパク質や糖脂質に付加されたO結合型オリゴ糖鎖によるものである（図10・20参照）．どちらの場合も，オリゴ糖鎖はそれらの膜タンパク質の内腔に面した側に付加され，そのやり方は図13・18に示した水溶性タンパク質の場合と同じである．それらの膜タンパク質の内腔に面した側とは，最終的に細胞膜に出たときに細胞外部に向く側である．

小胞体内腔のタンパク質がジスルフィド結合をつくり，その組換えも行う

3章で，分子内あるいは分子間の**ジスルフィド結合**（disulfide bond）−S−S−が多くのタンパク質の三次構造や四次構造を安定

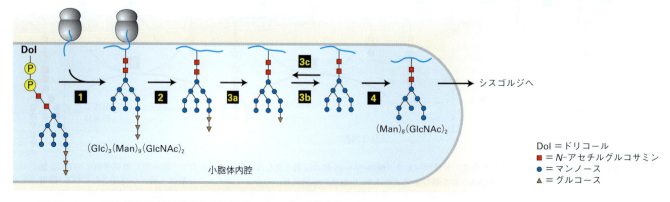

図13・18　N結合型オリゴ糖鎖の付加と初期プロセシング．脊椎動物細胞の粗面小胞体で，基質となるアスパラギンが内腔に出てくるとすぐに，$Glc_3Man_9(GlcNAc)_2$前駆体はドリコールから切り離されてそこに結合させられる（段階**1**）．三つの別々な反応により，最初に1個のグルコース（段階**2**），次に2個のグルコース（段階**3a**，**3b**），最後に1個のマンノース（段階**4**）が切り離される．あとに述べるように，グルコースが1個再付加されること（段階**3c**）が小胞体における多くのタンパク質の正しい折りたたみを助けている．ここでは水溶性分泌タンパク質へのN結合型オリゴ糖の付加過程を示しているが，膜内在性タンパク質の内腔側にあるアスパラギン残基も同じように修飾される．［R. Kornfeld and S. Kornfeld, 1985, *Annu. Rev. Biochem.* **45**: 631; M. Sousa and A. J. Parodi, 1995, *EMBO J.* **14**: 4196 参照］

化するということを述べた．この共有結合は同じポリペプチド鎖あるいは異なるポリペプチド鎖中の二つのシステイン残基の**スルフヒドリル基**（sulfhydryl group, チオール基 thiol group ともいう）－SH が酸化されることによってつくられる．この反応は適切な酸化剤が存在するときにだけ起こる．真核細胞では，ジスルフィド結合形成は粗面小胞体内腔で行われるため，ジスルフィド結合ができるのは分泌タンパク質や膜タンパク質の反細胞質側の部分である．細胞質にはジスルフィド結合の形成に必要な酵素が存在しないため，細胞質タンパク質およびほとんどの細胞小器官（ミトコンドリア，葉緑体，ペルオキシソームなど）のタンパク質にはジスルフィド結合がない．

小胞体内腔で効率よくジスルフィド結合を形成させるには**タンパク質ジスルフィドイソメラーゼ**（protein disulfide isomerase: PDI）という酵素が必要である．この酵素は真核細胞には必ず存在するが，ジスルフィド結合をもつタンパク質を大量につくっている肝臓や膵臓などの分泌細胞の小胞体中に特に豊富に存在する．図 13・19(a) に示すように，PDI の活性部位に存在するジスルフィド結合は，2 段階のチオール-ジスルフィド転移反応により基質タンパク質に転移させられる．この反応で還元された PDI は，Ero1 とよばれる小胞体内在性タンパク質のもつジスルフィド結合を還元することにより，酸化型に戻る．Ero1 自身は小胞体内に拡散してきた O_2 によって酸化される．

二つ以上のジスルフィド結合をもつタンパク質において，適切なシステイン残基どうしで結合を形成することは，正常な構造あるいは活性をもつうえで重要である．通常ジスルフィド結合は，まだポリペプチド鎖がリボソーム上で伸長しているうちに出てきた順に形成されていく．しかし，このように出てきた順に行うと不適切な組合わせになることもある．たとえば，インスリンというペプチドホルモンの前駆体であるプロインスリンは三つのジスルフィド結合をもち，その組合わせは 1 番目と 4 番目，2 番目と 6 番目，3 番目と 5 番目となっている．この場合，正しく折りたたまれるためには，出てきた順に形成されたジスルフィド結合（たとえばシステインの 1 番と 2 番）を組換えねばならない．細胞内で，この過程は PDI によって行われている．この酵素は多くのタンパク質を基質とし，タンパク質が熱力学的に最も安定な構造をとれるようにしている（図 13・19b）．通常ジスルフィド結合形成は決まった順序で起こる．まずポリペプチド鎖の小さな領域を安定化し，次に少し離れた部位どうしの相互作用を安定化するように結合が起こる．この現象は次項で説明するインフルエンザウイルスの HA タンパク質の折りたたみによく現れている．

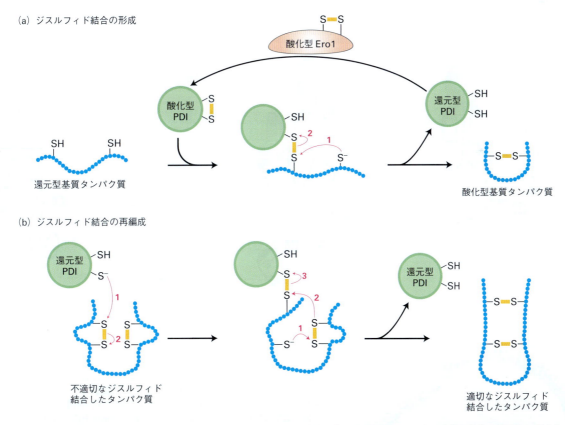

図 13・19　タンパク質ジスルフィドイソメラーゼ (PDI) の作用．PDI の活性部位には 2 個のシステイン残基が非常に接近して存在し，還元されてジチオールになった状態と酸化されてジスルフィドになった状態のどちらにも容易になれるので，それを使ってジスルフィド結合の形成と再編成を行う．番号のついた赤矢印は電子が移動する順番を示している．黄線はジスルフィド結合を示す．(a) ジスルフィド結合を形成する場合，基質タンパク質のシステインのチオールがイオン化したとき（－S⁻）に酸化型の PDI のジスルフィド結合（S－S）と反応し，基質タンパク質と PDI の間でジスルフィド結合をつくった中間体ができる．基質タンパク質の第二のチオールがイオン化すると，この中間体のジスルフィド結合と反応し，基質内でのジスルフィド結合ができ，還元された PDI が解離する．次に，PDI は電子を小胞体内腔のタンパク質 Ero1 に渡して酸化型に戻る．(b) 還元された PDI は，同様なチオール-ジスルフィド転移反応により，不適切につくられたジスルフィド結合を再編成することもできる．この場合，反応を開始させた還元型 PDI は反応の最後に再生される．そのタンパク質が最も安定な構造になるまで，この反応が繰返される．[M. M. Lyles and H. F. Gilbert, 1991, *Biochemistry* **30**: 619 参照．]

シャペロンや他の小胞体タンパク質がタンパク質の折りたたみと集合を促す

変性したタンパク質の多くは in vitro で自発的に巻戻り，もとの状態に戻るが，その巻戻りには何時間もかかる．一方で，小胞体上で新たに合成されたタンパク質は，小胞体内腔で数分以内に正しい構造をとる．新たに合成されたタンパク質のすばやい折りたたみを促進しているのは，小胞体内腔に存在する何種類かのタンパク質による一連の作用である．酵母の BiP というシャペロンが，伸長中のポリペプチド鎖と結合して，小胞体への翻訳後輸送を行うことはすでに述べた（図 13・9）．BiP は一時的に，翻訳時輸送されて小胞体に入ってきた伸長中のポリペプチド鎖とも結合することができる．結合した BiP は伸長中のポリペプチド鎖のまちがった折りたたみや非特異的会合を防ぎ，結果としてそのタンパク質が正しく折りたたまれるように手助けしている．多くのタンパク質において正しい三次元的構造はジスルフィド結合によって安定化されるので，PDI も適切な折りたたみに寄与している．

二つの小胞体タンパク質**カルネキシン**（calnexin）と**カルレティキュリン**（calreticulin）は相同性のあるレクチン（炭水化物結合タンパク質）で，図 13・20 に示すように，これらは合成途中のタンパク質に付加された N 結合型オリゴ糖鎖と選択的に結合する．これら 2 種類のレクチンのリガンドとなる糖鎖は，N 結合型オリゴ糖鎖前駆体と似ているが，小胞体内腔に存在する特異的グルコシルトランスフェラーゼによってグルコースが 1 個付加された $Glc_1Man_9(GlcNAc)_2$ である（図 13・18, 段階 **3a**）．この酵素は折りたたまれていないペプチド鎖か折りたたみをまちがえたペプチド鎖にのみ作用するので，小胞体でのタンパク質折りたたみの品質管理において主要な監視機構となっている．適切に折りたたまれたタンパク質では疎水性中心部となって内部に埋込まれるはずの疎水性部分が，折りたたまれていないタンパク質ではしばしば露出する．このグルコシルトランスフェラーゼはこうして露出した疎水性部分に結合することで，折りたたまれていないタンパク質を特異的に認識すると考えられている．小胞体上で合成されている最中の，グルコースつきの N 結合型オリゴ糖鎖が付加されたペプチド鎖にカルネキシンやカルレティキュリンが結合することにより，同一ペプチド鎖上の近隣の部分が会合することが妨げられる．カルネキシンやカルレティキュリンは，BiP と同様に，新たにつくられたタンパク質が先走って正しくない折りたたみ構造をとることを抑えているのである．

小胞体内腔でタンパク質の折りたたみに重要な役割を果たす酵素に**ペプチジルプロリルイソメラーゼ**（peptidylprolyl isomerase）がある．この一群の酵素は，まだ折りたたまれていないポリペプチド鎖をプロリン残基のところで回転させる．

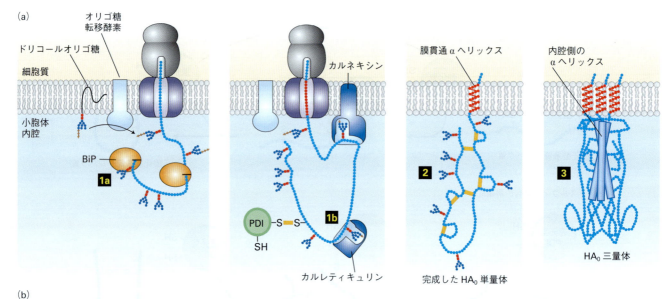

図 13・20　赤血球凝集素の折りたたみと集合．（a）HA_0 三量体の形成機構．伸びてきたペプチド鎖へのシャペロン BiP の結合（段階 **1a**）とオリゴ糖鎖へのカルネキシンやカルレティキュリンといったレクチンの結合（段階 **1b**）によって近傍の部位との間で適切な折りたたみが行われる．この翻訳時輸送中に 7 個の N 結合型オリゴ糖鎖が付加され，PDI によって単量体当たり 6 個のジスルフィド結合が形成される．完成した HA_0 単量体は N 末端が内腔に向くようにして 1 個の膜貫通 α ヘリックスによって膜に係留される（段階 **2**）．3 個の HA_0 単量体がまず膜貫通 α ヘリックスどうしで相互作用する．この相互作用により長い α ヘリックスからなる茎部がそれぞれの HA_0 の内腔側につくられる．最後に球状頭部どうしが相互作用し，完成した HA_0 三量体となる（段階 **3**）．（b）HA タンパク質三量体がスパイクとなってインフルエンザウイルスの膜表面から突き出ている様子を示した電子顕微鏡写真．色はあとからつけたものである．［U. Tatu et al., 1995, *EMBO J.* **14**: 1340; D. Hebert et al., 1997, *J. Cell Biol.* **139**: 613 参照．(b) は Chris Bjornberg/Science Source/amanaimages．］

タンパク質ドメインの折りたたみではこの回転による異性化が律速段階になることがある．ペプチジルプロリルイソメラーゼの多くは露出しているプロリン残基すべてに働き，その回転を促すが，一部のものは特別な基質にだけ働く．

小胞体上で合成される重要な膜タンパク質あるいは分泌タンパク質のなかには二つ以上のポリペプチド鎖（サブユニット）からなるものが多い．それらの多サブユニットタンパク質（多量体タンパク質）の形成はすべて小胞体内で行われる．重(H)鎖2本と軽(L)鎖2本が互いにジスルフィド結合でつながれている免疫グロブリンもそのようにしてつくられる．赤血球凝集素（HA）タンパク質は小胞体内での多量体タンパク質の折りたたみとサブユニット集合の仕方を理解するうえでよい例となる（図13・20）．この三量体タンパク質はインフルエンザウイルスの表面から突き出す"スパイク"となっている．この HA 三量体は，感染細胞小胞体内で HA_0 とよばれる膜貫通 α ヘリックスを一つもつ前駆体3個からつくられる．ゴルジ体で3個の HA_0 タンパク質は切断され，それぞれ二つのポリペプチド HA_1 と HA_2 になる．したがって，その後ウイルス表面の1本のスパイクとなる HA には3個の HA_1 と3個の HA_2 が含まれている（図3・10）．この三量体構造は反細胞質側（小胞体内腔）に突き出た大きなドメインをつくっているポリペプチドの相互作用によって安定化されている．HA が細胞表面に送り出されるとこれらのドメインは細胞外部に突き出す．HA の細胞質側の小さな部分や膜貫通部分における相互作用も三量体の安定化に寄与している．さまざまな実験から，細胞内で新たに合成された HA_0 ポリペプチド鎖は約10分で折りたたまれて三量体になることがわかった．

小胞体内の不適切に折りたたまれたタンパク質は タンパク質折りたたみを助ける酵素の発現を誘導する

粗面小胞体で合成された野生型タンパク質は折りたたみが完了するまでそこから出られない．同様に，タンパク質に正しく折りたたまれなくなるような突然変異を起こさせると，そうしたタンパク質は粗面小胞体の内腔あるいは膜上からゴルジ体へと移動することができなくなる．折りたたまれなかったり，不完全に折りたたまれたタンパク質を小胞体内に止めるという機構は，小胞体内に多く存在する折りたたみを助ける酵素のそばにそれら中間体を止めることになるので，タンパク質折りたたみの効率を上げることになるだろう．通常，不完全な立体構造となったものは小胞体内シャペロン BiP あるいはカルネキシンと結合した状態になっている．したがって，内腔で折りたたみを触媒するタンパク質は二つの関連する役割を担っている．その一つは正常なタンパク質が集合塊となるのを防ぎ，正しく折りたたまれるように助けることであり，もう一つは正しくない立体構造をとってしまったタンパク質と結合し，小胞体内にとどめることである．

哺乳類細胞も酵母も，粗面小胞体内に折りたたまれていないタンパク質が多くなると，小胞体内シャペロンや折りたたみを助ける酵素の遺伝子の転写を促すことにより対応する．この**折りたたまれていないタンパク質に対する応答**（unfolded-protein response: UPR）で重要な役割を果たすのは小胞体膜上に単量体あるいは二量体として存在しているタンパク質 Ire1 である．単量体ではなく二量体のとき，Ire1 は酵母での折りたたまれていないタンパク質に対する応答をひき起こす遺伝子群の発現を活性化する転写因子 Hac1 の産生を促す．図13・21 に示すように，Ire1 の内腔側ドメインに BiP が結合すると二量体形成が妨害される．このように，小胞体内腔の遊離 BiP 量が Ire1 の単量体と二量体の量比を決めている．小胞体内腔に折りたたまれていないタンパク質が蓄積すると遊離 BiP の量が減少し Ire1 と結合できなくなる．その結果，二量体 Ire1 の量が増え，Hac1 量を増加させ，タンパク質の折りたたみを助けるタンパク質の産生が増すのである．

哺乳類細胞には小胞体での折りたたまれていないタンパク質に対する応答を行うもう一つの調節経路が存在する．この経路に

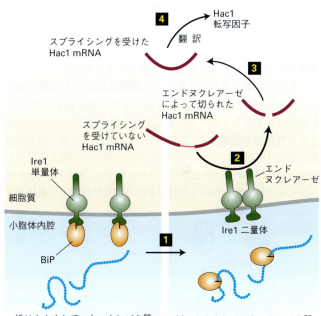

図 13・21 折りたたまれていないタンパク質に対する応答．Ire1 という小胞体膜貫通タンパク質は内腔側ドメインに BiP 結合部位をもち，細胞質側ドメインに特異性の高い RNA エンドヌクレアーゼ活性部位をもつ．段階**1**：小胞体内腔に折りたたまれていないタンパク質が蓄積すると，BiP がそれに結合するので，Ire1 単量体に結合していた BiP が解離する．Ire1 が二量体になるとエンドヌクレアーゼ活性が活性化する．段階**2**, **3**：スプライシングを受けていない転写因子 Hac1 の mRNA が二量体化した Ire1 によって切断され，二つのエクソンがつながって翻訳可能な Hac1 の mRNA となる．一般に mRNA 前駆体のプロセシングは核内で起こるが，現在得られている証拠によると，この過程は細胞質で起こっている．段階**4**: Hac1 の mRNA から Hac1 タンパク質が合成され，それが核内に戻ってタンパク質の折りたたみを助けるいくつかのタンパク質の遺伝子の転写を促す．[U. Ruegsegger et al., 2001, *Cell* **107**: 103; A. Bertolotti et al., 2000, *Nat. Cell Biol.* **2**: 326; C. Sidrauski and P. Walter, 1997, *Cell* **90**: 1031 参照.]

おいて，折りたたまれていないタンパク質が小胞体内に蓄積すると，小胞体膜貫通タンパク質 ATF6 の膜貫通部分で切断が起こる．これによって放出された ATF6 の細胞質ドメインが核にいき小胞体シャペロンの遺伝子の転写を促す．このような**調節性膜内タンパク質分解**（regulated intramembrane proteolysis）による転写因子の活性化は Notch シグナル伝達経路やステロール調節配列結合タンパク質 SREBP でも使われている（図 16・25，図 21・6 参照）．

遺伝性気腫は，小胞体でのタンパク質の折りたたみまちがいがいかに有害な結果をもたらすかをよく示している．この疾患は，肝細胞やマクロファージが分泌する α_1 アンチトリプシン（α_1-antitrypsin）の点突然変異によって起こる．野生型のタンパク質はトリプシンや血中プロテアーゼであるエラスターゼに結合し，その活性を阻害する．α_1 アンチトリプシンが存在しないと，肺の中で酸素取込みに重要な役割を果たしている毛細血管をエラスターゼが破壊し，それが気腫をひき起こす．突然変異 α_1 アンチトリプシンは粗面小胞体で合成されはするが，正しく折りたたまれず結晶状の集合塊を形成してしまうのでその先へ輸送されないのである．肝細胞では粗面小胞体がこの集合塊となった α_1 アンチトリプシンでいっぱいとなると，他の肝臓タンパク質の分泌にも悪い影響が出る．

多量体にならない，または正しく折りたたまれないタンパク質の多くは小胞体から細胞質に戻され分解される

正しく折りたたまれなかった分泌タンパク質や膜タンパク質，あるいは多量体タンパク質に組込まれなかったサブユニットは，粗面小胞体での合成後 1～2 時間のうちに分解される．はじめは粗面小胞体内のプロテアーゼがそれらを分解していると考えられていたが，そのような酵素は発見できなかった．最近の研究から，正しく折りたたまれなかった分泌タンパク質は特別な小胞体膜タンパク質により認識され，**逆転輸送**（dislocation）という過程により小胞体から細胞質へ戻されることがわかった．

正しく折りたたまれなかったタンパク質の逆転輸送と分解にあたっては，小胞体膜と細胞質に存在する一群のタンパク質が三つの基本的機能を果たす．第一の機能とは，逆転輸送の基質となる正しく折りたたまれないタンパク質の検出である．この検出機構の一つが小胞体内のマンノシダーゼ群による N 結合型糖鎖の刈込みである（図 13・22）．刈込まれて $Man_{5\sim6}(GlcNAc)_2$ となった糖鎖は **OS-9** というレクチン様タンパク質によって検出され，刈込まれた糖鎖をもったタンパク質は逆転輸送される．小胞体の α-マンノシダーゼがどのように以下の二つを区別しているのかは厳密にはわかっていない．すなわち，ある程度は折りたたまれているが，最終的に正しく折りたたまれることがなく，分解過程の正当な基質となるべき欠陥があるタンパク質と，正常なタンパク質であるが，まだ正しく折りたたまれる途中であるタンパク質の二つについてである．一つの可能性として，α-マンノシダーゼによる刈込み速度がとても遅く，いつまでも折りたたまれないタンパク質だけが刈込まれ，それが分解されるという機構が考えられる．小胞体内腔タンパク質でオリゴ糖鎖をもたないものでも分解されるので，N 結合型オリゴ糖鎖の刈込み以外で，まちがった折りたたみを検出する別機構の存在が示唆される．

正しく折りたたまれていない小胞体タンパク質は，合成時に起こる輸送とは逆方向に小胞体膜を横切って運ばれるため，この輸送を逆転輸送とよぶ．**小胞体関連分解**（ER-associated degradation: **ERAD**）とよばれる，少なくとも 4 個の膜内在性タンパク質からなる複合体がそれを行っているが，ERAD 複合体がタンパク質を逆転輸送するためのチャネルをつくっているという証拠はなく，他の機構が存在する可能性が考えられる．一つの可能性は，Sec61 チャネルを，正しく折りたたまれていないタンパク質を小胞体内腔から細胞質へ逆転輸送させるために再利用することである．逆転輸送には細胞質側から強力に引っ張ったり，タンパク質をほど

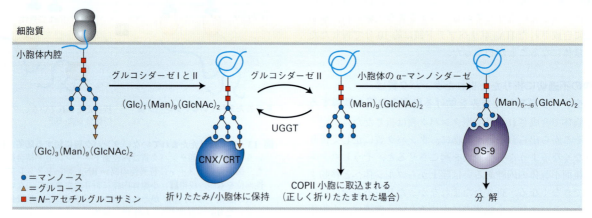

図 13・22　N 結合型オリゴ糖鎖の修飾は折りたたみ具合の検出と品質管理に使われる．小胞体内で新たに合成され，完全に折りたたまれていないタンパク質に $Glc_3Man_9(GlcNAc)_2$ の N 結合型オリゴ糖が付加されたのち，グルコシダーゼ Ⅰ と Ⅱ によって三つのグルコース残基が取除かれ，$Glc_1Man_9(GlcNAc)_2$ が生成する（図 13・18，段階 **2**，**3**）．この修飾された N 結合型オリゴ糖はレクチンであるカルネキシン（CNX）およびカルレティキュリン（CRT）と結合し，小胞体内に保持され，シャペロンにより折りたたまれる．N 結合型オリゴ糖が CNX と CRT から遊離すると，グルコシダーゼ Ⅱ によってグルコースが除去され，$Man_9(GlcNAc)_2$ となり，さらに $Man_8(GlcNAc)_2$ に処理されたのち COPⅡ 小胞に取込まれ，シスゴルジへと向かう（図 13・18，段階 **3**，**4**）．タンパク質が完全に折りたたまれていない場合，UGGT として知られるグルコース転移酵素がグルコース残基を付加して $Glc_1Man_9(GlcNAc)_2$ を生成し，これが再び CNX と CRT に結合して，再度折りたたみを試みる．適切に折りたたまれず，小胞体内に長く滞在するタンパク質は，小胞体内の α-マンノシダーゼ群によってマンノースが切取られ $Man_{5\sim6}(GlcNAc)_2$ となり OS-9 によって認識される．OS-9 によって認識されたものは，正しく折りたたまれなかったものとして小胞体から逆転輸送され，細胞質でユビキチン化され，プロテアソームによって分解される．

いたりするしくみが不可欠なので，この目的のための専用チャネルがなくても，正しく折りたたまれていないタンパク質が直接脂質二重層中を引きずり出される可能性もある．

逆転輸送されるポリペプチドが膜の細胞質側に顔を出すと，**AAA ATPase** ファミリー（AAA ATPase family）タンパク質の一員である p97 によって認識される．AAA ATPase ファミリーのタンパク質は，ATP 加水分解のエネルギーを使いタンパク質複合体を解離させることが知られている．逆転輸送においては，p97 が ATP を加水分解した際に生じるエネルギーを使って正しく折りたたまれなかったタンパク質を小胞体膜から細胞質に引出しているのかもしれない．正しく折りたたまれなかったタンパク質が細胞質に出てくると，ERAD 複合体の構成成分である特異的ユビキチンリガーゼが逆転輸送されたポリペプチドにユビキチンを付加する．p97 の作用と同様に，ユビキチン化反応も ATP 加水分解と共役しているので，エネルギーの一部はそれらのタンパク質が細胞質から戻れなくするために使われているのかもしれない．全体が細胞質に出てきてポリユビキチン化されたポリペプチドは，プロテアソームによる分解の対象とされる．タンパク質をポリユビキチン化してプロテアソームに送り込むことに関しては3章で詳しく説明した（図 3・32, 図 3・39 参照）．

13・3 小胞体内でのタンパク質の修飾，折りたたみ，および品質管理　まとめ

- アスパラギンに N–グリコシド結合するすべての N 結合型オリゴ糖鎖は2個の N–アセチルグルコサミンと少なくとも3個のマンノースからなる共通部分をもち，通常いくつかに枝分かれしている．セリンやトレオニンに O–グリコシド結合する O 結合型オリゴ糖鎖は一般に短く，糖残基数1〜4のものが多い．
- N 結合型オリゴ糖の形成は，共通構造である14残基からなる多マンノース型前駆体をドリコールという粗面小胞体膜中の脂質上で合成することからはじまる（図 13・17）．粗面小胞体内腔で伸長中のポリペプチド鎖の特定のアスパラギンにあらかじめつくられたこのオリゴ糖が渡されたあと，3個のグルコースと1個のマンノースが除去される（図 13・18）．
- オリゴ糖鎖は，糖タンパク質の正しい折りたたみを助け，プロテアーゼによる攻撃から守り，細胞間接着に寄与し，抗原にもなる．
- 分泌タンパク質および膜タンパク質の反細胞質側ドメインのジスルフィド結合は小胞体内でつくられる．小胞体内腔に存在するタンパク質ジスルフィドイソメラーゼ（PDI）はジスルフィド結合の形成だけでなく組換えも触媒する（図 13・19）．
- シャペロンである BiP，レクチンであるカルネキシンやカルレティキュリン，そしてペプチジルプロリルイソメラーゼが一緒になって働いて，小胞体内で新たにつくられた分泌タンパク質や膜タンパク質の適切な折りたたみを助ける．多量体となるタンパク質のサブユニットは小胞体内で集合体を形成する（図 13・20）．
- 正しく折りたたまれたタンパク質および正しく集合したサブユニットだけが小胞体からゴルジ体へ小胞輸送される．
- 折りたたみ方をまちがったタンパク質や会合しなかったサブユニットが小胞体内腔に蓄積すると，折りたたまれていないタンパク質に対する応答（図 13・21）によって，小胞体内での折りたたみを助けるタンパク質の合成が促される．
- 使われずに残ったサブユニットや正しく折りたたまれなかったタンパク質は小胞体から細胞質に逆転輸送され，そこでユビキチン/プロテアソーム経路によって分解される（図 13・22）．

13・4 ミトコンドリアや葉緑体へのタンパク質の輸送

本章の残りの部分で，細胞質リボソーム上で合成されたタンパク質がどのようにミトコンドリア，葉緑体，ペルオキシソーム，および核に送り込まれるのかについてみていく（図 13・1）．ミトコンドリアと葉緑体は類似点の多い細胞小器官で，内腔はミトコンドリアでは**マトリックス**（matrix），葉緑体では**ストロマ**（stroma）とよばれ，2枚の二重層で囲まれている．葉緑体は，ストロマ内に**チラコイド**（thylakoid）とよばれる第三の膜をもち，ここで光合成の集光性反応が行われる．ミトコンドリアと葉緑体に対し，ペルオキシソームは一重の膜で囲まれていて，その内腔は単一の区画である．こうした違いからペルオキシソームは次節で取上げることにする．核へあるいは核からのタンパク質輸送も他の細胞小器官へのものと大きく異なるので，最終節で説明する．

ミトコンドリアと葉緑体はともに2枚の二重層で囲まれているだけでなく，電子伝達系のタンパク質も似ていて，ATP の合成に F 型 ATPase を使っている（図 12・26 参照）．驚くべきことに，これらの性質はグラム陰性細菌のものと同じである．また，ミトコンドリアや葉緑体は細菌と同様に独自の DNA をもち，それは rRNA，tRNA，およびいくつかのタンパク質をコードしている（8章）．さらに，ミトコンドリアや葉緑体の成長と分裂は核の分裂とは同調していない．これらの細胞小器官は細胞質からタンパク質や脂質を取込んで大きくなり，分裂によって新たなものがつくられる．独立した生活を営んでいる細菌とのこうした多くの類似性のため，ミトコンドリアと葉緑体は大昔の真核細胞に細菌が取込まれ内部共生したことにより生じたという仮説が提案されている（図 12・7 参照）．膜輸送にかかわる多くのタンパク質のアミノ酸配列がミトコンドリア，葉緑体，および細菌でよく似ていることが，この大昔の進化の過程での関係を支持する決定的な証拠である．本節ではそれらの膜輸送タンパク質について詳しく説明する．

ミトコンドリア DNA や葉緑体 DNA にコードされたタンパク質は細胞小器官内のリボソーム上で合成され，そのまますぐに正しい区画に送り込まれる．しかし，葉緑体やミトコンドリアのタンパク質の大部分は細胞小器官内の DNA ではなく核遺伝子にコードされており，細胞質に存在するリボソーム上で合成されてから取込まれる．長い進化の過程で，しくみはわからないが，これら細胞内共生で生じた細胞小器官内の細菌 DNA 由来の遺伝情報の多くは核に移された．細胞質で合成されたミトコンドリアマトリックスあるいはそれと同等の葉緑体ストロマへのタンパク質

前駆体のN末端には，それら細胞小器官表面に存在する受容体タンパク質と結合する特異的な輸送配列がある．通常，それらの配列は前駆体タンパク質がマトリックスやストロマに到達すると切断されてしまう．それらの輸送配列は，その位置や機能からして，合成途中のタンパク質を小胞体内腔へ輸送させるシグナル配列と類似なものであることは明らかである．これら三つの配列には共通点もあるが，表13・1に示したように個々の配列をみると，かなり異なっている．

ミトコンドリアと葉緑体の両方において，タンパク質の取込みにはエネルギーが必要で，輸送は内膜と外膜が接着している部分で行われる．ミトコンドリアと葉緑体には複数の膜および膜で仕切られた空間があるので，正しい区画へタンパク質を輸送するには，順を追って使われる二つの輸送配列と二つの膜結合輸送系が必要である．その一方は細胞小器官内への輸送に使われ，もう一方は細胞小器官内の膜あるいは膜で仕切られた区画への輸送に使われる．このあと述べるが，ミトコンドリアや葉緑体へのタンパク質の輸送にはSRPによるシグナル配列の認識機構と似たものが使われている．

N末端の両親媒性シグナル配列がタンパク質をミトコンドリアマトリックスに向かわせる

細胞質からミトコンドリア内へ向かうタンパク質はどれも，同一ではないが共通した傾向を示す輸送配列をもっている．したがって，そのような配列を認識する受容体は，似た傾向を示す多数の異なった配列と結合できる．ミトコンドリア内へ向かわせる配列のなかで最も詳しく調べられているものは**マトリックス輸送配列**（matrix-targeting sequence）である．これらの配列はN末端にあり，ふつう20〜50個のアミノ酸残基からなる．この配列には疎水性アミノ酸，正電荷をもつアミノ酸（アルギニンとリシン），およびヒドロキシ基をもつアミノ酸（セリンとトレオニン）が多いが，負電荷をもつアミノ酸（アスパラギン酸とグルタミン酸）は含まれないという傾向がある．

ミトコンドリアマトリックスへの輸送配列はαヘリックス構造をとり，その一方の側面には正電荷をもつアミノ酸が並び，反対の側面には疎水性アミノ酸が並ぶと考えられている．こうした配列は疎水性側面と親水性側面をもつので**両親媒性**（amphipathicity）とよばれる．多くの突然変異のなかで，この両親媒性を壊すような突然変異だけがマトリックスへの輸送能を失わせる．この発見から，マトリックスへの輸送配列にとってこの両親媒性が非常に重要だということがわかる．

図13・23に示す無細胞系測定法がミトコンドリアへの前駆体タンパク質の取込み過程を調べるために広く使われてきた．細胞から分離され，O_2を十分に供給されている（エネルギーにみちた）ミトコンドリアは，ミトコンドリア非存在下で別に合成された輸送配列をもつタンパク質を取込むことができる．その前駆体タンパク質がミトコンドリアに取込まれたかどうかは，外から加えたトリプシンのようなプロテアーゼによる切断を受けなくなるかどうかや，N末端の輸送配列がミトコンドリア内の特異的プロテアーゼによって除去されるかどうかで判定できる．この系で観察される合成の完了した前駆体タンパク質がミトコンドリアに取込まれるという現象は，タンパク質合成時に小胞体由来のミクロソーム膜が存在しないと取込みが行われないという分泌タンパク質の翻訳時輸送を調べる無細胞実験系（図13・4）での結果とは好対照である．

ミトコンドリアタンパク質の取込みには外膜上の受容体と内外膜両方のトランスロコンが必要である

ミトコンドリアへ輸送されるタンパク質の大多数がたどる細胞質からマトリックスへの経路の概略を図13・24に示した．まず，マトリックスへのタンパク質輸送の詳細について説明し，そのあと，マトリックスからミトコンドリアの他の区画への輸送についてみていこう．

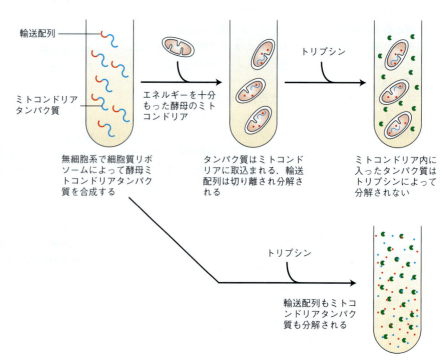

図 13・23　ミトコンドリア前駆体タンパク質の取込みを調べるための無細胞系． 輸送配列をもったミトコンドリア前駆体タンパク質を無細胞系のリボソーム上でつくらせる．呼吸しているミトコンドリアを合成したミトコンドリア前駆体タンパク質の溶液に加えると，タンパク質はミトコンドリアに取込まれる（上）．ミトコンドリア内に入ったタンパク質はトリプシンなどのプロテアーゼの作用を受けない．ミトコンドリアが存在しないと（下），合成されたミトコンドリア前駆体タンパク質はプロテアーゼによって分解される．呼吸していてエネルギーにみち，内膜を隔ててH^+の電気化学的勾配（プロトン駆動力）が形成されているミトコンドリアだけがタンパク質を取込める．取込まれるタンパク質は適切な輸送配列をもっていなければならない．取込みには，ATPおよび前駆体タンパク質を折りたたまれないように保つシャペロンを含む細胞質抽出液が必要である．この実験系は輸送配列の研究や輸送過程の他の側面を調べるために使われた．

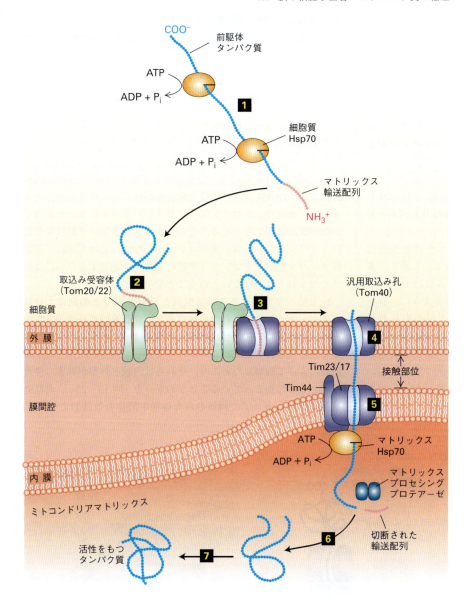

図 13・24 ミトコンドリアマトリックスへのタンパク質の取込み。細胞質リボソームで合成された前駆体タンパク質は、細胞質 Hsp70 などのシャペロンが結合して、ほどけた状態あるいは部分的に折りたたまれた状態に保たれる(段階 1)。そうした前駆体は、内膜と外膜が接触している部位の近くに存在する取込み受容体と結合したのち(段階 2)、汎用取込み孔に渡される(段階 3)。輸送されるタンパク質はこのチャネルを通り抜け、次に近傍の内膜チャネルも通り抜ける(段階 4, 5)。取込みは外膜と内膜が接触しているようにみえる特別な "接触部位" で起こることに注意。マトリックス Hsp70 との結合および Hsp70 による ATP 加水分解が、入ってきたタンパク質のマトリックスへの輸送を助ける。輸送配列がマトリックス内のプロテアーゼによって除去され Hsp70 がこの輸送されてきたタンパク質から離れると(段階 6)、タンパク質はマトリックス内で成熟した活性をもつ構造をとる(段階 7)。ある種のタンパク質の正しい折りたたみにはマトリックス内のシャペロニンが必要である。〔G. Schatz, 1996, *J. Biol. Chem.* **271**: 31763; N. Pfanner et al., 1997, *Annu. Rev. Cell Devel. Biol.* **13**: 25 参照。〕

　細胞質で合成された水溶性ミトコンドリアタンパク質前駆体(疎水性膜内在性タンパク質も含む)はミトコンドリア膜と直接相互作用する。折りたたまれていないミトコンドリアタンパク質前駆体の輸送は、ミトコンドリアへの輸送配列とミトコンドリア外膜の**取込み受容体**(import receptor)との結合によってはじまる。単離したミトコンドリアへのタンパク質取込みをミトコンドリア外膜タンパク質に特異的な抗体が阻害するという観察から、これらの受容体は発見された。その後、特定のミトコンドリア外膜タンパク質に突然変異を導入するといった実験から、異なるクラスのミトコンドリアタンパク質の取込みにはそれぞれ特異的な受容体タンパク質が関与していることが示された。たとえば、N末端にあるマトリックス輸送配列は Tom20 と Tom22 によって認識される。(ミトコンドリア外膜のタンパク質で取込みに関与するものは translocon of the outer membrane の頭文字をとって **Tom タンパク質**とよばれる。)

　多くのタンパク質は、折りたたまれていない状態でのみミトコンドリアに入れる。新たにつくられたタンパク質がミトコンドリアに入れるように、細胞質の Hsp70 および Hsp90 というシャペロンが、ATP 加水分解のエネルギーを使い、それらを折りたたまれていない状態に保っている。いくつかのミトコンドリアタンパク質前駆体の場合、ミトコンドリア外膜タンパク質 Tom70 が Hsp90 および折りたたまれていない前駆体タンパク質の両方と結合して取込み受容体として働いている。

　取込み受容体は前駆体タンパク質を外膜上の取込みチャネルのところへ運ぶ。おもに Tom40 タンパク質からなるこのチャネルは**汎用取込み孔**(general import pore)とよばれている。それは、現在知られているすべてのミトコンドリアタンパク質前駆体がこの孔を通ってミトコンドリア内のさまざまな区画に到達するからである。Tom40 を精製してリポソームに埋込むと、折りたたまれていないポリペプチド鎖を通すのに十分な大きさの穴をもつチャネルを形成する。この汎用取込み孔は外膜を貫通する受動的なチャネルで、このあとすぐに説明するが、ミトコンドリアへの一方向的輸送の駆動力はミトコンドリア内部で発生している。ミトコンドリアマトリックスへの前駆体タンパク質の場合、外膜のチャネ

ルと同時にTim23およびTim17というタンパク質からなる内膜のチャネルも通過する(translocon of the inner membraneの頭文字をとって**Timタンパク質**とよばれる).そのため,マトリックスへの輸送は内膜と外膜が接近した**接触部位**(contact site)とよばれるところで起こる.

タンパク質のN末端にあるマトリックス輸送配列がマトリックス内に入ると,マトリックスのプロテアーゼがすぐにそれを除去する.そのあと入ってくる部分にはマトリックスのHsp70が結合する.このマトリックスHsp70はシャペロンで,膜貫通タンパク質Tim44を介して,タンパク質が輸送されてくるミトコンドリア内膜のチャネルのすぐ近くに局在している.Tim44とHsp70が一緒になってマトリックス内へタンパク質を引込む力を出すと考えられている.

マトリックスに取込まれたタンパク質のいくつかは自発的に折れ曲がり,最終的な活性構造をとることができる.しかし,多くのマトリックスタンパク質の適切な折りたたみにはマトリックス内のシャペロニンが必要である.3章で述べたように,シャペロニンはATPのエネルギーを使ってタンパク質の折りたたみを助ける.たとえば,ミトコンドリアマトリックスのシャペロニンであるHsp60に欠陥のある酵母では,タンパク質の取込みも輸送配列の切断も正常に行われるが,そのタンパク質は正しい三次構造をとれず,四次構造の中にうまく組込まれないのである.

キメラタンパク質の研究により
ミトコンドリアへのタンパク質輸送の重要な特性が示された

ミトコンドリアのマトリックス輸送配列が,あらゆるタンパク質のマトリックスへの取込みを誘導できることを示す劇的な証拠が,通常は細胞質に存在するジヒドロ葉酸レダクターゼ(DHFR)にアルコールデヒドロゲナーゼのマトリックス標的配列を付加することで示された.無細胞輸送測定法によって,シャペロン存在下でDHFR部分が細胞質で折りたたまれるのを防いでおくと,キメラタンパク質がマトリックスに輸送されることが示された(図13・25a).DHFRの阻害剤であるメトトレキセート(methotrexate)はこのDHFRの活性部位と結合し折りたたみ構造を安定化するので,細胞質シャペロンはキメラタンパク質を折りたたまれていない状態に保てなくなる.そのためキメラタンパク質は完全にはマトリックスのトロンスロコンに入れない.この結果は,前駆体タンパク質がミトコンドリア膜の輸送孔を通過するためには折りたたまれてはいけないということを示している.

N末端のマトリックス輸送配列とDHFR部分との間に十分長いスペーサー配列を入れたキメラタンパク質をつくりメトトレキセート存在下で輸送を行わせると,輸送途中で止まった中間状態ができる(図13・25b).このような安定した輸送中間体を電子顕微鏡によって観察したところ,それらは内膜と外膜が非常に接近したところに集まっていることがわかった(図13・25c).典型的酵母ミトコンドリアで観察された輸送中間体の数はおよそ1000

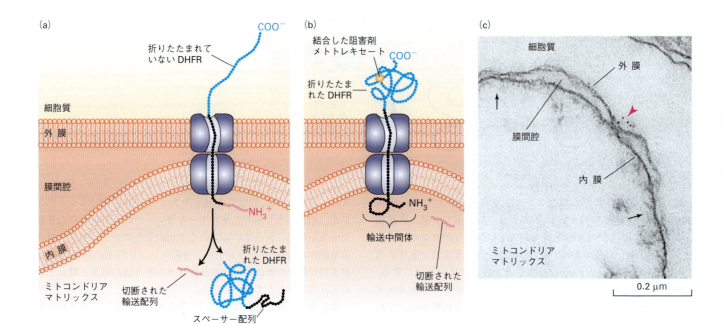

図13・25(実験) ミトコンドリアへのタンパク質輸送を調べるためのキメラタンパク質を使った実験.これらの実験により,ミトコンドリアへの輸送はマトリックス輸送配列だけで決まり,折りたたまれていないタンパク質だけがミトコンドリアの二つの膜を通り抜けることが示された.この実験で使われたキメラタンパク質は,N末端にマトリックス輸送配列(ピンク),次に特別な機能をもたないスペーサー配列(黒),そして本来細胞質酵素であるジヒドロ葉酸レダクターゼ(DHFR)を含む.(a) DHFR部分が折りたたまれていなければ,キメラタンパク質は内外膜を通って高エネルギー状態のミトコンドリアマトリックスに取込まれ,そこでマトリックス輸送配列は除去される.(b) メトトレキセートの結合によってキメラのC末端側のDHFR部分が折りたたまれた状態に固定されると,取込みは阻害される.もしスペーサーの長さが二つの輸送チャネルの長さに合うほど十分長ければ,N末端の輸送配列が除去された状態で止まる安定な輸送中間体がメトトレキセート存在下でつくられる.(c) (b)のようになった輸送中間体のC末端を,ミトコンドリアをDHFR抗体で処理し,その抗体と結合するプロテインAで被覆した金粒子を結合させることにより検出できる(図4・33参照).ミトコンドリアの切片を電子顕微鏡で観察すると,内膜と外膜の接する部位(黒矢印)の一部に通過できずにいる輸送中間体と結合した金粒子(赤い矢じり)を見ることができる.[J. Rassow et al., 1990, *FEBS Lett.* **275**: 190 参照.(c)は M. Schwaiger et al., 1987, *J. Cell Biol.* **105**: 235 参照.]

だったので, 1個のミトコンドリアには汎用取込み孔が約 1000 個あると考えられている.

ミトコンドリアタンパク質の取込みには 3 段階のエネルギー注入が必要である

前に述べ, また図 13・24 にも示したように, ミトコンドリアタンパク質の取込みには細胞質とミトコンドリアマトリックス内のシャペロンタンパク質 Hsp70 による ATP 加水分解が必要である. 細胞質 Hsp70 はミトコンドリアタンパク質の前駆体と結合し, それを ATP 加水分解のエネルギーを使いマトリックスへの輸送に適した折りたたまれていない状態に保つ. 前駆体タンパク質を精製し, 尿素によって変性させた (ほどけた) ものを用いた実験により, 細胞質 ATP の重要性が示された. 無細胞系でミトコンドリアへの輸送を調べたところ, ATP がなくてもその変性したタンパク質はマトリックスに取込まれた. それに対して, 天然の未変性前駆体タンパク質は細胞質シャペロンがあっても ATP がないと取込まれなかった.

輸送されてくるタンパク質に複数のマトリックス Hsp70 が次々と結合し, それが ATP によって解離するのは, マトリックスに入ってきた折りたたまれていないタンパク質をもとに戻さないようにしているだけかもしれない. この場合, マトリックスの Hsp70 と Tim44 の役割は, 小胞体での翻訳後輸送における BiP というシャペロンと Sec63 複合体の役割と類似したものになる (図 13・9).

ミトコンドリアタンパク質の取込みに必要な第三のエネルギーは内膜を挟んでの H^+ の電気化学的勾配, すなわち**プロトン駆動力** (proton-motive force) である. 12 章で述べたように, H^+ は電子伝達系によりマトリックスから膜間腔に輸送され, 内膜上に膜電位を形成する. 多くの場合, 活発に呼吸し内膜を挟んでプロトン駆動力を発生しているミトコンドリアだけが前駆体タンパク質を細胞質からマトリックスへ取込むことができる. 酸化的リン酸化を阻害したり脱共役させるシアン化物やジニトロフェノールをミトコンドリアに与えると, 内膜でのプロトン駆動力が失われる. そのように衰弱したミトコンドリアでも前駆体タンパク質は受容体と強固に結合するが, 細胞中であろうと無細胞系であろうと, さらに ATP やシャペロンタンパク質が存在していても, 前駆体タンパク質がミトコンドリア内に取込まれることはない. 取込まれるタンパク質の一部が内膜に挿入されると, 膜の内外にある 200 mV もの電位差 (マトリックスが負) に挟まれることになる. この電位差は小さなものにみえるが, ごく薄い膜の疎水性中心部を挟んでのものなので 4×10^5 V/cm もの電位勾配に相当する. 内側が負である膜電位によって正電荷の多い両親媒性マトリックス輸送配列が引込まれるということが一つの可能性として考えられている.

タンパク質は複数の輸送配列と経路により ミトコンドリア内の正しい区画へと輸送される

ミトコンドリアのマトリックス以外の区画, すなわち膜間腔, 内膜, および外膜へ輸送されるタンパク質はマトリックス輸送配列のほかに一つ以上の輸送配列を必要とし, 取込みにはいくつかの経路がある. 図 13・26 にミトコンドリア内のそれぞれの区画に取込まれるタンパク質のもつ輸送配列の配置をまとめた.

図 13・26 ミトコンドリアタンパク質中の輸送配列の配置. ほとんどのミトコンドリアタンパク質は N 末端にマトリックス輸送配列 (ピンク) をもっている. この部分は互いによく似てはいるが, タンパク質ごとに異なる. 内膜や膜間腔あるいは外膜にいくタンパク質には一つあるいはそれ以上の余分な輸送配列があり, それによって, いくつかの経路により目的部位に運ばれる. 経路 A, B, C は図 13・27 と図 13・28 に示すものに対応している. [W. Neupert, 1997, *Annu. Rev. Biochem.* **66**: 863 参照.]

内膜タンパク質 ミトコンドリア内膜へタンパク質を輸送する経路として三つのものが知られている. そのうちの一つはマトリックスタンパク質の取込みに使われた装置を利用するものである (図 13・27, 経路 A). シトクロムオキシダーゼのサブユニット **CoxVa** がこの経路で輸送される. CoxVa の前駆体タンパク質は N 末端にマトリックス輸送配列をもち, 輸送受容体である Tom20/22 により認識され, 外膜の汎用取込み孔 Tom40 と内膜の Tim23/17 輸送複合体を通って輸送される. CoxVa は, 輸送中に切断されるマトリックス輸送配列のほかに, 疎水性輸送阻止–膜係留配列をもっている. このタンパク質が Tim23/17 からなるチャネルを通り抜けようとするときに輸送阻止–膜係留配列が C 末端部の内膜通過を妨げる. 膜に係留されたこの中間体は, 小胞体膜の I 型膜内在性タンパク質と同じように, 横へ移動して内膜の二重層に入っていく (図 13・11).

たとえば ATP 合成酵素のサブユニット 9 のように, 第二の経路で内膜へいくタンパク質はマトリックス輸送配列のほかに内膜の

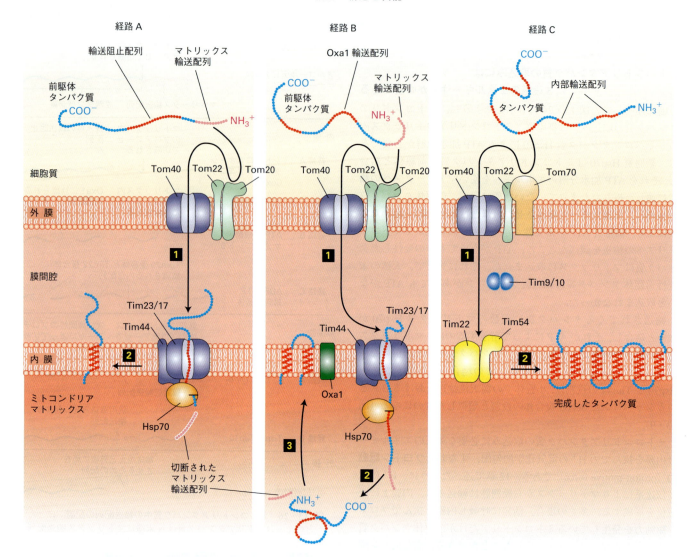

図13・27 細胞質からミトコンドリア内膜へタンパク質を送り込む三つの経路. 異なる輸送配列をもつタンパク質は異なる経路で内膜へ運ばれる. 三つの経路すべてにおいて, 外膜を通り抜ける際にはTom40からなる汎用取込み孔を使う. 経路AとBによって運ばれるタンパク質のN末端には外膜の輸送受容体であるTom20/22によって認識されるマトリックス輸送配列がある. これら二つの経路のタンパク質は内膜のTim23/17チャネルを利用するところまでは同じだが, 経路Bのタンパク質は前駆体全体がマトリックス内に入り, そこから内膜に戻されるという点が異なっている. マトリックスのHsp70は水溶性マトリックスタンパク質の輸送のときと同じ役割を果たしている (図13・24). 経路Cによって運ばれるタンパク質は輸送受容体Tom70/Tom22によって認識される内部配列をもつ. この経路では内膜輸送チャネルも異なったもの (Tim22/54) が使われる. さらに, 膜間腔に存在する二つのタンパク質 (Tim9とTim10) が外膜チャネルから内膜チャネルまでの輸送を手伝っている. 詳細は本文参照. [R. E. Dalbey and A. Kuhn, 2000, Annu. Rev. Cell Dev. Biol. **16**: 51; N. Pfanner and A. Geissler, 2001, Nat. Rev. Mol. Cell Biol. **2**: 339 参照.]

Oxa1というタンパク質に認識される疎水性内部配列をもっている. この経路において, 前駆体タンパク質の少なくとも一部はTom40とTim23/17を通ってマトリックス内に入り込むと考えられている. マトリックス輸送配列が切断されたのち, このタンパク質はOxa1および他の内膜タンパク質との相互作用により内膜に挿入される (図13・27, 経路B). Oxa1は細菌が自身の細胞膜にタンパク質を挿入する際に使うタンパク質と類似している. この類似から, Oxa1は, のちにミトコンドリアになった内部共生細菌がもっていた移行装置由来のものではないかと考えられている. しかし, ミトコンドリアの内膜チャネルを形成するタンパク質は細菌のトランスロコンを形成するタンパク質と類似していない. Oxa1は, ミトコンドリアDNAにコードされマトリックス内のミトコンドリアリボソーム上で合成されるシトクロムオキシダーゼのサブユニットⅡの内膜への挿入にも関与している.

ミトコンドリア内膜へいく経路の最後のものはADP/ATP対向輸送体のように複数回膜貫通タンパク質のためのものである. これらのタンパク質は, 他のものと異なり, N末端にマトリックス輸送配列をもたず, 代わりに内部に複数のミトコンドリア輸送配列をもっている. この輸送配列が外膜に存在するもう一つの取込み受容体 (Tom70とTom22からなる) に認識されると, タンパク質は汎用取込み孔を通って外膜を横切る (図13・27, 経路C). 次に, このタンパク質は内膜に存在するもう一つの輸送複合体 (Tim22, Tim18およびTim54からなる) に渡される. このTim22/18/54複合体への輸送には膜間腔に存在する二つの低分

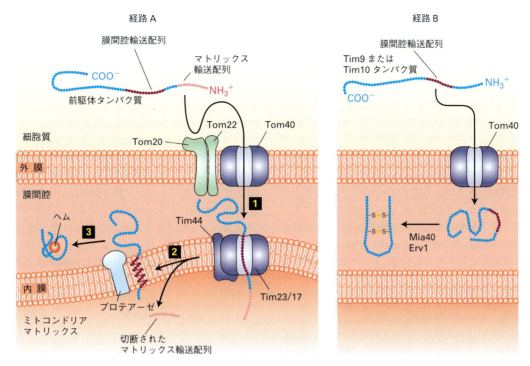

図 13・28 ミトコンドリア膜間腔への二つの輸送経路.膜間腔への主要な経路である経路 A は内膜への輸送経路 A(図 13・27)と類似している.大きな違いは,シトクロム b_2 などに存在する膜間腔への内部輸送配列が内膜のプロテアーゼによって認識され,膜間腔側の部位で切断される点である.放出されたタンパク質は折りたたまれ,膜間腔で補因子であるヘムと結合する.経路 B は Tim9 と Tim10 を膜間腔に輸送するためだけのものである.それらのタンパク質は外膜の Tom40 からなる汎用取込み孔を容易に通り,ひとたび膜間腔に運ばれるとジスルフィド結合をつくり折りたたまれてしまい,Tom40 を通って戻れなくなる.ジスルフィド結合は Erv1 内につくられ,Mia40 によって Tim9 と Tim10 に渡される.[R. E. Dalbey and A. Kuhn, 2000, *Annu. Rev. Cell Dev. Biol.* **16**: 51; N. Pfanner and A. Geissler, 2001, *Nat. Rev. Mol. Cell Biol.* **2**: 339; K. Tokatlidis, 2005, *Cell* **121**: 965 参照.]

子量タンパク質 Tim9 と Tim10 からなる多量体複合体が必要である.これらのタンパク質は汎用取込み孔から入ってきたタンパク質の疎水性部分に結合して不溶性凝集物となることを防ぎ,内膜の Tim22/18/54 複合体へ誘導するシャペロンとして働くと考えられている.最後に Tim22/18/54 複合体がそのタンパク質の複数の疎水性部位を内膜に挿入する.

膜間腔タンパク質 ミトコンドリアの内外膜間に細胞質タンパク質を送り込む経路は二つある.そのうちの主要な経路はシトクロム b_2 などが通るもので,これらのタンパク質前駆体は N 末端に二つの異なる輸送配列をもっているが,それらは最終的には切断される.そのうちの一番 N 末端側に存在するものはマトリックス輸送配列で,マトリックスのプロテアーゼによって切断される.第二の配列は疎水性で,前駆体が完全に内膜を通り抜けることを妨げる(図 13・28,経路 A).膜に係留された中間体が Tim23/17 輸送チャネルから離れ内膜上を拡散していくと,膜に埋込まれたプロテアーゼによって疎水性膜貫通領域の近くで切断され,水溶性となったタンパク質は膜間腔に放出される.2 番目のプロテアーゼによる切断を除けば,この経路は CoxVa などの内膜タンパク質が使う経路(図 13・27,経路 A)と類似している.

膜間腔で働く小さなタンパク質 Tim9 と Tim10 は第二の経路を使って膜間腔へいく.Tim9 および Tim10 は N 末端のマトリックス輸送配列をもたず,内膜の輸送因子と相互作用せず,汎用取込み孔を通って直接膜間腔にいく(図 13・28,経路 B).Tom40 からなる汎用取込み孔を通るときにはエネルギー的に有利な過程と共役していない.しかし,膜間腔に入った Tim9 と Tim10 は分子内に 2 個ずつジスルフィド結合をつくり,コンパクトで安定な構造をとる.これらのタンパク質が外膜を一方向的に輸送されるのは,外膜を拡散で通り抜けたあとジスルフィド結合により折りたたまれて膜間腔に不可逆的に閉じ込められるためだろう.このジスルフィド結合形成過程は,多くの点で小胞体内腔でのものに似ていて,ジスルフィド形成タンパク質 Erv1 とジスルフィド結合転移タンパク質 Mia40 が関与している.

外膜タンパク質 汎用取込み孔のタンパク質 Tom40 やミトコンドリアポリンのような外膜タンパク質の多くは,内側のチャネルを囲むように逆平行 β 構造が膜貫通疎水性領域を形成する β バレル構造をとっている.こうしたタンパク質はまず汎用取込み孔の Tom40 と相互作用する.次に 3 個以上の外膜タンパク質からなる分別組立て機構(**SAM**, sorting and assembly machinery の略)複合体に渡される.これらのタンパク質が安定した状態で外膜に取込まれるのは β バレルタンパク質の安定した疎水的性質によると思われるが,SAM がそれをどう助けているかはよくわかっていない.

葉緑体ストロマタンパク質の取込みはミトコンドリアマトリックスタンパク質の取込みと類似している

葉緑体ストロマ内に最も多く存在するタンパク質は,光合成の

際に二酸化炭素を炭水化物に固定するカルビン回路の酵素である（12章）．リブロース 1,5-ビスリン酸カルボキシラーゼ（rubisco）の大（L）サブユニットの遺伝子は葉緑体 DNA 上にあり，ストロマ内で葉緑体リボソームによって合成される．rubisco の小（S）サブユニットとカルビン回路のほかのすべての酵素の遺伝子は核 DNA 上にあり，細胞質で合成され，葉緑体に輸送される．これらのストロマタンパク質前駆体は N 末端に**ストロマ輸送配列**（stromal-import sequence）をもっている（表 13・1）．

ミトコンドリアと同様に単離した葉緑体を用いて行った実験から，図 13・29 の上半分に描かれているストロマへのタンパク質輸送の一般的な過程は，ミトコンドリアマトリックスへのタンパク質輸送と似ていることが示された．ストロマへのタンパク質の輸送には，少なくとも 3 種類の葉緑体の外膜タンパク質が必要であることが知られている．このうち，**Toc159** と **Toc34** は，それぞれ SRP と SRP 受容体を思わせる GTPase ドメインを外膜の細胞質側にもつタンパク質からなるストロマ輸送配列に結合する受容体である．受容体は，ストロマ輸送配列を Toc75 からなる輸送チャネルに転送する．**Tic 複合体**（Tic complex）とよばれる少なくとも五つの葉緑体内膜タンパク質の複合体は，ストロマにタンパク質を送るためのチャネルを形成している．これらのタンパク質は，機能的にはミトコンドリアの受容体やチャネルタンパク質と類似しているが，構造的には相同性がない．これらの葉緑体タンパク質とミトコンドリアタンパク質には配列の類似性がないことから，進化の過程で独立に生じた可能性が考えられる．

現在得られている証拠から，ストロマタンパク質はミトコンドリアマトリックスタンパク質と同様に折りたたまれていない状態で輸送されることが示唆されている．ストロマへの取込みには，ミトコンドリアマトリックスの Hsp70 や小胞体の BiP に似たストロマ内シャペロン Hsp70 による ATP 加水分解が必要である．ミトコンドリアとは異なり，葉緑体は内膜を挟んでの電気化学的勾

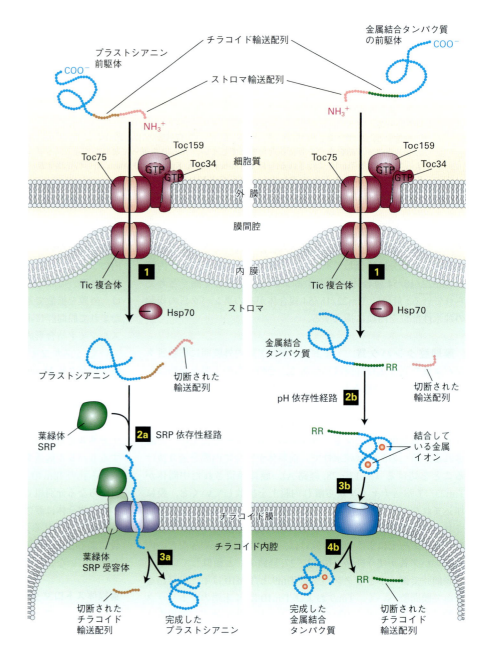

図 13・29 **葉緑体チラコイドへのタンパク質の輸送**．タンパク質を細胞質からチラコイド内腔へ輸送する四つの経路のうちの二つをここに示した．これらの経路で，折りたたまれていない前駆体タンパク質は，ストロマに局在するタンパク質を輸送するのと同じ外膜のタンパク質によってストロマに取込まれる．N 末端のストロマ輸送配列がストロマ内にあるプロテアーゼによって切り離されると，新たな N 末端がチラコイド輸送配列となる（段階 **1**）．ここで経路が二つに分かれる．左側の SRP 依存性経路では，プラストシアニンや類似したタンパク質は，図には描かれていないシャペロンによってストロマ中で折りたたまれていない状態に保たれ，チラコイド輸送配列が細菌の SRP，SRP 受容体，および SecY トランスロコンと非常によく似たタンパク質群と結合して内腔へ送り込まれる（段階 **2a**）．チラコイド輸送配列がチラコイド内腔に存在する別のエンドプロテアーゼによって除去されると，タンパク質は折りたたまれて完成品となる（段階 **3a**）．右側の pH 依存性経路では，金属結合タンパク質はストロマで折りたたまれ，酸化還元のための補因子が結合する（段階 **2b**）．チラコイド輸送配列の N 末端にある 2 個のアルギニン残基（RR）とチラコイド膜を挟んだ pH 勾配が，これらの折りたたまれたタンパク質をチラコイド内腔に輸送するのに必要である（段階 **3b**）．チラコイド膜のトランスロコンは細菌内膜のものとよく似た少なくとも 4 種のタンパク質からできている．2 個のアルギニンを含むチラコイド輸送配列はチラコイド内腔で切り離される（段階 **4b**）．［R. Dalbey and C. Robinson, 1999, *Trends Biochem. Sci.* **24**: 17; R. E. Dalbey and A. Kuhn, 2000, *Annu. Rev. Cell Dev. Biol.* **16**: 51; C. Robinson and A. Bolhuis, 2001, *Nat. Rev. Mol. Cell Biol.* **2**: 350 参照．］

配（プロトン駆動力）をつくらない．したがって，葉緑体ストロマへのタンパク質の取込みは ATP 加水分解のエネルギーだけで行われると考えられている．

Hsp70 のほかに，ストロマにはタンパク質の輸入に関与すると思われる二つの ATPase が存在する．葉緑体版のシャペロンである Hsp90 と，**Hsp93** とよばれる環状の構造をもつ AAA ATPase である．両タンパク質のホモログは，他の場面でエネルギー依存的なタンパク質の折りたたみを触媒することが知られており，葉緑体の Hsp90 と Hsp93 は，ストロマでのタンパク質の折りたたみ，あるいはストロマへのタンパク質の輸送，あるいはその両方に関与していると思われる．

チラコイドへのタンパク質輸送機構は細菌のタンパク質輸送機構と似ている

葉緑体は，それを包む二重膜に加えて，内部に**チラコイド** (thylakoid) という連結した膜小胞を含んでいる（図 12・33 参照）．光合成のすべての化学反応はこのチラコイド膜あるいはその内腔で行われ，そこに局在しているタンパク質がそれを触媒する．それらのタンパク質の多くは複数の輸送配列をもつ前駆体として細胞質で合成される．たとえば，プラストシアニンなどのチラコイド内腔タンパク質は二つの輸送配列を使う．その最初のものは N 末端のストロマ輸送配列で，rubisco の S サブユニットと同じ経路でタンパク質をストロマに送り込む．2 番目のものはストロマからチラコイド内腔へ送り込むためのものである．組換え DNA 技術でつくった変異タンパク質を単離した葉緑体に取込ませるといった実験から，それらの配列の役割が明らかにされてきた．たとえば，ストロマ輸送配列はもっているがチラコイドへの輸送配列が除去されている変異プラストシアニンは，チラコイド内腔へは輸送されずストロマ内に蓄積する．

ストロマからチラコイドへは四つの経路があることがわかっている．それらすべての経路は細菌の輸送機構と非常に類似しており，チラコイド膜と細菌の細胞膜とが進化のうえで関連深いことをうかがわせる．プラストシアニンやそれに関連するタンパク質のストロマからチラコイド内腔への輸送は，細菌型 Sec61 複合体である SecY に似たトランスロコンを使った葉緑体の SRP（シグナル認識粒子）に依存する経路で行われる（図 13・29 左）．チラコイド内腔へタンパク質を輸送する第二の経路は細菌の SecA と類似したタンパク質を使う．SecA は ATP 加水分解のエネルギーを使いトランスロコン SecY を通してタンパク質を移行させることがわかっている．第三の経路はチラコイド膜へタンパク質を挿入するためのもので，ミトコンドリアの Oxa1 タンパク質およびその細菌ホモログと類似したタンパク質によって行われる（図 13・27，経路 B）．葉緑体 DNA にコードされストロマで合成されるタンパク質の一部や，細胞質からストロマに送られてきたタンパク質のあるものはこの経路によりチラコイド膜に挿入される．

最後に，金属を含む補因子と結合するチラコイドタンパク質は，また別の経路でチラコイド内腔に入る（図 13・29 右）．折りたたまれていないこれらのタンパク質の前駆体はまずストロマに輸送され，そこで N 末端のストロマ輸送配列が切断され，折りたたまれて補因子と結合する．一群のチラコイド膜タンパク質がこの折りたたまれて補因子と結合したタンパク質をチラコイド内腔へ送り込む．この過程はチラコイド膜を挟んで生じている H^+ の電気化学的勾配によって駆動される．この経路に入るためのチラコイド輸送配列には，認識されるのに必須な近接した二つのアルギニン残基が存在する．細菌細胞膜にも類似したアルギニン残基を含む配列をもつ折りたたまれたタンパク質を輸送する機構があり，**Tat**（twin-arginine translocation）経路とよばれている．大きな折りたたまれたタンパク質がチラコイド膜を通り抜ける分子機構についてはまだよくわかっていないが，二つのアルギニンを含む適切なシグナルをもった折りたたまれたタンパク質は，膜内の Tat タンパク質を多量体化させ，孔のような構造をつくらせているらしい．この点に関して，このあとに述べるペルオキシソームへの折りたたまれたタンパク質の輸送と Tat 経路は似ている．

13・4 ミトコンドリアや葉緑体へのタンパク質の輸送 まとめ

- ミトコンドリアや葉緑体のタンパク質のほとんどは核 DNA 上にコードされており，細胞質リボソーム上で合成され，翻訳終了後にそれらの細胞小器官へ運び込まれる．
- ミトコンドリアマトリックスや葉緑体ストロマへ輸送されるタンパク質前駆体の N 末端には，それらの細胞小器官への輸送情報をすべてもった輸送配列がある．マトリックスやストロマに入ったあとで，その配列はプロテアーゼによって切除される．
- 細胞質シャペロンがミトコンドリアや葉緑体へのタンパク質の前駆体を折りたたまれていない状態に保つ．この状態のタンパク質だけがそれらの細胞小器官に取込まれる．
- ミトコンドリアマトリックスのタンパク質はミトコンドリア外膜上の受容体と結合し，そこから汎用取込み孔 (Tom40) に運ばれる．ミトコンドリアへの取込みは，内膜と外膜が接している部位で，外膜と内膜を同時に通り抜けて輸送される．そのエネルギーは内膜のプロトン駆動力とマトリックス内の Hsp70 による ATP 加水分解によって供給される（図 13・24）．
- ミトコンドリアのマトリックス以外の区画に輸送されるタンパク質は，通常，二つ以上の輸送配列をもち，そのうちの一つは N 末端のマトリックス輸送配列であることが多い（図 13・26）．
- 膜間腔や内膜へ輸送されるミトコンドリアタンパク質のあるものは，マトリックスに入ったのち最終目的地に向かう．マトリックスに入らず直接目的地に向かうものもある．
- 葉緑体ストロマへのタンパク質の輸送はミトコンドリアのものと機能的に類似した内膜および外膜の輸送チャネルによって行われるが，そのチャネルタンパク質のアミノ酸配列は対応するミトコンドリアのものと全く似ていない．
- チラコイドへ輸送されるタンパク質には第二の輸送配列がある．そうしたタンパク質の N 末端にあるストロマ輸送配列がストロマ内のプロテアーゼによって切断されると，第二のチラコイド輸送配列が表に出てくる．
- 葉緑体ストロマからチラコイドへタンパク質を輸送する四つの経路は細菌の細胞膜における輸送経路と非常によく似ている（図 13・29）．そのうちの一つは折りたたまれたタンパク質を輸送することができる．

13・5 ペルオキシソームへのタンパク質の輸送

ペルオキシソーム (peroxisome) は小さな細胞小器官で単層の膜に包まれており，その内腔部分はペルオキシソームマトリックス (peroxisome matrix) とよばれる．ペルオキシソームは単純な構造をしているが，その生合成は，より複雑なミトコンドリアや葉緑体の生合成と基本的な概要は一致している．ペルオキシソームタンパク質は，核DNAによってコードされ，細胞質の遊離リボソーム上で合成されたのち，ペルオキシソーム輸送配列によって認識される．これらの配列はペルオキシソーム特異的な受容体タンパク質と結合し，エネルギー依存的な輸送機構によって，ペルオキシソームマトリックスあるいはペルオキシソーム膜に送り込まれる．

ペルオキシソームの大きさや酵素組成は細胞によりさまざまである．しかし，ペルオキシソームは，分子状酸素を使ってアミノ酸や脂肪酸などの基質を酸化して分解し，生合成に使える小分子にする酵素を必ず含んでいる．そうした酸化反応で生じるH_2O_2は非常に反応性が高く，細胞構成成分に害を及ぼす．しかし，ペルオキシソームにはH_2O_2を効率よく分解してH_2Oにするカタラーゼのような酵素が含まれている．哺乳類でペルオキシソームが最も多いのは肝細胞で，細胞体積の1～2%を占めている．

細胞質の受容体が，C 末端に SKL 配列をもつタンパク質を ペルオキシソームマトリックスに輸送する

ペルオキシソームタンパク質のアミノ酸配列の一部を除去したとき，ペルオキシソームへの輸送に不具合が起こるかどうかを調べた実験から，ペルオキシソーム輸送配列が同定された．初期の研究の一つにおいて，ホタルのルシフェラーゼ遺伝子を昆虫培養細胞中で発現させると，つくられたタンパク質はペルオキシソームに送り込まれることが示された．しかし，C 末端をわずかに短くしたルシフェラーゼはペルオキシソームへ送られず細胞質に残った．種々のルシフェラーゼ変異体を調べた結果，ペルオキシソームへの輸送には C 末端に Ser-Lys-Leu (一文字表記だと SKL) かそれに類似した配列が必要であることがわかった．さらに，細胞質タンパク質の C 末端に SKL 配列を付加すると，この変異タンパク質はペルオキシソームに取込まれることが培養細胞において示された．ペルオキシソームタンパク質のほとんどがこの**ペルオキシソーム輸送配列 1** (peroxisomal-targeting sequence 1: **PTS1**) とよばれる配列をもっている．

カタラーゼや他の PTS1 をもったタンパク質のペルオキシソームマトリックスへの取込み経路を図 13・30 に示す．まず細胞質で PTS1 が **Pex5** とよばれる受容体と結合する．Pex5 は，単量体では水溶性だが，オリゴマーになるとペルオキシソーム膜上の Pex14 と複合体をつくって膜に入り込むという驚くべき性質をもっている．しくみはよくわかっていないが，PTS1 をもったタンパク質はオリゴマーとなった Pex5 から離れ，ペルオキシソーム内に入る．このペルオキシソームタンパク質の取込み装置は，小胞体，ミトコンドリア，および葉緑体への取込み装置とは異なり，折りたたまれたタンパク質を輸送できる．たとえば，カタラーゼはペルオキシソーム膜を横切る前に細胞質で立体構造を完成させ，ヘムと結合する．無細胞系での実験から，ペルオキシソームへの取込み装置は，PTS1 配列さえついていれば，かなり大きな

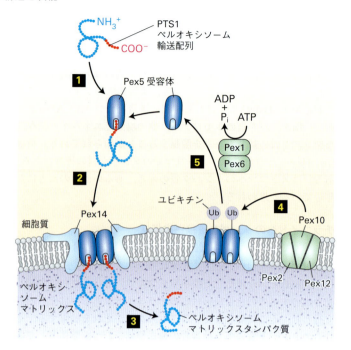

図 13・30 輸送配列 PTS1 によるペルオキシソームマトリックスタンパク質の輸送．段階 **1**: 多くのペルオキシソームマトリックスタンパク質は C 末端に PTS1 という輸送配列 (赤) があり，Pex5 という細胞質受容体と結合する．段階 **2**: マトリックスタンパク質と結合した Pex5 はペルオキシソーム膜に存在する Pex14 という受容体と多量体複合体をつくる．段階 **3**: マトリックスタンパク質-Pex5-Pex14 複合体が形成されたのち，マトリックスタンパク質は Pex5 から解放されペルオキシソームマトリックスへ入る．段階 **4**, **5**: Pex5 は細胞質に戻るが，その過程ではペルオキシソーム膜タンパク質 Pex2, Pex10, および Pex12 によるユビキチン化と，それに続く AAA ATPase タンパク質 Pex1 および Pex6 による ATP に依存した膜からの分離が行われる．折りたたまれたタンパク質がペルオキシソームに取込まれ，その輸送配列はマトリックス内で切断されない点に注意してほしい．[P. E. Purdue and P. B. Lazarow, 2001, *Annu. Rev. Cell Dev. Biol.* **17**: 701; S. Subramani et al., 2000, *Annu. Rev. Biochem.* **69**: 399; V. Dammai and S. Subramani, 2001, *Cell* **105**: 187 参照．]

もの (たとえば直径 9 nm の金粒子) を輸送できることが示された．PTS1 をもったタンパク質と Pex14 受容体の両方に結合する Pex5 オリゴマーの大きさは，荷物の大きさに合わせるように調節されるという証拠がある．ペルオキシソーム膜に大きく安定した孔をつくることなく PTS1 をもったタンパク質を内部に取込む機構には，この動的なオリゴマー形成が重要な役割を果たしていると思われる．

PTS1 をもったタンパク質がペルオキシソームマトリックスに入ったのち，Pex5 オリゴマーと Pex14 は能動的に解離し，Pex5 は水溶性となって細胞質に戻る．再利用されるときに膜に結合した Pex5 のユビキチン化が起こる．Pex10, Pex12, および Pex2 というペルオキシソーム膜のタンパク質がつくる複合体が Pex5 をユビキチン化する．Pex15 によってペルオキシソーム膜に係留されている Pex1 と Pex6 は AAA ATPase で，Pex14 と結合しているユビキチン化された Pex5 オリゴマーを認識すると，ATP 加水分解のエネルギーを使ってそのユビキチンを除去して Pex5 を細胞質に解放する．ユビキチンを除去された Pex5 は細胞質に戻り，PTS1 をもったタンパク質と結合して次の輸送を行う．

精製した構成成分を使ってペルオキシソームへの輸送を研究した結果，Pex5 と PTS1 をもったタンパク質の結合，Pex14 と Pex5 オリゴマーの集合，および PTS1 をもったタンパク質のペルオキシソーム内への放出は，ATP などの化学的エネルギーなしに自発的に起こることがわかった．それに対して，Pex5 のユビキチン化および AAA ATPase による Pex5 の再利用には ATP 加水分解のエネルギーが必要である．Pex5 が細胞質とペルオキシソーム膜の間を循環しながら PTS1 をもつタンパク質をペルオキシソームマトリックスに運ぶ過程で，タンパク質をペルオキシソームマトリックスへと一方的に輸送するためにエネルギーを使っているのは明らかに，再利用の段階であると考えられる．

ペルオキシソームマトリックスタンパク質のなかにはチオラーゼのように前駆体のN末端に **PTS2** とよばれる輸送配列をもつものもある．これらのタンパク質は異なる細胞質受容体と結合するが，輸送機構は PTS1 をもつタンパク質の場合と同じだと考えられている．

ペルオキシソーム膜のタンパク質とマトリックスのタンパク質は異なる経路で取込まれる

ペルオキシソーム形成不全を起こすヒトの常染色体潜性突然変異がかなりの頻度で発生する．こうした欠陥は頭蓋顔面の奇形を伴う重篤な発達障害をひき起こす．たとえば，**ツェルベーガー症候群**（Zellweger syndrome）や類似した病気では，ペルオキシソームマトリックスへのタンパク質輸送がすべてあるいはほとんど行われなくなる．合成されたペルオキシソーム酵素は細胞質にとどまり，徐々に分解されていく．ツェルベーガー症候群患者の細胞を培養し遺伝学的研究を行った結果と，類似した症状を示す酵母の研究から，ペルオキシソーム形成に必要な遺伝子が 20 以上同定された．

ペルオキシソーム形成に欠陥をもつ種々の突然変異細胞を調べた結果，ペルオキシソームマトリックスに入るタンパク質とペルオキシソーム膜に挿入されるタンパク質は異なる経路をとることがわかった（図 13・31）．たとえば，ツェルベーガー症候群の患者の細胞の研究から *Pex5* 遺伝子およびその再利用のための *Pex* 遺伝子が多数同定された．それらのどれかに欠陥が起こった細胞ではマトリックスタンパク質をペルオキシソーム内に取込めなくなる．しかし，それらの細胞は正常なペルオキシソーム膜タンパク質をもつ空っぽのペルオキシソームをつくる（図 13・31b）．上記のものとは別の三つの遺伝子のどれかに突然変異が起こると，マトリックスタンパク質だけでなくペルオキシソーム膜タンパク質の挿入も阻害される（図 13・31c）．これらの発見により，一群のタンパク質が水溶性タンパク質をペルオキシソームマトリックスに送り込み，別の一群のタンパク質がタンパク質をペルオキシソーム膜へ挿入するということが示された．いままでみてきた小胞体，ミトコンドリア，および葉緑体では，膜に挿入されるタンパク質と水溶性タンパク質は輸送途中で同一の構成成分からなる装置を利用することが多かったが，この点がペルオキシソームでは異なっている．

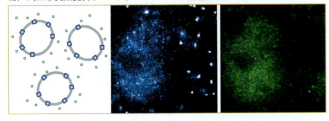

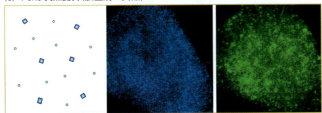

図 13・31（実験） タンパク質のペルオキシソーム膜への挿入とマトリックスへの輸送が異なる経路をとることを示す実験．細胞をペルオキシソーム膜タンパク質 PMP70 に対する蛍光抗体あるいはペルオキシソームマトリックスタンパク質カタラーゼに対する蛍光抗体で染色し，蛍光顕微鏡で観察した．(a) 野生型細胞では，多くのペルオキシソームにおいて，膜タンパク質とマトリックスタンパク質の蛍光がみえる．(b) Pex12 を欠損した患者の細胞では，PMP70 は正常にペルオキシソームに局在しているが，カタラーゼはペルオキシソームへと運ばれず，細胞質に均一に分散しているため，輝点は観察されない．(c) 一方で Pex3 欠損患者の細胞では，ペルオキシソーム膜が形成されず，その結果，ペルオキシソームそのものが形成されない．したがってカタラーゼと PMP70 の両方が細胞質に局在してしまう．［S. Gould, Johns Hopkins University School of Medicine 提供．］

13・5 ペルオキシソームへのタンパク質の輸送 まとめ

- すべてのペルオキシソーム内腔タンパク質は細胞質の遊離リボソーム上で合成され，翻訳完了後に取込まれる．
- ペルオキシソームマトリックスタンパク質のほとんどは C 末端に PTS1 という輸送配列をもつ．一部のものは N 末端に PTS2 という輸送配列をもつ．どちらの輸送配列も取込み後，除去されない．
- すべてのペルオキシソームマトリックスタンパク質は細胞質の受容体と結合する．その受容体は PTS1 をもつものに関しては Pex5 であり，結合後ペルオキシソーム膜上の共通の取込み装置に運んでいく（図 13・30）．
- マトリックスに向かうタンパク質がペルオキシソーム膜を通り抜けるときに ATP 加水分解が必要であり，この加水分解はペルオキシソーム膜から細胞質への Pex5 の再利用と共役している．
- 小胞体，ミトコンドリア，および葉緑体タンパク質の場合と異なり，多くのペルオキシソームマトリックスタンパク

質は細胞質で折りたたまれ,そのままペルオキシソーム膜を通り抜ける.
- ペルオキシソーム膜のタンパク質はマトリックスタンパク質とは別の輸送配列をもち,異なる経路により取込まれる.

13・6 核への輸送と核からの輸送

核は,2枚の膜からなる**核膜**(nuclear envelope)で細胞質から隔てられている(図1・13a参照).核膜は小胞体膜とつながっていてその一部となっている.細胞質タンパク質の核内への輸送とmRNA, tRNA,およびリボソームサブユニットなどの巨大分子の核外への輸送は2枚の膜からなる核膜を貫通する**核膜孔**(nuclear pore,核孔)を通じて行われる.核へのタンパク質の取込みは,基本的ないくつかの点で他の細胞小器官への取込みと似ている.たとえば,核に取込まれるタンパク質は**核局在化シグナル**(nuclear-localization signal: NLS)という特別な輸送配列をもっている.

しかし,核へのタンパク質は折りたたまれた状態で輸送されるという点で小胞体,ミトコンドリア,および葉緑体への輸送とは異なっている.本節では,タンパク質の核への出入りの主要な機構を説明する.また,核へのタンパク質の取込みとは異なる機構で行われるmRNAやリボ核タンパク質複合体の放出についても解説する.

核膜孔複合体を介して大小の分子が核に出入りする

すべての真核細胞の核膜には多数の孔が空いている.それぞれの孔は**核膜孔複合体**(nuclear pore complex: NPC)と名づけられた精巧な構造体からできている.それは細胞内で最も巨大なタンパク質からなる構造物の一つで,脊椎動物だと60〜80 MDa,つまりリボソームの大きさのおよそ16倍である.NPCは約30種類の**ヌクレオポリン**(nucleoporin)とよばれるタンパク質群が多数集まってつくられている.核膜孔複合体の電子顕微鏡写真から,膜内に埋まった環状構造が親水性の孔を取囲んでいることがわかる(図13・32).そこから核質に向かって約100 nmの長さのフィ

(a)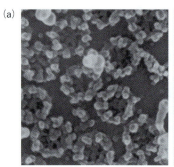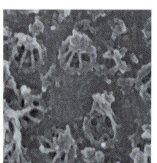

(b)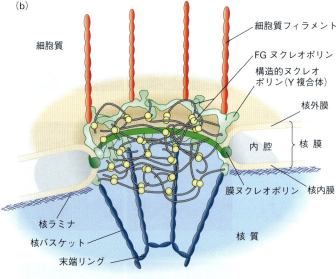

(c)

(d)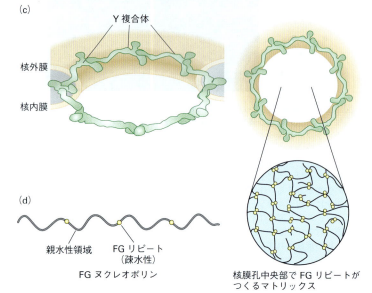

図 13・32 さまざまな解像度で表した核膜孔複合体.(a) 走査型電子顕微鏡で観察したアフリカツメガエル卵母細胞の大きな核の核膜.左: 細胞質側から見ると,核膜孔複合体の膜包埋部分が八角形であることがわかる.右: 核質側から見ると,膜包埋部分から伸びている核バスケットがわかる.(b) 膜ヌクレオポリン,構造的ヌクレオポリン,およびFGヌクレオポリンがつくる構造の特徴がよくわかる核膜孔複合体の断面モデル.(c) 核膜孔の基本的枠組は16個のY複合体によりつくられている.この図はY複合体の三次元構造を核膜孔にはめ込んでつくったモデル.核の二重膜のどちら側に対しても対称になっていることと(左),核膜孔を貫通する軸に対しては8回対称性があること(右)に注意してほしい.(d) FGヌクレオポリンはPhe-Gly反復配列とその間にある親水性領域からなる引き伸ばされた構造をもつ(左).FGヌクレオポリンは核膜孔の中央部分に多く存在し,FGリピートはその部分をゲル状のマトリックスで埋めると考えられている(右).[K. Ribbeck and D. Görlich, 2001, *EMBO J.* **20**: 1320; M. P. Rout and J. D. Atchison, 2001, *J. Biol. Chem.* **276**: 16593 参照.(a)は V. Doye and E. Hurt, 1997, *Curr. Opin. Cell Biol.* **9**(3): 401, Copyright Clearance Center, Inc. を通じて Elsevier より許可を得て転載.]

ラメントが8本伸びており，それらの末端は末端リングと結合して，**核バスケット**（nuclear basket）とよばれる構造をつくっている．NPCの細胞質側からも細胞質に向かって細胞質フィラメントが伸びている．

イオン，小分子代謝産物，および約40 kDaまでの球状タンパク質は核膜孔複合体の水でみたされた中央部を通って拡散していくことができる．しかし，大型タンパク質やリボ核タンパク質複合体は，拡散によって核に出入りはできない．これら巨大分子は，その代わり，ヌクレオポリンと相互作用する水溶性の輸送タンパク質の助けによって核膜孔を通って能動輸送される．NPCの能動輸送能力とその効率は驚くべきものである．各NPCは，1分間のうちに60000個のタンパク質を核内に，50〜250個のmRNA分子，10〜20個のリボソームサブユニットおよび1000個のtRNAを核外に輸送しているのである．

ヌクレオポリンには三つの種類がある．**構造的ヌクレオポリン**（structural nucleoporin），**膜ヌクレオポリン**（membrane nucleoporin），および **FGヌクレオポリン**（FG-nucleoporin）である．構造的ヌクレオポリンは，2枚の核膜を貫通する8回対称性をもった環状の枠組であり，中央は核の内外へ巨大分子が動ける開口部となっている．膜の内側と外側はNPCのところで大きく曲がって接続しており，その部分には膜ヌクレオポリンが埋込まれている（図13・32b）．7個の構造的ヌクレオポリンが1組になってリボソームほどの大きさのY字形の構造をつくっており，それは**Y複合体**（Y-complex）とよばれている．核膜孔の基本的枠組は16個のY複合体によりつくられている．この枠組は核膜の両側にあり，膜の面内では8回対称性をもつ（図13・32c）．Y複合体内部で何回も繰返される構造モチーフは，細胞内で被覆小胞をつくる際に使われるCOPIIタンパク質にみられるものとよく似ている（14章）．構造的ヌクレオポリンと小胞を被覆するタンパク質の根源的な類似は，それら二つの膜被覆タンパク質複合体が共通の起源をもっていることを示唆する．この構造的ヌクレオポリンの基本機能は，膜ヌクレオポリンと複合体をつくり，膜を大きく曲げるためのタンパク質の格子をつくることなのかもしれない．

核膜孔複合体の通路を覆い，核バスケットや細胞質フィラメントとも結合しているFGヌクレオポリンはフェニルアラニン（F）とグリシン（G）に富んだ短い疎水性の反復配列（FGリピート）を複数もっている．この疎水性のFGリピートは，中央の通路に突き出す全体としては親水性の長く伸びたポリペプチド鎖領域に散在する．NPCの機能にはFGヌクレオポリンが必須であるが，FGリピートの半分までが欠落してもNPCは機能することから，その機能は特定の構造ではなく，これらのタンパク質の一般的な性質に依存しているようである．生物物理学的解析と動的なコンピューターモデリングによって，FGリピートは，折りたたまれていないタンパク質と同様の無秩序な構造をもち，非常に動的であることが示された．このような性質から，NPCの中央に存在するチャネルは，輸送タンパク質と結合していない40 kDa以上の親水性タンパク質を排除しつつ小分子の拡散を可能にする，流動的な相でみたされていると考えられる（図13・32d）．

核輸送受容体が核局在化シグナルをもつタンパク質につきそって核内へ輸送する

ヒストン，転写因子，DNAおよびRNAポリメラーゼなど核内にあるすべてのタンパク質は細胞質で合成され，核膜孔複合体を通って核内に輸送される．それらのタンパク質は核局在化シグナル（NLS）をもっており，それによって核へ選択的に輸送される．シミアンウイルス40（SV40）のラージT抗原とよばれるタンパク質の遺伝子突然変異の解析によってNLSは最初に発見された．このタンパク質の野生型はウイルスに感染した細胞の核に局在するのに対し，突然変異ラージT抗原のいくつかは細胞質に蓄積する．この細胞内局在を変える突然変異は，いずれもタンパク質のC末端近傍にあるPro-Lys-Lys-Lys-Arg-Lys-Valという塩基性アミノ酸に富む特異的な7残基の配列中に生じていた．この配列を細胞質タンパク質と融合させたキメラタンパク質をつくって実験したところ，この配列が核への輸送を指令すること，すなわちNLSとして機能することがわかった（図13・33）．その後，核内に輸送されるほかの多数のタンパク質についてもNLSが同定された．それらの多くはSV40ラージT抗原の塩基性NLSと似ていたが，化学的性質が全く異なる別のNLSも存在した．たとえば，RNA結合タンパク質であるhnRNP A1のNLSは疎水性である．したがって，そうした異なる配列を認識する複数の機構が存在するはずである．

核内輸送の機構についての初期の研究から，SV40ラージT抗原に似た塩基性NLSを含むタンパク質は細胞質抽出物があるときだけ単離した核内に輸送されることがわかった（図13・34）．この測定法によって，核内輸送に必要な2種類のタンパク質，すなわち**核輸送受容体**（nuclear transport receptor）およびRanが精製された．核輸送受容体は核内へ輸送される積み荷タンパク質中のNLSと結合する．さらに核輸送受容体はヌクレオポリンのFGリピートとも相互作用する．FGリピートに対する親和性によって，核輸送受容体とそれが結合したNLSを含んだ積み荷タンパク質

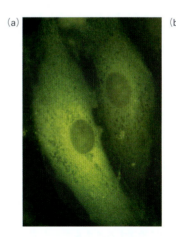
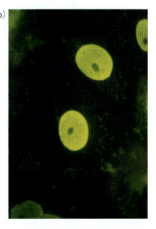

図13・33（実験） 核局在化シグナル（NLS）がタンパク質を核に向かわせる．核局在化シグナルを細胞質タンパク質に融合させると，そのタンパク質は核へ輸送される．（a）培養細胞をピルビン酸キナーゼに特異的な抗体（黄）で処理したあとに免疫蛍光法で可視化すると，正常なものは細胞質に局在していることがわかる．この巨大な細胞質タンパク質は糖代謝に関与している．（b）N末端にSV40のNLSをもつキメラピルビン酸キナーゼを細胞で発現させると，それは核に局在する．このキメラタンパク質は，SV40のNLSをコードするウイルス遺伝子断片をピルビン酸キナーゼ遺伝子に融合させてつくった組換え遺伝子を形質導入して発現させた．［D. Kalderon et al., 1984, *Cell* **39**(3 Pt 2): 499, Copyright Clearance Center, Inc. を通じてElsevierより許可を得て転載．］

(a) ジギトニンの効果

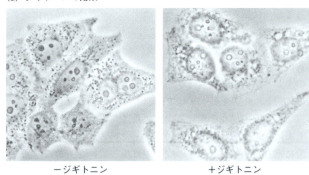

－ジギトニン　　　　　＋ジギトニン

(b) 透過性を高めた細胞での核内輸送

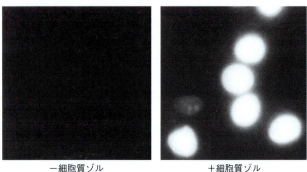

－細胞質ゾル　　　　　＋細胞質ゾル

図 13・34（実験）　核への輸送には細胞質タンパク質が必要である. 膜透過性を高めて細胞質ゾル成分を失わせた培養細胞では核輸送がうまくいかないことから，この過程における水溶性細胞質ゾル成分の関与が示唆された．(a) 未処理およびジギトニンで膜透過性を高めた HeLa 細胞の位相差顕微鏡写真．1 層の培養細胞を穏和な非イオン性界面活性剤のジギトニンで処理すると，細胞膜の透過性が増して細胞質ゾルの成分はもれ出すが，核膜と NPC は無傷で残る．(b) 細胞溶解物（細胞質ゾル）の存在下あるいは非存在下で，SV40 T 抗原の NLS ペプチドを化学的に結合させた蛍光タンパク質をジギトニンで透過性を高めた HeLa 細胞とインキュベートしたときの蛍光顕微鏡写真．この輸送基質の核内への蓄積は，培養液中に細胞質ゾルが含まれるときだけ（右）みられた．[S. A. Adam et al., 1990, *J. Cell Biol.* **111**: 807 による．]

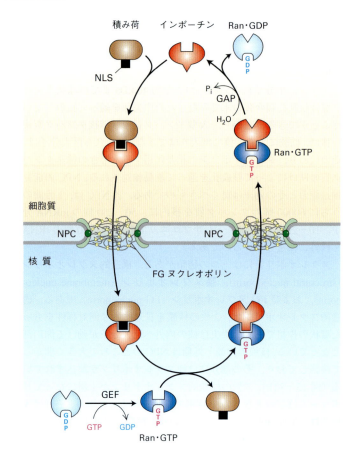

図 13・35　タンパク質の核内輸送機構. 細胞質（上）では，遊離インポーチンが積み荷タンパク質の NLS に結合することによって形成されたインポーチン-積み荷複合体は，FG ヌクレオポリンと次々に相互作用することによって，NPC を通って核内へ拡散していく．核質では Ran・GTP がインポーチンと結合して立体構造の変化をもたらし，それが NLS への親和性を低下させて積み荷を解離させる．次の輸送のために，インポーチン-Ran・GTP 複合体は細胞質へ戻される．NPC の細胞質フィラメントに結合した GTPase 活性化タンパク質（GAP）は，Ran による GTP 加水分解を促す．これにより立体構造が変化するので Ran はインポーチンから解離し，それが次の輸送のはじまりとなる．Ran・GDP は核質に戻り，そこでグアニンヌクレオチド交換因子（GEF）が GDP の解離と GTP の再結合を促す．

は NPC の中央チャンネルの FG リピートの液相に容易に移行できるが，この特性をもたないタンパク質は同じ大きさであっても，中央チャンネルから排除される．核輸送受容体には，単一ポリペプチド鎖で NLS および FG リピートの両方と結合するものと，二量体で，一方が NLS と，他方が FG リピートと結合するものがある．

Ran は低分子量単量体の G タンパク質で，GTP 結合型と GDP 結合型の二つの立体構造をとることができる（図 3・35 参照）．核膜孔を通って巨大分子を一方向的に輸送するエネルギーを究極的に供給しているのは，Ran が交互に GTP 結合型と GDP 結合型になること，すなわち GTP を加水分解して GDP にすることなのである．

インポーチン（importin）とよばれる核輸送受容体を介した細胞質積み荷タンパク質の輸送機構を図 13・35 に示す．細胞質に遊離しているインポーチンは積み荷タンパク質の NLS に結合してインポーチン-積み荷複合体を形成する．次に積み荷複合体は，インポーチンが FG リピートと相互作用することにより，効率的に NPC チャンネルへと送られる．チャンネルに到達すると，インポーチン-積み荷複合体は，無秩序な拡散によってチャンネルの核質側に速やかに到達し，そこで Ran・GTP と相互作用することによってインポーチンの立体構造に変化が起こり，NLS から解離するので，積み荷タンパク質は核質に放出される．その後，インポーチン-Ran・GTP 複合体は拡散によって NPC を通って細胞質に戻る．インポーチン-Ran・GTP 複合体が NPC の細胞質側に達すると，Ran は，NPC 細胞質フィラメントの構成成分の一つである特異的な **GTPase 活性化タンパク質**（GTPase-activating protein: **GAP**）と相互作用する（**Ran-GAP**）．これによって Ran は GTP を加水分解して GDP にし，インポーチンに対する親和性が低い構造に変わる．その結果，インポーチンが細胞質へ放出され，そこで再び次の輸送サイクルに関与できるようになる．Ran・GDP は核膜孔を通って核質へ戻り，そこで特異的**グアニンヌクレオチド交換因子**（guanine nucleotide exchange factor: **GEF**）と相互作用する（**Ran-GEF**）．Ran-GEF は Ran に結合した GDP を解離させ，GTP

と再結合させる．この一連の反応では，GTP加水分解とNLSをもったタンパク質の細胞質から核内部への輸送が共役している，すなわち核輸送のエネルギーを供給しているのである．

インポーチン-積み荷複合体は拡散という無秩序な過程によって核膜孔を通って移行するが，全体としてみると輸送は一方向的に起こっている．核内輸送複合体が核質に到着すると速やかに解離するので，NPCを挟んでインポーチン-積み荷複合体の濃度勾配ができる．複合体がつくられる細胞質側で濃度が高く，それが解離する核質側で濃度が低い．この濃度勾配が核内輸送の一方向性の理由である．これと類似した濃度勾配の働きにより核内のインポーチンは細胞質へ戻る．核質のインポーチン-Ran・GTP複合体の濃度は，それが解離するNPCの細胞質側よりも高い．最終的に輸送過程の方向性を決めているのは，ほとんどのRan-GEFが核質にありほとんどのRan-GAPが細胞質にあるという非対称な分布である．核質にあるRan-GEFはRanをRan・GTPの状態に維持し，そこで積み荷複合体の解離を促す．NPCの細胞質側にあるRan-GAPはRan・GTPをRan・GDPにし，インポーチン-Ran・GTP複合体を解離させて遊離インポーチンを細胞質ゾルへ放出する．

第二の核輸送受容体が核外輸送シグナルをもつタンパク質につきそって核外へ輸送する

タンパク質，tRNA，およびリボソームサブユニットを核から細胞質へ輸送するのにも，上で述べたものとよく似た機構が使われる．この機構が最初に明らかになったのは核と細胞質の間を"シャトル"のように行き来する，ある種のリボ核タンパク質複合体の研究からだった．このようなシャトルタンパク質は，核内へ取込まれるためのNLSに加えて，核膜孔を通じて核から細胞質への輸送を促進する**核外輸送シグナル**（nuclear-export signal: **NES**）をもっている．核に局在するタンパク質にシャトルタンパク質のさまざまな部位の断片を融合させた人工融合遺伝子を用いた実験によって，少なくとも3種類の異なるクラスのNESの存在がわかった．それらは，PKI（プロテインキナーゼAの阻害剤）およびヒト免疫不全ウイルス（HIV）のRevタンパク質中にみられるロイシンに富む配列と，異なるヘテロリボ核タンパク質粒子（hnRNP）中で発見された二つの配列である．これまでのところ，これらの配列中にある核外輸送決定にかかわる構造上の特徴は見つかっていない．

ロイシンに富んだNESを含むシャトルタンパク質の核外輸送機構の研究が最も進んでいる．図13・36(a)に示す現在のモデルによると，**エクスポーチン1**（exportin 1）とよばれる核内にある特異的核輸送受容体が，まずRan・GTPと複合体を形成し，次に積み荷タンパク質のNESと結合する．エクスポーチン1がRan・GTPと結合すると，エクスポーチン1にNESとの親和性を高めるような立体構造変化が起こり，その結果，三分子積み荷複合体が形成される．他の核輸送受容体と同様に，エクスポーチン1もFGヌクレオポリン中のFGリピートと一過性に相互作用し，NPCを通って拡散していく．積み荷複合体がNPC細胞質フィラメントのRan-GAPに出会うと，Ranは刺激されてGTPを加水分解し，エクスポーチン1に対して親和性の低い立体構造へと変わり，解離する．三分子積み荷複合体からRan・GDPが解離すると，エクスポーチン1はNESへの親和性の低い構造になり，積み荷を細胞質に放す．細胞質へ輸送が起こるのは，エクスポーチン1と積み荷の解離が細胞質で起こるからで，その結果，NPCを挟んで積み荷複合体濃度が核質側で高く細胞質側で低いという濃度勾配ができる．その後，エクスポーチン1とRan・GDPはNPCを通って核へ戻る．

核外輸送に関するこのモデルを，図13・35に示した核内輸送のモデルと比較すると，二つの間には明白な違いが一つある．それは，核外輸送の際にはRan・GTPは積み荷複合体の一部をなすが，核内輸送の際はそうでないことである．この違いを別にすれば，二つの輸送過程は驚くほど似ている．どちらの過程でも核質内にあるRan・GTPと結合することで，核輸送受容体は輸送シグナルへの親和性が変わるような構造変化を起こす．核内輸送の際には，その相互作用が積み荷の解離をもたらし，核外輸送の際には，それが積み荷との結合を促進する．核外輸送と核内輸送の両方で，細胞質側でのRan-GAPによるRan・GTPの加水分解の促進がRanに構造変化を起こさせ，核輸送受容体から解離させる．核外輸送の際には，積み荷の解離も起こる．Ran-GAPとRan-GEFがそれぞれ細胞質と核に局在するということが，積み荷タンパク質がNPCを通って一方向的に輸送されることの原因である．

機能の類似を反映するように，インポーチンとエクスポーチンという二つの核輸送受容体はアミノ酸配列も，構造も非常に相同性が高い．この核輸送受容体ファミリーに属するタンパク質は酵母に14種類，哺乳類細胞に20種類以上ある．それらの結合相手であるNESあるいはNLSは，ごく一部しか明らかになっていない．核輸送受容体のなかには核への輸入と核からの輸出の両方で働くものが存在する．

タンパク質以外の積み荷を核外輸送する際にも，類似のシャトル機構が働くことがわかっている．たとえば，エクスポーチンtはtRNAの核外輸送で働く．エクスポーチンtは，Ran・GTPとの複合体となってプロセシングを完了したtRNAと結合し，NPCを通じて拡散し，NPCの細胞質フィラメントに結合したRan-GAPと相互作用するとRanから解離し，tRNAを細胞質に放出する．核内でタンパク質とRNAから適切に組立てられたリボソームサブユニットを，NPCを通り抜けて核外輸送する際にも，Ranに依存した過程が必要である．同様に，特定のhnRNPに結合したある種の特異的mRNAも，Ran依存的機構によって核外に輸送される．

mRNAの多くはRanに依存しない機構により核外へ輸送される

核内でプロセシングが終わっても，mRNAには特異的なタンパク質が結合していてメッセンジャーリボ核タンパク質複合体（messenger ribonuclear protein complex: **mRNP**）となっている．核からこのmRNPを輸送する主要なものは**mRNPエクスポーター**（mRNP exporter）で，**核外輸送因子1**（nuclear export factor 1: **NXF1**）とよばれる大きなサブユニットおよび**核外輸送トランスポーター1**（nuclear export transporter 1: **NXT1**）とよばれる小さなサブユニットからなるヘテロ二量体である．複数のNXF1-NXT1二量体が，RNAおよび他のmRNPアダプタータンパク質との協同的相互作用により核内のmRNPに結合する．mRNPアダプタータンパク質とは，転写の最中からプロセシングまでの間，新しくできたmRNA前駆体に結合しているタンパク質である．こ

図 13·36 **Ran 依存性および Ran 非依存性核外輸送**. (a) ロイシンに富む核外輸送シグナル (NES) をもつ積み荷タンパク質の Ran 依存性核外輸送機構. 核質 (下) で，エクスポーチン 1 というタンパク質が，輸送される積み荷タンパク質の NES および Ran·GTP と協同的に結合する．こうしてできた積み荷複合体が FG ヌクレオポリンの FG リピートとの一過性の相互作用を通じて NPC から核外へ拡散したあとで，NPC 細胞質フィラメントと結合した Ran-GAP が GTP 加水分解を促して，Ran·GTP を Ran·GDP にする．これによる Ran の立体構造の変化が複合体の解体につながる．NES を含む積み荷タンパク質は細胞質へ放出され，エクスポーチン 1 と Ran·GDP は NPC を通って核へ戻る．核質の Ran-GEF は，Ran·GDP から Ran·GTP への変換を促進する．(b) Ran 非依存性の mRNA の核外輸送．ヘテロ二量体である NXF1-NXT1 複合体が核内で mRNA-タンパク質複合体 (mRNP) と結合する．NXF1-NXT1 は核外輸送受容体として働き，NPC の FG ヌクレオポリンと一過性の相互作用をすることにより，結合した mRNP を核膜孔中央部のチャネルへと運ぶ．NPC の細胞質側に存在する RNA ヘリカーゼ (Dbp5) が ATP 加水分解のエネルギーを使い，mRNA を NXF1 と NXT1 から引き離す．遊離した NXF1 と NXT1 は図 13·35 に示した Ran 依存性輸送過程により核に戻される．

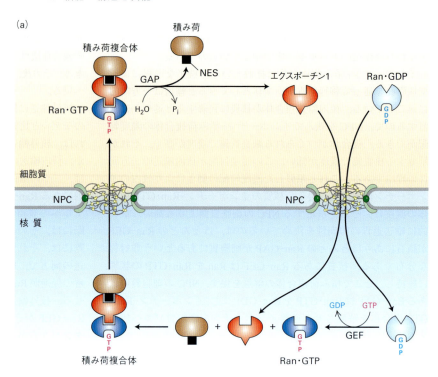

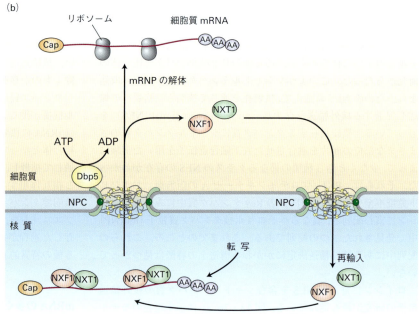

のしくみによって，mRNA の輸送時にはいくらかの品質管理が行われる．それは mRNA が適切に処理されて完全な状態になるまで，NXF1-NXT1 二量体は mRNP に結合しないからである．mRNP と結合した NXF1-NXT1 は FG ヌクレオポリンの FG ドメインと相互作用しながら NPC の中央チャネルを拡散していくので，多くの点において NLS や NES に結合する核輸送受容体と類似している．

mRNP の核外輸送には Ran を必要としないので，核から mRNA を一方向的に輸送するためには Ran による GTP 加水分解以外のエネルギー源が必要である．mRNP-NXF1-NXT1 複合体が NPC の細胞質側に到達すると，細胞質フィラメントに結合する Dbp5 という RNA ヘリカーゼの助けを借りて，NXF1 と NXT1 は mRNP から解離する．RNA ヘリカーゼは ATP 加水分解のエネルギーを使い RNA 上を動き，二本鎖 RNA をほどき，RNA-タンパク質複合体を解離させるということを思い出してほしい (5 章)．単純に考えると，NPC の細胞質側に結合している Dbp5 が，ATP のエネルギーを使い，NPC から出てきた mRNP 複合体から NXF1-NXT1 を引き離すモーターではないかと思える．細胞質へ出てきた mRNP の部分は NXF1-NXT1 が取除かれており，FG リピートヌクレオポリンと相互作用する能力を失っている．そのため，NPC

を通過した伸長したmRNPは核内に戻ることができず，Dbp5ヘリカーゼによるエネルギー依存的なNXF1-NXT1除去の過程で，mRNPは徐々に細胞質内へと一方向に輸送されていく．Dbp5ヘリカーゼにより，mRNPから引き離されて遊離したNXF1とNXT1はRanと核輸送受容体に依存する過程により核内に戻される（図13・36b）．

13・6 核への輸送と核からの輸送 まとめ

- 核膜には，30種類の異なるヌクレオポリンとよばれるタンパク質が多数集合してつくる，大きくて複雑な構造の核膜孔複合体（NPC）が多数存在する（図13・32）．
- 短い疎水性配列の繰返し（FGリピート）を多数含むFGヌクレオポリンは，輸送チャネルの中央をゲル状の構造でみたし，小分子は通すが40 kDa以上の巨大分子は排除する．
- 核膜孔を通過するすべての大型タンパク質およびRNAの輸送には，能動輸送が関与している．この過程には，輸送される分子およびFGヌクレオポリンのFGリピートの両方と相互作用する核輸送受容体の助けが必要である．
- 核内あるいは核外へ輸送されるタンパク質には核局在化シグナル（NLS）または核外輸送シグナル（NES）という特異的なアミノ酸配列がある．所在が核内に限られているタンパク質はNLSをもつが，NESはもたない．それに対して，核と細胞質を往来するタンパク質は両方のシグナルをもつ．
- NESとNLSには，いくつかの異なる種類がある．どちらの核輸送シグナルも，類似したタンパク質のファミリーに属する特異的核輸送受容体と相互作用すると考えられている．
- NESまたはNLSをもつ"積み荷"タンパク質は対応する核輸送受容体と結合した状態で核膜孔を通って移動する．核輸送受容体-積み荷複合体は，核輸送受容体とFGリピートとの一過性相互作用によって，疎水性FGリピートのマトリックスでみたされたNPCの中央チャネルを通って速やかに拡散していく．
- 核膜孔を通って核内外へ輸送される過程が一方向的に進むのは，GTPが結合するか，GDPが結合するかで異なる立体構造をとる単量体GタンパクであるRanの関与による．Ran-GEFが核に，Ran-GAPが細胞質に局在していることにより，核ではRan・GTP濃度が高く，細胞質ではRan・GDP濃度が高いという濃度の勾配が生じる．核質での積み荷複合体とRan・GTPの相互作用により複合体の解離が起こり，積み荷は核質に放出される（図13・35）．それに対して核外輸送積み荷複合体の会合は，核質でのRan・GTPとの相互作用により促される（図13・36）．
- 大部分のmRNPは，FGリピートと相互作用するヘテロ二量体であるmRNPエクスポーターと結合することによって核から輸出される．輸送の方向（核→細胞質）が決まるのは，核膜孔複合体の細胞質フィラメントに結合しているRNAヘリカーゼが細胞質側にきた輸送複合体からmRNPエクスポーターを引き離すからである．

重要概念の復習

1. 以下の結果は分泌タンパク質の翻訳に関する初期の研究によって得られた．その過程について現在知られていることをもとに，なぜそのような結果が観察されたのかを説明せよ．
a. in vitroでの転写系を使い，mRNAとリボソームだけを使って分泌タンパク質をつくらせたところ，細胞内でつくられた同一タンパク質より分子量が大きかった．
b. この系にミクロソームを加えたところ，細胞内でつくられるものと同じ分子量のものがつくられた．
c. 翻訳が終わってからミクロソームを加えたところ，つくられたものは前と同じ分子量の大きなものであった．

2. (a) 小胞体への翻訳時輸送，(b) 小胞体への翻訳後輸送，(c) ミトコンドリアマトリックスへの輸送において，膜を横切って一方向性輸送を行うために必要なエネルギー源について述べよ．

3. 多くの細胞小器官への輸送には，一つあるいは複数の細胞質タンパク質の働きが必要である．小胞体，ミトコンドリア，およびペルオキシソームへの輸送に必要な細胞質因子の基本的機能をそれぞれについて述べよ．

4. タンパク質中の空間配置決定配列を同定するための原則とそれを使ったコンピュータープログラム（アルゴリズム）の開発について述べよ．空間配置決定配列が同定できると，どうして複数回膜貫通タンパク質の膜内での配置が予測できるのか．シグナル-膜係留配列に対して正電荷をもったアミノ酸の配列がどちらにくるかということが膜内での方向を決めるうえでどのように重要なのか．

5. 小胞体内に正しく折りたたまれなかったタンパク質が多くなると，折りたたまれていないタンパク質に対する応答（UPR）と小胞体関連分解（ERAD）経路が活性化する．どのような遺伝子の発現を変えることによりUPRは折りたたまれていないタンパク質を減らすのか．ERADが正しく折りたたまれていなかったタンパク質を検出する一つの方法はどのようなものか．なぜ正しく折りたたまれなかったタンパク質を細胞質に逆転輸送する必要があるのか．

6. N結合型オリゴ糖の前駆体であるドリコールオリゴ糖の合成の各段階の酵素が阻害される温度感受性突然変異酵母が単離されている．ドリコール-PP-$(GlcNAc)_2Man_5$という中間体の合成が阻害されている突然変異体では分泌タンパク質へのN結合型オリゴ糖鎖の付加が全く起こらないが，この中間体から完成した前駆体であるドリコール-PP-$(GlcNAc)_2Man_9Glc_3$がつくられる段階が阻害されている変異体では分泌タンパク質への糖鎖付加が起こることを説明せよ．

7. 小胞体内腔で分泌タンパク質の修飾や折りたたみを促している四つの異なるタンパク質の名前をあげよ．それらのタンパク質を，基質タンパク質を共有結合により修飾するものと基質タンパク質の立体構造を変えるだけのものに分けよ．

8. 次のようなミトコンドリア変異体において，ミトコンドリアマトリックスタンパク質前駆体はどうなるのか．(a) シグナル受容体Tom22に変異が起こった場合．(b) シグナル受容体Tom70に変異が起こった場合．(c) マトリックス内のHsp70に変異が起こった場合．(d) マトリックス内のシグナルペプチダーゼに変異が起こった場合．

9. ミトコンドリアマトリックスへの取込みと葉緑体ストロマへの取込みの類似点と相違点を述べよ．

10. ミトコンドリアマトリックスタンパク質前駆体とジヒドロ葉酸レダクターゼ（DHFR）を融合させたキメラタンパク質を使い，前駆体タンパク質がどのくらいマトリックス内に入ったところでマトリックス輸送配列が内部のプロテアーゼによって切断されるかを決

める実験を計画せよ．

11. ペルオキシソームには O_2 を使ってさまざまな基質を酸化する酵素が存在するが，その過程で DNA やタンパク質を傷つける H_2O_2 が発生する．H_2O_2 を分解して H_2O にする酵素の名前は何か．その酵素をペルオキシソームに送り込む機構とそれに関与するタンパク質はどのようなものか．

12. ペルオキシソームが機能しなくなった新しい変異細胞系を同定したとする．この変異細胞における欠陥がおもに膜タンパク質の埋込みと集合にあるのか，それともマトリックスタンパク質にあるのかを実験的に決めるにはどうしたらよいかについて述べよ．

13. 40 kDa 以上のタンパク質を核へ輸送するためにはどのようなアミノ酸配列が必要か．核への輸送機構を説明せよ．核輸送受容体はどのようにして核膜孔複合体の中を通り抜けるのか．

14. NES をもつ積み荷タンパク質の一方向的輸送にとって，Ran-GAP が核に局在し Ran-GEF が細胞質に局在することがなぜ必要なのか．

14

小胞輸送, 分泌, エンドサイトーシス

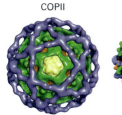
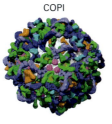

3 種類の輸送小胞の被覆タンパク質複合体の構造モデル. 被覆タンパク質複合体は, 小胞膜を湾曲させ, 小胞に取込まれる輸送タンパク質を選択する役割を担っている. [S. Dodonova, and J. Briggs 提供. A. J. Noble and S. M. Stagg, 2015, *Science* **349**(6244): 142 による.]

- 14・1 分泌経路を研究する手法
- 14・2 小胞の出芽と融合の分子機構
- 14・3 分泌経路の前期段階
- 14・4 分泌経路の後期段階
- 14・5 受容体依存性エンドサイトーシス
- 14・6 膜タンパク質や細胞質物質のリソソームへの輸送と分解

どのようにタンパク質が選別され, 小胞体 (ER), ミトコンドリア, 葉緑体, ペルオキシソーム, および核といったさまざまな細胞小器官の膜を横切ってその中へ輸送されるかを前章で学んだ. 本章では, 細胞から分泌されるタンパク質および細胞膜やリソソームに送り込まれるタンパク質が使う**分泌経路**(secretory pathway)とそこでの小胞輸送のしくみについてみていこう. そのあとで, 細胞の外からタンパク質や小分子を取込むエンドサイトーシスや, 細胞内の細胞小器官やタンパク質, 小分子をリソソーム内に送り込んで分解するオートファジー (自食作用) といった関連する過程についても説明する.

分泌経路は, インスリンや消化酵素などのタンパク質を産生して細胞外に分泌する分泌細胞についての研究から発見されたのでそうよばれているが, あとになって同じ経路で, 新たに合成された膜脂質や膜タンパク質のほとんどが小胞体から細胞表面に送り出されていることがわかった. 細胞膜に運ばれる新たに合成された膜タンパク質としては, 細胞表面受容体, 栄養分を取込むための輸送体, および細胞膜を挟んでの適切な電気化学的釣合を維持するためのイオンチャネルなどがある. 水溶性の分泌タンパク質も細胞膜タンパク質と同じ経路で細胞表面まで運ばれるが, それらは細胞膜上に残らず細胞外に放出される. 分泌タンパク質の例として, 消化酵素, ペプチドホルモン, 血清タンパク質, およびコラーゲンがあげられる.

また分泌経路は, 水溶性および膜タンパク質を, 小胞体, ゴルジ体, エンドソーム, リソソームなど, 分泌経路に沿って存在する細胞小器官に分配する役割を担っている. 13 章でみたように, 小胞体は分泌経路に入るすべてのタンパク質の合成と折りたたみの場である. 本章では, ゴルジ体の主要な機能である分泌タンパク質の糖鎖修飾の再構築について説明する. ゴルジ体はエンドソームとともに, タンパク質を最終目的地である細胞膜やリソソームに分配するための二大拠点である. 4 章で述べたように, リソソームは内部が酸性で, タンパク質を分解し, アミノ酸などの小分子をたくわえる細胞小器官である. したがって, リソソーム膜に送り込まれるタンパク質は, 細胞質からリソソーム内膜に H^+ を取込み酸性化する V 型プロトンポンプのサブユニットやリソソーム内にたくわえられた小分子を細胞質に送り出すための輸送体などである. この経路でリソソーム内に送り込まれる水溶性タンパク質としては, プロテアーゼ, グリコシダーゼ, ホスファターゼ, およびリパーゼといった消化酵素があげられる.

その複雑さに反して, 分泌経路の機構と運行は, たった二つの基本的な過程の繰返しの結果として理解することができる. 第一の過程とは, 膜で仕切られた一つの区画から次の区画へ水溶性および膜タンパク質を輸送する際に被覆**輸送小胞**(transport vesicle)が使われるということである. この小胞は一方の区画の**積み荷タンパク質**(cargo protein)を集めて出芽することにより生じ, 次の区画の膜と融合することでその区画へ積み荷タンパク質を送り込む. 後述するように, 分泌経路の各段階は異なる種類の小胞が担っているが, 小胞の種類にかかわらず, もとの膜から被覆小胞が出芽し, 適切な標的膜と特異的に融合する基本機構は, 驚くほど保存されている. この過程で大切なことは, 輸送小胞が一つの膜から出芽し次の膜と融合しても, 常に同じ面が細胞質側に向いているという点である. それゆえ, 一度小胞体の内腔あるいは膜に挿入されたタンパク質は, 分泌経路に従って一つの細胞小器官から次の細胞小器官へと送られていく間, 膜を横切って輸送されたり膜内での配置を変えられることはない.

第二の過程とは, 分泌経路に沿ったそれぞれの細胞小器官が, 輸送小胞の融合によって届けられる新しいタンパク質を受取り, 輸送小胞の出芽によって細胞小器官から出ていくタンパク質の提供を繰返すということである. 輸送小胞は特定の一群のタンパク

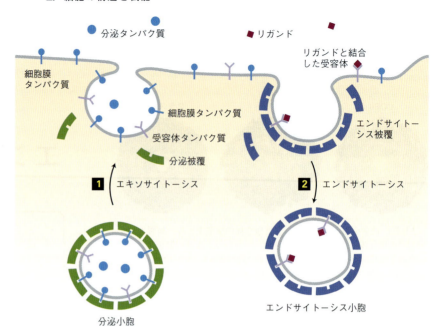

図 14・1　細胞膜の組成は小胞輸送によって決定される．**1**：膜やタンパク質は，ゴルジ体から出芽する被覆小胞がエキソサイトーシスすることによって，細胞膜に送り込まれる．この小胞に取込まれるタンパク質の種類は，小胞の被膜タンパク質との相互作用によって決定される．膜タンパク質は，膜への配向が保たれるので，小胞内側に面したドメインが最終的に細胞の外部に面することに注意されたい．したがって，小胞内部の水溶性タンパク質は細胞外に放出される．**2**：細胞膜から細胞質に出芽する被覆小胞によるエンドサイトーシスという過程によって，タンパク質と膜が細胞膜から除去される．この例では，膜受容体タンパク質は，リガンドと結合したときのみエンドサイトーシス小胞に取込まれる．細胞膜の全体的な組成は，分泌小胞による選択的なエキソサイトーシスにより送り込まれるタンパク質と細胞小胞によるエンドサイトーシスによって除去されるタンパク質との間のバランスによって制御されている．

質のみを梱包して送り出すので，各細胞小器官への小胞輸送の結果，各細胞小器官の組成，ひいては独自性が確立される．

　細胞膜の組成は，分泌経路による細胞膜への小胞輸送と，それと逆行する**エンドサイトーシス経路**（endocytic pathway）によるタンパク質と膜の除去という二つの経路によって決定される（図14・1）．分泌小胞による選択的な輸送とエンドサイトーシス小胞によるタンパク質の選択的な除去の両方が制御可能であるため，環境または発生シグナルに応答して細胞膜のタンパク質組成を調節することが可能である．さらに，エンドサイトーシス経路は，11章で述べた輸送機構のいずれかを用いて，細胞膜を越えて輸送するには大きすぎる特定の栄養素を摂取するために使用される．たとえば，エンドサイトーシス経路は，LDL粒子で運ばれるコレステロールの取込みに利用されている．さらに，エンドサイトーシス経路は，受容体タンパク質の活性を低下させる方法として，細胞表面から受容体タンパク質を除去するために使用されることもある．

　分泌経路とエンドサイトーシス経路が交差する個々の小胞輸送の全体的な構成は，図14・2に概略が示されている．分泌経路の第一段階は，粗面小胞体で行われる（図14・2，段階**1**）．13章で述べたように，新たに合成された水溶性および膜タンパク質は小胞体に運ばれ，そこで適切な構造をとるように折りたたまれ，N結合型あるいはO結合型糖鎖付加やジスルフィド結合形成のような共有結合を形成する修飾を受ける．小胞体内腔で正しく折りたたまれ，修飾された新規タンパク質は，分泌経路の第二段階であるゴルジ体への輸送とゴルジ体を通過する段階へと進む．

　小胞体からゴルジ体への輸送は，**順行性輸送小胞**（anterograde transport vesicle, anterograde は"前方に進む"の意）を介して行われる（段階**2**）．それらの小胞は互いに融合して**シスゴルジ網**（cis-Golgi network）あるいは**シスゴルジ嚢**（cis-Golgi cisterna, cistern は"水や他の液体を入れた容器"の意）とよばれる扁平な膜区画を形成する．本来小胞体に局在すべきタンパク質は別種の**逆行性輸送小胞**（retrograde transport vesicle, retrograde は"後方に進む"の意）によってシスゴルジ嚢から小胞体に戻される（段階**3**）．工場の組立てラインのように，新たにつくられたシスゴルジ嚢は内部にタンパク質を含んだままシス側（最も小胞体に近い部分）からトランス側（最も小胞体から離れた部分）へ前進移動し，まず中間ゴルジとなり，次にトランスゴルジとなる（段階**4**）．**嚢成熟**（cisternal maturation）とよばれるこの過程では逆行性輸送しか起こらない（段階**5**）．ゴルジ体に局在すべき酵素などのタンパク質は，このしくみにより常に後期のゴルジから初期のゴルジへと引き戻されている．この過程により，シスゴルジ嚢は中間ゴルジ嚢に，中間ゴルジ嚢はトランスゴルジ嚢に成熟する．分泌タンパク質がゴルジ体を通過するとき，それぞれのゴルジ区画で，特異的グリコシルトランスフェラーゼにより糖鎖に修飾を受ける．

　ゴルジ体に入ったタンパク質は，最後に，複雑な膜のネットワークや小胞からなる**トランスゴルジ網**（trans-Golgi network: **TGN**）に到達する．トランスゴルジ網は分泌経路の主要な分岐点である．タンパク質はここで異なる小胞に振り分けられ，異なる目的地に向かう．どの小胞に積み込まれるかにより，細胞膜に運ばれたり，すぐに分泌されたり，調節された分泌のためにたくわえられたり，リソソームに送られたりする（段階**6**〜**8**）．小胞が細胞膜と融合して，内容物を放出することを**エキソサイトーシス**（exocytosis）という．どんな種類の細胞でも，必ずある種のタンパク質を，休みなく分泌している（**恒常的分泌** constitutive secretion）．細胞によっては**分泌顆粒**（secretory granule）とよばれる特別な小胞を細胞膜の内側にとどめ，シグナルがくるまで内容物をエキソサイトーシスしない（**調節された分泌** regulated secretion）．リソソームへ運ばれる分泌タンパク質は，まずトランスゴルジ網から**後期エンドソーム**（late endosome）へ向かう小胞に入れられる．この後期エンドソームが直接リソソームの膜と融合することによってタンパク質はリソソームに移される．

　本章では，まず分泌経路やエンドサイトーシスについての知識

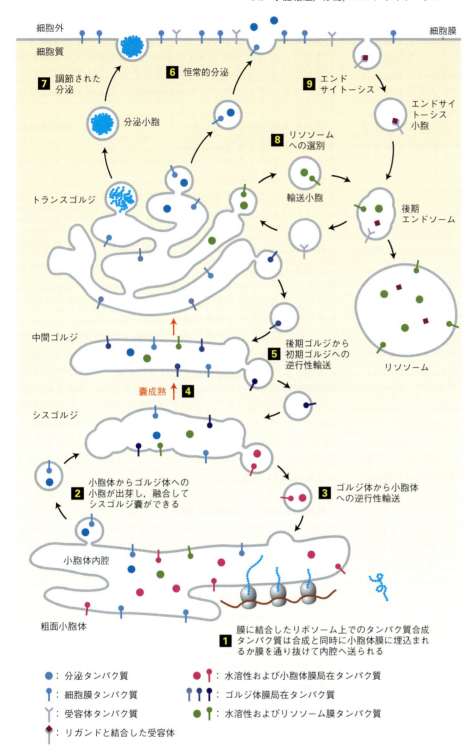

図 14・2 タンパク質の選別輸送を行う分泌経路およびエンドサイトーシス経路の概観. 分泌経路: 小胞体への輸送配列をもつタンパク質は粗面小胞体上で合成され(段階❶), 新たにつくられたポリペプチド鎖は小胞体膜に埋込まれるか, 膜を通り抜けて内腔に入る(13章). BiP や PDI のような小胞体に常在するタンパク質は小胞体内にとどまる. 他のものは輸送小胞に組込まれ(段階❷)小胞体から出芽し, それらの小胞が融合することにより新たなシスゴルジ嚢となる. まちがって送られてしまった小胞体に局在すべきタンパク質や, 再利用する必要のある膜タンパク質はシスゴルジから出芽する小胞により小胞体に戻される(段階❸). 各シスゴルジ嚢はタンパク質を含んだままゴルジ体のシス側からトランス側へ移動していく. この過程は嚢成熟とよばれ, 小胞輸送によるものではない(段階❹). ゴルジ体に局在するタンパク質は逆行性輸送小胞により適切なゴルジ区画に戻される(段階❺). すべての細胞で, 常時ある種の水溶性タンパク質が輸送小胞により細胞表面に運ばれ(段階❻), 分泌されている(恒常的分泌). ある種の細胞では水溶性タンパク質を分泌小胞内にたくわえ(段階❼), 細胞が神経あるいはホルモンのシグナルを受けたときだけそれを放出する(調節された分泌). リソソームへいくことになっている水溶性あるいは膜タンパク質は, トランスゴルジから出芽する小胞によりまず後期エンドソームへ輸送され(段階❽), それからリソソームへ輸送される. エンドサイトーシス経路: リガンドと結合した受容体タンパク質などの細胞膜タンパク質は, 細胞膜から出芽した小胞に取込まれ(段階❾), エンドソームに移動し, そこから細胞膜に再利用されるか, リソソームへ運ばれて分解されることになる.

を深めることに役立ったさまざまな実験手法を説明する. 次に, 膜の出芽と融合の基本的機構に焦点を当てる. 種類の異なる輸送小胞は, それぞれ異なるタンパク質群を小胞形成と膜融合の際に使うが, 出芽, 特定の積み荷分子の選択, および適切な標的膜との融合にはすべて同じ機構を使っていることがわかるだろう. そのあとの節では, 分泌経路の初期段階と後期段階の両方にかかわる話をする. そこでは, 細胞内の異なる部位に送られるタンパク質の選別がどのように行われているかを述べ, 最後にタンパク質がどのようにエンドサイトーシス経路によってリソソームに送り込まれるのかについて説明しよう.

14・1 分泌経路を研究する手法

分泌経路の細胞小器官内をタンパク質がどのように輸送されていくのかを理解するうえで重要だったのは, 輸送小胞の働きと, 特定の積み荷分子を取込む機構について, 基礎から明らかにする

ことであった．本節で述べるような遺伝学的および生化学的研究のすばらしい協同作業により，輸送小胞の形成や融合に必要な多くの構成成分が同定されてきた．細胞内でのタンパク質輸送を調べるすべての研究において，目的のタンパク質がある区画から次の区画へ輸送される様子を計測する何らかの手法が使われてきた．ここではまず生細胞内でのタンパク質輸送がどのようにして追跡できるかについて述べ，次に分泌経路を明らかにするうえで有用であった遺伝学的実験系およびin vitroの実験系について解説する．

分泌経路によるタンパク質輸送を生細胞内で計測することができる

1960年代に行われたGeorge Paladeらによる古典的研究から，分泌経路に入ったタンパク質が輸送されていく細胞小器官の順番がはじめて明らかになった．分泌タンパク質が決して細胞質に出てこないこともこの初期の研究により示された．これは輸送途中のタンパク質が何らかの膜に囲われた状態にあることを最初に示唆したものである．放射性標識したアミノ酸をハムスターの膵臓に注入し，新たに合成されたタンパク質が標識アミノ酸を取込んで細胞表面に到達する様子を追跡した．注入からの時間をいろいろと変えハムスターを殺し，放射性標識されたタンパク質の局在を見るために膵臓細胞をグルタルアルデヒドで固定し，切片をつくり，オートラジオグラフィーを行った．放射性アミノ酸は短時間のパルスとして投与されたので，その直後に合成されたタンパク質だけが標識され，明瞭なグループを形成し，その輸送過程を追うことができた．さらに，膵臓の腺房細胞は分泌に特化した細胞なので，標識されたアミノ酸のほとんどが分泌タンパク質に取込まれ，輸送されるタンパク質の観察が容易であった．

今日，細胞内のタンパク質の局在をみるためにオートラジオグラフィーを使うことはめったにないが，これらの初期の実験から，区画間の輸送を調べるためには二つの必須条件があることが示された．第一は，タンパク質の輸送をずっと追っていくためには，初期の区画に存在するタンパク質集団を標識する必要があるということである．第二は，標識されたタンパク質が局在している区画がどこであるかを同定する手段をもつ必要があるということである．ここでは，ほとんどすべての種類の細胞で使うことのできる，分泌タンパク質の細胞内輸送を観察するための新しい二つの手法について述べる．

どちらの手法においても，水疱性口内炎ウイルス（vesicular stomatitis virus: VSV）が大量につくる膜内在性の糖タンパク質（glycoprotein）の遺伝子を哺乳類培養細胞に人為的に導入するか，簡単にその細胞にウイルスを感染させることにより導入する．導入された細胞は，VSVの糖タンパク質を効率よく生産し，小胞体の膜に挿入する．そうした細胞は，分泌に特化した細胞でなくても，ただちに通常の分泌タンパク質と同じようにVSV糖タンパク質を小胞体上で合成しはじめる．温度感受性突然変異を起こしたVSV糖タンパク質を使うと，その後のタンパク質輸送をオンにしたりオフにしたりできる．非許容温度の40℃では新たにつくられたVSV糖タンパク質は適切な立体構造をとれず，13章で述べた品質管理機構により小胞体内にとめられるが，許容温度の32℃にすると蓄積していたタンパク質は正しい立体構造をとり，分泌経路に従って細胞表面まで輸送される．重要な点は，この温度感受性VSV糖タンパク質の折りたたみのまちがいが可逆的なことである．そのため，40℃で育てた細胞中のVSV糖タンパク質は，32℃に戻すと正しく折りたたまれ直して，正常に輸送されていく．この温度感受性突然変異を上手に使うことにより，タンパク質集団を明確にし，その後の輸送を追跡することができる．

この基本的過程を使うのだが，VSV糖タンパク質の輸送を検出する方法が異なるものが二つある．これら二つの手法を使った研究結果と初期のPaladeらによる研究結果はすべて同じ結論を導き出した．哺乳類細胞内の小胞によるタンパク質の輸送では粗面小胞体上での合成から細胞膜に到達するまでに30～60分かかるというのである．

GFP標識VSV糖タンパク質の顕微鏡観察　VSV糖タンパク質を観察する方法の一つは，天然の蛍光タンパク質である緑色蛍光タンパク質（green fluorescent protein: GFP，4章）の遺伝子とウイルスの遺伝子との融合遺伝子を利用するというものである．6章で述べたような方法でこの融合遺伝子を培養細胞内で発現させる．この融合タンパク質（VSVG-GFP）の温度感受性変異体を発現している細胞を非許容温度で育てるとVSVG-GFPは小胞体に蓄積するので，蛍光顕微鏡で観察するとレースのような小胞体膜の網目構造が見える．次に細胞を許容温度にすると，VSVG-GFPはまず核の縁に集積しているゴルジ体の膜へいき，それから細胞膜へいく（図14・3a）．細胞を許容温度にしてからの時間とVSVG-GFPの細胞内分布を解析することにより，VSVG-GFPが分泌経路の各細胞小器官内にどれくらいの時間とどまるかが決定できた（図14・3b）．

区画特異的オリゴ糖修飾の検出　分泌タンパク質の輸送を追跡するもう一つの方法は，分泌経路の異なった段階で起こる糖鎖修飾を利用したものである．この方法を理解するために，小胞体から出ていく多くの分泌タンパク質には一つあるいは複数のN結合型オリゴ糖$Man_8(GlcNAc)_2$がついているということを思い出してほしい．この糖鎖は小胞体内で合成され，タンパク質に付加される（図13・18参照）．そうしたタンパク質がゴルジ体を通っていく間に，シス，中間，トランスゴルジに局在する酵素が，核となる$Man_8(GlcNAc)_2$を決まった順で修飾していく．たとえば，シスゴルジに局在するグリコシダーゼは核となる糖鎖のマンノースを順々に切り離し，"刈込まれた"$Man_5(GlcNAc)_2$にする．N結合型オリゴ糖の切断状況を観察することで，シスゴルジに入り糖鎖修飾を受けたVSV糖タンパク質と小胞体にとどまったVSV糖タンパク質を区別することが可能である．**エンドグリコシダーゼD**（endoglycosidase D）として知られる特殊な糖鎖切断酵素を使うと，N結合型オリゴ糖鎖の刈込み状況をゲル電気泳動で容易に検出することができる．エンドグリコシダーゼDはタンパク質からシスゴルジ特異的に刈込まれたオリゴ糖は切断できるが，小胞体内の分泌タンパク質に結合している（刈込まれていない）核となるオリゴ糖鎖を切断しない（図14・4a）．エンドグリコシダーゼDによって糖鎖を切断されたVSV糖タンパク質は，SDS電気泳動を行ったときに，糖鎖のついているものより速く動くので容易に区別できる（図14・4b）．

この計測法は，放射性アミノ酸でパルス標識されたVSV糖タ

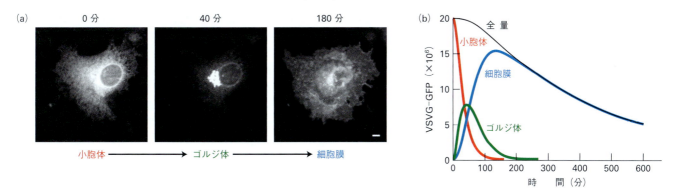

図14・3(実験) GFP標識した膜タンパク質を発現している細胞を蛍光顕微鏡で観察すると分泌経路で輸送されるタンパク質を見ることができる。ウイルス膜の糖タンパク質(VSVG)の遺伝子と緑色蛍光タンパク質(GFP)の遺伝子を融合させた遺伝子を培養細胞に導入する。ウイルス遺伝子に温度感受性突然変異の入ったものを使うと，新たにつくられた融合タンパク質(VSVG-GFP)は40℃で小胞体内にとどまり，32℃にするとそこから輸送されるようになる。(a) 温度を下げる直前と下げたあとの二つの時間における蛍光顕微鏡写真。VSVG-GFPは小胞体からゴルジ体に移り，180分以内に最終目的地である細胞表面に到達する。スケールバーは5 μm。(b) 温度を下げたあとの小胞体，ゴルジ体，細胞膜における VSVG-GFP 濃度の時間経過による変化。このデータをコンピューターで解析することにより，ある細胞小器官から次の細胞小器官への輸送速度を算出できる。時間とともに全蛍光量が減少するのはGFP不活性化のためと思われる。[J. Lippincott-Schwartz, K. Hirschberg, Metabolism Branch, National Institute of Child Health and Human Development 提供.]

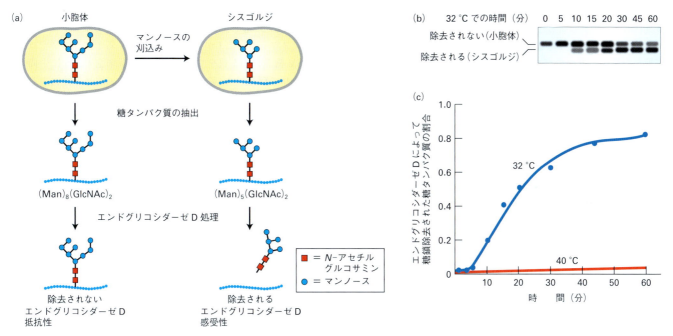

図14・4(実験) 小胞体からゴルジ体への膜内在性糖タンパク質の輸送をエンドグリコシダーゼDによる糖鎖除去から知ることができる。温度感受性突然変異VSV糖タンパク質を非許容温度下で放射性アミノ酸によりパルス標識すると，標識されたタンパク質は小胞体内にとどまる。温度を許容温度である32℃にし，さまざまな時間ののちに細胞からVSV糖タンパク質を抽出し，エンドグリコシダーゼDで糖鎖除去反応を行う。(a) タンパク質が小胞体からシスゴルジに移ると，シスゴルジに存在する酵素により$Man_8(GlcNAc)_2$というオリゴ糖鎖が切られて$Man_5(GlcNAc)_2$となる。エンドグリコシダーゼDは，このシスゴルジで処理された糖鎖を除去できるが，小胞体中のタンパク質の糖鎖は除去できない。(b) SDSゲル電気泳動により糖鎖が除去されたもの(速く進む)と除去されなかったもの(遅く動く)とを分離することができる。電気泳動図を見ると，当初は糖鎖が除去されるVSV糖タンパク質はほとんどないが時間とともにそれが増え，小胞体からゴルジ体に送られ，そこで糖鎖が修飾されていることがわかる。対照として40℃のままにしておいた細胞からVSV糖タンパク質を抽出して調べると，60分間たってもエンドグリコシダーゼDで糖鎖を除去されるものは現れなかった(データは示していない)。(c) エンドグリコシダーゼDで糖鎖を除去されたVSV糖タンパク質の割合を電気泳動図から読み取り，プロットすると，小胞体からゴルジへの輸送の経時変化がわかる。[(b)はC. J. Becckers et al., 1987, Cell **50**(4): 523による.]

ンパク質が，ウイルスに感染した細胞内で，小胞体からシスゴルジまでどう移動していくかを追跡する際に使われる。標識直後は，抽出されたVSV糖タンパク質のすべてが小胞体内にあるので，取出したタンパク質はエンドグリコシダーゼDによる切断を受けないが，時間とともにシスゴルジにおいて糖鎖を刈込まれることによって，切断を受けるものが増えてくる。オリゴ糖のプロセシングによる測定とVSVG-GFPの蛍光顕微鏡による測定の両方から，VSV糖タンパク質が小胞体からゴルジ体へ輸送されるのに30

分かるという結果が得られたということを覚えておいてほしい（図14・4c）．VSV糖タンパク質がゴルジ体の各区画をどのように通っていくのかを計測するため，それぞれのゴルジ区画で起こる糖鎖の特異的修飾を利用したさまざまな検出法が開発されてきた．

酵母の突然変異体によって小胞輸送の主要な段階と多くの構成成分が明らかになった

分泌経路の一般的構成と小胞の輸送に必要なタンパク質成分はすべての真核生物で似ている．この保存性のため，小胞輸送に関与する多くのタンパク質を同定するうえで酵母の遺伝学的研究が大いに役立った．他のすべての細胞と同様に，酵母にとっても新規のタンパク質や膜を細胞表面に輸送するうえで分泌経路は重要である．したがって，分泌経路の重要な構成成分の遺伝子は細胞増殖に必須で，8章で述べたような温度感受性変異体を使ってのみ調べることができる．

多くの酵母変異体は，当初，非許容温度でタンパク質を分泌できないことで同定された．これらの温度感受性**sec 突然変異体**〔secretion (*sec*) mutant〕は，低い許容温度から高い非許容温度に移されると，変異によって遮断された分泌経路の区画に分泌タンパク質を蓄積するようになる．一連の温度感受性突然変異酵母を解析した結果，五つのグループ（A〜E）に分けられた．それらは，分泌タンパク質が細胞質に蓄積するもの，粗面小胞体に蓄積するもの，小胞体からゴルジ体へタンパク質を運ぶ小胞に蓄積するもの，ゴルジ嚢に蓄積するもの，そして分泌小胞に蓄積するものである（図14・5）．いろいろなグループに属する*sec*突然変異体の研究が，あとの節で解説する小胞輸送の重要な構成成分の同定や分子機構の解明に大いに役立った．

分泌経路の各段階の順序を決めるため*sec*二重突然変異体を用いた実験が行われた．たとえば，B型とD型の欠陥をもつ酵母では，タンパク質はゴルジ嚢ではなく粗面小胞体に蓄積する．タンパク質はより初期の段階の欠陥のところに蓄積するので，分泌過程においてB型突然変異の起こっている段階のほうがD型突然変異の起こっている段階よりも前の段階であるといえる．こうした研究により，分泌タンパク質が合成され成熟する過程で細胞質から粗面小胞体，小胞体からゴルジ体への輸送小胞，ゴルジ嚢，分泌小胞へと動き，最後にエキソサイトーシスされるということが確認された．

最も重要なことは，酵母の*sec*変異体が，分泌経路の主要な各段階における小胞の出芽と融合に必要な多くの遺伝子とそれによってコードされているタンパク質に対応していることである．現在，分泌経路の各段階について，その機構が詳細に研究されており，生化学的測定やタンパク質構造研究によって，個々のタンパク質分子をその構造と機能から理解することが試みられている．

無細胞系輸送計測法により小胞輸送の個々の段階を調べることができる

in vitroでの区画間輸送計測法は，酵母の*sec*突然変異体の研究結果を補強し，小胞輸送に必要な成分を同定し分析するうえで有用な研究法である．この手法の応用例として，N結合型糖鎖を修飾するゴルジ体内の酵素が欠損した変異細胞に水疱性口内炎ウイルス（VSV）を感染させ，その生成物がどうなるかを調べるというものがある．もし感染させた細胞にN-アセチルグルコサミニルトランスフェラーゼIが欠損していたとすると，この細胞は大量のVSV糖タンパク質をつくるが，野生型細胞のように中間ゴルジでオリゴ糖鎖にN-アセチルグルコサミン残基を付加することができない（図14・6a）．その変異型細胞から単離したゴルジ膜にウイルス感染していない野生型細胞のゴルジ膜を混ぜると，VSV糖タンパク質へのN-アセチルグルコサミン付加が回復する（図14・6b）．この回復は，野生型細胞の中間ゴルジからウイルスに感染した変異型細胞のシスゴルジへN-アセチルグルコサミニルトランスフェラーゼIが小胞輸送されたことによる．

ゴルジ体輸送に関与するタンパク質は分画法によって同定されている．適切な条件下では，N-アセチルグルコサミニルトランスフェラーゼIを中間ゴルジからシスゴルジへ運ぶ輸送小胞を野生型細胞のゴルジ膜から遠心によって単離することができる．これらの小胞に高濃度で含まれているタンパク質を調べることによ

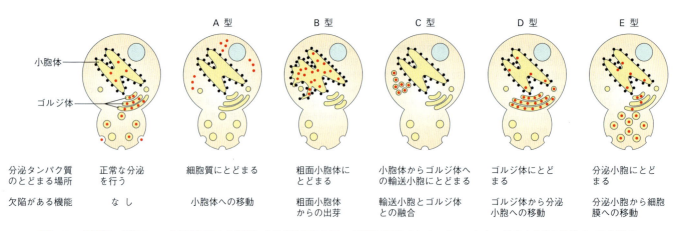

図 14・5（実験） 酵母の*sec*突然変異体の表現型により分泌経路の五つの段階が明らかになった．これらの温度感受性変異体は，許容温度から非許容温度にされたときに新たに合成されたタンパク質（赤点）がどこに蓄積するかによって五つ（A〜E）に分類できる．二重突然変異体を解析することにより，各段階の順番を決定することもできる．*sec*変異体が積み荷だけでなく膜の動きも阻害するため，突然変異体によって阻害された段階よりも前の細胞小器官の構造は，拡張されていることに注意されたい．[P. Novick et al., 1981, *Cell* **25**: 461; C. A. Kaiser and R. Schekman, 1990, *Cell* **61**: 723 参照.]

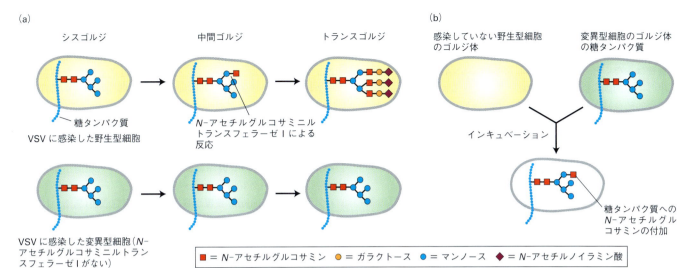

図 14・6(実験) ゴルジ嚢間でのタンパク質の移動が無細胞実験系で示された．(a) 突然変異を起こした培養繊維芽細胞株がこの測定には必須である．この実験で使われた細胞は N-アセチルグルコサミニルトランスフェラーゼ I (図 14・15, 段階2) を欠損している．野生型細胞ではこの酵素は中間ゴルジにあり，N-グリコシド結合型オリゴ糖鎖に N-アセチルグルコサミンを 1 個付加させる．VSV が野生型細胞に感染した場合，このウイルスの糖タンパク質のオリゴ糖鎖はトランスゴルジ嚢のところに示したような典型的複合型となるが，変異型細胞に感染したときは N-アセチルグルコサミン 2 個とマンノース 5 個だけの多マンノース型糖鎖をもって細胞表面に出てくる．(b) VSV を感染させた変異型細胞からゴルジ嚢を単離し，VSV に感染していない正常な細胞から単離されたゴルジ嚢と混合インキュベートすると，糖タンパク質の糖鎖にもう一つ N-アセチルグルコサミンが付加される．転移酵素が輸送小胞により正常な中間ゴルジから変異型細胞のシスゴルジへと移動して，VSV 糖タンパク質に N-アセチルグルコサミンを付加したのである．[W. E. Balch et al., 1984, *Cell* **39**: 405, 525; W. A. Braell et al., 1984, *Cell* **39**: 511; J. E. Rothman and T. Söllner, 1997, *Science* **276**: 1212 参照．]

り，この種の小胞の構成要素である多くの膜内在性タンパク質や膜表在性被覆タンパク質を同定することができた．さらに，無細胞系での輸送に必要な細胞質抽出液を分画することにより，輸送小胞の形成に必要なタンパク質や小胞を適切な標的膜に向かわせ，それと融合させるのに必要なタンパク質が単離された．図 14・6 に示したものと同じ基本原理の in vitro 計測法が分泌経路の種々の輸送段階で働くタンパク質の解析にも使われている．

- 区画間タンパク質輸送を無細胞系で計測することにより，分泌経路の各段階を生化学的に分析できるようになった．このような in vitro の反応は純粋な輸送小胞をつくることや個々の輸送タンパク質の生化学的機能を調べるのに利用できる．

14・1 分泌経路を研究する手法 まとめ

- 生細胞内での分泌タンパク質の輸送を追跡するためには足並みの揃った分泌タンパク質群を標識し，その後の標識タンパク質群が局在している区画を同定する方法が必要である．
- 分泌経路に沿った蛍光標識タンパク質の輸送は，顕微鏡で観察することができる（図 14・3）．非許容温度下で小胞体内にとめられる温度感受性突然変異タンパク質を使うと，許容温度にしたときにそれらは足並を揃えて小胞体から輸送されていく．
- また，放射性アミノ酸を用いたパルス標識では，小胞体で新たにつくられたタンパク質の集団を特異的に標識することができ，タンパク質への区画特異的な共有結合修飾を追跡することで，放射性標識タンパク質の輸送を追跡することができる．
- 細胞内のタンパク質輸送に必要な構成成分の多くは酵母の温度感受性 sec 突然変異体を分析することにより同定されてきた．この変異体は非許容温度にするとタンパク質の分泌が行えなくなるものである（図 14・5）．

14・2 小胞の出芽と融合の分子機構

分泌経路とエンドサイトーシス経路に共通する基本的な機能要素は，タンパク質を一つの細胞小器官から他の細胞小器官へと輸送する膜小胞である（図 14・1）．それらの小胞は "親（出発地）" となる特定の細胞小器官の膜から出芽し，"標的（目的地）" となる細胞小器官の膜と融合する．分泌経路とエンドサイトーシス経路の各段階では異なる種類の小胞が使われているが，遺伝学的手法や生化学的手法を使った研究から，異なる小胞による輸送は基本となる機構の単なる変形にすぎないことが明らかになった．両経路のそれぞれの独特な点について説明する前に，本節ではすべての小胞に共通する出芽と融合の基本機構について述べる．

被覆タンパク質の集合により 小胞形成と積み荷分子の選別が行われる

"親" 膜からの小胞の出芽は GTP 結合タンパク質の活性化によりはじまり，水溶性タンパク質複合体が膜表面で重合することによって小胞被覆が形成される（図 14・7a）．膜内在性タンパク質の細胞質側部分と小胞被覆タンパク質との相互作用により積み荷となる適切なタンパク質が形成途中の小胞内に集められる．このように被覆は単に小胞をつくるため膜を曲げているだけではな

く，小胞内に入るタンパク質を選別する役割ももっている．

この被覆形成の際に，"標的"膜との融合に必須な **v-SNARE** とよばれるタンパク質群も小胞膜に取込まれる．小胞形成が終わると被覆は少なくとも部分的には取除かれ，v-SNARE タンパク質が露出して標的膜表面の **t-SNARE** と結合できるようになる．両者の特異的結合により二つの膜は接近し，脂質二重層の融合が起こる（図 14・7b）．どのような細胞小器官が標的であっても，輸送小胞は融合に v-SNARE と t-SNARE を使う．

異なる被覆タンパク質をもつ3種類の小胞が知られており，それらは特定の組合わせのタンパク質サブユニットの可逆的重合によって形成される（表14・1）．それぞれの小胞は主要な被覆タンパク質に基づいて名前がつけられており，特定の細胞小器官から特定の標的細胞小器官へとタンパク質を輸送する．

- **COP**（coat protein）II 小胞は小胞体からゴルジへとタンパク質を輸送する．
- **COPI** 小胞はゴルジ囊間およびシスゴルジから粗面小胞体への逆行性タンパク質輸送を行っている．
- **クラスリン**（clathrin）被覆小胞は細胞膜（細胞表面）あるいはトランスゴルジ網から後期エンドソームへタンパク質を輸送する．

すべての輸送小胞はある種の被覆を使ってつくられると考えられているが，すべての小胞についてそれがわかっているわけではない．たとえば，トランスゴルジから細胞膜への恒常的分泌あるいは調節された分泌のための小胞の大きさと形は均一なので，その形成は規則正しい被覆構造によると考えられるが，そうした被

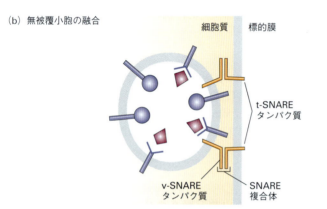

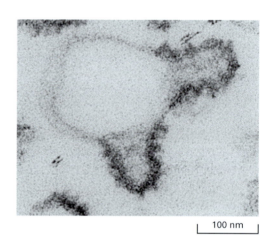

図 14・7 小胞出芽および標的膜との融合のまとめ．(a) 低分子量 GTP 結合タンパク質が膜の一区画に結合することにより出芽がはじまる．次に，細胞質の被覆タンパク質複合体が膜内在性積み荷タンパク質の細胞質側部位と結合し，さらに，これらの膜タンパク質の一部のものが水溶性タンパク質の受容体となって，出芽小胞内腔に積み荷タンパク質を集める．(b) 出芽が終わり，被覆を脱ぎ捨てた小胞は対となる SNARE タンパク質の相互作用が関与する過程で標的膜と融合する．

図 14・8（実験） in vitro 出芽反応により小胞出芽を観察することができる．精製した COPII 被覆成分を単離した小胞体膜小胞あるいは人工的リン脂質小胞（リポソーム）と混合すると，小胞表面で被覆タンパク質が重合し曲率の高い出芽が形成される．この in vitro 出芽反応中の電子顕微鏡写真で，小胞が出芽しているところには濃く染色された被覆タンパク質の層がはっきりと見えることに注意してほしい．[K. Matsuoka et al., 1998, Cell **93**(2): 263, Copyright Clearance Center, Inc. を通じて Elsevier より許可を得て転載．]

表 14・1 タンパク質輸送に関与する被覆小胞

小胞の種類	関与する輸送段階	被覆タンパク質	結合しているGTPase
COPII	小胞体→シスゴルジ	Sec23–Sec24 と Sec13–Sec31 複合体，Sec16	Sar1
COPI	シスゴルジ→小胞体 後期ゴルジ→初期ゴルジ	7種類の COP サブユニットを含むコートマー	ARF
クラスリンとアダプタータンパク質[†]	トランスゴルジ→エンドソーム トランスゴルジ→エンドソーム 細胞膜→エンドソーム ゴルジ体→リソソーム，メラノソーム，血小板	クラスリン＋AP1 複合体 クラスリン＋GGA クラスリン＋AP2 複合体 AP3 複合体	ARF ARF ARF ARF

† 各 AP 複合体は4個の異なるサブユニットからなる．AP3 小胞にクラスリンが含まれているかどうかはわかっていない．

覆タンパク質はまだ同定されていない.

図 14・7(a) に示した小胞出芽の一般的機構は, 知られている3種類の被覆小胞すべてに当てはまる. 単離した生体膜あるいは人工膜と精製した被覆タンパク質を用いた実験から, 直径 50 nm の典型的輸送小胞がもつ高い曲率を膜につくらせるためには膜の細胞質側における被覆タンパク質の重合が必須であることが示された. in vitro での出芽反応中の試料を電子顕微鏡で観察すると, 膜のいくつかの部分が厚い被覆に覆われ, その部分は完成した小胞と同じ曲率をもっていることがわかる (図 14・8). 小胞出芽 (vesicle bud) とよばれるこの構造は, ちょうど被覆タンパク質が重合しはじめたところで, まだもとの膜から切り離された小胞になっていない中間状態と考えられる. 被覆タンパク質が重合するとある種の曲がった格子ができ, それが膜の細胞質側と結合することにより小胞出芽が形成される.

GTPase 活性をもつ一群のスイッチタンパク質がそれぞれの小胞の被覆形成を調節する

単離した膜と精製した被覆タンパク質を用いた in vitro 小胞出芽反応を使って, 三つの主要な小胞の形成に必要な最小の被覆構成要素が決定された. 被覆タンパク質は小胞ごとに大きく異なっているが, どの小胞も被覆の形成を調節する低分子量 GTP 結合タンパク質を調節サブユニットとして含んでいた (図 14・7a). COPI 小胞とクラスリン被覆小胞の GTP 結合タンパク質は **ARF** とよばれる. COPII 小胞には類似した **Sar1** という GTP 結合タンパク質が存在する. ARF も Sar1 も単量体タンパク質で, その基本的構造は重要な細胞内シグナル伝達タンパク質である Ras (図 16・12 参照) と似ている. Ras と同様, ARF と Sar1 も GTPase スーパーファミリーに属すスイッチタンパク質で, 交互に GDP 結合状態と GTP 結合状態になる (GTPase スイッチタンパク質の機構については図 3・35 参照).

図 14・9 に示すように, GTP との結合による Sar1 の活性化は, COPII 小胞の被覆の形成を誘発する最初のできごとである. Sar1 は小胞体膜で活性化される唯一の GTPase スイッチタンパク質であり, したがって COPII 被覆小胞だけが小胞体膜から出芽することになることに注意されたい. 小胞体膜タンパク質である **Sec12** は, 細胞質 Sar1・GDP からの GDP の遊離と GTP の結合を触媒することにより, Sar1 のグアニンヌクレオチド交換因子 (GEF) として機能する. Sec12 は, たとえば小胞体膜から輸送される積み荷タンパク質の準備が整ったことなど, まだ明らかにされていない複数のシグナルを感知して, 機能するようである. Sar1 に GTP が結合すると構造変化が起こり N 末端の疎水性配列が露出する. この部分はリン脂質二重層に埋込まれ, Sar1・GTP を小胞体膜に係留する (図 14・9, 段階 1). 膜に付着した Sar1・GTP は細胞質の COPII サブユニット複合体を膜表面で重合させ, それにより小胞出芽を形成させる (段階 2). COPII 小胞が小胞体膜から離れると, 小胞膜上の Sar1 は被覆タンパク質サブユニットの一つの助けを借りて GTP を GDP に加水分解する (段階 3). この加水分解により COPII 被覆は解離する (段階 4). このように Sar1 は GTP の結合と加水分解を COPII 被覆の形成と解離に結びつけている.

ARF タンパク質も同様なヌクレオチド交換と加水分解のサイクルを行い, COPI あるいはクラスリン, そしてあとに述べる他の被覆タンパク質 (AP 複合体) の小胞被覆の形成と解離を調節している. ARF の N 末端に共有結合しているミリスチン酸は ARF・GDP をゴルジ膜に弱く係留する. ゴルジ膜に結合しているヌクレオチド交換因子により GDP が GTP に置き換わると, ARF に構造変化が起こり, N 末端部分の疎水性アミノ酸残基からなる配列が二重層膜の中に入り込む. こうして膜と強く結合した

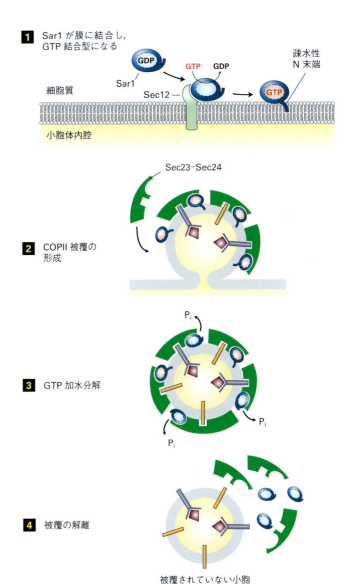

図 14・9 COPII 被覆の形成と解離における Sar1 の役割についてのモデル. 段階 1: GDP 結合型 Sar1 と小胞体膜内在性タンパク質でヌクレオチド交換因子でもある Sec12 との相互作用により, Sar1 上の GDP が GTP に交換される. GTP 結合型になった Sar1 の疎水性 N 末端が外に伸び, Sar1 を小胞体膜に係留する. 段階 2: 膜に結合した Sar1 は Sec23-Sec24 被覆タンパク質複合体の結合部位となる. 膜内在性積み荷タンパク質はその細胞質側に出ている領域の短い特異的配列 (選別配列) が Sec23-Sec24 複合体上の部位と結合することにより, 形成中の小胞出芽内に集められる. ある種の膜内在性積み荷タンパク質は水溶性タンパク質を内腔に引寄せる受容体ともなる. Sec13 と Sec31 からなる第二のタイプの被覆複合体 (図には示していない) が結合することにより被覆は完成する. 段階 3: 小胞被覆が完成したのち, 被覆サブユニット Sec23 が Sar1 による GTP 加水分解を促す. 段階 4: Sar1・GDP が小胞膜から解離すると被覆は解体する. [S. Springer et al., 1999, Cell **97**: 145 参照.]

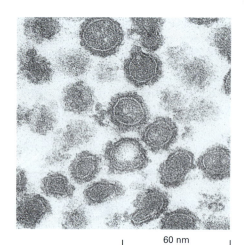

図 14・10（実験） 加水分解されない GTP アナログの存在下で in vitro 出芽実験を行うと被覆小胞が蓄積する．単離したゴルジ膜と COPI を含む細胞質抽出液とをインキュベートすると出芽が起こり，小胞が形成される．この出芽反応液に加水分解されない GTP アナログを入れておくと，できた小胞から被覆が解離しなくなる．この電子顕微鏡写真はそうした反応系でつくられた COPI 小胞を遠心によって膜から分離したものである．こうしてつくられた被覆小胞を使ってその構成成分を決めたり性質を調べたりできる．［L. Orci, University of Geneva, Switzerland 提供．］

ARF・GTP が被覆タンパク質重合の礎となるのである．

Sar1 と ARF は他の低分子量 GTPase スイッチタンパク質と構造が似ているので，すでにそれらのタンパク質で効果のわかっている突然変異をこの二つのタンパク質に導入したものをつくり，それを発現した培養細胞で小胞輸送への影響が調べられた．たとえば，GTP を加水分解できない突然変異 Sar1 あるいは ARF を発現している細胞では，小胞被覆ができ出芽は小胞となって膜から離れる．しかし，突然変異タンパク質は被覆を解離させることができないので，すべての被覆タンパク質サブユニットは被覆小胞に結合したままになり，小胞は標的膜と融合できなくなる．in vitro での小胞出芽反応液に加水分解されない GTP のアナログを入れても同様な被覆解離の妨害が起こる．このような反応系で形成された小胞の被覆は決して解離しないので，その組成や構造を容易に分析できる．図 14・10 に示す COPI 小胞はこうした出芽反応系でつくられたものである．

小胞形成における低分子量 GTPase の第二の機能は，小胞を膜から切り離すことである．in vitro での小胞出芽実験から出芽小胞の首部分に集積する Sar1 GTPase は COPII 小胞の切り離しに，ARF GTPase は同様に COPI 小胞の切り離しに必要であることが示された．これらの低分子 GTPase がどのように GTP 加水分解のエネルギーを小胞の切り離しという機械的仕事に変換しているのかはわかっていない．§14・4 で説明するが，クラスリン被覆小胞ではダイナミンという大きな多量体 GTPase がそれを行っている．

積み荷タンパク質の輸送配列が被覆タンパク質と特異的な分子接触をする

輸送小胞が特定のタンパク質をある区画から次の区画へと運ぶためには，小胞出芽部分が多くの膜タンパク質や水溶性タンパク質のなかから次の区画へ運ぶべき積み荷タンパク質だけを受入れ，その区画に残すべきタンパク質を排除する能力をもたねばならない．小胞の被覆は膜に曲率を与える骨格となるだけではなく，特定のタンパク質を積み荷として選別する機能ももっている．膜内在性積み荷タンパク質と水溶性タンパク質は，二つの異なる種類の**選別シグナル**（sorting signal）をもつ．膜内在性積み荷タンパク質の選別シグナルは通常，タンパク質の細胞質部分にあり，小胞被覆タンパク質のうちの一つまたは二つと結合する（図 14・

表 14・2 特定の輸送小胞がタンパク質を取込む選別シグナル

シグナル配列[†]	シグナルをもつタンパク質	シグナル受容体	シグナルをもつタンパク質を取込む小胞
細胞質側の選別シグナル			
Lys-Lys-X-X（KKXX）	小胞体局在膜タンパク質	COPI の α と β サブユニット	COPI
アルギニン 2 個（X-Arg-Arg-X）	小胞体局在膜タンパク質	COPI の α と β サブユニット	COPI
酸性のアミノ酸 2 個（Asp-X-Glu など）	小胞体膜内在性積み荷タンパク質	COPII Sec24 サブユニット	COPII
Asn-Pro-X-Tyr（NPXY）	細胞膜の LDL 受容体	AP2 複合体	クラスリン-AP2
Tyr-X-X-Φ（YXXΦ）	トランスゴルジの膜タンパク質	AP1（μ1 サブユニット）	クラスリン-AP1
	細胞膜タンパク質	AP2（μ2 サブユニット）	クラスリン-AP2
Leu-Leu（LL）	細胞膜タンパク質	AP2 複合体	クラスリン-AP2
内腔側の選別シグナル			
Lys-Asp-Glu-Leu（KDEL）	小胞体内腔局在タンパク質	シスゴルジ膜の KDEL 受容体	COPI
マンノース 6-リン酸（M6P）	シスゴルジでプロセシングされた水溶性リソソーム酵素	トランスゴルジ膜の M6P 受容体	クラスリン-AP1
	分泌されたリソソーム酵素	細胞膜の M6P 受容体	クラスリン-AP2

[†] X はどのアミノ酸でもよい，Φ は疎水性のアミノ酸．（ ）内は一文字表記．

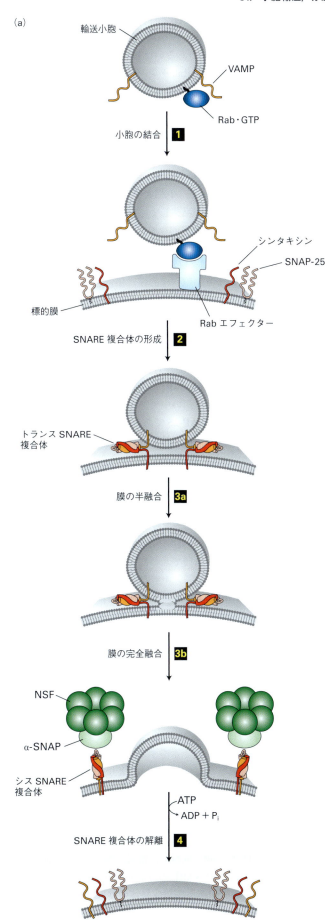

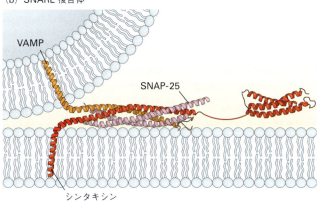

図 14・11 輸送小胞を標的膜に結合させ，そこで膜融合を起こさせる機構のモデル．(a) この例に取上げられているタンパク質は分泌小胞と細胞膜の膜融合に関与するものであるが，すべての小胞融合は類似したタンパク質によりひき起こされている．段階 **1**：脂質を介して分泌小胞に係留された Rab タンパク質が細胞膜上のエフェクタータンパク質複合体と結合することにより輸送されてきた小胞は適切な標的膜と結合する．段階 **2**：v-SNARE タンパク質(この場合は VAMP)が t-SNARE(この場合はシンタキシンと SNAP-25)の細胞質ドメインと相互作用すると，安定なコイルドコイル構造をもった SNARE 複合体ができ，小胞は標的膜に密着する．段階 **3**：SNARE 複合体の形成直後に，まず二重層膜の一方のリーフレットが融合して半融合状態になり(**3a**)，ついで第二のリーフレットが融合して(**3b**)二つの膜が融合する．段階 **4**：膜融合に続いて NSF と α-SNAP が SNARE 複合体に結合する．NSF は ATP を加水分解しながら SNARE 複合体をほどき，各 SNARE タンパク質が次の小胞融合において働けるようにする．このときに Rab・GTP も GTP を加水分解して Rab・GDP になり，エフェクターから解離する(図には示されていない)．(b) SNARE 複合体．SNAP-25 から 2 本，シンタキシンと VAMP からそれぞれ 1 本ずつで計 4 本の長い α ヘリックス間の多数の非共有結合性相互作用がコイルドコイル構造を安定化させている．[J. E. Rothman and T. Söllner, 1997, *Science* **276**: 1212; Y. A. Chen and R. H. Scheller, 2001, *Nat. Rev. Mol. Cell Biol.* **2**: 98; W. Weis and R. Scheller, 1998, *Nature* **395**: 328 参照．(b) は I. Fernandez et al., 1998, *Cell* **94**: 841, PDB ID 1br0; R. B. Sutton et al., 1998, *Nature* **395**: 347, PDB ID 1sfc.]

7a)．したがって，重合した被覆は選ばれた膜内在性積み荷タンパク質を小胞出芽に集合させるアフィニティーマトリックスとして働く．細胞小器官の内腔に存在する水溶性積み荷タンパク質の場合は，被覆と接触できないので，別の選別機構が必要である．内腔の水溶性タンパク質は，**内腔選別シグナル**(luminal sorting signal) と思われる配列をもっていて，受容体となるある種の膜内在性積み荷タンパク質の内腔側部分と結合することによって選別される．わかっているいくつかの膜タンパク質あるいは水溶性タンパク質の選別シグナルの性質を表 14・2 に示す．それらのシグナルの役割についてはあとの節で詳しく説明する．

Rab GTPase が標的膜と小胞との結合を調節する

Rab タンパク質(Rab protein) という第二の低分子量 GTP 結合タンパク質が小胞と適切な標的膜との融合に関与している．Sar1 や ARF のように Rab タンパク質もスイッチタンパク質で GTPase スーパーファミリーの一員である．Rab タンパク質はイソプレノイド鎖をもっていて，それによって小胞膜と結合できる．特定の

小胞とRabタンパク質の結合および活性化は2段階の過程で行われる．まず，細胞質のRab・GDPが適切な小胞まで運ばれ，小胞膜にイソプレノイド鎖を挿入することにより結合する．この結合段階は，Rab・GDPとイソプレノイド鎖の両方と結合するタンパク質である**グアニンヌクレオチド解離阻害因子**（guanine nucleotide dissociation inhibitor: GDI）の助けを借りることが多い．第二の段階では，小胞膜上に存在する特異的グアニンヌクレオチド交換因子（GEF）によってRab・GDPがRab・GTPに変えられる．このように小胞膜と結合して活性化されたRab・GTPは，さまざまな**Rabエフェクター**（Rab effector）というタンパク質と結合できるようになる．Rab・GTPがRabエフェクターと結合することにより小胞は適切な標的膜上に着地する（図14・11a, 段階■）．小胞が膜融合を起こすとRabに結合していたGTPは加水分解されてGDPとなり，Rab・GDPはそこから離れる．このRab・GDPは小胞との結合，GDP-GTP交換，そして加水分解という次のサイクルに入る．

Rabタンパク質が小胞と適切な標的膜との融合に関与していることを示す例としてよく知られているのは酵母のRab（Sec4）タンパク質である．このタンパク質は分泌小胞と特異的に結合し，それを細胞膜と融合させる．実験の結果，このSec4遺伝子に突然変異を起こした酵母の分泌小胞は細胞膜と融合できない（図14・5のE型突然変異体）．Sec4・GDPは分泌小胞と結合して，それに対応するGEFによりSec4・GTPとなり活性化され，分泌小胞膜上にとどまる．そして，Sec4・GTPは細胞膜上のエフェクターと結合する．この係留タンパク質は8個のサブユニットからなる大きな複合体で**エクソシスト**（exocyst）とよばれている．Sec4・GTPとエクソシストの結合により係留された分泌小胞は，最終的に細胞膜と融合する．

哺乳類細胞では**初期エンドソーム**（early endosome）ともよばれるエンドサイトーシス小胞にRab5タンパク質が結合している．この無被覆小胞は細胞膜でのエンドサイトーシスで生じたクラスリン被覆小胞から生じる（図14・2, 段階■）．無細胞系で初期エンドソームどうしを融合させるにはRab5の存在が必須である．Rab5とGTPをこの無細胞系に加えると，エンドソームどうしの融合速度が高まる．EEA1（early endosome antigen 1, 初期エンドソーム抗原1）という初期エンドソーム膜上に存在している長いコイル状タンパク質がRab5のエフェクターとなる．この場合，一方のエンドサイトーシス小胞上のRab5・GTPが他方のエンドサイトーシス小胞上のEEA1と特異的に結合して両者の融合をひき起こすと考えられている．

すべての輸送小胞は一つあるいは複数のRabタンパク質を表面にもっている．それらのRabタンパク質は，膜に係留するものや分子モーターといった特異的Rabエフェクターと結合することによって，小胞が適切な標的膜に運ばれるようにしている（表14・3）．小胞を目的地に届けるために分子モーターが走るレール，すなわちミクロフィラメントについては，17章で説明する．

対になったSNAREタンパク質が小胞と標的膜の融合をひき起こす

前述したように，小胞が出芽してもとの膜から離れるとすぐに被覆が脱重合し，小胞に特異的な膜タンパク質v-SNAREが表面に出る（図14・7b）．同様に，細胞内のさまざまな標的膜にはt-SNAREという膜タンパク質が存在し，v-SNAREと特異的に相互作用する．Rabにより小胞が標的膜に係留されるとSNAREが対になることにより両者の膜が融合できるほどに接近する．

一番よくわかっているSNAREによる膜融合の例は分泌タンパク質のエキソサイトーシスである（図14・11a, 段階■と■）．この場合，**VAMP**（vesicle-associated membrane protein）とよばれるv-SNAREがトランスゴルジ網から出芽した分泌小胞膜に組込まれている．t-SNAREは細胞膜内在性タンパク質**シンタキシン**（syntaxin）およびペプチド鎖の中央部から出た疎水性脂質によって膜に係留されている**SNAP-25**である．これら三つのSNAREの細胞質側部分は7個ごとに疎水性アミノ酸が出現する配列（ヘプタド heptad）をもち，VAMPとシンタキシンから各1本とSNAP-25から2本で計4本のαヘリックスが互いに絡まり合うコイルドコイル構造の束を形成する（図14・11b）．束になったSNARE複合体が異常に高い安定性を示すのは，7個ごとに繰返す疎水性アミノ酸だけでなく電荷をもったアミノ酸も結合に寄与しているためである．疎水性アミノ酸は束の中心部で相互作用し，電荷をもったアミノ酸はαヘリックス間で互いに反対の電荷が向き合うように配置されて引き合っている．4本のαヘリックスによる束が複数個できると，VAMPおよびシンタキシンの膜貫通領域が埋込まれている小胞膜と標的膜は非常に接近する．4本のαヘリックスによる束形成はエネルギー的に有利なので，小胞膜と標的膜表面の負電荷をもったリン脂質頭部の反発を抑えて両者の膜の疎水性内部を接触させ，最終的に小胞膜と標的膜とを融合させる．

精製したVAMPを含むリポソームとシンタキシンおよびSNAP-25を含むリポソームとを混ぜ合わせるといったin vitroの実験で，ゆっくりではあるが両者が融合することが示された．この発見は，膜融合にはSNAREの複合体形成によって膜が近づくだけで十分であることを強く示唆するものである．SNAREタンパク質だけで起こるリポソーム膜の融合よりも細胞内での小胞と標的膜の融合のほうが速く効率よく起こる．細胞内では，Rabタンパク質とエフェクタータンパク質の結合のように，他のタンパク質も適切な標的膜への小胞の輸送に関与しているため，そうした差が出るのだろう．

他のすべての真核生物と同様に，酵母においても20種以上の異なったv-SNAREとt-SNAREの対が発現されている．対になるSNARE遺伝子に欠陥のある突然変異体の分析から各SNAREタンパク質対が関与する膜融合が細胞内のどこで起こっているのか

表 14・3 小胞の係留と移動にかかわるRabタンパク質		
Rabタンパク質	輸送段階	エフェクタータンパク質
Rab1/Ypt1	小胞体からシスゴルジ	シスゴルジ中のTRAPP複合体とGM130複合体
Sec4	トランスゴルジから細胞膜	細胞膜上のエクソシストとミオシンV
Rab5	細胞膜からエンドソーム	エンドソーム上に係留されたEEA1
Rab6	微小管に沿ったゴルジ体の移動	キネシン
Rab27	メラノソームの細胞周辺への移動	ミオシンV

が特定できた．調べたすべての膜融合現象において，分泌小胞と細胞膜の融合でみられた VAMP-シンタキシン-SNAP-25 複合体と同様な 4 本の α ヘリックスによる束が SNARE 間で形成されていた．しかし，他の膜融合現象（たとえば COPII 小胞とシスゴルジ嚢との融合）では各 SNARE 構成タンパク質が供出する α ヘリックスは 1 本ずつであった（SNAP-25 のように 2 本の α ヘリックスを供出するものがない）．このような場合，SNARE 複合体は 1 個の v-SNARE と 3 個の t-SNARE から構成されていた．

in vitro でのリポソーム融合計測法を用いて，さまざまな v-SNARE と t-SNARE の組合わせで膜融合が起こるかどうかが調べられた．非常に多くの組合わせが調べられたが，膜融合を起こさせるのはごく少数の組合わせだけであった．驚くべきことに，この in vitro の実験で明らかになった融合を起こさせる v-SNARE と t-SNARE の組合わせは酵母のなかで実際に膜融合を行っている組合わせとほとんど一致した．したがって，特定の小胞が適正な標的膜と融合するという現象は，Rab と Rab エフェクターの結合特異性と SNARE タンパク質どうしの結合特異性によってほぼ説明できる．

膜融合後の SNARE 複合体の解離には ATP 加水分解が必要である

小胞と標的膜が融合したのち，各 SNARE タンパク質を次の融合に再利用するために，SNARE 複合体を解離させなければならない．SNARE 複合体は，多くの非共有結合性分子間相互作用により支えられているので，その解離には別のタンパク質の助けとエネルギー注入が必要である．

SNARE 複合体の解離に他のタンパク質の助けが必要であることがわかった最初のきっかけは，ある種の細胞質タンパク質が欠乏した状態で行われた in vitro 輸送反応であった．そうした反応系での小胞の集積から，小胞は形成されるが標的膜と融合できないことが示唆された．その後，**NSF** と **α-SNAP**（soluble NSF attachment protein）という二つのタンパク質が in vitro 輸送反応での小胞融合に必要なものとして発見された．

酵母の突然変異体も SNARE の機能の解明に貢献した．酵母の C 型 sec 突然変異体のなかに Sec18 あるいは Sec17 の機能が失われたものがある．Sec18 と Sec17 は酵母における NSF と α-SNAP である．これらの C 型突然変異体を非許容温度のもとで育てると内部に小胞体からゴルジ体への輸送小胞が蓄積する．この細胞を低い許容温度に戻すと蓄積していた小胞はシスゴルジと融合できるようになる．

NSF や α-SNAP を同定した初期の生化学的および遺伝学的研究に続いて，もっと精巧な in vitro 輸送計測法が開発された．この新しい計測法を使い，NSF や α-SNAP タンパク質は実際の膜融合に必要なのではなく，遊離 SNARE タンパク質の再生に必要であることが示された．同一サブユニット六量体からなる NSF は α-SNAP の助けを受けて SNARE 複合体に結合する．結合した NSF は ATP を加水分解し SNARE 複合体を解離させるのに必要なエネルギーを得る（図 14・11a，段階 **4**）．初期の in vitro 輸送反応で観察された小胞融合の異常および Sec17 あるいは Sec18 を欠損した酵母における小胞融合の異常は，遊離 SNARE タンパク質が解離不能な複合体になって失われ，膜融合に使えなくなった結果なのである．

14・2 小胞の出芽と融合の分子機構 まとめ

- 現在，よくわかっている 3 種類の被覆小胞（COPI 小胞，COPII 小胞，およびクラスリン被覆小胞）は，被覆を形成しているタンパク質および関与している輸送経路がそれぞれ異なる（表 14・1）．
- すべての種類の被覆小胞は，細胞質中の被覆タンパク質が膜表面で重合して小胞出芽を形成し，それが徐々に膜から切り離されていくことによりつくられる．小胞がもとの膜から離れるとすぐに被覆は解離し，標的膜との融合に必要なタンパク質が露出する（図 14・7）．
- GTPase スーパーファミリーに属する低分子量 GTP 結合タンパク質（ARF あるいは Sar1）が小胞出芽の最初の段階である被覆タンパク質の重合を調節する（図 14・9）．小胞がもとの膜から離れたのち，ARF あるいは Sar1 に結合した GTP が加水分解されると小胞の被覆は解離する．
- 輸送元の細胞小器官の膜タンパク質や内腔タンパク質がもつ特異的選別シグナルが，小胞出芽時に被覆タンパク質と相互作用し，小胞の積み荷タンパク質として取込まれる（表 14・2）．
- 第二の GTP 結合タンパク質群である Rab は特定の小胞の表面に結合し，小胞を正しい標的膜と結合させる（表 14・3）．小胞上で活性化された Rab・GTP は特異的なエフェクタータンパク質と結合できるようになる．ある種のエフェクターは膜表在性タンパク質複合体で，小胞を標的膜表面に係留する．
- 各小胞膜上の v-SNARE は標的膜上に存在する対になる t-SNARE タンパク質と特異的に結合し，二つの膜を融合させる．膜融合完了後，SNARE 複合体は他の細胞質タンパク質による ATP 依存的反応によって解離させられる（図 14・11）．

14・3 分泌経路の前期段階

本節では，小胞体とゴルジ体の間の小胞輸送を少し詳しく解説し，前節で述べた一般的機構を支持する証拠のいくつかを説明する．分泌経路の第一段階である小胞体からゴルジ体への順行性輸送では COPII 小胞が使われていたことを思い出してほしい．この小胞にはゴルジ体，細胞表面，あるいはリソソームへ運ばれる新たに合成されたタンパク質だけでなく，シスゴルジ膜と融合するために必要な v-SNARE タンパク質も含まれている．小胞体とゴルジ体の間でタンパク質を正しく選別するためにはシスゴルジから小胞体への COPI 小胞を使った逆行性輸送も必要である（図 14・12）．この逆行性小胞輸送は，v-SNARE タンパク質および膜を構成している脂質を小胞体に戻し，次の小胞出芽のための材料を小胞体に供給している．COPI 小胞による逆行性輸送は，まちがって運ばれてしまった小胞体に局在すべきタンパク質をシスゴルジから戻す役割も果たしている．

本節では，正しくゴルジ体に輸送されたタンパク質が次々とゴルジ体の次の区画に運ばれる，すなわちシスゴルジからトランスゴルジ網まで運ばれる過程についても説明する．この過程は嚢成熟とよばれ，逆行性の小胞出芽と融合は行われているが，順行性

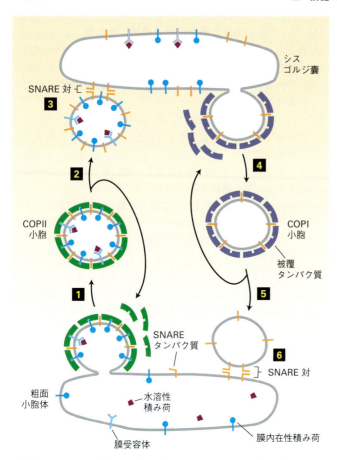

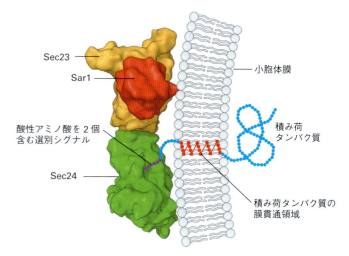

図 14・12 　小胞体とシスゴルジ間の小胞によるタンパク質輸送．段階 **1**〜**3**：順行性輸送は COPII 小胞により行われる．この小胞は水溶性 COPII 被覆タンパク質複合体(緑)が小胞体膜上で重合することにより形成される．小胞体膜上の v-SNARE(橙)や他の積み荷タンパク質(青)は被覆タンパク質との相互作用によって小胞内に取込まれる．水溶性積み荷タンパク質(赤紫)は出芽小胞膜に存在する受容体を介して小胞内に取込まれる．被覆の解離は遊離被覆タンパク質を再生し，小胞表面に v-SNARE タンパク質を露出させる．Rab を介して無被覆小胞がシスゴルジ膜に結合すると，露出していた v-SNARE とシスゴルジ膜上の t-SNARE との合体により小胞の融合が起こり，小胞に含まれていたタンパク質がシスゴルジに渡される(図 14・11)．段階 **4**〜**6**：COPI タンパク質(紫)で被覆された小胞を使った逆行性輸送により，膜脂質や v-SNARE などのタンパク質，およびまちがって送られてしまった小胞体のタンパク質(図には示していない)がシスゴルジから小胞体へ送り返される．SNARE タンパク質はすべて橙で描いてあるが，各経路の v-SNARE や t-SNARE は異なるタンパク質である．

図 14・13 　Sec23, Sec24, Sar1・GTP からなる COPII 被覆タンパク質複合体の立体構造．COPII 被覆形成の初期に GTP 結合型の Sar1 (赤)が Sec23(橙)–Sec24(緑)複合体を小胞体膜上に引寄せる．小胞体膜中の積み荷タンパク質は，その細胞質側ドメインに存在する酸性アミノ酸を 2 個含むトリペプチドシグナル(紫)と Sec24 との相互作用により COPII 小胞に取込まれる．COPII 小胞膜と積み荷タンパク質の膜貫通領域の想定される位置を図中に示した．Sar1 を膜に係留している N 末端部分は示されていない．[X. Bi et al., 2002, *Nature* **419**: 271, Copyright Clearance Center, Inc. を通じて *Nature* より許可を得て転載．]

の出芽は行われていない．

COPII 小胞は小胞体からゴルジ体への輸送を行う

　酵母から抽出した粗面小胞体膜に細胞質ゾルと加水分解されない GTP アナログを加えてインキュベートした溶液中から COPII 小胞が発見された．小胞体膜からつくられた小胞は COPI 小胞に似た被覆をもっていたが，組成は異なり，COPII タンパク質群と命名された．COPII タンパク質をコードする遺伝子は，粗面小胞体にタンパク質を蓄積する B 型の *sec* 変異をもつ酵母の解析により同定された(図 14・5)．

　前述したように，小胞体膜上での COPII 小胞の形成は，小胞体膜上の Sec12 というグアニンヌクレオチド交換因子が細胞質中の Sar1 に結合した GDP を GTP に置換することによってはじまる．この置換により Sar1 は小胞体膜と結合し，そこに Sec23 と Sec24 からなるタンパク質複合体が結合する(図 14・9)．その結果，生じた Sar1・GTP, Sec23, Sec24 からなる複合体の構造を図 14・13 に示す．小胞体膜上にこの複合体が形成されると，そこへ Sec13 と Sec31 からなる第二のタンパク質複合体が結合し，被覆構造が完成する．純粋な Sec13 と Sec31 だけで，自発的に籠状の格子をつくるので，それらが COPII 小胞の基本骨格をつくると考えられている(本章の章頭図の COPII 小胞モデル参照)．最後に，**Sec16** とよばれる大きな繊維状タンパク質が，小胞体の細胞質側に結合し Sar1・GTP および Sec13-31 や Sec23-24 複合体と相互作用しながら被覆タンパク質を組織化し，重合効率を高める．

　ある種の小胞体膜内在性タンパク質だけが特異的に COPII 小胞に組込まれ，ゴルジ体へ輸送される．そうしたタンパク質の多くは細胞質側に Asp-X-Glu (一文字表記だと DXE) という**酸性アミノ酸を 2 個含む選別シグナル** (di-acidic sorting signal) をもっている(表 14・2)．COPII 被覆中の Sec24 サブユニットと結合するこの選別シグナルは，膜タンパク質が小胞体から選択的に輸送されるために必須である(図 14・12)．生化学的および遺伝学的研究により，積み荷となる膜内在性タンパク質を COPII 小胞に導く他のシグナルも同定されている．現在知られている選別シグナルはすべて COPII の Sec24 サブユニット上のどこかと結合するものである．積み荷となる水溶性タンパク質がどのように COPII 小胞に積込まれるのかについても現在研究が進んでいる．

　遺伝病である嚢胞性線維症(cystic fibrosis: CF)では，肺上皮細胞における Cl^- と Na^+ の輸送の釣合が崩れ，細胞がふくれあがって呼吸困難となる．この病気は **CFTR** というタンパ

ク質の突然変異によって起こる遺伝病である．このタンパク質は小胞体の膜内在性タンパク質として合成され，ゴルジ体を経由して上皮細胞の細胞膜に達し，そこでCl⁻チャネルとして働く．最近の研究により，このタンパク質にもCOPII被覆のSec24サブユニットと結合する酸性アミノ酸を2個含む選別シグナルがあることがわかった．このシグナル配列があるためCFTRは小胞体から出ていくことができる．多くの場合，CFTRの突然変異は508番目のフェニルアラニンの欠損である（ΔF508とよばれる）．この突然変異が起こるとCFTRは小胞体から出芽するCOPII小胞に入れなくなるので細胞膜に到達できなくなる．ΔF508変異をもつCFTRタンパク質は，小胞体品質管理機構により処理されるが，この変異をもつ折りたたまれたCFTRは，通常のCl⁻チャネルとして正しく機能することができる．しかし，細胞膜にいくことができない．したがって，この病気はチャネルの欠陥ではなく欠乏によって起こるのである．■

COPI小胞はゴルジ体間あるいはゴルジ体から小胞体への逆行性輸送を行う

　COPI小胞は，単離したゴルジ体画分を細胞質ゾルおよび加水分解されないGTPアナログを含んだ溶液中でインキュベートした際に発見された（図14・10）．その後の分析から，小胞の被覆は7個のサブユニットからなる**コートマー**（coatomer）とよばれる大きな複合体であることがわかった．COPIタンパク質に温度感受性突然変異を起こした酵母は，非許容温度で粗面小胞体にタンパク質が蓄積するので，B型の*sec*突然変異体に分類される（図14・5）．こうした突然変異体が発見されたことから，当初，COPI小胞は粗面小胞体からゴルジ体へのタンパク質輸送に関与していると考えられた．しかし，のちに行われた実験の結果から，COPI小胞の主要な役割はゴルジ体間やシスゴルジから粗面小胞体への逆行性タンパク質輸送であることが示された（図14・12右）．COPIに突然変異が起こると輸送に必要な膜タンパク質が粗面小胞体に戻らなくなるので，COPII小胞の機能に必要なv-SNAREなどのタンパク質が徐々に小胞体から失われていく．最終的には粗面小胞体での小胞形成が止まってしまう．分泌タンパク質は合成され続けるので小胞体内に蓄積する．これはB型の*sec*突然変異の表現型の定義に当てはまる．COPIあるいはCOPIIが関与する*sec*突然変異体において，順行性輸送と逆行性輸送の両方が止まってしまうということは，両者の密接な相互依存性を示している．

　13章で述べたように，小胞体には新たに合成された分泌タンパク質の折りたたみと修飾にかかわる水溶性タンパク質がいくつか存在する．そのなかにはBiPというシャペロンやタンパク質ジスルフィドイソメラーゼという酵素が含まれ，いずれも小胞体の機能にとって欠かせないものである．そのような小胞体に局在すべきタンパク質は，大量に存在しているので，特異的に選ばれるわけではないがCOPII小胞に入り，シスゴルジに運ばれてしまう．COPI小胞によるそれら水溶性タンパク質の逆行性輸送は，小胞体でのそれらのタンパク質の欠乏を防いでいる．

　小胞体に残る水溶性タンパク質の多くはC末端にLys-Asp-Glu-Leu（一文字表記だとKDEL）という配列をもつ（表14・2）．いろいろな実験から**KDEL選別シグナル**（KDEL sorting signal）をもつことが小胞体にとどまるために必要かつ十分な条件であるということがわかった．たとえば，KDELシグナルを欠いたタンパク質ジスルフィドイソメラーゼの変異体を繊維芽細胞中で合成させると，すべて分泌されてしまう．逆に，本来分泌されるはずのタンパク質のC末端にKDELシグナルを付けたものを合成させると，そのタンパク質は小胞体内に残る．そのKDEL選別シグナルは，小胞体とシスゴルジとの間の輸送小胞の膜およびシスゴルジの膜にだけ存在する膜貫通タンパク質である**KDEL受容体**（KDEL receptor）と結合する．さらに，小胞体にとどまるはずのKDELシグナルをもった水溶性タンパク質が，シスゴルジかシスゴルジ網にしか存在しない酵素によって修飾を受けた糖鎖をもっていることが明らかになった．したがって，それらのKDELシグナルをもったタンパク質は，ときどき，少なくともシスゴルジ網あたりまで輸送されているようだ．こうした発見から，KDEL受容体は，小胞体からシスゴルジ網に運ばれてしまったKDELシグナルをもった水溶性タンパク質を小胞体に連れ戻す働きをすることが示唆される（図14・14）．KDEL受容体とリガンドとの結合は低pHで強くなる．そこで，KDEL受容体はシスゴルジではKDEL配列と結合できるが，pHの少し高い小胞体では結合でき

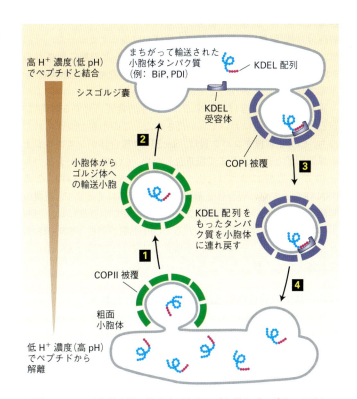

図 14・14　小胞体内腔に常在すべきタンパク質をゴルジ体から連れ戻す際にKDEL受容体が果たす役割．小胞体内腔のタンパク質で特に高濃度に存在するものはCOPII小胞にまぎれこんでゴルジ体に送られることがある（段階❶と❷）．そうしたタンパク質の多くはC末端にKDEL（Lys-Asp-Glu-Leu）という配列（赤）をもっているので小胞体に連れ戻される．KDEL受容体はおもにシスゴルジ網やCOPIおよびCOPII小胞に存在し，KDEL選別シグナルをもつタンパク質と結合し小胞体へ連れ戻す（段階❸と❹）．この連れ戻すシステムのおかげで，新たに合成された分泌タンパク質の正しい折りたたみを助ける小胞体内腔のタンパク質などが枯渇せずにすむのである．KDEL受容体の結合親和性はpHに大きく依存する．小胞体とゴルジ体にわずかなpHの差があるため，この受容体はゴルジ体由来の小胞中でKDEL配列をもったタンパク質と結合し，小胞体で解離するのである．［J. Semenza et al., 1990, *Cell* **61**: 1349 参照．］

ないのではないかと考えられている.

KDEL受容体などの膜タンパク質でゴルジ体から小胞体に戻されるものは細胞質側に出たC末端にLys-Lys-X-Xという配列をもつ(表14・2). 7種のサブユニットからなるCOPI被覆のうちのαおよびβサブユニットと結合するこの**KKXX選別シグナル**（KKXX sorting signal）は，膜タンパク質が小胞体へ逆行性輸送されるのに必要かつ十分なものである. COPIαあるいはCOPIβを欠損した温度感受性突然変異酵母はKKXXという配列に結合できないだけでなく，この配列をもつタンパク質を小胞体に戻すこともできない. このこともCOPI小胞がゴルジ体から小胞体への逆行性輸送に関与していることを示唆するものである.

再利用のため，ゴルジ体から小胞体へ戻されるCOPI小胞に組込まれる膜タンパク質の第二の選別シグナルは，アルギニンを2個含む配列である. KKXX選別シグナルは膜タンパク質の細胞質側に出ているC末端でないといけなかったが，このアルギニンを2個含む配列は細胞質側に出ているところならどこにあってもかまわない.

小胞体タンパク質とゴルジ体タンパク質の区分けは，COPII（順行性）小胞とCOPI（逆行性）小胞が，それぞれ他方の小胞機能に必要な成分を回収し供給することによって成り立っている. この区分け機構は，興味深い難問を投げかけることとなった. それは，小胞はどのようにして再利用のためにもとの膜に戻されるv-SNAREではなく，正しい標的膜との融合のためのv-SNAREを選んで使うのかということである.

正しい膜への区分けに関するこの根本的疑問に対する答えは，最近，COPII小胞において見いだされた. この小胞がつくられたのち，COPII被覆タンパク質は，Sec23-24複合体がシスゴルジ上の係留因子と結合するまで脱重合しない. COPII小胞がシスゴルジのごく近傍にきていて，小胞上のv-SNAREが対になるt-SNAREとすぐに複合体を形成できるところにくるまで，被覆の解離とv-SNAREの露出は起こらない. COPII小胞膜には，再利用のためにシスゴルジに送られるCOPI小胞特異的v-SNAREも存在しているが，それらは，小胞体膜上の対になるt-SNAREと複合体をつくる機会を与えられないのである.

ゴルジ体での順行性輸送は嚢成熟により行われる

ゴルジ体は嚢（cisterna）とよばれる扁平な袋が重なり合った構造をもち，三つの区画がある. それぞれの区画には異なる酵素群が含まれている. それらの酵素の多くは，ゴルジ複合体を通っていく分泌タンパク質上のN結合型やO結合型の糖鎖を修飾するためのものである. ゴルジ体全体は工場の組立てラインのようなもので，各区画は前の区画でタンパク質に修飾された糖鎖が次の区画の修飾酵素の基質となる流れ作業工程として機能している（図14・15に糖鎖修飾の代表的順序を示した）.

長い間，ゴルジ体の区画は動かず，分泌タンパク質は小さな輸送小胞によってシスゴルジから中間ゴルジへ，そして中間ゴルジからトランスゴルジへと輸送されると考えられていた. 実際，電子顕微鏡で見るとゴルジ体のまわりには多くの小胞が存在し，あるゴルジ区画から他のゴルジ区画へとタンパク質を移動させているように見えた（図14・16）. しかし，電子顕微鏡では，ある時間に凍結した構造の像しか得られず，輸送小胞の移動方向を示すことはできない. 現在では，ゴルジ体近傍の小胞は，実際には逆行性に動いており，後期の区画から小胞体やゴルジ体の酵素を回収して，分泌経路の初期の区画に輸送していることがわかっている. このようにゴルジ体はきわめて動的で，逆行性のものだけではあるが，常に輸送小胞を送り出している. ゴルジ体におけるこの逆行性輸送の効果を理解するために，トランスゴルジ常在の酵素が中間ゴルジに戻され，中間ゴルジの酵素がシスゴルジに戻されるときに中間ゴルジ区画はどうなるかを考えてみよう. この過程が繰返されトランスゴルジの酵素が入ってきて，中間ゴルジの酵素が失われていくと，この区画は徐々に新たなトランスゴルジとなっていく. このようにして，内部にある分泌タンパク質は，順行性小胞輸送によって次の嚢にいかなくても，適切な順序で糖鎖に修飾を受けることができるのである.

積み荷タンパク質の輸送が，小胞によるのではなくシスゴルジ

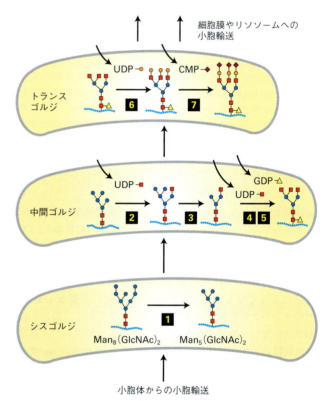

図 14・15　脊椎動物細胞のシス，中間，およびトランスゴルジにおける糖タンパク質のN結合型糖鎖のプロセシング. シスゴルジで3個のマンノースを除去された（段階**1**）タンパク質は嚢成熟により中間ゴルジに移動する. ここで，3個のN-アセチルグルコサミン（GlcNAc）が付加され（段階**2**と**4**），2個のマンノースが除去され（段階**3**），1個のフコースが付加される（段階**5**）. トランスゴルジにおいて3個のガラクトースが付加され（段階**6**），それぞれのうえにN-アセチルノイラミン酸が付加されると（段階**7**），プロセシングの終了である. 特異的転移酵素が，細胞質から取込んだ糖ヌクレオチド前駆体を使い，一度に1個ずつ糖を付加していく. それぞれの段階の反応を触媒する酵素が図に示した区画内に局在している. この経路は，哺乳類糖タンパク質がゴルジ体で受けるプロセシングの代表的なものである. N結合型糖鎖の差異は，このゴルジ体内でのプロセシングの違いによって生じる. [R. Kornfeld and S. Kornfeld, 1985, *Annu. Rev. Biochem.* **45**: 631 参照.]

がトランスゴルジになっていくという嚢成熟によることを示唆する最初の証拠は，分泌経路内で鱗片となる大きな巨大分子複合体を合成するある種の単細胞藻類を注意深く顕微鏡で観察したことから得られた．これらの藻類の鱗片は，シスゴルジ内の糖タンパク質から，電子顕微鏡で見える大きな高密度複合体へと組立てられる．他の分泌タンパク質と同様に，新しくつくられた鱗片はシスゴルジからトランスゴルジへと移動するが，ゴルジ嚢から出芽する輸送小胞の中では観察されることがなかった．さらなる実験の結果，積み荷が輸送小胞に入ることなく，大きな積み荷分子がゴルジ体の間を通過しうるという観察は，動物細胞で合成されるコラーゲンにも当てはまることが示された．繊維芽細胞でコラーゲンが合成されるときにもプロコラーゲン前駆体の巨大な会合体がシスゴルジ内腔に形成される．この会合体は小さな輸送小胞に入るには大きすぎるし，実際，いくら観察しても会合体を含んだ輸送小胞は見つからなかった．これらの観察は，鱗片などを含むおそらくすべての分泌タンパク質がゴルジ体のある区画から次の区画へ輸送されるのは小胞によるのではないということを示している．

二つの異なるゴルジタンパク質にそれぞれ異なる色の蛍光を発するタンパク質を融合させ，酵母で同時に発現させるという実験により，嚢成熟モデルが見事に実証された．シスゴルジに局在するタンパク質に緑色蛍光タンパク質を融合させ，トランスゴルジに局在するタンパク質に赤色蛍光タンパク質を融合させ，酵母細胞内でのそれらの挙動を観察した際の画像を図14・17に示す．どんなときでもシスゴルジタンパク質を含む区画とトランスゴルジタンパク質を含む区画は独自に存在し，両方をともに含む区画はほとんど生じていない．しかし，時間がたつにつれ，シスゴルジタンパク質を含んでいた区画はそれらのタンパク質を失い，トランスゴルジタンパク質をもつようになる．この変化は，ゴルジ体常在タンパク質が後期のゴルジから初期のゴルジへと移動し，個々の嚢に含まれるタンパク質の組成が変わっていくという，まさに嚢成熟モデルから予想されるとおりのものである．

ほとんどのタンパク質はゴルジ体内を嚢成熟機構によって移動するが，少なくともいくつかの積み荷タンパク質はゴルジ体膜から出芽するCOPI輸送小胞内で検出されるという証拠がある．このことは，COPI輸送小胞のなかには，順行性の輸送を行う小胞が存在することを示唆している．

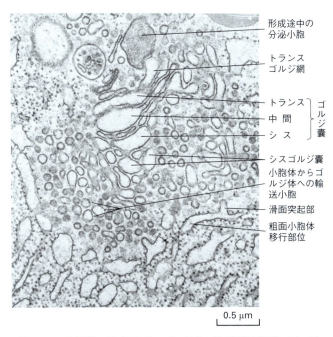

図 14・16（実験）　膵腺房細胞のゴルジ体の電子顕微鏡写真では，順行性のCOPII輸送小胞と逆行性のCOPI輸送小胞の区別がむずかしい．粗面小胞体はこの写真の左側と下側の部分である．粗面小胞体の移行部位には出芽途中のように見える滑面突出部がある．そこでつくられたCOPII小胞は分泌タンパク質を粗面小胞体からゴルジ体へ順行輸送する．ゴルジ嚢の中には，COPII小胞とよく似た小胞が散在しているが，COPI被覆をもつこれらの輸送小胞は，ゴルジ体区画間で常在ゴルジ酵素を逆行性に運ぶことがわかってきている．トランスゴルジ網から大きな順行性の分泌小胞が形成されているのが見える．［G. Palade 提供．］

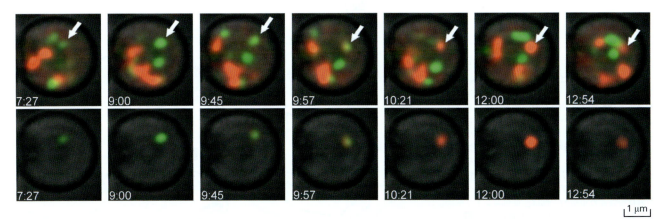

図 14・17（実験）　蛍光標識された融合タンパク質を使うことにより生きた酵母細胞内でのゴルジ嚢成熟が観察できた．初期ゴルジのタンパク質Vrg4を緑色蛍光タンパク質（GFP）と融合させ，後期ゴルジのタンパク質Sec7を赤色蛍光タンパク質（DsRed）と融合させて酵母細胞内で発現させ，その動きを蛍光顕微鏡で経時的に観察した．上の画像はゴルジ嚢全体を約1分間隔で見たもので，どの部分でもVrg4かSec7のどちらか一方だけが局在していることを示している．下の画像は，上の画像で白い矢印でさし示したゴルジ嚢だけをデジタル画像処理により追ったものである．そのゴルジ嚢には，最初はVrg4-GFPだけが存在し，そこにSec7-DsRedが混入し短時間共局在したのち，最後はSec7-DsRedだけが存在するようになる．この実験は，個々の嚢が初期ゴルジタンパク質を失いながら後期ゴルジタンパク質を獲得することにより成熟していくという嚢成熟仮説を直接証明したものである．［E. Losev et al., 2006, *Nature* **441**: 1002, Copyright Clearance Center, Inc. を通じて *Nature* より許可を得て転載．］

14・3 分泌経路の前期段階　まとめ

- COPII 小胞は粗面小胞体からシスゴルジへタンパク質を輸送する．COPI 小胞は逆方向にタンパク質を輸送する（図 14・12）．
- COPII 被覆は三つの主成分からなる．それらは Sar1 とよばれる低分子量 GTP 結合タンパク質，Sec23-Sec24 複合体，および Sec13-Sec31 複合体である．
- COPII 被覆の構成成分は，細胞質側に酸性アミノ酸を 2 個含む選別シグナルあるいは他の選別シグナルをもつ膜内在性積み荷タンパク質と結合する（図 14・13）．水溶性積み荷タンパク質は膜上の受容体タンパク質と結合することによって COPII 小胞に取込まれるのであろう．
- 小胞体に局在する水溶性タンパク質の多くは KDEL 選別シグナルをもつ．この配列がシスゴルジ膜上の受容体タンパク質と結合するので，まちがって輸送された小胞体タンパク質は逆行性 COPI 小胞に取込まれる（図 14・14）．
- COPII 小胞の形成に必要な膜タンパク質は COPI 小胞によってシスゴルジから回収される．膜タンパク質が COPI 小胞に取込まれる際の選別シグナルの一つは KKXX で，COPI 被覆のサブユニットがこの配列と結合する．これとは異なるアルギニンを 2 個含む配列も同様な機構による回収に使われている．
- COPI 小胞はゴルジ体に常在するタンパク質をゴルジ嚢の後期の区画から初期の区画へ輸送する際にも使われる．
- 水溶性タンパク質や膜タンパク質はゴルジ体内を嚢成熟によって前進する．この順行性輸送過程は COPI 小胞によるゴルジ体常在酵素の逆方向への輸送により行われている．

14・4 分泌経路の後期段階

嚢成熟によって積み荷タンパク質がゴルジ体のシス側からトランス側へ移動する間にゴルジ体内に局在する酵素によるオリゴ糖鎖の修飾が行われる．COPI 小胞を使ってゴルジ体の後期の区画から初期の区画へ逆行性輸送することにより，糖鎖修飾酵素の濃度はそれらが働く区画内で十分高い値に保たれる．適切なプロセシングを受けた積み荷タンパク質は，最後にゴルジ区画の一番奥にあるトランスゴルジ網に到達する．タンパク質はここで選別され，さまざまな小胞のうちの一つに入れられて最終目的地に向かう．最終目的地である細胞膜，エンドソーム，リソソームなどは固有の脂質および膜タンパク質の組成をもつが，そうした特性はこのトランスゴルジ網での選別によって生じる．本節ではトランスゴルジ網から出芽する小胞の種類，それらに積み荷タンパク質を振り分ける機構，および分泌経路の最終段階で行われる重要なプロセシングについて説明する．トランスゴルジ体から出芽するさまざまな種類の小胞を図 14・18 にまとめた．

クラスリンやアダプタータンパク質で被覆された小胞がトランスゴルジからの輸送を行う

トランスゴルジ網（TGN）から出芽する小胞のうち最も詳しく調べられているものは 2 層の被覆をもっており，外側にはクラスリンという繊維状タンパク質からなる層，内側に**アダプタータンパク質複合体**（adaptor protein complex，AP 複合体）からなる層がある．精製されたクラスリン分子は 3 本の腕をもつので**トリスケリオン**（triskelion）とよばれる．トリスケリオンとはギリシャ語で"三本足"という意味である（図 14・19a）．各腕にはクラスリン重鎖（180 kDa）とクラスリン軽鎖（約 35〜40 kDa）が 1 本

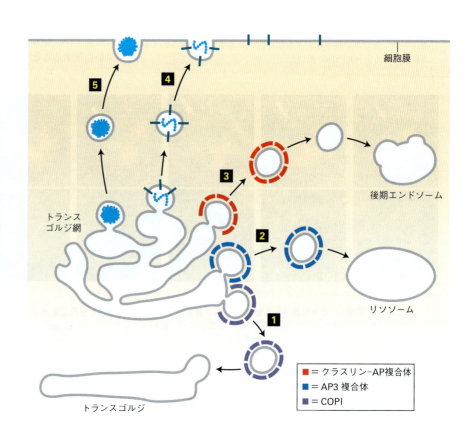

図 14・18　トランスゴルジ網からの小胞輸送．COPI（紫）小胞はゴルジ体間での逆行性輸送に関与する（**1**）．リソソームの内腔あるいはリソソーム膜で働くタンパク質はまずトランスゴルジ網から AP 複合体とクラスリン（赤）被覆小胞によって運ばれる（**3**）．これらの小胞は，被覆を失ったあと後期エンドソームと融合し，その後期エンドソームがリソソームにタンパク質を送り込む．トランスゴルジからリソソームへの積み荷を含んだ小胞の一部は，後期エンドソームを経ずに，直接リソソームと融合する（**2**）．それらの小胞は AP3 複合体（青）を被覆として使っているが，そこにクラスリンが含まれているかどうかはわかっていない．恒常的分泌（**4**）を行う小胞と調節された分泌（**5**）を行う小胞を包む被覆タンパク質はまだわかっていない．これらの小胞は，分泌タンパク質と細胞膜のタンパク質を，トランスゴルジ網から細胞膜へ運んでいる．

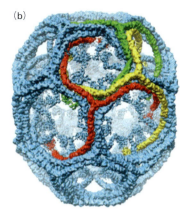

図 14・19 クラスリン被覆の構造. (a) クラスリン1分子はトリスケリオンとよばれ, 3本の重鎖と3本の軽鎖でできている. この分子は重鎖の折れ曲がりによって特有の曲面をつくる. (b) 精製したクラスリン重鎖および軽鎖を AP2 複合体と混ぜ合わせることにより, 膜が存在していなくても in vitro でクラスリン被覆をつくることができる. 1000 以上のクラスリン被覆粒子のクライオ電子顕微鏡写真をデジタルイメージプロセシングで解析することによって平均化した立体構造を構築した. この図では, 36 個のトリスケリオンからなるクラスリン重鎖だけを示している. そのうちの3個を赤, 黄, 緑で示した. クラスリンからなる籠の内側に存在する AP2 複合体の一部も見えている. [B. Pishvaee and G. Payne, 1998 Cell **95**: 433 参照. (b) は A. Fotin et al., 2004, Nature **432**: 573, Copyright Clearance Center, Inc. を通じて Nature より許可を得て転載.]

ずつある. トリスケリオンが重合すると独特な曲率をもつ多面体の格子構造をつくる (図 14・19b). 膜上でクラスリンが重合するときには, 膜とクラスリンの間をつなぐ AP 複合体が必要である. 各 AP 複合体 (340 kDa) は4種の異なるサブユニットタンパク質を1個ずつ含んでいる. トリスケリオン中のクラスリン重鎖の端にある球状部分と AP 複合体のサブユニットの一つが特異的に会合するのでクラスリントリスケリオンは AP 複合体と共重合し, 丈夫な小胞被覆になる.

アダプタータンパク質は, 膜タンパク質の細胞質側部分に結合することで, 出芽する輸送小胞に含まれる積み荷タンパク質を特異的に決定する. したがって, 分泌経路の後期段階で働く複数のアダプタータンパク質複合体は, 選択する積み荷タンパク質の種類と, 仲介する特定の輸送過程に基づいて分類することができる (表 14・1). 3種類の AP 複合体 (AP1, AP2, AP3) があり, それらは互いに異なるが類似したサブユニット4個から構成されている. もう一つの一般的な種類のアダプタータンパク質は **GGA** とよばれ, 70 kDa の単一ポリペプチドから構成されている. この単量体アダプタータンパク質は, ヘテロ四量体でもっと大きな AP 複合体と同じように, クラスリン結合部位と積み荷結合部位の両方をもっている. それらの複合体のどれかを被覆に含む小胞は, 膜上での被覆の会合開始時に, すべて ARF を使う. 前に述べたように ARF は COPI 被覆の会合開始時にも使われている. ARF が結合したのち, どの種類の被覆がそこに会合するかを決める膜の特性あるいはタンパク質因子についてはまだよくわかっていない.

トランスゴルジ網から出芽して後期エンドソームを経由してリソソームへいく小胞 (図 14・18, 段階 **3**) には AP1 あるいは GGA と一緒になったクラスリン被覆がついている. 小胞の被覆にある AP1 サブユニットの一つは, Tyr-X-X-Φ 配列を含む膜タンパク質と結合する. この **YXXΦ 選別シグナル** (YXXΦ sorting signal) をもつタンパク質はトランスゴルジ網から出芽するクラスリン-AP1 小胞に取込まれる. 次節で説明するが, エンドサイトーシスのときに細胞膜から出芽するクラスリン-AP2 被覆をもった小胞も YXXΦ 選別シグナルを認識する. GGA タンパク質とクラスリンで被覆された小胞は異なる選別配列 (Asp-X-Leu-Leu と Asp-Phe-Gly-X-Φ) をもつ膜内在性積み荷タンパク質と結合する.

トランスゴルジ網から出芽する小胞のいくつかは被覆に AP3 複合体を含んでいる. AP3 複合体も AP1 および AP2 複合体と類似したクラスリン結合部位をもっているが, この部位を欠損した変異 AP3 でも機能を失っていないので, AP3 を含む小胞の形成にクラスリンが必要なのかどうかはっきりしない. AP3 を含む小胞はリソソームへの輸送を行っているが, それらは後期エンドソームを経由せず, 直接リソソーム膜と融合するようにみえる (図 14・18, 段階 **2**). AP3 は, ある種の細胞では, リソソームに似た特別な貯蔵区画へのタンパク質輸送に使われている. たとえば, 皮膚細胞の黒色色素メラニンを含むメラノソームや, 断片化して無数の血小板を生じる巨核球の血小板貯蔵小胞へのタンパク質輸送には AP3 が必要である. 4個ある AP3 サブユニットのうちの2個のどちらかに突然変異を起こしたマウスは皮膚の色が通常と異なるだけではなく, 異常出血を起こす. そうなるのは, 破れた血管を修復するのに正常な血小板貯蔵小胞が不可欠だからである.

クラスリン被覆小胞の切り離しにダイナミンが必要である

輸送小胞形成過程の基本的段階で, どのように出芽が切り離されて小胞になるのかという点についてはこれまでに説明していなかった. クラスリン被覆小胞の場合, **ダイナミン** (dynamin) とよばれる細胞質タンパク質が完成した小胞の分離に必須であることがわかっている. 出芽形成の後期段階でダイナミンはくびれた部分に結合し GTP を加水分解する. GTP 加水分解で放出されたエネルギーによりダイナミンが構造変化を起こしてくびれた部分を引き伸ばし, 小胞を切り離すと考えられている (図 14・20).

エンドサイトーシスでクラスリン-AP2 小胞が切り離されるときのダイナミンの重要性は, 細胞抽出液に加水分解できない GTP 誘導体を加えるという実験により明快に示された. このように処理すると, ダイナミンは出芽部に結合できても切り離すことができず, 非常に長いくびれた部分をもつクラスリン被覆小胞出芽が多数出現する (図 14・21). GTP を結合できない変異ダイナミンを細胞内で発現させても, 同じようにダイナミンが結合した長いくびれをもったクラスリン被覆小胞出芽ができ, 小胞形成は阻害される.

COPI 小胞や COPII 小胞と同様に, 通常はクラスリン被覆小胞も形成直後に被覆を失う. あらゆる真核細胞で常時発現している細胞質シャペロンタンパク質 Hsp70 が, ATP 加水分解のエネルギーを使い, クラスリン被覆をトリスケリオンに解離させると考えられている. 被覆の解離はトリスケリオンを解放して再利用できるようにするだけではなく, 標的の膜との融合に使われる v-SNARE を露出させる. 細胞質 Hsp70 による被覆の解離は, Hsp70 の ATP 加水分解を促すドメインをもつオーキシリンというコシャペロンによって活性化されているらしい. ARF が GTP 結合型から GDP 結合型に構造変化を起こすことがクラスリン被覆の脱重合のタイミングを調節していると考えられているが,

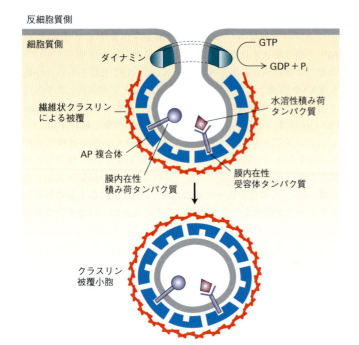

図 14・20　クラスリン被覆小胞のダイナミンによる切り離しモデル．小胞出芽が形成されたのち，頸部のまわりにダイナミンが重合する．そのしくみはよくわかっていないが，ダイナミンによる GTP 加水分解が小胞を膜から切り離す．もとの膜にあった膜タンパク質が被覆の AP 複合体との相互作用により小胞内に取込まれることに注意してほしい．[K. Takei et al., 1995, *Nature* **374**: 186 参照.]

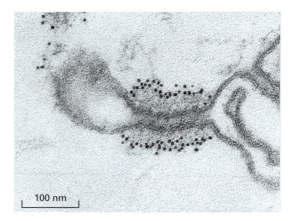

図 14・21（実験）　無細胞抽出液中でのクラスリン被覆小胞切り離しにダイナミンによる GTP 加水分解が必要である．活発にエンドサイトーシスを行っている神経軸索終末標品を蒸留水処理により破裂させ，加水分解を受けない GTP 誘導体 GTP-γ-S とともにインキュベートする．標品を固定して切片をつくったのち，金粒子をつけた抗ダイナミン抗体と反応させ，電子顕微鏡で観察した．長いくびれにダイナミンが結合したクラスリン-AP 被覆出芽の像は，GTP 加水分解が起こらなくても出芽はするが，GTP の加水分解が起こらないと出芽した部分が切り離されないことを示している．GTP-γ-S 存在下でみられるダイナミンの大きな重合物は正常な出芽の際には生じない．[K. Takei et al., 1995, *Nature* **374**(6518): 186, Copyright Clearance Center, Inc. を通じて *Nature* より許可を得て転載.]

Hsp70 およびオーキシリンの活動と ARF の構造変化がどのように共役するかはまだよくわかっていない．

マンノース 6-リン酸がついた酵素はリソソームに送られる

これまでみてきたように，分泌経路に積み荷タンパク質を送り込む選別シグナルの多くは，そのタンパク質がもつ短いアミノ酸配列であった．それに対し，水溶性リソソーム酵素をトランスゴルジ網から後期エンドソームへ輸送する際の選別シグナルはシスゴルジで形成された**マンノース 6-リン酸**（mannose 6-phosphate: **M6P**）という糖である．粗面小胞体におけるリソソーム酵素への N 結合型糖鎖前駆体の付加と初期のプロセシングは膜タンパク質や分泌タンパク質のものと同じで，まず Man$_8$(GlcNAc)$_2$ がつくら

れる（図 13・18 参照）．ほとんどのリソソーム酵素の N 結合型糖鎖の末端はシスゴルジにおける 2 段階の反応により M6P となる（図 14・22）．オリゴ糖鎖に M6P がついた水溶性リソソーム酵素は，他の分泌タンパク質や膜タンパク質が受けるようなそれ以上のプロセシングを受けなくなる（図 14・15）．

図 14・23 に示すように，M6P をもったリソソーム酵素と分泌タンパク質および膜タンパク質との選別はトランスゴルジ網で行われる．ここで膜貫通タンパク質である**マンノース 6-リン酸受容体**（mannose 6-phosphate receptor）がリソソームへ送られることになっているタンパク質の M6P と強く特異的に結合する．M6P 受容体とそれに結合したリソソーム酵素を含むクラスリン-AP1 小胞がトランスゴルジ網から出芽し，途中で被覆を失い，前に述べたようなしくみで後期エンドソームと融合する（図 14・18）．M6P 受容体は，トランスゴルジ網内での弱酸性 pH（約 6.5）なら M6P と結合できるが pH 6 以下では結合できなくなるため，内部

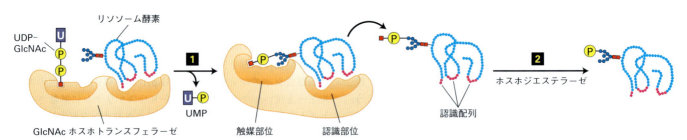

図 14・22　水溶性酵素をリソソームに送るシグナルとなるマンノース 6-リン酸（M6P）残基の形成．酵素をリソソームに送るためのマンノース 6-リン酸残基は，二つのゴルジ局在酵素によってシスゴルジにおいて形成される．段階**1**: N-アセチルグルコサミン（GlcNAc）ホスホトランスフェラーゼがリン酸のついた N-アセチルグルコサミンを 1〜数個のマンノースの 6 位の炭素に付加する．リソソーム酵素だけがこの酵素に認識される配列（赤）をもつので，特異的に N-アセチルグルコサミンリン酸を付加される．段階**2**: 修飾された酵素がホスホトランスフェラーゼから離れると，ホスホジエステラーゼが GlcNAc を除去するので，リン酸化されたマンノースがリソソーム酵素の糖鎖末端に残る．[A. B. Cantor et al., 1992, *J. Biol. Chem.* **267**: 23349; S. Kornfeld, 1987, *FASEB J.* **1**: 462 参照.]

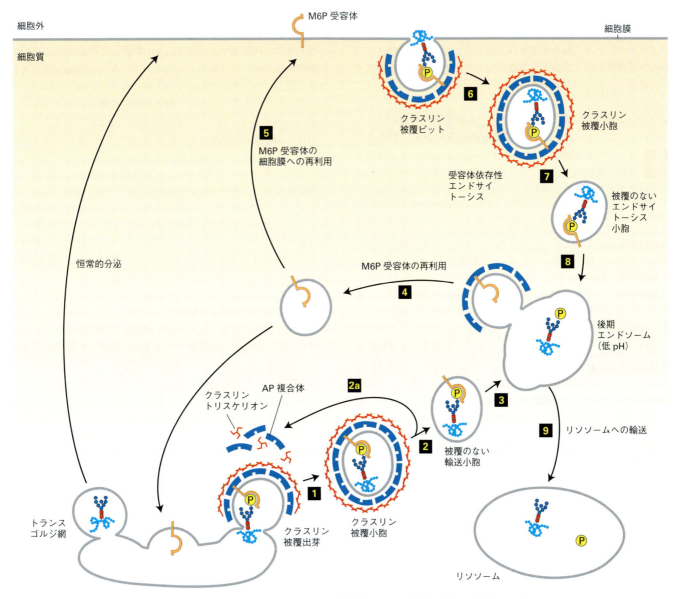

図 14・23　トランスゴルジ網および細胞表面からリソソームへの水溶性リソソーム酵素の輸送. 小胞体内で新たにつくられたリソソーム酵素はシスゴルジでマンノース 6-リン酸(M6P)残基をつけられる(図 14・22). リソソーム酵素はそうした糖鎖を何本ももっているが, 単純化するため図には 1 本だけしか描いてない. M6P 選別シグナルをもった酵素はトランスゴルジ網で M6P 受容体と結合し, それによりクラスリン-AP1 小胞に取込まれる(段階■1). その後, 小胞上の被覆は脱重合し(段階■2), 被覆を失った小胞は後期エンドソームと融合する(段階■3). 遊離した被覆タンパク質は, さらなる小胞の形成のために再利用されることに注意されたい(段階■2a). 後期エンドソームで M6P 受容体からリン酸化された酵素が解離したのち, M6P 受容体は後期エンドソームから出芽する小胞によって再利用される(段階■4). 遊離した M6P 受容体を運ぶ小胞は, トランスゴルジに戻るか, あるいは細胞膜と融合して M6P 受容体を細胞表面に送り出す(段階■5)ことが可能である. ときどき, リン酸化されたリソソーム酵素がトランスゴルジから細胞表面に送られて分泌されることがある. これらの分泌された酵素は受容体依存性エンドサイトーシスによって回収される(段階■6〜■8). 最終的に, 後期エンドソームとリソソームの融合により, リン酸化されたリソソーム酵素がリソソームの内部に送り込まれる(段階■9). [G. Griffiths et al., 1988, *Cell* **52**: 329; S. Kornfeld, 1992, *Annu. Rev. Biochem.* **61**: 307; G. Griffiths and J. Gruenberg, 1991, *Trends Cell Biol.* **1**: 5 参照.]

pH が 5.0〜5.5 の後期エンドソーム内で結合していたリソソーム酵素を放出する. さらに, エンドソーム内の低 pH にもかかわらず受容体とリソソーム酵素が再結合することのないように, 後期エンドソーム内のホスファターゼが M6P からリン酸を除去する. M6P 受容体は, 後期エンドソームから出芽する**レトロマー**(retromer)とよばれるタンパク質複合体に被覆された小胞によってトランスゴルジ網に戻される. その後, 成熟した後期エンドソームはリソソームと融合することによりリソソーム酵素を最終目的地に送り届ける.

トランスゴルジ網での水溶性リソソーム酵素の選別(図 14・23, 段階■1〜■4)は, 多くの点で COPII および COPI 小胞による小胞体とシスゴルジ間のタンパク質輸送と似ている. 第一に, マンノース 6-リン酸が出芽膜の受容体の内腔側部位と相互作用する選別シグナルとなっている点. 第二に, そのリガンドと結合した受容体が小胞被覆と相互作用することにより, 適切な輸送小胞(この場合 GGA あるいは AP1 を含むクラスリン被覆小胞)に取

込まれる点．第三に，その輸送小胞がv-SNAREとt-SNAREの特異的相互作用により，ある特定の細胞小器官（この場合，後期エンドソーム）とだけ融合するという点．そして最後に，輸送に使われた受容体が，リガンドと解離したのち，逆行性小胞輸送により再利用されるという点である．

リソソーム蓄積症の研究からリソソーム酵素選別経路の重要な構成成分が見いだされた

リソソーム蓄積症（lysosomal storage disease）とよばれる一群の遺伝病は，リソソーム酵素が1個あるいは数個欠損しているために起こる．それらの酵素がないため，本来であればリソソーム酵素によって分解されるはずの細胞外物質や糖脂質がいっぱい詰まったリソソームが細胞内にみられる．リソソーム蓄積症の患者は，その欠損の程度により，さまざまな種類の発達の遅れ，生理的異常，神経障害を示す．I細胞病（I-cell disease，封入体細胞病）は複数のリソソーム酵素欠損によるもので，リソソーム蓄積症のなかでも特に重い病気である．患者の細胞には，シスゴルジでリソソーム酵素にマンノース6-リン酸を形成させるときに必要なN-アセチルグルコサミンホスホトランスフェラーゼがない（図14・22）．正常なヒトのリソソーム酵素とI細胞病患者のものとを生化学的に比べた結果，マンノース6-リン酸（M6P）がリソソームへの選別シグナルであることが発見された．I細胞病患者では，M6Pという選別シグナルをつけることができないので，リソソーム酵素がリソソームへ送られるのではなく，分泌されてしまっていたのである．

I細胞病患者の繊維芽細胞をM6Pのついたリソソーム酵素の入った培地で育てると，リソソーム内の酵素量は正常となる．この結果は，この細胞の細胞膜にはM6P受容体があり，それが受容体依存性エンドサイトーシスによってM6Pのついたリソソーム酵素を取込んだということを意味する．細胞表面受容体に結合したタンパク質や粒子が内部に取込まれるこの過程については，次節で詳しく説明する．正常な細胞でも一部のM6P受容体が細胞膜に輸送されることや，リン酸化されたリソソーム酵素の一部が分泌されることがわかっている（図14・23）．その分泌されたリソソーム酵素は受容体依存性エンドサイトーシスによって取込まれ，リソソームへと送られる．この経路はM6Pによるリソソームへの選別経路からはずれてしまったものを回収するためのものと考えられる．

I細胞病患者の肝細胞では，M6P残基を生み出すリソソーム酵素が外から供給できないにもかかわらず，リソソーム内に正常な量の酵素が入っていて封入体もできない．このことは，（肝臓を構成する細胞のなかで最も多い）肝細胞が，M6Pを選別シグナルとしないリソソーム酵素の輸送経路をもつことを示唆している．この経路は，リソソーム酵素輸送において，まだ明らかにされていない選別シグナルを使っていると考えられる．■

トランスゴルジでのタンパク質の凝集は調節された分泌を行う小胞へのタンパク質の選別に関与しているかもしれない

本章の導入部で述べたように，すべての真核細胞がある種の分泌タンパク質を連続的に分泌している（恒常的分泌）．それに対して，ある種の特殊化した分泌細胞は特定の分泌タンパク質を小胞内にたくわえておき，刺激がきたときだけ分泌する．そのような調節された分泌を行う細胞の例は膵島β細胞で，新たにつくったインスリンを特殊な分泌小胞内にたくわえておき，血糖値が上昇したときにだけ分泌する（図21・1b参照）．この細胞および他の分泌細胞は，タンパク質をトランスゴルジ網から細胞表面に送るときに異なった2種類の分泌小胞を使い分けている．その二つとは，調節を受けない分泌小胞（**恒常的分泌小胞** constitutive secretory vesicleともよばれる）および調節された分泌小胞である．

ACTH（副腎皮質刺激ホルモン），インスリン，トリプシノーゲンといった調節された分泌小胞に入るさまざまなタンパク質は共通の機構で選別されているらしい．ACTHを合成している脳下垂体腫瘍細胞に，組換えDNA技術を使って，通常はつくっていないインスリンやトリプシノーゲンをつくらせるという実験からこのような共通の機構の存在が明らかになった．3種類のタンパク質はすべて同一の調節された分泌小胞に送り込まれ，ある種のホルモンが脳下垂体細胞上の受容体に結合し内部のCa^{2+}濃度が上昇するとそれらは一緒に分泌されたのである．

形態学的な観察から，タンパク質凝集体を形成する能力は，調節された分泌小胞の形成を制御する3種類のタンパク質に共通の特徴であることが示唆された．電子顕微鏡で観察すると，トランスゴルジ網から出芽したばかりで未成熟な調節された分泌小胞内には，分散した分泌タンパク質の凝集塊が見られる．出芽する途中の小胞内にもそれらの凝集塊が見いだされるので，調節された分泌小胞に送り込まれるタンパク質は，小胞に取込まれる前に凝集塊を形成するということが示唆される．

ある種のタンパク質はトランスゴルジを出たあとにプロテアーゼによるプロセシングを受ける

成長ホルモンなどの分泌タンパク質および水疱性口内炎ウイルス（VSV）の糖タンパク質などのウイルスの膜タンパク質では，伸長しているポリペプチド鎖が受ける唯一の切断はN末端にある小胞体への輸送配列の切り離しで，この切断だけで成熟した活性のあるタンパク質に変わる（図13・10参照）．しかし，いくつかの膜タンパク質および多くの水溶性分泌タンパク質は**プロタンパク質**（proprotein）とよばれる比較的寿命の長い不活性な前駆体として合成され，成熟し活性をもつためにはプロテアーゼによるプロセシングを必要とする．そうしたプロセシングを受けるタンパク質の例として，リソソーム酵素のような水溶性タンパク質，インフルエンザウイルスの赤血球凝集素（HA）タンパク質のような膜タンパク質，および血清アルブミン，インスリン，グルカゴン，そして酵母のα接合因子といった分泌タンパク質があげられる．一般に，プロタンパク質に対するプロテアーゼによる切断はトランスゴルジ網で選別されたのち，それぞれの分泌小胞内で起こる．

水溶性リソソーム酵素の場合，そのプロタンパク質は**プロ酵素**（proenzyme）とよばれ，まだ不活性なうちにM6P受容体によって選別される．このプロ酵素は，後期エンドソームかリソソーム内に入るとプロテアーゼによる切断を受け，小さいが活性のあるポリペプチドとなる．プロ酵素の活性化をリソソームに着くまで遅らせるのは，分泌経路の途中で他の巨大分子を分解してしまわないようにするためである．

恒常的に分泌されるアルブミンなどのプロタンパク質の切断はポリペプチド鎖中にあるArg-ArgやLys-Argといった塩基性アミノ酸が並んだ配列のC末端側で1回だけ行われる（図14・24a）．

分泌が調節されているタンパク質のプロテアーゼによるプロセシングは1回だけではない．プロインスリンの場合，1本のポリペプチド鎖が複数の切断を受けてN末端のB鎖とC末端のA鎖からなる成熟したインスリンとなる．B鎖とA鎖はジスルフィド結合によってつながっている．中央のCペプチドは除去され，のちに分解される（図14・24b）．

この切断によるプロセシングは，後期分泌経路に存在するエンドプロテアーゼファミリーによって行われ，いずれも Arg-Arg または Lys-Arg 配列のC末端側でタンパク質鎖を切断する．そのうちの**フリン**（furin）とよばれるエンドプロテアーゼは，すべての哺乳類細胞内に存在し，恒常的に分泌されるアルブミンなどを切断する．それに対して **PC2** および **PC3** というエンドプロテアーゼは調節された分泌経路をもつ細胞にのみ存在する．それらは調節された分泌小胞内に存在していて，多くのプロホルモンの特定の部位を切断する．

極性をもつ細胞の頂端側と側底側の膜に膜タンパク質を輸送する経路は異なる

極性をもつ上皮細胞の細胞膜は密着結合を境にして**頂端側**（apical）と**側底側**（basolateral）の二つの領域に分かれていて，そこに含まれている膜タンパク質は交ざり合わない（図20・19 参照）．合成されたばかりの膜タンパク質を頂端側あるいは側底側に送るために複数の機構が働いている．どんなタンパク質であれ，一つの機構だけで選別されるということはない．こうした選別および密着結合による膜タンパク質の移動の制限により，頂端側と側底側のタンパク質組成は全く異なる．栄養物を小腸内腔から取込んだり胃の内腔を酸性化するといった重要な生理機能を果たすうえで，ある種の輸送タンパク質が偏った局在を示すことは大切である（図11・30，図11・31 参照）．

トランスゴルジ網において選別が行われる機構の存在が知られている．顕微鏡や細胞分画を使った種々の研究により，頂端側へ運ばれる膜タンパク質も側底側へ運ばれるものもまずは一緒にトランスゴルジ網へ送られることが明らかになった．ある場合，頂端膜へいくタンパク質はトランスゴルジから出芽する独自の輸送小胞によって頂端膜へ向かい，側底膜へいくタンパク質は別な輸送小胞によって側底膜へ向かう．それらの輸送小胞は異なる Rab タンパク質と v-SNARE タンパク質をもっており，それらにより適切な細胞膜領域へ到達すると考えられる．この場合，頂端側あるいは側底側の膜へいくタンパク質の選別はトランスゴルジ網から出芽する特定の小胞に取込まれる段階で行われる．

極性をもつ上皮細胞の培養細胞系であるイヌ腎臓上皮由来の MDCK 細胞が上述したような頂端側と側底側への膜タンパク質の直接的選別を研究するために使われた（図4・4 参照）．この細胞にインフルエンザウイルスを感染させると，増殖したウイルスは頂端側の膜からだけ出芽する．それに対して，水疱性口内炎ウイルスの場合は側底側の膜からだけ出芽する．この違いが生じるのは，インフルエンザウイルスの赤血球凝集素（HA）糖タンパク質はゴルジ体から頂端側の膜にだけ送り込まれるが，VSV 糖タンパク質は側底側の膜にだけ送り込まれるからである（図14・25）．

側底側の膜にだけ送り込まれる VSV 糖タンパク質に突然変異を起こさせる実験から，細胞質側にある選別シグナルが Tyr-X-X-Φ や Asp-X-Leu-Leu であることがわかった．これまでみてきたように，これらのモチーフをもつタンパク質はクラスリン–AP 被覆小胞に集められ，クラスリン被覆小胞がタンパク質の側底膜への仕分けに強く関与していることがわかった．

グリコシルホスファチジルイノシトール（glycosylphosphatidylinositol: **GPI**）により膜に係留されるタンパク質もゴルジ体で頂端側へいくか側底側へいくかの選別を受けるものの一つである．MDCK 細胞や他の上皮細胞のほとんどで，GPI によって膜に係留されるタンパク質は頂端側の膜に送り込まれる．膜の中で GPI によって係留されるタンパク質はスフィンゴ脂質を多く含む脂質ラフトに集合する（10章）．この発見は，多くの細胞で脂質ラフトが，その部分を他の脂質と区分けするタンパク質と一緒に，頂端側の膜に局在することを示唆する．しかし，すべての極性をもった細胞で GPI が頂端側へいくシグナルになっているわけではない．たとえば，甲状腺細胞などでは側底側に送り込まれる．GPI

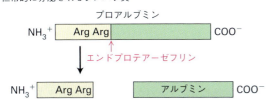

(a) 恒常的に分泌されるタンパク質

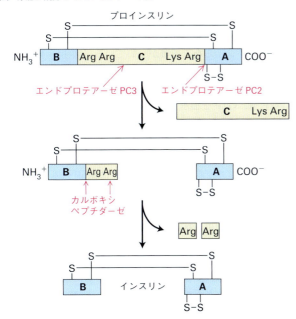

(b) 分泌が調節されているタンパク質

図 14・24 **恒常的分泌経路と調節された分泌経路におけるプロタンパク質のプロセシング**．プロテアーゼによるプロアルブミンとプロインスリンのプロセシングは，それぞれ恒常的に分泌されるタンパク質と分泌が調節されているタンパク質の典型的な例である．このプロセシングを行うエンドプロテアーゼは，塩基性アミノ酸が2個連続する配列のC末端側を切る．(a) 恒常的に分泌されるタンパク質の前駆体にはエンドプロテアーゼのフリンが作用する．(b) 分泌が調節されているタンパク質には2種類のエンドプロテアーゼ PC2 と PC3 が作用する．多くの場合，こうしたタンパク質プロセシングの最終段階はカルボキシペプチダーゼによって行われる．この酵素はポリペプチドのC末端にある2個の塩基性アミノ酸を一つずつ切り離す．〔D. Steiner et al., 1992, *J. Biol. Chem.* **267**: 23435 参照．〕

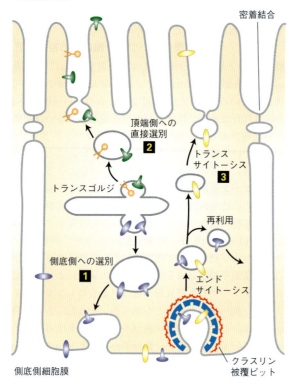

図 14・25 極性をもった細胞の頂端側の膜へ送られるタンパク質と側底側の膜へ送られるタンパク質の選別. 上皮細胞層を形成する細胞の細胞膜には，密着結合によって分けられた頂端側と側底側のそれぞれの領域が存在する. 後期分泌経路には，頂端側と側底膜のいずれかに仕分ける経路が存在する. **1**: トランスゴルジ網では，ある種の小胞が，VSV の G タンパク質や膜内在性タンパク質など，側底膜輸送配列をもつタンパク質を側底膜に直接輸送する. **2**: インフルエンザ HA 糖タンパク質や GPI アンカータンパク質を頂端膜に直接輸送する別な小胞もトランスゴルジ網から出芽する. **3**: トランスサイトーシスとよばれる過程を経て，タンパク質は側底膜から頂端膜に移動することができる. トランスサイトーシスには，側底膜からのクラスリン-AP で被覆された小胞のエンドサイトーシス，側底膜のタンパク質がエンドサイトーシス小胞から側底膜へ戻される過程，そして頂端膜のタンパク質が頂端膜に輸送される過程が含まれる. [K. Simons and A. Wandinger-Ness, 1990, *Cell* **62**: 207; K. Mostov et al., 1992, *J. Cell Biol.* **116**: 577 参照.]

以外に，頂端側か側底側かの選別シグナルとして必要かつ十分である特殊な配列はポリペプチド鎖内に見つかっていない. そうではなく，それぞれのタンパク質は複数の選別シグナルをもっていて，そのうちのどれか一つだけで適切な細胞膜の部位に輸送されるのかもしれない. 極性をもった上皮細胞内で特定の細胞膜領域へ輸送される多くのタンパク質について，そのような複雑なシグナルとそれらを輸送する小胞の被覆となるタンパク質の同定が進められている.

図 14・25 に示したように，肝細胞では頂端側と側底側へのタンパク質の選別は異なった機構で行われる. 肝細胞の側底側の膜は，小腸上皮細胞と同様，血管に面し，頂端側の膜は毛細胆管をつくっている. この肝細胞では新たに合成された頂端側あるいは側底側のタンパク質は，まずトランスゴルジ網からの小胞に取込まれ，エキソサイトーシス（小胞膜が細胞膜と融合すること）により側底側の膜に送られる. そこから，側底側と頂端側のタンパク質はエンドサイトーシスにより再び小胞に取込まれるが，そのあと両者の経路は分かれる. 側底側のタンパク質は輸送小胞に詰め込まれ，また側底側の膜に戻される. それに対して頂端側にいくべきタンパク質は別の輸送小胞に詰め込まれ，細胞を横断し頂端膜へ送られる. この過程は**トランスサイトーシス**（transcytosis）とよばれる. このトランスサイトーシスは，細胞外物質を上皮細胞の中を通って反対側へ送るときにも使われる. 選別がトランスゴルジ網で行われる MDCK 細胞などの上皮細胞でもまちがい防止機構としてトランスサイトーシスが存在している. すなわち，まちがって側底側の膜に送られてしまった頂端側の膜へいくはずのタンパク質は，エンドサイトーシスによって取込まれ，頂端側の膜へ運ばれるのである.

14・4 分泌経路の後期段階 まとめ

- トランスゴルジ網（TGN）は分泌経路における主要な分岐点で，水溶性分泌タンパク質，リソソームタンパク質，およびある種の細胞では頂端側あるいは側底側の細胞膜へいくタンパク質がここで仕分けされる.
- トランスゴルジ網から出芽する小胞の多くやエンドサイトーシス小胞には AP（アダプタータンパク質）複合体とクラスリンからなる被覆がついている（図 14・19）.
- クラスリン被覆小胞が切り離されるためにはダイナミンが必要である. このタンパク質は小胞出芽のくびれた部分に巻付き，GTP を加水分解する（図 14・20）.
- リソソームへ送られる水溶性酵素はシスゴルジで修飾を受け，糖鎖の先にいくつかのマンノース 6-リン酸（M6P）残基をつけられる.
- トランスゴルジ網膜の M6P 受容体は M6P 残基をもったタンパク質と結合し，後期エンドソームへ運ぶが，そこで両者は解離する. 受容体はそこからゴルジ体あるいは細胞膜に戻って再利用され，リソソーム酵素はリソソームへ運ばれる（図 14・23）.
- 分泌が調節されているタンパク質は濃縮されて分泌小胞内にたくわえられ，神経あるいはホルモンによるエキソサイトーシスのシグナルがくるのを待つ. トランスゴルジ網におけるタンパク質の凝集が調節された分泌経路への選別に関係しているのだろう.
- 分泌経路を運ばれる多くのタンパク質はゴルジ体を出たあとでプロテアーゼにより切断され，成熟し活性をもつタンパク質となる. 一般に，プロテアーゼによる成熟は，トランスゴルジ網から細胞表面への輸送小胞内，後期エンドソーム内，およびリソソーム内で行われる.
- 極性のある上皮細胞の頂端膜へいく膜タンパク質と側底膜へいく膜タンパク質はトランスゴルジ網で別々の輸送小胞に入れられる（図 14・25）. Tyr-X-X-Φ および Asp-X-Leu-Leu の選別シグナルはタンパク質を側底膜に，GPI はタン

パク質を頂端膜に導く.
- 肝細胞と他のいくつかの極性をもつ細胞の細胞膜タンパク質は，まず側底膜に送られる．頂端膜へいくタンパク質はエンドサイトーシスにより取込まれ，細胞を横切って頂端膜へ運ばれる（トランスサイトーシス）．

14・5 受容体依存性エンドサイトーシス

ここまで，粗面小胞体で合成された水溶性および膜タンパク質を細胞表面に輸送する小胞輸送の主要な経路について述べてきた．動物細胞が周囲の環境から巨大分子を取込み，これらの巨大分子を特定の細胞内の目的地に送り込む現象も，被覆小胞の出芽と融合という同じ基本原理によって行われている．**受容体依存性エンドサイトーシス**（receptor-mediated endocytosis）とよばれるこの過程では，細胞表面の特定の受容体が，細胞外巨大分子リガンドを認識し，強固に結合する．その後，受容体とリガンドの複合体は，細胞膜領域に集められ，内側に出芽し，輸送被覆小胞を形成する．植物細胞や真菌細胞はエンドサイトーシスによって小分子を取込むが，一般に巨大分子はその大きさゆえに細胞壁を容易に通過することができないため，取込むことはない.

脊椎動物細胞で受容体依存性エンドサイトーシスにより取込まれる巨大分子の代表的なものとして，低密度リポタンパク質（LDL）とよばれるコレステロールを含んだ粒子，トランスフェリンという鉄結合タンパク質，インスリンなどのタンパク質ホルモン，およびある種の糖タンパク質などがあげられる．これらのリガンドの受容体依存性エンドサイトーシスのほとんどはクラスリン-AP2 被覆ピットおよび被覆小胞によって行われる．この過程はトランスゴルジ網におけるマンノース 6-リン酸（M6P）を使ったリソソーム酵素の取込みと似ている（図14・23）．前に述べたように，一部の M6P 受容体は細胞表面に存在し，まちがって分泌されてしまったリソソーム酵素を受容体依存性エンドサイトーシスによって細胞内に戻している．一般に，受容体依存性エンドサイトーシスで細胞外リガンドとともに細胞内に取込まれた膜貫通受容体タンパク質は選別され，再び細胞表面に戻され再利用される．ちょうど，M6P 受容体が細胞膜やトランスゴルジに戻され再利用されるのと同じである．リガンドが取込まれる速度はそれに対する受容体が細胞表面にどれだけ存在するかで決まる.

肝細胞や繊維芽細胞において，クラスリン-AP2 被覆ピットは細胞表面積の 2% を占めている．クラスリン-AP2 被覆ピットや小胞内には多数のリガンドがみられるので，こうした膜構造は，細胞表面にある受容体と結合したリガンドがエンドサイトーシスで取込まれる際の中間状態であると考えられている（図14・26）．ある種の受容体はリガンドがなくてもクラスリン被覆ピット上に集合している．他の受容体は細胞膜表面を自由に拡散していて，リガンドと結合して構造変化を起こしたときだけクラスリン被覆ピット上にきてそこにとどまる．トランスフェリンやLDLといった 2 種類以上のリガンドが受容体と結合して同一の被覆ピットや被覆小胞内にみられることもある.

細胞は，大きなリポタンパク質複合体として脂質を血液中から取込む

小腸で食物中から吸収された脂質および脂肪組織にたくわえられていた脂質は全身の細胞に送り届けられる．動物細胞は，細胞

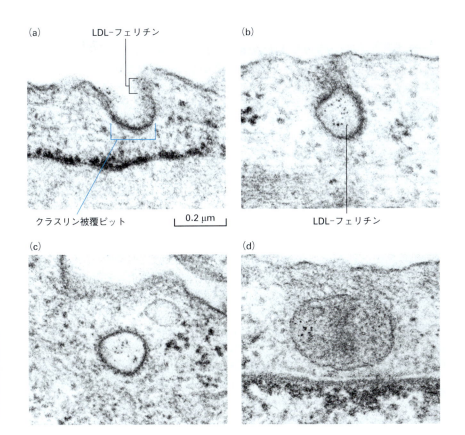

図 14・26（実験） 電子顕微鏡で見た低密度リポタンパク質（LDL）粒子の受容体依存性エンドサイトーシスの初期段階．電子密度の高い鉄を含んだフェリチンというタンパク質と共有結合させた LDL 粒子をヒト培養繊維芽細胞と結合させる．フェリチン内の小さな鉄粒子は電子顕微鏡で見ると黒い点として観察される．最初は温度を 4℃ にして，LDL と受容体の結合は起こるが内部への取込みは起こらないようにしておく．細胞と結合しなかった過剰の LDL を除去したのち溶液の温度を 37℃ にし，一定の時間ごとに電子顕微鏡のための標本を作製した．(a) 温度を上げた直後にできた細胞の内側がクラスリンで被覆された被覆ピット．(b) LDL 粒子を結合したピットが閉じて被覆小胞をつくったと思われるところ．(c) フェリチン標識された LDL 粒子を含んだ被覆小胞．(d) 温度を上げてから 6 分後に見られた，なめらかな表面の初期エンドソーム内のフェリチン標識された LDL．[M. S. Brown and J. Goldstein, 1986, Science 232: 34 参照. J. Goldstein et al., 1979, Nature 279: 679, Copyright Clearance Center, Inc. を通じて Nature より許可を得て転載.]

間で大量の脂質を輸送できるように数百あるいは数千にも及ぶ脂質分子を**リポタンパク質**（lipoprotein）とよばれる水溶性巨大分子運搬体にまとめあげ，そのまま血流から細胞内に取込むという効率のよい方法を進化の過程でつくりあげた．リポタンパク質粒子は，タンパク質（**アポリポタンパク質** apolipoprotein）とコレステロールを含むリン脂質の単層からなる殻をもっている．この殻は両親媒性で，外表面は親水性でこの粒子を水に溶けやすくし，内表面は疎水性となっている．この疎水性内表面のすぐ内側には，おもにコレステロールエステルだけ，またはトリアシルグリセロールだけ，あるいは両方を含む中性脂質からなる中心部がある．哺乳類のリポタンパク質は比重によっていくつかのクラスに分類される．ここで取上げるのは**低密度リポタンパク質**（low-density lipoprotein: **LDL**）である．図14・27に示すように，典型的LDL粒子は直径20〜25 nmの球形である．両親媒性殻はリン脂質の単層と**アポ B-100**とよばれる巨大なタンパク質1分子からできている．中心部にはコレステロールエステルが詰まっている．

被覆小胞の一般的な特徴として，特定の積み荷分子を選択する能力があることをみてきた．この積み荷選択の過程は，細胞に添加した標識LDL粒子のエンドサイトーシスに関して，はじめて研究されたものであった．標識LDL粒子がどのように細胞内に入るかを調べるために二つの実験手法がよく使われる．第一の手法は，LDL粒子表面に存在するアポ B-100内のチロシン残基の側鎖を放射性 ^{125}I で標識したLDLを使うというものである．このように標識したLDLを培養細胞と混合して数時間おいたのち，どれだけのLDLが細胞表面に結合し，どれだけが細胞内に取込まれ，どれだけのアポ B-100がリソソームへ運ばれて，そこで酵素の加水分解によりアミノ酸にまでなったかを調べることができる．アポ

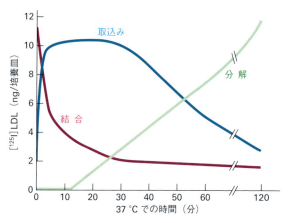

図 14・28（実験） LDL分解には前駆段階のあることがパルスチェイス実験により示された．培養ヒト繊維芽細胞を4℃で2時間[^{125}I] LDLを含んだ培地におく（パルス）．余分な[^{125}I]LDLを洗い流したのち，37℃にし，グラフに示した時間がたったときに細胞表面に結合した量，内部に取込まれた量，および分解された量を調べた（チェイス）．4℃では，LDL アポ B-100の結合は起こるが，取込みや分解は起こらない．温度を上げると膜が動けるようになり，表面に結合した[^{125}I]LDLが急激に減り，内部に取込まれることがわかる．15〜20分の遅れで，内部に取込まれた[^{125}I]LDLのリソソームでの分解がはじまる．［M. S. Brown and J. L. Goldstein, 1976, *Cell* **9**: 663 参照．］

B-100の分解は培地に放出される[^{125}I]チロシンにより検出できる．図14・28は，一定量の[^{125}I]LDLを短時間受容体と接触させたあとの細胞内でのLDLの局在の時間経過を追跡したパルスチェイス実験である．こうした実験から，LDLの細胞表面への結合→取込み→分解という順序が明らかになった．第二の手法は，LDLに電子密度の高い物質からなる標識をつけ，それを電子顕微鏡で追跡するというものである．このような研究から，LDL粒子がまず**クラスリン被覆ピット**（clathrin-coated pit）とよばれるエンドサイトーシス小胞合成の場である細胞表面に結合し，そこで陥入が起こってクラスリン被覆小胞として出芽し，最終的にはエンドソームへ運ばれるということが明らかになった．

巨大分子リガンドに対する受容体はエンドサイトーシスで取込まれるための選別シグナルをもつ

LDL粒子がどのように細胞表面に結合し，エンドサイトーシス小胞によって内部に取込まれるかは **LDL受容体**（LDL receptor: **LDLR**）の発見により明らかになった．LDL受容体は839個のアミノ酸からなるI型膜糖タンパク質であり，LDL結合ドメインをもつ長いN末端の細胞外領域と1回膜貫通領域，および短いC末端の細胞質側領域から構成されている．システインを多く含む7個の繰返し配列がリガンド結合部位で，LDL粒子中のアポ B-100と相互作用する．LDL受容体がどのようにLDL粒子の受容体依存性エンドサイトーシスに関与しているのかを図14・29に示す．取込まれたLDL粒子はリソソームに運ばれ，表面のアポリポタンパク質はプロテアーゼにより加水分解され，中心部のコレステロールエステルはコレステロールエステラーゼによって加水分解される．脱エステルされたコレステロールはリソソームを離れ，細胞内の需要に応じて膜やさまざまなコレステロール誘導体の合成に使われる．

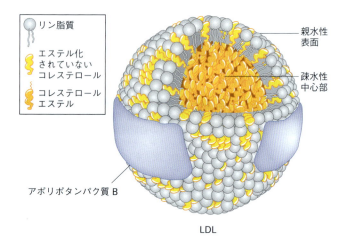

図 14・27 低密度リポタンパク質（LDL）のモデル． すべてのリポタンパク質は同一の基本構造をもつ．すなわち，アポリポタンパク質，単層（二重層ではない）のリン脂質およびコレステロールからなる両親媒性の殻と，コレステロールエステルかトリアシルグリセロールあるいはその両方を主体とし，他の中性脂質（たとえばある種のビタミン）を少し含む疎水性中心部からできている．このモデルは電子顕微鏡による観察と他の解像度の低い生物物理的研究法をもとにつくられた．LDLの特徴は，1種類のアポリポタンパク質（アポ B）を1分子だけ含み，それが粒子の外側に帯のように巻付いている点である．他のリポタンパク質は異なる種類のアポリポタンパク質を複数個含む．［M. Krieger, 1995 in E. Haber ed., *Molecular Cardiovascular Medicine, Scientific American Medicine*, pp. 31〜47 参照．］

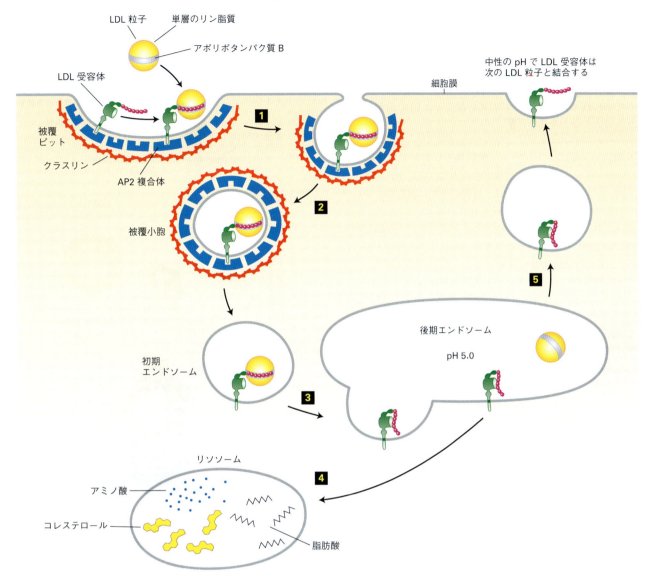

図 14・29 低密度リポタンパク質 (LDL) がたどるエンドサイトーシス経路. 段階 **1**: 細胞膜表面の LDL 受容体が LDL 粒子の外側のリン脂質層に埋込まれているアポリポタンパク質 B と結合する. LDL 受容体の細胞質側に出た尾部に存在する NPXY という選別配列と AP2 複合体の相互作用により受容体-リガンド複合体は形成中のエンドサイトーシス小胞に取込まれる. 段階 **2**: 受容体と LDL の複合体の入ったクラスリン被覆ピット(出芽)は, トランスゴルジ網からクラスリン-AP1 小胞が切り離されるときと同じ, ダイナミンを使った機構(図 14・20)によって細胞膜から切り離される. 段階 **3**: 被覆が除去されたあとのエンドサイトーシス小胞(初期エンドソーム)は後期エンドソームと融合する. この区画内の低い pH により LDL 受容体に構造変化が起こり, 結合していた LDL 粒子と解離する. 段階 **4**: 後期エンドソームはリソソームと融合し, LDL 粒子中のタンパク質と脂質はリソソーム酵素によってその構成成分に分解される. 段階 **5**: LDL 受容体は細胞表面に戻され再利用される. 細胞外液の pH は中性なので, LDL 受容体は再び構造変化を起こし, 次の LDL 粒子と結合できるようになる. [M. S. Brown and J. L. Goldstein, 1986, *Science* **232**: 34; G. Rudenko et al., 2002, *Science* **298**: 2353 参照.]

ヒトの LDL 受容体遺伝子の変異は, **家族性高コレステロール血症**(familial hypercholesterolemia: **FH**)とよばれる血漿 LDL 上昇を特徴とする遺伝性疾患をひき起こす可能性がある. *LDLR* 遺伝子の一方に変異をもつ(ヘテロ接合体)患者の血中コレステロール値は通常の 2 倍となり, 両方の遺伝子に変異をもつ(ホモ接合体)患者の血中コレステロール値は通常の 4〜6 倍となる. 血中 LDL 濃度が高いと, LDL が過剰に沈着し, 冠動脈に動脈硬化性プラークが形成されることがある. 適切な治療を受けないとホモ接合体の FH 患者は 20 代後半になるまでに心臓病で死亡することが多い.

LDLR 遺伝子に生じたさまざまな変異により, 家族性高コレステロール血症は起こる. ある突然変異では LDL 受容体タンパク質が合成されなくなってしまう. 別の変異では小胞体内での適切な折りたたみができないため, 分解されてしまう(13 章). また別の変異では LDL 受容体はできても LDL と強く結合できないものとなる. 重要な情報を与えてくれたのは, 細胞表面に発現され, LDL と正常に結合するのに, LDL を内部に取込めない突然変異受容体であった. この欠陥をもつ患者でも, 他のリガンドに対する細胞膜受容体は正常にエンドサイトーシスを起こす. 突然変異 LDL 受容体だけが被覆ピットに集まってこないのである. この突然変異 LDL 受容体や遺伝子工学により人工的につくった変異受容体を繊維芽細胞内で発現させて解析したところ, エンドサイ

トーシスには受容体の細胞質側に存在する四つのアミノ酸からなるモチーフが重要であることがわかった．その配列は Asn-Pro-X-Tyr で，X はどんなアミノ酸でもかまわない．この **NPXY 選別シグナル**（NPXY sorting signal）が AP2 複合体と結合することによりクラスリン-AP2 被覆ピットに LDL 受容体を引寄せる．この保存された NPXY 配列のどれかに変異が起こると LDL 受容体は被覆ピットに入る能力を失う．■

内部が酸性の後期エンドソームで受容体とリガンドは解離する

エンドサイトーシスによって細胞膜が内部に取込まれる速度はかなり高い．培養繊維芽細胞では 1 時間のうちに細胞膜タンパク質とリン脂質の 50% が内部に取込まれている．エンドサイトーシスで取込まれた細胞表面受容体のほとんどはリガンドを細胞内に残し再び細胞膜に戻り，繰返しリガンドの取込みを仲介する．たとえば，LDL 受容体は 10〜20 分でもとに戻り，20 時間という寿命のうちに約百回エンドサイトーシスに使われる．

取込まれた受容体-リガンド複合体は，通常，図 14・23 に示した M6P 受容体のような経路か図 14・29 に示した LDL 受容体のような経路をたどる．エンドサイトーシスで取込まれた細胞表面受容体は後期エンドソームでリガンドと離れる．後期エンドソームは筒状突起をもつ球形の小胞で，細胞表面から 2〜3 μm 内側に存在している．

後期エンドソームにおける受容体-リガンド複合体の解離はエンドサイトーシス経路においてだけ起こっているのではなく，分泌経路により水溶性リソソーム酵素を輸送する際にも起こっている（図 14・23 参照）．11 章で述べたように，後期エンドソームやリソソームの膜には V 型プロトンポンプがあって，Cl^- チャネルと一緒になってこれらの内腔を酸性にしている（図 11・13 参照）．M6P 受容体および LDL 受容体を含めた多くの受容体は，中性 pH でリガンドと強く結合するが，pH が 6.0 あるいはそれ以下になるとリガンドと解離する．受容体-リガンド複合体が最初にこうした低い pH にさらされるのが後期エンドソームなので，エンドサイトーシスで取込まれた受容体の多くはここでリガンドと解離する．

いまでは LDL 粒子が LDL 受容体から解離するしくみの詳細がわかっている（図 14・30）．pH が 5.0〜5.5 のエンドソーム内では，受容体の **β プロペラドメイン**（β-propeller domain）に存在するヒスチジン残基に H^+ が結合し，そこが LDL 結合ドメインのシステインに富む繰返し構造にある負電荷と強く結合できるようになる．この分子内相互作用により繰返し構造部位は閉じた折りたたみナイフのような構造になるので，アポ B-100 と結合できなくなり，結合していた LDL 粒子は放出される．このように比較的コンパクトに閉じられた状態の LDL 受容体は，再び LDL を結合し取込むために，効率よく細胞膜に再利用される．

6 章で述べたように，ヒトの突然変異で *PCSK9* という遺伝子の機能が失われると，血中 LDL が減少することがわかっている．現在，*PCSK9* は分泌タンパク質をコードしており，その正常な機能は LDL 受容体を負に制御することであることが明らかになっている．生化学的および構造学的研究により，PCSK9 は LDL 受容体の LDL 結合ドメインに結合し，それによって受容体がコンパクトな状態に閉じるのを防ぐことが示された．この開いた状態の受容体は，細胞膜に再利用されることができず，リソソームに運ばれて分解される．PCSK9 の阻害剤は，LDL を低下させる新しい

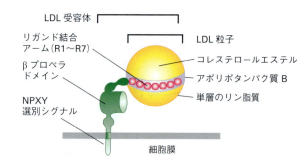

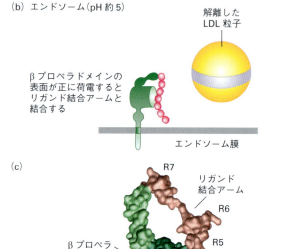

図 14・30 **LDL 受容体と LDL 粒子の pH 依存的結合のモデル**．細胞表面付近の中性 pH における LDL 受容体の構造と後期エンドソーム内の酸性 pH における LDL 受容体の構造を模式的に示した図．(a) 細胞表面では LDL 粒子表面に存在するアポ B-100 と受容体は強く結合する．リガンド結合アーム内のシステインを多く含む 7 個の繰返し（R1〜R7）のうち，R4 と R5 が LDL との結合に最も重要だと考えられている．(b) エンドソーム内では LDL 受容体の β プロペラドメインにある複数のヒスチジン残基に H^+ が結合する．正に荷電したプロペラドメインは負に荷電した残基を含むリガンド結合アームと強く結合するようになるので，LDL 粒子はリガンド結合アームから解離する．(c) X 線結晶構造解析で得られた構造をもとにしてつくった，pH 5.3 での LDL 受容体の細胞外部分の α 炭素だけをつないだものの電子密度モデル．この構造では，β プロペラドメインと R4 や R5 の間に強い疎水性相互作用と静電相互作用が形成されている．[(c) は G. Rudenko et al., 2002, *Science* **298**: 2353, PDB ID 1n7d.]

クラスの薬剤として有望視されている．

受容体依存性エンドサイトーシスはシグナル伝達分子受容体を下方制御する

シグナル伝達分子受容体は，受容体依存性エンドサイトーシスを受ける重要な細胞膜タンパク質の一種である．これらの受容体

は細胞外のリガンドと結合し，それに応答して適切な細胞内シグナルを生成する．16章で述べるように，上皮増殖因子受容体(EGFR)は細胞外増殖因子タンパク質であるEGFに応答してシグナル伝達経路を活性化させる．EGFで細胞を処理すると，EGFRが活性化されると同時に，受容体を介したEGFRのエンドサイトーシスも起こる．エンドサイトーシスによるEGFRの細胞膜からの除去は，**下方制御**（down-regulation，ダウンレギュレーション）として知られる適応的な過程で，シグナル伝達反応の減衰をもたらし，系が反応できるEGF濃度の範囲を拡大させる．EGFRの下方制御の機構は，制御されたエンドサイトーシスの最もよく理解されている例の一つである．

EGFRは，リガンドであるEGFと結合する大きな細胞外ドメイン，一つの膜貫通ドメイン，細胞質シグナル伝達ドメインをもつI型細胞表面糖タンパク質である．通常，EGFRは単量体として細胞膜に存在するが，EGFが存在すると，2分子のEGFが2分子のEGFRに結合して二量体を形成し，EGFRの細胞質シグナル伝達ドメインを会合させてシグナル伝達を活性化させる（図16・8参照）．二量体となって活性化したEGFRはクラスリン-AP2被覆ピットと結合するため，エンドサイトーシス経路に入る．EGFRの細胞質ドメインの変異解析によって，迅速なエンドサイトーシスに必要なドメインとして，ロイシンを2個含む選別シグナルが同定された．他のタンパク質もエンドサイトーシス経路に入るために細胞質側のロイシンを2個含む選別シグナルを用いる．しかしEGFRは，リガンド依存的に細胞質ドメインが二量体になってはじめてクラスリン-AP2複合体と相互作用し，エンドサイトーシスされるという点で特異的である．

エンドサイトーシスによりEGFRは後期エンドソームに運ばれ，この場所からEGFRはLDL受容体の場合と同様の経路で，細胞膜に再利用される（図14・29）．完全な下方制御のためには，EGFRがさらにリソソームへ輸送されなければならない．リガンドによるEGFRの活性化は，クラスリン-AP2複合体との相互作用を可能にすることに加えて，低分子タンパク質であるユビキチンによるEGFRの細胞質ドメインの共有結合修飾をひき起こす．次節でみるように，モノユビキチン化によってEGFRは多胞エンドソームに入り，最終的にリソソームで分解される（図14・32）．

14・5 受容体依存性エンドサイトーシス　まとめ

- ある種の細胞外リガンドは細胞表面受容体と結合し，複合体のままクラスリン被覆小胞によって細胞内に取込まれる．その被覆はAP2複合体を含んでいる（図14・26）．
- 細胞表面受容体の細胞質ドメインに存在する選別シグナルにより，リガンドとの複合体はクラスリン-AP2被覆ピット内に取込まれる．シグナルとなることがわかっている配列にはAsn-Pro-X-Tyr，Tyr-X-X-Φ，Leu-Leuなどがある（表14・2）．
- ある種のリガンド（LDL粒子など）はエンドサイトーシス経路によってリソソームに送られ，そこで分解される．細胞表面からの輸送小胞は，まず後期エンドソームと融合し，そうしてできたものがリソソームと融合する．
- 多くの受容体-リガンド複合体は，後期エンドソーム内の酸性環境下でリガンドと解離する．受容体は細胞膜に戻され再利用されるが，リガンドはリソソームに送られる（図14・29）．
- シグナル伝達受容体はエンドサイトーシスによって下方制御されることがある．このような場合，受容体の細胞質ドメインは，受容体がリガンド活性化状態にあるときのみクラスリン-AP2被覆ピットと相互作用する．

14・6 膜タンパク質や細胞質物質のリソソームへの輸送と分解

リソソームの主要な機能は，細胞が取込んだ外部物質および特定条件下での細胞構成成分の分解である．分解されるべき物質は種々の分解酵素が存在するリソソーム内腔に送り込まれなければならない．前述したように，エンドサイトーシスで取込まれ，後期エンドソーム内で受容体から離れたリガンド（LDL粒子など）は，後期エンドソーム膜がリソソーム膜と融合するとリソソーム内腔に放出される（図14・29）．

エンドソーム内腔に取込んだ物質を分解のためにリソソーム内腔へ送り込むときに，本章で述べてきた小胞輸送機構が使えることは明らかである．本節では，さらに二つの経路について説明する．前節で紹介した小胞輸送機構では膜タンパク質はリソソーム膜に送り込まれてしまう．では，どのようにして膜タンパク質をリソソーム内腔へ送り込み分解するのだろう．第一の経路はこのエンドサイトーシスした膜タンパク質を分解するためのもので，エンドソームの内腔に向かって出芽する特殊な小胞を使う．その結果，多胞エンドソームができる．第二の経路は，細胞質の物質をリソソーム内腔に送り込み，分解するために使用する経路である．この経路はオートファジーとよばれ，細胞質の水溶性タンパク質およびペルオキシソームあるいはミトコンドリアといった細胞小器官を包み込むオートファゴソームという二重膜でできた細胞小器官を新たにつくるものである．どちらの経路においても，多胞エンドソームあるいはオートファゴソームがリソソームと融合し，内容物をリソソーム内腔に放出して分解させる．

多胞エンドソームはリソソーム膜に入る膜タンパク質とリソソームで分解される膜タンパク質を分別する

V型プロトンポンプやアミノ酸輸送体などのリソソーム膜に局在するタンパク質はリソソーム膜内にとどまって機能を果たしており，内腔の水溶性加水分解酵素による分解を受けない．それらのタンパク質は，§14・4で述べた基本的機構に従い，トランスゴルジ網あるいはエンドソームから出芽する輸送小胞によってリソソーム膜に運ばれてくる．それに対して，エンドサイトーシスで取込まれ分解される予定の膜タンパク質は特別な輸送機構によりリソソーム内腔に送り込まれる．細胞外シグナル伝達分子受容体のリソソームにおける分解は，細胞外シグナルに対する細胞の感受性を調節する一般的機構である（15章）．損傷を受けた受容体もリソソームで分解される．

内腔に膜が送り込まれる可能性を示す初期の証拠は，エンドソームおよびリソソーム内に膜小胞や膜断片が存在することを示す電子顕微鏡写真であった．並行して行われた酵母を使った実験で，エンドサイトーシスで取込まれ，液胞（リソソームに相当する

酵母の細胞小器官）に送られた受容体は，液胞表面の膜ではなく，内部の膜断片上および小さな小胞上に存在することが示された．

こうした観察から，エンドサイトーシスで取込まれた膜タンパク質はエンドソーム膜からつくられた特別な小胞に取込まれることが示唆される（図14・31）．これらの小胞の大きさや外見は輸送小胞と似ているが，空間配置が異なっている．輸送小胞は細胞小器官膜の表面から"外側に向かって"細胞質に出芽するが，エンドソーム内の小胞は"内側に向かって"内腔に（細胞質と反対方向に）出芽する．多くの小胞を内部に含んだ成熟したエンドソームのことを**多胞エンドソーム**（multivesicular endosome）あるいは**多胞体**（multivesicular body）とよぶ．多胞エンドソームの表面膜はその後リソソーム膜と融合し，内部の小胞とそこに含まれる膜タンパク質を分解させるためリソソーム内腔に送り込む．このように，エンドソーム膜ではリソソーム膜表面に残るもの（ポンプや輸送体など）と内側に出芽する小胞に入れられ最終的にリソソームで分解されるものとが選別されている．

液胞内へ膜タンパク質を送り込めない突然変異体酵母の研究からエンドソーム膜の内側への出芽に関与するタンパク質の多くが同定された．エンドソームが多胞エンドソームになる際の出芽について現在考えられているモデルは，おもに酵母での研究結果に基づいたものであるが，哺乳類細胞においてもほとんど同様の機構によっているようである（図14・32）．多胞エンドソーム内腔に入るタンパク質の多くにはユビキチンの標識がつけられている．それらのタンパク質は細胞膜，トランスゴルジ網，あるいは

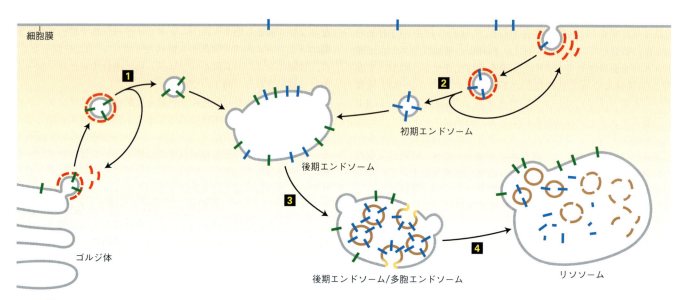

図 14・31 細胞膜タンパク質を分解するためのリソソーム内部への送り込み． 細胞膜タンパク質（青）をエンドサイトーシスしてできた初期エンドソームとトランスゴルジ網からリソソーム膜タンパク質（緑）を運んできた小胞が後期エンドソーム膜と融合し，膜タンパク質をエンドソーム膜に送り込む（段階**1**と**2**）．初期エンドソームで運ばれてきた分解すべきタンパク質は，後期エンドソーム内腔に向けて出芽する小胞に取込まれ，そのような小胞を多数含んだ多胞エンドソームが生じる（段階**3**）．多胞エンドソームがリソソームと融合するとそれらの小胞がリソソーム内腔に放出され，そこで分解される（段階**4**）．プロトンポンプなどのリソソーム膜タンパク質は，内腔に向けて出芽する小胞に取込まれないので，分解されない．[F. Reggiori and D. J. Klionsky, 2002, *Eukaryot. Cell* **1**: 11; D. J. Katzmann et al., 2002, *Nat. Rev. Mol. Cell Biol.* **3**: 893 参照．]

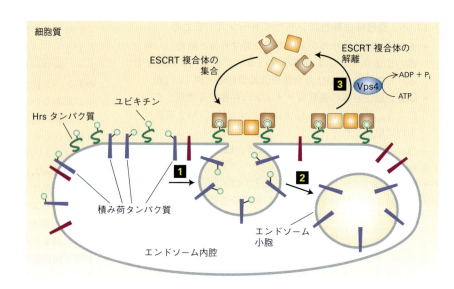

図 14・32 多胞エンドソーム形成機構のモデル． エンドソームでの出芽に際し，エンドソーム膜上のユビキチン化されたHrsが特定の膜内在性積み荷タンパク質（紫）を出芽小胞に送り込み，細胞質のESCRT複合体を膜に引寄せる（段階**1**）．Hrsおよび送り込まれた積み荷タンパク質の両方がユビキチン化されていることに注意してほしい．結合していた一群のESCRT複合体が膜融合を起こさせ，生じた小胞を切り離したのち（段階**2**），それら複合体はVps4というATPaseにより解離させられ細胞質に戻る（段階**3**）．詳細は本文参照．[O. Pornillos et al., 2002, *Trends Cell Biol.* **12**: 569 参照．]

エンドソーム膜上でユビキチン化される．細胞質タンパク質や小胞体内でうまく折りたたまれなかったタンパク質がプロテアソームによって分解される際に，そのシグナルとしてユビキチンが使われることをすでに述べた（3章，13章）．プロテアソームによる分解のシグナルとしてはユビキチンが共有結合した鎖（ポリユビキチン）が使われるが，多胞エンドソーム内腔への取込みシグナルとしては通常単量体（モノユビキチン）が使われる．エンドソーム膜では，ユビキチン化された膜表在性タンパク質 **Hrs** が三つの異なるタンパク質からなる複合体をエンドソーム膜上に呼び込む．これら **ESCRT タンパク質**（endosomal sorting complexes required for transport protein）にはユビキチン結合タンパク質である **Tsg101** が含まれている．膜に結合した ESCRT タンパク質は小胞を内側に出芽させ，モノユビキチン化された膜内在性積み荷タンパク質をその中へ送り込む．そして最後に ESCRT タンパク質は，出芽の首のところでフィラメント状のらせん構造をつくって切り離し，積み荷をのせた小胞をエンドソーム内に放出させる．そのあと，**Vps4** という ATPase が ATP 加水分解のエネルギーを使い ESCRT 複合体を解離させて細胞質に戻し，次の出芽に備えさせる．完成したエンドソーム小胞を切り離す際に，ESCRT タンパク質と Vps4 はそれぞれ前に述べた典型的膜融合現象における SNARE と NSF のように働くと考えられている（図 14・11）．

レトロウイルスの細胞膜からの出芽は 多胞エンドソームの形成と似ている

エンドソーム内腔へ出芽する小胞の空間配置はウイルスに感染した細胞の細胞膜から出芽するエンベロープをもつウイルスのそれと似ている．さらに，それら二つの膜出芽現象には共通した一群のタンパク質が関与しているということが最近の研究から明らかにされた．実際，この二つの現象の機序はあまりにもよく似ているので，エンベロープをもつウイルスはエンドソーム内腔への出芽に使われている細胞質タンパク質群を自分の目的に利用するよう進化してきたとの示唆さえある．

ヒト免疫不全ウイルス（HIV）はエンベロープをもったレトロウイルスの一種で，完成したウイルス粒子の主要な構成タンパク質である Gag タンパク質に駆動されて感染した細胞の細胞膜から出芽する．Gag タンパク質は感染した細胞の細胞膜に結合し，およそ 4000 個の Gag 分子が重合して球状の殻をつくる．その形は細胞膜から外側に突き出した小胞出芽のようである．HIV の突然変異体の研究から，Gag タンパク質の N 末端部分が細胞膜との結合に必要で，C 末端部分が完成したウイルス粒子の切り離しに必要であることが明らかになった．たとえば，ウイルスのゲノムから Gag タンパク質の C 末端をコードしている部分を除去すると，感染した細胞上に HIV ウイルスの出芽は形成されるが，切り離されないため遊離したウイルス粒子は出現しない．

ESCRT タンパク質の一つである Tsg101 が Gag タンパク質の C 末端と結合するという観察から HIV の出芽がエンドソーム内部への出芽と同じ装置を使っているのではないかと考えられた．その後のさまざまな発見から両過程の機構が非常によく似ていることがはっきりした．たとえば，HIV ウイルスの出芽時に Gag はユビキチン化されることがわかり，Tsg101 あるいは Vps4 に突然変異を起こした細胞では HIV ウイルスは出芽するが膜から切り離されないこともわかった（図 14・33）．さらに，細胞内に存在する Hrs タンパク質の一部分を C 末端が除去された Gag タンパク質に付加したハイブリッド遺伝子を発現させると，ウイルスは正

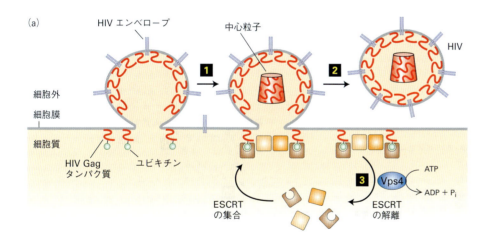

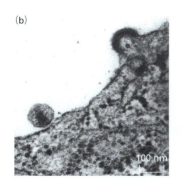

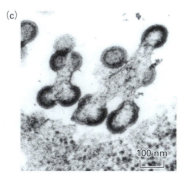

図 14・33 HIV の細胞膜からの出芽機構． 多胞エンドソーム形成に関与するタンパク質が HIV の細胞膜からの出芽にも使われている．(a) HIV 感染細胞からの HIV 粒子の出芽も，図 14・32 に示したものと同様に，ウイルスのつくる Gag タンパク質や細胞質の ESCRT と Vps4 を使って行われる（段階 1 ～ 3）．出芽するウイルス粒子の付け根のユビキチン化された Gag は Hrs と同じ働きをする．詳細は本文参照．(b) HIV ウイルスが感染した野生型細胞では，ウイルス粒子が細胞膜から出芽し，細胞外に放出される．(c) ESCRT の構成タンパク質である Tsg101 の機能が損なわれた細胞では，ウイルスの Gag タンパク質がウイルス様構造（濃く染まった部分）をつくるが，それらの出芽は切り離されないので，細胞膜上に不完全な状態で散在して残る．[(b), (c) は Wes Sundquist, University of Utah 提供．]

常に出芽して切り離されるようになる．これらの結果を総合すると，Gagタンパク質はHrsと同じ機能を果たしていて，ESCRTタンパク質を細胞膜に向かわせてウイルス粒子の出芽を助けさせているといえる．

マウス白血病ウイルスやラウス肉腫ウイルスのような他のエンベロープをもったレトロウイルスも出芽にESCRT複合体を必要とすることが示されているが，ESCRT複合体を出芽部位に引寄せる機構はそれぞれ少しずつ異なっている．

オートファジー経路は細胞質タンパク質や細胞小器官をリソソームに送り込む

飢餓などのストレスを受けたとき，細胞は巨大分子をリソソームに送り込み分解させる**オートファジー**（autophagy，自食作用）を行い，栄養物として再利用する．オートファジー経路では，二重膜からなる平面に近い杯状の構造が形成され，それが細胞質の一部あるいは細胞小器官（ミトコンドリアなど）を丸ごと包み込み，**オートファゴソーム**〔autophagosome，自食胞，自食作用小胞（autophagic vesicle）ともいう〕となる（図14・34）．オートファゴソームの外膜はリソソーム膜と融合することができ，内側のリン脂質二重層膜で包まれた巨大な小胞をリソソーム内腔に送り込む．多胞エンドソームのときと同様に，リソソーム内のリパーゼやプロテアーゼがオートファゴソームの内容物を構成成分にまで分解する．遊離したアミノ酸はリソソーム膜のアミノ酸透過酵素によって細胞質に輸送され，新たなタンパク質の合成に利用される．

オートファジー経路に欠陥がある突然変異生物の研究から，飢餓時の栄養物再利用以外にもオートファジーを使う過程があることがわかった．ショウジョウバエやマウスを使った実験から，機能を果たせなくなった細胞小器官を除去する品質管理にもオートファジーが関与していることが示された．特に，内膜での電気化学的勾配形成ができなくなった機能不全のミトコンドリアの破壊にオートファジー経路が使われている．ある種の細胞では，感染防御機構の一部として，細胞内で増殖している病原性細菌やウイルスがオートファジー経路によってリソソームに運ばれ分解される．

すべての真核生物において，オートファゴソームの形成と融合は3段階で行われると考えられている．各段階のしくみについてはあまりよくわかっていないが，基本的には本章で述べてきた小胞輸送のしくみと同じと考えられている．

オートファゴソームの核形成　オートファゴソームは膜で囲われた細胞小器官の断片から生じると考えられている．オートファゴソーム形成に必要とされる固有の膜内在性タンパク質がわかっておらず，そのため膜の由来を調べることが困難なので，オートファゴソーム膜の起源はわかっていない．酵母の研究から，ゴルジ体での輸送に欠陥のある突然変異体はオートファジーにも欠陥があることがわかったので，ゴルジ膜がその起源ではないかと示唆されている．飢餓によって誘導されるオートファジーは，細胞小器官も含めて細胞質の任意の部分が非特異的にオートファゴソームによって包まれるようにみえる．このような場合，核形成が無秩序に起こっているのだろう．栄養飢餓に応答して細胞小器官がオートファゴソームに包まれる場合，細胞小器官表面のユビキチン修飾に基づくシグナルがオートファゴソームの核形成の標的となる．

オートファゴソームの成長と完成　杯状のオートファゴソームが大きくなっていくためには新たな膜が供給されねばならない．輸送小胞がオートファゴソームの膜と融合することによりそれは行われているようだ．オートファジーに欠陥をもつ突然変異酵母の遺伝子を調べることにより，オートファゴソーム形成に関与するタンパク質が30ほど同定されている．図14・34に示した

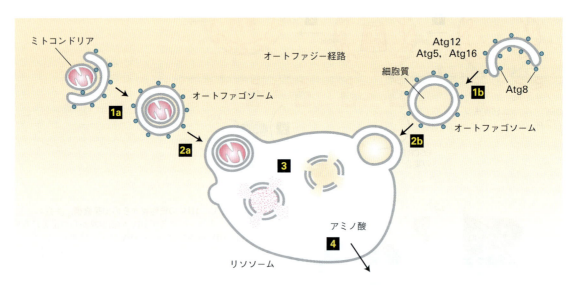

図14・34　オートファジー経路． オートファジー経路は細胞質タンパク質や細胞小器官をリソソーム内腔に送り込んで分解するためのものである．オートファジー経路において，細胞質の一部（右）あるいはミトコンドリアなどの細胞小器官（左）を囲むように杯状の構造ができる．膜がそこに付加されていくと，二重の膜で囲まれたオートファゴソームができあがる（段階**1a**，**1b**）．その外側の膜がリソソーム膜と融合すると，内側の膜に包まれた内容物がリソソーム内腔に送り込まれる（段階**2a**，**2b**）．リソソーム内の加水分解酵素群によってタンパク質や脂質が分解されると（段階**3**），生じたアミノ酸などはリソソーム膜の輸送体によって細胞質に送り出される（段階**4**）．このオートファジーに関与するタンパク質としてオートファゴソームの被覆形成にかかわるAtg8などが知られている．

Atg8というタンパク質はその一つで,ホスファチジルエタノールアミンという脂質と共有結合することによりオートファゴソーム膜の細胞質側リーフレットに結合している.成長しつつあるオートファゴソームの膜に小胞が融合するうえで重要なことは,小胞の膜にAtg8が結合していることのようだ.

Atg8を含んだ小胞がオートファゴソームの膜と融合するときに,細胞質でAtg12,Atg5,およびAtg16の会合が起こる.Atg12はユビキチンと構造が似ており,Atg12とAtg5を共有結合させる一群の酵素はユビキチン化酵素と似ていて,その過程もユビキチンを標的タンパク質に共有結合させるときと似ている(図3・32参照).共有結合したAtg12とAtg5からなる二量体はAtg16と会合し,成長しつつあるオートファゴソームの膜の上で重合複合体を形成する.この細胞質側での複合体が,Atg8を含んだ小胞と杯状のオートファゴソームの膜とを融合させると考えられているが,そのしくみはわかっていない.

オートファゴソームの輸送と融合 完成したオートファゴソームの外膜には,リソソーム膜と結合して融合するための一群のタンパク質が含まれていると考えられている.リソソーム膜にオートファゴソームをつなぎとめるタンパク質が二つ発見されているが,それらとともに働くSNAREタンパク質は同定されていない.Atg8がプロテアーゼによってオートファゴソームから切り離されるとリソソームとの融合が起こるが,二重膜が完全に閉じてオートファゴソームが完成するまで,このプロテアーゼによる切断は起こらない.Atg8は融合タンパク質を覆っていて,未完成なオートファゴソームがリソソームと融合するのを妨げているのだろう.

14・6 膜タンパク質や細胞質物質のリソソームへの輸送と分解 まとめ

- エンドサイトーシスで取込まれリソソームにおいて分解されることになっている膜タンパク質は,エンドソーム内腔に出芽する小胞に取込まれる.そうした内部小胞を多数含む多胞エンドソームはリソソームと融合し,それらの小胞をリソソーム内腔に送り込む(図14・31).
- エンドソーム膜の内腔側への出芽に関与する細胞質成分(ESCRTなど)が,エンベロープをもつウイルス(HIVなど)の感染細胞の細胞膜からの出芽と切り離しにも関与している(図14・32,図14・33).
- オートファジーの過程では,細胞質の一部あるいは細胞小器官(たとえばミトコンドリア)を平面状の膜が丸ごと包み込み,二重の膜で包まれたオートファゴソームができる.その外膜がリソソーム膜と融合すると内側の膜に包まれた内容物がリソソーム内腔に放出されて分解される(図14・34).

重要概念の復習

1. 区画間の輸送過程を追跡できる最近の手法二つとはどのようなものか.またこれらの実験科学的タンパク質輸送研究法に共通している基本的な特徴とは何か.

2. 小胞出芽には被覆タンパク質が付着している.小胞出芽における被覆タンパク質の役割は何か.どのようにして被覆タンパク質は膜に集まってくるのか.新しくつくられた小胞にはどのような分子が取込まれ,どのような分子が排除されるのか.小胞の切り離しに関与していると考えられているタンパク質の例として最もよく知られているものは何か.

3. ブレフェルジンA(brefeldin A: BFA)という薬剤で細胞を処理すると,ゴルジ膜からの出芽過程にあるCOPI小胞の被膜を脱落させる効果がある.BFA処理の結果,ゴルジ体タンパク質の大部分は小胞体に再配置されることになる.この観察結果から,被覆タンパク質は小胞形成を促すこと以外にどのような役割を果たしていると考えられるか.ARFにどのような突然変異が起これば BFA で処理したのと同じ効果が細胞に表れるか予想せよ.

4. COPIのβサブユニットの"接ぎ手"部分に対する抗体 EAGE を細胞に微量注入するとゴルジ酵素が輸送小胞内に蓄積し,小胞体で新たにつくられた小胞の細胞膜への順行性輸送が阻害される.この抗体はCOPIにどのような影響を与えるのか.上に述べたようなことが起こる理由を説明せよ.

5. 小胞どうしが特異的に融合するとき二つの異なった過程が連続して起こる.そのうちの最初の過程とGTPaseスイッチタンパク質によるその調節について述べよ.GTP結合型のまま止まってしまうRab5の変異タンパク質を過剰発現させたとき,初期エンドソームの大きさにどのような影響がでるか.

6. 酵母のSec18遺伝子はNSFをコードしている.この遺伝子に欠陥をもつ酵母はC型の分泌経路異常を示す.膜輸送において,NSFはどのようなところで働いているのか.またC型という表現型が示すように,NSFの突然変異は分泌経路のある段階にだけ小胞を蓄積させるが,それはなぜか.

7. 初期にゴルジの嚢成熟モデルを示唆する証拠となったのは,プロコラーゲン合成のどのような点か.

8. 分泌経路におけるタンパク質の逆行性輸送を起こさせる選別シグナルは回収配列ともよばれる.小胞体の水溶性タンパク質と膜タンパク質のもつ回収配列の例を一つずつあげよ.小胞体水溶性タンパク質がシスゴルジから回収される際にこの回収配列はどのように働くのか.嚢成熟モデルにとってこの回収配列というものがどれだけ必須であるかについて述べよ.

9. クラスリンのアダプタータンパク質(AP)複合体はクラスリンだけでなく膜タンパク質の細胞質側部分とも結合する.現在知られている4種類のアダプタータンパク質複合体とはどのようなものか.クラスリンがアダプタータンパク質からなる被覆実質部分に結合する付帯物であるという示唆は,AP3に関するどのような観察結果によるものか.

10. ヒトのI細胞病は,水溶性酵素を含むあらゆる種類のリソソームタンパク質の輸送に影響を及ぼす遺伝病である.I細胞病をひき起こす分子レベルでの欠陥とは何か.なぜそれはあらゆる種類のタンパク質の輸送に影響を与えるのか.同様な表現型をもたらす突然変異としてはどのようなものが考えられるか.

11. トランスゴルジ網(TGN)はゴルジ体から出てきたタンパク質や脂質がさまざまな選別を受ける場所である.リソソームへの選別と調節された分泌小胞(たとえばインスリンを含む小胞)への選別とを対比させながら比較せよ.側底膜と頂端膜へのタンパク質の選別のされ方がMDCK細胞と肝細胞でどう異なるかを対比させながら比較せよ.

12. 新たに合成された膜タンパク質の側底膜あるいは頂端膜への選別について,極性をもつMDCK細胞からのインフルエンザウイルスおよび水疱性口内炎ウイルス(VSV)の出芽から何がわかるか.

以下の結果を参考にせよ．VSV糖タンパク質の細胞質ドメインの一部と同一なアミノ酸配列をもったペプチドはこの糖タンパク質が側底膜へ輸送されることを阻害するが，インフルエンザウイルスのHAタンパク質が頂端膜へ輸送されることには影響を与えない．しかし，このペプチド中の一つのチロシン残基をアラニンに変えたものは糖タンパク質が側底膜へ輸送されることを阻害しなくなる．この結果から選別過程について何がいえるか．

13. マンノース6-リン酸とその受容体との相互作用の調節にpHがどのような役割を果たしているかを述べよ．エンドソーム内のpHを上げると新たに合成されてきたリソソーム酵素が細胞外に分泌されてしまうのはなぜか．

14. エンドソーム膜が内側に出芽することによる多胞エンドソーム形成(a)と細胞表面でのHIVの外への出芽(b)の機序における共通点は何か．HIV出芽を阻害/拮抗するペプチドをつくろうと計画し，HIV Gagタンパク質の一部分と類似したペプチドを合成することにした．論理的にみてHIV Gagタンパク質のどの部分に類似したものにすべきか．この阻害ペプチドは正常な細胞内過程のどこを阻害する可能性があるか．

15. エンドサイトーシス経路およびオートファジー経路は基本的に異なる役割を果たす経路だが，どちらも内容物をリソソームに送り込んでいる．両経路の基本的な違いは何か．オートファゴソームの形成と融合における三つの段階を説明せよ．

16. LDL受容体依存性エンドサイトーシス経路における受容体とリガンドとの相互作用について，それが起こる部位とpH感受性に着目して述べよ．

17. 家族性高コレステロール血症を起こさせるLDL受容体の細胞質ドメインの突然変異から，受容体依存性エンドサイトーシス経路についてどのようなことがわかるか．

15

シグナル伝達と
Gタンパク質共役型受容体

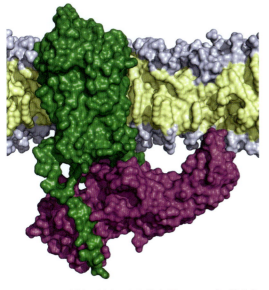

βアレスチン(紫)に結合した細胞表面Gタンパク質共役型受容体(緑)の構造．長期間活性状態にあるGタンパク質共役型受容体はリン酸化されてアレスチンと結合し，それ以上受容体からのシグナル伝達が起こらないようになる．[Y. Kang et al., 2015, *Nature* **523**: 561, PDB ID 4zwj, custom PDB.]

- 15・1　シグナル伝達経路：細胞外シグナルから細胞応答へ
- 15・2　細胞表面受容体とシグナル伝達タンパク質の研究
- 15・3　Gタンパク質共役型受容体：構造と機能
- 15・4　細胞代謝の制御：アデニル酸シクラーゼを促進または抑制するGタンパク質共役型受容体
- 15・5　タンパク質分泌と筋収縮の制御：複数のシグナル伝達経路で二次メッセンジャーとして働く Ca^{2+}
- 15・6　視覚：眼が光を感じるしくみ

　細胞は単独では生きられない．生命にとって必要なことは，すべての細胞がそれぞれの環境下で刺激を受容して適切に応答し，細胞の増殖，維持，機能や発生に影響を与えて適応することである．多くの細胞は，機械的な圧力（接触）や，熱（21章）など物理的な刺激を感知する．走光性の単細胞藻類は光を感知（1章）したが，本章ではヒトの網膜細胞がどのように光を受容して，そのシグナルを脳に伝達しているかを説明する．多細胞動物の細胞は，非常にさまざまな環境中の化学物質を感知する．それらは，糖やアミノ酸などの栄養素，酸素，毒物であったり，味覚をひき起こす味物質や，嗅覚をひき起こすにおい物質などが含まれる．多くの細胞が血中酸素濃度の低下を感知し，HIF1αという転写因子を活性化する．これにより，誘導される遺伝子発現で，細胞や生物自体が低酸素にも適応できるようになる（21章）．

　さまざまな種類の細胞が特別な化学物質を放出し，別の細胞の挙動に影響を与える．これらはしばしば**細胞外シグナル伝達分子**（extracellular signaling molecule），または単に**シグナル**（signal）とよばれる．このようなシグナルの放出と受容は，**細胞の情報伝達**（cellular communication）として知られ，すべての生物の発生や機能を担う基本的な営みである．細菌，酵母，藻類，粘菌，原虫のような単細胞の原核生物や真核微生物でさえも，細胞外シグナルを介して情報を伝達している．1章では，**フェロモン**（pheromone）とよばれる分泌性分子がどのようにして自由生活している酵母細胞を接合のために凝集させるかについてすでに説明した．

　本章と次章では，多細胞動物の体内で働くホルモンとその他の細胞外シグナル伝達分子について焦点を当てる．これらのシグナル伝達分子が制御する過程は，糖質，脂質やアミノ酸の代謝や，成長，分化，細胞機能に影響を与える特別な遺伝子の発現誘導や抑制，多くのタンパク質の合成と分泌，そして，細胞内外の液体組成の調整など，さまざまなものが含まれる．たとえば，ある種のホルモン濃度の上昇は，細胞に対して生体が脅威にさらされていることを伝えたり（アドレナリンによる“闘争・逃走”反応），体内にある過剰な栄養素があり，それを後のために貯蔵すべきということを伝えたりする（インスリンによる筋肉へのグルコース取込みとグリコーゲンとしての貯蔵）．

　ホルモン，フェロモンやいくつかの神経伝達物質など，シグナルとして利用される多くの分子にとっておもな生物学的機能は，情報を伝達することである．シグナルとして利用されるいくつかの分子は複数の機能をもつこともある．たとえば，アミノ酸や糖類などいくつかの栄養素はシグナルとなると同時に生体分子を構成する基礎的単位にもなるし，酸素やグルコース，脂肪酸は，シグナルであると同時にエネルギー産生の原料となる．

　シグナルを受容する細胞（**標的細胞** target cell）は，シグナル伝達分子を検知する必要がある．典型的な場合，シグナル伝達分子は，その分子に対する結合部位をもつ細胞の特定のタンパク質（**受容体** receptor）と非共有結合的に結合する．受容体と結合するシグナル伝達分子は，一般的にその受容体の**リガンド**（ligand）とよばれる．受容体は単一種類の分子，または，よく似た一群の分子にのみ結合する．

　シグナル伝達分子を検知したあと，細胞は応答をひき起こす必要がある．リガンドが結合すると，受容体は構造変化を起こし，細胞質内や細胞膜などの膜に存在する別のタンパク質と結合できるようになる（図15・1，段階**1**，**2**）．これらのタンパク質に結合すると，受容体はリン酸化など酵素的な反応によって，これらのタンパク質を活性化（または阻害）する．一般的には，最初に受

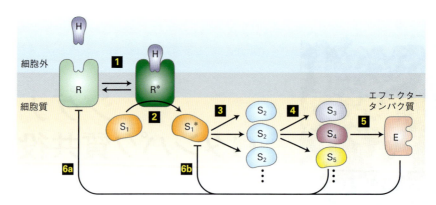

図 15・1 シグナル伝達経路. この一般化された経路では, 受容体タンパク質(R)はリガンド(H)と結合し(段階❶), 構造変化してR*となることでシグナル伝達タンパク質(S_1)と結合してこれを活性化する(段階❷). 多くのシグナル経路では, S_1はGTP結合タンパク質や, プロテインキナーゼ, ホスファターゼである. S_1は, 次に別のシグナル伝達分子S_2に結合して活性化(または不活性化)する(段階❸). そして, ここではS_3, S_4, S_5で描かれた別のシグナル伝達タンパク質が次々に活性化される(段階❹). いくつかのシグナル伝達タンパク質は(ここではS_2), 複数種類の異なる下流タンパク質を活性化する. シグナル伝達タンパク質はエフェクタータンパク質E(酵素, 転写因子, 輸送タンパク質, イオンチャネル, 他の種類のタンパク質など)に結合してこれを活性化する(段階❺). シグナル増幅は多くのシグナル伝達経路がもつ特性で, 一つの受容体分子が複数のシグナル伝達タンパク質やエフェクタータンパク質を活性化する(段階❸). 実質的にすべてのシグナル伝達経路がフィードバック制御をもち, シグナル伝達経路のタンパク質(ここではS_5)やエフェクタータンパク質が受容体(R)や(段階❻a)より経路の上流のタンパク質(ここではS_1^*, 段階❻b)を調節し, この経路の上流の段階を抑制または停止させる. 多くの経路で, これらのフィードバック制御は受容体の分解をひき起こし, 受容体の数を減らすことでリガンドに対する細胞の感受性を低下させる.

容体によりシグナルが認識されてから, 細胞の最終的な応答にいたるまでには, 複数の生化学的, 生物物理学的段階が含まれる経路を形成する. この最初の認識から, 最後の応答までの一連の段階は, **シグナル伝達経路**(signal transduction pathway)とよばれる. シグナル伝達経路は, 最終的には一つまたは複数の**エフェクタータンパク質**(effector protein)とよばれるタンパク質(酵素や転写因子, 細胞骨格タンパク質などの直接細胞機能に影響するもの)の活性化(または阻害)をすることで, 細胞の活動を変化させる(段階❸〜❺). 一つか二つの途中段階しかないシグナル伝達経路もあれば, 数十以上の段階を内包するシグナル伝達経路も存在する.

多細胞生物のあらゆる細胞において, 異なる細胞外シグナルにより複数の受容体が同時に活性化した場合, それぞれの受容体は別々のシグナル伝達経路を活性化することができる. 複数のシグナルが存在しても, 複雑な情報処理システムにより細胞の応答が調整され, 細胞の遺伝子発現や代謝の適切な変化をひき起こすことができる.

本章では, まずいくつかの受容体とそれが活性化するシグナル伝達経路の基本的な性質について述べ, 次にシグナル経路の受容体やタンパク質の解析に重要な技術を紹介する. そして, 最も多く存在し, 進化的に古い種類の受容体である**Gタンパク質共役型受容体**(G protein-coupled receptor: GPCR)に焦点を当てる. この受容体が活性化する多くの重要なシグナル伝達経路のいくつかを知り, そのシグナル伝達経路が生物学においてどのような役割を果たすかみてみよう.

15・1 シグナル伝達経路:
細胞外シグナルから細胞応答へ

シグナル伝達分子は局所または遠位の部位で作用できる

すでに述べたとおり, 細胞は生体外に由来するものや生体内で生成したものなど, 多くの異なった種類のシグナルに応答する. 多細胞生物において生体内で生成されるシグナル伝達分子は, 標的部位への到達様式から分類が可能である. いくつかのシグナル伝達分子は血流を介して遠い部位に輸送されるが, より局所で作用するものもある. 動物では, 細胞外分子によるシグナル伝達は, シグナルが作用を及ぼす距離に基づいて3種類に分類される(図15・2a〜c).

内分泌シグナル伝達(endocrine signaling)では, シグナル伝達分子はつくられた場所とは離れたところの標的細胞に作用する. シグナル伝達分子はシグナル産生細胞(たとえば内分泌腺でみられる)で合成・分泌され, 生体の循環系を介して運ばれて標的細胞に対して作用する. **ホルモン**(hormone)の名称は, 一般に内分泌シグナル伝達を仲介するシグナル伝達分子に対して使われている. 膵臓から分泌されるインスリンや副腎から分泌されるアドレナリンは, 血流を移動する内分泌シグナルの具体例で, 実際にホルモンとよばれる. たとえば, インスリンシグナルの異常から糖尿病が起こるように, 内分泌シグナル伝達の異常はヒトの疾患につながる.

傍分泌シグナル伝達(paracrine signaling)では, 細胞から分泌されたシグナル伝達分子が近傍に存在する標的細胞に対してのみ作用する. 一例として, 隣の神経細胞に作用する神経伝達物質を放出する神経細胞があげられる. 神経伝達物質に加え, 多細胞生物において発生を制御する多くのタンパク性**増殖因子**(growth factor)も近い部位で作用する. 16章で紹介する発生において重要ないくつかの増殖因子は, そのシグナル産生細胞から拡散して濃度勾配を形成し, そのシグナルが分泌された細胞からの距離, つまりはシグナル伝達タンパク質の局所濃度に依存して近傍の細胞に異なる細胞応答をひき起こす. TGF-βに代表される傍分泌シグナルの例では, 細胞から分泌されると近傍で**細胞外マトリックス**(extracellular matrix)とよばれる細胞外の巨大分子の網目に捕捉され, 近くの細胞の表面に存在する受容体に結合するまで自由

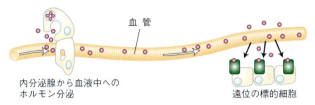

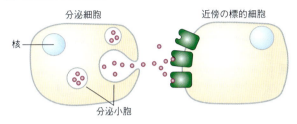

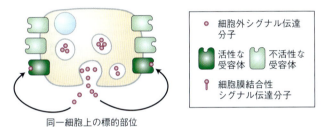

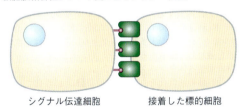

図 15・2 細胞外シグナル伝達の様式．(a)〜(c) 細胞外の化学物質による細胞間シグナル伝達は，傍分泌や自己分泌シグナルでは数マイクロメートルから，内分泌のシグナル伝達では数メートルの距離に及ぶ．(d) ある細胞の細胞膜に結合したタンパク質は，近傍の細胞の細胞表面受容体と直接相互作用することができる．

にならない（16 章, 20 章）．

自己分泌シグナル伝達（autocrine signaling）では，細胞は自分自身が放出した物質に対して応答する．腫瘍細胞はこの型のシグナル伝達をよく使う．腫瘍細胞の多くは，自らの不適切で無秩序な自己増殖をひき起こす増殖因子を放出している．

細胞表面に存在する膜内在性タンパク質がシグナル伝達分子として働くこともある（図 15・2d）．この比較的動きが制限された膜シグナルの標的は，隣接する細胞の表面に存在する受容体であり，その細胞の増殖や分化を制御する．別の場合には，膜に結合したシグナル伝達分子がプロテアーゼにより切断され，放出された細胞外部分が水溶性シグナル伝達タンパク質として局所または離れた場所で機能する（16 章）．

シグナル伝達分子のあるものは近くの標的と遠くの標的の両方に作用を及ぼす．たとえば，**アドレナリン**（adrenaline, エピネフリン epinephrine ともいう）は，神経伝達物質（傍分泌シグナル伝達）として働くと同時に，ホルモン（内分泌シグナル伝達）としても働く．ホルモンとしては，§15・4 でふれるように，環境中の突然の脅威に対する闘争・逃走反応をひき起こすことに役立っている．

シグナル伝達経路はすばやい短期的な変化とゆっくりした長期的な変化を細胞にひき起こす

シグナル伝達経路の機能タンパク質は，多くの場合酵素や転写因子であり，それぞれすばやく短期的なタンパク質の活性変化（秒から分単位）と，ゆっくりした長期的な変化（時間から日単位）という 2 種類の主要な細胞応答を制御している．すばやい変化は典型的にはすでに存在している特定の酵素や，活性や機能を変化させるタンパク質の修飾の結果として起こる．これらのタンパク質の変化は多くの場合にリン酸化やユビキチン化など共有結合性の修飾や，Ca^{2+} や cAMP などイオン，分子との結合によりひき起こされる．そのようなタンパク質の変化は細胞の糖，アミノ酸，脂質の代謝を変化させたり，ホルモンの分泌を起こしたり，神経細胞において**活動電位**（action potential, 23 章）とよばれる電気的なシグナルをひき起こしたりする．ゆっくりした長期的な変化は，もっぱら遺伝子発現の変化により特定のタンパク質の合成の活性化や抑制の結果として起こる．この場合，機能タンパク質は転写因子であることが多い．細胞内で特定のタンパク質の量や活性が長期的に変化することは，細胞増殖，細胞分化そして個体の発生に必須の制御である．

受容体はシグナル伝達経路を活性化するアロステリックタンパク質である

受容体とリガンドの相互作用界面は相補的であり（図 2・12 参照），イオン結合，ファンデルワールス結合，疎水性相互作用など複数の弱い非共有結合性の力で形成されている．ほとんどの場合，受容体へのリガンドの結合は，受容体の構造を不活性型（R）から活性型（R*）へと変化させる．

$$R + L \longrightarrow RL \longrightarrow R^*L$$

受容体の活性化型（R*）だけが，シグナル伝達経路の次の段階への引金を引くことができる（図 15・1）．これは，活性化型だけがシグナル経路を活性化させる次のタンパク質に結合し，ひき続いて活性化や不活性化を起こせるからである．受容体がシグナル伝達経路の次のタンパク質と結合する部位は，一般的にはリガンドが結合する部位とは異なる．したがって，受容体は**アロステリックタンパク質**（allosteric protein）とみなすことができる（3 章）．あらゆるアロステリックタンパク質と同じように，受容体の構造も R と R* の間で平衡が成り立っている．

$$\text{リガンドの結合していない } R \rightleftharpoons R^*$$
$$\text{リガンドの結合している } R \rightleftharpoons R^* \text{（右に偏る）}$$

リガンドがない場合，平衡は大きく左に偏り，ほとんどの受容体は不活性型（R）である．リガンドがあると，平衡が変化し，より多くの受容体が活性化型（R*）をとるようになる．別の言い方をすると，リガンドが R より R* に強く結合するため，平衡が右側に偏り，シグナル伝達経路が活性化する．

受容体は，細胞質，核，細胞表面膜などさまざまな場所に存在する

受容体が，細胞の内部または一部が細胞表面の外側に面しているなどその存在する部位によって，シグナル伝達分子がどのように受容体の結合部位に到達するかが変わってくる．

細胞内の受容体に結合する細胞外シグナル伝達分子は，細胞膜を通過する必要がある．あるものは疎水性で，輸送タンパク質を必要とせず自発的な拡散で細胞の二重膜を通過する（11章）．一方で，アミノ酸など親水性のものでは，11章でみたように細胞膜にある輸送タンパク質の助けを借りてはじめて細胞内に入れるものもある．細胞内にこれらのシグナル伝達分子が入ると，細胞質や核，そのほかの細胞小器官に水溶性タンパク質として存在する受容体に結合する（図15・3）．

自発的に細胞膜を通過して転写因子である核内受容体ファミリーメンバーに結合する疎水性シグナル分子の大きな集団が存在する．このシグナル分子集団にはステロイド，レチノイド，ビタミンD，甲状腺ホルモン（サイロキシン）などが含まれる．多くの場合，8章で述べたように，受容体は細胞質に存在し，受容体‐ホルモン複合体は核内に移行してDNA上の特定の調節配列に結合し，特定の標的遺伝子の発現を活性化したり抑制したりする（図15・3）．別の場合では，受容体ははじめから核内にあり，対応するDNA上のエンハンサーやプロモーターに結合していることもある．この場合，リガンドの結合により起こる受容体の構造変化で，コアクチベーターと結合できるようになり遺伝子の転写が誘導される．

本章と次章では，細胞膜を通過せずにシグナル伝達経路を起動する小分子，ペプチド，タンパク質など，細胞外シグナル伝達分子に着目する．それらは実際のところ細胞膜を透過するにはサイズが大きすぎたり，親水性が高すぎたりする分子である．これらは細胞膜に埋込まれた細胞膜タンパク質として存在する**細胞表面受容体**（cell-surface receptor）に結合する（図15・3）．一般的に，細胞表面受容体は細胞外液に面する細胞外ドメイン，細胞膜を貫通する（膜貫通）ドメイン，細胞質に面する細胞内ドメインという空間配置的に異なる三つのドメイン（部分）に分けられる．

シグナル伝達分子は，細胞外から接近できる受容体の構造上相補的な場所に結合する．つまり，結合部位は受容体の細胞外ドメインか，膜貫通ドメインに存在する．リガンドの結合は受容体の構造を変化させ，その変化は膜貫通ドメインを介して細胞内ドメインに伝わる．このアロステリック変化は，細胞質内や細胞膜接着性の別のタンパク質に対して受容体が結合し，活性化や抑制をひき起こすことにつながる．このようにして，細胞外シグナルが存在するという情報は細胞膜を通過して細胞内に伝わる．

真核生物では，おおよそ12種類程度の細胞表面受容体が存在しており，いくつかの種類の細胞内シグナル伝達経路を活性化する．近年，シグナル伝達の理解は大きく進展している．この理由の一つに，線虫，ショウジョウバエ，マウス，ヒトという多様な種において，受容体や経路が非常に高く保存されており，その機能も本質的には同じであるという背景があげられる．ある特定の種に関する研究が，しばしば他の種におけるシグナル伝達経路の洞察にもつながるからである．たとえば，研究者は，ショウジョウバエや線虫の遺伝学で集められた情報と，哺乳類細胞の生化学的な解析で得た情報を統合することで，リガンドの結合から細胞

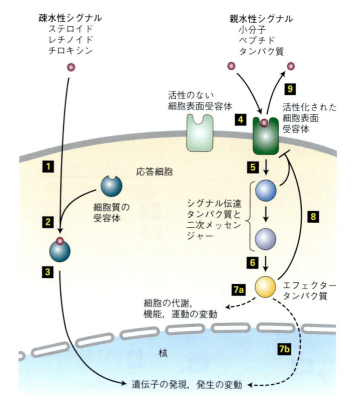

図15・3　細胞シグナル伝達の概要．ステロイドや関連分子のような疎水性シグナル伝達分子は，細胞膜を通過して拡散し（段階**1**），細胞質の受容体に結合する（段階**2**）．受容体‐シグナル伝達分子複合体は核内に移行し（段階**3**），DNAの転写調節領域に結合して遺伝子発現を促進あるいは抑制する．小分子（アドレナリン，アセチルコリン），ペプチド（酵母接合因子，グルカゴン），タンパク質（インスリン，成長ホルモン）を含めた大多数のシグナル伝達分子は親水性であり，細胞膜を通過して拡散することができない．これらの分子は特異的な細胞表面受容体タンパク質に結合し，受容体の立体構造変化を起こして受容体の活性化をもたらす（段階**4**）．活性化された受容体は，一つまたは複数の下流のシグナル伝達タンパク質または小分子二次メッセンジャーを活性化し（段階**5**），その結果一つまたは複数のエフェクタータンパク質が活性化される（段階**6**）．シグナル伝達経路の最終的な結果は，特定の細胞質エフェクタータンパク質，特に酵素を修飾して，細胞の機能，代謝や運動の短期的な変動をひき起こす（段階**7a**）．一方で，エフェクタータンパク質は核内に移行し，遺伝子の発現という長期的な変化を起こす（段階**7b**）．細胞応答の終結や下方調節は，細胞内シグナル伝達分子からのネガティブフィードバックや（段階**8**），細胞外シグナルの除去（段階**9**）によってひき起こされる．

応答まで多くのシグナル経路の全体像を追うことができる．

ほとんどの受容体は1種類のリガンド，またはよく似たリガンド群にのみ結合する

酵素が特定の基質に結合するように，それぞれの種類の受容体は単一の種類の分子，または非常に類似した分子群のみ結合する．たとえば，成長ホルモン受容体は成長ホルモンと結合するが，インスリンなど他のタンパク質性のホルモンとは結合しない（図15・4）．テストステロン受容体はステロイドであるテストステロンと結合するが，エストロゲンなど他のステロイドホルモンとは結合しない．受容体の**結合特異性**（binding specificity）とは，それがよく似た物質と結合するか否か選別できる性質をさす．

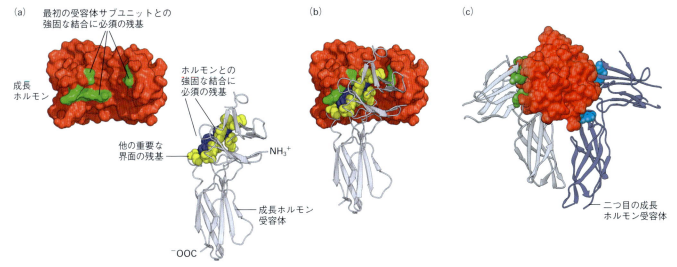

図 15・4 一つの成長ホルモンタンパク質は，複数の弱い非共有結合性の結合を介して二つの成長ホルモン受容体と同時に結合する．(a) 一つの成長ホルモンと二つの成長ホルモン受容体の複合体の三次元構造が示しているように，ホルモンの 28 個のアミノ酸が一つ目の受容体タンパク質との結合表面に存在している．どのアミノ酸がリガンド-受容体結合に重要かを調べるために，これらの一つずつをアラニンに変異させて受容体への結合に対する影響が研究された．この研究により，成長ホルモン内の，たった八つのアミノ酸（緑）が，強固な受容体結合にとって必要な 85％のエネルギーを担っていた．これらのアミノ酸は，一次配列上は互いに離れているが，折りたたまれたタンパク質においては隣接している．類似の研究から，ホルモンとの界面の他のアミノ酸（黄）も重要ではあるが，受容体側の二つのトリプトファン残基（青）が成長ホルモンとの強固な結合に必要なエネルギーの大部分を担っていることがわかった．(b) 成長ホルモンが一つ目の受容体タンパク質と結合すると，(c) ホルモンの逆の側面で二つ目の受容体（紫）との結合が起こる．これは，先ほどと同じ受容体の青と黄のアミノ酸が含まれているが，ホルモン上では別のアミノ酸（水色）と結合している．[B. Cunningham and J. Wells, 1993, *J. Mol. Biol.* **234**: 554; T. Clackson and J. Wells, 1995, *Science* **267**: 383 による．]

生物は同一のリガンドを使って，細胞の種類が異なれば別個の応答をひき起こせるように進化している．異なる細胞はしばしば同じリガンドに対する異なる受容体を発現しており，それぞれの受容体の活性化により，別の細胞内シグナル伝達経路が活性化される．たとえば，骨格筋細胞，心筋細胞，そして加水分解消化酵素を分泌する膵臓腺房細胞の表面には，アセチルコリンに対して別種の受容体が存在する．骨格筋細胞では，細胞につながる運動ニューロンから放出されたアセチルコリン（傍分泌シグナル伝達）が，直接イオンチャネルを開口させて筋肉を収縮させる．心筋においては，神経から放出されたアセチルコリンが G タンパク質共役型受容体を活性化して，K^+ チャネルを開口させるシグナル伝達を介して，収縮力低下と心拍数減少を起こす．膵臓腺房細胞では，アセチルコリンによる刺激が細胞質内の Ca^{2+} 濃度を上昇させ，消化酵素の分泌をひき起こして食物の消化を促進する．このように，アセチルコリンで異なったアセチルコリン受容体が活性化されると，受容体や細胞に依存して異なる細胞応答がひき起こされる．

別の場合として，同じ受容体がリガンドと結合したときでも，異なる種類の細胞が発現していた場合には，別のエフェクターの活性化につながる異なるシグナル伝達経路が活性化されることがある．たとえば，ホルモンであるアドレナリンに対する同じ受容体（アドレナリンβ受容体）は，肝臓，筋肉や脂肪細胞に見いだされる．§15・4 で説明するように，アドレナリンは最初の二つの細胞ではグリコーゲン分解によるグルコースの遊離を促進するが，脂肪細胞では貯蔵された脂質の加水分解と分泌を促す．このように，同一のリガンドが異なる細胞に対してさまざまな様式で個別の応答をひき起こすことが可能となっており，このことはしばしば生物個体の調和のとれた全体的な応答につながっている．この特徴は，受容体-リガンド複合体の**エフェクター特異性**（effector specificity，効果器特異性）として知られている．

ほとんどの受容体はリガンドと高い親和性で結合する

ある受容体へのリガンドの結合は，通常単純な可逆反応として表すことができる．ここでは，R と L は受容体とリガンドであり，R*L は受容体-リガンド複合体とする．

$$R + L \underset{k_{off}}{\overset{k_{on}}{\rightleftharpoons}} R^*L \qquad (15・1)$$

k_{on} は遊離のリガンドと受容体から受容体-リガンド複合体が形成されるときの速度定数であり，k_{off} は受容体からリガンドが解離するときの速度定数である．ここで，[R] をリガンドの結合していない受容体濃度，[L] をリガンドの濃度とし，[R*L] を受容体-リガンド複合体の濃度と定義する．平衡状態において受容体-リガンド複合体の生成速度である $[R][L]k_{on}$ は，その解離速度 $[R^*L]k_{off}$ に等しいので，以下のように書ける．

$$[R][L]k_{on} = [R^*L]k_{off}$$

受容体に対するシグナル分子の結合親和性は，通常は**解離定数**（dissociation constant）K_d によって量的に表される．K_d は，$K_d = k_{off}/k_{on}$ のように二つの速度定数の比で表される．すなわち，平衡状態においては以下のように式を書くことができる．

$$K_d = \frac{[R][L]}{[R^*L]} \qquad (15・2)$$

解離定数 K_d が小さいほど，結合は強くなり（2章および下記参照），受容体-リガンドの複合体は安定である．

重要な視点として，リガンド濃度が K_d に等しいとき（$[L]=K_d$），遊離の受容体濃度 $[R]$ は受容体-リガンド複合体の濃度 $[R^*L]$ と等しいことになる．受容体の総量は非結合の受容体とリガンド結合した受容体の和になるので，以下の式が成り立つ．

$$[R_T] = [R^*L] + [R] \quad (15 \cdot 3)$$

すなわち，平衡状態では，受容体の50%にリガンドが結合していることになる．K_d が小さければ小さいほど，細胞表面受容体の50%にリガンドが結合するときに必要なリガンド濃度が低いことになる．実験的にリガンド-受容体結合の K_d を求める一般的な方法は§15・2にある．結合反応に対する K_d は，基質に対する酵素の親和性を示すミカエリス定数 K_m と同等である（3章）．

シグナル伝達系では，細胞外シグナルが存在しない，または非常に低い濃度しか存在しないとき，非常に少ない受容体しかリガンドに結合せず（$[R^*L]$ が低い），細胞は基底状態または静止状態にある．細胞外シグナル伝達分子の増加，たとえば血中にホルモンが放出されたときなどは，シグナル伝達分子の量が増えるのに従ってより多くの受容体がリガンドと結合して活性化型構造に変化し，細胞はそれに比例した応答をひき起こす．

このような現象の一例として，ホルモンであるインスリンが血中に異なる濃度で存在するときにどれくらいの受容体が結合しているか考えてみよう．肝細胞にある受容体に対するインスリンの解離定数 K_d は 1.4×10^{-10} M（0.14 nM）である．平常時の血中インスリン濃度はだいたい 5×10^{-12} M である．これらの値を（15・2）式の L と K_d に当てはめると，平衡状態において全体のインスリン受容体のうちどれくらいの割合がインスリンと結合しているか（$[R^*L]/[R_T]$）を計算でき，値は 0.0344 となる．すなわち，刺激されていない状態では，インスリンと結合している受容体は全体の約3%である．食事によるグルコースの摂取により，膵臓からインスリンの分泌が起こる（21章）．もしインスリン濃度が5倍増えて 2.5×10^{-11} M にまで増加すると，ホルモン-受容体複合体の数も比例して約5倍に増え，全体の約15%の受容体がインスリンと結合する．ホルモンによる細胞応答の程度がホルモン-受容体複合体の数 $[R^*L]$ に比例するなら（多くの場合そうであるが），細胞応答（シグナル伝達経路におけるタンパク質や遺伝子の活性の変化）も約5倍に大きくなるだろう．

ここからは，受容体が活性化されたのちにシグナル伝達経路で起こる現象について，よく登場する小分子やタンパク質に焦点を合てみてみよう．

二次メッセンジャーは多くのシグナル伝達に利用される

多くのシグナル伝達経路が，cAMP や cGMP など特異的な小分子の合成や，Ca^{2+} などイオンの細胞内濃度の上昇という段階を含んでいる．シグナル経路に含まれるこのような小分子やイオンはしばしば**二次メッセンジャー**（second messenger）とよばれる．一方，一次メッセンジャーは細胞外シグナル伝達分子自体をさす（図15・5）．これらの二次メッセンジャー分子やイオンは，特定の細胞内タンパク質に結合して活性化（ときには不活性化）させる．二次メッセンジャー自体の濃度変化と，それがタンパク質に与える影響の両方は，細胞が最初のシグナルや刺激（つまり一次メッ

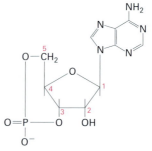

3',5'-サイクリック AMP（cAMP）
プロテインキナーゼ A（PKA）を活性化する

3',5'-サイクリック GMP（cGMP）
プロテインキナーゼ G（PKG）を活性化し，桿体細胞では陽イオンチャネルを開かせる

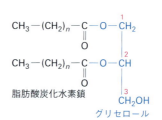

脂肪酸炭化水素鎖
グリセロール

1,2-ジアシルグリセロール（DAG）
プロテインキナーゼ C（PKC）を活性化する

イノシトール 1,4,5-トリスリン酸（IP$_3$）
小胞体の Ca^{2+} チャネルを開かせる

図 15・5　**細胞内で二次メッセンジャーとして働く四つの一般的な化合物**．それぞれの化合物について，主要な直接または間接の影響をそれぞれの構造式の下に記す．Ca^{2+} といくつかの膜に結合したホスファチジルイノシトール誘導体も二次メッセンジャーとして働く．

センジャー）に応答して生理的状況を変えるシグナル伝達に重要である．たとえば，細胞質における Ca^{2+} の濃度上昇は，細胞の種類によってタンパク質の分泌，細胞運動，筋収縮などさまざまな生理応答につながる．

プロテインキナーゼとホスファターゼは細胞の状態を制御するさまざまなタンパク質の活性化や不活性化をひき起こす

共有結合性の修飾を変化させてシグナル伝達経路にかかわる

シグナル伝達経路でよくみられるように，タンパク質は複数の段階で活性化や不活性化を受ける．このタンパク質の活性変化において，最も一般的で可逆的な機構としてリン酸化がある．**プロテインキナーゼ**（protein kinase: PK）は，標的タンパク質の特定の側鎖にリン酸基を付加する．逆に，**プロテインホスファターゼ**（protein phosphatase）はそれらの側鎖からリン酸基を除去する（図3・36参照）．標的タンパク質に依存して，リン酸化は酵素活性を変化させたり，他のタンパク質への結合性を変えたりして，細胞の機能の決定において，きわめて重要な役割を担っている．典型的な哺乳類細胞は，100種類かそれ以上の異なるキナーゼを発現しており，それぞれのキナーゼが複数の標的タンパク質をリン酸化し，それらの活性に影響を与えている．

すべての既知のプロテインキナーゼの触媒ドメインは類似の三次元構造をしており（図3・37参照），触媒部位の周辺は高度に保存されたアミノ酸のクラスターがみられる．そのうちいくつかは，ATP と結合する**ヌクレオチド結合ポケット**（nucleotide-binding pocket）を形成し，ATP の γ 位のリン酸が基質の OH 基に転移できるように配置している（図3・38参照）．3章で詳しく述べたよ

うに，すべてのキナーゼは特異的なタンパク質基質の認識において，リン酸化するセリン，トレオニン，チロシン側鎖だけでなく，標的側鎖の周辺の特異的なアミノ酸残基にも結合する．したがって，タンパク質においてチロシン，トレオニン，セリンの周囲のアミノ酸配列を解析することで，どのようなキナーゼがこの残基をリン酸化しそうか，よい精度で予想することができる．

すべてのキナーゼの触媒活性は高度に制御されている．一般的には，その制御は他のタンパク質との結合や，さまざまな細胞内シグナル小分子や代謝物の濃度変化で行われている．多くのキナーゼは，それ自身のリン酸化によって活性化されるため，キナーゼ間で次々にリン酸化が起こるキナーゼカスケードが形成される．一例として，多くの細胞代謝を制御するタンパク質をリン酸化するプロテインキナーゼA（PKA）があげられる（§15・4）．それが非リン酸化状態で活性をもたないときは，活性化ループの重要な残基はATPや基質であるタンパク質と結合できない位置にある（図3・38，図15・6a）．活性化ループ内の重要なトレオニン残基がPKAや他のキナーゼによりリン酸化されると，ループの構造が変化し，ATPおよび基質タンパク質との結合部位が形成され，触媒機能が活性化される（図15・6b）．本章と次章では，他の多くのキナーゼも同じような様式で活性化されることをみていく．

多くのタンパク質は複数のプロテインキナーゼの標的となり，個々のプロテインキナーゼはタンパク質の異なったアミノ酸をリン酸化する．個々のリン酸化の効果は，標的タンパク質の活性を異なる機構で変化させる可能性をもち，機能を活性化させる場合もあれば，不活性化させる場合もある．その例はあとで説明するが，糖代謝において重要な調節酵素であるグリコーゲンホスホリラーゼキナーゼがある（図15・22）．シグナル伝達経路で活性化されると，このキナーゼはグリコーゲンをグルコースに分解する酵素をリン酸化して活性化する．多くの場合，アミノ酸へのリン酸基の付加は，新しい結合表面を形成して第二のタンパク質を結合させる．次章と19章では，キナーゼによって誘導される多量体タンパク質の複合体形成についての多くの例を取上げる．

すべてのプロテインキナーゼの活性はプロテインホスファターゼの活性によって打消されるが，プロテインホスファターゼ自身も細胞外シグナルによって調節されるものがある．こうして細胞のタンパク質の活性は，それに作用する複数のキナーゼとホスファターゼの活性が複合的に作用した結果の機能となる．このような現象として，細胞周期の制御でみられるいくつかの例について19章で説明する．

GTP結合タンパク質はオン/オフのスイッチとして頻繁に利用される

多くのシグナル伝達経路において，すべての原核細胞と真核細胞で見いだされる**GTPase** スーパーファミリー（GTPase superfamily）タンパク質のメンバーが働いている．これらのタンパク質はすべてGTPと結合し，分子スイッチのようにオン/オフの変換ができる．これらは，二つの様式（図3・35参照）で存在する．すなわち1) GTP（グアノシン三リン酸）が結合した活性型（オン），2) GDP（グアノシン二リン酸）が結合した不活性型（オフ）である．GTPが結合したオン状態では，特定の標的タンパク質に結合し，活性を調節する一方で，オフ状態では標的タンパク質の活性には影響を与えない．

シグナル伝達経路で利用されるGTPaseスイッチタンパク質には2種類の大きなグループがある．**ヘテロ三量体Gタンパク質**（heterotrimeric G protein）は，直接細胞表面受容体に結合し，活性化される．§15・3で述べるように，Gタンパク質共役型受容体はグアニンヌクレオチド交換因子（GEF）として作用し，GDPの解離をひき起こしてGタンパク質を活性化する．GDPが解離したGタンパク質は細胞内のGTP濃度がGDP濃度に比べて高いことから，自発的にGTPと結合する．Gタンパク質はGTPの結合で構造が変化し，活性のあるオン状態になる（図3・35参照）．おもな構造の変化は，GTP結合タンパク質に高度に保存された**スイッチI**（switch I）と**スイッチII**（switch II）とよばれる二つの部分で起こり，下流のシグナル伝達タンパク質との結合と活性化に働く（図15・7）．

短時間で活性型のGタンパク質は不活性型に戻り，活性を失う．多くの場合，GTP結合タンパク質自体に内包されているGTPase活性が結合したGTPをゆっくりとGDPとリン酸に加水分解して，スイッチIとスイッチIIの構造を変え，標的タンパク質に結合できない状態にする．

このGTP加水分解の速度は，GTP結合タンパク質が活性状態にとどまり，下流の標的タンパク質にシグナルを伝達する時間を決める．GTPの加水分解速度が遅いほど，GTP結合タンパク質が

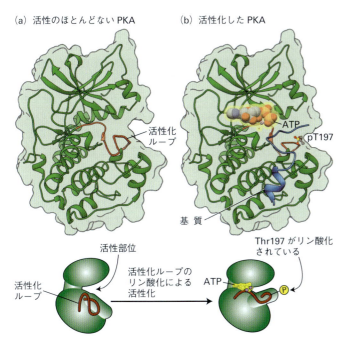

図 15・6　プロテインキナーゼ A（PKA）の分子構造． リン酸化されておらず触媒活性をもたない構造(a)と，活性化ループのトレオニン残基がリン酸化され活性化したあとの構造(b)．PKAの197番目のトレオニンのリン酸化(pT197)は，活性化ループに大きな構造変化をひき起こし，ATPおよび基質タンパク質の結合を促進する．同様のリン酸化に依存した機構が他の多くのキナーゼを活性化する(図3・38参照)．トレオニン197のリン酸化は，PKAがその阻害サブユニットであるRサブユニットと結合するためにも必要であり（図15・21a），したがって，cAMPによる制御にも必要となる（§15・4）．PKAはT197を自己リン酸化できるし，他の細胞内キナーゼもこの部位をリン酸化できる．[J. M. Steichen et al., *J. Biol. Chem.* **287**: 14672 による．]

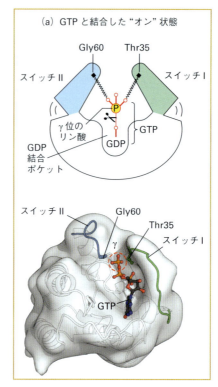
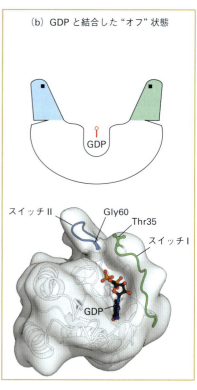

図 15・7 単量体 G タンパク質のスイッチ機構. G タンパク質が他のタンパク質と相互作用してシグナルを伝達する能力は，GTP が結合した"オン"状態と GDP が結合した"オフ"状態とで異なる．(a) 活性の高い"オン"状態では，スイッチ I (緑) とスイッチ II (青) という二つの領域が，よく保存されたトレオニンとグリシン残基の主鎖のアミド基を介して GTP の γ 位のリン酸と結合する．こうして GTP が結合すると，二つのスイッチ領域は特定の下流のエフェクタータンパク質に結合して活性化できる立体構造になる．(b) G タンパク質の GTPase 活性により GTP が加水分解され，γ 位のリン酸が脱離すると，スイッチ I とスイッチ II は緩んで，不活性な"オフ"状態の別の構造になる．この状態では，スイッチ領域はエフェクタータンパク質に結合できない．ここで示したリボンモデルは単量体 G タンパク質 Ras のものである．ヘテロ三量体 G タンパク質の α サブユニットが活性型から不活性型になるときにも，類似したばね仕掛けのような機構が存在するが，こちらの場合はスイッチ領域の数が二つではなく三つである．[I. Vetter and A. Wittinghofer, 2001, *Science* **294**: 1299 による．]

より長く活性型である GTP 結合型にとどまる．この GTP 加水分解速度はしばしば他のタンパク質によって調節される．たとえば，**GTPase 活性化タンパク質**（GTPase-activating protein: **GAP**）や **G タンパク質シグナル伝達調節タンパク質**（regulator of G protein signaling protein: **RGS タンパク質**）は，ともに GTP の加水分解を促進する（図 3・35 参照）．G タンパク質の活性を調節する多くの制御タンパク質は，それ自身も細胞外シグナルによって調節されている．

単量体 G タンパク質（monomeric G protein，または**低分子量 G タンパク質** low-molecular-weight G protein）には，Ras や，Ras 様タンパク質である Ran や Sar などが属しており，このグループは受容体と直接は結合せずに，シグナル伝達経路の中間のタンパク質として機能する（16 章）．単量体 G タンパク質は，細胞の分裂や運動を調節する多くの経路で重要な役割を果たしている．このため，これらの G タンパク質をコードする遺伝子に変異が入ると，しばしばがんの発症に至ってしまう．

ほとんどのシグナル伝達経路が
シグナル増幅とフィードバック抑制という特性をもつ

シグナル伝達経路には，**シグナル増幅**（signal amplification）と**フィードバック抑制**（feedback repression）という重要な二つの特性がある．増幅においては（図 15・1，段階**3**），一つのシグナル分子が一つの受容体タンパク質に結合するだけで，細胞内の生化学的経路の活性をかなり大きく変えられる．たとえば，本章の後半でみるように，眼の桿体細胞において物理的刺激として光受容体に一つの光子が吸収されると細胞膜電位の変化が測定される．**増幅**（amplification）とはシグナル分子の効果を拡大する過程のことをさす．

増幅では，一つの受容体分子の活性化が，シグナル伝達経路の下流において一つ以上の中間タンパク質の活性化をひき起こす．個々の中間タンパク質もそれぞれ下流の複数のタンパク質を活性化できるので，活性化のカスケードが形成される．増幅の程度は，そのシグナル伝達カスケードがいくつの段階で形成され，さまざまな構成成分がどの程度の濃度で存在しているかに依存する．本章の最後で議論するように，ヒトはたった五つの光子の量でも，シグナル伝達経路の増幅により膜電位の変化をひき起こすのに十分な Na^+ と Ca^{2+} チャネルの活性を変化させて光を感じることができる．一つの光子に対してさえ応答できるという性質により，夜間でも物を見ることができる．

細胞はシグナルに十分に応答したり，シグナルが除かれた際にそのシグナル伝達経路を抑制または遮断しなければならない．実際に，すべてのシグナル伝達経路は経路を遮断するフィードバック制御を備えている．つまり，エフェクタータンパク質がひとたび活性化されると，受容体やシグナル伝達のより前の段階を制御するタンパク質を調節し，下流の細胞応答を阻害する（図 15・1，段階 **6a**, **6b**）．多くの経路では，これらのフィードバック制御は，受容体の活性を失わせたり，受容体の分解をひき起こし，機能的な受容体の数を低下させる．そのため，細胞はリガンドに対して大きく感度を低下させる．このようなフィードバック応答は，ときに**適応**（adaptation）ともよばれる．

次節では，進化的に保存されているシグナル伝達経路の構成因子に注目して，細胞表面の受容体とシグナル伝達タンパク質がどのように発見されて，生化学的に機能が明らかにされてきたかについて述べていく．そのあと，真菌類からヒトまでがもつ G タンパク質共役型受容体という非常に多種類で進化的に保存されている受容体についてより深い議論を進める．他の大きな細胞表面受容体とそれが活性化する細胞内シグナル経路については 16 章で説明する．

15・1 シグナル伝達経路: 細胞外シグナルから細胞応答へ まとめ

- すべての細胞は，細胞外シグナルを介して情報伝達している．細胞外シグナル伝達分子は，単細胞生物においては細胞間の相互作用を調節し，多細胞生物では生理や発生の重要な調節因子となっている．
- 細胞外シグナルには，膜に結合した，あるいは分泌されたタンパク質やペプチド（たとえばバソプレッシンやインスリン），低分子量疎水性分子（たとえばステロイドホルモン，チロキシン），低分子量親水性分子（たとえばアドレナリン），気体（たとえば酸素，一酸化窒素），そして物理的刺激（たとえば光，接触）がある．
- 疎水性シグナル伝達分子は細胞質や核の受容体に結合しておもに遺伝子発現に影響を与える．
- 親水性の細胞外シグナル伝達分子が細胞表面受容体に結合すると，受容体に構造変化が生じ，次に細胞内シグナル伝達経路が活性化されて，結果的に細胞の代謝や機能，遺伝子発現が調節される．
- ある細胞から分泌されたシグナル伝達分子は，内分泌として遠方の細胞に，傍分泌として近傍の細胞に，あるいは自己分泌としてシグナルを出した自身の細胞に働きかける．
- 多くの受容体は，高い親和性で1種類，またはよく似た一群のリガンドのみに結合する．
- cAMP や Ca^{2+} など二次メッセンジャーは，多くのシグナル伝達経路で関与している．
- プロテインキナーゼ，プロテインホスファターゼ，GTP 結合スイッチタンパク質は，ほとんどのシグナル伝達経路に関与している．
- シグナル伝達経路は細胞外シグナルを増幅することが可能で，比較的少ない数の細胞表面受容体を活性化して，細胞の代謝，運動，あるいは遺伝子発現に大きな変動をひき起こす．
- 実質的にすべてのシグナル伝達経路がフィードバック制御を備えており，機能タンパク質がその経路のより上流のタンパク質を調節したり阻害することで，経路の早い段階で抑制がかかる．

15・2 細胞表面受容体とシグナル伝達タンパク質の研究

細胞外シグナルに対する細胞の応答は，そのシグナルに結合できる細胞のもつ受容体の数とその受容体によって活性化されるシグナル伝達経路によって規定される．本節では，受容体や他のシグナル伝達タンパク質の機能を調べるために使われる実験的な方法についてふれる．これらの方法の多くは，エンドサイトーシス（14章）や細胞接着（20章）を制御する受容体に対しても適用可能である．本節の終わりでは，キナーゼや GTP 結合タンパク質のようなシグナル伝達タンパク質の活性測定法や，これらのシグナル伝達タンパク質の制御機構の解析で共通に用いられる技術を説明する．

結合実験から，受容体の検出とリガンドに対する親和性と特異性の決定が可能となる

結合実験（binding assay）は，細胞膜に存在する受容体の数の定量や，リガンドにどの程度強く結合するか（K_d）を知るために活用される．生細胞，細胞破片，または精製された受容体を含む液体にリガンド（L）を添加し，どの程度結合するかによって，受容体（R）の存在自体や，数が定量される．多くの実験で結合を容易に測定できるように，リガンドは放射性標識または蛍光標識される．リガンドと受容体は，それらの結合が平衡に達するまでインキュベートされる．その後，結合しなかったリガンドは取除かれ，受容体に結合したリガンド（RL）の量が，放射活性や蛍光を定量的に検出できる機器などによって測定される．多くの場合，異なるリガンド濃度の状態でリガンドの受容体に対する結合を測定する．結合していないリガンドの量 [L] に対して受容体に結合したリガンドの量 [RL] をプロットしたグラフ（**リガンド結合曲線** ligand-binding curve や **飽和曲線** saturation curve とよばれる）は，図15・8の赤い線のようになる．このプロットは一般的に（15・4）式に従う．これは（15・2）式と（15・3）式を単純に代数変形したものである．

$$[RL] = \frac{R_T}{K_d/[L] + 1} \qquad (15・4)$$

横軸は非結合のリガンド濃度 [L] で，縦軸は一般に受容体に結合したリガンド濃度 [RL] で示される．受容体-リガンド複合体の量である．多くの場合，最初に細胞外溶液（しばしば**培地** medium とよばれる）に添加されたリガンドの絶対量は，細胞表面の受容体の総量に対して大きく過剰になっている．したがって，いくつかのリガンドが受容体に結合したあとでも培地中の非結合型のリガンド濃度はほとんど変化しない値で一定である．結果として，平衡に達しても，非結合型のリガンド濃度 [L] は，最初に溶液に加えたリガンド濃度と一致するとみなすことができる．実際には，培地中のリガンド濃度が上がるにつれて，受容体-リガンド複合体の数は細胞表面の受容体の総量 R_T に近づいていくが，決して完全に一致することはない（図15・8）．実際に観察される結合の最大量（B_{max}）は，細胞に存在する受容体の総量（R_T）と比例関係になる．

個々の受容体タンパク質が一つの結合部位だけでリガンドと結合する〔（15・2）式，（15・3）式，2章〕という単純な受容体-リガンド結合実験において，結合の最大量（B_{max}）は，関係性を特徴づける二つの要素のうちの一つである．もう一つの要素は，リガンドがどの程度受容体と強く結合するかを示す解離定数（K_d）である．平衡状態において，受容体の半数が結合状態になる（[R]=[R*L]=0.5×[R_T]）ときのリガンドの濃度は K_d と一致する〔（15・2）式〕ということを思い出してほしい．リガンドの受容体に対する結合力が強ければ強いほど，50%の受容体に結合するために必要なリガンドの濃度は低くなる．

受容体全体量 R_T と解離定数 K_d を計算するために，図15・8にあるデータなどを使ってコンピューター曲線適合（カーブフィッティング）プログラムがよく利用される．この解析法を用いると，図15・8の場合には，1個の細胞表面に1000の受容体があり，リガンド結合の解離定数が $1×10^{-9}$ M（1 nM）であると計算することができる．

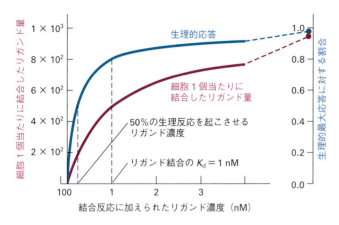

図 15・8 結合量測定から解離定数 K_d と細胞当たりの受容体数が求められる．しかし，細胞外シグナルに対する最大の生理応答はリガンドが受容体の一部に結合しただけで生じる．あるリガンドに対する受容体の結合親和性を求める典型的な実験において，放射能あるいは他の方法で標識されたリガンドを，注目している受容体を発現していない対照細胞，あるいは組換え DNA 技術を利用してその受容体を表面に発現させた細胞とインキュベートする．インキュベーションは一般的に 4℃ で 1 時間程度であるが，低温にしたのは細胞表面受容体がエンドサイトーシスされるのを抑制するためである．遠心操作と緩衝液による洗浄で，細胞と結合しなかったリガンドを分離し，細胞に結合したリガンド由来の放射能量を測定する．受容体を発現した細胞の結合量から，対照細胞のバックグラウンド結合量を差し引いて，細胞 1 個当たりに結合したリガンド量を計算し，用いたリガンド濃度の関数としてプロットする（赤曲線）．かなり高いリガンド濃度でも受容体に結合したリガンド分子の数は，細胞表面に存在する受容体の数に近づくが完全には一致しないことに注意しよう．(15・4) 式をデータに当てはめて解析すると，この細胞はこのリガンドに対する 1000 個の受容体を発現しており，リガンドの結合親和性 K_d が 1 nM であると求められる．並行した実験で，リガンド濃度を増加させて，それに対する細胞の生理応答も定量する（青曲線）．典型的には，さまざまなリガンド濃度に対する受容体へのリガンド結合の程度と，生理応答の強さのプロットは異なっている．ここでの例では，全受容体のたった 18% がリガンドと結合しているリガンド濃度で，最大生理応答の 50% がひき起こされている．同様にリガンド濃度が K_d と等しいときに，最大生理応答の 80% がひき起こされており，この濃度では全受容体の 50% がリガンドと結合している．

一般にすべての受容体が活性化されなくてもシグナル伝達分子に対する細胞応答は最大に近づく

受容体-リガンド複合体の数が，ある特定のシグナル分子に対する細胞応答の程度を決定する．一般的に，全体よりかなり少ない受容体がリガンドに結合するだけで，最大の細胞応答を誘導できる．図 15・8 の青線でみられるように，異なるリガンド濃度における細胞応答の程度と，リガンド結合型の受容体の量（赤線）を比較するとこのことがわかる．たとえば，骨髄にある赤血球前駆細胞は，それが増殖して赤血球に分化するために必要なエリスロポエチンというタンパク質ホルモンの受容体を細胞表面に 1000 個もつ．この受容体のエリスロポエチンに対する K_d は 1 nM である．しかし，たった 180 個（18%）の受容体がエリスロポエチンに結合するだけで，最大細胞応答（この場合，前駆細胞の増殖）の 50% の影響が現れる．したがって，リガンド濃度に対する細胞応答の影響を示す曲線（図 15・8 の青線）は，リガンド結合の曲線（赤線）と異なる形になっている．細胞応答を 50% ひき起こすために必要なリガンド濃度は，K_d 値よりかなり低い．

外部シグナルに対する細胞の感受性は表面受容体の数とリガンドへの親和性によって決まる

特定のシグナル伝達分子に対する細胞応答は受容体-リガンド複合体の数によるので，細胞表面の受容体数が少なければ少ないほど，そのリガンドに対する細胞の感受性は下がる．したがって，通常の生理的応答を起こさせるためには，受容体が多い場合に比べて高濃度のリガンドが必要となる．細胞が受容体をもっていなければ，当然全く応答しない．特定のリガンドに対する受容体量が増加すると，逆にリガンドに対する細胞の感受性は増大する．つまり，より少ないリガンド分子で応答がひき起こされる．

上皮増殖因子（EGF）は，その名前が示すように，乳管細胞を含めた多くの種類の上皮細胞の増殖を促進する（16 章，20 章）．乳がん患者の約 25% において，がん細胞は **HER2** とよばれる特定の EGF 受容体の発現量が上昇している．HER2 の過剰産生は，細胞周囲の EGF やそれに関連するホルモンに対する細胞の感受性を上げることになる．通常の EGF 濃度では細胞増殖を生じさせるには低すぎるが，過剰の HER2 が存在すると，その通常濃度の EGF でもがん細胞の増殖がひき起こされてしまう．16 章と 25 章でみるように，これまでの研究で HER2 に結合して EGF によるシグナル伝達を阻害するモノクローナル抗体が複数開発され，HER2 を過剰発現する腫瘍をもつ乳がん患者の治療にこれらの抗体が有効であることが示されている．

HER2 と乳がんとの関連は，シグナル伝達分子に対して細胞が発現している受容体数の調節が，重要な役割を果たすことをはっきりと示している．こうした調節は，受容体の転写，翻訳，そして翻訳後の過程で可能となる．また，受容体はエンドサイトーシスにより細胞表面から除かれるが，その後はリソソームにおいて分解されて数が減少し，細胞応答が効率的に終結される．本章のあとの節で述べるように，リガンドに対する受容体の親和性を低下させるような別の機構も存在する．このような特定のリガンドに対する細胞の感受性の低下は，**脱感作**（desensitization）とよばれるが，これは細胞の感知能力を劇的に低下させて外界のシグナルに対して適切に応答するために重要である．

シグナル伝達分子のアナログは受容体の研究において，および医薬品として広く利用されている

ホルモンのなど天然のシグナル伝達分子の合成アナログは，細胞表面受容体の研究や臨床での医薬品として広く利用される．これらは二つのグループに分類できる．その一つは**アゴニスト**（agonist）で，ホルモンと同じように受容体と結合して，LR → LR* のアロステリック構造変化をひき起こし，下流のシグナル伝達経路を活性化してホルモンと同様の細胞応答をひき起こす．多くの合成アゴニストは，天然のホルモンよりもはるかに強く受容体と結合する．

逆に，**アンタゴニスト**（antagonist）は，受容体に結合するが（通常のリガンド結合部位であることが多い），構造変化をひき起こさないため，結果として細胞応答を起こさない．アンタゴニストは受容体のリガンド結合部位に入り込んで天然のホルモン（あるいはアゴニスト）の結合を妨害し，そのホルモンの生理活性を低下させる．いいかえると，アンタゴニストは天然リガンドによる受容体のシグナル伝達を抑制する．

たとえば，喘息の治療に用いられる薬剤である**イソプロテレノール**（isoproterenol）という初期のアドレナリンのアゴニストについて考えてみよう．イソプロテレノールはアドレナリン（図15・9）に二つのメチル基を付加したものである．イソプロテレノールは気管支平滑筋細胞に存在する**アドレナリンβ_2受容体**（β_2-adrenergic receptor，§15・4）とよばれるアドレナリン受容体のアゴニストである．この薬剤は，アドレナリンより約10倍強く（1/10以下のK_dで）結合する．アドレナリンβ_2受容体が活性化すると気管支平滑筋は弛緩して，肺への気道を広げる．この作用のために，イソプロテレノールやアドレナリンβ_2受容体により強く特異的に結合するアゴニストは，気管支喘息，慢性気管支炎，肺気腫の治療に使われる．

心筋細胞には，**アドレナリンβ_1受容体**（β_1-adrenergic receptor）という別の種類のアドレナリン応答性受容体が存在し，これの活性化は心筋の収縮速度の上昇をひき起こす．アルプレノロール（図15・9）やその関連化合物など，この受容体のアンタゴニストは，**β遮断薬**（beta-blocker）とよばれ，心筋収縮を遅くするので，不整脈や狭心症の治療に使われる．

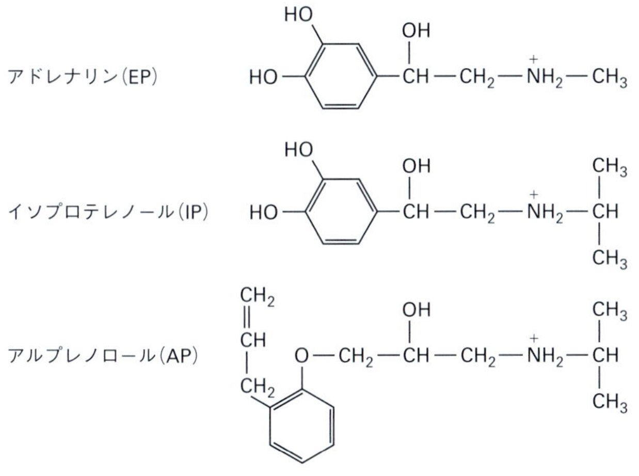

図15・9 天然ホルモンのアドレナリン，合成アゴニストのイソプロテレノール，合成アンタゴニストのアルプレノロールの構造．本文で説明したように，イソプロテレノールとアルプレノロールはともにアドレナリン受容体に結合し，異なる症状に対して医薬品として利用される．

受容体はアフィニティークロマトグラフィー法で精製できる

受容体の機能を解析するためには，まず受容体を精製する必要がある．精製タンパク質の標品が手に入れば，たとえば，結合リガンドの有無による受容体の高次構造決定が可能になり，リガンドの結合で生じる受容体の立体構造変化が解明できる．細胞表面にある膜内在性タンパク質を細胞内の他のタンパク質と分離することはかなり困難な研究課題である．典型的な哺乳類の細胞には，ある単一の細胞表面受容体が通常1000～50,000個程度存在する．この数は大きいようにみえるが，哺乳類の細胞には，全体で約10^{10}のタンパク質分子があり，そのうち約10^6のタンパク質分子が細胞膜にある．したがって，ある特定のシグナル伝達分子に対する受容体は，通常，細胞膜タンパク質の0.1～5％を占めるにすぎない．こうした存在量の低さは細胞表面受容体の単離と精製を困難にしている．さらに，膜内在性タンパク質である受容体の精製は，受容体のリガンド結合能と三次元構造を保存したまま，非イオン性の界面活性剤（図10・23参照）で細胞膜を可溶化しなければならないという点でもむずかしい．このようにしてはじめて，細胞の他の分子から受容体を分離することができる．

組換えDNA技術によって大量に受容体タンパク質を発現する細胞をつくることが可能である．それでも，他の細胞タンパク質から受容体を分離する特殊な技術は必要である．界面活性剤で可溶化した際に，リガンド結合能を保持した細胞表面受容体を精製する一つの方法として，ある種の**アフィニティークロマトグラフィー**（affinity chromatography，図3・43c参照）がある．受容体に結合する抗体や，その受容体のリガンドを化学的にビーズに結合させたものを使ってカラムをつくる．界面活性剤で可溶化した膜タンパク質の粗抽出標品をこのカラムに通す．その結果，受容体とそれに強く結合したタンパク質だけがカラムに結合し，他のタンパク質は洗い流される．他のタンパク質を除いたあとで，過剰の遊離リガンドをカラムに流し込む（リガンドアフィニティークロマトグラフィー）か，抗体から受容体を解離させる化学的状態に変化（たとえばpHの変化）させることで（抗体アフィニティークロマトグラフィー），カラムから受容体が溶出できる．1回のアフィニティークロマトグラフィー操作だけで，場合によっては受容体の純度を10万倍高めることができる．精製した膜受容体は，界面活性剤に可溶化されたままの状態でも，in vitroで二重膜に再構成した状態でも解析することができる（11章）．

免疫沈降法とアフィニティー法は プロテインキナーゼの活性の研究に利用できる

リガンドが結合したあとに，受容体は一つ以上のシグナル伝達タンパク質を活性化し，複数のエフェクタータンパク質の機能を調節する（図15・1，図15・3）．シグナル伝達のカスケードを理解するためには，シグナル伝達タンパク質の活性化を定量することが必要である．多くのシグナル伝達のカスケードにおいて，キナーゼの介在が見いだされているので，本節ではそれらの活性を測定するいくつかの方法を説明する．

前述したように，特定のキナーゼは，どのシグナル伝達経路が活性化されたのかにある程度依存して，不活性化状態，部分的活性状態，完全活性化状態などの状態をとる．特定のキナーゼが示す活性の量は，キナーゼタンパク質の存在量と活性化状態にあるキナーゼタンパク質の割合で決まる．したがって，研究者は，キナーゼの酵素活性の総量に加えて，細胞内で活性をもつキナーゼタンパク質の割合を決めることにも注目している．

キナーゼの免疫沈降法

抗体アフィニティークロマトグラフィー（図3・43c参照）の一種である免疫沈降法は，細胞抽出液中の特定のキナーゼ活性を測定するために頻繁に利用される．真核細胞は100種以上の異なるキナーゼを含んでいるため，注目するキナーゼについて他のキナーゼに邪魔されることなく活性を測定しようとすると，最初に精製することが必要になる．この手法の一例を以下に示すが，まず，研究対象のキナーゼに対する抗体をプロテインAに覆われた小さなビーズと反応させる．これによって，抗体がそのFc部分を介してビーズに結合する（図4・33参照）．このビーズをさらに細胞全体，または核など特定の細胞小器官の抽出物と混和し，遠

心分離によって回収後，抗体と非特異的に結合した弱い結合タンパク質を塩含有溶液でよく洗浄する．この操作によって，抗体に特異的に結合した細胞のタンパク質，すなわちキナーゼ自身とそれに強く結合したタンパク質だけがビーズ上に残る．

その活性を測定するには，ビーズで精製したキナーゼを基質と反応させる．ビーズを基質タンパク質と γ-$[^{32}P]$ ATP（γ位のリン酸のみが放射性標識されている）を含む溶液中で反応させる．基質タンパク質に転移して共有結合した $[^{32}P]$ 量はビーズに結合したキナーゼ活性の指標となるので，基質タンパク質を分離して，それに由来する放射活性を測定すればキナーゼ活性がわかる．たとえば，基質をポリアクリルアミドゲル電気泳動で分離して，オートラジオグラフィーで共有結合した $[^{32}P]$ 量を測定したり（図3・42参照），基質に特異的な抗体で免疫沈降して，沈降物の放射活性を測定するなどして定量できる．リガンド添加の前後で回収した細胞抽出液を比較すれば，シグナル伝達経路において特定のキナーゼがそのリガンドによって活性化されたかどうかが容易に評価できる．

タンパク質中のリン酸化アミノ酸に特異的なモノクローナル抗体を用いたウェスタンブロット法

すでに述べたように，多くのタンパク質が複数のキナーゼによってリン酸化されるが，それぞれのキナーゼは異なるセリン，トレオニン，チロシン残基のリン酸化を担う．そのようなタンパク質基質がどのようにしてリン酸化されるのか，また，そのような複数のリン酸化がタンパク質の活性や細胞の機能をどう変化させるのか理解するためには，リン酸化部位を複数もつ特定のタンパク質について単一アミノ酸側鎖のリン酸化量に絞って，その量の変化をリガンドの添加の前後で測定することが重要となる．

こうしたタンパク質中の特定部位のリン酸化の検出においても，抗体は有用である．一般的に，タンパク質上の注目する部位（この場合セリン，トレオニン，チロシンのヒドロキシ基）がリン酸化されたときだけ，そのタンパク質に結合する抗体を作製することができる．このような抗体を作製するためには，そのタンパク質上の注目するリン酸化部位を含む約15アミノ酸からなる小さなペプチド（注目部位はリン酸化されている）をマウスに免疫する（24章）．ここで，リン酸化ペプチドは**抗原**（antigen）とよび，多くの場合化学的に合成され，マウスに免疫される前に免疫原性を促進するためにアジュバントに付加される（24章）．免疫したマウスからは，複数のモノクローナル抗体が得られる（図4・6参照）．そのなかから，リン酸化されたペプチドを特異的に認識するが，リン酸化されていないペプチドを認識しない抗体を選択する．こうして得た抗体は，目的のタンパク質上の注目する特定のアミノ酸残基がリン酸化されたときにのみタンパク質に結合するはずである．この特異性は，抗体がリン酸化されたアミノ酸とともにそれと隣接する側鎖の両方に結合することで達成される．

こうした抗体の利用例を図15・10に示す．赤血球前駆細胞の特定の三つのシグナル伝達タンパク質は，ホルモンであるエリスロポエチン（Epo）の濃度を変化させて刺激すると，10分以内に特定のアミノ酸残基がリン酸化される．このリン酸化は，Epo濃度の上昇に伴って増加し，前駆細胞から赤血球細胞に分化が進む最初の段階でみられる．次章で述べるように，それぞれのシグナル伝達タンパク質は別々の転写因子など異なる下流のエフェク

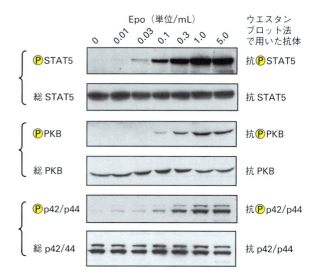

図15・10（実験） ホルモンのエリスロポエチン（Epo）によるリン酸化を介する三つのシグナル伝達タンパク質の活性化．マウスの赤血球前駆細胞に対して，ホルモンであるエリスロポエチン（Epo）を異なる濃度で10分間処理した．細胞の抽出液をウエスタンブロット法にて解析しており，3種類のシグナル伝達タンパク質について，リン酸化された分子に特異的な抗体（上段）と，それぞれのタンパク質のリン酸化されないアミノ酸領域に対する抗体（下段）で検出している．これらの結果からは，Epo濃度の上昇に伴って，3種のタンパク質のリン酸化が観察されることが示される．三つの経路すべてにおいて，1単位/mLのEpoで最大のリン酸化，つまり最大の活性化を起こすのに十分である．STAT5：チロシン694残基がリン酸化される転写因子，PKB：セリン473残基がリン酸化されるプロテインキナーゼB，p42/p44：トレオニン202残基とチロシン204残基がリン酸化されるp42/p44 MAPキナーゼ．[J. Zhang 提供．Zhang et al., 2003, *Blood* **102**: 3938 による．]

タータンパク質を活性化する．

プルダウン法を使ってGTP結合シグナル伝達タンパク質の精製および活性測定ができる

シグナル伝達経路では先に説明したように，二つの大きなクラスのGTPaseスイッチタンパク質が利用されている．一つはヘテロ三量体Gタンパク質で，細胞表面の受容体に直接結合して活性化されるもの．もう一つが単量体Gタンパク質（低分子量Gタンパク質）である．

このクラスのGタンパク質の活性化を測定するおもな方法は，それぞれのスイッチタンパク質がGDPではなく，GTPと結合したときだけ，一つまたは複数の標的タンパク質と結合するという利点を利用している．その標的タンパク質の多くは，Gタンパク質がGTP結合したときだけスイッチ断片と特異的に結合する領域をもつ．特定のGTP結合タンパク質の活性化を定量するプルダウン法は免疫沈降法と似ており，違いは抗体の代わりにGTP結合したGタンパク質が結合する標的タンパク質の特定の結合領域をビーズに固定化していることである（図15・11a）．このビーズを細胞抽出液と混和すると，含まれていたGTP結合型のGタンパク質がビーズに結合する．そして，遠心分離によってビーズを細胞抽出液中の結合しなかったものと分離する．ビーズに結合した活性化状態のGTP結合Gタンパク質の量は，そのGTP結合タンパク質に対する抗体を用いたウェスタンブロット法によって定

(a) 測定原理

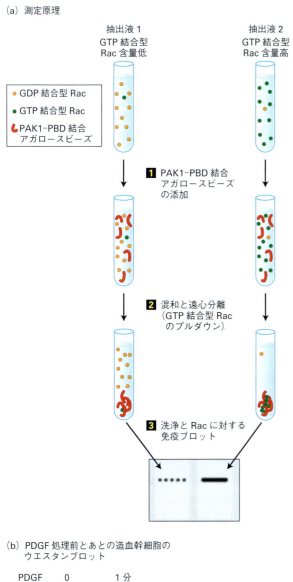

(b) PDGF 処理前とあとの造血幹細胞のウエスタンブロット

図 15・11（実験） プルダウン法から示された血小板由来増殖因子(PDGF)による低分子量 G タンパク質 Rac の活性化. 他の低分子量GTPase のように，Rac は GDP が結合した不活性型と GTP が結合した活性型の間を循環して，分子レベルの現象を調節している．Racは，活性化（GTP 結合）状態で，p21 によって活性化されるプロテインキナーゼ(PAK1) と Rac 結合ドメイン(PBD) を介して特異的に結合し，下流のシグナルカスケードを調節する．(a) 測定原理．Racが結合する PBD ドメインを組換え DNA 技術によって生産し，アガロースビーズに結合させて，細胞抽出液と混和した（段階❶）．ビーズを遠心分離によって回収し（段階❷），Rac の GTP 結合型の量を抗 Rac 抗体によってウェスタンブロット法で定量した（段階❸）．(b) 造血幹細胞をホルモンである血小板由来増殖因子(PDGF) で 1分間刺激すると，Rac が活性化されることがウエスタンブロット法による解析で示されている．対照として行ったアクチンのウエスタンブロット法の結果は，ゲルの各レーンに同量の全タンパク質が添加されたことを示している．[(b)は G. Ghiaur et al., 2006, Blood **108**: 2087, Copyright Clearance Center, Inc. を通じて The American Society of Hematology より許可を得て転載．]

量することができる．図 15・11(b) に実験例を示したように，造血幹細胞において血小板由来増殖因子（PDGF）の刺激後に低分子量 G タンパク質である Rac の GTP 結合型の量が著しく増加しており，これは，Rac が PDGF 受容体によって活性化されるシグナル伝達タンパク質であることを示している．

ミトコンドリアマトリックス，小胞体と細胞質における遊離 Ca^{2+} 濃度の増加は標的化された蛍光タンパク質で測定できる

二次メッセンジャーである Ca^{2+} の濃度は，多くの異なるシグナル伝達経路の応答において変化し，さまざまな細胞のタンパク質の活性に影響を与える．4 章で蛍光小分子の色素である **fura-2** が，生きた細胞の細胞質で遊離の Ca^{2+}（タンパク質と結合していない Ca^{2+}）濃度を測定するためにどのように用いられるかを学んだ．ある波長での fura-2 の蛍光は，Ca^{2+} との結合によって増加する．この技術は fura-2 の化学修飾体であるカルボン酸のエステル誘導体が，細胞外溶液から細胞質内に自発的に侵入する性質に基づいている．細胞質内の酵素がエステル基を切断し，細胞質内から出ていくことのできない遊離の fura-2 を生成し，それが細胞質中で遊離 Ca^{2+} 濃度に従った蛍光を示すのである．

いくつかのタンパク質もまた，Ca^{2+} との結合によって発光したり，発する光の波長が Ca^{2+} との結合によって変化する．これらのタンパク質の利点は，細胞質の遊離 Ca^{2+} 濃度だけでなく，細胞内の別の区画の遊離 Ca^{2+} 濃度も実験的に測定できることである．このような特定の細胞内区画へ標的化させるシグナル配列を含んだタンパク質は，cDNA 発現ベクターをトランスフェクションして細胞に発現させることができる（13 章）．

そのようなタンパク質の一つは，ヒドロ虫類のオワンクラゲ *Aequorea victoria* から単離されたカルシウムで活性化される生物発光タンパク質の**エクオリン**（aequorin）である．組換え DNA 技術を使うと，エクオリンは小胞体内腔（図 13・6 参照），ミトコンドリア膜間腔やマトリックス（図 13・26 参照）のような特定の細胞小器官に局在化するようなシグナル配列をもつ融合タンパク質として発現させることができる．エクオリンは，Ca^{2+} の結合部位として機能する EF ハンド（3 章）を三つもっている．小分子の補欠分子族のセレンテラジンを培養液に添加すると，細胞内に拡散してエクオリンと結合し，細胞は細胞内部の遊離 Ca^{2+} 濃度に比例した特定の波長の光を発する．

15・2　細胞表面受容体とシグナル伝達タンパク質の研究まとめ

- 受容体数の半分がリガンドと結合するようになるリガンド濃度，すなわち解離定数 K_d は，実験によって求めることができ，その値はリガンドに対する受容体の結合親和性の指標となる．
- ある特定のリガンドによる最大の細胞応答は，一般に，その受容体へのリガンド結合が 100 % となるよりも低いリガンド濃度で表れる．
- アフィニティークロマトグラフィーは，存在量が少ない場合でも受容体の精製に利用できる．
- プロテインキナーゼに特異的な抗体を用いた免疫沈降法は，キナーゼ活性の測定に利用できる．

- リン酸化ペプチドに特異的な抗体を用いたウエスタンブロット法は，注目するあらゆる細胞内タンパク質上の特定のアミノ酸のリン酸化の測定に利用できる．
- 標的タンパク質のタンパク質結合領域を用いたプルダウン法は，細胞内でのGTP結合タンパク質の活性化の定量に利用できる．
- fura-2や遺伝子工学的に設計されたエクオリンタンパク質を使うと，細胞内の特定の領域の遊離Ca^{2+}濃度を測定することができる．

15・3 Gタンパク質共役型受容体：構造と機能

本節では，最も大きな受容体のクラスである**Gタンパク質共役型受容体**（G protein-coupled receptor: **GPCR**）について説明する．ヒトのゲノムは約800もの機能的なGPCRをコードしており，この数はヒトの既知のタンパク質全体の4％にものぼる．GPCRは，におい物質，味物質，神経伝達物質，グリコーゲンと脂質の代謝にかかわるホルモン，増殖因子，そして物理的な刺激（光子）までを含めて，実に多くの異なる刺激を感知してこれらに応答している．多くのGPCRがおもに中枢神経系の細胞に見いだされ，23章で説明するように，神経細胞の情報伝達系で利用されている．GPCRの医学的な重要性はきわめて高く，ヒトに処方されるすべての医薬品の約35％は，GPCRに対するアゴニストまたはアンタゴニストであり，134種類ものGPCRに対する医薬品が米国やEUで承認されている．表15・1に，これらの医薬品のほんの一部を記載している．これらの医薬品が標的とする受容体はさまざまなものがあり，また対象となる疾病も広範にわたることがわかる．

すべてのGPCRシグナル伝達経路は，以下に記す共通する要素を含んでいる．1) 7回膜貫通αヘリックスをもつ細胞膜に存在する受容体，2) 受容体により活性化されて活性化状態のGTP結合型と不活性化状態のGDP結合型を循環し，スイッチとして機能するヘテロ三量体Gタンパク質，3) 膜に結合するエフェクタータンパク質，そして4) シグナル伝達経路の増幅と脱感作に介在するタンパク質である．プロテインキナーゼやcAMPやCa^{2+}といった二次メッセンジャーも多くのGPCRシグナル伝達経路に関与している．これらのGPCR経路は，通常，すでに存在している酵素，イオンチャネルなどのタンパク質の活性をすばやく調節することによって，細胞に短期間の効果を与える．したがって，これらの経路は光のような物理的刺激，あるいはアドレナリンのようなホルモンによる刺激など，変化に富んだシグナルに対して細胞が迅速に応答することを可能にしている．

本節では，まずGPCRとそれに結合しているヘテロ三量体Gタンパク質の基本的な構造と機能についてみていこう．続く節では，これらの受容体によって活性化されるシグナル伝達経路のうち，解析が進んだ重要なもののいくつかの例について述べる．

すべてのGタンパク質共役型受容体は同じ基本構造をもつ

すべてのGタンパク質共役型受容体は膜に同じ向きに配置されており，7回膜貫通αヘリックス領域（H1〜H7），四つの細胞外領域，そして四つの細胞質領域からなっている（図15・12）．N末端は必ず細胞膜から外に突き出し，C末端は細胞膜の細胞質側にある．Gタンパク質共役型受容体は，7回膜貫通αヘリックスの外側に向いた多くの疎水性アミノ酸によって，細胞膜の疎水性中心部に安定に係留されている．

ヒトのGPCRはいくつかのファミリーに分けられる．それぞれのファミリーに含まれるものどうしは，アミノ酸配列や構造という点で特によく似ている．ファミリー間の違いは，リガンドが受容体にどのように結合するかという細かい点にある．

図15・13は，五つあるGPCRのファミリーのうち三つについてリガンド結合部位がどのように違うか示している．ファミリーAは，哺乳類では最も多くのGPCRを含むが，いくつかの膜に埋まっているαヘリックスと細胞外ループがリガンド結合部位を形成している．その結合部位は細胞外に面しているが，二重膜の

表 15・1 薬理学的重要性をもつヒトGタンパク質共役型受容体

受容体	天然リガンド	存在部位	生理学的機能	医薬品	適用疾患
ヒスタミン H_2	ヒスタミン	胃酸分泌細胞	酸分泌促進	シメチジン（タガメット®） ラニチジン（ザンタック®） （アンタゴニスト）	胃酸阻止 消化器潰瘍
ヒスタミン H_1	ヒスタミン	平滑筋 血管内皮細胞	血管透過性の亢進 アレルギー症状の誘導	フェキソフェナジン（アレグラ®） ロラタジン（クラリチン®） （アンタゴニスト）	アレルギー症状
セロトニン $5HT_{2A}$	セロトニン	中枢神経系	神経細胞間の神経伝達	クロザピン リスペリドン （アンタゴニスト）	統合失調症
セロトニン $5HT_{1A}$	セロトニン	中枢神経系	神経細胞間の神経伝達	ブスピロン（ブスパー®） （アゴニスト）	うつ病 一般的な不安障害
アンギオテンシン AT_1	アンギオテンシンII	血管平滑筋細胞	血管収縮と血圧上昇	ロサルタン（コザール®） （アンタゴニスト）	高血圧
アドレナリン $β_2$	アドレナリン	気道平滑筋細胞	呼吸の促進	サルメテロール（セベレント®） （アゴニスト）	喘息 慢性閉塞性肺疾患
$CysLT_1$	ロイコトリエン	肺, 気管支, 肥満細胞	平滑筋の収縮	モンテルカスト（シングレア®） （アンタゴニスト）	喘息 季節性アレルギー

出典: A. Wise et al., 2002, *Drug Discovery Today* 7: 235.

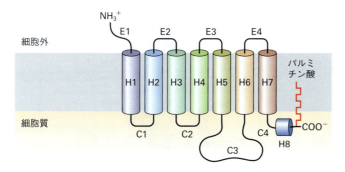

図 15・12 Gタンパク質共役型受容体の一般的構造．この種の受容体はすべて膜の中で同じ配向をとっており，7回膜貫通αヘリックス（H1〜H7），4個の細胞外領域（E1〜E4）と4個の細胞質領域（C1〜C4）をもっている．多くのGPCRでは短いαヘリックス（H8）が膜表面と平行に存在し，共有結合でパルミチン酸と結合することで，C末端を膜表面に係留している．

中心部分まで及ぶこともある．ファミリーA受容体の例としては，アドレナリンやノルアドレナリンなどのホルモンに結合する**アドレナリンβ受容体**（β-adrenergic receptor，図15・14a）があげられる．これらはGPCRのうち，最も解析が進んでいるものであり，GPCRの典型的例として最も頻繁に使われる（図15・14b）．アドレナリンβ受容体が，アドレナリン（エピネフリン）と結合すると，四つのαヘリックスと細胞外ループE2にある15個のアミノ酸が結合したリガンドと非共有結合を形成する（図15・14c）．たとえば，アドレナリンの二つのヒドロキシ基は二つのセリン（S）残基のヒドロキシ基（膜貫通ヘリックスH5のS203とS207），および膜貫通ヘリックスH6にあるアスパラギン（N293）の側鎖と水素結合を形成する．

グルカゴン受容体はGPCRのファミリーBに属している（図15・13b）．リガンドである**グルカゴン**（glucagon）は膵島α細胞から分泌される29アミノ酸からなるペプチドホルモンである．本章の後半でみるように，グルカゴンは肝臓に作用してグリコーゲン分解をひき起こし，血流中にグルコースを放出する．グルカゴン受容体はGPCRに特徴的な7回膜貫通αヘリックスをもつが，最初の膜貫通αヘリックスにつながって，大きな細胞外ドメインをもっている．この細胞外ドメインがグルカゴンのC末端に固く結合することによってグルカゴンのN末端が配置され，アドレナリンβ受容体や他のGPCRのように，数本の膜貫通ヘリックス内のアミノ酸残基で形成される受容体のポケットにN末端が結合するようになる（図15・15）．

グルタミン酸受容体は，GPCRのファミリーCに属する興奮性の神経伝達物質受容体の一つである（図15・13c）．長い細胞外領域は一種のハエトリグサ様の形をした部位を形成し，リガンドであるグルタミン酸を囲い込んで結合する．このクラスの多くのGPCRはハエトリグサ様部位を介して二量体化する．

多くの受容体と同じように，GPCRもアロステリックタンパク質（3章）である．細胞外においてリガンドと結合すると，受容体の構造が変化し（R→R*），受容体の細胞質に面した領域がGPCRシグナル伝達経路の次の細胞内要素であるヘテロ三量体Gタンパク質と結合し，活性化できるようになる．これが，Gタンパク質共役型受容体とよばれる所以である．

リガンドで活性化されたGタンパク質共役型受容体は，ヘテロ三量体Gタンパク質のαサブユニット上でのGDPからGTPへの交換を触媒する

リガンドによるGPCRの活性化の次に最初に起こるシグナル伝達段階は，ヘテロ三量体Gタンパク質の活性化である（図15・16）．ヘテロ三量体Gタンパク質は，α, β, γとよばれる三つのサブユニットからなる．グアニンヌクレオチド（GTPおよびGDP）は，G_αサブユニットに結合する．G_αとG_γサブユニットは脂肪酸と共有結合しており，それにより細胞膜の内側リーフレットに挿入されてGPCRの近傍に係留されている．βとγサブユニットは常に強固に結合しており，**$G_{\beta\gamma}$サブユニット**（$G_{\beta\gamma}$ subunit）とよばれることが多い．次ですぐ述べるが，G_αサブユニットは活性化状態に依存して$G_{\beta\gamma}$サブユニットと結合・解離を起こす．

受容体にリガンドが結合していない静止状態では，G_αサブユニットはヌクレオチド結合部位でGDPと結合しており，さらに$G_{\beta\gamma}$サブユニットと複合体を形成して三量体構造をとっている（$G_\alpha G_{\beta\gamma}$・GDP）．Gタンパク質共役型受容体にリガンドが結合すると，膜貫通ヘリックスの構造が変化し，GDPを含むヘテロ三量体

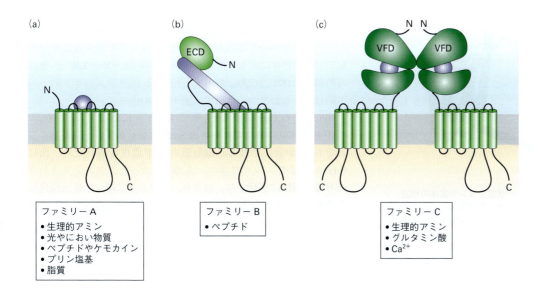

図 15・13 異なる形式でリガンドが結合する三つの主要なGタンパク質共役型受容体．詳細は本文参照．ECD: 細胞外ドメイン（extracellular domain），VFD: ハエトリグサ様部位（venus flytrap domain）．[J. Tesmer, 2016, *Nat. Rev. Mol. Cell Biol.* 17: 439.]

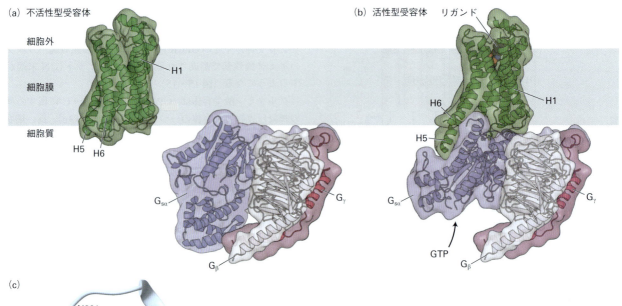

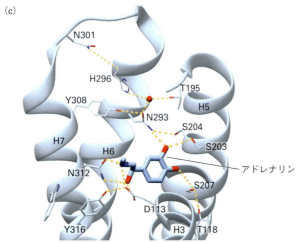

図 15・14 不活性型のアドレナリン β_2 受容体および，活性型がリガンドとヘテロ三量体 G タンパク質の G_s に結合したときの構造. (a) アンタゴニスト（表示していない）が結合した不活性状態にあるアドレナリン β_2 受容体の三次元構造. その隣には，$G_{s\alpha}$（濃紫），G_β（薄紫），G_γ（ピンク）のヘテロ三量体 G タンパク質 G_s の三次元構造が配置されており，休止期の受容体は，$G_{s\alpha}$と結合して活性化できない状態を示している. (b) 活性型にある受容体複合体の全体構造は，アドレナリン受容体がアゴニスト（青と赤の球）と結合し，$G_{s\alpha}$のある領域との強い相互作用にかかわっていることを示している. (c) アドレナリン β_2 受容体内部の複数のアミノ酸の側鎖とアドレナリンが結合している. [(a), (b) は S. Rasmussen et al., 2011, *Nature* **476**: 549, PDB ID 3sn6; V. Cherezov et al., 2007, *Science* **318**: 1258, PDB ID 2rh1. (c) は A. M. Ring et al., 2013, *Nature* **502**: 575 による.]

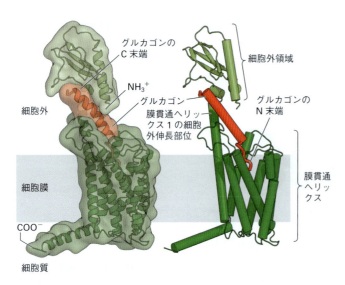

図 15・15 グルカゴン分子に結合したグルカゴン受容体の構造. グルカゴン受容体の 7 回膜貫通 α ヘリックスと膜貫通ヘリックス 1 の細胞外伸長部位を濃緑で，また N 末端側細胞外領域を薄緑で色づけしている. グルカゴンの C 末端 29 アミノ酸ペプチド（赤）は受容体の細胞外領域に結合し，グルカゴンの N 末端は 7 回膜貫通 α ヘリックスの中心部にある結合ポケットに挿入されていると考えられている. [P. Siu et al., 2014, *Nature* **499**: 444, custom PDB.]

を形成している G_α サブユニットと結合できるようになる（図 15・14，図 15・16）. アドレナリン β 受容体に対するアドレナリンの結合の事例から，受容体の構造変化がどのようにして G_α サブユニットとの結合につながるかわかってきている. リガンドと結合していない静止状態の受容体（R）には，G タンパク質と相補的な結合面が存在しておらず，結合することができない（図 15・14a）. アゴニストの結合は膜貫通ヘリックス 5 と 6 の大きな動きと，それらをつなぐ細胞質に面した C3 ループの構造変化をひき起こし，受容体に大きな構造変化を与える（L＋R → LR*）. それらの動き全体が，$G_\alpha G_{\beta\gamma}$・GDP に含まれる G_α サブユニットの一部と結合できる面をつくり出す（図 15・14b）.

GPCR が $G_\alpha G_{\beta\gamma}$・GDP の G_α サブユニットに結合すると，G_α の GDP 結合部位の構造変化が誘導され，タンパク質の一部が動くことで GDP が放出される. 細胞質の GTP 濃度は高いため，次に GTP がすばやく G_α サブユニットの空になったグアニンヌクレオチド結合部位に結合する. つまり，リガンドに結合して活性化した受容体は，G_α・GDP のグアニンヌクレオチド交換因子として機能することになる.

GTP が G_α サブユニットに結合すると，スイッチ部位に構造変化をひき起こし（図 15・7），G_α・GTP サブユニットが $G_{\beta\gamma}$ サブユニットおよび GPCR から解離する. これにより，これら三つの構

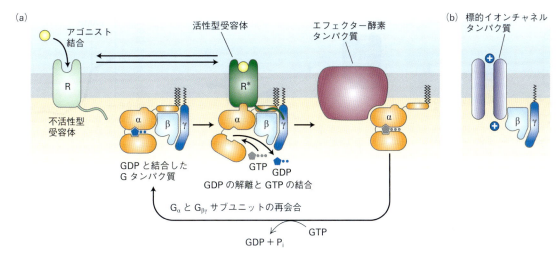

図 15・16 Gタンパク質共役型受容体が結合したエフェクタータンパク質の一般的な活性化機構. 薄緑は不活性型を，濃緑は活性型の GPCR を意味する. ヘテロ三量体Gタンパク質の G_α と $G_{\beta\gamma}$ サブユニットは共有結合している脂質分子(黒いギザギザ線)により膜に係留されている. リガンドが結合すると，受容体が構造変化を起こし，Gタンパク質の G_α サブユニットに結合できるようになり，GDP の解離と GTP の結合を誘導し，同時に $G_{\beta\gamma}$ サブユニットタンパク質の解離が起こる. ある場合(a)では，遊離の G_α・GTP は細胞膜を拡散していき，エフェクタータンパク質と結合して活性化する. 別の場合(b)では，遊離の $G_{\beta\gamma}$ サブユニットがイオンチャネルや別の標的タンパク質に結合して活性化する. GTP の加水分解によってシグナル伝達は終結し，Gタンパク質はヘテロ三量体に復帰して，系はもとの静止状態に戻る. 次のリガンド分子が結合すると，このサイクルが繰返される. [W. Weis and B. Kobilka, 2018, *Annu. Rev. Biochem.* **87**: 897 による.]

成分は，細胞質側に面した細胞膜を独立に拡散するようになる. 自由になったリガンドと結合している活性化型の GPCR (LR*) は，新たな $G_\alpha G_{\beta\gamma}$・GDP の活性化をひき起こせるようになるため，受容体-リガンド複合体からのシグナルの増幅が起こる.

多くの場合，解離した G_α・GTP は，次の段階のシグナル伝達経路の調節を行う. 細胞膜に係留されたまま，G_α・GTP は下流のエフェクタータンパク質と結合し，活性化する (図 15・16a). G_α・GTP は活性化だけでなくエフェクターを阻害することもある. 以下でみるように，異なる受容体やエフェクタータンパク質と結合するさまざまな種類の G_α サブユニットタンパク質が存在する. 細胞の種類や関与するGタンパク質の種類によっては，図 15・16 (b) に示すように，エフェクタータンパク質に結合してシグナル伝達をひき起こすものが G_α サブユニットから解離した $G_{\beta\gamma}$ の場合もある. たとえば，心筋に存在する GPCR の1種に，**ムスカリン性アセチルコリン受容体** (muscarinic acetylcholine receptor) がある. アセチルコリンの結合でこの受容体が活性化すると，心筋の収縮速度が低下する. 受容体が活性化すると，解離した $G_{\beta\gamma}$ サブユニットが細胞膜に存在する K^+ チャネル (エフェクタータンパク質) に結合して開口させる (図 15・16b). 細胞質から K^+ が流出すると，数秒の間，通常存在する細胞膜の内側の負の膜電位の程度が増して，筋肉の収縮速度を低下させる.

あらゆる場合において，結合した GTP は数秒から数分以内に GDP に加水分解されるので，活性型の G_α・GTP 状態は長くは続かない. この GTP の加水分解は G_α サブユニット自身が内包する GTPase 活性により触媒される. したがって，G_α サブユニットは G_α・GTP 状態から不活性型の G_α・GDP 状態に変化し，下流のエフェクターとの相互作用が失われ，代わりにすばやく $G_{\beta\gamma}$ と結合し，$G_\alpha G_{\beta\gamma}$・GDP の形をとる. このようにサイクルが完結し，$G_\alpha G_{\beta\gamma}$・GDP は改めて活性化型の受容体 (LR*) と結合し，再び新たなサイクルを開始する.

G_α・GTP の GTP 加水分解反応の速度は，GTPase 活性化タンパク質 (GAP) として働くエフェクタータンパク質との結合で促進されることがある. このフィードバック機構はエフェクターが活性化されている時間を著しく減少させ，細胞が過度に応答するのを防いでいる. 多くの場合，**Gタンパク質シグナル伝達調節タンパク質** (regulator of G protein signaling protein: RGS タンパク質) とよばれる別種の GAP もまた，G_α・GTP サブユニットによる GTP の加水分解を促進しており，G_α・GTP により下流のエフェクターが活性化される時間をさらに減少させている.

このように組込まれたフィードバック機構が，受容体の活性化に続いて起こるエフェクタータンパク質の活性の持続時間を数秒から数分という限られたものにしている. すなわち，エフェクターの長期にわたる活性化のためには，リガンド結合を介した継続的な受容体の活性化とそれに続くGタンパク質の持続的な活性化が必要となる.

図 15・16 に示した，GPCR のシグナル伝達経路において G_α・GTP よる GTP 加水分解が重要であるというモデルを支持する初期の証拠は，**GTP アナログ** (GTP analogue) とよばれる GTP によく似た構造の化合物を使った実験から得られた. これらの化合物は，GTP と同様に G_α サブユニットの GTP 結合部位に結合するが，内在する GTPase 活性によって加水分解されない. これらの化合物のいくつかは，GTP の β 位と γ 位のリン酸の間のホスホジエステル結合 P–O–P が，加水分解されない P–CH$_2$–P あるいは P–NH–P に置換されている. 特定の受容体を発現している細胞膜標品にアゴニストを入れて，このような GTP アナログを添加すると，加水分解されない GTP アナログが G_α の GDP と入れ替わって，GTP のときよりはるかに長い時間 G_α とエフェクタータンパク質の活性化が維持される. 多くの研究者はこのような実験に GTP-γ-S という加水分解されないアナログを使用する.

GPCR の結合に伴うヘテロ三量体Gタンパク質の解離は，生きた細胞内で観察することもできる. この研究では，二つの蛍光分子が相互作用していると，放出される蛍光の波長が変化すると

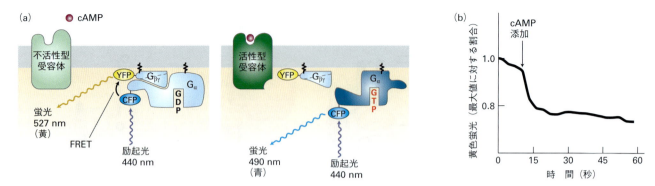

図 15・17（実験） Gタンパク質の活性化は細胞膜のGタンパク質共役型受容体にリガンドが結合した数秒以内に起こる．アメーバ状態の細胞性粘菌 *Dictyostelium discoideum* では，cAMPが二次メッセンジャーとしてではなく，細胞外シグナルとして機能し，Gタンパク質共役型受容体に結合して，シグナルを伝達する．アメーバ状の細胞に二つの融合タンパク質遺伝子を導入する．一つは青色蛍光タンパク質（CFP）と融合した G_α，もう一つは黄色蛍光タンパク質（YFP）と融合した G_β である．CFPはふつう490 nmの波長の光を発し，YFPは527 nmの波長の光を発する．(a) 静止状態の $G_\alpha \cdot GDP-G_{\beta\gamma}$ 複合体では，CFPとYFPが近接しており，これらの間で共鳴エネルギー移動が起こる（左）．その結果，CFPだけを励起しYFPは励起しない440 nmの波長の光を静止状態の細胞に当てても，CFPからYFPにエネルギーが移るため，YFP特有の蛍光である527 nmの波長の光(黄)が発せられる（FRET）．しかし，リガンドの結合により G_α と $G_{\beta\gamma}$ が解離すると，FRETは起こらなくなる．この場合，440 nmの波長の光で励起するとCFP特有の490 nmの波長の光(青)が発せられる（右）．(b) これらのタンパク質が導入された1個のアメーバ状細胞にcAMPを与え（矢印），その前後で黄色蛍光(527 nm)の強度がどう変化したかを示したもの．cAMPを与えてから数秒で G_α-CFP融合タンパク質が G_β-YFP融合タンパク質から解離したことを示す黄色蛍光の減少が起こっている．［C. Janetopoulos et al., 2001, *Science* **291**: 2408 による．］

いうフェルスター共鳴エネルギー移動（Förster resonance energy transfer: **FRET**）という現象が利用された（図4・23参照）．図15・17は，リガンドが結合してから数秒以内に G_α-$G_{\beta\gamma}$ 複合体が解離することを示したこの実験の原理を示すもので，ヘテロ三量体Gタンパク質が迅速に解離することの証拠となっている．この実験手法は，別のタンパク質について細胞内でのタンパク質複合体の形成・解離を調べようとするときにも使える汎用性の高いものである．

いくつかの細菌毒素のサブユニットには，標的とする哺乳類の細胞膜（たとえば小腸の上皮細胞）を貫通して細胞内に入り込み，細胞質において $G_{s\alpha}$ タンパク質を化学的に修飾し，結合したGTPのGDPへの加水分解を抑制するものがある．重要な一例として，コレラの発症原因となるコレラ菌 *Vibrio cholerae* の産生する毒素がある．結果的に $G_{s\alpha}$ は活性状態が保持されて，ホルモンの刺激がなくてもエフェクタータンパク質であるアデニル酸シクラーゼ（§15・4）を活性化し続けることになる．二次メッセンジャーであるcAMPの細胞内濃度は非常に高くなり，電解質や水が細胞から小腸内腔に向けて出ていく．結果として，これらの細菌に感染したときに特徴的な水様性下痢が起こる．

異なるGPCRによって別種のGタンパク質が活性化され，その結果，異なるエフェクタータンパク質が調節される

GPCRシグナル伝達経路のすべてのエフェクタータンパク質は，膜結合性のイオンチャネルあるいは図15・9に示した二次メッセンジャーの一つまたは複数のものの生成を触媒する酵素のどちらかである．真核生物のゲノムは複数のGタンパク質をコードし，異なる活性を発揮するので，§15・4〜§15・6とその後の章で述べるGPCRシグナル伝達の内容にはさまざまなものがある．ヒトは21種類の異なる G_α，6種類の G_β，12種類の G_γ サブユニットをもっている．21種類の G_α サブユニットは16個の遺伝子によってコードされており，それらのいくつかは選択的スプラ

イシングの違いから生じる．現在まで知られている限り，異なる $G_{\beta\gamma}$ サブユニットは機能面において互換的であるが，他方，異なる G_α サブユニットは，さまざまなGタンパク質に特異性を与えている．したがって，三つのサブユニットからなる全体のGタンパク質は，その α サブユニットの名称で区別してよぶことができる．ヘテロ三量体Gタンパク質（$G_\alpha G_{\beta\gamma}$）は，一般的に α サブユニットの配列に基づいて四つのクラスに分類される．おもなクラスのGタンパク質の機能について，G_α サブユニットの違いや，それが活性化するエフェクタータンパク質とともに表15・2にまと

表 15・2　主要な哺乳類三量体Gタンパク質とそのエフェクター[†]

G_α	結合するエフェクター	二次メッセンジャー	受容体の例
$G_{s\alpha}$	アデニル酸シクラーゼ	cAMP（上昇）	アドレナリンβ受容体，およびグルカゴン，セロトニン，バソプレッシンに対する受容体
$G_{i\alpha}$	アデニル酸シクラーゼ	cAMP（低下）	アドレナリンα_2受容体
	K^+チャネル（$G_{\beta\gamma}$により活性化されるエフェクター）	膜電位の変化	ムスカリン性アセチルコリン受容体
$G_{olf\alpha}$	アデニル酸シクラーゼ	cAMP（上昇）	鼻の嗅覚受容体
$G_{q\alpha}$	ホスホリパーゼC	IP_3, DAG（上昇）	アドレナリンα_1受容体
$G_{o\alpha}$	ホスホリパーゼC	IP_3, DAG（上昇）	上皮細胞のアセチルコリン受容体
$G_{t\alpha}$	cGMPホスホジエステラーゼ	cGMP（低下）	桿体細胞のロドプシン（光受容体）

[†] それぞれの G_α は複数のエフェクタータンパク質と結合するかもしれない．いままで，一つの主要な $G_{s\alpha}$ しか見つかっていないが，複数の $G_{q\alpha}$ や $G_{i\alpha}$ が見つかっている．ふつう G_α がエフェクタータンパク質を調節するが，ときには $G_{\beta\gamma}$ が行うこともある．また，場合によっては G_α と $G_{\beta\gamma}$ が同時にエフェクタータンパク質を調節することもある．IP_3: イノシトール1,4,5-トリスリン酸，DAG: 1,2-ジアシルグリセロール．
出典: L. Birnbaumer, 1992, *Cell* **71**: 1069; Z. Farfel et al., 1999, *New Engl. J. Med.* **340**: 1012; K. Pierce et al., 2002, *Nat. Rev. Mol. Cell Biol.* **3**: 639.

GPCR の研究は重要なヒトのホルモンの発見につながっている

GPCR はヒトゲノムにおいて最も大きなタンパク質ファミリーを形成している．GPCR をコードする約 800 の遺伝子にのうち，約半数の遺伝子は感覚受容体をコードすると考えられており，その大部分は嗅覚系で機能してにおい物質を結合する (23 章)．

初期において GPCR は，よく知られたホルモンリガンドを"魚の餌"として，それに対応して結合する受容体を取ってくる方法で発見された．現在では，多くの GPCR がまずゲノム配列の探索により発見されるが，これは，ある遺伝子のもつアミノ酸配列が，すでに同定された GPCR (たとえばアドレナリン β 受容体やロドプシン) と高い相同性をもつこと，および予想されるタンパク質が 7 回膜貫通 α ヘリックス構造をもつと想定されることを指標に探索される．このように推定された受容体については，天然のリガンドがわからなかったので，それらは**オーファン受容体** (orphan receptor) とよばれた．つまり，結合するリガンドが不明な推定上の GPCR である．時間が経つにつれて，これらのオーファン GPCR のいくつか (すべてではない) について天然のリガンドが明らかにされてきた．残りのオーファン受容体の多くは，これまでに同定されていない新しいペプチドホルモンを含むシグナル伝達分子と結合する可能性がある．

オーファン GPCR のリガンド同定に有用であると実証された方法の一つに，その受容体の遺伝子を細胞に導入・発現させて探索する実験系を利用し，その受容体と下流のシグナル伝達経路を活性化する物質を組織の抽出物から検出するという方法がある．この方法により，グルカゴン受容体 (図 15・13b) と同じ B ファミリーの GPCR に属する二つのオーファン GPCR のリガンドとして，**オレキシン A** (orexin-A) と**オレキシン B** (orexin-B) という二つの新しいペプチドの発見にいたった (orexin，ギリシャ語の "orexis" は "食欲" を意味する)．その後の研究から，オレキシン遺伝子は摂食を調節する脳の一部である視床下部にのみ発現していることが示された．脳室内にオレキシンを注入すると，その動物は多食となり，絶食期間中にオレキシン遺伝子の発現が著しく上昇した．これらの知見はともにオレキシンの役割が食欲の亢進にあることを一貫して示している．大変興味深いことに，オレキシンを欠乏するマウスは睡眠発作 (ナルコレプシー) を発症した．この病態はヒトでは昼間に過度の眠気をもよおす症状を呈する (マウスは夜行性なので，こちらでは夜間に過度の眠気をひき起こす)．さらに最近の報告によると，ヒトのナルコレプシー患者の大部分において，オレキシンの制御に欠陥があることが指摘されている．すなわち，これらの患者では，オレキシンの遺伝子に変異があるという証拠は得られていないが，脳脊髄液中にオレキシンペプチドを検出することができない．これらの知見は，神経ペプチドのオレキシンとその受容体が，ヒトや他の動物において摂食行動と睡眠の両方にかかわることを強く示していると同時に，ヒトの生理機能における GPCR の重要性も浮き彫りにしている．

15・3　G タンパク質共役型受容体：構造と機能　まとめ

- G タンパク質共役型受容体 (GPCR) は大きくまた多様なタンパク質ファミリーを形成しており，共通の構造として，7 回膜貫通 α ヘリックスとリガンドに特異的なリガンド結合ポケットを内部にもつ．
- 異なるファミリーの GPCR は，違った様式でリガンドに結合するが，その結合は常に受容体が G タンパク質に結合して活性化できるように受容体の構造を変化させる．
- GPCR は α, β, γ とよばれる三つのサブユニットからなるヘテロ三量体 G タンパク質に共役する．$G_α$ サブユニットは，GTP が結合した活性 ("オン") 状態と GDP が結合した不活性 ("オフ") 状態の間を行き来する，GTPase 活性をもつスイッチタンパク質である．"オン" 状態の $G_α$ は，β および γ サブユニットから解離して，細胞膜に結合したエフェクターを活性化する．β と γ サブユニットは互いに結合したままで，場合によってはエフェクターを活性化することもある．
- リガンドの結合は，GPCR の膜貫通ヘリックスと細胞内ループに構造変化をもたらし，共役する $G_α$ サブユニットに結合できるようにして，グアニンヌクレオチド交換因子 (GEF) として機能する．これによって，GDP の解離とそれに続く GTP の結合が触媒される．この結果生じる $G_α$ のスイッチ領域の変化によって，$G_α$ は $G_{βγ}$ や受容体から解離してエフェクタータンパク質と結合する．
- $G_α$ サブユニットに結合している GTP が GDP に加水分解され，$G_α$ が $G_{βγ}$ と再結合するとシグナル伝達が終結する．
- FRET の実験から，生きた細胞において受容体が共役する $G_α$ と $G_{βγ}$ を解離させることが証明された．
- ヘテロ三量体 G タンパク質によって活性化 (または抑制) されるエフェクタータンパク質は，二次メッセンジャーの生成を触媒する酵素 (たとえばアデニル酸シクラーゼ，ホスホリパーゼ C) か，あるいはイオンチャネルのどちらかである．どちらの場合も，$G_α$ サブユニットが G タンパク質の機能と特異性を決めている．
- GPCR はリガンドに結合するサブタイプに依存して，さまざまな効果を細胞に与える．たとえば，闘争・逃走反応をひき起こすホルモンのアドレナリンは，種々の細胞で複数種の GPCR サブタイプに結合してさまざまな生理作用をひき起こす．
- オーファン GPCR のリガンドを同定する研究から，動物とヒトの両方で摂食と睡眠を調節するホルモンのオレキシンが発見された．

15・4　細胞代謝の制御: アデニル酸シクラーゼを促進または抑制する G タンパク質共役型受容体

本節では，ヒトの代謝と生理機能における GPCR の重要性を理解するために，ホルモンである**アドレナリン** (adrenaline) で活性化する GPCR をみていこう．アドレナリンは，ストレスに対する生体の応答において特に重要であり，**闘争・逃走反応** (fight-or-flight response) として知られる応答を制御する．エネルギーの必要性が増すと考えられる，恐怖または激しい運動の際に，アドレナリン (および類縁体であるノルアドレナリン) が副腎から放出される．このホルモンは，肝臓の肝細胞や，脂肪の脂肪細胞の表

面に存在するアドレナリンβ_2受容体に結合し，肝臓の細胞で急速なグリコーゲン分解からグルコースを，また脂肪細胞ではトリアシルグリセロールの分解から脂肪酸を生成する．数秒以内に，これらの代謝性燃料は血液中に供給され，筋肉や他の細胞に取込まれてATP産生に使われる．

活性化したアドレナリンβ_2受容体は，"促進性（stimulatory）" Gタンパク質（G_s）のGDP→GTP交換をひき起こす．GTPに結合したαサブユニット（$G_{s\alpha}\cdot$GTP）は，**アデニル酸シクラーゼ**（adenylyl cyclase, 図15・16, 図15・18）とよばれる膜に結合したエフェクター酵素を活性化する．ひとたび活性化されると，この酵素はATPから二次メッセンジャーであるcAMPの合成を触媒して，cAMPは細胞全体に広がる（図15・18）．cAMPは**プロテインキナーゼA**（protein kinase A: **PKA**）とよばれる特定のキナーゼを活性化して，PKAはいろいろな細胞において多様な代謝効果を制御するエフェクタータンパク質をリン酸化する．

哺乳類では，30種以上の異なったGPCRが$G_{s\alpha}$とアデニル酸シクラーゼを活性化する．たいていの細胞は一つ以上のようなGPCRを発現する．アデニル酸シクラーゼの活性化機構にかかわる初期の研究から，受容体のシグナル伝達における最初のGTP結合タンパク質の役割が発見され，その業績はノーベル賞を受賞している．

アデニル酸シクラーゼは異なる 受容体-リガンド複合体によって促進あるいは抑制される

GPCR→cAMP経路をみていくにあたり，重要な代謝経路に注目しよう．グルコースのポリマーとして貯蔵されている**グリコーゲン**（glycogen）からのグルコース1-リン酸の生成である（図15・19）．**グリコーゲン分解**（glycogenolysis）は，細胞がエネルギーを必要とする際にグルコースの利用を可能にする主要な経路である．ホルモンであるアドレナリンやポリペプチドホルモンのグルカゴンに応答して，筋肉細胞や肝細胞はグリコーゲン分解を起こす．この例では，GPCRの活性化がどのようにして複数の酵素の活性化や不活性化を制御し，全体を調和させてグリコーゲン代謝という重要な生理応答を達成するか知ることができる．

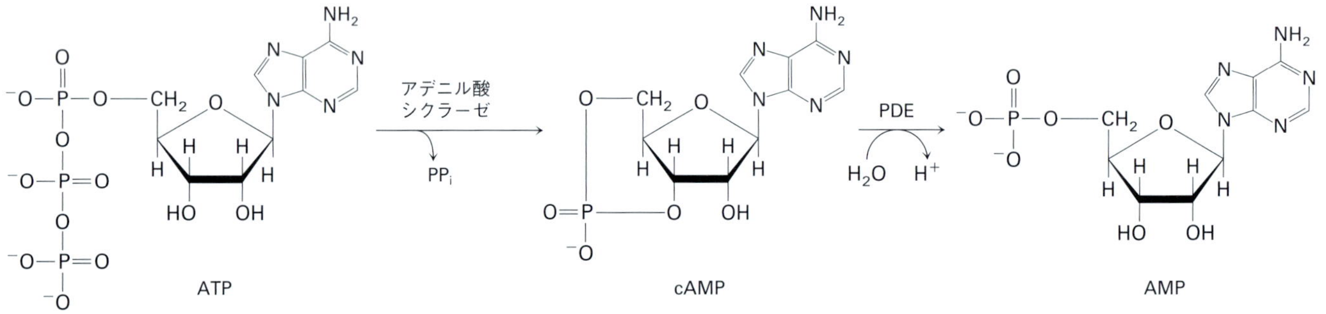

図15・18 アデニル酸シクラーゼによるcAMPの合成とcAMPホスホジエステラーゼ（PDE）によるcAMPの加水分解．類似の機構がGTPからcGMPの合成と，cGMPの加水分解で起こっている．

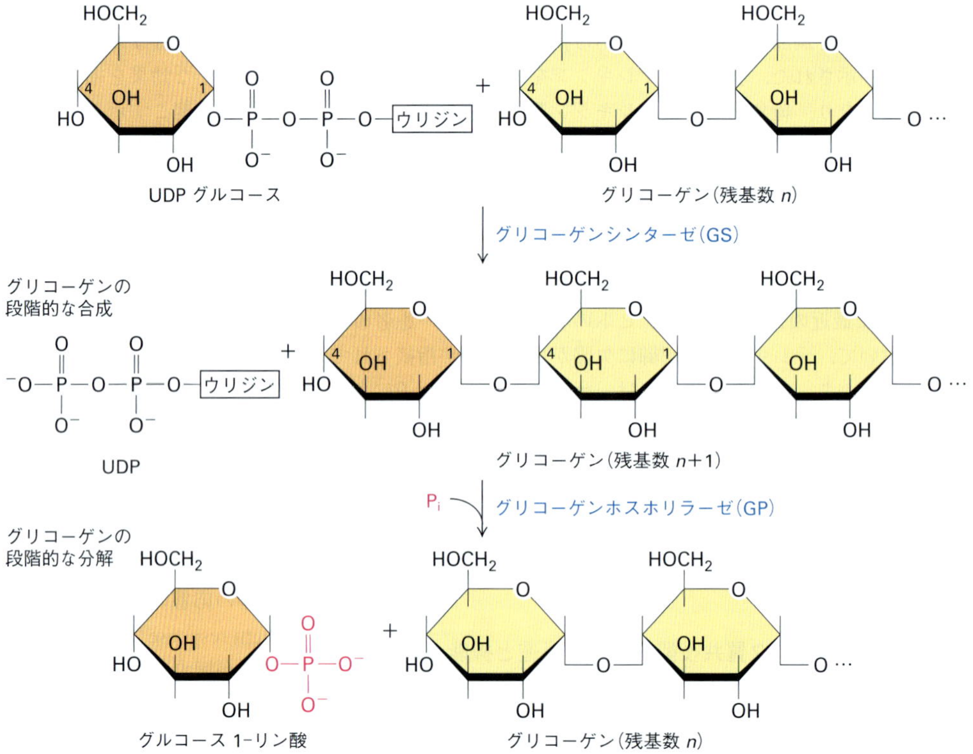

図15・19 グリコーゲンの合成と分解．グリコーゲンシンターゼによりUDPグルコースからグルコースがグリコーゲンに移される．グリコーゲンホスホリラーゼは，グリコーゲンからグルコースを1個ずつ切り離していく．グリコーゲンの合成と分解は異なる二つの酵素によって行われるので，別々に調節することが可能である．

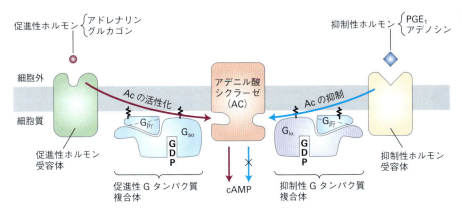

図 15・20 脂肪細胞でのホルモンによるアデニル酸シクラーゼの促進と抑制. G_s と共役している受容体にリガンドが結合すると, アデニル酸シクラーゼ(AC)は活性化される一方, G_i と共役している受容体にリガンドが結合するとアデニル酸シクラーゼは抑制される. 促進性Gタンパク質と抑制性Gタンパク質の $G_{βγ}$ サブユニットは同一である. $G_α$ サブユニットとそれに結合する受容体が異なるのである. 活性化された $G_α$・GTP 複合体が生成する機構は, $G_{sα}$ でも $G_{iα}$ タンパク質でも同じである(図15・16). しかし, $G_{sα}$・GTP と $G_{iα}$・GTP はアデニル酸シクラーゼに対する相互作用が異なるので, 一方は触媒活性を促進するが, 他方は抑制する. [A. G. Gilman, 1984, Cell **36**: 577 参照.]

突然の危機にさらされると, 副腎からアドレナリンが放出される. 血糖値が低い低血糖時や運動中など, 生体のグルコース要求が高まると, 膵島 α 細胞からグルカゴンが分泌される. アドレナリンとグルカゴンは, それぞれアドレナリン $β_2$ 受容体とグルカゴン受容体という別のGタンパク質共役受容体に結合するが, どちらの受容体も $G_{sα}$・GTP がアデニル酸シクラーゼを活性化する G_s タンパク質の活性化をひき起こす. したがって, 両方のホルモンが同じ代謝応答をひき起こす.

多くの種類の細胞で起こるアデニル酸シクラーゼ活性の制御は, cAMP量ひいてはその下流の細胞応答の精密なコントロールを可能にしている (図15・20). アドレナリンやグルカゴンがアデニル酸シクラーゼを活性化する一方で, 別のGPCRリガンドにはアデニル酸シクラーゼを阻害するものもある. たとえば, プロスタグランジン E1 (PGE_1) や, アデノシンという別の二つのホルモンは, 対応するGタンパク質共役受容体に結合すると, 抑制性 G_i タンパク質の活性化が起こり, 活性化体である $G_{iα}$・GTP がアデニル酸シクラーゼに結合して活性を阻害するので, cAMP量が低下し, 細胞応答が遮断される.

cAMPは抑制サブユニットを解離させてプロテインキナーゼAを活性化する

アデニル酸シクラーゼによって合成された二次メッセンジャーのcAMPは, さまざまな受容体-リガンド複合体によってひき起こされる広範なシグナル伝達経路の構成成分として働く. それにより, 多細胞動物のさまざまな細胞において異なる細胞応答がひき起こされる. 実質的には, cAMPによるほとんどすべての多彩な効果は, プロテインキナーゼAあるいは**cAMP依存性プロテインキナーゼ**(cAMP-dependent protein kinase)の活性化を介してもたらされる. このプロテインキナーゼは, さまざまな細胞に発現する複数の細胞内標的タンパク質をリン酸化する.

不活性なPKAは, 二つの調節 (R) サブユニットと二つの触媒 (C) サブユニットからなる四量体である (図15・21a). R_2 二量体に含まれる各Rサブユニットには, **CNB-A** と **CNB-B** とよばれる二つのcAMP結合部位とともに, 構造が判明していないリンカー部位が存在する. C末端にはあとで説明するAKAPタンパク質と結合する二量体化領域がある. Rサブユニットの CNB-A 部位の一部は, **偽基質** (pseudosubstrate) になっていて, 配列が基質ペプチドのものに類似しており, 触媒サブユニットの活性部位に結合するが, リン酸化はされない. cAMPが存在していない場合, この偽基質部位が触媒部位に結合して活性を阻害している.

不活性型のPKAはcAMP量の上昇によって活性化される. CNB-A 部位に cAMP が結合すると構造が変化し, 触媒サブユニットと結合できなくなって抑制が外れる (図15・21b). こうして, 結合していたCサブユニットが解離し, ただちにそのキナーゼ活性が発揮される. PKAのRサブユニットに対するcAMPの結合には協同性がある. すなわち, 最初のcAMPがCNB-Bに結合すると, CNB-A の K_d が低下するので, 一つ目のcAMPの結合は第二のcAMPの結合とキナーゼからRサブユニットが解離することを促進する. こうして, 細胞質cAMP濃度のわずかな変化が, 活性をもつCサブユニット解離量の比較的大きな変化をひき起こし, キナーゼ活性も大きく変化することになる. シグナルに誘導される阻害物質の解離によって酵素が迅速に活性化される現象は, 多くのシグナル経路に共通してみられる特徴である.

グリコーゲン代謝はホルモンによる PKA の活性化によって調節される

すべての生体巨大分子と同様に, グリコーゲンは別々の酵素によって合成と分解が制御される (図15・19). グリコーゲン分解は重合体の一端から一つずつのグルコースが段階的に除かれていくものであり, 逆にグリコーゲン合成は一つずつグルコースを段階的に付加していくことになる. **グリコーゲンホスホリラーゼ** (glycogen phosphorylase: **GP**) は, 加リン酸分解によってグリコーゲン分解を行い, グルコース 1-リン酸とグルコース一つ分だけ短くなったグリコーゲンをつくり出す. **グリコーゲンシンターゼ** (glycogen synthase: **GS**) は, UDP-グルコースとグリコーゲンを基質として, グルコース一つ分だけ長くなったグリコーゲン ($n+1$) を生成する.

筋細胞と肝細胞の両方において, グリコーゲン分解から生じたグルコース 1-リン酸は, **ホスホグルコムターゼ** (phosphoglucomutase) という酵素により, グルコース 6-リン酸に変換される. 筋細胞では, グルコース 6-リン酸は解糖系に入り, 筋収縮に必要なATPをつくるために代謝される (12章, 17章). 筋細胞とは異なり, 肝細胞にはグルコース 6-リン酸をグルコースに加水分解するホスファターゼが存在し, 生成したグルコースの一部は細胞膜のグルコース輸送体 (GLUT2) によって細胞外に放出される (11章). このように, 肝細胞の貯蔵グリコーゲンはおもにグルコースに分解され, 血液中にすばやく放出されて他の組織, 特に筋肉や脳に運ばれて栄養素となる. 両方の細胞でのグリコーゲン分解は,

活性化は，二つの方法，すなわち，グリコーゲン合成の阻害とグリコーゲン分解の促進（図15・22a）によって，グリコーゲンからグルコース 1-リン酸への変換を促進する．PKAはグリコーゲンシンターゼ（GS）を直接リン酸化して不活性化する．さらにPKAは，介在性キナーゼの**グリコーゲンホスホリラーゼキナーゼ**（glycogen phosphorylase kinase: **GPK**）をリン酸化して活性化することにより，間接的にグリコーゲン分解を促進する．活性化したGPKはグリコーゲンを分解するGPをリン酸化して活性化する．

骨格筋のGPKは，複数のサブユニットをもった巨大なタンパク質である．一つのサブユニットがGPを活性化するキナーゼ触媒活性をもち，残りのものは調節サブユニットである．調節サブユニットのうち一つは，四つのカルシウムイオン結合部位をもつ普遍的なタンパク質の**カルモジュリン**（calmodulin）である（図 3・34参照）．筋肉では細胞質の Ca^{2+} 濃度の上昇が筋収縮とともに，その収縮をひき起こすために必要なATPを産生するためにグリコーゲンの分解を促進する．二つの調節サブユニットがPKAによりリン酸化される部位をもつ．GPKの酵素活性は，PKAによるその二つの調節サブユニットのリン酸化またはカルモジュリンサブユニットに対する Ca^{2+} の結合のどちらかで促進され，最大の活性には両方の制御が必要である．

活性化したPKAは，さらに三つ目の方法でグリコーゲンからグルコース 1-リン酸への変換を促進する．GPKとGPの活性は，**ホスホプロテインホスファターゼ**（phosphoprotein phosphatase: **PP**）とよばれるPKAによるリン酸化を取除くホスファターゼによって阻害される．逆にGSはPPによって脱リン酸化されると活性が上昇する．cAMP濃度が高いと，これらPPによる反応が起こらないように，PKAがホスホプロテインホスファターゼの阻害タンパク質（IP）をリン酸化して，PPと結合させ，このホスファターゼを不活性状態に維持する（図15・22a）．これにより，GPK, GP, GSがリン酸化状態に保たれ，グリコーゲン分解が促進される．

アドレナリンまたはグルカゴンなど別の $G_{s\alpha}$ を活性化するホルモンが除去されてcAMP濃度が下がり，PKAが不活性化されると，この過程は逆転する．PKAが不活性化されると，ホスホプロテインホスファターゼの阻害タンパク質をリン酸化できなくなり，阻害分子が離れてPPが活性化する（図15・22b）．PPは，先にPKAによってGS, GPKに付加されたリン酸を除去するとともに，GPKにより付加されたGPのリン酸を除去する．その結果，活性化したGSによるグリコーゲン合成は促進される．逆に，GPは不活性化し，GPによるグリコーゲン分解は阻害される．その結果，グルコース 6-リン酸やグルコースの産生は低下する．

アドレナリン，グルカゴンどちらによる刺激でも，グリコーゲン分解はこのように二重に調節されている．すなわち，グリコーゲン分解を触媒する酵素の促進とグリコーゲン合成を触媒する酵素の抑制である．こうした二重の調節は，特定の細胞応答の制御のためには効率的なものであり，細胞の営みにおいてよくみられる現象である．

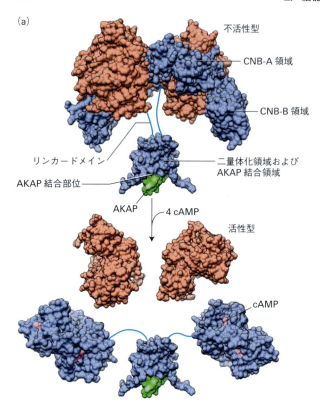

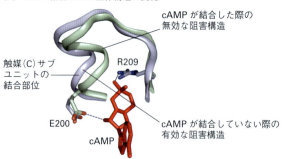

図 15・21 PKAの構造とcAMPによる活性化． (a) PKAは二つの調節（R）サブユニット（青）と二つの触媒（C）サブユニット（薄赤）からなる．二つのRサブユニットは，自由に曲がるリンカーとAキナーゼアンカータンパク質（AKAP, 図15・25）が結合できる二量体化および結合領域を介して二量体を形成する．Rサブユニットのそれぞれには，CNB-AとCNB-Bの二つのcAMP結合領域がある．cAMPがないと，RサブユニットのCNB-A領域はCサブユニットと結合し，活性を阻害する．cAMPが結合するとCNB-A領域の構造が変化し，触媒サブユニットへの結合と活性の阻害ができなくなり，ただちにキナーゼ活性が促進される．(b) cAMPがCNB-A領域に結合すると，微細な構造の変化によりCサブユニットがRサブユニットから解離してキナーゼが活性化される．cAMPが結合していないと，CNB-A領域（紫）は触媒（C）サブユニットに結合できる．グルタミン酸（E200）とアルギニン（R209）の残基がcAMP（赤）との結合に関与しており，cAMPはそのループ（緑）の構造を変え，ループがCサブユニットに結合できなくする．［C. Kim et al., 2005, *Science* **307**: 690, PDB ID 1u7e.］

闘争・逃走反応の一部として血中アドレナリンの上昇，そしてそれに対するGPCRの活性化によってひき起こされる．

ここまでの話で，グリコーゲン分解という細胞応答につながるシグナル伝達経路の最終段階を理解することができる．PKAの

cAMP/PKA/グリコーゲン分解の経路において
シグナルが増幅される

アドレナリンβ受容体のように，受容体のタンパク質含量は少なく，一般には細胞当たり数百から数千個存在するにすぎない．しかし，アドレナリンのようなホルモンによって生じる細胞応答

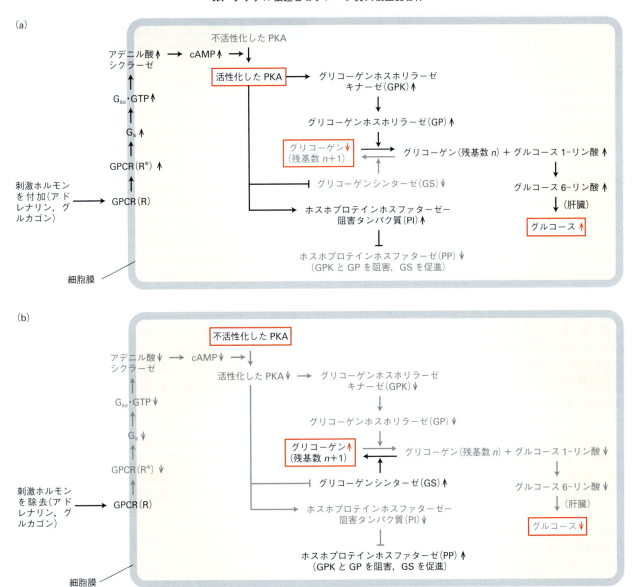

図 15・22　cAMP と PKA によるグリコーゲン代謝の調節． 活性化された酵素は黒で，不活性な酵素は灰色で示している．(a) 細胞質の cAMP 濃度が上昇すると，PKA が活性化され，グリコーゲンシンターゼ (GS) をリン酸化し，グリコーゲン合成の触媒活性を阻害する．活性化した PKA は，グリコーゲンからグルコース部分を取除く酵素であるグリコーゲンホスホリラーゼを活性化するキナーゼカスケードを介して，グリコーゲン分解を促進する (図 15・19)．cAMP 濃度が高いと，PKA はプロテインホスファターゼ (PP) の阻害タンパク質をリン酸化する．リン酸化された阻害タンパク質が PP に結合すると，PP は阻害され，グリコーゲンホスホリラーゼキナーゼカスケード中の活性化された酵素や，不活性化されたグリコーゲンシンターゼを脱リン酸化できなくなる．(b) cAMP 濃度が低下すると，PKA は不活性化され，活性をもった PP が放出される．この活性化した PP の働きでグリコーゲン合成は促進され，グリコーゲン分解は阻害される．

には，細胞当たりかなりの数の cAMP や活性化された酵素が必要となる．一例として，G_s に共役する受容体の活性化により適切な細胞応答をひき起こすためには，細胞内の cAMP 濃度は約 10^{-6} M にまで上昇する必要がある．通常の細胞は，一辺が約 15 μm の立方体と考えられ，この cAMP 濃度は 1 個の細胞内に約 200 万分子の cAMP を含む計算になる．このように，意味のある細胞応答をひき起こすためには，相当な程度（$10^2 \sim 10^3$ 倍）のシグナル増幅が必要である．

受容体と G タンパク質の両方が細胞膜の平面をすばやく拡散するので，ある程度の増幅は可能である．一つのアドレナリン-GPCR 複合体は，受容体からアドレナリンが解離するまでに，100 個もの不活性な G_s を活性型の $G_{s\alpha}\cdot$GTP に変換できる．活性化されたそれぞれの $G_{s\alpha}\cdot$GTP は一つのアデニル酸シクラーゼとしか結合しないが，そのアデニル酸シクラーゼは，$G_{s\alpha}\cdot$GTP が結合している限り多くの cAMP 分子の合成を触媒する．

こうしたシグナル伝達カスケードにおける増幅の程度は，それを構成する経路の数と種々の成分の相対的な濃度に依存する．たとえば，図 15・23 にあるアドレナリンによるカスケードでは，10^{-10} M という低濃度の血中アドレナリンが，肝細胞のグリコーゲン分解を促進して，グルコースを遊離させる．この濃度のアドレナリンは細胞内の cAMP 濃度を 10^4 倍にあたる 10^{-6} M に高める．グルコースの放出にいたる間にさらに三つの触媒段階が入る

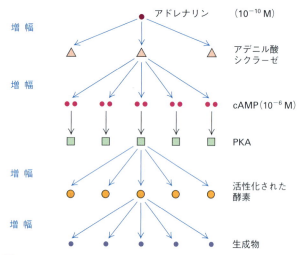

図 15・23　cAMP と PKA を含むシグナル伝達経路による細胞外シグナルの増幅．1 分子のアドレナリンが 1 分子の G タンパク質共役型受容体と結合し，cAMP 合成を触媒する酵素であるアデニル酸シクラーゼ分子を多く活性化する．そして，それぞれの酵素分子は多数の cAMP 分子を合成する．これが 1 段階目の増幅である．2 分子の cAMP が 1 分子の PKA を活性化するが，活性化された個々の PKA はリン酸化によって複数の標的タンパク質を活性化する．この 2 段階目の増幅過程には，いくつかの連鎖反応が含まれており，ある反応産物が次の反応を触媒する酵素を活性化する．こうした連鎖反応においては，段階の数が増えれば増えるほど，より大きなシグナル増幅が可能となる．

表 15・3　ホルモンによる cAMP 濃度上昇に対するさまざまな組織での細胞応答[†]

組織	cAMP 濃度上昇をもたらすホルモン	細胞応答
脂 肪	アドレナリン，ACTH，グルカゴン	トリアシルグリセロール加水分解の増加，アミノ酸の取込み減少
肝 臓	アドレナリン，ノルアドレナリン，グルカゴン	グリコーゲンからグルコースへの変換の増加，グリコーゲン合成の抑制，アミノ酸の取込み増加，糖新生の増加（アミノ酸からのグルコース合成）
卵 胞	FSH，LH	エストロゲン，プロゲステロン合成の増加
副腎皮質	ACTH	アルドステロン，コルチゾール合成の増加
心 筋	アドレナリン	収縮頻度の増加
甲状腺	TSH	チロキシン（甲状腺ホルモン）の分泌
骨	副甲状腺ホルモン	骨からカルシウムの再吸収増加
骨格筋	アドレナリン	グリコーゲンからグルコース 1-リン酸への変換
腸	アドレナリン	分泌液産生
腎 臓	バソプレッシン	水の再吸収
血小板	プロスタグランジン I	凝集と分泌の抑制

[†] cAMP のほとんどすべての効果は，cAMP との結合によって活性化される PKA を介してもたらされる．
出典: E. W. Sutherland, 1972, *Science* **177**: 401.

ので，さらに 10^4 倍の増幅を起こすことができ，結果的にはアドレナリンのシグナルが 10^8 倍に増幅される．

cAMP による PKA の活性化は異なる細胞で多様な応答をひき起こす

アドレナリンは脂肪細胞でも PKA の活性化をひき起こす．ここでは，PKA はリパーゼをリン酸化して活性化し，貯蔵されていたトリグリセリドを遊離脂肪酸とグリセロールに加水分解する．これらの脂肪酸は血液中に放出され，腎臓，心臓，筋肉などの他の組織にエネルギー源として取込まれる (12 章)．したがって，アドレナリンによる PKA の活性化は，肝臓と脂肪という二つの異なる細胞で違った効果を与える．事実，複数の組織において，cAMP と PKA はホルモンによってひき起こされる多様な細胞応答を仲介している (表 15・3)．

PKA は細胞の種類により異なる基質をリン酸化するが，リン酸化されるアミノ酸残基は常に X-Arg-(Arg/Lys)-X-(Ser/Thr)-Φ という共通配列中のセリンまたはトレオニンである．ここで X はどのアミノ酸でもよいことを，また Φ は疎水性アミノ酸を示している．側鎖がリン酸化されるセリンまたはトレオニンには下線が引いてある．したがって，多くの潜在的な PKA の標的タンパク質は，単純にそのアミノ酸配列を調べれば見つけることができる．他のセリン/トレオニンキナーゼは，他の配列モチーフの標的残基をリン酸化することから，それらの潜在的な標的も多くの場合同様に予測がつく．いくつかのキナーゼでは，標的タンパク質のリン酸化される残基の近くの配列のほかにも，構造的，配列的な他のモチーフを認識する場合がある．このようなケースでは，タンパク質の一次配列の解析だけでは，そのキナーゼの基質となりうるか予測することはできない．

CREB が cAMP と PKA を遺伝子の転写活性化に結びつける

PKA の活性化は，多くの遺伝子発現をも促進して長期の効果を細胞に与える．たとえば，肝細胞で PKA は，ピルビン酸 (図 12・3 参照) のような三炭素化合物がグルコースに変換される**糖新生** (gluconeogenesis) に関与するいくつかの酵素の発現を誘導する．これらの遺伝子の発現は，血中のグルコース濃度を上昇させ，図 15・22(a) でみた PKA 活性化による迅速な影響を促進する．

PKA によって調節されるすべての遺伝子のプロモーターやエンハンサーには，**cAMP 応答配列** (cAMP-response element: **CRE**) とよばれるシスに働く DNA 塩基配列があり，そこには 5′-TGACGTCA-3′ という高度に保存された配列が含まれる．cAMP 濃度が上昇して活性化した PKA の触媒サブユニットが解離すると，その一部は核内に移行する．そこで，**CRE 結合タンパク質** (CRE-binding protein, **CREB** タンパク質 CREB protein ともいう) とよばれる転写因子の 133 番目のセリンをリン酸化する．リン酸化された CREB タンパク質は CRE をもつ標的遺伝子に結合し，さらに **CBP/P300** とよばれる**コアクチベーター** (co-activator) と相互作用する (図 8・26 参照)．CBP/P300 は，CREB を RNA ポリメラーゼ II や他の遺伝子制御タンパク質と結びつけるので，遺伝子の転写を促進することになる (図 15・24)．

係留タンパク質は cAMP の効果を細胞内の特定の部位に発揮させる

多くの細胞において，cAMP 濃度の上昇は細胞のある一部の場所での応答に必要であっても，他の部分では必要でなく，むしろ有害なことさえある．係留タンパク質は，PKA ファミリーを細胞内の特定の部位に限局させ，cAMP による細胞応答をその場所に制限する働きをもつ．**A キナーゼアンカータンパク質** (A kinase-anchor protein: **AKAP**)とよばれるこうしたタンパク質は約50種あり，それぞれが以下の二つの領域をもっている．細胞内の特定の区画にしか存在しないタンパク質と結合して，その場所に局在化するための領域と，PKAの調節（R）サブユニットと結合するための領域である．AKAPはcAMPとPKAのシグナル伝達を空間的・時間的に制御している．心筋に存在するあるAKAPは，PKAを隔膜の外側に係留する（図15・25）．この位置から解放された触媒活性をもつCサブユニットは，ただちに核内に入り，転写因子CREBをリン酸化して活性化する（図15・24）．

cAMPをAMPに加水分解する酵素であるcAMPホスホジエステラーゼ（PDE，図15・18）も，同じAKAPによって係留される．同じAKAPによるPKAとPDEの係留は，二つのタンパク質を近接化して，PDEの活性によってPKAの活性化を短く，限られた範囲のものにしている．ホルモンの刺激によってcAMP濃度が上昇すると，PKAは活性化され，PDEを含むいくつかの標的タンパク質をリン酸化して活性化する．活性化されたPDEはcAMPを加水分解し，PKAを不活性状態に復帰させるので，PKAの活性が短く限局したものになる．このように，ネガティブフィードバックによりcAMP濃度，したがってPKA活性が局所的に厳密に調節されている．

ある心筋細胞では，別のAKAPが特定の開口性Ca^{2+}チャネルの近傍において，細胞膜の細胞質側に係留されている．アドレナリンにより闘争・逃走反応の一部として心臓でアドレナリンβ受容体が活性化すると，そのCa^{2+}チャネルが活性化する．これらのCa^{2+}チャネルはPKAによりリン酸化されると開口する．その結果，流入したCa^{2+}が心筋の収縮を速くする．PKAに対するAKAPの結合は，このキナーゼをチャネルのすぐ隣に配置するので，PKAの触媒サブユニットがもともとあった場所から拡散して基質であるCa^{2+}チャネルのところに到達するために必要な時間を減らすことに役立っている．

GPCR/cAMP/PKA経路のシグナル伝達を抑制する
いくつかのフィードバック機構

§15・1で，ホルモンや環境の変化に対して細胞が効果的に応答

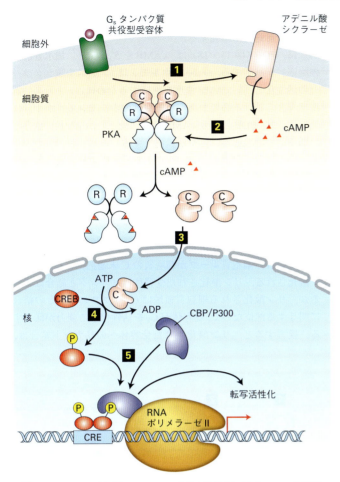

図15・24　$G_{s\alpha}$共役型GPCRへのリガンド結合に続くCREB転写因子の活性化．受容体が刺激されると（段階**1**），PKAが活性化される（段階**2**）．PKAの触媒サブユニットが核に移行し（段階**3**），転写因子CREBタンパク質をリン酸化して活性化する（段階**4**）．リン酸化されたCREBは，コアクチベーターCBP/P300や他のタンパク質と結合し（段階**5**），調節領域CREによって制御されている種々の標的遺伝子の転写を促す．[K. A. Lee and N. Masson, 1993, *Biochim. Biophys. Acta* **1174**: 221; D. Parker et al., 1996, *Mol. Cell Biol.* **16**(2): 694 参照.]

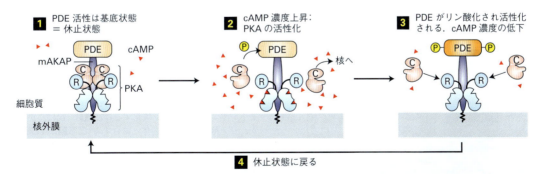

図15・25　Aキナーゼアンカータンパク質（AKAP）によって心筋細胞の核膜に係留されるPKAとcAMPホスホジエステラーゼ（PDE）．AKAPファミリーの一つであるmAKAPは，PDEとPKAの調節サブユニット（R，図15・21a）の両方を核の外膜の細胞質側に係留し，それらがこの細胞の局所部位においてcAMP濃度とPKA活性を厳密に制御するネガティブフィードバックループを維持するようにしている．段階**1**：ホルモン刺激がなくPDEの活性が基底状態（休止状態）では，cAMP濃度は低く保たれ，PKAは活性化しない．段階**2**と**3**：アドレナリンβ受容体が活性化すると，cAMPはPDEが分解できる量を超えて増加する．その結果，cAMPはPKAのRサブユニットと結合し，活性をもった触媒（C）サブユニットが細胞質に放出される．Cサブユニットのいくつかは核内に入り，転写因子CREBをリン酸化して活性化する（図15・24）．CサブユニットはPDEもリン酸化し，触媒活性を亢進させる．活性化したPDEはcAMPを加水分解し，基底濃度に戻し，不活性なPKA C-R複合体を再び形成する．段階**4**：その後，PDEが脱リン酸化され，複合体はもとの基底状態に戻る．[K. L. Dodge et al., 2001, *EMBO J.* **20**: 1921 参照.]

するためには，シグナル伝達経路を活性化するばかりでなく，それが不要になった場合には，弱めたり終結させる機構も必要であると強調した．さもなければ，シグナル伝達経路はあまりに長く，また強い強度で"オン"状態にとどまり，細胞は過度に刺激されてしまう．

多くのGタンパク質共役型受容体の活性は，G_sに共役してアデニル酸シクラーゼを活性化するアドレナリンβ受容体や他の受容体でみられるように，複数のフィードバック機構によって活性を弱めたり，完全に止められたりする．

- 第一に，$G_{s\alpha}$に内在するGTPase活性は，結合したGTPをGDPに変換して$G_{s\alpha}$が下流の標的であるアデニル酸シクラーゼを活性化する能力を停止させる．重要な点は，$G_{s\alpha}\cdot$GTPがアデニル酸シクラーゼに結合すると，$G_{s\alpha}$に結合したGTPの加水分解速度が増強されることである．つまり，下流のエフェクターであるアデニル酸シクラーゼが$G_{s\alpha}\cdot$GTPに対するGAPとして機能し，$G_{s\alpha}\cdot$GTPの不活性化速度を速め，cAMP産生期間を減らしている．より一般的には，多くのG_αサブユニットのエフェクタータンパク質がGAPであり，すべてではないが，多くの$G_\alpha\cdot$GTPの対応するエフェクタータンパク質への結合は，GTPの加水分解速度を増強する．

- 第二に，PDE（図15・18）は，cAMPを5′-AMPに加水分解し細胞応答が終結する．つまり，ホルモンは，アデニル酸シクラーゼの活性化と高いcAMP濃度を維持するためには，十分高い濃度で存在し続ける必要がある．細胞外のホルモン濃度が十分に低下すれば，PDEによりcAMP濃度は低下し，cAMPに依存した即時的な細胞応答は速やかに消失する．

- 多くのGPCRの機能は，そのシグナル経路の最終産物が前の反応段階を阻害する**フィードバック抑制**（feedback repression）によって弱められる．たとえば，G_sタンパク質と共役する受容体が短時間（受容体によって数秒から数分）でもホルモンにさらされると，活性化したPKAによって受容体の細胞質ドメインにあるいくつかのセリンとトレオニン残基（多くの場合，受容体の3番目の細胞質ループか細胞質のC末端部位に存在）がリン酸化される．リン酸化された受容体はリガンドと結合はできるが，リン酸化される細胞質領域は$G_{s\alpha}$サブユニットとの結合に関与する部位なので，受容体がG_sを活性化する能力が低下する．換言すると，リン酸化された受容体へのリガンド結合は，

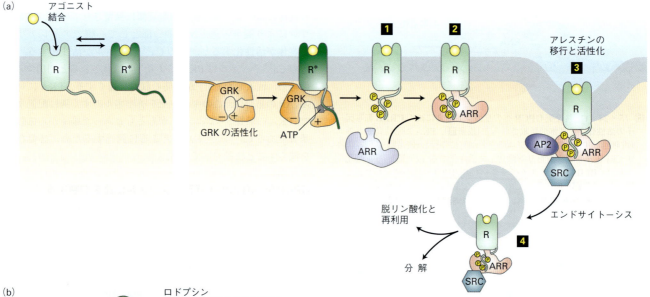

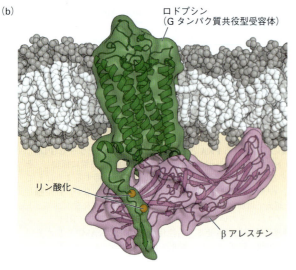

図15・26　リン酸化されたGPCRへのβアレスチンの結合が受容体の脱感作と別のシグナル伝達タンパク質の活性化をひき起こす．（a）Gタンパク質共役型受容体キナーゼ（GRK）が，アゴニストに結合して活性化したGタンパク質共役型受容体（GPCR）の細胞質領域に存在するセリンとトレオニン残基をリン酸化する（段階**1**）．次に，βアレスチン（ARR）が，リン酸化された受容体と結合する（段階**2**）．段階**3**と**4**：βアレスチンと結合する他の二つのタンパク質であるクラスリンとAP2が，受容体のエンドサイトーシスを促進する（図14・29参照）．βアレスチンは，細胞質のプロテインキナーゼと結合してそれらを活性化することにより，活性化された受容体からのシグナル伝達にも関与している．そのようなキナーゼの一例として，SrcはMAPキナーゼ経路を活性化し，重要な転写因子をリン酸化して活性化する（次の章で詳しく述べる）．（b）アレスチンが結合したロドプシンの三次元構造．アレスチンは，活性化されたロドプシンのC末端側細胞質αヘリックス領域に結合するが，その領域はリン酸化された二つのアミノ酸残基と，膜貫通ヘリックス7の一部を含んでいる．［(a)はW. Weis and B. Kobilka, 2018, *Annu. Rev. Biochem.* **87**: 897. (b)はY. Kang et al., 2015, *Nature* **523**: 561, PDB ID 4zwj, custom PDB.］

リン酸化されていない受容体への結合に比べて，アデニル酸シクラーゼを効率よく活性化できない．G_s を活性化するホルモンはすべて cAMP 濃度を上昇させて PKA を活性化するので，そのようなホルモンの一つ，たとえばアドレナリンに長くさらされると，アドレナリン β 受容体の脱感作に加えて，異なるリガンド（たとえば肝臓のグルカゴン受容体）と結合する G_s タンパク質と共役し，PKA によってリン酸化される他の受容体も脱感作される．この交差調節は**異種脱感作**（heterologous desensitization）とよばれる．

二つ目の種類のリン酸化を介するフィードバック制御は，GPCR がリガンドと結合し，活性化状態（R*）にあるときだけ起こる．R ではなく R* の構造のとき，**G タンパク質共役型受容体キナーゼ**（G-protein-coupled receptor kinase: **GRK**）という特別なグループのキナーゼが受容体の 3 番目の細胞質ループか細胞質の C 末端部位に存在するセリンとトレオニン残基をリン酸化する（図 15・26a, b）．GRK は，R と R* のわずかな構造の違いを認識して，活性型の R* だけをリン酸化する．受容体が長く活性化型にとどまるに従って，GRK によるリン酸化の程度が増す．重要なことに，GRK によるリン酸化の程度が増すと，受容体が下流の G タンパク質を活性化する能力が低下する．この過程は，リガンドが結合しているその R* 受容体だけに脱活性化のリン酸化が入れられるため，**同種脱感作**（homologous desensitization）とよばれる．異種脱感作で起こる現象とは異なり，リガンドが結合できない受容体については GRK によるリン酸化は起こらない．

GPCR を介したシグナル伝達の制御を理解するために重要なブレイクスルーが**アレスチン**（arrestin）とよばれるアダプタータンパク質の発見によってもたらされた．GPCR の細胞質に面した C 末端ドメインに存在する二つまたは三つのセリンが GRK によってリン酸化されたときだけ，アレスチンが GPCR に強固に結合する（図 15・26a, 段階 **2**）．アレスチンの結合は劇的に不活性化過程を促進する．リン酸化された受容体に結合したアレスチンは，受容体と G タンパク質の結合を完全に阻害し，活性化体の $G_α$・GTP の形成を止め，下流のシグナル伝達を妨げる．GRK に付加されたリン酸をホスファターゼが取除くことによって，受容体は本来のホルモンに応答できる状態に戻る．

アレスチンの別の機能としては，細胞表面にある GPCR の数を減らして，シグナルを終結させるというものがある．その後の研究により，β アレスチンはリン酸化された GPCR だけでなく，細胞膜からのエンドサイトーシス（段階 **3**，**4**，14 章）にかかわる被覆小胞の重要な二つの構成要素であるクラスリンと AP2 という相互作用タンパク質とも結合することがわかった．これらの相互作用は，結合した受容体のエンドサイトーシスを促進し，細胞表面に出ている受容体の数を減らす．最終的には，細胞内に移動した受容体のいくつかは分解され，またあるものはエンドソームで脱リン酸化される．β アレスチンが解離すると，脱リン酸化されて再度刺激に応答するようになった GPCR は，LDL 受容体の再利用と同じ様式で（14 章）細胞膜へ再利用される．

リン酸化された GPCR へのアレスチンの結合は，受容体活性の制御という役割に加えて，GPCR に対して別の下流シグナル伝達タンパク質を連れてくるアダプターとしての役割ももつ．結果として，GPCR は G タンパク質とは独立した二つ目のシグナル伝達経路を惹起することになる．GPCR-アレスチン複合体は，いくつかの細胞質キナーゼと結合して，それを活性化する足場タンパク質としても機能している（段階 **4**）．これについては次章で詳しく述べるが，MAP キナーゼ経路や他の経路を活性化するチロシンキナーゼタンパク質 Src も含まれており，これらの経路は細胞分裂に必要な遺伝子発現を起こす（16 章，19 章）．

したがって，GRK による GPCR のリン酸化は，アレスチンの結合により G タンパク質を介するシグナル伝達をオフにし，別のシグナル経路をオンにするスイッチのように働く．アレスチンの多彩な機能は，細胞膜受容体からのシグナル制御と伝達において，いかにアダプタータンパク質が重要であるかを示している．

15・4 細胞代謝の制御: アデニル酸シクラーゼを促進または抑制する G タンパク質共役型受容体　まとめ

- $G_{sα}$ を活性化する G タンパク質共役型受容体にリガンドが結合すると，膜結合性のアデニル酸シクラーゼが活性化され，ATP が二次メッセンジャーである cAMP に変換される．$G_{iα}$ を活性化する G タンパク質共役型受容体にリガンドが結合すると，アデニル酸シクラーゼが抑制され，cAMP が減少する．
- $G_{sα}$・GTP と $G_{iα}$・GTP は，アデニル酸シクラーゼの触媒ドメインに結合し，酵素活性をそれぞれ活性化または抑制する．
- cAMP は PKA の調節サブユニットに協同性をもって結合し，活性をもったキナーゼ触媒サブユニットを遊離させる．
- 肝臓と筋肉の細胞では，アドレナリンや他のホルモンによる PKA の活性化が，キナーゼカスケードを経由して，グリコーゲン合成の抑制とグリコーゲン分解の促進という二重の効果をもたらす．結果として，ATP 生成のためのグルコースの上昇につながる．
- 多くの細胞においてみられる cAMP の多彩な効果は，PKA によって仲介される．細胞の種類によって，PKA の基質，すなわちホルモンによる PKA の活性化がもたらす細胞応答は異なる．
- GPCR/アデニル酸シクラーゼ/cAMP/PKA シグナル経路を活性化するシグナルは，二次メッセンジャーとキナーゼカスケードによって著しく増幅される．
- PKA の活性化は，しばしば核内タンパク質 CREB をリン酸化し，コアクチベーター CBP/P300 とともに遺伝子の転写を促進する．こうして，長期的な細胞内のタンパク質構成の変化が起こる．
- 係留タンパク質によって PKA が細胞の特定部位に局在化されると，cAMP の作用は細胞内の特定の部位に限局して生じる．
- G_s に共役した受容体からのシグナル伝達は，複数の機構で弱められる．まず，$G_{sα}$ に内在し結合した GTP を GDP に変換する GTPase 活性が，$G_{sα}$ がアデニル酸シクラーゼに結合すると増強される（これは，他の多くの $G_α$・GTP 複合体がそれらのエフェクタータンパク質に結合するときにも生じる）．次に，PDE が cAMP を 5'-AMP に加水分解し，細胞応答を終結させる．
- 多くの GPCR はフィードバック抑制を受けている．GPCR

は，Gタンパク質共役型受容体キナーゼ（GRK）ファミリーにより，活性化状態のR*構造のときに細胞質側の残基にリン酸化が入り不活性化される．リガンドと結合したアドレナリンβ受容体がGRKでリン酸化されると，アレスチンとの結合も起こり，受容体はエンドサイトーシスされる．こうして細胞膜の受容体の数が減るとその後のホルモンに対する細胞の感受性が弱まる．

- GPCR-アレスチン複合体は，いくつかの細胞質キナーゼを活性化する足場タンパク質としても機能し，細胞増殖を調節する多くの遺伝子の転写を促進する．

15・5 タンパク質分泌と筋収縮の制御：複数のシグナル伝達経路で二次メッセンジャーとして働く Ca^{2+}

細胞質の Ca^{2+} のわずかな上昇は，細胞の種類に依存してさまざまな細胞応答をひき起こす．内分泌細胞からのホルモン分泌，膵臓の腺細胞からの消化酵素の分泌，神経細胞でのシナプスからの神経伝達物質の放出，そして，筋繊維の収縮である（表15・4）．たとえば，GPCRがアセチルコリンで刺激された際の応答として，膵臓や耳下腺（唾液腺）の分泌細胞は消化酵素を分泌する．この場合，細胞質の Ca^{2+} 上昇は分泌小胞と細胞膜の融合を惹起し，小胞内部のタンパク質を細胞外に放出させる．血液凝固カスケードにおけるタンパク質分解酵素であるトロンビンは血小板にあるGPCRに結合する．トロンビンが結合すると，受容体の細胞外領域が分解されてGPCRが活性化し，血小板内の Ca^{2+} が上昇して，破れた血管からの血液流出を阻止する血液凝固に重要な血小板の形態変化と凝集に必要なその他の変化が起こる．トロンビン阻害剤は血液凝固を止める薬物である．

細胞の局所に存在するカルシウムの総量とは，遊離の Ca^{2+} と結合状態の Ca^{2+} を足したものである．遊離の Ca^{2+} とは，タンパク質と強固に結合しておらず，以前述べたような蛍光検出法で定量できる Ca^{2+} である．小胞体やミトコンドリアのマトリックスには，多くの Ca^{2+} 結合タンパク質が含まれているため，それらの領域における結合型の Ca^{2+} は遊離 Ca^{2+} に比べて格段に多いと考えられている．たとえば小胞体内腔は，**カルレティキュリン**（calreticulin）や**カルネキシン**（calnexin）といったシャペロンを含む複数の Ca^{2+} 結合タンパク質（13章）を含んでおり，これらは Ca^{2+} 結合に関して低い親和性で大きな容量をもち，この細胞小器官の内腔の Ca^{2+} 量の変化を緩衝（緩和）している．遊離 Ca^{2+} 濃度を測定すると，異なる種類の静止期の細胞ではかなり幅があるが，典型的には細胞質で約 100 nM，小胞体で約 400 μM，ミトコンドリアで約 100 nM である．

細胞小器官の遊離 Ca^{2+} 濃度は，ホルモンや神経シグナルによる刺激に応じて大きく変動するが，細胞質では約 1 μM，ミトコンドリアでは約 1〜10 μM にまで上昇することが多く，小胞体では逆に約 100 μM に低下する．12章で，ミトコンドリアマトリックスにおける遊離 Ca^{2+} 濃度の増加は，ピルビン酸の酸化とATP生成を促進することを説明した．筋肉での Ca^{2+} 濃度の上昇は，筋収縮とミトコンドリアでのATP生成を促進し，筋収縮の燃料のためにエネルギーを供給している．

ホスホリパーゼCが膜脂質であるホスファチジルイノシトール4,5-ビスリン酸を加水分解した産物は，細胞質の Ca^{2+} 量を増加させる

いくつかのシグナル伝達経路では，膜脂質の**ホスファチジルイノシトール**（phosphatidylinositol: PI）から多くの重要な二次メッセンジャーが生成される（図15・27）．それらの一つである IP_3 は，細胞質とミトコンドリアマトリックスの Ca^{2+} 量を増加させる．IP_3 は，前駆物質である PI から複数の段階を経て生成される．

細胞膜において，このリン脂質は細胞質リーフレットに存在しており，頭部のイノシトール基はいつも細胞質に面している．16章で説明するように，イノシトールは，異なるキナーゼの複合的な反応により，一つまたはより多くのヒドロキシ基がリン酸化されうるし，生成したリン酸基はホスファターゼで除去される．PIの誘導体の一つ，脂質のホスファチジルイノシトール4,5-ビスリン酸 $PI(4,5)P_2$ は，イノシトール環の4位，5位の炭素原子に結合するヒドロキシ基に対して，段階的に二つのリン酸が付加されて産生される．

シグナル伝達経路により**ホスホリパーゼC**（phospholipase C: PLC）が活性化されると，細胞膜において $PI(4,5)P_2$ が切断され二つの重要な二次メッセンジャーができる．その一つは，脂溶性で細胞膜にとどまる**1,2-ジアシルグリセロール**（1,2-diacylglycerol: DAG）で，もう一つは，細胞質に自由に拡散していく**イノシトール1,4,5-トリスリン酸**（inositol 1,4,5-trisphosphate: IP_3）である（図15・27，図15・28）．この二つの二次メッセンジャーによって生じる下流のシグナル伝達経路を，まとめて **IP_3/DAG 経路**（IP_3/DAG pathway）とよぶことにする．IP_3 は，その後，細胞質とミトコンドリアマトリックスに向けた小胞体からの Ca^{2+} 放出を起こす．

ホスホリパーゼCは，GPCRが活性化したのちに遊離してきた $G_{o\alpha}$・GTP または $G_{q\alpha}$・GTP サブユニットどちらかとの結合により

表15・4 ホルモンによる細胞質の Ca^{2+} 濃度上昇に対するさまざまな組織での細胞応答[†]

組織	Ca^{2+} 濃度上昇をもたらすホルモン	細胞応答
膵臓腺房細胞	アセチルコリン	アミラーゼやトリプシノーゲンなどの消化酵素の分泌
耳下腺（唾液腺）	アセチルコリン	アミラーゼの分泌
血管または胃平滑筋	アセチルコリン	収縮
肝臓	バソプレッシン	グリコーゲンからグルコースへの変換
血小板	トロンビン	凝集，形態変化，ホルモン分泌
マスト細胞	抗原	ヒスタミン分泌
繊維芽細胞	ペプチド性増殖因子（例，ボンベシン，PDGF）	DNA合成，細胞分裂
神経細胞	さまざま	神経伝達物質の放出

[†] ホルモンによる刺激は，小胞体に貯蔵された Ca^{2+} の放出を促進する二次メッセンジャーのイノシトール1,4,5-トリスリン酸（IP_3）の生成へと導く．

出典: M. J. Berridge, 1987, *Annu. Rev. Biochem.* **56**: 159; M. J. Berridge and R. F. Irvine, 1984, *Nature* **312**: 315.

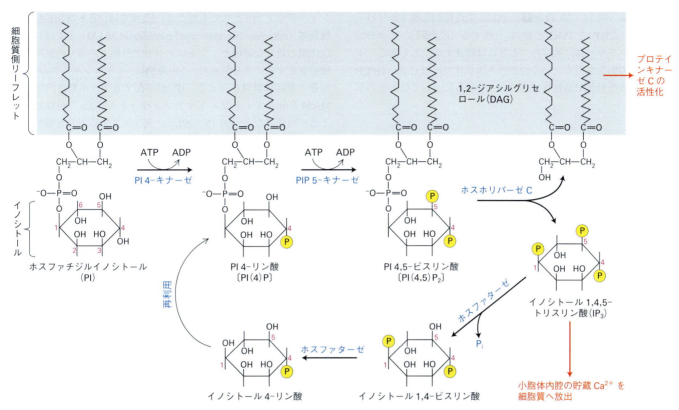

図 15・27 ホスファチジルイノシトール(PI)から合成される二次メッセンジャーの DAG と IP_3. 膜に結合したそれぞれの PI キナーゼがイノシトール環の特定のヒドロキシ基にリン酸(P)を結合させ,イノシトールリン脂質の誘導体 PI(4)P と $PI(4,5)P_2$ を生成する.ホスホリパーゼ C により $PI(4,5)P_2$ が切断されると,二つの重要な二次メッセンジャー DAG と IP_3 が生成する.ホスファターゼが IP_3 から 5 位リン酸基を除去してシグナル伝達が終結する.その後第二のホスファターゼが 1 位リン酸基を除去し,生成したイノシトール 4-リン酸は PI(4)P 合成に再利用される.〔A. Toker and L. C. Cantley, 1997, *Nature* **387**: 673; C. L. Carpenter and L.C. Cantley, 1996, *Curr. Opin. Cell Biol.* **8**: 153 参照.〕

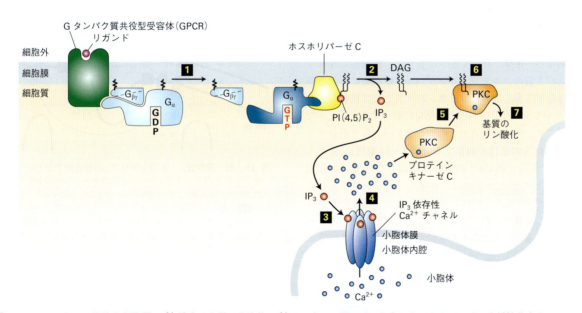

図 15・28 IP_3/DAG 経路と細胞質 Ca^{2+} 濃度の上昇.小胞体 Ca^{2+} チャネルの開口は,おもにホスホリパーゼ C を活性化する G_q ファミリー分子を活性化する GPCR へのリガンド結合が引金となってはじまる(段階 **1**).ホスホリパーゼ C による $PI(4,5)P_2$ の切断は,IP_3 と DAG を生成する(段階 **2**).IP_3 は細胞質を拡散して,小胞体膜上の IP_3 依存性 Ca^{2+} チャネル(しばしば IP_3 受容体: IP_3R とよばれる)と相互作用して開口させ(段階 **3**),小胞体内腔に貯蔵されていた Ca^{2+} を細胞質に放出させる(段階 **4**).細胞質 Ca^{2+} 濃度上昇によって起こる多くの細胞応答のうちの一つは,プロテインキナーゼ C(PKC)を細胞膜に移行させることである(段階 **5**).そこで PKC は DAG に結合して活性化される(段階 **6**).この膜結合して活性化されたキナーゼは,さまざまな細胞内酵素や受容体をリン酸化し,それらの活性を調節する(段階 **7**).〔J. W. Putney, 1999, *Proc. Natl. Acad. Sci. USA* **96**: 14669; Y. Zhou, 2010, *Proc. Natl. Acad. Sci. USA* **107**: 4896; M. Cahalan, 2010, *Science* **330**: 43; Q. C. Wang et al., 2018, *J. Cell Biol.* **217**(6): 1899 参照.〕

活性化する（図15・28,段階■）．次に，活性化したホスホリパーゼCはPI(4,5)P_2をDAGとIP_3に分解する（段階■）．二つの二次メッセンジャーは，独立の（ときには関連することもある）下流の経路の引金を引く．いくつかのホスホリパーゼCは，GPCRとは異なる受容体で活性化するので，それらについてはあとの章で扱う．

IP_3による小胞体からのCa^{2+}放出

ホスホリパーゼCを活性化するGタンパク質共役型受容体へのリガンドの結合は，細胞周囲の外液中にCa^{2+}が存在しないときでも，細胞質Ca^{2+}濃度の上昇をひき起こす．この場合には，図15・28の段階■，■にあるように，小胞体膜に存在する**IP_3依存性Ca^{2+}チャネル**（IP_3-gated Ca^{2+} channel）の制御を介して，小胞体の内腔からCa^{2+}が細胞質に放出される．前に述べたように，小胞体内腔ではCa^{2+}結合タンパク質に結合する形で濃度がミリモル濃度に達するほどCa^{2+}が蓄積している．この巨大なIP_3依存性Ca^{2+}チャネルは，4個の同じサブユニットが集まってできており，各サブユニットの細胞質側にあるN末端部分にIP_3結合部位が存在する．IP_3が結合するとチャネルが開き，小胞体内のCa^{2+}が濃度勾配に従って細胞質に流出する．このIP_3依存性Ca^{2+}チャネルタンパク質ファミリーは，**筋小胞体**（sarcoplasmic reticulum）とよばれる筋細胞の特殊な小胞体に存在する**リアノジン受容体**（ryanodine receptor）とよばれる電位感受性Ca^{2+}チャネルファミリーと構造が類似している（17章）．

細胞質Ca^{2+}量の増加は，細胞膜と小胞体膜に存在するCa^{2+}ポンプが活発に細胞質のCa^{2+}を細胞外と小胞体内腔に輸送するので一過性である．さらに，IP_3が産生されてから1秒以内に5位の炭素原子に結合するリン酸が加水分解され，イノシトール1,4-ビスリン酸（IP_2）になる（図15・27）．IP_2はIP_3依存性Ca^{2+}チャネルを開口させることはできない．

Ca^{2+}が放出されると，細胞応答につながるさらなる段階のシグナル伝達が起こる．3章で詳しく述べたように，普遍的に存在する小さなタンパク質のカルモジュリンが，Ca^{2+}が細胞に与える多くの影響を仲介する多目的スイッチタンパク質として機能している．Ca^{2+}がカルモジュリン上の四つの部位に結合すると，大きな構造変化が起こり，多くの酵素やその他のタンパク質と結合するようになり，それらの活性を調節する（図3・34参照）．カルモジュリンに対する四つのCa^{2+}の結合は協調的なので，細胞質Ca^{2+}濃度のわずかな変化が活性型のカルモジュリン量を大きく変化させる．Ca^{2+}-カルモジュリン複合体によって活性化される酵素のなかで詳しく調べられているものに，ミオシン軽鎖キナーゼがある．この酵素は，ミオシンの活性を調節し，平滑筋細胞の収縮を制御する（17章）．もう一つはcAMPを5′-AMPに分解してcAMPの効果を消失させる酵素である**cAMPホスホジエステラーゼ**（PDE）である（図15・18）．この反応はCa^{2+}とcAMPとを結びつけるもので，細胞応答を微調整するために2種類の二次メッセンジャーの介在する経路が相互作用している多くの例の一つである．

小胞体からミトコンドリアマトリックスへのCa^{2+}輸送は，IP_3によってひき起こされる

いくつかの細胞では，IP_3に対する応答は細胞質に加えてミトコンドリアマトリックスでも起こる．12章では，**ミトコンドリア接触領域**（mitochondria-associated membrane: MAM）とよばれる小胞体膜の特殊な領域と，ミトコンドリア外膜との間での直接の接触が存在することを学んだ．この接触は，ミトコンドリアの構造，動態と機能に影響を与える．IP_3が増加すると，小胞体内腔からMAMを介してミトコンドリアマトリックスへCa^{2+}が移動することが可能になる（図15・29）．マトリックスに入ると増加したCa^{2+}はATP合成を活性化したり，別の経路によりミトコンドリア活性を促進したりする．

Ca^{2+}がミトコンドリアマトリックスに到達するためには，三つの個別の膜を通過する必要がある．上で述べたように，小胞体膜（図15・29,段階■a）やMAM（段階■b）に存在するIP_3依存性Ca^{2+}チャネルが細胞質のIP_3上昇に応答して開口する．MAMに隣接するミトコンドリア外膜上には，GRP75タンパク質によって物理的にIP_3依存性Ca^{2+}チャネルと結合している**電位依存性陰イオンチャネル**（voltage-dependent anion channel: VDAC）があり，小胞体内腔から放出されたCa^{2+}を効率的にミトコンドリア膜間腔へと通過させる（段階■）．そして，ミトコンドリア内膜にあるミトコンドリアカルシウム単一輸送体（mitochondrial calcium uniporter: MCU）が，Ca^{2+}を膜間腔からミトコンドリアマトリックス内へ輸送する（段階■）．

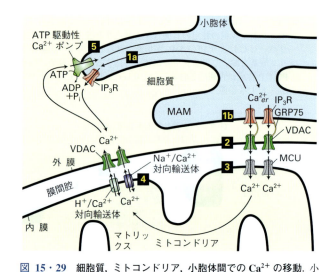

図15・29 細胞質，ミトコンドリア，小胞体間でのCa^{2+}の移動．小胞体は細胞内の主要なCa^{2+}貯蔵部位である．小胞体膜上のIP_3依存性Ca^{2+}チャネルにIP_3が結合すると，細胞質にCa^{2+}が放出され(段階■a)，さらに小胞体上のミトコンドリア接触領域(MAM)のIP_3依存性Ca^{2+}チャネルもIP_3の結合で開口する(段階■b)．段階■: MAMに隣接するミトコンドリア外膜のVDACチャネルは，GRP75タンパク質を介して物理的にIP_3受容体に結合しており，それらは直接かつ効率的にMAMから放出されたCa^{2+}をミトコンドリア膜間腔へと輸送する．段階■: 膜間腔で高濃度となったCa^{2+}は，ミトコンドリア内膜のMCUあるいは他のCa^{2+}チャネルを開口し，Ca^{2+}をミトコンドリアのマトリックス内に流入させる．段階■: 時間とともに，Ca^{2+}が内膜のNa^+/Ca^{2+}およびH^+/Ca^{2+}対向輸送体によってミトコンドリアマトリックスから膜間腔へ放出され，さらに外膜のVDACまたは他のCa^{2+}チャネルを通じて細胞質に輸送される．最終的に，小胞体膜(段階■)または細胞膜のATP駆動性Ca^{2+}ポンプによって細胞質からCa^{2+}が汲み出されて，小胞体でCa^{2+}は高く，細胞質で低い濃度に復帰する．[M. Schäfer et al., 2014, Cell Tissue Res. 357: 395; K. Kamer and V. Mootha, 2015, Nat. Rev. Mol. Cell Biol. 16: 545 参照.]

MCUは，膜間腔に高濃度のCa^{2+}が存在するときだけ開口する．膜間腔に面しているMCUの調節サブユニットには，Ca^{2+}に対して比較的低い親和性をもつCa^{2+}結合部位であるEFハンド（3章）があり，MCUが開口するためには，これらのサブユニットにカルシウムが結合することが必要である．これらのサブユニットの一つをコードする遺伝子に突然変異をもつ個体は，骨格筋異常と学習障害，他のミトコンドリア障害に伴う症候がみられる．これらの変異による影響は，ミトコンドリアの代謝におけるこれら単一輸送体の重要性を証明している．

ミトコンドリアマトリックスにおける多すぎるCa^{2+}は，有害になりうる．カルシウムの過剰蓄積を回避するために，ミトコンドリアマトリックスは徐々にCa^{2+}を細胞質へと放出する．カルシウムは，まずNa^+/Ca^{2+}対向輸送体とH^+/Ca^{2+}対向輸送体を介して，ミトコンドリア内膜を通過し，膜間腔に運ばれ，次におそらくはVDACを介してミトコンドリア外膜を通過する（段階**4**）．細胞質のCa^{2+}がATP駆動性Ca^{2+}ポンプで小胞体に運ばれたり（段階**5**，図11・10参照），細胞膜のATP駆動性Ca^{2+}ポンプで細胞外にくみ出されたりして，カルシウム輸送サイクルは完了する．

細胞膜に存在する貯蔵作動性Ca^{2+}チャネル

仮に，小胞体膜のIP_3依存性Ca^{2+}チャネルが開口し続けると，細胞膜のCa^{2+}排出ポンプの作動とあいまって，Ca^{2+}の流出は最終的に小胞体やミトコンドリアマトリックスのCa^{2+}を枯渇させてしまい，すぐに細胞はホルモンによるIP_3生成を介した細胞質Ca^{2+}の上昇を起こせなくなるだろう．パッチクランプ法（図11・22参照）を用いた研究から，小胞体のCa^{2+}貯蔵量が枯渇した際に，細胞外Ca^{2+}を細胞質に取込む細胞膜上のCa^{2+}チャネル（**貯蔵作動性チャネル** store-operated channel: **SOC**）が存在することが示された．つまり，SOCは小胞体とミトコンドリアに貯蔵されるCa^{2+}を補充する働きをもつものということになる．SOCが機能するためには，小胞体のCa^{2+}枯渇を感知してSOCを開口させるシグナルを出せるような，小胞体に結合している付加的なタンパク質が必要と考えらえる．

SOCを同定しようとする初期の試みはうまくいかなかった．なぜなら研究者は典型的なチャネルのアミノ酸配列と構造をもつようなCa^{2+}チャネルタンパク質を標的として探していたからである．最終的には**Orai1**としてこのチャネルタンパク質は見つかったが，Orai1のアミノ酸配列や三次元構造は，既知のいずれのイオンチャネルタンパク質とも異なっていた．

小胞体のCa^{2+}枯渇を感知するタンパク質は，**STIM1**とよばれている．これは，小胞体膜を貫通するタンパク質であり（図15・30a），小胞体内腔のCa^{2+}濃度が高いときにはCa^{2+}と結合している．STIM1は小胞体膜の内腔側に存在するCa^{2+}結合部位として，カルモジュリン（図3・34参照）と同じようにEFハンドモチーフを利用している．STIM1はいくつかの細胞質タンパク質とも結合しており，細胞質の微小管ともEB1タンパク質を介して結合している．これらのすべてがSTIM1を細胞膜から遠ざけている．小胞体に貯蔵されたCa^{2+}が枯渇すると，STIMタンパク質からCa^{2+}が遊離して多量体化し，EB1や他の細胞質タンパク質から解離する．これらのタンパク質による係留から外れて，STIM1タンパク質は小胞体膜の中を拡散し，細胞膜に近接して並置されてい

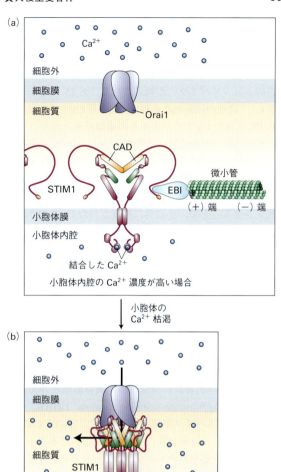

図15・30 **細胞膜における貯蔵作動性Ca^{2+}チャネルの開口**．（a）静止状態の細胞では，小胞体内腔のCa^{2+}濃度は高い．Ca^{2+}（青丸）は，小胞体全体に分布する膜貫通タンパク質のSTIM1の内腔側のEFハンド部位と結合する．STIM1は，細胞質の微小管の（+）端と結合するEB1というタンパク質と結合する．EB1との結合により，STIM1分子は小胞体と細胞膜が近接している場所に移行しないように保持されている．（b）小胞体のCa^{2+}貯蔵が枯渇すると，Ca^{2+}はEFハンドから解離する．STIM1は多量体化してEB1との結合を弱め，小胞体膜と細胞膜が近接した領域に配置される．そこで，STIM1のCADドメイン（橙）が細胞膜にある貯蔵作動性Ca^{2+}チャネル（Orai1）に結合して開口させ，細胞外のCa^{2+}が細胞内に入ってくる（黒矢印）．

る領域に到達する（図15・30b）．そこで，STIMタンパク質の一部である**CADドメイン**（CAD domain）がOrai1に結合してそれを開口し，細胞外からCa^{2+}が流入する．これら二つのタンパク質が貯蔵作動性Ca^{2+}経路の鍵となる構成成分である．細胞質のCa^{2+}濃度が通常状態まで上がると，Ca^{2+}とカルモジュリンタンパク質（3章）が結合した複合体がOrai1と結合し，STIM1がそのイオンチャネルに結合することを阻害してCa^{2+}流入が停止する．

小胞体と細胞質の Ca^{2+} サイクルのフィードバックループが細胞質 Ca^{2+} 濃度の周期的振動をひき起こす

あるGタンパク質共役型受容体を絶え間なく活性化すると、細胞質 Ca^{2+} 濃度は持続的に上昇したままになるのではなく、急激で一過的上昇（スパイク）が繰返される（図15・31）。こうした細胞質 Ca^{2+} 濃度の周期的な振動は、細胞質 Ca^{2+} 濃度と小胞体膜にある IP_3 依存性 Ca^{2+} チャネルとの複雑な相互作用によって生じる。刺激のない静止状態にある細胞では、GPCRの活性化により IP_3 量が上昇し、続いて細胞質 Ca^{2+} 濃度の急激な上昇が起こる。しかし、スパイクのピークに達した高い濃度の細胞質 Ca^{2+} は、IP_3 依存性 Ca^{2+} チャネルに結合して、その IP_3 に対する親和性を低下させることで、小胞体に貯蔵された Ca^{2+} のさらなる放出を抑制する。その結果、IP_3 依存性チャネルが閉じて、Ca^{2+} が小胞体内腔または細胞外にポンプで輸送され、細胞質 Ca^{2+} 濃度は急激に低下する。こうして細胞質の Ca^{2+} は、開口すると細胞質 Ca^{2+} 濃度上昇させる IP_3 依存性 Ca^{2+} チャネルのフィードバック阻害因子となっている。

一例として、この機構は黄体形成ホルモン（luteinizing hormone: **LH**）を分泌する脳下垂体の細胞で起こる Ca^{2+} の周期的振動のもとになっており、排卵そして女性の妊孕性の制御に重要な役割を果たしている。黄体形成ホルモンの分泌は、脳下垂体細胞表面に存在するGタンパク質共役型受容体に**黄体形成ホルモン放出ホルモン**（luteinizing hormone-releasing hormone: **LHRH**）が結合して、繰返す Ca^{2+} スパイクが発生して起こる。それぞれの Ca^{2+} スパイクが、おそらくは細胞膜に近接している黄体形成ホルモンを含んだわずかな分泌小胞のエキソサイトーシスをひき起こし、循環血中の黄体形成ホルモンの濃度を上昇させる。

DAGによるプロテインキナーゼCの活性化

ホスホリパーゼCによる $PI(4,5)P_2$ の加水分解が IP_3 とDAGという二つの産物を生成することを思い出してほしい。DAGもまた二次メッセンジャーであり、主要な機能は**プロテインキナーゼC**（protein kinase C: **PKC**）と総称されるプロテインキナーゼファミリーを活性化することである。

合成されたあとも疎水性のDAG（図15・28）は細胞膜の内側リーフレットにとどまる。ホルモンによる刺激がないときは、PKCは細胞質に遊離していて触媒活性をもたない。細胞質 Ca^{2+} 濃度が上昇すると、PKCは細胞膜の細胞質側に結合し、そこでホスファチジルセリンとDAGに結合して活性化される（図15・28, 段階 **5**, **6**）。このように、PKCの活性化には Ca^{2+} とDAG両方の濃度上昇が必要で、二つに分かれた IP_3/DAG 経路がここで相互作用する。

異なる細胞において、PKCの活性化はさまざまな細胞応答をひき起こすことから、このキナーゼが細胞の増殖や代謝のさまざまな局面において重要な役割を果たしていることがわかる。多くの細胞において、PKCは細胞質に局在する転写因子をリン酸化して核への移行をひき起こし、細胞分裂に必要な遺伝子を活性化する。肝細胞では、PKCがグリコーゲンシンターゼをリン酸化して阻害し、グリコーゲン代謝の調節に関与している。

二次メッセンジャーとしての Ca^{2+} と cAMP のシグナル統合がグリコーゲン分解を調節する

すべての細胞は、ホルモンや代謝産物の濃度変化など、周囲の環境から多様なシグナルを絶え間なく受容しており、これらすべてのシグナルは統合される必要がある。グリコーゲンからグルコースへの分解（グリコーゲン分解）は、1種類より多いシグナルに対して細胞がそれらをどうやって統合して応答するかを知るよい例である。§15・4で述べたように、筋細胞や肝細胞をアドレナリンで刺激すると、二次メッセンジャーのcAMPが上昇してグリコーゲン分解を促進する（図15・22a）。筋肉と肝臓の細胞では、さらに別のシグナル経路が同じ細胞応答をひき起こしてグリコーゲン分解を促進する。

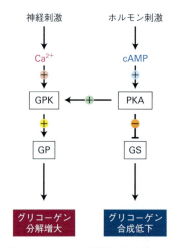

図 15・32 Ca^{2+} と cAMP/PKA 経路によるグリコーゲン分解の統合された制御機構. （a）横紋筋細胞の神経刺激や, その細胞表面のアドレナリンβ受容体へのアドレナリンの結合は, それぞれ二次メッセンジャーである Ca^{2+} と cAMP の細胞内濃度を上昇させる. 重要な調節酵素であるグリコーゲンホスホリラーゼキナーゼ（GPK）は, Ca^{2+} によって, また cAMP 依存性の PKA によるリン酸化によって活性化される. 酵素は白い四角で囲ってある. PKA: プロテインキナーゼA, GPK: グリコーゲンホスホリラーゼキナーゼ, GP: グリコーゲンホスホリラーゼ, GS: グリコーゲンシンターゼ. （＋）は酵素活性の促進, （－）は抑制.

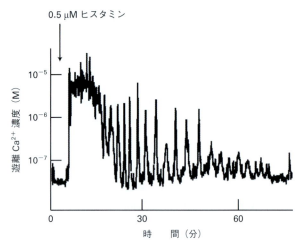

図 15・31 ヒスタミン刺激によるヒト HeLa 細胞の細胞質 Ca^{2+} 濃度の振動. 本文で説明した LH 受容体のように, ヒスタミンの GPCR は IP_3/DAG シグナル伝達経路を作動させる. 細胞質 Ca^{2+} 濃度の一過的な急上昇を発生させるフィードバックループの詳細は, 本文で述べている. [A. Miyawaki et al., 1997, *Nature* **388**: 882 による.]

横紋筋細胞（図 17・29 参照）では，神経インパルスによる刺激が，筋小胞体から Ca^{2+} 放出を起こして細胞質 Ca^{2+} 濃度を上昇させ，筋収縮をひき起こす．細胞質で上昇した Ca^{2+} はまた，グリコーゲンホスホリラーゼキナーゼ（GPK）のカルモジュリンサブユニットに結合して，キナーゼ触媒活性を部分的に活性化する．そして，GPK は標的であるグリコーゲンホスホリラーゼをリン酸化して活性化する．この酵素がグリコーゲンをグルコース 1-リン酸に分解し，長時間の筋収縮の燃料を与える．

血中アドレナリン濃度の上昇に伴い，アデニル酸シクラーゼが活性化して cAMP 濃度が増加し，PKA が活性化する．PKA によるリン酸化が同じく GPK を活性化することを思い出してほしい（図 15・22）．GPK とそれに続くグリコーゲン分解の最大活性化には，リン酸化反応と Ca^{2+} の両方を必要とすることがわかる．このように，筋細胞におけるグリコーゲン分解の制御で鍵となる GPK は，神経シグナルとホルモンの両方で制御され，両方のシグナル伝達経路を統合している（図 15・32）．

15・5 タンパク質分泌と筋収縮の制御: 複数のシグナル伝達経路で二次メッセンジャーとして働く Ca^{2+} まとめ

- 細胞質 Ca^{2+} 濃度のわずかな上昇は，さまざまな細胞においてホルモン分泌，筋収縮や血小板凝集を含む変化に富んだ細胞応答をひき起こす．
- 多くのホルモンは $G_{q\alpha}$ サブユニットを含んだ G タンパク質と共役する GPCR に結合する．GTP と結合した $G_{q\alpha}$ によって活性化されるエフェクタータンパク質は，酵素のホスホリパーゼ C である．
- ホスホリパーゼ C は，細胞膜の内側リーフレットにおいて $PI(4,5)P_2$ として知られるリン脂質を分解し，水溶性の IP_3 と膜に結合したままの DAG という 2 種類の二次メッセンジャーを生成する．
- IP_3 は小胞体の IP_3 依存性 Ca^{2+} チャネルを開口し，細胞質の遊離 Ca^{2+} 濃度を上昇させる．
- 小胞体における IP_3 依存性 Ca^{2+} チャネルの開口は，ミトコンドリアマトリックスでの Ca^{2+} 濃度の上昇をもたらし，ATP 合成を増大させる．
- 小胞体の貯蔵 Ca^{2+} の欠乏は，細胞膜上の貯蔵作動性 Ca^{2+} チャネルを開口し，細胞外から Ca^{2+} を流入させる．
- 細胞質 Ca^{2+} 濃度が上昇すると，プロテインキナーゼ C が細胞膜に近づき，DAG によって活性化される．
- 筋肉でのグリコーゲンの分解と合成は，神経とホルモン刺激によって量が制御される二次メッセンジャーである Ca^{2+} と cAMP によって協調的に調節されている．

15・6 視覚: 眼が光を感じるしくみ

動物は物理的な刺激を感知して応答する機能のおかげで，外界を認知する優れた能力をもっている．それらの刺激のうち最も重要なものの一つが光である．光によって誘導されるシグナル伝達を理解するために，ここから，ヒトの網膜に存在する 2 種類の光受容器のうちの一つ，**桿体** (rod) について学んでいこう（図 15・

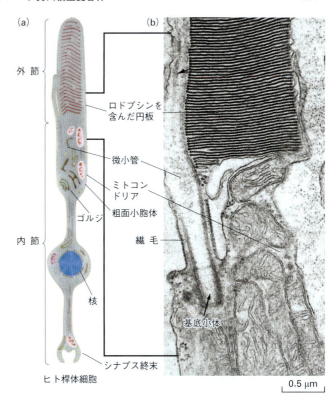

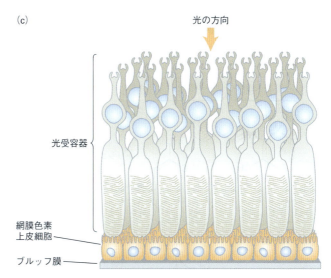

図 15・33 ヒト桿体細胞．(a) 桿体細胞全体の模式図．桿体細胞はシナプス終末（小球 spherule ともよぶ）において一つまたは複数の介在神経とシナプスを形成している．ロドプシンは光感受性 G タンパク質共役型受容体で，細胞の外節の円板膜に存在している．(b) (a) の桿体細胞の黒線で囲まれた部分の電子顕微鏡写真．この部分は内節と外節の接合部である．(c) ヒトの網膜の構造．桿体細胞と錐体細胞の下に色素上皮細胞の層がある．色素上皮細胞では，全 *trans*-レチノールが 11-*cis*-レチナールに変換され，桿体細胞，錐体細胞へ戻される．[(b) は D. W. Fawcett/Science Source．(c) は Alapakkam P. Sampath による．]

33).

眼の桿体細胞では光がロドプシンを活性化する

桿体細胞は，月明かりのような弱い光も感知でき，夜間視力におけるほとんどすべてを担っている．一方で，色覚についてはほ

とんど機能しない．ヒトのもう一つの光受容器細胞である**錐体**（cone）は，色覚で働いており，桿体と類似したシグナル伝達経路を利用している．光受容細胞は眼の背面にある層状に重なり合った介在ニューロンとシナプスを形成しシグナルを伝えるが，その介在ニューロンはさまざまな組合わせの光受容体細胞からシグナルを受取る．これらのすべてのシグナルは脳の視覚視床を経由して処理され，視覚野（**視皮質** visual cortex）という脳の一部に送られ解釈される．

桿体細胞は，**ロドプシン**（rhodopsin）とよばれる光感受性の GPCR を利用して光を感知している．ロドプシンは，7回膜貫通αヘリックスをもつ典型的な GPCR ファミリー A に属するタンパク質である**オプシン**（opsin）に対して，光を吸収する色素の 11-cis-レチナール（シス形レチナール）が共有結合したものである（図 15・34a）．11-cis-レチナールの結合はロドプシンを不活性型構造（R）に固定し，光のないときにシグナルが出ないようにしている．ロドプシンは桿体細胞にのみ存在しており（錐体細胞は類似の光受容体分子をもっている），その棒状のそれぞれの細胞の外節部分を形成する 1000 枚にも及ぶ平たい円盤状の膜に局在している（図 15・33）．ヒトの網膜には，約 9000 万個の桿体細胞があり，それぞれがおおよそ 4×10^7 分子のロドプシンを円板膜に非常に高密度に集積させている．ロドプシンと共役するヘテロ三量体 G タンパク質は**トランスデューシン**（transducin: G_t）とよばれ，α サブユニットとして $G_{t\alpha}$ を含む．$G_{t\alpha}$ はロドプシンと同様に桿体細胞にだけ存在する．

ロドプシンはリガンドの結合で活性化するわけではないという点で，他の GPCR とは異なる．活性化のシグナルはリガンドではなく，ロドプシンに結合したレチナールによる光子（フォトン）の吸収である（図 15・34b）．光子を吸収すると，ロドプシンのレチナール部分がただちにシス形（11-cis-レチナール）から全トランス形に異性化する．このレチナールの形の変化は，ロドプシンの構造を不活性型（R）から活性型（R*）に変化させる．この変化は，リガンド結合によって生じる他の G タンパク質共役型受容体での構造変化の活性化に相当する．結果として，R* となったロドプシンはトランスデューシンと結合し，$G_{t\alpha}$ サブユニットで起こる GDP から GTP への交換をひき起こす．同時に，トランスデューシンも $G_{t\alpha}$・GTP と $G_{\beta\gamma}$ サブユニットに解離する．活性化された一つのロドプシンは，全 $trans$-レチナールとオプシンタンパク質の共有結合が自発的に切断される前に，数秒以内に 13 個程度のトランスデューシン分子を活性化する．全 $trans$-レチナールがオプシンから解離すると，トランスデューシンを活性化することはできない．

遊離の全 $trans$-レチナールは複数の段階で 11-cis-レチナールに変換される．まず，全 $trans$-レチナールは，桿体の外節に存在する酵素により，中間体である全 $trans$-レチノールに交換される．この中間体は，一連の輸送タンパク質により運ばれて網膜において隣接する**色素上皮細胞**（pigment epithelial cell）に到達し，そこで 11-cis-レチナールに変換される（図 15・33c）．11-cis-レチナールは桿体細胞に戻され，オプシンと結合してロドプシンが形成されることで，ロドプシン視覚サイクルが完了する．

RPE65 は網膜の色素上皮細胞がもつ酵素であり，中間体のエステル化された全 $trans$-レチノールを 11-cis-レチナールに異性化する反応を触媒する．RPE65 遺伝子の常染色体潜性変異は，小児の盲目の原因として高い頻度でみられる．2017 年に米国食品医薬品局がはじめて米国において個体に対する遺伝子治療を承認したが，それが RPE65 酵素の欠陥に起因する盲目の治療である．この治療では，色素上皮細胞に完全型の RPE65 遺伝子を導入するために，アデノ随伴ウイルスベクターを直接網膜に注入する方法がとられた．治療を受けたすべての幼い患者に視力の改善がみられ，迷路をより上手に解けるようになった．

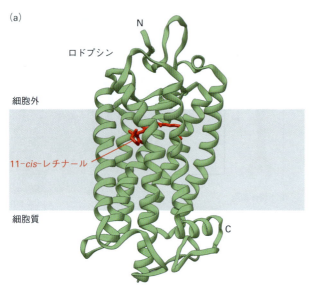

図 15・34 視覚は光で誘起されるロドプシンのレチナール部分の異性化によって生じる．（a）ロドプシンは，光吸収する色素 11-cis-レチナールが，オプシンタンパク質のリシン 296 残基のアミノ基と共有結合した構造からなる．（b）光を吸収すると，11-cis-レチナールの結合が，速い光異性化反応により全 $trans$-レチナールになり，オプシンの構造変化を誘導して G タンパク質であるトランスデューシンの活性化を可能にする．

光によるロドプシンの活性化が cGMP 依存性陽イオンチャネルを閉鎖する

暗い状態では，桿体細胞の膜電位は約 $-30\,\text{mV}$ である．これは，典型的な神経細胞や他の活動電位を発生する細胞の膜電位（$-60 \sim -90\,\text{mV}$, 11 章）と比べてかなり正の方向に寄っている（より分極の度合いが小さい）．膜のこうした状態は**脱分極**（depolarization）とよばれ，暗い場合には桿体細胞から常に神経伝達物質が放出されている．したがって，桿体細胞とシナプスを形成している神経は刺激され続けているので，それらの神経が一連の神経を介して脳に伝えている情報は，"暗さ"として認識されるシグナルである．静止状態の桿体細胞の膜が脱分極したままになっているのは，Na^+ や Ca^{2+} を細胞内に通す**非選択性イオンチャネル**（nonselective ion channel）が多数開いているからである．Na^+ や Ca^{2+} のような正に荷電したイオンが細胞の外側から内側に移動すると，内側の負の膜電位が減少する（または脱分極する）ことを 11 章で説明した．

これらの非選択性陽イオンチャネルは，二次メッセンジャーである**サイクリック GMP**（cyclic GMP: **cGMP**, 図 15・5）の結合に応答して cGMP 依存的に開口する．静止状態の桿体細胞の外節は異常に高い濃度（約 $0.07\,\text{mM}$）の cGMP を含んでいるが，これは GTP からグアニル酸シクラーゼによって触媒される反応で生成されている．つまり，暗い所にいるときは，この高い cGMP 濃度が多くの cGMP 依存性チャネルを開口した状態に固定しており，細胞膜を脱分極させている．

光は cGMP の濃度を低下させ，これらの非選択性陽イオンチャネルを閉じる働きをする（図 15・35）．ロドプシンによって光が吸収されると，受容体と G_t の活性化が起こる．ほぼ同時に，$G_{t\alpha} \cdot$GTP が cGMP を 5'-GMP に加水分解する **cGMP ホスホジエステラーゼ**（cGMP phosphodiesterase: **PDE**）を活性化する．cGMP 濃度が低下して，非選択性陽イオンチャネルは閉鎖し，膜電位は内側でより負になる（図 15・35, 段階 6）．この細胞膜の過分極は，神経伝達物質の放出を減少させる．ロドプシンによってより多くの光子が吸収されると，より多くの cGMP が加水分解されて，より多くのチャネルが閉鎖する．外側から膜を透過して流入する Na^+ と Ca^{2+} の量が減れば，内側の膜電位はより負になって放出される神経伝達物質の量が減少する．神経伝達物質の放出量の減

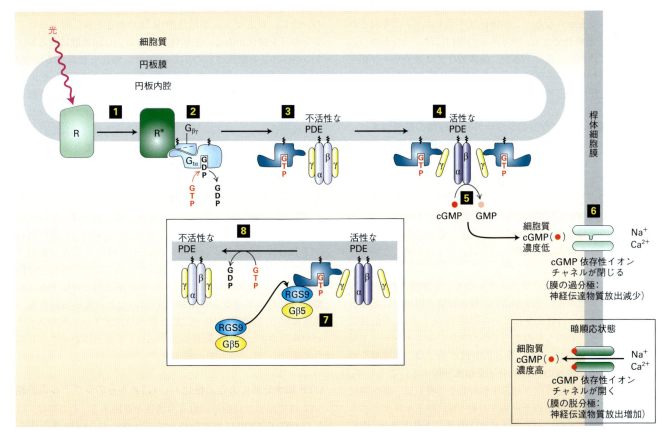

図 15・35 桿体細胞において光で活性化されるロドプシン経路と陽イオンチャネルの閉鎖．暗順応した桿体細胞では，cGMP 濃度が高いので細胞膜の cGMP 依存性非選択的陽イオンチャネルが開いており，Na^+ と Ca^{2+} が流入することで，細胞膜を脱分極に導いて神経伝達物質を放出している．光を吸収してロドプシンが活性化されると（R*，段階 1），それは GDP が結合して不活性状態になっている $G_{t\alpha}$ タンパク質と結合して，GDP から GTP への置換を促進する（段階 2）．生じた遊離 $G_{t\alpha} \cdot$GTP は，cGMP PDE の抑制性 γ サブユニットと結合し（段階 3），触媒活性のある α と β サブユニットからひき離す（段階 4）．抑制から解放された cGMP PDE の α と β サブユニットは，cGMP を GMP に加水分解する（段階 5）．その結果，細胞質の cGMP 濃度が低下すると，細胞膜の陽イオンチャネルから cGMP が解離し，チャネルは閉じる（段階 6）．そのため膜は一時的に過分極して，神経伝達物質の放出を減少させる．$G_{t\alpha} \cdot$GTP と PDEγ の複合体は，RGS9 と Gβ5 を構成要素とする GTPase 活性化複合体と結合する（段階 7）．$G_{t\alpha}$ に結合した GTP を加水分解することで，この GTPase 活性化複合体は，生理的に重要な cGMP PDE の急激な不活性化をひき起こす（段階 8）．［V. Arshavsky and E. Pugh, 1998, *Neuron* 20: 11; V. Arshavsky, 2002, *Trends Neurosci.* 25: 124 参照．］

少は，一連の神経細胞を介して脳に伝達されて，光を受容したと感じる．

図15・35に示すように，$G_{t\alpha}$・GTPとそのエフェクタータンパク質であるcGMP PDEは，ともに脂質アンカーを介して桿体の円板膜の細胞質側に局在している．ロドプシンの活性化で生じた$G_{t\alpha}$・GTP複合体は，膜表面に沿って側方に移動可能で，cGMP PDEの二つの阻害性γサブユニットと結合する（化学量論的に1：1，すなわち一つの$G_{t\alpha}$・GTPが一つのγサブユニットに結合することに注意，図15・35）．$G_{t\alpha}$・GTPがcGMP PDEのγサブユニットに結合すると，触媒活性をもったαβ二量体を解離させ，それがcGMPをGMPに変換する．これは，シグナル伝達経路でしばしば使われる，阻害性サブユニットを除去することにより酵素をすばやく活性化するという方法の一例である．

桿体細胞の活性化にcGMPが重要であるという直接の証拠は，cGMP依存性陽イオンチャネルを大量に含む桿体外節膜の単離断片を用いたパッチクランプの研究から得られている．単離膜断片の細胞質側にcGMPを添加すると，開口状態の陽イオンチャネルの数が急速に増加する．cGMPがチャネルタンパク質の細胞質側面にある部位に直接結合して，これを開口し続ける．11章で述べたK^+チャネルのように，cGMP依存性チャネルタンパク質は，四つのサブユニットからなる．この場合はサブユニットのそれぞれがcGMP分子と結合できる．チャネルの開口には，三つか四つのcGMP分子の結合が必要であるが，協調的なアロステリック相互作用のため，チャネルの開口は，わずかなcGMP量の変化に対して非常に感受性高く応答する．

シグナル増幅がロドプシンのシグナル伝達経路の感受性を著しく高めている

驚くべきことに，静止期の桿体細胞によって1個の光子が吸収されると，膜電位における約1 mVの小さな過分極という形で測定可能な応答が起こり，この変化は，両生類では1〜2秒持続する．桿体細胞は9000万個もあり，暗順応したヒトの眼では，わずか5光子の吸収を光として感じることができる．非常に少ない光子に応答できる能力は，夜間の視力にとって欠かすことができない．

シグナル伝達経路によってシグナルが著しく増幅されるので，光検出システムは非常に感度が高い．桿体細胞の円板膜にある各ロドプシン分子は，活性化されている間約13分子の$G_{t\alpha}$を活性化することができ，そのうちの2分子がホスホジエステラーゼ1分子を活性化する（図15・35）．各cGMP PDE分子は，活性型を維持する1秒の間に数百のcGMP分子を加水分解する．こうして，ロドプシン1分子を活性化させる1個の光子の吸収は，細胞膜にある数千分子（開口状態のチャネルの約5％）のイオンチャネルの閉鎖をひき起こすのに十分なほどcGMP濃度を低下させ，細胞の膜電位に測定可能なほどの変化をひき起こす．

ロドプシンシグナル伝達経路の急速な終結は視覚の時間分解能に必要である

多くの生物にとって，急速に変化する光条件（暗から明，明から暗の変化）にすばやく応答することは生存に必須である．GPCRが制御するすべてのシグナル伝達経路と同様に，明から暗への変化のあと，すべての活性化された中間体は速やかに不活性化されてシグナル経路を終了し，もとの暗状態に系を戻すことで次の光シグナルに応答できるようにする必要がある．したがって，光が消えたあとは，明状態で生成された三つのタンパク質の中間生成物である，活性化ロドプシン（R*），$G_{t\alpha}$・GTP，活性化したcGMP PDEのすべての不活性化が必要となる．これらの中間生成物が不活性化されれば，グアニル酸シクラーゼによってcGMPが再合成されるので，細胞質のcGMP濃度は急速に暗状態の水準に回復する．

光に活性化されたロドプシン（R*）のシグナルはロドプシンのリン酸化とアレスチンの結合によって終結する

先に述べたように，オプシンと全trans-レチナールの共有結合が自発的に切断されて全trans-レチナールが放出されると，活性化したロドプシン（R*）分子からのシグナルは終結する．レチナール結合部位に再度11-cis-レチナールが結合すれば，ロドプシンは不活性型（R）の状態に戻る．**暗順応**（dark adaptation）とよばれるこの過程は，外界で起こりうる非常に速い光刺激の変化と比べると相対的に遅い．したがって，活性化したロドプシンをよりすばやく抑制するさらなる機構が存在する．

光に対する応答をすばやく終結させることに働く重要な過程の一つに，ロドプシンが活性型（R*）であるときに起こるロドプシンのリン酸化がある．不活性型，あるいは暗状態にあるロドプシン（R）はリン酸化されない．このリン酸化を触媒する酵素が，GRKファミリー（図15・26a）に属する**ロドプシンキナーゼ**（rhodopsin kinase）である．各オプシン分子には，細胞質側に面したC末端ドメインに，複数の主要なセリン，トレオニンリン酸化部位がある．ロドプシンキナーゼによってリン酸化される部位が多いほど，R*によるG_tとの結合や活性化ができなくなる．

ロドプシンに対するアレスチンの結合は，劇的に不活性化過程を加速する．ロドプシンキナーゼがロドプシンのC末端のセリンとトレオニンを十分な数リン酸化したときだけ，アレスチンがロドプシンに強固に結合する．リン酸化されたロドプシンにアレスチンが結合すると，G_tとの相互作用を完全に妨げて，活性型$G_{t\alpha}$・GTP複合体の生成およびその先のcGMP PDEの活性化を阻害する．ロドプシンのリン酸化とアレスチンによる不活性化の全体の過程は速く，哺乳類においては50ミリ秒以内で終結する．リン酸化されたロドプシンは暗順応の間にもとの光応答性をもつR状態に戻る．暗状態においては，特異的なロドプシンホスファターゼがゆっくりリン酸を除去し，11-cis-レチナールがオプシンに結合する．

GTP加水分解による活性化$G_{t\alpha}$・GTPからのシグナルの終結

$G_{t\alpha}$は短期間で自動的に自身の活性を遮断する．そこでは，結合したGTPをGDPに加水分解して不活性の$G_{t\alpha}$・GDP複合体を生成する内在性のGTPaseの活性が含まれる．$G_{t\alpha}$・GDPは再び$G_{\beta\gamma}$と結合し，cGMP PDEのγサブユニットと結合できなくなる．$G_{t\alpha}$と結合していたcGMP PDEのγサブユニットは解放され（図15・35，段階**7**），cGMP PDEのαおよびβサブユニットに加わり，不活性のcGMP PDE $\alpha\beta\gamma_2$四量体を再構築する（段階**8**）．cGMP PDEの活性は急速に失われ，cGMP濃度は光刺激の前の水準まで増加しはじめる．この過程を通して，移動する物体や，視点方向の変更で起こる光の変化に対して，眼がすばやく応答できるようにし

桿体細胞の $G_{t\alpha}$ がもつ内在性 GTPase 活性は，cGMP PDE γ サブユニット $G_{t\alpha}\cdot$GTP 複合体に呼び寄せられる特異的なヘテロ二量体の GTPase 活性化タンパク質（GAP）によって加速される．その結果，$G_{t\alpha}$ は通常数秒間しか活性状態である GTP 含有状態にない．この GAP の構成要素は RGS9 と Gβ5 である（図 15・35，段階 **7**）．RGS9 をコードする遺伝子のノックアウトマウスの実験結果から，このタンパク質が個体における正常なシグナルカスケードの不活性化に必須であることが判明した．マウスの個々桿体細胞において，1 回の閃光からの回復にかかる時間が，正常マウスでは 0.2 秒なのに対して，RGS9 欠損マウスでは約 9 秒に増加していた．これは，45 倍もの増加であり，$G_{t\alpha}\cdot$GTP GAP 複合体の構成要素として RGS9 の重要性を示している．

桿体細胞はアレスチンとトランスデューシンの細胞内輸送を使って周囲の幅広い光量変化に順応する

明るい昼間の屋外から薄暗い照明しかない室内に入ると，一時的に弱い量の光には反応できないので，はじめのうちは周囲のものを容易に見ることはできない．しかし，弱い光の状態でしばらく過ごすと，眼が慣れてきて物をよりよく見分けられるようになる．つまり，より弱い光を感じ取れるようになる．一方で，薄暗い部屋から急に明るい陽の光の下に出ると，はじめは明るい光のために眼が見えなくなるが（過敏状態），時間が経つと感度が下がり（脱感作），再び明瞭に見えるようになる．**明順応**（light adaptation）とよばれるこの過程の結果として，桿体細胞は薄暗い部屋から明るい太陽光まで，周囲の明るさが 10 万倍も違う条件下でも対象物を明確に認識できる．この幅広い範囲での感受性を可能にしているのは，視野で吸収した光の絶対量ではなく，視野内での光量の差が，最終的に脳で視覚の像を形成する際に使われるためである．視覚の適応の多くは光受容細胞の中で起こり，低かったり高かったりする周囲の光量に応答して，ロドプシンによってひき起こされるシグナル伝達経路（図 15・34）が調節されることでなされる．

暗順応した桿体細胞では，トランスデューシンの $G_{t\alpha}$ と $G_{\beta\gamma}$ サブユニットのうち 80〜90％が外節部分に存在する一方で，抑制因子であるアレスチンは 10％に満たない量しかそこにない（図 15・36）．この空間的な分布によって，下流のエフェクターである cGMP PDE を最大限に活性化でき，光量の小さな変化に対して最大の感度を発揮することが可能となる．適度な日中と同程度の光に 10 分間さらされると，この二つのタンパク質の局在が変化し，$G_{t\alpha}$ と $G_{\beta\gamma}$ サブユニットの 80％が外節から細胞の他の部位に移動し，他方，80％以上のアレスチンが外節部位に移動する．

これらのタンパク質が細胞内を移動する機構はいまだ不明であるが，微小管に結合するモータータンパク質がそれらのタンパク質を外節の内外に運んでいるという説が有力である（18 章）．図 15・33 にある図と顕微鏡写真の微小管に注目しよう．明時の外節では $G_{t\alpha}$ と $G_{\beta\gamma}$ からなるトランスデューシンの量がかなり減少しており，単純にロドプシンと結合して活性化される G_t の量が減っている．結果として，活性化される cGMP PDE は減少する．同時に，外節でのアレスチンの増加は，ロドプシンキナーゼでリン酸化されたあらゆる活性化ロドプシンがただちに不活性化されることを意味する．これらのタンパク質の移動は周囲の光が弱いときは逆になる．このように，ヒトの視覚システムは，明るい光のなかでは，外節におけるトランスデューシンの減少とアレスチンの増加を介してして脱感作される．

15・6 視覚：眼が光を感じるしくみ まとめ

- 桿体細胞の光感受性 GPCR であるロドプシンは，オプシンというタンパク質に 11-*cis*-レチナールが結合したものである．光があると，11-*cis*-レチナール部分が全 *trans*-レチナールになる異性化がひき起こされる．この変化で，オプシンの構造が変化し，共役しているトランスデューシンというヘテロ三量体 G タンパク質（G_t）の $G_{t\alpha}$ サブユニットに結合している GDP を遊離の GTP に置換する反応を触媒して活性化する（図 15・34，図 15・35）．

- ロドプシン経路において，エフェクタータンパク質は cGMP PDE であるが，これは，阻害性の γ サブユニットに対して $G_{t\alpha}\cdot$GTP が結合して解離させることで活性化する．この酵素によって cGMP 濃度が下がると，cGMP 依存性 Na^+/Ca^{2+} チャネルが閉じて膜は過分極し，神経伝達物質の放出が減少する（図 15・35）．

- 視覚のシグナル伝達を終結するために，いくつかの機構が作用する．GAP タンパク質による $G_{t\alpha}\cdot$GTP の不活性化，ロドプシンのリン酸化とアレスチンの結合によるトランスデューシン活性化の抑制などがある．

- 幅広い強度範囲のある周囲の光量に対する順応は，桿体細胞外節の内外へのトランスデューシンとアレスチンの移行によって調節される．これらのタンパク質は協調して，わずかな光量の増加が，下流のエフェクターである cGMP

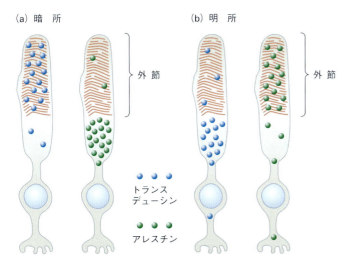

図 15・36 暗順応と明順応した桿体細胞におけるトランスデューシンとアレスチンの分布の模式図．（a）暗所では，ほとんどのトランスデューシン（青丸）は外節に局在するが，ほとんどのアレスチン（緑丸）は桿体細胞の別の場所に見いだされる．この状態で視覚は，著しく低い光量に対して感度が最も高い．（b）明所では，外節にトランスデューシンはほとんど局在しないが，アレスチンが豊富に存在する．この状態では，視覚は小さな光量変化に対して相対的に感受性が低い．これらのタンパク質の協調的な細胞内移動によって，周囲の明るさが 10 万倍以上も異なる場合でもイメージを知覚できるようになる．[P. Calvert et al., 2006, *Trends Cell Biol.* **16**: 560 参照.]

PDEを活性化する程度を調節し，周囲の異なる光量に対する桿体の感受性を変化させる．

重要概念の復習

1. 異なる多くの細胞のシグナル伝達経路において，共通する特徴は何か．

2. 細胞外からの水溶性分子によるシグナル伝達は，内分泌，傍分泌，自己分泌の三つに分類できる．この三つの細胞間シグナル伝達の違いを説明せよ．成長ホルモンは脳の底部にある脳下垂体から分泌され，肝臓にある成長ホルモン受容体を介して機能する．この例は内分泌，傍分泌，あるいは自己分泌のどれにあたるか．また，それはなぜか．

3. あるリガンドは 2 種の受容体に対して結合するが，受容体 1 とは $K_d = 10^{-7}$ M，受容体 2 とは $K_d = 10^{-9}$ M である．リガンドとの親和性が高いのはどちらの受容体か．遊離リガンド濃度が 10^{-8} M のとき，リガンドと結合している受容体の割合（$[RL]/R_T$）を受容体 1 と 2 のそれぞれについて計算せよ．

4. シグナル伝達経路のしくみを理解するために，細胞表面受容体を精製して異なる条件下で下流のエフェクタータンパク質の活性を測定することがしばしば有用である．アフィニティークロマトグラフィーで細胞表面受容体を単離精製する方法を説明せよ．リガンドで刺激された細胞において，活性化されたGタンパク質（GTP結合型）の量を測定する方法を説明せよ．

5. 7 回膜貫通の G タンパク質共役型受容体が細胞膜を横切ってシグナルを伝達する機構はどのようなものか．リガンド結合によって受容体に生じる構造変化を含めて説明せよ．

6. シグナル伝達に介在するヘテロ三量体 G タンパク質は α，β，γ という三つのサブユニットからなる．G_α サブユニットは GTPase 活性をもつスイッチタンパク質で，GTP 結合型か GDP 結合型かに依存して活性型あるいは不活性型になるサイクルを繰返す．リガンドの結合がヘテロ三量体 G タンパク質を介してエフェクタータンパク質の活性化につながるまでの諸段階を概説せよ．GTPase 活性が通常より高い変異 G_α サブユニットを単離したとする．この変異は G タンパク質とそのエフェクタータンパク質にどのような効果を及ぼすと考えられるか．

7. アドレナリン受容体の活性化による $G_{s\alpha}$ とアデニル酸シクラーゼの結合を測定する際，どのように FRET が活用できるか説明せよ．

8. 細胞におけるアドレナリンシグナルの増幅が生じる段階は次のうちどこにあるか示せ．受容体による G タンパク質の活性化，G タンパク質によるアデニル酸シクラーゼの活性化，cAMP による PKA の活性化，PKA によるグリコーゲンホスホリラーゼキナーゼ（GPK）の活性化．シグナル増幅において，次のうちどちらの変化がより大きな影響を与えるか説明せよ．アドレナリン受容体の数，あるいは $G_{s\alpha}$ タンパク質の数．

9. 細菌のコレラ菌 *Vibrio cholerae* が産生するコレラ毒素は，感染した個体に水のような下痢症状をひき起こす．コレラ毒素がこの効果をひき起こす分子機構は何か．

10. 視覚におけるロドプシンと心筋におけるムスカリン性アセチルコリン受容体は，ともにG タンパク質を介してイオンチャネルと共役している．これらの二つの系の間での類似点と相違点を述べよ．

11. 肝臓と筋肉で，アドレナリンによる cAMP 経路の刺激はグリコーゲン分解の活性化と，グリコーゲン合成の阻害をひき起こす．一方で，脂肪では，アドレナリンはトリグリセリドの加水分解をひき起こし，他の細胞でも広範な別の応答をひき起こす．これらの細胞における cAMP シグナル伝達経路のどの段階が，細胞応答の特異性をもたらすのか．

12. G タンパク質共役型受容体がリガンドによる刺激を受け続けると，脱感作という現象が起こる．受容体の脱感作を起こす複数の分子機構について述べよ．受容体はどのようにしてもとの感作状態に戻るのか．リン酸化されるセリンあるいはトレオニンが失われてしまった変異受容体をもつ細胞はどのような影響を受けるか．

13. A キナーゼアンカータンパク質（AKAP）の機能は何か．心筋細胞における AKAP の作用を説明せよ．

14. イノシトール 1,4,5-トリスリン酸（IP_3）とジアシルグリセロール（DAG）は，活性化したホスホリパーゼ C によりホスファチジルイノシトール 4,5-ビスリン酸〔$PI(4,5)P_2$〕が切断されることで生成する二次メッセンジャー分子である．細胞質 Ca^{2+} 濃度の上昇において IP_3 が果たす役割を述べよ．どのようにして細胞は細胞質 Ca^{2+} 量をもとの静止状態に戻すか．DAG の主要な役割は何か．

15. 3 章において，カルモジュリンの EF ハンドの Ca^{2+} に対する結合の K_d 値は 10^{-6} M であった．多くのタンパク質では，固有のリガンドに対してはるかに高い親和性をもつ．IP_3 生成を介するような Ca^{2+} シグナル伝達経路において，カルモジュリンの示すこの親和性はなぜ重要となるのか．

16. 細胞の cAMP に対する短期的な生理応答は，多くの場合 PKA の活性化によって仲介される．cGMP もまた一般的な二次メッセンジャーである．桿体細胞における cGMP の標的は何か．

16
遺伝子発現を調節するシグナル伝達経路

複数の頭部をもつプラナリア．いくつかのホルモンとその受容体が，創傷を受けたプラナリアの体のまとまった部分の再生を制御する．細胞外シグナル伝達タンパク質のWntは尾の再生を促進し頭部の再生を抑制する．ある実験で，抑制性の二本鎖RNAをプラナリアに与え，Wntシグナル伝達経路において必須のタンパク質であるβカテニン1をコードする遺伝子を阻害した．1カ月の間，創傷を受けていない通常のプラナリアは，体の表面周囲に頭部を形成した．これは，微小な傷に対する幹細胞による組織の再生と修復に異常が起こったためである．小さな傷におけるWntシグナルの完全な欠損は，頭部の形成を促進する．[C. Petersen and P. Reddien, MIT, Whitehead Institute 提供．]

16・1　増殖因子とその受容体型チロシンキナーゼ
16・2　Ras/MAPキナーゼシグナル伝達経路
16・3　ホスホイノシチドによるシグナル伝達経路
16・4　サイトカイン，サイトカイン受容体とJAK/STATシグナル伝達経路
16・5　増殖因子のTGF-βファミリー，その受容体型セリンキナーゼとそれにより活性化する転写因子Smad
16・6　調節された部位特異的タンパク質切断を利用するシグナル伝達経路：Notch/Delta，EGF前駆体
16・7　シグナル構成要素のプロテアソーム分解を利用するシグナル伝達経路：Wnt，ヘッジホッグ，NF-κBを活性化する多くのホルモン

　数百もの細胞外シグナルは，細胞の増殖と運命決定を制御し，すべての多細胞動物の発生を司っている．これらのシグナル分子は細胞に対して短期と長期の両方の効果を与えることができる．15章で説明したように，短期の効果は通常すでに存在している酵素や他のタンパク質を修飾することによってもたらされる．一方で，長期の細胞機能の効果は，遺伝子発現の変化を必要とする．したがって，多くの細胞外シグナルは，遺伝子発現に影響を与えて，細胞分裂や細胞分化を変化させる．たとえば，**サイトカイン**(cytokine) とよばれるシグナル分子は，体内での赤血球，白血球や血小板の産生を誘導する．ひとたび分化すると，細胞は周囲の環境に対して形や代謝，運動を変化させて応答する．前述のとおり，細胞外シグナル分子は遺伝子発現の変化をひき起こす．感染に対する応答では，いくつかのホルモンが免役細胞内の数百の遺伝子発現を誘導または抑制することで，感染に対するその細胞の複数の応答をひき起こす．細胞の発生，代謝や運動において決定的な役割を担う広範な遺伝子発現の役割を考えると，そのシグナル伝達経路における変異が，がん，糖尿病，そして免疫不全を含むヒトの多くの疾病をひき起こすことは驚きではない．

　本章では，主要なホルモン，受容体，そしてそれらと関連し，おもに遺伝子発現に影響を与える細胞内シグナル伝達経路について述べる．真核生物には，高度に保存された十数種以上の細胞表面受容体のグループが存在し，それらは同じように高度に保存された数種の複雑な細胞内シグナル伝達経路を活性化し，短期および長期両方の影響を及ぼす．これらの経路は進化的に保存されており，ほとんどの場合，ハエ，線虫，プラナリア，マウス，そしてヒトで同じように駆動する．この共通性のために，さまざまな実験系でこれらのシグナル伝達経路を解析することができる．たとえば，シグナル伝達タンパク質のヘッジホッグとその受容体は，発生に障害のあるショウジョウバエの変異体ではじめて見つかった．その後，ヒトやマウスのヘッジホッグタンパク質が同定され，細胞の分化において多くの重要なシグナル伝達にかかわることが示されて，ヒトのいくつかの腫瘍でヘッジホッグ経路の異常な活性化が起こっていることの発見に至った．

　多くのシグナル伝達経路が複雑であるにもかかわらず，それらの多くは共通した特徴をもつ．すでにGPCRシグナルの例をいくつかみたが，本章では別の例も学んでいく．シグナル伝達経路は，遺伝子をオンにしたりオフにしたりするスイッチである転写因子を介して遺伝子発現を制御する．刺激されていない細胞では，多くの制御されている転写因子は細胞質に隔離されており，核内に入ってDNAに結合し，遺伝子発現に影響を与えることができない．対応するシグナル伝達経路の活性化により，転写因子はあるものは細胞質の阻害複合体からの解放，また別のものは核局在化配列の露出によって核内に移行する．その他に，シグナル伝達経路のキナーゼによりリン酸化され，転写因子がDNAに結合できる活性化型に変化する場合もある．もう一つの共通する特徴は，遺伝子発現の変化を介したネガティブフィードバック制御である．細胞が過剰に刺激されることを防ぐために，制御を受ける転写因子がシグナル伝達経路を阻止または減弱させるタンパク質の合成を誘導する．

　本章ではまず，多くのタンパク質性増殖因子で活性化する受容

体の大きなグループ，**受容体型チロシンキナーゼ**(receptor tyrosine kinase: **RTK**, §16・1) をみていく．細胞外領域へのリガンド結合は，二つの単量体を結合させて二量体を形成し，細胞質領域に存在するプロテインキナーゼを活性化する（図16・1a）．重要なRTKシグナルの一つにRasという低分子量Gタンパク質の活性化がある．Rasは次にプロテインキナーゼカスケードを活性化し，キナーゼが順次キナーゼを活性化して，Ras/MAPキナーゼ経路を形成する（図16・1aの経路A, §16・2）．最後のキナーゼは，一つまたは複数の転写因子（Tf）をリン酸化し活性化する．

そのほかに，RTKはリン酸化イノシトールを含むシグナル伝達経路を開始させることもあり，必ずではないが，しばしば遺伝子発現の変化をひき起こす．15章で細胞質Ca^{2+}濃度の増加につながる一つの例をみた（図16・1aの経路B）．細胞の種類に依存して，この経路はタンパク質分泌から細胞遊走まで多様な過程をひき起こす．RTKはさらに，リン酸化イノシトールを含む別のシグナル経路を使って，また別のプロテインキナーゼであるプロテインキナーゼBなどを活性化して，細胞の代謝や細胞死を制御する遺伝子の発現を変化させている（図16・1aの経路C, §16・3）．

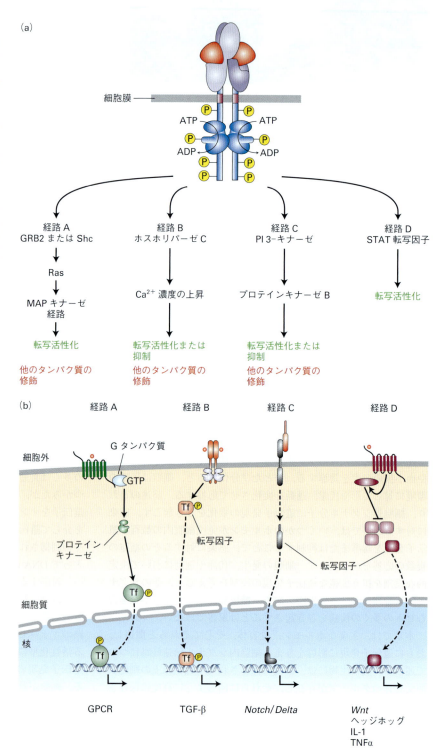

図16・1 遺伝子発現を制御する共通する種類の細胞表面受容体とシグナル伝達経路．(a) 受容体型チロシンキナーゼ(RTK)とサイトカイン受容体によって活性化されたシグナル伝達経路．RTKの細胞質ドメインは，内在性のタンパク質チロシンキナーゼドメインを含む．サイトカイン受容体の細胞質ドメインは，別のタンパク質のチロシンキナーゼと結合する．一般的に，これらの受容体はリガンドが存在しない場合，キナーゼ活性の乏しい単量体で存在する．これらの受容体の細胞外領域にリガンドが結合すると，二つの単量体の二量体化をひき起こし，チロシンキナーゼ活性が促進され，受容体の細胞質ドメインのいくつかのチロシン残基がリン酸化される．形成されたホスホチロシンは，いくつかの下流のシグナル伝達タンパク質の結合部位として機能し，それらを活性化する．経路A: 活性化した受容体にある種のアダプタータンパク質（たとえばGRB2）が結合すると，低分子量スイッチGタンパク質であるRas（§16・2）が活性化される．Ras下流のシグナル伝達経路にはいくつかのキナーゼが介在する．MAPキナーゼ経路では，あるキナーゼが別のキナーゼをリン酸化して活性化する．これは，転写因子(Tf)のリン酸化と活性化につながるが，しばしば異なる細胞では異なる転写因子が対象となる．経路B, C: ホスホイノシチドが介在する二つのシグナル伝達経路は，それぞれホスホリパーゼCまたは，PI 3-キナーゼの細胞膜への移行により開始される（§16・3）．Ca^{2+}濃度の上昇や，プロテインキナーゼBの活性化が，代謝経路，細胞の運動や形態変化に関与する転写因子および細胞質タンパク質の活性を調節する．経路D: サイトカイン受容体でおもに使われている経路では，転写因子STATが活性化した受容体に結合し，リン酸化され二量体化し核に移行して，転写を直接活性化する．(b) 他の共通する種類の細胞表面受容体とシグナル伝達経路．経路A: 多くのGPCRはヘテロ三量体Gタンパク質の$G_{s\alpha}$を活性化し，プロテインキナーゼAを活性化し，最終的にCREBのような転写因子をリン酸化して活性化する．経路B: シグナル伝達タンパク質のTGF-βに対する受容体の細胞質ドメインは，転写因子の一群であるSmadを直接リン酸化して活性化するセリン/トレオニンキナーゼを含み，リン酸化によりSmadの核局在化シグナルを露出させる．経路C: Notchファミリー受容体の細胞外ドメインに対するDeltaリガンドの結合は，受容体のタンパク質切断を誘導し，細胞質ドメインを放出し，それが核に移行して遺伝子発現を制御する．経路D: Wnt, ヘッジホッグ，インターロイキン1(IL-1)ファミリーのリガンドがそれらの受容体に結合すると，細胞質の複数のタンパク質からなる複合体の構成因子がユビキチン化され分解される．それにより，転写因子が解放され，核へ移行する．

サイトカインは，異なるクラスのシグナル受容体を活性化する．サイトカインはタンパク質性ホルモンの大きなファミリーを形成しており，われわれの免疫系を構成する多様な細胞を含むすべての種類の血球細胞の形成と機能などを制御している（24 章）．サイトカイン受容体はリガンド結合でタンパク質性チロシンキナーゼ（JAK）の活性化に至るという点で RTK に似ているが，こちらの場合，キナーゼは受容体の細胞質ドメインに強固に結合している別のタンパク質である．サイトカイン受容体と RTK は多くの共通するシグナル伝達経路を活性化する（図 16・1a）．§16・4 では，JAK キナーゼがどのようにして直接転写因子である STAT をリン酸化するか学ぶ（図 16・1a の経路 D）．リン酸化は転写因子を核内へと導く核局在化シグナルの露出につながる．

大きな細胞外シグナル伝達タンパク質ファミリーである TGF-β ファミリーは，多くの発生にかかわる経路を制御している．受容体の構造的には異なるが，RTK のように細胞質ドメインにあるキナーゼの活性化をシグナル伝達に利用している．活性化したキナーゼは，直接 DNA 結合タンパク質の転写因子 Smad ファミリーをリン酸化する（図 16・1b の経路 B，§16・5）．この場合，リン酸化は転写因子の核局在化シグナルを露出させ，直接核に移行させる．

本章で述べるシグナル受容体のすべてが，シグナル伝達経路の初期の段階においてプロテインキナーゼや GTP 結合タンパク質の活性化をひき起こすわけではない．たとえば，Notch のような受容体の細胞外ドメインにリガンドが結合すると，受容体自身のタンパク質切断がひき起こされ，細胞質ドメインが放出される．放出された領域は，転写因子として働き，核内に入り他の転写因子と結合して遺伝子発現を変化させる（図 16・1b の経路 C，§16・6）．

最後に述べる別の経路では，受容体へのリガンドの結合により，最終的に細胞質の複数のタンパク質複合体のうち一つまたは複数のタンパク質がユビキチン化され分解され，その複合体に含まれていた転写因子が解放されて核内に移行し，遺伝子発現に影響を与える（図 16・1b の経路 D）．これらには，Wnt やヘッジホッグシグナル伝達タンパク質によって活性化されるシグナル経路や，最終的に転写因子 NF-κB の活性化に至るいくつかの種類の受容体の下流の経路が含まれている．

GPCR と同じように，本章で述べる多くの受容体は，体内の複数の種類の細胞に発現しているが，細胞が異なる場合，同じリガンドによるこれらの受容体の活性化は，全く異なる遺伝子集団の誘導（または抑制）をひき起こす．8 章で学んだように，細胞のエピジェネティックな状態が発生の経歴によって決められる．細胞表面の受容体に活性化された転写因子が，特定の細胞内で，ある遺伝子を誘導（または抑制）するかどうかは以下のような要件に依存する．まず，その遺伝子のエピジェネティックな状態（図 16・2），つまりその遺伝子が活性化した"開いた"クロマチン構造にあり，転写因子が結合できるか，それとも静止した"閉じた"クロマチン構造にあり，転写因子が結合できないかという状態の違いである．別のいい方をすると，注目している転写因子は，染色体 DNA 上の複数の遺伝子制御部位に結合できる能力をもつが，どのような細胞においても，転写因子はそれらのうち一部にしか結合することが許されない．

そしてもう一つの要件として，多くの細胞が一つかそれ以上の**マスター転写因子**（master transcription factor）を発現し，その細胞の個性と分化の運命を決めている．最近の知見から，細胞表面受容体によって活性化される多くの転写因子が，染色体 DNA 上のマスター因子に隣接する調節部位（おもにはエンハンサー部位）に結合し，これらの転写因子が協同して細胞に特異的な遺伝子発現を誘導（または抑制）することが示された（図 16・2）．

いかなる細胞表面受容体もシグナル伝達経路も，単独では作動しない．すべてではないかもしれないが，多細胞動物の多くの遺伝子の発現が複数の転写因子で制御を受けており，それらの転写因子もまた異なる細胞内シグナル経路によって活性化や抑制の制御を受けている．個々の制御が複数の細胞外シグナルに調節され

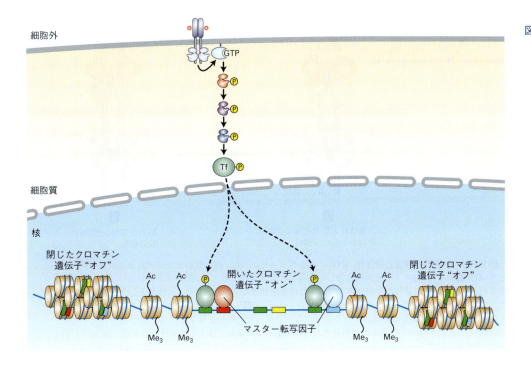

図 16・2 転写因子による特定の遺伝子の誘導は，転写因子の DNA 結合部位に加えて，遺伝子のエピジェネティックな状態およびマスター転写因子や他の核タンパク質の存在にも依存する．どのような活性化された転写因子も潜在的に結合できる部位（緑）を染色体 DNA 上に複数もつが，特定の細胞でその転写因子が結合できるのは，その細胞が"開いた"クロマチン構造の状態にあり，特定のマスター転写因子または他の細胞特異的タンパク質（ここでは，それぞれ青と赤に着色している）が DNA 上の隣接する部位に結合したときのみである．それらのタンパク質が協調的に働き，近傍の遺伝子の発現を活性化（または抑制）する．ほかに転写因子が結合する可能性のある部位は別のマスター転写因子の結合部位（黄）に隣接しているが，その転写因子はこの細胞では発現していないので，活性化した転写因子はそれらの部位に結合しない．

ている．分子細胞生物学において近年発展している一分野に，システム解析（system analysis）というものがあり，実験と計算機による解析を組合わせて，どのようにして異なる細胞が時間とともにこれらのシグナルを統合していくか理解する試みがなされている．たとえば21章では，異なる種類の細胞において，複数のホルモンと複数のシグナル伝達経路が生体に重要なグルコースや脂肪酸などの代謝物の必要性をどのようにして制御しているかを考える．

16・1 増殖因子とその受容体型チロシンキナーゼ

受容体型チロシンキナーゼ（RTK）を活性化する細胞外シグナル分子は，大きなグループの水溶性または膜結合型タンパク質ホルモンであり，その多くは特定の細胞に対して増殖作用をもつものとしてはじめに同定されていた（ゆえに，**増殖因子** growth factor とよばれる）．これら RTK のリガンドは，神経成長因子（NGF），血小板由来増殖因子（PDGF），繊維芽細胞増殖因子（FGF），そして上皮増殖因子（EGF）などであり，同族の受容体をもつ細胞の増殖を誘導する．インスリンのような他のシグナル分子は，肝臓，筋肉，脂肪細胞での糖や脂質の代謝を支配する複数の遺伝子発現を制御している．大きなファミリーを形成するエフリンは，多くの神経細胞軸索が標的に向かう遊走の制御において重要な役割を担っている（23章）．多くの RTK とそれらのリガンドは，増殖因子リガンドがなくても細胞増殖を促進する増殖因子受容体の変異を伴うヒトのがんにかかわる研究から同定された．この変異はリガンドがなくてもキナーゼが恒常的に活性状態（構成的活性化 constitutively active, 25章）となるような構造に受容体を固定してしまう．他のいくつかの RTK は，線虫，ショウジョウバエやマウスにおいて，特定の細胞で分化阻害をもたらす発生上の変異体の解析から見つかっている．

RTK の細胞外ドメインに対するリガンドの結合は受容体の細胞質に内在するチロシンキナーゼを二量体化して活性化する

すべての RTK は，リガンド結合部位を含む細胞外ドメイン，単一の疎水性膜貫通 α ヘリックス，チロシンキナーゼ活性を含む細胞質ドメイン，そしてチロシン残基を含み，自身のキナーゼによりリン酸化を受ける C 末端部分という，四つの重要な構成要素からなる（図16・3）．大部分の RTK は単量体で存在し，細胞外ドメインへのリガンドの結合で，二つの単量体が集まり二量体化する．

RTK の活性化とシグナル伝達は次のようにまとめられる．静止期の刺激がない（リガンドが結合していない）状態では，RTK に内在するキナーゼ活性は非常に低い（図16・3, 段階**1**）．他の多くのキナーゼと同じで，RTK には柔軟性の高い**活性化ループ**（activation loop）とよばれる領域が存在する．静止期の状態では，活性化ループがリン酸化されておらず，キナーゼ活性を阻害する立体構造にあると推定される．いくつかの受容体（たとえばインスリン受容体）では，活性化ループが ATP の結合を阻害している．他の場合（たとえば FGF 受容体）では，活性化ループが基質の結合を阻害している．リガンドが結合すると構造変化が生じて RTK の二量体化が促進される．二つの RTK 単量体の細胞外ドメインが集まり，膜貫通領域そして細胞質ドメインを近づけ，結果としてチロシンキナーゼが活性化する．すべてではないが，ほとんどの場合 RTK はそれぞれのサブユニットがもっていた弱いキナーゼ活性で相手のサブユニットの活性化ループにある重要なチロシン残基をリン酸化すると考えられている（段階**2**）．このリン酸化は，活性化ループに構造変化をもたらし，キナーゼ活性部位の阻害を解き，ATP あるいはリン酸化される基質に対する K_d を低下させてキナーゼ活性を大幅に増強する（3章）．こうして強く活性化したキナーゼは，次に受容体の細胞質ドメインの別のチロシン残基をリン酸化する（段階**3**）．これらのリン酸化残基は，のちにいくつかのシグナル伝達経路を活性化するタンパク質の結合部位

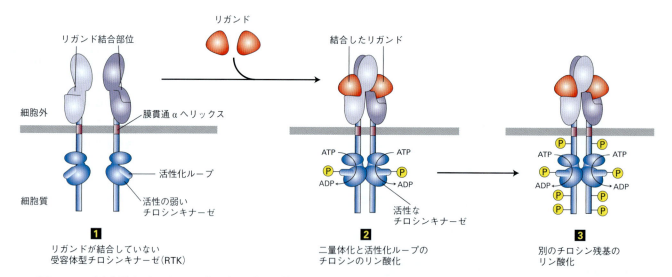

図16・3 **受容体型チロシンキナーゼ(RTK)の一般的な構造と活性化**．RTK の細胞質ドメインには，内在性のタンパク質チロシンキナーゼドメインがある．リガンドがないとき（段階**1**），RTK はキナーゼ活性に乏しい単量体として存在する．二つのリガンドが細い二つの受容体の RTK の細胞外ドメインへ結合すると，活性化した二量体の受容体を形成，または安定化する．これにより，活性の乏しかった二つのキナーゼが近づき，それぞれが他方の活性化ループにあるチロシン残基にリン酸化をする（段階**2**）．リン酸化が引金となってループがキナーゼの触媒部位から離脱するので，ATP またはタンパク質基質が結合できるようになりキナーゼ活性が上昇する（3章）．活性化されたキナーゼは，次に受容体の細胞質ドメインのいくつかのチロシン残基をリン酸化する（段階**3**）．この結果できるホスホチロシンは，図16・1(a) にまとめられているように，下流のシグナル伝達タンパク質にある SH2 ドメインや他の結合ドメインに対する結合部位として機能する．

ン硫酸の介在は，効果的な受容体の活性化に必須である．§16・5では，細胞外マトリックスの成分に対する他のホルモンの結合もまた，そのシグナル機能に必須であることを説明する．

インスリン受容体などのような別の受容体の場合には，ホルモンが存在しない場合でもジスルフィド結合でつながって二量体化している．この種のすでに二量体化しているが活性化していないRTKにリガンドが結合すると，構造変化をもたらして受容体のキナーゼが活性型になる（図 16・5）．インスリンがない場合，二量体化している受容体の細胞外ドメインの構造は，弱い活性をもつ

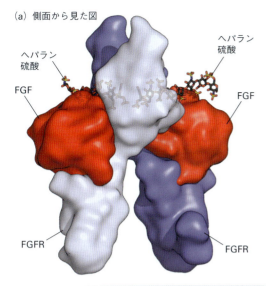

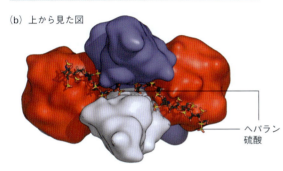

図 16・4 二つのリガンドの結合とヘパラン硫酸の結合によって安定化された活性型二量体繊維芽細胞増殖因子(FGF)受容体の細胞外ドメインの構造．ここに示すのは，二つのFGF受容体(FGFR)単量体（薄紫および濃紫）の細胞外ドメインと，二つの結合しているFGF分子（赤），およびFGFに強固に結合している二つの短いヘパラン硫酸鎖を含む複合体の側面および上面図である．(a) 側面図では，一方の受容体単量体（濃紫）の上側ドメインが他方（薄紫）の後方にある．細胞膜の平面は底部にある．受容体の細胞外ドメインの小さな部分は，膜を下方まで貫いて存在する二つの受容体単量体（図には示していない）のそれぞれの膜貫通αヘリックス領域につながっている．(b) 上面図では，ヘパラン硫酸鎖が両方の受容体単量体の上面部分の間を通って，多数の接触を両方の受容体単量体と形成しているのがみてとれる．これらの相互作用は，FGFリガンドの受容体への結合と，受容体の二量体化を促進する．[J. Schlessinger et al., 2000, *Mol. Cell* **6**: 743, PDB ID 1fq9.]

となる（図 16・1a）．これらのタンパク質については，本章のあとの節で詳しく述べる．

すべてのRTKの活性化において二量体化が必要であるが，機能的な二量体化はこのあとみるように複数の様式で生じる．たとえば，多くの受容体は，繊維芽細胞増殖因子（FGF）受容体と似た様式で二量体化されるが（図 16・4），それは，二つのFGF分子のそれぞれが，二量体化した二つの受容体サブユニットの細胞外ドメインに同時に結合して，二量体を安定化させるものである．FGF結合の別の特性として，FGFの結合と受容体の二量体化は，いくつかの細胞表面タンパク質や細胞外マトリックス（20章）の構成成分である，多糖で負に荷電したヘパラン硫酸にFGFリガンドと受容体両方が結合することで強化される（図 16・4）．ヘパラ

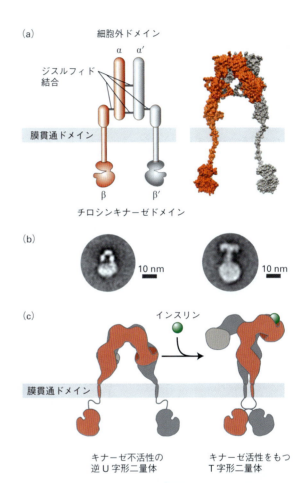

図 16・5 インスリンによるインスリン受容体の活性化．(a) インスリンの結合していない全長ヒトインスリン受容体の構造について，細胞外ドメイン（ECD），膜貫通ドメイン（TMD），チロシンキナーゼドメイン（TKD）を模式的に描いたもの．受容体は1本のポリペプチド鎖として合成され，ゴルジ体において切断を受ける．結果として生成するαとβの二つのサブユニットは，ジスルフィド結合によりつながっており，二量体には二つのαサブユニットが存在する．(b) 微小な膜円盤に再構成された一つの二量体インスリン受容体についてインスリンの非存在下（左）と存在下（右）における電子顕微鏡画像．(c) リガンド（緑）が結合することによるインスリン受容体の細胞外ドメインの構造変化と，それに共役する膜貫通ドメイン（TMD），そしてそれに伴って起こるリン酸化によるチロシンキナーゼドメインの活性化を模式的に描いたもの．インスリンのないとき，細胞外ドメインは対称的な逆U字形の構造になっている．インスリンが結合すると，細胞外ドメインはT字形の構造に変化し，膜貫通ドメインを一緒にまとめ，それがおそらく一方の弱い活性のキナーゼによる他方のキナーゼの活性化ループのリン酸化を促進して，両方のチロシンキナーゼドメインが活性化される．[T. Gutmann et al., 2018, *J. Cell Biol.* **217**(5): 1643 による．]

細胞質ドメインのキナーゼを遠く離して，互いにリン酸化して活性化するのを阻害している．インスリンが結合すると，受容体の細胞外ドメインは逆U字形からT字形に立体構造を変化させ，膜貫通ドメインどうしとキナーゼドメインどうしを一緒にし，おそらく，一方のチロシンキナーゼドメインの活性化ループが他方のキナーゼによってリン酸化できるようにしている．

この最後の例は，二つの同一の単量体受容体を単純に接近させるだけでは受容体が活性化されないことを，すなわち，受容体型チロシンキナーゼを活性化に導くには，受容体の二量体化とともに適正な構造変化が必要なことを示している．RTKが一度機能的な二量体化状態に変化すると，結合しているチロシンキナーゼが活性化される．

上皮増殖因子受容体のホモまたはヘテロ多量体が多くの上皮増殖因子ファミリーと結合する

進化の過程で，いくつかの増殖因子とその受容体をコードする遺伝子は，重複と分岐により異なる機能をもつ，似ているが異なるタンパク質をコードするようになった．たとえば，ヒトにはさまざまな機能をもつ22種類のFGF関連遺伝子と4種類のFGF受容体関連遺伝子が存在する．**上皮増殖因子**（epidermal growth factor: EGF）とEGF受容体ファミリーにも複数のタンパク質があり，多くのヒトの疾患に関与することから，盛んに研究されている．25章で学ぶように，腫瘍において過剰に発現していたり，ホルモンシグナルがなくてもキナーゼドメインが活性化する変異をもつEGF受容体を標的とする医薬品は，多くのがんを治療するために使用される．この上皮増殖因子ホルモンのファミリーのうち，最初に知られるようになったものはStanley Cohenによってマウス新生仔の初期のまぶたの開裂を促進する小さなタンパク質として同定された．いまでは，多くの種類の上皮細胞の増殖を促進することがわかっている．この研究や，同時期の神経増殖因子発見の功績により，CohenとRita Levi-Montalciniはノーベル賞を受賞している．

4種類の関連するEGF受容体は，上皮増殖因子シグナル分子の多くの種類がかかわるシグナル伝達に関与している．マウスにおいては，これらの受容体はErb-B1, 2, 3, 4と名づけられている．ヒトにおいては**HER**（ヒト上皮増殖因子受容体 human epidermal growth factor receptor）1, 2, 3, 4とそれぞれよばれている．

EGF受容体のホモ二量体

休止状態では，大部分のEGF受容体分子は単量体である．まず，HER1（Erb-B1）についてEGF受容体の活性化をみてみよう．HER1は，EGFならびに他の6種類のEGFファミリーに属するリガンドと結合し，それらすべてのリガンドとの結合でHER1の細胞外ドメインはホモ二量体を形成する（図16・6）．EGFの結合はHER1の細胞外ドメインに劇的な構造変化をもたらし，**二量体化アーム**（dimerization arm）とよばれる不活性型の単量体状態では中に埋まっている受容体の一部を露出させる．二つの単量体の二量体化アームは，互いに強く結合し，それぞれの受容体の別の細胞外ドメイン（ドメインIV）を介した相互作用も起こり，さらに受容体のホモ二量体を安定化させる．いくつかのEGFファミリー，ニューレグリン1, 2, 3, 4はHER4に結合し，HER1と同じようにホモ二量体を形成させる．以下で詳しく述べるように，受

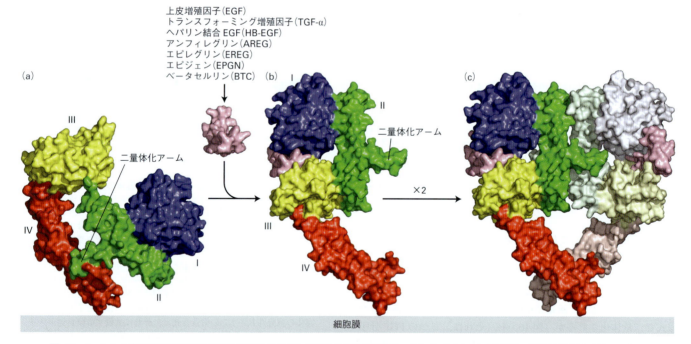

図16・6 ヒト上皮増殖因子（EGF）受容体HER1のリガンド結合による二量体化．(a) すべてのEGF受容体の細胞外部分には四つのドメインがあり，ドメインI（青）とIII（黄）の関係は，ドメインII（緑）とIV（赤）の関係と同様に，配列がよく類似している．結合するEGFの非存在下では，受容体はおもに単量体であり，細胞内キナーゼは不活性である．細胞外ドメインは，二量体化アームを形成するドメインIIからのβヘアピンが同じ受容体分子のドメインIVに結合する配置をとる．(b) EGFは，他にあげている六つのEGFファミリー分子と同様に，ドメインIとIIIに同時に結合する．EGFの結合は，ドメインIIの二量体化アームが露出されるように，細胞外ドメインに大きな構造変化を誘導する．(c) 同一リガンドがそれぞれ結合した二つの受容体単量体の細胞膜面での二量体化は，おもに二つの受容体の二量体化アーム間の相互作用を介して起こる．[H. Ogiso et al., 2002, *Cell* **110**: 775, PDB ID 1ivo.]

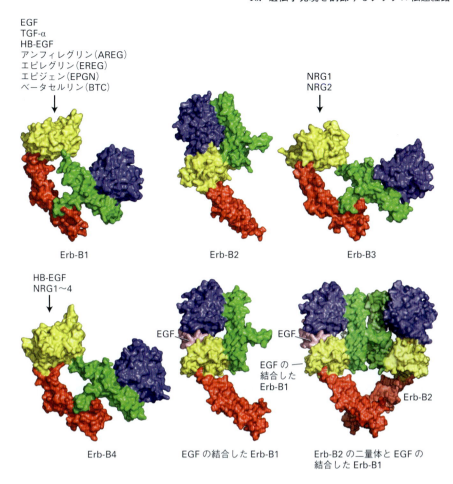

図 16・7 HER ファミリー受容体とそれらのリガンド．ヒトとマウスは四つの受容体型チロシンキナーゼを発現しており，ヒトでは HER1, 2, 3, 4，また，マウスと他の動物では Erb-B1, 2, 3, 4 と名づけられている．ここでは，受容体の細胞外ドメインのみが描かれている．これらの受容体には，上皮増殖因子 (EGF) に加えて，ヘパリン結合 EGF (HB-EGF)，トランスフォーミング増殖因子α (TGF-α)，アンフィレグリン (AREG)，エピレグリン (EREG)，エピジェン (EPGN)．ベータセルリン (BTC) および四つのニューレグリン (NRG1〜4) を含む他の EGF ファミリーが結合する．リガンドを直接結合しない Erb-B2(HER2) は，EGF と結合した活性型 Erb-B1 と非常に類似した構造で存在することに注意しよう．Erb-B2 は，リガンドで活性化された Erb-B1, 3 または 4 とヘテロ二量体を形成することができる．したがって，Erb-B2 は，すべての EGF ファミリーメンバーによるシグナル伝達を促進する．Erb-B3(HER3) は非常に活性の低いキナーゼドメインをもち，Erb-B2 と複合体を形成した場合にのみシグナル伝達が可能となる．［Erb-B1 は K. M. Ferguson et al., 2003, *Mol. Cell* **11**: 507, PDB ID 1nql. Erb-B2 は H.-S. Cho et al., 2003, *Nature* **421**: 756, PDB ID 1n8z. Erb-B3 は H. S. Cho and D. J. Leahy, 2002, *Science* **297**: 1330, PDB ID 1m6b. Erb-B4 は S. Bouyain et al., 2005, *Proc. Natl. Acad. Sci. USA* **102**: 15024, PDB ID 1ahx. EFG と Erb-B1 は H. Ogiso et al., 2002, *Cell* **110**: 775, PDB ID 1ivo.］

容体の二量体形成は，キナーゼドメインの活性化をひき起こす．

EGF 受容体と HER2 のヘテロ二量体

注目すべきことに，HER2（マウスでは Erb-B2）は，EGF 受容体の一つであるにもかかわらずどのリガンドとも結合することができないが，HER1, HER3, HER4 がそれぞれのリガンドと結合したときに，HER2 はヘテロ二量体を形成してシグナル伝達に関与する．HER2 の二量体化アームは常に外に露出しており，リガンドが結合した受容体の二量体化アームと結合するので，HER2 は他の EGF 受容体とヘテロ二量体を形成することができる．したがって，HER2 がヘテロ二量体を形成すると，そのキナーゼドメインは活性化し，ヘテロ二量体の相手として結合している他の 3 種類の EGF 受容体すべてのシグナル伝達を促進することができる（図 16・7）．

HER3 は，リガンド結合能力はあるが，機能的キナーゼドメインを欠く EGF 受容体である．HER3 はそれでも依然としてシグナル伝達に関与することができる．リガンドを結合したのちに，HER2 とヘテロ二量体化して HER2 キナーゼを活性化させるからである．受容体の細胞質ドメインのキナーゼの活性化が，どのように下流のシグナル伝達経路に伝わるかについてはのちに述べる．

細胞表面での HER2 分子の数の増加は，HER1, HER3, HER4 に対する EGF ファミリー分子の結合ののちに起こるシグナルを伝えるヘテロ二量体の形成速度を上げて量を増やす

ので，細胞は多くの EGF ファミリー分子によるシグナルに対して敏感になる．25 章で学ぶように，約 25% の乳がんにおいて，腫瘍細胞は *HER2* 遺伝子を複数もっており HER2 の発現量が増えている．HER2 を過剰発現する細胞は，すべての EGF ファミリーホルモンに対して感受性が高まっており，通常では多くの受容体を活性化させない周囲のホルモン量でも過敏に反応する．結果的に，低濃度の EGF ファミリー分子でもこれらの腫瘍細胞の増殖を不適切に起こしてしまう．HER2 に結合して EGF によるシグナルを遮断するモノクローナル抗体が，HER2 を過剰発現する乳がんや他のがんの治療において有効であることが証明されている．■

EGF 受容体へのリガンド結合と受容体の二量体化は活性化した非対称的キナーゼ二量体の形成につながる

ほとんどの受容体型チロシンキナーゼでは，受容体の二量体化ののち，活性化ループのチロシンがリン酸化されてキナーゼドメインが活性化する．対照的に，EGF 受容体のキナーゼドメインの最初の活性化はループのリン酸化を必要としない（ただし，完全な活性化には重要である）．それらの活性化の機構は，活性状態および不活性状態の両方における受容体細胞質ドメインの構造的研究を通して明らかにされた．

キナーゼドメインは，いわゆる膜近傍部位によって膜貫通ドメインから隔離されている（図 16・8）．3 章と 15 章で学んだように，キナーゼドメインは，**N** ローブ (N lobe) と **C** ローブ (C lobe) の

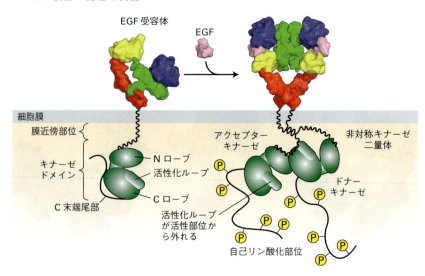

図 16・8 EGFによるEGF受容体の活性化は活性をもつ非対称なキナーゼドメインの二量体を形成する．不活性の単量体状態では，活性化ループはキナーゼ活性部位に存在し，基質の結合を阻害してキナーゼの機能を抑制している．受容体の二量体化は，ドナーキナーゼのCローブがもう一方の受容体のアクセプターキナーゼのNローブに結合するように，非対称キナーゼ二量体を形成する．二量体は，二つの受容体の膜近傍部位の相互作用によって安定化される．これらの相互作用は，アクセプターキナーゼのキナーゼ部位から活性化ループを除去し，そのキナーゼ活性を促進する構造変化をひき起こす．活性化したアクセプターキナーゼは，次に受容体の細胞質ドメインのC末端部分のチロシン残基をリン酸化する．[EGF受容体はH. Ogiso et al., 2002, *Cell* **110**: 775, PDB ID 1ivo; K. M. Ferguson et al., 2003, *Mol. Cell* **11**: 507, PDB ID 1nql. 非対称キナーゼ二量体は E. Kovacs et al., 2015, *Annu. Rev. Biochem.* **84**: 739 による．]

二つの部分を含んでいる．EGF受容体の不活性な単量体状態では，活性化ループはNローブとCローブの狭間の近くにあるキナーゼの活性部位に位置しており，その活性を阻害している．このようにして，キナーゼは"オフ"状態に維持される（図16・8左）．受容体の二量体化は，二つのサブユニットのキナーゼドメインを近づけ，第一のキナーゼ（**ドナー** donor）のCローブが第二のキナーゼ（**アクセプター** acceptor）のNローブに結合した状態になり，非対称性のキナーゼ二量体を生成する（図16・8右）．この二つのローブの結合は，アクセプターキナーゼのNローブの構造変化をもたらし，活性化ループを移動させてアクセプタードメインのキナーゼを活性化する．そして細胞内シグナル伝達が開始する．

このように，進化はリガンド依存的なRTKシグナル機構に大きな多様性をもたらした．RTKは二量体化によって活性化されるが，異なる受容体はこれを達成するためにさまざまな異なる機構を使用する．同様に，キナーゼはキナーゼ触媒部位から活性化ループが離れることで活性化されるが，ここでも，異なる受容体はこの課題を達成するために異なる機構を使用する．

RTK活性化後のシグナル伝達：
受容体のリン酸化チロシン残基は
SH2ドメインをもつ複数のタンパク質との結合面になる

RTKのキナーゼが活性化すると，自身の細胞質ドメインにあるいくつかのチロシン残基をリン酸化する（図16・3，図16・8）．それぞれのリン酸化チロシン残基がいくつかの隣接した残基とともに，保存されたリン酸化チロシン結合ドメイン（図16・1a）をもつシグナル伝達タンパク質との結合部位として機能する．活性化した受容体に対するそれぞれのシグナル伝達タンパク質の結合は，特異的な下流のシグナル伝達経路を開始させる．

ホスホチロシン結合ドメインはいくつかあるが，その一つに **SH2 ドメイン**（SH2 domain）とよばれるものがある．SH2ドメインは，ホスホチロシンを含む短いペプチドの標的配列に結合できる．異なるシグナル伝達タンパク質のSH2ドメインは，よく似た三次構造をとっているが，それぞれホスホチロシン残基（しばしばpYと略される）を取囲んでいる別個の短い標的アミノ酸配列に結合する．各SH2ドメインがもつ独特のアミノ酸配列が，特異的に結合する標的配列を決めている（図16・9）．SH2ドメインは，結合相手の配列内のホスホチロシンに結合する部位と，隣接する残基の側鎖に結合する部位を含んでいる．

例として，SH2ドメインが最初に見つかったチロシンキナーゼである **Src**（Srcは sarcoma の略）タンパク質をみてみよう．下流のシグナル伝達経路を不適切に活性化してしまう変異型の *src* 遺伝子は，ニワトリに肉腫（筋肉の腫瘍，詳細は25章）をひき起こす **ラウス肉腫ウイルス**（Rous sarcoma virus）に組込まれている遺伝子として見つかった．SrcチロシンキナーゼのSH2ドメインは，ホスホチロシン-グルタミン酸-グルタミン酸-イソロイシン（一文字標記でpY-E-E-I，図16・9）という四つのアミノ酸配列をもつあらゆるペプチドに強く結合する．これら四つのアミノ酸は，SH2ドメインにあるペプチド結合部位と強固な結合を形成する．この結合は，ペプチド内のホスホチロシンとイソロイシンの側鎖からなる二股"プラグ"がSH2ドメイン内の二股"ソケット"に挿入するような様相である．二つのグルタミン酸は，SH2ドメインの表面上にあるホスホチロシンのソケットとイソロイシン残基を受容する疎水的なソケットの間の部分にぴったりと適合している．こうした標的配列に対するSH2ドメインの特異性は，どのSH2含有シグナル伝達タンパク質がどの受容体に結合するかを決める．したがって，どのシグナル伝達経路が活性化されるかということに重要な役割を果たしている．

受容体依存性エンドサイトーシスとリソソーム分解が
RTKのシグナル伝達を遮断する

15章において，過剰な刺激を防ぐためには，細胞はシグナル伝達経路を抑制または完全に遮断できる必要があることを強調した．加えて，細胞が十分シグナルに対して応答したり，シグナルが除かれたりした場合には，それ以上の細胞応答を阻止することも重要である．RTKのシグナル伝達の抑制は，普遍的に存在しており，異なる機構がそれを達成するために進化してきている．

たとえば，ホスホチロシンホスファターゼが，継続的に受容体のチロシン残基とリン酸の間の結合を加水分解して，活性化したRTKがホスホチロシン結合ドメインをもつタンパク質との結合を減らし，シグナル伝達経路の活性を減少させている．二つ目の

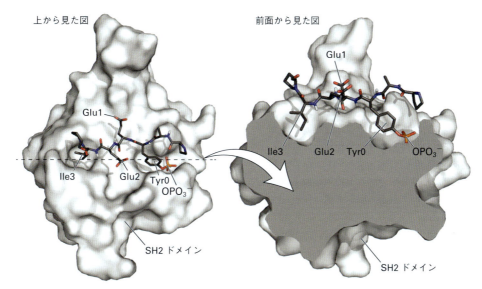

図 16・9 ホスホチロシンを含むペプチドに結合した SH2 ドメインの表面モデル. Src チロシンキナーゼの一部である SH2 ドメインに結合したペプチド (主鎖を青, 酸素原子を赤で示す) を棒モデルによって示してある. SH2 ドメインは, 短い標的ペプチドに重要な四つの核となる残基の配列, ホスホチロシン(Tyr0 と OPO_3^-)-グルタミン酸(Glu1)-グルタミン酸(Glu2)-イソロイシン(Ile3)を介して強固に結合する. 結合は二股"プラグ"を挿入した状態に似ており, ペプチドのホスホチロシンとイソロイシンの側鎖がプラグのように, SH2 ドメインの表面にある二股"ソケット"にぴったりとはまっている. 二つのグルタミン酸残基は, 二つのソケットの間に挟まれた SH2 ドメインの表面にある部位に結合する. 別の SH2 ドメインは, 他のアミノ酸配列に囲まれたホスホチロシン残基に結合する. [G. Waksman et al., 1993, *Cell* **72**: 779, PDB ID 1sps.]

機構として, 受容体依存性エンドサイトーシスとそれに続くリソソームによる受容体の分解が, RTK シグナル伝達を弱める共通の方策として存在する.

細胞をリガンドで処理すると, しばしば細胞表面の有効な受容体数は減少してしまうため, 処理前では有効であったリガンド濃度が持続しても継続的には応答できなくなる. この**脱感作**(desensitization) は, 不適切に長びく受容体の活性を防ぐのに役立つ. たとえば, EGF がない場合には, 細胞表面の HER1 受容体は, 平均の半減期が 10～15 時間とかなり長寿命である. リガンドを結合していない受容体は, 平均 30 分に 1 回というゆっくりとした速度でクラスリン被覆ピットを介してエンドソームに取込まれており, しかもすばやく細胞膜に戻るので, 細胞表面受容体の全体数はほとんど減少しない. リガンドである EGF が受容体に結合すると, HER1 のエンドサイトーシス速度は約 10 倍に上昇し, 内在化された受容体のごく一部しか細胞膜に戻らず, 残りの受容体はリソソームで分解される. HER1-EGF 複合体がエンドサイトーシス (図 14・29 参照) によって内在化されるごとに, 細胞の種類にもよるが, 受容体の約 20～80% は分解される運命をたどる. たとえば, 上皮細胞が高い濃度の EGF にさらされるとほとんどすべての細胞表面の EGF 受容体分子が内在化して分解され, 細胞の EGF に対する感受性が著しく低下する. こうして, 長期間 EGF で処理すると, そのホルモンに対する細胞に脱感作が生じる. ひとたび EGF が取除かれると, 新たに合成された受容体が細胞表面の受容体を補充し, 次の EGF 処理には細胞は応答できるようになる.

エンドソームに内在化した表面受容体が, 細胞膜へ再循環されるか, あるいはリソソームで分解されるかについては, いくつかの過程が影響を与える. その一つは, 小さいタンパク質であるユビキチンによる共有結合性の修飾である (3 章). 酵素である c-Cbl はタンパク質のリシンに一つのユビキチンを付加するが, この過程は**モノユビキチン化**(monoubiquitinylation) とよばれる. HER1 の細胞質ドメインのモノユビキチン化の程度と, HER1 の分解との間には強い相関がある. このモノユビキチン化は他のリガンド依存的に活性化する RTK でも起こる. E3 ユビキチンリガーゼ (図 3・32 参照) である c-Cbl は, リン酸化された EGF 受容体と直接結合するドメインと, RING フィンガードメインとよばれる, ユビキチン結合酵素を引寄せて受容体にユビキチンを付加するのを助けるドメインを含んでいる. ユビキチンは受容体上で"荷札"として機能し, エンドソームから最終的にはリソソームに取込まれ分解される多胞エンドソーム (図 14・32 参照) への受容体の取込みを促進させる. EGF 受容体の輸送における c-Cbl の役割の一つは, 線虫での遺伝学的研究から明らかにされた. c-Cbl は線虫の EGF 受容体 (Let-23) の機能を, おそらくはその分解を誘導することによって, 負に調節することが確立された. 同様に, c-Cbl を欠失したノックアウトマウスは, 乳腺上皮の過度な増殖をひき起こすが, この知見は c-Cbl が EGF シグナル伝達の負の調節因子として働くことに一致している.

興味深いことに, 別の EGF ファミリー受容体である HER2, HER3, そして HER4 は, リガンド依存性の内在化が起こらず, それぞれの受容体が固有に適切なしくみで調節されるよう進化したことが強くうかがえる.

16・1 増殖因子とその受容体型チロシンキナーゼ まとめ

- 増殖因子, インスリンなどのペプチドやシグナル伝達タンパク質と結合する受容体型チロシンキナーゼは, あらかじめ二量体化した状態で存在するか, あるいはリガンドの結合によって二量体化する. リガンドの結合は, 受容体キナー

ゼの活性化に必須となる機能的な二量体化受容体の形成をひき起こす．異なる受容体は，この機能をさまざまな方法で達成する（図 16・3～図 16・7）．

- 多くの RTK の活性化は，受容体の細胞質ドメインに内在するタンパク質チロシンキナーゼの活性化ループのリン酸化をひき起こし，触媒活性を高める（図 16・3）．活性化されたキナーゼはその後，受容体の細胞質ドメインや基質となる別のタンパク質のチロシン残基をリン酸化する．
- ヒトは多種の RTK を発現しており，そのなかの 4 種（HER1～4）は，シグナル伝達分子である上皮増殖因子ファミリーに属する多くのタンパク質からのシグナル伝達を仲介する上皮増殖因子受容体ファミリーである（図 16・7）．このなかの一種である HER2 にはリガンドが結合しない．HER2 はリガンドが結合した他の 3 種の HER タンパク質単量体と活性型ヘテロ二量体を形成する．HER2 の過剰発現は，多くの乳がんでみられる．
- RTK に含まれるホスホチロシン残基を含む短いアミノ酸配列は，保存された SH2 ドメインをもつシグナル伝達タンパク質と結合する．リン酸化されたチロシンの周囲のアミノ酸配列がどの SH2 ドメインと結合するかを決める（図 16・9）．このようなタンパク質-タンパク質相互作用は，多くのシグナル経路の特異性を決める際に重要になる（図 16・3）．
- 受容体-リガンド複合体のエンドサイトーシスとリソソームでのそれらの分解は，細胞表面上の受容体型チロシンキナーゼの数を減少させる主要な経路であり，多くのペプチドやペプチドホルモンに対する細胞の感受性を低下させる．サイトカイン受容体など他の受容体もエンドサイトーシスと分解により制御されている．

16・2 Ras/MAP キナーゼシグナル伝達経路

RTK によるシグナル伝達は，受容体の細胞質ドメインのリン酸化チロシンに SH2 ドメインをもつタンパク質が結合することではじまる．このあとすぐ説明するように，一つか二つの段階を経ることで，実質的にすべての受容体型チロシンキナーゼは **Ras/MAP キナーゼシグナル伝達経路**（Ras/MAP kinase signal transduction pathway）を活性化する（図 16・10，図 16・1a の経路 A）．この経路は，ほとんどのサイトカイン受容体によっても活性化される．これは進化的に保存されており，脊椎動物，無脊椎動物，そして酵母にまで同様のものがみられ，多くの発生にかかわる経路で重要な役割を果たし，多くの細胞の増殖と分化を制御している．

単量体の低分子量 G タンパク質である **Ras タンパク質**（Ras protein）は，細胞内のスイッチタンパク質である **GTPase スーパーファミリー**（GTPase superfamily）に属する（図 15・7 参照）．活性化された Ras は，細胞膜の細胞質側で三つの連続して作用するプロテインキナーゼを含むシグナル伝達分子複合体の形成を促進する．この **キナーゼカスケード**（kinase cascade）は，最終的に核に移行して多くの異なるタンパク質をリン酸化する **MAP キナーゼ**（MAP kinase）ファミリーに属するキナーゼの活性化に至る．MAP キナーゼの標的タンパク質のなかには，細胞周期と細胞分化

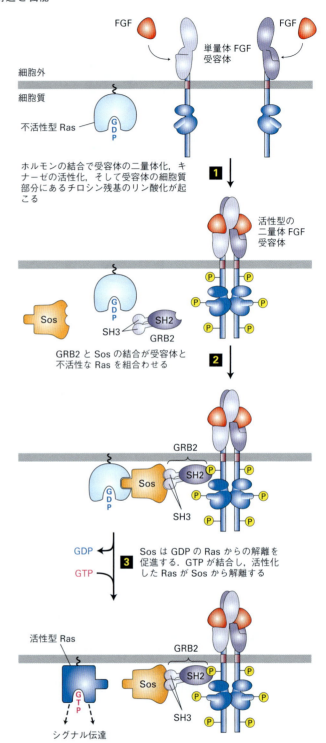

図 16・10 受容体型チロシンキナーゼ(RTK)またはサイトカイン受容体へのリガンド結合にひき続く Ras の活性化．繊維芽細胞増殖因子(FGF)の受容体は，このシグナル経路の活性化の例となる．細胞質のアダプタータンパク質 GRB2 の SH2 ドメインは，リガンドを結合して活性化した受容体上の特定のホスホチロシンに結合し，また GRB2 の SH3 ドメインは，細胞質の Sos タンパク質に結合し，Sos を細胞膜の細胞質側の近傍に引寄せ，基質である不活性な Ras・GDP にも近づける．次に Sos のもつグアニンヌクレオチド交換因子(GEF)活性が，Ras・GDP から活性型 Ras・GTP の生成を促進する．Ras を細胞膜の細胞質側につなぎとめているのは疎水性のファルネシル基による係留(図 10・19 参照)であることに注意．[J. Schlessinger, 2000, Cell 103: 211; M. A. Simon, 2000, Cell 103: 13 参照．]

に重要な役割を果たすタンパク質の発現を調節する転写因子が含まれる．重要なことに，ホルモンやその細胞表面受容体が違えば，しばしばMAPキナーゼを活性化させる強さと時間が異なり，細胞に異なる効果を及ぼす．RTK, Ras, MAPキナーゼ経路に含まれるタンパク質において，不適切な細胞分裂をひき起こす活性型への変異がほとんどすべての種類のヒトの腫瘍で見いだされている．したがって，RTK/Ras/MAPキナーゼシグナル伝達経路は広範な研究対象となっており，この経路の構成成分とその制御について詳細に明らかにされている（25章）．

まず，どのようにしてRasが活性型のGTP結合型と不活性型のGDP結合型の間を循環しているかを復習することで，Ras/MAPキナーゼシグナル伝達経路の議論をはじめよう．次に，活性化したRasがどのようにそのシグナルをMAPキナーゼに伝えるかを述べる．最後に，酵母と高等真核生物の両者が複数のMAPキナーゼ経路をもつことを示した最近の研究を検討し，足場タンパク質を通じて，細胞が互いに区別された異なるMAPキナーゼ経路を維持しているしくみを解説する．

多くのRTKとサイトカイン受容体の下流で
GTPaseスイッチタンパク質Rasが作用する

15章で述べた三量体Gタンパク質の$G_α$サブユニットを含む他のGタンパク質と同様に，単量体のRasタンパク質はGDPを結合した不活性型と，GTPを結合した活性型との間を交互に変換するスイッチGタンパク質である（図15・7参照）．三量体Gタンパク質は，リガンド結合したGPCRが，Gタンパク質に結合したGDPの解離をひき起こす**グアニンヌクレオチド交換因子**（guanine nucleotide exchange factor: **GEF**）として働くことで活性化する．その後，GTPはヌクレオチドがなくなったGタンパク質に自発的に結合する．活性化したRTKやサイトカイン受容体は，GEF自体としてではなく，細胞膜の細胞質側にいくつかのアダプタータンパク質を呼び寄せることで，そのうちの一つがGEFとして働きRasが活性化される．

Ras（約170アミノ酸）は$G_α$（約300アミノ酸）より小さいが，この二つのタンパク質のGTP結合ドメインは類似した構造をもつ（Rasの構造は図15・7参照）．$G_α$タンパク質のように，結合したGTPがGDPに加水分解されて，Rasは不活性化される．$G_α$タンパク質は，内因性のGTP加水分解速度を増加させる**GTPase活性化タンパク質**（GTPase-activating protein: **GAP**）ドメインを含んでいるが，このドメインはRasにはない．結果として，Rasに内在するGTP加水分解速度は低い．こうして，Rasに結合したGTPの平均寿命は約1分となり，これは$G_α$・GTP複合体の平均寿命よりもずっと長い．Ras・GTPに内在するGTPase活性は低いため，Ras・GTPは不活性化するために，別のタンパク質としてのGAPの助けを必要とする．GAPのRas・GTPへの結合は，Rasの内在性のGTPase活性を100倍以上加速する．GTPからGDPとP_iへの実際の加水分解は，RasとGAPの両方のアミノ酸によって触媒される．Rasに対するGAP（Ras-GAPとよぶ）は，GAPにあるアルギニン側鎖の一つをRas活性部位に挿入し，加水分解反応の中間体を安定化する形で働く．

先に述べたように，変異Rasタンパク質が多種のヒトのがんに関与しているために，哺乳類のRasタンパク質は非常に詳しく研究されてきた．これらの変異タンパク質はGTPを結合するが，加水分解できないため永久に"オン"の状態にあり，がんに至る悪性形質転換の原因となる（25章）．Ras-GAP複合体の三次元構造の決定とRas変異体の解析によって，大部分の発がん性で恒常的に活性型のRasタンパク質（Ras^D）は，12番のアミノ酸の位置に変異をもつという観察結果の謎が解明された．正常なグリシン12を他の（プロリン以外の）どんなアミノ酸と置換しても，GAPの機能的結合は阻害され，大きくGTP加水分解の速度が低下し，本質的にRasは活性型のGTP結合状態に"固定"される．

通常のシグナル伝達経路でRasがRTKの下流で機能するという最初の示唆は，培養繊維芽細胞の実験から得られた．これらの細胞は，二つのRTKを活性化するタンパク質ホルモンである血小板由来増殖因子（PDGF）と上皮増殖因子（EGF）の混合物で増殖が誘導される．抗Ras抗体をこれらの細胞に微量注入すると，細胞増殖が阻害された．逆に，恒常的に活性型の変異Rasタンパク質であるRas^{D}を注入すると，細胞は増殖因子が共存しなくても増殖するようになった．これらの発見は，図15・11で詳しく説明したプルダウン法を用いた研究と一致しており，FGFを繊維芽細胞に加えると，GTPを結合した活性型Rasの割合が急激に増大することが示された．

受容体型チロシンキナーゼは
アダプタータンパク質を介してRasに連結する

活性化されたRTKやサイトカイン受容体がRasを活性化するためには，二つの細胞質タンパク質であるGRB2とSosが，受容体とRasの間を結合させるために最初に移行してくる必要がある（図16・10）．GRB2は**アダプタータンパク質**（adaptor protein）であり，酵素活性をもたず，他の二つのタンパク質の間で連結または足場として機能する．GRB2の場合は，活性化された受容体とSosの間をつなぐものとして機能している．SosはGEFであり，不活性なGDP結合型Rasから活性をもつGTP結合型への転換を触媒する．（Sos は son of sevenless の略．Rasによるシグナル経路が決定的な役割を果たすショウジョウバエの眼の発生において欠陥が生じる変異体の研究から定義された．）

GRB2にはSH2ドメインがあり，多くの活性化されたRTKの細胞質ドメインにある特異的なホスホチロシン残基に結合するので，GRB2はアダプタータンパク質として機能できる．GRB2アダプタータンパク質は，このSH2ドメインに加えて，二つの**SH3ドメイン**（SH3 domain）をもち，それによりSosに結合する（図16・10）．ホスホチロシンを結合するSH2ドメインと同様に，SH3ドメインも，細胞内シグナル伝達に関与する多くのタンパク質中に存在する．さまざまなSH3ドメインの三次元構造は類似しているが，それらのアミノ酸配列は異なっている．GRB2のSH3ドメインは，Sosのプロリンに富む配列に選択的に結合するが，ほかのタンパク質にある別のSH3ドメインは，Sosのものとは別のプロリンに富む配列に結合する．プロリン残基は，アダプタータンパク質（たとえばGRB2）のSH3ドメインと，対応して結合する標的タンパク質（たとえばSos）のプロリンに富む配列との間の相互作用において，二つの役目を果たしている．第一に，プロリンに富む配列は，SH3ドメインと広範囲にわたって接触できる引

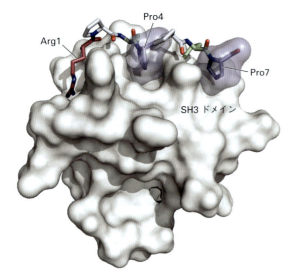

図 16・11 標的ペプチドに結合した SH3 ドメインの表面モデル. 短くプロリンに富む標的ペプチドを針金モデルで示し，SH3 ドメインは空間充填モデルで示してある．この標的ペプチドでは，2 個のプロリン (Pro4 と Pro7, 濃青) が SH3 ドメインの表面にある結合ポケットにはまっている．標的ペプチド中のアルギニン (Arg1, 赤)，他の二つのプロリン (灰色) とその他の残基 (緑) を含む相互作用が，標的ペプチドと SH3 ドメインの結合の特異性を決めている．[S. Feng et al., 1995, *Proc. Natl. Acad. Sci. USA* **92**: 12408, PDB ID 1qwf.]

伸ばされた立体構造をとり，それによって相互作用を促進する．第二に，これらのプロリンのある部分は，SH3 ドメインの表面にある結合"ポケット"にぴったりとはまる (図 16・11). プロリン以外のいくつかの残基も SH3 ドメインと相互作用し，どの SH3 ドメインがどの標的タンパク質と結合するか (結合特異性) の決定に関与している．したがって，SH3 および SH2 ドメインへのタンパク質の結合は，類似した相互作用様式に従っている．すなわち，ある残基が結合に必要な構造モチーフを提供し (SH2 の場合ホスホチロシン, SH3 の場合プロリン), 隣接する残基が結合に特異性を付与している．

Sos が不活性型 Ras に結合して GTP-GDP 交換へと導く高次構造変化をもたらす

RTK (たとえば FGF 受容体) の活性化と自己リン酸化に続いて，GRB2 が結合し，Sos が GRB2 に結合して細胞膜の細胞質側の表面に複合体が形成される (図 16・10). この複合体の形成は，GRB2 が活性化した受容体と Sos の両者に同時に結合できることに依存している．このように，受容体の活性化は Sos の細胞質から膜への再配置をもたらし，脂質との共有結合性の結合により細胞膜の細胞質表面にすでに結合していた基質である Ras・GDP と Sos を接近させる．

Sos が Ras・GDP に結合すると，そこから GDP を外し，GTP が代わりに入ってくることで Ras の活性化をひき起こす．Sos の結合で，Ras のスイッチ I およびスイッチ II 部分に構造変化が生じ，それによって GDP が拡散して離れる (図 16・12). いいかえると，Sos は Ras の GEF として機能する．次に，細胞質中の GTP 濃度が GDP 濃度に比べて高いことから，Ras に GTP が結合して，スイッチ I およびスイッチ II に特異的な構造変化をもたらし，Ras・GTP が Ras/MAP キナーゼ経路の次のタンパク質である Raf を活性化できるようになる．

シグナルは活性型 Ras から MAP キナーゼで終わる プロテインキナーゼのカスケードへと伝わる

酵母，線虫，ショウジョウバエ，および哺乳類を使った生化学ならびに遺伝学的研究から，活性化された Ras の下流には，高度に保存された MAP キナーゼで終結する三つのプロテインキナーゼのカスケードが介在することが明らかにされた．このキナーゼ

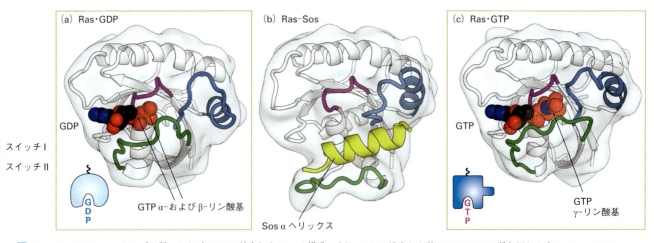

図 16・12 GDP, Sos タンパク質, および GTP に結合した Ras の構造. (a) GDP に結合した他の G タンパク質と同じように, Ras・GDP では, スイッチ I (緑) およびスイッチ II (青) 領域は直接的には GDP と相互作用しない. (b) Sos 中の α ヘリックス (黄) の一つが Ras・GDP の両方のスイッチ領域に結合し, Ras に大きな構造の変化をもたらす. この結果, Sos はスイッチ I 領域を除去することによって Ras に穴を空け, GDP が拡散で外へ出るようにする. (c) GTP は最初にその塩基 (グアニン) を介して Ras-Sos 複合体に結合すると考えられている. その後 GTP のリン酸基が結合して相互作用が完成する. これによって Ras のスイッチ I およびスイッチ II 領域に構造変化が起こり, 両方が GTP の γ-リン酸基に結合できるようになり, Sos を除去して Ras・GTP とそのエフェクター (後述) の相互作用を促進する. 紫で着色した P ループは, 多くの ATP 結合タンパク質および GTP 結合タンパク質でみられる配列モチーフで, ヌクレオチドの β-リン酸基に結合する. Ras・GDP と Ras・GTP 構造の別の描写については図 15・7 を参照. [(a) は M. V. Milburn et al., 1990, *Science* **247**: 939, PDB ID 4q21. (b) は J. Sejbal et al., 1996, *J. Med. Chem.* **39**: 1281, PDB ID 1bdk. (c) は M. E. Pacold et al., 2000, *Cell* **103**: 931, PDB ID 1he8.]

16. 遺伝子発現を調節するシグナル伝達経路

カスケードの活性化は，すべての細胞において同じ生物学的結果をもたらさないが，図16・13に概説するように，Ras/MAPキナーゼ経路は，共通した三つの連続的に作用するキナーゼの一群（Ras→Raf→MEK→MAPキナーゼ）からなる．

刺激されていない細胞では，Rafはいくつかの細胞質キナーゼにより二つの部位がリン酸化されている．一つはセリン/トレオニンキナーゼドメインで，もう一つはN末端の自己抑制ドメインである．これらのリン酸化は，**分子手錠**（molecular handcuff）として働く二量体のタンパク質14-3-3と結合し，自己抑制ドメインがキナーゼ活性部位を阻害する位置に固定される．14-3-3との結合は不活性型のRafを細胞質にとどめることにも働く．

前述のとおり，RasはGDPからGTPへの交換によって活性化される（図16・13, 段階**1**）．活性化されたRas・GTP（Ras・GDPではなく）は，RafのN末端自己抑制ドメインに結合して構造を変化させ，このドメインに付加されていたリン酸が細胞質のホスファターゼにより取除かれるように働き，14-3-3との結合を失わせる．これにより，キナーゼ活性部位の阻害が外れ，部分的にキナーゼ活性が促進される（段階**2**）．Ras・GTPからRas・GDPへの加水分解が，RasからRafを解離させ（段階**3**），解放されたRafは二量体を形成して一方のRafが他方の活性化ループのセリンまたはトレオニン残基をリン酸化することで，さらにRafのキナーゼ活性が促進される．まとめると，Ras・GTPがRafと結合すると，Ras・GTPが加水分解されてRas・GDPになり，14-3-3を含む阻害複合体から活性のあるRafを解離させ（段階**3**），Rafのキナーゼ活性が促進される．

活性化したRafは，次にMEKの活性化ループの一つまたは二つのセリン残基をリン酸化し，MEKのキナーゼ活性を促進する（段階**4**）．MEKは標的タンパク質のチロシンとセリン/トレオニンの両方の残基をリン酸化するため，**二重特異性**（dual-specificity）プロテインキナーゼとよばれる．活性型MEKは，おもにMAPキナーゼの活性化ループをリン酸化する（段階**5**）．活性化したMAPキナーゼは，このあと議論する細胞応答を媒介する核内転写因子を含む，多くの異なるタンパク質をリン酸化する（段階**6**）．

いくつかの実験によって，Ras→Raf→MEK→MAPキナーゼ経路が証明されている．たとえば，非機能性の変異Rafタンパク質を発現している哺乳類培養細胞では，恒常的にGTPに結合し，活性をもつRas^{D}タンパク質によって刺激しても，制御不可能な増殖を起こすことはない．この発見によって，RafとRasタンパク質の間にはつながりがあり，このシグナル経路においてRafがRasの下流に位置することが確認された．さらに，in vitro結合実験によって，精製したRas・GTPタンパク質がRafのN末端調節ドメインに直接結合し，その触媒活性を高めることが示された．

Rasの活性化に応答してMAPキナーゼが活性化されることは，恒常的に活性のあるRas^{D}タンパク質を発現している休止状態の（分裂しない）培養細胞を用いて証明された．これらの細胞では，増殖を促進するホルモンの刺激がなくても，活性型のMAPキ

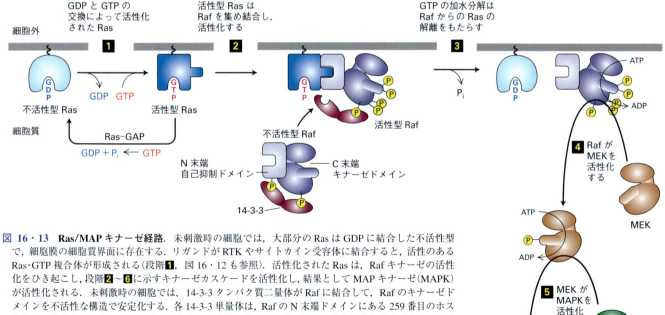

図16・13 Ras/MAPキナーゼ経路．未刺激時の細胞では，大部分のRasはGDPに結合した不活性型で，細胞膜の細胞質界面に存在する．リガンドがRTKやサイトカイン受容体に結合すると，活性のあるRas・GTP複合体が形成される（段階**1**，図16・12も参照）．活性化されたRasは，Rafキナーゼの活性化をひき起こし，段階**2**～**6**に示すキナーゼカスケードを活性化し，結果としてMAPキナーゼ（MAPK）が活性化される．未刺激時の細胞では，14-3-3タンパク質二量体がRafに結合して，Rafのキナーゼドメインを不活性な構造で安定化する．各14-3-3単量体は，RafのN末端ドメインにある259番目のホスホセリン残基と，キナーゼドメインにある621番目のホスホセリン残基のそれぞれと結合する．14-3-3タンパク質への結合は，細胞質においてRafキナーゼを閉じた不活性状態に維持する．段階**2**: RafのN末端調節ドメインがRas・GTPと相互作用すると，Rafを14-3-3に結合させているセリンのうちの一つが細胞質の酵素により脱リン酸化され，14-3-3との結合が失われ，Rafキナーゼの部分的な活性化が起こる．Rafキナーゼの完全な活性化は，一部はRaf二量体（示されていない）の形成により起こるが，そこでは一方のキナーゼドメインがもう一方のRafの活性化ループにあるセリンまたはトレオニン残基のリン酸化を起こす．段階**3**: Ras-GAPにより促進されて，Rasに結合したGTPが加水分解されたのち，不活性のRas・GDPはRafから解離する．Ras・GDPは，活性化した受容体からのシグナルによって再活性化することができ，それによってさらなるRaf分子を膜に引寄せる．本文に詳しくあるように，段階**4**でRafはMEKキナーゼをリン酸化して活性化し，段階**5**でMEKがMAPキナーゼをリン酸化して活性化する．[E. Kerkhoff and U. Rapp, 2001, *Adv. Enzyme Regul.* **41**: 261; J. Avruch et al., 2001, *Recent Prog. Horm. Res.* **56**: 127; D. Matallanas et al., 2011, *Genes Cancer* **2**: 232 参照．]

ナーゼが生成される．しかし，生化学的実験により，Rafは直接MAPキナーゼをリン酸化できず，活性を促進することもできないことが示された．Ras・GTPにより活性化されるキナーゼカスケードにおける最後のつながりは，増殖因子で刺激された細胞でだけ活性化しており，刺激していない細胞では活性をもたない，MAPキナーゼをリン酸化できるキナーゼを探そうとして，培養細胞の抽出物を分画した実験によって明らかとなった．この研究がMEKの同定につながった．MAPキナーゼのリン酸化は，触媒活性を高めるだけでなく，その二量体化も促進する．この二量体構造のMAPキナーゼは核に移行し，多くの核内転写因子の活性を調節する．その後の研究によって，MEKはRafのC末端触媒ドメインに結合し，Rafのセリン/トレオニンキナーゼによってMEKの活性化ループの一つまたは二つのセリン残基にリン酸化が入り（図16・13, 段階**4**），このリン酸化によってMEKの触媒活性が促進されることが示された．

Ras/MAPキナーゼ経路が多くの細胞で利用され，さまざまな異なる受容体により活性化されることを考えると，この経路を形成するそれぞれの構成因子に複数のアイソフォームが存在することは不思議ではない．ヒトにおいて，三つのRAS，三つのRaf，二つのMEK，そして二つのMAPキナーゼタンパク質が存在し，これらのアイソフォームは重複する機能もつと同時に，固有の機能ももっている．RafはMEKをリン酸化するので，Rafや細胞がもつMEKをリン酸化する類似のキナーゼは，**MEKキナーゼ**（MEK kinase: **MEKK**）としばしばよばれる．哺乳類を含むすべての真核生物が，高度に保存された複数のRas/MAPキナーゼ経路をもっており，それらは異なる細胞外シグナルで活性化され，異なるMAPキナーゼを活性化し，異なる転写因子をリン酸化する．そして，これらの転写因子は，細胞の分裂，分化，機能において異なる変化をもたらす．哺乳類のMAPキナーゼには，さまざまな種類のストレスに応答したシグナル経路によって活性化される**Jun N末端キナーゼ**（Jun N-terminal kinase: **JNK**）と，**p38キナーゼ**（p38 kinase）があり，これらは多様な転写因子や別の種類のシグナル伝達タンパク質をリン酸化して，細胞分裂に影響を与える．

恒常的にキナーゼドメインを活性構造に固定してしまう*Raf*遺伝子の変異は，多くの種類の腫瘍細胞で起こっており，特に，日光の紫外線への曝露によってしばしば発症する皮膚がんのメラノーマにおいては，50％以上でみられる．このような変異の一つに600番目のバリンのグルタミン酸への置換があるが，紫外線への曝露によって起こるメラノーマの90％以上でこの変異がみられる．この恒常的活性化変異の*Raf*キナーゼは，増殖因子の非存在下においても細胞のMAPキナーゼシグナル伝達を刺激し，細胞増殖の促進とアポトーシス（プログラム細胞死，22章）の抑制を起こす．最近，この変異型のRafに対する選択的な阻害剤が臨床応用され，しばしばこのがんの短期の寛解に貢献している．この変異型Rafによるメラノーマの患者には，RafとMEKを阻害する治療薬の併用はより有効と考えられるので，最近臨床治験が開始された*．■

MAPキナーゼは初期応答遺伝子を支配する
多数の転写因子の活性を調節する

休止状態で分裂していない哺乳類培養細胞にEGFやPDGFなどの増殖因子を処置すると，100種類もの異なる遺伝子の発現が急激に増大する．これらの遺伝子は細胞がS期に入ってDNAを複製するより前の，G_0期やG_1期において顕著に誘導されるので，**初期応答遺伝子**（early response gene）とよばれる（19章）．これらの多くは，活性化した（リン酸化されて二量体になった）MAPキナーゼの下流でオンになる（図16・14）．マスター転写因子であるc-Fosについて考えてみよう．他の転写因子とともに，c-Fosは細胞が細胞周期を進行させるために必要なタンパク質をコードする多くの遺伝子の発現を誘導する．*c-fos*遺伝子の発現を調節するエンハンサーには，**血清応答配列**（serum response element: **SRE**）が含まれている．この名称は，血清中の多くの増殖因子によってSREが活性化されることに由来する．活性化したMAPキナーゼは，転写因子の一つである**三者複合体因子**（ternary complex factor: **TCF**）を直接リン酸化して活性化し，*c-fos*遺伝子の転写を誘導する．MAPキナーゼは，別のキナーゼである$p90^{RSK}$をリン酸化によって活性化し，それが別の転写因子である**血清応答因子**（serum response factor: **SRF**）をリン酸化する．リン酸化されたTCFが2分子のリン酸化されたSRFと相互作用し，活性のある転写因子複合体が形成されて*c-fos*遺伝子の転写を活性化する．

増殖因子と結合するほとんどのRTKが，Ras/MAPキナーゼ経路を使ってc-Fosなどのタンパク質をコードする遺伝子の活性化を起こし，細胞に細胞周期を推進させる．Ras/MAPキナーゼカスケードにおいて少数の標的キナーゼしかリン酸化しないRafやMEKキナーゼとは異なり，MAPキナーゼは，核と細胞質において200を超えるタンパク質をリン酸化することが知られている．MAPキナーゼの標的の多くは，遺伝子発現の調節因子であり，異なるMAPキナーゼの標的が異なる種類の哺乳類細胞で発現している．細胞表面受容体によって直接的または間接的に活性化される他の転写因子でみられることと同様に，MAPキナーゼによる正確なタンパク質誘導は，細胞内で特定の標的タンパク質が発現されていること，DNAやクロマチンタンパク質のエピジェネティックな標識，そして他の転写因子が存在していることに依存している（図16・2）．

複数のフィードバック機構がMAPキナーゼの活性を制限する

遷延化したRTK-Ras/MAPキナーゼカスケードの活性化は，生物に有害な不適切な細胞増殖に至るかもしれない．したがって，通常の適切な細胞制御を維持するために，MAPキナーゼ活性はいくつかのフィードバック機構を介して厳密に制御されている．他の細胞経路のフィードバック制御と同じように，これらは二つの部類に分けられる．経路の構成要素に対する翻訳後修飾と，経路の特定の段階を阻害するタンパク質合成の誘導である．直接の翻訳後修飾によるRas/MAPキナーゼ経路の阻害はほぼ瞬間的なものであるが，一方，新規の遺伝子発現やタンパク質合成を介した阻害タンパク質の産生と，それらが標的に影響を及ぼす過程は何十分も必要とする．

＊ 訳注：現在では，エンコラフェニブ（B-Raf阻害剤）＋ビニメチニブ（MEK阻害剤）などの臨床試験第Ⅲ相（COLUMBUS試験）が終了し，RafとMEKを阻害する治療薬の併用について有効性が認められた療法がすでに存在する．

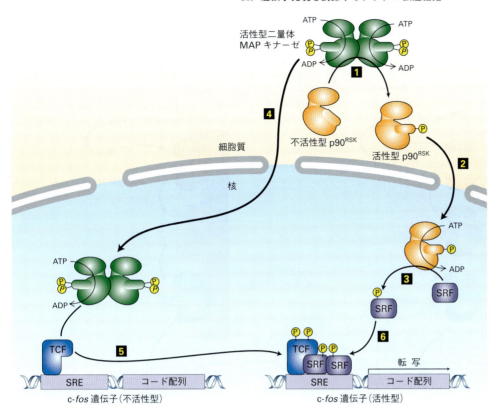

図 16・14 MAPキナーゼによる遺伝子の転写誘導．段階❶～❸：細胞質でMAPキナーゼがキナーゼp90^{RSK}をリン酸化して活性化すると，次にそれが核内に移行してSRF転写因子の特定のセリンをリン酸化する．段階❹と❺：MAPキナーゼは，核内に移行したのちに，c-fos 遺伝子のプロモーターにすでに結合している転写因子TCFの特定のセリンを直接リン酸化する．段階❻：リン酸化されたTCFとSRFは，ともに働いてプロモーターにSRE配列をもつc-fosや他の遺伝子の転写を促進する．詳しくは本文参照．[R. Marais et al., 1993, Cell **73**: 381; V. M. Rivera et al., 1993, Mol. Cell Biol. **13**: 6260 参照.]

翻訳後修飾の場合は，活性化したMAPキナーゼがその経路の上流で働く複数のタンパク質をリン酸化して，MAPキナーゼ経路を活性化する能力を低下させる．たとえば，活性化したMAPキナーゼは，EGF受容体であるHER1の膜近傍部位（図16・8）の近くにあるトレオニン残基をリン酸化する．このトレオニン残基のリン酸化は，受容体キナーゼが最大まで活性化する能力を低下させる．活性化したMAPキナーゼは，Rafの複数の部位をリン酸化して，Rasとの結合を低下させ，Rafが活性化できなくする．このような制御は，MAPキナーゼの活性化の強さと持続時間の両方を効率的に制限する．

Ras/MAPキナーゼ経路の活性化は，MAPキナーゼシグナル伝達の強さと持続時間を低下させる調節因子の転写も促進する．これはネガティブフィードバック制御の古典的な一例である．たとえば，活性化したMAPキナーゼは，**二重特異性ホスファターゼ**（dual-specificity phosphatase: DUSP），特にDUSP6の発現を増加させる．この名称は，DUSPがMAPキナーゼの活性化ループのトレオニンとチロシン両方の残基を脱リン酸化できることに由来する．これにより，活性化ループはMAPキナーゼの活性部位を阻害するようになる．DUSP6は，他のRTK-Ras/MAPキナーゼシグナルカスケードの抑制因子とともに初期応答遺伝子であり，MAPキナーゼが活性化されてから最初の15分以内ですばやく転写が増加する．これらのホスファターゼの発現増加は，典型的には一過性のMAPキナーゼ阻害につながり，ひき続く刺激に対する応答性も抑制できる．

足場タンパク質が同一細胞内で異なるMAPキナーゼ経路を互いに隔離している

一つの細胞内で，二つの異なる受容体により開始され，別の結果をもたらす二つのシグナル伝達経路は，ある段階で同一のプロテインキナーゼを共有している場合がある．このキナーゼは，経路に依存して異なる基質をリン酸化するが，それらの基質は両方とも細胞内に同時に存在している．正しい基質がリン酸化されることを保証する主要な機構は，足場タンパク質による複合体の形成である．酵母における例をみると，足場タンパク質がどのようにしてキナーゼを正しい基質に導いているか理解することができる．

哺乳類細胞と同じように酵母もいくつかのMAPキナーゼ経路を利用しているが（図16・15），これらはRasのようなタンパク質で活性化するわけではない（酵母にはそのようなタンパク質がない）．一つ目の経路は，酵母細胞を高浸透圧の培地に入れた際に活性化される．この経路のMAPキナーゼはHog1であり，この浸透圧負荷に対抗して細胞を守るタンパク質の遺伝子を活性化する転写因子をリン酸化する（図16・15b）．二つ目の経路は，反対の接合型の酵母が接合する際に活性化する．一倍体の酵母細胞は，**a**型かα型の接合型のどちらかである．**a**型一倍体細胞は，**a**因子を分泌し，α因子に結合するGPCRを細胞表面にもっている．逆に，α型の細胞はα因子を分泌し，**a**因子に結合するGPCRをもっている（図1・24参照）．これらの因子に結合するGPCRはMAPキナーゼ経路を活性化する．この経路のMAPキナーゼはFus3であり，核に移行する．そこでFus3は，いくつかの転写因子をリン酸化して活性化し，細胞周期の進行を止めるタンパク質をコードする遺伝子と，細胞が反対の接合型と融合して最終的に二倍体細胞を形成できるようにする別の遺伝子の発現をオンにする（図16・15a）．

ここで，シグナルが混同しうる部分が存在する．というのも，図16・15にあるように，同じMEKKプロテインキナーゼである

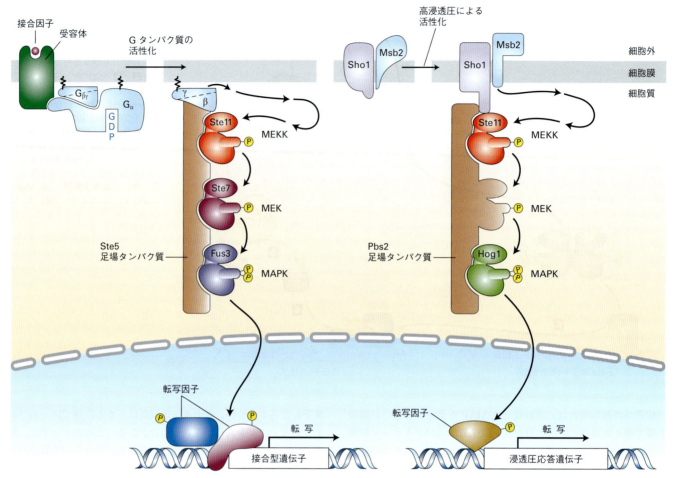

図 16・15 酵母の接合経路と浸透圧調節経路に介在する MAP キナーゼカスケードは足場タンパク質によって分離される．出芽酵母では，異なる細胞表面受容体が異なる MAP キナーゼ経路を活性化しており，ここではそれらの二つの概要を示す．(a) 接合経路：酵母のαおよび a 接合因子の GPCR 受容体は，同じ三量体 G_α タンパク質と共役する．リガンドが結合して G タンパク質のサブユニットが解離すると，膜に係留された $G_{\beta\gamma}$ サブユニットが足場タンパク質 Ste5 に結合して細胞膜につなぎとめる．$G_{\beta\gamma}$ サブユニットは，次に Ras や他の MEK キナーゼ（MEKK）タンパク質に類似した Ste11 をリン酸化して活性化するシグナル伝達経路（矢印）を活性化する．Ste11 は，高等真核生物における MAP キナーゼ（MAPK）に機能的に対応する Fus3 を最後の因子とする MAP キナーゼカスケードを惹起する．他の MAP キナーゼと同様に，活性化した Fus3 は，核に移行していくつかの転写因子をリン酸化して活性化する．この場合は，酵母が反対の接合型の酵母と融合して二倍体になることを可能にする遺伝子の転写をひき起こす．(b) 浸透圧調節経路：酵母細胞が高浸透圧の培地にさらされると，二つの細胞膜タンパク質 Sho1 と Msb1 が活性化される．活性化された Sho1 は，MEK ドメインをもつ足場タンパク質 Pbs2 を細胞膜に係留させ，やはり Ste11 をリン酸化して活性化するシグナル伝達経路（矢印）を活性化する．こちらの場合，別の MAP キナーゼカスケードが惹起され，Hog1 という MAP キナーゼが活性化される．Hog1 は，核内に移行して，いくつかの転写因子とクロマチン修飾酵素をリン酸化することで，高浸透圧培地で酵母が生存することを助ける．この経路での MEK は，足場タンパク質である Ste5 に埋込まれたドメインが担うことに注意しよう．[N. Dard and M. Peter, 2006, *BioEssays* **28**: 146; R. Chen. and J. Thorner, 2007, *Biochim. Biophys. Acta* **1773**: 1311 参照.]

Ste11 が両方の経路に存在しており，おのおのの経路で固有の別の MEK キナーゼをリン酸化しているからである．**足場タンパク質**（scaffold protein）の働きで，Ste11 がまちがった MEK キナーゼをリン酸化しないようになっている．足場タンパク質 Ste5 は，接合経路で使われており，全く触媒活性はもっていないが，接合シグナル伝達経路において MEKK キナーゼの Ste11，MEK キナーゼの Ste7，MAP キナーゼの Fus3 を含む大きな複合体を安定化している．接合因子の GPCR の活性化にひき続いて放出された $G_{\beta\gamma}$ タンパク質と結合して，Ste5 は結合した Ste11 が接合経路で活性化されることを保証している．一方で，細胞外の浸透圧強度の変化を感知する受容体である Sho1 と Msb2 は，接合経路複合体に含まれる MEKK の Ste11 を活性化できない．

同じように，足場タンパク質である Pbs2 は，浸透圧調節経路（図 16・15b）のキナーゼカスケードで使われており，浸透圧経路の活性化因子である Sho1 と結合している．これにより，Pbs2 に結合した Ste11 は浸透圧経路だけで活性化するようになっており，接合因子の GPCR の活性化で放出された $G_{\beta\gamma}$ タンパク質では，浸透圧感知経路の複合体に含まれる MEKK1 の Ste11 を活性化できない．

このように，Ste11 の下流のシグナルは Ste11 が限局している複合体の中に制限されている．結果として，酵母細胞を接合因子で処置すると一つの MAP キナーゼ Fus3 だけが活性化し，高浸透圧で処置すると別の MAP キナーゼ Hog1 が活性化する．

16. 遺伝子発現を調節するシグナル伝達経路

図3・31で強調したように，足場タンパク質は，酵素（たとえばMEKK）とその基質（MEK）を近くに集めて，酵素が基質分子を探して水溶液中を拡散するために必要な時間を短縮し，酵素触媒反応の速度を上昇させる機能ももつ．

MAPキナーゼ経路の足場は，酵母，ハエ，線虫，および哺乳類の細胞について詳細に記述されている．足場タンパク質は，上の酵母における Fus3 と Hog1 で述べた特定の経路を隔離する機能に加えて，経路の活性を制御することもできる．IQGAP1は，他の多くのタンパク質とともに RAF, MEK, ERK キナーゼに結合する哺乳類の足場タンパク質である．複数の異なる種類のがんにおいて IQGAP1 の発現は増加しており，その増加とともに Ras/MAP キナーゼシグナルカスケードの活性が上昇する．おそらく，IQGAP1 は Raf, MEK, ERK をまとめて一つの複合体に集めてそれらの活性化を促進していると考えられる．興味深いことに，細胞において ERK に結合する IQGAP ドメインのみを発現させるだけで，活性化 Raf タンパク質の変異体を発現するメラノーマ細胞の増殖を抑制することができる．この小さなタンパク質は全長の IQGAP1 足場タンパク質が ERK に結合するのを阻害し，機能的な足場複合体に ERK が取込まれるのを防いでいる．この IQGAP ドメインの機能は，がんにおける MAP キナーゼ活性を低下させる新たな戦略を提示している．哺乳類細胞において，異なる MAP キナーゼのシグナル特異性は，異なる足場様タンパク質との相互作用で達成されていると想像できるが，この可能性を検証するためにはさらなる研究が必要である．

16・2 Ras/MAP キナーゼシグナル伝達経路　まとめ

- Rasは多くのRTKとサイトカイン受容体の下流で機能する細胞内GTPaseスイッチタンパク質である．G_αと同様に，Rasは不活性なGDP結合型と活性をもつGTP結合型の間を循環する．Rasの循環には，グアニンヌクレオチド交換因子（GEF）およびGTPase活性化タンパク質（GAP）という二つのタンパク質の助けが必要である．
- RTKは，アダプタータンパク質のGRB2とGEF活性をもつSosという二つのタンパク質を介して，間接的にRasとつながっている（図16・10）．
- GRB2のSH2ドメインは活性化されたRTKのホスホチロシンに結合する．他方，GRB2の二つのSH3ドメインはGEFであるSosに結合することで，Sosを膜に結合したRas・GDPに接近させ，Rasを活性化させる．
- Sosが不活性型のRasに結合すると，大きな高次構造変化が起こり，それがGDPの解離とGTPの結合を可能にして活性型のRasを形成する（図16・12）．
- 活性化されたRasはキナーゼカスケードの引金を引き，Raf（MEKキナーゼ：MEKK），MEK，そしてMAPキナーゼが連続的にリン酸化されて活性化する．活性化したMAPキナーゼは核内に移行する（図16・13）．
- 増殖因子受容体の刺激に続くMAPキナーゼの活性化は，二つの転写因子をリン酸化して活性化することで，さまざまな初期応答遺伝子の転写が促進される（図16・14）．
- 異なる細胞外シグナルは異なるMAPキナーゼの活性化を誘導し，異なる組合わせの転写因子のリン酸化を介して広範な細胞の諸過程を調節している．
- 複数のネガティブフィードバック機構がMAPキナーゼの活性を制限している．そのうちいくつかは，活性化されたMEKに転写誘導される遺伝子のタンパク質に依存している．
- MAPキナーゼカスケードを構成するキナーゼは，しばしば足場タンパク質によって安定化される大きな経路特異的な複合体に集められる（図16・15）．これによって，たとえ含まれる構成要素が別の経路に共有されていても，特定の細胞外シグナルによって活性化されるMAPキナーゼ経路を一つに限定し，別の不適当な経路の活性化を起こさないようにしている．

16・3 ホスホイノシチドによるシグナル伝達経路

前節で，活性化した受容体型チロシンキナーゼ（RTK）がどのように Ras/MAP キナーゼ経路を開始するかをみた（図16・10, 図16・13）．ここでは，これらと同じ受容体がどのようにして全く違うシグナル経路を開始するかを解説する．これらの経路は，ホスファチジルイノシトールから生成される特定のリン酸化リン脂質を中間体として利用する．15章で説明したように，これらの膜結合性脂質は，**ホスホイノシチド**（phosphoinositide）と総称される．

これらのシグナル経路は，細胞膜の細胞質側で異なるホスホイノシチドを合成するいくつかの酵素と，合成された分子と結合するドメインをもつ細胞質タンパク質から構成されている．したがってこれらのタンパク質は，対応するホスホイノシチドが生成されると，細胞膜の細胞質側に集められる．

いくつかのホスホイノシチド経路は短期の効果に加えて，遺伝子発現のパターンに対して長期的な影響を与える．細胞の増殖や代謝に重要な役割を果たすプロテインキナーゼC（PKC）やプロテインキナーゼB（PKB）を含む，特異的なキナーゼの活性化を最終段階とする異なるホスホイノシチド経路をこれからみていく．21章では，筋肉や脂肪細胞におけるグルコースの取込みの速やかな促進において，インスリンによるPKBの活性化がどのように重要な役割を果たすかを一例として説明する．

ホスホリパーゼ C_γ はいくつかのRTKとサイトカイン受容体によって活性化される

15章において，ホルモンがある種のGタンパク質共役型受容体を刺激すると，ホスホリパーゼC（PLC）が活性化することを学んだ．この膜結合型酵素は，次にホスファチジルイノシトール4,5-ビスリン酸〔PI(4,5)P$_2$〕を切断して，二つの重要な二次メッセンジャーである1,2-ジアシルグリセロール（DAG）とイノシトール1,4,5-トリスリン酸（IP$_3$）を生成する．生成物の一方であるIP$_3$は，異なる種類の細胞において多彩な影響を及ぼす細胞質のCa^{2+}濃度の上昇をひき起こす．細胞質のCa^{2+}の増大は，PKCの細胞膜の細胞質側への移行をひき起こし，そこでPKCはDAGと結合して活性化する（図15・28参照）．異なる細胞におけるPKCの活性化は，さまざまな細胞応答をひき起こすことから，細胞の増殖と代謝の多くの面でこのキナーゼが重要な役割を担っていること

がわかる．

多くのシグナル伝達タンパク質でみられるように，PLC にも複数のアイソフォームが存在する．GPCR は三量体 G タンパク質を介してこの酵素のうち β アイソフォーム（PLCβ）を特異的に活性化する．多くの RTK（および次節で述べるサイトカイン受容体）は，異なるアイソフォームであり，SH2 ドメインをもつ PLC の γ アイソフォーム（PLCγ）を活性化する．PLCγ の SH2 ドメインは，活性型受容体の細胞質領域の特定のホスホチロシンに結合し，PLCγ 酵素を細胞質からその基質である PI(4,5)P$_2$ の存在する細胞膜の細胞質側に呼び寄せる．さらに，受容体は結合した PLCγ 上のチロシン残基をリン酸化し，加水分解酵素活性を上昇させる．このように，活性化された RTK とサイトカイン受容体は，PLCγ の活性を，酵素の膜への局在化とそのリン酸化という二つの方法で促進させる．15 章で述べたように，PLC でひき起こされる IP$_3$/DAG 経路は，多彩な生理作用をもたらす．

活性化受容体に引寄せられた PI 3-キナーゼが細胞膜でホスファチジルイノシトール 3-リン酸の蓄積を起こしいくつかの下流のキナーゼを活性化する

IP$_3$/DAG 経路以外にも，活性化された RTK とサイトカイン受容体の多くは，酵素ホスファチジルイノシトール 3-キナーゼ（phosphatidylinositol 3-kinase，**PI 3-キナーゼ**）を細胞膜の細胞質側へ引寄せることによって，もう一つのホスホイノシチド経路を開始させる．PI 3-キナーゼは自身の SH2 ドメインにより，多くの活性化された RTK とサイトカイン受容体の細胞質ドメインに存在するホスホチロシンに結合して，細胞膜に引寄せられる．この細胞膜への移動によって，PI 3-キナーゼの触媒ドメインが細胞膜の細胞質側に存在するホスホイノシチド基質の近くに配置される．前述のタンパク質をリン酸化するキナーゼとは異なり，PI 3-キナーゼは，2 種類の異なるホスファチジルイノシトール基質のイノシトール環の 3 位ヒドロキシ基にリン酸を付加して，合わせて **PI 3-リン酸**（PI 3-phosphate）とよばれる PI 3,4-ビスリン酸〔PI(3,4)P$_2$〕，または PI 3,4,5-トリスリン酸〔PI(3,4,5)P$_3$〕を生成する（図 16・16）．これらの PI 3-キナーゼによる膜結合性 PI 3-リン酸産物は，さまざまなシグナル伝達タンパク質の結合部位として作用する．これらのタンパク質がホスホイノシチドに結合すると，いくつかの重要な経路シグナル伝達が起こる．

いくつかの細胞では，この **PI 3-キナーゼ経路**（PI 3-kinase pathway）は，細胞を分裂させ，アポトーシスを抑制して細胞を生存させる．別の細胞では，この経路は細胞の代謝において特定の変化をひき起こす．

PI 3-リン酸に結合する重要なシグナル伝達タンパク質の一つに **プロテインキナーゼ B**（protein kinase B: **PKB**）があり，これは **Akt** ともよばれるセリン/トレオニンキナーゼである．PKB はキナーゼドメインの他に **PH ドメイン**（PH domain）という広範なシグナル伝達タンパク質に保存されており，PI(3,4)P$_2$ および PI(3,4,5)P$_3$ 両方の PI 3-リン酸に高い親和性で結合するタンパク質ドメインをもつ．刺激を受けていない休止状態の細胞では，これらのホスホイノシチドの濃度は低く，PKB はキナーゼ活性部位が物理的に PH ドメインにより阻害されているので，不活性の状態で細胞質に存在している（図 16・17）．リガンドによる受容体の活性化で，PI 3-リン酸の濃度が上がる．PKB の PH ドメインは，

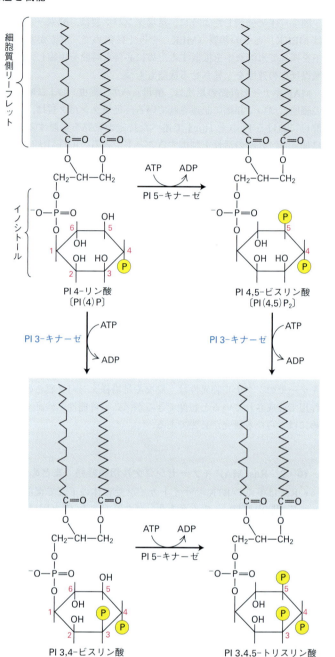

図 16・16　ホスファチジルイノシトール 3-リン酸の生成．酵素ホスファチジルイノシトール-3 キナーゼ（PI 3-キナーゼ）は，多くの活性化された受容体型チロシンキナーゼ（RTK）およびサイトカイン受容体によって細胞膜の細胞質側へ引寄せられる．この酵素によるイノシトール環 3 位の炭素へのリン酸の付加によって生じる PI(3,4)P$_2$ または PI(3,4,5)P$_3$ は，プロテインキナーゼ B の PH ドメインのように，さまざまなシグナル伝達タンパク質の結合部位になる．[L. Rameh and L. C. Cantley, 1999, *J. Biol. Chem.* **274**: 8347 参照．]

これらの PI 3-リン酸に結合するので，PKB のキナーゼ活性部位を阻害しなくなる．したがって，PKB は細胞膜の細胞質側に移行し，阻害の外れたキナーゼドメインは部分的に活性化する．PKB の最大活性は，細胞膜の細胞質側に **PDK1** と **PDK2** という他の二つのキナーゼの引寄せによって達成される．

PDK1 は，自身の PH ドメインにより PI 3-リン酸に結合して細胞膜に移行する．PKB と PDK1 は，個別の PI 3-リン酸に係留さ

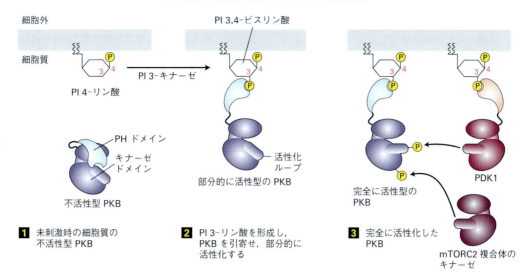

図 16・17 PI 3-キナーゼ経路におけるプロテインキナーゼ B (PKB) の動員と活性化. 未刺激時の細胞では (段階■), PKB は, PH ドメインがキナーゼ触媒ドメインに結合して活性を阻害した状態で細胞質に存在する. ホルモンで刺激されると, PI 3-キナーゼが活性化し, ひき続いて $PI(3,4)P_2$ と $PI(3,4,5)P_3$ が生成する (図 16・16). 両方の 3 位のリン酸基は, PKB の PH ドメイン (段階■) および別のキナーゼ PDK1 の細胞膜上の結合部位として機能する. PKB の完全な活性化には, PDK1 による活性化ループのリン酸化と, 第二のキナーゼであり 21 章で説明する mTORC2 複合体の一部である PDK2 による C 末端部位へのリン酸化の両方が必要である (段階■). [A. Toker and A. Newton, 2000, Cell **103**: 185; S. Sarbassov et al., 2005, Curr. Opin. Cell Biol. **17**: 596 参照.]

れて, 細胞膜の平面上を自由に拡散し, 最終的に PDK1 が PKB の活性化ループにある重要なトレオニンをリン酸化できる間隔まで近づく. これはリン酸化によるキナーゼ活性化のさらなる一例である. 21 章で述べる mTORC2 キナーゼ複合体によって活性化ループではない位置に二つ目のリン酸化を受けることが PKB の最大活性化に必要である (図 16・17). Raf 活性の制御 (図 16・13) と同じように, PKB の活性もまた阻害領域の解離と別のキナーゼによるリン酸化に制御を受けている.

活性化されたプロテインキナーゼ B は多くの細胞応答をひき起こす

プロテインキナーゼ B が完全に活性化されると, 細胞膜から離れて細胞中の多数の標的タンパク質をリン酸化できるようになる. これらの標的タンパク質は, 細胞のふるまいにおいて広範な効果を発揮する. 多くの細胞において活性化された PKB は, **Bad** という名前が示すように細胞の生存に悪影響を与え, プログラム細胞死 (アポトーシス, 図 22・42 参照) を誘導するタンパク質を直接リン酸化して不活性化する. PKB による Bad のリン酸化は, アポトーシスを起こさないように保護する.

活性化した PKB は, さらにフォークヘッド型転写因子である FOXO3a の複数のセリン/トレオニン残基をリン酸化することによって, 多くの培養細胞の生存を促進する. FOXO3a がリン酸化されていないとおもに核内に局在し, アポトーシスを誘導するタンパク質をコードするいくつかの遺伝子の転写を活性化する. 増殖因子が細胞に処置されると, PI 3-キナーゼが活性化して続いて PKB が活性化する. 活性化した PKB は, FOXO3a をリン酸化する. 細胞質にあるホスホセリン結合タンパク質である 14-3-3 がリン酸化された FOXO3a と結合して, これを細胞質に隔離する (14-3-3 に結合する Raf など他の多くのリン酸化タンパク質も細胞質に不活性型で保持される, 図 16・13). PKB によるリン酸化の標的である三つのセリン残基をアラニンにした FOXO3a 変異体は, 転写因子として恒常的に活性型となり, 活性化された PKB が存在してもアポトーシスを誘導する. この知見は, アポトーシス誘導の抑制において PKB が FOXO3a をリン酸化することの重要性を物語っている.

がんと糖尿病の両方の病態において, PKB の制御不全が関係しているが, 21 章においてインスリンの RTK の下流で活性化された PKB が, 筋肉と肝臓においてグルコースの取込みと貯蔵をどのように促進するかを述べる. これは, 一つのシグナル伝達経路が異なる細胞において別種の細胞機能を調節するもう一つの例である.

PI 3-キナーゼ経路は PTEN ホスファターゼによって抑制性に調節される

ほとんどの細胞内シグナル伝達現象でみられるように, PI 3-キナーゼによるリン酸化も可逆的である. PI 3-キナーゼで付加されたリン酸を除去する **PTEN** とよばれるホスファターゼは, 通常では考えられない広い基質特異性をもっている. PTEN は, タンパク質のセリン, トレオニン, およびチロシンに結合したリン酸基を除去することができるが, 細胞内でのその主要な機能は $PI(3,4)P_2$ と $PI(3,4,5)P_3$ の 3 位のリン酸を除去する能力であり, したがって PI 3-キナーゼシグナル伝達経路を抑制することにあると考えられている. 哺乳類培養細胞に PTEN を過剰発現させると, $PI(3,4)P_2$ と $PI(3,4,5)P_3$ の量を減らして PKB の活性を低下させ, 抗アポトーシス効果を制限することでアポトーシスを誘導する.

さまざまな種類のヒトの進行がんでは, *PTEN* 遺伝子が失われており, その消失が無制御な増殖につながる. 事実, PTEN を欠いた細胞では $PI(3,4,5)P_3$ の量の増加と PKB 活性の上昇がみられる. PKB はアポトーシスを誘導するタンパク質を抑制するので, PTEN の消失は, 腫瘍を含む多くの細胞が起こすプログラム細胞死を低下させる. 神経幹細胞などの細胞において PTEN がないと, アポトーシスが妨げられるだけでなく, 細胞周

期の進行が刺激されて増殖速度が高まる．PTEN を欠くノックアウトマウスの脳は，過剰な数の神経細胞で肥大しており，正常な脳の発生の制御における PTEN の重要性を証明している．

16・3 ホスホイノシチドによるシグナル伝達経路まとめ

- RTK およびサイトカイン受容体の多くは，G タンパク質共役型受容体によって活性化される PLC とは異なるアイソフォームのホスホリパーゼ C_γ（PLC_γ）を活性化することによって，IP_3/DAG シグナル伝達経路を開始させる．
- 活性化された RTK とサイトカイン受容体はまた，PI 3-キナーゼと結合して別種のホスホイノシチド経路を開始させることができる．つまり，PI 3-キナーゼ酵素を膜結合性のホスホイノシチド基質に接触できるようにし，その3位をリン酸化する〔PI 3-リン酸の PI(3,4)P_2 と PI(3,4,5)P_3 が生成する，図16・16〕．
- さまざまなタンパク質の PH ドメインは，PI 3-リン酸に結合し，細胞膜の細胞質側面に接着しているシグナル複合体を形成する．
- プロテインキナーゼ B（PKB）は，その PH ドメインを介して PI 3-リン酸に結合し，部分的に活性化される．PKB の完全な活性化には，別のキナーゼである PDK1（この PDK1 も PI 3-リン酸に結合することによって膜に移行する）と，第二のキナーゼである PDK2 によるリン酸化が必要である（図16・17）．
- 活性化された PKB は，いくつかのアポトーシス促進タンパク質を直接リン酸化して不活性化するという効果と，アポトーシス促進タンパク質の合成を誘導する転写因子 FOXO3a をリン酸化して不活性化するという効果により，多くの細胞の生存を促進する．
- PI 3-キナーゼ経路を介するシグナル伝達は，PI 3-リン酸中の3位のリン酸を加水分解する PTEN ホスファターゼによって終結する．ヒトの腫瘍で共通にみられる PTEN の欠損は，細胞の生存と増殖を促進する．

16・4 サイトカイン，サイトカイン受容体と JAK/STAT シグナル伝達経路

サイトカイン（cytokine）は，一群のファミリーを形成しており，通常160〜200程度のアミノ酸からなる比較的小さい分泌シグナル分子で，多くの種類の細胞の増殖と分化を制御する．すべてのサイトカインは，四つの長い保存された α ヘリックスが折りたたまれた類似の三次元構造をとる．すべての**サイトカイン受容体**（cytokine receptor）もまた類似の三次元構造をもち，RTK と同じように機能して，同様のシグナル伝達経路を活性化する．RTK が受容体の細胞質ドメインの一部としてチロシンキナーゼをもっていたのに対して，サイトカイン受容体とキナーゼ酵素は，強く結合はしているが，別の遺伝子にコードされた独立のポリペプチドである．強く結合したキナーゼは，**JAK キナーゼ**（JAK kinase）として知られている．（JAK は just another kinase の略．最初の JAK が見つかったときに配列からキナーゼであることはわかったが，機能につては全くわからなかったことに由来する．）本節では，おもにサイトカイン受容体で用いられている JAK/STAT 経路に焦点を当てる．JAK キナーゼは転写因子である STAT をリン酸化して活性化し，STAT は直接核に移動する．より詳しくは，転写因子 STAT の SH2 ドメインが活性化したサイトカイン受容体の細胞質ドメインにあるリン酸化チロシンと結合し，JAK によってリン酸化されて核へ移動し，そこで直接遺伝子発現を活性化する．

サイトカインは多種の細胞の発生と機能を制御する

成長ホルモン（growth hormone: **GH**）は191アミノ酸からなるタンパク質で，その名が示すように多くの種類の体細胞の増殖を刺激する．GH は，脳の**視床下部**（hypothalamus）とよばれる部分でつくられる別種のホルモンである成長ホルモン放出ホルモンに応答して，下垂体前葉にある細胞で産生，分泌される．GH は，組換え DNA によって生産された最初のタンパク質性医薬品の一つであり，GH 欠損によって起こる小児および成人の成長障害を治療するために臨床的に処方されている．乳牛の乳生産を増加させるために，ウシの GH が利用される．関連ホルモンであるサイトカインの**プロラクチン**（prolactin）は，妊娠中に乳腺の未成熟管にある上皮細胞を誘導して乳タンパク質を産生する腺房細胞に分化させ，乳タンパク質を乳管に分泌させる．GH とプロラクチンは，重要な血球細胞の形成を誘導するサイトカインの構造に非常に類似した三次元構造をもつ．

すべての血球は造血幹細胞に由来し，一連の前駆細胞を形成して成熟血球細胞に分化する（図22・18参照）．たとえば，サイトカインの**顆粒球コロニー刺激因子**（granulocyte colony-stimulating factor: G-CSF）は，骨髄中の顆粒球前駆細胞を数回分裂させ，細菌および他の病原体を不活性化する白血球の一種である顆粒球に分化させる．関連するサイトカインの**トロンボポエチン**（thrombopoietin）は，別種の前駆細胞を刺激して分裂させ，血液凝固に必須である血小板へと断片化する巨大な細胞，巨核球に分化させる．構造が類似するサイトカインの**エリスロポエチン**（erythropoietin: **Epo**）は，骨髄中の赤血球前駆細胞の増殖と分化を誘導して，赤血球の産生の引金を引く（図16・18a）．エリスロポエチンは，ある種の腎臓の細胞で合成される．赤血球の主要な機能は，ヘモグロビンと複合体を形成させた酸素を運搬することである．大きな怪我で出血した場合などに起こる血中酸素の低下は，赤血球が適切な量より下がっていることを知らせる．21章で学ぶように，酸素を感知する転写因子の $HIF-1\alpha$ が活性化し，エリスロポエチン遺伝子の転写誘導を起こす．腎臓細胞はより多くのエリスロポエチンを合成し，血中に分泌する．エリスロポエチン濃度の上昇につれて，より多くの赤血球前駆細胞の分裂と分化が誘導され，わずか数日間に各前駆細胞は30〜50個もの赤血球を産生する．このように，失血や高地で大気の酸素が下がったときなど，生体エリスロポエチンの産生を増やして対応することができる．GH，プロラクチン，G-CSF，トロンボポエチン，そして Epo というサイトカインのすべては，ともに類似の三次構造をもつので，まちがいなく共通の祖先タンパク質から進化したものだろう．

Epo と G-CSF は両方とも，組換え体の発現によって哺乳類の培養細胞から商業的に生産されている．腎臓病の患者，

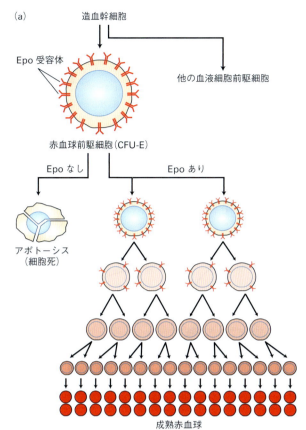

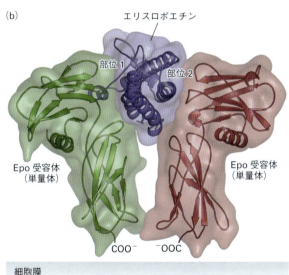

図 16・18 エリスロポエチンと赤血球の形成．(a) 赤血球前駆細胞から赤血球への分化．赤芽球コロニー形成単位ともよばれる赤血球前駆細胞 (colony-forming unit erythroid: CFU-E) は，造血幹細胞に由来するが，この幹細胞からは他の血液細胞の前駆細胞もできる（図22・18参照）．エリスロポエチン (Epo) 非存在下では，CFU-E 細胞はアポトーシス（プログラム細胞死）を起こす．Epo が CFU-E 細胞上にある受容体に結合することによって，アポトーシスを妨げるタンパク質をコードするいくつかの遺伝子の転写が誘導され，細胞は生き残れる．Epo の刺激によって誘導される他のタンパク質が，発生プログラムを開始させ，3～6回の最終的な細胞分裂，ヘモグロビンや赤血球に重要な他の多くの遺伝子の発現，細胞と核の大きさの減少，最終的な脱核が起こる．CFU-E 細胞を半固相培地（たとえばメチルセルロースを含む培地）で Epo とともに培養すると，娘細胞は移動できないため，各 CFU-E 細胞はその名のとおり，30～100 個の赤血球からなるコロニーを形成する．(b) エリスロポエチン受容体に結合したエリスロポエチンの構造．他のサイトカインと同様に，Epo は四つの保存された長い α ヘリックスが，共通した構造配置で折りたたまれた形をとる．活性化されたエリスロポエチン受容体 (EpoR) は，同一のサブユニットからなる二量体である．すべてのサイトカイン受容体の細胞外領域のように，EpoR の各単量体の細胞外ドメインは，二つのサブドメインからなり，各サブドメインには，保存された 7 本の β ストランドがまとめて特徴的で共通した構造に折りたたまれている．部位 1 と名づけられた Epo の α ヘリックス中 2 本に含まれる残基上の側鎖は，一つの EpoR 単量体にあるループと接触しているのに対し，部位 2 とよばれる同一 Epo 内の別の 2 本の α ヘリックスに含まれる残基は，もう片方の受容体単量体の同じループに結合しており，二量体化した受容体を特定の活性化状態の構造に安定化させている．[(a) は M. Socolovsky et al., 2001, *Blood* **98**: 3261. (b) は R. S. Syed et al., 1998, *Nature* **395**: 511, PDB ID 1eer.]

とりわけ透析患者は頻繁に貧血状態（血液中の赤血球数が低い）になるので，赤血球を増やすために Epo 組換え体で治療される．多くのがん治療は骨髄での赤血球と顆粒球の産生を減少させるので，Epo と G-CSF は補助薬として特定のがん治療にも使用される．Epo は，持久力が必要な運動選手が赤血球を増やそうとする血液ドーピングの際にも濫用される．■

インターフェロン (interferon) もサイトカインに含まれ，ウイルス感染の際にいくつかの種類の細胞で産生され分泌される．インターフェロンは近傍の細胞に作用して，細胞がウイルス感染により抵抗性をもつようになるための酵素の誘導を起こす．別のサイトカインのインターロイキン 2 (interleukin 2: IL-2) などは，おもに免疫系細胞の制御に働く．IL-2 は，抗体をつくる B 細胞や，いくつかの種類の T 細胞など，免疫系の重要な細胞の増殖，分化，生存を促進する（24章）．

サイトカインの受容体への結合は一つ以上の強固に結合した JAK キナーゼを活性化する

GH，プロラクチン，G-CSF，トロンボポエチン，そして Epo は，すべて類似した構造をもち，**受容体ホモ二量体化** (receptor homodimerization) とよばれる二つの同一のサイトカイン受容体タンパク質が二量体形成する過程を介して，類似構造の受容体を活性化する．これらサイトカイン受容体の細胞外ドメインは，二つのサブドメインからなり，それらは互いに特徴的な折りたたまれ方をした 7 本の β ストランドを含んでいる（図 16・18b）．サイトカインは受容体に非常に強固に結合するが，これは分子構造的な相補性と，イオン結合，ファンデルワールス力，疎水性相互作用など複数の弱い非共有結合性の力によっている〔(15・4) 式，解離定数 (K_d) が約 10^{-10} M〕．したがって，GH や他のほとんどのサイトカインにとって，非常に低濃度（約 1 μg/L）でも，サイトカイン受容体を活性化させるには十分である．

インターロイキンやインターフェロンなど他のサイトカインは，**受容体ヘテロ二量体化** (receptor hetero-dimerization)，または**受容体ヘテロ多量体化** (receptor hetero-oligomerization) とよばれる過程で，二つかそれ以上の異なるサイトカイン受容体に同時に結合する（図 16・19b）．IL-2 は，まず下流のシグナル伝達分子と直接結合しない α 鎖 (IL-2Rα) と結合し，これにより他の二つの

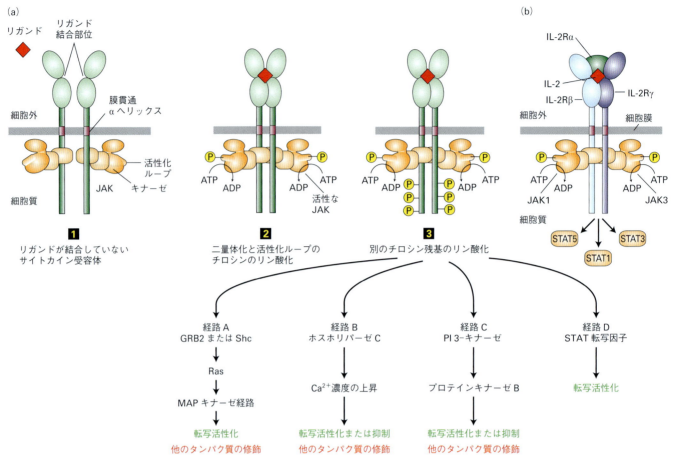

図 16・19 **サイトカイン受容体の構造と活性化**. (a) ホモ二量体の受容体. 二つのサイトカイン受容体サブユニットの細胞質領域には, 同じ種類のタンパク質チロシンキナーゼの JAK が強固にそして不可逆的に結合する. リガンドがないと (段階❶), 受容体はおもに単量体で存在し, JAK キナーゼはほとんど活性を示さない. リガンドの結合によって, 受容体の構造変化が生じ, JAK キナーゼドメインが互いに束ねられて, 活性化ループのチロシン残基を互いがリン酸化してキナーゼを活性化する (段階❷). 活性をもつ JAK キナーゼは, 次に受容体の細胞質領域中の複数のチロシン残基をリン酸化する (段階❸). RTK と同じように (図 16・1a), 形成されたホスホチロシンは, STAT タンパク質を含む SH2 ドメインをもつ複数のシグナル伝達タンパク質との結合部位として機能する. (b) 三つのサブユニットからなるインターロイキン 2 (IL-2) 受容体の細胞外領域に IL-2 が結合した際などにみられるヘテロ複合体の受容体. IL-2 受容体の β と γ の両サブユニット (IL-2Rβ と IL-2Rγ) は, Epo 受容体と構造的に似ている. α サブユニット (IL-2Rα) は, 応答する一部の細胞にのみ発現しており, シグナル伝達経路を活性化しない. このサブユニットの機能は, IL-2 と結合して, シグナル伝達を担う IL-2Rβ と IL-2Rγ サブユニットに対する IL-2 の結合を促進することである. シグナル伝達を担う IL-2Rβ と IL-2Rγ はそれぞれ別の種類の JAK キナーゼと結合し, 異なる STAT シグナル伝達タンパク質を活性化するが, 別の場合には, (a) で示した下流のシグナル伝達経路と同様の経路を活性化する場合もある.

シグナル伝達サブユニットである β 鎖 (IL-2Rβ) と γ 鎖 (IL-2Rγ) と結合しやすくなる. この同じ γ 鎖は, IL-4, IL-7, IL-9, IL-15, IL-21 を含む他のインターロイキン受容体に欠くことのできないサブユニットでもあり, これらのサイトカインは, B 細胞や他の種類の免疫系細胞の形成に必須である.

重症複合免疫不全 (severe combined immunodeficiency: SCID) は, T 細胞も B 細胞も産生しない遺伝病である. ヒトの SCID 患者は, あらゆる細菌感染, ウイルス感染に対処できないので, 無菌状態の環境で生活しなければならない (プラスチックでできた風船の中に入れられ, 最終的に感染症に屈してしまう実在した"バブル・ボーイ"は有名である). SCID の多くの症例は, X 染色体上に位置する IL-2 受容体 γ 鎖の遺伝子の欠損に起因する. SCID の子どもに対しては, 現在遺伝子治療が可能で, レンチウイルスベクター (図 6・35 参照) を利用して, すべての免疫系細胞を産生する造血幹細胞 (23 章) に機能的 γ 鎖遺伝子を導入することで, その子どもは通常の生活を送ることができる.

JAK キナーゼファミリーは 4 種類のタンパク質からなる. ホモ二量体化した受容体それぞれの細胞質ドメインの二つのポリペプチドに, 4 種類のうち一つの同一の JAK キナーゼが結合する (図 16・19a, 段階❶). ヘテロ二量体化した受容体には, 別の種類の JAK キナーゼアイソフォームが結合する (図 16・19b). このような違いはあるが, すべてのサイトカイン受容体に活性化されるシグナル伝達経路は, おおむね似通っている. ここでは, より単純な受容体ホモ二量体化の場合に焦点を当てる. 例として, 一つのエリスロポエチン分子と二つの同一エリスロポエチン受容体 (EpoR) タンパク質との相互作用をみてみよう (図 16・19a, 図 16・20a).

4 種類の JAK ファミリーキナーゼのそれぞれは, 受容体に結合する N 末端ドメインと, リガンドがない状態では触媒活性が低い

16. 遺伝子発現を調節するシグナル伝達経路

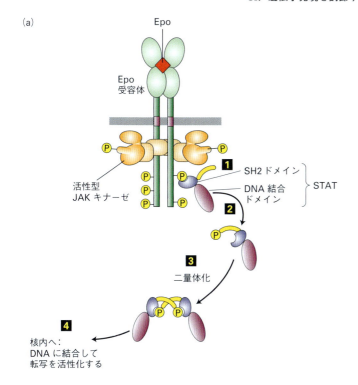

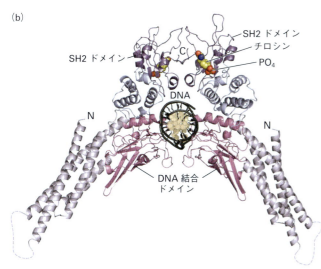

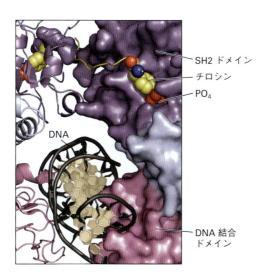

図 16・20 STAT タンパク質の活性化と構造. (a) STAT タンパク質のリン酸化と二量体化. 段階 1: サイトカイン受容体(図 16・19a)に結合した JAK キナーゼの二量体化と活性化に続いて, 不活性な単量体 STAT 転写因子の SH2 ドメインが受容体の細胞質ドメインにあるホスホチロシンに結合し, STAT を受容体に結合している活性型 JAK キナーゼに近接させる. 次に, JAK は STAT の C 末端の特異的チロシン残基をリン酸化する. 段階 2 と 3: リン酸化された STAT は自発的に受容体から解離し, ホモ二量体になる. STAT のホモ二量体はホスホチロシン-SH2 ドメインの相互作用部位を 2 箇所もつが, 受容体-STAT 複合体を安定化するのはそのうちの一つだけなので, リン酸化され二量体化した STAT は解離して受容体に再結合する傾向はない. 段階 4: STAT 二量体は核内へ移行し, そこでプロモーター配列に結合して標的遺伝子の転写を活性化する. (b) DNA(黒)に結合した STAT1 二量体のリボンモデル. STAT1 二量体は DNA のまわりに C 形のクランプを形成するが, これは一つの単量体の SH2 ドメイン(紫)ともう一方の C 末端部分上にあるリン酸化されたチロシン残基(黄, 赤は酸素原子)との間の相互的で高度に特異性をもった結合によって安定化されている. 各単量体にある SH2 ドメインのホスホチロシン結合部位は, 構造上 DNA 結合ドメイン(赤紫)と共役しており, SH2-ホスホチロシン相互作用が DNA 相互作用部位の安定化において潜在的な役割を果たすことを示している. [(b)は X. Chen et al., 1998, *Cell* **93**: 827, PDB ID 1bf5.]

C 末端キナーゼドメイン, そして中間にキナーゼ活性を調節するがその機構が未知な**偽キナーゼ**(pseudokinase)ドメインがある. リガンドが結合して受容体が二量体化すると, キナーゼは活性化される(図 16・19a, 段階 1). 多くの RTK と同じように, リガンドの結合が JAK の構造変化をひき起こし, 互いの活性化ループにある重要なチロシン残基をリン酸化し(段階 2, 図 15・6 参照), これによりキナーゼ活性が大幅に促進される. さらに RTK と同じように, 活性化した JAK キナーゼは, 受容体の細胞質ドメインにあるいくつかのチロシン残基をリン酸化して(段階 3), §16・2 および §16・3 で述べた Ras/MAP キナーゼや他のシグナル経路などを含む, 多くのシグナル伝達タンパク質の SH2 ドメインが結合する部位を形成する.

JAK キナーゼは STAT 転写因子をリン酸化して活性化する

すべての STAT タンパク質は, N 末端の DNA 結合ドメイン, SH2 ドメイン, さらに鍵となるチロシン残基を含む C 末端ドメインをもっている. 単量体 STAT がその SH2 ドメインを介して活性化した受容体の細胞質ドメインにあるホスホチロシンに結合する(図 16・20a, 段階 1). そして, C 末端チロシンは隣接している JAK キナーゼによってリン酸化される(段階 2). このようなしくみによって, 特定の細胞内で, サイトカインの結合によって活性化された特定の受容体に対応して特異的に結合できる SH2 ドメインをもつ STAT タンパク質だけが活性化されるよう保証されている. たとえば, エリスロポエチン受容体ならびに GH, プロラクチン, G-CSF およびその他のサイトカインの受容体は, STAT5 を活性化するが, STAT1, 2, 3, 4 を活性化しない. 一方で, IL-2 受容体複合体は, STAT1, 3, 5 を活性化し, STAT2, 4 は活性化しない(図 16・19b).

リン酸化された STAT は自発的に受容体から解離し, 二つのリン酸化 STAT タンパク質どうしが, それぞれの SH2 ドメインと他方のリン酸化チロシンを結合させてホモ二量体を形成する(図 16・20b). 二量体形成によって構造が変化し, 非リン酸化状態の

STATでは隠されていた**核局在化シグナル**（nuclear-localization signal: **NLS**）が露出する．細胞質に存在している実質的にすべての転写因子にNLSは存在しており，核への移行に必要である（13章）．NLSに導かれて，STAT二量体は核内に移行し，そこで標的遺伝子を制御しているDNA調節配列である特異的な**エンハンサー**（enhancer）や**プロモーター**（promoter）に結合し，遺伝子発現を変化させる．

以前も述べたように（図16・2），異なる種類の細胞は，独自の転写因子の相補性およびクロマチンの独特なエピジェネティック修飾をもつため，個々のSTATによって活性化されうる遺伝子は，細胞が違えば異なる．たとえば，乳腺細胞では，プロラクチン受容体へのプロラクチンの結合でSTAT5が活性化され，乳タンパク質をコードする遺伝子の転写が誘導される．一方で，赤血球前駆細胞においてEpoRに対するEpoの結合で活性化されたSTAT5は，タンパク質Bcl-x_Lの発現を誘導する．Bcl-x_Lは，これらの前駆細胞のアポトーシス（22章）を防ぎ，増殖させて赤血球に分化させる．より一般的には，先に議論した他の転写因子と同じように，活性化STATタンパク質は，それぞれの種類の細胞において開いたクロマチン状態であり，多くはマスター転写因子または他の細胞特異的な遺伝子制御タンパク質が隣接して結合しているDNA部位にのみ結合すると考えられる．この組合わせの多様性により，比較的限られた種類の受容体，JAKキナーゼ，およびSTATタンパク質であっても細胞種に特異的な遺伝子群の発現が可能になり，広範な種類の細胞活性を制御することができる．

複数の機構がサイトカイン受容体からのシグナル伝達を抑制する

15章と本章において，Gタンパク質共役型受容体やRTKからのシグナル伝達を終結させて，細胞外の刺激に対して細胞が過剰に応答しないようにするためのいくつかの機構をみてきた．ここでは，サイトカイン受容体シグナルを制御する二つの機構について説明する．

ホスホチロシンホスファターゼ　ホスホチロシンホスファターゼ（phosphotyrosine phosphatase）は，特定の標的タンパク質の特定のリン酸化チロシンからリン酸を除去（加水分解）する酵素である．ホスホチロシンホスファターゼが，どのようにしてタンパク質チロシンキナーゼ活性を抑制するかを示すよい例は，数種のサイトカイン受容体からのシグナル伝達を負に調節するホスファターゼであるSHP1においてみられる．SHP1の役割は，最初にこのタンパク質を欠く変異マウス（motheatenとよばれる）の解析から明らかになった．このSHP1欠失マウスは，赤血球を含むいくつかの種類の血球細胞を過剰に生産する結果，死んでしまう．

図16・21(a)に示すように，SHP1はサイトカイン受容体に結合してJAKキナーゼを不活性化することによって，サイトカインシグナル伝達を減弱している．SHP1は，ホスファターゼ触媒ドメインに加えて，二つのSH2ドメインをもっている．細胞がサイトカインによる刺激のない（休止状態にある）ときには，SHP1は細胞質に遊離しており，SH2ドメインの一つがSHP1のホスファターゼ触媒部位に物理的に結合し，覆っている．しかし刺激を受けると，この阻害していたSH2ドメインが活性型受容体中の特異的ホスホチロシン残基に優先的に結合し，触媒部位の阻害が外れる．これに伴う立体構造の変化は，SHP1の触媒部位を受容

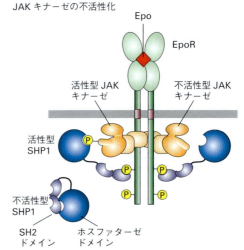

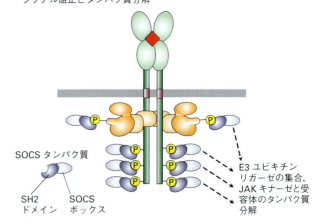

図 16・21　エリスロポエチン受容体（EpoR）に代表されるサイトカインシグナル伝達を終結させる二つの機構．(a) 短期の調節：ホスホチロシンホスファターゼの一種であるSHP1は，刺激されていない細胞では細胞質で不活性型として存在する．活性化された受容体の特定のホスホチロシンにSHP1のSH2ドメインが結合すると，ホスファターゼ触媒部位が露出され，JAKキナーゼの活性化ループ領域にあるリン酸化チロシンの近くにSHP1を配置する．このチロシンからリン酸基を除去すると，JAKキナーゼは不活性になる．(b) 長期の調節：エリスロポエチンで刺激された赤血球前駆細胞でSTAT5によって発現が誘導されるSOCSタンパク質は，長期にわたって持続するシグナル伝達を阻害するか，それを永久に終結させる．SOCSがEpoRまたはJAKキナーゼ上の特定のホスホチロシン残基に結合すると，他のシグナル伝達タンパク質の結合を阻止する（左）．SOCSボックスは受容体とともにJAKキナーゼをユビキチン-プロテアソーム経路による分解に導く能力もある（右）．他のサイトカイン受容体からのシグナル伝達も，同様の機構で調節されている．〔(a)はS. Constantinescu et al., 1999, *Trends Endocrin. Met.* **10**: 18 参照．(b)はB. T. Kile and W. S. Alexander, 2001, *Cell. Mol. Life Sci.* **58**: 1627 参照．〕

体に結合しているJAKの活性化ループにあるホスホチロシン残基に近づける．SHP1はこのリン酸基を除去することによってJAKを不活性化し，受容体やSTATを含む他の基質をリン酸化できなくなる．

SOCSタンパク質　もう一つのネガティブフィードバック

の例では，STAT タンパク質によって転写誘導される遺伝子のなかに，**サイトカインシグナル伝達抑制因子**（suppressor of cytokine signaling: **SOCS**）とよばれる小さなタンパク質をコードするものがあり，これがサイトカイン受容体によるシグナル伝達を終結させる．すべての SOCS タンパク質は，活性化した受容体の特定のリン酸化チロシンに対して結合する SH2 ドメインをもつ（図 16・21b）．SOCS が活性化した受容体に結合すると，受容体自身および結合している JAK キナーゼが分解される．

SOCS はこれらの二つのタンパク質をプロテアソームによる分解に導く．SOCS タンパク質は，受容体と JAK キナーゼをポリユビキチン化（ユビキチンの重合体が共有結合する）する E3 ユビキチンリガーゼ（図 3・32 参照）の構成要素を引寄せる **SOCS ボックス**（SOCS box）とよばれるドメインをもつ．**ポリユビキチン鎖**（polyubiquitin chain）は，タンパク質にプロテアソーム（3 章）によって分解されるようにする目印をつけるので，新しい受容体と JAK キナーゼが合成されるまで，JAK キナーゼが仲介するシグナル伝達経路はずっとオフになる．この機構の存在は，プロテアソーム阻害剤が JAK キナーゼシグナル伝達を延長するという知見から指示される．SOCS タンパク質の一つ，SOCS-1 は，活性化された JAK キナーゼの活性化ループの重要なホスホチロシンにも結合し，それによってキナーゼ触媒活性を阻害する．

哺乳類培養細胞による研究から，成長ホルモンに対するサイトカイン受容体は別の SOCS タンパク質である SOCS-2 によって抑制されることが示されている．注目すべきことに，この SOCS-2 タンパク質を欠くマウスは，骨が長くなるのに応じて大部分の臓器も大きくなっており，野生型よりも有意に体が大きい．すなわち，SOCS タンパク質は，エリスロポエチン，成長ホルモンや他のサイトカインの受容体からの細胞内シグナル伝達を抑制的に調節するものとして，不可欠の役割を果たしている．

16・4 サイトカイン，サイトカイン受容体と JAK/STAT シグナル伝達経路 まとめ

- サイトカインは発生において多様な役割を果たしている．腎臓の細胞から分泌されるサイトカインのエリスロポエチンは，骨髄における赤血球前駆細胞の増殖と分化を促進して血液中の成熟赤血球数を増加させる（図 16・18a）．
- GH，プロラクチン，Epo および G-CSF などのサイトカインは，それらの受容体と同様に，非常に類似した三次構造をもつ．これら，および関連するサイトカインは，細胞表面上で一つのサイトカインと受容体ホモ二量体からなる複合体を形成する（図 16・18b，図 16・19a）．
- 他のインターロイキン 2 などのサイトカインは，二つ以上の異なる受容体サブユニットと相互作用し，サイトカインと受容体ヘテロ多量体複合体を形成する（図 16・19b）．
- サイトカインが受容体に結合して受容体が二量体化またはヘテロ複合体化すると，サイトカイン受容体の細胞質ドメインには，受容体内の細胞質ドメインのチロシン残基をリン酸化する JAK タンパク質チロシンキナーゼが強く結合して活性化される（図 16・19a）．
- JAK/STAT 経路は，あらゆるサイトカイン受容体といくつかの RTK の下流で作用する．STAT 単量体は受容体上のホスホチロシン残基と結合し，受容体に結合した JAK によってリン酸化される．そして，受容体から離れ，二量体となって核へ移行し，そこで転写を活性化する（図 16・20）．
- サイトカイン受容体からのシグナル伝達は，ホスホチロシンホスファターゼである SHP1 や，いくつかの SOCS タンパク質によって終結する（図 16・21）．

16・5 増殖因子の TGF-β ファミリー，その受容体型セリンキナーゼとそれにより活性化する転写因子 Smad

本節では，**トランスフォーミング増殖因子 β**（transforming growth factor β: **TGF-β**）ファミリーとよばれる進化的に保存された大きなシグナル分子ファミリーと，**TGF-β 受容体ファミリー**（TGF-β receptor family）とよばれるやはり保存された細胞表面受容体のファミリーについて解説する．これら二つのファミリーに属する分子は，すべての脊椎動物に存在するとともに，無脊椎動物の海綿動物門（カイメン），刺胞動物門（サンゴやヒドラ）に属する生物にもみられる．

TGF-β 受容体のキナーゼドメインは，多くの増殖，分化を制御する一群の保存された転写因子 **Smad** をリン酸化して活性化する．前節で説明した STAT と同じように，Smad は刺激のない細胞では細胞質に存在するが，リン酸化されると核内に移行して転写を調節する．サイトカインシグナルと同じように，TGF-β 経路は異なる細胞に対して多様な効果を与えるが，これは，TGF-β ファミリーの異なるタンパク質が TGF-β 受容体ファミリーの別種のタンパク質を活性化し，それが転写因子 Smad の異なるタンパク質を活性化するからである．さらに，他の受容体依存的な転写因子のように，異なる種類の細胞においては，活性化された同一の Smad タンパク質が違った種類の転写因子と組合わされ，異なる遺伝子群が活性化されるということをみていく．

哺乳類の TGF-β ファミリーは，33 種の分子を含んでおり，さらに発生の制御に関連する広範な機能を果たす多くの類似した細胞外シグナル分子も含まれる．TGF-β スーパーファミリーで最初のタンパク質 TGF-β1 は，培養された哺乳類の初期がん細胞株を悪性化させる能力に基づいて同定された（そのためトランスフォーミング増殖因子 transforming growth factor という名前になっている）．すなわち，25 章で説明するが，TGF-β1 は原発性腫瘍に転移，拡散と浸潤の促進という悪性化をもたらした．しかし皮肉なことに，三つすべてのヒト TGF-β アイソフォーム，TGF-β 1, 2, 3 の主要な機能は，正常（非がん性）哺乳類細胞においては，細胞周期の DNA 合成期である S 期への進行に必須のサイクリン依存性キナーゼ（CDK）を抑制する，$p15^{INK4B}$ を含むタンパク質の合成を誘導することによって抗増殖効果を示す（図 1・22，図 19・12 参照）．

TGF-β は個体の多くの細胞から分泌されて，分泌細胞自身（自己分泌シグナル伝達）と近傍の細胞（傍分泌シグナル伝達）の両者の増殖を抑制する．TGF-β 受容体自身，あるいは TGF-β シグナル伝達経路内のいくつかのタンパク質が欠損すると，細胞は上記の抗増殖効果から解放される．また，こうした分子の消失はヒトの腫瘍の初期段階においてしばしばみられる．TGF-β タンパク質

は細胞接着分子および細胞外マトリックス分子の発現も促進するが，これは組織の構築において重要な役割を果たす（20章）．

TGF-βファミリーの別種のタンパク質である**骨形成タンパク質**（bone morphogenetic protein: **BMP**）は，マウスに移入すると骨の形成をひき起こす能力があることによって最初に同定された．そのうちの一つBMP2は，重度の骨折ののち，骨を強化するために臨床的に用いられる．その後見つかった多数のBMPタンパク質の多くは，中胚葉や最初期の造血細胞の形成を含め，発生において鍵となる段階の誘導にかかわる．そのいくつかは，胚性および成体幹細胞の培養時に未分化状態を維持するために重要である（22章）．多くのものは骨に対しては作用しない．たとえば，BMP4/BMP7のヘテロ二量体は，脊椎動物の胚において腹側-背側（前後軸）の形成に重要である．同様に，TGF-βのショウジョウバエホモログである**Dpp**タンパク質は，ハエの胚発生において腹側-背側のパターン形成にかかわる．ヒトの男性の初期胚において，別種のヒトTGF-βファミリーであるミュラー管抑制ホルモン（MIH）は，女性の生殖器系の発達を抑制する．したがって，ヒト男性の胎児発達の特定の時期においてこのホルモンは性分化に決定的な役割を果たしている．

TGF-βタンパク質は
不活性型の状態で細胞外マトリックスに貯蔵されている

哺乳類において，活性のあるすべてのTGF-βファミリーの単量体型は，保存されたシステイン残基をもち，それにより二つの単

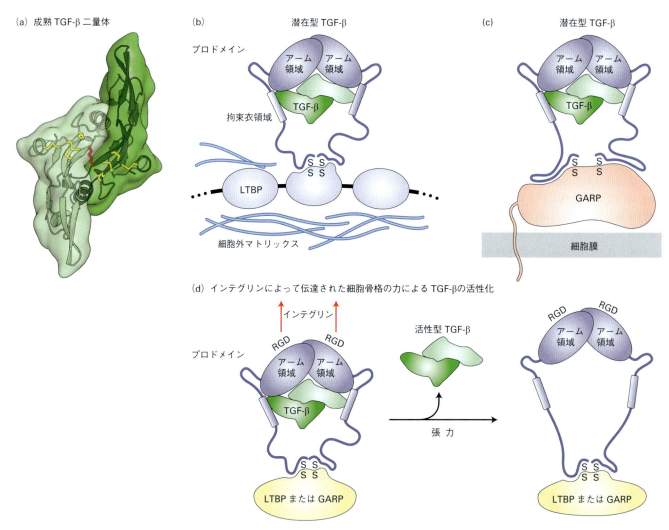

図16・22　TGF-βの潜在と活性化のモデル． (a) 成熟TGF-βホモ二量体のリボンモデル構造．各単量体の三つの鎖内ジスルフィド結合（黄）は，システインノットドメインを安定化する．別のジスルフィド結合（赤）が二つの単量体を連結する．(b)，(c) TGF-βの潜在型．TGF-βは，250アミノ酸残基のN末端プロドメインとともに合成されるが，プロドメインはゴルジ体において成熟した増殖因子からタンパク質切断を受けて生成し，分泌されたあとでさえ，非共有結合を介してTGF-βに結合している．成熟した増殖因子とプロドメインは，両方ともホモ二量体を形成する．プロドメインの"アーム"と"拘束衣(straitjacket)"領域はTGF-βの周囲を強固に取囲み，これが潜在型TGF-βが細胞表面の受容体に結合するのを阻害している．プロドメイン上のジスルフィド結合が，細胞外マトリックスに存在するLTBPや他のタンパク質(b)，および分泌細胞の表面のGARPタンパク質と共有結合でプロドメイン(c)をつないでおり，潜在型TGF-βを産生した細胞の近くに局在化させている．(d) TGF-βの活性化．おそらく近傍の細胞の表面にある種のインテグリンが，プロドメインのアーム領域のRGDモチーフと結合する．これらのインテグリンは細胞膜の細胞質側にあるアクチン細胞骨格（20章）と強固に結合しているので，細胞が動くとRGDモチーフに牽引力がかかり，プロドメインの拘束衣領域を引き伸ばす．結果として，TGF-β二量体は，複合体から放出され，ここで細胞表面受容体に結合できるようになり，シグナル伝達を開始する．〔(a)はS. Daopin et al., 1992, *Science* **257**: 369, PDB ID 2tgi. (b)〜(d)はA. Hinck et al., 2016, *Cold Spring Harb. Perspect. Biol.* **8**: a022103による．〕

量体を二量体としてつなぐジスルフィド結合が形成される（図16・22a）．そしてすべてのTGF-βファミリーの前駆体タンパク質は，合成直後に小胞体で二量体化する．このファミリーのすべての遺伝子は，分泌シグナルペプチド（13章），約250アミノ酸残基のプロドメイン，そしてC末端の約110アミノ酸残基のTGF-βドメインを含む前駆体ポリペプチドをコードしている．アミノ末端の**プロドメイン**（prodomain）は，C末端のTGF-βドメインが適切に折りたたまれ，二量体を形成するために必要である．これらの二量体前駆タンパク質がゴルジ装置を通過する際に，タンパク質分解酵素がプロドメインとTGF-βドメインの間の共有結合を切断するが，プロドメインと成熟したTGF-βタンパク質は非共有結合にて接触したままである．

TGF-βが細胞から分泌されたのち，プロドメインの存在は，成熟したTGF-βタンパク質がその細胞表面受容体に結合するのを妨げている．したがって増殖因子としてのTGF-βは，**潜在型**（latent）のものといわれる．さらに，プロドメインは潜在型のTGF-βがそれを分泌した細胞自身の表面や，近くの細胞，細胞外マトリックスに局在するための結合を形成する．つまり，プロドメインのN末端付近のシステイン残基の側鎖が，**潜在型TGF-β結合タンパク質**（latent TGF-β binding protein: **LTBP**，図16・22b）や，分泌細胞の表面にあるGARPというタンパク質など，細胞外マトリックスに含まれるいくつかの種類のタンパク質の一つとジスルフィド結合を形成する（図16・22c）．

いくつかの機構により，成熟したTGF-β二量体は阻害するプロドメインから解放され，活性化したTGF-β二量体はすばやく近くのTGF-β受容体に結合して，高度に限局された自己分泌性または傍分泌性のシグナル伝達を開始する（図16・22d）．これらの機構には，細胞外タンパク質分解酵素によるプロドメインの切断や，物理的なストレスによるプロドメインの引きはがしなどが含まれる．

物理的なストレスはプロドメインが動いている細胞の表面にあるタンパク質と結合している場合に発生するだろう．いくつかのTGF-βファミリーの分子（たとえばTGF-β1およびTGF-β3）のプロドメインは，三つのアミノ酸モチーフであるRGD（Arg-Gly-Asp）を含み，RGDは**インテグリン**（integrin）とよばれる細胞表面膜タンパク質の一群に含まれる特定の分子と結合する（20章）．インテグリンは多くの細胞外マトリックスタンパク質のRGDモチーフに結合する．たとえば，インテグリンを発現している細胞が，LTBPやプロドメイン/TGF-β二量体を含む細胞外マトリックスを遊走すると，細胞の動きによって張力が発生する．その力は物理的にプロドメインを歪めて，活性のあるTGF-β二量体を解放し，TGF-βシグナル伝達を開始する．

三つの異なるTGF-β受容体タンパク質がTGF-βの結合とシグナル伝達に関与する

TGF-β1の受容体を同定する際にとられた手法は，受容体の同定に利用される典型的な生化学的方法であった（§15・2参照）．まず精製したTGF-β1タンパク質に対して，放射性同位体のヨウ素125（^{125}I，3章）を露出したチロシン残基と共有結合する条件で反応させ標識した．^{125}I標識TGF-β1（^{125}I-TGF-β1）は，4℃の条件で受容体を発現している培養繊維芽細胞とインキュベートした．4℃の条件では，リガンドは受容体に結合するが，エンドサイトーシスは阻害される．インキュベーションを終えると，細胞外溶液の結合していない^{125}I-TGF-β1は洗い流され，受容体に結合した^{125}I-TGF-β1をもつ細胞に対して，受容体に結合したリガンドを含む，互いに物理的に近い位置にあるタンパク質を共有結合的に架橋させる化学試薬で処理した．そして細胞は破壊され，放射活性で標識されたあらゆるタンパク質（と架橋されたタンパク質複合体）を精製した．^{125}I-TGF-β1が架橋された精製タンパク質を解析すると，55, 85, および280 kDaの三つの異なるポリペプチドがおもに同定され，それぞれ**TGF-β受容体**（TGF-β receptor）の**RI**, **RII**, および**RIII**と命名された．

多くのさらなる実験により，RIとRIIはそれぞれホモ二量体のタンパク質であり，それぞれのポリペプチド鎖は，1回膜貫通領域と，細胞質ドメインの一部にセリン/トレオニンキナーゼ活性があることがわかった．RIとRIIは合わさって機能的なヘテロ四量体TGF-β受容体として機能するのに十分である．RIIIは，膜貫通している細胞表面タンパク質で，すべてではないがいくつかの細胞種で発現している．RIIIは，共有結合している大きなオリゴ糖鎖をもつため，**プロテオグリカン**（proteoglycan）とよばれる糖タンパク質（糖を含むタンパク質）に属す（図20・33参照）．RIIIのTGF-β受容体に対する機能は，すでに述べたIL-2受容体のαサブユニットのもの（図16・19b）に似ている．RIIIはTGF-β分子に結合し，それを細胞表面付近に濃縮してシグナル伝達受容体であるRIIとRIに対するTGF-βの結合を促進している（図16・23, 段階**1a**）．ほとんどの細胞ではRIIIはないので，TGF-βは直接RII二量体に結合する（段階**1b**）．この段階はRII二量体とRIが互いに結合する前に起こる（段階**2**）．この複合体はRIが結合するまで不活性である．

すでに説明した受容体型チロシンキナーゼやサイトカイン受容体の場合，リガンド結合はその後のキナーゼ活性の上昇をひき起こす．これは細胞内シグナル伝達経路の活性化に必要である．一

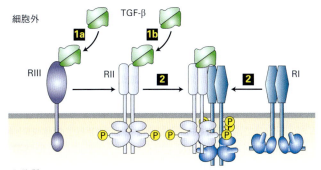

図 16・23 **TGF-β 受容体キナーゼの活性化**．段階**1a**：III 型のTGF-β受容体（RIII）を発現する細胞では，TGF-β はまず細胞表面にTGF-β を集積させるこの受容体に結合し，ホモ二量体複合体になっておりシグナル伝達を担う受容体である二つの II 型 TGF-β 受容体（RII）のうちの一方への結合が促進される．段階**1b**：多くの細胞では，RIII は発現しておらず，TGF-β は恒常的にキナーゼ活性をもつ RII 分子の一方に直接結合する．段階**2**：リガンドを結合した RII は，I 型 TGF-β 受容体（RI）を動員し，二量体である TGF-β の片方に，同時に一つずつ RII と RI が結合する形になる．恒常的に活性化している RII のプロテインキナーゼが，RI 受容体の膜近傍領域にあるセリンとトレオニン残基をリン酸化して，阻害されていた RI キナーゼ活性を解放する．そして，活性をもつ I 型受容体は転写因子 Smad をリン酸化する．

図 16・24 TGF-β/Smad 経路の活性化と抑制. (a) 活性化. 段階 **1**: 活性化された RI の受容体キナーゼは(図 16・23), Smad2 または Smad3(ここでは Smad2/3 で示す)をリン酸化して構造を変化させ, それがもつ核局在化シグナル(NLS)を露出させる. 段階 **2**: リン酸化された二つの Smad2/3 は, リン酸化されていない co-Smad(Smad4), およびインポーチンと結合し, 細胞質で複数のタンパク質複合体を形成する. 段階 **3** と **4**: 複合体の全体が核内に移行したのち, 13 章で述べたように Ran・GTP がインポーチンの解離をひき起こす. 段階 **5**: 一つかそれ以上の核内転写因子(たとえば TFE3)が, Smad2/3-Smad4 複合体に結合し, 標的遺伝子の調節配列に協同的に結合する活性化複合体を形成する. 段階 **6**: この複合体はコアクチベーターを引寄せて, 遺伝子の転写をひき起こす(8 章). Smad2/3 は核内のホスファターゼによって脱リン酸化され(段階 **7**), エクスポーチン(示されていない)に連れられて核膜孔を通過して細胞質に戻される(段階 **8**). そこでは, 別の TGF-β 受容体複合体で Smad2/3 は再活性化されうる. 示されているのは, プラスミノーゲンアクチベーターインヒビター(PAI-1)をコードする遺伝子の活性化複合体であり, 類似の転写複合体がフィブロネクチンのような別の細胞外マトリックスをコードする遺伝子の発現を活性化する. (b) Smad 複合体が調節する転写の Ski による抑制. Ski は TGF-β の添加によって形成された Smad2/3-Smad4 複合体によって合成され, Smad4 に直接結合して Smad の機能を抑制する. Smad4 の Ski 結合ドメインは, Smad3 のリン酸化された C 末端との結合に必要な Smad4 の MH2 ドメインとかなり重なっており, Ski の結合は転写の活性化に必要な Smad3 と Smad4 間の正常な相互作用を阻害する. さらに, Ski は mSin3A に直接結合する N-CoR タンパク質を動員し, mSin3A はプロモーターやエンハンサーの近傍にあるヒストンの脱アセチル化を促進する酵素であるヒストンデアセチラーゼ(HDAC)と相互作用して転写を抑制する(8 章). これら両方の過程の結果として, TGF-β によってひき起こされ, Smad 複合体によって伝達された転写活性化経路が停止する. TGF-β シグナルの抑制においては, SnoN という Ski に類似したタンパク質が同様に機能している. [(a)は S. Daopin et al., 1992, *Science* **257**: 369, PDB ID 2tgi; A. Moustakas and C.-H. Heldin, 2009, *Development* **136**: 3699; D. Clarke and X. Liu, 2008, *Trends Cell Biol.* **18**: 430 による. (b)は J. Deheuninck and K. Luo, 2009, *Cell Res.* **19**: 47 による.]

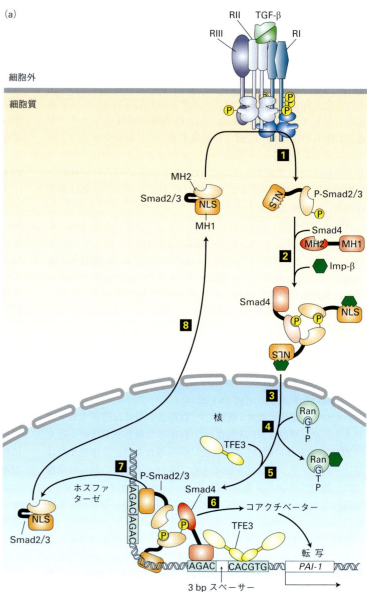

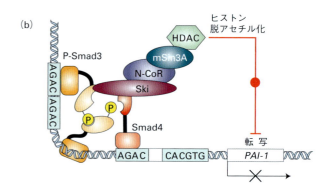

方, 二量体の TGF-β 受容体 RII は, **構成的**(constitutive)にキナーゼ活性を示し, TGF-β が結合していないときでも活性化されている. 活性をもつ RII キナーゼだけでは細胞内シグナルを発生させるのに不十分である. TGF-β が結合すると, RII は二量体 RI と結合する界面に新たな分子表面をつくり出し(図 16・23, 段階 **2**), 一つの二量体化した TGF-β と, 一つずつの RI ホモ二量体, RII ホモ二量体を含む複合体の形成が誘導される. これは, リガンドが誘導するヘテロ多量体化のもう一つの例である. RI サブユニットは, RII が TGF-β と結合していないと RII と結合しない. 複合体に含まれる RII サブユニットが, 細胞膜の細胞質側面近くに接触している RI サブユニットがもつ高度に保存された配列内にあるセリンとトレオニン残基をリン酸化し, それによって RI キナーゼが活性化される. そして, RI キナーゼが下流の細胞内シグナル経路を発動する.

活性化された TGF-β 受容体 RI は転写因子 Smad をリン酸化する

TGF-β 受容体の下流の転写因子は Smad とよばれている. 3 種類の Smad タンパク質が TGF-β シグナル経路で機能しており, **R-Smad**(受容体調節性 Smad: Smad2 および Smad3), **co-Smad**(Smad4)および **I-Smad**(阻害性 Smad: Smad7)である. Smad2, Smad3 は, 活性化した RI 受容体によりリン酸化されると, Smad4 とともに核へ移行して遺伝子の転写を活性化する. 一方で, 本節の最後で説明するように, I-Smad は TGF-β シグナル伝達を阻害

図 16・24(a) にあるように，すべての R-Smad は類似のドメイン構造をしており，N 末端の MH1 ドメイン，中心部のプロリンに富むリンカー，そして C 末端の MH2 ドメインからなる．MH1 ドメインは DNA 結合部位とともに核局在化シグナル（NLS）を含んでいる．しかし，R-Smad が不活性な非リン酸化状態にあるときには，NLS は隠されていて，R-Smad は核に移行できない（図 13・35 参照）．また，MH1 および MH2 ドメインは DNA にも co-Smad にも結合できない状態で会合している．活性型の TGF-β 受容体の RI サブユニットによって，MH2 ドメインの C 末端最先端にある保存された Ser-X-Ser 配列の二つのセリン残基がリン酸化されると，二つのドメインが引き離されて NLS が露出し，インポーチンが結合して Smad が核に移行できるようになる（図 13・35 参照）．それと同時に，TGF-β の RI 受容体キナーゼによってリン酸化された Smad2 または Smad3 にある二つのセリンが，それぞれ Smad4 および Smad2/Smad3 タンパク質の MH2 ドメインにあるホスホセリン結合部位に結合することによって，2 分子の Smad3（もしくは Smad2）と 1 分子の co-Smad（Smad4）を含む安定な複合体ができる．（Smad4 はリン酸化を受けないが，機能的なヘテロ三量体 Smad 複合体を形成するためには必須である）．次に，結合したインポーチンによって，R-Smad-co-Smad 複合体が核内に移行する．核内でインポーチンが解離したのち，Smad3-Smad4 複合体（または Smad2-Smad4 複合体）は，他の転写因子と結合し，たとえば図 16・24(a) にあるタンパク質分解酵素阻害遺伝子 *PAI-1* など，特異的な標的遺伝子の転写を活性化する．

R-Smad が核内にいる時間は，細胞の過剰刺激を防ぐために限られている．核内で R-Smad は，リンカードメインのリン酸化，MH1 ドメインのアセチル化，MH2 ドメインの C 末端セリンの核内ホスファターゼによる脱リン酸化など，さらに修飾される．まとめると，これらの多くの修飾は，転写活性の低下をもたらし，最終的には R-Smad-co-Smad 複合体の解離とエクスポーチンタンパク質を介した核からの Smad の排出をもたらす．したがって，核内の活性 Smad の濃度は，細胞表面上の活性型 TGF-β 受容体の活性を厳密に反映し，転写調節を環境中の活性型 TGF-β 量に密接に対応させることを可能にする．

同じ TGF-β ファミリーに属する BMP タンパク質は，TGF-β RI と RII タンパク質と類似した別種の受容体群に結合して活性化するが，Smad1, Smad5, Smad8 という異なる R-Smad をリン酸化する．その後，これらのリン酸化された Smad のうち二つは Smad4 と結合して三量体の複合体を形成し，この Smad 複合体は TGF-β 受容体によって誘導されるものとは異なる転写応答を活性化する．

R-Smad-co-Smad 複合体は 別種の細胞において異なる遺伝子の発現を活性化する

実質的にすべての哺乳類細胞は，少なくとも一つの TGF-β アイソフォームを分泌しており，また，ほとんどの細胞は表面に TGF-β 受容体をもっている．しかし，細胞の種類によって R-Smad-co-Smad 複合体と組合わせられる転写因子に違いがあるため，TGF-β がひき起こす細胞応答は異なっている．たとえば，上皮細胞や繊維芽細胞では，TGF-β は細胞外マトリックスタンパク質（たとえばフィブロネクチン，コラーゲン，20 章）だけでなく，これらの細胞外マトリックスを分解する血清プロテアーゼを阻害するタンパク質も誘導する．この血清プロテアーゼの抑制は，細胞外マトリックスを安定化し，細胞による強固な組織形成を可能にする．多くの細胞で R-Smad-co-Smad 複合体は，細胞周期を G_1 期で停止させることで細胞増殖を妨げる $p15^{INK4B}$ などの他のタンパク質をコードする遺伝子の発現を誘導する（19 章）．より一般的に，R-Smad-co-Smad 複合体が DNA へ結合するためには，別の転写因子が DNA の隣接する部位に結合する必要がある．この別の転写因子は，しばしば細胞の分化過程で細胞の個性を決定するマスター転写因子である．同じように R-Smad/co-Smad 複合体が DNA 調節領域に結合し，ある遺伝子を活性化するためには，DNA 結合部位は活性化している "開いた" クロマチン構造である必要がある（図 16・2）．

TGF-β シグナル伝達の喪失は多くのがんの初期段階に重要な役割を果たす．ヒトの腫瘍の多くには，TGF-β 受容体あるいは Smad タンパク質のどちらかを不活性化する変異があり，このため TGF-β による増殖阻害に抵抗性を示す（図 25・18 参照）．たとえばヒトの膵臓がんの大部分は，Smad4 をコードする遺伝子に欠失をもつため，TGF-β に応答して $p15^{INK4B}$ といった細胞周期阻害因子を誘導できない．事実 Smad4 は，もともと **DPC**（deleted in pancreatic carcinoma の略）とよばれていた．網膜芽細胞腫，大腸がん，胃がん，肝細胞がん，およびある種の T 細胞と B 細胞の悪性腫瘍も，TGF-β による増殖阻害に反応を示さない．この反応性の喪失は，RI および RII の欠失と相関しており，"失われた" タンパク質を遺伝子組換えによって実験的に発現させると，TGF-β への反応性は回復する．Smad2 の機能喪失型変異も，いくつかの種類のヒトの腫瘍に共通してみられる．

ネガティブフィードバックループによる TGF-β/Smad シグナルの制限

先に他のシグナル経路で説明したが，ほとんどの増殖因子または他のシグナル分子に対する応答は，脱感作とよばれる現象によって時間の経過とともに減少していく．この応答は適応であり，過剰な反応を防ぎ，そして細胞応答を微細に制御することを可能にしている．**SnoN** および **Ski**（sloan-kettering cancer institute の略）とよばれる二つの細胞質タンパク質は，ほとんどすべての体細胞において TGF-β シグナルによって誘導され，TGF-β/Smad シグナル経路を抑制する．これらのタンパク質は，メラノーマやある種の乳がんを含む多くのがんで発現上昇していたので，当初，がんをひき起こす**がんタンパク質**（oncoprotein）として同定された．これらのタンパク質を過剰発現するがんでは，通常 TGF-β シグナル伝達経路で誘導される増殖阻害タンパク質が産生されない．実際，繊維芽細胞の初代培養で過剰発現させると，Ski または SnoN は異常な細胞増殖をひき起こし，膵臓がんで Ski を抑制すると，腫瘍の成長が抑制される．

SnoN および Ski は，TGF-β によって刺激されたのち，co-Smad（Smad4）とリン酸化された R-Smad（Smad3）の両方に結合することで異常な細胞増殖をひき起こす．SnoN と Ski は，R-Smad-co-Smad の複合体形成を阻害せず，Smad 複合体の DNA 調節領域への結合能力にも影響を与えない．むしろ，SnoN と Ski は部分的

にはクロマチンに隣接したヒストンの脱アセチル化を介して，DNAに結合したSmad複合体が転写を活性化させる能力を阻害する．Smadが転写の活性化をできないために，TGF-βによって誘導される増殖阻害作用が失われる（図16・24b）．TGF-βによってSnoNとSkiのタンパク質量が増えることで，TGF-βに継続的にさらされることで起こる長期にわたる効果が減弱されると考えられている．これは，ネガティブフィードバックの別の一例であり，TGF-βシグナル伝達によって誘導される遺伝子，この場合はSnoNが，TGF-βによるさらなるシグナル伝達を抑制している．

TGF-βによる刺激で誘導される別のタンパク質に，Smad7に代表されるI-Smadがある．Smad7は，TGF-β受容体の活性化されたRIサブユニットに結合し，Smad2やSmad3がリン酸化されるのを阻害する．サイトカインシグナル経路のSOCSタンパク質のように（図16・21），Smad7は，TGF-β受容体を標的とするE3ユビキチンリガーゼを引寄せてきて分解させる．こうしてSmad7は，SkiやSnoNと同様に，一つのネガティブフィードバックループに加わっている．つまり，これが誘導されることで，TGF-βホルモンに長期間さらされ刺激される細胞内シグナル伝達を阻害する．

16・5 増殖因子のTGF-βファミリー，その受容体型セリンキナーゼとそれにより活性化する転写因子Smad まとめ

- トランスフォーミング増殖因子β（TGF-β）ファミリーは，発生の調節において広範な役割を果たす一群の細胞外シグナル分子を含む．
- TGF-β二量体は，細胞表面上または細胞外マトリックス中に阻害するプロドメインと結合した不活性状態で貯蔵される．物理的な張力やプロドメインのタンパク質分解酵素による分解で解放された活性型二量体は，TGF-βシグナル伝達を開始する（図16・22）．
- TGF-β受容体は三つの種類（RI, RII, RIII）のサブユニットから構成される．TGF-βファミリーのタンパク質が恒常的に活性をもつキナーゼであるRIIサブユニットに結合すると，RIサブユニットがRIIサブユニットに引寄せられる．RIIはRIの細胞質ドメインをリン酸化し，RIのセリン/トレオニンキナーゼドメインを活性化する．次にRIはR-Smadをリン酸化して，Smad内の核局在化シグナルを露出させる（図16・23，図16・24）．
- リン酸化されたR-Smadがco-Smadに結合してできた複合体は核へ移行し，そこでさまざまな転写因子と相互作用して標的遺伝子の発現を誘導する（図16・24）．
- Smad3-Smad4複合体は，細胞特異的マスター転写因子（図16・24a）が結合する部位に隣接する調節性DNA配列に結合することにより，別種の細胞で異なる遺伝子発現を誘導する．
- TGF-βシグナル伝達は一般に細胞増殖を阻害する．TGF-βシグナル経路を構成するいくつかの構成要素うちどれが失われても，異常な細胞増殖と悪性の腫瘍形成の要因となりうる．
- がんタンパク質（たとえばSkiおよびSnoN）とI-Smad（たとえばSmad7）は，Smad2/3-Smad4複合体による転写を阻害することによって，TGF-βシグナル経路を抑制する（図16・24b）．

16・6 調節された部位特異的タンパク質切断を利用するシグナル伝達経路： Notch/Delta，EGF前駆体

ここまで説明してきたすべてのシグナル伝達経路は可逆的で，細胞外シグナルが除去されれば比較的すばやく抑制されたり，オフにできたりする．本節と次節では，不可逆的，または非常にゆっくりしか戻らないいくつかの経路を説明する．これらの経路の多くは，多細胞動物の分化の重要な段階をひき起こすが，シグナル伝達経路が不可逆的であるがゆえに，細胞が特定の発生系列を進めるように固定する．このような経路においては，受容体，転写因子，転写因子を制御するシグナルカスケードに含まれるタンパク質など，重要なタンパク質が調節された切断を受ける．

Deltaの結合でNotch受容体が切断されて転写因子の成分を放出する

タンパク質の切断で放出されたドメインが，さまざまな標的遺伝子の転写に影響を与えるある経路からはじめよう．Notch/Delta経路（図16・25a）においてシグナル分子はDeltaで，シグナル伝達をする細胞の表面に結合している膜内在性タンパク質である．Deltaは隣接するシグナルを受容する細胞にある受容体であるNotchの細胞外ドメインと結合する．Deltaの結合は，2回にわたる連続したNotchのタンパク質切断を誘導し，Notchの細胞内ドメインを放出する．この切断された産物が核内に移行し，転写活性化因子として機能する．

NotchとDeltaは，ともに細胞表面に見いだされた細胞膜を1回貫通するタンパク質である．Notchには別のリガンドも結合するが，個々のリガンドによるNotch活性化の分子機構は同一である．Notchは小胞体において，単量体の膜タンパク質として合成される．ゴルジ体でNotchはタンパク質分解によって切断され，細胞外サブユニットと膜貫通細胞質サブユニットを生じるが，二つのサブユニットは，非共有結合的に結合したまま細胞表面に出る．

Notchの細胞外ドメインの2回の切断のうち最初のものは，メタロプロテアーゼ（metalloprotease）であるADAM10により行われる．この分子は，金属を含有して細胞膜に局在し，細胞膜に近い部位で標的タンパク質の細胞外部分を切断する酵素のグループに属している．ADAMは"a disintegrin and metalloprotease"の略で，ディスインテグリン（disintegrin）はインテグリンに結合して細胞とマトリックスの相互作用を失わせる保存されたタンパク質ドメインのことである（20章）．ADAM10は隣接細胞にDeltaが存在しない場合，Notchの細胞外ドメインが折りたたまれてプロテアーゼの切断部位に接近できないためNotchを切断できない（図16・25a）．

NotchへのDeltaの結合に続いて（図16・25a，段階**1**），シグナル伝達細胞のDeltaは，エンドサイトーシスされる（段階**2**）．Deltaがシグナル伝達細胞内部に移動することに伴う力は，応答細胞上のNotchタンパク質を引き伸ばし，その高次構造を変化させ，Notch細胞外ドメインを切断するADAM10による接近を可能に

(a)

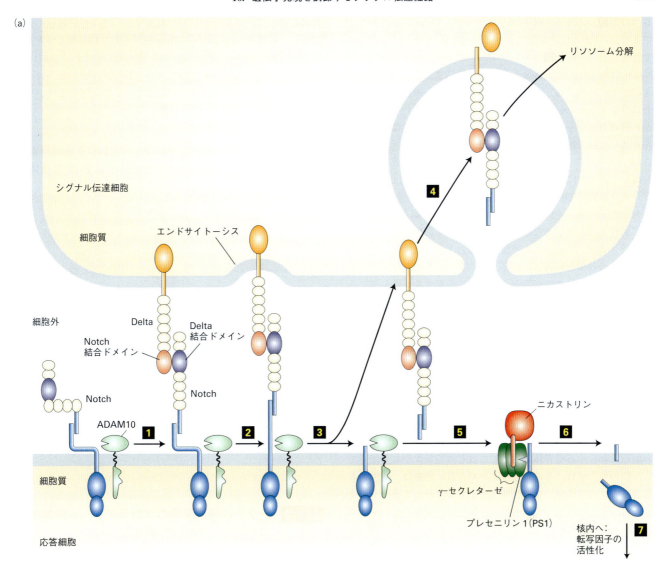

(b)

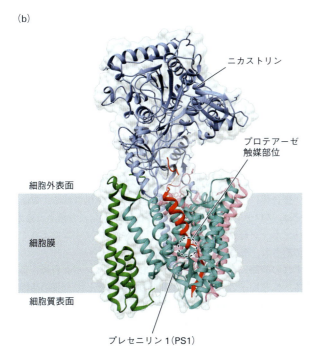

図 16・25 Notch/Delta シグナル伝達経路. (a) Delta が存在しない場合，応答細胞表面の Notch の膜貫通サブユニットは，その細胞外サブユニットと非共有結合的に会合している．細胞外領域は，細胞表面マトリックスメタロプロテアーゼの ADAM10 によって切断されないように折りたたまれている．Notch が隣接するシグナル伝達細胞上のリガンド Delta に結合すると(段階❶)，シグナル伝達細胞によって Delta はエンドサイトーシスされ(段階❷)，Notch の細胞外ドメインが伸びて ADAM10 がそれを切断できるようになる(段階❸)．放出された Notch 細胞外ドメインは，Delta に結合したままであり，シグナル伝達細胞によってエンドサイトーシスされリソソームで分解される(段階❹)．次に，四つのタンパク質からなる γ-セクレターゼ複合体が，ADAM10 によって生成された切断端に結合し(段階❺)，複合体に含まれるプロテアーゼのプレセニリン 1(PS1)が，細胞膜の細胞質側面に近い位置で Notch の膜貫通 α ヘリックスの切断を触媒し，Notch の細胞質断片を放出する(段階❻)．この Notch 断片は，核に移行し，DNA に直接は結合しないが，いくつかの転写因子と相互作用することで，発生過程で細胞の運命決定に影響を与える遺伝子の発現を制御する(段階❼)．(b) クライオ電子顕微鏡によって決定された四つのタンパク質からなる γ-セクレターゼ複合体の高分解能構造．膜内切断部位を含む Notch の膜貫通ペプチドが結合している様子が赤で示されており，プレセニリン 1(PS1) サブユニットは水色で示してある．PS1 のプロテアーゼ触媒部位は細胞質表面の近くに存在している．[(a)は R. Kovall et al., 2017, *Dev. Cell* **41**: 228; S. Bray, 2016, *Nat. Rev. Mol. Cell Biol.* **17**: 772 参照．(b)は G. Yang et al., 2019, *Nature* **565**: 192 による．]

する（段階**3**）．Notch の細胞外ドメインは，Delta に結合したままであり，シグナル伝達細胞によって取込まれ，おそらくリソソームで分解される（段階**4**）．

Notch の第二の切断は，Notch の膜内に埋込まれた疎水性領域でひき続きすぐに起こる．この切断は，プロテアーゼ酵素である**プレセニリン 1**（presenilin 1: PS1），と他の必須の三つのサブユニットから構成される **γ-セクレターゼ**（γ-secretase）とよばれる膜貫通複合体によって触媒される（段階**5**，図 16・25b）．

この γ-セクレターゼ複合体による切断で，Notch の細胞質部分が遊離し，速やかに核内に移行する（段階**6**）．この Notch の細胞内ドメインは直接 DNA とは結合しない．むしろ，単量体の DNA 結合転写因子である CSL（脊椎動物では RBPJ）と結合し，細胞の種類に依存してさまざまな標的遺伝子の転写に影響を与える（段階**7**）．その効果は，他の細胞表面受容体の下流で活性化される他の転写因子の効果と同様に，エピジェネティックなクロマチン標識の状態と，細胞特異的転写因子の存在に依存する．そして，その効果は遺伝子発現を活性化する場合も抑制する場合もある．

メタロプロテアーゼは
細胞表面から多くのシグナル伝達タンパク質の切断を触媒する

次に，細胞表面のタンパク質が切断されると転写因子ではなく，シグナル分子が放出される経路をみてみよう．多くの増殖因子や他のシグナル分子は，そのシグナルドメインを細胞外空間に伸ばした膜貫通タンパク質として合成される．先に述べた Delta のようなシグナル伝達タンパク質は，しばしば生物活性を示すが，近傍の細胞に存在する受容体に結合してはじめてシグナルを伝達できる．別の場合では，そのようなタンパク質の切断は，活性をもつ水溶性のシグナル分子を細胞外へ放出する．そしてそのシグナル分子は，そこから近くの細胞の受容体に結合する．このシグナル分子を産生する切断は，しばしば ADAM によって実行される．ヒトの遺伝子には ADAM ファミリーに属する 21 種のメタロプロテアーゼがコードされているが，そのうち 12 個だけが触媒活性をもつことが知られている．その多くはシグナル伝達タンパク質の膜貫通前駆体の膜貫通部位のすぐ外側で切断し，細胞外へ水溶性のシグナル伝達タンパク質を放出させる．

前駆体の切断によって放出されるシグナル伝達タンパク質のうち医学的に重要なものは，EGF, HB-EGF, TGF-α, NRG1, NRG2 のような EGF ファミリーのタンパク質であり（図 16・6, 図 16・7），これらは多くの種類の体細胞の増殖と分化に影響を与える．多くのがんでみられる一つまたはそれ以上の ADAM の活性増加は，細胞外の EGF ファミリー増殖因子の増加につながる．これらは，分泌した細胞自身（自己分泌シグナル）や，近傍の細胞（傍分泌シグナル）を刺激して，不適切な増殖を起こす．

ADAM プロテアーゼは心疾患においても重要な因子である．前章で述べたように，心筋におけるアドレナリン（エピネフリン）によるアドレナリン β 受容体の活性化は，グリコーゲン分解を促進して筋収縮の速度を増加させる．しかし，心筋細胞をアドレナリンで長期間処理すると，未知の機構によってある ADAM が活性化される．この ADAM プロテアーゼは，HB-EGF の膜貫通前駆体を切断し，放出された HB-EGF は次に心筋細胞の EGF 受容体に結合して，不適切な増殖を刺激する．この心筋細胞の過剰な増殖は，**心肥大**（cardiac hypertrophy）として知られる，大きいが虚弱な心臓の状態にしてしまい，早期の死につながる．ADAM プロテアーゼによる，これらのタンパク質切断がどのように制御され，細胞表面の基質の特異性が達成されているのかについてはまだ完全には理解されていない．

> **16・6 調節された部位特異的タンパク質切断を利用する**
> **シグナル伝達経路：Notch/Delta, EGF 前駆体**
> **まとめ**
>
> - 近傍細胞の表面にあるリガンドの Delta が，受容体である Notch タンパク質に結合すると，Notch は最初に ADAM プロテアーゼによって，次に細胞膜内で γ-セクレターゼによって，計 2 回のタンパク質切断を受ける（図 16・25）．こうして遊離した Notch の細胞質部分は核内へ移行し，発生過程で細胞の運命決定に重要な標的遺伝子の転写を調節する．
> - EGF など，多くの重要な増殖因子と他のシグナル伝達タンパク質は，細胞膜貫通タンパク質として合成される．ADAM プロテアーゼファミリーによる細胞膜付近での調整された前駆体の切断は，細胞外に活性型分子を放出し，離れた細胞にシグナルを伝達する．
> - EGF ファミリー前駆体の不適切な切断は，異常な細胞増殖を起こし，潜在的にがん，心肥大，そして他の疾患につながる．

16・7 シグナル構成要素のプロテアソーム分解を利用するシグナル伝達経路：Wnt, ヘッジホッグ, NF-κB を活性化する多くのホルモン

次に，転写因子自身，あるいは転写因子の阻害分子がユビキチン化を受けて，プロテアソームにより切断または完全に分解されるシグナル伝達経路を説明する．はじめに，多くの発生経路において鍵となる役割を果たし，細胞に新しい個性や運命を獲得させるための遺伝子発現を担う，二つの進化的に保存されたシグナル伝達分子ファミリー，**Wnt とヘッジホッグ**（Hedgehog: Hh）が介在するシグナル伝達経路から説明をはじめる．Wnt とヘッジホッグのシグナル経路は，異なる受容体とシグナル伝達分子を利用するが，それらは共通する部分が多いため，まとめて解説する．

- 両経路で鍵となる転写因子は，刺激されていない状態ではまず細胞質の複数のタンパク質からなる大きな複合体に存在しており，複合体に含まれる酵素によりユビキチン化される．Wnt 経路では，プロテアソームにより転写因子が完全に分解されるが，ヘッジホッグ経路では，転写因子はプロテアソームにより一部が切断され，転写抑制因子が生成される．
- いずれの経路においても，活性化にはこのタンパク質複合体の解体，転写因子の分解または切断の抑制，そして全長の活性型転写因子の核への移行という機構が介在する．
- 両者のシグナル伝達経路は動物の発生において細胞の運命決定を制御している．

次に，免疫系に影響を与える多くの重要なホルモンの下流で活性化する **NF-κB経路**（NF-κB pathway）について説明する．この場合は，転写因子それ自身ではなく，転写因子を抑制する分子が，ユビキチン化によって分解される．静止状態では，**NF-κB**は細胞質に隔離されて阻害分子と結合している．異なるホルモン受容体に活性化されたいくつかのシグナル伝達経路は，その阻害分子をユビキチン化して急速に分解を起こす酵素を制御する．阻害分子から自由になったNF-κBは，ただちに，勢いよく核内に入り，複数の遺伝子の転写を活性化する．また，ある細胞表面受容体の一種によってNF-κB経路がどのように活性化されるかを学ぶことで，鍵となるシグナル伝達複合体を形成する足場になるというポリユビキチン化の全く異なる機能もみていく．

Wntシグナルは細胞質のタンパク質複合体による転写因子の破壊を阻止する

Wntシグナル経路の構成成分は，多細胞動物の進化を通じて保存されており，おもにショウジョウバエの発生における変異体の遺伝子学的解析から解明されている．脊椎動物においては，これらの経路における変異がいくつかの種類のがんをひき起こすと考えられている．事実，脊椎動物ではじめて発見された*Wnt*遺伝子であるマウスの*Wnt-1*遺伝子は，あるマウスの乳がんで過剰発現していたために注目された．この過剰発現の原因としては，マウス乳腺腫瘍ウイルス（mouse mammary tumor virus: MMTV）のゲノムというレトロウイルスのDNAが*Wnt-1*遺伝子の近傍に挿入され，レトロウイルスLTRプロモーター（図7・13参照）が，*Wnt-1*遺伝子の不適切な発現を活性化していた．

ヒトのゲノムは19の異なるWntタンパク質をコードしており，多くのWntタンパク質は，骨形成，脊椎動物の筋骨格系の体節形成，皮膚や毛の形成と維持など，重要な発生現象において必須の分子である．すべてのWntタンパク質は，同じ細胞表面受容体とシグナル伝達タンパク質を利用していると考えられている．

Wntタンパク質は，一価不飽和脂肪酸であるパルミトレイン酸とタンパク質の中央部のセリンとの結合によって修飾された細胞が分泌するシグナル分子である．他の分泌シグナル伝達タンパク質と同様に，Wntタンパク質はいくつかの細胞外および細胞表面タンパク質と相互作用し，複数の下流シグナル伝達経路を活性化する．Wntタンパク質の主たるシグナル伝達受容体は，7回膜貫通αヘリックスを含む**Frizzled**（Fz）である．グルカゴン受容体（図15・15参照）と同様に，Fzは，最初の膜貫通αヘリックスに連結され，主要なWnt結合部位を含む大きな細胞外ドメインをもつ．しかし，グルカゴン受容体とは異なり，知られている限りFzはGタンパク質を活性化しない．Wntタンパク質に結合したパルミチン酸は，Fzの細胞外ドメイン上の特異的部位に結合してWnt-Fz複合体を安定化させる．したがって，この脂質はWntタンパク質にとって受容体結合の中心的役割を果たし，脂質による翻訳後修飾がリガンド-受容体相互作用を仲介するめずらしい例の一つである．

少なくとも三つの異なるシグナル伝達経路が，異なるWntタンパク質が特定のFzタンパク質に結合した際に活性化される．最も普遍的な"標準(canonical)"Wntシグナル経路は，もう一つの膜貫通タンパク質であるLRP（ショウジョウバエではArrow）を使用し，これはWntが同時にFzとLRPに結合することで，Fzと会合する（図16・26）．Wntタンパク質，FzまたはLRPをコードする遺伝子の不活性化変異はすべて，マウス胚の発生に対して同様の影響を与えることから，三つのタンパク質すべてがWntシグナル伝達に必須であることを示している．

標準Wntシグナル経路の細胞内のシグナル伝達で中心的役割を果たすのは，脊椎動物では**βカテニン**（β-catenin），ショウジョウバエではArmadilloとよばれるタンパク質である．この多機能性タンパク質は，Wntシグナル経路における転写因子として，また，細胞膜にある細胞接着タンパク質をアクチン細胞骨格につなぐものとして働く（図20・14参照）．Wntシグナルの非存在下で，膜と細胞骨格のつなぎ役をしていないβカテニン（遊離のβカテニン）は，足場タンパク質のAxinによって細胞質の**破壊複合体**（destruction complex）と一緒にされて分解に導かれる．この複合体は，欠損すると大腸がんになることから名づけられた腫瘍抑制因子である大腸腺腫症（adenomatous polyposis coli: APC）タンパク質を含む．この大きな破壊複合体を蛍光顕微鏡で観察した結果から，複合体にはそれぞれの構成因子が多数含まれていると考えられている．

静止状態では，破壊複合体中で常に活性をもっている二つのキナーゼであるカゼインキナーゼ1（casein kinase 1: CK1）とGSK3が，βカテニンの複数のセリンとトレオニン残基を連続的にリン酸化する．これらリン酸化された残基のいくつかは，**βTrCP**と名づけられたE3ユビキチンリガーゼタンパク質に対する結合部位を提供する．βカテニンはβTrCPによってユビキチン化されて26Sプロテアソームによって急速に分解される（図16・26a，ユビキチン化の詳細については図3・32参照）．分解によって遊離のβカテニンが核へ入ってWnt標的遺伝子の転写を活性化することが防がれている．

Wntシグナル伝達がβカテニンの分解を阻害し，転写因子として働くようにする完全な機構は，いまだにすべては解明されていない．細胞表面におけるWnt-Fz-LRP複合体の形成が，破壊複合体の構成因子でアダプタータンパク質であるDishevelled（Dvl）をFzと結合させ，AxinをLRPと結合させる．これにより，破壊複合体の不安定化と不活性化が起こり，βカテニンのリン酸化やユビキチン化が起こらなくなる．そして，遊離のβカテニンが蓄積し，核へ入ってWnt標的遺伝子の転写を活性化する（図16・26b）．

異常に高活性なWntシグナル伝達や，異常に多い遊離のβカテニンは，多くのがんの進行に関与していると示唆されている．ヒトの結腸がんの90％以上でWntシグナル経路が過剰に活性化している（25章）．この知見は，βカテニンが多くの増殖を促進する遺伝子を活性化できるという，初期の研究の手掛かりとなった．破壊複合体の構成因子である腫瘍抑制因子のAPCとAxinをコードする遺伝子が不活性化される変異は，破壊複合体のキナーゼであるGSK3またはCK1によるβカテニンのリン酸化部位上での変異と同様に，ヒトの多種のがんで見いだされている．これらの変異は，破壊複合体の形成を阻害したり，βカテニンのリン酸化を低下させたりする（図16・26a）．こうしてβカテニンの分解が抑制されることにより，正常なWntシグナルが入らなくても，遊離のβカテニンが遺伝子発現を活性化できてしまう．

Wnt標的遺伝子のなかには，Wntシグナル伝達を調節するものが多く，高度のフィードバック制御の存在を示している．βカテ

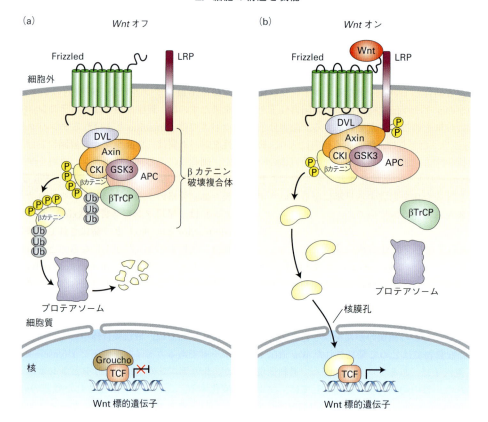

図 16・26 標準 Wnt シグナル経路．(a) Wnt が存在しない場合，転写因子 TCF が Wnt 標的遺伝子のプロモーターまたはエンハンサーに結合している．活性化因子である β カテニンは核に存在しておらず，TCF は遺伝子の転写を抑制する Groucho（Gro）などの転写抑制因子と結合している．標準 Wnt 経路で鍵となる分子は細胞質のタンパク質である β カテニンで，これは複数のタンパク質からなる大きな β カテニン破壊複合体により安定性が調節されている．腫瘍抑制タンパク質の Axin はこの複合体の足場タンパク質で，β カテニン，腫瘍抑制因子 APC，Dishevelled（Dvl）タンパク質，そして二つの恒常的に活性をもつグリコーゲンシンターゼキナーゼ 3β（GSK3β）とカゼインキナーゼ（CK1）とそれぞれ結合している．CK1 と GSK3 は，連続的に β カテニンの複数のセリンとトレオニン残基をリン酸化する．E3 ユビキチンリガーゼの βTrCP が β カテニンの二つのリン酸化残基と結合して β カテニンのユビキチン化をひき起こしプロテアソームで分解させる．(b) Wnt タンパク質は，細胞表面の二つの受容体 Frizzled（Fz）と LRP からなる複合体に結合する．Fz タンパク質は Wnt と結合する 7 回膜貫通部位と，細胞外 N 末端をもつ．これらの受容体に対する Wnt の結合は，いくつかのキナーゼによる LRP の細胞質ドメインのリン酸化をひき起こし，リン酸化された LRP に対する Axin の結合と，Fz に対する Dvl の結合が誘導される．これにより，Axin-APC-CK1-GSK3-β カテニン複合体の一部が離れ CK1 と GSK3 による β カテニンのリン酸化を阻害し，β カテニンのユビキチン化が抑制されることで β カテニンが細胞質に蓄積する．β カテニンは核に移行したのち，TCF と結合し抑制因子 Gro を解離させて，Wnt 標的遺伝子の発現を活性化するコアクチベータータンパク質を誘導する．[R. Nusse and H. Clevers, 2017, Cell 169: 985 参照; the Wnt homepage, http://web.stanford.edu/group/nusselab/cgi-bin/wnt/．]

ニンの安定性と局在の重要性は，Wnt シグナルが，細胞内の β カテニンの三つのプール，膜–細胞骨格界面，細胞質，および核の間において微妙な均衡に影響を与えることを意味している．

Wnt タンパク質の濃度勾配は，多くの発生段階に必須である

Wnt タンパク質は細胞から分泌されるが，部分的には，これらのタンパク質に共有結合した疎水性脂質のために，シグナル産生細胞から短い距離しか拡散できず，一般に局所的な効果を示す．Wnt が分泌細胞から遠く離れて拡散するにつれて，その濃度は減少する．異なる Wnt 濃度は，標的細胞において異なる運命をもたらす．大量の Wnt を受けた細胞は，特定の遺伝子を発現して特徴的な構造を形成する．より少ない量を受けた細胞は，異なる遺伝子を発現して別の構造を形成する．標的細胞に向けて，その濃度に依存して細胞に異なる運命を誘導するシグナルは，モルフォゲン（morphogen）とよばれる．たとえば，脊椎動物の神経系の発生において，高い濃度の Wnt シグナルはある前駆細胞を後方の神経に特徴化し，少ない Wnt シグナルは前方の神経に特徴化する．

組織形成の制御における Wnt 濃度勾配の最も顕著な例は，成体のプラナリア Schmidtea mediterranea（図 1・23e 参照）にみられる．Wnt の mRNA とタンパク質は，後方から前方に向けた勾配をもって発現される（図 16・27a）．プラナリアの頭部が切除されると，14 日内に新しい頭部が再生され，小さなものではあるが，通常の個体が再生される．同様に，尾部の除去後には新しい尾部が再生される．

最も驚くべきことに，プラナリアの中央から切取られた小さな体の部分が，前方の（頭部方向の）創傷から正常な頭部を，また後部創傷から尾を再生する（図 16・27b）．Wnt シグナルがこの切取られた部分の創傷において，頭になるか尾になるかの決定に必要である．Wnt-1 遺伝子はすべてのプラナリアの創傷で発現している．一方，細胞外に分泌される酵素である Notum をコードする遺伝子は前方の創傷でのみ発現する．Notum は，先に学んだように Wnt シグナルに必須である Wnt に共有結合している脂肪酸

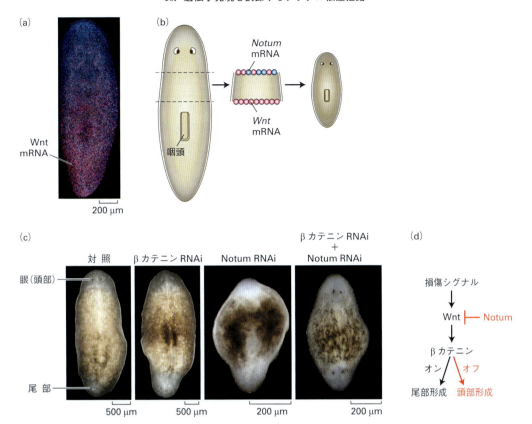

図 16・27（実験） Wnt の濃度勾配はプラナリアによる頭部と尾部の正常な再生に必須である．(a) in situ ハイブリダイゼーションで示されているように，*WntP-2* 遺伝子（赤紫の斑点）は，生体のプラナリアの後部から前部に向かう勾配で発現している．(b) 図に示されているように，プラナリア個体の中央部から切取った小さな体片を培養した．4日後に in situ mRNA ハイブリダイゼーションを行うと，Wnt mRNA（赤紫）は，前部および後部の両方の創傷部位で発現したが，Wnt 阻害因子の *Notum* mRNA（青）は，前部の創傷部位でのみ発現していた．このように，Wnt タンパク質は後部から前部の方向に濃度勾配が形成される．(c) 培養 14 日後，より小さいサイズではあるが正常な個体が切取られた体片から再生しており，二つの目によって容易に視覚化されるように，前方の創傷部位から頭部ができ，そして後部創傷からは尾ができている．切除された体片を β カテニンに特異的な阻害性 RNA で処理すると，二つの頭をもつプラナリアが再生されるが，Notum に特異的な阻害性 RNA で処理すると，二つの尾をもつプラナリアが再生される．切除された体片を，β カテニン，Notum にそれぞれ特異的な二つの阻害性 RNA で処理すると，β カテニン単独の喪失に似た表現型である二つの頭のプラナリアが再生される．(d) これらの実験から，細胞に Wnt を添加することによって安定化された β カテニンが，尾部形成を促進する遺伝子の発現をひき起こし，Notum による Wnt/β カテニンシグナル伝達の阻害は頭部を形成するというモデルが示唆される．［(a) は J. Witchley et al., 2013, *Cell Rep.* **4**: 633 参照．写真は J. Witchley and P. Reddien 提供．(c) は C. P. Petersen and P. W. Reddien, 2008, *Science* **319**(5861): 327; C. P. Petersen and P. W. Reddien, 2011, *Science* **332**(6031): 852, Copyright Clearance Center, Inc. を通じて AAAS より許可を得て転載．写真は J. Witchley and P. Reddien 提供．］

のパルミチン酸を切除して Wnt シグナルを抑制する．

RNA 干渉（RNAi）は β カテニン遺伝子の阻害，Wnt シグナルの阻害，そして *Notum* 遺伝子の阻害のいずれにも使用でき，同時に阻害することもできる．図 16・27(c) に示すように，すべての Wnt が存在しないとき，両側に頭をもつプラナリアが再生する．一方，Notum がない場合は両側に尾をもつプラナリアが再生する．この場合，Wnt は前方，後方両方の創傷に存在して活性をもつので，両側に尾ができる．Wnt と Notum の両方がないときは，Wnt 単独がない場合と同じ両方とも頭のプラナリアが再生するという表現型になる．前方と後方の両方の創傷に Wnt シグナルがないと，どちらからも頭ができ，Wnt が存在しない場合，Notum はなくなっても影響しない．これらの実験から，Wnt/β カテニンシグナルが尾の再生を促進し，頭の再生を抑制していることがわかる．Wnt シグナルが存在しないと創傷からは頭の形成が誘導される（図 16・27d）．

22 章では，成熟したプラナリアが，任意の種類の体細胞に分化することができるネオブラスト（neoblast）とよばれる多能性幹細胞を含むことを学ぶ．Wnt タンパク質の勾配は，ネオブラストに対して，プラナリアの頭部または尾部を構成する細胞に分化するように指示するうえで主要な役割を果たしている．さらに，RNA 干渉は傷つけていないプラナリアの全身の β カテニンを特異的に阻害するためにも利用された．このような傷のない場合でも，この方法による Wnt シグナルの阻害は体の周囲から頭部の発生を誘導した．これらは，組織再生の適切な配置と幹細胞を利用した修復における異常な結果だといえる（本章の章頭図）．

ヘッジホッグのシグナル伝達は標的遺伝子発現の抑制を解除する

ヘッジホッグ（Hh）シグナル経路は，二つの膜タンパク質（そのうち一つは 7 回膜貫通部位をもつ）が，シグナルを受容して伝達するために必要な点で Wnt 経路と類似している．また，Hh 経路も転写因子を含む細胞内複合体を解体させる機構をもつ．しか

し，Hh シグナル伝達では，介在する二つの膜受容体が細胞膜と細胞内小胞との間を移動するという点と，哺乳類細胞においては，Hh シグナル経路が，ほとんどの脊椎動物細胞がもつ一次繊毛という細胞表面から突き出した構造に限局しているという点で Wnt シグナル伝達とは異なる．

Wnt タンパク質と同様に，Hh タンパク質は共有結合した脂質をもち，モルフォゲンとして近くの細胞の運命に影響を与える．Hh シグナル伝達は，動物の多数の臓器の発生において必須の役割を果たしている．たとえば Hh シグナルは，脊髄と脳を形成する胎児の神経管の腹側から背側の軸に沿ってつくられる神経細胞の特性を決める．Hh シグナル伝達は，肺の形態形成や毛包の形成も制御する．三つの哺乳類 Hh タンパク質のうちの一つであるソニックヘッジホッグ（Shh）は，手足の正常なパターン形成に必須である．発達途中の四肢において，正常な後方領域における Shh の発現に加えて，前方領域においても Shh が異常に発現すると多指症（手足の指の本数が増える状態）につながる．

ヘッジホッグ前駆体タンパク質のプロセシング

Hh タンパク質は，前駆体タンパク質から，それ自身を半分にする自己タンパク質分解活性によって生成されるが，切断されたあとも小胞体内に存在する．切断によってできるのは，他の細胞にシグナルを伝えるために分泌される N 末端断片と，分解されてしまう C 末端断片である．図 16・28 に示すように，前駆体が切断されると同時に，N 末端断片に新しく生成した C 末端側には，脂質コレステロールが付加される．第二の修飾は，N 末端へのパルミトイル基の付加であり，これによって Hh タンパク質はさらに疎水性を増す．

Hh タンパク質は疎水性にもかかわらず，比較的遠くの距離（発生中の脊椎動物の肢において 300 μm 程度）まで到達できる．Hh と Wnt の両方とも，結合している脂質を介して細胞外リポタンパク質粒子（典型的なリポタンパク質の構造については，図 14・27 参照）のリン脂質単層にしばしば係留されており，これにより細胞外を拡散できる．しかし，細胞によって産生される Hh タンパク質の大部分は，その細胞膜に結合したままである．そのような場合，Hh はおもに細胞間接触によってシグナルを発する．Wnt タンパク質と同様に，この空間的制限は，Hh タンパク質の影響の及ぶ範囲を制限するために重要な役割を果たしている．

ヘッジホッグ受容体である Patched, Smoothened とその下流シグナル経路は最初ショウジョウバエの発生における遺伝学的研究で解明された

二つの膜タンパク質 Smoothened（Smo）と Patched（Ptc）は，Hh シグナルを受容して細胞の核まで伝達するために必要である．Smo は 7 回膜貫通 α ヘリックスをもつ，GPCR スーパーファミリーに属するタンパク質で，その配列は Wnt 受容体である Fz に類似している．Ptc は 12 回膜貫通 α ヘリックスをもち，膜輸送タンパク質の ABC スーパーファミリーの一つで，コレステロールを輸送するニーマン-ピック C1（Niemann-Pick C1: NPC1）タンパク質に構造が似ている（表 11・3）．Ptc は，Hh が結合する受容体で，一方 Smo は核へのシグナルを発する膜タンパク質である．この経路は二つの段階に分けて考えることができる．Hh が Ptc に結合すると，Smo を細胞膜に結合させる一つ目の段階が開始し，そこから Smo が細胞質複合体から転写因子を解き放つもう一つの段階が開始される．

図 16・29 に，最も詳しくわかっているショウジョウバエのヘッジホッグ経路の現在のモデルを示す．このモデルを支持する初期の証拠は，ヘッジホッグ（Hh）または smoothened（Smo）遺伝子に機能喪失型変異をもつハエの発生研究から得られている．これらの変異体の胚は，両方とも非常に似た発生上の表現型を示す．ヘッジホッグの名前は Hh 変異胚の見た目に由来し，その胚はハリネズミの棘に似た無秩序な剛毛によって覆われている．さらに，Hh と Smo 遺伝子の両者は，胚発生の期間に同じ遺伝子（たとえば patched と wingless）の転写活性化に必要である．これに対して，patched（Ptc）遺伝子の機能喪失型変異は全く異なった表現型を示し，Hh タンパク質を大量に発現した胚に似ている．これらの知見は，Hh が存在しない場合，Ptc は Hh や Smo を介して標的遺伝子の発現を活性化するシグナル経路を阻害することで，その標的遺伝子の発現を抑制していることを示唆している．さらに，patched 遺伝子の機能を欠く変異体では Hh の標的遺伝子の転写

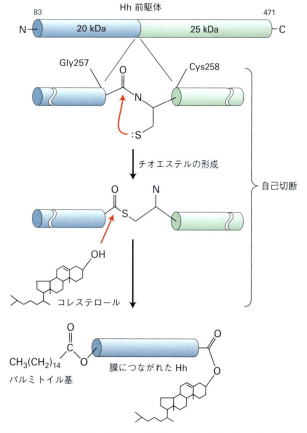

図 16・28 ヘッジホッグ(Hh)前駆体タンパク質のプロセシング．細胞は 45 kDa の Hh 前駆体を合成し，小胞体において，この前駆体のグリシン 257（Gly257）残基のカルボニル炭素に対して隣接残基のシステイン 258（Cys258）のチオール側鎖が求核攻撃をして，高エネルギーチオエステル中間体が生成する．次に，C 末端ドメインにおける酵素活性が，コレステロールのヒドロキシ基とグリシン 257 との間のエステル結合の形成を触媒し，前駆体を二つの断片に切断する．N 末端シグナル伝達断片（青）は，コレステロール基を保持し，さらに N 末端にパルミトイル基を付加する修飾を受ける．これら二つの疎水性アンカーは，プロセシングを受けた Hh タンパク質が分泌された際にそれを細胞膜につなぎとめる．[P. Thérond, 2012, Curr. Opin. Cell Biol. **24**: 173 参照.]

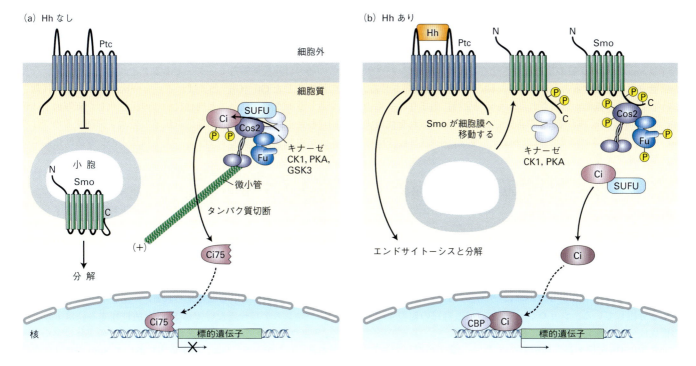

図 16・29 **ショウジョウバエにおけるヘッジホッグシグナル.** (a) ヘッジホッグ (Hh) が存在しない場合, Hh 受容体の Patched (Ptc) タンパク質は, おもに細胞内小胞の膜に存在する Smoothened (Smo) を阻害している. Smo は, ユビキチン化され, プロテアソームにより分解されている. キナーゼ Fused (Fu) と他のキナーゼ, プロテインキナーゼ A (PKA), グリコーゲンシンターゼキナーゼ 3 (GSK3β) およびカゼインキナーゼ 1 (CK1) および, ジンクフィンガー転写因子 Cubitus interruptus (Ci), Ci に結合して阻害する SUFU (Suppressor of Fu) タンパク質を含む細胞質複合体は, キネシン関連モータータンパク質 Costal-2 (Cos2) を介して微小管と結合している. この複合体において Ci は, PKA, GSK3β, および CK1 によって触媒される一連の段階でリン酸化される. ついでリン酸化された Ci は, ユビキチンプロテアソーム経路によってタンパク質分解的に切断され, N 末端断片 Ci75 を生成する. これは核内に輸送され, Hh 標的遺伝子の転写抑制因子として機能する. (b) Hh は Ptc に結合し, Ptc を細胞表面からエンドサイトーシスさせて分解し, それによって Smo の阻害を緩和する. その後, Smo は細胞膜に移動し, PKA, CK1 および他のキナーゼによって細胞質にある C 末端がリン酸化される. そして, Smo の C 末端部分は Cos2 に結合して, Smo が分解されず安定化される. Fu と Cos2 の両方が広範にリン酸化されて, Fu-Cos2-Ci 複合体が解離することが最も重要である. こうして完全長 Ci が安定化され, 核に移動して標的遺伝子のプロモーターで抑制因子 Ci75 と入れ替わり, CREB 結合アクチベータータンパク質 (CBP) を引寄せて標的遺伝子の発現を誘導する. Ptc と Smo が Hh に応答して機能する膜の正確な区画はわかっていない. [S. Goetz and K. Anderson, 2010, *Nat. Rev. Genet.* **11**: 331; R. Heck et al., 2016, *Development* **143**: 367 参照.]

に Smo が必要であるという別の観察結果から, Hh 経路で Smo が Ptc の下流に位置することがわかる. Hh は直接 Ptc と結合するという生化学的実験の結果と合わせて, この遺伝学的知見は, Hh がないと Ptc は Smo が介在する Hh 標的遺伝子の転写活性化を阻害していることを示している. Hh が Ptc に結合するとこの抑制がはずれ, 標的遺伝子の転写が開始される.

その後の免疫染色や細胞分解の研究から, Hh の非存在下では, Ptc は細胞膜に豊富に存在するが, Smo は内部の小胞膜にあることが示された (図 16・29a). どのようにして Ptc が Smo の機能を阻害しているかについて正確には不明である.

Hh が存在しないと, Fu や Cos2 を含むいくつかの異なるタンパク質からなる微小管結合性の複合体が, ショウジョウバエでは Cubitus interruptus (Ci) とよばれるジンクフィンガーを含む転写因子を細胞質に隔離する. このタンパク質複合体は少なくとも四つのキナーゼを含んでおり, そのうち二つは Wnt 経路で β カテニンをリン酸化するものと同じキナーゼである. この複合体において, Ci がこれらのキナーゼによりリン酸化されると, E3 ユビキチンリガーゼ複合体の構成因子と結合がひき起こされ, Ci がユビキチン化されてプロテアソームに移行する. そこで Ci は, アミノ酸への完全な分解ではなく, 特異的なタンパク質切断を受け, 生成した Ci75 とよばれる Ci 断片は, 核に移行し Hh 標的遺伝子の発現を抑制する.

Hh がその受容体である Ptc に結合すると, 他の多くの受容体-リガンド複合体と同様に, Hh-Ptc 複合体は細胞表面から細胞内小胞へとエンドサイトーシスされ, 最終的に分解される. Hh の Ptc への結合はまた, Ptc が Smo を抑制する能力を阻害する (図 16・29b). そこで活性化した Smo は, 細胞内小胞から細胞膜に移動し, 全長の転写因子 Ci を核へ移行させるシグナル経路を開始させる. Smo の細胞質側の C 末端部分が複数のキナーゼの協調的な活性化によりリン酸化される. すると, リン酸化された Smo の C 末端部分に Cos2 が結合し, Cos2 もリン酸化される. これにより細胞質の Fu, Cos2, Ci の複合体は解体され, 微小管から解離し, Ci のリン酸化とタンパク質切断の両方が減弱する. 結果として, 全長の Ci が解離した複合体から放出されて核に移行し, そこでコアクチベーターの CREB 結合タンパク質 (CBP) に結合して, Hh 標的遺伝子を抑制するのではなく, 活性化する.

ヘッジホッグシグナルのフィードバック制御

他のシグナル経路と同様に, Hh 経路のフィードバック制御は重要である. なぜなら, 抑制されない Hh シグナル伝達は, がんの

ような過剰増殖や，誤った細胞種の分化をひき起こすからである．ショウジョウバエにおいては，Hhシグナルで誘導される遺伝子の一つに *patched* がある．Ptcの発現量の上昇は，大きくは細胞内の活性型Smoタンパク質の量を減少させることと，Hhタンパク質を細胞表面に隔離することによって，Hhシグナルを減弱させる．こうして，この機構が緩衝される．もし発生時にあまりに多くのHhシグナルがつくられると，ひき続くPtcの増加がこれを代償する．また，Hhシグナルの生成があまりに少ない場合には，Ptcの産生量が減少する．

脊椎動物のヘッジホッグシグナル伝達は一次繊毛を必要とする

脊椎動物のHhシグナル経路は，ショウジョウバエのものと共通する特徴を多くもっているが，いくつかの際立った差異も存在する．まず第一に，哺乳類のゲノムは三つの *Hh* 遺伝子と二つの *Ptc* 遺伝子をもち，それらは種々の組織間で異なって発現している．第二に，哺乳類は三つのGli転写因子を発現しており，それらは全体としてショウジョウバエに一つだけあるCi転写因子の機能を分担している．ショウジョウバエのHh経路の他のすべての構成成分も，哺乳類において保存されている．

哺乳類のHh経路の最も特徴的な点は，一次繊毛の関与である．繊毛は，細胞膜で包まれており細胞表面から突出した長く細い構造体である．特殊な種類の細胞に存在する繊毛や鞭毛の機能，たとえば，気管細胞によって気道表面に沿った物質の動きがつくられることや，精子の動きの原動力となることなどの役割はよく知られている（図1・15, 18章参照）．大部分の脊椎動物の細胞には，これまでみられたほぼすべての無脊椎動物には明らかに存在しない**一次繊毛**（primary cilium）とよばれる単一の繊毛があり，これは表面から突出した細い非運動性の構造である．

18章で学ぶように，繊毛は，中心部の微小管の束に沿ったタンパク質や粒子の移動によって伸長し，維持される．繊毛内のタンパク質や粒子は，繊毛の基底部から先端に向けて，また逆の方向に，微小管の束に沿って異なる**鞭毛内輸送**（intraflagellar transport: **IFT**）モータータンパク質によって運搬される．Hhシグナル経路における繊毛の役割についての最初の証拠は，胚でHhシグナル伝達が変化したときにみられた変化と類似したものが観察される，マウス初期発生の変異体のスクリーニングから得られた．この変異体の表現型の一部は，高い濃度で特定のHhタンパク質が発現しないと発生しない神経管の特別な細胞が失われるというものである．これらの変異の多くはIFTタンパク質をコードする遺伝子にあり，Hhシグナル伝達における繊毛（または鞭毛）の役割を提示している．

ひき続く解析から，Hhシグナルがないときに，Ptcは一次繊毛の膜に局在しており，Smoは繊毛基底部近くの細胞内小胞に存在することが示された．ショウジョウバエの場合のように，Hhがないと細胞質複合体に含まれるキナーゼがGliをリン酸化し，プロテアソームによるGliの切断と，Gli断片（Gli^R とよばれる）の核内への移行が起こり，そこで Gli^R はGli応答性遺伝子の調節領域に結合し，その遺伝子の発現を抑制する．

HhがPtcに結合した結果，Smoは一次繊毛の膜に移動する．続いてGliは，キネシンモータータンパク質（18章）が微小管に沿って繊毛の先端に物質を運ぶという機能によって，繊毛の先端に蓄積する．先端部では，Smoに結合したタンパク質によってGliが活性化される．その詳細な機構は未解明であるが，細胞質複合体の構成因子でありGliの抑制因子であるSufuからGliが離れる過程が含まれることはわかっている．別のモータータンパク質，この場合は逆行性輸送モーターであるダイニン（18章）が，全長の活性化したGli（Gli^A とよばれる）を一次繊毛の基底に移動させる．ショウジョウバエと同様に，この活性化した転写因子は核内に移動し，そこで複数の標的遺伝子の発現を抑制するのではなく，活性化する．詳しいHhシグナル伝達とGliの活性化機構はまだよくわかっていない．

Ptcは，Smoを活性化または抑制しうるコレステロールや構造的に類似したステロールを輸送すると推定されている．脊椎動物のSmoタンパク質は，N末端の細胞外領域と膜貫通ドメインの部位でコレステロールやいくつかの種類のオキシステロール分子に結合できる．コレステロールは脊椎動物のSmoを活性化するのに十分であるため，脊椎動物では，おそらくPtcによって細胞質に輸送されたコレステロールや関連するステロールがSmoの活性化因子として働いていると考えられる．一方，ショウジョウバエでは，コレステロールだけではSmoを活性化するには十分でなく，ショウジョウバエのSmoを活性化する因子の実体は全く不明である．したがって，ハエ，ヒト両方においてSmoの活性化機構については調べるべき多くのことが残っている．

Hhシグナル伝達の不適切な活性化は，髄芽腫（小脳腫瘍）と横紋筋肉腫（筋肉腫瘍）を含むいくつかのヒトの腫瘍で発症原因となっている．一次繊毛はこの異常なHhシグナル伝達に必要であることから，これらのがんの動物モデルにおいて，一次繊毛の機能を阻害する薬剤が試されている．たとえば，出生後のマウス脳におけるSmoの活性型変異体の発現は髄芽腫を生じるが，同時に必須の繊毛タンパク質をコードする遺伝子を不活性化した場合，これらの腫瘍形成は起こらない．

阻害タンパク質の分解は転写因子NF-κBを活性化する

WntおよびHhシグナル伝達経路の両方が刺激されていない状態においては，重要な転写因子はユビキチン化されて，限定的なタンパク質切断か，完全な分解を受けることをみてきた．シグナル経路の活性化は，ユビキチン化を阻害して転写因子を活性のある状態で放出させる．NF-κB経路は逆の様式で機能する．静止状態では，NF-κB転写因子は阻害因子に結合して細胞質に保持されるが，シグナル経路の活性化によって，阻害因子がユビキチン化され分解されることで，活性をもつ転写因子の放出をひき起こす．この機構は，細胞が多様なストレスシグナルに応答して，迅速に遺伝子の転写を活性化できるようにしている．NF-κB経路の諸過程は，哺乳類とショウジョウバエの両方の研究から解明された．

NF-κBシグナル経路の名前は，その主要な役割を果たす転写因子NF-κBに由来している（NF-κBは nuclear-factor kappa-light-chain enhancer of activated B cells の略）．この転写因子は，細菌やウイルスの感染，炎症，電離放射線への曝露といったいくつかのストレス刺激に応答して，多くの哺乳類の免疫系細胞において迅速に活性化する．たとえば，細菌や真菌の細胞壁または，細菌DNAの一部が，ある免疫系細胞の細胞表面やエンドソーム膜にある**Toll様受容体**（Toll-like receptor, 図24・37参照）に結合すると，NF-κB経路が活性化する．いくつかの種類の細胞では，近

傍の免疫細胞が感染に応答して放出する**腫瘍壊死因子α**（tumor necrosis factor α: **TNFα**）やインターロイキン1（interleukin 1: **IL-1**）などのいわゆる炎症性サイトカインによってこの経路が活性化する．これらすべての場合において，受容体へのリガンド結合は，転写因子NF-κBを活性化するシグナル経路を誘導する．

NF-κBはもともと，B細胞のつくる抗体（免疫グロブリン）の軽鎖をコードする遺伝子の転写活性化の研究から発見された．現在では，哺乳類の免疫系におけるマスター転写調節因子であると考えられている．ハエは抗体をつくらないが，ショウジョウバエのNF-κBホモログは，細菌とウイルスの感染に応答して多数の分泌性抗菌ペプチドを合成する．これらのホモログが存在するという知見は，NF-κB調節系が進化を通じて保存されており，その歴史は5億年以上も古いことを意味している．

哺乳類細胞を使った生化学的研究とハエを用いた遺伝学的研究によって，NF-κB経路の作用についての重要な知見が得られた．NF-κB転写因子はp65とp50という二つのサブユニットからなるヘテロ二量体である．これらの二つのサブユニットは，ともにN末端に相同な領域をもっているが，これは二量体化とDNAへの結合に必要である．ストレスや感染の兆候へ応答していない休止期の細胞では，NF-κBは**I-κBα**とよばれる阻害因子に直接結合し，それにより細胞質に不活性な状態で隔離されている．一つのI-κBα分子が，p50-p65ヘテロ二量体中の各サブユニットのN末端に結合し，それによって核局在化シグナルが遮蔽されている（図16・30）．

I-κBキナーゼ（I-κB kinase）と名づけられた三つのタンパク質からなる複合体が，NF-κBのすぐ上流で作動しており，隔離状態からのNF-κBの遊離に重要である．I-κBキナーゼのβサブユニット（IKKβと略される）のキナーゼ活性の上昇は，前述したNF-κBを活性化するすべての細胞外シグナルの収束点である．感染源や炎症性サイトカインで細胞が刺激されると，分単位でI-κBキナーゼのβサブユニットがリン酸化によって活性化され，I-κBα上の二つのN末端セリン残基をリン酸化する（図16・30, 段階①と②）．次に，E3ユビキチンリガーゼがこれらのホスホセリンに結合して，I-κBαをユビキチン化する．このE3ユビキチンリガーゼは一つのユビキチンのC末端を別のユビキチンの48番目のリシン（K48）につなげ，K48結合型ポリユビキチン鎖をI-κBαタンパク質に付加して，それをプロテアソームに向かわせてただちに分解させる（段階③と④，3章も参照）．I-κBαのこれら二つのセリンがアラニンに置換されてリン酸化されない変異型を発現する細胞では，NF-κBは永久に抑制されるので，経路の活性化にはI-κBαのリン酸化が必須であることを証明している．

I-κBαが分解すると二つのNF-κBサブユニット上の核局在化シグナルが露出するので，NF-κBが核内に移行し，多数の標的遺伝子の転写を活性化する（段階⑤と⑥）．NF-κBシグナル伝達は最

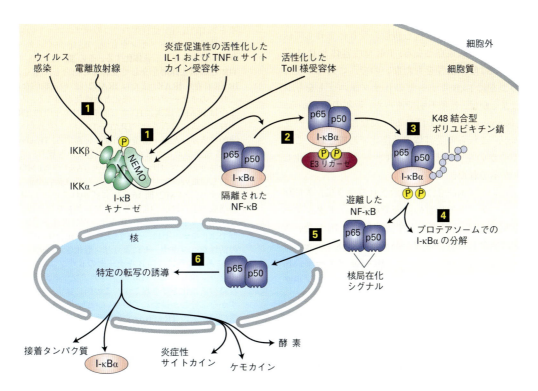

図16・30 NF-κBシグナル伝達経路の活性化．静止期の細胞で，p50およびp65サブユニットからなるヘテロ二量体転写因子NF-κBは，阻害タンパク質のI-κBαに結合して細胞質に隔離されている．**段階①**：矢印で示すように，三つのサブユニットからなるI-κBキナーゼは多種多様な対象によって刺激されたシグナル伝達経路の下流で活性化する．具体的には，いくつかのToll様受容体（図24・37）のいずれかの活性化や，侵入してきたウイルス，細菌，真菌の構成要素などがある．**段階②**：I-κBキナーゼのβサブユニットは，阻害タンパク質I-κBαをリン酸化し，そこにE3ユビキチンリガーゼが結合する．**段階③および④**：ひき続く，I-κBαのリシン48（K48）結合型ポリユビキチン化は，それをプロテアソームによる分解へと導く．**段階⑤**：I-κBαの除去によって，NF-κBの両方のサブユニットがもつ核局在化シグナルが露出し，それらの核への移行が可能になる．**段階⑥**：核においてNF-κBは，シグナル伝達を終結させるI-κBαをコードする遺伝子や，細胞によっては種々の炎症性サイトカインや他のタンパク質をコードする遺伝子を含む多数の標的遺伝子の転写を活性化する．[R. Khush et al., 2001, *Trends Immunol.* **22**: 260; J. L. Luo et al., 2005, *J. Clin. Invest.* **115**: 2625 参照.]

終的にはネガティブフィードバックループによってスイッチを切られる．それは，NF-κB によって転写がただちに誘導される遺伝子の一つが I-κBα をコードしているからである．I-κBα が増えると，このタンパク質は核内で活性型の NF-κB と結合し，それを細胞質へと引戻す．

多くの免疫系細胞において，NF-κB は 150 以上の遺伝子の転写を促進する．そのなかには，サイトカインやケモカインをコードするものが含まれており，ケモカインは以前に記載したシグナル伝達経路を介して，別の免疫系細胞と繊維芽細胞を感染の部位に引きつける．また NF-κB は，好中球（白血球の一種）を血液からその周辺組織へ移行させる受容体タンパク質の発現をも促進する（図 20・42 参照）．ある免疫細胞では，NF-κB は，細菌細胞に有毒な一酸化窒素を生産する酵素の誘導型アイソフォームである iNOS，および細胞死を妨げるいくつかの抗アポトーシスタンパク質の発現を促進する．このように，この単一の転写因子は，一方では病原体とストレスに応答することによって直接的に，また他方では，別の感染ないし傷ついた組織や細胞の発するシグナル分子に応答することで間接的に，体の防衛機構に協調性をもたせつつ活性化している．

NF-κB 経路においてポリユビキチン鎖の足場を含む非常に大きなシグナロソームが多くの細胞表面受容体と下流のタンパク質の間をつなぐ

直前で説明したように，I-κB キナーゼの β サブユニットの活性化は，Toll 様受容体と IL-1 受容体を含む複数の受容体を介して伝達される細胞外シグナルの収束点となる．Toll 様受容体と IL-1 受容体の細胞質ドメインは酵素活性をもたないので，これらの受容体の活性化がどのように I-κB キナーゼの β サブユニットをリン酸化して活性化に導くかは，長年不明であった．近年の研究から，**シグナロソーム**（signalsome）とよばれる巨大な複数のタンパク質からなる複合体が，これらの受容体の活性化で形成され，ここに取込まれるいくつかのキナーゼが I-κB キナーゼをリン酸化して活性化することが示された．

IL-1 シグナロソーム（図 16・31）で例示されるように，多量体化はシグナル伝達カスケードの複数の段階で起こる．アダプタータンパク質である MyD88 は，リガンドで活性化した IL-1 受容体の細胞質ドメインに結合し，MyD88 タンパク質，IRAK2（interleukin 1 receptor-associated kinase2）キナーゼ，IRAK4 キナーゼの相互作用によって長いらせん状の繊維を形成する．TRAF6 タンパク質がホモ三量体を形成し，それぞれが繊維の端にある 3 分子の IRAK2 タンパク質と結合する．IRAK2 はさらに近傍の TRAF6 三量体の端とも結合することで，何千もの TRAF6 や他のシグナロソームタンパク質を内包する大きな二次元の格子を形成する．

TRAF6 はポリユビキチン鎖を合成する E3 ユビキチンリガーゼである．TRAF6 が発見されたころには，すべてのポリユビキチン化はプロテアソームによる分解の信号だと考えられていたので，ユビキチン化され急速に分解される標的タンパク質が探索された．しかしそれらは見いだされず，ポリユビキチン化の別の役割の可能性が想定され，まもなく，特異的な E3 ユビキチンリガーゼによって，複数の種類のポリユビキチン鎖が形成され，それらは異なる構造と生物学的機能をもつことが見いだされた．E3 リガーゼ TRAF6 は，一つのユビキチンの C 末端を他のユビキチン

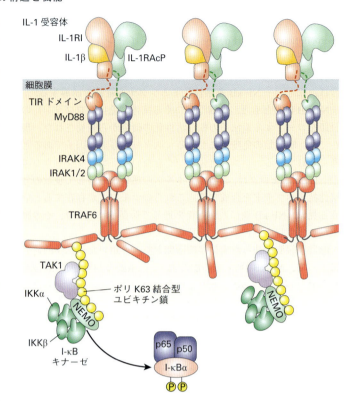

図 16・31 巨大なインターロイキン 1（IL-1）シグナロソームと NF-κB の活性化． Toll 様受容体（図 24・37）のように，インターロイキン 1β（IL-1β）受容体の二つのサブユニットの両方の細胞質領域は，球状の TIR ドメインをもつ．IL-1β がインターロイキン 1 受容体に結合すると，二量体化する．その後，MyD88 タンパク質（紫）は TIR との相互作用を介して受容体と結合し，多くの数のキナーゼ，IRAK4（青），IRAK1 または IRAK2（緑）の連続的な結合を促進して，これらのキナーゼのリン酸化と活性化が起こる．活性化した IRAK1 または IRAK2 は次に E3 ユビキチンリガーゼの TRAF6 をこのシグナロソームに結合させ，TRAF6-TRAF6 相互作用で形成される二次元的に広がった格子構造の形成を促進する．TRAF6 はまた長いリシン 63 結合型ポリユビキチン鎖の合成を触媒し，これを自身に共有結合させる．プロテインキナーゼ TAK1 や NEMO タンパク質などを含む複数のタンパク質がこれらの K63 結合型ポリユビキチン鎖に結合する．NEMO（図 16・30 に描かれている I-κB キナーゼ複合体の構成因子）は次に IKK キナーゼ α と β を複合体に引寄せ，三つのサブユニットからなる I-κB キナーゼ複合体を形成する．IKKα および IKKβ キナーゼは，その巨大な分子複合体の中にある TAK1 や他の活性をもつキナーゼによりリン酸化されて活性化される．図 16・30 にあるように，I-κB キナーゼの β サブユニットは，I-κB 阻害因子をリン酸化して I-κBα のプロテアソーム分解と NF-kB シグナル経路の活性化をひき起こす．この図には実際のシグナロソームのわずかな部分しか描かれていない．というのも，TRAF6 の空いている端には，別の TRAF6 分子が結合して，細胞膜のすぐ内側にシグナロソームの領域を広げていくからである．[R. Ferrao et al., 2012, *Sci. Signal.* **5**: re3; B. Skaug et al., 2009, *Annu. Rev. Biochem.* **78**: 769; J. Napetschnig and H. Wu, 2013, *Annu. Rev. Biophys.* **42**: 443 による．]

の 63 番目のリシン（K63）に結合させる（図 3・39 参照）．直鎖状の K63 結合型ポリユビキチン鎖を形成する．このユビキチン鎖は，結合したタンパク質を分解に向かわせるのではなく，むしろ **K63 結合型ポリユビキチン結合ドメイン**（poly-K63 ubiquitin-binding domain）をもつタンパク質の足場として結合する．これらの一つにプロテインキナーゼ TAK1 があり，ポリユビキチン鎖への結合によって活性化される．別の例は，I-κB キナーゼのサブ

ユニット NEMO である．こうして，TAK1 キナーゼとその標的である I-κB キナーゼの β サブユニットが K63 結合型ポリユビキチン鎖の上で近傍に集まることで，TAK1 がこの下流キナーゼをリン酸化して活性化できるようになる（図 16・31）．I-κB キナーゼは，複合体の中ですでに活性化した別の I-κB キナーゼにリン酸化されることでも活性化できる．先に指摘したように，I-κB キナーゼは I-κBα をリン酸化し，NF-κB が活性化する．このように，IL-1 シグナルから転写因子 NF-κB の活性化に向けては，別種のポリユビキチン鎖が全く異なった様式で作用している．

このように巨大なシグナロソーム複合体が形成される利点はなんであろうか．なぜ，これらは Toll 様受容体や，IL-1，TNFα を含む多くの炎症性ホルモンの受容体の下流のシグナル伝達経路で機能するように進化してきたのか．一つの仮説は，シグナロソームを形成するために多くのホルモン受容体が協調しなければならない状況をつくることで，全か無かという応答につながる閾値を設定することができる．全か無かとは，ある細胞外シグナルの濃度が低い場合，機能的なシグナロソームは安定には形成できないが，それよりわずかにその濃度が上がった際に最大の応答をひき起こすような反応である．この応答機構により，免疫機構は，意味のある危険がない場合には，体を傷つけうる免疫応答が高まったりしないように抑制できる．TNFα の濃度に依存して，TNFα 受容体によるシグナロソーム形成は 20〜50 分かかるが，この間にもともとの刺激が持続しなければ，シグナロソームの形成を解除する余裕が生まれる．このような安全装置のついている機構は，十分な危険が存在し，刺激が持続して大きいときにだけ応答するために進化してきたのかもしれない．

16・7 シグナル構成要素のプロテアソーム分解を利用するシグナル伝達経路：Wnt，ヘッジホッグ，NF-κB を活性化する多くのホルモン　まとめ

- 多くのシグナル経路にはユビキチン化とその標的タンパク質の分解が介在しており，その経路は不可逆的あるいはゆっくりとした可逆性しかない．標的タンパク質は，転写因子あるいは転写因子の抑制因子のどちらもある．
- Wnt シグナルは，脳の発生，四肢のパターン形成，および器官形成のような多くの重要な発生過程を調節している．Wnt と同じように，ヘッジホッグ（Hh）は，発生過程でモルフォゲンとして機能している．両経路の活性型変異はがん化をもたらす．
- Hh および Wnt は分泌タンパク質であるが，どちらもシグナル伝達の範囲を狭める脂質のアンカーをもつ．Wnt に共有結合した脂肪酸は，その Frizzled（Fz）受容体への結合に必須である．
- Wnt シグナルは，その受容体である Fz と共受容体の LRP という二つの細胞表面タンパク質，および β カテニンを含む細胞内の複合体を介して作用する（図 16・26）．Wnt の結合は，β カテニンの安定性と核内移行を促進し，それが直接または間接に TCF 転写因子の活性化を促進する．
- Wnt タンパク質の濃度勾配は，プラナリアの頭部および尾部の再生を含む多くの発生段階において必須である（図 16・27）．

- Hh シグナルもまた，Smoothened（Smo）と Patched（Ptc）という二つの細胞表面タンパク質，および転写因子 Cubitus interruptus（Ci）を含む細胞内の複合体を介して作用する（図 16・29）．Hh が存在すると，活性型 Ci が生成するが，Hh がないと抑制型 Ci 断片が生成される．Ptc に対する Hh の結合に応答して，Ptc と Smo の両方の細胞内局在が変わる．
- 脊椎動物の Hh シグナル伝達は，一次繊毛と鞭毛内輸送タンパク質を必要とする．Hh がないときに，Ptc は一次繊毛の膜に局在しており，Hh があると，Smo は細胞内の膜構造から繊毛の膜に移動する．
- 転写因子 NF-κB は，免疫系細胞が感染や炎症に応答できるよう，多くの遺伝子を調節する．
- 刺激されていない細胞では，NF-κB は細胞質に存在し，阻害タンパク質である I-κBα と結合している．多くの種類の細胞外シグナルに応答して，I-κBα はリン酸化されてユビキチン化を受け，プロテアソームにより分解される．I-κBα の破壊は，活性のある NF-κB を放出し，それは核に移行する（図 16・30）．
- インターロイキン 1 と Toll 様受容体によるシグナル伝達は，シグナロソームとよばれる巨大な複数のタンパク質を含む複合体が介在している．この複合体に含まれる TRAF6 によるポリユビキチン鎖は，TAK1 キナーゼとその基質である I-κB キナーゼの β サブユニットを近くに引寄せる足場を形成し，I-κB キナーゼを活性化して阻害因子である I-κBα をリン酸化する．結果として起こる I-κBα の分解は，受容体から下流の NF-κB 経路の構成因子にシグナルを伝達する（図 16・31）．

重要概念の復習

1. GRB2 は内在性の酵素活性をもたないにもかかわらず，MAP キナーゼを活性化する上皮細胞増殖因子（EGF）シグナル伝達経路では必須の構成因子である．GRB2 の機能は何か．GRB2 の機能において SH2 ドメインと SH3 ドメインはどのような役割を果たしているか．他の多くのタンパク質も SH2 ドメインをもっている．SH2 ドメインが他の分子と相互作用する際に特異性を決定するものは何か．

2. 活性化されたシグナル伝達経路が標的遺伝子の発現に適当な変化を与えたあとには，その経路は不活性化されなければならない．さもないと，多数のがんにおいて増殖因子の経路がシグナルを送り続けているという例にみられるように，病理的な結果が生じる．多くのシグナル伝達経路は内在的にネガティブフィードバック機構をもっており，それによって一つの経路の下流で起こる過程が上流の過程を抑制する．(a) エリスロポエチン，および (b) TGF-β によって誘導されたシグナルを抑制するネガティブフィードバック機構を述べよ．

3. Ras タンパク質にある変異が起こると，それを恒常的に活性にする（Ras^D）．恒常的な活性化とは何か．恒常的に活性型の Ras は，どのようにがんを進行させるか．どのような種類の変異が起こると，次のタンパク質が恒常的に活性型になるか．(a) Smad3，(b) MAP キナーゼ，(c) NF-κB．

4. 出芽酵母において，酵素 Ste11 はいくつかの異なる MAP キナー

ゼシグナル伝達経路に介在している．接合因子のシグナル経路における Ste11 の基質は何か．Ste11 が高浸透圧によって誘導される MAP キナーゼ経路にも関与していることを考えると，酵母細胞が接合因子によって刺激されたとき，何が高浸透圧の培地中での生存に必要な浸透圧調節物質の産生を妨げるのか．

5. プロテインキナーゼ B を完全に活性化するのに必要な過程を述べよ．

6. PI 3-キナーゼシグナル経路における PTEN ホスファターゼの機能を述べよ．なぜ PTEN の機能喪失型変異ががんを進行させるのか．恒常的に活性型である PTEN が細胞増殖とその生存に与える影響を予測せよ．

7. サイトカイン受容体と受容体型チロシンキナーゼの活性化に共通する三つの特徴を指摘せよ．これらの受容体の酵素活性に関する違いを一つあげよ．

8. エリスロポエチン(Epo)は，血中の低酸素量に応答して体内で産生されるホルモンである．Epo がその細胞表面受容体に結合したときに細胞内で進行する過程はよく解析されている．(a) JAK キナーゼが STAT5 を活性化したとき，および (b) GRB2 が Epo 受容体に結合したときに，細胞質から核へ移行する分子は何か．ほとんどの運動競技で Epo の使用が禁止されるまで，持久力を要する選手が，成績改善のために Epo を利用（"血液ドーピング"）したのはなぜか．

9. JAK のドミナントネガティブ変異体の発現は，どのようにしてエリスロポエチン(Epo)-サイトカインシグナル経路を阻害するかを説明せよ．

10. TGF-β がその受容体に結合すると，異なる細胞においてさまざまな応答を生じる．たとえば，TGF-β は上皮細胞ではプラスミノーゲンアクチベーターインヒビター 1 を，B 細胞では特異的免疫グロブリンを誘導する．どちらの種類の細胞でも Smad3 が活性化される．シグナル経路が保存されているならば，さまざまな細胞で TGF-β への応答に多様性がある原因は何か．

11. TGF-β の細胞表面受容体への結合によって生じたシグナルは，標的遺伝子の発現の起こる核へどのように伝達されるのか．活性型 Smad の核内濃度は細胞表面の活性型 TGF-β 受容体の濃度をよく反映するが，核内でどのような活性がそれを保証しているのか．

12. Delta のどのような特性が，近傍の細胞にのみにシグナルを伝達することを可能にしているのか．

13. γ-セクレターゼによって触媒される生化学反応は何か．

14. 細胞外シグナル伝達タンパク質ヘッジホッグは細胞膜に係留することができる．ヘッジホッグのどのような修飾が膜結合性を可能にしているか．この特性はなぜ有用なのか．

15. なぜ機能喪失型のヘッジホッグ変異体と *Smoothened* 変異体は，ハエで同じ表現型を示し，機能喪失型の *Patched* 変異体は，逆の表現型を示すのかを説明せよ．

16. NF-κB を活性化するシグナル経路が，サイトカインあるいは RTK のシグナル経路に対して，比較的不可逆的だと考えられるのはなぜか．それにもかかわらず，NF-κB は最終的に抑制的な調節を受けなければならない．どのようにして NF-κB シグナル経路はオフにされるか．

17. NF-κB シグナル経路におけるポリユビキチン化の二つの役割を述べよ．

細胞の構築と運動 I: ミクロフィラメント

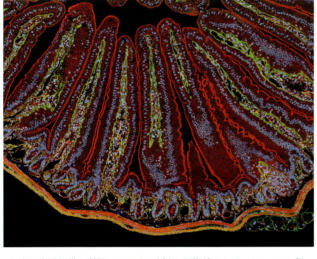

マウス小腸組織の断面. アクチン(赤), 細胞外マトリックスタンパク質ラミニン(緑), および DNA(青)を蛍光色素で染めてある. 青点のDNAは, そこに細胞があることを示す. 小腸上皮細胞の頂端側には, 微絨毛に存在するアクチンが腸の内腔側表面(上)に沿って分布していることがわかる. 小腸を取囲んでいる平滑筋(下)のなかにもアクチンがはっきりと見える. [T. Deerinck and M. Ellisman 提供.]

17・1　ミクロフィラメントとアクチンの構造
17・2　アクチンフィラメントの動態
17・3　アクチンフィラメント構造物の形成機構
17・4　アクチンを使った細胞内構造
17・5　ミオシン: アクチン上を動くモータータンパク質
17・6　ミオシンによって行われる運動
17・7　細胞の移動: 機構, シグナル伝達, および走化性

　顕微鏡で自然界の多様な細胞を観察すると, 見えるさまざまな形や動きには驚くべきものがある. 目をひくのは繊毛や鞭毛を使って速やかに遊泳する細胞, たとえば脊椎動物の精子, テトラヒメナのような繊毛虫, あるいはクラミドモナスのような鞭毛虫である. アメーバやヒトのマクロファージのような細胞は, 外側の装置によってではなく, 細胞自体の協調した運動によって, もう少しゆっくりと移動する. 動物の組織などを顕微鏡で観察すると, 組織中の細胞は互いに結合して石畳のようなシート状となったり, 神経細胞(ニューロン)のように, 1 m にもなる長い突起をもち, 他の細胞と選択的に結合したりすることに気づく. 細胞の内部構造に目を向けると, 細胞小器官が特定の部位に局在していることがわかる. たとえばゴルジ体は, 中央にある細胞の核の近傍にあることが多い. この細胞の形, 細胞の構築, および運動の多様性はどのようにして達成されているのだろうか. 独特な形をとり, はっきりとした内部構造をもつことがなぜ細胞にとって重要なのだろう. これらの問に答えるために, 非常に異なった機能と構築をもった二つの細胞, 上皮細胞とマクロファージを例にとって, 考えてみよう.

　腸の内腔面を覆っている上皮細胞は, ブロック状の細胞が石畳のように結合して上皮とよばれる層をつくっている(図 17・1a, b). この上皮細胞は, 小腸内腔にある栄養物質を頂端部の細胞膜を経由して取込み, 側底部を通して血流中に移送する. この方向性のある輸送を行うためには, 頂端側と側底側の細胞膜は異なったタンパク質組成をもたねばならない.

　上皮細胞は細胞間結合(20章)により互いに密着しており, それが細胞膜の頂端部と側底部の物理的障壁となっている. このように分離されているので, それぞれの細胞膜領域, 頂端部と側底部の細胞膜に, 適切な輸送タンパク質を配置することが可能なのである. さらに, 頂端部は微絨毛とよばれる小さな突起を無数に生やすという独特の形態をもち, 栄養物質の吸収に使える細胞膜面積を著しく増やしている. 小腸の上皮組織の異なる部域が, 明確な役割分担をしていることが, それぞれの形態上の特徴から理解できる. この特徴(細胞膜の領域, 微絨毛, 細胞間結合)をもつには, 上皮細胞は, その細胞形態を構築し, 細胞間の接着形成を促し, さらに正しい膜タンパク質を, 細胞膜の正確な部位へと運ぶための内部構造をもっていなければならない.

　白血球の一種で, 感染により入ってきた物質を探して**ファゴサイトーシス**(phagocytosis, 食作用)により破壊するマクロファージについても考えてみよう. 細菌は誘引物質を放出し, それによってマクロファージは感染が起こった場所に集合する. マクロファージが, 化学物質の濃度勾配に従って細菌を追跡し, とらえて貪食するには, 細胞の移動機構を常に構築し続けなければならない. このあと説明するが, マクロファージが基質上を這うように動くためには, 細胞の内部構造が, その這って進む方向に, 常に向きを揃えるしくみが必要になる(図 17・1c, d).

　これらの二つは, まさに, **細胞極性**(cell polarity), すなわち, 細胞内で機能的に他の領域とは異なる部位を生み出す能力を細胞自身がもっていることを示す例である. さまざまな細胞を思い描くと, そのほとんどが, ある種の細胞極性をもつことに気づくだろう. どの細胞にも共通する細胞極性のよい例は, 細胞分裂する能力である. 細胞は, まず, 分裂する方向軸を決定し, そして, その軸に沿って, 細胞小器官などを二分するための装置を組立てるのである.

　細胞の形, 内部構造および機能上の極性を決めているフィラメント状タンパク質からなる三次元網目構造が**細胞骨格**(cyto-skeleton)である. 細胞骨格を観察する方法は複数ある. たとえば, 細胞を界面活性剤で穏やかに処理して細胞膜や内部の細胞小器官を溶かし, 細胞質を取除くと, 細胞骨格を単離して電子顕微

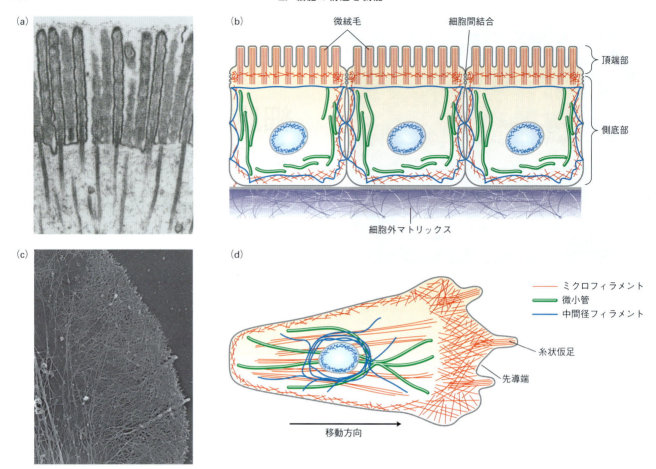

図 17・1　上皮細胞および移動中の細胞にみられる細胞骨格．(a) 微絨毛構造を支えているミクロフィラメントの束を示す小腸上皮細胞超薄切片の透過型電子顕微鏡写真．(b) 上皮細胞は極性をもっていて，頂端部と側底部が全く異なっている．小腸上皮細胞は頂端部から栄養分を取込み，側底部から外に出す．(c) 移動中の細胞の先導端の一部を示す透過型電子顕微鏡写真．細胞を弱い界面活性剤で処理し，膜を溶かし細胞質成分を取除き，残った細胞骨格に白金で陰影をつけて電子顕微鏡で観察したもの．アクチンフィラメントの網目が見えている．(d) 繊維芽細胞やマクロファージのような移動中の細胞は，前方部分にはほかとは違う，先導端という部位をもつ．ミクロフィラメントを赤，微小管を緑，中間径フィラメントを青で示す．核（薄青の球）の位置も示してある．[(a) は M. S. Mooseker and L. G. Tilney, 1975, *J. Cell Biol.* **67**(3): 725. (c) は T. M. Svitkina and G. G. Borisy, 1999, *J. Cell Biol.* **145**(5): 1009 による．]

鏡で観察することができる（図 17・1c）．図 17・2 に示すように，蛍光顕微鏡法で細胞骨格を可視化することもできる．そのようなさまざまな研究から，細胞骨格は細胞内を縦横に走り，細胞膜や細胞小器官と結合していることがわかってきた．細胞骨格は，細胞の各成分やそこでの活動を支持する骨組となっているのである．細胞骨格という名前は，脊椎動物の骨のように硬く固定した構造のように思えるかもしれないが，実際は，条件によっては 1 分以内に細胞骨格の構造を再構築するほど非常に動的であったり，場合によっては何時間も安定であったりする．細胞骨格フィラメントの長さや重合反応の動態は，細胞内の領域やその場の必要性に応じて変化することを本章を通して学ぶ．細胞骨格フィラメントは，細胞内の部域ごとに，さまざまな形状のものが観察され，異なる制御を受けるのである．

細胞骨格は，図 17・1(b), (d) や図 17・2 に示すように，3 種類のフィラメント群で構成されている．それぞれのフィラメントはサブユニットの重合体であり，その重合*と脱重合反応は調節されている．これが，必要に応じて，細胞が異なる種類の細胞骨格を重合・脱重合できる柔軟性の源になっている．この三つの細胞骨格とは，

- **ミクロフィラメント**（microfilament）は**アクチン**（actin）というタンパク質の重合体で，アクチン結合タンパク質によって束になったり，網目を形成したりする．ミクロフィラメントは細胞膜の形状に特に重要で，微絨毛のような表面構造もミクロフィラメントによってつくられる．ミクロフィラメントはそれだけで機械的な支持構造となる機能を果たすこともあるが，ATPを使って動くミオシンという**モータータンパク質**（motor protein）が移動するための軌道にもなる．ミオシンは，ミクロフィラメント上を移動して積み荷を運搬するしくみとして働き，またミクロフィラメントとともに機能して，筋肉のように収縮力を発生することもできる．

- **微小管**（microtubule）は**チューブリン**（tubulin）というタンパ

---

* 訳注：共有結合を介して形成される構造ではないので，重合，脱重合という化学反応が起こる印象の用語はふさわしくないので，polymerization（重合），depolymerizaion（脱重合）の代わりに，assembly（会合），disassembly（脱会合）の用語が使われることも多い．

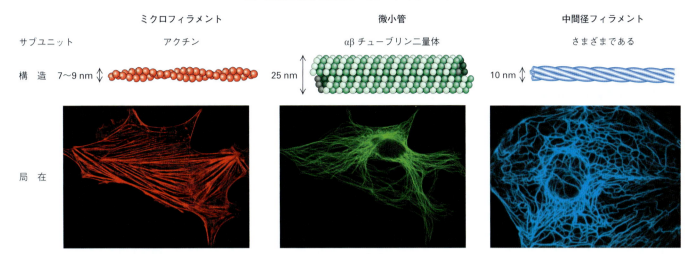

図 17・2 **細胞骨格の構成要素**. 各フィラメントは，それぞれ特定のサブユニットが可逆的に重合して形成される．そのため，細胞は必要に応じてフィラメントを形成したり解体したりできる．下の写真は，アクチン，チューブリン，中間径フィラメントを構成するタンパク質に対する抗体を使い，同一細胞内の3種類のフィラメントの局在を蛍光抗体法で観察したものである．微小管の観察像は間期のものである．分裂期には，微小管は染色体分離のための装置を構築する（18章）．[D. Garbett and A. Bretscher 提供.]

ク質が重合してできた管で，微小管結合タンパク質によって組織化される．微小管は，有糸分裂時に紡錘体，細胞分裂時に複製された染色体を二分割するための分裂装置，をつくる．間期には，図17・2に示したように，細胞の全長にわたって伸び，細胞小器官の配置を決める枠組となったり，繊毛や鞭毛の構造を支えたりもする．キネシンやダイニンというモータータンパク質は微小管に沿って積み荷を輸送する．これらのモータータンパク質も，ミオシンと同様に，ATP加水分解によってエネルギーを得ている．

- **中間径フィラメント**（intermediate filament）は，組織ごとに異なる種類のサブユニットで構成される重合体で，核膜構造の維持，組織内で細胞を集めて一体化させる働き，および皮膚や髪や爪の丈夫さと硬さのもとになるなど，さまざまな機能を果たしている．ミクロフィラメントや微小管とは異なり，中間径フィラメントはモータータンパク質の軌道としては使われていない．

図17・1に示したように，細胞骨格の配置は細胞によってさまざまである．細胞がこうした配置を構築するためには，取囲む溶液中の因子，近傍の細胞，および細胞外マトリックスからのシグナルを感知し，それを判別しなければならない（図17・3）．これらのシグナルは，細胞表面受容体によって検出され，それがシグナル伝達経路を活性化し，最終的に細胞骨格の組織化を調節する因子へ伝えられる．

細胞骨格の構成成分あるいはその調節の欠陥は病気を発症させるので，正常な細胞機能や運動性にとって細胞骨格が重要だということは明らかである．たとえば，約500人に1人が心臓の細胞骨格に何らかの欠陥をもち，さまざまな心筋症（心臓筋の疾患）を起こしている．赤血球の細胞膜を支えている細胞骨格成分の欠陥によって，疾患がひき起こされることもわかっている．悪性がん細胞は，細胞骨格のまちがった調節が原因で，もとの組織から飛び出し，他の部位へと移動を開始する．

本章と次章で，細胞骨格の構造，機能，およびその調節について説明する．細胞が形や極性を決めるため，細胞小器官を組織化し移動させるため，さらに細胞が遊泳したり這って移動したりする際の構造の支えにするために細胞骨格をどのように配置するかについても説明する．また，細胞がどのように3種類の異なったフィラメントを重合させるのか，そしてシグナル伝達経路がどのようにそれらの構造を調節しているのかについても解説する．細胞周期のなかで細胞骨格がどう調節されているかについては19章で述べ，組織の機能的構築に細胞骨格がどう関与するかについては20章で述べる．本章では，ミクロフィラメントとアクチンがつくる構造を中心に話を進める．最初は3種類の細胞骨格フィラメントを別々に取上げるが，18章にて，細胞が正常に機能するためにはミクロフィラメントは微小管や中間径フィラメントと協調しなければならないことを説明する．

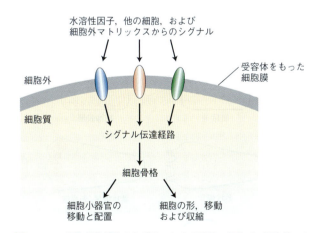

図 17・3 **細胞骨格機能のシグナルによる調節**. 細胞は，細胞外マトリックス，他の細胞，あるいは水溶性因子からのシグナルを細胞表面にある受容体を使って感知する．これらのシグナルは細胞膜を通って伝達され，特定の細胞質シグナル伝達経路を活性化する．シグナルは複数の受容体によって受容される場合が多いが，その結果，細胞は，形だけでなく細胞小器官の配置や移動する方向を変えるように，細胞骨格を再配置させる．外部からのシグナルがない場合でも，細胞は特徴的な内部構造を構築するが，構造上の極性はない．

17・1　ミクロフィラメントとアクチンの構造

ミクロフィラメントは細胞内で集合してさまざまな構造をつくり出す（図17・4a）．その構造は，それぞれの特定の細胞機能にとって重要な意味をもつ．たとえば，ミクロフィラメントは丈夫な束となって**微絨毛**（microvillus, *pl.* microvilli）とよばれる細い突起の芯となるが，一方で，少しゆるやかな網目となって細胞膜のすぐ裏側で膜タンパク質を支えてまとめる**細胞表層**（cell cortex）ともなる．ミクロフィラメントは上皮細胞内で細胞内を1周する収縮帯，**接着帯**（adherens belt）をつくり，上皮組織の構造を丈夫にしている．移動している細胞では，進行方向につくられる**先導端**（leading edge）すなわち**葉状仮足**（lamellipodium, *pl.* lamellipodia）にミクロフィラメントの網目構造をつくり，その先からは**糸状仮足**（filopodium, *pl.* filopodia）とよばれるミクロフィラメントの束からなる突起が出ることもある．多くの細胞が**ストレスファイバー**（stress fiber）とよばれる収縮性ミクロフィラメントをもち，細胞が移動するとき外部の基質と結合する（20章）．マクロファージのような特殊な細胞は，収縮性ミクロフィラメントを使って病原体をファゴサイトーシスによって細胞内へ飲込む．**エンドサイトーシス小胞**（endocytic vesicle）を膜から引き離すときに，アクチンの動的で爆発的重合による力が使われる．動物細胞の分裂期終期では，すべての細胞小器官が複製され分離されたあとに**収縮環**（contractile ring）が形成され，くびれを生じさせ，細胞を二つの娘細胞にする．この過程を**細胞質分裂**（cytokinesis）とよぶ．このように，細胞は，アクチンフィラメントを細胞構造の構築，収縮機構，連結したアクチンフィラメントの重合・脱重合による力発生，細胞内での小胞移動など，さまざまな用途に使っている．移動中の繊維芽細胞のように，さまざまな種類のミクロフィラメントが一つの細胞内で共存することもある（図17・4b）．

ミクロフィラメントを構成しているのは**アクチン**（actin）というタンパク質である．このタンパク質は可逆的に重合して，両端で機能が異なる（極性をもった）フィラメントを形成できるという特筆すべき性質をもっている．そうしたフィラメントが，アクチン結合タンパク質によって，前に述べたようなさまざまな構造に組立てられる．"ミクロフィラメント"という名前は細胞の切片試料を電子顕微鏡で観察したときに見られた細い繊維につけられたものだが，それは他の結合タンパク質とともに重合した状態のアクチンである．本節ではアクチンというタンパク質そのものとそれが重合してできるフィラメントの構造について説明する．

アクチンは太古から存在し，細胞内に大量にあり，その一次構造は保存性が高い

アクチンは真核細胞内に多量に存在するタンパク質である．たとえば筋細胞では，アクチンの重量は全細胞タンパク質の10%を占める．非筋細胞でも，アクチンは細胞内タンパク質の1〜5%を占め，濃度は0.1〜0.4 mMである．微絨毛のような特殊な構造では，アクチンの局所的な濃度は5 mMにもなる．どんなに多量のアクチンが細胞内に存在するかは，典型的な肝細胞が20,000個（$2×10^4$）のインスリン受容体タンパク質をもつのに対して，5億個（$5×10^8$）のアクチン分子をもっていることからも理解されよう．細胞骨格は細胞の端から端まで届くような構造をつくっているので，これらを構成するタンパク質群は細胞内で最も多量に存在するものとなる．

アクチンは種を超えて高度に配列が保存された大きな遺伝子群によってコードされている．進化の過程でアメーバと動物が分かれてから約10億年の歳月が経っているが，それらのもつアクチン遺伝子のアミノ酸配列は80%同一である．現代の真核細胞に存在する複数のアクチン遺伝子は，細菌の細胞壁合成において重要な働きをしているフィラメント形成タンパク質の遺伝子 *MreB* と似ている．酵母やアメーバのような単細胞真核生物は1個か2個のアクチン遺伝子をもっているにすぎないが，多細胞生物は多数のアクチン遺伝子をもっている．たとえば，ヒトはアクチンの遺伝子を6個もっている．一方，シロイヌナズナは8〜10個，トウ

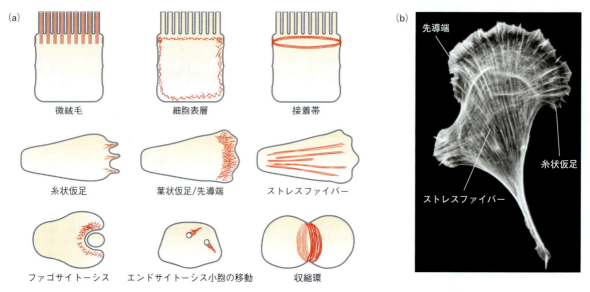

図 17・4　**ミクロフィラメントがつくる構造の例**．(a) それぞれの図中では，ミクロフィラメントを赤で示す．(b) 写真の上に向かって移動している細胞．ここでは，Fアクチンに特異的に結合する薬剤，ファロイジンを蛍光標識しアクチンを染色している．一つの細胞内にミクロフィラメントがつくるさまざまな構造が存在することに注意．[(b) は J. V. Small 提供．]

モロコシには 21 個以上のアクチン遺伝子がある．これらの遺伝子は，それぞれアクチンの異なるアイソフォームをコードする．脊椎動物では，4 種類のアクチンアイソフォームが筋細胞中に存在し，他の 2 個のアイソフォームは非筋細胞中に存在する．これら 6 個のアイソフォーム間では，375 個あるアミノ酸のうちわずか 25 個が異なるだけで，93％が同一なのである．アクチンアイソフォームは，ポリペプチド全体の総電荷量の違いから，歴史的には三つのグループ，α, β, γ アクチンに分類されてきた．α アクチンは収縮構造に組込まれており，β アクチンは細胞表層や移動している細胞の先導端に多い．γ アクチンはストレスファイバーにみられる．

単量体 G アクチンは重合して長いらせん状の F アクチンとなる

アクチンは，**G アクチン**（G-actin）とよばれる球状（globular）の単量体（アクチンサブユニット）として，および G アクチンがフィラメント状（filamentous）に重合した **F アクチン**（F-actin）として存在する．各アクチン分子は ATP か ADP のいずれかと複合体となった Mg^{2+} を含んでいる．事実，アクチンは ATPase であって，ATP を ADP と P_i に加水分解する．アクチンが ATP 型と ADP 型の間で相互変換することの重要性についてはこのあと解説する．

X 線結晶構造解析から G アクチンは深い裂け目によって二つの小葉部分に分けられることが明らかになった（図 17・5a）．裂け目の基部には **ATPase フォールド**（ATPase fold）があり，そこに ATP と Mg^{2+} が結合する．この ATPase フォールドは，GTPase 分子スイッチタンパク質がもつ GTP 結合用の裂け目と構造上，類似している（図 15・7 参照）．G アクチンの裂け目の底は蝶番のように働き，小葉部分が互いに位置を変えられるようになっている．

ATP または ADP が G アクチンに結合すると，ヌクレオチドはアクチン分子の立体構造に影響を与える（ヌクレオチドが結合していない状態では，G アクチンは急速に変性する）．

G アクチンは，可逆的に重合してフィラメント状の F アクチンとなる．in vitro でつくられた F アクチンフィラメントは，細胞内で観察されるミクロフィラメントとは区別できない．これは，F アクチンがミクロフィラメントの主成分であることを示している．

アクチンフィラメントの X 線回折の結果や図 17・5(a) に示すようなアクチン単量体の構造から，アクチンフィラメントはサブユニットが二重らせん状に巻きあがった構造をしていることがわかった（図 17・5b）．この構造は 2 本のらせんが互いに絡まり合ったものと考えることができる．一列につながったサブユニット列は，もう片方のサブユニット列に後方に回り込むような構造をとり，72 nm, つまり 14 個のアクチンサブユニットの繰返し構造をもつ．アクチンフィラメント内には 2 本のらせんがあるので，36 nm の周期構造が観察される（図 17・5b）．酢酸ウラニルでネガティブ染色し，電子顕微鏡で観察すると，F アクチンは小さな粒がねじれてつながっていて，直径が 7〜9 nm と変化する繊維のように見える（図 17・5c）．

F アクチンは構造上も機能上も方向性をもっている

アクチンフィラメント内のすべてのサブユニットは同じ方向を向いていて，フィラメント全体としても**方向性**（polarity, 極性）をもつことになる．すなわち，一方の端は他方の端とは異なっているのである．このあと説明するが，一方の端は（＋）端とよばれ，アクチンサブユニットが結合しやすく，他方の端は（−）端とよばれ，アクチンサブユニットが解離しやすい．アクチンサブユニッ

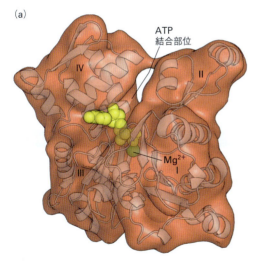 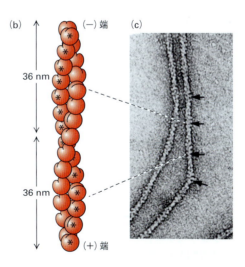

図 17・5 単量体 G アクチンと F アクチンフィラメントの構造．(a) アクチン単量体（5.5 × 5.5 × 3.5 nm）は，中央の溝によって，ほぼ同じ大きさの二つの小葉に分けられる．さらに，I〜IV と番号をつけられた四つのサブドメインからなる．ATP（黄）は溝の奥に結合し，両側の小葉と接触している（緑の球は Mg^{2+} である）．N 末端と C 末端はサブドメイン I にある．(b) アクチンフィラメントは，鎖状に連結したサブユニットが 2 本より合わさったような構造をしている．繰返し周期は 72 nm で，そのなかには 28 個（＊印で示してあるように各鎖当たり 14 個）のサブユニットが含まれる．フィラメント内で，すべてのサブユニットは ATP を結合した溝が同じ方向（図の上方）を向いている．この ATP 結合部位が外に向いている端が（−）端で，反対側が（＋）端である．(c) ネガティブ染色したアクチンフィラメントの電子顕微鏡写真．ビーズ状のサブユニットからなる鎖がより合わさり，長く柔軟なフィラメントとなっていることがわかる．2 本の鎖がより合わさったような構造をとっているので，フィラメント上には細い部分（直径 7 nm）と太い部分（直径 9 nm, 矢印）が交互に見られる．（細胞を電子顕微鏡で観察したときに見えるミクロフィラメントは F アクチンにいろいろなタンパク質が結合したものである．）［(a) は C. E. Schutt et al., 1993, *Nature* **365**: 810, PDB ID 2btf; M. Rozycki 提供．(c) は R. Craig, University of Massachusetts Medical School 提供．］

図 17・6（実験） ミオシン S1 による修飾でアクチンフィラメントであることとその方向性を示すことができる．ミオシンの頭部ドメインである S1 はアクチンサブユニットに対して特定の角度で結合する．フィラメント内のすべてのアクチンサブユニットに S1 が結合すると，フィラメントのまわりをらせん状に取巻く．アクチンフィラメントを見るとやじり（矢印）が連なったように見える．このとき，やじりのとがったほうが(−)端で，広がったほうが(+)端である．
[R. Craig, University of Massachusetts Medical School 提供.]

17・2 アクチンフィラメントの動態

アクチン細胞骨格は動的な構造物である．アクチンフィラメントの重合・脱重合の反応，および種々の機能をもつ構造物への統合は精巧に調節されている．ミクロフィラメントが何時間もの間，細胞骨格として安定な場合もあれば，数秒のうちに短縮あるいは伸長する場合もある．アクチンフィラメントのこのような構造変化が，力を発生し，細胞の形を大きく変えたり細胞内運動を起こさせたりする．本節では，まず，アクチンフィラメント自身がもつ特性である重合・脱重合反応について考え，その反応が付随する他のタンパク質でどのように変化するかをみる．アクチン結合タンパク質のなかには，フィラメントの安定性に大きな影響を与え，脱重合を調節するものがあることが理解できるだろう．その後，細胞がアクチンフィラメントを集合させ構造をつくり上げるしくみについてみる．そこでは，細胞内での集合部位がシグナル伝達経路によってどのように調節され，ミオシンとともにどのように細胞運動にかかわるかを紹介する．本章で扱うアクチン結合タンパク質に関しては，表 17・1 にまとめた．

in vitro でのアクチン重合は3段階で進行する

G アクチンが F アクチンとなる in vitro での重合は，粘度測定，沈降法，蛍光スペクトル測定，蛍光顕微鏡法（4章）などによって調べることができる．アクチンフィラメントが長くなって絡まり合うようになると，溶液の粘度は増加する．粘度の増加は粘度計内での流速減少として測定される．沈降法は超遠心（100,000 g，30 分）によって F アクチンだけが沈殿し G アクチンは沈殿しないことを利用している．第三の測定法は G アクチンに共有結合した蛍光色素を利用する．G アクチン単量体に結合した蛍光色素のスペクトルは F アクチンになると変化する．最後の方法は蛍光標識したフィラメントの伸長を蛍光顕微鏡で実時間記録するというものである．これらの四つの測定法は，アクチンの重合速度の研究のほか，アクチン結合タンパク質が重合動態にどのように影響するか，アクチンフィラメントをどのように架橋するかなどを調べる研究に便利である．

アクチン重合のしくみは詳しく調べられてきた．陽イオン濃度

トで ATP が結合する裂け目は，(+)端では隣のアクチンサブユニットとの接触のためまわりの溶液に露出していないが，(−)端では露出している（図 17・5b）．

アクチンサブユニットの裂け目，およびフィラメントの方向性は，X 線結晶解析による原子レベルの解像度でないと検出できない．しかし，アクチンフィラメントを以下の方法で"修飾"すれば，電子顕微鏡下で方向性を調べることができる．この方法には，アクチンフィラメントに特異的に結合する性質をもつモータータンパク質であるミオシン（§17・5）をタンパク質分解酵素で処理して得られるミオシン S1 を使用する．ミオシン S1 には，ミオシン頭部のアクチンと特異的に結合する部位が含まれているので（図 17・22），多めの量をアクチンフィラメントと適切な条件にして加えると，アクチンフィラメントの側面にやや傾いた角度で付着する．ミオシン S1 はやや傾いてアクチンフィラメント側面に結合する．アクチンサブユニットのすべてにミオシンが結合すると，フィラメントはやじりが連なったように"修飾"され，そのやじりはすべてフィラメントの一方の端を向く（図 17・6）．そのため，この (−) 端は"やじり端（pointed end, ポインテッド端）"，(+) 端はやじりの広がったほうになるので"反やじり端（barbed end, バーブド端）"とよばれる．ミオシンは，アクチンフィラメントに結合するが微小管や中間径フィラメントには結合しないので，やじり修飾は電子顕微鏡写真でアクチンフィラメントを他の細胞骨格フィラメントと区別して同定する基準の一つとなる．

17・1 ミクロフィラメントとアクチンの構造　まとめ

- ミクロフィラメントは集積してさまざまな構造をつくり，それらの多くは細胞膜と結合している（図 17・4a）．
- ミクロフィラメントの主要成分であるアクチンは，真核細胞内で大量に含まれるタンパク質の一つで，そのアミノ酸配列は生物種間で高度に保存されている．
- アクチンは可逆的に重合し，サブユニットが二重らせん状につながったフィラメントとなる．
- アクチンフィラメント内でアクチンサブユニットはすべて同じ方向を向いて重合し，(−)端では ATP 結合部位が露出している（図 17・5）．

表 17・1　この章で紹介するアクチン結合タンパク質

名　称	おもな機能
プロフィリン	G アクチンのヌクレオチド交換
コフィリン	F アクチンの脱重合
チモシン β4	G アクチンの単量体との結合・隔離
CapZ（+端）とトロポモジュリン（−端）	F アクチン末端への結合
ゲルゾリン	F アクチンの切断
フォルミン，Arp2/3	アクチンの核形成
フィンブリン，α アクチニン，フィラミン，スペクトリン	F アクチンの架橋
アンキリン，バンド 4.1，ERM タンパク質，ジストロフィン	F アクチンの細胞膜への結合
ミオシン	F アクチンと相互作用する分子モーター
ネブリン	F アクチンの長さ制御
トロポミオシン	F アクチンの安定化

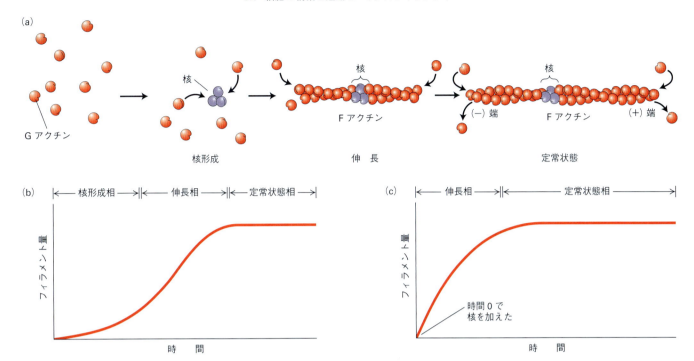

図 17・7 in vitro での G アクチン重合時の三つの相. (a) 最初の核形成相において, ATP-G アクチン(赤)はゆっくりと安定な核(紫)を形成する. 第二の伸長相では, これらの核の両側にアクチンサブユニットが付加して急激な伸長が起こる. 第三の定常状態相では, アクチン単量体とフィラメントは平衡状態となる. (b) in vitro でのアクチン重合には核形成のための遅滞期, 伸長相, 定常状態相がみられる. (c) はじめから短く安定なアクチンフィラメントを核として入れておくと, 遅滞期なしに急激な伸長が起こる.

が低く, ATP を含む緩衝液中だと高濃度の G アクチンを重合させることなく精製できる. G アクチンの溶液に陽イオン濃度を加えると(たとえば 100 mM K^+ や 2 mM Mg^{2+}), 初期 G アクチン濃度に応じた速度で F アクチンへの重合がはじまる. この反応は可逆的で, 容器のイオン強度を下げると F アクチンは G アクチンに脱重合する. G アクチンの in vitro での重合は次の三つの段階で進行する(図 17・7a).

1. **核形成相**(nucleation phase)は遅滞期で, G アクチンが 2〜3 個結合したオリゴマーを形成する時期である. オリゴマーがサブユニット 3 個分の長さに達すると, それは次の相の種, すなわち核となる.
2. **伸長相**(elongation phase)では G アクチンが両端に付加してオリゴマーは急速に長くなる. F アクチンフィラメントが成長するにつれ G アクチンの量は減少し, フィラメントと単量体の間に平衡が成立する定常状態となる.
3. **定常状態相**(steady-state phase)では, G アクチンはフィラメントの両端に存在するアクチンサブユニットと交換するが, フィラメントの長さは変化しない.

図 17・7(b), (c)は重合のそれぞれの相におけるフィラメントの量を示したものである. 核となる少量の短い F アクチンを G アクチン溶液に加えると, 遅滞期が消失するので, 遅滞期は核形成相であることがわかる(図 17・7c).

核の形成には, どれくらいの G アクチン濃度が必要なのだろうか. さまざまな濃度の ATP-G アクチンを重合条件下においたとき, ある濃度以下だとフィラメントは生じない(図 17・8). その濃度以上だとフィラメントが生じ, 平衡状態になったとき, フィ

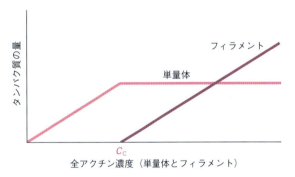

図 17・8 G アクチン重合の臨界濃度(C_C). 異なる濃度のアクチンで, 重合を開始させ, 平衡状態に達する過程をみたもの. C_C はアクチンフィラメントが形成しはじめる臨界濃度を示す. アクチン単量体濃度が, この C_C 以下のとき重合は起こらない. C_C 以上の濃度だとフィラメントの形成が起こり, 定常状態になったときの単量体濃度は C_C となる.

ラメントに結合する遊離サブユニットの数とフィラメントから解離するサブユニットの数が等しくなり, フィラメントと単量体の混合物となる. フィラメント形成が起こるアクチン単量体の最小濃度を**臨界濃度**(critical concentration, C_C)という. C_C 以下ではフィラメントは生じないが C_C 以上だとフィラメントが生じる. 定常状態では, アクチン単量体濃度はこの臨界濃度となっている(図 17・8).

(-)端よりも(+)端のほうがアクチンフィラメントの伸長は速い

ミオシン S1 修飾実験で, F アクチンには, フィラメント内のサ

ブユニットが一様な方向に並んでいるために生じる構造上の方向性がある点を紹介した（図 17・5，図 17・6）．また，上で述べたように，G アクチンは ATP や ADP と結合できる．ATP-G アクチンがフィラメントに組込まれると，ATP は急速に加水分解されて ADP-P_i-アクチンとなり，この P_i はゆっくりと放出されるので，フィラメントはもっぱら，ADP-P_i-アクチン，または ADP-アクチンで構成されることになる．その結果，二つの異なる端構造，ATP-アクチンや ADP-P_i-アクチンからなる（＋）端，ADP-アクチンで構成される（－）端を生じる．ATP-G アクチンを，ミオシンで修飾したそのようなフィラメントに加えると，両末端での伸長が大きく異なることがわかる（図 17・9）．フィラメントの（＋）端への ATP-G アクチンの付加速度は反対側の（－）端よりも約 10 倍大きい．速度解析の結果，（＋）端での付加速度定数は 12 $\mu M^{-1} s^{-1}$ で，（－）端での付加速度は 1.3 $\mu M^{-1} s^{-1}$ であることがわかった（図 17・10a）．したがって，もし 1 μM の ATP-G アクチンをアクチンフィラメントの溶液に加えたとすると，（＋）端には平均して 1 秒間に 12 個のサブユニットが付加し，（－）端には 1.3 個付加することになる．この付加速度（結合速度）が，ATP-G アクチンの濃度で変わることは留意すべき点である．では，サブユニットが，それぞれの端から解離する速度は，どうなるだろうか．付加する速度とは対照的に，G アクチンが解離する速度は，よく似ていて，（＋）端で 1.4 s^{-1}，（－）端で 0.8 s^{-1} である．なぜならば，解離はサブユニットがフィラメントの端から離脱する速度で，ATP-G アクチンの濃度には依存しないからである．

この付加・解離速度は，アクチンの動態にどのような影響するだろうか．上で記したように，サブユニット付加速度は ATP-G アクチン濃度に依存するが，解離速度は依存しない．したがって，ATP-G アクチン濃度が高いとサブユニットはフィラメントに，解離する速度よりも速く付加し，その結果，フィラメントは成長する．サブユニットの濃度が低くなると，どこかで付加する速度と解離する速度がつり合い，実質的にフィラメントの成長がみられないところが出てくる．まず，（＋）端だけについて考える．付加する速度と解離する速度がつり合うときの G アクチン濃度を（＋）端での臨界濃度 C_C^+ とよぶ．C_C^+ は重合速度と脱重合速度が同じとして計算できる．つまり，臨界濃度では，付加速度は，$C_C^+ \times 12\ \mu M^{-1} s^{-1}$ となる．一方で，解離速度はアクチン濃度によらず，一定の 1.4 s^{-1} である．この二つの速度が等しいとおいて，$C_C^+ = 1.4\ s^{-1}/12\ \mu M^{-1} s^{-1}$，つまり 0.12 μM が（＋）端での臨界濃度となる．ATP-G アクチンの濃度が，この濃度よりも高いと（＋）端にサブユニットが付加し，フィラメントは成長し，濃度が低いとサブユニットが失われ，フィラメントの短縮が起こる．

次に（－）端について考えよう．こちら側での付加は遅く 1.3 $\mu M^{-1} s^{-1}$ であるが，解離は（＋）端とあまり変わらず 0.8 s^{-1} なので，（－）端での臨界濃度 C_C^- は C_C^+ より高いと思われる．（＋）端のときと同じように計算すると，（－）端での臨界濃度 C_C^- は $C_C^- = 0.8\ s^{-1}/1.3\ \mu M^{-1} s^{-1}$，約 0.6 μM となる．遊離の ATP-G アクチン濃度が 0.6 μM 以下のとき，たとえば 0.3 μM だと（－）端ではサブユニットの解離が勝り短縮が起こる．この 0.3 μM は C_C^+ より高いので，（＋）端は伸長する点は留意すべきである．このように二つの端で臨界濃度が異なるので，定常状態での ATP-G アクチン濃度は C_C^+ と C_C^- の間の値となり，（＋）端にはサブユニットが付加され，（－）端からは失われるという状態となる．このとき，図 17・10(b) で青く塗られているサブユニットはフィラメントの中を移動していくようにみえるので，この状態を**トレッドミリング**（treadmilling）という．

アクチンフィラメントがトレッドミリングを行うエネルギーは ATP の加水分解によって供給される．ATP-G アクチンがフィラ

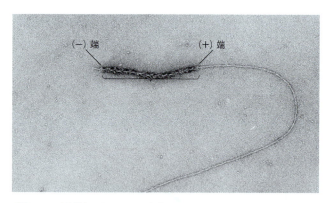

図 17・9（実験） ミオシンで修飾したアクチンフィラメント両端で伸長速度を調べると，速度は同じではない．短いアクチンフィラメントをミオシン S1 で修飾して，繊維の方向を明らかにしたうえで重合の核として使うと，（＋）端では（－）端より効率よく単量体が付加されることがわかる．この結果から単量体の付加速度は，（＋）端が（－）端より速いことが示唆された．[T. Pollard 提供．]

図 17・10 アクチンのトレッドミリング．（＋）端への ATP-G アクチンの付加速度は（－）端より大きいので臨界濃度が低くなり，定常状態ではトレッドミリングが起こる．(a) ATP-G アクチンの付加速度は（＋）端のほうが（－）端よりかなり大きいが，解離速度は両者であまり差がない．このため，（＋）端での臨界濃度は（－）端のものより低くなる．定常状態では，（＋）端に ATP-アクチンが付加しやすく，（＋）端側から（－）端に向かって，ATP-アクチンからなる短い領域，ADP-P_i-アクチンからなる領域，ADP-アクチンからなる領域が形成される．(b) 定常状態では，ATP-G アクチンが（＋）端に付加し，ADP-G アクチンが（－）端から解離するというトレッドミリングが起こる．フィラメント上の定点をわかりやすくするために 2 個のアクチンを青く色づけして示してある．その部分は，フィラメント内部では（＋）端から（－）端に向かって移動するようにみえる．

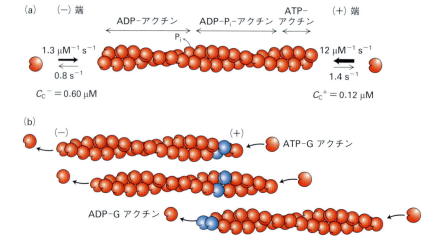

メントの（＋）端に結合するとATPはADPとP$_i$に加水分解される．フィラメント中のサブユニットからのP$_i$放出は遅いので，フィラメントは三つの領域，すなわち，（＋）端の短いATP-アクチンのある領域，フィラメントの中盤にあるADP-P$_i$-アクチンの領域，そして（－）端にかけてのADP-アクチンの領域となるのである（図17・10a）．その後のP$_i$の放出はフィラメント中のアクチンに構造変化を起こさせ，これが両端の付加速度や解離速度の差を生み出す．こういった解析は，十分な量のATP-Gアクチンが存在する場合のことであるが，実は，in vivoでもそうであることがこのあとに出てくる．したがって，アクチンはATP加水分解によって生じたエネルギーを使ってトレッドミリングを行い，このトレッドミリングによりin vivoで仕事を行うことができるのである．この点は後述する．

アクチンフィラメントのトレッドミリングはプロフィリンとコフィリンによって加速される

in vivoでアクチンのトレッドミリングを測定したところ，生理的条件下で純粋なアクチンを使ってin vitroで測定したものより数倍速いことがわかった．なぜ，in vivoで速くなり，（－）端から解離したADP-アクチンはどのようにして細胞内でATP-アクチンに変えられ（＋）端に付加されるのだろう．答えは，2種類のアクチン結合タンパク質である．

そのタンパク質の一つは，**プロフィリン**（profilin）である．プロフィリンは，Gアクチンのヌクレオチドが結合する裂け目の反対側に結合する低分子量タンパク質で（図17・11のプロフィリンサイクル参照），プロフィリンがADP-アクチンと結合すると，ヌクレオチド結合の裂け目が開いてADPの解離を加速する．細胞内には，ADP濃度よりATP濃度がはるかに高いので，ATPはすぐにGアクチンに結合して，プロフィリン-ATP-アクチン複合体が生じる．この複合体は，Gアクチンの（－）端への重合部位をプロフィリンが妨害しているので，フィラメントの（－）端には結合できないが，（＋）端には効率よく結合できる．そのGアクチンがフィラメントに結合すると，プロフィリンは解離する．プロフィリンはトレッドミリングを速くしているわけではないが，解離したADP-アクチンからATP-アクチンをつくって供給している．そのおかげで，細胞内で遊離したGアクチンのほとんどがATP結合型となっているのである．

プロフィリンにはもう一つの特性がある．プロフィリンはアクチンと結合するだけではなくプロリン残基を多く含むタンパク質とも結合する．この性質がアクチンフィラメント重合速度を高めるうえで重要であることをこのあとで説明する．

第二のタンパク質は**コフィリン**（cofilin）である．コフィリンは，FアクチンのなかのADP-アクチンに結合する低分子量タンパク質である．ADP-アクチンは，Fアクチンの（－）端側により多いという点を，図17・10(a)から思い起こしてほしい．コフィリンは二つのアクチン単量体を架橋するように結合し，フィラメントのねじれを微妙に変える．このわずかなねじれが，コフィリンの結合した領域と結合していない領域の間のフィラメントを不安定にして，短いフィラメント断片へと分解する．コフィリンは，この断片化により遊離した（－）端の数を増やし，フィラメントの脱重合を加速する（図17・11のコフィリンサイクル参照）．放出されたADP-アクチンはプロフィリンによりATP結合型にされ，

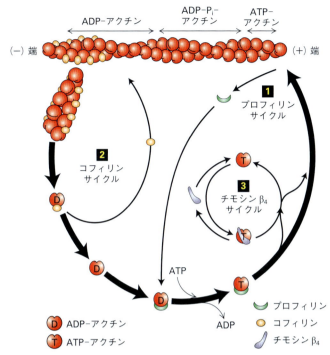

図17・11　アクチン結合タンパク質によるフィラメントの入れ替わりの調節．アクチン結合タンパク質は重合・脱重合の速度だけでなく，重合に利用できるGアクチンの量も調節している．プロフィリンサイクル(段階**1**)では，プロフィリンがADP-Gアクチンと結合し，ADPをATPと交換させる．ATP-Gアクチン-プロフィリン複合体はアクチンフィラメントの（＋）端にアクチンを運び，そこでプロフィリンが解離することによりアクチンを供給する．コフィリンサイクル（段階**2**）では，コフィリンがフィラメントのADP-アクチンになっている部分に選択的に結合し，切断することによりフィラメント末端数を増やし，脱重合を促す．チモシンβ$_4$サイクル（段階**3**）では，プロフィリンサイクルによって生じたATP-Gアクチンにチモシンβ$_4$が結合し，重合できなくする．重合反応によってGアクチン濃度が下がるとGアクチン-チモシンβ$_4$は解離してGアクチンを遊離し，それがプロフィリンと結合し，さらなる重合に使われる．

上で述べたようにフィラメントの（＋）端に結合する．

精製したコフィリンとプロフィリンをGアクチンと混合してフィラメントが重合する条件にすると，これらの二つのタンパク質がないときに比べて，トレッドミリングを10倍以上促進する．その促進されたトレッドミリングの速度は，in vivoでの値とほぼ同程度である．

チモシンβ$_4$はアクチン単量体の備蓄をつくる

細胞は，ときには全アクチン量の半分にも相当するような，大量のGアクチンを含むことが昔から知られていた．細胞内アクチン濃度は100〜400μMなので，単量体濃度は50〜200μMとなる．in vitroでの臨界濃度は約0.2μMなのに，これらのアクチンはなぜ重合しないのだろう．その答えの一つが，Gアクチンを隔離するタンパク質の存在である．そうしたタンパク質の一つが**チモシンβ$_4$**（thymosin-β$_4$）である．チモシンβ$_4$がATP-Gアクチンに結合すると，フィラメントのどちらの端にも結合できなくする．ヒトの血小板を例にとって考えてみよう．この円盤状の細胞の破片は血液中に大量に存在し，血液凝固反応のときに活性化されると，

内部で爆発的なアクチン重合をひき起こす．血小板中のアクチン濃度は 550 μM と高く，そのうちの 220 μM が未重合の単量体として存在している．血小板は 500 μM ものチモシン β_4 を含んでいて，それらは遊離のアクチン単量体を隔離するのに使われている．多くのタンパク質間相互作用と同様に，遊離アクチンおよび遊離チモシン β_4 は，アクチン-チモシン β_4 と平衡状態にある．遊離アクチンがフィラメントに取込まれると，それだけ多くのアクチン-チモシン β_4 が解離し，重合可能なアクチンサブユニットが安定して供給される（図 17・11 のチモシン β_4 サイクル参照）．このように，チモシン β_4 は必要に応じて ATP-アクチンをつくり出す，未重合アクチンの緩衝剤のような作用をもつ．

アクチンフィラメントの両端での重合と脱重合をキャップタンパク質が妨害している

さらに，細胞内では，フィラメントの両端に結合する**キャップタンパク質**（capping protein）によってもトレッドミリングとアクチンフィラメントの動態が調節される．もしこれらのタンパク質が存在しないと，アクチンフィラメントは無制限に伸長と脱重合を繰返すことになるだろう．予想どおり，2 種類のキャップタンパク質が発見された．一つは（+）端に結合するもので，もう一つは（−）端に結合するものである（図 17・12）．

二つのよく似たサブユニットからなる **CapZ** というタンパク質は，アクチンフィラメントの（+）端と高い親和性（約 0.1 nM）で結合し，そこでのアクチンの着脱を阻害する．細胞内の CapZ 濃度は，新たに生じた（+）端をすぐにキャップできるほど高い．では，フィラメントはどのようにして（+）端から伸長するのだろう．少なくとも二つの機構により CapZ の活性は調節されている．まず，CapZ のキャップ活性は細胞膜に存在するホスファチジルイノシトール 4,5-ビスリン酸 PI(4,5)P_2 という調節性リン脂質（16 章）によって阻害される．さらに，ある種の調節タンパク質が（+）端に結合し，CapZ の作用を抑えて，そこでの重合を促すことが最近の研究によって示された．細胞は，必要な時と場所以外では，フィラメントの（+）端にアクチンを結合させないという機構を進化の過程で獲得してきたのである．

トロポモジュリン（tropomodulin）は，アクチンフィラメントの（−）端に結合し，そこでのアクチンの着脱を阻害する調節タンパク質の一つである．このタンパク質は，赤血球表層の短いアクチンフィラメントや筋肉のアクチンフィラメントのように，アクチンフィラメントの高い安定性が求められる細胞に多く存在する．どちらの場合も，トロポモジュリンはアクチンフィラメントに結合しているトロポミオシンというタンパク質と一緒になって，アクチンフィラメントを安定化させる働きをする．このタンパク質の相互作用については，本章のあとのほうで，詳しく解説する．

CapZ 以外にもアクチンフィラメントの（+）端をキャップするタンパク質が存在する．それらのタンパク質はアクチンフィラメントを切断することもできる．このファミリーの一員である**ゲルゾリン**（gelsolin）は Ca^{2+} 濃度によって活性が調節されている．Ca^{2+} と結合したゲルゾリンは構造変化を起こし，アクチンフィラメントの側面に結合してからサブユニットの間に入り込んでフィラメントを切断する．その後，ゲルゾリンはフィラメントの（+）端にとどまり，生じた（−）端からはアクチンが脱重合できる．このあと説明するが，アクチンフィラメントの溶液にアクチン架橋タンパク質を加えるとゲル化が起こる．そのゲルにゲルゾリンを加え，Ca^{2+} 濃度を上昇させると，ゲルゾリンがフィラメントを切断するので溶液がゾル化する．こうしてゲルをゾル化するので，このタンパク質はゲルゾリンと名づけられた．

> **17・2 アクチンフィラメントの動態 まとめ**
> - アクチン重合の律速段階となるのは，重合の核となりフィラメントとして伸長する短いアクチンオリゴマーの生成過程である．
> - 臨界濃度 C_C とは，その濃度よりも低いとアクチンフィラメントが形成できなくなる G アクチンの濃度のことである．
> - G アクチン濃度が C_C より高いとフィラメントは伸長し，C_C より低いとフィラメントは短縮する（図 17・8）．
> - ATP-G アクチンの（+）端への結合は（−）端への結合よりずっと速いので，（+）端の C_C は（−）端の C_C より低い．
> - 定常状態のアクチンフィラメントではサブユニットのトレッドミリングが起こっている．トレッドミリングとは，ATP-G アクチンが（+）端に結合し，ATP は ADP と P_i に加水分解され，P_i はゆっくりと放出され，そしてフィラメントの（−）端からは ADP-アクチンが解離してくる状態をさす．
> - アクチンフィラメントの長さと入れ替わりの速度は特別なアクチン結合タンパク質によって調節されている（図 17・11）．プロフィリンは G アクチンの ADP が ATP と交換する反応を促進する．コフィリンは ADP-F アクチン領域に結合してフィラメントを切断して（−）端をつくり，（−）端から ADP-アクチンが解離する速度を高める．チモシン β_4 は G アクチンと結合し，必要になるときのために G アクチンをたくわえる．キャップタンパク質はフィラメントの端に結合し，アクチンの着脱を阻害する．

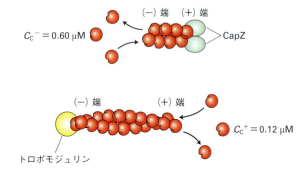

図 17・12 キャップタンパク質．キャップタンパク質はフィラメント両端での重合や脱重合を妨害する．CapZ はアクチンフィラメントの伸長が起こる（+）端を遮断するので，アクチンフィラメントの活動は（−）端だけに制限される．トロポモジュリンはフィラメントの脱重合が起こる（−）端を遮断するので，フィラメントを安定化する．

17・3 アクチンフィラメント構造物の形成機構

アクチン重合の律速段階はフィラメント伸長の基点となるアクチン重合核の形成である（図 17・7a）．細胞はこの律速段階を利

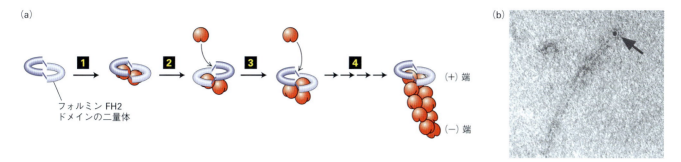

図 17・13 フォルミン FH2 ドメインによるアクチン重合核形成. (a) フォルミンには FH2 とよばれるドメインがあり,それが二量体になるとアクチンフィラメントの重合核を形成できる.この二量体は 2 個のアクチンサブユニットと結合し(段階■),前後にずれながら(段階■〜■),FH2 ドメインとフィラメントの(+)端との間に単量体を挿入していく.FH2 ドメインは(+)端がキャップタンパク質によりキャッピングされることも防いでいる. (b) FH2 ドメインを金コロイド(矢印で示した黒い点)で標識し,アクチン重合を起こさせた.できたフィラメントを酢酸ウラニルでネガティブ染色し電子顕微鏡で観察すると,フォルミンは枝分かれのない長いフィラメントの末端に存在していた.〔(b)は D. Pruyne et al., 2002, *Science* **297**(5581): 612, Copyright Clearance Center, Inc. を通じて AAAS より許可を得て転載.〕

用してアクチンフィラメントが重合する場所,および,どのような種類のアクチン構造を構築するかを決めている (図 17・1,図 17・4).**フォルミン**(formin)ファミリーと **Arp2/3 複合体**(Arp2/3 complex)という 2 種類の**アクチン核形成タンパク質**(actin-nucleating protein)が,シグナル伝達経路の調節のもとでアクチン重合のための核を形成する.それらによって生じるアクチン集合体の構造も異なっていて,フォルミンは細長いフィラメントの集合体をつくるが,Arp2/3 複合体はフィラメントが枝分かれした網目構造をつくる.両者について別々に説明しながら,アクチン重合が細胞を移動させるような力を発生できるということを説明する.そのあとで,その他の特殊なアクチン核形成因子についても説明する.

フォルミンは枝分かれのないフィラメントの束をつくらせる

フォルミンは多様性の高いファミリーを形成し,ほぼすべての真核細胞に存在する.脊椎動物は 7 種類のフォルミンをもつ.多様性は高いが,ファミリーのタンパク質は必ず二つの隣接したドメイン,FH1 と FH2 (FH は formin-homology の略) をもつ.二つのフォルミンの FH2 ドメインどうしがドーナツ状に会合する (図 17・13a).この複合体は二つのアクチンサブユニットを(+)端が FH2 に向くように抱えこむことにより,アクチン重合の核を形成する.この FH2 ドメインの二量体が結合したままアクチンフィラメントは(+)端から伸びていく.どうして,そのようなことが可能なのだろう.前に述べたように,アクチンフィラメントは,2 本サブユニット列が,らせん状に絡まり合ったものとみなすことができる.二つの FH2 ドメインはそれぞれの鎖の末端にあるアクチンサブユニットと結合する.そうして末端サブユニットを固定し,そのどちらかに新しいサブユニットが結合しやすいようにする.新しいサブユニットが結合すると,一方の FH2 ドメインはその新しく結合したサブユニットと結合するように動くと同時に,もう一方の末端に次の新しいサブユニットが結合しやすいようにする.このように末端の二つのアクチンサブユニットと結合しつつ(+)端でのフィラメント伸長を促しているのである (図 17・13a).

FH2 ドメインのすぐ隣にある FH1 ドメインもアクチンフィラメント伸長に重要な役割を果たしている (図 17・14).このドメ

インにはプロリン残基が多く,いくつかのプロフィリン分子が結合する部位となっている.前に説明したが,プロフィリンは G アクチンに結合している ADP を ATP に交換し,プロフィリン-ATP-G アクチン複合体をつくる.FH1 ドメインはこれら複合体の結合部位となり,プロフィリン-ATP-G アクチンの局所的濃度を高めている.これらの複合体が FH2 ドメインに渡され,そこでアクチンはフィラメントの(+)端と結合し,プロフィリンは解離する(図 17・14).

フォルミンはフィラメントの(+)端に急速にアクチンを付加させる結果,(+)端にフォルミンをもつ長いフィラメントができあがる (図 17・13b).つまり,フォルミンはアクチン重合の核をつくるだけでなく,(+)端に残り,プロフィリンと結合してフィラ

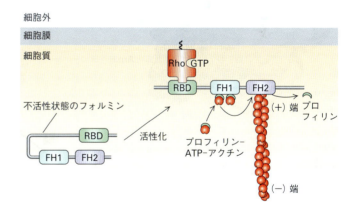

図 17・14 分子内相互作用によるフォルミン活性の調節.脊椎動物フォルミンのなかには,分子内相互作用によって活性が調節されているものがある.不活性状態のフォルミンは折れ曲がっていて,FH2 ドメインが働けなくなっている.膜に結合した活性型 Rho・GTP がフォルミンの Rho 結合ドメイン(RBD)に結合するとフォルミンは活性化され,FH2 ドメインが表に出て,新たなフィラメント核を形成できるようになる.すべてのフォルミンは FH2 ドメインの近くに FH1 ドメインをもつ.FH1 ドメインはプロリンを多く含み,プロフィリン-ATP-G アクチン複合体を引寄せて,伸長しつつある(+)端に供給する.わかりやすく表示するために 1 分子のフォルミンしか示していないが,図 17・13 で示したように,フォルミンは二量体にならないとアクチン重合核をつくることができない.Rho ファミリー低分子量 GTPase の活性調節については図 17・40 および図 17・42 で詳しく説明する.

メントの伸長を促すのである．フォルミンは，フィラメントの伸長を維持するため(+)端に結合し続け，重合を止めてしまうCapZのような(+)端キャップタンパク質の結合を阻止している．

細胞に有用な形でフォルミンの活性は調節する必要がある．多くのフォルミンはN末端側半分とC末端側尾部との相互作用により折れ曲がった不活性な構造をとっている．そうしたフォルミンはRasに似た膜結合低分子量GタンパクであるRho・GTPにより活性化される（§17・7）．Rhoが不活性なGDP型から活性なGTP型になると，フォルミンに結合できるようになり，それを活性化する（図17・14）．

フォルミンは，筋細胞，ストレスファイバー，糸状仮足，細胞質分裂時の収縮環にみられるような長いアクチンフィラメントの形成に重要である（図17・4）．フォルミンには，動物種によって異なる複数の種類があり，アクチン重合の核形成の活性が異なり，またアクチンフィラメントを束化するものもある．

Arp2/3複合体はアクチンフィラメントに枝分かれをつくる

Arp2/3複合体は7個のサブユニットからなり，それらのうちの二つがアクチン関連タンパク質（actin-related protein: Arp）である（図17・15a）．この複合体は植物，酵母，および動物を含むすべての真核生物に存在している．Arp2/3複合体だけではアクチン核形成はほとんど起こらない．Arp2/3が枝分かれアクチンフィラメントの核となるには，**核形成促進因子**（nucleation promoting factor: **NPF**）により活性化されなければならない．NPFにはいろいろなものがあるが，主要なファミリーのものはWCA〔WH2（WASp homology 2），connector, acidic（酸性アミノ酸残基を含むため）〕とよばれるドメインをもっている．アクチン重合実験をWCAドメインと先に重合させたアクチンフィラメント（核として）の存在下で実施すると，Arp2/3は，アクチン重合をさらに加速する強い核形成能を示す．

Arp2/3複合体とNPFはどのようにしてフィラメントの重合核となるのだろう．WH2ドメインによってアクチンサブユニットと結合した2個のNPFが，コネクター（connector）および酸性（acidic）ドメインによってArp2/3と結合して活性化する．不活性状態のArp2/3複合体では，アクチン関連タンパク質Arp2とArp3は核形成できない配置となっている（図17・15b, 段階**2**）．NPFによって活性化されると，Arp2は立体構造を変えて，既存のアクチンフィラメントの側面に結合する．WH2ドメインによって持込まれたアクチンサブユニットはArp2/3に結合し，フィラメント形成の核となる(+)端をつくる（段階**3**）．NPFはここで解離し，新たにできた(+)端は，CapZなどの(+)端キャップタンパク質が結合しなければ，ATP-Gアクチンの供給がある限り伸

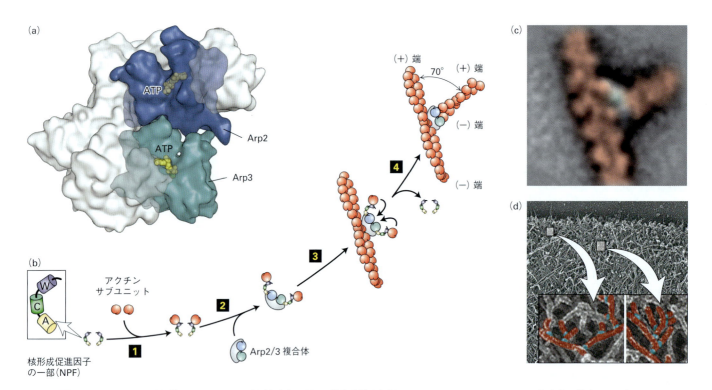

図17・15 Arp2/3複合体によるアクチン重合核形成． (a) X線結晶構造解析によって明らかになったArp2/3複合体の構造．Arp2とArp3は青と緑で示し，他の5個のサブユニットは灰色で示した．(b) Arp2/3はNPFの活性化部位であるW(WH2), C(connector), およびA(acidic)ドメインと相互作用し，効率よく，アクチンの重合核を形成できるようになっている．最初に1個のアクチンサブユニットがNPFのWドメインに結合し（段階**1**），次に2個のNPF-アクチン複合体がArp2/3複合体と結合する（段階**2**）．この相互作用によってArp2/3複合体に構造変化が起こる．Arp2/3複合体がアクチンフィラメントの側面に結合したあと，Wドメインに結合していたアクチンサブユニットがArp2/3複合体に結合する（段階**3**）．これによって生じた(+)端からアクチンフィラメントの重合がはじまる（段階**4**）．Arp2/3複合体による枝分かれはもとのフィラメントとの間に70°という特有の角度をつくる．(c) 枝分かれ部分におけるArp2/3複合体の像．複数枚の電子顕微鏡写真を重ね合わせ平均化して得られたもの．(d) 移動中の細胞の先導端におけるアクチンフィラメントの電子顕微鏡写真．枝分かれ部分を拡大し色づけした像が挿入してある．〔(a)はB. J. Nolen and T. D. Pollard, 2007, *Mol. Cell* **26**: 449, PDB ID 2p9l. (c)はC. Egile et al., 2005, *PLoS Biol.* **3**(11): e383. (d)はT. M. Svitkina and G. G. Borisy, 1999, *J. Cell Biol.* **145**: 1009による．〕

長し続ける．もとのフィラメントと新しいフィラメントとの間の角度は70°である（図17・15b, c）．移動している細胞の先導端でのアクチンフィラメントの枝分かれ角度も同じ70°なので，この枝分かれは活性化された Arp2/3 複合体によると考えられている（図17・15d）．このあとの項で説明するが，アクチン重合の力を細胞内での運動に変えるときにも Arp2/3 複合体が使われている．

Arp2/3 複合体によるアクチン側面での核形成は調節されていて，NPF がその調節機構の一部を担っている．**WASp**（WAS protein）は NPF の一つで，このタンパク質に欠陥があるとウィスコット-アルドリッチ症候群（Wiskott-Aldrich syndrome）という病気になる．この病気は X 染色体に連鎖したもので，湿疹，血小板減少，免疫不全を起こす．WASp は折りたたまれた不活性な構造をとっていて，WCA ドメインは表に出ていない（図17・16）．このタンパク質が細胞膜近傍でのみ活性化されるためには，二つのシグナルを必要とする．一つは細胞膜に多い調節性リン脂質 PI(4,5)P$_2$ が存在することである（16章）．WASp は，塩基性ドメインで PI(4,5)P$_2$ と結合する．第二のシグナルは，活性化された低分子量の GTP 結合タンパク質 Cdc42 が，WASp の RBD 領域に結合することである．Cdc42・GTP 自身も，あるシグナル伝達経路によって活性化される（§17・7）．こうした種類のシグナル入力は"一致検出（coincidence detection）"とよばれ，タンパク質を適切な部位（細胞膜近傍）で適切なシグナル伝達経路によってのみ活性化するためのものである．二つのシグナルが伝わると WASp は開いた立体構造をとり，WCA ドメインに接近しやすくなる．

二つ目の NPF は **WAVE** とよばれる大きなタンパク質複合体で，このタンパク質も WCA ドメインによって Arp2/3 複合体を活性化する．WAVE も酸性リン脂質への結合，および別の活性型低分子量 G タンパク質 Rac1 への結合によって，一致検出のしくみで活性化される．§17・7 で説明するが，Arp2/3 複合体が WASp を介して Cdc42 により活性化されるか，あるいは WAVE を介して Rac1 によって活性化されるかで，ミクロフィラメントによってつくられる構造が異なるのである．

フォルミンと Arp2/3 複合体は真菌類，植物，動物に存在するが，動物において新たなアクチン核形成タンパク質が複数発見されている．そのうちの一つで**スピア**（Spire）とよばれるものは四つの連続した WH2 ドメインをもっていて，4個のアクチン単量体と結合できる．このタンパク質はそれらのアクチンを使ってフィラメントを形成するのだが，そのしくみはわかっていない．アクチンフィラメントは細胞内でさまざまな働きをしているので，その形成因子がさらに発見されたとしても驚くには当たらない．

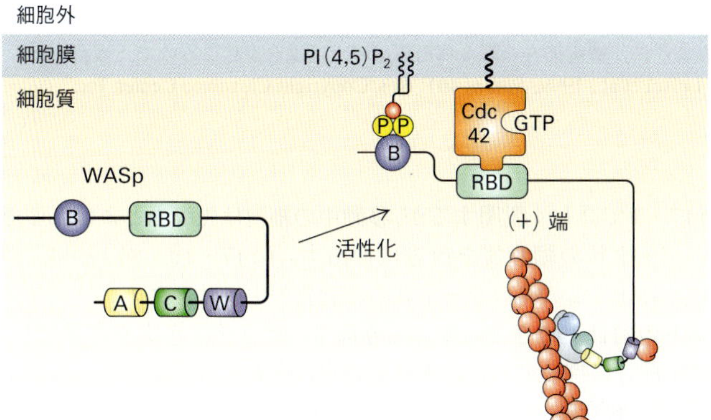

細胞内部の運動もアクチン重合により駆動される

どのようにしたらアクチン重合を仕事に変換できるのだろう．これまでみてきたように，アクチン重合の際に ATP-G アクチンが ADP-G アクチンに加水分解され，(+) 端ではおもにアクチンフィラメントの重合が起こり，(−) 端では脱重合が起こっている．もし，アクチンフィラメントが細胞骨格の網目の中で動かなくなり，物体がその重合している (+) 端に結合するかその上に乗ることができるとしたら，それは細胞内を移動していくことができるだろう．これが細胞内寄生細菌リステリア *Listeria monocytogenes* が細胞内で動き回るときにやっていることなのである．実は Arp2/3 タンパク質の核形成能はこのリステリアの運動性を調べていたときに発見された．以下に説明するとおり，リステリアは宿主細胞の移動のためのしくみを自分の目的のために乗っ取ったのである．

リステリアは食物につく病原菌で，多くの成人にはごく軽い胃腸炎を起こさせるだけであるが，高齢者や免疫不全者には致命的となりうる．この細菌は動物細胞内に入り込み，そこで分裂する．細胞内では，菌体後方で彗星の尾のように多量のアクチンを重合させて，その推進力で急速に動き回る（図17・17a）．この菌が細胞膜のところへ到達すると，膜を押し分けて隣の細胞に入っていき感染を広げる．彗星の尾の部分は細胞骨格のマトリックスの中に固定しているので，この細菌はアクチン重合のしくみを使って前進できるのである．細胞内には，尾を脱重合させる因子があり，アクチンサブユニットは，次の重合のために再利用される．このような運動のためには，リステリアは，宿主のアクチンを菌体の片方の端でのみ重合させ，同時に，細菌を効率よく前へ押出せるように重合方向を限定する必要がある．どのようにそれを達成しているのだろうか．リステリアの表面には **ActA** というタンパク質があり，それは NPF のようにアクチン結合部位および Arp2/3 複合体を活性化する酸性領域をもつ．試験管内で精製したタンパク質を使ってリステリアの運動に必要な最小限のものは何かを調べると，驚いたことに，ATP-G アクチン，Arp2/3 複合体，CapZ，コフィリンの四つのタンパク質だけで細菌は動くことがわかった（図17・17b, c）．これまでにアクチンと Arp2/3 の役割については説明した．では CapZ とコフィリンは何のために必要なのだろう．前述したように，CapZ はアクチンフィラメントの (+) 端を

図 17・16 WASp および PI(4,5)P$_2$ による Arp2/3 複合体活性の調節． NPF である WASp は分子内相互作用によって WCA ドメインが隠されているときは，不活性である．このタンパク質は，一種の一致検出機構によって活性化される．そのためには，まず塩基性ドメイン（B）が調節リン脂質である PI(4,5)P$_2$ と結合し，同時に Rho 結合ドメイン（RBD）を介して膜結合低分子量 G タンパク質である Cdc42・GTP（Rho ファミリーの一員）と結合していなければならない．こうして活性化されると WASp の分子内相互作用が解けて，W ドメインがアクチンと結合でき，酸性の A ドメインが Arp2/3 複合体を活性化できるようになる．図をわかりやすくするために 1 分子の NPF と Arp2/3 複合体との相互作用しか描いていない．Rho ファミリーの低分子量 GTPase については図17・40，図17・42 で詳しく説明する．

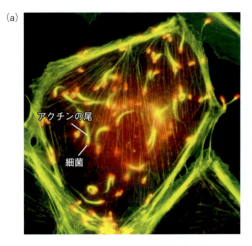

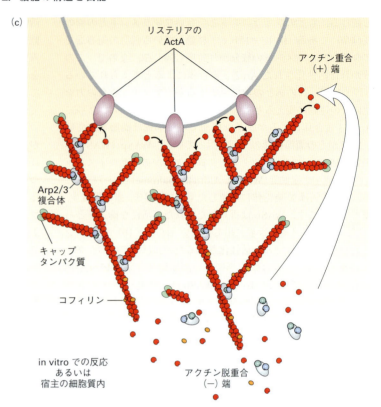

図 17・17（実験） リステリアはアクチン重合の力を使って細胞内を動き回る．(a) 細菌表面タンパク質に対する蛍光抗体（赤）およびアクチンと結合する蛍光性ファロイジン（緑）で染色した培養細胞の蛍光顕微鏡写真．細菌の後方にはアクチンからなる"彗星の尾"のような構造が見られるが，この構造は，細胞質内のマトリックス内に埋まるように固定されていて，アクチン重合によって細菌を前方に押出す．細菌が細胞膜にぶつかると糸状仮足のように外に突き出し，隣の細胞内に入っていく．(b) わずか4種類のタンパク質と細菌だけで，この運動を in vitro で再現できる．そのタンパク質とは，ATP-G アクチン，Arp2/3 複合体，CapZ およびコフィリンである．位相差顕微鏡で観察すると細菌（黒）の後方に，アクチンからなる尾が，屈折率の違いで暗く見える．(c) リステリアがこれら4種類のタンパク質をどのように使って動くのかを示すモデル．細菌表面の ActA は Arp2/3 複合体を活性化し，既存のフィラメントの側面で新しいフィラメントのための重合核をつくらせる．フィラメントは，CapZ によってキャップされるまで，(＋)端方向に伸び続ける．フィラメントの(－)端での脱重合を促進するコフィリンによりアクチンは再利用される．このように，細菌後方の限られた領域でだけ重合が起こるので，細菌は前方に押出される．〔(a) は J. Theriot and T. Michison 提供．(b) は T. P. Loisel et al., 1999, *Nature* **401**: 613, Copyright Clearance Center, Inc. を通じて Nature Publishing Group の許可を得て転載．〕

キャップする．伸長しているアクチンフィラメントのうちリステリアの移動には役立たなくなったものが CapZ によりすぐにキャップされ，それ以上伸びなくなる．このように，アクチンの重合は，ActA が Arp2/3 複合体を活性化するリステリアのごく近傍でのみ起こるようになっている．コフィリンは(－)端からのアクチン脱重合を促し，遊離したアクチンを供給して重合を持続させるために必要なのである（図 17・11）．これで最小限の運動速度は確保できるが，ほかに VASP やプロフィリンが加わると，移動速度はもっと大きくなる．ActA は宿主の VASP に結合するが，この VASP は三つの重要な特性がある．一つは，VASP には，分子内のプロリンが多く含まれる領域があり，その領域はプロフィリン-ATP-アクチンと結合し Arp2/3 複合によってつくられた新しい(＋)端への ATP-アクチンの重合を加速する点である．二つ目は，新しく形成されたフィラメントの端に固定できる点である．三つ目は，成長するフィラメントの(＋)端を防護して，CapZ が結合しないようにする点である．この特性によって，VASP は，細菌の後方でのみアクチン重合を促進するのである．

リステリアは，細胞運動機構にかかわる細胞内調節のしくみを乗っ取り，自分たちが宿主細胞内を動くために利用している．

§17・7 で詳しく説明するが，移動中の細胞は先導端とよばれる薄いシート状の細胞質を前方に押出す（図 17・1c，図 17・4，図 17・15d）．この薄いシート状の細胞質の中にはアクチンフィラメントの網目ができていて，先導部ではアクチンが次々と重合し，膜を前方に押している．先導端の膜に存在するいくつかの因子が Arp2/3 複合体を活性化してアクチン重合核をつくらせている．このように，アクチン重合の力は膜を前方に押出すことで細胞移動に寄与している．この先導端にある運動装置こそ，宿主細胞内で，また他の細胞へと移動する手段として，リステリアが勝手に借用しているしくみである．

ミクロフィラメントはエンドサイトーシスでも働いている

14 章で述べたように，エンドサイトーシスとは，細胞外の粒子，分子，あるいは液体を細胞膜に包んで取込むことをいう．分子や液体を取込むことは**受容体依存性エンドサイトーシス**（receptor-mediated endocytosis）とよび，大きな粒子を取込むことは**ファゴサイトーシス**（phagocytosis，食作用）とよぶ．ミクロフィラメントはこれらの過程にも関与している．

受容体依存性エンドサイトーシスは，クラスリン被覆ピットで

の積み荷タンパク質の回収，クラスリン被覆による膜の変形と陥入，ダイナミンGTPaseによる膜小胞の切り離し，細胞内への被覆小胞の輸送の複数の過程からなる（図14・20，図14・29参照）．この過程で，アクチン重合によって発生する力が働いている．エンドサイトーシス開始因子がNPFを引寄せる結果，Arp2/3複合体によって短時間（2～3秒程度）の急速なアクチン重合が起こり，エンドサイトーシス小胞を細胞内に陥入させ，細胞膜から切り離す（図17・18a）．エンドサイトーシス小胞を細胞内に取込む物理的なしくみは，まだ完全には解明されていないが，ここで使われるアクチンによる運動機構は，機構としては先導端の形成やリステリアの運動とよく似ている．この機構は，in vitroでも再現できている（図17・18b）．

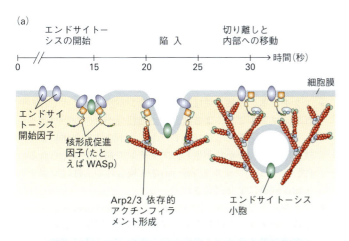

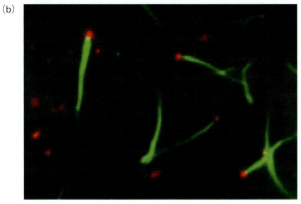

図 17・18 エンドサイトーシスにおける Arp2/3 依存的アクチン重合．(a) クラスリン依存性エンドサイトーシスは速やかで秩序だった過程である．酵母において詳しく調べられていて，各段階の順序がはっきりしている．in vivo での過程を示す電子顕微鏡写真から，エンドサイトーシス開始因子が核形成促進因子 NPF を引寄せ，それが Arp2/3 複合体を活性化することが示されている．その後，Arp2/3 依存性の爆発的なアクチン重合がはじまり，内部に入ってきたエンドサイトーシス小胞を細胞膜から引き離す．他のエンドサイトーシス因子であるクラスリンやアダプチン AP2，ダイナミンは，ここでは簡略化のため描いていない（図14・20参照）．(b) エンドソームの運動は，in vitro でも再現できる．蛍光色素で標識したトランスフェリン（赤）を取込んだエンドソームを細胞から取出し，蛍光標識したアクチン（緑）を含む細胞抽出液に加える．エンドソームは WASp と結合し，それが次に Arp2/3 複合体を活性化し，アクチンの重合による尾部形成を起こさせる．エンドソームはその上にのって細胞質を移動していく．〔(b)は J. Taunton et al., 2000, *J. Cell Biol.* **148**(3): 519 による．〕

ファゴサイトーシスは，白血球が細菌などの病原体を認識し除去するときに使われる生命維持にとって大切な過程である．免疫系は，細菌を異物と判断すると，その細菌表面の特徴を認識する抗体をつくる．3章で説明したように，各抗体は抗原と特異的に結合するFabドメインをもつ．この場合，抗原となるのは細菌表面の構成成分である．Fabドメインと細菌表面にある抗原との結合によって抗体が細菌を覆うと，抗体のもう一つのドメインであるFcが外側を向く．この過程をオプソニン化（opsonization）とよぶ（図17・19，段階**1**, 24章）．白血球表面にはこのFcに対する受容体（Fc受容体）があり，細菌と結合した抗体のFcドメインに結合する（段階**2**）．白血球とオプソニン化された細菌が結合することで，細菌と相互作用した場所でミクロフィラメントの重合が誘導されて，白血球は細菌を飲み込む（段階**3**と**4**）．重合したミクロフィラメントは，ミオシンモータータンパク質とともに，細菌を細胞内に引込む力を出し，病原体は完全に細胞膜に包まれた状態になる（段階**4**）．細胞内に取込まれたこのファゴソームは，リソソームと融合し，病原体はリソソーム内の酵素により殺され分解される．

アクチンフィラメント重合は，エンドサイトーシス経路以外，分泌経路でも関係していると考えられている．たとえば，**WASH**とよばれるNPFはエンドソーム表面でのArp2/3依存的アクチンフィラメントの核形成に関与し，その形を調節し，輸送に貢献するといわれている．**WHAMM**とよばれるもう一つのNPFはゴルジ体に存在し，Arp2/3依存的アクチンフィラメント重合を行わせて，小胞体からゴルジへの膜輸送に関与すると考えられている．分泌経路やエンドサイトーシス経路における区画間の輸送においてはその助けになっているという考え方が新たに起こっている．

アクチン単量体の量に影響を与える毒素は
アクチン動態の研究に役立つ

ある種の真菌類やカイメンが合成する毒素の中で，アクチン重合経路に影響を与え，動物細胞にとって毒性を示すものがあり，アクチン動態の研究に役立っているものがある．そのような毒素には二つのグループがある．最初のグループの代表的なものはサイトカラシンD（cytochalasin D）とラトランキュリン（latrunculin）で，しくみは異なるがどちらもアクチンの脱重合を促す．真菌類のアルカロイドであるサイトカラシンDはFアクチンの(+)端に結合し，新たなサブユニットの付加を妨害することにより脱重合を促す．カイメンが分泌する毒素であるラトランキュリンはGアクチンと結合し，フィラメントの端に付加できなくする．どちらの毒素もアクチン単量体の量を増加させることになる．サイトカラシンDやラトランキュリンを生きている細胞に作用させると，アクチン細胞骨格は壊れ，細胞の移動や細胞質分裂といった細胞運動が阻害される．こうした観察から細胞の運動性とアクチンフィラメントとの関係が認識されるようになった．ラトランキュリンはアクチン単量体と結合して新たな重合を阻害するので，特に役立つ．細胞にラトランキュリンを作用させたときのアクチン構造体の消失速度は正常細胞でのアクチンの入れ替わり速度とみなすことができる．このような実験から，アクチン構造の安定性は，非常に幅広いことがわかってきた．たとえば，移動している細胞の先導端でのアクチンの入れ替わりは30～180秒であるが，ストレスファイバーのアクチンの入れ替わりには5～

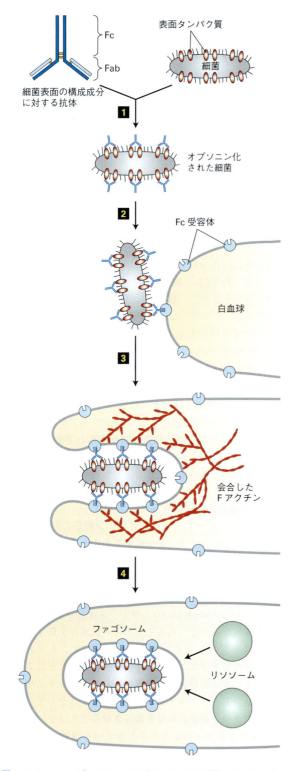

図 17・19 ファゴサイトーシスとアクチンの動態．ファゴサイトーシスされた粒子を細胞内に取込むときにアクチンの重合と収縮が使われる．ここでは細菌が白血球にファゴサイトーシスされて分解されるまでの過程を示している．侵入してきた細菌はその表面にあるタンパク質に対する抗体によってオプソニン化される（段階 1）．細菌に結合した抗体の Fc ドメインは細菌から外に向かって突き出ていて，それが白血球表面にある Fc 受容体によって認識される（段階 2）．この相互作用によって，白血球内にアクチンを含む収縮構造がつくられ，それによって細菌は白血球内部に取込まれる（段階 3）．ファゴソームとして内部に取込まれた細菌はリソソームの酵素によって殺され分解される（段階 4）．

10 分かかる．

　他の種類の毒素中には，別のカイメン毒素であるジャスプラキノリド（jasplakinolide）やタマゴテングダケ Amanita phalloides の毒素であるファロイジン（phalloidin）のように，単量体-重合体の平衡をフィラメント形成のほうへずらすものもある．ジャスプラキノリドはアクチン二量体と結合して安定化し臨界濃度を下げる．ファロイジンは F アクチンのサブユニットの間に入り込み，サブユニットを強く結びつけてフィラメントの脱重合を阻害する．アクチン濃度が臨界濃度以下になるように希釈しても，ファロイジンで安定化されたアクチンフィラメントは脱重合しない．アクチンに依存した過程の多くは，アクチンフィラメントの入れ替わりを利用しているが，ファロイジン処理された細胞ではそうした過程が機能しなくなり，細胞は死んでしまう．ファロイジンは F アクチンとだけ結合するので，蛍光標識したファロイジンは，細胞内のアクチンフィラメントを染色して光学顕微鏡で観察する際によく使われる（図 17・4）．

17・3 アクチンフィラメント構造物の形成機構　まとめ

- アクチン重合の核形成は 2 種類のタンパク質によって行われる．フォルミンによる核形成では枝分かれのないフィラメントがつくられるが（図 17・13），Arp2/3 複合体による核形成では枝分かれが生じ，アクチンの網目がつくられる（図 17・15）．フォルミンや Arp2/3 複合体の活性はシグナル伝達経路により調節されている．
- フォルミンと Arp2/3 がつくるアクチン構造物は機能が異なる．フォルミンはストレスファイバーや収縮環といったアクチンフィラメントの束をつくるが，Arp2/3 は移動している細胞の先導端にみられる枝分かれしたアクチンフィラメントをつくる．
- 病原性細菌の Arp2/3 依存的細胞内移動（図 17・17）やエンドサイトーシス小胞の内側への動き（図 17・18, 図 17・19）にみられるように，アクチンの重合力で仕事をすることができる．
- アクチン重合の動態に影響を与える毒素もある．ラトランキュリンのような毒素はアクチン単量体と結合して重合できなくするが，ファロイジンのような毒素はアクチンフィラメントを安定化させる．蛍光標識したファロイジンはアクチンフィラメントを染色して顕微鏡下で可視化するときによく使われる．

17・4 アクチンを使った細胞内構造

　ここまで，アクチンフィラメントが集合しさまざまな構造をつくるということと，多くのアクチン結合タンパク質がアクチン重合核の形成やフィラメント入れ替わりの調節に関与しているということをみてきた．脊椎動物細胞では多くのタンパク質がアクチンフィラメントを使い，多様な構造を構築し，種々の細胞機能に使われている．本節では，それらのうちからアクチンを架橋するもの，およびアクチンフィラメントと膜タンパク質とを機能的に結びつけるものの代表例を 2, 3 紹介する．どうやれば同一細胞内に配置の異なるアクチン構造物をつくることができるのかはまだ

よくわかっていないが,興味深い問題である.局所的なアクチンフィラメント重合によって調節されている例もあるが,それについては本章の最後にふれる.

架橋タンパク質がアクチンフィラメントを束や網目にする

試験管内でアクチンを重合させると絡まり合って網目状となるが,細胞内のアクチンフィラメントは微絨毛内での揃った束や先導端での網目のように組織化された構造をつくっている(図17・4a).この構造は,前に述べたフィラメント集合機構と**アクチン架橋タンパク質**(actin cross-linking protein)によってつくられる.

アクチンからなるこのような構造を形成するためには,架橋タンパク質はアクチンフィラメント結合部位を少なくとも二つもっていなければならない(図17・20a).アクチンを架橋するタンパク質のなかには,**フィンブリン**(fimbrin)のように,1本のポリペプチド鎖中に二つのアクチン結合部位をもつものもある.このタンパク質は,不動毛(巨大な微絨毛,図17・20b)内で,方向性の揃ったアクチンフィラメント束をつくっている.**フィラミン**(filamin)も,同じように1本のポリペプチド鎖中に二つのアクチン結合部位をもつが,フィブリンが短く堅い構造をしているのに対して,フィラミンは二つの結合部位間に軟らかい箇所があり,分子板ばねのような働きをする.このために,移動細胞の先導端にみられるように,フィラミンは網目状のフィラメント間で安定な架橋を形成することができる.

他のアクチン架橋タンパク質のなかには,ポリペプチド鎖中にアクチン結合部位を一つしかもたないが,二量体化することで機能するものもある.**αアクチニン**(α-actinin)の場合,丈夫な棒状の二量体となり,両端にアクチン結合部位をもつ.フィンブリンと同じように,αアクチニンはアクチンフィラメントを平行に束化するが,フィラメント間隔はフィンブリンによる束より広い.**スペクトリン**(spectrin)とよばれる別のタンパク質は,アクチン

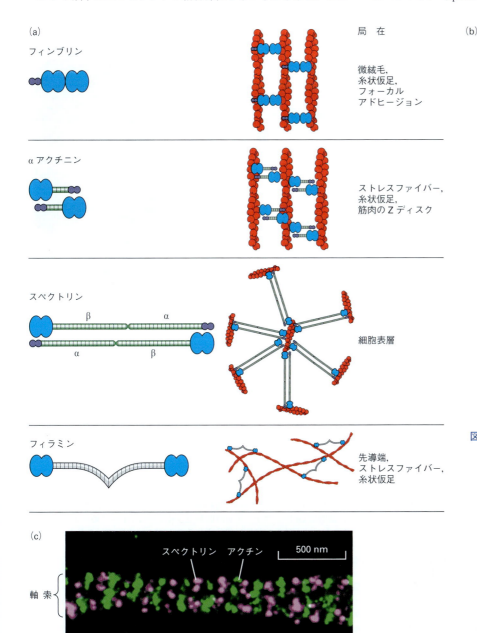

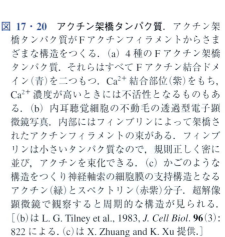

図 17・20 アクチン架橋タンパク質.アクチン架橋タンパク質がFアクチンフィラメントからさまざまな構造をつくる.(a) 4種のFアクチン架橋タンパク質.それらはすべてFアクチン結合ドメイン(青)を二つもつ.Ca²⁺結合部位(紫)をもち,Ca^{2+}濃度が高いときには不活性となるものもある.(b) 内耳聴覚細胞の不動毛の透過型電子顕微鏡写真.内部にはフィンブリンによって架橋されたアクチンフィラメントの束がある.フィンブリンは小さいタンパク質なので,規則正しく密に並び,アクチンを束化できる.(c) かごのような構造をつくり神経軸索の細胞膜の支持構造となるアクチン(緑)とスペクトリン(赤紫)分子.超解像顕微鏡で観察すると周期的な構造が見られる.[(b)は L. G. Tilney et al., 1983, *J. Cell Biol.* **96**(3): 822による.(c)は X. Zhuang and K. Xu 提供.]

結合部位をもつ2本のポリペプチドと，その架橋タンパク質の長さを伸ばす2本のポリペプチドからなる四量体である．スペクトリンに架橋されたアクチンフィラメントの間隔は，フィブリンやαアクチニンよりさらに広く，細胞膜の直下で網目構造をつくっている（図17・20c，次項で説明する）．アクチンフィラメント核形成能をもつタンパク質として説明したArp2/3複合体も重要なアクチン架橋タンパク質で，アクチンフィラメントの側面に他のフィラメントの（−）端を結合させている（図17・15）．

アダプタータンパク質がアクチンフィラメントを細胞膜に結合させる

アクチンをもとにつくられる構造は，アダプタータンパク質（adaptor protein）によって特定の構成物に結合されていない限り，細胞にとって役には立たない．ここでは，アダプタータンパク質がミクロフィラメントをどのように細胞膜に結合させて機械的な支持構造としているのか，また細胞膜にどのように収縮装置を結合させているかを解説する．具体的な例をあげて説明するが，基本的には，すべての真核生物の細胞には，細胞表層（cell cortex）として知られる細胞膜に結合したアクチンフィラメント構造がみられる．その多様なしくみにおいて，アクチンフィラメントは，末端や側面で細胞膜と相互作用している．

最初の例は，ヒトの赤血球細胞でみられる細胞膜に結合するアクチンフィラメントである．赤血球は，高濃度のヘモグロビンを閉じ込めた細胞で，肺から組織に酸素を，組織から肺へと二酸化炭素を運搬する．赤血球は心臓での激しい血流を受け，その後，動脈を通り，血流が心臓，動脈から狭い毛細血管へ，その後，肺から心臓へと戻る間，赤血球は非常に幅広い速度の激流に耐えて残らなければならない．こういった変形を受けながら移動するサ

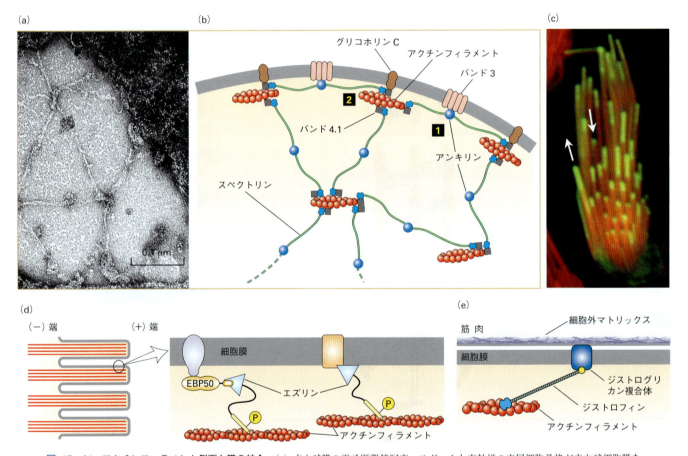

図 17・21 **アクチンフィラメント側面と膜の結合**．(a) 赤血球膜の電子顕微鏡写真．スポークと車軸様の表層細胞骨格が赤血球細胞膜を支えているのがわかる．長いスポーク状の部分はおもにスペクトリンからなり，膜との接着部位である車軸の部分で交差している．スポーク上の黒い点はアンキリン分子で，スペクトリンと膜内在性タンパク質とを架橋している．(b) 赤血球細胞骨格の主要な二つの膜接着の様子を示す模式図．アンキリンとバンド3による結合❶と，バンド4.1とグリコホリンCによる結合❷を示す．(c) アクチンは不動毛（巨大な微絨毛）内のフィラメントの先端に組込まれる様子．不動毛をもった細胞にGFP-アクチンを短時間発現させてから，すべてのFアクチンをローダミン標識ファロイジンで染色した．新たにつくられたアクチンは不動毛の先端に組込まれることがこの実験で示された．(d) エズリン-ラディキシン-モエシン（ERM）ファミリーの一員であるエズリンは，微絨毛など細胞表層の構造中で，アクチンの側面と細胞膜とを結びつけている．膜との結合は直接的な場合と間接的な場合がある．エズリンは，細胞質内では閉じた状態の不活性化型となっている．リン酸化によって開いた立体構造となるには，細胞質膜内のPI(4,5)P$_2$，および，エズリン特異的なキナーゼが必要である．リン酸化によって活性化されたエズリンが膜貫通タンパク質の細胞質側部分と直接結合する場合と(右)，EBP50という足場タンパク質を介して間接的に結合する場合がある(左)．(e) ジストロフィンはN末端にアクチン結合部位をもつ．C末端には膜タンパク質のジストログリカン複合体と結合するドメインがあり，ジストログリカン複合体は細胞外マトリックスと結合している．詳細は図20・41参照．〔(a)はT. J. Byers and D. Branton, 1985, *Proc. Natl. Acad. Sci. USA* **82**: 6153; D. Branton 提供．(c)はA. K. Rzadzinska et al., 2004, *J. Cell Biol.* **164**(6): 887 による．〕

イクルを何千回と繰返すために，それに耐えるのに必要な強度と柔軟性を細胞膜に与えるアクチンの網目構造が，赤血球の細胞膜下にみられる．この網目構造は，側面にはトロポミオシン（§17・6で詳しく述べる）が結合し，(−)端にはキャップタンパク質トロポモジュリンがついて安定化した14サブユニット分の長さの短いアクチンフィラメントから構成されている．この短いフィラメントが基点となり，そこに柔軟性に富んだスペクトリンが4〜6個結合して，魚網のような網目構造をつくり（図17・21a），この網目構造が赤血球膜に柔軟性と強度をもたらしている．スペクトリンは2通りの方法で膜タンパク質と結合している．その一つは**アンキリン**（ankyrin）というタンパク質を介したもので，HCO_3^-輸送体（膜貫通タンパク質で**バンド3**ともよばれる）とスペクトリン分子の中央付近で結合している．もう一つは，**バンド4.1**とよばれるFアクチン結合タンパク質を介した**グリコホリンC**（glycophorin C）という膜貫通タンパク質との結合である（図17・21b）．赤血球にみられるようなスペクトリンを介した網目構造は他の多くの細胞においてもみられる．たとえば，上皮細胞の側底面では，アンキリン−スペクトリン結合によってNa^+/K^+ ATPaseがアクチン細胞骨格とつながっている．神経細胞では，神経軸索の細胞膜を支える整然としたアクチン−スペクトリンからなる網目構造がみられる（図17・20c）．

赤血球細胞骨格タンパク質に遺伝的欠陥があると赤血球は壊れやすく，**遺伝性球状赤血球貧血**（hereditary spherocytic anemia）という病気になり，寿命も短くなる．球状というのは赤血球が球形になるからで，貧血になるのは赤血球が壊れて少なくなるからである．ヒトでは，スペクトリン，バンド4.1，およびアンキリンに突然変異が起こると，この病気を発症する．

アクチンフィラメントは微絨毛および膜の波打ちといった細胞表面構造の支持も行っている．微絨毛の構造からみて，先端ではフィラメントの末端と，側面でもフィラメント全長にわたって膜との結合が必要なことは明らかである．微絨毛内でのアクチンフィラメントはどのような方向性をもっているのだろうか．微絨毛内のアクチンフィラメントをミオシンのS1で修飾したところ，先端にフィラメントの(+)端がきていることがわかった．蛍光アクチンを細胞に注入するとそれらは微絨毛の先端に取込まれるので，先端に(+)端があるというだけではなく，フィラメントの重合もそこで起こっていることがわかる（図17・21c）．現在のところ，アクチンフィラメントがどのように微絨毛の先端と結合し，そこでの重合がどのように調節されているのかはわかっていない．アクチンフィラメントの(+)端が細胞膜のほうを向くという配置は普遍的で，微絨毛だけのものではない．たとえば，移動している細胞の先導端でも(+)端が細胞膜のほうに向いている．側面での細胞膜との接着の少なくとも一部は**ERM**（**エズリン−ラディキシン−モエシン** ezrin-radixin-moesin）ファミリーのタンパク質によると考えられている．これらのタンパク質は調節を受けていて，ふつうは折れ曲がった不活性型となっているが，細胞膜にある調節性のリン脂質$PI(4,5)P_2$依存性の特異的なキナーゼ反応によりリン酸化されて活性化される．これにより，ERMタンパク質のFアクチン結合部位と膜タンパク質結合部位が露出し，アクチンフィラメント側面と細胞膜とを結びつける（図17・21d）．このような，調節性の脂質とキナーゼの両方を必要とする一致検出機構による活性化により，決まった正しい場所だけでERMタンパク質が活性化できるようになっている．ERMタンパク質は，アクチンフィラメントを膜タンパク質の細胞質内ドメインへ直接，あるいは足場タンパク質を介して間接的に結合させている（図17・21d）．

ここで説明したアクチンと膜との結合は，細胞膜が他の細胞や細胞外マトリックスと接触している領域のものではないが，そのような結合の例も存在する．上皮細胞は，**接着結合**（adherens junction）とよばれる細胞膜上の特殊化した領域で細胞どうしが結合している（図17・1b）．細胞が細胞外マトリックスと結合する部位も**フォーカルアドヒージョン**（focal adhesion，接着斑）とよばれる特殊化した領域である．これらの特殊化した接着部位は細胞骨格ともつながっているのだが，それらについては細胞の移動（§17・7）および組織内での細胞（20章）のところで詳しく説明する．

筋ジストロフィーは骨格筋が衰弱していく遺伝病である．そのなかのデュシェンヌ型筋ジストロフィー（Duchenne muscular dystrophy）は**ジストロフィン**（dystrophin）というタンパク質の欠陥によるもので，その遺伝子はX染色体上にあるため発症するのはほとんどが男性である．ジストロフィンは接続タンパク質で，その機能は筋細胞表層のアクチン網目構造を，細胞外マトリックスと結合している膜タンパク質複合体に結びつけることである．したがって，ジストロフィンのN末端にはアクチン結合ドメイン，中央にはスペクトリンに似た配列の繰返し，そしてC末端には膜貫通タンパク質ジストログリカン複合体と結合するドメインがある．このジストログリカン複合体が細胞外マトリックスタンパク質ラミニンと結合する（図17・21e，図20・41参照）．ジストロフィンが存在しないと筋細胞の細胞膜は弱く，収縮を繰返すうちに破れてしまい，筋細胞が失われる．

17・4 アクチンを使った細胞内構造 まとめ

- アクチン結合部位を2箇所もっている架橋タンパク質の働きで，アクチンフィラメントはさまざまな構造を形成する．これらの架橋タンパク質には長いものや短いもの，硬いものや軟らかいものがある（図17・20）．
- 赤血球および微絨毛のような細胞表面の突起でみられるように，アダプタータンパク質によってアクチンフィラメントは細胞膜と結合する（図17・21）．
- アクチンフィラメントの細胞膜への結合は，リン酸化によるERMの活性化のように，調節されているものがある．
- 球状赤血球貧血や筋ジストロフィーなどの遺伝性の病気は，アクチンフィラメントを主体とした表層細胞骨格が細胞膜と結合できないことによって起こる．

17・5 ミオシン: アクチン上を動くモータータンパク質

§17・3で，Arp2/3複合体を核としたアクチン重合がエンドサイトーシス小胞の運動，基質上を移動する細胞の先導端での運動，および宿主細胞内での細菌リステリアの運動といった仕事をなしうることを説明した．細胞は，このアクチン重合による運動性の

ほかに，**ミオシン**（myosin）とよばれるアクチンフィラメント上を移動して働くモータータンパク質の大きなファミリーをもっている．

最初に発見されたミオシンである**ミオシンⅡ**は骨格筋から単離された．長い間，生物学者たちはこのミオシンⅡが自然界に存在する唯一のミオシンであると考えてきたが，その後，新たな種類のミオシンが見つかると，何種類のミオシンが存在するかが研究対象となった．今日，骨格筋のミオシンⅡ以外に多数のミオシンファミリーの存在が明らかになっている．実際，アクチン上を動く多種のモータータンパク質や次章で述べる微小管上を動く類似したモータータンパク質の発見と解析により，これまでは比較的静的なものであるとされていた細胞内部についての見方は，荷物を満載した車が走り回る，混雑した高速道路のように，驚くほど動的なものであるという見方にとって代わられた．

ミオシンは，ATP加水分解により放出されたエネルギーを機械的運動（アクチンに沿っての移動）に変換するという驚くべき能力をもっている．すべてのミオシンはATP加水分解のエネルギーを運動に変換するが，それらが行う細胞内の機能はさまざまである．たとえば，多数のミオシンⅡ分子が一緒にアクチンフィラメントを引っ張ることで筋肉を収縮させるが，ミオシンⅤは積み荷を満載した膜小胞に結合し，それをアクチンフィラメントに沿って輸送する．別のクラスのミオシンは，細胞内で細胞小器官を移動させ，細胞の移動を補助する役割を果たしている．

ミオシンを理解してもらうために，まずはその一般的な分子構造について説明しよう．その知識をもとに，異なる生物におけるミオシンの多様性を説明し，それから真核生物に共通して存在するミオシンについてより詳しく説明する．一つの運動機構からどのようにしてこの多様な機能が生まれるのかを理解するために，まずATP加水分解のエネルギーを運動に変換する基本的な機構について解説する．次に，この機構をどのように改変するとそれぞれのクラスのミオシンに特異的な機能をもたせるようにできるのかについてみていく．

ミオシンはそれぞれ異なった機能をもつ頭部，頸部，および尾部のドメインからなる

ミオシンについての知識の多くは骨格筋ミオシンⅡの研究から得られた．骨格筋では，何百ものミオシンⅡが会合して太いフィラメントとよばれる双極性束構造をつくる（図17・22a）．次節

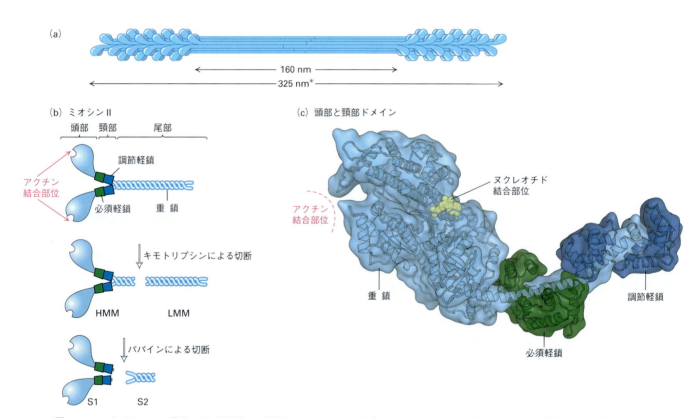

図17・22 ミオシンⅡの構造．(a) 骨格筋から単離されたフィラメント内でのミオシンⅡの配置．ミオシンⅡは会合して双極性のフィラメントになる．このとき，尾部がフィラメントの軸となり，頭部は両端で外に突き出す．この双極性フィラメントを高濃度の塩とATPを含む溶液で処理すると個々のミオシンⅡ分子へと脱重合する．(b) ミオシンⅡ分子は同一の重鎖2本（薄青）と軽鎖4本（緑と青）からなる．重鎖の尾部はコイルドコイル構造となって二量体を形成し，それぞれの重鎖の頸部領域には2本ずつ軽鎖が結合する．ミオシンⅡに対し限定的なタンパク質切断処理を行うと，尾部の断片であるLMMとS2，そしてモータードメインであるS1が生じる．(c) S1頭部ドメインの三次元モデルを見ると，S1ドメインの形は細長くて曲がっており，先導部は裂け目によって二分されている．ヌクレオチド結合部位となるくぼみはこの裂け目で分けられた一方の側にあり，アクチン結合領域は裂け目で分けられたもう一方の側で頭部の先端付近にある．2本の軽鎖は頭部のαヘリックス構造のまわりを取囲んでいる．これらの軽鎖は頸部を丈夫にし，頭部から出たレバーアームとして働けるようにしている．なお，ここに示しているのはADP結合型の構造である．[(c)はS. Gourinath et al., 2003, *Structure* **11**: 1621, PDB ID 1qvi.]

---

* 訳注：模式図のため短く描いてあるが，後述の脊椎動物骨格筋の太いフィラメントの長さは約1600 nmである．

で，これらのミオシンフィラメントがアクチンフィラメントと組合わさって，筋肉を収縮させることを説明する．ここでは，はじめに，ミオシン分子の特性について述べる．

ミオシンIIの太いフィラメントを，ATPと高濃度の塩を含む溶液に入れると，ほどけて個々のミオシンII分子に分かれる．ミオシンII分子は6本のポリペプチド鎖からなる複合体で，そのうちの2本は同じもので，ミオシン重鎖（myosin heavy chain）とよばれる高分子量ポリペプチドである．それぞれの重鎖は球状頭部ドメイン，長い尾部ドメイン，およびそれらをつなぐ柔軟な頸部ドメインからなる．2本のミオシン重鎖尾部は互いに絡まり合っているので，二つの頭部は接近している．ミオシン複合体の残りの4本のサブユニットは小さく，軽鎖とよばれている．軽鎖には**必須軽鎖**（essential light chain）と**調節軽鎖**（regulatory light chain）の2種類がある．重鎖の頸部ドメインにはそれぞれの軽鎖が一つずつ結合している（図17・22b，上）．重鎖と2種類の軽鎖は三つの別々な遺伝子上にコードされている．

ミオシンII分子にはATPase活性がある．これはミオシンがATP加水分解のエネルギーを使って運動するからである．ミオシン複合体のどのドメインがこの活性をもつのだろうか．タンパク質中の機能ドメインを特定する標準的な手法として，特異性の高いプロテアーゼによってタンパク質を断片化し，どの断片がその機能をもっているかを調べるやり方がある．溶解したミオシンIIをキモトリプシンというプロテアーゼで緩やかに処理すると，切断されて二つの断片となる．その一方をヘビーメロミオシン（heavy meromyosin: HMM，mero は"部分"の意），他方をライトメロミオシン（light meromyosin: LMM）とよぶ（図17・22b，中央）．ヘビーメロミオシンをさらにパパインというプロテアーゼで切断すると，サブフラグメント1（S1）とサブフラグメント2（S2）になる（図17・22b，下）．生じたS1，S2，およびLMMという断片の性質を解析することによって，ミオシン固有のATPase活性とFアクチンとの結合部位がS1断片にあることが発見された．さらに，アクチンフィラメントが存在するとS1断片のATPase活性が著しく高められるということがわかった．これは，すべてのミオシンの特性であり，**アクチンによって活性化されるATPase活性**（actin-activated ATPase activity）とよばれる．ミオシンIIのS1断片は，頭部ドメインと軽鎖の結合した頸部ドメインからなり，S2とLMMは尾部ドメインを構成する．

頭部ドメインと頸部ドメインのX線結晶構造解析によって，その形状，軽鎖の位置，ATP結合部位やアクチン結合部位の位置が明らかとなった（図17・22c）．ミオシン頭部からαヘリックス構造をとる頸部が伸びている．2本の軽鎖は，この頸部のまわりに，C形クランプのように巻付いている．このように結合することによって，軽鎖は頸部領域を補強している．アクチン結合部位は頭部の先端にあって露出している．ATP結合部位も頭部にあるが，アクチン結合部位の反対側のくぼみの中にある．

ミオシンIIのどの部分までが，"モーター"活性にとって必要かつ十分なのだろうか．この疑問に答えるために，単純な in vitro での運動性解析が必要となる．このような解析法の一つである**滑走フィラメント測定法**（sliding-filament assay）では，ミオシン分子をカバーガラス上に固定し，そこに，安定化し蛍光色素で標識したアクチンフィラメントとATPを加える．ミオシン分子はカバーガラスに固定され，動けないので，ミオシン頭部とアクチン

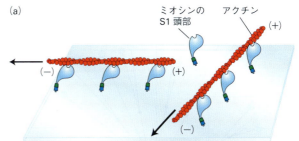

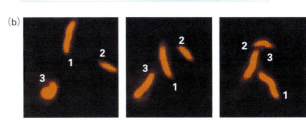

図 17・23（実験） ミオシンによる運動の検出には滑走フィラメント測定法を用いる．(a) ミオシンS1頭部をカバーガラスに吸着させたのち，結合しなかった余分なミオシンを取除く．ミオシンの結合した面を下にしてカバーガラスをスライドガラスの上に置き，その隙間に溶液を流せるようにしておく．ローダミン標識ファロイジンで染色することによって可視化され，かつ安定化されたアクチンフィラメントの溶液をその隙間に流し込む．ATPが存在すると，図17・26に示すような機構でミオシン頭部はフィラメントの（+）端方向に向かって引っ張る．ミオシン頸部が固定されているので，頭部の（+）端方向の動きによって，フィラメントは（−）端方向に滑走する．(b) 個々のフィラメントの運動は，蛍光顕微鏡で観察できる．これらの写真は，ビデオ装置がついた顕微鏡を用いて30秒間隔で記録した3本のアクチンのフィラメント（1, 2, 3 と番号をつけた）の位置を示している．フィラメントの運動速度は，こうした記録から測定できる．［(b)はJ. Spudich提供．］

フィラメントとの相互作用によって生じた力はフィラメントを動かすことになる．固定されたミオシン分子，あるいは断片が，フィラメントを（+）端側に引っ張るので，フィラメントは（−）端を先頭にして動くことになる（図17・23a）．この滑走フィラメント測定法を用いたところ，アクチンの運動をひき起こすにはミオシンIIのS1頭部だけで十分であることがわかった（図17・23a）．ミオシンがアクチンフィラメントを動かす速度は，滑走フィラメント測定法をビデオに記録することで計測できる（図17・23b）．

すべてのミオシンは，ミオシンIIのS1ドメインに似た頭部をもち，それによって運動する．しかし，このあと説明するように，頸部ドメインの長さ，およびそこに結合する軽鎖の種類と数はミオシンによって異なる．尾部ドメインは運動性には寄与しないが，S1類似ドメインによって運ばれる積み荷を決めている．このことから予想できるように，尾部ドメインはミオシン間で異なっており，特定の積み荷とだけ結合するようになっている．

ミオシンはメカノケミカルモータータンパク質の大きなファミリーを形成する

ミオシンS1ドメインは，互いによく似たアミノ酸配列をもっているので，何種類のミオシン遺伝子があり，何種類の異なるミオシンのクラスがあるのかを生物のゲノム配列から決定することができる．ヒトのゲノムにはおよそ40個（図17・24），ショウ

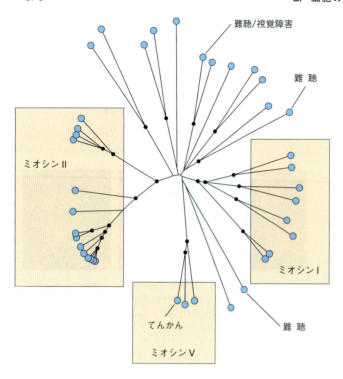

図 17・24 ヒトミオシンのスーパーファミリー．ヒトゲノムにコードされている約40のミオシンのS1頭部ドメインの類縁関係をコンピューター解析した結果．青い丸は，それぞれのミオシンを，黒い線の長さは系統的距離関係を示す．したがって，短い線でつながっているミオシンは近い関係にあるのに対し，線が長く離れているものは遠い関係にある．これらのミオシンのうち三つのクラス（ミオシン I, II, V）は真核生物に広く存在し，それ以外のものは特殊な機能をもっている．これらのミオシンの欠損がひき起こす病気の例も図中に示した．[R. E. Cheney, 2001, *Mol. Biol. Cell* **12**: 780 による．]

ジョウバエには9個，出芽酵母には5個のミオシン遺伝子がある．ミオシン頭部ドメイン間の配列の類似性をバイオインフォマティクスの手法で解析したところ，真核生物では，およそ20個の異なるミオシンのクラスが進化の過程で生じたことがわかった．図17・24で示すように，疾患にかかわる遺伝的原因もミオシン遺伝子の突然変異として追跡することもできる．

すべてのミオシンの頭部ドメインは，同じ機構を用いて，ATPの加水分解を機械的な仕事に変換する．しかし，このあと述べるように，この機構における微妙な違いが，異なるクラスのミオシンの機能に大きな影響を与えうる．これらの異なるクラスへの分類は尾部ドメインとどれほど関係があるのだろうか．ミオシン尾部ドメインのアミノ酸配列だけを使って分類したところ，それらはモータードメインを使ったときと同じグループに分類された．このことは，特定の性質をもつモータードメインが特定の尾部ドメインとともに進化してきたことを示唆する．それぞれのクラスのミオシンが特定の機能を果たすために進化してきたことを考えれば，それは当然ともいえる．

ミオシンのなかで，動物と真菌類に共通して存在している**ミオシン I**，**ミオシン II**，および**ミオシン V**ファミリーの三つはよく研究されている（図17・25）．ヒトには，ミオシン I ファミリーの重鎖遺伝子が8，ミオシン II ファミリーが14，ミオシン V ファミリーが3存在する（図17・24）．

大型のミオシン I ファミリーは，頭部に結合する軽鎖の数に大きな差があり，また，唯一，1個の頭部だけで機能する単頭ミオシンである．ミオシン I 分子については一部の機能しか解明されていないが，アクチンフィラメントを細胞膜に結合させ，エンドサイトーシスを支援するものがある．それぞれの分子が1個の頭部しかもたないので，運動を生み出すためには，複数のものが一

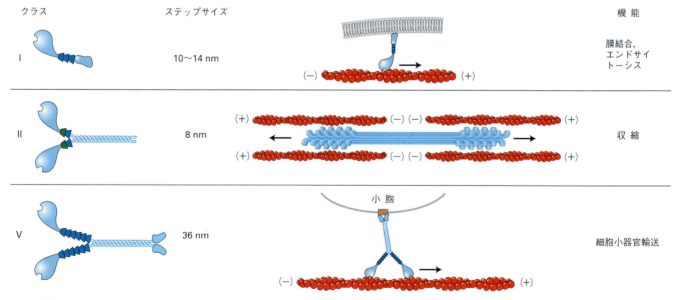

図 17・25 多くの生物に共通する三つのクラスのミオシン．ミオシン I は，頭部ドメインと頸部ドメインからなり，頸部ドメインに結合する軽鎖の数はさまざまである．三つのクラスのなかで，ミオシン I だけが頭部ドメインを一つしかもたない．ミオシン I のなかには，リン脂質との相互作用により，膜と直接結合するものがあると考えられている．ミオシン II は，二つの頭部ドメインと頸部当たり2個の軽鎖をもち，会合して双極性フィラメントとなりうる唯一のミオシンである．ミオシン V は，二つの頭部ドメインと頸部当たり6個の軽鎖をもつ．このミオシンは，細胞小器官上の特異的な受容体（茶の四角）と結合し，それらを輸送する．これら三つのクラスに属するミオシンはすべてアクチンフィラメントの（＋）端方向へ動く．

緒に機能して，常にそのなかの一つがアクチンフィラメントに結合していなければならない．

すべてのミオシンIIファミリーの分子は，頸部が短く，重鎖一つに2個の軽鎖がある．ミオシンIIだけが，双極性フィラメントを構築できる唯一のクラスのミオシンで，双極性フィラメント内では，尾部が会合して太い束をつくり，頭部は両端側に密集している．この構造が収縮には重要で，事実，このクラスのミオシンだけ収縮機能にかかわっている．このクラスのミオシンは多様で，筋肉の種類が異なると，わずかに異なる収縮特性が必要となることを反映してる（たとえば骨格筋，心筋，多様な平滑筋など）．この点は非筋細胞でも同じである．

ミオシンVのクラスのものは2本の重鎖からなるので，双頭のモーターである．6個の軽鎖と結合した長い頸部があり，尾部は二量体を形成し，運ぶ細胞小器官と特異的に結合する終端部ドメインがある．

これまで調べられたなかでは，動物の**ミオシンVI**を例外にして，そのほかはすべてアクチンフィラメントの（＋）端へ向かって運動するミオシンである．この特異なミオシンVIは，反対方向へ動くための挿入部位を頭部ドメインにもっているので，アクチンフィラメントの（－）端へ移動する．ミオシンVIは，アクチンフィラメントに沿ってエンドサイトーシス小胞を細胞膜から離すように動かすことでエンドサイトーシスに関与すると考えられている．前に述べたように，膜に結合しているアクチンフィラメントは（＋）端を膜に向けているので，（－）端方向へ動くモーターは，膜小胞を膜から離し，細胞の中心方向へと移動させるのである．

ミオシン頭部の構造変化がATP加水分解と運動を共役させる

筋収縮に関する研究から，ミオシン頭部がアクチンフィラメントに沿って滑る，すなわち歩いていくことを示唆する証拠が得られた．筋収縮機構の解明にはin vitro運動測定法（in vitro motility assay）と1分子力計測法（single-molecule force measurement）が大きな助けとなった．これらの二つの技術によって得られた情報とミオシン頭部の三次元構造（図17・22c）から，ミオシンがATP加水分解により放出されたエネルギーをアクチンフィラメントに沿って動く力に変える機構の分子モデルがつくられた（図17・26）．すべてのミオシンは同じ基本的機構を用いて運動していると考えられるので，ミオシン尾部が小胞と結合するのか，あるいは筋肉内でのように太いフィラメントを形成するのかは無視することにしよう．このモデルで重要な点は，ミオシン分子がアクチンフィラメントに沿って動く一歩ごとにATP1分子の加水分解が共役しているということである．

ミオシンはATP加水分解のエネルギーをどのように機械的な運動に変換しているのだろう．ミオシンのS1頭部はATPase活性をもつ．ADPと結合した状態では，ミオシン頭部はFアクチンに非常に強く結合している（図17・26a）．そのADPがATPに交換されると，ミオシン頭部のFアクチンへの結合親和性が顕著に低下し，アクチンから解離する（図17・26a, 段階**1**）．次に，ミオシン頭部がATPを加水分解し，その分解産物であるADPとP_iが

ミオシンに結合したままで残る（段階**2**）．ATPの加水分解により放出されたエネルギーにより頭部は構造変化を起こし，頸部に対する頭部の角度が変化する．この状態は頭部が"ため（矯め）をつくった（cocked）"状態とよばれる*（図17・26b, 上）．次に，頭部はFアクチンに強く結合し（段階**3**），このとき，P_iが放出され頭部の角度がもとに戻る．これによりアクチンフィラメントをミオシン頸部に対して動かすことになる（図17・26a, 段階**4**, 図17・26b, 下）．このようにFアクチンとの結合が頭部の動きとP_iの放出をひき起こし，それによって二つの過程が共役する．この段階は**パワーストローク**（power stroke）とよばれる．頭部はそのあともアクチンと結合しているが，ADPが解離し，そこに新しいATPが入ってくると解離する（段階**5**）．このサイクルが繰返され，ミオシンはさらにアクチンフィラメントを動かす．

頭部のヌクレオチド結合ポケットでのATP加水分解はどのようにして機械的な力へと変換されるのだろうか．ATP加水分解は頭部ドメインに小さな構造変化を起こす．この小さな動きは頭部の基部に存在し，支点のように働く"コンバーター"領域によって頸部の角度変化に変換される．この角度変化は，"レバーアーム"とよばれる棒状の頸部ドメインによって増幅され，アクチンフィラメントを数ナノメートル移動させることになる（図17・26b）．

このモデルから次のように予想できる．1分子のATPを加水分解したときにミオシン頭部がアクチンを動かす距離，すなわちミオシンの**ステップサイズ**（step size）は頸部ドメインの長さに比例するはずである．このことを検証するために異なる長さの頸部ドメインをもつ変異型ミオシン分子がつくられ，それらがアクチンフィラメントを動かす速度が測定された．頸部ドメインの長さの異なるミオシンは，同じ頻度でステップを刻んで進み，また運動の速度は，そのステップサイズを反映したものであった．つまり，予想通り，頸部ドメインの長さと運動速度との間に見事な相関がみられたのである（図17・27）．

ミオシン頭部はアクチンフィラメントに沿って一歩ずつ動く

ミオシンの重要な特徴は，アクチンフィラメントと結合して，力を発生できることであるが，この相互作用の詳細は，ミオシンの機能によって微調整されている．単一のミオシンII頭部がフィラメント上を動くときの距離や発生する力を測定した研究から，ミオシンIIは平均約8 nmの離散的なステップを刻むこと，3〜5 pN（10^{-12} N）の力を発生することがわかった．この力は単一の細菌にかかる重力とほぼ同じである．さらに，ミオシンIIはアクチンフィラメントと連続して相互作用するのではなく，むしろ結合し，運動し，解離するという過程がみえてきた．ミオシンIIは，ATP加水分解サイクルの約10%（**デューティー比** duty ratio 10%）しかFアクチンとは相互作用していないことがわかった．この観察は，のちに筋収縮を考えるときに重要となる．筋肉では数百ものミオシン頭部がアクチンフィラメントを引っ張っていて，どんな瞬間でもそのうちの10%のものが力を発生しているので滑らかな収縮が起こせるのである．

次にミオシンVがどのように動くかみていこう．ミオシンV

＊ 訳注：活性中心内でATPがADPとP_iになっただけでは大きな自由エネルギー変化が起こらないので，ミオシン頭部がこの"ためをつくった"状態に固定されているかは疑問である．単にアクチンと再結合できる状態になって，熱ゆらぎで都合のよい位置にくるのを待っている状態と考えたほうがよいだろう．

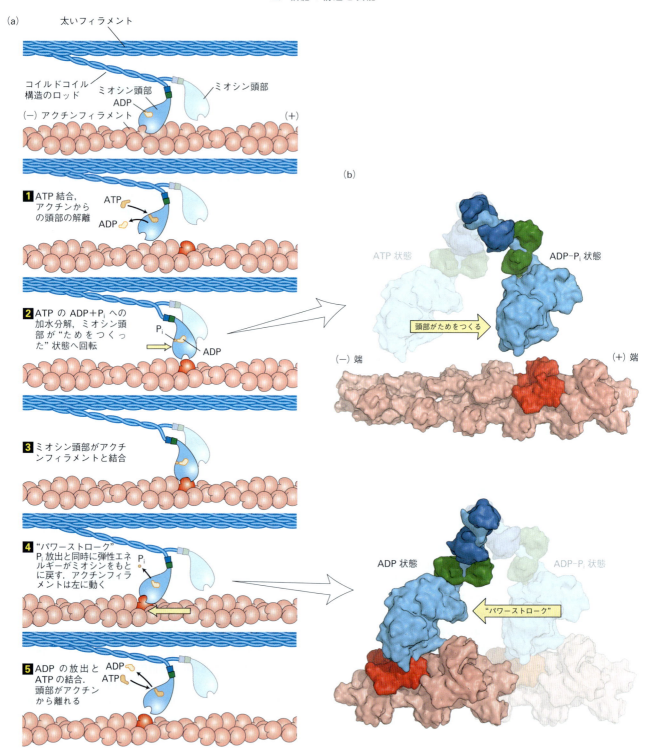

図 17・26 ATP に駆動されるアクチンフィラメントに沿ったミオシンの運動. (a) ADP が頭部に結合した状態のミオシンは，アクチンフィラメントと強く結合する．段階 1: ADP が ATP と入れ換わると，アクチンフィラメントはミオシン頭部から離れる．段階 2: ミオシン頭部が ATP を ADP と P_i に加水分解すると，頭部と頭部の間に角度変化が起こる．この"ためをつくった"状態は，ばねを引き伸ばしたときのように，ATP の加水分解によって放出されたエネルギーを弾性エネルギーとして保存している．段階 3: "ためをつくった"状態のミオシンはアクチンと結合するまでその状態を保つ．段階 4: ミオシン頭部がアクチンと結合すると，P_i を放出するとともに弾性エネルギーを放出してアクチンフィラメントを動かす．ミオシン頭部ドメインの末端に対してアクチンフィラメントの位置が移動するので，この動きを"パワーストローク"とよぶ．ADP が結合している間，頭部は強くアクチンフィラメントと結合し，"ライゴール(リゴール)"とよばれる状態になる．動物の死後に起こる死後硬直では，この状態になっている．段階 5: ADP が新しい ATP と交換すると，ミオシン頭部はアクチンフィラメントから離れる．(b) "ためをつくった"状態のミオシン頭部(上図)とパワーストローク後の頭部(下図)の構造変化を示す分子モデル．ミオシン軽鎖を濃青と緑で，残りのミオシン頭部と頭部を水色で，アクチンを赤で色づけした．[(a)は R. D. Vale and R. A. Milligan, 2002, *Science* **288**: 88 参照. (b)は S. Fischer et al., 2005, *Proc. Natl. Acad. Sci. USA* **102**: 6873 参照, K. Holmes 提供.]

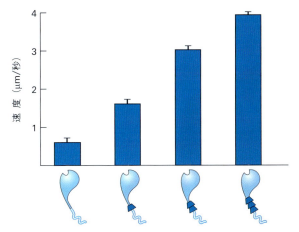

図 17・27(実験) ミオシンIIの頸部ドメインの長さが運動速度を決める．ミオシン運動のレバーアームモデルを検証するために，組換えDNA手法を用いてミオシン頭部にある軽鎖結合ドメインの数を増やし，長さを長くして，それらのアクチンフィラメント上での運動速度を測定した．この速度は，ミオシン運動のステップサイズを反映しているはずである．レバーアームが長ければ長いほどミオシンは速く動き，レバーアームモデルを支持する結果となった．［K. A. Ruppel and J. A. Spudich, 1996, *Annu. Rev. Cell Dev. Biol.* **12**: 543 による．］

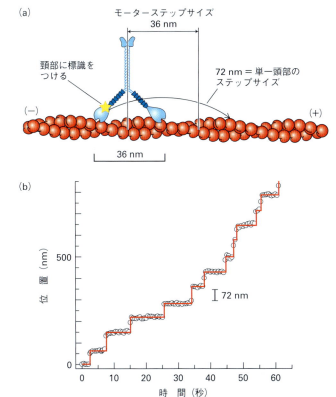

図 17・28(実験) ミオシンVのステップサイズは **36 nm** だが，各頭部は交互に前に出るようにして **72 nm** のステップで動く．(a) ミオシンVの頭部が，アクチンフィラメントに沿った 36 nm 周期の結合部位に結合する様子を示した模式図．ミオシン頭部の片方の頸部ドメインには蛍光色素の標識をつけている．ミオシンVが，アクチンフィラメント上を"ハンドオーバーハンド"方式で 72 nm ずつ動くと，その運ばれる積み荷に相当するミオシン分子全体は 36 nm ずつ移動するはずである．(b) ミオシンV頸部ドメインの片方に標識を入れた分子の移動の様子．標識されたミオシン頭部は連続して 72 nm の歩幅で移動する．蛍光の軌跡でわかるようにミオシンVはアクチンフィラメントの上を連続して何歩も歩いている．このような動きを"プロセッシブな運動"という．(a)の図でわかるように，この歩幅は，らせん構造をもつアクチンフィラメントの繰返し周期に等しい．［A. Yildiz et al., 2003, *Science* **300**: 2061 による．］

は，ミオシンIIよりずっと長い頸部ドメインがあることを思い起こしてほしい（図 17・25）．二つあるミオシンVの頭部ドメインの一つに蛍光標識して（§4・2 参照），FアクチンとATPを供給すると蛍光顕微鏡下でミオシンVの運動を観察することができる（図 17・28a）．標識されたミオシン頭部はFアクチンから離れることなく，72 nm もの長いステップを刻むことがわかったのである．このような動きを"プロセッシブな運動"という（図 17・28b）．フィラメント上には，アクチンサブユニットは一方向に並び，そこには 36 nm 周期のミオシン結合部位がある（図 17・5b，図 17・28a）ので，それぞれのミオシン頭部はフィラメントに沿って一つおきに結合する．ミオシンには二つの頭部があるので，交互に 72 nm の歩幅を刻むことになる．これは，小川を渡るときに踏み石を一つおきに片足で踏んで行くようなものだ．頸部ではなく尾部に蛍光標識すると，ミオシンVは 36 nm の歩幅で動いた．つまり，個々のミオシン頭部が 72 nm ステップで動くとき，ミオシンVの尾部領域に結合した積み荷は，頭部が積み荷の背後から前方向へと動くときに，36 nm の歩幅で移動することになる（図 17・28a）．

おそらく，ミオシンVの長い頸部ドメインは，ミオシンの結合部位間の距離に合わせるように進化したのかもしれない．さらに，ATP加水分解サイクルにおけるデューティー比は（ミオシンIIで 10% なのに比べて）である．ミオシンVの高いデューティー比は，ADPの放出が非常に遅いためで，ミオシン頭部は運動周期中のずっと長い時間をアクチンフィラメントと結合している．ミオシンVは二つの頭部をもつので，デューティー比が 50% 以上であれば，どちらか一方の頭部が常にアクチンと接触した状態を保ちつつアクチンフィラメント上を動くことができ，ミオシンVはフィラメントから離れないのである．これらはまさに，アクチンフィラメントに沿って積み荷を輸送するために設計されたモーターに望まれる性質である．

17・5 ミオシン: アクチン上を動くモータータンパク質 まとめ

- ミオシンはATP加水分解によって力を出し，アクチン上を動くモータータンパク質である．
- ミオシンはモーターである頭部ドメイン，レバーアームとなる頸部ドメイン，および積み荷と結合する尾部ドメインをもつ（図 17・22）．
- ミオシンには多くのクラスがあるが，そのなかで多くの真核生物に存在するものが三つある．ミオシンIは頭部を一つだけもつ．ミオシンIIは二つの頭部をもち，双極性のフィラメントを形成する．ミオシンVは二つの頭部をもつが，フィラメントは形成しない（図 17・25）．
- ミオシン頭部は，Fアクチンと結合したときに起こる頭部のわずかな構造変化を頸部ドメインによって増幅し，ATP加水分解を機械的な動きに変換する（図 17・26）．

- ミオシン頭部はアクチンフィラメント上を一歩一歩移動する．ミオシンⅡのステップサイズは小さく（8 nm）プロセッシブではないが，ミオシンⅤのステップサイズは大きく（モーター全体としては 36 nm でそれぞれの頭部は 72 nm ずつ動く）プロセッシブである．

17・6 ミオシンによって行われる運動

前節では，モータータンパク質が化学エネルギーを機械的な力に変換するときに，ミオシンの頭部と頸部ドメインがどのように機能するかについて説明した．本節では，ミオシン分子群が，どのように働き調節されるかについて考察しよう．多細胞動物で発見された多くのクラスのミオシンの働きについてはまだよくわかっていないが，ミオシンがどのような機能を果たしているのかがよくわかる三つの例をみよう．一つ目の例は，骨格筋である．筋肉内では，デューティー比が低い多数のミオシンⅡ頭部が，双極性のフィラメント束になって，一緒に働き，筋肉の収縮をひき起こす．同じような構造をもった収縮装置が平滑筋，ストレスファイバー，および細胞質分裂時の収縮環において働いている．二つ目の例では，骨格筋以外の筋肉でどのように収縮が行われているかをみる．三つ目の例として，デューティー比が大きく，積み荷を比較的長い距離輸送することができるミオシンⅤを取上げる．

骨格筋内ではミオシンの太いフィラメントとアクチンの細いフィラメントが互いに滑り込んで収縮が起こる

筋細胞は収縮という特殊な機能を果たすため進化してきた．筋肉はすばやく収縮し，それを反復して行わねばならない．大きく収縮し，重いものも動かすことができる力を発揮しなければならない．典型的な骨格筋細胞は円柱状で大きく（長さ 1〜40 mm，太さ 10〜50 μm），多核（100 個近くの核を含む）である（図 17・29a）．筋細胞内には，**サルコメア**（sarcomere，筋節）とよばれる特殊な構造が規則正しく繰返す**筋原繊維**（myofibril）が多数含まれる（図 17・29b）．静止時の筋肉内でサルコメア長は約 2 μm であるが，収縮時には約 70％まで短くなる．電子顕微鏡と生化学的な解析によって，サルコメアは，2 種類の主要なフィラメントを含むということがわかった．ミオシンⅡからなる**太いフィラメント**（thick filament）とアクチンとその結合タンパク質からなる**細いフィラメント**（thin filament）である（図 17・29c）．

太いフィラメントは，多数のミオシンⅡからなる双極性のフィラメントで，その片側半分から突き出しているミオシン頭部の向きは反対側半分からのものと逆を向いている（図 17・22a）．細いアクチンフィラメントの（＋）端は **Z ディスク**（Z disk）とよばれる濃く染色される構造に埋込まれているので，サルコメア内で向き合った 2 組のアクチンフィラメントは逆方向に配向している（図 17・30）．どのように筋肉が収縮するのかを理解するために，図 17・26 に示したように，一つのミオシン頭部（太いフィラメントに何百とあるなかの一つのミオシン頭部）と 1 本のアクチンフィラメントの間の相互作用だけを考えよう．**クロスブリッジサイクル**（cross-bridge cycle）ともよばれる周期的な相互作用をすることで，ATP 加水分解とミオシン頭部の Z ディスク方向〔アクチンフィラメントの（＋）端方向〕への動きが共役する．太いフィ

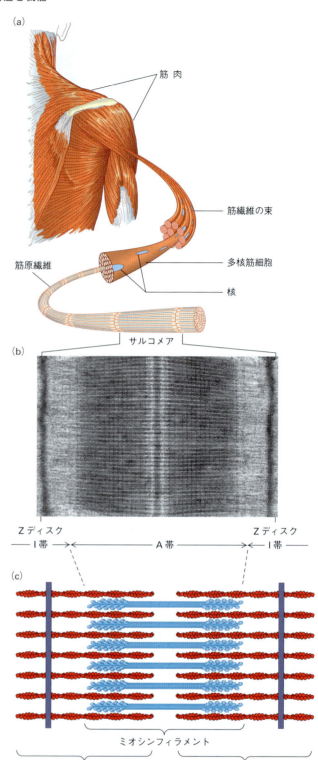

図 17・29 骨格筋サルコメアの構造．(a) 骨格筋は多核細胞である筋繊維の束である．それぞれの細胞内には筋原繊維の束があり，この筋原繊維はサルコメアとよばれる収縮構造が何千もつながってできている．(b) マウス横紋筋の縦断面の電子顕微鏡写真に見られる単一サルコメア．Z ディスクの両側の薄く染まっている I 帯はおもに細い アクチンフィラメントからなる．これらの細いフィラメントは，Z ディスクの両側から伸びて，濃く染まっている A 帯中の太いミオシンフィラメントの間に入り込んでいる．(c) サルコメア内のミオシンフィラメントとアクチンフィラメントの配置図．〔(b) は P. K. Luther 提供．〕

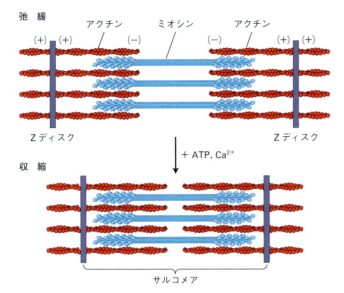

図 17・30 **骨格筋収縮の滑走フィラメントモデル**. 上の図は弛緩時の太いミオシンフィラメントと細いアクチンフィラメントの配置を示した図. ATPとCa^{2+}が存在すると, 太いフィラメントから伸びているミオシン頭部は細いフィラメントの(+)端に向かって歩こうとする. 細いフィラメントはZディスク(紫)に固定されているのでミオシンの動きはアクチンフィラメントをサルコメアの中央に向かって引寄せることとなり, 下の図に示すようにサルコメアは短縮する.

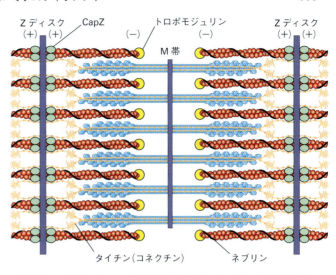

図 17・31 **骨格筋内の補助タンパク質**. ZディスクでCapZが細いフィラメントの(+)端に, トロポモジュリンが(-)端と結合して, アクチンフィラメントを安定化している. 巨大タンパク質のタイチン(別名コネクチン)は, M帯から太いフィラメントに沿って伸び, Zディスクと結合している. ネブリンはアクチンサブユニットと結合し, 細いフィラメントの長さを決めている.

ラメントは双極性なので, 両末端にあるミオシン頭部の動きは, 細いフィラメントを太いフィラメントの中央部, すなわちサルコメアの中央に向けて引寄せる(図17・30). この動きはサルコメアを短縮させ, それは太いフィラメントの末端がZディスクに接触するまで続く. 筋細胞の収縮は, 太いフィラメント上の何百ものミオシン頭部のこうした動きが, サルコメア内の何百もの太いフィラメントと細いフィラメントおよび筋原繊維内の何千ものサルコメアによって行われ, 増幅されたものである. なぜミオシンIIがプロセッシブでなく, 低いデューティー比をもつのかがここでわかる. それぞれの頭部はアクチンフィラメントを短い距離引っ張ったのち, 他の頭部の邪魔にならないようにそこから離れる. このように多くの頭部が協調して働くことにより, サルコメアの滑らかな収縮が可能になるのである.

心臓は驚くべき収縮性をもつ臓器で, 1年間に約300万回, 生涯で約2億回, 休むことなく収縮する. 心筋細胞は骨格筋細胞とよく似た収縮装置をもつが, 単核あるいは二核の細胞であるという点が異なる. それぞれの細胞内でサルコメアの末端は細胞膜にある介在板 (intercalated disk) とよばれる構造に潜り込んでおり, その部分で細胞どうしがつながって収縮鎖ができている. 心筋細胞は発生の初期にだけつくられるので, 心臓発作などで傷害を受けても新しいものと置換することはない. 心臓の収縮機能を担うタンパク質の変異の多くは**肥大型心筋症** (hypertrophic cardiomyopathy) をひき起こす. これは, 機能不全を補うため心臓の筋肉が肥大する疾患である. この疾患の人は, 心筋肥大のため, 致命的な不整脈を起こす. ミオシン重鎖の欠陥以外に, 収縮装置を構成する他のタンパク質 (アクチン, ミオシン軽鎖, トロポミオシン, トロポニン) および構造維持タンパク質 (タイチン, 以下参照) の変異によっても心筋症は起こる.

骨格筋の構造は安定化タンパク質や足場タンパク質によって維持されている

サルコメアの構造は多くの補助タンパク質によって維持されている(図17・31). アクチンフィラメントの(+)端はCapZによって, (-)端はトロポモジュリンによって安定化されている(§17・2). **ネブリン** (nebulin) という巨大なタンパク質はZディスクから細いフィラメント全長にわたって伸び, 先端のトロポモジュリンと結合している. ネブリン分子内にはフィラメント中のアクチンサブユニットと結合するドメインが連続しており, アクチン結合ドメインの数, すなわちネブリンの長さが細いフィラメントの長さを決めると考えられている. もう一つの巨大なタンパク質である**タイチン** (titin, **コネクチン** connectin ともいう) は, 一方の端でZディスクと結合し, 太いフィラメントの中央部にあるM帯まで伸びている. そこには向かい合ったZディスクから伸びてきた別のタイチン分子もきている. タイチンは伸縮性分子で, 太いフィラメントをサルコメアの中心に保持すると同時にサルコメアが伸びすぎるのを防ぎ, 太いフィラメントと細いフィラメントを互いに入り組んだ状態に維持すると考えられている.

骨格筋の収縮はCa^{2+}とアクチン結合タンパク質によって調節されている

多くの細胞過程と同様に, 骨格筋の収縮は細胞質のCa^{2+}濃度上昇によりひき起こされる. 11章で述べたように, 細胞質のCa^{2+}濃度は通常低く保たれている (0.1 μM以下). 骨格筋細胞内では, 細胞質の低いCa^{2+}濃度は特別なCa^{2+} ATPaseによって維持されている. このタンパク質は, 筋原繊維がある細胞質から筋細胞に特有な小胞体である**筋小胞体** (sarcoplasmic reticulum: SR) 内に, Ca^{2+}を絶えず送り込む(図17・32). このため筋小胞体はCa^{2+}の貯蔵庫となっている.

神経筋接合部に神経インパルス (**活動電位** action potential, 23章) がくると, 筋細胞の細胞膜 (**筋鞘** sarcolemma) に活動電位が

発生する．活動電位は，細胞膜から筋原繊維のまわりにまで入り込んでいる**横行小管**（transverse tubule）上を伝わっていく．横行小管上を活動電位が伝わっていくと筋小胞体膜の電位依存性 Ca^{2+} チャネルが開き，それに伴う筋小胞体内 Ca^{2+} の放出により筋原繊維のまわりの Ca^{2+} 濃度が上昇する．Ca^{2+} 濃度の増加は，細いフィラメントのアクチン上でミオシンの結合を妨害している二つのタンパク質（トロポミオシン，トロポニン）に構造変化を起こさせる．細いフィラメント上でそれらのタンパク質の位置が移動することによりミオシン-アクチン相互作用が可能となり，収縮が起こる．この種類の調節はとても速やかに起こり，**細いフィラメントによる調節**（thin-filament regulation）とよばれる．

トロポミオシン（tropomyosin: **TM**）は長さが約 40 nm のロープ状の分子で，細いフィラメント内で七つのアクチンサブユニットと結合している．一つの TM 分子の尾部に他の TM 分子の頭部が結合するようにして連続したロープとなり，アクチンフィラメント側面の二つの溝のそれぞれに入り込む（図 17・33a, b）．三つのサブユニット（TN-T，TN-I，TN-C）の複合体である**トロポニン**（troponin: **TN**）がそれぞれの TM に結合している．TN-C はトロポニンのカルシウム結合サブユニットである．TN-C は TN-I と TN-T を介してアクチンフィラメント上の TM の位置を調節する．

Ca^{2+} と TN に調節されて，TM は細いフィラメント上で二つの結合状態のどちらかになる．Ca^{2+} 濃度が低いと，TM はミオシンとアクチンの相互作用を妨害するので，筋肉は弛緩する．TN-C に Ca^{2+} が結合すると，TM はフィラメントの上の新しい位置に移動し，アクチン上のミオシン結合部位が露出する（図 17・33b）．このように，Ca^{2+} 濃度が 1 μM よりも高いと，TM-TN 複合体による阻害は取除かれ，収縮が起こる．骨格筋における弛緩状態と収縮状態の間の Ca^{2+} 依存的循環を図 17・33(c) にまとめた．

心筋は，心筋特異的なトロポミオシンとトロポニンを使って，骨格筋と同様に細いフィラメントにより調節されている．心臓発作（心筋梗塞）が起こったとき，酸素が十分に行きわたらなくなった（心虚血）心筋細胞は死んでしまう．すると，死んだ細胞の細胞膜が破れ，細胞内成分が血流中に放出される．心

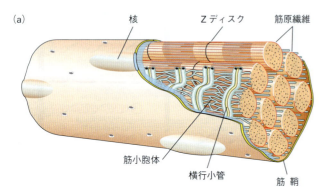

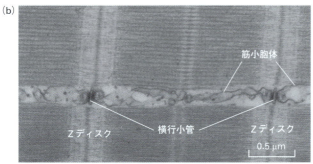

図 17・32　筋小胞体は筋原繊維内の遊離 Ca^{2+} 濃度を調節する．
(a) 神経インパルスが筋細胞を刺激すると，発生した活動電位は細胞膜（筋鞘）が陥入してできた横行小管（黄）を伝わっていき，それに接している筋小胞体（薄青）から筋原繊維の間へ Ca^{2+} が放出される．(b) 骨格筋における筋原繊維と筋小胞体の密接な関係を示す電子顕微鏡写真．[(b) は K. R. Porter and C. Franzini-Armstrong 提供．]

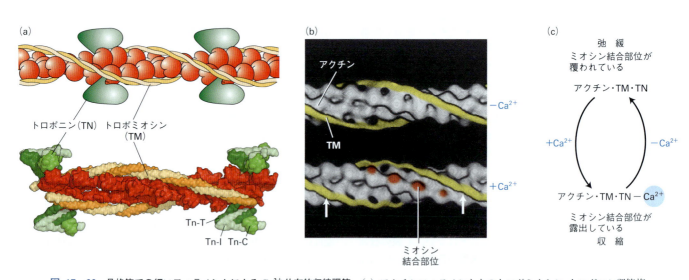

図 17・33　骨格筋での細いフィラメントによる Ca^{2+} 依存的収縮調節． (a) アクチンフィラメント上のトロポミオシン-トロポニン調節複合体の構造モデルと実際の構造．トロポニンは三つのサブユニットからなり，長い α ヘリックス構造をもつトロポミオシン分子と結合している．(b) 筋肉の細いフィラメントとそこに結合したらせん状トロポミオシン（黄）の三次元像を電子顕微鏡写真から再構成したもの．サルコメア内の Ca^{2+} 濃度が上昇すると，トロポミオシン（上）は弛緩時の位置から新しい位置（矢印）に移り，収縮状態（下）となる．この動きによりアクチン上のミオシン結合部位（赤）が露出する．（トロポニンは示されていないが，どちらの状態においてもトロポミオシンと結合している．）(c) トロポニンへの Ca^{2+} 結合による骨格筋収縮調節機構のまとめ．[(a) は S. Wu et al., 2012, *PLOS One* **7**: 39422, PDB ID 2w4u. (b) は P. Vibert et al., 1993, *J. Cell Biol.* **123**(2): 313 による．]

筋梗塞の重篤度を決定するため，医師は血液検査で心筋特異的トロポニンの量を調べる．■

アクチンとミオシンIIは非筋細胞で収縮性の束を形成する

骨格筋では，アクチンの細いフィラメントとミオシンIIの太いフィラメントが集まって精巧に組織化された収縮構造をつくることをみてきた．非筋細胞にもアクチンとミオシンIIから構成される**収縮束**（contractile bundle）があり，それは骨格筋細胞のものと類似しているが，それほど整った構造をもっていない．さらに，その収縮束にはトロポニン調節系はなく，このあと説明するが，代わりにミオシンのリン酸化により調節されている．例をみていこう．

上皮細胞の収縮束は，多くの場合，接着帯のところにある（図17・4a）．接着帯は**周辺帯**（circumferential belt）ともよばれ，接着結合部位を結んで細胞内表面を1周し，上皮細胞どうしの結合を強めて上皮組織を丈夫にするため重要な役割を果たしている（20章）．人工的な表面（ガラスまたはプラスチック）の上，あるいは細胞外マトリックス中で培養された細胞の下部表面に沿ってみられるストレスファイバーは第二の種類の収縮束で（図17・4），変形可能な基質の上での細胞接着に特に重要である．ストレスファイバーの末端は，インテグリンを含むフォーカルアドヒージョンという，細胞を下の基質に付着させる特別な構造と結合している（図17・39b, c，20章）．周辺帯とストレスファイバーには平滑筋の収縮装置に存在するタンパク質のいくつかが含まれ，筋肉のサルコメアと似た構造上の特徴をもっている．第三の収縮束は収縮環である．これは分裂中の動物細胞の赤道面に構築される一過的な構造で，紡錘体の両極の中央付近で細胞を1周している（図17・34a）．この環が収縮すると細胞膜が内側に引込まれ，細胞質は分割され（細胞質分裂），最後に二つの娘細胞に分かれる．GFP-ミオシンIIを発現させた細胞分裂中の細胞の観察から，ミオシンIIが収縮環に局在することがわかった（図17・34b）．分裂溝の形成におけるミオシンIIの役割の証拠としてミオシンIIの重鎖の遺伝子を欠失させると，細胞は細胞質分裂できなくなる．そのような細胞は，細胞質分裂は行えないが，核分裂は行えるため，多核細胞になる．

平滑筋と非筋細胞の収縮はミオシンに依存した機構により調節される

骨格筋と同じように，平滑筋も収縮性細胞からなる組織である．平滑筋は，内腔のある器官や管状の構造の壁にみられる．たとえば，血管を取囲む平滑筋は血圧を調節し，腸を取囲む平滑筋は腸内の食物を移動させ，肺の気道を取囲む平滑筋は通る空気の量を

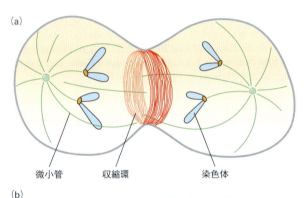

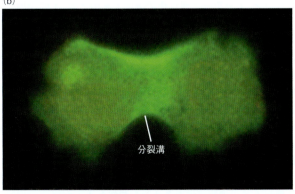

図 17・34（実験） **細胞質分裂中のミオシンIIの局在**．(a) 細胞質分裂中の細胞の模式図．紡錘体の微小管を緑，染色体を青，アクチンフィラメントを含む収縮環を赤で示した．(b) GFP-ミオシンIIを発現している細胞性粘菌の蛍光顕微鏡写真から，細胞質分裂中にミオシンIIは分裂溝に濃縮されることが明らかとなった．[(b)は J. C. Effler et al., 2006, *Curr. Biol.* **16**(9): 1962, Fig. 1A (149), Copyright Clearance Center, Inc. を通じて Elsevier より許可を得て転載，D. Robinson 提供．]

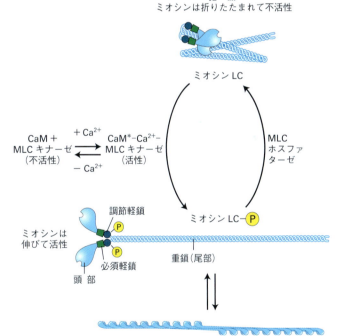

図 17・35 **ミオシン軽鎖のリン酸化による平滑筋収縮の調節**．脊椎動物の平滑筋では，ミオシン調節軽鎖（LC）がリン酸化されると収縮が起こる．Ca^{2+} 濃度が 10^{-6} M 未満のとき，ミオシン軽鎖はリン酸化されず，ミオシンは折りたたまれた構造をとる．Ca^{2+} 濃度が上昇すると，Ca^{2+} はカルモジュリン（CaM）と結合し，構造変化を起こさせる（CaM*）．CaM*-Ca^{2+} 複合体はミオシン軽鎖キナーゼ（MLCキナーゼ）と結合して活性化し，それはミオシン調節軽鎖をリン酸化する．このリン酸化によりミオシンII分子は開いた立体構造となり，伸びて活性化された状態となり，双極性フィラメントをつくり，収縮に関与する．横方向へ極性のあるフィラメントとなっている点で，骨格筋のものとは違う点に注意．Ca^{2+} 濃度が下がると，ミオシン軽鎖ホスファターゼがミオシン軽鎖を脱リン酸化し，平滑筋は弛緩する．

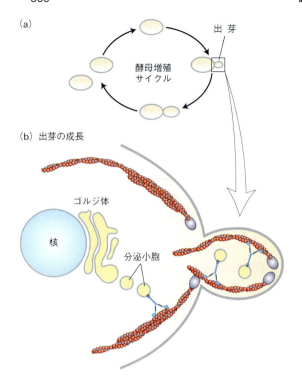

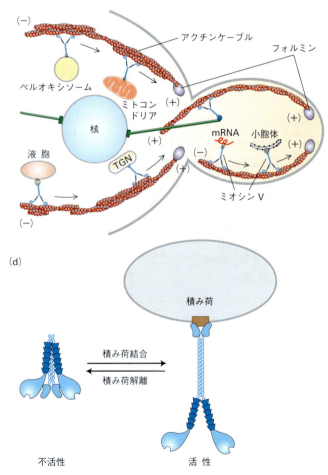

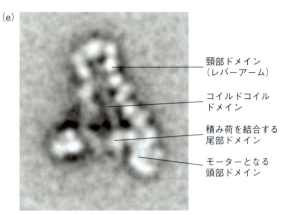

図 17・36 ミオシン V による積み荷の運搬. (a) 出芽酵母(パン, ビール, ワインなどの製造に用いられる)は出芽によって増殖する. (b) フォルミンを核として伸びたアクチンフィラメントを使い, 分泌小胞をミオシン V が出芽部位へと運ぶ. これにより母細胞と同程度まで出芽部位が成長する. (c) 細胞分裂する前までには, 母細胞と出芽との間で液胞(酵母においてはリソソームと同じ), ペルオキシソーム, ミトコンドリア, 小胞体, トランスゴルジ網(TGN), および特定の mRNA など, すべての細胞小器官を分配しなければならない. この分配はすべてにミオシン V によるものである. ミオシン V は細胞質内の微小管(緑)の末端へも結合しており, 核の向きを整え, 有糸分裂に備える働きをする. (d) ミオシン V の活性は, 積み荷によって調節される. 不活性なときは, ミオシン V 尾部は頭部モータードメインと結合して折りたたまれた構造をしている. 積み荷が尾部に結合すると, 尾部と頭部との結合が弱まり, 頭部は活性化し積み荷を輸送する. (e) 不活性化状態のミオシン V の電子顕微鏡写真. ネガティブ染色して透過型電子顕微鏡で観察したもの. 複数の画像を重ね合わせて平均化したものである. [(c)は D. Pruyne et al., 2004, *Annu. Rev. Cell Biol.* **20**: 559 参照. (e)は K. Thirumurugan et al., 2006, *Nature* **442**: 212, Copyright Clearance Center, Inc. を通じて Macmillan Publishers Ltd. の許可を得て転載.]

調節している. 平滑筋の収縮活性調節は非筋細胞のものと似ており, その収縮装置と調節機構からとても役立つモデルが構築された. 先ほどみたように, 骨格筋では, ミオシン II の活性が直接調節されているのではなく, アクチンフィラメントに結合したトロポミオシン-トロポニン複合体が構造を変化させ, Ca^{2+} 存在下での収縮状態と Ca^{2+} 非存在下での弛緩状態を切替え, ミオシンが F アクチンへの接近できるかどうかの調節が行われる. これに対して, 平滑筋収縮調節はミオシン II の活性の切替えによって行われる. つまり平滑筋や非筋細胞の収縮は, さまざまな細胞外シグナル伝達分子によって調節されている.

脊椎動物平滑筋の収縮は, おもにミオシン II の頸部ドメイン(図 17・22b)に結合する**ミオシン調節軽鎖**(myosin regulatory light chain: MLC)がリン酸化あるいは脱リン酸化されることによって調節される. 調節軽鎖がリン酸化されていないと平滑筋のミオシン II は折りたたまれた構造をとり, ATPase 活性をもたない自己抑制状態にある. 調節軽鎖が**ミオシン軽鎖キナーゼ**(myosin light-chain kinase, MLC kinase)という酵素によってリン酸化されるとミオシン II は伸びた構造をとり, 活性なフィラメントを形成し, 平滑筋の収縮をひき起こす(図 17・35)*. ミオシン軽鎖キナーゼ

---

* 訳注: 電子顕微鏡による観察で弛緩状態の平滑筋にも双極性ミオシンフィラメントが存在することがわかった. 脱リン酸化による活性阻害は, フィラメントをつくれなくなるためではなく, フィラメント内で二つのミオシン頭部が相互作用して互いの動きを妨害するためと考えられている.

の活性は細胞質 Ca^{2+} 濃度によって調節されている。この調節には Ca^{2+} 結合タンパク質であるカルモジュリン（図3・34参照）が関与している。細胞外のシグナルによって細胞内の Ca^{2+} 濃度が高まると，Ca^{2+} は最初にカルモジュリンと結合し構造変化を起こす。その後，Ca^{2+}-カルモジュリン複合体がミオシン軽鎖キナーゼと結合してそれを活性化する。これにより，ミオシン軽鎖キナーゼはミオシン調節軽鎖をリン酸化する。細胞質の Ca^{2+} 濃度が静止状態の濃度に戻るとミオシン軽鎖キナーゼは不活性化され，ミオシン軽鎖ホスファターゼが調節軽鎖を脱リン酸化するので，平滑筋は弛緩状態に戻る。この調節方法では，細胞外から入ってくる Ca^{2+} がサルコメアと比べて長い距離拡散せねばならず，プロテインキナーゼの活動が介在していることもあり，平滑筋の収縮は骨格筋ほど速やかには起こらない。この調節は，ミオシンがかかわっているため，**太いフィラメントによる調節**（thick-filament regulation）とよばれている。

骨格筋は神経の活動電位によってのみ刺激されて収縮するが，平滑筋細胞と非筋細胞はさまざまな外部シグナルによって調節を受ける。たとえば，ノルアドレナリン，アンギオテンシン，エンドセリン，ヒスタミンなどのシグナル伝達分子が，さまざまなシグナル伝達経路を通じて平滑筋の収縮性を変えたり収縮をひき起こし，非筋細胞の形や接着性を調節している。これらの経路のなかには，細胞内 Ca^{2+} 濃度上昇をひき起こし，この上昇はミオシン軽鎖キナーゼを活性化し，ミオシンの活動を刺激するものがある（図17・35）。このあと§17・7で説明するが，別の経路では **Rho キナーゼ**（Rho kinase）が活性化される。この酵素は Ca^{2+} 非依存的にミオシン軽鎖をリン酸化し，ミオシンを活性化する。

ミオシン V は，アクチンフィラメントに沿って小胞を運ぶ

ミオシン V ファミリータンパク質は，最もプロセッシブなミオシンモーターとして知られており，アクチンフィラメントに沿って積み荷を輸送する。それらがどのようにして微小管モーターとともに細胞小器官の輸送を行っているかについては次の章で解説するが，ここでは，このミオシンが，細胞内でどのように細胞内小胞や分泌顆粒を運ぶかをみる。

出芽酵母など実験的に扱いやすい系からミオシン V について多くのことがわかってきた。この酵母は出芽によって増殖し，それには新しく合成した物質を成長する出芽部位に向かって輸送するしくみが必要となる（図17・36a）。ミオシン V は分泌小胞をアクチンフィラメントに沿って 3 μm/秒の速度で輸送し，これにより出芽を成長させる（図17・36b）。ミオシン V は，細胞周期の最後の段階，酵母が母細胞と娘細胞の間で細胞小器官を分配しなければならないときにも重要である。出芽酵母のミオシン V は，母細胞のペルオキシソーム，ミトコンドリア，液胞，小胞体，トランスゴルジ網を含む多くの細胞小器官だけでなく，微小管末端やいくつかの特異的な mRNA まで出芽部位へ輸送する（図17・36c）。これらの細胞小器官にはミオシン V の尾部に結合する受容体がある。このモーターは何回も輸送を繰返すので，積み荷である細胞小器官を受取り，輸送し，引き渡すしくみをもっていなければならない。最近の研究から，ミオシン V には二つの状態，折れ曲がって尾部が頭部モータードメインに結合して運動を阻害する不活性な状態と，尾部が積み荷と結合することで尾部構造を開き，頭部への阻害を解いてミオシンモーターが活性化した状態が

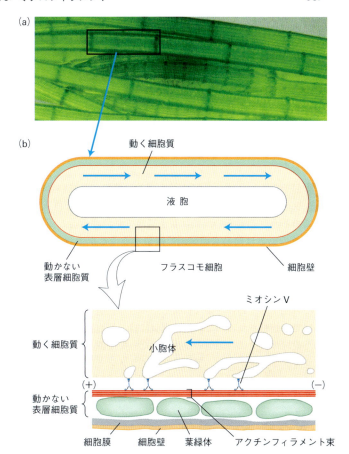

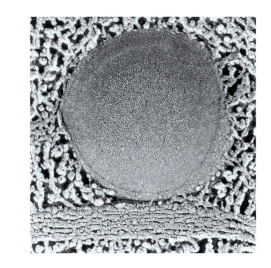

図 17・37 円柱状の巨大な藻類の細胞内でみられる原形質流動．(a) 池などで見かける淡水産藻類の車軸藻類フラスコモの細胞．以下に述べるように，細胞質の運動は簡易型の顕微鏡でも観察することができるので，フラスコモあるいはそれに類する藻類を探して，ぜひ観察してほしい．(b) フラスコモ細胞の中心部には大きな液胞があり，そのまわりを流動する細胞質層（青矢印）が取囲んでいる．細胞膜のすぐ内側に葉緑体が密集している動かない表層細胞質が存在する（下の拡大図）．この層の内側には，すべて同じ方向性をもって並んだアクチンフィラメントの束（赤）が固定されている．ある種のモータータンパク質（青，植物のミオシン XI）が，小胞体の一端を引っ張って，アクチンフィラメントに沿って動く．それにより小胞体網目に包まれた細胞小器官を含む粘性の高い細胞質が動く．(c) 表層細胞質の電子顕微鏡写真．下にあるアクチンフィラメントの束と結合している大きな小胞が見える．[(c)は B. Kachar 提供．]

存在することがわかった（図17・36d, e）．送り届けたのち，どのようにして積み荷から離れるのかについてはよくわかっていないが，積み荷表面にあるミオシンと結合する受容体が目的地に送り届けられたときに分解される例も一つであるが知られている．出芽酵母はミオシンVと方向性をもったアクチンフィラメントを使って多くの細胞小器官を輸送するが，より大きな動物細胞内の輸送においては，比較的長い距離を輸送するため，微小管とその上を動くモーターを利用する．これらの輸送機構については次の章で説明する．

おそらく，ミオシンVが最も劇的に使用されている例は，フラスコモ *Nitella* やシャジクモ *Chara* のような巨大な緑藻類であろう．これらの藻類は夏季に池で見つけることができ，その内部の動きは簡易な顕微鏡で観察することができる．長さ2 cm以上になる大きな細胞内では，細胞内壁に沿って細胞質ゾルが毎分4.5 mmにも達する高速で流れている（図17・37）．このような**原形質流動**（cytoplasmic streaming）は，細胞内の代謝産物を均等に分配するための主要な機構で，大きな細胞をもつ植物やアメーバでも観察される．この藻類細胞には，細胞膜の内側に固定された葉緑体表面に，細胞の全長にわたって配置されたアクチンフィラメントの束がある．アクチンフィラメントに接近した小胞体上にミオシンV（系統解析の結果，植物のこのミオシンはXIに分類されている）が結合していて，その運動が細胞質全体を動かしている．フラスコモ細胞質の流速は，他のミオシンによる速度の15倍もあり，非常に速い．

17・6 ミオシンによって行われる運動 まとめ

- 骨格筋の収縮性筋原線維は何千ものサルコメアとよばれる反復単位からできている．おのおののサルコメアは入り組んだ2種類のフィラメント（太いミオシンフィラメントと細いアクチンフィラメント）から構成されている（図17・29）．
- 骨格筋収縮は，太いミオシンフィラメントがATP依存的に細いアクチンフィラメントに沿って滑り運動し，サルコメア，したがって筋原線維を短縮させることによって起こる（図17・30）．
- 骨格筋の細いアクチンフィラメントは，（＋）端にCapZ，（－）端にトロポモジュリンが結合することによって安定化されている．細いフィラメントに結合しているネブリンおよび太いフィラメントに結合しているタイチン（別名コネクチン）という二つの大きなタンパク質も骨格筋の構造維持に貢献している．
- 骨格筋の収縮は細いフィラメント側で調節されている．Ca^{2+}濃度が低いときは，トロポミオシンがミオシンとアクチンの相互作用を阻害するため，筋肉は弛緩する．Ca^{2+}濃度が上がると，トロポミオシンに付着しているトロポニン複合体がCa^{2+}と結合し，トロポミオシンを動かしてアクチン上のミオシン結合部位を露出させるので，収縮が起こる（図17・33）．
- 平滑筋や非筋細胞も骨格筋細胞のものとよく似た構造の，アクチンフィラメントとミオシンフィラメントからなる収縮束をもつが，その構造は骨格筋のものほど整然としていない．

- 収縮束の収縮は太いフィラメント側で調節されている．ミオシン軽鎖の一つがミオシン軽鎖キナーゼによってリン酸化されるとミオシンが活性化され，収縮が起こる．細胞内のCa^{2+}濃度が上がるとCa^{2+}-カルモジュリンがミオシン軽鎖キナーゼに結合して活性化する（図17・35）．
- ミオシンVは積み荷の結合によって活性化され，アクチンフィラメントに沿ってプロセッシブに輸送する．

17・7 細胞の移動：機構，シグナル伝達，および走化性

ここまで，細胞がアクチンとミオシン，アクチン関連タンパク質を使って運動するしくみをみてきた．そのしくみのなかには，細胞が移動するときの力を発生するものもある．細胞の異なる部位で協調して起こるアクチンによる運動や，統制され循環しながら起こるエンドサイトーシスの結果が，**細胞の移動**（cell migration）である．

細胞の移動は生物学や医学の多くの分野において重要な研究テーマである．たとえば，動物の胚発生で重要なのは特定の細胞が決められた経路をたどって移動することである．動物成体の上皮細胞は傷を修復するために移動し，白血球は感染部位へと移動する．そこまで際立ってはいないが，小腸絨毛上の上皮細胞や血管内壁の内皮細胞もゆっくりだが常に移動している．がん細胞がもとの組織から移動して出ていくと，がんの転移が起こる．

細胞の移動は，先導端に大きく幅広い突起が形成されることによりはじまる．膜のすぐ裏側でのアクチン重合がこの動きの原因であることがビデオ顕微鏡により明らかになった．脊椎動物細胞の葉状仮足とよばれる先導端の突出部分で，アクチンフィラメントは急速に架橋されて束や網目となる．ときには糸状仮足とよばれる細長い膜突起が先導端から伸び出すこともある．これらの構造は，移動する細胞の下にある細胞外マトリックスなどの基質表面と安定な結合をつくる．本節では，細胞が基質表面を移動していく際に，ミクロフィラメント依存的な力発生機構とエンドサイトーシスをどのように協調させているのかについて詳しく解説する．さらに，細胞骨格の動きを協調させ統合するうえでシグナル伝達経路がどう働いているかについてもみていく．これは最近注目されている研究領域である．

力発生と細胞接着や膜の再利用を協調させることにより細胞は移動する

繊維芽細胞（結合組織の細胞）が，基質の上を移動するとき，ある特徴的な順序で起こる現象がある．まず膜突出により伸展し，基質に結合する．次に細胞質を前方に流し，細胞後部を撤収する（図17・38）．ゆっくり動く繊維芽細胞ではそれぞれの動きが順を追って起こるが，マクロファージのように動きの速い細胞では，この四つが協調して同時に起こっている．ここでは，まず細胞移動におけるアクチン細胞骨格の役割，すなわち先導端や基質への結合（解離についても）ついて説明する（図17・39a, b）．次に，細胞移動における循環的エンドサイトーシスの役割について説明する．

膜の伸展 先導端でのアクチンフィラメントの網目形成

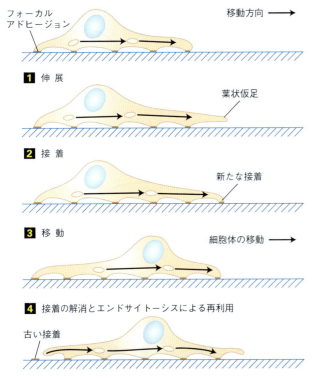

図 17・38 **細胞の移動過程**. 先導端から一つあるいはそれ以上の葉状仮足を伸展させることにより移動がはじまる（段階**1**）. 葉状仮足の一部がフォーカルアドヒージョンによって基質と接着する（段階**2**）. 次に，細胞後部の収縮により細胞体の細胞質が前に押出される（段階**3**）. 細胞の後端部で基質と結合していた部分も，細胞が移動するにつれ離れ，細胞後部は細胞体に引込まれる. この細胞骨格を使った移動過程中に循環的エンドサイトーシスが行われ，膜とインテグリンを細胞の後方で取込み，前方に輸送し（矢印），新たな接着に利用している（段階**4**）.

は，アクチン重合による膜押出し機構で，それはリステリアがアクチン重合を推進力として使った機構とよく似ている（図 17・39d，リステリアについては図 17・17c）. 先導端では活性化された Arp2/3 複合体（図 17・15）によってアクチン重合核がつくられ，細胞膜直下の（＋）端にアクチンが結合してフィラメントは伸長する. このアクチン網目構造は基質との結合によって固定されているので，フィラメントの伸長は膜を前方に押出す. アクチンのトレッドミリングによる入れ替わりは，リステリアの彗星状のアクチンの尾の中と同様に，プロフィリンとコフィリンの働きによる（図 17・39d）.

細胞と基質の接着　膜が伸展し内部に細胞骨格がつくられると，細胞膜は基質に強く結合する. タイムラプス顕微鏡画像から，先導端のアクチン束がフォーカルアドヒージョンとよばれる構造に係留されることがわかった（図 17・39c）. フォーカルアドヒージョン内にはアクチン束を細胞外マトリックスに結合する，**インテグリン**（integrin）とよばれる膜タンパク質が含まれている. インテグリンの細胞外ドメインはフィブロネクチンやコラーゲンなどの細胞外マトリックスの成分と特異的に結合し，細胞内ドメインはアクチン細胞骨格と結合する（図 17・39c，20 章）. この接着には二つの目的がある. 一つは先行した葉状仮足が引戻されないようにするためで，もう一つは，細胞を前進させるためであ

る. フォーカルアドヒージョンの形成と調節は，細胞の移動においては重要なので，シグナル伝達経路にかかわるタンパク質が多数あることは不思議ではない. フォーカルアドヒージョンについては，細胞と細胞外マトリックスの相互作用を解説する 20 章で詳しく説明する.

細胞体の移動　前方での接着が完了し，先導端が形成されると，細胞体の内容物が前へ移動する（図 17・38, 段階**3**）. このとき，細胞骨格に囲まれた核や他の細胞小器官は，歯磨きチューブの下部を押したときのように，ミオシン II による細胞後部の表層収縮によって前に押出される. ミオシン II が細胞後部の表層に存在することもこのモデルと合致する. 細胞が前方へ移動すると，アドヒージョンは，細胞の後部へと相対的に移動することになる.

細胞接着の切り離し　移動の最終段階では，細胞後部のフォーカルアドヒージョンが解体され，インテグリンは再利用され，自由になった尾部が前に引寄せられる. 光学顕微鏡で見ると，尾部はスナップボタンが外れるように接着面から外れるのが観察される. それは尾部にあるストレスファイバーの収縮か弾性力によるのだろう. 時には，基質と強く結合した膜断片があとに残る.

上で紹介したように，細胞の基質表面との接着が，あまり強すぎても，弱すぎても，動くことはできない. 細胞の移動は細胞骨格が生み出す機械的力と細胞の接着による抵抗力の釣合のうえに成り立っている. この関係はインテグリンの発現量を変えた細胞の移動速度によっても示すことができる. 移動速度は中程度のインテグリンを発現している細胞が一番高く，接着が強いものと弱いものの両方で低かった. 基質との間にどれだけ摩擦力を維持できるかが細胞の移動に影響を与える.

エンドサイトーシスによる膜とインテグリンの再利用　細胞の移動には，アクチン細胞骨格の動的な変化だけでは十分ではない. 移動のためにはエンドサイトーシスによる細胞膜の再利用が不可欠である. 葉状仮足が伸展する際に必要な膜は，細胞膜が再利用されるときに取込まれた細胞内のエンドソームによって供給される. 細胞後方のフォーカルアドヒージョンに局在する接着分子は，その接着構造が解体されたあと，循環的エンドサイトーシスによって取込まれ，細胞前方に運ばれ，先導端で新たな基質との接着に使われる（図 17・38, 段階**4**）. 移動している細胞によるこの接着分子の使い回しは，戦車が前進するときのキャタピラーの動きと似ている. 内部に取込まれた膜の移動は細胞表面膜の後方への流れをひき起こしている. 白血球が基質に結合せずに液体中を移動（遊泳）することが発見されたので，この流れも細胞の移動に寄与していると考えられる. 多分，細胞表面の構造物が後ろに移動するときに櫂のように働くのだろう.

Cdc42, Rac, および Rho といった低分子量 G タンパク質がアクチンの集合を調節する

移動している細胞の重要な特徴は極性をもつことである. すなわち，細胞内に前部と後部が生じることである. 加えて，細胞が方向を変えるときは新しい先導端がその方向につくられる. 細胞がある特定の方向に進んでいくためには，細胞の前方で起こることと後方で起こることを協調させ，どちらが前方であるかを知ら

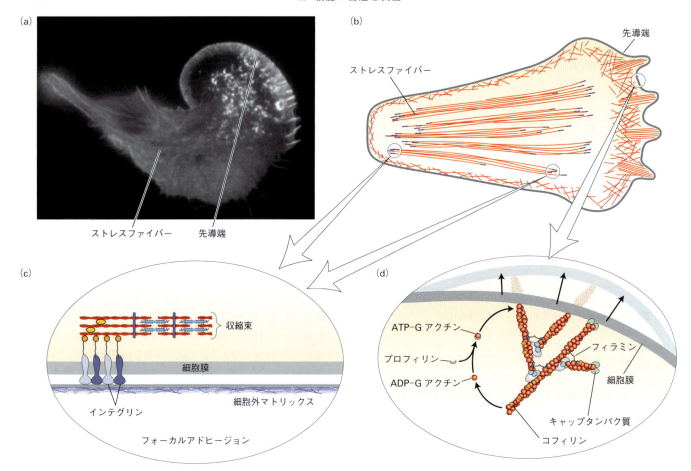

図 17・39 **細胞移動に関与するアクチンからなる構造**．(a) GFP-アクチンを発現している繊維芽細胞におけるアクチンの局在．(b) 細胞の移動にかかわっているさまざまなタイプのミクロフィラメント構造を示した図．先導端のアクチンフィラメントの網目は細胞を前に押出す．細胞表層の収縮性繊維は細胞体を前方に絞り出し，末端がフォーカルアドヒージョンと結合しているストレスファイバーは，後方の接着が解消されたときに細胞体を前方に引っ張る．(c) フォーカルアドヒージョンの構造．ストレスファイバーの末端はインテグリンを介して細胞外マトリックスとつながっている．フォーカルアドヒージョンには細胞の移動に重要な役割を果たす多くのシグナル伝達分子も含まれている．(d) 先導端の動的なアクチン網目では Arp2/3 複合体による核形成が行われ，リステリア尾部においてアクチンフィラメントの重合と脱重合を調節していたタンパク質群（図 17・17）と同じものが利用されている．[(a)は J. V. Small 提供．]

せるシグナルが必要である．増殖因子の研究から，この協調がどのようなものであるかがわかった．

上皮増殖因子（EGF）や血小板由来増殖因子（PDGF）などの増殖因子は，細胞表面の特異的受容体と結合する結果（16 章），細胞を刺激して，移動させたり，分裂させたりする．たとえば，傷ついた部位では，活性化された血小板は PDGF を放出し，繊維芽細胞や上皮細胞を傷ついた部分に集め，そこを修復させる．この過程の一部を in vitro で再現することが可能である．細胞を培養皿に入れ，増殖因子が含まれない培地でしばらく育てたのち，少量の増殖因子を与えると，1〜2 分で細胞は膜の波立ち現象（ラッフル）を起こす．増殖因子は，アクチンの重合と共役してエンドソームからの細胞膜の再利用を調節する細胞内成分を活性化する．この点で，この細胞膜の波立ち現象は，移動している細胞における葉状仮足とよく似ている．

増殖因子が細胞表面の特異的な受容体と結合し，細胞膜の内側のシグナル伝達経路を刺激する（15 章）．その刺激は，Ras 関連の低分子量 GTPase スーパーファミリーに属すタンパク質，**Rac** を活性化する．Rac はアクチンフィラメント構造を調節するファミリーの一員である．このタンパク質ファミリーには，**Cdc42** と **Rho** が含まれている．（Rho が最初に発見されたという経緯から，Cdc42，Rac，および Rho をまとめて "Rho タンパク質" とよんでいる．）これらのタンパク質がどう働くかを理解するためには，低分子量 G タンパク質がどのように機能するかについて復習しておく必要がある（15 章）．

Ras スーパーファミリーのすべての低分子量 GTPase と同様に，Cdc42，Rac，および Rho は GDP を結合しているときは不活性だが，GTP を結合すると活性になる分子スイッチとして働く（図 17・40）．GDP を結合しているときは，グアニンヌクレオチド解離阻害因子（guanine nucleotide dissociation inhibitor: GDI）とよばれるタンパク質と結合して，細胞質に遊離した状態で存在している．増殖因子が受容体に結合してそれを活性化すると，膜に結合したグアニンヌクレオチド交換因子（guanine nucleotide exchange factor: GEF）とよばれるタンパク質が活性化され，膜近傍にきた Rho タンパク質から GDI を解離させ，GDP を GTP に置換することで活性化する．GTP と結合して活性型になった Rho タンパク質は細胞膜に結合し，そこで**エフェクタータンパク質**（effector protein）と結合して細胞応答がはじまる．低分子量 GTPase は GTP が加水分解されて GDP になるまでの間だけ活性化されてい

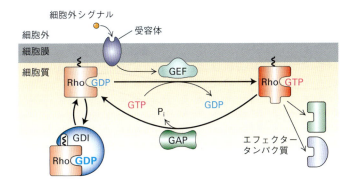

図 17・40 Rho ファミリー低分子量 GTPase の調節. Rho ファミリー低分子量 GTPase は分子スイッチで, 補助タンパク質によって調節されている. GDP 結合型の Rho タンパク質はグアニンヌクレオチド解離阻害因子(GDI)とよばれるタンパク質と結合し, 不活性な状態で細胞質に存在している. 膜に結合したシグナル伝達経路に Rho タンパク質が引寄せられると, グアニンヌクレオチド交換因子(GEF)が GDP を GTP に置換することにより Rho タンパク質を活性化する. 膜に結合し, 活性化された Rho・GTP はアクチン細胞骨格に変化を起こさせるエフェクタータンパク質と結合できるようになる. Rho・GTP はしばらく活動したのちに GTPase 活性化タンパク質(GAP)により不活性な GDP 型にされ, GDI と結合して細胞質に戻る. 〔S. Etienne-Manneville and A. Hall, 2002, *Nature* **420**: 629 参照.〕

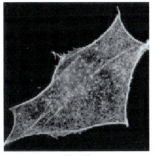
対　照

ドミナントアクティブ Rho

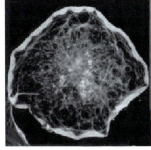
ドミナントアクティブ Rac

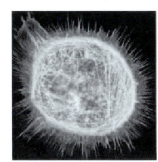
ドミナントアクティブ Cdc42

図 17・41(実験)　Rac, Rho, および Cdc42 が, 恒常的に活性化すると異なるアクチン含有構造を誘導する. 恒常的に活性型となった Rac, Rho, および Cdc42 の影響をみるため, 増殖因子を含まない培地で培養した繊維芽細胞に, 恒常的に活性型となるそれぞれの変異タンパク質遺伝子を導入したのち, アクチンフィラメントを染色する蛍光ファロイジンで細胞を処理した. 恒常的に活性化した Rac は周辺の膜に波打ち構造をつくらせ, ドミナントアクティブ Rho は収縮性ストレスファイバーを大量につくらせ, ドミナントアクティブ Cdc42 は糸状仮足をつくらせた. 〔A. Hall, 1998, *Science* **279**(5350): 509, Copyright Clearance Center, Inc. を通じて AAAS より許可を得て転載.〕

る. この加水分解は GTPase 活性化タンパク質 (GTPase-activating protein: GAP) によって促進される.

細胞移動における Rho タンパク質の役割を明らかにするために, 活性のある Rho・GTP 型や不活性な Rho・GDP 型に固定された変異 Rho タンパク質を細胞に導入する実験が行われた. 一般に, 活性型に固定された低分子量 GTPase のことを**ドミナントアクティブ**(dominant-active, 恒常的活性型)とよぶ. このようなドミナントアクティブタンパク質は, 常時エフェクタータンパク質と結合するので(図 17・40)細胞の応答を見分けやすい. その反対の**ドミナントネガティブ**(dominant-negative, 恒常的不活性型)突然変異タンパク質を細胞に導入することもできる. このタンパク質は GEF タンパク質と結合して, その働きを阻害する. ドミナントネガティブ変異タンパク質を細胞に導入すると, シグナル伝達経路が遮断されるので, どの細胞活動が妨害されたかということを容易に知ることができる.

繊維芽細胞を使って, このドミナントアクティブ変異を導入する実験を行うと, 増殖因子なしでも, アクチン細胞骨格に大きな影響を与える結果となった. このことから, Cdc42, Rac, Rho がミクロフィラメントの構造形成の調節にかかわっていると考えられるようになった. ドミナントアクティブ Cdc42 を導入すると糸状仮足が出現し, ドミナントアクティブ Rac を導入すると膜の波立ち(ラッフル)が出現し, ドミナントアクティブ Rho を導入するとストレスファイバーが出現し, その後収縮する(図 17・41). ドミナントアクティブ Rac と増殖因子による刺激がともに膜ラッフルを出現させるとしても, それらが同じシグナル伝達経路を使っていると, どうしたら証明できるだろうか. もし増殖因子による刺激が Rac を活性化するのであれば, ドミナントネガティブ Rac を導入したら, 増殖因子による膜ラッフル誘導は阻害されるはずである. 実際そのとおりのことが起こる. このような手法や他の生化学的手法を使うことにより, Cdc42, Rac, および Rho を経由するシグナル伝達経路が同定された(図 17・42).

それらが調節する経路にはおなじみのタンパク質も含まれている. Cdc42 が活性化されると核形成因子 (NPF) である WASp(図 17・16)が活性化され, Arp2/3 によるアクチン重合が起こり, 糸状仮足が生じる. Rac が活性化されると WAVE 複合体を介して Arp2/3 が活性化され, 先導端での枝分かれの多いアクチン重合が起こる. Rho が活性化されると二つのことが起こる. その一つはフォルミン活性化による枝分かれのないアクチンフィラメントの形成である. もう一つは Rho キナーゼの活性化である. Rho キナーゼはミオシン軽鎖をリン酸化して非筋ミオシン II を活性化し, ミオシン軽鎖ホスファターゼもリン酸化してその活性を阻害する. この Rho キナーゼによる二つのリン酸化反応がミオシン調節軽鎖のリン酸化の度合を高め, ミオシンを活性化するので収縮が起こる. これら三つの Rho タンパク質 (Cdc42, Rac, および Rho) は, 図 17・42 に示すように, 互いに活性化したり阻害したりすることにより連結している.

細胞移動は Cdc42, Rac, および Rho の協調した調節により行われる

これらの低分子量 G タンパク質はどのように細胞移動に関与しているのだろうか. この疑問に答えるために, in vitro 傷修復計測法 (in vitro wound-healing assay) が開発された(図 17・43a).

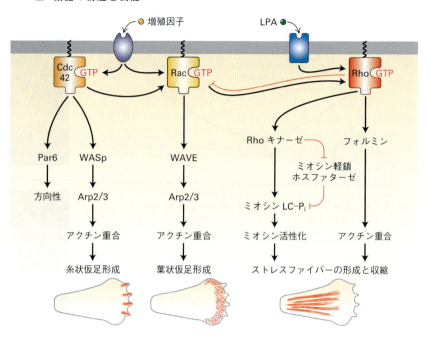

図 17・42 シグナルによるアクチン細胞骨格変化のまとめ．増殖因子やリゾホスファチジン酸（LPA）のような特異的シグナルは，細胞表面にある受容体によって検出される．これにより低分子量 GTP 結合タンパク質が活性化され，それらがエフェクタータンパク質と相互作用することにより最下段に示すような細胞骨格の変化を誘導する．

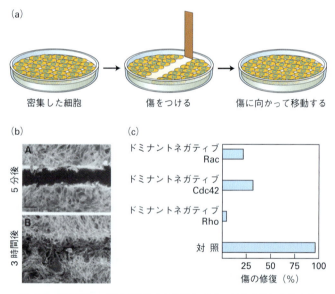

図 17・43（実験） 単層の密集した細胞に傷をつける実験により方向性をもった細胞移動に使われるシグナル伝達経路を調べることができる．(a) 密集するまで培養した細胞層に，細胞 3 個分ほどの幅の傷をつけ，細胞の存在しない領域をつくる．そのまわりの細胞は，隣に他の細胞がいないことと新たに露出した細胞外マトリックスを感知して，何時間かかけてその部分を覆うようになる．(b) 傷をつけてから 5 分後と 3 時間後の細胞層内のアクチンの局在．3 時間後には細胞が傷ついた領域に移動している．(c) 傷に面した細胞に，ドミナントネガティブな作用をもつ Cdc42, Rac, および Rho を導入したときの効果．すべての実験で，傷修復過程に影響がでた．[(b), (c) は C. D. Nobes and A. Hall, 1999, *J. Cell Biol.* **144**(6): 1235 による．]

培養細胞を増殖因子とともにペトリ皿で育て，互いに接触して窮屈になるほど増やすと，それらは増殖を止める．そうしてできた単層の細胞群を針でひっかき"傷"をつけ，細胞どうしが接触しない領域をつくる．その境界にある細胞は，隣に細胞がいないことを察知すると，露出したペトリ皿表面の細胞外マトリックス成分に応答して，空きのできた傷の部分を埋めるように動き出す（図 17・43b）．そのとき，空いたほうに細胞を向け，まず葉状仮足を出し，その方向に動く．このようなやり方で，方向性をもった細胞移動の最初の誘導段階を in vitro で調べることができる．

このような実験系を使い，ドミナントネガティブ Rac を傷の周囲の細胞に導入したとき，傷をふさぐ動きにどう影響が出るかが調べられた．Rac は葉状仮足形成に必要な Arp2/3 複合体の活性化に必要なので，ドミナントネガティブ Rac を導入した細胞は，葉状仮足をつくれず，移動もできず，そのため傷はふさがらなかったのは当然であろう（図 17・43c）．傷周辺の細胞にドミナントネガティブ Cdc42 を導入したとき，とても興味深い現象がみられた．細胞は先導端をつくることはできたが，正しい方向に向かうことができなかった．すなわち，でたらめな方向に移動しようとしたのである．この観察から，Cdc42 は細胞全体の方向性の調節に重要であることが示唆された．酵母（Cdc42 は酵母で最初に発見された），傷つけられた単層細胞，上皮細胞，および神経細胞を使った実験から，Cdc42 はさまざまな細胞においてその方向性を決めるマスター調節因子であることが明らかにされた．動物におけるこの調節では Par6 とよばれるエフェクタータンパク質と Cdc42 の結合がかかわっている．このタンパク質は線虫（Par6 は線虫で最初に発見された），神経細胞，および上皮細胞で細胞の方向性を決めている．これらの極性を決める経路については 22 章で詳しく説明する．

これらの研究から，細胞の移動がどのように調節されているかの一般的モデルが浮かび上がってきた（図 17・44）．外部環境からのシグナルは Cdc42 に伝えられ，Cdc42 が細胞の方向性を決める．方向性が決まった細胞の前方部分では Rac 活性が高くなり，そこに先導端ができる．Rho の活性は細胞の後方部分で高く，そこに収縮構造をつくり，ミオシン II を活性化して収縮を起こさせる．細胞内の部位により Cdc42, Rac, および Rho の活性化状態が異なること，すなわち，それら調節因子の量が細胞内で局所的に調節されているということに注意しよう．この空間的活性調節の

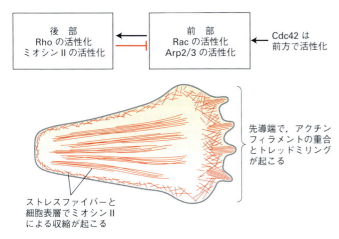

図 17・44　Cdc42, Rac, および Rho の細胞移動への寄与．細胞全体の方向性は，細胞の前方で活性化される Cdc42 によって決まる．Cdc42 が活性化されると，細胞の前方で Rac の活性化が起こって先導端がつくられ，後方で Rho の活性化が起こってミオシン II の活性化と収縮が起こる．活性化された Rho は Rac の活性化を抑えるので，両者の非対称な活性化が保たれる．

一部には低分子量 G タンパク質間の相反活性化が関与している．たとえば，活性な Rho は Rac を不活性化する経路を刺激する．これにより，細胞後部に先導端が形成されないようにしているのである．

移動している細胞は走化性物質により方向を変える

ある種の条件下では，外部の化学物質が細胞を特定の方向に移動させる．前に述べた傷修復計測法のときは基質に含まれる不溶性物質に導かれて動いたが，水溶性分子を感知して，その濃度勾配に従って動くことにより放出源に向かうこともある．この過程は **走化性**（chemotaxis，化学走性）とよばれている．たとえば，白血球細胞は細菌から放出される 3 個のアミノ酸からなるペプチドに導かれて感染源へと向かう（図 17・45）．他の例として，骨格筋発生時に **分散因子**（scatter factor）とよばれる分泌タンパク質のシグナルが筋芽細胞を肢芽の適切な位置に誘導することが知られ

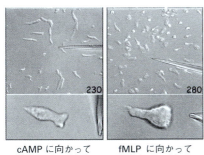

図 17・45（実験）　走化性物質はアクチン細胞骨格に情報を伝えて細胞を誘導する．細胞性粘菌は cAMP を出すピペットに向かって進み（左），ヒトの好中球（白血球の一種）は細菌が産生するホルミル Met-Leu-Phe（fMLP）というペプチドを出すピペットに向かって進む（右）．下の二つの写真は走化性を示しているそれぞれの細胞である．進化の過程で 8 億年前に分かれたにもかかわらず両者は非常によく似ている．[C. A. Parent, 2004, *Curr. Opin. Cell Biol.* **16**(1): 4, Copyright Clearance Center, Inc. を通じて Elsevier より許可を得て転載．]

ている．飢餓応答による細胞性粘菌の移動は最もよく調べられている走化性の例である．この土壌アメーバにストレスがかかると走化因子である cAMP を放出する．他の細胞性粘菌は cAMP の発生源に向かう（図 17・45）．これによりアメーバは移動性集合体となり，それらが分化して子実体がつくられ，その中で飢餓に耐えるための胞子ができる．

走化性を起こさせる物質は糖，ペプチド，代謝産物，細胞壁，あるいは膜脂質というようにさまざまであるが，それらはすべてよく知られている共通したしくみで細胞の方向を変えている．すなわち，細胞表面の受容体と結合し，細胞内シグナル伝達経路を活性化し，種々のアクチン結合タンパク質を活性化したり不活性化したりして，細胞骨格を再構築するのである．驚くべきことは，細胞の前後で走化性物質の濃度差が 2% あれば細胞はその方向に動き出すという点である．もう一つ驚くべきことは，進化の過程で 10 億年ほど前に分かれたはずの細胞性粘菌というアメーバとヒトの白血球とがほとんど同じシグナル伝達経路を走化性のために使っているという点である（図 17・45）．

17・7　細胞の移動: 機構, シグナル伝達, および走化性　まとめ

- 細胞が移動するとき，細胞の前方にアクチンを大量に含んだ先導端を伸ばし，基質との接着部位を形成し（細胞が移動すると後方に移る），後部が収縮して細胞を前に押出しながら後方の接着部位を切り離す（図 17・38）．
- 細胞移動時には方向性をもった循環的エンドサイトーシスが起こる．それは膜や接着分子を細胞後方で取込み，前方に挿入する．
- アクチンフィラメントの重合および機能は，低分子量 GTP 結合タンパク質である Rho ファミリータンパク質によって調節されている．Cdc42 は全体としての方向性と糸状仮足形成を，Rac は Arp2/3 複合体を介してのアクチン網目形成を，そして Rho はフォルミンを介してのアクチンの束形成とミオシン II を介しての収縮を調節している（図 17・42）．
- 細胞外化学物質に対する方向性をもった移動である走化性にはシグナル伝達経路が関与しており，それがアクチン細胞骨格を調節し，細胞の移動方向を決めている．

重要概念の復習

1. ほとんどの真核細胞には 3 種類の細胞骨格フィラメント系が存在する．組成，機能，および構造の面からそれらを比較せよ．
2. アクチンフィラメントは明確な極性をもっている．フィラメントの極性とはどのようなことか．サブユニットレベルでのどのようなことから極性が生じるのか．アクチンフィラメントの極性はどのようにして検出できるか．
3. アクチンフィラメントは細胞内で束や網目を形成する．細胞はこれらの構造をどのようにつくるのか．アクチンフィラメントが束をつくるかあるいは網目をつくるかは何が決定するのか．
4. 細胞内でのアクチンの重合についてわかっていることの多くは精製アクチンを用いた in vitro での実験から得られたものである．in vitro でアクチン重合を研究するのにどんな方法が使われているか．

それぞれの方法はどのような原理に基づいているかを説明せよ．短いアクチンフィラメントが多数あるのか長いアクチンフィラメントが少数あるのかを知るためにはどの手法を使うべきか．

5. 細胞内アクチンの主要な状態は ATP-G アクチンと ADP-F アクチンである．ヌクレオチド状態の変換はどのようにアクチン分子の重合および脱重合と共役しているのか．突然変異でアクチンの ATP 結合能が阻害されたら，アクチンフィラメントの重合/脱重合はどのようになるか．突然変異でアクチンの ATP の加水分解能が阻害されたら，どのようなことが起こるか．

6. 移動している細胞の先導端でアクチンフィラメントはトレッドミリングを行っていると考えられている．トレッドミリングとは何か．この現象は何が原因で起こるのか．

7. 精製されたアクチンは in vitro で可逆的に重合できるが，細胞内では種々のアクチン結合タンパク質がアクチンの重合を調節している．次にあげるそうしたタンパク質に対する機能阻止抗体をそれぞれ別々の細胞に微小注入したとき，細胞のアクチン細胞骨格に及ぼす影響を予想せよ．プロフィリン，チモシン β_4，CapZ，および Arp2/3 複合体．

8. ミオシン頭部によって修飾された短いアクチンフィラメントを核として，そこからアクチンを重合させるとき，CapZ，トロポモジュリン，あるいはプロフィリン-アクチンが存在していたらフィラメントはどのように伸びるか．

9. フォルミンおよび WASp はどのように活性化されるか，そして，それらのタンパク質はどのようにアクチンフィラメント形成を促すかについて，違いをはっきりさせて比較せよ．

10. ミオシンには少なくとも 20 の異なったクラスがある．すべてのクラスが共通してもっている性質は何か．何によって違いが出るのか．なぜ収縮力を発揮できるのはミオシン II だけなのか．

11. アクチンフィラメントに沿ったミオシンの歩行は適切な装置をつけた顕微鏡を使うと観測できる．通常，そのような観測はどう行われるかを述べよ．それを使った計測に ATP はなぜ必要なのか．どうして，このような計測法でミオシンの運動方向やミオシンによって生じる力を決定できるのか．

12. 非筋細胞にも収縮束が存在するが，その構造は筋細胞のサルコメアほど整然としていない．非筋細胞の収縮束の目的は何か．収縮束に含まれるミオシンはどのような種類のものか．

13. ミオシンはどのようにして ATP 加水分解によって放出された化学的エネルギーを機械的仕事に変換するのか．

14. ミオシン II のデューティー比は 10% でステップサイズは 8 nm である．それに対して，ミオシン V はもっと高いデューティー比（約 70%）をもち，アクチンフィラメント上を 36 nm のステップで動く．ミオシン II とミオシン V のどのような違いがこうした運動性の違いをもたらすのか．ミオシン II とミオシン V の構造の違いや運動性の違いは細胞内での機能の違いをどう反映しているのか．

15. 骨格筋と平滑筋の収縮はともに細胞内の Ca^{2+} 濃度上昇によってひき起こされる．それぞれの種類の筋肉が Ca^{2+} 濃度上昇を収縮に結びつけるしくみを比較せよ．

16. ミオシン軽鎖キナーゼがプロテインキナーゼ A（PKA）によってリン酸化されると Ca^{2+}-カルモジュリンによって活性化されなくなる．アルブテロール（albuterol）のような薬剤は，アドレナリン β 受容体と結合することにより細胞内 cAMP 濃度を上昇させ，PKA を活性化する．ぜんそく発作で気管を取巻く平滑筋が激しく収縮したときの処置としてアルブテロールが有効なのはなぜか説明せよ．

17. いくつかの種類の細胞はアクチン細胞骨格の駆動力を利用して移動する．アクチンフィラメントのいろいろな集合体は，どのようにその移動に利用されているか．

18. 特定の方向に動くために，細胞は細胞外のシグナルを利用してどの部分を前，どの部分を後ろにするかを決める．移動する細胞が運動の方向を決定する際に使うシグナル伝達経路にどのような低分子量 GTPase が関与しているかについて述べよ．

19. 細胞の移動は戦車の動きのようであるといわれる．先導端でアクチンフィラメントが急激に集合して束や網目となり，それが細胞膜を押出し，細胞は前へ進む．後方では細胞接着が壊され最後尾が前へと引っ張られる．この細胞を動かす牽引力は何によってもたらされているのか．細胞体の移動はどのように行われるのか．細胞が前進するとき，細胞の接着はどのようにして解体されていくのか．

18

細胞の構築と運動 II: 微小管と中間径フィラメント

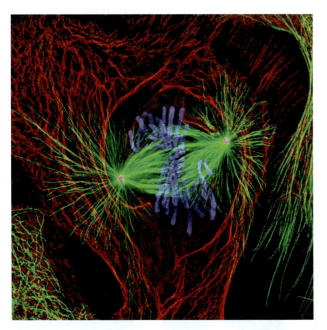

中心体（ピンク），微小管（緑），染色体（青），ケラチン中間径フィラメント（赤）を染色した有糸分裂期のイモリ肺細胞．[A. Khodjakov, 2000, *Nature* **408**: 423, Copyright Clearance Center, Inc. を通じて Nature Publishing Group より許可を得て転載．A. Khodjakov 提供．]

18・1　微小管の構造と配置
18・2　微小管の動態
18・3　微小管の構造と動態の調節
18・4　キネシンとダイニン：微小管上を動くモータータンパク質
18・5　繊毛と鞭毛：微小管を基礎に構築された細胞表面の構造体
18・6　有糸分裂
18・7　中間径フィラメント
18・8　細胞骨格間の相互作用

　動物細胞の細胞骨格は，ミクロフィラメント，微小管，中間径フィラメントという3種類のフィラメントからなる．こうした3種類のフィラメントが進化してきたのは，異なる細胞内機能にそれぞれのフィラメントの特異な物性が必要だったからだろう．17章で述べたように，アクチンミクロフィラメントの架橋によってフィラメント束の網目構造が形成され，その結果，機械的強度がありながらも柔軟かつ動的な構造ができ，その上を多種類のミオシンモーターが運動する．これに対して，**微小管**（microtubule）はずっと堅い管状構造をもち，細胞内でみられるように20 μmもの長さの1本のフィラメントとなることもあり，束となって繊毛や鞭毛のような細胞表面の突起構造を形づくることもある．管状構造をとるために，力をかけて押したり引いたりしても微小管は折れ曲がることはない．こうした性質をもつので，個々の微小管は細胞内で長い距離にわたって伸長でき，また，微小管束は鞭毛や紡錘体中でみられるように互いに滑り合うことができる．微小管が長距離にわたって伸長できるという性質や，微小管に沿ったサブユニットの向きが同じであるため方向性をもつという特徴を利用して，微小管上を動くモーターは細胞小器官の細胞内長距離輸送を行う．微小管の構造は非常に動的で，両端で伸長と短縮が進行している．その結果，細胞は必要に応じて簡単に微小管の組織化の程度を変えることができる．

　ミクロフィラメントや微小管とは違い，**中間径フィラメント**（intermediate filament）は引っ張りに対して強く，大きな応力や歪みに対してもちこたえることができる．中間径フィラメントは分子でできたロープで，細胞や組織の構造維持に役立ち，細胞の組織化に寄与している．中間径フィラメントにはミクロフィラメントや微小管のような方向性がない．したがって，中間径フィラメントの上を動くモータータンパク質はない．本章では，細胞質内での局在が見かけ上重なるので，微小管と中間径フィラメントについてまとめて解説するが，両者の機能や動態は全く異なる．図18・1に3種類の細胞骨格系の類似点と相違点をまとめて示す．

　本章では次の5点について解説する．まず，微小管の構造と動態，そして微小管上を動くモータータンパク質について述べる．次に，微小管やモータータンパク質がどのようにして繊毛あるいは鞭毛の運動をひき起こすかを解説する．3番目に，複製された染色体の分離を司る分子機械である紡錘体で，微小管がどのような働きをしているかを解説する．4番目に，核膜構造の形成にかかわったり，細胞や組織の構築や強化にかかわったりするいろいろな種類の中間径フィラメントの役割について解説する．ここまではミクロフィラメント，微小管，中間径フィラメントを別々に解説するが，これら3種類の細胞骨格系はそれぞれ独立に働いているわけではない．そこで本章の最後に，これら細胞骨格の相互依存の例をいくつか取上げる．

18・1　微小管の構造と配置

　電子顕微鏡が使われはじめてすぐに，細胞質中に長い管状構造が見いだされ，微小管と名づけられた．さらに，紡錘体の繊維や神経軸索を構成する成分，あるいは繊毛や鞭毛の構成要素にも形態的に似た微小管が見いだされた（図18・2a, b）．細胞の横断切

図 18・1 動物細胞における三つの細胞骨格系の物理的性質と機能．(a) それぞれの細胞骨格系について，その生物物理学的性質と生化学的性質(橙)，そして生物学的性質(緑)を示す．顕微鏡写真(b)〜(d)は，ある特定の条件下の細胞でみられるそれぞれの細胞骨格系の例を示している．別な状態の細胞では，微小管はこれ以外の構造をつくることもあり，中間径フィラメントは核内膜表面に並ぶこともある．(b) 培養細胞のアクチン(緑)とアクチンが基質に付着する部位(橙)の染色像．(c) 微小管(緑)とゴルジ体(黄)の細胞内局在．ゴルジ体は微小管に沿った輸送で細胞中央に集められる．(d) 上皮細胞における中間径フィラメントであるサイトケラチン(赤)とデスモソームの構成成分(黄)の局在．別々の細胞のサイトケラチンがデスモソームを介してつながっている．[(b)は K. Burridge, (c)は W. J. Brown, Cornell University, (d)はE. Fuchs 提供．]

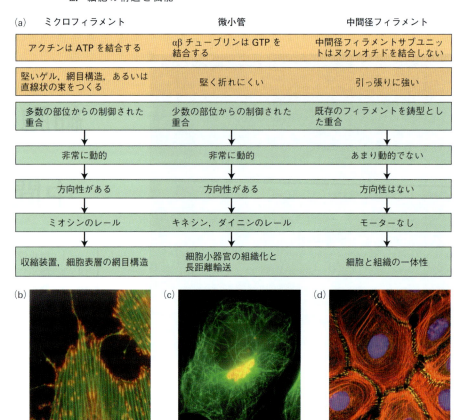

(a) ミクロフィラメント	微小管	中間径フィラメント
アクチンは ATP を結合する	αβ チューブリンは GTP を結合する	中間径フィラメントサブユニットはヌクレオチドを結合しない
堅いゲル，網目構造，あるいは直線状の束をつくる	堅く折れにくい	引っ張りに強い
多数の部位からの制御された重合	少数の部位からの制御された重合	既存のフィラメントを鋳型とした重合
非常に動的	非常に動的	あまり動的でない
方向性がある	方向性がある	方向性はない
ミオシンのレール	キネシン，ダイニンのレール	モーターなし
収縮装置，細胞表層の網目構造	細胞小器官の組織化と長距離輸送	細胞と組織の一体性

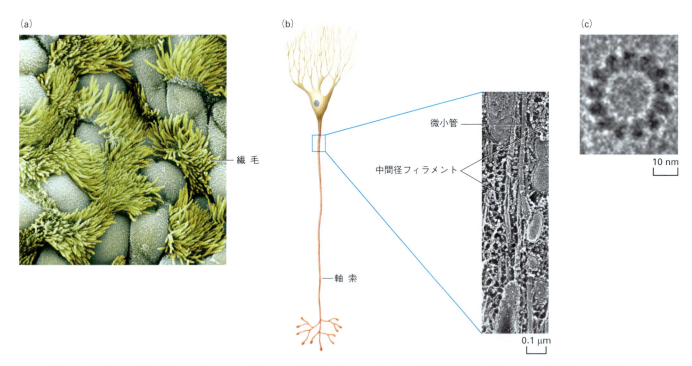

図 18・2 微小管は細胞内の各所にみられ，どれも似た構造をしている．(a) ウサギ輸卵管の繊毛で覆われた上皮細胞表面の走査型電子顕微鏡写真．微小管の芯をもつ繊毛が波状運動し，輸卵管内で卵を輸送する．(b) 急速凍結・ディープエッチ法で可視化したカエル軸索内の微小管と中間径フィラメントの透過型電子顕微鏡写真．(c) 1本の微小管を高倍率で観察すると，13本のプロトフィラメントがはっきり見える．[(a)は NIBSC/Science Source. (b)は N. Hirokawa, 1982, *J. Cell Biol.* **94**(1): 129. (c)は H. Sosa and D. Chrétien, 1998, *Cytoskeleton* **40**(1): 38, Copyright Clearance Center, Inc. を通じて John Wiley and Sons, Inc. より許可を得て転載．]

片にみられるすべての微小管を詳細に検討すると，どれもが**プロトフィラメント**（protofilament）とよばれる細長い繰返し単位 13 本でできていることがわかった（図 18・2c）．このことから，すべての微小管は共通の構造をもつことが明らかとなった．その後，脳から単離された微小管は，**チューブリン**（tubulin）という主要タンパク質と，それと結合している複数の微小管結合タンパク質で構成されていることがわかった．精製されたチューブリンだけでも適当な条件下で重合でき，微小管となる．このことからもわかるように，チューブリンが微小管の構造をつくっているタンパク質である．結合タンパク質は微小管の重合，動態，機能を調節している．本節では，微小管の構造と組織化について解説し，その後，§18・2 と §18・3 でその動態と調節について述べる．

微小管壁には方向性があり，αβ チューブリン二量体でできている

精製された水溶性チューブリンは，よく似た **α チューブリン**および **β チューブリン**とよばれるサブユニット（55,000 Da）でできた二量体タンパク質である．微小管の構築単位は αβ チューブリン二量体である．ゲノム解析によると，α チューブリンあるいは β チューブリンをコードしている遺伝子はすべての真核生物に存在し，多細胞生物では遺伝子数が著しく増加している．たとえば，出芽酵母には α チューブリン遺伝子が二つ，β チューブリン遺伝子が一つある．ところが，線虫には，九つの α チューブリン遺伝子と六つの β チューブリン遺伝子がある．α チューブリン遺伝子，β チューブリン遺伝子以外に，これらすべての生物は，3 番目のチューブリンである γ チューブリンをコードする遺伝子ももつ．すぐあとで解説するが，このチューブリンは微小管形成にかかわっている．中心小体や基底小体をもつ生物にのみ存在する別のチューブリンも見つかっており，これが中心小体や基底小体の形成に重要な役割を果たしていることを示唆している．中心小体や基底小体は，微小管の核形成や伸長に必要な構造体である．

チューブリン二量体の α, β サブユニットはそれぞれ 1 分子の GTP と結合する（図 18・3a）．α チューブリンサブユニットの GTP は α サブユニットと β サブユニットとの接触面に捕捉されており，加水分解されることはない．一方，β サブユニットには，遊離 GTP と交換可能な GTP の結合部位があり，ここに結合した GTP は加水分解される．加水分解産物である GDP は遊離の GTP と交換される．適当な条件下では，水溶性チューブリン二量体は重合して微小管となる（図 18・3b）．17 章のアクチン重合で述べたように，ATP-G アクチンはフィラメントの特定の端に結合しやすい．重合が起こりやすいフィラメント末端を（＋）端とよぶ．フィラメントにいったん取込まれると，アクチンに結合していた ATP は加水分解され ADP とリン酸 P_i になる．同じように，チューブリン二量体は重合に際して微小管の一方の端に結合しやすい．微小管でもこちらの端を（＋）端とよぶ．チューブリン二量体の β サブユニットに結合した GTP も，微小管に取込まれると加水分解される．しかし，アクチンフィラメント形成における ATP 加水分解とは違い，GTP 加水分解は微小管（＋）端の動態に著しい影響を与える．

微小管は 13 本のプロトフィラメントが側面で会合し管状になったもので，外径はおよそ 25 nm である（図 18・3b）．それぞれのプロトフィラメントは αβ チューブリン二量体で構成され，

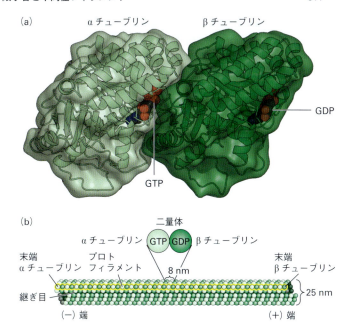

図 18・3 チューブリン二量体の構造と，微小管内における配置．
(a) チューブリン二量体のリボンモデル．α チューブリン単量体に結合している GTP は解離しないが，β チューブリン単量体に結合している GDP は遊離 GTP と入れ替わる．(b) 微小管内でのチューブリンサブユニットの配置．サブユニットは前後に連なってプロトフィラメントになる．プロトフィラメントは側面で結合して微小管壁をつくりあげる．微小管内では，継ぎ目以外では 1 本のプロトフィラメント内の α チューブリンは隣のプロトフィラメント内の α チューブリンとわずかにずれながら接触している．しかし継ぎ目では，α チューブリンは β チューブリンと接触している．微小管は構造的な方向性をもち，（＋）端とよばれる末端にチューブリン二量体が付加しやすい．（＋）端には β チューブリン単量体が露出している．［(a) は E. Nogales et al., 1998, *Nature* **391**: 199, PDB ID 1tub.］

α, β サブユニットが交互に繰返しており，各サブユニットは 8 nm の間隔で並んでいる．プロトフィラメントはチューブリン二量体でできているので，それぞれのプロトフィラメントの一端は α サブユニット，もう一端は β サブユニットとなる．つまり，プロトフィラメントには**方向性**（polarity）がある．微小管中ではすべてのプロトフィラメントは同じ方向性をもつので，微小管全体としても方向性がある．微小管の（＋）端には β サブユニットが露出しており，（−）端には α サブユニットが露出している．微小管中では，隣り合うプロトフィラメント中のチューブリンヘテロ二量体はずれて並んでおり，その結果，微小管壁では α チューブリン，β チューブリン単量体が傾いて並ぶことになる．たとえば β サブユニットを追ってみると，微小管のまわりをらせん状に回って 1 回転したとき，プロトフィラメント上でちょうど 3 サブユニット先の α サブユニットにいきつく．そこですべての微小管では縦方向に 1 本の"継ぎ目"が存在し，1 本のプロトフィラメントの α サブユニットは次のプロトフィラメントの β サブユニットに接する．

細胞内のほとんどの微小管は，13 本のプロトフィラメントからなる単純な**シングレット**（singlet）微小管である．まれに，1 本の微小管がもっと多いか少ない数のプロトフィラメントから構成されていることがある．たとえば，線虫の神経細胞には 11 本あるいは 15 本のプロトフィラメントからなる微小管が存在する．さらに，単純なシングレット構造のほかに，繊毛や鞭毛にみられる

ダブレット (doublet) 微小管あるいは中心小体や基底小体にみられるトリプレット (triplet) 微小管が存在している. これらの構造については以下に詳しく解説する. ダブレットあるいはトリプレット微小管は, 13本のプロトフィラメントからなる完全な微小管1本 (A管) に, 10本のプロトフィラメントからなるもう1本あるいは2本の微小管 (BあるいはC管) が付け加わっている (図18・4).

微小管はMTOCから重合し多様な形態をとる

チューブリンが微小管の主要構成タンパク質であることがわかったので, チューブリンに対する抗体を用いた免疫蛍光顕微鏡法で微小管の細胞内局在が調べられた (図18・5a, b). このような方法と電子顕微鏡の観察結果から, 微小管は特別な場所から伸長し, さまざまな形態をとることが明らかとなった.

微小管の核形成はエネルギー的にきわめて起こりにくい反応なので, 細胞内では, 自然発生的に起こる核形成が微小管伸長に関与することはほとんどない. すべての微小管の核形成は**微小管形成中心** (microtubule-organizing center: **MTOC**) という構造で起こる.

動物細胞では, **中心体** (centrosome) が主要な MTOC である. 分裂期に入っていない間期の細胞では, 中心体は通常核のそばに位置している. ここから, (+)端を細胞表面に向けて何本もの微小管が放射状に伸長する (図18・5c). ほとんどの場合, 微小管の(−)端は中心体に係留されている. 放射状に並んだ微小管の上をモータータンパク質が運動し, 分泌経路やエンドサイトーシス経路にかかわる膜小胞などを組織化したり輸送したりする. 有糸

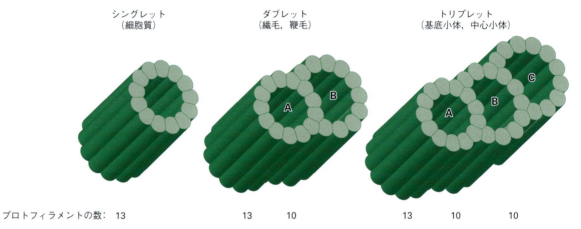

図 18・4 シングレット, ダブレット, トリプレット微小管. 横断面を見ると, シングレット微小管は典型的な1本の微小管で, 13本のプロトフィラメントからなる単純な管状構造をもつ. ダブレット微小管では, さらに10本のプロトフィラメントがシングレット微小管 (A管) の壁に融合して第二の管 (B管) を形成する. さらに10本のプロトフィラメントがダブレット微小管のB管に付け加わって第三の管 (C管) となり, トリプレット構造ができる.

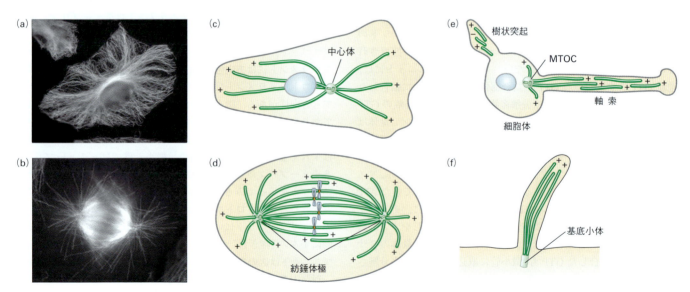

図 18・5 微小管は微小管形成中心 (MTOC) から伸長する. (a), (b) チューブリンに対する抗体を用いて免疫蛍光顕微鏡法で見た培養細胞内の微小管分布. (a) は間期, (b) は有糸分裂期の細胞. (c)〜(f) 細胞やその構造内にある, 特異的なMTOCから伸びた微小管の模式図. 間期の細胞 (c) では, MTOCは中心体とよばれる (核は青い卵形で表示). 有糸分裂期の細胞 (d) では, 二つのMTOCは紡錘体極とよばれる (染色体は青で表示). 神経細胞 (e) では, 軸索と樹状突起の微小管はともに細胞体のMTOCでいったん重合してから脱離したものである. (f) 繊毛や鞭毛の軸を形成している微小管は, 基底小体というMTOCから伸長したものである. 微小管の方向性は (+) と (−) で示した. [(a) は A. Bretscher, (b) は T. Wittmann 提供.]

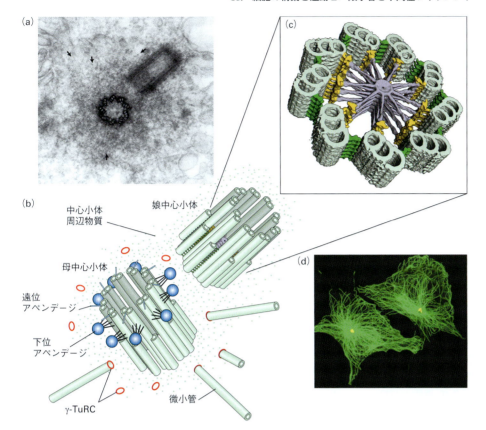

図 18・6 中心体の構造. (a) 動物細胞の中心体の超薄切片写真. 二つの中心小体が直角に対向し, 中心小体周辺物質 (矢印) で囲まれている. (b) 中心体内の親中心小体と娘中心小体の模式図. 各中心小体は, 9組の互いにつながったトリプレット微小管からなり, γ-TuRC 核形成構造を含む中心小体周辺物質の中に埋込まれている. 親中心小体には, 娘中心小体にはないアペンデージとよばれる球状構造体 (青球) がみられる. (c) クラミドモナスの娘中心小体の立体画像. Sas6 とよばれるタンパク質が9回対称のカートホイール構造 (紫の構造) に自己集合することで, 娘中心小体の鋳型となる. カートホイール構造は中心小体が成熟すると取除かれる. (d) 免疫蛍光顕微鏡法で観察した培養動物細胞内の微小管 (緑) の分布と MTOC の位置. MTOC の位置は中心体タンパク質に対する抗体 (黄) で染色して可視化した. 〔(a)は G. Sluder, 2005, *Nat. Rev. Mol. Cell Biol.* **6**: 743, Copyright Clearance Center, Inc. を通じて Nature Publishing Group より許可を得て転載. (c)は P. Guichard et al., 2013, *Curr. Biol.* **23**: 1620, EMD-2329 and EMD-2330. (d)は R. Kuriyama 提供.〕

分裂期には微小管は完全に再編成され, **紡錘体極** (spindle pole) とよばれる二つの MTOC から伸長した双極性の紡錘体ができて, 複製された染色体が正確に分離される (図 18・5d). 別の例として, 神経細胞の**軸索** (axon) があげられる. 軸索中では, 微小管に沿って両方向に細胞小器官が輸送されている (図 18・5e). 軸索は 1 m にも達することがあるが, そのなかの微小管は MTOC から脱離したもので, 端から端までつながっているわけではないが, すべて同じ方向性をもって並んでいる. 理由はよくわからないが, 同じ細胞でも, **樹状突起** (dendrite) 内の微小管の方向性はまちまちである. 繊毛や鞭毛では, 微小管は**基底小体** (basal body) とよばれる MTOC から伸長する (図 18・5f). あとで述べるように, 植物には中心体も基底小体もないので, 微小管の核形成と集合は別の機構で進行するらしい.

電子顕微鏡観察の結果, 動物細胞の中心体は, 1対の直交した管状の**中心小体** (centriole) と, それを取囲む**中心小体周辺物質** (pericentriolar material) とよばれる無定形物質 (図 18・6a) で構成されていることがわかった. 長さが 0.5 μm で直径が 0.2 μm の中心小体は, 9組のトリプレット微小管からなり, 繊毛や鞭毛基部にある基底小体に似ており, よく組織化された安定な構造体である (図 18・6b, c). 細胞質の微小管の核形成にかかわるのは中心小体ではなく, 中心小体周辺物質に含まれる因子である. このなかで重要なのが **γチューブリン環状複合体** (γ-tubulin ring complex: **γ-TuRC**) である (図 18・6b, 図 18・7). このタンパク質複合体は中心小体周辺物質中にあり, 多数の γ チューブリン分子が他のいくつかのタンパク質と会合している. γ-TuRC はらせん構造の鋳型としての機能を果たしており, αβ チューブリン二量体と結合することで, 新たな微小管の伸長をひき起こすと考えら

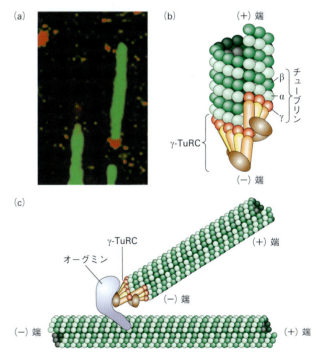

図 18・7 γチューブリン環状複合体 (γ-TuRC) は微小管伸長の核となる. (a) in vitro で重合した微小管を緑で標識し, γ-TuRC の成分を赤で標識した免疫蛍光顕微鏡写真. γ-TuRC が微小管の一端に局在していることがわかる. (b) γ-TuRC が微小管の (−) 端の鋳型となり, 微小管の核形成を促進するというモデル. (c) オーグミンが γ-TuRC と既存の微小管の両方に結合して, 枝分かれした微小管をつくることを示す略図. 〔(a)は T. J. Keating, G. G. Borisy, 2000, *Nat. Cell Biol.* **2**: 352, Copyright Clearance Center, Inc. を通じて Nature Publishing Group より許可を得て転載.〕

れている．このとき，微小管の(−)端はγ-TuRCにつなぎとめられ，(＋)端が自由に伸長する．

基底小体は繊毛や鞭毛基部にあるMTOCで，中心小体に似た構造をもつ．基底小体トリプレット微小管のA管とB管が鋳型となって微小管の重合が進行し，繊毛や鞭毛の基礎構造ができる．基底小体の構造については，のちほど，繊毛や鞭毛との関連で議論する．

最近の研究で，動物細胞におけるγ-TuRC依存性微小管核形成に関して新たな知見が得られている．8本のポリペプチドからなる**オーグミン複合体**（augmin complex）とよばれる構造体は既存の微小管の側壁に結合し，ここにγ-TuRCを引寄せて新たな微小管の伸長を開始できる（図18・7c）．あとで述べるように，オーグミン複合体は分裂期紡錘体形成時の微小管集合にかかわっている．

18・1 微小管の構造と配置 まとめ

- チューブリンが微小管の主要構成要素である（図18・3）．微小管結合タンパク質（MAP）はチューブリンに結合して，微小管の集合，動態，機能を調節している．
- 遊離のチューブリンはαβ二量体として存在している．αサブユニットに結合したGTPの加水分解は起こらない．βサブユニットに結合したGTPは加水分解され，遊離のGTPと交換可能である．
- αβチューブリンが重合してプロトフィラメントとなり，13本のプロトフィラメントが側面で結合して微小管となる．微小管中では，αサブユニットは(−)端に，βサブユニットは(＋)端に露出する．
- 繊毛や鞭毛，あるいは中心小体や基底小体には，10本のプロトフィラメントからなる微小管が13本のプロトフィラメントからなる微小管に付加したダブレット微小管やトリプレット微小管が存在する（図18・4）．
- すべての微小管は微小管形成中心（MTOC）から伸長する．多くの微小管の(−)端はMTOCに係留されている．そこで，MTOCから遠いほうが(＋)端となる．
- 中心体は間期の動物細胞のMTOCで，放射状に並んだ微小管束の核形成にかかわる．分裂期細胞の二つの中心体，つまり紡錘体極は，紡錘体微小管の核形成にかかわるMTOCである．基底小体は，繊毛や鞭毛微小管の核形成にかかわるMTOCである（図18・5）．
- 中心体は二つの中心小体と中心小体周辺物質からなる．後者には，微小管の核形成にかかわるγ-TuRCが含まれている（図18・6，図18・7）．

18・2 微小管の動態

微小管の両端で重合と脱重合が起こるので，その構造は動的である．その動態は条件によって著しく変わる．有糸分裂期の細胞では，微小管の平均寿命は1分より短いが，間期の動物細胞でみられる放射状に並んだ微小管では，平均寿命は5〜10分である．神経細胞軸索の微小管の寿命はこれより長く，繊毛や鞭毛の微小管ではさらにずっと長い．このような違いがなぜ起こるのかを理解するため，微小管の動的性質について解説し，これが細胞内組織化で果たす役割について述べる．

個々の微小管は動的不安定性を示す

動物細胞を4℃におくと細胞内のほとんどの微小管は脱重合してしまうが，細胞を37℃に温めると微小管は再構築されることが知られていた．この性質を使って微小管タンパク質の精製が可能になった．脳組織には微小管が豊富に存在する．ブタ脳抽出物を4℃で調製し，不溶物を除いてから37℃に温めると，微小管形成を誘導できる．生じた微小管を遠心で集め，4℃の緩衝液に溶かすと微小管は脱重合する．脱重合した微小管溶液をもう一度37℃に温めて再重合を促し，生じた微小管を遠心で集め，4℃で脱重合させるというサイクルを繰返すと，**微小管タンパク質**（microtubular protein）と総称されるαβチューブリンと**微小管結合タンパク質**（microtuble-associated protein: MAP）の混合物が得られる．微小管タンパク質をαβチューブリンとMAPに分画し，それぞれの性質を調べることができる．MAPがあるとαβチューブリンの重合が促進されうることがわかっている．

溶液中における微小管タンパク質の集団としての重合特性に関する研究により，二つの重要なことが明らかとなった．第一に，微小管が伸長するには，アクチン重合で述べたように（図17・8参照），αβチューブリン濃度は**臨界濃度**（critical concentration）C_C 以上でなければならない．第二に，αβチューブリン濃度が重合臨界濃度より高いとき，先に述べたとおりチューブリン二量体

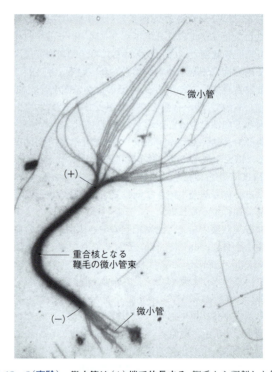

図18・8（実験） 微小管は(＋)端で伸長する．鞭毛から調製した短い微小管束を核として，in vitroでαβチューブリン二量体を重合させてつくった微小管の電子顕微鏡写真．重合核となった鞭毛由来の微小管束とそこから新たに伸長した微小管が見える．(＋)端から伸びた微小管のほうが(−)端から伸びたものよりずっと長いことから，チューブリン二量体は(＋)端に結合しやすいことがわかる．[G. G. Borisy 提供．]

は微小管の一方の端に他方の端よりも速く結合する（図18・8）．Fアクチンの場合と同様に，βチューブリンが露出している重合しやすい末端を（+）端とする．（−）端はαチューブリンが露出している端である（図18・3b）．

　チューブリン溶液の温度を4℃から37℃に上げて微小管の集合としての特性を調べると，核形成，伸長，定常状態を反映した典型的な曲線が観察される（図18・9a）．溶液中の微小管集団の伸長反応をまとめて調べるときには，すべての微小管は同じような挙動をしていると仮定している．しかし，実際に微小管1本ずつの挙動を観察してみると，そうではないことがわかる．個々の微小管の動態は次のような簡単な実験で調べることができる．まず微小管を試験管内でつくり，剪断で短い断片にして，その長さを顕微鏡で測る．このとき，すべての微小管断片は，遊離チューブリン濃度に応じて伸びるか，あるいは縮むと予想される．しかし実際には，ある微小管は伸長し，他の微小管は急激に短くなるのが観察された．つまり，2種類の異なる挙動を示す微小管が同時に存在することがわかった．さらに個々の微小管の挙動を詳し

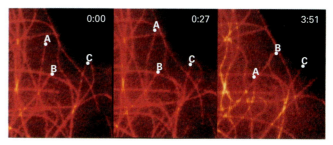

図 18・10（実験）　蛍光顕微鏡で観察した細胞内での個々の微小管の伸長と短縮．蛍光標識したチューブリンをヒト培養繊維芽細胞に微量注入した．細胞を氷冷して既存の微小管をチューブリン二量体に脱重合させてから，37℃でインキュベートし再重合させた．このようにすると蛍光チューブリンは細胞中のすべての微小管に取込まれる．昇温後，0秒，27秒，3分51秒後に，細胞周辺の一部を蛍光顕微鏡で観察した．この間，伸長する微小管も短縮する微小管もある．A, B, Cと書かれた点は3本の微小管の末端位置を示す．[P. J. Sammak and G. Borisy, 1988, *Nature* **332**: 724, Copyright Clearance Center, Inc. を通じてNature Publishing Groupより許可を得て転載．]

く調べてみると，伸長が続くと，あるとき突然に**カタストロフィー**（catastrophe）という過程で微小管の短縮がはじまる．さらに，短縮している微小管では，ときどき**レスキュー**（rescue）という過程で末端からの微小管伸長が再開される（図18・9b）．この現象はin vitroで発見されたものだが，蛍光標識したチューブリンを生細胞に微量注入した実験から，細胞内でも微小管は伸長と短縮を繰返していることが明らかとなった（図18・10）．微小管が伸長と短縮を繰返すというこの現象を**動的不安定性**（dynamic instability）とよぶ．微小管の動的状態は，伸長速度，カタストロフィーの起こる頻度，脱重合速度，そしてレスキューの起こる頻度で決まる．あとで述べるように，これら四つの微小管の動的状態は細胞内で調節されている．動物細胞では，微小管の（−）端はMTOCに固定されているので，こうした動的性質は（+）端に由来する．

　動的不安定性の分子的基盤は何だろうか．伸長中あるいは短縮中の微小管末端を電子顕微鏡法で詳しく調べると，両者の構造が全く違うことがわかる．伸長中の微小管末端は平滑な形態をしているが，短縮中の末端ではヒツジの角のようにプロトフィラメントが反り返って剥離した形になっている（図18・11）．平滑にみえる伸長末端も，実際には，緩やかに湾曲したプロトフィラメントが雑に集まり，それが側面で結合してまっすぐなプロトフィラメントをもつ円筒状の微小管を形成している．

　こうした伸長中と短縮中の微小管（+）末端の形態の違いは，簡単な構造的理由に由来する．人工的にプロトフィラメントどうしの相互作用を失わせて，αβチューブリンの繰返しからなる孤立したプロトフィラメントをつくってみる．このとき，GDPアナログを用いてβサブユニットをGDP結合状態に固定すると，このプロトフィラメントはヒツジの角のように反り返る．これに対してβサブユニットがGTP結合状態をとると，プロトフィラメントの屈曲はわずかである．伸長中の微小管末端では，このようなGTP-βサブユニットをもつわずかに屈曲したプロトフィラメントが集まっている．これが微小管の伸長末端の構造的特徴である（図18・11）．微小管が伸長するに従い，先端部のGTP-βサブユニットをもつわずかに屈曲したプロトフィラメントも隣のプロトフィラメントと相互作用しながらまっすぐになって，円筒状の微小管の一

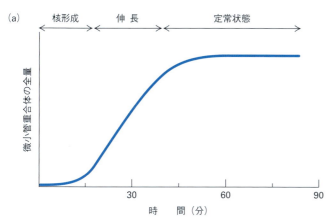

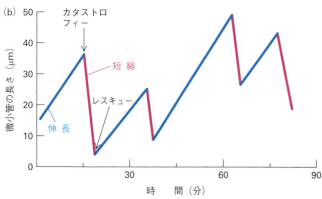

図 18・9　調製したチューブリンの集合体としての重合特性と，個々の微小管の動態の比較．（a）C_c以上の純粋なチューブリンを4℃から37℃に加温して重合を誘導すると，典型的な核形成，伸長，定常状態が観察される．（b）しかし，集合体のなかにある個々の微小管を光学顕微鏡で観察し，異なる時間での長さをプロットすると，動的不安定性として知られる過程で伸びたり縮んだりしていることがわかる．伸長と短縮それぞれは一定の速度で進行するが，直線の勾配の違いからわかるように伸長と短縮の速度には大きな差がある．微小管の短縮（7 μm/分）は伸長（1 μm/分）よりはるかに速い．短縮への転移（カタストロフィー）や伸長への転移（レスキュー）は突然起こる．[P. M. Bayley et al., 1994, *Microtubules*, Wiley-Liss, p.118 による．]

部となり，伸長が続く．このような伸長中の微小管には，GTPキャップがあるといわれる．これに対して著しく反り返った形状をとって短縮中の微小管の末端はGDP-βサブユニットで構成されている．それゆえ，伸長を停止した微小管の末端にあるチューブリン二量体のβサブユニットのGTPが加水分解されると，末端がヒツジの角のように反り返ってしまってカタストロフィーが起こるのであろう．こうした微小管の伸長と短縮の関係を図18・11に示した．

こうした示唆からさらに議論を進めて，伸長中の微小管についてもう少し詳しくみてみる．伸長中の微小管の（＋）端にもう一つチューブリン二量体が付加されると，末端のβチューブリンと新たに付加されたαチューブリン間に相互作用が生じる．この相互作用によって，末端にあったβチューブリンではGTPからGDPと無機リン酸P_iへの加水分解が起こり，生じたP_iはゆっくりと放出される．しかし，新たに付加されたチューブリン二量体のβチューブリンはGTPを結合している．ゆえに，伸長中の微小管プロトフィラメントは末端だけがGTP-βチューブリンで，GDP・P_iチューブリンを含む部分が続き，残りが古いGDPチューブリンである（図18・11）．

前述のように，GDP-βチューブリンを含む孤立したプロトフィラメントは全長にわたって反り返っている．それではなぜ，微小管中のGDP-βチューブリンを含むプロトフィラメントはばらばらになって剥離してしまわないのだろうか．それは，GTP-βチューブリンを含む微小管キャップではプロトフィラメント間の側方の相互作用が十分に強く，ここで微小管が束ねられているのでキャップから後方のプロトフィラメントは剥離しないためである（図18・11）．キャップ後方のサブユニットのGTP加水分解で放出されたエネルギーは微小管のプロトフィラメント束に構造的歪みとしてたくわえられており，いったんGTP-βチューブリンキャップが失われると同時に放出される．このことから，染色体などの構造体が短縮中の微小管末端に付着していると，GTP-βチューブリンキャップが失われたときに，たくわえられていたエネルギーは力学的仕事に変換されると考えられる．有糸分裂後期での染色体移動の駆動は，こうした例の一つである．

それでは短縮中の微小管では，どのような機構でレスキューが起こり，再伸長が進行するのだろうか．最近の研究が，この疑問に対する答えの一つを示唆している．GTP-βチューブリンには結合するがGDP-βチューブリンには結合しない抗体を用いて微小

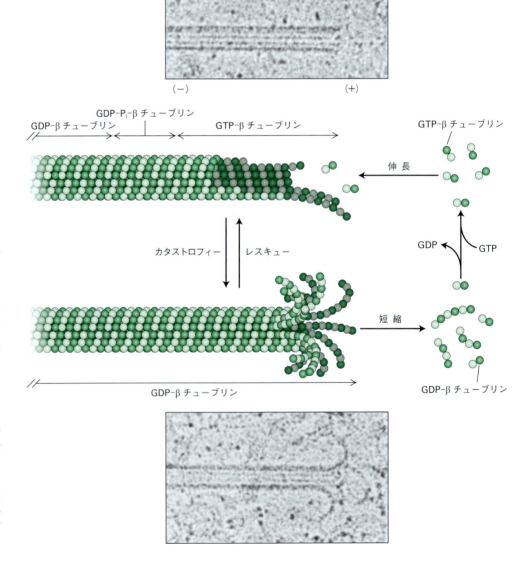

図 18・11 動的不安定性はGTP-βチューブリンキャップの有無に依存する．伸長中（上）または短縮中（下）に急速凍結した微小管の電子顕微鏡写真．伸長中の微小管の末端が平滑であるのに対し，短縮中の微小管端はヒツジの角のように反り返っていることに注意．模式図に示すように，複数のGTP-βチューブリン二量体が各プロトフィラメントの端に付加した微小管は伸長しやすい．これに対し，GDP-βチューブリンがプロトフィラメントの端に付加した微小管は高度に屈曲した末端構造を形成し，すばやく短縮する．この伸長と短縮の切替わりがカタストロフィーとレスキューで，切替わる頻度は結合タンパク質によって調節されている．[E. M. Mandelkow et al., 1991, *J. Cell Biol.* **114**: 977 による．]

管を染色すると，GTP-βチューブリンを含む領域は(+)端だけでなく微小管全長に沿って"島"状に存在することがわかる．このことから，微小管が短縮していくと，どこかでGTP-βチューブリンを含む領域に行き当たるので，短縮は止まりレスキューが開始されるという機構が考えられる．

局所的伸長と"探索と捕捉"によって微小管は組織化される

ここまでに，微小管の組織化と(+)端の動態について，微小管はMTOCから伸長しはじめることと，個々の微小管は動的不安定性を示すという二つの概念を説明した．この二つの過程があいまって，細胞内の微小管の分布が決まる．

培養中の間期の細胞では，中心体で常に微小管の核形成が進行し，伸長した微小管は細胞質内を無作為に"探索"している．カタストロフィーとレスキューの起こる頻度と，伸長と短縮の速度によって個々の微小管の長さが決まる．もし，カタストロフィーの頻度が高く，レスキューの起こる頻度が低いと，微小管は中心体まで縮んで消失してしまう．一方，カタストロフィーが少なく容易にレスキューが進行するなら，微小管は伸長し続ける．探索中の微小管が標的となる細胞内構造体や細胞小器官に行き当たると，末端はこれに付着する．こうした"捕捉"された細胞小器官や細胞内構造体は微小管(+)端を安定化し，カタストロフィーを起こしにくくする．これに対して，付着しなかった微小管は短縮する頻度が高い．このように微小管(+)端の動態は，その寿命や機能を決定する重要な要因である．"探索と捕捉"は，細胞内での微小管の組織化を決定する機能の一部である．さらに，核形成速度のような局所的な微小管動態の変化や，捕捉部位の変化で，細胞内の微小管の分布はすばやく変わる．あとで述べるように，細胞が有糸分裂期に入るときにこうしたことが起こっている．

チューブリン重合に影響を与える薬剤は
実験に役立つとともに疾病の治療にも使われる

チューブリンは高度に保存されたタンパク質であり，有糸分裂のような重要な過程に必須である．そこで，チューブリンに結合して微小管伸長あるいは短縮に影響を及ぼす天然あるいは合成物質は薬剤として役立つことが期待される．これらのなかで最初に発見された天然薬剤はイヌサフランの抽出物に含まれていたコルヒチン（colchicine）である．コルヒチンはチューブリン二量体に結合して，微小管への重合を阻害する．ほとんどの微小管は二量体と重合体の間で動的な平衡状態にあるが，コルヒチンを加えると細胞質中の遊離の二量体がこの平衡から隔離され，その結果，微小管は消失する．培養細胞を短時間コルヒチンで処理すると，細胞内の微小管はすべて消失し，チューブリンを含んだ安定な中心体が残る（図18・12a）．コルヒチンを洗い流して微小管の再伸長を促すと，中心体からの微小管の伸長が観察される．このことから，中心体が新たな微小管伸長の核となることがわかる（図18・12b）．

コルヒチンは数百年にわたって，痛風による関節の痛みを軽減するのに使われてきた．英国王ヘンリー8世は痛風を患っており，痛みをとるためにコルヒチンが用いられたことはよく知られている．低濃度のコルヒチンは白血球細胞の微小管の働きを抑え，炎症を起こした部位への白血球の移動を抑制する．この結果，痛風に伴う炎症が軽減される．

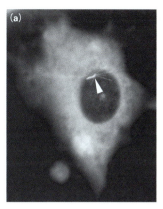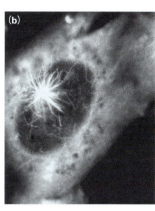

図18・12（実験） 微小管はMTOCから伸長する．細胞内で微小管がどこから重合するかを調べるため，まず培養繊維芽細胞をコルヒチンで処理して，ほとんどすべての微小管を脱重合させた．細胞を抗チューブリン抗体で染色し，免疫蛍光顕微鏡法で観察した(a)．別の実験においては，微小管が再伸長するよう，コルヒチンを洗い流した．(b)に再重合の最初の段階を示す．微小管は核（暗い領域）の上にある中央部領域のMTOCから伸長していることがわかる．(a)で，中心体と結合した一次繊毛（やじりで示す，§18・5で解説）が，コルヒチン処理によっても消失せずに残っていることにも注意．重合しなかったαβチューブリン二量体によって，細胞質も蛍光を発している．[E. M. Mandelkow et al., 1991, *J. Cell Biol.* **114**(5): 977による．]

コルヒチンのほかにも，ジュニパー（ヒノキの一種）からとったポドフィロトキシン（podophyllotoxin）や合成薬剤であるノコダゾール（nocodazole）など，多くの薬剤がチューブリン二量体に結合し，その重合を阻害する．

セイヨウイチイ由来の植物アルカロイドであるタキソール（taxol）は，微小管に結合し，これを安定化して，脱重合を防ぐ．タキソールは有糸分裂を阻害し，細胞分裂を停止させるので，乳がんや子宮がんといったがんの治療に使われてきた．これは，乳房や子宮の細胞がタキソールに対して特に高い感受性をもつからである．∎

18・2 微小管の動態 まとめ

- 個々の微小管の(+)端は動的不安定性を示し，すばやい伸長と短縮を交互に繰返す（図18・10）．
- ほとんどの微小管のβチューブリンはGDPを結合している．しかし，伸長中の微小管の(+)端はGTP-βチューブリンを含む多数のチューブリン二量体でキャップされており，プロトフィラメントの端は不揃いで少しだけ広がった形をしている．これに対して，短縮している微小管はGTP-βチューブリンキャップを失い，プロトフィラメントは外側に反り返り，脱重合してしまう（図18・11）．
- 伸長中の微小管はGTP加水分解エネルギーをプロトフィラメント束にため込んでいるので，脱重合によって仕事をすることができる．
- 中心体から伸長して動的不安定性を示す微小管は，細胞質を探索し，構造体や細胞小器官などの標的を探し出して捕捉する．この結果，(+)端が安定化される．このように，微小管伸長と"探索と捕捉"とがあいまって，細胞内の微小管の分布が決定される．

18・3 微小管の構造と動態の調節

微小管の構造と動態の調節は，細胞が適切に機能するために非常に重要である．本章で後述するように，微小管は動物における細胞小器官の主要なオーガナイザーであり，微小管の安定性と動態は，そのときどきの細胞の特定の機能に合わせて調整されている．たとえば，細胞が有糸分裂に入ると，微小管の動態は劇的に増大し，細胞が有糸分裂紡錘体を構築できるようになる．

微小管壁は αβ チューブリン二量体で構築されており，精製された αβ チューブリンは in vitro で重合し微小管となる．試験管内での微小管の形成は，ある種の微小管結合タンパク質（MAP）の存在によって大きく促進される．MAPはさまざまな方法で微小管の動態を調節している．大きく分けると，あるものは微小管を安定化し，他のものは不安定化し，第三のグループは微小管の成長特性を変化させる．本節では，表 18・1 にまとめた MAP のさまざまな例について述べる．

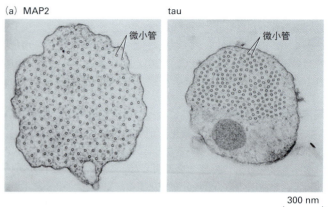

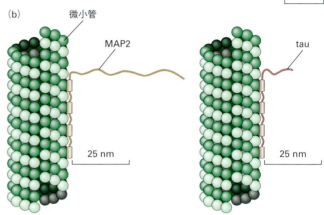

表 18・1 微小管結合タンパク質（MAP）	
名　称	機　能
MAP2, MAP4, tau	微小管の安定化
EB1	＋TIP カタストロフィーの促進
XMAP215	＋TIP（＋）端での微小管伸長の促進
CLASP	＋TIP（＋）端でのカタストロフィーの抑制
キネシン 13	末端の脱重合の促進
Op18/スタスミン	（＋）端の脱重合の促進
カタニン	AAA ATPase，微小管の切断

図 18・13（実験） 微小管間隔は微小管結合タンパク質の突出部位の長さに左右される．（a）長腕の MAP2 タンパク質または短腕の tau タンパク質を発現する DNA を組込んだ昆虫細胞から，長い軸索のような突起が伸長する．MAP2（左）または tau（右）を発現した細胞でできた突起の横断切片の電子顕微鏡写真．MAP2 を含む細胞の微小管の間隔が tau を含む細胞のものよりも大きい．両細胞はほぼ同数の微小管を含んでいるが，左側の細胞では MAP2 の影響で軸索様突起の直径が拡大している．（b）微小管と MAP との結合の模式図．MAP2 と tau の突き出ている腕の長さの違いに注意．[(a) は J. Chen et al., 1992, Nature **360**(6405): 674, Copyright Clearance Center, Inc. を通じて Nature Publishing Group より許可を得て転載.]

側面結合タンパク質が微小管を安定化する

いくつかの種類のタンパク質が微小管を安定化する．こうしたタンパク質の多くは，細胞特異的な発現をする．最もよく調べられているものに，tau, MAP2, MAP4 を含む **tau** ファミリータンパク質がある（図 18・13）．tau と MAP2 は神経細胞で発現し，MAP4 は神経細胞以外の細胞で発現する．これらのタンパク質は，二つの機能ドメインからなるモジュール構造をもっている．機能ドメインの一つは，正に荷電した 18 残基の配列が 3 回から 4 回繰返しており，負に荷電した微小管表面に結合する．もう一つのドメインは，微小管壁から直角に突き出ている（図 18・13b）．tau タンパク質は微小管を安定化し，微小管間のスペーサーとして働くと考えられている．MAP2 は樹状突起にのみ見いだされ，微小管間の繊維状架橋を形成し，微小管を中間径フィラメントにつないでいる．tau は他の MAP よりずっと小さいが，軸索と樹状突起の双方に見いだされる．こうした局在の理由はまだわかっていない．

微小管安定化 MAP が微小管壁を覆うと，微小管の伸長速度を増加させるか，カタストロフィーの起こる頻度を減少させる．多くの場合，MAP の活性は突起ドメインの可逆的リン酸化で調節される．リン酸化された MAP は微小管に結合できないので，リン酸化は微小管の短縮を加速する．たとえば，微小管親和性調節キナーゼ（MARK/Par-1）は tau タンパク質の主要な調節因子である．MAP4 のようなある種の MAP は，細胞周期におけるタンパク質の活性制御に主要な役割を果たすサイクリン依存性キナーゼ（CDK）でリン酸化される（19 章）．

＋TIP は微小管（＋）端の性質や機能を調節する

tau タンパク質のように微小管の側面に結合する MAP 以外に，（＋）端に近い領域に結合する MAP も見つかっている．こうした MAP の多くは，伸長中の（＋）端だけに結合する（図 18・14a, b）．こうした一群のタンパク質は，（＋）端を追跡するタンパク質（plus-end tracking protein）という意味で，**＋TIP** とよばれる．それらのうちで最も詳しく調べられているのは，**EB1**（end binding-1）および類似の **EB3** とよばれる ＋TIP と伸長中の（＋）端との結合である．EB1 は，GTP-β チューブリンを含むキャップのすぐ後ろにある GDP-P$_i$-β チューブリンを含む領域に結合することが高解像度顕微鏡により明らかになった（図 18・11）．EB1 の結合によりチューブリンサブユニット間にねじれが生じ，それが伝わってキャップ末端の GTP 加水分解を促すと考えられている．したがって，ある種の in vitro 実験では，EB1 は微小管を不安定化し，カタストロフィーの頻度を高める（図 18・14c）．いくつかの ＋TIP は EB1 を介して（＋）端に結合するか，結合に EB1 を必要とするので，EB1 に"便乗"しているといわれる（図 18・14d）．

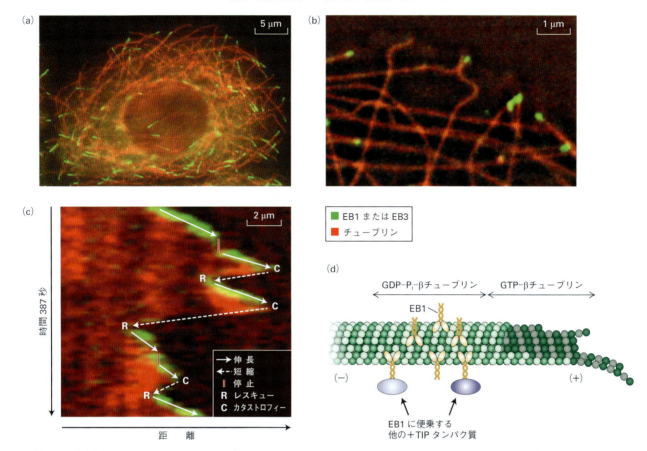

図 18・14（実験） +TIP タンパク質の EB1 は，微小管の（+）端付近に結合する．(a) チューブリン（赤）および +TIP タンパク質 EB1（緑）に対する抗体で染色した培養細胞．EB1 が微小管の（+）端領域に集まっている．(b) EB3-GFP（緑）と mCherry-α チューブリン（赤）を発現している生細胞の周辺部．EB3 は EB1 によく似たタンパク質で，微小管末端近くに局在している．(c) EB3-GFP が伸長中の微小管に選択的に結合することが，ここで示す"カイモグラフ（kymograph）"でわかる．カイモグラフでは，生細胞中の特定の微小管の蛍光像を時間経過に従って積み重ねているので，微小管（赤）と EB3（緑）の動的状態がわかる．このカイモグラフから，一番上で微小管末端に EB3 が結合しており，その後，時間とともに微小管が伸長したり短縮したりすることを追うことができる．微小管が伸長するときには，EB3 は微小管末端に結合しており，その蛍光像を見ることができる．ところが，伸長が止まったり，短縮したりするときには，EB3 は微小管末端から解離しており，その蛍光像が見えない．いったん伸長が再開されると，EB3 は再び微小管末端に結合しており，EB3 の蛍光が見える．こうした微小管の動態をカイモグラフ上に書き込んである．(d) EB1 がどのようにして伸長中の微小管に結合するか，そして他の微小管結合タンパク質がどのようにして EB1 に "便乗" して結合するか，その機構を示す．[(a)～(c) は Dr. A. Akhmanova, Cell Biology, Utrecht University, The Netherlands と Dr. M. Steinmetz, Biomolecular Research, Paul Scherrer Institut, Villigen PSI, Switzerland 提供．]

　EB1 によらずに（+）端に結合する他の +TIP は，微小管集合を促すかカタストロフィーを抑えることで，微小管伸長をもたらす．たとえば，**XMAP215** というタンパク質は5個の TOG ドメインをもっている．TOG ドメインは，微小管伸長末端に位置しているゆるく屈曲したプロトフィラメントに結合するとともに遊離した αβ チューブリン二量体とも結合する．その結果，伸長末端での αβ チューブリン二量体の濃度が上昇し，微小管伸長が加速される（図 18・15a）．一方，**CLASP** とよばれるタンパク質は似たような TOG ドメインをもっているが，微小管伸長を促すのではなく，ゆるく屈曲した伸長末端に結合してカタストロフィーを抑える（図 18・15b）．+TIP の別の機能として，微小管の（+）端を種々の細胞内構造体につなぎとめる役割があげられる．こうした構造体として，細胞表層や F アクチン，あるいはあとで解説する有糸分裂期に現れる染色体があげられる．前述のように，微小管伸長端は細胞内の標的を探索し捕捉する．探索を行っている微小管末端に結合している +TIP が標的となる細胞内構造体に遭遇すると，微小管とこれら構造体の会合を安定化させる．さらに，微小管（+）端を膜につなぎとめる +TIP もある．たとえば，小胞体にある膜貫通タンパク質 **STIM** は，微小管依存的な管状小胞体伸長を加速する．

微小管短縮を促進する末端結合タンパク質がある

　微小管を不安定化するいろいろな機構が知られている．その一つには，キネシン 13 ファミリータンパク質がかかわっている．§18・4で述べるように，ほとんどのキネシンは分子モーターである．しかし，キネシン 13 タンパク質はこれとは異なり，チューブリンプロトフィラメントの末端に結合し，ここを反り返らせて，GDP-β チューブリン構造をとるようにしむける．こうして，末端のチューブリン二量体の解離が促され，カタストロフィーの起こる確率が大きく上昇する（図 18・15c）．このタンパク質は触媒のような働きをし，ATP を加水分解しながら末端のチューブリン二量体を次々と解離させる．

　Op18/スタスミン（Op18/stathmin）というタンパク質もカタストロフィーの頻度を上昇させる．このタンパク質は，ある種のが

切断タンパク質も微小管の動態を調節する

動物や植物にも微小管を切断するタンパク質が存在する．微小管切断タンパク質はすべて AAA ATPase のメンバーであり，ATP 加水分解の力を使ってタンパク質複合体を解離させる能力をもつ酵素である．最初に単離されたのは，日本の侍のもつ刀にちなんで**カタニン**（katanin）とよばれるものであった．カタニンはリング状の六量体を形成し，微小管からサブユニットを引抜くことで微小管を不安定化させて切断する．この結果，微小管はより急速に脱重合されるか，あるいは，ほとんどの場合，GTP-チューブリンによって修復され，新しい成長末端が生成する．微小管切断タンパク質が動物細胞で重要な機能を担っていることは明らかであるが，それが何であるかを正確に特定することは困難である．しかし，植物細胞では，細胞質表層の微小管が切断されることが明確に報告されている．

18・3 微小管の構造と動態の調節　まとめ

- 微小管は側面結合する微小管結合タンパク質（MAP）で安定化される（図18・13）．
- +TIP とよばれる MAP は微小管の（+）端に選択的に結合し，その動態を変えたり，細胞質内を探索している伸長中の（+）端が構造体や細胞小器官を捕捉するのを助けたりする（図18・14）．
- XMAP15 などのタンパク質は微小管（+）端の伸長を促進し，CLASP などはカタストロフィーに対して安定化させる（図18・15a, b）．
- 微小管末端は，キネシン13ファミリータンパク質やOp18/スタスミンなどのいくつかのタンパク質により不安定化され，その結果，カタストロフィーの頻度が上昇する（図18・15c, d）．
- カタニンのような MAP は，微小管を切断する AAA ATPase である．

18・4 キネシンとダイニン：微小管上を動くモータータンパク質

細胞小器官ははっきり決められた細胞質内の経路に沿って数マイクロメートルの距離を特定の場所まで輸送される．拡散だけではこのような輸送過程の速度，方向性，目的地を説明できない．魚のうろこの色素細胞と神経細胞を用いた初期の研究から，微小管がレールとなり，いろいろないわゆる"積み荷"が細胞内の目的地まで運ばれていることがわかっている．

前述のように，微小管の伸長と短縮という過程によって，GTPの加水分解エネルギーは仕事に変換される．さらに，**モータータンパク質**（motor protein）は，ATP の加水分解エネルギーを使って微小管上を動く．**キネシン**（kinesin）と**ダイニン**（dynein）という二つのモータータンパク質が微小管上での積み荷輸送を行っている．本節では，まず，これらのモータータンパク質の存在を示した最初の証拠について議論する．そして，これらのタンパク質がどのような機構で働くか，間期の細胞でそれらがどのような役割を果たすか，について解説する．後節で，繊毛や鞭毛あるいは有糸分裂におけるこれらタンパク質の役割を解説する．

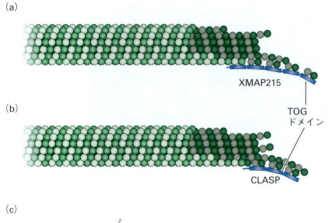
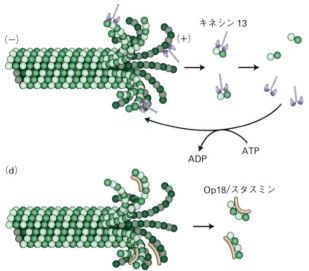

図 18・15　微小管の末端を調節するタンパク質． (a) XMAP215 タンパク質は五つの TOG ドメインをもち，そのうちのいくつかは成長する微小管末端の緩やかに屈曲したプロトフィラメントと結合し，他のものは αβ チューブリン二量体と結合して伸長を促進させる．(b) CLASP も複数の TOG ドメインをもっており，微小管の末端を安定化させてカタストロフィーを抑制している．(c) キネシン13ファミリーに属するタンパク質は微小管末端に濃縮され，そこの短縮を促進する〔ここでは（+）端の短縮を示すが，キネシン13は（−）端の短縮にもかかわる〕．キネシン13は ATPase である．ATP があるとキネシン13に結合していた αβ チューブリン二量体が解離する．その結果生じた遊離キネシン13が微小管末端をさらに脱重合させる．(d) Op18/スタスミンは屈曲したプロトフィラメントに選択的に結合し，微小管の末端からのプロトフィラメントの解離を促進する．

ん細胞で発現が大きく上昇するという特徴に基づいて発見された（Op18 は Oncoprotein 18 の略）．Op18/スタスミンは小さなタンパク質で，GDP-β チューブリンのように反り返った構造をとった2分子のチューブリン二量体に結合する（図18・15d）．おそらく末端チューブリン二量体の GTP 加水分解を促進し，微小管末端からの解離を促すという役割を果たしているのだろう．微小管末端で働く調節因子ということから予想されるように，このタンパク質は，多くのキナーゼによるリン酸化で負の調節を受ける．実際，Op18/スタスミンは，移動中の細胞の先導端近くでリン酸化により不活性化されることが見いだされている．この不活性化で，微小管は細胞の前方に向けて選択的に伸長する．

軸索内の細胞小器官は微小管に沿って双方向に輸送される

神経細胞と他の神経細胞との接点（シナプス）では神経伝達物質がエキソサイトーシスで放出される（23 章）．このときに失われるタンパク質や膜成分を補充するために，こうした成分は絶えず軸索末端へ供給されている．タンパク質と膜は細胞体でだけ合成されるので，軸索の長さ分だけ輸送されなければならない．この距離は 1 m にもなることがある．この物質輸送は（＋）端を軸索末端に向けて配向している微小管上で行われる（図 18・5e）．

放射性アミノ酸を脊髄近くの背根神経節に微量注入し脊髄神経細胞のタンパク質に取込ませて，これを神経軸索に沿って追跡するという実験から，細胞体から軸索末端方向に**軸索輸送**（axonal transport）が行われることがわかった．さらに別の実験から，細胞体に向かう反対方向の輸送があることもわかった．細胞体から軸索末端に向かって進行する**順行性輸送**（anterograde transport）は，軸索成長とシナプス小胞の供給に関係している．それに対して反対方向に向かう**逆行性輸送**（retrograde transport）は，回収した膜成分を軸索末端から軸索に沿って細胞体側へ移動させる．

同様の実験から，違う物質は違う速度で移動することもわかった（図 18・16）．このなかで最も速く移動するのは膜で囲まれた小胞で，3 μm/秒の速度，つまり 1 日に 250 mm の速度で動く．この速度では，背中にある神経細胞の細胞体から足先にある軸索終末までの輸送に 4 日かかることになる．チューブリンサブユニットやニューロフィラメント（神経細胞にある中間径フィラメント）といった最も遅く移動する物質は，1 日に 1 mm 以下しか移動しない．ミトコンドリアのような細胞小器官は中間の速度で軸索中を移動していく．

微小管に沿った細胞小器官の輸送を調べるには，イカの巨大軸索がよく使われてきた．これは直径が 1 mm もあり，ふつうの哺乳類の軸索に比べると 100 倍もの太さである．巨大軸索から絞り出した細胞質（軸索原形質 axoplasm）は，ビデオ顕微鏡で観察できる．この無細胞系での微小管に沿った小胞輸送は ATP を必要とし，その速度は生細胞の速い軸索輸送と同様であり，順行性と逆行性の双方向への運動がみられた（図 18・17）．よって，これらの実験から，微小管に沿って積み荷を順方向にも逆方向にも移動させることができる ATP 依存性のモーターが存在するはずであることがわかった．さらに，イカ巨大軸索の細胞質を電子顕微鏡で観察すると，微小管に細胞小器官が付着しているのが見える．

他の実験においては，緑色蛍光タンパク質（GFP）で標識したニューロフィラメントを培養細胞に注入し，ニューロフィラメントの軸索に沿った動きを観察すると，運動がしばしば止まることがわかった．ニューロフィラメントの最大速度は速やかに動く小胞と同様であるが，頻繁に動きが止まるので平均の輸送速度が大きく減少する．この結果は，速い軸索輸送にも遅い軸索輸送にも本質的な違いがないことを示している．

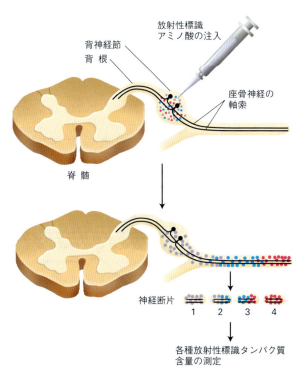

図 18・16（実験） in vivo での軸索輸送速度は放射性標識とゲル電気泳動で測定できる．座骨神経の神経細胞の細胞体は背根神経節（脊髄付近）に局在している．実験動物のこれら神経節に放射性アミノ酸を注入すると，新しく合成されたタンパク質中に取込まれ，軸索を通してシナプスへ輸送される．注入後異なった時間で動物から座骨神経を切出し，小片に切り分けて放射性標識したタンパク質がどこまで輸送されたかを分析する．これらのタンパク質は，ゲル電気泳動とオートラジオグラフィーで同定できる．赤，青，紫の点は軸索を異なる速度で輸送されるタンパク質群を示す．輸送速度は赤が最も速く，紫が最も遅い．

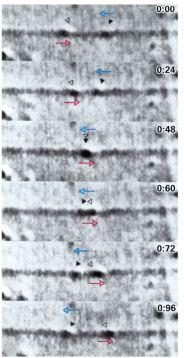

図 18・17（実験） in vitro での微小管上の小胞輸送を示す微分干渉顕微鏡写真．イカの巨大神経軸索をローラーでしごいてカバーガラス上に細胞質を押出す．ATP を含む緩衝液を細胞質に加えたあと，微分干渉（DIC）顕微鏡で観察し，ビデオに画像を記録する．連続写真に示すように，白と黒の三角形で印をつけた 2 個の細胞小器官が，ピンクと青矢印で示すように反対方向に移動する．両者は同じ微小管に沿って動き，互いにやり過ごしたあと，もとの方向のまま動き続ける．経過時間（秒）は各フレームの右上隅に示してある．[B. J. Schnapp et al., 1985, *Cell* **40**: 455, Copyright Clearance Center, Inc. を通じて Elsevier より許可を得て転載．]

キネシン1は微小管の(+)端に向かう順行性軸索小胞輸送を駆動する

順行性の細胞小器官輸送にかかわるタンパク質は，軸索の細胞質抽出物からはじめて精製された．イカ巨大軸索から精製した細胞小器官，細胞小器官を除いた細胞質抽出物，そしてタキソールで安定化した微小管という3種類の成分を混ぜると，細胞小器官が微小管上を動くのが観察された．この動きにはATPが必要だった．しかし，細胞質抽出物を加えないと，細胞小器官は微小管に結合もしないし，その上を動きもしなかった．このことは，抽出物には細胞小器官を微小管につなぎとめ，それに沿って輸送するタンパク質，つまりモータータンパク質が含まれていることを示唆している．

このモータータンパク質を精製する方法は，微小管上を運動する細胞小器官に関する次のような観察に基づいている．ATPがADPに加水分解されると，細胞小器官は微小管から解離してしまう．しかし，加水分解できないATPアナログであるAMP-PNP（アデニリルイミド二リン酸）があると，細胞小器官は微小管に結合したままで動かない．このことは，AMP-PNPがあるとモータータンパク質は細胞小器官と微小管を強く結びつけるが，AMP-PNPをATPに置き換えて，これがADPに加水分解されると，細胞小器官は微小管から解離することを示唆している．そこで，AMP-PNPがあると微小管に結合しATPを加えると解離するというタンパク質を探せば，このモータータンパク質を見つけ出すことができる．こうして，**キネシン**（kinesin）とよばれるモータータンパク質が細胞質抽出物から精製された．

多くのキネシンがこれまでに精製されてきた．イカの巨大軸索から単離されたキネシン1は，重鎖2本にそれぞれ軽鎖1本が結合した380 kDaの分子である．この分子の重鎖では，N末端側に位置する球状**頭部ドメイン**（head domain）が短い柔軟な**リンカードメイン**（linker domain）を介して長い**中央ストーク**（central stalk）につながり，C末端側は小さな球状の**尾部ドメイン**（tail domain）になっている．ストークドメインのコイルドコイル構造（図3・7a参照）を介して，重鎖は二量体構造をとる．軽鎖は尾部ドメインに結合している（図18・18）．各ドメインはそれぞれ特有な機能をもつ．頭部ドメインは微小管やATPと結合してキネシンのモーター活性を担い，ストークドメインは重鎖の二量体化，リンカードメインは一方向への動きにかかわる．尾部ドメインは積み

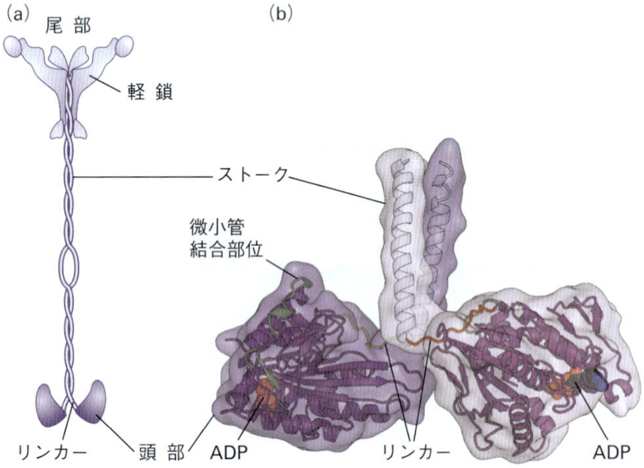

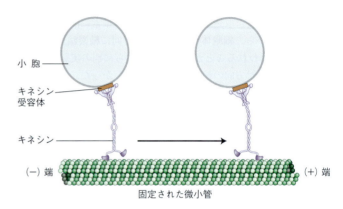

図18・19 キネシン1による小胞輸送のモデル．小胞表面の受容体に結合したキネシン1の分子は，安定な微小管の(−)端から(+)端へ小胞を輸送する．移動にはATPが必要である．[R. D. Vale et al., 1985, *Cell* **40**: 559; T. Schroer et al., 1988, *J. Cell Biol.* **107**: 1785 参照．]

図18・18 **キネシン1の構造**．(a) キネシン1の模式図．モータードメインをもつ2本の重鎖と2本の軽鎖からなる．モータードメインを含む各頭部は柔軟なリンカードメインを介してコイルドコイル構造をとるストークにつながっている．2本の軽鎖は重鎖の尾部に結合している．(b) X線結晶構造解析でわかったキネシン頭部の構造．微小管およびヌクレオチド結合部位（ADPを結合している）を示す．この構造はリンカーとストークの一部も含む．[(a)は R. D. Vale, 2003, *Cell* **112**: 467 参照．(b)は M. Thormahlen et al., 1998, *J. Struc. Biol.* **122**: 30 参照．F. Kozielski et al., 1997, *Cell* **91**: 985, PDB ID 3kin．]

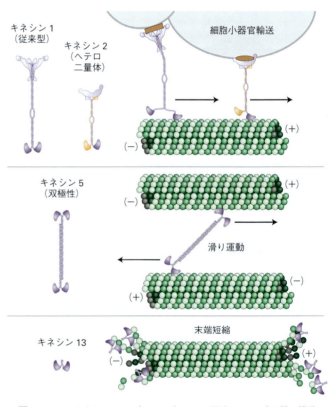

図18・20 キネシンスーパーファミリーに属するタンパク質の構造と機能．いくつかのキネシンファミリータンパク質の構造と作用機序の例．それぞれのキネシンはいろいろな名前でよばれているが，本書では，C. J. Lawrence et al., 2004, *J. Cell Biol.* **167**: 19 の統一命名法を用いた．[R. D. Vale, 2003, *Cell* **112**: 467 参照．]

荷を含む膜上にある受容体と結合する.

キネシン1に依存した膜小胞の運動は，ミオシン依存性運動の研究に用いられたものと同様な in vitro 運動測定法を用いて追跡できる（図17・23参照）. たとえば，キネシン1で覆われた膜小胞あるいはプラスチック球を，安定化した微小管と一緒にスライドガラス上に載せ，ATPを加えると，ビーズが微小管に沿って一方向へ動くのが顕微鏡下で見える. この動きは，常に微小管の(−)端から(+)端へ向かっている（図18・19）. したがって，キネシン1は(+)端方向に動く微小管モータータンパク質である. 他の実験と合わせて考えると，キネシン1は順行性軸索輸送にかかわるモータータンパク質であることがわかる.

キネシンは多様な機能をもつ大きなファミリーを形成する

キネシン1の発見以来，遺伝的スクリーニングや分子生物学的方法でキネシン様モータードメインをもつ多くのタンパク質が見いだされた. 現在までに，動物ではキネシン1のモータードメインと相同なアミノ酸配列をもつ14種類のキネシンが発見されている. ヒトゲノムには，キネシン様タンパク質ファミリーをコードする45の遺伝子がある. これらすべてのタンパク質の機能が同定されているわけではないが，キネシンのなかには，細胞小器官，mRNA，あるいは染色体の輸送，微小管どうしの滑り，微小管短縮にかかわっているものがある.

ミオシンモーターのように，キネシンファミリーに属するものでは，保存されたモータードメインにさまざまな機能をもつ非モータードメインが融合している（図18・20）. キネシン1は同一の重鎖2本と同一の軽鎖2本からなる. 一方，細胞小器官輸送にかかわるものでもキネシン2ファミリーに属するタンパク質は，2本の異なる重鎖と重鎖尾部に会合して積み荷を結合する第三のポリペプチド鎖1本を含む. また，キネシン5ファミリーに属するタンパク質は4本の重鎖からなる. このキネシンは双極性のモーターとなり，逆平行に並んだ微小管を(+)端方向に引っ張る. 有糸分裂にかかわるキネシン14は，微小管の(−)端方向に動く唯一のキネシンである. さらに，キネシン13ファミリーに属するタンパク質は2本の重鎖からなり，キネシン様モータードメインは重鎖の真ん中に位置している. キネシン13タンパク質はモーター活性をもたないが，微小管の両端からの脱重合を加速させるという活性をもつ特別なATPaseである（図18・15）.

キネシン1はプロセッシビティーを示す

ミオシンのときと同じような光捕捉法と蛍光標識法（図17・28

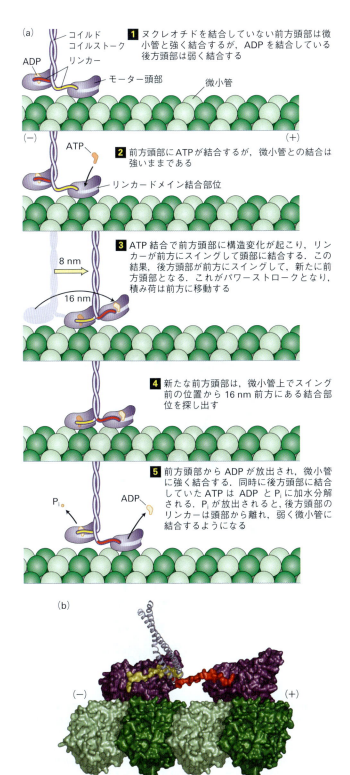

図18・21 キネシン1はATPを使って微小管上を"歩行する". (a) この図では，二つのキネシン頭部を異なる色（黄と赤）をつけたリンカーで区別している. ここでは，"歩行"サイクルをキネシンが微小管上を一歩歩いた直後からはじめる. この段階では，前方頭部はヌクレオチドを結合しておらず，微小管に強く結合している. 一方，後方頭部はADPが結合しており，微小管に弱く結合している（段階1）. キネシンの前方頭部にATPが結合すると（段階2），構造変化が起こり，リンカー（黄）は前方を向き，頭部ドメインに結合しながら後方頭部を前方に投げ出す（段階3）. 新たに前方に位置した頭部が，微小管上16 nm先にある結合部位を探し出し，そこに弱く結合する（段階4）. この前方頭部はADPを放出して，微小管に強く結合する. すると，後方頭部はATPをADPとPiに加水分解する. Piが放出されるとADPを結合した後方頭部は微小管から解離できるようになり，頭部に結合していたリンカー領域も離れる（段階5）. ここで一番上の状態に戻り，同じサイクルが繰返される. (b) 微小管のプロトフィラメントに結合した二つのキネシン頭部（紫）の構造モデル. 左側の後方頭部にはATPが結合し，右側の前方頭部を前方に押出した形. 後方頭部のリンカー領域（黄）は頭部に結合しており，前方頭部のリンカー領域（赤）は頭部から離れていることに注目. [(a)は R. D. Vale and R. A. Milligan, 2000, *Science* **288**: 88 参照. (b)は E. P. Sablin and R. J. Fletterick, 2004, *J. Biol. Chem.* **279**: 15707, PDB 3kin, 1mkj, 1jff.]

参照)を使って,キネシン1がどのように微小管上を動くのか,そしてATP加水分解がどのように機械的な仕事に変換されるかを調べた.その結果,キネシン1が非常にプロセッシビティー(連続して運動し続けるという性質)の高いモーターで,微小管上を解離することなく,足を交互に動かすようにして(ハンドオーバーハンドモデル)数百歩も歩き続けることがわかった.この歩行の間,双頭のキネシン分子は1本のプロトフィラメントに沿って移動する.二つの頭部は協調して働き,片方は常に微小管に接着している.

キネシン1の頭部は,ATP結合状態でもヌクレオチド非結合状態でも微小管に非常に強く結合するが,ADPがヌクレオチド結合部位を占めると結合力が弱くなる.このような性質が,キネシン1のプロセッシブな積み荷の移動を可能にしているのである.歩行運動しているキネシン1のATP加水分解サイクルを理解するには,一歩足を進めた直後からのサイクルを考えるとよい(図18・21a).このとき,前方の頭部はヌクレオチドを結合せずにプロトフィラメントの二量体チューブリンと強く結合し,後方の頭部はADPを結合しており,プロトフィラメントとは弱く結合している(図18・21a,段階1).前方の頭部にATPが結合すると(段階2),この結合によって構造変化が起こり,後方に向いていたこの頭部のリンカードメインはもはや自由でなくなり,前方に回転して頭部に結合するようになる.このスイング運動によってリンカードメインが前方に回転し,バレエダンサーを投げるように,後方の頭部が前方の頭部となる位置に投げ出される(段階3).新たに前方に位置するようになった頭部は,微小管上の16 nm先にある次の結合部位を見つける(段階4および図18・21b).この段階で積み荷は8 nm移動し,これがパワーストロークとなる.先行する頭部と微小管との相互作用は,二つの頭部間の協調的な事象を誘発する.まず,先行する頭部がADPを解離してヌクレオチドのない状態となり,その結果,微小管に強く結合するようになる.

次に,後方に位置するようになった頭部ではATPを加水分解してADPとP_iに変換し,P_iを放出すると弱い結合状態に移行する(段階5).次に,ATPが前方の頭部に結合することでサイクルが繰返されて,キネシンが微小管上をもう一歩進むことができるようになる.このサイクルの間,一方の頭部は常にATPまたはヌクレオチドを含まない状態にあり,どちらの場合でも微小管に強く結合しているので,キネシンは微小管に沿って歩くときにほとんど解離せず何千歩も歩けるのである.

細胞小器官輸送を担うキネシン1は,輸送すべき"積み荷"(細胞小器官)と確実に結合しなければならない.これは,キネシン尾部ドメインと積み荷上のキネシン受容体との特異的相互作用を介して実現される.キネシン1はATPaseだが,積み荷輸送が終わったあとには,エネルギーを無駄にしないようATPase活性を抑えておくことが大事である.このために,輸送する積み荷がないときには,尾部ドメインとモーター頭部ドメインとが結合し,キネシン1のATPase活性と微小管結合活性が抑えられる.その結果,キネシン1はATPaseとしては不活性の状態に入る(図18・22).一方,尾部ドメインに積み荷上のキネシン受容体タンパク質が結合すると,尾部ドメインと頭部ドメインが離れて,キネシン1は活性化される(段階1).この活性化されたキネシン1と積み荷の複合体が微小管に出会うと,微小管に結合し,それに沿って輸送される(段階2).積み荷が目的地に輸送されると,キネシン

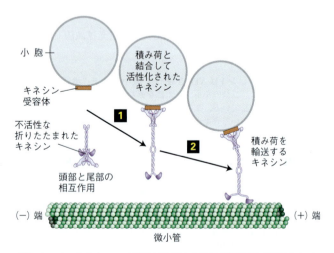

図18・22 キネシン1の機能は頭部と尾部の相互作用で調節されている.頭部と尾部が相互作用してキネシン分子が折りたたまれると,そのATPase活性が阻害される.折りたたまれたキネシン1分子がキネシン受容体(この図では輸送積み荷である膜小胞上にある)に遭遇して,これと結合すると,キネシンの折りたたみがほどける(段階1).その結果,積み荷は微小管の(+)端方向に輸送される(段階2).積み荷が目的地に運ばれたときに,キネシンとの相互作用が消失する理由はわかっていない.しかし,積み荷がキネシンから離れると,キネシンは再び不活性な状態に戻る.

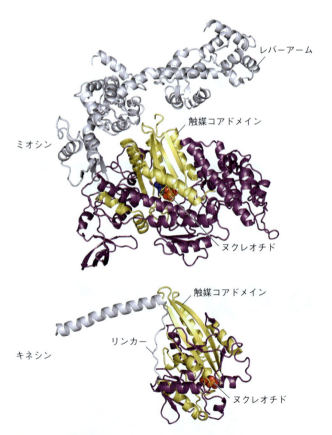

図18・23 ミオシン頭部とキネシン頭部のATP結合コアドメインでみられる構造の収斂進化.ミオシンとキネシンに共通した触媒コアを黄,ヌクレオチドを赤,レバーアーム(ミオシンII)とリンカードメイン(キネシン1)を薄紫で示した.[R. D. Vale and R. A. Milligan, 2000, *Science* **288**: 88 参照. F. Kozielski et al., 1997, *Cell* **91**: 985, custom PDB file(ミオシン), PDB ID 3kin(キネシン).]

1は積み荷から解離し，その尾部ドメインと頭部ドメインは再結合する．その結果，キネシン1は再び不活性な状態に戻る．

キネシン頭部のX線結晶構造が解かれたとき，驚くべきことに，ミオシンとキネシンの触媒コアドメインの構造は同じだということがわかった（図18・23）．両者のアミノ酸配列に共通性はないので，ATP加水分解エネルギーを仕事に変換するための構造が収斂進化によって別々に生じたと考えられる．さらに，同じような三次元構造は，GTP加水分解で構造変化するRasのような低分子量GTP結合タンパク質にも見いだされた．

ダイニンモーターは細胞小器官を微小管の(−)端方向に輸送する

細胞は，細胞小器官を微小管の(−)端に向かって逆行性に輸送するために，別のモータータンパク質を使用している．**細胞質ダイニン**（cytoplasmic dynein）は非常に大きく，ヒトの場合，2本の重鎖，2本の中間鎖，2本の軽中間鎖，6本の軽鎖からなる1.4 MDaの複合体である．軸索の微小管の(−)端に向かって細胞小器官を逆行輸送する役割のほかに，ダイニンには多くの機能があるが，本章の後半で考察することにする．ミオシンやキネシンに比べて，ダイニン関連タンパク質のファミリーはあまり多様性に富んではいない．たとえば，ヒトのダイニン重鎖をコードする遺伝子は一つだけである．

キネシン1のように，細胞質ダイニンは双頭分子で，2本の重鎖を中心に組立てられている．1本のダイニン重鎖は複数のドメインからできている（図18・24a）．**ステム**（stem）ドメインは，中間鎖，軽鎖などを結合し，さらに，後述のように，ダイナクチンという大きなタンパク質複合体を介して"積み荷"と結合する．**リンカー**（linker）ドメインは，ATP依存的モーター活性発現で重要な役割を果たす．重鎖の大部分は，**AAA ATPase**ドメインを含む**頭部**（head）を形成する．頭部内のAAA ATPaseドメインでは，AAAモジュール構造がリング状に6回繰返している（図18・24b）．ここにATPase活性部位がある．4番目と5番目のAAAモジュールの間から**ストーク**（stalk）ドメインが突出しており，その先端に微小管結合ドメインがある．

ダイニン重鎖のX線結晶構造と電子顕微鏡観察から，ダイニンがどのような機構で働くか，その一端が見えはじめてきている．おそらく1番目のAAAモジュールでのATP加水分解が，ダイニンの機械的仕事を駆動している．ATPが結合していないとき，ダイニンは微小管に結合している．そして，注意したいのは，リン

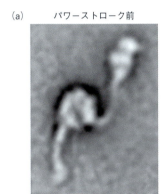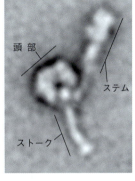

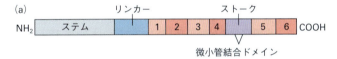

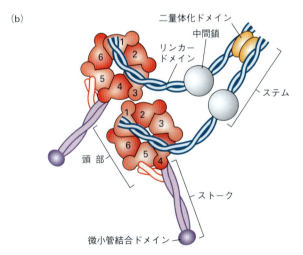

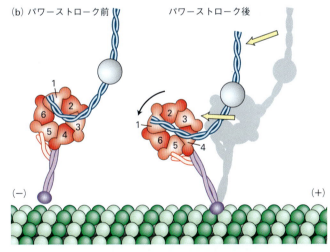

図 18・24 細胞質ダイニンのドメイン構造．(a) 4000を超えるアミノ酸残基からなるダイニン重鎖には，いくつかのドメインがある．N末端のステムドメインとリンカードメインに続いて，6個のAAAモジュールが繰返したATPaseドメインがある（6個のAAAモジュールは1〜6で示す）．4番目と5番目のAAAモジュールの間には，ストークドメインと微小管結合ドメインがある．(b) ダイニン重鎖の6個のAAAモジュールは花の花弁のように配置される．そこから長いコイルドコイル構造をもつストークドメインが突出しており，その末端に微小管結合ドメインがある．多数の付加的なサブユニットがステムドメインに結合しており，ダイナクチンを介してダイニンを積み荷と結びつける（図18・26）．[R. D. Vale, 2003, *Cell* **112**: 467 参照．]

図 18・25 ダイニンのパワーストローク．(a) パワーストローク前およびパワーストローク後の状態にある精製した単頭ダイニン分子について，多数の電子顕微鏡写真を撮影して平均化した像．左の写真はパワーストローク前の状態のダイニンである．一方，右の写真はパワーストローク後の状態．(b) 顕微鏡写真と構造データと合わせると，頭部に対するステムの結合位置が変化し，微小管と結合したストークが動くという力発生モデルが考えられる．わかりやすくするために，二つのダイニン頭部のうち一つだけを示している．[(a)は S. A. Burgess et al., 2003, *Nature* **421**: 715, Copyright Clearance Center, Inc. を通じて Nature Publishing Group より許可を得て転載．(b)は G. Bhabha et al., 2014, *Cell* **159**: 857 参照．]

カードメインはAAAドメインを横切ってまっすぐに伸びており，1番目と5番目のAAAモジュールに接触していることである．ATP結合により，ダイニンは微小管から解離し，リンカードメインは曲がって2番目と3番目のAAAモジュールの間に接触する（ストローク前の構造は図18・25a, bの左側に示す）．微小管との相互作用，ATP加水分解，リン酸放出を経て，リンカードメインはまっすぐに伸びる．この構造変化が，積み荷を（−）端方向に駆動するパワーストロークとなる（ストローク後の構造は図18・25a, bの右側に示す）．その後，ADPが放出されるが，モータードメインは微小管に結合したままである．ATPが結合すると，頭部が微小管から解離し，上記のサイクルが再び繰返される．

キネシン1とは違い，細胞質ダイニンはそれだけでは積み荷輸送を行うことはできない．ダイニンによる輸送には，ダイニンと積み荷をつなぎ，ダイニンの活性を制御するいわゆる**ダイナクチン**（dynactin）が必要とされる（図18・26）．ダイナクチンは機能的に異なる二つのドメインをもつ，11個のサブユニットからなる複合体である．一つのドメインでは，一つのアクチンサブユニットのまわりに8分子のアクチン関連タンパク質Arp1が重合して短いフィラメントになっている．このArp1フィラメントの（＋）端は，アクチンフィラメントと同じようにCapZタンパク質で覆われている（図17・12参照）．Arp1フィラメントの（−）端には多くのサブユニットが結合している．このArp1を含むドメインは積み荷の結合にかかわっている．もう一つのダイナクチンドメインは，**p150^{Glued}**という細長いタンパク質を含んでいる．p150^{Glued}にはダイニン結合部位があり，末端には微小管結合部位がある．二つのダイナクチンドメインをつなぐのが**ダイナミチン**（dynamitin）というタンパク質である．この名前は，過剰発現すると二つのドメインが解離し（まるでダイナマイトで吹き飛ばされたように），ダイナクチンが機能を失うことからつけられた．このダイナミチンの特徴からわかるように，ダイナミチンを過剰発現するとダイニン-ダイナクチンに依存した過程が阻害されるので，こう

した過程を解析するのに役立つ．

最近の研究により，ダイニン-ダイナクチン複合体は，活性化アダプターに出会うまで，不活性な状態で存在することが明らかになった．活性化アダプターはモーターを活性化し，かつ複合体を積み荷に結びつける．活性化アダプターは数多く存在し，それぞれが特定の積み荷に対応して機能する．すべてのアダプターは二量体タンパク質で，明確な積み荷への結合部位とダイナクチンと相互作用する長いコイルドコイル領域をもつ（図18・26b）．場合によっては，ダイニンは特定の場所に輸送されるまで不活性のまま，ここに到達してはじめて活性化されることもある．たとえば，ダイナクチンのp150^{Glued}サブユニットは＋TIPタンパク質であるEB1と結合する．その結果，ダイニンは微小管の（＋）端と結合できる．微小管の（−）端方向に向かうダイニンが（＋）端に結合することにどんな意味があるだろうか．最近の知見によると，ダイナクチン-EB1との相互作用を介して微小管の（＋）端に結合したダイニンは不活性な構造をとっている．伸長中の微小管が細胞表層に達すると，不活性なダイニン-ダイナクチン複合体は，そこに局在している活性化因子に遭遇し，活性化される．活性化されたダイニン-ダイナクチン複合体は，細胞表層と結合しながら微小管を表層のほうに引っ張ることになる．酵母では，こうした機構によって有糸分裂期の紡錘体組織化が促されることがわかっている．こうした例はおそらくほかにもあるだろう．

ダイナクチン以外にも，ダイニンと一緒に機能するタンパク質がある．たとえば，LIS1とNudEを含む一群の調節因子が脳の形成にかかわるといったことがそうした例である．NudEはダイニン中間鎖および軽鎖をLIS1に結びつける（図18・27a）．LIS1はダイニンATPaseドメインと相互作用して，そのパワーストロークを強化し，負荷がかかった状態でもダイニンが長距離滑り運動できるようにする．LIS1に欠陥があるとミラー-ディーカー滑脳症（Miller–Dieker lissencephaly，LIS1という名前はこれ

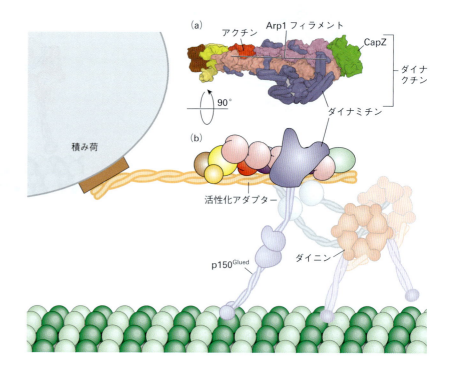

図18・26 **ダイナクチン複合体は，ダイニンとともに積み荷を輸送する．**（a）ダイナクチン複合体内の一つのドメインが積み荷と結合する．このドメインは，アクチン関連タンパク質Arp1サブユニット約8個と一つのアクチンサブユニットからなり，CapZによってキャップされた短いフィラメントを中心にしてできている．もう一つのドメインはタンパク質p150^{Glued}からなる．p150^{Glued}の遠位端には微小管結合部位があり，細胞質ダイニンと微小管との結合を強める．ダイナミチンはダイナクチン複合体の二つのドメインと結合している．（b）ダイナクチンとダイニン複合体との結合の様子と，両者が活性化アダプターと微小管に結合する様子を示す模式図．[L. Urnavicius et al., 2015, *Science* **347**: 1441参照．]

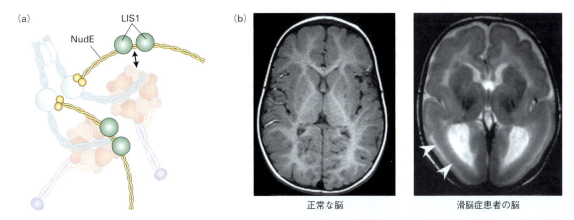

図 18・27(実験) LIS1 タンパク質はダイニン機能の調節にかかわり，脳の分化に必要である．(a) NudE タンパク質はダイニンに結合し，LIS1 がダイニン重鎖の ATPase ドメインと相互作用できるようにする．(b) 正常な脳と，LIS1 欠損で起こるミラー–ディーカー滑脳症患者の脳の磁気共鳴像(MRI)．滑脳症患者では脳のしわ(脳回)がなくなっている．[(a)は R. J. McKenny et al., 2010, *Cell* 141: 304 参照．(b)は M. Kato and W. B. Dobyns, 2003, *Hum. Mol. Genet.* 12: R89, Copyright Clearance Center, Inc. を通じて Oxford University Press より許可を得て転載．]

に由来する)という重大な疾病をひき起こす．滑脳症患者の脳では，大脳皮質はしわがなく平らになっている(図18・27b)．LIS1に変異が生じると，大脳皮質の発生初期に神経細胞の有糸分裂と移動に欠陥が生じ，その結果，しわのない大脳皮質という滑脳症の特徴と精神遅滞などが現れる．

キネシンとダイニンは協同して細胞内での細胞小器官輸送を担っている

キネシンとダイニンは，細胞内での微小管依存的な細胞小器官組織化に重要な役割を果たしている(図18・28)．微小管の方向性は微小管の形成中心である MTOC の位置で決まる．それゆえ，細胞の中心から離れる方向か，中心に向かう方向かという輸送の極性はモータータンパク質によって規定される．たとえばゴルジ体は，ダイニン–ダイナクチンによって微小管の(−)端が位置する中心体近傍にまとめられている．さらに，小胞体から生じた分泌小胞もダイニン–ダイナクチンによってゴルジ体に運ばれる．これとは反対に，小胞体は微小管の(+)端方向に運動するキネシン1を介した輸送で，細胞の外縁に向かい，全体に広げられる．後期エンドソームやリソソームのようにエンドサイトーシス経路にかかわる細胞小器官もダイニン–ダイナクチン複合体により輸送される．キネシンは，ミトコンドリアの輸送や，膜をもたない積み荷(たとえば発生過程で細胞の特殊な場所に局在する必要があるタンパク質をコードする mRNA)の輸送にもかかわる．

これまでに，キネシン1が軸索中の順行性輸送を行うことをみてきた．それでは，キネシン1は軸索終末に到達したらどうなるのだろうか．細胞質ダイニンで輸送される細胞小器官に乗って逆行性輸送で細胞中心部に戻ってくるというのがそれに対する答えである．つまり，キネシン1とダイニンは同じ細胞小器官に結合

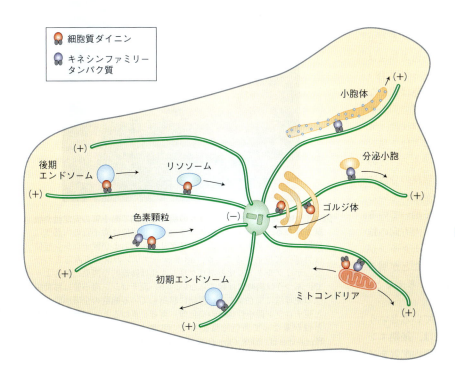

図 18・28 微小管モーターによる細胞小器官輸送．細胞質ダイニン(赤)は微小管の(−)端方向(細胞中央)への逆行性輸送を担っている．これに対し，キネシン(紫)は(+)端方向(細胞周縁部)への順行性輸送を担っている．多くの細胞小器官には一つまたはそれ以上の微小管依存性モーターが結合している．モーターと細胞小器官の結合は細胞の種類によって異なるので，ここに示した結合様式がすべての細胞にあるわけではないし，ここには示していないものもある．

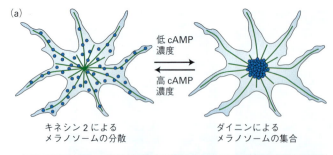

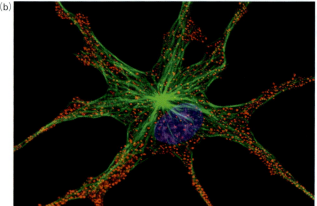

図18・29　カエルのメラノフォア内における色素顆粒の移動.（a）cAMPの量に応じて変化するメラノソームの微小管依存的再配置の模式図.メラノソームは細胞質ダイニンによって集合し,キネシン2によって分散する.（b）メラノソーム（赤）が分散した状態.微小管（緑）,核DNA（青）を染色した免疫蛍光顕微鏡写真.［(b)はS. Rogers提供.］

適化するため,これらモーターが協同的に働いているらしい.このように,細胞小器官に複数種類のモーターが結合しているというのは例外的な現象ではなく,一般的なことらしい.

チューブリンの翻訳後修飾で,モータータンパク質との相互作用に差のある複数の種類の微小管が生じる

微小管の安定性と機能は,チューブリンの翻訳後修飾の影響を受ける.種々の修飾が知られているが,ここでは最もよくわかっているリシンのアセチル化,脱チロシン,ポリグルタミル化,そしてポリグリシル化（図18・30a）について解説する.

こうした修飾のなかで,アセチル化と脱チロシンはαチューブリンでだけ起こる.前者は,微小管の内側に突き出たαチューブ

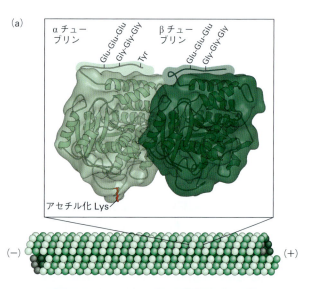

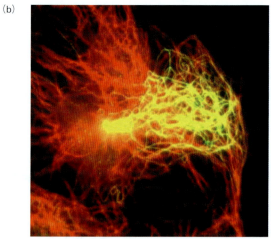

図18・30（実験）　チューブリンの翻訳後修飾で微小管の安定性や機能が変わる.（a）リシン残基のアセチル化部位は微小管の内部壁に位置し,ポリグルタミル化,ポリグリシル化および脱チロシン部位は外部壁に位置することが,αβチューブリンの構造をみるとわかる.ポリグルタミル化とポリグリシル化は排他的な関係にあるようで,ふつうは同時には起こらない.（b）脱チロシン微小管は移動細胞の先導端に局在する.右方向に移動している細胞の全微小管（赤）と脱チロシン微小管（緑）の染色像.両者を重ねると,細胞先端は赤と緑が重なって黄色く染まっていることがわかる.［(a)はJ. W. Hamond et al., 2008, *Curr. Opin. Cell Biol.* **20**: 71参照. E. Nogales et al., 1998, *Nature* **391**: 199, PDB ID 1tub.（b）はG. Gundersen提供.］

している.そこで,一方のモーターが働いているときには他方が不活性化されるという機構が存在しないといけないが,この機構についてはまだよくわかっていない.

微小管依存性輸送の制御についてわかっていることの多くは,魚（たとえばエンゼルフィッシュ）やカエルのメラノフォアを使った研究の成果である.メラノフォアは脊椎動物の皮膚にある細胞で,**メラノソーム**（melanosome）というメラニンをため込んだ黒い色素顆粒を数百ももっている.メラノフォアでは,色素顆粒は細胞全体に散らばっているか,細胞中心に集まっている（図18・29）.前者の場合には皮膚が黒くなり,後者では皮膚の色は薄くなる.このような皮膚の色の変化は,魚では神経伝達物質で,カエルではホルモンで制御されており,魚ではカモフラージュに,カエルでは仲間どうしの接触に使われる.色素顆粒の動きは,細胞内cAMP濃度の変化を反映しており,微小管依存的である.どのモーターがかかわっているかを調べてみると,色素顆粒の分散にはキネシン2が,集合にはダイニン-ダイナクチン系が働いていることがわかった.これら2種類のモーターが協同して働いているという最初の証拠は,ダイナミチンを過剰発現すると両方向の輸送が阻害されるという実験結果である.その後,ダイナクチンが細胞質ダイニンだけでなくキネシン2にも結合しうることが明らかとなったので,これが両者の活性を調整していると考えると,上記の驚くべき結果も説明がつく.

ダイニンとキネシン2が同じ細胞小器官に結合しているというのは色素顆粒の場合だけではない.ある種の細胞では,後期エンドソームやリソソーム,そしてミトコンドリアの細胞内配置を最

リンの特定のリシン残基εアミノ基のアセチル化である．**アセチル化**（acetylation）されたαチューブリンをもつ微小管は，安定な微小管構造体に存在し，中心体，基底小体あるいは一次繊毛（一次繊毛については§18・5で解説する）でみられる．実際，チューブリンをアセチル化できない細胞は一次繊毛に欠陥があり，脱アセチル化できない細胞は異様に安定な一次繊毛をもっている．後者の修飾は，αチューブリンC末端にあるチロシン残基に対するものである．このチロシンは，カルボキシペプチダーゼによって除去される．この酵素は，微小管表面に結合したときにだけ活性をもち，αチューブリンサブユニットからC末端残基を切取る．**脱チロシン**（detyrosylated）微小管は安定で，キネシン13とそれに関連するタンパク質による脱重合に対しても抵抗性を示す．さらに，移動中の細胞では，こうした安定な微小管は細胞の進行方向に多くみられる（図18・30b）．安定な微小管が脱重合すると，チロシンリガーゼが解離したαβ二量体のαチューブリンC末端にチロシンを付加する．この反応は遊離した二量体チューブリンでしか起こらない．チロシンが再付加されたαβチューブリンは新たな微小管形成に使われる．

αチューブリンとβチューブリンのC末端領域はグルタミン酸に富んでおり，これらの残基は微小管に取込まれているときにだけ特異的酵素で修飾を受ける．こうした修飾には，微小管末端の特定のグルタミン酸残基にグルタミン酸が次々と付加される**ポリグルタミル化**（polyglutamylation）と数個連なったグリシン残基が別のグルタミン酸残基に付加される**ポリグリシル化**（polyglycylation）がある．この二つの修飾反応はおそらく互いに排他的で，一方の反応が起これば他方の反応は起こらないと考えられている．脱チロシンと同様に，ポリグリシル化とポリグルタミル化の両方によって微小管は安定になる．

チューブリンの翻訳後修飾は微小管を安定にするだけでなく，微小管と相互作用する分子モーターの作用にも影響を与える．キネシン1はアセチル化された脱チロシン微小管を選んで結合する．これは，神経細胞の軸索輸送に必要なキネシン1を集めるにあたって重要であろう．図18・5(e)で示したように，軸索と樹状突起内での微小管の並び方には違いがある．軸索内の微小管は脱チロシンとアセチル化により安定になっており，キネシン1が結合して軸索輸送を行う条件が整っている．次節で述べるように，ポリグルタミル化は鞭毛や繊毛の波打ち運動に深くかかわっている．

チューブリンの翻訳後修飾が，微小管の機能や微小管上で働く分子モーターに与える影響についての研究ははじまったばかりである．こうした複数の翻訳後修飾によって細胞内の特定の微小管が見分けられ，異なる種類の微小管が特定の機能を果たすように仕向けられる．このような細胞が使っているいわゆる暗号が，今後の研究によって明らかにされよう．

18・4 キネシンとダイニン：微小管上を動くモータータンパク質 まとめ

- キネシン1は，ATP依存的に微小管の(＋)端方向に運動するモータータンパク質で，膜で囲まれた細胞小器官を輸送する（図18・19）．
- キネシン1は，重鎖2本と軽鎖2本からなる．重鎖のN末端にモータードメインがあり，軽鎖は積み荷と結合する（図18・18）．
- キネシンスーパーファミリーには，間期あるいは分裂期の細胞で働き，細胞小器官輸送にかかわったり，逆平行に並んだ微小管の滑り運動にかかわったりするものがある．またキネシン13のように，運動はせずに微小管末端を不安定化するものも存在する（図18・20）．
- キネシン1は非常にプロセッシビティーの高いモータータンパク質である．これは，二つの頭部のATP加水分解が協調して進行し，片側の頭部は常に微小管に強く結合した状態をとるからである（図18・21）．
- キネシン1は，不活性な折りたたまれた構造をとったり，積み荷を結合した伸びた状態をとったりする（図18・22）．
- 細胞質ダイニンは，ATP依存的に微小管の(－)端方向に運動するモータータンパク質で，ダイナクチン複合体や活性化アダプターと結合して積み荷輸送を担う（図18・24，図18・26）．
- キネシンとダイニンは種々の細胞小器官に結合し，これらの細胞内配置を決める（図18・28）．
- チューブリンの翻訳後修飾は微小管の安定性に影響を与え，微小管依存的モータータンパク質との相互作用を調節する．

18・5 繊毛と鞭毛： 微小管を基礎に構築された細胞表面の構造体

繊毛（cilium, *pl.* cilia）と**鞭毛**（flagellum, *pl.* flagella）は，ともに原生動物や動物細胞にある膜に囲まれた細胞表面突起で，微小管を基礎に構築された構造体である．気管を覆う上皮細胞の表面には多数の繊毛がある（図4・35参照）．ここで繊毛は組織化された波状の動きをして，まわりの液体を動かす．動物細胞の鞭毛は繊毛より長いが，両者はよく似た構造をもっている．精子の場合のように，鞭毛は液体中で細胞体の運動を駆動する．繊毛にも鞭毛にも，微小管上を動く多種類のモーターがある．このなかで軸糸ダイニンは鞭毛や繊毛の打波運動を駆動し，キネシン2と細胞質ダイニンは鞭毛や繊毛の構築や代謝回転にかかわる．

真核細胞の繊毛と鞭毛には，ダイニンモーターで架橋された長いダブレット微小管がある

繊毛と鞭毛は，その長さが数μmのものからある種の昆虫の精子鞭毛のように2mmもあるものまであり，**軸糸**（axoneme）とよばれる微小管の中心束をもっている．軸糸は，中央にあるシングレット微小管2本と，それを取巻くように並んだダブレット微小管9本からなる（図18・31a, c）．9本のダブレット微小管はそれぞれ，13本のプロトフィラメントからなるA管と，10本のプロトフィラメントからなるB管でできている（図18・4）．繊毛と鞭毛のすべての微小管は同じ方向性をもっており，その(＋)端は軸糸の先端に位置している．細胞体とつながる位置で，軸糸は9本のトリプレット微小管を含む**基底小体**（basal body）という複雑な構造体に結合している（図18・31a, b）．

軸糸は3組のタンパク質架橋によって支えられている（図18・

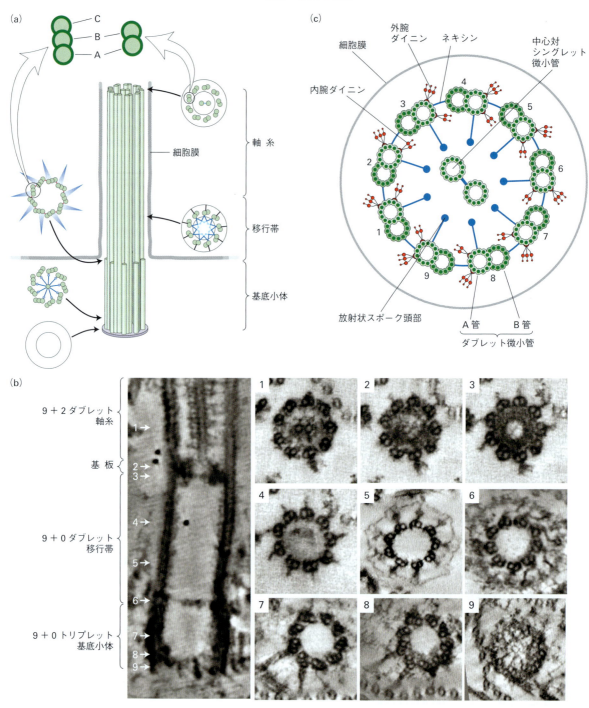

図 18・31 繊毛と鞭毛の構造．（a）互いにつながった9本のトリプレット微小管を中心に構築された基底小体を基盤にして，繊毛や鞭毛ができる．基底小体のA および B 微小管につながっているのは，繊毛や鞭毛の軸糸のA および B 微小管である．軸糸は繊毛や鞭毛の中核になる構造体で，膜に取囲まれている．基底小体と軸糸の間は移行帯である．基底小体，移行帯，軸糸の横断面の電子顕微鏡写真と模式図から，軸糸の構造の複雑さがわかる．（b）繊毛の基底小体と軸糸の一部を含む部分の縦断面の電子顕微鏡写真（左）と横断面写真（右），基底小体，移行帯，軸糸の複雑な構造を示している．（c）繊毛の横断面の模式図で，軸糸内の個々の構造体を示す．〔(b) は S. Vaughan, K. Gull, 2015, *Cilia* **5**: 5. (c) は S. K. Dutcher, 2001, *Curr. Opin. Cell Biol.* **13**: 49.〕

31c)．中心にある2本のシングレット微小管ははしごの段のように周期的な架橋によって連結されている．**ネキシン**（nexin）というタンパク質からできている別の架橋が，隣り合うダブレット微小管をつないでいる．9本のダブレット微小管A 管それぞれから中心対シングレット微小管へ**放射状スポーク**（radial spoke）が伸びている．

繊毛と鞭毛の主要なモータータンパク質は，細胞質ダイニンによく似た多量体タンパク質の**軸糸ダイニン**（axonemal dynein）である．各ダブレット微小管のA 管全長に沿って2列になって周期的に結合しているのが**内腕**（inner-arm）と**外腕**（outer-arm）ダイ

ニンである（図18・31c）．こうしたダイニンモーターは隣り合うダブレット微小管のB管と相互作用し，繊毛や鞭毛の屈曲を駆動する．

繊毛と鞭毛の波状運動はダブレット微小管どうしの協調的滑走で生じる

軸糸ダイニンを活性化すると繊毛も鞭毛も屈曲運動をする．生細胞イメージングでこの動きを詳細に観察すると，繊毛と鞭毛の波状運動は構造の基部にはじまり先端に向かって伝播することがわかる（図18・32）．単離した軸糸を調べると，このような運動がどうやって起こるかという疑問に対して手掛かりを得ることができる．まず軸糸をプロテアーゼで処理し，ネキシンによる架橋を切断する．この軸糸にATPを加えると，ダブレット微小管どうしが互いに滑り合う．これは1本のダブレット微小管のA管に結合したダイニンが隣り合ったダブレット微小管のB管上を"歩行"するからである（図18・33b, c）．正常な軸糸では，ダブレット微小管は互いにつながっているので，ダイニンの動きは鞭毛の屈曲となる（図18・33a）．

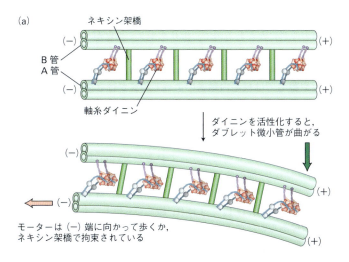

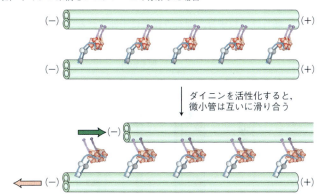

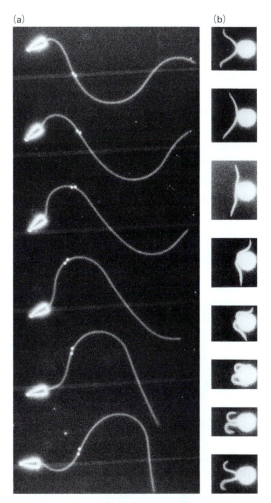

図 18・32（実験）　精子やクラミドモナスを前方に動かす鞭毛運動を示す生細胞イメージング写真．両者とも細胞は左へ向かって動いている．(a) 典型的な精子の鞭毛では，連続した屈曲波は基部で発生し，先端へ向かって伝えられる．これらの波は水を押して細胞を前方に動かす．このストロボ写真に記録されているように，最初（最上部）のコマでみられる精子基部の屈曲は，最後のコマでは鞭毛に沿って半分ほど先端のほうに移動している．鞭毛上の2個の金粒子は，屈曲がそこを通り過ぎるときに互いに離れるように動く．(b) クラミドモナスの2本の鞭毛の波状運動は有効打（上の3コマ）と回復打（残りのコマ）の2段階からなる．有効打が細胞体を水に対して引っ張る．回復打中には，異なる形の屈曲波が鞭毛基部から外側に移動し，鞭毛を細胞表面に沿って動かして次の有効打を開始する位置に戻す．波状運動はふつう1秒に5〜10回起こる．［(a)はC. J. Brokaw et al., 1991, *J. Cell Biol.* **114**: 1201．(b)はS. Goldstein 提供．］

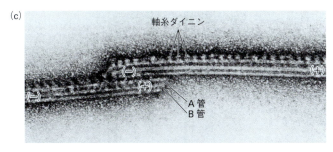

図 18・33　軸糸ダイニンが担う繊毛と鞭毛の屈曲．(a) ダブレット微小管のA管に結合した軸糸ダイニンが，隣のダブレット微小管のB管を引っ張って(−)端方向へと動かす．これら2本のダブレット微小管はネキシンによってつなぎとめられているので，ダイニンが発生する力によって繊毛や鞭毛は屈曲する．(b) (a)に示したモデルの実験的な証拠．ネキシン架橋をプロテアーゼで切断し，ATPを加えてダイニンを活性化すると，ダブレット微小管は互いに滑り合う．(c) プロテアーゼで処理したのちATPを加えた軸糸の2本のダブレット微小管の電子顕微鏡写真．架橋タンパク質がないと，ダブレット微小管は互いにどんどん滑っていく．ダイニンの腕がA管から突き出て，上のダブレット微小管のB管と相互作用しているのが見える．［(c)は P. Satir 提供．］

どのようにして特定のダイニン分子が活性化され、その結果、どのようにして活性化の波が軸糸に沿って伝播していくかはまだわかっていない。前述した微小管の翻訳後修飾が関係しているのかもしれない。§18・4で述べたように、チューブリンサブユニットの翻訳後修飾は、微小管とモータータンパク質の相互作用に影響を与える。ダブレット微小管のB管はポリグルタミル化されていることが多い。この修飾は、B管と内腕ダイニンとの相互作用に著しい影響を与える。内腕ダイニンはおもに繊毛・鞭毛の屈曲運動の波形にかかわるので、ポリグルタミル化がうまくいかない変異体では、ここに欠陥が生じる。

繊毛や鞭毛では鞭毛内輸送によって物質が行き来する

軸糸ダイニンは繊毛や鞭毛の屈曲運動にかかわるが、別の形の運動が構造体中で起こっていることが見いだされた。鞭毛虫のクラミドモナス *Chlamydomonas reinhardtii* の鞭毛を詳細に観察すると、粒子が鞭毛先端に向かっておよそ 2.5 µm/秒の速度で動き（順行性輸送）、別の粒子はおよそ 4 µm/秒の速度で鞭毛基部に向かって動いている（逆行性輸送）。この輸送は、**鞭毛内輸送**（intraflagellar transport: IFT）とよばれ、繊毛でも鞭毛でもみられる。光学顕微鏡あるいは電子顕微鏡で調べると、粒子はダブレット微小管と細胞膜に並行して走る隙間に沿って動いている（図18・34）。変異体を用いた解析で、順行性輸送はキネシン2で、逆行性輸送は細胞質ダイニンで駆動されていることがわかった。驚くべきことに、順行性の粒子は、逆行性粒子に干渉されることなく移動することができる。これは、粒子がダブレット微小管の異なる管に沿って移動するためである。キネシン2を動力源とする順行性の粒子はB管に沿って、ダイニンを動力源とする逆行性の粒子はA管に沿って移動するのである。

クラミドモナス鞭毛内で輸送されている順行性あるいは逆行性IFT粒子を単離し、その成分を調べてみたところ、IFT複合体A、IFT複合体Bとよばれる2種類の異なるタンパク質複合体からなることがわかった。複合体Aあるいは複合体Bに欠陥をもつ変異細胞の表現型を解析すると、複合体Bは順行性輸送に、複合体Aは逆行性輸送にかかわっていることが明らかとなった。こうした機能の違いにもかかわらず、両者は鞭毛内を両方向に行き来する。IFT粒子を構成するすべてのタンパク質のホモログは線虫、ショウジョウバエ、マウス、ヒトのように繊毛をもつ生物に存在する。しかし、酵母や植物のように繊毛を欠く生物にはIFT粒子はない。このことは、これが鞭毛内輸送に特異的であることを示唆している。

鞭毛内輸送の役割は何だろうか。すべての微小管は（＋）端を鞭毛先端に向けているが、ここは新たなチューブリンサブユニットが結合する場所である。一定の長さを保っている鞭毛ですら、その先端ではチューブリンの重合と解離が起こっている。キネシン2に欠陥のある細胞では鞭毛が短縮するので、鞭毛内輸送は鞭毛先端に鞭毛形成に必要な物質を供給していると考えられる。鞭毛内輸送は常に回り続けている過程だが、軸糸先端にたどりついたキネシン2はその後どうなるのだろうか。そして、軸糸先端から

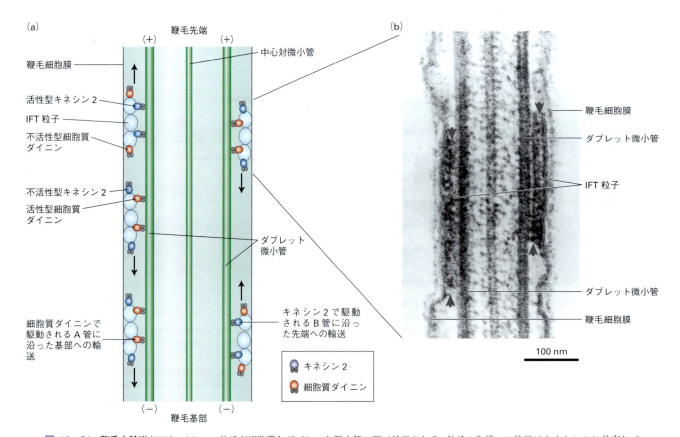

図 18・34　**鞭毛内輸送（IFT）**．(a) IFT粒子が細胞膜とダブレット微小管の間で輸送される．粒子の先端への輸送はキネシン2に依存しており，基部への輸送は細胞質ダイニンによって担われている．(b) クラミドモナス鞭毛の薄層切片の電子顕微鏡写真．IFT粒子が見える．
［(b)は J. L. Rosenbaum and G. B. Witman, 2002, *Nat. Rev. Mol. Cell Biol.* **3**: 813, Copyright Clearance Center, Inc. を通じて Nature Publishing Group より許可を得て転載．］

粒子を逆行輸送するダイニンモーターはどこから供給されるのだろうか．驚くべきことに，軸索輸送と同様にダイニンは，キネシン2で駆動される順行性輸送で積み荷として鞭毛先端に輸送され，先端では逆にキネシン2が積み荷となって，ダイニンによって逆行性輸送でもとの位置に戻ってくるのである．

一次繊毛は間期細胞の感覚器官である

ほとんどの脊椎動物細胞には**一次繊毛**（primary cilium）とよばれる運動性をもたない1本の繊毛が存在する．一次繊毛は安定な構造で，ほとんどの微小管を脱重合させるコルヒチンのような薬剤に対しても耐性がある．コルヒチン処理後にも残る微小管は，中心小体と一次繊毛のものだけである（図18・12）．また，一次繊毛のチューブリンは高度にアセチル化されているので，アセチル化αチューブリンに対する抗体を使えば間期細胞上の1本の一次繊毛を簡単に同定できる（図18・35a）．

分化が進んだ細胞や，分裂期ではない分裂細胞には一次繊毛がある．特に後者では，"親"中心小体が一次繊毛の基底小体となるという形で，中心小体の複製サイクル（§18・6）と一次繊毛の有無とがかかわっている（図18・35b）．このように，二つの中心小体と周辺物質からなる中心体（図18・6）は，一次繊毛の基底部としての役割と，細胞質内の微小管の組織化のためのMTOCとしての役割を担っている．

一次繊毛には，他の繊毛や鞭毛に存在する中心対微小管もダイニン側腕もないので（図18・35c），運動性はない．しかし，鞭毛内輸送の運動機構は保持している．ここ数年の研究の結果，一次繊毛は，細胞外のシグナルを感知するアンテナの役割を果たす感覚器官であることがわかってきた．たとえば鼻の嗅覚神経の一次繊毛には嗅覚受容体があり，そこににおい物質が結合するとにおいが感じられる（23章）．別の例として，眼の桿体細胞や錐体細胞には1本の一次繊毛があり，その先端は大きく広がって光感知にかかわるタンパク質を蓄積している．網膜細胞では，毎分2000分子ものオプシンタンパク質が，鞭毛内輸送にかかわるキネシン2によって一次繊毛を通って輸送されている．この輸送系に欠陥があると，網膜の変性がひき起こされる．16章で述べたように，脊椎動物では，一次繊毛はヘッジホッグシグナル伝達経路の作用部位である．

一次繊毛の基部には，ある大きさのタンパク質の透過だけしか許さない拡散障壁がある．この障壁では，10 kDaの球状タンパク質は容易に通過するが，40 kDa以上のタンパク質は通過できない．この障壁を介した輸送は，核膜孔を介した輸送に似ている．実際，この2種類の輸送には，いくつかの共通の成分がかかわっている．たとえば，核膜孔を介した輸送にはRan GTPaseの濃度勾配が必要で，輸送されるタンパク質にはインポーチンが結合する（§13・6参照）が，少なくともキネシン2などいくつかのタンパク質が一次繊毛基部の障壁を通過して繊毛内部に入るには，同様にRan GTPaseの濃度勾配とインポーチンが必要である．

一次繊毛の欠陥は多くの疾病をひき起こす

長年にわたって一次繊毛の存在も，その機能も無視されてきた．しかし，マウスで鞭毛内輸送に欠陥があると一次繊毛が失われることがわかり（図18・35d），また，多数のヒト疾病の原因が一次繊毛や鞭毛内輸送の欠陥に由来することが明らかに

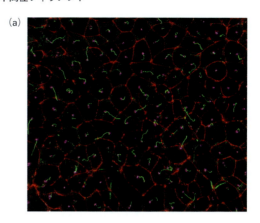

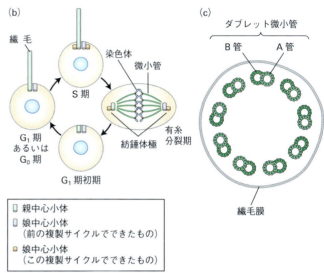

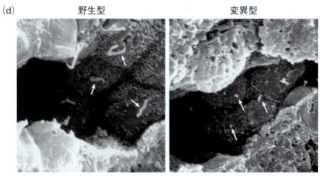

図 18・35 多くの間期細胞は運動性のない一次繊毛をもつ．（a）一次繊毛を染める抗アセチル化αチューブリン抗体（緑）で染色したマウス上皮細胞の蛍光顕微鏡写真．中心体にあるペリセントリン（赤紫）と細胞を取囲む密着結合にあるZO-1（赤）も同時に抗体染色してある．（b）細胞周期のG_1期またはG_0期の中心体には二つの中心小体があり，そのうちの一つが一次繊毛の基底小体として機能している．S期には，有糸分裂の準備のため，中心体は複製される．細胞が有糸分裂に入ると，一次繊毛は分解され，複製された中心体は紡錘体極を形成する．（c）運動性のない一次繊毛の横断面の模式図．運動性をもつ鞭毛や繊毛に特徴的な中心対微小管とダイニン腕を欠いている．（d）野生型マウス（左）とIFT粒子の構成成分に異常のある変異マウス（右）の腎臓集合尿細管上皮細胞の走査型電子顕微鏡写真．矢印は一次繊毛を示す．変異マウスでは一次繊毛が短い切り株状になっている．［(a)はB. D. Engel, et al., 2011, *Cytoskeleton* **68**(3): 188, Copyright Clearance Center, Inc. を通じてJohn Wiley & Sons より許可を得て転載．(d)はG. Pazour et al., 2000, *J. Cell Biol.* **151**: 709による．］

なり，一次繊毛の重要性が認識されるようになってきた．一次繊毛の役割に関する手掛かりは，クラミドモナスIFTタンパク質のヒトホモログの欠失によって一次繊毛に欠陥が生じ，常染色体顕性遺伝である多発性囊胞腎疾患（autosomal dominant polycystic kidney disease: ADPKD）を発症するという発見から得られた．腎臓集合尿細管の上皮細胞の一次繊毛は液体の流れに応じて屈曲し，その速度を感知するメカノケミカルセンサーとして働いているらしい．

別の例として，網膜の変性，多指症，肥満などの症状を示すバルデー－ビードル症候群（Bardet-Biedl syndrome）がある．この疾病は，14の遺伝子のどれか一つの変異に由来し，一次繊毛の機能に欠陥がある．これら遺伝子の多くはBBソームという八量体からなるタンパク質複合体のサブユニットをコードしている．BBソームは，COPI, COPIIあるいはクラスリン被覆（14章）と共通の構造要素からなる被覆を形成し，膜タンパク質を繊毛に輸送する．BBソーム構成成分に欠陥が生じても，多くの場合は一次繊毛の構造は変わらない．しかしこの場合でも，BBソームと相互作用しながら鞭毛内輸送を介して一次繊毛に運ばれる特定の受容体が一次繊毛から失われる．たとえば，胚発生時のパターン形成には一次繊毛に局在したヘッジホッグシグナル（16章）が必要であるが，これがバルデー－ビードル症候群の多指症患者では失われている．■

18・5 繊毛と鞭毛：微小管を基礎に構築された細胞表面の構造体　まとめ

- 運動性の繊毛と鞭毛は微小管を基礎に構築された細胞表面構造で，中心対シングレット微小管と外側に位置する9本のダブレット微小管をもつ（図18・31）．
- すべての繊毛と鞭毛は基底小体から成長する．基底小体は9本のトリプレット微小管からなり，中心小体によく似ている．
- 1本のダブレット微小管のA管に結合した軸糸ダイニンは，隣り合ったダブレット微小管のB管と相互作用し，繊毛や鞭毛の屈曲運動を起こす．
- 繊毛や鞭毛は鞭毛内輸送（IFT）という機構を備えている．この機構を介して物質がキネシン2によって先端に向けて輸送され，細胞質ダイニンによって先端からもとに戻される．この輸送によって，繊毛や鞭毛の長さが調節される．
- 多くの細胞表面には運動性のない一次繊毛がある．一次繊毛には，運動性の繊毛や鞭毛にある中心対微小管やダイニン腕が欠けている．一次繊毛は，細胞外シグナルを受取る受容体を細胞膜表面に局在させる感覚器官でもある．
- こうした機能をもつため，一次繊毛による受容体局在の異常，あるいは一次繊毛自身の構造の欠陥によって，多くの疾病がひき起こされる．

18・6 有糸分裂

生物が生き続けるのに必要なすべての過程のうちで一番重要なのは，細胞が正確に分裂し，分裂ごとに染色体がきちんと分配されることである．19章で述べるように，**細胞周期**（cell cycle）と

よばれる厳密に制御された過程では，S期とよばれる時期に正確に一度だけ染色体が複製される．複製されたのち，倍化した染色体それぞれの二つのコピーは**コヒーシン**（cohesin）というタンパク質で束ねられている．その後，細胞はG_2期を経て，複製された染色体を二つの娘細胞に分配する**有糸分裂**（mitosis）に入る．

有糸分裂はきわめて正確でないといけない．分配された染色体が多くても少なくても，致死的だったり，重大な結果をひき起こしたりする．酵母の細胞の場合，16本の染色体のうちの一つがまちがって分配される確率は100,000回の細胞分裂で1回と推定されており，有糸分裂は最も正確な生物過程である．この水準の正確さを維持するには，分裂過程が厳密に制御されて，一連の段階が順序よく，かつまちがいなく進行しなければならない．さらに，エラーを検出するしくみで，それらの段階を校正している．そして，エラーが発生した場合は，過程を一時停止して修正を行う．19章で，こうした制御を担っている細胞周期制御機構について詳しく解説する．ここでは，微小管にかかわる問題と，有糸分裂機構に限って話を進める．

まず，染色体を分離するための機械（紡錘体）を組立て，次に複製された染色体を紡錘体に取りつけ，分離の際に各染色体の1コピーが各娘細胞に向かうようにし，最後に細胞が二つに分裂して各娘細胞に染色体の完全な一式を受継がせるというのがその概要である．

細胞周期の初期に中心体が複製され，有糸分裂の準備が整う

有糸分裂で染色体の分離を準備するためには，S期における染色体複製と同期して微小管形成中心（microtubule-organizing center: MTOC），つまり中心体も複製されることが必要である（図18・36）．19章で説明するように，細胞周期は，おもに細胞周期特異的サイクリンとサイクリン依存性キナーゼ（cyclin-dependent kinase: CDK）との相互作用で駆動される．G_1/S期CDKとPlk4という2種類のキナーゼが中心体複製を進める．細胞が分裂期に入ると，複製された中心体は分離して，それぞれが核に沿って反対

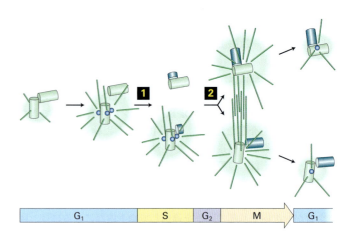

図18・36　中心体複製と細胞周期．G_1/S期CDKとPlk4によって開始される中心体複製により，1対の中心小体（緑）が解離して，それぞれから娘中心小体（青）が伸長する（段階■）．2対の中心小体はG_2期までは一つの中心体複合体にとどまっているが，有糸分裂の初期には分離し（段階■），それぞれが微小管重合を誘導し，核両端へ移動する．中心体周辺物質の量（中心小体周囲の緑の領域）と中心体の微小管核形成活性は，有糸分裂中に大きく増加する．有糸分裂中のMTOCは紡錘体極とよばれる．

図 18・37　**中心体がなくても紡錘体は形成される．**有糸分裂の進行を停止させたカエル卵母細胞を遠心し，細胞小器官と卵黄からなる成分と水溶性物質とを分離する．この水溶性抽出物に蛍光標識したチューブリン（緑）と DNA で覆ったビーズ（赤）とを加えると，ばらばらに伸長した微小管が自然にビーズのまわりに集まって紡錘体をつくりあげる．[K. Kinoshita et al., 2002, *Trends Cell Biol.* **12**: 267; C. Antonio et al., 2000, *Cell* **102**: 425 参照. R. Heald et al., 1996, *Nature* **382**: 420, Copyright Clearance Center, Inc. を通じて Nature Publishing Group より許可を得て転載．]

側に移動する．そして，分裂期紡錘体をつくるための二つの極となる．動物細胞の中心体の数は，適切な紡錘体形成を保証するために厳密に制御されている．実際，多くの腫瘍細胞には二つ以上の中心体があって，染色体分離がうまくいかず**異数性**（aneuploidy, 染色体数が一定でないという性質）という遺伝的不安定性が生じる．異数性が腫瘍発生をひき起こす理由は 25 章で詳しく解説する．

植物細胞の体細胞分裂や雌の動物の細胞の減数分裂など，中心体不在で紡錘体が形成されるケースは数多く存在する．このことは，中心体から微小管が核形成されることだけが，紡錘体の形成の仕方ではないことを示唆している．分裂期のカエル卵抽出液（中心体を含まない抽出液）を利用した研究では，DNA で覆われたビーズを加えるだけで，比較的正常な分裂期紡錘体を形成できることが示されている（図 18・37）．この系では，ビーズが微小管の集合を誘導し，抽出液中の因子が協調して紡錘体をつくる．この反応に必要な因子の一つが細胞質ダイニンであり，ダイニンは 2 本の微小管に結合してその (−) 端に移動し，それによって微小管を引寄せると提案されている．

有糸分裂は 5 段階の過程に分けられる

有糸分裂は，注意深く組織化された過程であり，細胞周期回路によって駆動されるいくつかの段階を経て進行し，各段階が前の段階の完了に依存する（図 18・38）．まず，各段階で起こる事象を確認し，次にそれらをもたらす機構のいくつかを議論する．

前期（prophase）は有糸分裂の第一段階である．その前に，紡錘体を組立てたり，細胞が染色体分離と細胞分裂を行う準備をするために必要な，多くの協調的で劇的な出来事がある．これらの過程のなかには，染色体分離に直接関係するものもあれば，有糸分裂を促進したり，細胞が二つの娘細胞を形成するために準備するものもある．ここでは，これら二つのカテゴリーの過程について順番に説明する．

有糸分裂のための微小管の準備として，複製された中心体がより多くの周辺物質を獲得し，活発に微小管核形成をはじめるようになり，間期にみられる微小管配置が入れ替わる．この二つの

MTOC から放射状に伸びる微小管の集合体は星のようにみえるため，しばしば有糸分裂の**星状体**（aster）とよばれる．成長する微小管の動態は，その (+) 端にある +TIP の活性の変化により増大する．双極性のキネシン 5（図 18・20）は，相互接続する微小管の (+) 端に向かって歩き二つの星状体が核の反対側に位置するようになるまでそれらをスライドさせることで引き離す（図 18・39a）．分離された中心体は，染色体を分離する微小管構造である**分裂期紡錘体**（mitotic spindle, spindle）の極となる．複製された染色体をつないでいたコヒーシンは中心部分を除いて分解されており，二つの染色体は中心部だけでつながっている（図 18・39b）．この時期の 2 本の複製された染色体は**姉妹染色分体**（sister chromatid）とよばれる．分裂期前期には，各姉妹染色分体のセントロメアに**動原体**（kinetochore）とよばれる特異的構造が構築される．

このように，染色体分配とは直接関係のない細胞内の多くの事象が，細胞分裂の準備のために劇的に変化する．細胞内の膜組織（通常，間期の微小管配置に依存している）は，二つの娘細胞への細胞小器官の均等な分離の準備のために分解される．エンドサイトーシスとエキソサイトーシスが停止し，ミクロフィラメントが再配列して丸みを帯びた細胞が生じる．核では，核小体が崩壊し，染色体が凝縮しはじめる．

有糸分裂の次の段階である**前中期**（prometaphase）は，核膜孔と核膜の下にある核ラミナが解体されることが合図となりはじまる．これにより，核膜が崩壊し，小胞体への縮退が起こる．核膜の消失により，紡錘体極から伸びた微小管は，対になった染色体上の動原体を探し出し，これを捕捉する．各染色体には動原体があるので，姉妹染色分体対には二つの動原体がある（図 18・39b）．各紡錘体極からの微小管は，動原体の一つにつながる．この結合過程は非常に重要な段階であり，これについてはあとで詳しく説明する．次の段階である**中期**（metaphase）は，すべての染色体対が二つの紡錘体極の間から等距離の位置に整列することで達成される．

すべての染色体がきちんと紡錘体に結合すると，後期促進複合体/サイクロソーム（APC/C, 19 章）の活性化で次の段階である**後期**（anaphase）がはじまる．APC/C の活性化で，最終的に姉妹染色分体を接着しているコヒーシンが分解され，その結果，二つに分かれた染色体は，動原体に結合した微小管を介してそれぞれ対応する紡錘体極に向けて引っ張られる．こうした動きが起こる時期が**後期 A**（anaphase A）である．後期 A での動きとはっきりと違う，紡錘体の伸長により紡錘体極が互いに離れていくという動きが**後期 B**（anaphase B）でみられる．染色体が完全に分離すると，細胞は**終期**（telophase）に入る．この時期には，核膜と核ラミナが再形成し，染色体は脱凝縮し，紡錘体が分散する．最後に，**細胞質分裂**（cytokinesis）で，収縮環によって細胞はくびり切られ，二つの娘細胞が生じる．

紡錘体は 3 種類の微小管を含む

ここで重要なのは，すべての微小管の (−) 端は紡錘体極にあり，そこから 3 種類の異なる種類の微小管が伸長しているということである．一つは**星状体微小管**（astral microtubule）で，紡錘体極から伸びて細胞表層に達する（図 18・40）．星状体微小管は，細胞表層との相互作用を介して，紡錘体と細胞分裂の軸の向きを合わせるのに重要な役割を果たしている．2 番目の微小管は紡錘体

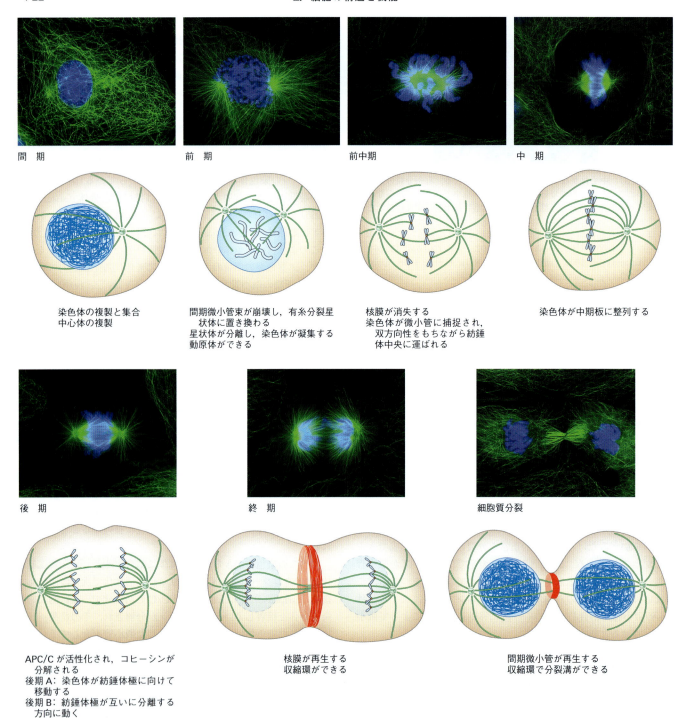

図 18・38 動物細胞における有糸分裂の各段階と，その後行われる細胞質分裂．(a) 上段の写真は，培養細胞の有糸分裂の各段階を示す．DNA を青，チューブリンを緑で染色してある．下段の模式図で，それぞれの段階とそこで起こる事象を示す．[T. Wittmann, University of California, San Francisco.]

極と染色体上の動原体をつなぐもので，**動原体微小管**(kinetochore microtubule) とよばれる．この種の微小管は姉妹染色分体を探し出し，動原体を介して姉妹染色分体と紡錘体をつなぐ．後期 A で，動原体微小管は姉妹染色分体をそれぞれの極に向けて輸送する．3 番目の**極微小管**(polar microtubule) とよばれる微小管は一つの紡錘体極から反対側の紡錘体極へ向かって伸びており，二つの極から伸びた極微小管は互いに逆平行になって相互作用する．前述したように，キネシン5は極微小管上を歩き，それにより分裂期前期には二つの中心体が反対方向に押される．

有糸分裂期には微小管の動的性質が顕著に上昇する

これまでは，有糸分裂の各段階について静的なイメージで解説してきたが，実際には有糸分裂の間，微小管は非常に動的な性質を示す．上記のように，細胞が有糸分裂に入ると，中心体の微小

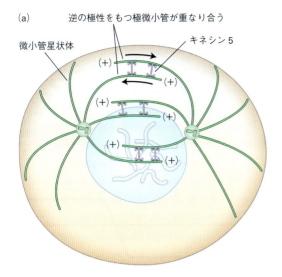

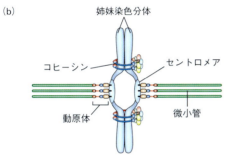

管核形成活性が著しく上昇する(図18・36).さらに,微小管それ自体がずっと動的な性質をもつようになることで,染色体を捕捉できるようになり,また,紡錘体の形成を助けている.このような動的な性質はどのようにして生じるのだろうか.原理的には,微小管を観察して個々の動態を追跡することは不可能ではない.しかし,ふつうは紡錘体にある微小管の数は多すぎて,個々の微小管を観察することはむずかしい.そこで,微小管がどの程度動的か,その平均像を得るために,蛍光標識したチューブリンを分裂期に進む細胞に注入する.蛍光チューブリンを細胞内の微小管に無差別に取込ませてから,紡錘体の中の小さな領域の蛍光標識を退色させ,その後に蛍光が戻る速度を測定する(**光退色後の蛍光回復** fluorescence recovery after photobleaching: **FRAP**, 図4・22参照).蛍光の回復は,細胞質内の遊離蛍光標識チューブリン二量体が微小管に取込まれたことを意味しているので,その速度は微小管の入れ替わりの速度を表すことになる.紡錘体では微小管の蛍光回復半減期は15秒程度となるが,間期の細胞では5分程度である.ただし,こうした測定は全体の平均で,個々の微小管はあとで述べるようにもっと安定だったり動的だったりする.

有糸分裂期に微小管が動的になるのはなぜだろうか.§18・2で議論したように,動的不安定性には,微小管の伸長速度,短縮速度,カタストロフィー,レスキューがさまざまに寄与している(図18・9).細胞内での微小管動態の解析から,有糸分裂期で個々の微小管の動的な性質が著しくなるのは,伸長速度も短縮速度もほとんど変わらないにもかかわらず,カタストロフィーの頻度が上がり,レスキューの頻度が下がるためであることがわかった.カエル卵抽出物を使った研究から,間期あるいは有糸分裂期の抽出物内でカタストロフィーの頻度を上昇させている主要因子は微小管脱重合にかかわるキネシン13であることも明らかとなった.このことは,精製した中心体を核とし,精製チューブリンを重合させて微小管を伸長させるというin vitroでのアッセイでわかる(図18・41a).キネシン13存在下でこのアッセイを行うと,でき

図 18・39 分裂期前期における星状体の分離と凝縮した染色体の一部.(a) 前期では,両極性のキネシン5が極性が反対の重なり合った微小管と相互作用することで,二つの星状体が引き離される.(b) 有糸分裂中の凝縮した染色体.複製の終わった染色体には2本の姉妹染色分体(それぞれに複製されたDNAのうちの一方が入っている)がある.両者は,セントロメアというくびれた領域でコヒーシンを介して接着している.セントロメアは動原体が形成される部位でもあり,動原体は動原体微小管と結合する.

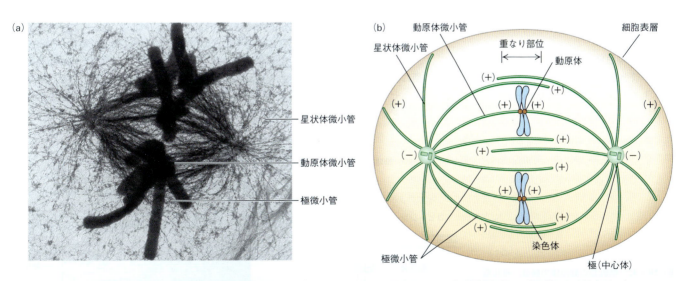

図 18・40 紡錘体には3種類の異なった微小管がある.(a) この高電圧電子顕微鏡写真は,膜透過性を高め,微小管がよく見えるようにビオチン標識抗チューブリン抗体で染色した分裂期中期の細胞のものである.巨大な円筒状物体は染色体である.(b) (a)の中期細胞像に対応する模式図.3種類の微小管が分裂装置を構成している.すべての微小管の(−)端は紡錘体極に位置している.星状体微小管は細胞表層に向かって突き出し,そこに結合している.動原体微小管は染色体に結合している.極微小管は細胞中心に向かって伸長し,その末端領域では(+)端どうしが重なっている.紡錘体極とそこに結合している微小管をまとめて星状体とよぶ.[(a)は J. R. McIntosh 提供.]

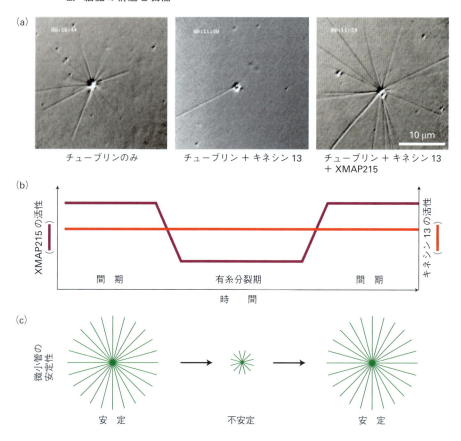

図 18・41（実験） 有糸分裂に入ると微小管を安定化している MAP がなくなるので，微小管の動的な性質が増大する．(a) 3 枚の写真は，中心体からの微小管の伸び方を条件を変えて観察したときのものである．チューブリンだけ（左），チューブリンと不安定化タンパク質キネシン 13（中央），およびチューブリンとキネシン 13 と安定化タンパク質 XMAP215（アフリカツメガエルの 215 kDa の MAP，右）．詳しく調べると，XMAP215 のおもな役割は，キネシン 13 で誘導されるカタストロフィーの抑制であることがわかる．(b) 有糸分裂期の微小管の動的な性質の増大は，XMAP215 がリン酸化され不活性になるためである．(c) 間期と有糸分裂期における微小管の安定性の違いを示す模式図．間期と有糸分裂期で微小管の安定性が違っているのに加えて，MTOC の微小管核形成活性も有糸分裂中は大きく上昇する．〔(a) は K. Kinoshita et al., 2001, *Science* **294**: 1340, Copyright Clearance Center, Inc. を通じて AAAS より許可を得て転載．(b) は K. Kinoshita et al., 2002, *Trends Cell Biol.* **12**: 267 による．〕

る微小管の数は少ない．ところが微小管の(+)端での重合を促す因子である XMAP215 がキネシン 13 とともにあると，カタストロフィー頻度が劇的に低下して，微小管の数が増える．キネシン 13 の活性は細胞周期を通じてほとんど変わらないものの，有糸分裂期には XMAP215 はリン酸化され，その活性は低下する（図 18・41b）．この結果，細胞が有糸分裂に入ると，不安定な微小管が増える（図 18・41c）．この動的性質の増大は，次項で述べるように，微小管による染色体捕捉の確率を高めるために必要である．

前中期で染色体は捕捉され整列する

微小管と染色体をつなぐ構造物である動原体は前期に姉妹染色分体上の**セントロメア**（centromere）上に構築される．セントロメアは凝縮した染色体上のくびれた部分で，ここにはセントロメア DNA とよばれる特徴的な配列がある．セントロメア DNA の長さは生物によりまちまちで，出芽酵母では 125 bp しかないのに，ヒトでは数 Mb にもなる（7 章）．動原体には，セントロメア DNA を微小管につなぎとめるさまざまなタンパク質複合体がある．動物細胞では，動原体はセントロメア DNA とそれに結合した動原体内層および動原体外層からなり，動原体微小管の(+)端は動原体外層に結合している（図 18・42）．酵母の動原体は 1 本の微小管で紡錘体極につながっているが，ヒト動原体では 30 本ほど，植物では数百本の微小管がつながっている．

それでは，前中期にどうやって動原体は微小管と結合するのだろうか．紡錘体極での核形成によって生じた微小管は非常に動的な性質をもっており，側面だろうが末端だろうがいったん動原体に接触すると，染色体と結合する（図 18・43a, 段階 **1a** と **1b**）．動原体を"捕捉"した微小管は，選択的にカタストロフィーの頻度

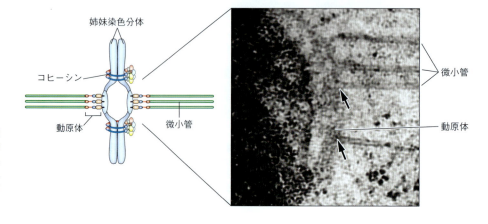

図 18・42 哺乳類の動原体の構造．哺乳類動原体の模式図と電子顕微鏡像．矢印は動原体に入り込む微小管末端を示す．〔B. F. McEwen et al., 1998, *Chromosoma* **107**: 366, Copyright Clearance Center, Inc. を通じて Springer より許可を得て転載．〕

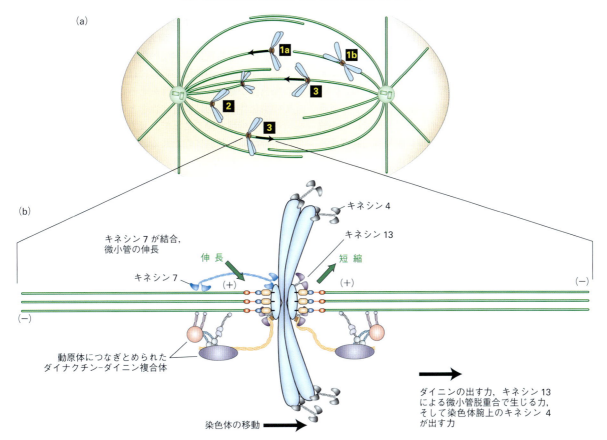

図 18・43 前中期での染色体の捕捉と集合. (a) 前中期の最初の段階では，染色体は微小管の末端（**1a**）または側面（**1b**）のどちらかに結合する．複製された染色体は，動原体に結合したダイニン–ダイナクチン複合体が微小管の（−）端に向かって移動するのに伴って，紡錘体極に向かって引っ張られる（**2**）．その後，反対側の極から伸びた微小管が空いている動原体を見つけて結合すると，染色体は双方向性をもった状態になる（**3**）．双方向性をもった染色体は，二つの紡錘体極の中央に向けて移動する．この過程が染色体集合である．ここでは簡単のために，極微小管は 1 本だけ描いている．(b) 染色体集合では染色体が双方向に振動するので，一方の側の動原体微小管は短縮し，もう一方は伸長する．ここには示していないが，動原体はさらに多くのタンパク質を含んでいる．

が低下して安定化される．その結果，動原体と微小管のつながりが持続する．

　他の研究により，低分子量 G タンパク質である Ran を介して微小管と動原体が出会う確率が高くなるという機構が発見された．核内に輸送される運命にあるタンパク質は，インポーチンとよばれる核内移行受容体と会合することを思い出してほしい（図 13・35 参照）．この複合体は，細胞質から核膜孔を通って核質へと移動する．核内では，Ran・GTP の生成を促すグアニンヌクレオチド交換因子（Ran-GEF）がクロマチンに結合して局在するため，Ran・GTP の濃度が高くなる．核内では，Ran・GTP がインポーチンに結合し，インポーチンの立体構造が変化して，輸送されたタンパク質が放出される．そして，インポーチン–Ran・GTP 複合体は核膜孔を通って核を離れ，細胞質へ戻る．

　有糸分裂期には，Ran-GEF はクロマチンと結合し続けるので，核膜が崩壊しても染色体のまわりには Ran・GTP の勾配が存在する．この Ran・GTP は，インポーチンから **TPX** というタンパク質を遊離させる．TPX はオーグミン複合体と γ-TuRC と結合し，既存の微小管の側面に結合して，既存の微小管に対して浅い角度で新しい微小管を核形成する（図 18・7c）．これにより，染色体近傍の微小管の密度を高めることができる．

　微小管が側面あるいは末端で動原体につながると，モータータンパク質であるダイニン–ダイナクチン複合体が動原体に結合し，微小管との相互作用を介して複製された染色体対を一方の紡錘体極に向けて引っ張る．この動きで，最終的には微小管端が動原体に結合することになる（段階**2**）．こうした動きによって，微小管で引っ張られている動原体に向き合ったもう一つの動原体（微小管が結合していない動原体）も向かい側の紡錘体極に面するように位置し，そこから伸びてきた微小管と結合する．こうして，二つの染色分体は **双方向性**（bi-oriented）をもつ（段階**3**）．二つの動原体が反対側に位置する紡錘体極につながれるので，複製された染色体には張力がかかり，二つの動原体微小管によって両方向に引っ張られる．

複製された染色体は
モータータンパク質と動的微小管の働きで整列する

　前中期において，染色体は二つの紡錘体極と等距離にある **中期板**（metaphase plate，赤道板）に並ぶ．これを **染色体集合**（chromosome congression）とよぶ．この間に，双方向性をもった染色体対は行ったり来たり振動しながら中間点に到着する．染色体集合には，いくつかの微小管モーターとともに，微小管の形成と解体を調節する因子がかかわっている（図 18・43b）．こうした調節因子は動原体に局在しているが，安定な動原体複合体の構成成分

ではない．これがどのような機構で動原体に保持されるかは不明である．染色体の位置が振動しているときには，微小管は染色体から離れずに，一方の紡錘体極に結合した微小管は長くなり，他方に結合した微小管は短くなる．多細胞動物では，動原体に結合した数種類の微小管モーターがこの過程にかかわっている．まず，ダイニン-ダイナクチン複合体が染色体対を遠く離れているほうの紡錘体極方向に強い力で引っ張る．この動きには同時に微小管が（＋）端で短縮することが必要だが，これには動原体に局在するキネシン13がかかわっている．反対側の動原体に結合している微小管は，染色体の動きに応じて伸長しないといけない．この動原体には，キネシン様モーターであるキネシン7（CENP-Eとしても知られている）が存在しており，伸長中の微小管の（＋）端に結合している．染色体腕にあるキネシン4も，染色体集合に寄与している．キネシン4は（＋）端方向に動くモーターで，極微小管と動原体微小管に相互作用し，染色体を紡錘体中央方向へ引っ張る．その結果，染色体腕は近いほうの紡錘体極から離れる方向に向く．染色体が中期板に集合すると，ダイニン-ダイナクチン複合体が動原体から離れ，動原体微小管に沿って紡錘体極へ移動する．こうした反対方向に働く複数のモーター分子の働きですべての染色体は中期板に集合する．いったん染色体が集合すると後期に入る準備が整う．

微小管の動原体への結合は染色体パッセンジャー複合体が調節する

健全な娘細胞を生み出すために，有糸分裂において染色体分離は非常に厳密に制御されており，後期がはじまる前にすべての染色体は双方向性になっていなければならない．無秩序に起こる動原体と微小管の結合ではまちがいが起こる可能性がある．たとえば，姉妹染色分体の二つの動原体が同じ紡錘体極に結合するかもしれない．このような結合が分裂期後期に維持されると，分裂した一方の細胞はある染色体を欠き，もう一方の細胞には余分な染色体があることになり，両者とも致死的な欠陥となる．そこで，後期がはじまる前にすべての染色体が正しい双方向性をとることを保証する二つの機構が細胞には備わっている．一つ目は，個々の染色体が適切に双方向性をとることを保証し，二つ目は，すべての染色体が適切に双方向性をとることを保証するものである．

第一の機構が働くことで，双方向性をとるまで動原体と微小管の結合は弱い状態に保たれる．染色体が正しく双方向性をとると，染色体対に張力がかかり，その結果，動原体と微小管の結合が強化される．実際にどのような機構が働いているかを理解するには，動原体と微小管をつなぐタンパク質群を詳しくみてみる必要がある．7章で述べたように，動原体は，CENP-Aとよばれる特別な種類のH3ヒストンが結合する染色体DNA領域の上に構築される．酵母では，40種類以上のタンパク質からなる六つほどの安定なタンパク質複合体がこの領域に集まる．これらすべてのタンパク質複合体はヒトでもよく保存されている．これは，動原体の重要性を考えれば当然のことである．こうした複合体の一つ，Ndc80複合体は細長く柔軟な構造体である．多数のNdc80複合体の一端は微小管の（＋）端をぐるりと取囲むようにして結合し，他端は動原体内層と結合している（図18・44a）．Ndc80複合体をはじめとして，動原体に結合している多くの因子の機能は，**Aurora B**とよばれるプロテインキナーゼを含む**染色体パッセンジャー複合体**（chromosomal passenger complex: **CPC**）によって制御される．有糸分裂初期に，CPCはリン酸化されたCENP-Aを介して染色体のセントロメア領域内部に結合する．いったんセントロメア領域に結合すると，CPC内のAurora Bはまわりのいくつかのタンパク質をリン酸化する．リン酸化されるものにNdc80複合体がある．Ndc80複合体のリン酸化は，微小管との結合を弱める．しかし，こうしたリン酸化は安定ではなく，動原体外層に局在するホスファターゼPP1でもとに戻る．1対の姉妹染色分体上の動原体に

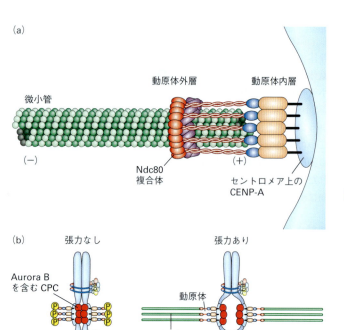

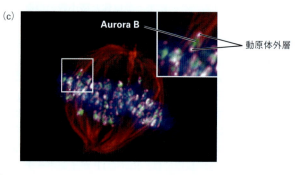

図18・44 CPCによる動原体-微小管結合の制御．Ndc80複合体は動原体と微小管（＋）端との結合と，その結合調節に必須である．(a) 筒袖のような形で並んだNdc80複合体が，動原体外層に包み込まれている微小管（＋）端と動原体内層とをつないでいる．(b) Aurora Bを含む染色体パッセンジャー複合体(CPC)は動原体内層に結合している．このCPCとホスファターゼPP1を含む動原体外層との位置関係を示す．姉妹染色分体の二つの動原体に張力がかかると動原体外層はCPCから離れ，Ndc80複合体の微小管結合部位といった動原体外層の構成成分のAurora Bによるリン酸化が進行しなくなる．(c) 有糸分裂中期の細胞のチューブリン（赤），DNA（青），Aurora B（緑），動原体外層（赤紫）を染色した蛍光顕微鏡写真．動原体外層がAurora Bから引き離されている様子（右上挿入写真）に注意．[(a)はS. Santaguida and A. Musacchio, 2009, *EMBO J.* **28**: 2511 参照．(c)はS. Ruchaud et al., 2007, *Nat. Rev. Mol. Cell Biol.* **8**: 798, Copyright Clearance Center, Inc. を通じてNature Publishing Groupより許可を得て転載．]

張力がかかっていないときには，Ndc80 複合体は Aurora B によってリン酸化され，同時に PP1 によって脱リン酸化される．その結果，動原体と微小管の結合は弱いまま維持される．しかし，いったん染色体対が正しく双方向性をもつようになると，微小管が両方の動原体を逆方向に引っ張り，染色体に張力がかかる．これにより，柔軟な Ndc80 複合体は伸長し，動原体の内層と外層の間に空間が生じる（図 18・44b, c）．こうした動きによって，Ndc80 はもはや Aurora B でリン酸化されず，脱リン酸化された Ndc80 によって動原体はしっかりと微小管に結合するようになる．こうして，双方向性をもつ染色体と微小管との結合が選択的に強化される．

この機構から，個々の染色体が双方向性をもつために CPC が重要な働きをすることは明らかだが，これだけでは分裂期後期がはじまる前にすべての染色体が双方向性をとったことを保証できない．正確な染色体分離を保証する第二の機構が，すべての動原体に張力がかかるまで細胞周期の進行を停止させるシグナル伝達経路である．これは，**紡錘体形成チェックポイント**（spindle assembly checkpoint）とよばれる．微小管と結合していないか，結合が正常でない動原体が一つでもあると，この動原体が紡錘体形成チェックポイントを活性化する．19 章で詳しく説明するように，微小管に結合していない動原体は，不安定な分裂チェックポイント複合体（mitotic checkpoint complex: MCC）の構築を駆動する．MCC は APC/C を阻害し，それによって分裂期後期への進入を遅らせる．すべての動原体に対して微小管が適切に結合すると，MCC は分解され，APC/C が活性化され，細胞は後期へと進む．

後期 A では微小管の短縮によって染色体が極方向へ移動する

後期 A の開始は，光学顕微鏡で観察できる動きのなかで最も劇的なものの一つである．紡錘体形成チェックポイントを通り過ぎると，APC/C が活性化され，姉妹染色分体をつないでいる残りのコヒーシンが分解される．動原体微小管には張力がかかっているので，染色体をつないでいるコヒーシンが分解されるやいなや染色体は自由に動けるようになる．その結果，突然二つの姉妹染色分体が分離して，二つの紡錘体極に向かって引っ張られる．

単離した中期染色体を使った実験で，後期 A での染色体の動きは微小管の短縮で駆動されることが示された．微小管の構造的歪みとしてたくわえられたエネルギーは GTP キャップが消失するときに放出されて，微小管短縮が進行する．このことは in vitro の

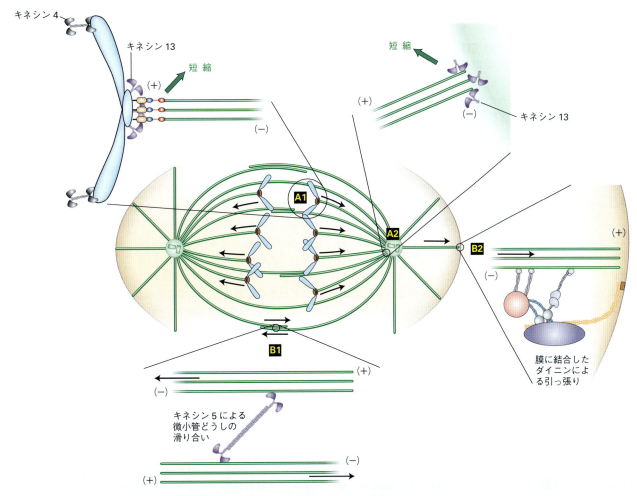

図 18・45 後期での染色体の移動と紡錘体極の分離． 動原体（**A1**）と紡錘体極（**A2**）に局在するキネシン 13 が微小管を末端から短縮させ，後期 A での染色体の移動をひき起こす．染色体の腕は，キネシン 4 の一つであるクロモキネシンに引っ張られて紡錘体極とは反対の方向を向いている．このことは，微小管の短縮で出る力が染色体の腕を紡錘体の中央に引っ張る力に勝っていることを意味している．後期 B でも二つの力が働く．（＋）端方向モーターのキネシン 5（**B1**）が出す力で逆平行に並んでいる極微小管どうしが滑り合うとともに，細胞表層に位置するダイニン-ダイナクチン（**B2**）が星状体微小管を引っ張る．矢印はそれぞれの力で生じる動きの方向を示す．

実験できれいに証明することができる．中期染色体に精製微小管を加えると，染色体は微小管（＋）端に選択的に結合する．この混合物を薄めて遊離のチューブリン二量体濃度を下げると，染色体に結合した微小管（＋）端で脱重合が起こり，染色体は（－）端に向かって動き出す．最近の研究によると，微小管脱重合因子であるショウジョウバエの2種類のキネシン13（図18・15）が後期Aのこの微小管の動きにかかわっている．一つのキネシン13は動原体に局在し，そこでの微小管短縮に寄与している（図18・45, **A1**）．もう一つのキネシン13は紡錘体極に局在し，ここで微小管脱重合を加速させる（**A2**）．キネシン13が動原体と紡錘体極に局在し，動原体微小管を（＋）端と（－）端から脱重合させて染色体を紡錘体極に引っ張るので，少なくともショウジョウバエの研究からは，分裂期後期はキネシン13で駆動されているといってよい．さらに，微小管切断タンパク質であるカタニンが，紡錘体極で微小管をγ-TuRC複合体から切り離している可能性が考えられている（図18・7）．これにより，新しい（－）末端が脱重合されるようになり，微小管の短縮に寄与する．

後期Bではキネシンとダイニンの協調した働きで紡錘体極がさらに離れる

後期Bとよばれる過程では，紡錘体極をさらに引き離すことで，紡錘体を伸長させる．この動きに深くかかわっているのが双極性キネシン5である（図18・45, **B1**）．キネシン5は，分裂期前期において星状体の引き離しを担うキネシンと同じものである．（＋）端方向に運動するこのモータータンパク質は重なり合った極微小管と相互作用し，二つの紡錘体極の間隔を押し広げる．紡錘体極の間隔が広がるのに応じて，これを埋めるように極微小管は伸長する．微小管の（－）端方向に運動するモータータンパク質である細胞質ダイニン-ダイナクチン複合体は細胞表層に局在しており，星状体微小管を引っ張って紡錘体分離を助ける（**B2**）．

紡錘体はダイニン-ダイナクチン依存性経路によって，細胞の中央に配置される

これから説明するように，紡錘体の中心は，細胞分裂が起こる平面を規定する．したがって，前中期および中期において，二つの娘細胞が同じ大きさになるようにするためには，紡錘体を細胞の中央に配置することが重要である．この紡錘体の方向と配置は，ダイニン-ダイナクチンによって，二つの異なる機構を介して行われる（図18・46）．ダイニンは，表層アンカーによって細胞皮質上に集められ，星状体微小管を引っ張ることで紡錘体を動かす．したがって，表層アンカーの配置を制御することで，活性化されたダイニン-ダイナクチンによって，紡錘体の方向を決定する．紡錘体の中央への配置については，まず，染色体が，染色体近傍にある表層アンカーが細胞表層に結合することを抑制するシグナルを発信する．この抑制シグナルが，先に述べたRan・GTP勾配である．Ran・GTPによる抑制シグナルの結果，ダイニン-ダイナクチンの細胞表層上への結合は細胞の紡錘体極の周辺に限定される（図18・46，シグナル**1**）．次に，各紡錘体極にはポロ様キナーゼ（polo-like kinase）とよばれるキナーゼがあり，ダイニン-ダイナクチンの表層アンカーを含む，その近傍の基質をリン酸化することができる．表層アンカーがリン酸化されると，ダイニン-ダイナクチンを細胞表層に動員することができなくなる（シグナル**2**）．

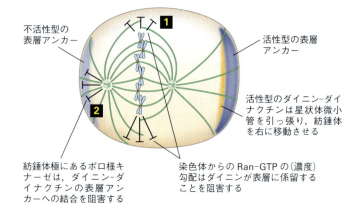

図18・46　ダイニン-ダイナクチンは，紡錘体を細胞の中央に配置し方向を整える．(a) 前中期および中期において，ダイニンに作用する活性型の表層アンカーの位置を調節する二つのシグナルによって，紡錘体は細胞の中央に配置され，方向を決められる．まず，染色体はRan・GTP勾配をつくり出し（シグナル**1**），表層アンカーが細胞皮質と結合するのを局所的に抑制する．次に，紡錘体極のポロ様キナーゼが近傍の基質をリン酸化し，ダイニン-ダイナクチンと表層アンカーとの結合を阻害する（シグナル**2**）．［T. Kiyomitsu and I. M. Cheeseman, 2012, *Nat. Cell Biol.* **14**: 311 を参照．］

このように，紡錘体極が細胞表層に近づくと，ダイニン-ダイナクチンは細胞表層から解離するので，紡錘体はより遠位側のダイニン-ダイナクチンに引っ張られて細胞中央に向かって戻っていく．この綱引きによって，最終的に紡錘体は細胞内の中心位置に移動する．ダイニン-ダイナクチンが星状体微小管を引っ張るこの機能は，分裂後期Bの間の紡錘体の伸長に寄与するのと同じ機構である（図18・45）．

細胞質分裂で複製された細胞は二つに分かれる

動物細胞の分裂期後期と終期で，ミクロフィラメントを基盤にした**収縮環**（contractile ring）が細胞に生じる．収縮環は細胞膜に結合しており，収縮して細胞をくびり切る．この過程を**細胞質分裂**（cytokinesis）とよぶ（図18・38）．収縮環は，方向性がばらばらのアクチンフィラメントの細い束で，その間にミオシンⅡの双極性フィラメントが散りばめられている（図17・34参照）．分裂シグナルを受取ると，まず収縮環が縮んで**分裂溝**（cleavage furrow）ができ，そして細胞が二つにくびり切られる．

収縮環の二つの特徴がその機能にとって必須である．まず，収縮環は細胞の適切なところに位置している．この位置は紡錘体からのシグナルで決まっているので，二つの紡錘体極から同じ距離のところに収縮環ができる．少なくともこのシグナルの一部は，前中期において微小管と動原体の結合を制御する染色体パッセンジャー複合体（CPC，図18・44b）から出ている．後期に至るまで，CPCは未分離の染色体の動原体内層に結合している．後期が開始されると，CPCは動原体を離れて，紡錘体中央の重なった極微小管に結合する（図18・47a）．ここに結合したCPCは，別のタンパク質複合体である**セントラルスピンドリン**（centralspindlin）を引寄せる．この複合体は（＋）端方向に動くキネシンを含んでおり，そのモーター機能によって紡錘体中央に集まる（図18・47b）．後期Bの進行に伴い，セントラルスピンドリンはRhoAのグアニンヌクレオチド交換因子を細胞膜近傍に引寄せる．17章で

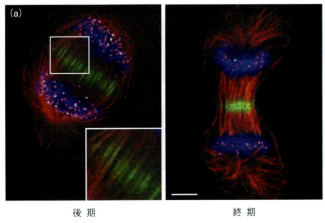

図 18・47 分裂期後期と終期とを通して，染色体パッセンジャー複合体（CPC）は，収縮環の形成を指令するために紡錘体中央に局在し続ける．(a) 後期後半（左）と終期（右）の細胞の蛍光顕微鏡写真．微小管（赤），DNA（青），Aurora B（緑），動原体（赤紫）を染色している．極微小管が重なり合って収縮環が形成されることになる領域に，CPCに含まれるAurora Bが濃縮されていることに注意．スケールバーは5μmを示す．(b) 後期に，CPCは微小管の重なり合う領域に再局在化し，セントラルスピンドリン複合体を呼び寄せる．この複合体はキネシンモーターを含んでおり，微小管（+）末端付近に濃縮させるのに役立つ．この複合体は，隣接する細胞膜でRhoAグアニンヌクレオチド交換因子（RhoA-GEF）を呼び寄せて活性化し，RhoAをGTP結合型に活性化させる．(c) Rho・GTPの生成に至る相互作用の経路を示す．これは，アクチンフィラメントの集合を促進するためにフォルミンを活性化し，またミオシンIIを活性化する（17章）．アクチンとミオシンが一緒になって，細胞を二つにくびり切る収縮環を形成するのである．[(a)はS. Ruchaud et al., 2007, Nat. Rev. Mol. Cell Biol. 8: 798, Copyright Clearance Center, Inc. を通じてNature Publishing Groupより許可を得て転載．]

述べたように，Rhoは低分子量GTP結合タンパク質で，交換因子はRho・GDPをGTP型に変換する働きをもつ（図17・40参照）．いったん活性化されたRhoA・GTPは，アクチンフィラメントの核形成と集合を促すためにフォルミンを活性化し，同時にミオシンIIも活性化することで，収縮環を構築する（図18・47b, c）．このようにして，紡錘体の位置は直接に収縮環形成の場所を規定し，結果的に細胞質分裂の位置を決定する．

収縮環の第二の特徴は，その収縮が適切なタイミングで起こるということである．たとえば，すべての染色体がそれぞれの紡錘体極に向けて移動する前に収縮環が収縮すると，重大な遺伝的欠陥が生じる．19章で述べるように，出芽酵母を使った研究で，**紡錘体位置チェックポイント**（spindle position checkpoint）というシグナル伝達経路が見つかっている．これは，紡錘体が正しい位置にきてはじめて細胞質分裂が起こるよう保証する細胞周期制御系である．動物細胞ではどのような機構が働いているか，まだわかっていない．

植物細胞は有糸分裂時に微小管を再編成して新しい細胞壁をつくる

動物細胞で典型的にみられる放射状の間期微小管は中心部にあるMTOCによるものだが，間期の植物細胞には核周辺のMTOCがない．その代わり，植物細胞の細胞表層にはγチューブリンを含む多くのMTOCがあり，細胞壁に沿って走る微小管の束ができている（図18・48左）．束中の微小管は，微小管切断タンパク質カタニンによって細胞表層MTOCから切り出されたもので，その極性は揃っていない．カタニンが欠損すると微小管は非常に長くなり，奇形の細胞が生じる．これは，植物特異的MAPで架橋されている細胞表層微小管が，堅い細胞壁の主成分である細胞外セルロース微細繊維形成を促すという役割を担っているからである（図20・43参照）．

植物細胞の有糸分裂で起こることは，動物細胞とほぼ同じであるが，紡錘体の形成と細胞質分裂は植物に特有である（図18・48）．植物細胞では分裂期前期に，細胞表層微小管とアクチンフィラメントが中心体の助けなしに束になって**前期前微小管束**（preprophase band）となる．前期前微小管束の位置によって，分裂部位が決まる．中期の分裂装置は，植物細胞と動物細胞で似ている．植物には細胞壁があるので，細胞が二つに分かれる様子は動物細胞とは違っており，二つの娘細胞間には新たな細胞壁ができる．終期に出現するゴルジ体由来の小胞は微小管に沿って輸送され，**新生細胞板**（nascent cell plate）となる．細胞板はアクチンフィラメントを介して分裂部位に向けて伸長し，動物細胞の収縮環に相当する**隔膜形成体**（phragmoplast）の一部となる．隔膜形成体を形づくる小胞の膜は，最終的には娘細胞の細胞膜になる．これら小胞の内容物はセルロースの多糖前駆体やペクチンのような物質で，初期の細胞板を形づくり，やがて娘細胞間の新しい細胞壁に発達していく．

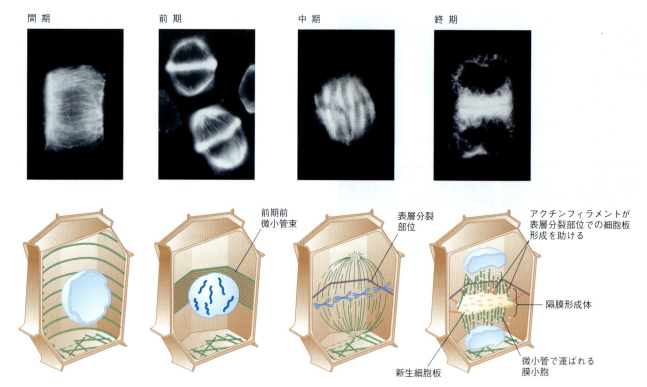

図 18・48 高等植物細胞の有糸分裂. 間期と分裂期植物細胞の微小管の配列を示す免疫蛍光顕微鏡写真（上）と, これに対応する模式図（下）. 間期には表層微小管が細胞を取巻いている. 分裂期前期になると, 微小管（緑）とアクチンフィラメント（赤）が細胞表層下で集合して前期前微小管束となる. 前期前微小管束はのちに表層分裂部位となる. 前中期から中期になると, 動物細胞に似た紡錘体ができる. しかし細胞壁があるため, 植物細胞の細胞質分裂は動物細胞のものとは全く異なる経緯をたどる. 微小管に沿って運ばれた膜小胞は, 表層分裂部位につながったアクチンフィラメントを介して集合して新生細胞板となり, 隔膜形成体の一部となる. 隔膜形成体に集まった膜小胞は融合し, 姉妹細胞を隔てる細胞膜となる. 膜小胞から分必された酵素が二つの細胞間の細胞壁を構築する.〔G. Jürgens, 2005, *Annu. Rev. Plant Biol.* **56**: 281 参照. 写真は S. Wick 提供.〕

18・6 有糸分裂 まとめ

- 有糸分裂では, 複製された染色体が正確に分けられる. 有糸分裂には, 動的挙動を示す微小管や分子モーターで構成された分子機械が関与している.
- 紡錘体には, 染色体と結びついている動原体微小管, 両方の紡錘体極から伸びて紡錘体の中央部で重なり合う極微小管, 細胞表層に向かって伸びている星状体微小管という3種類の微小管が存在する. これらはすべて, 紡錘体極から伸びている（図 18・40）.
- 有糸分裂の最初の段階である前期には, 核の染色体が凝縮し, 紡錘体極が核の両側に移動する（図 18・38）.
- 前中期には, 核膜が消失し, 紡錘体極から出ている微小管が対になっている染色体の動原体を捕捉する. 複製された姉妹染色分体にある二つの動原体がそれぞれ別の紡錘体極に結びつけられ, 双方向性をとることで, 染色体は紡錘体の中央部に集合する.
- 染色体パッセンジャー複合体（CPC）は動原体内層に結合し, 動原体と微小管との相互作用を弱い状態に保つ働きをもつ. この作用は, CPC を構成する Aurora B というプロテインキナーゼが動原体の構成タンパク質をリン酸化することに依存している. 染色体が双方向性をもつと, 動原体に張力がかかり Aurora B の基質がこのキナーゼから遠ざけられて（図 18・44）, リン酸化が進まず微小管と動原体の相互作用は強まる.
- 中期には, 染色体は中期板に整列する. 紡錘体形成チェックポイント機構が微小管と結合していない動原体を監視し, すべての染色体が結合するまで後期の開始を遅らせる.
- 後期には, 複製された染色体が分離する. 同時に, 動原体微小管が動原体と紡錘体極とに接する両端で短縮し, その結果, 分離した染色体が紡錘体極に向かって移動する（後期A）. 双極性のキネシン5が極微小管の(+)端に向けて動くので, 二つの紡錘体極も互いに押されて離れていく（後期B）. 紡錘体の分離は, 細胞表層に局在しているダイニンが星状体微小管を引っ張ることによっても促進される（図 18・45）.
- 紡錘体は二つのシグナル（染色体からの Ran・GTP 勾配と極からのポロ様キナーゼ勾配）により細胞中央に配置され, 方向も決められる. それらのシグナルは, ダイニン-ダイナクチンに対する表層アンカーの局在もしくは活性を負に制御している. 活性化したダイニンは星状体微小管を引っ張り, 紡錘体を中央に位置させる.
- 収縮環の位置は, 後期に紡錘体の中央に局在する CPC によって決められる. CPC は隣接する細胞膜で活性型である Rho・GTP を生成するための因子を集め, アクチンフィラメントの集合を促進し, ミオシン II を活性化する. その後, 収縮環が収縮して, 細胞を二つにくびり切る（図 18・47）.

- 植物における細胞分裂では，微小管による膜輸送を介して隔膜形成体ができる．隔膜形成体は二つの娘細胞の細胞膜となる（図18・48）．

18・7 中間径フィラメント

動物における主要な細胞骨格系の3番目は，まとめて**中間径フィラメント**（intermediate filament: IF）とよばれている．この名称は，このフィラメントの約10 nmという直径が，ミクロフィラメント（7〜8 nm）や骨格筋の太いミオシンフィラメントの直径にあたる25 nmの中間であることに由来する．中間径フィラメントは，間期動物細胞の核内膜に沿って並んでいるだけでなく，細胞質全体にも広がっている（図18・49）．中間径フィラメントは，ミクロフィラメントや微小管とは異なるいくつかの独特な性質をもつ．

1. 生化学的にみて，中間径フィラメントはずっと多様である．すなわち，多くの異なった，しかし進化のうえでは関連のある中間径フィラメントのサブユニットが存在し，しばしば組織依存的に発現している．

2. 引っ張りに対して強い．このことは，主として死んだ細胞由来の中間径フィラメントからなる毛髪や爪からみてとれる．

3. 中間径フィラメントはミクロフィラメントや微小管のように固有の方向性をもたない．またその構成成分であるサブユニットはヌクレオチドを結合しない．

4. 固有の方向性をもっていないため，中間径フィラメントに沿って動くモータータンパク質がない．

5. 中間径フィラメントはサブユニットの交換速度が遅いため，ミクロフィラメントや微小管よりずっと安定である．実際，細胞を界面活性剤で処理し，すべての細胞膜，ミクロフィラメント，微小管を溶かすと，残渣がほとんど中間径フィラメントで占められるようになる．これが中間径フィラメントの標準的な精製法である．

6. 中間径フィラメントはすべての真核生物に存在するわけではない．真菌類と植物には中間径フィラメントは見いだされておらず，昆虫には二つの遺伝子にコードされている1種類しかない．

こうした性質をもつために，中間径フィラメントは多細胞動物における特異的かつ重要な構造である．中間径フィラメントの重要性は，IFタンパク質をコードする遺伝子の変異に由来する数百もの疾病が見つかっていることからもわかる．こうした疾病のいくつかについては，本節で解説する．中間径フィラメントがどのように細胞や組織の構造にかかわっているかを理解するため，ここではまずIFタンパク質の構造について解説し，それがどのように重合してフィラメントとなるかをみる．次に，中間径フィラメントのダイナミクスに関して議論し，その後，異なる種類の中間径フィラメントとそれらが担っている機能について述べる．

中間径フィラメントはサブユニット二量体がさらに重合してできる

中間径フィラメント（IF）は，ヒトゲノムでは70の異なる遺伝子によってコードされており，それらは少なくとも五つのサブファミリーに分けられる．よく保存された約310残基からなるαヘリックスの棒状ドメインが存在することと，このドメインがコイルドコイルモチーフの特徴を備えたアミノ酸配列を含むこと

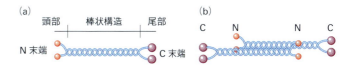

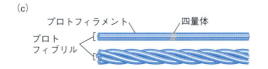

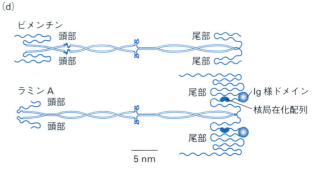

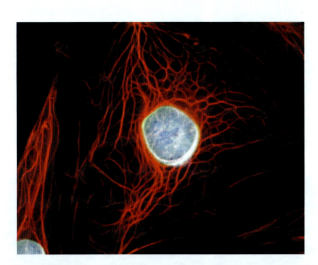

図 18・49（実験） 上皮細胞内の2種類の中間径フィラメントの局在．抗ケラチン抗体（赤），抗ラミン抗体（青）で二重染色した上皮細胞の免疫蛍光顕微鏡写真．核膜の内側にラミン中間径フィラメントの網目が見える．一方，ケラチンフィラメントは核から細胞膜へ向かって伸びている．[R. D. Goldman 提供．]

図 18・50 中間径フィラメントの構造と集合状態． IFタンパク質二量体，四量体，および完成した中間径フィラメントの模式図．(a) IFタンパク質は，配列が非常によく保存されているコイルドコイルコアドメインを介して平行な二量体となる．球状の頭部と尾部は，中間径フィラメントの種類によって長さ〔詳細は(d)に示されている〕や配列が全く異なる．(b) 四量体は，2本の同一な二量体が逆平行に側面会合してできる．(c) 四量体は末端結合と側面結合によってプロトフィブリルになる．プロトフィブリル4本からできた成熟フィラメントでは，球状ドメインが表面に粒子状に露出している．(d) ビメンチンとラミンAの二量体の構造の比較．核局在化配列があるラミンタンパク質は，最終的に核に運ばれる．[(d)はH. Hermann et al., 2007, *Nat. Rev. Mol. Cell Biol.* **8**: 562.]

が，IFタンパク質の特徴である（図3・7a参照）．

中間径フィラメントの基本構成単位は2本のポリペプチド鎖からなる二量体である（図18・50a）．それぞれのポリペプチド鎖の棒状ドメインが互いに巻付いてコイルドコイル構造をとり会合している．二量体はさらに側面で逆平行に会合して四量体を形成する（図18・50b）．四量体は末端どうしで会合し，長い**プロトフィラメント**（protofilament）になる．4本のプロトフィラメントが会合して**プロトフィブリル**（protofibril）になり，4本のプロトフィブリルがさらに側面で会合して直径10 nmのフィラメントになる．このように，1本の中間径フィラメントには16本のプロトフィラメントが含まれている（図18・50c）．棒状ドメインのN末端側とC末端側は，αヘリックスを含まないドメインで挟まれている．それぞれの種類の中間径フィラメントは，この二つの非ヘリックスドメインの大きさで特徴づけられる（図18・50d）．四量体は対称性をもつため，中間径フィラメントには方向性がない．以上のような中間径フィラメントについての説明は構造に基づいたものであり，中間径フィラメントの細胞内での集合機構は現時点ではわかっていない．ミクロフィラメントや微小管とは異なり，中間径フィラメントの核形成，伸長，キャップ形成，切断を行うタンパク質は知られていない．

中間径フィラメントは動的構造体である

中間径フィラメントは微小管やミクロフィラメントよりずっと安定であるが，そのサブユニットは既存の中間径フィラメントと動的な平衡状態にある．たとえば，ビオチン標識したI型ケラチンを繊維芽細胞に注入する実験でこのことがわかる．この場合，注入後2時間以内に，標識タンパク質はすでに存在していたケラチンフィラメントに取込まれていた（図18・51）．つまり，水溶性の中間径フィラメントサブユニットが細胞内に存在し，これが既存のフィラメント中に付加されると同時に，既存のフィラメントからサブユニットが解離する．

中間径フィラメントは組織特異的に発現する

アミノ酸配列解析から，IFタンパク質は少なくとも五つの型に分類される．そのうち四つは細胞質に存在する．こうした分類とそれぞれのタンパク質が発現している細胞種にははっきりした対応がみられる（表18・2）．5番目の型に属する核ラミンについては，細胞質の中間径フィラメントとは異なる機能を果たすので別に解説する．

I型とII型を構成する**ケラチン**（keratin）は上皮細胞にみられる．III型の中間径フィラメントは，中胚葉由来の細胞一般にみられる．IV型を構成する**ニューロフィラメント**（neurofilament）は，神経細胞（ニューロン）にみられる．V型を構成する**ラミン**（lamin）は，すべての動物組織の核にある．以下では，これら五つの型を簡単に解説してから，それぞれの中間径フィラメントタンパク質の組織中の役割について述べる．

ケラチン　ケラチンは上皮細胞に強度を与える．最初に取上げるのは，いわゆる**酸性**，および**塩基性**ケラチンである．ヒトゲノムにはケラチンをコードしている遺伝子が約50あり，酸性ケラチンと塩基性ケラチンがおよそ半分ずつになっている．塩基性ケラチン鎖と酸性ケラチン鎖1本ずつから，二量体は構成されることになる．前項のように，これらの二量体がさらに重合してフィラメントができる．

ケラチンはIFタンパク質ファミリーのなかでも最も多様である．塩基性と酸性のケラチン二量体は，上皮細胞のさまざまな種類や細胞分化過程において異なる発現パターンを示す．さらに，この発現は分化に依存した制御を受ける．爪や毛髪の構成成分である"堅い"ケラチンは，こうしたものの一つである．これらのケラチンにはシステインが豊富に含まれており，酸化されてジスル

図18・51（実験） 水溶性ケラチンが既存のケラチンフィラメントに取込まれるので，ケラチン中間径フィラメントの構造は動的である．I型ケラチン単量体を精製し，ビオチンで化学的に修飾して，生きている上皮細胞に微量注入した．注入後時間を変えて細胞を固定し，ビオチンに対する蛍光抗体とケラチンに対する蛍光抗体で染色した．(a) 注入後20分では，注入したビオチン標識ケラチンは細胞質中に分散した小さな粒に濃縮されており（左），内在性ケラチン細胞骨格中には取込まれていない（右）．(b) 4時間経過すると，ビオチン標識サブユニット（左）とケラチンフィラメント（右）の局在は同一のパターンを示し，微量注入したタンパク質が既存の細胞骨格中に取込まれたことがわかる．[R. K. Miller et al., 1991, *J. Cell Biol.* **113**: 843 による．]

(a) 注入から20分後

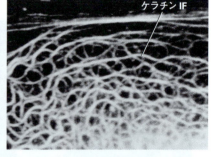

(b) 注入から4時間後

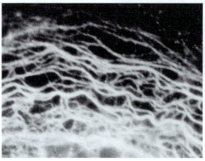
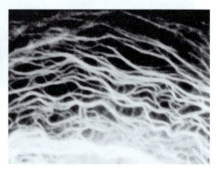

表 18・2 哺乳類の主要な中間径フィラメント

型	タンパク質	分布	予想される機能
I	酸性ケラチン	上皮細胞	組織の強度と一体性を保つ
II	塩基性ケラチン	上皮細胞	
III	デスミン，GFAP，ビメンチン	筋細胞，グリア細胞，間葉細胞	サルコメアを組織化し，その一体性を保つ
IV	ニューロフィラメント（NFL, NFM, NFH）	神経細胞	軸索の組織化
V	ラミン	核	核の構造維持と組織化

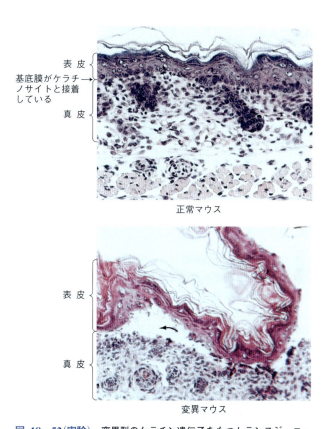

フィド結合を形成する．それによってケラチンの強度は増す．この特性は，美容師が"パーマ"で利用している．毛髪をいったん還元し，髪形をつくり直してから酸化によってジスルフィド結合を再形成すれば，カールした髪形でもまっすぐな髪形でもつくり上げることができる．

一方，"柔らかい"ケラチン，すなわち**サイトケラチン**（cytokeratin）は上皮細胞に存在する．表皮を構成している上皮細胞層は，ケラチンの機能を示すよい例である（図 18・52）．この細胞層の最下部の**基底層**（basal layer）は**基底膜**（basal lamina）と接触しており，ここでは常に細胞が増殖して**ケラチノサイト**（keratinocyte，角化細胞）とよばれる細胞が生み出される．ケラチノサイトは基底層から離れると分化し，大量のサイトケラチンを発現する．サイトケラチンは特化した細胞間接着部位に結合し，損傷に耐えうるような強靱な細胞層の形成を促す．これらの細胞が死ぬと，すべての細胞小器官は消失するが，サイトケラチンのネットワークは保持された死細胞が生じる．この死細胞の層が，表皮からの水の蒸発を防ぐのに必須な障壁となる．この障壁なしでは，われわれは生存できない．表皮細胞が基底層で誕生してから皮膚片として体から失われるまでの寿命は，約1カ月である．

すべての上皮細胞で，ケラチンフィラメントはデスモソームと結合しており，デスモソームは隣接する細胞をつないでいる．またケラチンフィラメントはヘミデスモソームとも結合し，ヘミデスモソームは細胞を細胞外マトリックスにつないでいる．このようにして細胞や組織の強度が増す．こうした構造については，20章で詳しく解説する．

単に構造に強度を与えるだけでなく，ケラチンフィラメントは細胞小器官の配置やシグナル伝達経路にも関与しているらしい．たとえば，組織の傷に反応して細胞のすばやい増殖が誘導される．上皮細胞では，この増殖のシグナルに，細胞増殖シグナル因子と特定のケラチンの相互作用が必要である．

図 18・52（実験） 変異型のケラチン遺伝子をもつトランスジェニックマウスでは，ヒトの単純性表皮水疱症と似た皮膚の水疱が生じる．正常マウスと変異型のK14ケラチン遺伝子をもつトランスジェニックマウスの皮膚の組織切片を示す．正常なマウスの皮膚では，堅い外部表皮層が柔らかい内部真皮層に接着し保護している．これに対し，トランスジェニックマウスの皮膚では，表皮の基部で細胞が脆弱化しているため，二つの層が離れ離れになっている（矢印）．[P. A. Coulombe et al., 1991, *Cell* **66**: 1301, Copyright Clearance Center, Inc. を通じて Elsevier より許可を得て転載．]

デスミン　III型のIFタンパク質として，間葉細胞にみられるビメンチン（vimentin）や，グリア細胞にみられる**GFAP**（グリア細胞繊維性酸性タンパク質 glial fibrillary acidic protein），筋細胞にみられる**デスミン**（desmin）がある．デスミンは筋細胞の強度や組織化を担っている（表18・2の図参照）．

平滑筋では，細胞質中の**デンスボディ**（dense body）に筋原繊維が結合し，これがデスミンフィラメントを介して細胞膜につなぎとめられる．この結果，平滑筋細胞は過伸展に耐えられる．骨格筋では，帯状のデスミンフィラメントからなる格子状構造がサルコメアを取巻いている．デスミンフィラメントはZディスクに巻き付き，細胞膜に結合している．縦方向のデスミンフィラメントは同じ筋原繊維内の隣り合うZディスクを結びつけている．さらに，隣り合うZディスクのまわりのデスミンフィラメントどうしが連結される結果，筋細胞内で筋原繊維が架橋されて束になる．デスミンフィラメントからなる格子は，ミオシンの太いフィラメントとの相互作用を介して，サルコメアにも付着している．デスミンフィラメントはサルコメアの外に存在しているので，収縮力の発生に積極的には参加しておらず，むしろ筋肉の一体性を維持するのに重要な構造的役割を果たしている．デスミンを欠くトランスジェニックマウスではこの構造が失われるので，Zディスクの配列が乱れる．また，このマウスではミトコンドリアの位置や形態にも異常があることから，中間径フィラメントは細胞小器官の配置にも寄与していると考えられている．

ニューロフィラメント　IV型の中間径フィラメントはNF-L, NF-M, NF-H（L：軽 light, M：中間 medium, H：重 heavyからつけられた）という三つの類似したサブユニットからなる．これらのサブユニットは，神経細胞軸索にあるニューロフィラメントの構成成分である（図18・2）．これら三つのサブユニットはおもにC末端側のドメインの大きさが異なっており，必ずヘテロ二量体となる．トランスジェニックマウスを用いた実験から，軸索の正確な直径を決めるのにニューロフィラメントが必要なことがわかっている．神経活動電位が軸索を伝搬する速度は，この軸索の直径によって決まる．

皮膚構造の全体性の維持は，表皮の剥離を抑えるのに必須である．ヒトやマウスでは，K4ケラチンとK14ケラチンのヘテロ二量体が集合してプロトフィラメントを形成する．N末端あるいはC末端ドメインに欠損をもつK14ケラチン変異体は，in vitroではK4とともにヘテロ二量体を形成する．しかし，この二量体はプロトフィラメントを形成できない．細胞内でこうした変異型ケラチンが発現すると，中間径フィラメントの網目構造は破壊され，凝集体となってしまう．K14変異型ケラチンを上皮の基底幹細胞で発現させた遺伝子変異型マウスでは，表皮がぼろぼろになるといったはっきりした皮膚異常が発生する．こうした症状は，ヒトの皮膚疾患である**単純性表皮水疱症**（epidermolysis bullosa simplex: EBS）によく似ている．組織学的検査の結果，ぼろぼろになった表皮には死滅した基底細胞が多数観察される．手足を動かす際に，皮膚がこすれるという機械的刺激で基底細胞が簡単に死滅するためと考えられる．変異型基底細胞では正常なケラチンフィラメント束ができないため細胞が壊れやすく，生体を覆っている表皮層が剥離しやすくなり，ぼろぼろになる（図18・52）．筋組織を支えるのにデスミンフィラメントが果たしている役割と同じように，ケラチンフィラメントも細胞間結合を機械的に強化するという役割を果たすことで，上皮組織の一体性維持に寄与している．

ラミンは核内膜を覆って，核の形態と機械的強度維持に寄与する

最も広く分布している中間径フィラメントはV型のラミンである．ラミンはすべてのIFタンパク質の原型であり，多くの細胞質IFはそこから遺伝子重複と変異によって生み出されたものである．核膜と核内クロマチンとの間には**核ラミナ**（nuclear lamina）という二次元網目構造があるが，この構造体の主成分はラミンである（図18・53）．ヒトでは，三つの遺伝子がラミンをコードしている．一つの遺伝子から違うスプライシングでラミンAとラミンCが生じ，残り二つからラミンB1とラミンB2が生じる．ラミンBがおそらく始原タンパク質で，すべての細胞で発現している．これに対して，ラミンAとラミンCの発現は発生段階で制御を受ける．ラミンBは翻訳後にプレニル化され（§10・2参照），それによって核内膜との結合が促される．ラミンタンパク質は中間径フィラメント特有のコイルドコイル領域をもつが，それ以外に核局在に必要な配列や，免疫グロブリン様構造ももつ（図18・50d）．

機械的負荷を受けている細胞には，核の一体性を維持するために核ラミン網目構造がある．これに対して，植物細胞や真菌細胞のように堅い細胞壁をもつ細胞には，こうした核内の網目構造がない．つまり，ラミン網目構造は核内膜を支え，核に剛性をもたらしている．ラミンAの発現量は，支えるべき組織の剛性に対応して調節されている．たとえば，好中球は細い毛細管や狭い間質空間を移動するが，ラミンA発現量が少ないため，その核は非常に分葉した形態をとる．仮に，その核が大きく，堅いものだったら，細胞外マトリックスでみられるような狭い空間を通り抜けるのがむずかしいだろう．

ラミン網目構造の片面はクロマチンと相互作用し，もう一方の面は核内膜と核外膜を介して核外の細胞骨格と相互作用して，核に剛性をもたらしている．核内膜に埋込まれているラミンB受容体やエメリンといったタンパク質は，クロマチンと相互作用しているタンパク質やラミンに結合できる（図18・53a）．興味深いことに，ゲノム中で転写が不活性な領域がラミンと結合しやすい．最近の研究で，ラミンはゲノムの組織化やDNA修復にかかわっているという証拠が得られている．核外膜と核内膜を介した核外の細胞骨格との相互作用には，SUNドメインやKASHドメインという構造をもつタンパク質がかかわっている．SUNドメインをもつタンパク質は小胞体で合成されるが，このときSUNドメインは小胞体内腔に向いている．細胞質側に出ている別のドメインが選別シグナルとなって，このタンパク質は小胞体膜と一体となっている核外膜に運ばれる．さらに，膜タンパク質として核膜孔を通過し，核内膜に到達して核ラミナと結合する（図18・53b）．ネスプリン（nesprin）はKASHドメインを含む膜貫通タンパク質の一つで，そのKASHドメインは核周辺のSUNドメインをもつタンパク質と結合する．ネスプリン自身は，直接あるいはアダプタータンパク質を介して細胞質の中間径フィラメント，アクチンフィラメントあるいは微小管と相互作用する．その結果，核と細胞骨格との連結ができる（図18・53b）．こうした連結によっ

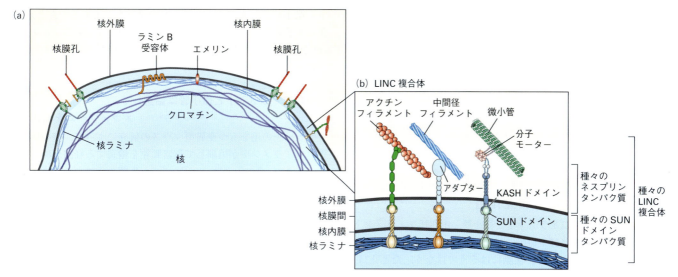

図 18・53 核ラミナはクロマチンに結合するとともに，LINC 複合体を介して細胞骨格にも結合する．(a) 核の一部を示す模式図．ラミンを含む核ラミナはクロマチンと結合している．さらに，2 枚の核膜を介して細胞骨格とも結合している．核膜に局在しているラミン B 受容体のようなタンパク質やエメリンなどが，ラミン中間径フィラメントを核内膜につなぎとめる．図には示していないが，さらに，ラミンタンパク質はラミン B のプレニル化を介して核内膜につなぎとめられる．LINC 複合体という多様なタンパク質が，2 枚の核膜を介してラミンタンパク質を細胞骨格につなげる．(b) LINC (linker of nucleoskeleton and cytoskeleton) 複合体は SUN ドメインを含むタンパク質と KASH ドメインを含むタンパク質とからなる．前者はラミンタンパク質と相互作用し，核内膜を横切っている．後者は，2 枚の核膜間で SUN ドメインタンパク質と結合し，さらに核外膜を横切って細胞骨格と相互作用している．[C. S. Janota et al., 2017, Cell **169**: 970 参照.]

て，核は細胞内のあるべき位置に運ばれる．あるいは，脊椎動物の神経上皮の長い突起中での核の輸送に使われることもある．

有糸分裂期にラミンはリン酸化によって可逆的に脱重合する

有糸分裂期の前期から前中期かけて核膜は崩壊するが，このためには核ラミナがばらばらになる必要がある．19 章で解説するように，分裂期 CDK というキナーゼが有糸分裂への進行を誘導するが，このキナーゼの基質の一つがラミンである．ラミン A, B, C のリン酸化によって中間径フィラメントの網目は脱重合して，ラミン二量体にまでばらばらになる．C 末端がプレニル化されているために，ばらばらになったラミン B 二量体は核膜に結合したままでいる．有糸分裂を議論した際にもみたように，核ラミンフィラメントの脱重合で核ラミナ網目構造は崩壊して，核膜も失われる．有糸分裂終期に，特異的ホスファターゼによってリン酸化ラミンからリン酸基が除かれ，ラミンの集合が再びはじまる．その結果，娘染色体のまわりで核膜が再形成される．このように，キナーゼとホスファターゼの相反する働きによって，ラミン中間径フィラメントの集合状態が制御されている．細胞周期の他の段階では，他の中間径フィラメントも解体と再集合を行う．

ヒトラミン A 遺伝子には 600 以上の変異が知られており，これらの変異でひき起こされる疾病は一括してラミン病 (laminopaty, ラミノパチー) とよばれている．たとえば，心筋症，筋萎縮症，脂肪異栄養症，早老症などがそうした例である．たとえばエメリ-ドレフュス型筋ジストロフィー (Emery-Dreifuss muscular dystrophy: EDMD) はいくつかのラミン A 変異で発症するが，筋細胞にかかる力で生じる変形に対して，壊れやすい核が耐えられないために，まず症状が筋組織に現れると考えられる．また別種の EDMD は，核内膜のラミン結合タンパク質であるエメリンや，ネスプリンや SUN タンパク質の変異が原因で発症する．しかし，ラミン A における別種の変異によって，ハッチンソン-ギルフォード早老症のような病的な老化の加速がみられる．なぜ同じ遺伝子の異なる変異でこんなにも違った表現型が現れるのか，いまだに謎である．

18・7 中間径フィラメント まとめ

- 中間径フィラメントは方向性をもたない唯一の細胞骨格繊維であり，中間径フィラメントに結合するモータータンパク質は存在しない．中間径フィラメントは，コイルドコイル構造をもつ中間径フィラメントタンパク質二量体を基礎に構築される．コイルドコイル二量体が逆平行に結合して四量体になり，それが集まってプロトフィラメントになる．さらにプロトフィラメントが 16 本集まってフィラメントを形成する (図 18・50)．
- IF タンパク質には五つの主要なクラスが存在する．そのなかでも核ラミン (V 型) は最も起源が古く，動物細胞に普遍的に存在している．他の四つの型は特定の組織でのみ発現する (表 18・2)．
- ケラチン (I 型と II 型の中間径フィラメント) は動物の毛髪と爪に存在する．それ以外にもサイトケラチンフィラメントは上皮細胞のデスモソームに結合し，細胞と組織に強度を付与する．
- III 型の中間径フィラメントにはビメンチン，GFAP，デスミンがあり，骨格筋 Z ディスクの構造維持と配置に関与するとともに，平滑筋が過伸展するのを抑制している．
- ニューロフィラメントは IV 型中間径フィラメントで，軸索の構造形成に重要な役割を果たしている．

- ラミンは核ラミナの主要構成成分である．核ラミナはSUNドメインやKASHドメインをもつタンパク質を介して細胞骨格とつながっており，ゲノム組織化や核の剛性に関与している（図18・53）．
- 多くの病気が，中間径フィラメントの欠陥と関連づけられている．特にラミン病には多様な症状がある．またケラチン遺伝子の変異によって，表皮に重大な障害が生じる（図18・52）．

18・8 細胞骨格間の相互作用

ここまで，ミクロフィラメント，微小管，中間径フィラメントという三つの細胞骨格について，互いに独立して働いているかのように述べてきた．しかし，実際にはそうではなく，たとえば，微小管からなる紡錘体がミクロフィラメントからなる収縮環の位置を決定するという例からもわかるように，これら二つの細胞骨格系は互いに協調している．この章の最後となる本節では，細胞骨格要素間の物理的つながりと制御のその他の例をあげ，そうした統合と細胞内の組織化について述べる．

中間径フィラメント結合タンパク質は細胞の組織化に寄与している

まとめて**中間径フィラメント結合タンパク質**（intermediate filament-associated protein: **IFAP**）とよばれる一群のタンパク質が，中間径フィラメントと一緒に精製されてくる．そのなかで**プラキン**（plakin）ファミリーは，中間径フィラメントを他の構造に結合するという役割を果たしている．これらのうちには，ケラチンフィラメントをデスモソームにつなぎとめるものがある．デスモソームは上皮細胞間をつないで組織に安定性を与える．またプラキンには，ケラチンフィラメントをヘミデスモソームと結びつけるものもある．ヘミデスモソームは，中間径フィラメントと細胞外マトリックスとがつながっている細胞膜部位に存在している（20章）．中間径フィラメントに沿って結合し，ミクロフィラメントと微小管に対する結合部位をもつプラキンもある．たとえば，免疫電子顕微鏡観察によって，プラキンの一つであるプレクチン（plectin）が微小管と中間径フィラメントをつないでいることが見いだされている（図18・54）．

ミクロフィラメントと微小管は協調してメラノソームを輸送する

明るい色の毛をもつ変異型マウスの研究によって，微小管とミクロフィラメントが協調して色素顆粒を輸送する経路が明らかになってきた．毛の色素は，以前に述べた魚類やカエルのメラノフォア（図18・29）とよく似たメラノサイト（melanocyte）とよばれる細胞で生産される．メラノサイトは毛幹の根元にある毛包に存在し，メラノソーム（melanosome）とよばれる色素を満載した顆粒を含んでいる．メラノソームはメラノサイトの樹状突起に輸送されてから，それを取囲んでいる上皮細胞にエキソサイトーシスで移動する．細胞周縁部への輸送は，カエルのメラノフォアと同様に，キネシンファミリーが行う．メラノソームは周縁部に到着すると，ミオシンVに引き渡され，エキソサイトーシスで細胞外に出る．もしミオシンVに欠陥があると，メラノソームは捕捉されないで細胞体にとどまることになる．このように，微小管がメラノソームの長距離の輸送を担っている一方で，ミクロフィラメント依存性モーターであるミオシンVが細胞表層での捕捉とエキソサイトーシスを担っている．こうした微小管による長距離の輸送とミクロフィラメントによる短距離の輸送といった役割分担は，糸状菌から軸索の輸送に至る他の多くの系でも見いだされている．

細胞体の移動中には，Cdc42が微小管とミクロフィラメントとの協調を促す

17章では，移動中の細胞の極性がCdc42によって制御される機構について解説した．細胞が極性をもつと，細胞前方にはアクチンからなる先導端が形成され，細胞後方は収縮する（図17・44，図18・55，段階**1**）．細胞前方でCdc42が活性化されると微小管の分布にも極性が生じる．このことは次のような傷修復計測法で明らかにされた（図17・43参照）．引っかき傷跡の境にいる細胞は極性をもち，傷を埋めるように移動する．このとき，ゴルジ体は細胞前方に移動し，核の前に位置する．ゴルジ体の局在はMTOCの位置に依存するので（図18・1c，図18・28），ここでみられたゴルジ体の移動は，中心体が核の前にくることを意味している．最近の研究によると，Cdc42の活性化によって細胞前方に極性因子Par6が結合し，その結果ダイニン-ダイナクチン複合体もここに移動する（段階**2**）．こうして表層に局在したダイニン-ダイナクチンが微小管と相互作用し，これを引っ張る．その結果，中心体とそれにつながる放射状の微小管全体も引っ張られる（段階**3**）．これで生じた微小管系の極性によって，分泌産物を輸送する分泌経路の再編成がひき起こされる．これにより，細胞外マトリックスに結合し，細胞体が移動できるようにするために必要なインテグリンが細胞前方の膜に運ばれる（段階**4**）．

神経細胞の成長円錐の動きはミクロフィラメントと微小管の相互作用で制御される

神経系が機能するには，神経細胞間の情報の伝達と統合が必須

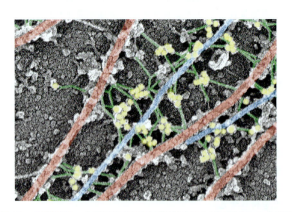

図18・54（実験）　金標識抗体電子顕微鏡法により可視化した中間径フィラメントと微小管の間のプレクチン架橋．この繊維芽細胞の電子顕微鏡写真では，微小管は赤，中間径フィラメントは青，両者の間を結ぶ短い繊維は緑で強調してある．プレクチンに対する金標識抗体（黄）を用いた染色によって，中間径フィラメントと微小管をつなぐ繊維にはプレクチンが含まれることが示された．[T. M. Svitkina et al., 1996, *J. Cell Biol.* **135**: 991 による.]

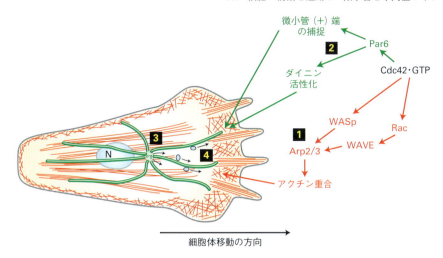

図 18・55 Cdc42 がミクロフィラメントと微小管を独立に制御して，移動中の細胞の極性をつくりだす．細胞前方にある Cdc42・GTP は Rac と WASp を活性化し，その結果，ミクロフィラメントが集合して先導端が形成される（段階❶）（図 17・44 参照）．それとは独立に，Cdc42・GTP は微小管の（＋）端の捕捉とダイニンの活性化をひき起こす（段階❷）．その結果，微小管が引っ張られ，中心体が細胞前方に位置する（段階❸）．この再配向によって，細胞接着分子を運ぶ分泌小胞の微小管に沿った輸送経路に極性が生じる（段階❹）．[S. Etienne-Manneville et al., 2005, *J. Cell Biol.* **170**: 895 参照.]

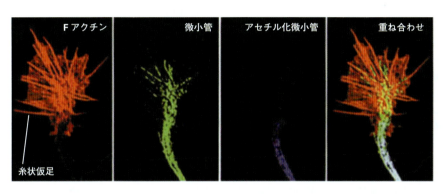

図 18・56（実験） 成長円錐におけるアクチン(赤)，微小管(緑)，アセチル化微小管(青)の局在．安定なアセチル化微小管は軸索の軸部分に局在し，動的な構造をもつ成長円錐にまでは入り込んでいないことに注意．[E. W. Dent and F. B. Gertler, 2003, *Neuron* **40**: 209, Copyright Clearance Center, Inc. を通じて Elsevier より許可を得て転載.]

である．神経細胞には**樹状突起**（dendrite）とよばれる特化した構造体と 1 本の軸索がある．軸索の先端は，標的となる細胞上でシナプスを形成する（図 18・2）．神経細胞は正しい標的細胞を探し出さなくてはならないが，それはどうやっているのだろうか．伸長中の軸索では，末端の成長円錐が細胞外マトリックスや他の細胞からのシグナルを感知し，正しい道筋を探し出していく．そこで，成長円錐が外部情報を受取り，それを解釈する機構が，神経組織が機能するにあたって必須である．成長円錐にはアクチンが豊富に存在し，幅広い葉状仮足と多数の糸状仮足がある．成長円錐を正しい標的に誘導するには微小管も必須である．前にも述べたように，軸索中の微小管は一方向を向いており，その上を成長円錐の伸長に必要な物質が軸索輸送で運ばれている（図 18・5e）．こうした微小管は成長円錐内部にまで伸びており，成長円錐の伸長に必要なアクチンとともに，成長円錐の伸長方向の決定に関与している．この機構はまだよくわかっていないが，成長円錐周囲の成長シグナルが局所的なアクチン動態を変化させ，その結果，微小管がそこに侵入していくことがわかっている．また，軸索内部の微小管はアセチル化などの修飾を受けて安定だが，成長円錐内部の微小管はそうした修飾を受けておらず動的な状態にあることもわかっている（図 18・56）．

18・8 細胞骨格間の相互作用　まとめ

- 中間径フィラメントは，デスモソームやヘミデスモソームのような細胞膜上の特異的な接着部位に結合するとともに，ミクロフィラメントや微小管にも結合する（図 18・54）．
- 動物細胞では，ふつう微小管が細胞小器官の長距離輸送に利用されているのに対して，ミクロフィラメントは局所的な輸送を担う．
- シグナル伝達分子である Cdc42 は，細胞体移動時のミクロフィラメントと微小管との協調を制御する．
- 神経細胞の成長円錐の伸長にはミクロフィラメントと微小管の相互作用が必要である．

重要概念の復習

1. 微小管は方向性をもったフィラメントである．すなわち，一端は他端と違っている．この方向性の基盤は何か．この方向性は細胞内の微小管の配置とどのように関係しているか．そして，この方向性は微小管上を動くモータータンパク質によって駆動される細胞内運動とどのように関係しているか．

2. 微小管は in vitro でも in vivo でも動的な不安定性を示す．この重合特性は微小管に固有のものと考えられる．この動的不安定性はどのようにして生じると考えられているか．

3. 細胞内での微小管伸長は，チューブリン濃度や温度だけでなく，他のタンパク質にも依存している．どんなタンパク質が in vivo での微小管の重合に影響を与えるか．それぞれのタンパク質はどのように重合に影響するか．

4. 細胞内の微小管は特異的な配置をとるようにみえる．どの細胞構造がこうした微小管の配置を決めているのか．典型的な細胞では，これらの構造はいくつあるか．そのような構造がどのようにして微

小管伸長の核となるのか.

5. 有糸分裂を阻害する多くの薬剤がチューブリン，微小管あるいは両者に特異的に結合する．どのような病気の治療に，こうした薬剤が使われるか．微小管形成への効果という作用面から，こうした薬剤は 2 グループに分けられる．そのような薬剤が微小管の構造を変える機構を二つ述べよ．

6. キネシン 1 はキネシンモーターファミリーのなかで最初に同定されたものであり，最も詳しく研究されているタンパク質である．キネシンを精製するのに，このタンパク質のどんな性質が利用されるか．

7. ある種の細胞構成要素は微小管上で双方向に動くようにみえる．微小管の方向が MTOC によって固定されているとするならば，このことはどのようにして可能になるか．

8. キネシンモータータンパク質の運動性にはモータードメインとリンカードメインの両方が関係している．キネシンの運動，運動の方向，あるいは両者における各ドメインの役割を述べよ．片側の頭部が不活性化されたキネシン 1 は，微小管上で膜小胞を輸送できるか．

9. ダイニンが（−）端方向に積み荷を輸送するにあたって，ダイナクチンのどんな特徴が役立っているか．ダイナクチンと ＋TIP である EB1 の相互作用の阻害は細胞内での微小管の配向にどんな影響を与えるか．

10. 細胞体の遊泳は微小管を含む細胞突起に依存している．これら突起をつくりあげる構造はどのようなものか．この突起構造は遊泳するのに必要な力をどうやって生み出すか．

11. ダイニンを不活性化すると，キネシン 2 依存的 IFT 輸送はどんな影響を受けるか．

12. 紡錘体は微小管でできた細胞機械とよばれることがある．紡錘体を構成する微小管は三つの異なる種類に分類される．この三つの種類とは何か．それぞれの機能は何か．

13. 紡錘体の機能は微小管モーターに大きく依存している．キネシン 5，キネシン 13，キネシン 4 のモータータンパク質だけを特異的に阻害する薬剤を加えたときに，紡錘体の形成過程，機能，または両方にどのような影響が出るか，予想せよ．

14. 後期 A における動原体の極に向かう運動（つまり染色分体の運動）では，動原体は短縮している微小管と常に結合していなければならない．どのようにして，この結合は維持されるか．

15. 後期 B では紡錘体極の分離が起こる．どんな力がこの分離を駆動していると考えられているか．これらの力を生み出す分子機構はどのようなものと考えられているか．

16. 細胞質を分割する細胞質分裂は，分離した姉妹染色分体が対向している紡錘体極に近づくやいなやはじまる．細胞質分裂の分裂面はどのように決められるのか．細胞質分裂で微小管とアクチンフィラメントはそれぞれどんな役割を担っているか．

17. 特定の悪性腫瘍の治療には，これを生み出したもとの細胞種を同定することが重要だが，遠く離れた部位に転移する腫瘍では，もとの細胞種の同定は困難である．しかし，細胞特異的な 1 種類の IF タンパク質と特異的に反応するモノクローナル抗体を使えば，こうした同定が可能になる．次のような腫瘍を同定するには，どんな IF タンパク質に対する抗体を用いたらよいか．(a) 筋細胞由来の肉腫，(b) 上皮性がん，(c) 星状細胞腫．

18. 中間径フィラメント上を運動するモーターがないのはなぜか．

19. 成長円錐は，分化中の神経細胞にあるきわめて動きの大きな領域である．葉状仮足ではこうした領域はしばしば細胞体に引戻されるが，成長円錐は伸び続ける，これにはどんな機構が働いているか．

19

真核生物の細胞周期

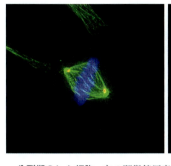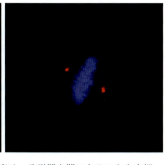

分裂期のヒト細胞. 左の顕微鏡写真は，分裂期中期にあるヒト上皮細胞である．DNA 複製後，細胞は有糸分裂を行い，複製された染色体を分離する．細胞は，染色体（青）を分裂期紡錘体（緑）の中央に整列させたのちに，分裂期後期に染色体を紡錘体の対極に向かって引っ張る．その後，細胞の細胞質は分割され，二つの同じ娘細胞がつくられる．右の写真は，同じ細胞で，中心体や紡錘体極（赤）の位置を示すために紡錘体を撮影していないものである．[J. Patterson 提供.]

- 19・1 細胞周期の概要
- 19・2 細胞周期研究に使われたモデル生物と方法
- 19・3 細胞周期の進行と制御：フィードバックループと翻訳後修飾
- 19・4 G_1 期から S 期への移行と DNA 複製
- 19・5 G_2-M 期移行と有糸分裂の不可逆的な動力
- 19・6 分裂期紡錘体，染色体分離，有糸分裂からの脱出
- 19・7 細胞周期制御における監視機構
- 19・8 減数分裂：特別な細胞分裂

　生命と生命体の定義の中心は，複製という概念と密接に関連している．Matthias Schleiden, Theodor Schwann, そして Rudolf Virchow による，生命体は細胞からできており，細胞は他の細胞の分裂によってのみ発生するという先駆的発見から，親細胞の成長と二つの娘細胞への分裂の周期を繰返すことによって細胞は増殖することがわかっている．娘細胞は，この過程を繰返し，より多くの細胞を生み出す．このような細胞のふるまいから，細胞が自己複製するために必要な各段階，すなわち，大きさと栄養分の増加，細胞小器官の複製，DNA 複製，染色体の分離，そして最後に二つの娘細胞間での細胞小器官，内容物，細胞膜の分離，これらを含んだ**細胞周期**（cell cycle）という一般概念が生み出されたのである．細胞周期のこれらの過程は別々の段階として行われ，ある段階から次の段階への移行は急激かつ正確である．ある段階で発生した誤りは，細胞が次の段階に移行する前に検出され，修正されなければならない．監視機構は，細胞周期のある段階から次の段階への移行を，その段階におけるすべての過程が適切に完了するまで阻止する．このような細胞周期が繰返されることにより，1 個の細胞である受精卵から，最終的に数億個以上の細胞を含む完全な動物が誕生するのである．

　細胞分裂を適切に制御することは，すべての生物にとってきわめて重要である．まず，単細胞生物においては，細胞分裂は細胞の成長との均衡が保たれなくてはならず，そのため細胞の大きさは適切に維持されている．もし親細胞が適切な大きさになる前に数回分裂したら，娘細胞は最終的に小さくなりすぎて生存できなくなる．また，細胞分裂の前に細胞が大きくなりすぎると，細胞の機能が損なわれ，細胞数の増加が遅くなり，胚発生時の組織，器官，個体の適切な発達ができなくなる．第二に，多細胞生物の発生において，さまざまな種類の細胞からなる複雑な器官（脳，心臓，腸，腎臓など）が適切に発達するためには，各細胞の複製が他の細胞の複製に対して正確に制御され，タイミングよく，すべての個体で発生プログラムを忠実に再現して完了する必要がある．最後に，細胞の複製と分化の間には均衡があり，一般に複製能の高い細胞は特定の細胞型への分化の程度がかなり少なく，一方，特定の系統に高度に分化した細胞は通常，複製能がかなり制限されている．継続的に複製する可能性をもち，まだ分化していない（あるいは部分的にしか分化していない）けれども，あとで一つ以上の特定の細胞型に分化する能力をもつ細胞は，**幹細胞**（stem cell）とよばれている．たとえば，動物の胚発生期には，卵の受精後，急速に細胞分裂が起こる時期があり，その結果，ほぼ無限の複製能をもちながら，まだいかなる種類の分化もとげていない少数の細胞が生じる（22 章）．しかし，その子孫細胞は，のちに体内のあらゆる種類の細胞へと分化する．

　本章では，最初に細胞周期の全体像を示し，次に細胞周期の現在の理解に貢献したさまざまな実験系を説明する．細胞周期の進行を制御する分子機構，特にマスター調節因子としての**サイクリン依存性キナーゼ**（cyclin-dependent kinase: CDK），およびその活性と機能を調節する他のプロテインキナーゼ，ホスファターゼ，リン酸結合モジュール，ユビキチンリガーゼの役割について説明する．次に，各細胞周期の段階について，タンパク質の翻訳後修飾，CDK の活性，下流標的の制御によって起こる事象に重点をおいて，より詳細に検討する．また，細胞周期の秩序を確立し，次の段階に移行する前に各細胞周期段階が適切かつ正確に完了したことを確認するチェックポイント経路についても説明する．最後に，一倍体の生殖細胞（卵と精子）をつくる特殊な細胞分裂である減数分裂と，減数分裂と体細胞分裂を区別している分子機構を解説する．本章を通じて，細胞周期の進行管理の一般的な原理を強調して述べる．また細胞周期の各段階を制御する因子の例を考える場合には，生物種をまたいだ命名法を用いることにする．

19・1 細胞周期の概要

真核生物の細胞周期は，細胞が分裂するたびに特定の順序で行われる一連の過程である．連続的に複製を行う細胞では，各過程が予定どおりに行われ，あたかも細胞がある種の分子時計に従っているかのようである．この時計の考え方が，やがて細胞分裂周期のマスター調節因子であるサイクリン-CDK複合体の発見へとつながる動機の一部となった．

細胞周期は四つの時期に分けられる（図19・1）．細胞周期が回っている（複製中の）哺乳類体細胞は，**G_1期**（G_1 phase，最初の間隙という意味）の間に成長して大きくなり，DNA合成のために必要なRNAやタンパク質を合成する．細胞は，適切な大きさに達して必要なタンパク質を合成し終わると，酵母では**START**（開始点），哺乳類では**制限点**（restriction point）として知られるG_1期の点を通過し，細胞周期に入る．この点をいったん通過すると，細胞は細胞分裂へと運命が決まる．細胞分裂へと進む最初の段階は，細胞が染色体を複製する**S期**〔S phase，合成（synthesis）期〕に入ることである．第二の間隙である**G_2期**（G_2 phase）を通過すると，細胞は**M期**〔M phase，分裂（mitotic）期〕に入り，複雑な分裂過程を開始する．

Leland Hartwellは，出芽酵母の細胞周期の研究から，細胞が次の段階に入る前に，細胞周期の各段階を適切に完了させるために，特定の監視機構を用いていることを提唱した．これらの監視機構は，異なる細胞周期段階の境界に**チェックポイント**（checkpoint）を設けている．たとえば，細胞がS期に入りDNA合成を開始するためにはG_1-S期チェックポイントを，有糸分裂に入るためにはG_2-M期チェックポイントを通過しなければならない．細胞周期1回転に要する時間は生物種間でかなり異なるが，G_1期→S期→G_2期→M期という細胞周期の各段階の進行はすべての真核細胞で同じである．増殖の速いヒトの細胞では，1回転の細胞周期は約24時間である．G_1期に9時間，S期に10時間，G_2期に4.5時間，そして有糸分裂に30分かかる．迅速に生育している酵母細胞の場合には，1回の細胞周期は90分程度である．初期胚発生時のショウジョウバエの細胞分裂は，たった8分で完了する．

G_1期がS期への移行を制御する

S期の目的が染色体DNAの複製，M期の目的が娘細胞への染色体の分離だとすると，G_1，G_2期は何のためにあるのだろうか．G_1期では，細胞は自らの状態を評価し，倍加と細胞分裂を行うことが適切かどうかを判断する必要がある．この判断には，細胞の大きさ，栄養状態，基質の付着状態，隣接する細胞の密度，細胞外増殖因子や細胞分裂を刺激するその他の化学物質の存在などの評価が含まれる．細胞が細胞周期を経て分裂するのを促進する増殖因子や化学物質は，一般に**分裂促進因子**（mitogen）とよばれる．特定のシグナル伝達経路は，細胞の状態とその環境を監視し，これらの経路の出力が統合されて，複製と分裂を行うかどうかの決定を制御している．21章で説明するTORとHippoのシグナル伝達経路は，細胞の栄養状態，大きさ，接着状態，周囲の細胞の密度を監視している．増殖因子シグナル伝達経路，PI 3-キナーゼ経路，そして16章で述べたMAPキナーゼ（MAPK）経路はすべて，細胞のすぐ近くに分裂促進因子があるかどうかを報告する．

細胞がいったんDNAを複製することを決定すると，その決定は不可逆的である．つまり，いったんS期に入った細胞は，細胞外環境から増殖因子や栄養が取除かれようとも，すべての染色体を複製する過程を完了しなければならない．細胞がS期に入ることを委ねるSTARTまたは制限点は，G_1期の後半に起こる．哺乳類細胞の場合，この点はS期開始の2〜3時間前である．哺乳類細胞が制限点を通過したのちに増殖因子を除去しても（あるいは酵母細胞がSTARTを通過したのちに，通常ならG_1期で停止する栄養素や交配フェロモンを添加しても），細胞がS期に進行することから，G_1期に何らかの謎の因子が蓄積し，この不安定な"R因子"が十分に蓄積すると細胞がDNA複製を開始するのではないかと推測されるようになった．S期がほぼ終了すると，この因子は破壊され，次の細胞周期のG_1期に再合成されなければならない．このR因子の周期的な蓄積と分解は，なぜ細胞がS期にのみDNAを合成するのか，また，どのように細胞がG_1期に栄養，分裂促進因子，細胞の大きさと密度，基質の付着状況に基づいてR因子の濃度量を調節し，S期突入のタイミングを制御しているのかを，説明できると考えられる．哺乳類細胞では，この周期性を

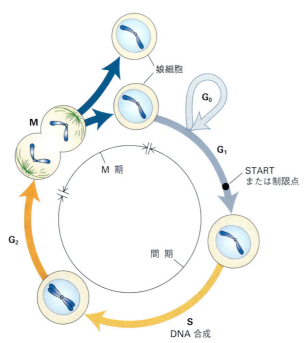

図 19・1 真核細胞の細胞周期．細胞周期のさまざまな段階における1本の染色体の運命が描かれている．有糸分裂（M）ののち，二倍体生物では娘細胞は$2n$の染色体を，そして一倍体生物では$1n$の染色体をもつようになる．増殖中の細胞では，G_1期は有糸分裂後の細胞の"誕生"と，S期のはじまりを特徴づけるDNA合成開始の間の時期にあたる．G_1後期において，細胞がS期に入ることを決定した時点をSTARTまたは制限点とよぶ．S期の終わりには，細胞はG_1期の細胞の2倍の染色体をもつG_2期に入る（二倍体生物では$4n$，一倍体生物では$2n$）．G_2期の終わりは，細胞分裂に至る多くの事象が起こる有糸分裂の開始によって特徴づけられる．G_1期，S期，G_2期は，分裂期と次の分裂期の間の期間であることから，まとめて**間期**（interphase）とよばれる．脊椎動物のほとんどの増殖していない細胞は，細胞周期G_1期を脱してG_0期に入っている．染色体は有糸分裂の期間のみ凝縮するが，ここでは各段階での染色体数を強調するために細胞周期全体を通して凝縮体で示している．核膜はすべての細胞で間期には染色体を取囲んでいる．多細胞動物細胞では有糸分裂の際に壊れるが，酵母では壊れない．

もつR因子はサイクリンD (cyclin D) とよばれるタンパク質（おそらく別のタンパク質であるサイクリンEとフィードバックループを形成している）である. 酵母ではこの因子はCln3であり、Cln1, Cln2 と Whi5 とよばれる転写抑制因子を含むフィードバックループを介して働くことが知られている. サイクリン (cyclin) という用語やその省略形であるClnは、この不安定な調節因子が、細胞が細胞分裂のさまざまな段階を経るにつれて、発現量を循環させるという重要な概念を捉えている. これから述べるように、すべてのサイクリンタンパク質は、細胞周期の各部を制御するうえで重要な役割を担っている. サイクリンタンパク質は、一つもしくは複数の冒頭で述べたサイクリン依存性キナーゼ (CDK) と結合して、キナーゼの活性を高め、キナーゼの基質特異性を変え、キナーゼを細胞の特定の部位に局在させるという分子レベルの機能をもつ.

S期に入ると、複雑な複製装置が染色体DNA上の特定の部位、すなわち複製起点に集められ、各染色体の正確な複製が行われる. 動物細胞の微小管形成の中心である中心体 (18章) も、S期に複製される. DNA複製が完了すると、細胞は第二の間期であるG_2期に入る.

G_2期は核分裂と細胞分裂の準備期間である

G_2期では、すべてのDNAが正しく複製され、二つの細胞をつくり出すのに十分であることを確認し、DNAのコピー中に生じた誤りを修正し、DNA鎖の切断を修復する. さらに、染色体凝縮の最初の兆候が起こり、細胞骨格と微小管の初期の再編成が行われ、細胞は有糸分裂に入る準備をする.

G_2期の間、細胞はどのようにして有糸分裂の準備が整ったことを知るのだろうか. G_1期からS期への移行と同様、G_2期には別の不安定なサイクリンタンパク質が蓄積され、これが十分な量存在すると、細胞をG_2期から有糸分裂に移行させることができる. Tim Hunt は、ウニの受精卵に放射性メチオニンを添加した古典的な実験で、ある放射性標識タンパク質が徐々に蓄積し、有糸分裂の際に急激に分解されることに気づいた. 出芽酵母、カエルの卵、ウニの卵、ホッキ貝の胚など、さまざまな生物でこの観察が行われ、最終的には、サイクリンBとよばれるこのタンパク質のクローニングと機能解析が行われた. サイクリンBと**CDK1**という別のサイクリン依存性キナーゼが結合すると、活性化されたプロテインキナーゼ複合体を形成し、G_2期にある細胞のM期への移行が促進される. G_2-M期チェックポイントの監視機構は、放射線、DNA損傷剤、微小管重合を阻害する薬剤などによる細胞ストレスや損傷がある場合に、細胞がG_2期からM期に移行しないようにするものである.

興味深いことに、出芽酵母（分裂酵母は除く）を含むある種の生物では、G_2期を全く認識できない. 細胞周期の研究に用いられてきた他のモデル生物、たとえばアフリカツメガエル *Xenopus laevis* やキイロショウジョウバエ *Drosophila melanogaster* では、卵が最初に分裂をはじめるとき、つまり発生がはじまる前の急速ないくつかの初期胚細胞周期において、G_1期とG_2期の両方が欠如しているようである. これらの場合、細胞は実際には成長せずに分裂し、細胞の大きさはしだいに小さくなる. しかし、これらの生物におけるその後の細胞周期、および一般的な成体生物におけるほとんどの細胞周期では、G_1期における成長とS期とM期

の間のG_2期の確立が必要である. 脂質やタンパク質の合成、ミトコンドリア分裂を含む細胞量の追加的な蓄積はG_2期で起こり、ゴルジ体の複製はG_1後期、S期、G_2期で起こる.

核分裂と細胞分裂はM期に起こる

S期とG_2期が終了すると、DNA複製の過程で各染色体のDNAが複製され、二つの同一のDNA分子が生成される. そして、それぞれの染色体は、ヒストンや他の染色体関連タンパク質により覆われている（図8·35参照）. この同一の染色体をそれぞれ**染色分体** (chromatid) とよぶ（図19·2）. 姉妹染色分体は当初コヒーシン (cohesin) とよばれるタンパク質複合体によって全長にわたって強固に結合されている. 分裂期染色体の染色分体付着部は、**セントロメア** (centromere) とよばれる染色体中央のくびれた部分に最も密集しており、ここには特定のDNA配列の反復コピーが多数存在している. セントロメアの両側にある染色体の部分は**腕** (arm) とよばれる. 有糸分裂の際、姉妹染色分体間のコヒーシンの結合は解消され、姉妹染色分体はおもに微小管からなるタンパク質で構成された紡錘体に従って互いに分離され、最終的に二つの娘細胞のそれぞれに分配される.

染色体の二つのコピーが分離される過程は非常に精巧で、分裂している細胞を顕微鏡で見るとわかるように、六つの段階を経て行われる (18章). これらの段階は図19·3にまとめられている. 各段階で起こるおもな現象を繰返すと、分裂期前期には核内のクロマチン繊維が凝縮して、光学顕微鏡で観察できるような個別の染色体が形成される. S期から染色体の腕をつないでいたコヒーシンタンパク質が分解され、2本の姉妹染色分体はセントロメア付近のコヒーシンのつながりだけで結合するようになる. そして、核内でリボソームの合成が行われる場所である核小体が消失する. 間期の微小管の配置が崩れ、**中心体** (centrosome、現在は**分裂期星状体** mitotic aster、または**紡錘体極** spindle pole とよばれることもある) は互いに離れ、その間に分裂期紡錘体が形成されはじめる. **動原体** (kinetochore) とよばれるタンパク質の複合体は、各染色体のセントロメアにおいて構築され、各染色体を紡錘体微小管の一部に固定させる.

次に、高等真核生物の分裂期の前中期では、それまで小胞体と連続していた核膜の外側が小胞に分解して小胞体に戻りはじめ、ゴルジ装置も小胞に分解される. これにより、各中心体から発し

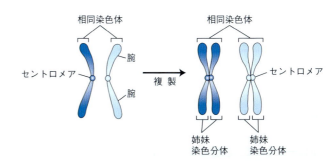

図 19·2　S期における染色体の複製. 二倍体細胞には、相同染色体とよばれる染色体が2本ずつ存在する. S期の終わりには、各相同染色体はそれ自身のコピーを二つもち、それぞれのコピーは姉妹染色分体とよばれる. セントロメアと染色体腕を示す. 簡略化のため、2本の姉妹染色分体を結合するコヒーシンタンパク質は示していない.

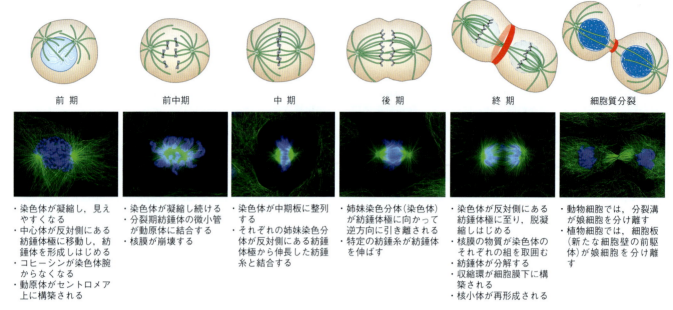

図 19・3 **有糸分裂の各段階**. 上段は, S 期と G₂ 期に続く比較的短い細胞周期である分裂期の各段階で起こる主要な事象を図式化したものである. 下図は, 分裂する細胞の顕微鏡写真で, DNA は青に, 微小管は緑に染色されている. 以下に, 各段階で起こるおもな事象を列挙する. [写真は T. Wittmann, University of California, San Francisco 提供.]

た微小管は核内に侵入し, 動原体に捕捉され, 動原体微小管となる. 染色体はさらに凝縮され, 1 対の姉妹染色分体からなる古典的な太い X 字形の分裂期染色体として現れる (図 1・17 参照). 動原体に結合する以外の微小管は, 細胞を横切ってもう一方の中心体から伸びる微小管と重なるものと, 細胞膜に向かい分裂期染色体から離れた方向にある微小管が認められる. 微小管が動原体との接着を介して染色体を捕捉すると, 染色体は紡錘体の中心に向かって移動しはじめる.

中心体が細胞の反対側の端に移動し, 染色体が紡錘体の中央に集まったら, 細胞は分裂期中期に入ったことになる. この時点で, 各染色体の中心にある動原体は, **中期板** (metaphase plate) とよばれる紡錘体極の中間にある想像上の平面に沿って整列している. 各染色体の姉妹染色分体の動原体は, 反対側の紡錘体極からくる微小管に結合しなければならない. この一連の結合が正しいと確認されると, 細胞は分裂期後期に入る. 分裂期後期 A では, 姉妹染色分体を動原体で結合させていたコヒーシンの接着が解け, 個々の姉妹染色分体は互いに分離し, 動原体の微小管が 1 μm/分程度の速さで短縮しながら紡錘体の対極に向かって移動する. 分裂期後期 B では, 動原体に結合していない微小管が伸長し, 紡錘体極の分離がさらに進み, 細胞は伸長する. 染色体が細胞の反対側の端まで完全に分離すると, 細胞は分裂期終期に入る. 染色体は脱凝縮し, 核膜は再形成され, 核小体が再び現れ, 残存する紡錘体微小管は分解され, 動物細胞では, アクチン/ミオシンにより形成される収縮環が, かつての紡錘体中間帯の領域の細胞膜の直下に形成される. 細胞分裂の次の段階は細胞質分裂で, 二つの娘細胞の間で細胞質が分割されるようになる. 歴史的には, 細胞質分裂は有糸分裂とは別の過程と考えられていたが, 本書では現在の慣例に従い, 細胞質分裂を有糸分裂の最後の段階として含めることにする. 細胞質分裂は, 分裂期後期の後半, または分裂期終期にはじまる. 動物細胞では, 収縮環が狭まり, 二つの娘細胞が分離する間の領域に残っている微小管が切断されることで, 分裂溝が形成される. 収縮環はゆっくりと閉じ, 細胞膜がくびり切れ, 二つの独立した細胞が形成される. 酵母の場合は, アクトミオシンリングが収縮するのと同時に, **隔壁** (septum) とよばれる新しい糖質でできた細胞壁を合成しなければならないので, この過程はいくらか異なる. しかし, 動物細胞でも酵母でも, 有糸分裂の最終結果は同じである. 二つの娘細胞はそれぞれ核と細胞質をもち, 母細胞に存在した細胞小器官, 膜, その他の構造物を共有しているのである.

有糸分裂のすべての段階は, 分裂期プロテインキナーゼの作用によって制御されている. これから述べるように, サイクリン B-CDK1 は有糸分裂の開始を制御し, サイクリン B が急速に分解される分裂期後期の開始までに起こる多くの分子事象を調整するうえで, 最も重要な役割の一つを担っている. ポロ様キナーゼ, Aurora A および B キナーゼ, Nek ファミリーキナーゼなど, 他のさまざまなプロテインキナーゼも, 有糸分裂の過程で非常に重要な役割を果たす. 先に述べたように, 監視機構は, 有糸分裂の各段階が適切に完了したことを確認してから, 次の段階に進むようにしている. 特に, 分裂期中期から後期の移行期には, 紡錘体形成チェックポイントが, 各染色体が中期板に適切に配置されているか, 各姉妹染色分体の動原体が対向する紡錘体極から生じる微小管に適切に結合しているかを監視している.

有糸分裂が終了すると, 娘細胞は細胞周期を継続するか, あるいは細胞周期を脱して分化の経路に進むことができる. 多細胞生物では, ほとんどの分化細胞は細胞周期を脱して, 数日, 数週間, ある場合には一生の間分裂することなく生き続ける (たとえば, 神経細胞や眼のレンズの細胞). このような分裂を終了した細胞は, 一般に G₁ 期を脱して **G₀ 期** (G₀ phase) とよばれる段階に入る (図 19・1). G₀ 期の細胞が細胞周期に戻って, 増殖を再開する場合もある. この再開は制御されており, したがって, 細胞増

19・1 細胞周期の概要　まとめ

- 真核細胞の細胞周期は，G_1 期（有糸分裂と核DNA複製の間の時期），S期（核DNA複製期），G_2 期（核DNA複製完了と有糸分裂の間の時期），M期（分裂期）という四つの時期に分けられる．
- 細胞は START（開始点）あるいは制限点として知られる G_1 期の特別な時点で新たな細胞分裂に入ることが決定される．この決定には，細胞の大きさ，栄養状態，細胞外環境の状態を監視する複数のシグナル伝達経路が統合されている．
- 分裂促進因子は，細胞分裂を誘導する増殖因子などの分子である．
- サイクリンとよばれる不安定因子は，サイクリン依存性キナーゼ（CDK）と結合することで，細胞周期のさまざまな段階の進行を促進させる．サイクリン-CDK複合体は，それらが促進させる細胞周期の段階のみに存在し，活性化される．
- チェックポイント経路とよばれる監視機構によって，細胞周期の各過程は次の過程がはじまる前までに正確に完了する．

19・2 細胞周期研究に使われたモデル生物と方法

真核細胞の細胞周期の進行を支配する分子機構の解明は，遺伝学と生化学的手法の強力な組合わせによって牽引され，驚くほど迅速に行われた．本節では，細胞分裂の分子機構の発見に貢献したいくつかのモデル系について解説する．細胞周期の研究に使われた最も重要な三つの実験系は，単細胞生物である出芽酵母 *Saccharomyces cerevisiae* と分裂酵母 *Schizosaccharomyces pombe*，そしてアフリカツメガエルの卵と初期胚である．哺乳類培養細胞を用いた研究は，哺乳類の細胞周期制御の解明に役立った．

多くの実験系を用いた細胞分裂周期の研究から，細胞周期制御に関する二つの驚くべき発見がなされた．その一つは，DNA複製の開始や有糸分裂への移行などの複雑な分子過程が，少数の上位にある細胞周期制御タンパク質によって制御され協調していることである．二つ目は，この重要なマスター調節因子と他のこれを制御するタンパク質は高度に保存されており，そのため，真菌類，ウニ，昆虫，カエル，その他の生物種での細胞周期の研究は，ヒトを含む真核生物の細胞に直接適用可能であることである．

細胞周期を遺伝学的に解析するときに出芽酵母と分裂酵母は強力な実験系になる

出芽酵母と分裂酵母は，遺伝子操作が容易であることから，細胞周期の研究にきわめて有用な系であることが証明されている．出芽酵母と分裂酵母はともに**真菌類**（Fungi）に属するが，3億5000万年以上前に互いに分岐したため，遠縁にしかすぎない．実際，これらの酵母の進化的距離は，それぞれの哺乳類との進化的距離とほぼ同じである．その結果，両種の酵母を用いた研究から，多細胞動物に直接適用できる貴重な知見が得られる．両酵母とも，染色体を1本ずつしかもたない一倍体状態で存在することができ，したがって各遺伝子のコピーも一つである．二倍体の生物で同じ実験を行うには，遺伝子の両方のコピーを変異させる必要があるため，一倍体酵母は細胞増殖に欠陥のある変異体をスクリーニング，または選択するための理想的な遺伝的な系である．また，酵母は個々の遺伝子の発現を操作することが比較的容易であり，細胞周期を同期して進行するよう培養・操作することも容易である．

出芽酵母は卵形をしており，出芽により分裂する（図 19・4a）．芽体は将来の娘細胞となるが，DNA複製の開始と同時につくられて細胞周期を通じて成長する（図 19・4b）．そのため，細胞周期の段階は芽体の大きさから推定可能であり，出芽酵母が細胞周期の特異的段階で停止する変異体の同定に有用な実験系となった．哺乳類細胞と同様に，出芽酵母の細胞周期は長い G_1 期をもち，出芽酵母の細胞周期の研究によって，G_1–S 期の移行がどのように調節されているかを理解できるようになった．

分裂酵母の細胞は棒状で，その中間で分裂し，末端が伸長することで全体が成長する（図 19・4c）．したがって，この生物の細胞周期の段階は，その長さを簡単に測定することで推測することができる．細胞質分裂は，細胞の中央に隔壁が形成され，細胞が二つに分かれることによって起こるので，分裂酵母とよばれている（図 19・4d）．出芽酵母や哺乳類細胞とは対照的に，分裂酵母は細胞周期の G_1 期とS期が非常に短く，代わりに細胞周期の大半を G_2 期で過ごす．G_2 期と有糸分裂への移行を支配する分子機構は分裂酵母と多細胞動物の細胞で非常に類似しており，Paul Nurse らによるこの生物の研究から，G_2–M 期移行周辺の分子機構が明らかとなった．

細胞周期の特定の段階で停止する酵母変異体や，細胞周期の制御が乱れた酵母変異体の研究は，非常に役立ってきた．細胞周期の進行は細胞が生きるために必須であるため，科学者は，ある温度では機能するが別の温度（一般的にはより高い温度）にすると機能しなくなるタンパク質（たとえば，非許容温度でタンパク質の誤った折りたたみが原因で不活性化になる，図 6・6 参照）をコードする遺伝子の**温度感受性(突然)変異体**（temperature-sensitive mutant）を単離してきた．特定の細胞周期段階で停止している変異体と正常に分裂している細胞との区別は，顕微鏡を用いればやすい．このような細胞は，細胞分裂周期（cell-division cycle: cdc）変異体とよばれている．これら温度感受性変異体の遺伝子の同定から，細胞分裂のすべての段階に必要な遺伝子の包括的な理解につながった．

カエルの卵母細胞や初期胚を用いた研究によって細胞周期の駆動機構の生化学的な特性が解明された

酵母は大規模な遺伝子スクリーニングには理想的だが，大きさが小さく，細胞壁が厚いため，詳細な生化学的解析にはあまり適していない．細胞周期を生化学的に研究するための細胞抽出液を調製するには，両生類や海洋無脊椎動物の卵や初期胚が特に適している．これらの生物は一般に大きな卵をもち，卵は受精後，同調した細胞周期を示す．雌から多数の卵を単離し，精子を同時に添加し，受精させる（あるいは受精を模倣する処理を施す）ことで，細胞周期の特定の時期の細胞抽出液を得ることができ，タンパク質や酵素活性を解析できる．

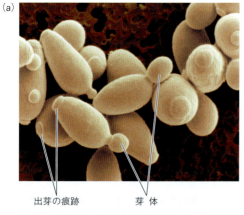
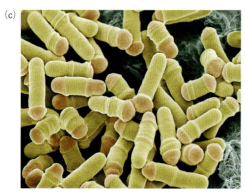
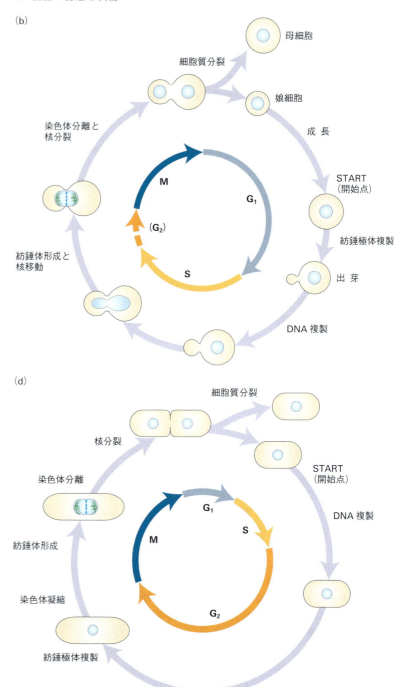

図 19・4 出芽酵母と分裂酵母の細胞周期．(a) 細胞周期のさまざまな段階にある出芽酵母細胞の走査型電子顕微鏡写真．G_1 期の終わりに現れる芽体が大きいほど，細胞周期が進んでいることを意味する．また，以前の娘細胞が出芽した場所には，その痕跡がみられる．(b) 出芽酵母の細胞周期におけるおもな事象．娘細胞は START に入る前に一定の大きさまで成長する必要がある．出芽酵母では G_2 期がうまく定義されていないため，破線の矢印で示した．高等真核生物とは異なり，出芽酵母などの酵母は有糸分裂の際に核膜が崩壊せず，"閉鎖有糸分裂"が行われる．さらに問題を複雑にするのは，出芽酵母の小さな染色体は，光学顕微鏡で見えるほどには凝縮していないことである．(c) 分裂酵母細胞の細胞周期の各段階における走査型電子顕微鏡写真．長い細胞は有糸分裂に入るところ，短い細胞は細胞質分裂を通過したところ．(d) 分裂酵母の細胞周期のおもな事象．この酵母は，細胞周期の G_1 期と S 期が比較的短く，多細胞動物に似た G_2 期が顕著である．出芽酵母と同様，核膜は有糸分裂の間，崩壊しない．[(a) は SCIMAT/Science Source/amanaimages. (c) は S. Gschmeissner/Science Source/amanaimages.]

　アフリカツメガエルの卵母細胞や卵が細胞周期の進行の解析にどのように使用可能であるかを理解するために，まず in vitro で再現できる卵成熟の現象を考えてみよう．卵母細胞は減数分裂を起こす（図 19・37）．卵母細胞はカエルの卵巣で成長しはじめると，DNA を複製して G_2 期に入り，そのまま 8 カ月を過ごす．この間に，卵母細胞の大きさは 1 mm に達し，初期胚の多数の細胞分裂に必要な物質をため込む．雄に刺激されると，成長した雌の卵巣細胞はステロイドホルモンであるプロゲステロンを分泌する．G_2 期で停止していた卵母細胞は，このホルモン刺激で減数分裂を開始する．§19・8 で解説するが，減数分裂は**減数第一分裂**（meiosis I）と**減数第二分裂**（meiosis II）として知られている二つの連続する染色体分離の過程からなる．プロゲステロンによって，卵母細胞は減数第一分裂を経て，つづいて減数第二分裂の中期で停止し，受精を待つ（図 19・5a）．この段階の細胞は**卵**（egg）とよばれる．精子で受精させると，卵の核は第二分裂中期の停止から動きだし，減数分裂が完了する．一倍体の卵の核は一倍体の精子の核と融合して，二倍体の**接合子**（zygote）の核が生じる．ついで DNA 複製が起こり，初期胚発生における最初の体細胞分裂がはじまる（図 19・5b）．この胚細胞は 11 回の速い，同調した細胞周期を経て，中空をもつ球状の**胞胚**（blastula）となる．その後

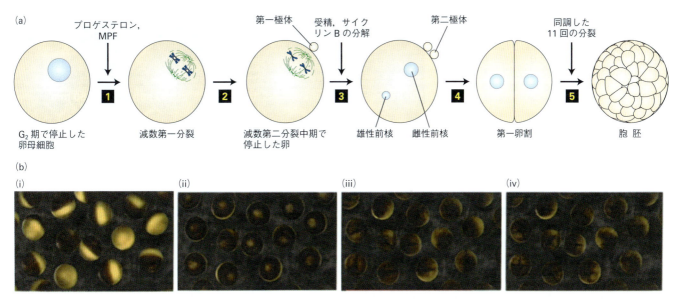

図 19・5　プロゲステロンはアフリカツメガエル卵母細胞の成熟を促進する．(a) 段階 1：G_2 期で停止している卵母細胞を成体の雌のカエルから外科的に取出し，プロゲステロンで処理すると，卵母細胞は減数第一分裂に入る．MPF を注入された卵母細胞では同じ活性が観察される．減数第一分裂中期の細胞内の紡錘体微小管(緑)に結合した 2 組の相同染色体(青)を示す．段階 2：相同染色体の分離と極度の非対称性細胞分裂によって，染色体の半分は**第一極体**(first polar body)とよばれる小さな細胞として放出される．卵母細胞はすぐに減数第二分裂を開始し，中期で停止し，一つの卵になる．減数第二分裂中期で停止した卵細胞内の，紡錘体微小管に結合した 2 本の染色体を示す．段階 3：精子により受精すると，卵は中期での停止から解放され，減数第二分裂後期まで進み，2 回目の非対称分裂によってそれぞれの染色体から生じた 1 組の染色分体を第二極体の形で放出する．生じた一倍体の雌性前核は，一倍体の雄性前核と融合して，二倍体の接合体を形成する．段階 4：接合体は DNA 複製を行い最初の体細胞分裂を行う．段階 5：最初の体細胞分裂後，11 回の同調した分裂を経て，胞胚が形成される．(b) アフリカツメガエル卵の細胞周期を示す顕微鏡写真．(i) G_2 期が停止した卵．(ii) プロゲステロンまたは MPF 処理により，卵母細胞は G_2 期から減数分裂に移行する．(iii) 受精すると，細胞内 Ca^{2+} の上昇によりサイクリン B の分解が起こり，減数分裂が完了し，最初の細胞分裂が行われる．(iv) 次の 11 回の急速な細胞分裂の同期サイクルのうち，最初のサイクルが示されている．〔(b)は S. Capon/Dr. Caroline Beck's Lab at the University of Otago.〕

細胞分裂は遅くなり，その後の分裂は同調せずに行われ，胞胚内の異なる位置の細胞が異なる時期に分裂を行う．

　細胞分裂に関与する因子の研究のためにアフリカツメガエルを使用する利点は，大量の卵母細胞と卵を得ることができることであり，また，実験室でプロゲステロン処理と受精を行うと，同調しながら細胞周期を進行することから，実験的に研究しやすいことである．さらに，採取した卵を遠心分離で破砕することで，精子の核を加えて細胞分裂を誘導させることができる抽出液を，かなり大量に調製することが可能である．そのため，細胞周期の同時期にある細胞を用いて生化学的な実験ができるようになった．この実験系によって，サイクリン-CDK 複合体が細胞分裂を誘導する実体であること，また，その活性は変動する性質をもつことがはじめて発見された．G_2 期で停止している卵母細胞に注射すると減数分裂と卵成熟が誘導されることから，この活性は**卵成熟促進因子**（maturation-promoting factor: MPF）とよばれ，のちにすべての真核細胞で細胞分裂を誘導することが示され，**有糸分裂促進因子**（mitosis-promoting factor）とよばれるようになった．

培養細胞を利用した研究から哺乳類の細胞周期の制御が明らかになった

　ヒトの細胞の細胞周期制御は，哺乳類以外の他の細胞よりずっと複雑である．この増大した複雑さとがんの原因となる細胞周期の異常を理解するためには，モデル生物だけでなくヒト細胞を利用して細胞周期の研究を行うことが重要である．ヒトの細胞周期の特性を調べるために，プラスチック製の皿の上で培養した正常細胞や腫瘍細胞を使用する．この方法は**組織培養**（tissue culture）あるいは**細胞培養**（cell culture）とよばれる（4 章）．しかし，ヒト細胞周期の研究に用いられている多くの種類の細胞は培養中に遺伝子が変異したり，あるいはヒト腫瘍から単離されたことが原因で，その細胞周期の性質が変わっていることに注意することが重要である．さらに，in vitro の培養条件は生体内の条件とは同じではないため，細胞の挙動は変化している．培養細胞の条件では哺乳類の細胞分裂の一部の性質は再現されないものの（たとえば組織構築や細胞周期を制御する発生シグナルなど），それでも細胞培養の実験系は，細胞分裂を支配する哺乳類細胞に固有の機構に関する重要な洞察を与えてくれる．組織中の細胞構造を模倣した培養系の確立も進んでいる．たとえば，異なる種類の細胞の混合物を培養して組織様構造を形成したり，胚性幹細胞や成体幹細胞，あるいは患者由来の腫瘍細胞を，組織から精製した細胞外マトリックス上で血清のない状態で培養し，より実際の臓器に近い**オルガノイド**（organoid）という自己組織化構造を形成させることができる（図 22・17 参照）．現在では，より化学的に合成された高分子格子が開発されており，組織内の細胞を模倣する三次元（3D）培養することができるようになった．

　ヒト初代培養細胞も他の哺乳類細胞も in vitro では寿命は有限である．たとえば，正常ヒト細胞は 25～50 回分裂し，その後は増殖は遅くなり最終的には停止する．この過程は**複製老化**（repli-

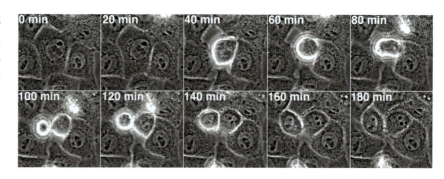

図 19・6　有糸分裂を行うヒトの細胞．位相差顕微鏡で HeLa Kyoto 細胞が有糸分裂をする様子を撮影した．この画像は 20 分ごとに撮影された．細胞は間期には扁平である．分裂期には，細胞が丸まって分裂し，明るく屈折した外観となる．その後，再び扁平になる．［S. Vyas and P. Chang, MIT 提供．］

cative senescence）とよばれる．ある細胞はこの過程から逃れて不死化することがあるので，研究者は細胞株を樹立できる．これら細胞株は細胞増殖に影響する遺伝子に変異をもつが，それでもこれらはヒト細胞の細胞周期進行を研究するための有用な道具となっている．次に解説するように，これら細胞株は無尽蔵に細胞を供給してくれるので，同調した状態で細胞周期の進行を操作でき，細胞周期の異なる段階のタンパク質量や酵素活性の解析が可能になった．

細胞周期研究のためにさまざまな道具が用いられる

細胞周期の特性を実験的に解析するためには，個々の細胞の細胞周期の段階を決定できることが必要である．光学顕微鏡によって細胞周期の進行をある程度評価でき，たとえば，光学顕微鏡を用いて，哺乳類培養細胞が間期（G_1, S, G_2 期）あるいは分裂期のどこにいるかを決めることができる．哺乳類組織培養の細胞は，間期には扁平でプラスチック皿に接着しているが，有糸分裂期には丸くなり球形構造を形成する（図 19・6）．蛍光顕微鏡を用いた細胞構造あるいは細胞周期特異的なマーカー（すなわち，細胞周期のある段階にのみ存在するタンパク質）の解析によって，より正確に細胞周期の段階を決めることができる．

顕微鏡という道具に加えて，細胞周期の研究では，フローサイトメトリーを細胞集団の DNA 量の測定に用いる（図 19・7，図 4・1 参照）．細胞を DNA 結合能のある蛍光色素で処理すると，色素は細胞中の DNA に取込まれるので，その蛍光色素量をフローサイトメトリーで定量的に評価できる．細胞を DNA 量に従って分類することで，G_1 期，S 期，G_2 期，および有糸分裂期のそれぞれの割合を評価できる．G_1 期の細胞の DNA 量は，G_2 期や有糸分裂期に比べて半分である．S 期にいる DNA 合成中の細胞では，DNA 量は中間の量となる．

異なる細胞周期における現象を解析するためには，細胞周期を同調して進行する細胞集団を調べることが必須となる．細胞周期の特定の段階に細胞を可逆的に停止する（reversibly arresting）方法を用いて，これを行う．この細胞周期の停止は，通常，増殖因子や栄養を制限することによって行われ，このとき細胞は G_1 期に停止する．たとえば，出芽酵母においては，接合フェロモンで処理した細胞は G_1 期に停止する．フェロモンを細胞から取除く（通常は細胞をよく洗浄する）と，細胞は G_1 期を脱し，同調して細胞周期を進行する．哺乳類細胞では，培地から血清を除くことで細胞増殖因子を除去する（血清飢餓）と，細胞は G_0 期で停止する．血清を添加すると，細胞は再び細胞周期に入る．

このほか，化合物を用いて細胞周期のある段階を阻害する方法

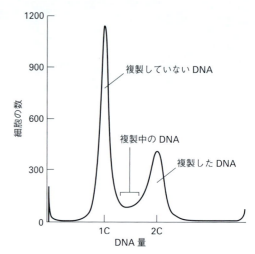

図 19・7（実験）　フローサイトメトリーによる DNA 量の解析．一倍体の酵母細胞を培地で増殖させ，DNA に取込まれる蛍光色素であるヨウ化プロピジウム（propidium iodide: PI）を用いて染色する．x 軸は DNA 量を表し，y 軸は細胞数を表す．DNA 量の解析によって，複製していない DNA（1C）と複製した DNA（2C）の二つの主要な細胞集団からなることがわかる．二つのピークの間の細胞は，DNA 複製中の細胞を表す．

がある．ヒドロキシ尿素（hydroxyurea）により DNA 複製を阻害すると，細胞は S 期で停止する．この薬剤を除けば，細胞は同調して DNA 合成を再開する．ノコダゾール（nocodazole）は，紡錘体を破壊し細胞周期を分裂期に停止させる．この薬剤を洗い流せば，細胞は同調して分裂期から進行を再開する．出芽酵母および分裂酵母では，温度感受性 cdc 変異体は，非許容温度で培養すると，ある重要な細胞周期タンパク質の機能が失われるため，細胞周期の特定の段階で停止する．細胞を許容温度に戻すと細胞は同調して細胞分裂周期を継続する．

19・2　細胞周期研究に使われたモデル生物と方法まとめ

- 出芽酵母および分裂酵母の変異体単離の簡便さと強力な遺伝学的手法のおかげで，細胞周期制御に重要な因子が同定された．
- 同調した受精卵由来のアフリカツメガエルの卵や初期胚は，細胞周期の事象の生化学的研究用の抽出液を提供してきた．これにより，サイクリン-CDK 複合体が振動する性質があることが明らかとなった．

- ヒトの組織培養細胞は，哺乳類の細胞周期の特性を研究するために利用されている．
- ある特殊な細胞周期の段階に可逆的に停止した細胞から同調した細胞集団をつくることで，細胞周期を通じてのタンパク質の動態や細胞内現象を調べることができる．

19・3 細胞周期の進行と制御：フィードバックループと翻訳後修飾

細胞周期の進行は，サイクリン依存性キナーゼ（CDK）の働きによって大きく左右される．これらのプロテインキナーゼは，基質をリン酸化することにより，細胞周期のマスター調節因子として働く．基質が適切にリン酸化されると，直接的に細胞周期の各段階の事象がひき起こされる．細胞周期の特定の段階においては，他のキナーゼも重要な役割を果たすが，細胞周期の各段階におけるCDKの重要性は突出している．

多くの実験的観察から，細胞は細胞周期を不可逆的に進行させ，その進行方向はG_1期→S期→G_2期→M期と一方向だけである（図19・1）．G_2期からS期に逆戻りする細胞は観察されていないし，S期にある細胞が何らかの方法でDNAの複製を解除し，G_1期に戻るのを見た者はこれまでにいない．このように，細胞が細胞周期の各段階を開始すると，CDKというマスター調節因子の活性は，適切なタイミングと場所で，しかも基本的には不可逆的に，きわめて正確に制御されなければならない．その方法の詳細は細胞周期の段階によって異なるが，CDKの制御に関する一般的な分子基盤は，どの細胞周期の段階について述べる場合でも同じである．CDKの活性は常に，サイクリン（CDKに結合してその活性を制御する補助タンパク質）とタンパク質のリン酸化およびユビキチン化（§3・4参照）を組合わせて制御されている．CDKの制御は，図19・8の同心円で表されるように，いくつかの階層で行われていると考えることができる．中央にはCDKそのものと，それを活性化するアクセサリータンパク質であるサイクリンがある．第二の階層には，サイクリン-CDK複合体の直接の調節因子があり，これにはCDKを活性化または阻害するプロテインキナーゼとホスファターゼ，およびCDKに直接結合してその活性を阻害するCDK阻害タンパク質，細胞周期の特定の時期に活性サイクリン-CDK複合体をつくり出すためにサイクリンの合成速度を上げる転写因子，細胞周期の特定の段階を完了したのちにサイクリンの分解を促すためにともに働くプロテインキナーゼとユビキチンリガーゼがある．外側の階層には，サイクリン-CDK複合体の間接的な調節因子があり，直接の調節因子を制御することによって機能している（図19・8）．第二の階層の調節因子と同様に，この第三の階層の間接的調節因子もプロテインキナーゼとユビキチンリガーゼからなり，これらはホスホセリン/トレオニン結合ドメインやプロリンイソメラーゼと協力して，サイクリン-CDK活性の直接的調節因子の量，活性，細胞内局在を制御している．このような多層的な制御ネットワークにより，細胞は自らがおかれている状態に関する膨大な情報を評価することができる．そして，細胞はその情報を統合して，たとえば，DNA複製や有糸分裂の開始を制御するような，全か無かの措置の決定を下す．このような情報は，さまざまなシグナル伝達経路における活性の段

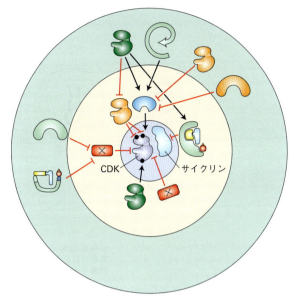

図19・8 多層的なネットワークがサイクリン依存性キナーゼの活性を制御している．同心円の中央にCDKとその活性化サイクリンを示し，そのまわりを直接調節因子，さらにその外側を間接調節因子が取囲んでいる．黒線は標的の活性化を，赤線は抑制を示す．サイクリン-CDKによる調節因子のリン酸化を含むフィードバックループは，明確さを保つために示されていない．分子間には実質的なクロストークがあり，分子数や相互作用はここに示したものよりも複雑であることに注意．

階的な線形変化が反映されることにも注目したい．この重層的な制御ネットワークがもたらす直接的および間接的な制御の組合わせにより，ごく少数の基本的な生化学反応（タンパク質のリン酸化および脱リン酸化，分子認識，ユビキチンを介したタンパク質分解）がフィードフォワードおよびフィードバックループを構築し，細胞周期移行が行われるかどうかを厳密に制御しているのである．さらに，一番外側の階層にある間接的な制御により，§19・7で述べるように，細胞周期チェックポイント制御の分子基盤が成り立っている．

以下の節では，図19・9にまとめた真核細胞周期制御の最新モデルについて解説する．細胞周期研究における重要な発見は，細胞周期を通じて進行を支配するサイクリン依存性キナーゼであった．本章を通して，これらキナーゼの三つの特色を頭に入れておくことが重要である．

- サイクリン依存性キナーゼ（CDK）は，制御サイクリンサブユニットと結合したときのみ活性化する．
- 異なる種類のサイクリン-CDK複合体は，異なる事象を開始する．G_1期サイクリン-CDK複合体（**G_1期CDK**）とG_1/S期サ

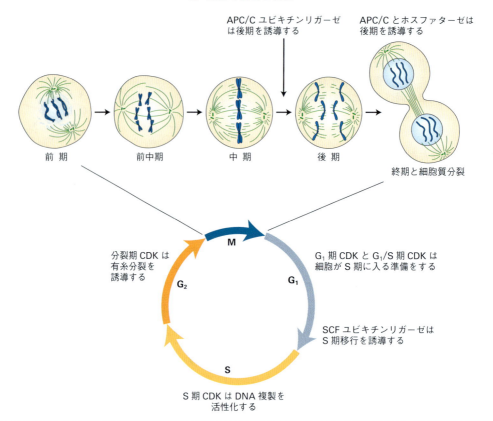

図 19・9 CDK による細胞周期の制御の概念図. 細胞は内部に異なる種類の CDK をもち, 細胞周期の異なる事象を開始する. 重要な点は, CDK は, それが引金を引く細胞周期の段階でのみ活性化することである. G_1/S 期 CDK は G_1-S 期移行で活性化し, 細胞周期に入る引金を引く. S 期 CDK は S 期を通じて活性化し, DNA 複製を促進する. 分裂期 CDK は分裂期を通じて活性化し, 分裂を促進する. 分裂期後期促進複合体/サイクロソーム (APC/C) として知られるユビキチンリガーゼは, タンパク質のユビキチン化を触媒し, タンパク質分解を介して, 二つの重要な細胞周期の移行を制御する. APC/C は分裂期後期と分裂期からの脱出の両方を開始させる. 出芽酵母とヒトの異なる CDK とその関連するサイクリンサブユニットの名称を列記した.

イクリン-CDK 複合体 (G_1/S 期 CDK) は細胞周期に入ることを促進する. S 期サイクリン-CDK 複合体 (S 期 CDK) は S 期を起こす. そして分裂期サイクリン-CDK 複合体 (分裂期 CDK) は有糸分裂の事象を開始する (図 19・9).

- 多数の生化学的な機構によって, 異なる CDK が細胞周期の適切な段階でのみ活性化することを保証している. これらの分子機構は, CDK の活性化と抑制の過程を増幅するフィードバックループとして組織化されている.

本節では, 最初に CDK の特性を解説し, その活性化と制御の構造的な基盤を述べる. 次にサイクリンがどのように CDK を活性化するのか, また, 異なるサイクリンを適切な細胞周期の段階に制限している一般的な制御機構について述べる. また, タンパク質の分解がこの過程で必須の役割を果たしていることが理解できるだろう. 加えて, CDK の翻訳後修飾やサイクリン-CDK 複合体に直接結合する抑制タンパク質も重要であることを解説する.

サイクリン依存性キナーゼは小さなプロテインキナーゼで, その活性化には調節性のサイクリンサブユニットを必要とする

サイクリン依存性キナーゼは, 30〜40 kDa の小さなセリン/トレオニンキナーゼファミリーを構成し, キナーゼドメイン以外はほとんど含まれていない. 単量体の CDK はそれ自体では活性をもたず, 一般に, 細胞内のタンパク質量は細胞周期を通じて比較的一定である. しかし, これらの CDK の活性とリン酸化される基質の量は, 細胞周期の異なる段階で劇的に変化する. このような変化が起こるのは, CDK が活性型プロテインキナーゼになるためには, 活性化サブユニットであるサイクリンが結合する必要があるからである.

出芽酵母と分裂酵母では, 単独の CDK が細胞周期を通じてその進行を調節する. その活性とリン酸化される基質は, 細胞周期の段階に特異的なサイクリンサブユニットのどれと結合しているかによって特異性をもつようになる. 一方, 哺乳類細胞には 20 種類もの CDK が存在し, そのうち 4 種類 (CDK1, CDK2, CDK4, CDK6) は, 細胞周期の進行を制御する明確な役割を担っている.

各CDKは一つ以上のサイクリンサブユニットに結合し，CDKの活性と基質特異性を制御している．これらは異なる種類のサイクリンと結合し，一緒になって異なる細胞周期の進行を促進する．たとえば，哺乳類のCDK4とCDK6は，G_1期CDKであり，細胞周期に入ることを促進する．CDK2はG_1/S期およびS期CDKとして機能する．CDK1は分裂期CDKである．歴史的理由から，多くのサイクリン依存性キナーゼの名前が，酵母と脊椎動物の間で異なる．ここでは可能な限り，種特異的な用語の代わりに，一般的な用語であるG_1期，G_1/S期，S期および分裂期CDKを用いてCDKを記述する．図19・9の下部には，哺乳類と出芽酵母のさまざまなCDKの異なる名称を一覧にし，細胞周期のどの時期にそれらが活性化しているかを示している．

サイクリンはCDKの活性を決定する

サイクリンは細胞周期を通じてその発現量が変動することから命名された．サイクリンは，三つの特徴によって定義されるタンパク質ファミリーを形成している．

- サイクリンはCDKに結合し活性化する．CDKの活性と基質特異性は，結合する特異的なサイクリンによっておもに決められる．
- サイクリンはそれが機能する細胞周期の特定の段階にのみ存在し，細胞周期の他の段階では存在しない．
- サイクリンは細胞周期の特定の段階の引金となるだけでなく，次の細胞周期段階に備えた一連の事象を始動させる．その結果，サイクリンは細胞周期を前に進める（図19・10a）．

CDKの命名法と同様に，サイクリンも細胞周期の特定の段階における存在と活性によって四つに分類される．G_1期サイクリン，G_1/S期サイクリン，S期サイクリン，分裂期サイクリン（図19・9下）である．サイクリンには，複数のCDKに結合して活性化できるものと，一つのCDKにしか結合できないものがある．たとえば，哺乳類細胞では，サイクリンAはS期ではCDK2，分裂期のごく初期にはCDK1の両方と活性型複合体を形成することができる．一方，主要な分裂期サイクリンであるサイクリンBは，CDK1とのみ複合体を形成することができる．

G_1期サイクリンは，細胞外の事象と細胞周期を調和させるくさびのような存在である．G_1期サイクリンの活性は，増殖因子の存在を感受するシグナル伝達経路や細胞増殖抑制シグナルの制御下にある．多細胞動物では，G_1期サイクリンは**サイクリンD** (cyclin D) として知られ，CDK4やCDK6と結合する．他のサイクリンと異なり，G_1期サイクリンの発現量は細胞周期に依存した強い上下の変動を示さない．代わりに，巨大分子の生合成や細胞外シグナルに応答して，その発現量はG_1期に徐々に上昇し，S期とG_2期に少し低下し，M期の後半に再び上昇する（図19・10b）．

G_1/S期サイクリンは，G_1期後期に蓄積し，細胞がS期に入るときに最大になり，S期の間に低下する（図19・10）．多細胞動物では，G_1/S期サイクリンは**サイクリンE** (cyclin E) として知られ，CDK2と結合する．サイクリンE-CDK2複合体のおもな働きは，サイクリンD-CDK4/6とともに，G_1-S期移行を開始することである．この移行については，§19・1で，酵母ではSTART（開始点），哺乳類では制限点と定義したが，細胞が不可逆的に細胞分裂に入り，もはやG_1期には戻れない時点であると定義され

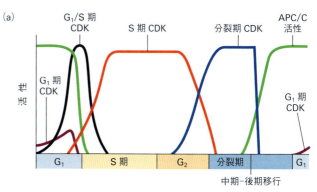

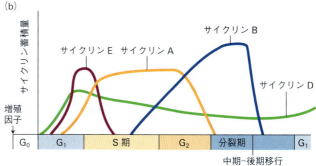

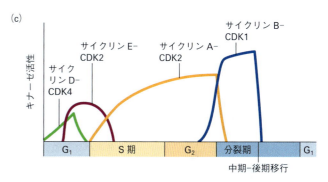

図 19・10 細胞周期中のCDK活性は，異なるサイクリンとの結合によって制御される．(a) 図19・9に示されるように，細胞が細胞周期の各段階を通過するにつれて，異なるCDKの活性は変化する．(b) 細胞周期の段階特異的にCDK複合体を形成する異なるサイクリンサブユニットのタンパク質蓄積量は，細胞周期の段階特異的に増減する．(c) 形成される異なるサイクリン-CDK複合体の活性は，サイクリンの蓄積と非常によく似ているが，全く同じではない挙動で変化する．(b)のサイクリン蓄積量と(c)のキナーゼ活性の差は，サイクリン結合に加えてリン酸化や脱リン酸化など，サイクリン-CDK活性の制御がさらに進んだ段階にあることを示している．

る．これを分子的に解釈すると，細胞はDNA複製と中心体の複製を開始し，後者は有糸分裂に用いられる紡錘体の形成の最初の段階となる．

S期サイクリンは，G_1期サイクリンに付随して合成されるが，S期を通じて高い発現量を保ち，分裂期初期まで低下しない．多細胞動物では，2種類のS期サイクリンがS期移行の引金を引く．一つはサイクリンEであり，細胞周期へ入ることも促進するのでG_1/S期サイクリンでもある．もう一つはサイクリンAである．両サイクリンともCDK2と結合し，DNA合成の直接の要因となる．§19・4で解説するが，これらのプロテインキナーゼは，DNAヘリカーゼを活性化するタンパク質をリン酸化し，ポリメラーゼをDNAに結合させる．

分裂期サイクリンはCDK1と結合し，有糸分裂に移行し，進行することを促進する．多細胞動物の分裂期サイクリンは，サイクリンAとサイクリンBである（サイクリンAはCDK2と結合すると，S期移行の引金を引くことに注意）．分裂期サイクリン-CDK複合体はS期とG_2期の間に合成されるが，すぐに解説するように，その活性はDNA合成が完了するまで抑制される．§19・5では，いったん活性化された分裂期サイクリン-CDK複合体が，染色体凝縮や核膜崩壊，紡錘体形成および有糸分裂に関与する何百というタンパク質をリン酸化して活性化し，細胞分裂への移行を促進することを述べる．分裂期後期になると分裂期CDKは不活性化し，細胞は迅速に有糸分裂から脱出する．紡錘体の分解，染色体の脱凝縮，核膜の再形成が誘導され，最後に細胞質分裂が起こる．

分裂期サイクリンは，最初に発見されたサイクリンであり，その特性は，細胞周期進行のすべてを支配する活性の振動的性質の発見へとつながった．1980年代，Nurseらによる分裂酵母を用いた一連の印象的な遺伝子および生化学実験と，Hartwellによる出芽酵母を用いた関連研究は，分裂期の開始には**Cdc2**，出芽酵母では**Cdc28**という特定のプロテインキナーゼの活性が必要であり，このキナーゼがどのように制御されているかに関して，いくつかの側面から明らかにした．これとは別に，1970年代から1980年代にかけて，ヒトデの胚やカエル，ホッキ貝，ウニの卵を用いた生化学実験により，§19・2で述べたこれらの生物の卵成熟促進因子/有糸分裂促進因子（MPF）に，この同じプロテインキナーゼが関与するかもしれないことが示唆されていた．1982年，受精後のウニ卵のタンパク質合成を研究していたHuntは，予想外にも，合成と急速な分解のサイクルを示すタンパク質を観察した．このタンパク質が分解されるタイミングは，細胞が物理的に二つに分裂する直前である．このことは，このタンパク質の合成が分裂期の開始，そして，その分解が分裂期の完了と相関していることを示唆していた（図19・11）．同様の周期的なタンパク質の合成と分解のパターンは，アサリ卵の二つの関連するタンパク質でも観察された．上述の発見は，これらのタンパク質が§19・1で述べたG_2期から分裂期への切替えを制御する謎の不安定因子である可能性を示唆するものであった．cDNAがクローニングされたことにより，これらのタンパク質がウニのサイクリンBとアサリのサイクリンAであることが同定された．これらのサイクリンタンパク質は，出芽酵母，分裂酵母，脊椎動物の卵や胚を有糸分裂に導く重要なプロテインキナーゼそのものではなかったが，卵からのサイクリン免疫沈降画分（§3・5参照）には強いプロテインキナーゼ活性が認められた．さらに，RNase処理したカエル卵抽出液にウニサイクリンcDNAを添加すると，抽出液の細胞周期を数回まわすことができ，これらのサイクリンタンパク質が細胞分裂を担うプロテインキナーゼに結合して活性化していることが示された．

最終的には，MPFを生化学的に精製し，SDS-PAGEによるタンパク質分析によって，カエル卵由来のMPFの組成が解明された．その結果，酵母のCdc2キナーゼと同じ32 kDaのバンドと，サイクリンBに対応する45 kDaのバンドが見つかり，カエル卵のMPFはサイクリンBと分裂期のCDK1キナーゼとの複合体であることが判明した．ほぼ同時期に，分裂酵母の遺伝学的実験により，酵母CDKであるCdc2の重要な調節因子が，もう一つの細

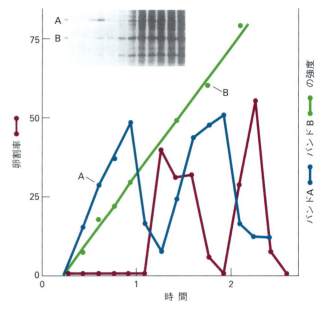

図 19・11（実験） サイクリンの発見経緯．サイクリンの発見は，オートラジオグラムでAと表示されている，新しく翻訳されたタンパク質の量が，ウニ細胞が分裂する前に毎回ピークに達し，その後急速に減少するという観察に基づいている．この実験では，卵を受精させ，放射性メチオニンとともにインキュベートした．その後，試料を10分間隔でSDS-PAGEとオートラジオグラフィーを用いて分析し，卵が分裂しているかどうかも顕微鏡で観察した．Bとラベルづけされたゲル上の一つのタンパク質が徐々に蓄積していくのと，細胞が卵割する直前に増加し，減少するようにみえるタンパク質Aとを比較してみよう．バンドの強度と卵割率を時間の関数として，グラフに定量化した．タンパク質Aは分裂期のサイクリンである．[Evans et al., 1983, *Cell* **33**: 389, Copyright Clearance Center, Inc.を通じてElsevierより許可を得て転載．]

胞分裂周期遺伝子であるCdc13であることが明らかにされた．Cdc13のクローニングと塩基配列の決定により，Cdc13が分裂酵母のサイクリンBのホモログであることが判明した．Cdc13の発現量は，ウニの細胞周期におけるサイクリンBと同様に，酵母の細胞周期で変化することが示された．さらに，サイクリンBがCDK1キナーゼ活性に必要なように，Cdc13はCdc2プロテインキナーゼ活性に必要であり，分裂酵母がG_2期からM期に進むには，分裂酵母のサイクリンとサイクリン依存性キナーゼ（それぞれCdc13とCdc2）が形成する複合体が必要であることも明らかになった．§19・2で議論したように，多数の異なる生物種において行われた遺伝学的，また生化学的実験により，最終的に，すべての真核生物の分裂期移行を制御する普遍的な機構が明らかにされた．すなわち，不安定なサイクリン分子と，サイクリンサブユニットの存在に活性が厳密に依存している小さなCDKとの間で複合体が形成されるのである．その後の研究により，G_1/S期サイクリンにも同様の性質があることがわかった．その発現は，静止細胞のG_1期からS期への移行，およびその後のS期中の進行を促進するのに十分である．

サイクリンとの結合によって，CDKは具体的にどのようにして不活性状態から活性化状態へと変化するのだろうか．X線結晶構造解析によってサイクリンB-CDK1とサイクリンA-CDK2について解かれたCDKとサイクリン-CDK複合体の三次元構造がその答えを示している（図19・12）．3章で述べたように，CDKは，

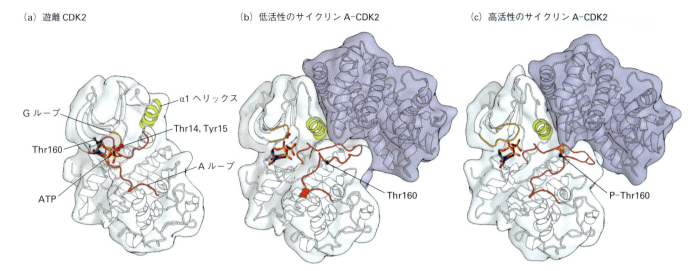

図 19・12 ヒト CDK2 の構造モデル．(a) サイクリン A と結合していない遊離の不活性型 CDK2．棒球モデルで示しているように，遊離 CDK2 では，A ループが邪魔になって，結合している ATP の γ 位のリン酸基に基質タンパク質が接近できない．CDK にサイクリン A が結合すると，黄で示した領域（α1 ヘリックス）の立体構造が変化する．(b) 非リン酸化状態の低活性のサイクリン A–CDK2 複合体．サイクリン A（青）の結合による構造変化によって，A ループが CDK2 の活性部位から引き離されて，基質タンパク質が結合できるようになる．サイクリン A と広範に相互作用する CDK2 の α1 ヘリックスは，数オングストロームほど触媒部位に入り込んで，リン酸基転移反応に必要な重要な触媒側鎖の位置を変える．黒い球は，CDK の活性化に必要であり CAK によりリン酸化を受ける Thr160 の位置を示している．赤い球はリン酸化された Thr14 と Tyr15 の位置を示し，CDK 活性を阻害している．(c) リン酸化された高活性のサイクリン A–CDK2 複合体．活性化トレオニンのリン酸化（黒い球）による構造変化によって，基質結合表面の形が変わり，基質タンパク質との親和性が劇的に上昇する．Thr14 と Tyr15 からリン酸基を除去すると，ATP 結合と触媒活性が増強される．[P. D. Jeffrey et al., 1995, *Nature* **376**: 313; A. A. Russo et al., 1996, *Nat. Struct. Biol.* **3**: 696, PDB ID 1jst.]

すべてのプロテインキナーゼと同様に，ATP と基質の両方が結合する活性部位に裂け目をもつ二葉構造である．しかし，サイクリンが結合していない場合，CDK のいくつかの触媒残基は，ATP と結合し，ATP から基質タンパク質へのリン酸基の転移を触媒するのに適切な位置にない．さらに，単量体 CDK の活性化ループは，基質が活性部位の裂け目に到達するのを阻害している．サイクリンは二つのドメインからなり，それぞれが五つの α ヘリックスを含んでいる．全体の構造は**サイクリンフォールド**（cyclin fold）とよばれ，第一のドメインは CDK の結合と活性化に必要な**サイクリンボックス**（cyclin box）領域に相当する．CDK1 および CDK2 の場合，サイクリンボックスが結合すると CDK の α ヘリックスが動き，CDK の ATP 結合ポケットにあるアミノ酸が，触媒作用に適した配置に再編成される．さらに，サイクリン結合によって活性化ループが構造化され，位置が変更される．サイクリンサブユニットは CDK 活性を刺激するだけでなく，キナーゼの基質タンパク質と直接相互作用することができ，それによってサイクリン–CDK 複合体の基質特異性に寄与している．

CDK は活性化リン酸化と阻害的リン酸化によって制御される

以下に詳しく述べるように，サイクリン結合以外にも，さまざまな機構により，CDK は細胞周期の適切な段階でのみ活性化されるようになっている．表 19・1 は，これらの CDK の追加的な主要調節因子の多くを書き出したものである．

もし，CDK が完全に活性化するために必要なことがサイクリンとの結合だけであれば，それぞれの CDK の活性はそのサイクリンの蓄積と完全に相関すると予想される．しかし，ほとんどのサイクリン–CDK 複合体ではそのようなことは観察されない．図 19・13(a) は，サイクリン B の蓄積と MPF（アフリカツメガエル卵母細胞におけるサイクリン B–CDK1 複合体）の活性を示したものである．サイクリン B の存在量がゆっくりと増加するにもかかわらず，分裂期に入ると MPF の活性が急激に上昇することから，サイクリン結合以外の制御が存在するはずであることがわかる．実際，CDK の活性制御には，CDK サブユニット上の活性化および阻害的リン酸化，そして CDK に結合してその活性を阻害する CDK 阻害因子（CKI）とよばれるタンパク質の作用の少なくとも二つの機構が追加的に関与していると考えられてる．サイクリン結合，リン酸化，CKI というこれら三つの制御機構とサイクリンの合成・分解により，CDK は適切な時期，細胞周期の段階でのみ活性化されるようになっている．

サイクリンの一つと結合した非リン酸化 CDK は，in vitro では最小限の，しかし検出可能なプロテインキナーゼ活性をもつが，in vivo では本質的に不活性である可能性がある．これは活性化ループがサイクリン結合によって部分的に構造化されるとはいえ，活性部位の裂け目を大部分阻害しているからである（図 19・12b）．活性化ループの重要なトレオニン残基である Thr160 のリン酸化は，CDK のいくつかの塩基性残基に結合することによって活性化ループを引き離し，基質が CDK の活性部位に到達できるようにし，リン酸化サイクリン–CDK 複合体の活性を非リン酸化複合体に比べて 100 倍以上増加するために必要となる（図 19・12c）．このトレオニンリン酸化は **CDK 活性化キナーゼ**（CDK-activating kinase: **CAK**）により触媒される．不思議なことに，CAK の活性は細胞周期を通じて一定であり，CDK の活性化リン酸化はサイクリン–CDK 複合体が形成される前か形成されるとすぐに起こるので，CDK の CAK リン酸化は CDK 活性化の律速段階でな

表 19・1　サイクリン-CDK 活性の制御	
調節因子の型	機　能
キナーゼとホスファターゼ	
CAK キナーゼ	CDK を活性化する
Wee1 キナーゼ	CDK を阻害する
Cdc25 ホスファターゼ	CDK を活性化する
Cdc14 ホスファターゼ	Cdh1 を活性化し，分裂期サイクリンを分解する
Cdc25A ホスファターゼ	脊椎動物 S 期 CDK を活性化する
Cdc25B/C ホスファターゼ	脊椎動物分裂期 CDK を活性化する
阻害タンパク質	
Sic1	S 期 CDK に結合し阻害する
CKI p27^{KIP1}, p57^{KIP2}, p21^{CIP}	CDK に結合し阻害する
INK4	G_1 期 CDK に結合し阻害する
Rb	E2F に結合し，細胞周期にかかわる多くの遺伝子の転写を阻害する
ユビキチンリガーゼ	
SCF	リン酸化された Sic1 あるいは p27^{KIP1} を分解し，S 期 CDK を活性化する
APC/C^{Cdc20}	セキュリンの分解を誘導し，後期を開始する．またサイクリン B の分解を誘導する
APC/C^{Cdh1}	G_1 期のサイクリン B 分解を誘導し，また多細胞動物のジェミニンが DNA 複製起点に複製ヘリカーゼを形成できるようにする
ホスホセリン/トレオニン結合タンパク質と機能ドメイン	
WD40 ドメイン，ロイシンに富む反復配列	リン酸化された基質を認識し，SCF リガーゼによるタンパク質分解の標的とする
Cks サブユニット	サイクリン-CDK を連続的な基質リン酸化に標的化する
14-3-3 タンパク質	サイクリン-CDK 調節因子に結合し，不活化することで細胞周期チェックポイントを確立する．細胞質分裂を制御する
Pin1	CDK のリン酸化基質を異性化することで，分裂期の開始や脱出を制御する
FHA と BRCT ドメイン	すべての細胞周期において，細胞周期の監視に必要なリン酸化依存的な分子の集合体を形成する．細胞質分裂を制御する
ポロボックスドメイン	ポロ様キナーゼを CDK のリン酸化部位に標的化し，分裂期の開始や進行を促進する

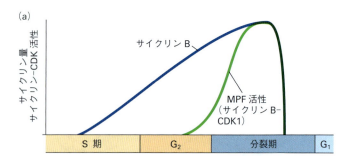

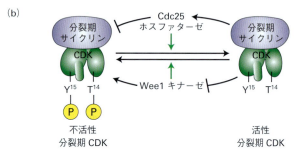

図 19・13　CDK サブユニットのリン酸化は，S 期および G_2 期の分裂期 CDK 活性を抑制する．(a) 分裂期のサイクリン B は S 期と G_2 期に合成され，CDK1 と結合するが，その複合体は分裂期移行のころまで活性化されない．(b) CDK1 サブユニットの T14 (Thr14) と Y15 (Tyr15) がプロテインキナーゼ Wee1 によってリン酸化され，活性型の集積が阻害されるため，サイクリン-CDK 複合体は活性化されない．DNA 複製が完了すると，プロテインホスファターゼ Cdc25 が活性化され，CDK1 のリン酸化が解除され，活性化が促進される．§19・5 で説明する，黒く曲がった矢印で示したポジティブフィードバックループが，動物細胞では Cdc25 の活性化を制御し，Wee1 を阻害しているのである．

いことは明らかである．では，トレオニンがリン酸化され，サイクリン B が結合した CDK がすでに存在する場合，なぜ細胞が G_2 期から M 期に入るときに（図 19・13），サイクリン B-CDK1 (MPF) 活性は急速に上昇するのだろうか．このような挙動は，CDK にも阻害的なリン酸化が存在するために生じる．

　CDK に対する二つの阻害的リン酸化は，CDK 活性の制御に重要な役割を果たす．高度に保存されたチロシン（ヒト CDK では Y15）と隣接するトレオニン（ヒトでは T14）は制御されたリン酸化を受ける（図 19・12b, 図 19・13b）．重要なことは，これらの残基は両方とも CDK の G ループに位置し，ATP 中のリン酸基を覆う共通配列（コンセンサス配列）GXGXXGXV を含んでいる（図 19・13, 図 3・38 参照）ことである．CDK の場合，G ループの配列は GEGT$_{14}$Y$_{15}$GVV である．この G ループの T14 と Y15 がリン酸化されると，大きな負電荷が生じ，触媒ポケットでの ATP の結合と位置どりを静電的に妨害する．これらの部位のリン酸化の変化は分裂期の CDK の制御に不可欠であり，また G_1/S 期および S 期 CDK の制御にも関与しているとされている．§19・5 でみるように，**Wee1** という高度に保存されたキナーゼがこれらの阻害的リン酸化をもたらし，**Cdc25** という高度に保存されたホスファターゼファミリーがその脱リン酸化を媒介する（図 19・13b）．

CDK 阻害因子は，サイクリン-CDK 活性をさらに制御する

　サイクリン結合と CDK 自体への可逆的リン酸化に加えて，もう一つサイクリン-CDK 活性を制御する段階がある．**CDK 阻害因子** (CDK inhibitor: **CKI**) として知られるタンパク質ファミリーは，CDK およびサイクリン-CDK 複合体に直接結合し，その活性を阻害する．異なるクラスの CKI は，G_1 期，G_1-S 期境界，あるいは細胞周期の S 期および G_2 期で作用し，G_1 期，S 期および分裂期 CDK の早期活性化を防ぐ．

　G_1 期で作用する CKI の重要なクラスは，**INK4** (inhibitor of kinase 4) ファミリーの一員である．このファミリーには，いくつかの密接に関連した小さなタンパク質群が含まれており，CDK4 および CDK6 単量体に結合し，サイクリン D との相互作用を阻害することにより，これらの G_1 期 CDK を不活性化する．§19・4 で述べるように，これらの G_1 期 CDK は G_1-S 期移行の制御，お

よび細胞外シグナルとの調整において特に重要な役割を担っている.

多細胞動物の細胞でみられるCKIの第二のクラスは, Cip/Kipファミリーの CKI である. このファミリーは, $p21^{Cip1}$, $p27^{Kip1}$, $p57^{Kip2}$ という三つのタンパク質から構成されている. Cip/Kipファミリーの一員は, サイクリン結合CDKに結合し, サイクリン D, E, A, B を含む複合体の活性を阻害する. DNA 複製や有糸分裂を開始するためには, Cip/Kip CKI はそれぞれのサイクリン-CDK 標的から隔離されるか, 分解される必要がある. 三つのタンパク質はそれぞれ固有の生理的役割を担っているようである. cdkn1a 遺伝子によってコードされる $p21^{Cip1}$ タンパク質は, DNA 損傷に応答して多細胞動物細胞の G_1 期および G_2 期停止を確立するのに重要であり, その転写は重要な腫瘍抑制タンパク質であるp53 によって制御されている. cdkn1b 遺伝子にコードされる $p27^{Kip1}$ タンパク質は, 栄養や増殖因子の制限に応答して G_1 期からS期への進行を阻止し, 器官や体の大きさを制限するために重要である. $p27^{Kip1}$ 遺伝子をノックアウトしたマウスは, 体格が大きくなり, 多臓器過形成(臓器の細胞数が過剰になること)を示す. cdkn1c 遺伝子にコードされる $p57^{Kip2}$ タンパク質は, 胚発生中の細胞周期を制御する重要な役割を担っている. cdkn1c を欠損したマウス胚は, 臓器の過形成と組織分化の障害を示し, 出生後すぐに死亡する. $p27^{Kip1}$ とサイクリン A-CDK2 が結合した結晶構造から, Cip/Kip タンパク質はサイクリンがサイクリン-CDKの基質と相互作用する部位を阻害し, また, 活性部位の裂け目を閉塞して ATP 結合と触媒活性を阻害するという二つの機能をもっていると考えられている (図 19・12). これらのタンパク質は, 細胞周期制御以外にも, 遺伝子転写, 細胞運命決定, 細胞移動, アポトーシスへの影響など, さまざまな機能をもつ. このように Cip/Kip ファミリーのメンバーは, 適切な細胞および組織の恒常性に重要な役割を担っている.

サイクリンの発現量は転写活性化とユビキチンを介したタンパク質分解によって制御される

サイクリンの発現と分解は, それらが必要とされる細胞周期の段階で適切な量が存在するように, 慎重に制御されている. 本項では, サイクリンの発現量がどのように制御されているかについて述べる.

サイクリン遺伝子の転写調節は, サイクリンの適切な時期での発現を保証する一つの機構である. 体細胞や酵母では, 転写因子活性の波がサイクリン活性の波の確立を促している. 一般的な原理は, CDK リン酸化依存性の転写活性の初期の波が, その後のCDK リン酸化依存性転写の波の生成に必須な因子の生成を促しているというものである. §19・4 でみるように, G_1/S 期サイクリンの転写は, 細胞周期のこの時点で活性化される E2F 転写因子複合体によって促進される.

サイクリンの量を適切な細胞周期段階に制限する非常に重要な機構は, ユビキチンを介した, プロテアソーム依存的なタンパク質分解である. タンパク質の補充は, タンパク質の de novo 合成のみにより可能であることを考えると, タンパク質分解は不可逆的な過程であり, この制御機構は, 細胞周期が前進し, 細胞が細胞周期を後戻りすることがないようにするために理想的なものである.

ユビキチンプロテインリガーゼは **E3 リガーゼ** (E3 ligase) ともよばれ, E2 ユビキチン結合酵素から E3 リガーゼの基質タンパク質上の一つ以上のリシン残基にユビキチンを転移し, 長いポリユビキチン鎖をつくって, プロテアソームによる分解の目印にする(図 3・32 参照)ことを 3 章から思い出してほしい. サイクリンは, **SCF** (構成タンパク質である Skp1, Cullin, F ボックスタンパク質の頭文字から名づけられた) とよばれる E3 リガーゼと, **分裂期後期促進複合体** (anaphase-promoting complex, **サイクロソーム** cyclosome ともよばれる, 本章では **APC/C** と略記) の二つの異なる E3 リガーゼの作用により分解される. 細胞周期の制御にきわめて重要なこれら二つの E3 リガーゼの制御機構は, どちらもタンパク質のリン酸化が関与しているものの, 驚くほど異なっている. SCF 複合体の場合, リン酸化されるのは基質であり, その基質を分解するために標的化される. 一方, APC/C の場合は, APC/C そのものがリン酸化され, その活性を制御する.

SCF は, G_1 期および G_1/S 期サイクリンを標的として分解することにより, G_1-S 期移行を制御している. これから詳しく述べるが, SCF は CDK 阻害キナーゼ Wee1, および $p21^{Cip1}$ と $p27^{Kip1}$ という CDK 阻害タンパク質を標的として分解することで, G_2-M 期移行を制御している. 一方, APC/C は, 分裂期の開始とともに活性化され, 次の細胞周期の G_1 期まで活性を維持する. APC/C は, S 期サイクリンと分裂期サイクリンの両方を分解する標的としている. 分裂期の APC/C の活性化は, 分裂期後期阻害タンパク質を分解することにより, 分裂期中期から後期への移行での染色体分離の開始を制御し, 分裂期の完了を促進する (§19・6). G_1 期の APC/C 活性は, 分裂期および S 期の CDK を阻害し, DNA 複製起点を再設定し, その後の S 期に新しい複製が行われるようにする (§19・4).

SCF と APC/C は, RING フィンガーユビキチンプロテインリガーゼファミリーに属する多サブユニット型ユビキチンプロテインリガーゼである. SCF と APC/C は同じユビキチンプロテインリガーゼファミリーに属しているにもかかわらず, その構造や基質標的化の制御は全く異なっている. 両者の複合体の構造を図19・14 に示す. これらの分子集合体は U 字形または C 字形のクランプに似ている. ヒト SCF 複合体は, 三つのコア構成因子と基質を認識する F ボックスタンパク質を含んでいる. 図 19・14(a), (b) に示すように, Cul1 サブユニットは, RBX1 と Skp1 をつなぐ中心的な足場構造を形成している. RBX1 は RING フィンガー含有タンパク質で, E2 ユビキチン結合酵素を結合する. Skp1 は, F ボックスタンパク質と結合する架橋タンパク質である. Skp1 には, 交換可能な多くの F ボックスタンパク質が結合し, それぞれが異なる基質タンパク質を SCF に集め, そこでユビキチン化されて分解の標的となる.

APC/C は, **Cdc20** と **Cdh1** という二つの関連基質結合因子とともに, 多細胞動物では 14, 酵母では 13 のコアサブユニットからなる (図 19・14c, d). APC/C の活性は, コア複合体とこれら二つの基質結合サブユニットのうちの一つとの結合に完全に依存している. 分裂期中期から後期への移行期には, Cdc20 と結合した APC/C がサイクリン A および B を標的として分解し, 分裂期後期には Cdc20 と結合した APC/C が染色体分離を阻害するタンパク質をユビキチン化して分解している. 分裂期後期の後半, 終期, G_1 期では, Cdh1 と結合した APC/C は, 異なる基質を標的

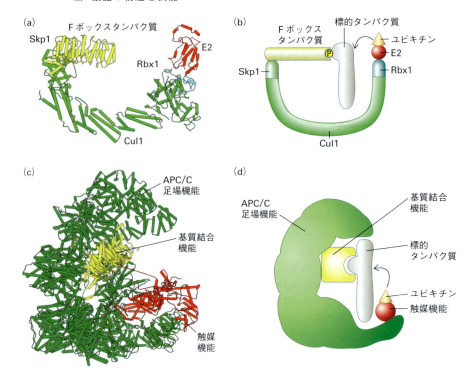

図 19・14 E3 ユビキチンリガーゼは細胞周期の進行を制御する. (a) SCF リガーゼは，中央の Cullin 足場(Cul1)から，一端に RING フィンガー含有 Rbx1 タンパク質と E2 ユビキチン結合酵素，他端に F ボックス基質結合タンパク質と結合した Skp1 タンパク質から構築されている．この例では，F ボックスタンパク質は Skp2 であり，一連のロイシンに富む反復配列を用いて，標的タンパク質がリン酸化されたときにのみ結合する. (b) この一般的な構造はすべての SCF リガーゼに保存されているが，異なるホスホセリン/トレオニン結合 F ボックスタンパク質が基質特異性を決定している. (c) APC/C E3 リガーゼは 13 あるいは 14 のサブユニットから構成され，SCF 複合体と同様に足場機能(緑)，基質結合機能(黄)，触媒機能(赤)に組織化されている. (d) APC/C は，Cdc20 または Cdh1 のいずれかの基質結合を認識するコアクチベーターと結合するまでは不活性である．この結合により触媒構成因子が活性化され，Cdc20 または Cdh1 に結合した標的タンパク質がユビキチンに結合する位置が決まる(橙の三角形).

として分解している．SCF 複合体と同様に，APC/C のコアは三つのモジュールで構成されている(図 19・14c)．複合体全体を構造的にまとめる足場モジュール，E2 酵素から活性化ユビキチンを受取る触媒モジュール，APC/C がユビキチン化するタンパク質を決定する基質認識モジュールがある.

リン酸化されていない場合，APC/C コアサブユニットの一つにあるループが，基質結合サブユニットである Cdc20 の APC/C 結合部位を阻害している．このループが分裂期の CDK によってリン酸化されると，リン酸化がプロテインキナーゼを活性化するのと同様の方法でループの位置が移動する(§3・4 参照)．これにより，Cdc20 が結合し，活性化型の APC/C^{Cdc20} 複合体が形成され，サイクリン A および B をユビキチン化して分解の標的とし，それによって分裂期の CDK 活性を停止させることができるのである．分裂期 CDK はまた，Cdh1 基質標的サブユニットをリン酸化し，中期と後期のはじめの間，Cdc20 サブユニットと APC/C への結合に対して競合するのを防いでいる．APC/C^{Cdc20} が分裂期サイクリンを標的として分解したのち，APC/C と Cdh1 はホスファターゼ，特に脊椎動物細胞では PP2A，酵母では Cdc14 の作用によって脱リン酸化され，Cdc20 の結合が妨げられる．その代わりに，Cdh1 が APC/C に結合して活性型の APC/C^{Cdh1} E3 リガーゼ複合体を形成し，次の細胞周期の G_1 期後半まで存続する.

APC/C の基質結合サブユニットは，APC/C がユビキチン化するタンパク質上の特定の配列モチーフを認識する．モチーフの一つである**破壊ボックス**(destruction box: D-box)は，RXXLX[D/E]ΦΦΦXN[N/S] という共通配列をもち，ここで X は任意のアミノ酸，Φ は任意の疎水性アミノ酸，カッコはその配列中の位置にある二つのアミノ酸のいずれかを意味する．分裂期サイクリンの破壊ボックスに実験的に変異を導入する，または削除すると，そのユビキチン化が妨げられ，細胞が分裂期から脱することができなくなることから，分裂期の終了には分裂期サイクリンの分解が必要であることが示された.

ホスホセリン/トレオニン結合ドメインが，CDK の活性化と細胞周期の進行を調整するフィードバックループを形成する

サイクリン–CDK の制御を理解するために議論すべき最後の分子構成要素は，ホスホセリン/トレオニン結合ドメインである．プロテインキナーゼによるリン酸化が，サイクリンの存在量，サイクリンの分解，CDK 活性の制御において非常に重要な役割を担っていることをみてきた．この制御の一部は，リン酸化タンパク質自体の形状のアロステリックな変化の直接的な結果であるが，タンパク質のリン酸化が細胞周期を制御するもう一つの重要な方法は，ホスホセリンまたはホスホトレオニンを含有する短い配列モチーフの形成を介して行われる．すなわち，これらのリン酸化モチーフは，リン酸化結合タンパク質，またはタンパク質ドメインによって認識され標的となる．これらのホスホセリン/トレオニン結合ドメインの機能を表 19・1 にまとめている.

これらのホスホセリン/トレオニン結合タンパク質とモジュールは，細胞周期制御のほぼすべての局面を司っている．最も一般的には，CDK 基質や CDK 活性化を制御するタンパク質にホスホセリン/トレオニン結合ドメインが結合すると，結合したタンパク質を細胞内の特定の場所に移動させる，立体構造を変化させる，活性を変える，あるいはリン酸化やユビキチンによる分解など特定の改変を行う，といった作用が働く．その一例が，先に述べた SCF リガーゼの基質標的サブユニットを構成する F ボックスタンパク質にみられる．多くの F ボックスタンパク質は，モジュール式のホスホセリン/トレオニン結合ドメインをもち，基質が特定のホスホセリン/トレオニン含有配列をもつ場合にのみ基質に結合する．したがって，基質タンパク質は，プロテインキナーゼによってあらかじめリン酸化されている場合にのみ，ユビキチン化および分解の標的となる．次節で述べるように，CDK が仲介する CKI

のリン酸化は，SCF が仲介する分解の標的となることで，CDK 活性を高め，それに続いて CKI 分解がさらに起こり，CDK 活性全体を増幅するフィードフォワードループが形成されうる．その他，細胞周期を制御する 14-3-3 タンパク質，CDK のリン酸化を促進する Cks タンパク質，リン酸化された細胞周期調節因子の活性を変化させる Pin1 というプロリンイソメラーゼ，分裂期にポロ様キナーゼ 1 を基質に結合させるポロボックスドメイン，DNA 損傷の監視と細胞質分裂を制御する FHA および BRCT ドメインなどのホスホセリン/トレオニン結合分子が存在している．これらのリン酸結合モジュールは，細胞周期の進行を制御するポジティブおよびネガティブフィードバックループを形成するのに必要であり（§19・6），また，破滅的な事象に対応して細胞周期を停止させる監視機構にも必要である（§19・7）．細胞周期制御の機構として，プロテインキナーゼがつくる短い配列を特異的に認識できることの重要性は，多くの異なる種類のタンパク質構造がこの種のリン酸化に対して特異的に結合することが可能であることからも明らかであり，リン酸化タンパク質への結合機能は収斂進化によってこれらの異なるタンパク質に生じた可能性が高い．

質量分析研究と遺伝子組換え CDK が，新しい CDK 基質と機能の発見をもたらした

異なる CDK はそれぞれ，特異的なタンパク質をリン酸化することで，異なる細胞周期の段階を開始する．CDK は，きわめて多くの基質をリン酸化することで，細胞周期の段階のすべての局面を直接開始することがいまでは明らかになっている．

近年，CDK のすべての基質の同定を試みる体系的な研究がはじまった．特異的なキナーゼの基質だけを同定する挑戦は，そのリン酸化現象を他のキナーゼのそれといかにして区別できるかにかかっている．サイクリン-CDK の既知の基質のリン酸化部位をマッピングし，また合成ペプチドを用いた研究により，サイクリン-CDK 複合体は，セリンおよびトレオニン残基が共通配列 [S/T]PX[R/K]K 内にあると優先的にリン酸化されることが明らかになった．ここで，P0 位置と表記される [S/T] は CDK リン酸化の部位であり，P3 位置のアルギニンまたはリシン，P4 位置のリシン，またはその両方を含む配列である．

他のキナーゼには結合しない ATP アナログを利用できる CDK 変異体という巧みな処理によって，どれが CDK の標的であるかを判別可能な打開策がつくられた．ATP アナログはかさ高いベンジル基をアデニンの 6 位の N にもつため，大きくなりすぎて，野生型のプロテインキナーゼの ATP 結合ポケットには入らない．しかし，この変異型 CDK の ATP 結合ポケットは，この N^6-ベンジル ATP アナログが収まるように改変されている．その結果，変異型 CDK だけがこの ATP アナログを利用可能となり，チオールでラベルされた γ 位のリン酸をタンパク質の側鎖に転移できる．γ 位を標識した N^6-ベンジル ATP アナログを，ATP 結合ポケットを改変した組換え分裂期 CDK を発現する細胞抽出液と混合してインキュベートすると，多数のタンパク質が標識された．そして，標識されたタンパク質は精製され，質量分析により同定された（図 19・15）．この方法によって，酵母では，既知の CDK の基質のほとんどに加えて，150 種類の新たなタンパク質が基質として同定された．

ここまで，細胞が細胞周期を 1 周させるのに必要なすべての核となる要素，すなわち，サイクリン，CDK，CDK が基質に与えるホスホセリン/トレオニンモチーフ，転写因子，その他のプロテ

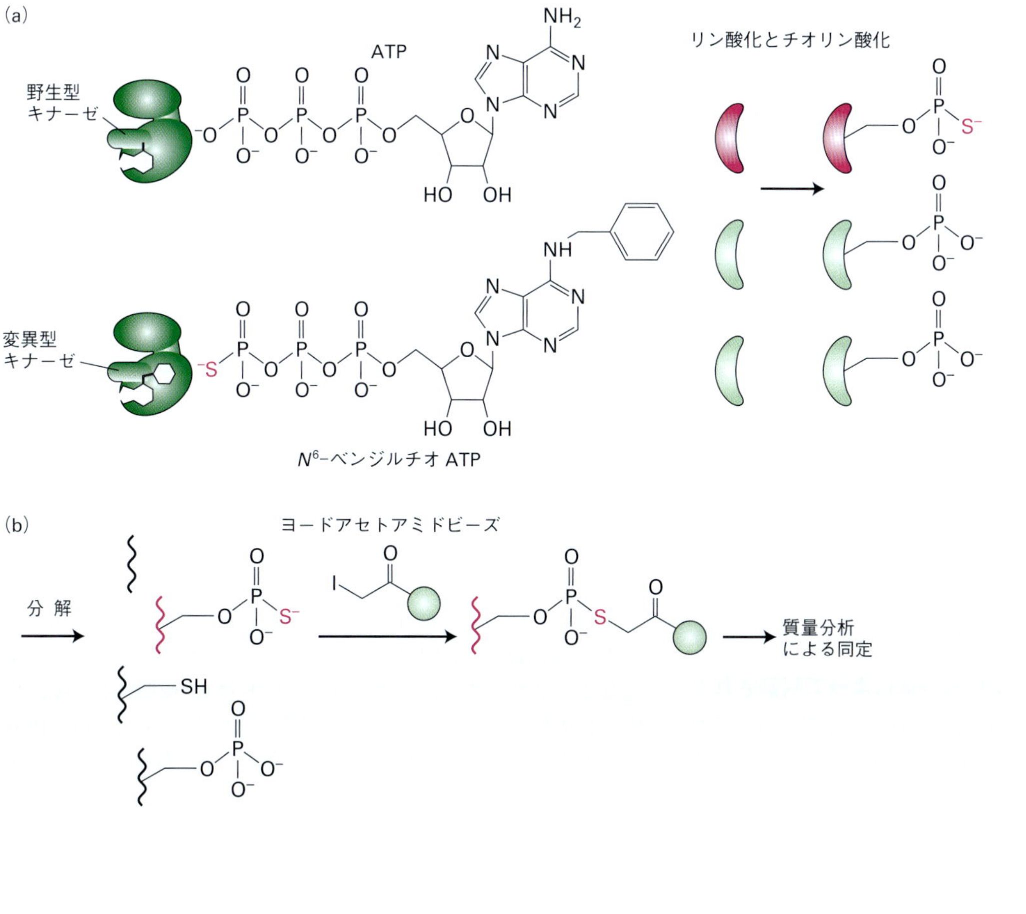

図 19・15 遺伝子操作された CDK 変異体を用いた CDK 基質の同定．(a) CDK の ATP 結合ポケットは，γ-リン酸の酸素原子の代わりに硫黄原子を含むかさ高い N^6-ベンジル ATP アナログを受入れるように遺伝子操作されている．ATP アナログで標識された変異体キナーゼの基質は，硫黄原子を含むことになる．(b) 細胞タンパク質をプロテアーゼ消化したのち，硫黄を含むペプチドをヨードアセトアミドビーズ（硫黄と結合する）を用いて精製し，質量分析でペプチドを同定する．

インキナーゼ，ホスファターゼ，CKI，E3 リガーゼとそれらが認識する配列モチーフ，リン酸結合タンパク質とドメインについて解説してきた．以降の節では，これらの構成要素がどのように連携して，細胞が細胞周期のある段階から次の段階へと移行していくかをみていくことにする．また，細胞周期の各段階で起こる重要な事象についても解説する．

> **19・3 細胞周期の進行と制御：フィードバックループと翻訳後修飾 まとめ**
> - サイクリン依存性キナーゼは，サイクリンサブユニットによって活性化される．この活性は多段階で制御されている．
> - 異なる細胞周期の段階で異なるサイクリンが CDK を活性化する．サイクリンは，それが促進する細胞周期の段階でのみ存在する．
> - CDK サブユニットの活性化および阻害的リン酸化は，CDK 活性の制御に寄与している．
> - CDK 阻害因子（CKI）は，サイクリン-CDK 複合体に直接結合することで CDK の活性を阻害する．
> - タンパク質の分解は，サイクリンを適切な細胞周期の段階に制限する重要な機構である．この分解はユビキチン-プロテアソーム系およびユビキチンリガーゼである APC/C と SCF によって仲介される．
> - ホスホセリン/トレオニン結合タンパク質とモジュール型ドメインは，CDK 調節因子や基質との結合により，CDK 活性の迅速な活性化・不活性化を可能にするポジティブフィードフォワードおよびネガティブフィードバックループを構築するために用いられる．
> - CDK は多くの異なる標的タンパク質をリン酸化することで細胞周期の各段階のすべての局面を開始する．修飾型 ATP のみと結合する改変変異型 CDK を用いた体系的な研究によって，多くの標的タンパク質が同定された．

19・4 G_1 期から S 期への移行と DNA 複製

前節で，異なるサイクリン-CDK 複合体を調節する多数の機構を解説した．本節と続く 2 節では，細胞周期の各段階を注意深く考察し，細胞周期が誘導されて調節されるしくみを説明していく．細胞がどのようなしくみで DNA 複製や有糸分裂を開始するのか，染色体はどのように分離するのかを考察する．また，サイクリン-CDK 複合体や他の重要な細胞周期調節因子が細胞周期の各段階に与える影響に焦点を当て，これら活性を調整させる機構を考察する．本節では，細胞が細胞分裂を行うかどうかを決定する機構，G_1 期から S 期への移行の分子基盤，および DNA 複製が開始される方法について検討する．まず，酵母の研究からみていこう．

出芽酵母の G_1-S 期移行はサイクリン-CDK 複合体によって制御される

特に出芽酵母では，細胞周期への移行過程がよく理解されており，この細胞周期移行の分子機構が最初に解明されたのも出芽酵母であった．

§19・1 で述べたとおり，S 期に移行するかどうかの決定は G_1 期の後半に起こり，不安定な R 因子の蓄積を必要とする．酵母では，R 因子の蓄積が，START とよばれる制限点を細胞が通過するように駆動している．洗練された遺伝学的実験により，G_1 期で停止し，出芽せず，DNA 複製を開始しない温度感受性の出芽酵母の突然変異体が同定された．これら変異体の一部のグループは，酵母の CDK 遺伝子をコードしていた．（先に言及したように，出芽酵母では，すべての細胞周期移行をひき起こすたった一つの CDK があり，CDC28 として知られる．）この観察により，CDK の活性が S 期への移行に必須であることが証明された．第二の突然変異体群は，不安定な R 因子の遺伝子に関係しており，それは **Cln3** として知られる酵母の G_1 期サイクリンである．これまでに，CDK カスケードが酵母の G_1 期から S 期へのさらなる進行をひき起こすことが明らかにされている（図 19・16a）．G_1 期サイクリン-CDK 複合体（酵母では Cln3-CDK）は，G_1/S 期サイクリン-CDK の形成を促進し，出芽形成，中心体複製，DNA 複製を開始させるのである．酵母では G_1 期サイクリン遺伝子 *CLN3* の mRNA は細胞周期を通じてほぼ一定量で産生されるが，その翻訳は栄養源の量に応じて制御される．すぐに解説するが，Cln3 は細胞周期への移行と栄養シグナルとをつなぐ役割を果たす．mRNA から Cln3 がいったん十分に合成されると，Cln3-CDK 複合体は転写リプレッサー Whi5 をリン酸化して不活性化する．Whi5 はリン酸化されると核外に排除され，転写因子複合体 SBF は *CLN1* や *CLN2* などの G_1/S 期サイクリン遺伝子や DNA 複製に重要な遺伝子の転写を誘導する．Cln1/2-CDK がいったん産生されると Whi5 はさらにリン酸化される．このポジティブフィードバックループが G_1/S 期サイクリン-CDK の迅速な蓄積を保証する．Whi5 の 50% が核外に排除される細胞周期の時点で，細胞は不可逆的に分裂することが運命づけられ，これが分子レベルで定義される START となる．Cln1/2-CDK は芽体の形成，S 期への移行，そして中心体の複製を促進する（中心体は酵母では**紡錘極体** spindle pole body としても知られ，細胞周期の後半で紡錘体を形成する）．

多細胞動物の G_1-S 期移行には，サイクリン-CDK による E2F 転写因子の制御とその調節因子である Rb が関与する

酵母で説明した一連の事象は，哺乳類，そして実際にはすべての多細胞動物細胞でも同様である．MAP キナーゼ（MAPK）経路を介した増殖因子シグナルは，サイクリン D ファミリーの一員である G_1 期サイクリンの転写を増加させるきっかけとなる．Ink4 CKI ファミリーの発現量が低いうちは，サイクリン D は G_1 期 CDK である CDK4 および CDK6 に結合し，活性化型の G_1 期サイクリン-CDK 複合体を形成する．そして，これらの G_1 期 CDK は，**E2F 転写因子**（E2F transcription factor: **E2F**）と総称される少数の関連転写因子ファミリーを活性化する．G_1 期の間，E2F は **Rb**（網膜芽細胞腫 retinoblastoma，図 19・16b）タンパク質との緊密な結合により不活性状態に維持される．G_1 期の CDK が活性化すると，Rb がリン酸化され，E2F から切り離される．放出された E2F は，DNA 合成に関与する多くのタンパク質をコードする遺伝子を活性化する．このように，E2F は G_1 後期において，出芽酵母の転写因子複合体 SBF と同様の機能をもつ（図 19・16a, b を比較）．また，E2F は G_1/S 期サイクリンであるサイクリン E と S 期サイクリンであるサイクリン A をコードする遺伝子の転

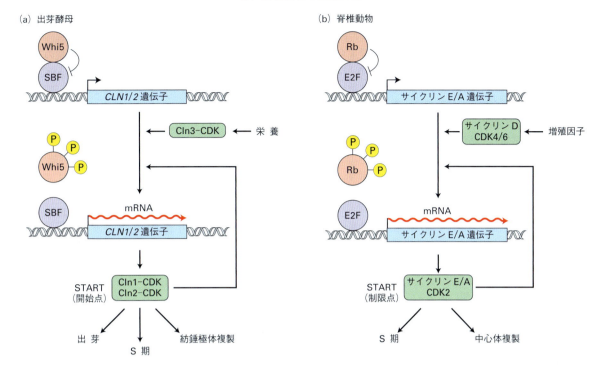

図 19・16 G$_1$-S 期移行の制御. (a) 出芽酵母では, G$_1$ 期サイクリン-CDK 複合体である Cln3-CDK 活性は G$_1$ 期に上昇し, 栄養状態で制御される. いったん十分に活性化されると, このキナーゼ複合体は転写リプレッサー Whi5 をリン酸化し, 核内から細胞質に排除する. その結果, 転写因子複合体 SBF は, G$_1$/S 期サイクリン遺伝子 CLN1 と CLN2 の転写と DNA 複製に必要な遺伝子の転写を誘導する. G$_1$/S 期 CDK も Whi5 をリン酸化することで CLN1 と CLN2 の転写はさらに促進される. G$_1$/S 期 CDK が十分量つくられると, START を通過する. 細胞は不可逆的に細胞周期に移行し, DNA 複製, 出芽形成を開始し, 紡錘極体の複製を開始する. (b) 脊椎動物では, G$_1$ 期 CDK 活性は G$_1$ 期に上昇し, 増殖因子によって刺激される. 分裂促進因子のシグナルが持続すると, サイクリン D-CDK4/6 複合体は Rb のリン酸化を開始し, E2F を解離する. その結果, サイクリン E や CDK2 さらに E2F 自身をコードする遺伝子の転写が促進される. サイクリン E-CDK2 複合体は Rb をさらにリン酸化し, E2F やサイクリン E-CDK2 の発現と活性を急速に上昇させるポジティブフィードバックループを誘導する. G$_1$/S 期 CDK がいったん高くなると, 細胞は制限点を通過する. つまり, 細胞は不可逆的に DNA 複製と中心体複製を開始する.

写を促進する. サイクリン E は G$_1$/S 期 CDK である CDK2 と複合体を形成し, さらに Rb をリン酸化するポジティブフィードバックループで, Cln1/2-CDK 複合体が Whi5 をさらにリン酸化するのと同様に, S 期移行を強化する (図 19・16).

前述のように, E2F 機能の制御の要となるのは Rb タンパク質である. E2F が Rb に結合すると, その転写が不活性化状態にあるばかりでなく, 転写を抑制する機能も発揮される. その理由は, Rb がヒストンタンパク質の特異的なリシン残基の脱アセチル化やメチル化を促進するクロマチン修飾酵素を集めるからであり, その結果, クロマチンは凝集して転写不活性化状態になる (§8・4 参照). RB は小児の網膜のがんである網膜芽細胞腫の変異遺伝子として最初に同定された. その後の研究から, Rb をコードする両方の対立遺伝子に変異が入るか, あるいは Rb のリン酸化の異常な制御によって, RB はほとんどのがん細胞で不活性化されていることがわかった (25 章).

哺乳類細胞における G$_1$ 期 CDK による Rb タンパク質の制御は, 酵母における Cln3-CDK による Whi5 の制御と類似している. G$_1$ 期 CDK による複数部位のリン酸化によって, Rb は E2F との結合が阻害され, 核外に排除される. その結果, E2F は S 期移行に必要な遺伝子の転写を活性化する. Rb 分子の複数のリン酸化によっていったん G$_1$/S 期サイクリンと CDK をコードする遺伝子が発現すると, G$_1$/S 期 CDK 複合体は G$_1$ 期後期に Rb をさらにリン酸化する. これは制限点を通過するために必要な主要な生化学反応の一つである (図 19・16b). E2F は自身の遺伝子発現も G$_1$/S 期サイクリン-CDK の遺伝子発現も促進するので, E2F と G$_1$/S 期サイクリン-CDK のポジティブフィードバックループの結果, G$_1$ 期後期に両方の活性は急速に高まる.

S 期 CDK と分裂期 CDK は蓄積するに従って, Rb タンパク質を S 期, G$_2$ 期, M 期の初期までリン酸化状態に保つ. 細胞が分裂期後期を完了し G$_1$ 期初期あるいは G$_0$ 期に入ると, すべてのサイクリン-CDK 活性は低下し, Rb の脱リン酸化に至る. これにより, 低リン酸化状態の Rb は, 次の細胞周期の G$_1$ 期初期や G$_0$ 期に休止した細胞で, E2F の活性を阻害するようになる. その結果, 細胞が新たな細胞周期に入ることを決定し, G$_1$ 期 CDK が Rb による E2F の抑制制御を打ち破るまで, G$_1$/S 期 CDK 活性は低い状態に保たれる.

細胞外シグナルは細胞周期移行を制御する

細胞が細胞周期に入るか否かは, 細胞内に加えて細胞外のシグナルに影響される. 酵母のような単細胞生物では, たとえば, **臨界サイズ** (critical cell size) として知られる適切な大きさに到達したときにのみ細胞周期に入る. この臨界サイズは環境から得られる栄養によっても同様に制御される. ここでは G$_1$ 期サイクリンの合成がタンパク質の合成速度に敏感に反応するという事実に

限定して解説する．タンパク質の合成速度は環境中の栄養によって制御されるシグナル伝達経路によって調節されている．巨大分子の生合成と細胞周期制御機構との関連は，出芽酵母でよく理解されている．この生物では，G_1期サイクリン転写物 CLN3 は短い翻訳領域を上流に含み，栄養源が制限されると Cln3 翻訳領域の翻訳開始を阻害する．栄養源が豊富な状態では，この阻害は減少する．十分な栄養源が存在すると，TOR シグナル伝達経路は栄養源と増殖因子シグナルを感知して活性化し，翻訳活性を刺激する（図21・3b 参照）．Cln3 は不安定なタンパク質であるため，Cln3 の濃度は mRNA からの翻訳速度に依存して上下する．その結果，Cln3 タンパク質の濃度に依存する Cln3-CDK 複合体の量と活性は，主として栄養源の量によって制御されることになる．

多細胞生物では細胞は栄養に囲まれており，通常，栄養は細胞増殖の律速ではない．どちらかといえば細胞増殖は，細胞を取囲む**分裂促進因子**（mitogen，増殖促進因子，マイトジェン）や**分裂抑制因子**（anti-mitogen，抗分裂促進因子）によって調整されている．16章で解説したように，G_0期に休止している哺乳類細胞に分裂促進因子を加えると，受容体型チロシンキナーゼに連結したシグナル伝達経路が活性化される．これらのシグナル伝達経路は，最終的に転写や細胞周期を制御する．哺乳類細胞では多様な方法でそれが行われる．

分裂促進因子は多数の遺伝子の転写を活性化する．これら遺伝子の多くは，その mRNA の出現の早さに応じて，**初期応答遺伝子**（early response gene）あるいは**遅延応答遺伝子**（delayed response gene）の2種類のどちらかに分類される．細胞質や核に既存する転写因子を活性化するシグナル伝達経路によって，初期応答遺伝子の転写は増殖因子の添加後数分以内に誘導される（16章）．初期応答遺伝子の多くは，c-Fos や c-Jun のような転写因子をコードし，遅延応答遺伝子の転写を促進する．初期応答転写因子である Myc は G_1 期サイクリンや CDK をコードする遺伝子の転写を誘導する．G_1 期サイクリンをコードする遺伝子の転写による調整に加えて，G_1 期 CDK は CKI によって制御される．CKI である $p15^{INK4b}$ は強力な CDK 阻害因子である．いくつかの組織では，分裂促進因子は転写を抑制することで CKI の産生を阻害する．

多くの組織では，細胞増殖は分裂抑制因子によっても制御され，細胞が細胞周期に入ることを阻害する．同様に細胞分化の間は，細胞は分裂を停止し G_0 期に入る．分化した細胞（たとえば，繊維芽細胞やリンパ球）の一部は刺激され，細胞周期に再移行し複製する．しかし，多くの最終分化した細胞は，二度と細胞周期に入らず複製しない．分裂抑制因子や分化誘導経路によって，G_1 期 CDK の蓄積は阻害される．それらは G_1 期サイクリンの産生と拮抗し，CKI の産生を誘導する．トランスフォーミング増殖因子 β（TGF-β）は重要な分裂抑制因子である．このホルモンは $p15^{INK4b}$ の発現誘導によって，G_1 期休止をもたらすシグナル伝達経路を活性化誘導する．25章で解説するように，多くのヒトのがんで，G_1 期 CDK を制御するシグナル伝達経路にしばしば変異がある．

S 期 CDK 阻害因子の分解は DNA 複製の引金となる

S 期への移行は DNA 上の複製起点で二本鎖 DNA がほどかれることによって定義される．G_1/S 期 CDK は，有糸分裂からの脱出や G_1 期の間に S 期サイクリンを分解している装置の働きを停止させることで，この過程において必須の役割を果たす．さらに，S 期 CDK を阻害する CKI の分解を誘導し，S 期 CDK の低活性から高活性への急速な移行を開始させる．

G_1/S 期サイクリン-CDK 複合体の重要な基質の一つは Cdh1 である．分裂期後期の終わりになると，Cdh1 は APC/C が S 期や分裂期サイクリンを含む基質タンパク質をユビキチン化するように指令し，その結果，基質タンパク質はプロテアソームによって分解される（図19・14d）．これにより，細胞は分裂期を終了すると，サイクリン CDK 活性の低い G_1 状態に移行し，次の細胞分裂への意思決定を行う前に，細胞内外の環境を評価することができるようになる．APC/C^{Cdh1} 複合体は G_1 期を通じて活性を維持し，S 期および分裂期のサイクリンが早期に蓄積されるのを防いでいる．細胞分裂の次の周期の条件が良好であれば，G_1/S 期サイクリン-CDK 複合体により誘導されるシグナル伝達経路を介した Cdh1 のリン酸化によって，Cdh1 は APC/C 複合体から解離し，G_1 後期の S 期サイクリンや分裂期サイクリンのさらなるユビキチン化が阻害される．そして，それらが徐々に蓄積するようになる（図19・17）．このサイクリン分解の阻害は，G_1 後期の S 期サイクリンの転写誘導とあいまって，G_1/S 期サイクリン-CDK 複合体量の増加に伴う S 期サイクリンタンパク質の蓄積を可能にする．細胞周期の後期では，S 期 CDK と分裂期 CDK が Cdh1 をリン酸化状態に保つ役割を引き継ぎ，Cdh1 を不活性化状態に保つ．分裂期 CDK が減少し，酵母では **Cdc14** とよばれるホスファターゼが活性化されると，これらの阻害的リン酸化が Cdh1 から取除かれて再活性化し，再び M 期および S 期サイクリンなどの分裂期のタンパク質が分解されるようになる．哺乳類細胞にも S 期サイクリンおよび分裂期サイクリンを安定化する類似の機構が存在するが，Cdh1 を脱リン酸化するホスファターゼは同定されていない．

出芽酵母では，APC/C^{Cdh1} 不活性化にひき続き，G_1 後期に S 期サイクリン-CDK 複合体が蓄積するが，分裂期後期と G_1 初期に

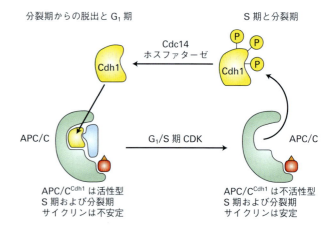

図 19・17 出芽酵母における S 期および分裂期サイクリン量の制御．有糸分裂期後期終盤には，APC/C は S 期および分裂期サイクリンをユビキチン化する．Cdh1 とよばれる特異性因子によって APC/C 活性は分裂期サイクリンに向けられる．Cdh1 活性はリン酸化で制御される．分裂期を出て G_1 期の間はこの特異性因子は脱リン酸化され，APC/C^{Cdh1} は活性化状態である．一方，S 期や分裂期では，Cdh1 はリン酸化され APC/C から解離し，APC/C^{Cdh1} は不活性化状態となる．G_1/S 期 CDK 自身は APC/C^{Cdh1} の基質とはならず，G_1 期から S 期移行の Cdh1 をリン酸化する．後期終盤には，酵母の Cdc14 とよばれるホスファターゼによってこの特異性因子の制御に重要なリン酸が除かれる．

発現する **Sic1** とよばれる CKI とすぐに結合し不活性化される (図 19・18a). Sic1 は S 期および分裂期 CDK 複合体を特異的に阻害するが, G_1 期 CDK や G_1/S 期 CDK 複合体には効果を及ぼさないので, S 期阻害因子として機能する. SCF ユビキチンリガーゼによって阻害因子の Sic1 がユビキチン化されると, Sic1 は急速に分解され, DNA 複製が開始する (図 19・18a).

Sic1 は G_1/S 期 CDK によってリン酸化されると, タンパク質分解が誘導される (図 19・18a). Sic1 は G_1/S 期 CDK によって比較的リン酸化されにくい基質であるが, SCF と結合しユビキチン化されるためには, 少なくとも 6 箇所リン酸化される必要がある. 一方, これがもし Sic1 の 1 箇所のリン酸化部位で不活性化されるとしたら, G_1/S 期 CDK 活性が上昇すると同時に Sic1 はリン酸化されて分解しはじめ, Sic1 の発現量は徐々に減少していき (図 19・18b), S 期への移行はうまく制御が効かなくなるだろう. 一方, 6 箇所のリン酸化部位が必要であるため, G_1/S 期 CDK 活性が低いと, Sic1 のリン酸化は一部が起こるのみで, Sic1 は分解されない. G_1/S 期 CDK 活性が高いときのみ, Sic1 の複数のリン酸化部位はリン酸化され, 分解される. したがって, 準最適化されたリン酸化部位を複数もつことで, Sic1 の分解において超高感度なスイッチのような反応が起こり, その結果, S 期 CDK が急激に活性化される (図 19・18c). このように, G_1/S 期 CDK 活性が最高に達したときのみ Sic1 は分解され, G_1/S 期 CDK の他のすべての基質も実際リン酸化される.

タンパク質の分解を細胞周期の重要な通過点の制御に利用することの明確な長所は, タンパク質分解が**不可逆的過程** (irreversible process) であるということにあり, これが細胞が細胞周期を一方向に進行することを保証する.

多細胞動物細胞の S 期への移行は, スイッチのようであり, 出芽酵母と類似のしくみで制御されている. Sic1 と同様, CKI p27 は, G_1 期の間, 結合を介して S 期 CDK の早すぎる活性化を阻害する. Sic1 と異なり, この CKI は S 期 CDK と G_1/S 期 CDK の両方を阻害する. 酵母の Sic1 と同様に, p27 は, ユビキチン依存的なタンパク質分解によって, サイクリン-CDK 複合体から除かれる. また, Sic1 に作用するものと類似する経路により, G_1–S 期移行時に, p27 は分解の標的とされる. G_1/S 期 CDK と S 期 CDK は, G_1 期後期と S 期初期に最大量に達するので, p27 のリン酸化を開始し, SCF^{SKP2} によるユビキチン化の標的にする. p27 の分解は, G_1/S 期および S 期 CDK の活性化をひき起こす. これらキ

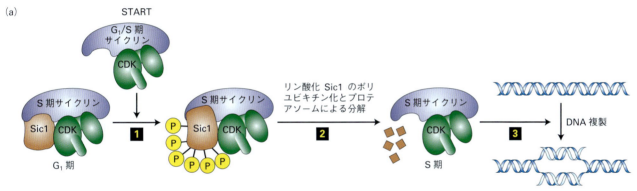

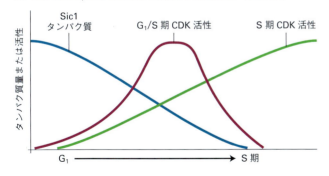

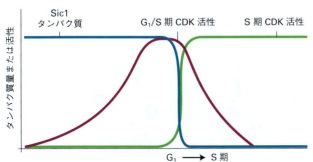

図 19・18 出芽酵母では, S 期阻害因子 Sic1 のリン酸化制御を介した分解調節によって, S 期開始がスイッチ的に制御される. (a) S 期サイクリン-CDK 複合体は G_1 期に蓄積しはじめるが Sic1 によって阻害状態になる. G_1 期の事象がすべて完了するまでこの阻害によって DNA 複製ははじまらない. G_1 期後期に集合する G_1/S 期サイクリン-CDK 複合体は Sic1 の複数の部位をリン酸化する (段階❶). リン酸化依存的に結合して SCF ユビキチンプロテインリガーゼによってユビキチン化され, つづいてプロテアソーム分解を受けるよう標識される (段階❷). 次に, 活性化された S 期 CDK は, DNA 合成の開始をひき起こす (段階❸). これは, S 期 CDK が MCM ヘリカーゼ活性化因子をリン酸化し, DNA 複製起点に集積させることで行われる (ここでは示されていない). (b) SCF ユビキチンプロテインリガーゼのリン酸化結合 F ボックスに強く認識される Sic1 の最適な G_1/S 期 CDK リン酸化部位が 1 箇所の場合は, G_1–S 期移行は緩やかなものとなる. G_1/S 期 CDK が G_1 期に蓄積されると, Sic1 は徐々に分解されることになる. その結果, S 期 CDK 活性は緩やかに上昇し, S 期の開始は長引いたものとなる. (c) Sic1 の六つのリン酸化部位が, スイッチのような細胞周期移行をひき起こす. Sic1 のすべての準最適な部位が完全にリン酸化されたときのみ, SCF のリン酸化結合 F ボックスに Sic1 が認識される. これは, G_1/S 期 CDK が高濃度に達したときにのみ起こりうる. これにより, Sic1 の分解は, G_1/S 期 CDK が他の G_1 期における作業をすべて達成したときにのみ, 急速に起こることが保証される. [P. Nash et al., 2001, *Nature* **414**: 514; D. O. Morgan, 2006 参照.]

ナーゼは，DNA 複製の開始に重要なタンパク質をリン酸化することによって，S 期を開始させる．

細胞周期を通じて各複製起点での複製は 1 回のみである

5 章で述べたように，真核生物の染色体は複数の複製起点から複製される．複製起点とは，複製装置が組立てられ，二本鎖の DNA のコピーがはじまる染色体上の特定の場所のことである．これらの起点からはじまるすべての染色体 DNA の複製は，S 期に行われる．S 期では，各染色体の全長にわたり存在する複数の複製起点のそれぞれから複製が起こり，染色体全体が完全に複製されるまで続けられる．一つの起点から複製された DNA は**レプリコン**（replicon）とよばれる．このようにレプリコンをつくり，融合させることにより，各 DNA 鎖は一度だけコピーされ，細胞が複製されるたびに正しい遺伝子コピー数が維持されている．

S 期 CDK は，DNA 複製の制御において必須の役割を果たす．のちほど詳しく述べるが，これらのキナーゼは，G_1-S 期移行時のみ DNA 複製を開始させ，すでに複製がはじまった起点からの再開始を防ぐ．まず，DNA 複製の開始がどのように制御されているか，そしてその過程における S 期 CDK の役割について述べ，次に，これらのキナーゼが再開始を防ぐ機構について述べることにする．

出芽酵母の実験的操作として利用できる強力な遺伝学的手法により，DNA 複製に欠陥のある特定の変異体が同定されている．その結果，酵母が DNA 複製を開始し，実行する機構について，かなり包括的に理解することができるようになった．酵母と哺乳類細胞では多くの細部が異なるが，基本的な過程は同じである．そこで，まず，出芽酵母で DNA 複製がどのように行われるかに焦点を当てて議論をしてみよう．ゲノム複製の五つの基本段階は，すべての真核生物種で本質的に同じであることを覚えておくことが重要である（図 19・19）．その段階とは，1) 複製起点を認識する，2) 複製開始因子を集合させ，複製ヘリカーゼを引寄せて，いわゆる複製前複合体（プレ RC）を形成する，3) 重要なヘリカーゼ補因子を集める，4) 2 本の DNA 鎖をほどくヘリカーゼが活性化する，5) それぞれの鎖を複製する DNA ポリメラーゼ（すなわち"レプリソーム"）が DNA に結合する，である．

DNA 複製は S 期まで行われないが，実は最初の 2 段階は，G_1 期 CDK と S 期 CDK の活性が低い G_1 期に行われる．図 19・19 に示すように，段階**1**においては，**複製起点認識複合体**（origin recognition complex: **ORC**）として知られる六つのタンパク質からなる複合体が，すべての DNA 複製起点に結合する．出芽酵母では，ORC はすべての複製起点にみられる 11 bp の保存されたコア配列に結合する．しかし，多細胞生物では，DNA 複製起点として認識される共通配列が存在しないため，状況はより複雑である．

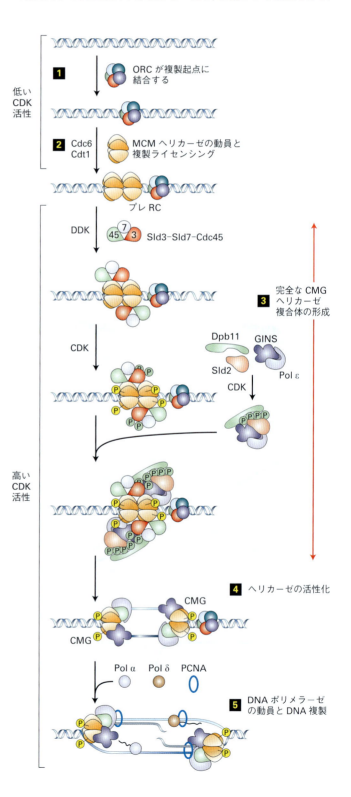

図 19・19 DNA 複製の開始を支配する分子機構．段階**1**：CDK 活性が低い有糸分裂終了時および G_1 初期に，ORC は複製起点を認識し，結合する．段階**2**：MCM 結合因子である Cdc6 と Cdt1 が，不活性な複製ヘリカーゼである MCM 複合体を複製起点で DNA に結合させ，プレ RC を形成する．段階**3**：S 期 CDK と DDK の活性化により，S 期が開始される．MCM ヘリカーゼや，Sld2, Sld3 がリン酸化され（P），MCM ヘリカーゼ活性化因子である Cdc45 と GINS 複合体の複製開始点への結合が促進される．段階**4**：これらの活性化因子の結合により，MCM ヘリカーゼは DNA を巻戻す．S 期 CDK はまた，Cdc6 と Cdt1 をリン酸化し，複製起点からの放出，核外輸送，ユビキチンリガーゼによる分解を促進することにより，MCM ヘリカーゼの再結合を防ぐ．S 期 CDK もまた MCM ヘリカーゼをリン酸化し（P），複製が完了したときにヘリカーゼが DNA から外れると，核から排出されるようになる．段階**5**：DNA ポリメラーゼ Polα（プライマーゼ）と Polδ が，プロセシング因子 PCNA とともに複製開始点に集められ，リーディング鎖とラギング鎖の両方で DNA 複製が開始される（図 5・12 参照）．[Y. Li and H. Araki, 2013, *Genes Cells* **18**: 266 による．]

その代わりに，クロマチン関連因子がORCを複製起点にあるDNAに結合させると考えられている．いったんDNAに結合したORCは，DNA複製の開始に必要な追加因子が集合のための足場として機能すると考えられている．段階**2**においては，二つの複製開始因子Cdc6とCdt1は，複製起点でORCに結合したのち，**MCMヘリカーゼ**（MCM helicase，MCMはmini chromosome maintenanceの略）とよばれる六つのタンパク質からなる別の複合体をDNA上に結合させ，プレRCの形成を進める．MCM複合体は，二つの反対方向を向いた六量体としてDNA上に結合すると考えられており，これによりDNAの巻戻しが複製起点から両方向に進行することができる．G_1期でいったん複製起点DNA上に結合したMCMヘリカーゼは，細胞がS期に入るまで不活性な状態を維持する．この活性の制限は，CDKが二つの相反するリン酸化状態を制御することによって与えられている．MCMヘリカーゼは，分裂期の終了時とG_1期初期にCDKが不活性化したときに起こるCDK活性の低い状態でのみ，DNA上に結合することができる．つまり，MCMヘリカーゼは，非リン酸化状態のときのみ，DNAに結合し，プレRCを形成する．このDNA結合とは対照的に，MCMヘリカーゼの活性化と巻戻されたDNA複製起点へのDNAポリメラーゼの結合は，MCMヘリカーゼタンパクがリン酸化されているときにのみ起こる．これはS期においてのみ起こり，S期CDKと**DDK**（Dbf4依存性キナーゼ Dbf4-dependent kinase）とよばれる第二のプロテインキナーゼによってリン酸化されるのである．

活性にサイクリンとの結合を必要とするCDKと同様に，DDKキナーゼサブユニット（**Cdc7**ともよばれる）は単量体のままでは不活性である．DDKはDbf4サブユニットと結合したときのみ，キナーゼ触媒活性を獲得する．G_1期の間，Dbf4タンパク質はAPC/Cによって継続的に分解される標的となっている．CDKのリン酸化によってAPC/Cが不活性化されるS期においてのみ，Dbf4は蓄積され，DDKを活性化する．（G_1/S期CDKが最大量に到達し，S期CDKに対するCKIが分解されるときのみ，S期CDKは活性化されることを思い出してほしい．）このリン酸化とユビキチン化を介した制御をまとめると，S期におけるCDKとDDKの活性上昇が，G_1期にのみ起こるプレRC形成（すなわちMCMヘリカーゼのDNA上への結合）と，S期にのみ起こるDNA複製を開始する複製起点での発火を厳密に時間的に分離している，という重要な概念が浮かび上がってくる．プレRCの形成は，**複製ライセンシング**（replication licensing）とよばれることもあり，MCMが結合した複製起点は，のちのS期に発火することを許可されるということを意味している．G_1期にのみ複製起点をライセンスし（図19・19，段階**1**と**2**），S期にのみ複製起点を発火する（段階**3**〜**5**）ことにより，細胞は各複製起点が細胞周期を通過するたびに一度だけDNA複製を開始させるようにし，それによって不適切なゲノムの再複製の防止に努めている．

では，S期CDKとDDKは，DNA複製の開始と再複製防止のために，どのような機構を介して協働しているのだろうか．その過程はかなり複雑で，正確な順序は酵母と多細胞生物で多少異なるが，基本的な考え方はすべての細胞で同じで，まずヘリカーゼの補因子を引寄せて（段階**3**），MCMヘリカーゼを活性化する（段階**4**），そして同時に複製ポリメラーゼ装置（レプリソーム）をDNA上に結合させる（段階**5**）．この連携により，DNAが過度に巻戻され，大量の一本鎖DNAが蓄積されることを防いでいる．この活性化過程では，活性型のCdc45-MCM-GINS（CMG）ヘリカーゼ複合体を形成するために，不活性なMCMヘリカーゼが，Cdc45とGINSをそれぞれ含む他の二つのタンパク質複合体と結合する．CMG複合体の形成には，G_1後期に活性化されるDDKとS期CDKの両方によって触媒されるリン酸化反応が必要である．酵母では次のようになる．DDKはMCMヘリカーゼのいくつかのサブユニットのN末端をリン酸化し，その構造を変化させ，二つの重要なMCMヘリカーゼの補因子のうちの一つ，**Cdc45**として知られるタンパク質を引寄せる．Cdc45はMCMヘリカーゼの活性に必要であり，他の二つのタンパク質Sld3およびSld7との複合体の一部としてMCMヘリカーゼに結合する（段階**3**）．Sld3は，Polε（リーディング鎖を合成する複製ポリメラーゼ）を含む別のタンパク質複合体を引寄せ，完全に活性化したCMGヘリカーゼを形成する．複製起点が巻戻され（段階**4**），Polα（プライマーゼ），Polδ（ラギング鎖を合成する複製ポリメラーゼ），PCNA（ポリメラーゼをDNAに固定し，処理能力を高めるDNAスライドクランプ）が結合し，複製がはじまる（段階**5**）．

S期CDKは，DNA複製の開始に必須であるほか，S期でそれぞれの複製起点が1回のみ働くことを保証する役割も果たす．S期の間に複製起点が再稼動しないしくみには，MCMヘリカーゼ結合複合体の数種類の構成因子とMCMヘリカーゼ自身のリン酸化が利用されている．これらリン酸化の現象をDNA複製の開始に必要なリン酸化の現象と区別するために，図19・19では**P**で示している．MCMヘリカーゼの活性化に付随して，Cdc6とCdt1がDNA複製開始点から解離する．酵母では，これらの因子はいったん解離すると，リン酸化が目印となり，Cdt1は核外に移行され，Cdc6はSCFユビキチンリガーゼにより分解される．リン酸化されたMCMヘリカーゼは，DNA複製の終了時にDNAから解離し，核内から核外へ排出される．このように，有糸分裂から脱出し，APC/C^{Cdh1}によってCDK活性が低くなったときのみ，MCMヘリカーゼはDNAに再び結合することができる．その結果，ヘリカーゼのDNAへの結合は，分裂期後期とG_1期初期に限定される（段階**1**と**2**）．

多細胞動物細胞においてDNA複製開始を制御する一般的な機構は，出芽酵母のそれと類似しているが，脊椎動物ではいくらか異なる．CDK活性が低くなるG_1期に，ヘリカーゼはDNAに結合する．G_1/S期CDKやS期CDKによるMCMヘリカーゼ活性化因子のリン酸化は，ヘリカーゼを活性化し，ポリメラーゼのDNAへの結合を促進する．酵母では，MCMヘリカーゼ結合因子であるCdt1とCdc6のリン酸化は，細胞が分裂期を通過するまでMCMヘリカーゼの再結合を阻害し，その結果，それぞれの複製起点からの複製は，細胞周期を通じて1回だけ起こることが保証される．加えて，脊椎動物では，小さなタンパク質であるジェミニン（geminin）が，完全な細胞周期の完了まで，複製起点での再開始を阻害する．ジェミニンはG_1期後期に発現する．DNA複製がいったんS期で開始されると，MCMヘリカーゼは複製起点から放出されるが，ジェミニンはCdt1と結合して，それを阻害することで（段階**2**），MCMヘリカーゼが再度複製起点に結合することを抑制している．ジェミニンは，N末端にAPC/C^{Cdh1}によって認識される破壊ボックスを含むため，分裂期後期の終わりにユビキチン化され，プロテアソームによって分解される．この分解に

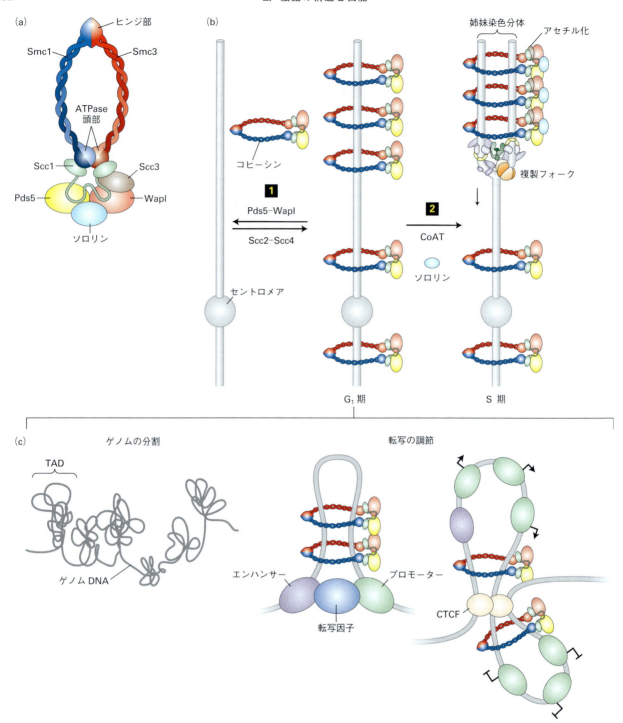

図 19・20 姉妹染色分体間のコヒーシン架橋モデル．コヒーシン複合体は環状構造を形成し，姉妹染色分体に結合し，2 本の姉妹 DNA 分子をつなぎとめる．(a) 酵母のコヒーシン複合体の概略構造．脊椎動物のコヒーシンの構造も，一部のタンパク質の名前が異なるだけで，基本的には同じである．(b) コヒーシンが DNA に結合し結合特性を発揮する機構．段階 **1**: G_1 期にコヒーシンは，コヒーシン結合複合体 Scc2-Scc4 によって染色体に結合するが，接着するような結合特性はない．この段階でコヒーシンは動的であり，DNA に沿って滑ったり，コヒーシンと結合できる Pds5-Wapl 複合体の助けで DNA から離れることができる．段階 **2**: DNA 複製に付随して，複製フォークのすぐ後ろで，コヒーシンは結合活性がある状態に転換され，姉妹染色分体をつなぎとめる（複製された姉妹染色分体を締めつける結合環として示している）．このとき，コヒーシンアセチル化転移酵素 (CoAT) による Smc3 のアセチル化が必要である．脊椎動物では，SMC3 上の茶の丸で示したアセチル化と同時にソロリンはコヒーシンに結合し，コヒーシンが染色体上で安定化するのを助ける．出芽酵母では，姉妹染色分体は図のように一つのコヒーシンの輪の中に抱き込まれている．(c) G_1 期のコヒーシンがもつ DNA のつなぎとめとは別の機能としては，ゲノム DNA を核内の**トポロジカルドメイン**(topologically associating domain: TAD) とよばれる個別の区画に分割すること，染色体 DNA のループ化によりエンハンサーをプロモーターや転写開始点に近づけることで遺伝子発現を制御することなどがあげられる．CCCTC 結合因子 (CTCF) との組合わせにより，コヒーシンループは，矢印で示すようにクラスター内のある遺伝子を活性化し，T の記号で示すように他の遺伝子を抑制することができる．[(c) は A. Losada, 2014, *Nat. Rev. Cancer* **14**: 389 による．]

よってMCMヘリカーゼ結合因子は解放され，またCDK活性の低下とともに脱リン酸化され，複製起点上のORCに結合し，次のG₁期の間にMCMヘリカーゼを結合する．S期には，ユビキチンによるCdt1の分解とジェミニンによる残存Cdt1の不活性化という重複した機構により，偶発的な染色体再複製が起こらないように制御されている．

複製の間，複製したDNA鎖はつながれた状態にある

S期で生成された姉妹染色分体は，分裂期の中期から後期に移行する際に分離するまで，一緒につなぎとめられていることが必須である．S期に染色体は複製して姉妹染色分体を形成するが，それらはタンパク質の鎖によって互いにつなぎとめられる．姉妹染色分体の結合を確立するタンパク質リング複合体は**コヒーシン**（cohesin）とよばれる．コヒーシン複合体は，四つのサブユニットから構成される．Smc1とSmc3，Scc1，Scc3である（図19・20a）．Smc1とSmc3は染色体構造維持タンパク質（SMC）ファミリーの一員であり，N末端とC末端の球状ドメインが長いαヘリックスで連結されていることが特徴である．このαヘリックスは途中で球状のヒンジドメインによって折り曲げられ，それぞれのタンパク質のαヘリックスの半分ずつが折り重なってコイルドコイル構造を形成している．球状頭部ドメインはATPと結合し，加水分解を行う．ATPaseドメインはScc1およびScc3と結合し，環構造を形成する．コヒーシンの環構造は複製したDNAの1コピーあるいは両コピーを取囲む．コヒーシンを実験的に不活化させると姉妹染色分体は互いに適切に結合できない．

姉妹染色分体の間のコヒーシンを介した接着は2段階の過程で形成され，DNA複製と密接に結びついている．最初に，G₁期にコヒーシンは染色体と結合する．この結合はコヒーシン結合因子Scc2とScc4により補助される（図19・20b, 段階**1**）．G₁期には，コヒーシンと染色体の相互作用はとても動的である．Scc2とScc4を介する染色体への結合に加えて，Pds5とWaplタンパク質からなるコヒーシン結合複合体は，コヒーシンの染色体からの解離を持続的に促す．コヒーシンのこの持続的な結合と解離の動きは，間期の染色体構造や遺伝子発現を制御するうえで重要なようである（図19・20c）．

コヒーシンはDNA複製の間に，つなぎとめる特性を獲得する．次に，複製フォークがDNAを複製するとともに，2本の複製されたDNA鎖はコヒーシンの環によってつなぎとめられる(段階**2**)．DNAに結合したG₁コヒーシンを結合力のある複合体に転換するには，コヒーシンアセチル化転移酵素（CoAT）によるSmc3サブユニットのアセチル化が必要である．このアセチル化はPds5-Waplによるコヒーシンの解離を阻害し，染色体上のコヒーシンを安定化する．脊椎動物では，コヒーシンの安定化にはコヒーシン結合因子ソロリン（sororin）が必要である（図19・20aとbの段階**2**）．§19・6で解説するように，コヒーシンは，複製した姉妹染色分体を紡錘体に正確に付着させるため，また，有糸分裂の間に分離するために必須である．

また，コヒーシンは，間期細胞核内の染色体の空間配置的な局在を制御し，遺伝子発現の制御に役立っている（図19・20c）．ある場合では，コヒーシンは遺伝子発現を促進するが，別の場合では抑制する．しかし，コヒーシンが遺伝子発現を制御する機構は両者で同じである．コヒーシンはクロマチンループ形成を促進し，その結果，エンハンサーや抑制配列がプロモーターや転写開始点の近傍にもたらされる．コヒーシンによる遺伝子発現制御機能の欠損は，**コヒーシン病**（cohesinopathy）と総称される一群の疾患の原因となる．この疾患では，コヒーシンサブユニットやコヒーシン結合因子の変異が発生に重要な遺伝子発現を破壊し，四肢や頭蓋顔面の変形や知的障害をひき起こす．しかし，これら疾患におけるコヒーシンの姉妹染色分体結合機能は正常のようである．それに対して§19・8で解説するように，減数分裂におけるコヒーシンの結合機能の欠損は流産や知的障害をひき起こす．

19・4 G₁期からS期への移行とDNA複製 まとめ

- 細胞周期への移行を促進する分子的な現象は，種を超えて保存されている．G₁期CDKは転写リプレッサーをリン酸化し阻害する．これによって，G₁/S期サイクリンやS期に重要な他の遺伝子の転写が可能となる（図19・16）．
- 栄養状態のような細胞外シグナル（酵母の場合）や分裂促進因子や分裂抑制因子の存在（脊椎動物の場合）によって，細胞周期への移行が制御される．
- 分裂促進因子とよばれるさまざまなポリペプチド性の増殖因子は，哺乳類培養細胞を刺激し，初期応答遺伝子の発現を誘導することで，細胞を増殖させる．初期応答遺伝子の多くは，G₁/S期サイクリンやE2F転写因子の遺伝子発現を刺激する転写因子をコードしている．
- G₁/S期CDKは，Cdh1をリン酸化して阻害する．Cdh1は，後期促進複合体（APC/C）がS期および分裂期サイクリンをユビキチン化するように指令する特異的な因子である．その結果，S期サイクリンはG₁期後期に蓄積する（図19・17）．
- 酵母では，S期CDKはまずSic1によって阻害される．一連のリン酸化部位は，Sic1がSCFユビキチンプロテインリガーゼのホスホセリン/トレオニン結合ドメインに結合するための指標となり，Sic1のユビキチン化とプロテオソームを介する分解を誘導する．これにより，活性化されたS期CDKが解放され，S期が急速に開始される（図19・18）．動物細胞では，Cip/Kip CKIタンパク質のリン酸化依存性分解が同様の方法で機能し，S期開始を制御している．
- DNA複製は，複製起点として知られるヘリカーゼが結合する部位から開始される．
- MCMヘリカーゼの結合と活性化は，互いに排他的な細胞周期の状態で生じる．CDK活性が低いときのみ，MCMヘリカーゼの結合は起こる（G₁期初期の間）．CDK活性が高いとき（S期の間）のみ，MCMヘリカーゼは活性化される．
- S期CDKとDDKは，MCMヘリカーゼ活性化因子を複製起点に結合させることで，DNA複製開始の引金を引く（図19・19）．
- DNA複製の開始は，細胞周期を通じて，それぞれの複製起点で1回だけ起こる．これは，S期CDKがヘリカーゼを活性化すると同時に，さらなるヘリカーゼのDNA上への

> ・コヒーシンは，複製された DNA 分子間の結合を確立する（図 19・20）．これは細胞周期ののちに生じる正確な染色体分配に必須となる．この結合機構は DNA 複製と連結している．

19・5　G_2-M 期移行と有糸分裂の不可逆的な動力

S 期が完了し，全ゲノムが複製すると，2 本の複製した DNA 染色体である姉妹染色分体は，将来の娘細胞に分配される．この過程には，染色体分配を促進する装置である紡錘体の形成だけでなく，本質的に細胞の完全な再構築が必要である．染色体は凝縮し，紡錘体に付着する．核膜は崩解し，ほとんどの細胞小器官は再形成あるいは修飾される．これらの事象は，分裂期の CDK と，他の少数の重要な分裂期キナーゼ，特に Aurora キナーゼとポロ様キナーゼによってひき起こされる．本節では，まず，DNA 複製の完了後の G_2 期に，分裂期の CDK が，CDK 自身と Aurora キナーゼ A およびポロ様キナーゼ 1（Plk1）を含む一連のポジティブフィードバックループを通して，どのように急激に活性化されるかを解説する．次に，多細胞動物に起こる現象に焦点を当てて，これらプロテインキナーゼが，どのようにして後期に姉妹染色分体分離促進に必要な劇的な変化を細胞内にひき起こすかを解説する．

ポジティブフィードバックループによる急激な分裂期 CDK の活性化が有糸分裂を開始する

分裂期 CDK が有糸分裂を開始する．触媒作用のある CDK サブユニット（分裂期 CDK）の発現量は細胞周期を通じて一定であるが，分裂期サイクリンは S 期にしだいに蓄積する．ほとんどの真核生物は多数の分裂期サイクリンをもち，それらは歴史的理由からサイクリン A およびサイクリン B ファミリーに分類される．それらが集合すると，サイクリン-CDK 複合体は，CDK1 サブユニット上の阻害的リン酸化を通じて，不活性化状態で維持される．§19・3 で解説したように，哺乳類 CDK 内の高度に保存されたチロシンとトレオニンの 2 残基は制御されたリン酸化を受ける．CDK1 では，トレオニン 14 とチロシン 15 のリン酸化は，分裂期サイクリン-CDK 複合体を不活性化状態に維持する（図 19・12）．Thr14 と Tyr15 のリン酸化状態は，**Wee1** として知られている二重特異的プロテインキナーゼと，1 対の二重特異的ホスファターゼである **Cdc25B** と **Cdc25C** によって制御されている．このような二重特異性をもつキナーゼとホスファターゼは，それぞれチロシンとセリン/トレオニンのすべてをリン酸化あるいは脱リン酸化できる．これらの活性による分裂期 CDK1 の制御は，G_2-M 期移行における CDK キナーゼ活性の急激な活性化の基盤となっており，分裂期サイクリンは S 期と G_2 期に緩やかに蓄積するものの，細胞が有糸分裂に入るまで分裂期 CDK は活性化しないという観察結果をよく説明する．

G_2 期の細胞の分裂期への移行を制御する Wee1 と Cdc25 の重要な役割は，分裂酵母の研究からはじめて明らかにされた．§19・2 で分裂酵母が G_2 期の間に細胞の大きさと細胞分裂を調整していることを思い出してほしい（図 19・4）．これは，出芽酵母や脊椎動物の細胞が G_1 期に細胞の大きさと細胞分裂を調整し，したがって細胞周期のほとんどをこの時期に過ごすのとは対照的である．つまり，分裂酵母が分裂するときの長さは，G_2 期の期間をそのまま反映していることになる．分裂酵母では，二重特異的プロテインキナーゼ Wee1 が CDK の阻害的 Tyr15 をリン酸化する（図 19・13）．（分裂酵母の CDK1 の Thr14 はリン酸化されない．）$wee1^+$ 遺伝子を欠損する酵母細胞では，分裂期 CDK は早まって活性化されるため，有糸分裂への早すぎる移行が観察される．それゆえ，$wee1$ 変異体は，普通の細胞に比べて，大きさが小さい．実際，スコットランドの言葉で "小さい" を意味する "wee" は，この遺伝子に変異が生じると細胞が小さくなることに由来している．CDK1 の Tyr15 をリン酸化する Wee1 の重要性と一致して，Tyr15 残基をフェニルアラニン（フェニルアラニンは構造的にチロシンに類似しているがリン酸化されない）に置換した変異型 CDK1 をもつ分裂酵母細胞では，同様の早まった分裂期 CDK の活性化と有糸分裂移行が観察される．一方，$cdc25$ 遺伝子に変異をもつ分裂酵母細胞は，G_2 期において停止し，非常に長い細胞を生じさせる．このことは，Wee1 活性に対抗するこのホスファターゼが分裂期への移行に必須であることを示している．

脊椎動物は，分裂酵母と同じ Wee1 プロテインキナーゼをもつが，複数の Cdc25 ホスファターゼをもつ．Cdc25B と Cdc25C の二つのファミリーメンバーは，G_2 期中に CDK1 上の阻害的なリン酸化を除去している．Cdc25B は CDK1 の活性化を開始する開始ホスファターゼとして働き，Cdc25C は大多数のサイクリン-CDK1 複合体を活性化する主力ホスファターゼとして働くと考えられている．

G_2-M 期移行における分裂期 CDK の急激な活性化は，Wee1 の急速な不活性化と Cdc25 の活性化の結果である．この急速な移行には，CDK，ポロ様キナーゼ 1（Plk1），ホスホセリン/トレオニン結合ドメインから構築される二つのポジティブフィードバックループが中心となっており，分裂期 CDK と Plk1 は同時に Cdc25 を活性化して Wee1 を不活性化する（図 19・21）．この過程は，開始ホスファターゼである Cdc25B が中心体においてサイクリン B-CDK1 の最初の小さなプールを活性化することからはじまり（段階**1**），これが中心体の成熟を促進すると考えられている．このようにして生成された活性化したサイクリン B-CDK1 の最初のプールは，次に細胞質で主力のホスファターゼである Cdc25C をリン酸化する．このとき，リン酸化結合ドメインを介して Cdc25C を認識する Pin1 および Plk1 が引寄せられる．これらのタンパク質は，さらに Cdc25C を修飾してリン酸化し，そのホスファターゼ活性を増加させる（段階**2**）．このようにしてつくられた活性型 Cdc25C のプールは，今度は細胞質性のサイクリン B-CDK1 の大きなプールを活性化し，これがポジティブフィードバックループ 1 の一部として，より多くの細胞質 Cdc25C を活性化させる．Cdc25C が活性化されると同時に，分裂期の CDK と Plk1 は Wee1 をリン酸化し，リン酸化結合型 SCF タンパク質-ユビキチンリガーゼを介して分解の標的となる．これによりポジティブフィードバックループ 2 が形成される（段階**3**）．この二つのポジティブフィードバックループの組合わせ〔CDK1 活性化因子（Cdc25C）を活性化するものと，CDK1 阻害因子（Wee1）を阻害するもの〕によって，G_2 期から分裂期への急激かつ不可逆的な移行が生じる．

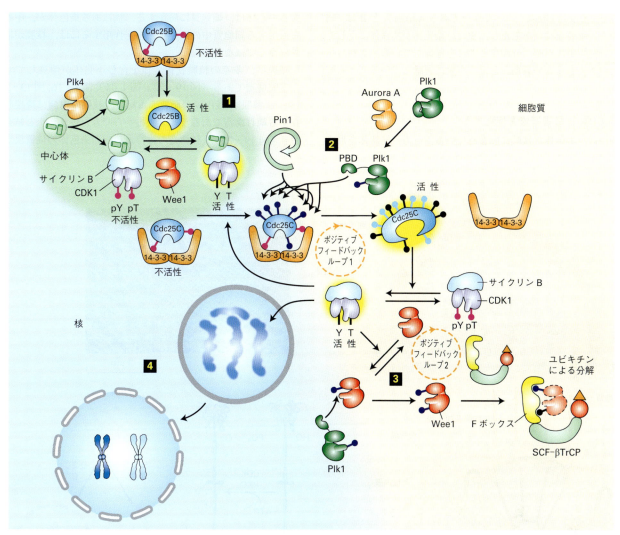

図 19・21 CDK, Plk1, リン酸化結合ドメインが関与するポジティブフィードバックループにより, 分裂期 CDK が突然活性化し, G_2 期から M 期に移行する. 分裂期サイクリンは S 期後半から G_2 期にかけて生成され, CDK1 と結合するが, CDK1 サブユニットの Thr14 と Tyr15 がプロテインキナーゼ Wee1(赤)によりリン酸化されているので, サイクリン-CDK 複合体は活性化されない. 一方, 活性化因子であるタンパク質ホスファターゼ Cdc25 はリン酸化され, ホスホセリン/トレオニン結合タンパク質 14-3-3 が結合することで抑制されている. 分裂期サイクリン-CDK の活性化と有糸分裂への移行の全過程には, 二つのポジティブフィードバックループと, 中心体, 細胞質, 核で起こる事象間での協調が関与している. 段階①: 中心体において, サイクリン B-CDK1 の初期プールが Cdc25B によって活性化され, Thr14 と Tyr15 上の阻害的リン酸化が解除される. この活性化サイクリン B-CDK1 の初期プールは, 次に細胞質内で, 14-3-3 と結合した Cdc25C の複数のセリン-プロリンまたはトレオニン-プロリン配列上にリン酸化する(青丸). 段階②: サイクリン B-CDK によって生成されたホスホセリン/ホスホトレオニン-プロリンモチーフは, プロリンイソメラーゼ Pin1 およびプロテインキナーゼ Plk1 内の特定のリン酸化結合ドメインに Cdc25 を認識させ, さらに Cdc25C に結合して活性化させる. Pin1 は Cdc25C の立体構造を変化させ, Plk1 はさらに活性化するリン酸化を触媒する(黒丸). これにより Cdc25C は 14-3-3 から解放され, さらに脱リン酸化を介して, より大きな細胞質プールであるサイクリン B-CDK1 が活性化される. この結果, サイクリン B-CDK1 は, より多くの 14-3-3 結合した Cdc25C の放出と活性化を促し, ポジティブフィードバックループ 1 が形成される. 段階③: 同時に, 細胞質で活性化したサイクリン B-CDK1 は, 抑制キナーゼである Wee1 のセリン-プロリンモチーフをリン酸化し, Plk1 のリン酸化結合ドメインに認識されるように標的化する. そして Plk1 は, ユビキチンリガーゼ SCF-βTrCP のリン酸結合ドメインに認識されるモチーフ上で Wee1 をリン酸化し, Wee1 をユビキチン化し, プロテアソームによる分解の標的とする. この Wee1 の阻害がなくなることで, サイクリン B-CDK1 の活性化がさらに促進され, ポジティブフィードバックループ 2 が形成される. 段階④: 活性化した細胞質内のサイクリン B-CDK1 は核内に移行し, 核ラミンをリン酸化して核膜の崩壊をひき起こし, Plk1 や Aurora キナーゼとともに染色体の凝縮と分裂期紡錘体の形成を誘導する.

分裂期 CDK の急激な活性化がいったんはじまると, これらのプロテインキナーゼは, 細胞が染色体分離を準備するために必要なすべての事象を始動させる. 中心体における分裂期 CDK の最初の活性化と, それに続く細胞質における活性化によって, これらのキナーゼの細胞内局在が変化する. 分裂期 CDK は核に移行し, 染色体の凝縮と核膜の崩壊をひき起こす(段階④). 以下, 分裂期 CDK がいかにして調和のとれた有糸分裂の実行を遂行するかを説明する.

DNA 複製の開始の間, S 期 CDK が DDK とともに, MCM ヘリカーゼの活性化を促進するように(§19・4), 分裂期 CDK も同様に他のキナーゼと協働して分裂期の事象をひき起こす. Plk1 は, 染色体分離はもちろん紡錘体の形成にも重要である. **Aurora**

キナーゼ（Aurora kinase）ファミリーである Aurora A と B は，紡錘体形成に重要な役割を果たし，また，染色体が紡錘体に正しく結合し分裂期に正確に分離することを保証している．これらキナーゼがさまざまな分裂期における事象に貢献していることも解説する．

分裂期 CDK は核膜崩壊を促進する

間期には，染色体は核膜に囲まれている．一方，紡錘体を形成する中心体は，細胞質に局在する．核にある染色体が，中心体から派生する細胞質中の微小管と相互作用するには，核膜が取り壊されなくてはならない．

核膜は，多くの核膜孔複合体を含む小胞体が伸長してできた二重膜構造である（図 19・22a，図 1・13，図 1・16，図 13・32，図 18・53 参照）．核内膜の脂質二重層は，核膜の内側に隣接して存在する網目構造であるラミン繊維からできた核ラミナと結合しており（図 19・22b），核構造の維持と核内の染色体の位置決定に関

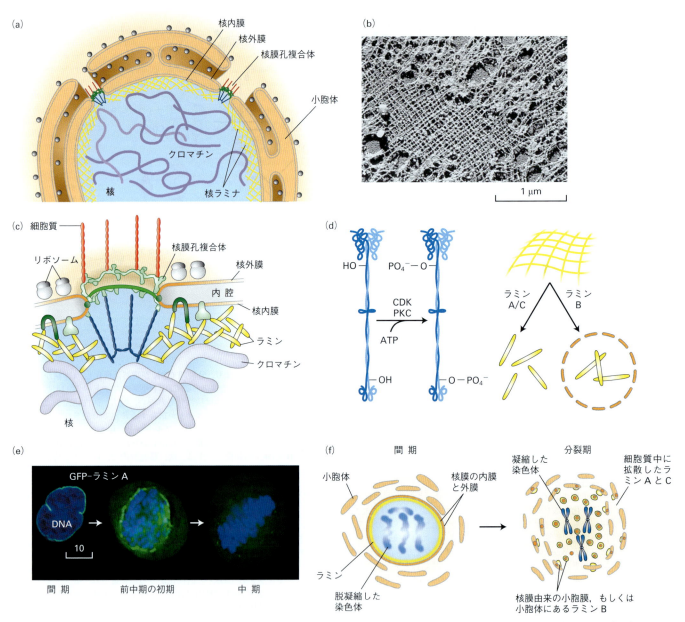

図 19・22 分裂期における核膜の崩壊．(a) 核内膜とその下のクロマチンの間で核ラミナが網目構造を形成している（図 18・53 参照）．(b) アフリカツメガエル卵の核膜の電子顕微鏡写真．(c) 核ラミナ網目構造は，クロマチンを核膜孔複合体や核膜内の特定のタンパク質につなぎとめるのに役立っている．(d) サイクリン B-CDK1 およびプロテインキナーゼ C によって頭部ドメインに隣接する部位でラミンがリン酸化されると，ラミンは分解され，核膜が小胞に解体されるか，小胞体に引き戻される．ラミン A, C のリン酸化は細胞質への水溶化と分散を，ラミン B のリン酸化は膜結合型サブユニットへの解離をもたらす．(e) ラミン A と GFP を融合させたヒト細胞．DNA は DAPI で青く染色されている．核ラミナは分裂期の前中期のはじめに分解されはじめている．分裂期中期には，すべてのラミン A 繊維が細胞質内に水溶化される．(f) 核ラミナの分解と核膜の分散を含む，分裂期中の核膜崩壊の概要．［(b) は U. Aebi et al., 1986, *Nature* **323**: 560, Copyright Clearance Center, Inc. を通じて *Nature* より許可を得て転載．(c), (d) は T. D. Pollard et al., 2016, *Cell Biology*, 3d ed., Elsevier, Fig. 44.6 による．(e) は T. D. Pollard et al., 2016, *Cell Biology*, 3d ed, Copyright Clearance Center, Inc. を通じて Elsevier より許可を得て転載．］

与している（図 19・22c,図 1・16 参照）．脊椎動物の細胞に存在する 3 種類の核ラミン A, B, C は，細胞膜の支持に重要な細胞骨格タンパク質である中間径フィラメントに属する．G$_2$ 期の終わりに分裂期 CDK がいったん活性化されると，分裂期 CDK は 3 種類すべての核ラミンの特異的なセリン残基をリン酸化する．このリン酸化とプロテインキナーゼ C によるラミン B のリン酸化の結果，ラミン中間径フィラメントの脱重合がひき起こされる（図 19・22d）．核ラミンの脱重合は，核ラミナの網目構造の解体を導き，核膜の崩壊に寄与する（図 19・22e）．

分裂期 CDK はまた他の核膜構成因子にも影響を与える．前期に分裂期 CDK は特異的な**ヌクレオポリン**（nucleoporin）をリン酸化し，核膜孔複合体を分解する．核内膜の膜貫通タンパク質のリン酸化は，クロマチンとの親和力を低下させると考えられており，さらに核膜の崩壊に貢献している．核内膜タンパク質と核ラミナとクロマチン間の結合が弱まると，核内膜は，核外膜と連続している小胞体内へと引込まれてしまう（図 19・22f）．

中心体は S 期で複製され，分裂期中に分離する

分裂期 CDK の重要な機能は，他のキナーゼやユビキチンリガーゼとともに，**分裂装置**（mitotic apparatus）として知られる**紡錘体**（mitotic spindle）の形成を誘導することである．紡錘体の機能は，姉妹染色分体が互いに離れてそれぞれが紡錘体の反対の極へと移動するように，染色体を分離することである（図 18・40 参照）．以下では，紡錘体がいかに形成されるか，染色体がいかに紡錘体に結合するか，細胞がいかに不完全な結合を修正するかを解説する．

18 章でみたように，分裂期の紡錘体は微小管でできており，**動原体**（kinetochore）とよばれる特殊なタンパク質構造体を介して染色体に結合する．動原体は染色体の中央部に形成される．ほとんどの生物では，分裂期紡錘体は，紡錘体の反対側の端（極）にある二つの**中心体**（centrosome，酵母では**紡錘極体** spindle pole body という）の間に形成される（図 19・23, 図 18・40 参照）．中心体は，特殊な種類のチューブリンである γ チューブリンを含んでおり，この γ チューブリンは，さまざまな関連タンパク質とと

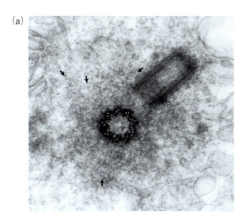

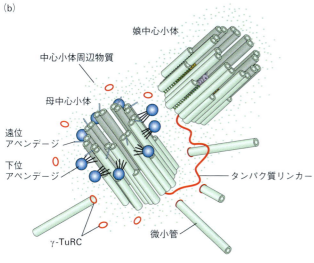

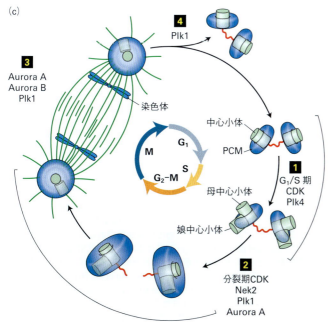

図 19・23 中心体サイクルは，細胞周期と協調して，分裂期に染色体を正しく分離するための二極化紡錘体を形成する．(a) 間期中心体の薄切片の電子顕微鏡写真．互いに直行する二つの中心小体が中心小体周辺物質で囲まれている．(b) 中心体の概略図．九つのトリプレット微小管からなる中心小体おのおのが中心小体周辺物質に埋込まれており，γ-TuRC の核形成構造がそこに含まれている．先の細胞周期で形成された母中心小体に，青い球で示されたアペンデージ構造がついており，中心小体は柔軟なタンパク質リンカーで連結されている．(c) 中心体サイクルの各段階．段階**1**: G$_1$/S 期 CDK と Plk4 は，それぞれの中心小体（緑）を誘導して娘中心小体の前駆体を形成し，S 期中に伸長させる．段階**2**: CDK1, Plk1, Aurora A が大量の PCM（青）を蓄積させながら，キナーゼ Nek2 が二つの母中心小体をつなぐタンパク質リンカーを切断させる．段階**3**: 各母中心小体－娘中心小体の組とそれに付随する PCM が分離し，細胞核の反対側に 2 個の成熟した中心体が形成される．その間に形成された分裂期紡錘体が，次の分裂期の過程を経て染色体を分離させる．段階**4**: 有糸分裂の終わりには，Plk1 がセパラーゼとよばれるプロテアーゼとともに中心小体の分離を促進し，かつての母中心小体－娘中心小体の対を分裂期時の直交した配置から切り離す．この Plk1 による分離は，いわば中心体を許可するもので，中心小体の形成と中心体の複製は，各細胞周期に一度だけ起こるようになる．これは，CDK 活性が複製起点（図 19・19）を許可して，各細胞周期に一度だけ発火できるようにするのと概念的に似ている．〔(a) は G. Sluder, 2005, *Nat. Rev. Mol. Cell Biol.* **6**: 743, Copyright Clearance Center, Inc. を通じて Nature Publishing Group の許可を得て転載．(c) は P. T. Conduit et al., 2015, *Nat. Rev. Mol. Cell Biol.* **16**: 611 による．〕

もに，微小管を核形成する能力をもち，二極性の紡錘体を形成する特定のリング状複合体（γ-TuRC）を形成している．このような中心体が基本となる紡錘体形成機構の顕著な例外は，高等植物と多細胞動物の卵母細胞でみられる．これらの細胞では，微小管の（−）端が架橋され，微小管は自己集合して紡錘体となる．いずれの場合も，分裂期紡錘体の末端は常に**紡錘体極**（spindle pole）とよばれ，動物細胞ではこれらは通常，中心体から生じる．

G_1 期の細胞には一つの中心体があり，細胞の主要な微小管形成中心として機能している．この一つの中心体が分裂期紡錘体を形成するためには，二つの中心体に複製され，**中心体の成熟**（centrosome maturation）とよばれる過程を経て，さらなる構成因子の動員や修飾をされる必要がある．そして，二つの中心体は細胞の反対側に移動し，分裂期の紡錘体の極となる必要がある．分裂期が完了すると，中心体は再び G_1 期様の構造を形成しなければならない．この一連の現象は，ときに**中心体サイクル**（centrosome cycle, 図 19・23c）とよばれ，細胞周期全体と緊密に連携している．

分裂期紡錘体の形成は，実際には G_1-S 期移行時に中心体の複製からはじまる．どのようにして中心体の複製が起こるのかは完全には解明されていないが，この過程の中心となるのは，1 対の**中心小体**（centriole）の複製である．中心小体は微小管を含む構造体であり，1 対の中心小体が互いに直交するように配置され，タンパク質性の中心小体周辺物質（PCM）により囲まれている．18 章で述べたように，G_1 期細胞には 1 対の中心小体があり，柔軟なタンパク質のリンカーで連結されている（図 19・23a, b）．細胞が S 期に入ると，二つの中心小体のそれぞれが，新しい娘中心小体を成長させることによって複製をはじめる（図 19・23c）．この過程は G_1/S 期サイクリン–CDK によって開始され，ポロ様キナーゼファミリーの一員である Plk4 が中心小体に関連したタンパク質をリン酸化することによって，おもに制御されている．これらのタンパク質は γ チューブリン複合体を引寄せ，新しい中心小体前駆体の形成を助ける（図 19・23c, 段階**1**）．中心小体前駆体は S 期中に伸長し，G_2 期には中心小体の正確なコピーが形成される．二つの中心小体とその前駆体の組は互いに近接したままである．G_2-M 期では，二つの既存の中心小体をつなぐタンパク質のリンカーが分解される（段階**2**）．この過程は**中心体分離**（centrosome disjunction）とよばれ，二つの別々の中心体がつくられる．それぞれの中心体は，その周囲にある中心小体周辺物質を拡大する．中心体はより多くの γ-TuRC を引寄せ，分裂期紡錘体の形成と機能に必要な多数の微小管を効率的に組織化し，核形成することができる（段階**3**）．いったん，細胞が分裂期前期に入ると，成熟した中心体は互いに分離し，細胞核の反対側に移動して，分裂期紡錘体を形成する．このとき，核膜に近接した場所で，それぞれの中心体から派生する重なり合った微小管が，キネシンモータータンパク質（18 章）の働きにより，互いに押し合うことで中心体の分離が進む．微小管の形成，分裂期紡錘体の形成，微小管モーターの詳細については，18 章で述べたとおりである．ここでは，染色体がどのように分裂期紡錘体と結合し，その過程で生じた誤りがどのように修正されるかを簡単に考察する．

分裂期 CDK，ポロ様キナーゼ，Aurora キナーゼが，凝縮した染色体の動原体に結合する分裂期紡錘体の形成を促進する

有糸分裂の際に染色体が正確に分離されるためには，姉妹染色

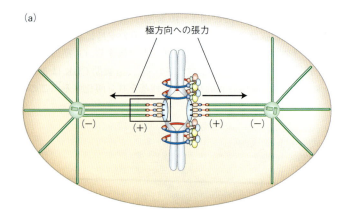

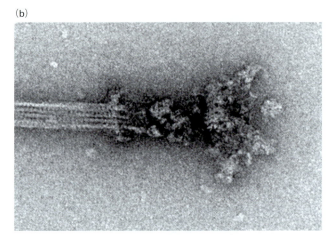

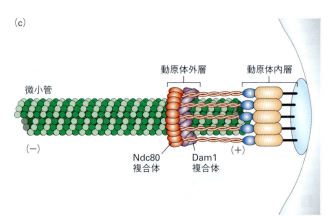

図 19・24 分裂期紡錘体に結合する染色体．（a）染色体は紡錘体に結合し，紡錘体中央に集積する．その後，染色体は動原体を介して，微小管の末端と結合する（**末端結合** end-on attachment とよばれる）．この結合はさらなる微小管結合によって安定化する．染色体が紡錘体上に双方向性に安定である最終的な染色体結合を示す．（−）端は微小管のマイナス末端，（+）端はプラス末端を示す．動原体の枠で囲った領域については，(b), (c) で説明する．(b) 精製酵母動原体に端と端とで結合した微小管の電子顕微鏡写真．(c) (b) と (a) の枠で囲んだ部分の主要な特徴を示す模式図．微小管をつかむ環状構造は，動原体外層の Dam1 複合体（多細胞生物では **Ska 複合体** Ska complex とよばれる）と同じく動原体外層の構成要素である Ndc80 複合体の一部である可能性が最も高い．複合体末端の球状構造は，動原体内層自身と動原体内層と動原体外層を結ぶタンパク質複合体を反映していると考えられる．［(b) は S. Gonen et al., 2012, *Nat. Struct. Mol. Biol.* **19**: 925, Fig. 2d, Copyright Clearance Center, Inc. を通じて Nature Publishing Group より許可を得て転載．(c) は S. Gonen et al., 2012, *Nat. Struct. Mol. Biol.* **19**: 925, Fig.1a による．］

分体対の一方の動原体が，反対側に位置する二つの紡錘体極から派生する微小管に結合するように，染色体が紡錘体に結合しなければならない．これが実現すると，姉妹染色分体は**双方向性**（bi-oriented）をもつ，といわれる（図 19・24 a）．このように，各姉妹染色分体の動原体が，対向する中心体から出る微小管に結合することを**双方向性結合**（amphitelic attachment）という．では，どのようにして，このような結合が実現されるのだろうか．前期に中心体どうしが離れ，前中期に核膜が崩壊すると（図 19・3），微小管は，探索と捕獲の機構で1対の姉妹染色分体の動原体と作用しはじめる．最初，染色体はモータータンパク質の駆動力によって，微小管に沿って滑るように動く．染色体が微小管の（＋）端に到達すると，動原体は微小管と結合し（末端結合），染色体が紡錘体と連結する最終的形状をとる（図 19・24 b, c, 図 18・42 参照）．次に姉妹染色分体の動原体は，向かい合っている紡錘体極から出ている微小管に結合し，動原体のモータータンパク質からくる極方向への牽引力によって染色体が分離される．

極方向に引っ張る力によって染色体が分離される前に，細胞内の一つ一つの染色体が分裂期紡錘体に双方向性結合をしていなければならない（図 19・25 a）．問題は，細胞はどのようにしてこれが生じたかを"知る"かである．顕微鏡観察による染色体結合の解析から，最初は多くの染色体がまちがったやり方で微小管と結合することが示された．一つの動原体に両極から伸びる微小管が同時に結合することがあるが，この異常状態は**メロテリック結合**（merotelic attachment）とよばれる（図 19・25 b）．または，1対の姉妹染色分体の2個の動原体に同じ極から伸びる微小管が結合する異常結合（**シンテリック結合** syntelic attachment，図 19・25 c）や1個の動原体だけが微小管に結合する異常結合（**モノテリック結合** monotelic attachment，図 19・25 d）などがある．これら結合のどれもが正確な染色体分離を生じない．なぜなら，姉妹染色分体が反対側に位置する両方の紡錘体極から引っ張られないからである．このようなまちがった動原体と微小管の結合を検出し，修正する機構が存在しなければならない．

正しくない染色体への結合を検出するために細胞が用いている感知機構は，張力に基づいている．姉妹染色分体が正確に微小管に結合すると，動原体は張力にさらされる（図 19・25 a）．動原体に結合する微小管は，動原体を引っ張り，姉妹染色分体を保持するコヒーシン分子はこの力に抵抗するため，動原体領域で張力が発生する．メロテリック結合やシンテリック結合，モノテリック結合の場合は，動原体領域で十分な張力が発生しないため，細胞は，正しい双方向性結合と異常結合とを区別することができる．

細胞はどのようにして動原体に張力がかかっているか否かを測っているのだろうか．Auroraキナーゼファミリーである**Aurora A**と**Aurora B**とその結合調節因子は，動原体に張力がかかっていないことを感知し，微小管の結合を切断し，細胞にもう一度正しい結合になる機会を与える．この感知機構の分子基盤はかなりよく理解されている．動原体外側の構成要素，特にNdc80複合体は，Ska複合体（酵母ではDam1複合体）によって安定化された形で微小管に結合する（図 19・24 c）ことを思い出してほしい．AuroraキナーゼはNdc80のN末端尾部をリン酸化する．リン酸化されると，Ndc80は微小管と安定な相互作用を形成する能力を失う．Aurora Bは動原体内層に局在し，紡錘体の大部分に沿って，染色体結合の誤りを直す支配的なキナーゼであると考え

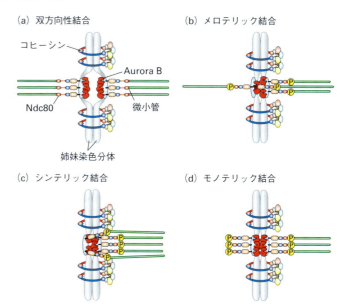

図 19・25 安定および不安定な染色体結合．姉妹染色分体の動原体が，向かい合っている紡錘体極から出ている微小管と結合すると，安定に結合する．この形状は双方向性結合とよばれる．（a）微小管（緑）が動原体を引っ張る．コヒーシンはこの張力に抵抗する．染色体が紡錘体中軸付近にあるときに，この張力によって，動原体外層構成成分Ndc80（橙）は，動原体内層に局在するプロテインキナーゼAurora B（赤）から引き離される．その結果，Aurora BはもはやNdc80をリン酸化できず，動原体-微小管結合は安定化する．二つの姉妹染色分体の動原体の一方が同時に両方の紡錘体極から出ている微小管と結合する場合（メロテリック結合，b），あるいは2個の動原体が同じ紡錘体極から出ている微小管と結合する場合（シンテリック結合，c），あるいは2個の動原体のうち1個だけが微小管と結合する場合（モノテリック結合，d），Ndc80はAurora Bから引き離されない．その結果，Aurora BはNdc80をリン酸化し（Ⓟ），Ndc80は微小管にもはや安定に結合できない．

られている．動原体に張力がかからないと，Ndc80はAurora Bと接近し，このプロテインキナーゼはNdc80をリン酸化し，動原体-微小管結合を不安定化する（図 19・25 b〜d）．微小管が正しく動原体に結合する場合は，微小管はNdc80をAurora Bから引き離すため，このキナーゼはもはやNdc80をリン酸化することはできない（図 19・25 a）．プロテインホスファターゼ1（PP1）は動原体外層に局在し，Ndc80を持続的に脱リン酸化する．このように動原体に張力がかかっておりAurora Bから引き離されている場合は，Ndc80は迅速にPP1によって脱リン酸化され，微小管-動原体結合は安定化する．同様のしくみは，Aurora AがAurora Bの代わりとなる，紡錘体極に近い場所での動原体-微小管相互作用にも働くと考えられている．

微小管は持続的に染色体を引っ張り続ける．すべての染色体が微小管といったん双方向性結合すると，紡錘体の中央に染色体を引き止めているコヒーシン（図 19・25 a）だけが，染色体が両極へ分離するのを妨ぐ．§19・6でみるように，このコヒーシンが切断されることによって，後期の染色体分離がはじまり，有糸分裂が終了へと向かう．ここでも，S期移行，分裂期移行，染色体複製，中心体サイクルと同様に，プロテインキナーゼとホスファターゼによるタンパク質のリン酸化と脱リン酸化が染色体分離に至るすべての事象を制御しているのである．

染色体の凝縮は染色体の分離を促進する

染色体分離には，染色体を分離するための装置の構築が必要とされるだけではなく，移動しやすい構造へと DNA が圧縮されることも必要とされる．間期の長く絡み合った DNA-タンパク質複合体を分離しようとすれば，DNA は破損し，遺伝物質が失われてしまう．このような運命を避けるために，細胞は染色体を有糸分裂期前期に密度の高い構造に凝縮させる．この構造は光学および電子顕微鏡法で観察できる（図 19・26a，図 19・2）．

染色体の凝縮によって，脊椎動物では染色体の長さは 1/10,000 にまで劇的に減少する．染色体の凝縮の際には，絡み合った姉妹染色分体も解かれる．**姉妹染色分体の分離**（sister chromatid resolution）はトポイソメラーゼ II によって行われ，1 対の姉妹染色分体のうち一方の染色分体を切断し，もう一方の染色分体を通過させ，切断した染色分体をまた閉じる．この過程の一端として，分裂期前期には，染色体腕に沿って姉妹染色分体を結びつけているコヒーシンタンパク質のほとんどが，Plk1 と Aurora B の働きにより切り離される．

染色体凝縮の過程の中心は，**コンデンシン**（condensin）として知られるもう一つの環状タンパク質複合体である．ほとんどの真核生物は**コンデンシン I** と**コンデンシン II** とよばれる二つの凝縮複合体をもっている．これらのタンパク質複合体は，姉妹染色分体を結びつけるコヒーシンと密接な関係にある（図 19・26b）．コンデンシンは，カエルの細胞抽出液で染色体凝縮を促進する能力に基づいて最初に同定された．コヒーシン複合体と同様，コンデンシンは，2 個の大きなコイルドコイル SMC タンパク質サブユニットと，ATPase ドメインを介して結合している非 SMC サブユニットから構成されている．細胞からコンデンシンの機能が失われると，染色体は凝縮せず，姉妹染色分体の絡みはほどけない．

最近の研究から，染色体の圧縮は連続したループの生成によって起こり，ループの基部にはファイバーが形成されることがわかってきた（図 19・26c）．このファイバーは圧縮され，さらに染色体の圧縮が進む．コンデンシンは，図 19・26(c) で説明したような過程を経て，染色体内結合を形成し，ループをつくることで染色体をまとめていると推測される．コンデンシンと染色体の結合は，分裂期の CDK と Aurora B によって促進され，ヒストン

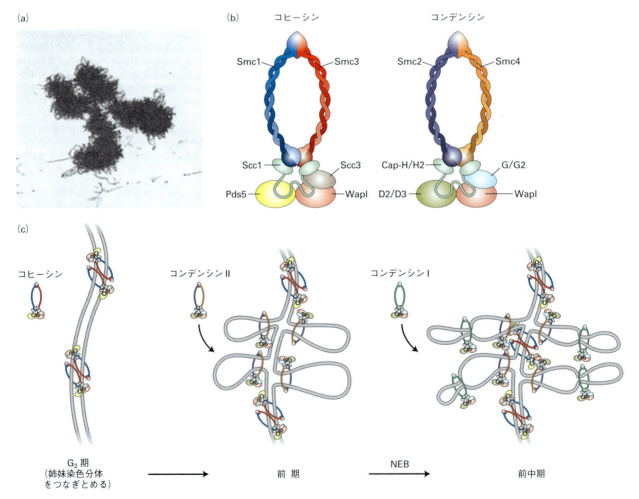

図 19・26 コンデンシン複合体は，紡錘体上で効率よく染色体を分離するために，染色体をまとめている．(a) 分裂期中期の染色体の電子顕微鏡写真．分裂期中期には染色体は完全に凝縮され，二つの姉妹染色分体が見える．(b) コンデンシン複合体は，先に述べたコヒーシン複合体と類似した構造をもっている．(c) 細胞周期で制御される染色体圧縮のモデルでは，染色体のループ化が進行する．分裂期前期には，核膜が崩壊される前に，コンデンシン II が DNA を結合し，大きなループを押出す．分裂前中期で核膜が崩壊されると，コンデンシン I はコンデンシン II によって形成されたループの中に入れ子になったループをさらに形成する．[(a)は E. J. DuPraw and P. M. M. Rae, 1966, *Nature* 212: 598, Copyright Clearance Center, Inc. を通じて Nature Publishing Group より許可を得て転載．]

19・5 G₂-M 期移行と有糸分裂の不可逆的な動力 まとめ

- すべての真核細胞で，分裂期 CDK は有糸分裂への移行を誘導する．
- 分裂期 CDK は，DNA 複製が完了するまで，CDK サブユニットの阻害的リン酸化によって不活性に保たれる（図 19・21）．
- 分裂期 CDK は，Wee1 キナーゼを不活性化し，Cdc25 ホスファターゼを活性化する二つのポジティブフィードバックループを介して，自身の活性化を促進する（図 19・21）．
- 分裂期 CDK は，ほとんどの真核細胞においてラミンのリン酸化によって核膜の崩壊を誘導する（図 19・22）．
- 中心体の複製は，S 期に生じる．分裂期 CDK は，複製した中心体の分離を誘導し，紡錘体形成を開始する（図 19・23）．
- 姉妹染色分体は，動原体を介して双方向性の様式で，紡錘体に結合する．姉妹染色分体の 1 個の動原体は向かい合う 1 個の紡錘体極から伸びる微小管に結合し，もう一つの動原体は別の紡錘体極から形成される微小管と結合する（図 19・24）．
- 細胞は，張力を基盤とした機構を通じて，姉妹染色分体の双方向性を感知する．動原体に張力が発生していない場合，プロテインキナーゼである Aurora A と Aurora B が動原体に存在する微小管結合サブユニットをリン酸化する．その結果，微小管との長期的に安定した相互作用は制限される（図 19・24）．
- 染色体は分離するために凝縮されなければならない．
- コヒーシンと関連するタンパク質複合体コンデンシンは，染色体凝縮を促進する．また，分裂期 CDK によって活性化される（図 19・26）．

19・6 分裂期紡錘体，染色体分離，有糸分裂からの脱出

すべての染色体がいったん凝縮し，正確に紡錘体に結合すると，染色体分離がはじまる．本節では，セパラーゼとして知られるプロテアーゼによるコヒーシンの切断が，どのように分裂期後期の染色体移動の引金として働くか，また，どのようにこの切断がリン酸化やユビキチン化により制御されているかを解説する．さらに，中期-後期移行でコヒーシン切断を開始する同じ機構が，分裂期 CDK の不活性化も開始することを説明する．次に，有糸分裂の終わりに活性化されたホスファターゼがどのように分裂期 CDK の不活性化に関与し，分裂期につくられた構造体の解体をひき起こし，細胞を G₁ 期の状態に戻すかを説明する．本節の最後では，2 個の娘細胞を生じる過程である細胞質分裂について解説する．

セパラーゼによるコヒーシンの切断が染色体分離をひき起こす

前節で述べたように，染色体の凝縮と，染色体腕に沿ったコヒーシンの解離は，染色体のさらなる圧縮をもたらす．分裂期前期の間に，染色体腕に沿ったコヒーシンの大部分が染色体から除去される（図 19・27a, 段階**1**と**2**）．この過程には Plk1 や Aurora B によるコヒーシンのリン酸化が介在する．ほとんどの生物では，分裂期中期までにコヒーシンはセントロメアの周辺にのみ維持されるようになる．これらのセントロメア近傍のコヒーシンは，プロテインホスファターゼ 2A（PP2A）によるリン酸化の除去から特異的に保護されている．このホスファターゼは，ヒトの細胞では G₂ 期から分裂期中期にかけて，**Shugoshin** ファミリーとして知られる PP2A 標的因子ファミリーの一員によってセントロメア領域に集められる（図 19・27b）．微小管が引っ張る力により，双方向性の動原体における張力が確立されるが，この微小管からの力に抵抗するために，保護されたコヒーシンのプールが働いている．§19・8 で述べるように，この保護機構はまた，減数分裂の染色体分離パターンの確立に不可欠な役割を担っている．

分裂期中期の染色体の姉妹染色分体は，それぞれ動原体を介して微小管に結合している（図 19・24）．すべての染色体が紡錘体極の微小管に安定した双方向性の結合をし，中期に紡錘体中間帯に整列すると，染色体上に張力が働いた状態になり，反対方向の紡錘体極に向かって二つの動原体を引っ張る力がかかる．しかし，姉妹染色分体は残存するコヒーシン複合体によりセントロメアで結合しているため，まだ互いに分離していない．現在までに解析されたすべての生物において，染色体の動原体領域から残存するコヒーシンが失われることが，分裂期後期の染色体分離の引金になっている（段階**3**）．また，染色体からコヒーシンを消失される機構も保存されている．**セパラーゼ**（separase）とよばれるプロテアーゼが，Scc1 とよばれるコヒーシンのサブユニットを切断し（図 19・28），姉妹染色分体を結合させているタンパク質の輪を壊す．この輪がいったん破壊されると，動原体にかかる極方向への力が姉妹染色分体を反対側の紡錘体極に向かって動かすとともに，後期がはじまる．

コヒーシンの切断は出芽酵母で発見された．コヒーシンの切断を担うタンパク質の正体については，以前に同定された，分裂期中期に染色体を分離できない酵母の変異体の解析から明らかとなった．現在ではセパラーゼとわかっている Esp1 をコードする遺伝子の変異体では，切断断片を生じることができない．その後の解析から，セパラーゼはプロテアーゼであり，またコヒーシンの切断は染色体分離に必須であることが明らかになった．Scc1 の切断が不可逆であることを考えると，セパラーゼ活性は厳密に制御されることが絶対的に重要である．次に，この制御について説明する．

APC/C はセキュリンのユビキチン化を介して セパラーゼを活性化させる

後期の前には，**セキュリン**（securin）とよばれるタンパク質がセパラーゼに結合して，セパラーゼを阻害している（図 19・28）．すべての動原体が紡錘体微小管に正しい双方向性でいったん結合すると，特異性因子 Cdc20 によって活性化された APC/C ユビキチンリガーゼ（APC/C^Cdc20）が，セキュリンをユビキチン化する（図 19・14）．ポリユビキチン化されたセキュリンは，プロテアソームによって迅速に分解され，その結果，セパラーゼが放出される．

図 19・27 セパラーゼによるセントロメアのコヒーシンの切断が，分裂期後期開始の引金になる． (a) 多段階の過程により，姉妹染色分体をつないでいるコヒーシンが除去される．段階■：コヒーシンが姉妹染色分体の全長にわたって結合している G₂ 期に，Shugoshin タンパク質がタンパク質ホスファターゼ 2A(PP2A) をセントロメア領域へ引寄せしはじめる．この過程は，CDK1 が染色体凝縮の引金を引く分裂期前期はじめまで続く．段階■：分裂期前期の後半から分裂期中期のはじめにかけて，ポロ様キナーゼと Aurora B キナーゼによるコヒーシンのリン酸化とタンパク質複合体の作用により，染色体腕に沿ったコヒーシンがなくなる．しかし，コヒーシンは染色体のセントロメア領域には強固に結合したままである．なぜなら，そこに局在する PP2A が，Plk1 キナーゼによって付加されたリン酸を除去してくれるからである．最後に，段階■でセパラーゼが染色体の中央に残存するコヒーシンを切断し，分裂期後期の開始を促し，姉妹染色分体を分離し，反対側の紡錘体極へと急速に移動させる．(b) Shugoshin-PP2A がセントロメアクロマチン領域に引寄せられて保持される模式図．

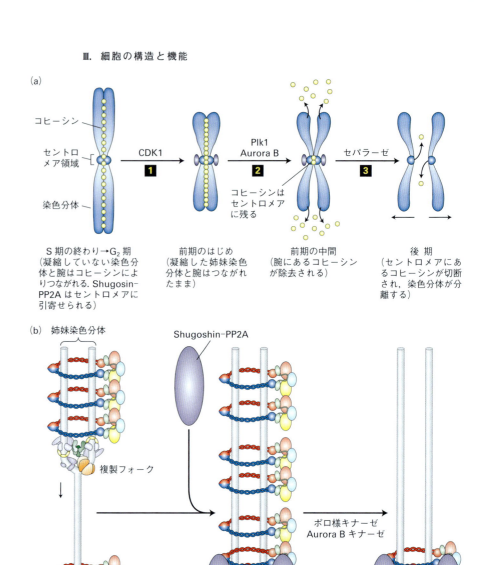

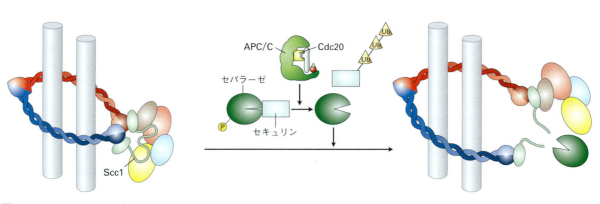

図 19・28 リン酸化とユビキチンを介した阻害因子の分解によるセパラーゼの制御は，コヒーシンの切断のタイミングを定める． セパラーゼは，後期まではセキュリンと結合しているため，そのプロテアーゼ活性が阻害されている．分裂期 CDK もまたリン酸化によってセパラーゼを阻害する．すべての動原体が紡錘体微小管と結合し，紡錘体装置が適切に会合して配置されると，APC/C と結合した Cdc20 特異性因子は，セキュリンや分裂期サイクリンをユビキチン化させる．セキュリンの分解と分裂期 CDK 活性の低下にひき続いて，脱リン酸化されたセパラーゼが放出されて，Scc1 サブユニットを切断する．その結果，コヒーシン環が破壊され，紡錘体装置が 2 個の紡錘体極に向かって引っ張ることによって，姉妹染色分体は引き離される．

APC/C^{Cdc20} は，前期に分裂期 CDK によるリン酸化によって活性化される．しかし，リン酸化された APC/C^{Cdc20} はチェックポイント経路（紡錘体チェックポイント）によって抑制され，すべての染色体が分裂装置に適切に結合するまで（すなわち，双方向性に結合するまで），後期が開始されないことを，§19・7 で述べる．すべての染色体が微小管に結合して，すべての姉妹染色分体の動原体に適切な張力がかかり，それぞれが反対側の紡錘体極に向かって引っ張られるようになるまでは，Cdc20 は阻害されている．脊椎動物細胞では，前期と中期の間，セパラーゼ自体は分裂期 CDK からのリン酸化によって負に制御されている．APC/C^{Cdc20} を介したタンパク質分解によって，中期–後期移行期に分裂期 CDK 活性が低下しはじめたときにはじめて，セパラーゼが活性化して染色体分離をひき起こす．

コヒーシンがいったん切断されると，後期の染色体移動が起こる．18 章で解説したように，染色体分離は微小管の脱重合と，紡錘体極が互いに離れるようにするモータータンパク質によって行われる．分裂期 CDK 活性の低下は後期の染色体移動に重要である．分裂期 CDK の不活性化が阻害されると，後期は起こるが異常になる．微小管の動態に影響する多くの微小管結合タンパク質の脱リン酸化が，この過程に重要らしい．分裂酵母では，この脱リン酸化は，プロテインホスファターゼ Cdc14 によってひき起こされる．Cdc14 が，最後の細胞周期段階で必須の作用をすることで，有糸分裂から脱出することを次に解説する．

分裂期 CDK の不活性化とタンパク質の脱リン酸化は有糸分裂からの脱出を促す

後期での紡錘体の伸長と有糸分裂からの脱出で起こる現象，すなわち紡錘体の分解，染色体の脱凝縮，そして核膜の再形成には，CDK 基質の脱リン酸化が必要である．いいかえると，細胞が G$_1$ 期の状態に戻るには，分裂に関与するさまざまな現象のきっかけとなったリン酸化をもとの状態に戻す必要がある．

分裂期 CDK の基質の脱リン酸化には，二つの段階がある．まずはじめに，分裂期の CDK 自体が不活性化される必要がある．ほとんどの生物では，分裂期 CDK の不活性化は，APC/C^{Cdc20} が仲介する分裂期サイクリンの分解によってひき起こされる．しかし，出芽酵母では，APC/C^{Cdc20} によって分解される分裂期サイクリンは 50% 程度にすぎない．出芽酵母では，**分裂期脱出ネットワーク**（mitotic exit network）とよばれる GTPase 経路を介した **Cdc14 ホスファターゼ**（Cdc14 phosphatase）の活性化を制御することにより，分裂期サイクリンの遮断に特に重要な役割を果たしていることがわかっている．後期における Cdc14 の活性化は，Cdh1 を脱リン酸化し，APC/C^{Cdh1} の形成を可能にし，残りの分裂期サイクリンの分解を行う．さらに，Cdc14 は CDK 阻害剤 Sic1 の再蓄積を促進し，細胞周期の前段階における G$_1$/S サイクリンの阻害方法と同様に，残存する分裂期 CDK の活性を阻害する（§19・4）．この過程によって，有糸分裂から脱却する．脊椎動物の細胞では，出芽酵母のような分裂期脱出ネットワークはないようであるが，ホスファターゼ活性は有糸分裂からの脱出に必須である．

最後に，分裂期 CDK のリン酸化状態が戻ることで，多くのタンパク質の活性が変化し，間期の状態になる．コンデンシンやその他のクロマチン結合タンパク質の脱リン酸化が，終期の分裂染

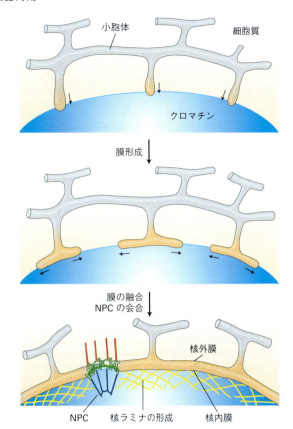

図 19・29 終期に起こる核膜再構築のモデル．小胞体が伸長して脱凝縮しつつある各染色体と結合し，その後，互いに融合して染色体のまわりに二重膜を形成する．脱リン酸化された核膜孔サブ複合体は核膜孔に再会合し，個々の**染色体胞**（karyomere）とよばれる小型の核を形成する．取囲まれた染色体はさらに脱凝縮し，その後，それぞれの紡錘体極にあったすべての染色体胞の核膜が融合し，すべての染色体を含む一つの核を形成する．NPC は核膜孔複合体を示す．[B. Burke and J. Ellenberg, 2002, *Nat. Rev. Mol. Cell Biol.* **3**: 487 参照．]

色体の脱凝縮に結びつく．脱リン酸化された核内膜タンパク質は，再びクロマチンと結合すると考えられている．結果として，タンパク質を含む小胞体膜領域から伸びた多数の突起が脱凝縮しつつある染色体の表面と結合し，その後，未知の機構で互いに直接融合し，それぞれの染色体のまわりに連続した二重膜を形成すると考えられている（図 19・29）．核膜孔サブ複合体の脱リン酸化によって，小胞体突起の融合後すぐに，核内外膜を横切る完全な NPC の再集合が行われる．ほとんどの核内外の移行の引金に必要な Ran・GTP（13 章）は，娘核膜を形成する小胞体突起の融合と NPC の会合の両方を促進する（図 19・29）．Ran-GEF がクロマチンに結合しているため，脱凝縮中の染色体の微小領域では，Ran・GTP 濃度は最高になる．結果として，脱凝縮染色体の表面では膜融合が促進される．NPC が挿入された核膜のシートが互いに融合し，すべての染色体を包む一つの核膜が形成される．

細胞質分裂によって二つの娘細胞がつくられる

染色体分離が完了すると，細胞質と細胞小器官は二つの娘細胞に分配される．この過程は**細胞質分裂**（cytokinesis）とよばれる．高等植物を除いて，細胞の分裂は，アクチンとアクチンモーター

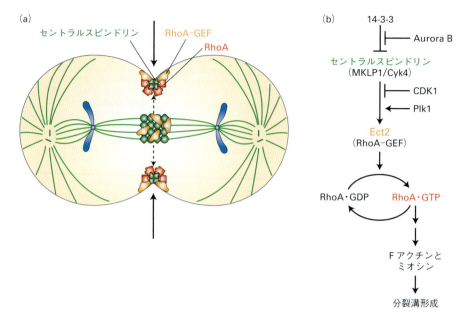

図 19・30 **RhoA の制御が細胞質分裂を制御する.**（a）セントラルスピンドリン（緑）は, 分裂期中期に中央紡錘体において Rho-GEF Ect2（橙）を引寄せ, 活性化させる. この複合体は, 中央紡錘体とは反対側の細胞皮質で RhoA（赤）と共局在化し, アクトミオシンによる収縮環が形成され, 分裂溝が形成されて細胞が半分に分割される.（b）RhoA の活性化の分子経路とリン酸化による分裂溝形成の制御.［A. Basant and M. Glotzer, 2018. *Curr. Biol.* **28**: R570 による.］

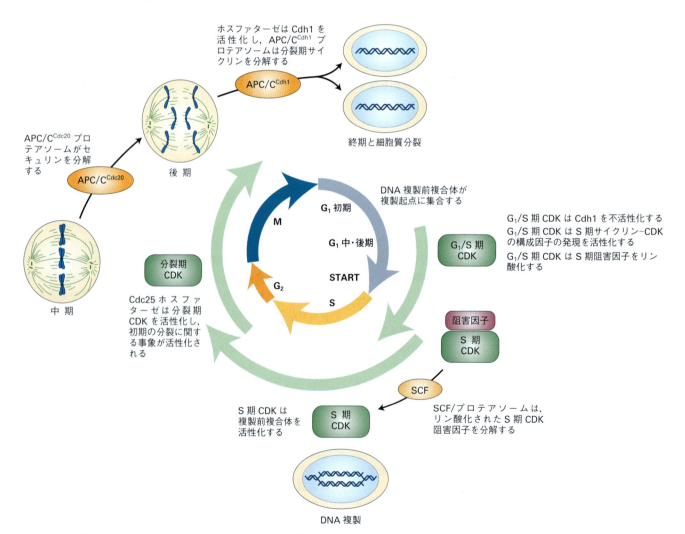

図 19・31 **真核生物の細胞周期における基本的な過程.** 細胞周期の進行を制御するおもな事象の概要. 詳細は本文を参照.

ミオシンからなる**収縮環**（contractile ring）によってひき起こされる（図17・34参照）．細胞質分裂の間，収縮環は，筋肉の収縮と類似した方法で収縮する．すなわち，細胞膜を内側へと引っ張り，最終的に2個の娘細胞間の連結部を閉じる（図19・30）．

細胞質分裂は，空間および時間の観点で，細胞周期の他の事象と協調していなければならない．細胞分裂によって生存に必要な成分を含む2個の娘細胞ができるには，2個の娘細胞が親細胞の細胞質成分を約半分，そして遺伝物質を正確に半分受取るように，分裂面を空間に正しく位置させなければならない．細胞質分裂はまた，核分裂の完了と協調しなければならない．以下，細胞質分裂制御の観点に関して解説する．

動物細胞では，収縮環は分裂期後期に形成され，各娘細胞が遺伝物質の半分を受取るようにするためには，後期の紡錘体のちょうど真ん中に配置される必要がある．収縮環の形成には，低分子量GTPaseであるRhoAが必要である（§17・7参照）．RhoAの活性領域は，紡錘体の中央部とは反対側の細胞の皮質表面に形成され，収縮環が形成される部位に存在する（図19・30a）．活性型GTP結合RhoAは，フォルミンを介したFアクチンの集合を刺激し，ミオシンIIの作用を促進する（図17・42参照）．酵母では，低分子量GTPaseは分裂期脱出ネットワークの形成に重要な役割を果たすが，動物細胞には存在しないことを思い出してほしい．その代わりに，動物細胞の低分子量GTPaseは，分裂期のプロテインキナーゼによって厳密に制御される過程を通じて，細胞質分裂に必要である（図19・30b）．

RhoA自体は，**Ect2**とよばれる保存されたRhoグアニンヌクレオチド交換因子（GEF）によって活性化されるが，それ自体は**セントラルスピンドリン**（centralspindlin）とよばれる多タンパク質複合体によって厳密に制御されている．セントラルスピンドリンは，キネシン6モータータンパク質であるMKLP1が二つとRho GTPase活性化タンパク質（GAP）の二量体からなるヘテロ四量体である．その名前から推測できるように，セントラルスピンドリンのほとんどは，後期の紡錘体中間帯に局在し，MKLP1成分がオリゴマーを形成して紡錘体微小管を束ね，細胞質分裂終了時の細胞の切断に備え，中央紡錘体を組織化している．しかし，可変量のセントラルスピンドリンは，RhoA活性化因子Ect2およびRhoAとともに，中央紡錘体に隣接する細胞皮質に局在している（図19・30a）．MKLP1は，ホスホセリン/トレオニン結合タンパク質14-3-3によって阻害されている（図19・30b）．これにより，紡錘体中間帯の微小管は，後期の終わりまで圧縮しないことが保証されている．同様に，RhoA活性化因子Ect2は，有糸分裂前は自己抑制されているが，その活性化に重要な二つのリン酸化結合BRCTドメインを含んでいる．分裂期後期には，サイクリンB-CDK1の活性はなくなるが，Auroraキナーゼとポロ様キナーゼはまだ活性化状態にある．Aurora BがMKLP1をリン酸化して14-3-3阻害分子を外すことで，MKLP1が触媒的モーター活性を獲得して紡錘体中間帯を圧縮できるようにしている．同時に，Plk1はRho-GAP構成因子をリン酸化し，Ect2のBRCTドメインを引寄せて，活性化型のセントラルスピンドリン-Ect2複合体を形成する．これがRhoAのGTP依存的な活性化を触媒し，分裂溝の形成と細胞質の分裂をひき起こし，二つの完全に分離した細胞を形成する．

細胞分裂の分子的な現象に関する議論についてはここで終える．解説してきたように，サイクリン依存性キナーゼ，ホスホセリン/トレオニン結合ドメインとユビキチンを介したタンパク質分解がこの制御の中心となっている（図19・31）．§19・7では，細胞周期の前段階が完了するまでそのあとの段階が開始されないこと，また，それぞれの細胞周期の段階が正確に生じることを保証する機構について解説する．

19・6 分裂期紡錘体，染色体分離，有糸分裂からの脱出 まとめ

- セパラーゼによるコヒーシンの切断は，後期の染色体分離を誘導する．
- 後期の開始では，APC/CはCdc20に指令され，セキュリンをユビキチン化する．その後，セキュリンはプロテアソームによって分解される．セキュリンの分解とPlk1によるリン酸化は，セパラーゼを活性化する（図19・28）．
- 有糸分裂からの脱出は，おもに分裂期サイクリンの分解による分裂期CDKの不活性化によってひき起こされる．
- 有糸分裂からの脱出には，多くの異なるタンパク質から分裂に必要であったリン酸化を解除するCdc14などのプロテインホスファターゼの活性が必要である．脱リン酸化によって，分裂紡錘体が分解し，染色体が脱凝縮して，核膜が再構築される．
- 細胞質分裂によって，細胞分裂は終了する．細胞質分裂は，核の分裂と協調しなければならない．動物細胞では，この調整には低分子量GTPaseであるRhoAが関与し，Plk1，Aurora B，リン酸化結合ドメインによって制御されている（図19・30）．

19・7 細胞周期制御における監視機構

チェックポイント経路（checkpoint pathway）として知られる監視機構は，前の細胞周期の事象が完全に終了するまで次の細胞周期の事象がはじまらないように保証する役目を果たす．チェックポイント経路は，特別な細胞現象を監視する**センサー**（sensor）と，応答を開始する**シグナルカスケード**（signaling cascade），細胞周期の進行を停止したり，欠陥が修正されるまで必要に応じて修復経路を活性化する**エフェクター**（effector）からなる．欠陥が修復されない場合，チェックポイント経路はアポトーシスを誘導する．

チェックポイント経路によって監視される細胞周期の現象には，成長，DNA複製，DNA損傷，動原体と紡錘体の結合，細胞内の紡錘体の位置などが含まれる．これら経路は細胞分裂の非常に高度な正確性を担っており，2個の娘細胞が正確に複製した染色体を正しい数だけ受取ることを保証している．チェックポイント経路は，タンパク質のリン酸化を通じて機能し，ホスホセリン/トレオニン結合ドメインに結合するタンパク質が，サイクリン-CDKの活性を制御する．この制御には，サイクリンの合成阻害と分解促進，CDKの抑制部位のリン酸化，CDK活性化因子のCDKからの隔離，サイクリン-CDK複合体を不活性化するCDK阻害因子（CKI）の安定化，APC/Cユビキチン-プロテインリガーゼの不活性化などの機構がある．

DNA 損傷応答システムは，DNA が損傷すると 細胞周期の進行を停止させ，DNA 修復装置を引寄せる

遺伝物質の完全で正確な複製は，細胞分裂に必須である．DNA が完全に複製していない，あるいは損傷を受けたときに細胞が有糸分裂に移行すると，遺伝子の変化が生じる．多くの例でこのような変化によって細胞は死に至るが，25 章で述べるように，そのような細胞は成長や増殖の制御を失うような遺伝子の変化を生じ，その結果，最終的にがんになる場合もある．この危険は，DNA 損傷の感知や修復に関与する多くのタンパク質の変異が，ヒトのがんで頻繁に見つかるという発見によって支持される．

DNA を複製する酵素はかなり正確に働くが，DNA 合成を完璧に行うには十分でない．さらに，X 線や UV 光など環境要因は DNA 損傷をひき起こすことがある．細胞が有糸分裂に移行する前にこの損傷は修復されなければならない．細胞は **DNA 損傷応答システム** (DNA damage response system) をもっており，多くの異なる種類の DNA 損傷を感知し，修復経路を活性化し，損傷が修復されるまで細胞周期の進行を停止する．細胞周期の停止は，細胞周期への移行前あるいは DNA 複製の間に DNA 損傷が起こるか否かに依存して，G_1 期，S 期，G_2 期のいずれでも起こる．多細胞生物では，DNA 損傷が深刻な場合，細胞は修復を見合わせ，代わりに 22 章で詳しく説明するアポトーシス（プログラム細胞死）を開始するか，あるいは老化して，永久に分裂を停止した大きく扁平な細胞になる．

DNA 損傷は多くの異なる形態で存在し，その程度はさまざまである．**二本鎖切断**（double-strand break）として知られる DNA 二重らせんの切断は，おそらく最もひどい損傷の形態である．なぜなら，そのような損傷は，もしそのまま有糸分裂が進行した場合，ほとんど確実に DNA 欠失に至るからである．その理由としては，切断された DNA は，動原体が集合する染色体のセントロメアに結合していないため，二つの娘細胞に確実に分離されないからである．より軽度の損傷には，一本鎖切断やヌクレオチドの構造変化，DNA のミスマッチがある．ここで解説する重要な点は，細胞はこれら異なる種類すべての損傷に対してセンサーをもっていることである．これらセンサーは，ゲノムを細かく調べ，損傷を検出すると，シグナル因子と修復因子を損傷部位に集める．

これらの異なる種類の損傷の検出には，**ATM** (ataxia telangiectasia mutated) と **ATR** (ataxia telangiectasia and Rad3-related protein) という二つの相同なプロテインキナーゼが中心的な役割を果たしている．ATM と ATR に加えて，**DNA 依存性プロテインキナーゼ**（DNA-dependent protein kinase: **DNA-PK**) とよばれる関連プロテインキナーゼも，DNA 損傷のシグナル伝達と修復に重要である．三つのプロテインキナーゼはすべて，損傷部位のクロマチン上に形成される特異的なタンパク質複合体を介して，DNA 損傷部位に引寄せられる．そして，アダプタータンパク質と DNA 修復タンパク質が DNA 損傷部位の近傍に順次引寄せられる．さらに，**Chk1，Chk2，MK2** とよばれる下流のエフェクタープロテインキナーゼを活性化し，細胞周期の進行を停止させる細胞周期チェックポイントを確立し維持する（図 19・32）．

ATR, ATM, DNA-PK は，それぞれ異なる種類の DNA 損傷を認識する．ATM と DNA-PK はおもに二本鎖切断に反応する．ATR は，停止した複製フォークや DNA ミスマッチ，損傷を受けたヌ

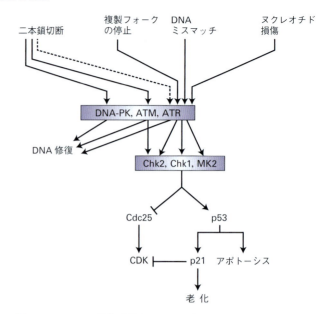

図 19・32 **DNA 損傷応答システムの概要**．プロテインキナーゼ DNA-PK, ATM と ATR は，DNA の損傷部位で活性化される．ATR はさまざまな DNA 損傷に応答する．損傷あるいは修復の結果として存在する一本鎖 DNA に最も応答するようだ．DNA-PK と ATM は二本鎖切断によって特異的に活性化される．修復過程の一部として，二本鎖切断は一本鎖 DNA に転換されるので，破線で描かれているように，二本鎖切断も間接的ではあるが ATR を活性化する．これらのキナーゼは，DNA 損傷部位でさらにタンパク質をリン酸化し，DNA 修復機構を活性化させる．ATM と ATR が DNA 損傷によって活性化されると，三つの関連するプロテインキナーゼ，Chk1, Chk2, MK2 が活性化される．これらのキナーゼは，Cdc25 をリン酸化して阻害し，さらに転写因子 p53 を安定化させることで細胞周期停止をひき起こし，CDK 阻害因子 CKI p21 の転写を誘導する．DNA 損傷が激しい場合，p21 は細胞を老化させ，あるいは p53 はアポトーシスを誘導することができる．

クレオチド，一本鎖切断などもっと多様な DNA 損傷を認識することができる．ATR がこのような多様な種類の損傷を認識するのは，すべての損傷にある程度の**一本鎖 DNA** (single-stranded DNA) が含まれており，損傷自体が一本鎖であるか，修復酵素が修復過程の一部として一本鎖 DNA をつくり出すためである．ATR が一本鎖 DNA に結合すると，ATRIP とよばれる ATR 相互作用タンパク質が介在し，ATR のプロテインキナーゼ活性が上昇する．ATR は次にアダプタータンパク質をリン酸化し，それにより DNA 修復タンパク質を呼び寄せ，Chk1 および MK2 キナーゼの活性化を促進し，損傷が修復されるまで細胞周期の進行を停止させている．

DNA-PK と ATM はともに二本鎖 DNA 切断を認識する．DNA-PK の二つのサブユニットは Ku70/80 とよばれ，環状の構造を形成し，むき出しの DNA 末端を取囲む．一方，ATM は **MRN 複合体** (MRN complex) とよばれるタンパク質複合体によって，DNA 末端に直接引寄せられる（図 19・33, 段階**1**）．DNA-PK と ATM が切断された末端に結合することで，末端どうしがつなぎ合わされる．ATM はまた，Chk2 と MK2 を活性化し，修復が完了するまで細胞周期の進行を停止させる．さらに，DNA-PK, ATM, ATR は，損傷部位付近のクロマチン内で H2AX とよばれるヒストン変異体をリン酸化する（段階**2**）．リン酸化された H2AX は，前節

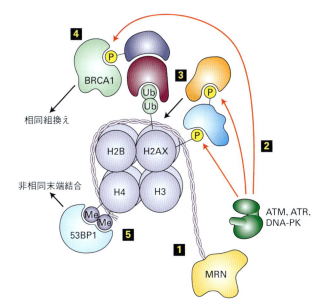

図 19・33 **DNA 二本鎖切断における細胞周期チェックポイントの活性化と修復装置の動員**．この活性化と動員の過程は，リン酸化とユビキチン修飾，およびホスホセリン/トレオニン結合ドメインとユビキチン結合モジュールを介したさらなるタンパク質の動員という，一連の協調的なタンパク質修飾に依存している．段階 **1**：2本鎖切断の末端は MRN 複合体によって認識され，ATM を活性化する．MRN 複合体はヌクレアーゼ活性ももっており，修復のために切断端を処理するのを助ける．あるいは，遊離した二本鎖 DNA 末端は Ku70/80（図には示していない）に結合し，DNA-PK を活性化することもできる．段階 **2**：ATM, ATR, または DNA-PK は，切断部位の近くに位置するヌクレオソーム内のヒストン変異体 H2AX をリン酸化する．これにより，リン酸化結合ドメインを介してリン酸化 H2AX を認識する別のタンパク質が引寄せられ，それ自身がリン酸化される．段階 **3**：引寄せられたリン酸化結合タンパク質の一つが，H2AX をユビキチン化する．これにより，H2AX はユビキチン結合タンパク質複合体に結合できるようになる．段階 **4**：ユビキチン結合複合体のリン酸化は，リン酸結合 BRCT ドメインを介して BRCA1 を引寄せ，相同組換えを促進する．段階 **5**：あるいは，切断部近傍のヒストン H4 上のメチル化ヒストンが，メチルリシン結合ドメインを介して 53BP1 を引寄せる．DNA-PK の触媒活性（図示せず）とともに，切断部での DNA 末端切除を抑制し，相同組換えを阻害し，非相同末端結合を促進させる．

で説明した細胞周期の進行と制御における系と概念的には類似した方法で，DNA 修復を制御するさらなるタンパク質複合体を引寄せるための着地点として機能する．すなわち，タンパク質のリン酸化，リン酸化結合ドメインを介したタンパク質の動員，H2AX を含む DNA 損傷部位にあるタンパク質に対するユビキチンプロテインリガーゼやメチル化などによる修飾を介して（段階 **3**），機能している．最終的には，どのような種類の DNA 修復がその切断部で行われるかを決定する二つのタンパク質が引寄せられる．修復の一種は，5 章で説明したように，**相同組換え**（homologous recombination）である．この場合，一本鎖の付着末端がつくられ，それが ATR とそのエフェクターを呼び寄せて活性化し，DNA 損傷反応をさらに促進させる．この過程による修復は，相同染色体の存在を必要とするため，細胞周期の S 期後半と G_2 期に限定される．この種の修復には **BRCA1** とよばれるタンパク質が必要である（段階 **4**）．一方，**53BP1** とよばれる別のタンパク質が DNA 切断部に引寄せられると（段階 **5**），相同組換えが抑制され，

非相同末端結合（nonhomologous end-joining）とよばれる代替修復経路が促進される．この場合，DNA の切断された両端は単に接着されてもとに戻るが，切断された結合部位の DNA 塩基の一部が欠落することもある．したがって，この種の修復は突然変異誘発性をもつ可能性がある．この末端結合の過程には，DNA-PK の触媒活性が必要である．相同な DNA 配列を必要としないため，非相同末端結合は G_1 期の細胞にとって主要な修復機構であり，S 期および G_2 期においても，染色体複製による相同な DNA が利用可能であっても，支配的な修復機構である．細胞周期の段階以外では，特定の切断でどの修復経路が使われるかを制御するものはわかっていない．

BRCA1 が DNA 修復に関与する分子であることは，メンデルの法則に従った遺伝パターンを示す乳がんを発症しやすい家系の遺伝子を調査した結果から明らかとなった．この形質に関連するゲノム遺伝子座は，Mary-Claire King らによって 17 番染色体上の単一遺伝子に特定され，BRCA1（breast cancer associated-1 の略）と命名された．その後，この遺伝子はいくつかの大学や企業の研究チームによってクローン化され，乳がんの患者で変異していることが示された．その後，多くの研究室によって，BRCA1 タンパク質が相同組換え修復経路の重要な構成要素であることが明らかにされた．がんに関連した BRCA1 の変異は，その DNA 修復機能を破壊する．

ATR と ATM の下流では，キナーゼ Chk1, Chk2, MK2 が細胞周期を停止させる（図 19・32）．これらのプロテインキナーゼは，CDK を活性化するリン酸化部位とは異なる部位で Cdc25 ファミリーの一員をリン酸化することにより，抑制する．DNA 損傷誘発性のリン酸化部位は，Cdc25 タンパク質をさまざまなホスホセリン/トレオニン結合タンパク質に結合させる（図 19・34）．G_1 期中に DNA 損傷が起こると，Cdc25A のリン酸化により，F ボックス含有ユビキチンプロテインリガーゼ（図 19・14）が Cdc25A と結合できるようになり，Cdc25A はプロテアソームにより分解される．Cdc25A の欠損は，G_1/S 期 CDK および S 期 CDK を阻害する（図 19・34）．その結果，これらのキナーゼは DNA 複製を開始することができなくなる．S 期または G_2 期に DNA 損傷が起こると，Chk1/2 および MK2 により Cdc25B および Cdc25C がリン酸化され，14-3-3 タンパク質との結合の標的となる．これにより，Cdc25B と Cdc25C の触媒活性が低下して隔離され，分裂期の CDK に結合して活性化することができなくなり，G_2 期で停止する（図 19・34, 図 19・21）．

また，DNA 損傷がない場合でも，DNA 複製の活性化も有糸分裂への移行を阻害する．ATR は，すべての複製フォークが DNA 複製を完了し解離するまで，Chk1 と MK2 の活性化を介して Cdc25B/C を阻害し続ける．この機構によって，有糸分裂の開始は染色体複製の完了に依存する．最終的に，細胞は，複製フォークを停止または遅延させるような DNA 複製ストレスも感知する．そのようなストレスが ATR−Chk1 チェックポイント経路の活性化の引金を引き，S 期 CDK 活性を低下させ，S 期後期で複製される複製起点での複製開始を阻害する．さらに，ATR は，複製ストレスが解消されると DNA 複製の再開が可能となるように，停止したフォークを安定化させる働きももっている．

Chk1, Chk2, MK2 を介した Cdc25 ホスファターゼファミリー

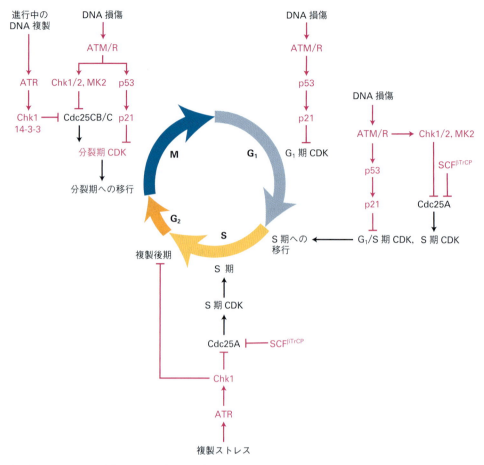

図 19・34　細胞周期における DNA 損傷チェックポイント制御の概要．DNA 損傷に応答して，ATM または ATR プロテインキナーゼ（ATM/R）は，Chk1/2 および MK2 プロテインキナーゼを介して Cdc25 ファミリーメンバーを阻害する．また，p53 を活性化し，CKI である p21 の産生を誘導する．G_1 期のなか，p53-p21 経路は G_1 期 CDK を阻害する．S 期および G_2 期の複製ストレス（DNA 複製フォークの動きが遅い，あるいは DNA 複製フォークの崩壊）では，ATR-Chk1 プロテインキナーゼカスケードを活性化し，DNA 2 本鎖切断では，ATM-Chk2 プロテインキナーゼカスケードを活性化する．Chk1 と Chk2 は，MK2 とともに Cdc25B と C をリン酸化して不活性化し，分裂期の CDK の活性化と分裂期への移行を阻害する．G_1 期と S 期には，DNA 損傷チェックポイント経路も Cdc25A をリン酸化して SCF^{βTrCP} を介した分解へと標的化し，それによって G_1/S 期 CDK と S 期 CDK を阻害して S 期への移行や通過を阻害している．赤の記号は，細胞周期の進行を阻害する経路を示す．

の阻害は，DNA 損傷や不完全な複製が起こったときに，細胞周期進行を阻害する唯一の手段ではない．DNA 損傷は，CDK 阻害因子 p21 を転写する転写因子 p53 の活性化も誘導する．p21 はすべての多細胞動物のサイクリン-CDK 複合体と結合して阻害する．その結果，細胞は G_1 期や G_2 期に停止する（図 19・34）．

転写因子である **p53** はがん抑制因子として知られている．なぜなら，その通常機能は，DNA 損傷に直面したときに細胞増殖を制限するからである．このタンパク質は，極度に不安定で，正常状態では転写を促進する十分な量は蓄積しない．p53 の不安定性は，**Mdm2** とよばれるユビキチンリガーゼによるユビキチン化とその後のプロテアソームによる分解の結果である．この p53 の迅速な分解は，ATM や ATR によって阻害される．ATM と ATR は，p53 上の部位をリン酸化し，Mdm2 との結合を妨げる．DNA 損傷に応答した p53 のリン酸化や他の修飾によって，p53 の転写能は著しく増大し，p21 のような特定の因子の転写を活性化することで，細胞は DNA 損傷に対処可能となる．

DNA 損傷が広範囲に及ぶ場合など，状況によっては，p53 はプログラム細胞死の過程であるアポトーシスにつながる遺伝子の発現も活性化する（図 19・32）．多細胞動物では，アポトーシスを誘導する p53 応答（22 章）は，おそらく正常細胞をがん細胞に変えるかもしれない多重突然変異の蓄積を防ぐために進化したのであろう．p53 が細胞周期の停止とアポトーシスの誘導という二つの役割を担っていることは，ほとんどすべてのがん細胞が，*p53* 遺伝子または DNA 損傷に応答して p53 を安定化する経路に変異をもつという観察を説明することができる（25 章）．*p53, ATM, Chk2* 遺伝子が変異がもたらす結果は，多細胞生物の正常状態を維持するための細胞周期チェックポイント経路がいかに重要であるかを示している．

紡錘体形成チェックポイント経路は， 染色体が紡錘体と正確に結合するまで染色体分離を妨げる

紡錘体形成チェックポイント経路（spindle assembly checkpoint pathway）は，すべての染色体が紡錘体微小管に双方向性結合によって適切に結合していることを確認してから後期に入るという全体的な監視機構である．もし動原体が 1 本でも結合していなかったり，張力がかかっていなかったりすると，分裂期後期に進

まない．なぜなら，そのような欠陥がある状態で姉妹染色分体を引き離そうとすると，ほぼ確実に染色体が失われてしまうためである．§19・5 でみたように，紡錘体形成チェックポイント経路は，紡錘体微小管に結合していない動原体を監視している．張力が不十分な微小管-動原体相互作用は，動原体の微小管結合因子である Ndc80 複合体をリン酸化するプロテインキナーゼ Aurora B によって不安定化される．これにより，安定した動原体と微小管の相互作用が失われ，紡錘体形成チェックポイント経路によって認識されるようになる．このように，どの細胞周期でも Aurora B の個々の染色体上でのキナーゼ活性と，全染色体の結合状態を調べる紡錘体形成チェックポイント経路が協調して働き，すべての姉妹染色分体の対が紡錘体と正確に双方向性に結合するように保証しているのである．

紡錘体形成チェックポイントの構成成分が，占有されていない動原体の微小管結合部位を認識して結合し，後期阻害シグナルをつくりだし，最終的に APC/C^{Cdc20} を阻害する．APC/C^{Cdc20} は，サイクリン B の分解，セキュリンのユビキチン化とその後の分解，コヒーシンを分解するセパラーゼの活性化を誘発し，後期に入るきっかけとなるユビキチンリガーゼであることを思い出してほしい（図 19・28）．動原体が微小管に結合しないと，紡錘体形成チェックポイントプロテインキナーゼ Mps1 によって動原体外層成分 Knl1 はリン酸化される（図 19・35）．次にこのリン酸化によってチェックポイント経路の他の成分が結合していない動原体に集められる．APC/C^{Cdc20} の停止には，結合していない動原体による Mad1-Mad2 複合体の取込みと活性化が必要である．重要なことに，活性化された Mad1-Mad2 複合体は細胞質中の不活性化（開いた）Mad2 を活性型（閉じた）Mad2 に変換できる．活性型 Mad2 は APC/C^{Cdc20} と結合し，その活性を阻害できる．APC/C^{Cdc20} に結合した Mad2 はさらなるチェックポイント因子を複合体に集め，分裂チェックポイント複合体（mitotic checkpoint complex: MCC）を形成する．次に MCC は APC/C^{Cdc20} が基質を認識してユビキチン化しないようにする．紡錘体形成チェックポイント経路によって，たった一つでも紡錘体微小管が結合していない動原体があると，細胞にあるすべての Cdc20 が阻害され，動原体が紡錘体微小管と適切に結合するまで分裂期後期への進行は阻害される．

すべての染色体が動原体と正しく両性結合すると，紡錘体形成チェックポイント経路は抑えられ，APC/C^{Cdc20} はセキュリンを分解し後期が開始する．紡錘体形成チェックポイント経路の停止は複数の機構を通じて生じる．プロテインホスファターゼ 1 は Knl1 を脱リン酸化し，その結果，動原体のチェックポイントタンパク質結合部位が除去される．加えて，p31^{comet} として知られるタンパク質が MCC を分解し，APC/C^{Cdc20} を活性化して，後期が開始される（図 19・35）．

紡錘体形成チェックポイント経路は，マウスの生存に必須であり，すべての細胞分裂を通してこの品質管理経路が重要であることを浮き彫りにしている．複製した染色体の二つの動原体が紡錘体極からの微小管と結合する前に，もし後期が開始したら，**染色体不分離**（nondisjunction）とよばれる染色体の誤った分離が起こる．染色体全体の数が失われたり増えたりする細胞内の最終状態は**異数体**（aneuploid）とよばれ，健康と体調に重大な影響を及ぼす．異数体は遺伝子の誤制御をひき起こし，がんの発生につながる．ヒトの精子や卵をつくる減数分裂において染色体不分離が起こると，三染色体性（染色体の増加）や一染色体性（染色体の減少）が起こる可能性がある．§19・8 で解説するように，減数分裂は特に染色体不分離を起こしやすく，自然流産やダウン症候群になる可能性がある．

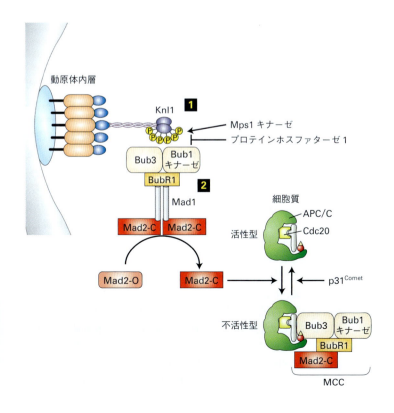

図 19・35 紡錘体形成チェックポイント経路．紡錘体形成チェックポイント経路は，すべての動原体が紡錘体微小管と適切に結合するまで活性化状態にある．段階 1：動原体に微小管が結合していない場合，動原体外層の構成成分 Knl1 がチェックポイントキナーゼ Mps1 によってリン酸化される．リン酸化された Knl1 は次にチェックポイントキナーゼ Bub1-Bub3 およびチェックポイントタンパク質 BubR1 と結合する．これら 3 種類のタンパク質は次に Mad1-Mad2 複合体を動原体に取込む．動原体に結合した Mad1-Mad2 複合体は閉じた活性型であり（Mad2-C で示されている，段階 2），細胞質中の不活性な開いた Mad2（Mad2-O）を活性化した閉じた Mad2 に変換する能力がある．活性化 Mad2 は APC/C^{Cdc20} と結合し，それを阻害する．APC/C^{Cdc20} の完全な阻害にはチェックポイント因子 Bub1-Bub3 と BubR1 を複合体中に取込む必要がある．これらタンパク質が一緒になって，APC/C^{Cdc20} が基質を認識しユビキチン化するのを阻害する分裂チェックポイント複合体（MCC）が形成される．すべての動原体と微小管が張力発生様式でいったん結合すると，紡錘体形成チェックポイント経路は停止する．プロテインホスファターゼ 1 は次に Knl1 を脱リン酸化し，その結果，動原体のチェックポイントタンパク質結合部位が除去される．さらに，p31^{comet} は MCC を分解し，APC/C^{Cdc20} が有糸分裂サイクリンとセキュリンを分解して，分裂期後期をひき起こすことが可能になる．[E. A. Foley and T. M. Kapoor, 2013, *Nat. Rev. Mol. Cell Biol*. **14**: 25; A. Mussachio, 2015, *Curr. Biol*. **25**: R1002 による．]

19・7　細胞周期制御における監視機構　まとめ

- チェックポイント経路とよばれる監視機構は，細胞周期の事象に対する依存性を確立し，前段階の事象が完了するまで次の細胞周期の事象が進行しないように保証する．
- チェックポイント経路は，特別な細胞の事象を監視するセンサーやシグナル伝達経路，細胞周期の進行を停止するエフェクター，必要に応じて修復経路を活性化するエフェクターから構成される．これらの経路には，プロテインキナーゼ，リン酸化結合ドメイン，ユビキチンプロテインリガーゼが多用されている．
- 細胞は広範で多様なDNA損傷を検出し応答できる．その応答は，細胞が細胞周期のどの段階にあるかによって異なる（図19・34）．
- DNA損傷に応答して，3種類の類似のプロテインキナーゼDNA-PK，ATM，ATRが損傷部位に集まる．それらは損傷部位で，細胞周期の停止や修復，またある状況下ではアポトーシスを誘導するシグナル伝達経路を活性化する．ATMとATRは，三つのエフェクターチェックポイントキナーゼChk1，Chk2，MK2の働きによって，細胞周期チェックポイントを確立する（図19・32）．
- 紡錘体形成チェックポイント経路は，後期の早期開始を防ぐために，Mad2などのタンパク質を利用して，セキュリンと分裂期サイクリンを標的としてユビキチン化するAPC/C^{Cdc20}を制御する（図19・35）．

19・8　減数分裂：特別な細胞分裂

ほぼすべての二倍体真核生物において，**減数分裂**（meiosis）は核分裂の一形態であり，卵または精子という一倍体の生殖細胞を生み出す．ある個体の卵や精子は，別の個体の生殖細胞と融合して二倍体の接合子をつくり，それが新しい個体に成長する．減数分裂は，2人の親から受け継いだ染色体一式の再分配が起こるので，すべての真核生物の生物学および進化の基本となる現象である．減数分裂の間に起こる両親のDNA分子間で起こる染色体の再分配と相同組換えによってできる一倍体の生殖細胞は，いずれも他の一倍体の生殖細胞とは異なり，またもちろん両親とも異なる特有の組合わせの対立遺伝子を受取る．減数分裂は，体細胞分裂と同様に，G_1期，S期，G_2期を経て行われる．

減数分裂の機構は，体細胞分裂の場合と類似している．しかし，減数分裂のいくつかの重要な特徴によって，遺伝的多様性をもつ一倍体細胞をうまくつくり出している（図6・3参照）．分裂の細胞周期では，S期にひき続いて染色体分離と細胞分裂が起こる．一方，減数分裂では，1回のDNA複製にひき続いて2回の連続した染色体分離が起こる．その結果，二倍体でなく一倍体の娘細胞ができる．2回の分裂において，母親由来と父親由来の染色体は一度混ぜられたのち，分けられ，親細胞とは異なる遺伝的構成をもつ娘細胞になる．本節では，体細胞分裂と減数分裂の類似点を解説する．そして，一倍体娘細胞を形成する際の，通常とは異なる細胞分裂を行うために，標準的な体細胞分裂の細胞周期装置を変形してつくった減数分裂特異的な装置についても解説する．

細胞外と細胞内の合図による生殖細胞形成の制御

多細胞動物の減数分裂への移行の引金を引くシグナルの同定は，とても盛んな研究分野である．細胞外からのシグナルは，減数分裂をひき起こす減数分裂特異的な細胞周期因子を産生する転写プログラムを誘導する．この細胞周期の改変は，精子の鞭毛の発達や真菌類の胞子形成によるストレス抵抗性細胞壁の産生のように，配偶子に特有の特徴を誘導する進化プログラムと協調して進化してきた．哺乳類の減数分裂の開始を誘導する細胞外シグナルの一つは，レチノイン酸である．レチノイン酸はレチノイン酸受容体に結合し，さまざまな発生過程を開始させる（図8・43参照）．このホルモンの細胞内の標的とそれがどのように機能して減数分裂への運命を定めるかは不明である．

減数分裂の開始を決定する分子機構は，出芽酵母ではよくわかっている．減数分裂を開始する決定はG_1期になされる．窒素や炭素源の枯渇が，二倍体細胞を体細胞分裂ではなく減数分裂へと誘導し，一倍体の胞子をつくる（図1・24参照）．減数分裂の間，出芽は抑制され，親細胞の領域内で減数分裂前のS期があって2回の減数分裂が起こる．次に4個の減数分裂の産物の周囲に胞子壁がつくられる．出芽とDNA複製の開始はG_1/S期CDKによって誘導されるということを思い出してほしい．出芽を妨げるためには，これらの発現を阻害することが必要である．栄養飢餓は，G_1/S期サイクリンの発現を抑制し，出芽を抑制する．しかし，DNA複製もG_1/S期サイクリンに依存する．G_1/S期CDKが不在のなか，どのようにして減数分裂前DNA複製が起こるのだろうか．胞子形成特異的プロテインキナーゼ**Ime2**が，DNA複製促進におけるG_1/S期CDKの役割を代わって行う．Ime2は以下の現象を促進する．1) APC/C特異的因子Cdh1をリン酸化し，Cdh1を不活性化して，S期および分裂期サイクリンを蓄積させる（図19・17），2) 転写因子をリン酸化して，DNAポリメラーゼやS期サイクリンを含むS期に必要な遺伝子を誘導する（図19・18），3) S期CDK阻害因子Sic1をリン酸化して，活性化S期CDKを解放し，減数分裂前DNA複製を開始させる．

減数分裂を体細胞分裂と区別する重要な特徴

減数分裂は，体細胞分裂といくつかの基本的な点で異なる．両者の比較を図19・36にまとめた．2回の連続した細胞分裂は，**減数第一分裂**（meiosis I，減数分裂 I）と**減数第二分裂**（meiosis II，減数分裂 II）とよばれる（図19・37）．減数第二分裂は，姉妹染色分体が分離するという点で体細胞分裂と似ている．しかし，減数第一分裂は大きく異なる．減数第一分裂の間に，相同染色体（すなわち，母親由来の染色体と父親由来の同じ染色体）が分離する．この通常とは異なる染色体分離には，染色体分離装置に三つの減数分裂特異的な改変が必要である．次に，これらについて解説し，なぜ必要かを説明する．

体細胞分裂時の染色体が紡錘体に正確に結合するために働く張力に基づく感知機構は，減数第一分裂においても染色体分離で機能している．したがって，張力に基づく機構が機能するためには，相同染色体が結合しなくてはならない．相同染色体間の相同組換えによってこの結合がつくられる（図19・36）．相同組換えの分子機構は，5章で詳しく解説した．ここでは，減数分裂がうまく進むための相同組換えの重要性に限定して解説する．

G_2期および減数第一分裂の前期では，父母それぞれ由来の二つ

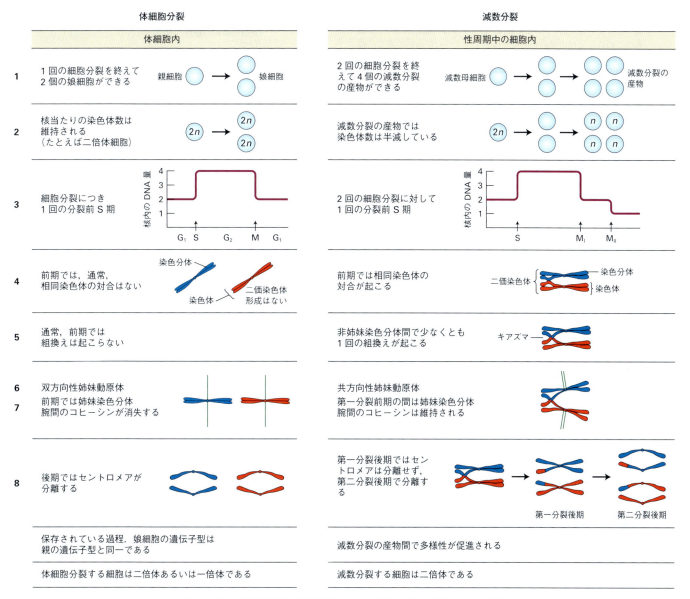

図 19・36 体細胞分裂と減数分裂のおもな特徴の比較．詳細は本文を参照．

の複製した染色分体は，体細胞分裂の細胞周期の DNA 複製後に起こる場合と同様，染色体腕の全域に広がるコヒーシン複合体によって互いに結合している．減数第一分裂の前期で，相同染色体（すなわち，母親および父親由来の染色体 1，母親および父親由来の染色体 2 など）が互いに対をつくって，相同組換えが起こる．減数分裂の特徴である相同染色体どうしの**対合**（synapsis，シナプシス），**対合複合体**（synaptonemal complex: **SC**）とよばれるタンパク質性の複合体が，染色体上の特定の位置に最初に形成され，その染色体全体に広がっていくことによって仲介される．この対形成により，互いに隣接する相同染色体の遺伝子が正確に整列し，相同組換えを起こりやすくしている．このとき，母方染色体と父方染色体の間で少なくとも 1 回の組換えが起こることが必要である．組換えによって生じた染色体の**乗換え**（crossing over，交差）は，**組換え小体**（recombination nodule）とよばれる大きな多タンパク質の集合体で起こり，最初の減数分裂の前期と中期に**キアズマ**（chiasma，*pl.* chiasmata）という構造として顕微鏡で観察することができる．相同染色体は **Rec8** とよばれる減数分裂に特異的なコヒーシンによってキアズマを介して連結され，**二価染色体**（bivalent chromosome）とよばれる（図 19・36）．前期の後半になると，対合複合体は分解され，染色体は凝縮し，相同染色体はキアズマと隣接するコヒーシン分子でのみ結合し，このコヒーシン分子が第一分裂中期紡錘体において微小管による牽引力に対する抵抗として働く（図 19・39）．減数分裂の中期から後期への移行時に，Rec8 はセパラーゼによって切断される．これは，体細胞分裂時にコヒーシン Scc1 がセパラーゼによって切断されるのと同じで，相同染色体対が分離するのを可能にする．

減数第一分裂前期に起こる相同染色体間の組換えには，二つの機能的な意味がある．第一に，異なる個体間で対立遺伝子の新しい組合わせを確保することにより，種の個体間の遺伝的多様性に貢献すること，第二に，減数第一分裂の中期で相同染色体を連結することである．少なくとも 1 本のキアズマでつながった相同染色体は，減数第一分裂の中期で紡錘体上に並び，減数第一分裂の

図 19・37 減数分裂. 減数分裂前の細胞はそれぞれの染色体を2コピーもっている (2n). 1本は父親に, もう1本は母親に由来する. 簡単のために, 父母由来の相同染色体を1本ずつだけ描いてある. 段階 1: 減数第一分裂前のS期にすべての染色体は複製するので, 染色体の全数は4nになる. コヒーシン複合体(示していない)が, 各複製染色体を構成している姉妹染色分体を全長にわたってつなぎ合わせている. 段階 2: 減数第一分裂前期に染色体が凝縮すると, 複製された相同の対は相同組換えを起こして, 少なくとも1箇所で乗換えが生じる. ここで示した第一分裂中期では, 1本の染色体の2本の染色分体はともに, 一つの紡錘体極から出ている微小管と結合しているが, 対合した相同染色体は互いに反対側の極に発する微小管と結合している. 段階 3: 減数第一分裂の後期では, それぞれ2本の染色分体からなる相同染色体は互いに反対側の極に引かれていく. 相同染色体間の組換えが完了し, キアズマが解消される. 段階 4: 細胞質分裂によって二つの娘細胞(いまは2n)ができ, それらはDNA複製を経ることなしに減数第二分裂に入る. ここに示した減数第二分裂の中期では, 姉妹染色分体は反対側の紡錘体極から出る紡錘体微小管と結合し, 減数分裂できる状態になる. 段階 5 および 6: 減数第二分裂後期に姉妹染色分体が互いに反対側の紡錘体極に分離すると, 次に細胞質分裂が起こり, 各染色体を1コピーずつ含む一倍体生殖細胞(1n)ができる. 左側の顕微鏡写真は, 発生中のユリの配偶子の減数第一分裂の中期と減数第二分裂の中期を示す. 染色体は中期板(赤道板)に整列している. [写真は Ed Reschke/Getty Images.]

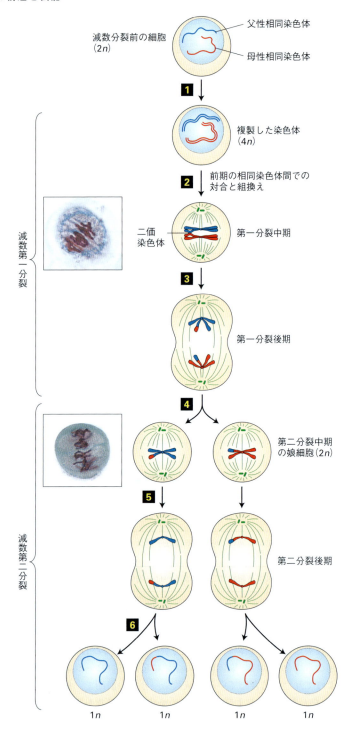

後期で母方と父方の染色体が互いに離れて分離するようにしなければならない.

減数第一分裂における特別な染色体分離には, 組換えと減数分裂特異的コヒーシンサブユニットが必要である

すでに述べたように, 減数第一分裂中期では, 一つの(複製した)染色体の二つの姉妹染色分体は, 体細胞分裂の場合のようにそれぞれが反対側の紡錘体極に発する微小管に結合するのではなく, どちらも同一の紡錘体極から出てくる微小管と結合する(図 19・38). 相同染色体間には二つの物理的連結があり, それらが紡錘体の牽引力に後期まで抵抗する. すなわち, 1) 各対の相同染色体の染色分体間の乗換えの結果生じるキアズマと, 2) 乗換え部位から離れたコヒーシンである(図 19・39b, 上). 減数分裂時の組換えが果たす連結機能は, 組換えの過程に必須なタンパク質の変異によって組換えが阻止されると, 染色体は減数第一分裂の間に無作為に分離する(すなわち, 相同染色体が必ずしも向き合う二つの紡錘体極に分離しない)という観察から示唆される.

減数第一分裂後期がはじまると, 染色体腕間をつなぎとめていたコヒーシンはセパラーゼによって切断される. この切断は相同染色体が分離するために必要である. コヒーシンが染色体腕から消失しないと, 組換えが生じた姉妹染色分体は減数第一分裂時に引き裂かれる. 減数第一分裂時にセントロメアのコヒーシンが維持されることは, 減数第二分裂時に姉妹染色分体が適切に分離するのに必要である.

多くの生物を用いた研究から, 特殊なコヒーシンサブユニットであるRec8が, 減数分裂時のコヒーシンの染色体からの段階的消失に必要であることが示された. 減数分裂時にだけ発現するRec8は, 体細胞分裂する細胞のコヒーシン複合体のコヒーシン環を閉じるサブユニットであるScc1と相同である(図 19・20). 抗体を用いた細胞内局在を検討する実験から, 減数第一分裂後期のはじまりにRec8は染色体腕から失われるが, セントロメアには維持されていることが明らかにされた. しかし, 減数第二分裂後期の初期には, セントロメアのRec8はセパラーゼによって切断され, 体細胞分裂の場合と同様に, 姉妹染色分体は分離される(図 19・39b, 下). 結果として, Rec8-コヒーシン複合体切断の制御が, 減数第一分裂における染色体分離を理解するうえで中心的課題になっている.

コヒーシン除去機構は減数第一分裂では異なる. なぜなら, Rec8がコヒーシン複合体のScc1にとって代わると, リン酸化さ

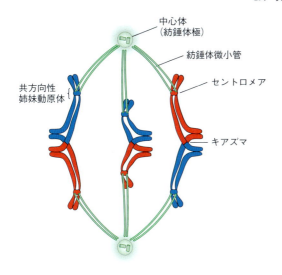

図 19・38 減数第一分裂中期の相同染色体を結ぶキアズマとコヒーシン．減数第一分裂の染色体間の結合は，バッタなど端部にセントロメアがある生物では容易に観察できる．姉妹染色分体のセントロメアの動原体は，同じ紡錘体極から出てくる紡錘体微小管と結合する．母親(赤)と父親(青)染色体の動原体は，それぞれ反対の紡錘体極からの紡錘体微小管と結合する．母親と父親の染色体は，それらの組換えで形成されるキアズマと減数第一分裂中期を通じて存在する姉妹染色分体をつなぐコヒーシンによって結合している．なお，相同染色体が分裂中期に分離するためには，減数分裂コヒーシン Rec8 をセパラーゼで切断して姉妹染色分体腕間の結合を除去すればよい．[L. V. Paliulis and R. B. Nicklas, 2000, *J. Cell Biol.* **150**: 1223; S. B. C. Buonomo et al., 2000, *Cell* **103**: 387 参照．]

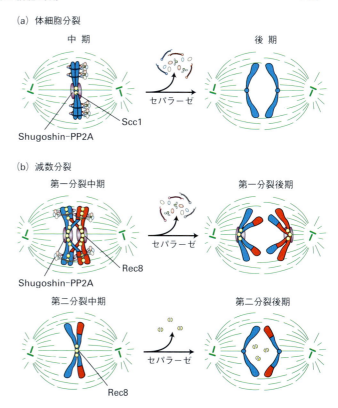

図 19・39 体細胞分裂および減数分裂におけるコヒーシンの機能．(a) 体細胞分裂では，S 期に DNA 複製で生じた姉妹染色分体は最初はコヒーシン複合体によって全長にわたって結合している．染色体が凝縮した中期では，コヒーシン複合体(黄)の分布は，セントロメア領域に限られる．Shugoshin(紫)は PP2A をセントロメアに集める．PP2A は，セントロメア領域からコヒーシンが解離しないように，ポロ様キナーゼや Aurora B と拮抗する．セントロメアからの Shugoshin の解離とセパラーゼの活性化によって，セントロメアからコヒーシンが除去される．姉妹染色分体は分離し，後期のはじまりを告げる．(b) 減数第一分裂の前期では，相同組換えによって，母性および父性染色分体間の連結が確立する．減数第一分裂の中期までに，それぞれ複製した染色体の染色分体は，全長にわたってコヒーシン複合体によって架橋される．減数分裂特異的 Scc1 ホモログである Rec8 は，染色体腕部分では切断されるが，セントロメアでは切断されないため，相同染色分体の対が各娘細胞へと分離される．セントロメアの Rec8 は，PP2A 調節因子 Shugoshin(紫)によってセントロメア領域に集まった PP2A の作用で，切断から保護されている．減数第二分裂の中期までに，Shugoshin-PP2A 複合体が染色体から解離する．その結果，コヒーシンは減数第二分裂で切断され，姉妹染色分体が分離する．[F. Uhlmann, 2001, *Curr. Opin. Cell Biol.* **13**: 754 参照．]

れても前期にこの複合体は解離しないからである．減数分裂コヒーシン複合体は，セパラーゼの作用を介した場合にのみクロマチンから除去される．また，セパラーゼによって分解されるためには，Rec8 は複数のプロテインキナーゼによってリン酸化されなければならない点で，Scc1 と異なる．減数第一分裂時には，Shugoshin によってセントロメアクロマチンに結合するセントロメア特異的な PP2A アイソフォームが，このリン酸化を妨げている．その後，PP2A 標的因子と PP2A は減数第二分裂中期までに染色体から解離し，セパラーゼは Rec8 を切断する．

減数第一分裂は体細胞分裂よりはるかにまちがいが生じやすい．ヒトではすべての受胎の 10% が異数体であると推定されている．異数体の大部分の原因は，減数第一分裂時の染色体不分離である．相同染色体間での組換えが失敗した場合やキアズマが染色体末端に近すぎる場合は，張力が発生しないか弱すぎるため，動原体-微小管は不安定化し，染色体不分離になる．その結果，卵や精子は少ない数あるいは多すぎる数の染色体を得ることになる．一染色体性(染色体 1 本が少ない)はすべて，三染色体性(1 本染色体が多い)のほとんどは胎性致死あるいは生後直後の死に至る．**ダウン症候群**(Down syndrome)として知られる 21 番染色体の三染色体性だけは生存するが発生異常や知的障害となる．

減数第一分裂の染色体不分離は母親の年齢とともに劇的に増加する．30 歳以下の女性の場合，出生児の 0.1% 以下がダウン症であるが，45 歳の場合はこの割合は 3.5% に増加する．母親の年齢に応じた染色体不分離のこの増加は染色体 21 番に特異的ではない．臨床的に認められた妊婦の三染色体性の発生率は，30 歳以下で 5% 以下，42 歳以上で 35% もの高い割合になる(図 19・40)．

母親の年齢に応じた染色体不分離の劇的な増加の理由は，脊椎動物の雌の減数分裂の生物学のなかに見いだされる．すべての脊椎動物では，減数分裂前 DNA 複製や組換えが雌胚で起こる．卵はそれから雌が性成熟するまで(ヒトでは 12 から 16 歳の間)減数第一分裂の G_2 期に休止する．最初の卵が減数分裂に入り，減数第二分裂中期に進む時期であり，卵は休止し受精を待つ状態である(図 19・5)．40 歳女性の減数分裂に入る卵は 40 年間 G_2 期に休止している．この間に，非常に長い G_2 期に 2 本の相同染色体をつなぎとめているコヒーシンの状態は悪くなる可能性があり，その結果，相同染色体は互いに分離してしまう．この事象による相同染色体の分離異常が原因となり，異数体の卵が形成となる．

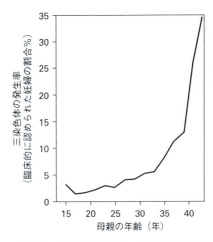

図 19・40　出生児の異数性は母親の年齢とともに増加する．臨床的に認められた妊婦の三染色体性胎児の割合(%)が母親の年齢の作用として示されている．[T. Hassold and P. Hunt, 2001, *Nat. Rev. Genet.* **2**: 280 による．]

減数第一分裂の染色体分離には姉妹動原体の共方向性が重要である

体細胞分裂と減数第二分裂の中期では，姉妹動原体は向かい合う紡錘体極から出る紡錘体微小管に結合する．この場合，姉妹動原体は**双方向性**（bi-oriented）であるという．このことは姉妹染色分体が異なる娘細胞に分離するのに必須である．一方，減数第一分裂では，姉妹動原体は同一の紡錘体極から発する紡錘体微小管と結合する．この場合は，姉妹動原体は**共方向性**（co-oriented）であるという（図 19・38）．したがって減数第一および第二分裂において，姉妹動原体が適切な微小管に結合することが，減数分裂における正確な染色体分離に必須であることは明らかである．

減数第一分裂の姉妹動原体の共方向性に必要なタンパク質は，最初，出芽酵母で同定された．この生物では，1本の微小管が双方の動原体に結合する．減数第一分裂時に，**モノポリン複合体**（monopolin complex）とよばれるタンパク質複合体が，姉妹動原体と結合し，それらが一つの動原体単位として融合し，1本の微小管に連結することがわかっている．他のすべての生物では，動原体は複数の微小管と結合する．脊椎動物では，Rec8 を含むコヒーシンが，姉妹動原体の共方向性に必須である．減数分裂特異的コヒーシンによって，強固な動原体構造がつくられ，姉妹動原体の運動が制限されて，同じ紡錘体極からの微小管との結合が選ばれるようになる．

減数第一分裂時の染色体の正確な結合は，体細胞分裂や減数第二分裂時と同様，張力に基づいた機構を介している．減数第一分裂中期の動原体に結合した微小管にも張力は発生する（たとえ同じ紡錘体から伸びてくる微小管と結合する共方向性姉妹染色分体であっても）．なぜなら，相同染色体間の組換えによってできたキアズマとキアズマから離れた場所に存在するコヒーシンが極方向に引かれるのを阻止するためである（図 19・38）．張力が発生しないと微小管と結合する動原体は不安定になるため（Aurora B を介したリン酸化による），誤った紡錘体に由来する微小管と結合した動原体は微小管から解離し，張力が生じる結合ができるまで，微小管との結合が繰返される．いったん張力が発生すると，体細胞分裂と同様，動原体と微小管の結合は安定化する．

19・8　減数分裂：特別な細胞分裂　まとめ

- 減数分裂は特別な分裂であり，減数分裂特異的な遺伝子産物が体細胞の細胞分裂プログラムを改変している（図 19・36）．
- 減数分裂では，1 回の染色体複製ののちに 2 回の細胞分裂が起こり，1 個の二倍体の減数分裂前細胞から 4 個の一倍体の生殖細胞が生じる．減数第一分裂では相同染色体が分離し，減数第二分裂では姉妹染色分体が分離する．
- 特定の環境条件によって減数分裂を導く発生プログラムが誘導される．
- 減数第一分裂前期に，相同染色体が互いに対となり，組換えを起こす．適切な染色体分離のために，相同染色体の染色分体間で，少なくとも 1 回の組換えが起こらなければならない（図 19・37）．
- キアズマとそこから離れた位置のコヒーシンが減数第一分裂前期と中期の相同染色体の対合に寄与している（図 19・38）．
- 減数第一分裂後期の開始に，染色体腕上のコヒーシンはリン酸化され，その結果，セパラーゼによって切断される．しかし，セントロメア領域のコヒーシンはリン酸化と切断から保護されている．この保護機構は，セントロメアに結合する減数分裂特異的なコヒーシンサブユニットとホスファターゼによってもたらされる．その結果，減数第一分裂の分離の間，姉妹染色分体は結合状態を保つ（図 19・39）．
- 減数第二分裂後期のセントロメアコヒーシンの切断によって，個々の染色分体は生殖細胞へと分配される（図 19・39）．
- 減数第一分裂の間，減数分裂コヒーシンが姉妹動原体が同じ紡錘体極から伸長する微小管への結合を促進する．

重要概念の復習

1. 細胞周期が一方向に不可逆的に進行するのを確実にしている細胞機構は何か．その根底にある分子機構は何か．

2. 細胞周期の進行を研究するのに用いる実験的方法は何か．この課題に対する遺伝学や生化学的アプローチはどのように違うか．

3. 2001 年のノーベル生理学・医学賞を共同受賞した Hunt は，卵や胚からサイクリンを発見し，その解析を行ったことが認められた．サイクリンの発見につながった実験を段階的に述べよ．

4. 分裂酵母と出芽酵母のどのような生理的違いが，これらを細胞周期制御や調節に関与する分子機構を研究する有用で互いに補い合う道具にさせたのか．

5. アフリカツメガエルでは，分裂期 CDK の基質の一つが Cdc25 ホスファターゼである．Cdc25 は分裂期 CDK でリン酸化されると活性化する．Cdc25 の基質は何か．このことから，細胞が分裂期に入ると生じる分裂期 CDK 活性の急激な上昇はどのようにして説明できるか．

6. CDK 活性が次のタンパク質によってどのように調節されるか述べよ．(a) サイクリン，(b) CAK，(c) Wee1，(d) p21．

7. CDK 阻害因子の役割を述べよ．もしサイクリン-CDK 複合体が真核細胞の細胞周期において制御された進行に必要とされるとすれ

ば，CDK 阻害因子の生理的な意味は何と考えられるか．

8. がん細胞では一般的に細胞周期移行の制御が破綻している．いくつかのがん細胞で見つかり制御を無効にする次の変異について述べよ．(a) サイクリン D の過剰発現，(b) Rb 機能の消失，(c) p16 機能の消失，(d) E2F の過剰活性化．

9. Rb タンパク質は細胞周期の"マスターブレーキ"とよばれている．Rb タンパク質がどのように細胞周期のブレーキとなっているか述べよ．細胞が S 期に進行するために，このブレーキは G_1 期の中期から後期にどのように外されるのか．

10. 細胞周期制御の共通の特徴の一つは，ある段階の事象が次の段階の進行を保証することである．出芽酵母では，G_1 期および G_1/S 期 CDK は S 期移行を促進する．これらが S 期の活性化を促進する二つの方法を述べよ．

11. S 期が一定の時間内に完了するために，真核細胞では DNA 複製は多数の複製起点ではじまらなければならない．全ゲノムが細胞周期当たり 1 回だけ複製することを保証するために，出芽酵母の S 期 CDK や DDK 複合体はどのような役割を果たしているか．

12. 2001 年のノーベル生理学・医学賞は 3 人の細胞周期研究者に授与された．Nurse は，分裂酵母の研究，特に $wee1^+$ 遺伝子の発見とその解析に関する業績が認められた．$wee1^+$ 遺伝子の解析結果が示した細胞周期制御とは何か．

13. ホスホセリン/トレオニン結合タンパク質は，G_1 期から S 期への移行，G_2 期から M 期への移行を制御するうえで，どのような役割を担っているか．

14. 姉妹動原体が紡錘体と適切に結合しているかどうかを細胞はどのように知るかを述べよ．

15. 後期に APC/C は姉妹染色分体の分離を促進するが，その一連の現象を述べよ．

16. 染色体分離後にのみ細胞切断が起こるように，細胞質分裂がどのように制御されているかを説明せよ．

17. 2001 年ノーベル生理学・医学賞の 3 番目の受賞者である Hartwell は，出芽酵母の細胞周期チェックポイントの研究が認められた．細胞周期チェックポイント経路とは何か．細胞周期のどこでチェックポイント経路が働くのか．ゲノムを守るうえで，細胞周期チェックポイント経路はどのように役立っているか．

18. DNA 損傷の細胞を細胞周期停止に導くときの p53 を含むがん抑制因子の果たす役割は何か．

19. 遺伝病である毛細血管拡張性運動失調症を発症すると，神経変性，免疫不全，そしてがん発症率の上昇が起こる．この遺伝病は，ATM 遺伝子の機能喪失型変異に由来する．p53 のほかに，ATM によってリン酸化される基質は何か．この基質のリン酸化がどのように CDK の不活性化をもたらし，細胞周期を停止させるか．

20. 全体として，減数分裂と体細胞分裂は，多数の共通のタンパク質が関与する類似した過程である．しかし，いくつかのタンパク質が二つの細胞分裂過程で固有に働いている．次のタンパク質の減数分裂に特異的な機能を述べよ．(a) Ime2，(b) Rec8，(c) モノポリン．

21. ダウン症候群が母親の年齢とともに増加する理由は何か．

20

細胞から組織への集成

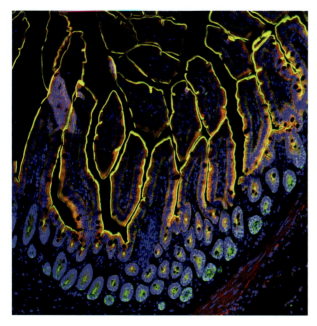

突起構造をもつマウス小腸の絨毛. 蛍光抗体で染色して観察している. 緑はおもに細胞膜に分布しコレステロール代謝にかかわるタンパク質NPC1L1を, 赤は微絨毛（小腸の内腔側にあり分解した栄養を吸収する細胞表面の小さな突起構造）のアクチン繊維束に結合するビリンを, 青は細胞の核 (DNA) を示す. 画像のうえでは, この三つの色は一緒に表示されているので, 緑 (NPC11) と赤 (ビリン) とが共存する箇所は黄に表示される. 黄のライン状構造から, 栄養を吸収する小腸上皮の表層箇所（頂端面）が小腸内腔側（黒色の部分）を向いていることがよくわかる. [B. L. Song 提供]

20・1　細胞間接着と細胞-マトリックス間接着: 概観
20・2　細胞間および細胞-マトリックス間の結合と接着分子
20・3　細胞外マトリックスⅠ: 基底膜
20・4　細胞外マトリックスⅡ: 結合組織
20・5　運動性細胞と非運動性細胞の接着相互作用
20・6　植物組織

植物や動物のような複雑な多細胞生物の発生では, 始原細胞が特徴的な構成, 構造, 機能をもつ異なる種類の細胞へと分化する. ある種類の細胞は集合して**組織** (tissue) を形成し, 協同して共通の機能を果たす. たとえば, 筋肉は収縮し, 神経組織は電気刺激を伝導し, 植物の木部組織は水を運搬する. 複数の組織がさらに組織化されて**器官** (organ) を形成し, 一つ以上の特定の機能を果たすようになる. たとえば心臓では, 筋肉, 弁, 血管が協同して働くことによって血液を送り出す. 多くの種類の細胞や組織が協調して機能することで, 生物は移動し, 代謝し, 繁殖し, そのほか必須の活動を行うことが可能になっている. 植物と動物の複雑で多様な形態は, その全容が, 単なる個々の部分を足し合わせた集合体ではないことを示す例である.

脊椎動物には何百種類もの細胞があり, そのなかには白血球と赤血球, 網膜の光受容細胞, 脂質をたくわえる脂肪細胞, 結合組織の繊維芽細胞, ヒトの脳にある何百もの異なる性質をもつ神経細胞などがある. 国際的な研究プロジェクト (Human Cell Atlas Project) では, 単一細胞の RNA 配列決定などの方法を使って, ヒトの細胞種の包括的なカタログ作成を行っているところである.

海綿動物のように複雑ではないものもあるが, 多くの多細胞動物の体は, 異なる種類の細胞が集まりつくられる特定の組織で構成されている. 動物の構造が単純な場合でも複雑な組織構成がある. たとえば, 線虫の成体にはわずか 959 個の細胞しかないが, これらの細胞は 12 種類の細胞に大別され, さらに細かく分けられる. すべての動物細胞は, その多様な形態や機能にかかわらず, わずか 5 種類の組織, すなわち**上皮組織** (epithelial tissue), **結合組織** (connective tissue), **筋組織** (muscular tissue), **神経組織** (neural tissue), および**血液** (blood), に分類できる. 多種類の細胞を, 信じがたいほどの複雑なパターンで正しく配置することによって, さまざまな組織や器官がつくられる. 個体発生において, このような複雑な構造をつくるには, 情報, 物質, エネルギー, そして時間という, 多大な生理学的なコストをかけることになるが, このコストは複雑な組織と器官をつくるためには必須なものである. 動物は, 過去から現在に至るまで, この組織と器官の働きのおかげで, さまざまに変貌する環境中で生き抜く能力を獲得し, これが進化のうえの大きな原動力となってきた.

複雑な組織と器官をもつ多細胞動物の特徴は, ほぼすべての組織・器官の外側と内側の表面が, さらに個体の表面が, **上皮** (epithelium, pl. epithelia) とよばれる強く結びついたシート状の細胞層で覆われている点である. 上皮の形成, それに続いて上皮と他の組織からなる複雑な集合体を形成したり, のちにそれらを再構成したりすることが, 多細胞動物の発生における顕著な特徴である. 強く結合した上皮の細胞シートは, 調節可能であるが選択的透過性をもつ障壁としても作用し, これによって一個体の中に, 胃や血流のように, 化学的にも機能的にも他とは異なる区画を生み出すことになる. その結果, 多様で, ときには正反対の機能（たとえば消化と合成）を一つの個体のなかで同時に効率よく進行さ

せることができる．また，このような区画をつくることで，多様な生物機能をより巧妙に制御できるようになる．このような点で，一個体における複雑な組織や器官の役割は，一つの細胞内における細胞小器官や細胞膜の役割に似ている．

さまざまな組織の形成や器官への統合は，細胞レベルでの分子間相互作用によって決まる（図20・1）．これらの相互作用には，一連の接着分子が時間的・空間的・機能的に制御されて発現することが必須である．この接着にかかわる細胞表面の分子を**接着受容体**（adhesion receptor）という．組織内の細胞は，互いに直接接着することができ（**細胞間接着** cell-cell adhesion），この接着にかかわる細胞表面の分子は**接着受容体**（adhesion receptor）あるいは**細胞接着分子**（cell-adhesion molecule: **CAM**）とよばれる特殊な細胞膜タンパク質を介する．細胞接着分子は，細胞膜上で集合体を形成することが多く，なかには，集まって**細胞間結合**（cell junction）とよばれる構造を形成することがある．ショウジョウバエでは，少なくとも500の遺伝子（全体の約4％）が細胞接着に関与すると見積もられており，哺乳類には同様の遺伝子が1000以上存在する．また，動物組織の細胞のなかには，周囲の**細胞外マトリックス**（extracellular matrix: **ECM**）に，細胞膜の**細胞外マトリックス接着受容体**（cell-matrix adhesion receptor）を介して間接的に接着し（**細胞-マトリックス間接着** cell-matrix adhesion），細胞から細胞間隙に分泌されたタンパク質と多糖類が互いに絡み合った複雑な網目構造をつくっているものもある．このような接着受容体のなかには，インテグリンのように細胞間の結合を介し，細胞-マトリックス間接着の役割を担うものもある．

細胞間および細胞-マトリックス間接着は，細胞を集めてさまざまな組織をつくるだけでなく，細胞の内外の双方向の情報伝達の手段ともなっている．あとに述べるように，この二つの接着は細胞骨格と細胞のシグナル伝達経路を実質的に結びつける．そのため，細胞が置かれた環境が細胞の形態や機能に影響を与え（外から内への作用），逆に，細胞の形態や機能が細胞の周辺環境へ影響を与える（内から外への作用）．したがって，細胞の**接触**（connec-

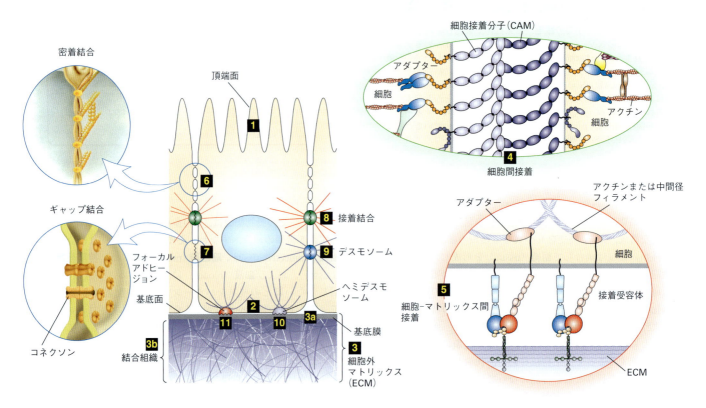

図 20・1　細胞間および細胞-マトリックス間の主要な接着相互作用の概要． 腸の内腔に面した表面などにみられる典型的な上皮の断面図（模式図）．細胞の頂端面（上部）には，微細な突起構造，微絨毛**1**が並んでいる．この微絨毛は腸の内腔側に突き出し，反対側の基底面**2**（底部）は細胞外マトリックス（ECM）に接している．上皮細胞と接するECM**3**は，さまざまな種類の互いに結合した層を形成していることが多く〔たとえば基底膜**3a**，結合繊維（示していない），結合組織**3b**〕，そこではECMをつくる巨大分子が，互いに絡み合って結合し，あるいは細胞**2**と結合している．細胞接着分子（CAM）は，他の細胞上のCAMと結合し，細胞間の接着を仲介する**4**．接着受容体は，さまざまなECM構成要素と結合し，細胞-マトリックス間の接着を仲介する**5**．これら2種類の細胞表面接着分子は，一般に膜内在性タンパク質であり，その細胞質ドメインはしばしば複数の細胞内アダプタータンパク質と結合している．これらのアダプターは，直接あるいは間接に，CAMを細胞骨格（アクチンまたは中間径フィラメント）や細胞内シグナル伝達経路と連結している（図20・8）．その結果，CAMとCAMが結合する巨大分子によって，情報が細胞外から細胞内環境へ（外から内）と，またその逆（内から外）にも伝達される．CAM，アダプタータンパク質，それらに結合したタンパク質は複雑な複合体を形成するものもある．CAMや接着受容体が特異的に結合して局所的に形成される複合体は，種々の細胞間結合を形成し，組織を互いに固定したり，細胞間や周辺の環境との情報交換を促進したりする重要な役割を果たす．頂端面の直下にある密着結合**6**は，細胞間を通って物質が拡散するのを妨げている．ギャップ結合**7**は，コネクソンチャネルを通って，隣接する細胞の細胞質間で小分子やイオンを移動させる．その他の3種類の結合，接着結合（**8**と**4**），デスモソーム**9**，ヘミデスモソーム（**10**と**5**），およびフォーカルアドヒージョン（フォーカルコンタクト**11**）は，細胞の細胞骨格を他の細胞やECMに結びつけている．〔V. Vasioukhin and E. Fuchs, 2001, *Curr. Opin. Cell Biol.* **13**: 76 参照．〕

tivity）と**情報伝達**（communication）は，組織における細胞の特性と強く関連している．また，情報伝達は，細胞の生存，増殖，分化，移動など多くの生物学的過程において重要である．したがって，接着性の相互作用やそれに伴う情報の流れが妨げられると，さまざまな神経筋異常，骨格異常，心臓や血管障害，血液凝集異常，がんなどの疾病をひき起こしたり，その要因となったりするのは当然である．

本章では，細胞の表面と周辺の細胞外マトリックスに存在するさまざまな種類の接着分子をみていく．これらの分子との相互作用によって細胞は組織へと集成し，また，この相互作用は，組織の発生，機能，また病態に深く関与する．多くの接着分子は，類似したタンパク質から構成されるファミリー，あるいはさらに大きなスーパーファミリーの一員である．接着分子それぞれには固有の役割があるが，本章では，代表的なファミリーに含まれる分子に共通する性質を述べることにし，そこから接着分子の構造と機能の基盤となる一般的な原理について解説する．強固な上皮を形成する組織にみられる接着分子の性質は特によく解明されていて，また，それらは進化初期にできあがった分子なので，最初は，腸管壁や皮膚を構成する上皮組織に焦点を当てる．上皮細胞は，通常，非運動性（固着性）であるが，発生過程，創傷治癒時，病的状態に（がんなど）おいては，運動性をもつ細胞に転換する．この転換には，白血球が感染部位まで這って進む場合と同じように，生体内における他の細胞の移動時に使われる接着分子の発現と機能が重要な役割をもっている．そこで，上皮組織の次には，他の組織，発生途中の組織，また運動性をもつ組織にみられる細胞間接着について解説する．

進化のうえでは，植物と動物は，多細胞生物が地球上に現れる以前に分岐したグループである（図1・1参照）．そのため，多細胞性，組織と器官を集合させる分子機構は，動物と植物の系統では，別個に生じたと考えられる．したがって，動物と植物とが組織の構成と発生において多く点で違いがあるのは驚くにあたらない．この理由から，動物における組織の構成を最初に考え，最後に，植物の組織を別個に扱う．

20・1 細胞間接着と細胞-マトリックス間接着：概観

動物個体内には，多くの異なる種類の細胞が存在し，その細胞間には，無数の，また常に変化する動的な相互作用がある．これらの相互作用は接着分子を介したもので，時間的・空間的に，さらに，その物理的な特性（接着強度など）も厳密に，かつ精細に制御されている．これによって生命体に存在する複雑な組織が構築されて，機能が発現する．したがって，細胞間や細胞-マトリックス間にある接着分子が多様な構造をとり，それらの発現量も細胞や組織によって当然異なる．その結果，接着分子は，細胞間や細胞-マトリックス間の相互作用によって，非常に特異で多彩な組織構築にかかわると同時に，細胞間や細胞外環境との情報のやりとりも可能にしている．本節では，まず，細胞に存在するさまざまな種類の接着分子を紹介し，それらの生体における機能と，それらの進化的な起源についての簡単な解説を概観することからはじめる．そのあとの節では，細胞間相互作用と細胞-マトリックス間相互作用に関与するさまざまな因子の特徴的な構造と性質を詳しく解説する．

細胞接着分子は互いに結合し，さらに細胞内タンパク質にも結合する

細胞間接着は，**細胞接着分子**（cell-adhesion molecule: **CAM**）とよばれる膜タンパク質が仲介する．多くのCAMは次の四つの大きなファミリー，カドヘリン，免疫グロブリン（Ig）スーパーファミリー，インテグリン，および糖結合性のタンパク質であるレクチン（そのなかの一つはセレクチンとよばれる）のいずれかに分類される．図20・2の模式構造が示すように，多くのCAMは複数の異なるドメインを含み，また，そのドメインは異なる複数のタンパク質にも共通にみられるものがある．ドメインの機能はそれぞれ多様であり，一部は，隣接する細胞上，あるいは同じ細胞上にある対応するCAMと特異的に結合させる役割を担う．また別のドメインは，多くのコピーが存在することによってCAMの長さを増加させ，CAMによって結合する細胞の膜間の距離を決める．接着受容体は，図20・2のCAMには構造上分類されていない別の膜タンパク質であるが，さまざまな組織で細胞間や細胞-マトリックス間の接着にかかわっている．細胞接着型Gタンパク質共役型受容体（GPCR，15章）は，そのような膜タンパク質である．後述するように，インテグリンも細胞間接着，細胞-マトリックス間の接着における受容体として働く．図20・2に示したように，ECMの構成成分を結合する接着受容体として機能する．また，IgGスーパーファミリーのCAMにも，インテグリンと同じように二つの機能をもつものがある．

CAMは，細胞外ドメインによって，同じ種類の細胞どうし（**同種間接着** homotypic adhesion）と，異なる種類の細胞間（**異種間接着** heterotypic adhesion）の接着性相互作用を仲介する．一つの細胞にあるCAMが隣接する細胞にある同じ種類のCAMに直接結合する（**同種間結合** homophilic binding）場合と，違う種類のCAMに直接結合する（**異種間結合** heterophilic binding）場合とがある（図20・2）．さらに，CAMは，別の細胞と接触する細胞膜上に広く分布する場合と，**細胞間結合**（cell junction）とよばれる明確な狭い領域にある場合や，点状に集合している場合などがある．細胞間接着は，強固で持続的なもの，あるいは比較的弱く一過的なものもある．たとえば，脊髄の神経細胞間や肝臓の代謝細胞間の結合は，強固な接着である．一方，血液中の免疫系の細胞は，短時間の弱い結合しか形成されない．これによって，組織内の感染に対応するときに，細胞が血管内を転がりながら動くことが可能になっている．

接着受容体の細胞質ドメインには，一連の多機能性の**アダプタータンパク質**（adaptor protein）が集まる（図20・1）．これらのアダプターは，接着受容体を細胞骨格に直接あるいは間接に結合させるリンカーとして働く（17章，18章）．また，シグナル伝達経路において機能する細胞内分子が集まっていて，接着受容体自身や他の細胞内のタンパク質の活性，さらには遺伝子発現を調節することもある（15章，16章）．多くの場合，複数の接着受容体とアダプタータンパク質，および他の関連タンパク質が細胞質側に集まって集合体をつくっている．このような集合体があると，細胞間とその環境の細胞間での情報伝達において，"外から内へ"，また"内から外へ"という両方向性のシグナル伝達が容易になる．

細胞間接着の形成には，トランス型とシス型の結合相互作用という，2種類の分子間相互作用が伴うことが多い（図20・3）．**トランス型相互作用**（trans interaction）は，**細胞間相互作用**（intercellular interaction)あるいは**接着性相互作用**(adhesive interaction)ともよばれる.**シス型相互作用**(cis interaction)は,**側方性相互作用**(lateral interaction)ともよばれる.トランス型相互作用では,細胞上のCAMが,隣接する別の細胞上のCAMと結合する.シス型相互作用では,同じ細胞の細胞膜にあるCAM単量体が,同じ細胞上の別のCAM(複数の場合もある)に結合する.接着分子のなかには,隣接する細胞間のトランス型相互作用が起こることで,より安定なシス型相互作用の形成を加速させて,整然とした結合を形成させることもある(トランス型相互作用がシス型相互作用より先に起こる例は図20・3).トランス型,シス型相互

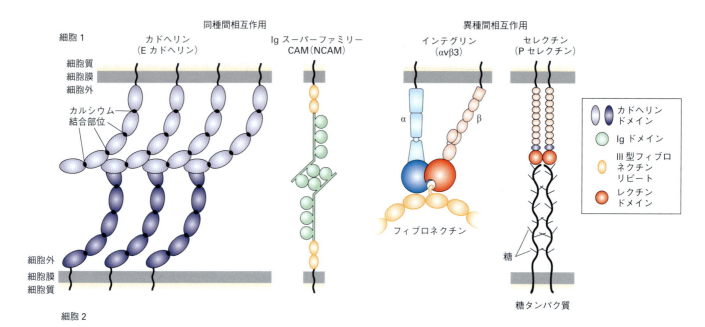

図 20・2 細胞接着分子(CAM)と接着受容体の主要なファミリー. 接着受容体は,同種間の結合(左側のように他の同種分子との結合),あるいは,異種間の結合(右側のように異なる種類の分子との結合)を媒介する.Eカドヘリン(細胞1の薄紫分子)は,隣接する他の細胞のEカドヘリン(細胞2の濃紫)と同種間(自己)の間を架橋し,細胞間を連結する.同じ細胞にある隣り合ったEカドヘリン間で結合する場合もある(図20・3,図20・14).免疫グロブリン(Ig)スーパーファミリーの分子は,同種間結合(ここではNCAMの例を図示)や異種間結合〔他のCAMの間で(図示していない)〕を形成する.ヘテロ二量体のインテグリン(たとえばαv鎖とβ3鎖)は,フィブロネクチンのような非常に大型の多価接着マトリックスタンパク質に結合する接着受容体として機能するが,ここには,その一部だけを図示している.二量体として示したセレクチンは,特定の糖構造を認識する糖質結合レクチンドメインをもち,隣接する細胞の糖タンパク質(図示した例)や糖脂質(異種間相互作用)に結合する.EカドヘリンのようなCAMは,細胞膜上で,より高次のオリゴマーを形成することもある.接着分子には複数の異なる結合ドメインが存在し,さらに,それらのドメインは複数種のCAM間で共通したものもある.接着受容体の細胞質ドメインは,アダプタータンパク質と結合して細胞骨格やシグナル伝達経路に結びついているものが多い.[R. O. Hynes, 1999, *Trends Cell Biol.* **15**(12): M33; R. O. Hynes, 2002, *Cell* **110**: 673; J. Brasch et al., 2012, *Trends Cell Biol.* **22**: 299 参照.]

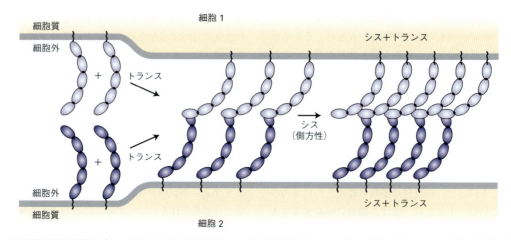

図 20・3 細胞間の接着形成モデル. 隣接する異なる細胞間で,細胞接着分子(CAM)の間の相互作用(トランス型相互作用)が起こり細胞膜どうしを近づける.その結果,同じ細胞内のCAMが相互作用(シス型相互作用)して集合しやすくなる.これらのトランス型,シス型相互作用に加わる分子内ドメインは,CAMの種類によって多様である.シス型相互作用によって集合したCAM間でトランス型相互作用が起こると,細胞間にマジックテープのような強い接着力が生じる.ここに示したモデルは,カドヘリンとよばれるCAMの例に基づいている.[M. S. Steinberg and P. M. McNutt, 1999, *Curr. Opin. Cell Biol.* **11**: 554; J. Brasch et al., 2012, *Trends Cell. Biol.* **22**: 299 参照.]

作用は，互いに補強し合う関係にある．さらに，細胞内側のCAMドメイン間で相互作用し合って集合体形成を加速したり（シス型相互作用の例），あるいはトランス型相互作用の親和性を高めるように分子形状を変えたりすることもある．マジックテープのように，小さな力の相互作用であっても，集合することでCAMは強い結合をつくりうる．狭い集約された領域で相互作用する細胞間結合はその典型的な例である．

細胞間の接着相互作用，さらに，それによってひき起こされる細胞の構造変化や機能は，組織の種類やかかわるCAMによって多様に変化する．たとえば，効率よく接着をつくるときにCa^{2+}が必要なもの，そうでないものがある．2細胞間の接着の性質を決定する要素には，作用する分子間の結合親和性（熱力学的性質），相互作用分子それぞれの会合と解離というオンとオフの速度の違い（反応速度論的性質），接着分子の空間的分布，つまり密度（集団的性質），CAMの接着における活性型と不活性型の割合（生化学的性質），筋肉や循環系の細胞で起こるような周囲の液体の層流や乱流に伴う張力や引力のような外部からの力（機械的性質）などがある．

細胞外マトリックスは，接着やシグナル伝達などの機能をもつ

細胞外マトリックス（ECM）は，細胞から分泌されたタンパク質や多糖類が複雑に組合わされ，互いに結合してつくった網目構造である．細胞や組織が互いに集まって固定されているのは，このECMの働きによるものである．ECMの組成，物理的な性質，および機能は厳密に調節されていて，組織の種類，部位，生理的な状態，各成分の化学修飾の状態，さらに，病理的な変化によっても異なる．この修飾には，非酵素的にグルコースが付加される現象（糖化反応）のほか，酵素によって行われるリン酸化，硫化と脱硫，架橋，プロテアーゼやグリカナーゼによる切断，および酸化がある．

細胞は，細胞表面に存在する細胞-マトリックス間の接着受容体がECMに結合することによって，細胞内へと情報を伝達し，細胞が環境に正しく適応するように導いたり，あるいは，その状態に応じてECMの構造や機能を調節したりする．また，別々の細胞が同じ領域のECMと結合すれば，接着受容体を介して間接的な細胞結合ができあがる．ECMの構成成分には，特殊な糖タンパク質（共有結合した糖をもつタンパク質）であるプロテオグリカン，繊維を形成するコラーゲンなどのタンパク質，多価接着性の水溶性のマトリックスタンパク質などが含まれる（表20・1）．ECMを構成するタンパク分子には，種々のドメイン構造（繰返し構造）が繰返していて，巨大化している点が共通してみられる特徴である．その繰返し構造は，一つの分子の中でも，互いによく似たもの同種のものであったり，異種のものであったりする．多くの接着タンパク分子内に同種・異種の繰返し構造があるので，多様な結合特性，多様な機能発現をするという顕著な特徴が生まれる．たとえば，フィブロネクチンやラミニンなどの多価接着マトリックスタンパク質は長く弾性のある分子で，複数のドメインを含む．これらのドメインによって，さまざまな型のコラーゲン，他のマトリックスタンパク質，多糖類，細胞外シグナル伝達分子，細胞-マトリックス間の接着受容体などと結合できる．多価接着マトリックスタンパク質は，他の細胞外マトリックス構成成分を構築するうえで重要な役割をもつ．また，接着受容体との相互作用によって細胞-マトリックス間接着を調節し，細胞の形態や挙動を制御する．

細胞は，ECMの成分を単に分泌するだけではなく，ECM成分が長い繊維や不定形の巨大分子を含む複雑な構造をつくる過程に

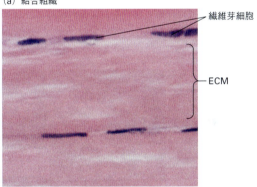

(a) 結合組織

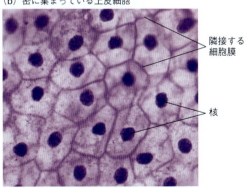

(b) 密に集まっている上皮細胞

図20・4 組織によって細胞と細胞外マトリックス（ECM）の相対的な密度は異なる．(a) 結合組織には，密に詰まったECMの繊維（ピンク）が含まれ，その中には，ECMをつくる細胞である繊維芽細胞（紫）がまばらに存在する．(b) 扁平上皮を上から見た写真．上皮細胞が密に集まりキルト生地のような模様が見られる．隣接する細胞間にはECMは少なく，細胞の膜どうしが密に接している（図20・10b）．〔(a) は Biophoto Associates/Science Source/amanaimages. (b) は Ray Simons/Science Source/amanaimages.〕

表20・1 細胞外マトリックスタンパク質		
プロテオグリカン	パールカン	
コラーゲン	シート状（例: IV型）	
	繊維状コラーゲン（例: I, II, III型）	
多価接着性のマトリックスタンパク質	ラミニン	
	フィブロネクチン	
	ニドジェン/エンタクチン	

も直接関与している．ECMは，形成されたあとは状態が変化しない静的な構造ではなく，動的要素を多く含み，化学的・物理的，および生物学的な性質は量的・質的に変化している．この動的性質は，細胞がプロテアーゼなどの酵素や他の分子を細胞外に分泌することによって行われる．こうしたECMの変化は"再構築"とよばれ，共有結合を含む化学修飾（ECM分子内の架橋を含む），ECM成分の部分的あるいは完全なタンパク質分解，および新たに合成されたECM分子の付加が含まれる．すでにみてきた例もあるが，§20・4で後述するECMによって起こるTGF-βの活性化（阻害因子からの解放）は，そのような例である（図16・22参照）．

マトリックスと細胞がそれぞれ占める容積の割合は，動物組織によって大きく異なる．たとえば，**結合組織**（connective tissue）では大半をマトリックスが占めて細胞が比較的少ないのに対し（図20・4a），上皮などの多くの組織では細胞が密集して存在し，マトリックスは相対的に少ない（図20・4b）．ECM内部での分子が占める密度自体も大きく異なる．

H. V. Wilsonのカイメンを用いた古典的な研究から，ECMの主要な機能の一つは組織をまとめることが示された．図20・5(a)，(b)は彼の古典的研究を再現したものである．二つの異なる種のカイメンの細胞を機械的に分離したあとに混合すると，同種の細胞どうしは接着するが異種の細胞は接着しない．この接着特異性は，表面受容体を介して細胞に結合するECMに含まれる接着タンパク質の違いによる．これらの接着タンパク質をそれぞれ精製して着色したビーズに付着させ，その表面が接着タンパク質で覆

表20・2　細胞外マトリックスの機能

1. 細胞を係留したり覆ったりすることによって，細胞の三次元的な構造を堅固にし，組織の境界を決定する．
2. 細胞外環境をつくる構造の性質（硬さ/柔らかさ，多孔性，形態）を決定する．
3. 細胞の極性，生存，増殖，分化，および運命（例：幹細胞の非対称分裂，22章）を調節し，その結果，胚発生と生後の発達，成体の機能，および環境や疾病に対する応答を調節する．
4. 細胞の移動を促進したり抑制したりする（細胞やその一部を導く通路をつくって動かしたり，逆に移動の障壁となる）．
5. 増殖因子に結合して，その貯蔵庫として働く．場合によっては，ECMが，増殖因子の濃度勾配を細胞外でつくったり(a)，増殖因子の共受容体となったり(b)，増殖因子とその受容体を正しく結合させたりする（ECM成分と増殖因子が受容体の共リガンドとして働く(c)．
6. 細胞表面のシグナル伝達受容体の活性化．

われたビーズを混合すると，カイメンの細胞でみられたのと同様に集合の特異性が現れる（図20・5c, d）．

ECMには細胞接着以外にも多くの役割がある（表20・2）．ECMの構成成分をさまざまに組合わせることによって，体内のさまざまな部位の独特のECMが形成される．たとえば，腱，歯，骨の強度と剛性，軟骨のクッション，また眼球のガラス体液である．さらに，ECMの組成は細胞に対して，その細胞がどこにいて何をすべきかを知らせる環境情報を与える．ECMの再構築によって，細胞と環境の相互作用が調節され，またECMは細胞の成長と分化を調節する細胞外シグナル伝達分子を格納する貯蔵庫にもなっている．さらにECMは，細胞が動く際に通過させたり妨げたりする柵のような働きもする．これは特に組織形成の初期段階では重要である．形態形成，すなわち胚発生において，組織，器官，体の部品が細胞の移動や再構成によって形成される過程は，細胞間接着とともに，細胞-マトリックス間接着に大きく依存している．たとえば，肺の気嚢，血管，乳腺，唾液腺などを形成する際の枝分かれをもつ形態の形成（branching morphogenesis）では，細胞-マトリックス間相互作用が必要とされる（図20・6）．

細胞-マトリックス間や細胞間の相互作用が阻害されると，組織の発生に破滅的な結果がもたらされることがある．二つの重要な

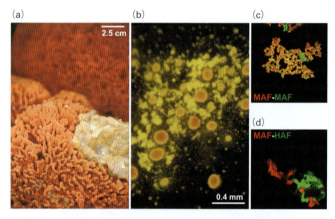

図20・5(実験)　機械的に分離したカイメンの細胞は，種特異的な同種間接着によって再集合する．(a) 処理前の2種類のカイメン *Microciona prolifera*（橙）と *Halichondria panicea*（黄）．(b) この2種類のカイメンの組織を機械的に破壊し混合した．その後，30分間緩やかに撹拌しながら放置すると，種特異的な同種細胞間の接着を行い，*M. prolifera* と *H. panicea* の細胞の塊を形成した．(c), (d) 蛍光標識したビーズを，それぞれの種のECMに含まれるプロテオグリカン集合因子（aggregation factor: AF）で被覆した実験．AFに，*M. prolifera*（MAF）と *H. panicea*（HAF）のECMを用いた．2色のビーズをともにMAFで被覆すると，すべてのビーズは一つに集まり，黄（赤と緑の混色）の集合体を形成した(c)．別のAFであるMAF(赤)とHAF(緑)で被覆したビーズを用いると，混ざり合った集合体をつくらず，同種間接着によって集まって別々の塊を形成した(d)．（倍率×40）．〔(a), (b) は X. Fernández-Busquets and M. M. Burger, 2003, *Cell Mol. Life Sci.* **60**(1): 88, Copyright Clearance Center, Inc. を通じて Springer より許可を得て転載．(c), (d) は J. Jarchow and M. M. Burger, 1998, *Cell Adhes. Commun.* **6**(5): 405 による．© Taylor and Francis, www.tandfonline.com.〕

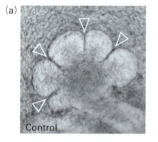 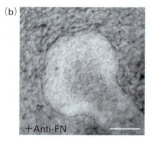

図20・6(実験)　フィブロネクチンに対する抗体は，マウスの組織発生時の枝分かれ構造の形成を阻害する．マウス胚から発生途中の唾液腺を摘出し，枝分かれ構造の形成を in vitro で10時間進行させた．この実験を，ECM構成分子であるフィブロネクチンに結合して活性を阻害する抗体の非存在下(a)と，存在下(b)とで，形態形成を比較した．抗フィブロネクチン抗体(Anti-FN)処理によって，枝分かれの形成（矢じり）が妨げられた．フィブロネクチンの接着受容体であるインテグリンの阻害によっても枝分かれは妨げられる（図示していない）．スケールバーは100 μm．〔T. Sakai et al., 2003, *Nature* **423**(6942): 876, Copyright Clearance Center, Inc. を通じて Nature より許可を得て転載．〕

図20・7（実験） ECMタンパク質をコードする遺伝子を不活性化することでマウスの骨格形成が異常になる．図の写真は野生型（左），Ⅱ型コラーゲン欠損（中央），およびパールカン欠損（右）のマウス胚の骨格を示す．胚は，軟骨組織が青，骨が赤に見えるように染色してある．これらの重要なECM構成成分が存在しないと，多くの骨格が短くなって形状が損なわれ，体は小さくなる（たとえば低身長症）．〔E. Gustafsson et al., 2003, *Annu. NY Acad. Sci.* **995**: 140, Copyright Clearance Center, Inc. を通じて John Wiley & Sons, Inc. より許可を得て転載．〕

ECM構成分子であるⅡ型コラーゲンとパールカンのいずれかの遺伝子が不活性化したマウス胚では，骨格系に大きな変化が起こる（図20・7）．また，接着やECM機能の崩壊が，心臓の血管，骨格筋，腎臓，皮膚，眼，さらには骨などの疾病の病態として現れることもある．また，がんの転移は，接着特性が失われ，がん細胞が本来の生体内の部位から離れ，全身に広がる現象である．

多くのCAMや接着受容体が接着性という性質から最初に同定されて解析されたが，15章と16章に述べたさまざまなシグナル伝達経路を介して，シグナル伝達においても主要な役割を果たしている．図20・8に，インテグリン接着受容体が，物理的にも機能的にもシグナル伝達経路のアダプタータンパク質やシグナル伝達分子と相互作用して，細胞内シグナル伝達経路で広範囲に作用する様子を示した．こうした経路は，細胞の生存，遺伝子の転写，細胞骨格の構成，細胞の運動性，細胞増殖に影響を与える．逆に，細胞内シグナル伝達経路の活性は，たとえばCAMの細胞内領域とアダプタータンパク質の結合を変化させることによって，CAMや接着受容体の構造に作用し，他の細胞やECMとの相互作用に影響を与える．つまり，外から内へのシグナル伝達と内から外へのシグナル伝達には，複雑に絡み合った経路が関係している．

多面性をもつ接着分子の獲得が，多様な動物組織の進化を可能にした

細胞間，および細胞-マトリックス間の接着は，動物組織の形成，構成，構築，そして機能に重要である．したがって，接着分子には，当然，進化的に古いものがあり，それらは多細胞生物で最も保存されたタンパク質でもある．最も原始的な多細胞生物であるカイメンには，ある種のCAMや多価接着ECM分子を発現しており，これらの構造はヒトの対応するタンパク質に非常に類似しているものもある．多細胞動物の進化は，新たな性質や機能をもつ多様な接着分子の進化に依存しており，これらの発現量は，細胞の種類によって異なる．ある種のCAMや接着受容体（たとえばカドヘリン，インテグリン，L1CAMなどの免疫グロブリンスーパーファミリーのCAM）やECM構成成分（たとえばⅣ型コラーゲン，ラミニン，ニドジェン/エンタクチン，パールカン様のプロテオグリカン）は，さまざまな生物で重要な役割をもった

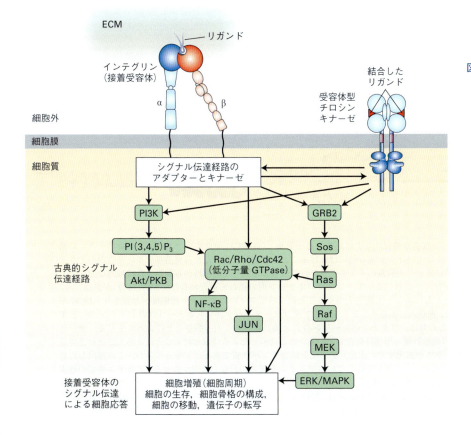

図20・8 インテグリン接着受容体を介したシグナル伝達経路は多様な細胞機能を調節する．インテグリン受容体へのリガンドの結合（外から内へのシグナル伝達）によってインテグリンの細胞内ドメインに構造変化がひき起こされ，直接あるいは間接に細胞内タンパク質との相互作用に変化をもたらす．これらの細胞内タンパク質には，シグナル伝達経路のアダプタータンパク質（テーリン，キンドリン，パキシリン，ビンキュリンなど）やプロテインキナーゼ〔Srcファミリーのキナーゼ，フォーカルアドヒージョンキナーゼ（FAK），インテグリン結合キナーゼ（ILK）など〕が含まれ，多様なシグナル伝達経路を介して情報を伝達する．その結果，細胞増殖や維持，細胞骨格の構成，細胞の移動，遺伝子の転写が影響を受ける．複数のシグナル伝達経路の因子を緑の四角で示しており，その一部は細胞膜に直接結合している．ここに示したシグナル伝達経路の多くのタンパク質は，他の細胞表面からのシグナル伝達経路（たとえば右に示した受容体型チロシンキナーゼ，15章，16章）にも共通している．逆に，細胞内シグナル伝達経路は，アダプタータンパク質を介してインテグリンが細胞外リガンドと結合する能力にも影響する（内から外へのシグナル伝達）．〔W. Guo and F. G. Giancotti, 2004, *Nat. Rev. Mol. Cell Biol.* **5**: 816; R. O. Hynes, 2002, *Cell* **110**: 673 参照．〕

め進化的に高度に保存されている．もちろん，なかには保存されていないものもある．たとえば，ショウジョウバエには，哺乳類において重要な働きをもつある種のコラーゲンやECMタンパク質のフィブロネクチンは存在しない．

　接着分子の多様性が生じる現象は，一般に，タンパク質ファミリーを構成する**アイソフォーム**（isoform）ができる次の二つのしくみと同じである．一つは，あるタンパク質ファミリーに属する異なるタンパク質が，共通祖先由来の遺伝子から遺伝子重複や多様化によって，複数の遺伝子としてコードされるように進化するケースである（7章のヒトβグロビン遺伝子クラスターを参照）．もう一つは，ある遺伝子に由来するRNA転写産物から，選択的スプライシングによって複数のmRNAが生成し，それぞれに異なるアイソフォームがコードされるケースである（図7・3，§9・2参照）．これら二つのしくみによってカドヘリンなどのタンパク質ファミリーの多様性が生まれる．接着タンパク質の特定のアイソフォームが，特定の細胞や組織では発現するが，ほかでは発現しない現象はよくみられる．

細胞と接着分子が仲介する機械刺激伝達

　機械刺激伝達（mechanotransduction）のしくみは，機械的な力（刺激）と生化学的過程の相互変換過程である．この相互変換には，シグナル伝達，遺伝子発現調節，細胞増殖，細胞移動，細胞間相互作用，そして細胞-ECM間相互作用などのさまざまな生物活性にかかわっている．動物は，多様な**機械刺激センサー**（mechanosensor）を進化させ，機械的な刺激に応じて，細胞の形態や活性を変化させるようになった．たとえば，細胞外の剪断力（血管で血流によって起こるような細胞表面に対して平行に加わる力）に直接反応するGタンパク質共役型受容体，細胞膜が引き伸ばされる刺激に反応して開くさまざまな機械刺激センサーイオンチャネルなどがある．これには，一過性受容器電位（TRP）を発生するイオンチャネルやPiezo機械受容体チャネル（Piezo1やPiezo2）なども含まれ（23章），触覚，気道拡張，血圧，剪断力や浸透圧など，さまざま機械的な刺激に反応するしくみが神経細胞・非神経細胞ともに見つかっている．

　細胞間，および細胞-マトリックス間相互作用による機械刺激伝達には，機械刺激や生化学的情報を，細胞膜を越えて伝達する細胞表面の接着受容体，および機械刺激に応答して形や活性を変化させる細胞内外にある機械刺激センサーがかかわっている．たとえば，ECMタンパク質であるフィブロネクチンやインテグリンのアダプターである**テーリン**（talin）などの多ドメイン構造をもつセンサータンパク質の長軸方向にかかった張力は，強く結合していた個々のドメインを分離したり，ある一つのドメインを他から引き離したりするだろう．その結果，折りたたまれていたドメインの中に隠れて他の分子が近づけなかった結合部位を露出させる．図20・9は，機械的な力でドメイン構造が解離して，隠れていた結合部位が露出する例を示す．この新たにリガンドが接近可能となった結合部位は，他の結合相手を引寄せ，ときにはリン酸化したのち，細胞内あるいは細胞外の機能を変化させる．たとえば，インテグリンによってフィブロネクチンが引き伸ばされると，ドメイン構造が分離して，微細繊維への集合が誘導され，これがコラーゲンや他の分子をECMへと集合させるきっかけになることがある．このような機械刺激受容機構に作用する刺激には，ミオシンによるアクチンフィラメントの移動（17章）のように細胞内で生じるもの，血流などで隣接する細胞が移動，ECMの収縮や

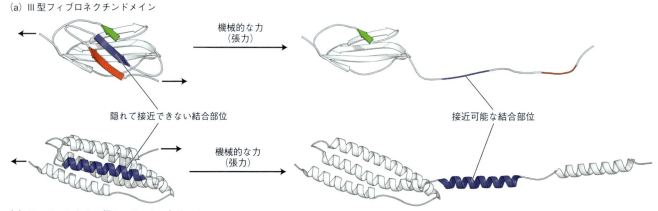

(a) III型フィブロネクチンドメイン

(b) テーリンにある5個のヘリックス束ドメイン

図20・9　機械刺激センサータンパク質のドメイン構造が機械的な力に応答するモデル．(a) ECM構成成分であるフィブロネクチンに機械的な力が加わったときに，III型フィブロネクチンドメインが部分的にほどけることを想定した折りたたみ構造モデル．細胞内のアクチンの移動，あるいは，フィブロネクチン二量体に結合した複数のインテグリン接着受容体を通して細胞外から加わった機械的な力によってフィブロネクチンの高次構造が部分的にほどける．これによって，フィブロネクチン内の隠れていた結合部位（紫の部分）が露出する．この結合部位は，他のフィブロネクチン分子とともにβシート構造をつくることによってフィブロネクチン細繊維へと集まり，ECMが形成される．(b) 機械的な張力を受けたときに，細胞内にあるインテグリンのアダプタータンパク質であるテーリンのドメイン（R1，5本のヘリックス束）が部分的にほどけるモデル．この力は，アクチンがテーリンのC末端に結合して引っ張ることによって生じる．テーリンのN末端はインテグリンのβサブユニットの細胞質側の尾部に結合している．ここに示したようにほどけることによって，それまで隠れていたビンキュリン結合部位（紫）のαヘリックスが露出する．次に，アクチン結合タンパク質であるビンキュリンが，この露出した結合部位を介してインテグリン-テーリン複合体に結合し，これが結合しているアクチンを繊維の形成へと向かわせる．アクチン繊維の形成は，アダプターを介して間接的に結合しているインテグリンに作用し，インテグリンを介した接着を強化することによって，フォーカルアドヒージョンを形成させる（図20・14e，図20・40）．〔(a)はE. P. Gee et al., 2013, *J. Biol. Chem.* **288**: 21329; M. A. Schumacher et al., 2013, *J. Biol. Chem.* **288**: 33738 による．(b)はM. Yao et al., 2014, *Sci. Rep.* **4**: 4610; E. Papagrigoriou et al., 2004, *EMBO J.* **23**: 2942 による．〕

拡張など，他の細胞に由来するものもあるだろう．本章で後述するように，機械刺激伝達のうえでは，細胞間接着，細胞-マトリックス間接着のある部位は特別な役割を担っている．

20·1 細胞間接着と細胞-マトリックス間接着：概観
まとめ

- 細胞間，および細胞-マトリックス間の相互作用は，細胞を組織へと集成させ，細胞の形と機能を調節し，細胞と組織の運命を決定するうえで重要である．接着分子の構造や発現の異常によって生じる疾患がある．
- 細胞接着分子（CAM）は，同種間および異種間の細胞間接着を直接仲介する．細胞表面の接着受容体は，細胞-マトリックス間接着を仲介する（図 20·1）．これらの接着によって，細胞が組織を構築して細胞と周辺環境との情報伝達が行われる．
- 接着受容体の細胞質ドメインには，細胞骨格繊維と細胞内シグナル伝達タンパク質との相互作用を仲介するアダプタータンパク質が結合している．
- CAM の主要なファミリーには，カドヘリン，レクチン，免疫グロブリンスーパーファミリーの CAM（IgCAM），およびインテグリンがある（図 20·2）．インテグリンと IgCAM スーパーファミリーの分子は，細胞-マトリックス間の接着受容体としての機能もあわせもつ．
- 強固な細胞間接着には，同種あるいは異種の CAM によるトランス型（細胞間）相互作用と，CAM のシス型（側方性，細胞内）のオリゴマー化の両方が用いられる（図 20·3）．シス型とトランス型相互作用を組合わせることによって，マジックテープ様の細胞間の接着がつくられる．
- 細胞外マトリックス（ECM）は，タンパク質と多糖類からなり，複雑で，また動的に変化する網目構造であり，組織の構造と機能に重要である（表 20·2）．ECM 分子の主要な分類には，プロテオグリカン，コラーゲン，多価接着タンパク質（フィブロネクチンやラミニン）がある．
- CAM と接着受容体は，細胞内のアダプタータンパク質とともに"外から内"および"内から外"のシグナル伝達に重要な役割をもち，細胞間および細胞-環境間で重要な情報伝達を行う．
- 特徴的な構造と機能をもつ接着分子が進化したことによって，さまざまな機能をもつ多様な組織を細胞から構築することができるようになった．
- 機械刺激伝達は，機械的な刺激と生化学過程の相互変換であり，接着受容体，および機械刺激センサーを介して行われる．接着受容体自身も機械刺激センサーとなりうる．機械刺激伝達によって，細胞は環境からの機械的な力に応答し，また，環境へ機械的な力を与える．

20·2 細胞間および細胞-マトリックス間の結合と接着分子

上皮や他の組織の細胞は，すべてではないが，同じ細胞間接着分子と細胞-マトリックス間接着分子を数多く用いている．上皮は進化と発生の点で重要な役割があり，また組織が比較的単純に構築されているので，まず本節では上皮についての詳細な説明からはじめる．接着分子が点状あるいは小さな面状に集まり，**固定結合**（anchoring junction），**密着結合**（tight junction），および**ギャップ結合**（gap junction）とよばれる構造が形成されている細胞の表面領域に焦点を当てて解説する．固定結合と密着結合は，細胞間と細胞-マトリックス間の接着において重要な役割を果たしている．また，これら 3 種の結合は，すべて細胞内や細胞-マトリックス間の情報伝達にかかわっている．

上皮の細胞には，頂端側，側方側，および基底側に明確に区別できる面がある

上皮を構成する細胞には**極性**（polarity，方向性）があるといわ

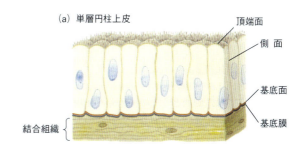

(a) 単層円柱上皮

(b) 単層扁平上皮

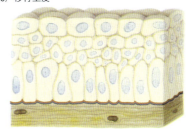

(c) 移行上皮

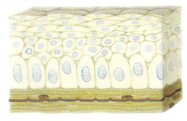

(d) 重層扁平上皮（非ケラチン化）

図 20·10 上皮のおもな種類．(a) 単層円柱上皮は，伸長した細胞から構成され，粘液分泌細胞（胃や子宮頸部の内表面）や吸収細胞（小腸の内表面）などがある．頂端面の細い突起は微絨毛である（図 20·11）．(b) 単層扁平上皮は薄い細胞から構成され，血管（内皮細胞）や他の多くの体腔表面を覆っている．(c) 移行上皮は，異なる形態の複数の細胞層から構成され，拡張と収縮を行う組織（たとえば膀胱）の内腔面を覆っている．(d) 口や膣などの表面を覆う重層扁平上皮（非ケラチン化）．これらの内面構造は摩擦に耐え，内腔の内外への物質の吸収や分泌には関与しないものが多い．基底膜は，コラーゲンや他の ECM 構成成分からなる薄い繊維状の網目構造で，上皮全体を支え，その直下にある結合組織に固定する役割を担う．

れる．これは細胞膜が明確に異なる領域に分けられるからである．極性のある典型的な上皮細胞の表面は，**頂端面**（apical surface），**基底面**（basal surface），**側面**（lateral surface）とよばれ（図20・10，図20・1），それぞれ，明確に区別可能な特徴がある．頂端面は，多くの場合，微絨毛とよばれる微細な突起構造（22章）に覆われており，このため表面積が著しく広くなっている．上皮の細胞ばかりではなく，他の細胞にもみられる，このように機能上，構造上の細胞非対称性を生み出すには，**極性調節機構**（polarity regulator）とよばれる進化上で保存されてきた分子複合体が必須である．こうした細胞の極性をつくり，維持するうえで，接着分子は重要な役割を担っている．

上皮には，体内の存在場所によって異なる特徴的な形態と機能がある（図20・10，図1・4参照）．層状の（多層）上皮は，障壁と防衛のために働く表面である（たとえば皮膚）．一方，単層の上皮はイオンやその他の小分子を細胞の一方の側からもう一方へと選択的に透過させる．たとえば，胃の表面を覆っている単層円柱上皮は胃の内腔に塩酸を分泌する．また，小腸の表面を覆っている単層上皮は，消化物を腸の内腔側から側底面を通過させて血液へと輸送する（図11・30参照）．

単層円柱上皮では，側面どうしの接着相互作用によって細胞を二次元のシートの形に連結しており，基底側の表面では，**基底膜**（basal lamina）とよばれる特殊な細胞外マトリックスとの結合によって細胞が固定されている．基底面と側面は，組成が類似しているので，あわせて**側底面**（basolateral surface）とよばれる．最も単純な側底面は，血管に接した上皮の側面でみられる．一方，その頂端面は他の細胞やECMと持続的に直接接触することはない．閉鎖血管系をもつ動物では，血液は，**内皮細胞**（endothelial cell）とよばれる扁平な上皮細胞が内側を覆った血管の中を流れる．一般に，上皮の細胞は動くことはなく，細胞どうし，さらにECMへ，接着分子によって強く安定して接着している．このような強固で安定した接着を形成するためには，複数の種類の接着分子を集めて**細胞間結合**（cell junction）とよばれる集団に凝集させる機構が重要な働きをもつ．

3種類の結合が多くの細胞間と細胞-マトリックス間の相互作用を仲介する

シート状の上皮細胞は，細胞間，細胞-細胞外マトリックス間で特化した結合機構によって連結している．数百の接着分子が相互作用すれば，少なくとも，細胞どうしを接着させることはできるだろう．しかし，細胞間結合に塊状に接着分子を集めれば，組織はより強固になり，細胞外空間と細胞内空間との間で情報がよりよく伝達されるようになる．また，これにより細胞層間のイオンや分子の透過を制御したり，一つの細胞の細胞質から隣接する細胞の細胞質へとイオンや分子を受け渡す水路として働いたりする．上皮にとって特に重要なのは，細胞間の隙間を強固に密封し，シート状の上皮の両面の間で分子移動を防ぐ障壁を形成する点である．

動物の細胞間結合に含まれる三つのおもな様式（固定結合，密着結合，ギャップ結合）が，単層円柱上皮の大きな特徴としてみられる（図20・11，表20・3）．**固定結合**（anchoring junction）と

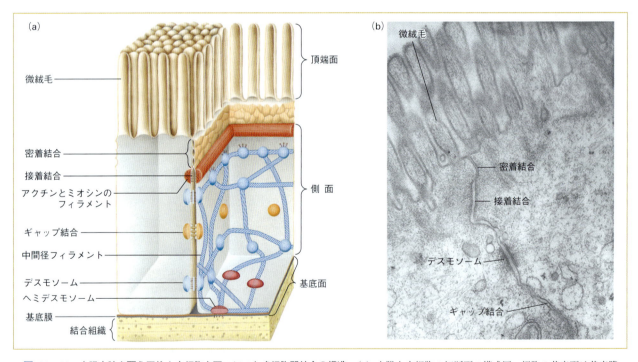

図20・11 小腸内腔を覆う円柱上皮細胞を互いにつなぐ細胞間結合の構造．(a) 小腸上皮細胞の切断面の模式図．細胞の基底面は基底膜に接しており，頂端面には小腸内腔に向かって伸びた突起状の微絨毛が敷き詰められている．密着結合は，微絨毛のすぐ下にみられる構造で，さまざまな物質が，細胞外の空間を通り，小腸内腔と内側の体液（たとえば血液）の間で拡散するのを妨げている．ギャップ結合は，隣接する細胞の細胞質間で小分子やイオンが移動できるようにしている．残りの3種類の結合は，接着結合，デスモソーム，ヘミデスモソームであり，細胞間と細胞-マトリックス間の接着，およびシグナル伝達にきわめて重要である．(b) ラットの小腸上皮細胞の薄切片の電子顕微鏡写真．それぞれの細胞間結合の相対的な配置がわかる．［(b)は M. G. Farquhar and G. F. Palade, 1963, *J. Cell Biol.* **17**(2): 375, Fig. 1 参照．］

表 20・3 細 胞 間 結 合

結合	結合の様式	おもなCAMまたは接着受容体	細胞骨格への結合	細胞内のアダプター	機能
固定結合					
1. 接着結合	細胞-細胞	カドヘリン	アクチンフィラメント	カテニン, ビンキュリン	形, 張力, シグナル伝達, 力の伝達
2. デスモソーム	細胞-細胞	デスモソームカドヘリン	中間径フィラメント	プラコグロビン, プラコフィリン, デスモプラキン	強度, 耐久性, シグナル伝達
3. ヘミデスモソーム	細胞-マトリックス	インテグリン(α6β4)	中間径フィラメント	プレクチン, ジストニン, BPAG1	形, 剛性, シグナル伝達
4. フォーカルアドヒージョン, 3D接着	細胞-マトリックス	インテグリン	アクチンフィラメント	テーリン, キンドリン, パキシリン, ビンキュリン	形, シグナル伝達, 力の伝達, 細胞移動
密着結合	細胞-細胞	オクルディン, クローディン, JAM	アクチンフィラメント	ZO-1, 2, 3, PAR3, シングリン	物質透過性の調節, 細胞極性, シグナル伝達
ギャップ結合	細胞-細胞	コネキシン, イネキシン, パネキシン	別種の結合に用いられるアダプターを介した細胞骨格への間接的な結合	ZO-1, 2, 3	情報伝達, 小分子の細胞間輸送
原形質連絡(植物のみ)	細胞-細胞	未同定	アクチンフィラメント	NET1A	情報伝達, 分子の細胞間輸送

密着結合(tight junction, タイトジャンクション)は, 細胞を組織にまとめる重要な役割を担っている. 密着結合はシート状の上皮をつくっている細胞の間にある細胞外空間での溶質の流れを制御する. 密着結合は, おもに上皮の細胞に存在するが, 固定結合は他の細胞にもある. これらの固定結合の構成成分は, 次の三つの要素, 1) 細胞を別の細胞と側面で, または基底面で細胞外マトリックスとで結合させる細胞膜上の接着タンパク質(CAM, 接着受容体), 2) CAMまたは接着受容体を細胞骨格繊維やシグナル伝達分子に結合させるアダプタータンパク質, および, 3) 細胞骨格繊維にわけることができる.

ギャップ結合(gap junction, ギャップジャンクション)は, 水溶性の小分子を隣接する細胞の細胞質間で速やかに拡散させることができる. ギャップ結合は, 固定結合や密着結合と同様に, 細胞が周囲環境と情報交換する役割をもつが, 構造は大きく異なり, 細胞間や細胞-マトリックス間の接着を強固にする役割はない. また, 上皮以外の細胞にもみられる. 別の細胞間結合であるが, 植物の原形質連絡(§20・6)に似ている.

固定結合には四つの種類があり, そのうち二つは細胞間接着にかかわり, 残りの二つは細胞-マトリックス間接着にかかわっている. **接着結合**(adherens junction, アドヘレンスジャンクション)は, 隣接する上皮細胞の側面間を連結し, 通常は密着結合のすぐ下の頂端面近くに位置する(図20・11). 接着結合は, アクチンとミオシンのフィラメントを含む複合体を円周状に形成し, 細胞が引っ張られる外力に耐えるケーブルとして, 細胞を内側から支え細胞の形を維持している. 上皮の細胞以外では, 平滑筋細胞や心筋細胞などには, **スポットデスモソーム**(spot desmosome)とよばれるボタンのように結合する**デスモソーム**(desmosome)があり, これによっても細胞どうしが強く結合する. **ヘミデスモソーム**(hemidesmosome)と**フォーカルアドヒージョン**(focal adhesion, **フォーカルコンタクト** focal contact, 接着斑ともいう)は, 上皮細胞の基底面におもにみられ, ちょうどカーペットを留める鋲のように, 細胞の下にある細胞外マトリックス成分に上皮を固定している. 接着結合, デスモソーム, およびフォーカルアドヒージョンは, 他の多くの組織の細胞にもみられるが, ヘミデスモソームは上皮細胞に限られているようである.

細胞内には, 中間径フィラメントの束が, 細胞表面と並行に, あるいはデスモソームやヘミデスモソームを連結するように走っていて, 細胞の形や剛性を支えている構造となっている. これは, アクチンフィラメントが, 細胞骨格を接着結合やフォーカルアドヒージョンに連結しているのとよく似ている. このように結合構造と細胞骨格が密接に相互作用することで, 細胞表層の一部の領域にかかる力を上皮全体へと分散させ, これによって上皮細胞層全体の強度や剛性を与えている. デスモソームとヘミデスモソームは, 皮膚の上皮部分の形を維持するうえで特に重要である. そのため, たとえば, 皮膚内のヘミデスモソームによる連結が阻害されるような突然変異が起こると, 表皮組織が細胞外マトリックスの土台から分離し, 細胞外液が側底面に蓄積して, 皮膚が外側に膨らんで水ぶくれができる.

カドヘリンが接着結合とデスモソームよる細胞間接着を仲介する

接着結合とデスモソームにおける主要なCAMは, **カドヘリン**(cadherin)ファミリーの糖タンパク質で, N結合型(13章, 14章)あるいはO結合型(図20・31)のオリゴ糖を含んでいる. 脊椎動物では, このファミリーには100を超えるタンパク質が含まれ, 少なくとも六つのサブファミリーに分けられる. それには, 以下に述べる**古典的カドヘリン**(classical cadherin), **クラスター型プロトカドヘリン**(clustered protocadherin), **デスモソームカドヘリン**(desmosomal cadherin)が含まれる. カドヘリン遺伝子が複数存在し, また, 選択的RNAスプライシングを行うことによって, 多様なカドヘリン分子がつくられる. 脊椎動物では, 非常に多くの組織で, 多くの種類の細胞がカドヘリンを使って接着し, 相互連絡に用いているため, 多数の異なる種類のカドヘリン分子が存在し, 細胞や組織によって必要になるカドヘリンの種類が違うのは当然のことであろう. カドヘリンファミリーのタンパク質は, 上皮細胞の一部で微絨毛を頂端面に集めるといった細胞形態の調

節も行っている（図20・10a, 図20・11a）. 脳にはプロトカドヘリンなど最も多くの種類のカドヘリンが発現し, おそらくそこで必要となる数多くの特異的な細胞間接着を形成して複雑な神経回路をつくる役割を担っている. 一方, 無脊椎動物では, 同機能のカドヘリンは20種類以下である.

古典的カドヘリン　古典的なカドヘリンにはEカドヘリン, Nカドヘリン, およびPカドヘリンが含まれる. この名称は, それぞれのカドヘリンが最初に同定された組織（E: 上皮, N: 神経組織, P: 胎盤）に由来する. EカドヘリンとNカドヘリンは, 最も広範に発現するが, 分化の開始時には特にそうである. 小腸や尿細管の表面を覆う上皮細胞のように, 極性をもつ上皮細胞シートには, その側面に多量のEカドヘリンが存在する. Eカドヘリンは, 接着結合の部位に濃縮されているが, 側面全域にも存在し, 隣接する細胞膜間を接合させていると考えられている.

マウス繊維芽細胞株であるL細胞を用いた実験から, Eカドヘリンは, おもに同種間で相互作用を仲介することが示された. L細胞はカドヘリンを発現しておらず, L細胞どうしも他の細胞ともほとんど接着しない. L細胞にEカドヘリン遺伝子を導入すると, このEカドヘリン発現L細胞は, Eカドヘリンを発現する他の細胞と選択的に接着した（図20・12）. これらのEカドヘリン発現L細胞は, 互いに集まり, また肺から単離した上皮細胞と一緒になって上皮様の集合体を形成した. 多くの場合, Eカドヘリンは, こうした同種間結合を担うが, なかには異種間結合を仲介するものもある.

カドヘリンの接着性は, 細胞外のCa^{2+}の存在に依存しており, この性質からカドヘリン（カルシウム接着 calcium adhering）とよばれるようになった. たとえば, Eカドヘリンを発現するL細胞をCa^{2+}濃度が低い培地におくと, 接着が抑制される（図20・12）. 一部の接着分子が正常に機能するには細胞外液に最低限のCa^{2+}を必要とするが, IgCAMなどの他の接着分子にはCa^{2+}に依存しないものもある.

接着におけるEカドヘリンの役割は**MDCK細胞**（Madin-Darby canine kidney cell）とよばれるイヌ腎臓由来の上皮細胞株を用いた実験でも明らかにされている（図4・3参照）. この細胞に緑色蛍光タンパク質（GFP）で標識したEカドヘリンを導入したと

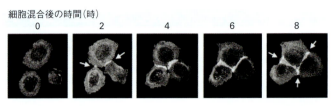

図20・13（実験）　Eカドヘリンによって, 培養したMDCK上皮細胞で接着性の結合がつくられる. 緑色蛍光タンパク質（GFP）を融合させたEカドヘリン遺伝子をMDCK培養細胞に導入した. 細胞をCa^{2+}を含む培地中で混合したのち, 蛍光Eカドヘリンの分布の経時変化（0〜8時間）を観察した結果. 図には混合後の時間を示した. Eカドヘリンの集合体は, この上皮細胞の最初の吸着とその後の連続したファスナー様の接着, また, 結合の形成（2細胞の接着は二つの細胞が結合して線状に見える部分, また3細胞の接着は交点に見える）を仲介する.［C. L. Adams et al., 1998, *J. Cell Biol.* **142**(4): 1105, Fig. 2B 参照.］

ころ, Eカドヘリンが集まることによって初期の接着が起こり, つづいてファスナーのような結合による細胞シートが形成されることが示された（図20・13）. また, この実験系で, Eカドヘリンに結合する抗体を添加したところ, Eカドヘリン分子間の相互作用が阻害され, MDCK細胞のCa^{2+}依存的な結合と, それに続く段階である細胞間の接着結合の形成が抑えられた.

古典的カドヘリンには, 一つの膜貫通ドメイン, 比較的短いC末端側の細胞質ドメイン, そしてEC1〜EC5とよばれる五つの細胞外カドヘリンドメインがある（図20・2）. 細胞外ドメインは, Ca^{2+}の結合とカドヘリンを介する細胞間接着に必要である. 古典的カドヘリンを介した接着は, 側方性のシス型（細胞内）と接着性のトランス型（細胞間）の分子間相互作用によるものである（図20・14a〜c, 図20・3）. カドヘリンリピートの間にあるCa^{2+}結合部位（図20・14a, 図20・2）への3個のCa^{2+}の結合が, 細胞外ドメインの伸びて曲がった構造を安定化しているらしい. 以下に述べるように, カドヘリン細胞外ドメインの曲がった構造は, カドヘリン分子間のシス型およびトランス型相互作用を安定化する相補的な分子構造が正しくつくられるために必要である. このカドヘリンのシス型とトランス型の相互作用は, 細胞内で起こる細胞質アダプターと細胞骨格分子との間の相互作用をひき起こすとともに, ファスナーのように連続したカドヘリン接着列も形成する. 1個のカドヘリン分子のEC1ドメインが, 隣接する細胞にある別のカドヘリン分子のEC1ドメインと結合することによって, トランス型結合が起こる（図20・14a, 図20・3）. EC1-EC1間の同種間結合の解離定数K_dを, 単離したドメインを用いて溶液中で測定すると, 10^{-5}〜10^{-4} mol/L（比較的弱い, 低親和性結合）であるが, 隣接する二つの細胞にあるカドヘリン分子全体によって多数の接着列での結合相互作用が合計されるため, 非常に強い細胞間接着が形成される.

カドヘリンの細胞外ドメインの構造を決定し, 重要な結合ドメインが変異したタンパク質の構造と結合特性を多数調べた結果, 古典的カドヘリンによる細胞接着の基盤になっているシス型およびトランス型相互作用に関する明確な図式が得られた. カドヘリンのシス型とトランス型の結合相互作用に関する重要な点は, 1) カドヘリンの細胞外ドメインがCa^{2+}依存的に曲がることで, EC1およびEC2ドメインが相対的に相互作用しやすい方向に向くこと（図20・2, 図20・14a）, 2) シス型相互作用には, EC1ド

 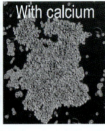 

図20・12（実験）　Ca^{2+}依存的にL細胞の接着を仲介するEカドヘリン. 細胞外液にCa^{2+}を含む通常の細胞培養条件下では, L細胞は集合せず, シート状にならない（左）. この細胞に, 遺伝子導入によってEカドヘリンを発現させると, Ca^{2+}の存在下（中央）で細胞は上皮細胞のような集合体を形成した. Ca^{2+}非存在下では（右）, この集合現象は起こらなかった. スケールバーは60 μm.［C. L. Adams et al., 1998, *J. Cell Biol.* **142**(4): 1105, Fig. 1E 参照.］

メインの片側が，同じ細胞上にある隣のカドヘリン分子のEC2ドメインの表面と相補的な表面構造をつくること（図20・2，図20・14a, b），3) トランス型相互作用では，EC1ドメインの別の部分の表面が，隣接する細胞にあるカドヘリン分子のEC1ドメインと相互作用すること（図20・14c）である．EC1-EC1結合のトランス型相互作用は，二つのEC1ドメインのN末端にある小さな領域が飛び出して，結合相手にある同じ断片と入れ替わることによって安定化している（ポリペプチド鎖の交換，図20・14c）．

もう一つのCAM分子である**クラスター型プロトカドヘリン**(clustered protocadherin)は，カドヘリンドメインという共通する構成要素を組直すことで，いかに別の構造と機能のために新しい分子が進化するかを示す好例である．哺乳類の脳組織での神経細胞の複雑な網目状の構造をつくるというのが，クラスター型プロトカドヘリンの役割である．プロトカドヘリンにはヒトの場合，52個の遺伝子（アイソフォーム）がある（マウスでは58個）．個々の神経細胞で，無作為に10〜15個の異なるアイソフォームが発現していて，これが，それぞれの神経細胞を区別するバーコードのように働き，他の神経細胞と区別して，網目状のネットワークを形成させる働きをしている．5個の細胞外ドメインをもつ古典的カドヘリンに対して，プロトカドヘリンは6個の細胞外ドメイン（EC1〜EC6）をもち，シス型，およびトランス型の両方の結合形成させる点（図20・14d）で，古典的カドヘリン（図20・14a〜c）とは大きく異なっている．クラスター型プロトカドヘリンでは，EC6ドメインが，他の分子のEC5およびEC6ドメインに結合することでシス型相互作用をひき起こす．このEC5-EC6間のシス型相互作用は，同種間・異種間相互作用の両方を仲介でき，同じアイソフォーム間でも，異なるアイソフォーム間でも，同様のシス型相互作用によって二量体を形成させることができる（図20・14dの別の色は異なるアイソフォームを意味する）．これとは対照的に，トランス型相互作用は，EC1-EC4ドメイン間の同種間で起こる逆方向の相互作用によって形成されるが，このとき，四つのECドメインは，隣接する細胞のプロトカドヘリン分子のドメインと完全に一致していなければならない．神経細胞の膜どうしが接する面には，混在するプロトカドヘリンのアイソフォーム分子が形成するが格子状の構造があって，これが神経細胞の網目状の配線を形成するうえで重要な役割を担っている．

CAMの細胞質ドメインも，接着分子の結合特性や機能のうえで重要な役割を担っている．古典的カドヘリンのC末端側の細胞質ドメインは，アダプタータンパク質を介して，アクチン細胞骨格と結合する（図20・14e）．この結合は強固な接着には必須である．事実，カドヘリンとそのアダプター分子は，接着結合部位での機械刺激伝達にかかわっているが，内部のアクチンやミオシンによって，あるいは隣接する細胞が起こす外力，血流による剪断力などによって，接着部位にかかる張力が増すと，カドヘリンが塊状に集まり，細胞間の接着力をより強くする．この張力を感知して反応する重要なアダプター分子であるαカテニンは，カドヘリンの細胞質ドメインにβカテニンを介して結合するとともに，Fアクチンにも結合している．このカドヘリン-βカテニン-αカテニン-Fアクチン複合体が機械的な力を受けると，アクチンに結合しているαカテニンのC末端ドメインの構造変化が起こり，アクチンフィラメントにより強く結合できるようになる．さらに，αカテニンの**接着調節ドメイン**（adhesion modulation domain）が構造変化して，それまで隠れていた，他のアダプタータンパク質（アクチン結合性アダプターであるビンキュリンなど）に結合する領域を露出させる．その結果，さらに別のF-アクチンフィラメントが集結し，接着結合を大きく，強く変化させる．ビンキュリンは，後述するように，インテグリンによる細胞接着においても似た役割を担う．

古典的カドヘリンとαカテニン，またはβカテニンとの相互作用を破壊すると，カドヘリンによる細胞間接着は劇的に弱くなる．腫瘍細胞では人為的な操作を加えなくてもこのような破壊が起こっており，こうした細胞ではαカテニンの発現がみられないことがある．また，同じ状況は，細胞質内のβカテニンのプールを枯渇させてしまうことでも実験的に誘導できる．カドヘリンの細胞質ドメインは，p120カテニンなど，カドヘリンの安定性に影響している他のアダプター分子とも相互作用している．興味深いことに，βカテニンは2種類の役割を果たしていて，細胞骨格への結合を仲介するだけではなく，シグナル伝達分子としても働き，核に移行して，Wntシグナル伝達経路における遺伝子の転写を変化させる（図16・26参照）．

古典的カドヘリンは，組織が分化する過程でも重要な役割を担っていて，組織ごとに異なる特徴的な分布をしている．分化の途中では，細胞表面のカドヘリンの量や種類が変化し，これによって細胞間接着，細胞移動，細胞分裂が影響を受ける．たとえば，形態形成の過程で起こる組織再編成では，運動性をもたない上皮細胞が，運動性をもつ別の組織の前駆細胞（間葉細胞）に変化する現象がよくみられる．これは**上皮-間葉転換**（epithelial-mesenchymal transition: EMT）とよばれ，Eカドヘリンの発現量低下と関係している（図20・15a, b）．上皮-間葉転換は，たとえば上皮細胞が悪性腫瘍細胞に変化するなどの病態にも関係し，上皮細胞が，乳管がんや遺伝性びまん性胃がんのようながん腫の細胞（図20・15c）に変換するとき，Eカドヘリンの活性が失われる現象がみられる．動物では，細胞間接着が細胞増殖を阻害することはよく知られている．組織分化において，分裂増殖した細胞が，いったん互いに密に結合した上皮をつくると，損傷を受けたり上皮-間葉転換を誘導するシグナルを受取ったりしない限り，それ以上，細胞分裂する必要はなくなる．上皮細胞の分裂を抑制する機構の一つとして，Eカドヘリンとカテニンによって仲介されるHippo経路という増殖調節系の制御が用いられることが明らかになっている（21章）．

接着結合において，カドヘリンによる強固な細胞間接着が，上皮にみられる二つ目の細胞間接着である密着結合を形成させる．これについては，このすぐあとで解説する．

ライノウイルス（RV）の感染は，一般的な風邪の最も多い原因である．病原性をもつC型ライノウイルス（RV-C）に感染すると，喘息の悪化などの重篤な症状を示す．RV-Cが細胞に侵入して増殖するには，細胞表面受容体（**CDHR3**とよばれる）に結合することが必須である．ヒトの気管の上皮細胞に多く発現するカドヘリンファミリーのタンパク質であるCDHR3が，RV-Cの受容体となっている．RV-Cなどの病原体は，標的（宿主）組織で機能するタンパク質を利用するように進化している．遺伝子解析から，ヒトにおいてCDHR3のEC5ドメインにあるシステインがチロシンに変わる自然変異（C→Y変異）が，小児喘息の発

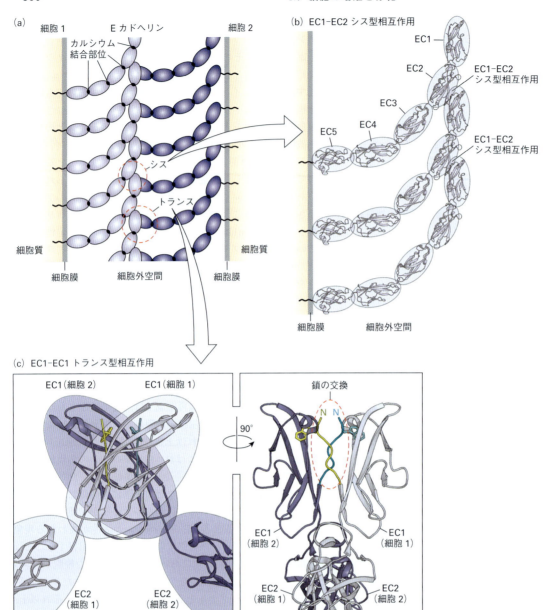
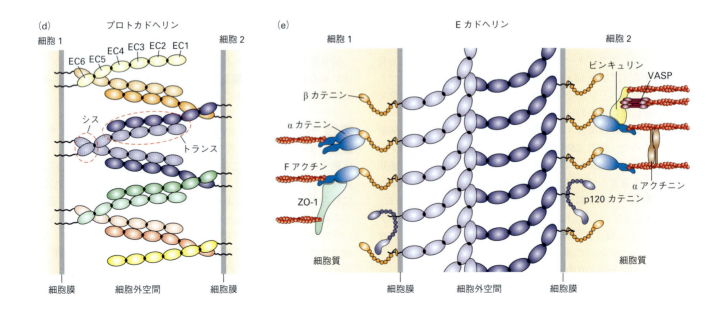

図 20・14（左ページ） 古典的カドヘリンによる接着結合における細胞間および細胞内の相互作用．(a) 接着結合のEカドヘリンの細胞外ドメイン〔EC1～EC5，(b)の楕円〕によって，隣接する細胞どうしが，シス型とトランス型の同種間結合を形成し集合する．Ca^{2+}依存的に伸びて曲がったカドヘリンの細胞外ドメインが，安定したシス型およびトランス型相互作用には必要である（破線の円で示した箇所）．(b) EC1-EC2 間のシス型相互作用．カドヘリン分子内にある EC1 ドメインが，同じ細胞上の隣りのカドヘリン分子の EC2 ドメインと結合することでシス型相互作用が起こる．(b)と(c)の楕円で囲んだ箇所に，X線結晶構造解析で決定されたカドヘリン細胞外ドメインの構造をリボンモデルで示している．(c) EC1-EC1 トランス型相互作用の様子．カドヘリン分子の EC1 ドメインが，隣接する細胞にある別のカドヘリン分子の EC1 ドメインとトランス型相互作用する様子を示す図．右側は，それを 90°回転させて眺めたもの．相互作用している EC1 ドメインと EC2 ドメインの箇所だけを示している．二つの EC1 ドメイン（細胞1側のものは黄，細胞2側のものは青）のN末端に短いポリペプチド鎖断片が飛び出ていて，結合相手の EC1 ドメインのものと交換している点に注目してほしい（右側の図の赤破線で示した楕円部分）．このポリペプチド鎖断片の交換により，ドメイン内にあるトリプトファン残基の側鎖が交換し，隣接する EC1 の結合ポケットに入り込むことで，トランス型相互作用が安定化する．(d) 隣接する神経細胞の間でみられるプロトカドヘリン分子間相互作用によって形成される格子状の構造．プロトカドヘリンは，古典的カドヘリン分子(a)とは異なり，相互作用する別の細胞外ドメイン（EC1～EC6，赤の破線部分）をもつ．異なるプロトカドヘリン分子は別の色で，細胞1側が細胞2側より薄い色で分けて示してある．同種間シス型（同色），および異種間シス型（異色）の2分子間相互作用は，EC6 ドメインと，他分子の EC5-EC6 ドメインによって形成される．同種間トランス型の2分子間相互作用は，EC1～EC4 ドメインと，他分子（同色）の EC1～EC4 ドメインによって形成される．(e) 古典的Eカドヘリンの細胞内にあるドメインは，他のアダプタータンパク質（βカテニンなど）と直接的あるいは間接的に結合し，これによって，細胞間の接着構造が，細胞骨格であるアクチンフィラメント（Fアクチン）に連結され，また細胞内シグナル伝達経路ともかかわることになる．ZO-1 やビンクリンのように異なるアダプタータンパク質が図中の二つの細胞内に示してあるように，接着結合が相互作用するアダプターは多様である．また，これらのアダプタータンパク質には，ZO-1 のように，複数種の CAM と相互作用するものがある．〔V. Vasioukhin and E. Fuchs, 2001, Curr. Opin. Cell Biol. **13**: 76; J. Brasch et al., 2012, Trends Cell Biol. **22**: 299 参照．(a)～(c)は O. J. Harrison et al., 2011, Structure **19**: 244, PDB ID 3q2w．(d)は J. Brasch et al., 2019, Nature **569**: 280, PDB ID 6e6b．〕

 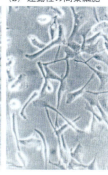

(a) 接着性の上皮細胞　(b) 運動性の間葉細胞

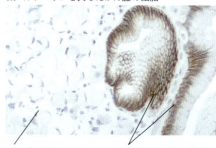

(c) カドヘリンを失ったがん腫の細胞

がん腫の細胞　カドヘリンを発現している胃腺の表面を覆う正常な上皮細胞

図 20・15（実験） 上皮-間葉転換時やがん進行中にはEカドヘリンの活性が失われる．Eカドヘリンの発現を抑制する Snail は，上皮-間葉転換に関係するタンパク質である．(a) 培養した正常な上皮性の MDCK 細胞．(b) snail 遺伝子を MDCK 細胞内で発現させると，MDCK 細胞が上皮-間葉転換をひき起こす．(c) 遺伝性びまん性胃がん患者の組織薄片でみられるEカドヘリンの分布（濃茶）．免疫組織染色法で検出．Eカドヘリンは，正常な胃腺上皮細胞（右）の細胞間領域にみられる．浸潤したがん腫の細胞の周縁部領域にはEカドヘリンはみられない．〔(a)，(b)は A. M. Arias, 2001, Cell **105**(4): 425, Copyright Clearance Center, Inc. を通じて Elsevier より許可を得て転載．(c)は F. Carneiro et al., 2004, J. Pathol. **203**(2): 681, Copyright Clearance Center, Inc. を通じて John Wiley & Sons, Inc. より許可を得て転載．〕

作と入院期間の増加に関係することがわかった．培養細胞では，この C→Y 変異によって CDHR3 の細胞表面の発現が増加し，RV-C の結合と複製が増加する．RV-C とカドヘリン（CDHR3）の相互作用を壊すような治療ができれば，RV-C が原因である呼吸器疾患を予防したり，治療したりできる可能性がある．■

デスモソームカドヘリン　デスモソーム（図 20・16）にはデスモグレイン（desmoglein）とデスモコリン（desmocollin）という二つの特殊なカドヘリンが含まれる．デスモソームカドヘリンの細胞質ドメインは，古典的カドヘリンとは異なる，別のアダプタータンパク質と相互作用する．これらには，プラコグロビン（plakoglobin，βカテニンに構造が類似），プラコフィリン（plakophilin），そして，デスモプラキン（desmoplakin）とよばれるプラキン（plakin）ファミリーのアダプタータンパク質がある．これらのアダプターは，デスモソームに特徴的な分厚い細胞質プラークを形成し，それが中間径フィラメントと相互作用する．

デスモグレインとよばれるカドヘリンは，頻度は小さいが重篤な自己免疫疾患である**尋常性天疱瘡**（pemphigus vulgaris）の研究から同定された．自己免疫疾患の患者は，正常な体内タンパク質に結合して攻撃する，"自己"抗体を合成する．尋常性天疱瘡では，自己抗体が上皮細胞間の接着を破壊し，皮膚や粘膜で水ぶくれが生じる．主要な自己抗体はデスモグレインに特異的で，実際，正常な皮膚にこのような抗体を投与すると水ぶくれが生じ，細胞接着が破壊される．■

インテグリンは，上皮細胞のヘミデスモソームなどの細胞-マトリックス間接着を仲介する

単層円柱上皮のシートは，直下にある細胞外マトリックス（基底膜）に基底面が強固に接着することによって，堅い組織や器官につながれて安定化する必要がある．この接着は，**インテグリン**（integrin）とよばれる接着受容体を介して行われる（図 20・2）．インテグリンは**ヘミデスモソーム**（hemidesmosome，図 20・11a）とよばれる固定結合の内外に位置する．ヘミデスモソームは，ケラチンからなる中間径フィラメントに結合した細胞質のアダプ

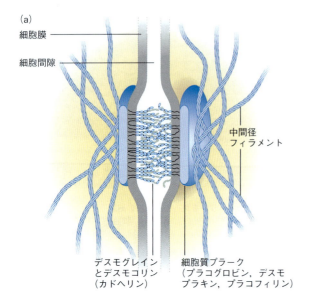

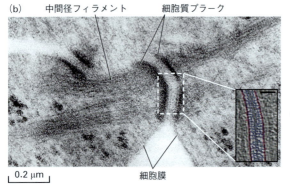

図 20・16　デスモソーム．(a) 中間径フィラメントが結合した上皮細胞間のデスモソームのモデル．デスモソームにおいて重要な CAM は，デスモソームカドヘリンの役割を担うデスモグレインとデスモコリンである．これらのカドヘリンの細胞質ドメインに結合するアダプタータンパク質には，プラコグロビン，デスモプラキン，プラコフィリンが含まれる．(b) ヒトのケラチノサイトを培養し，分化後の細胞間に観察されるデスモソーム像（電子顕微鏡による超薄切片）．隣接する細胞膜の内側に沿って暗く染まっている箇所から，両側に中間径フィラメントの束が伸びている．(b) の右下の挿入図は，ヒト上皮細胞間のデスモソームの電子顕微鏡断層写真から得られた像．細胞膜（ピンク），デスモソームカドヘリン（青）．スケールバーは 35 nm．[(a) は B. M. Gumbiner, 1993, *Neuron* **11**: 551; L. A. Staehelin and B. E. Hull, 1978, *Sci. Am.* **238**: 140; D. R. Garrod, 1993, *Curr. Opin. Cell Biol.* **5**: 30 参照．(b) は A. Al-Amoudi et al., 2007, *Nature* **450**(7171): 832, Copyright Clearance Center, Inc. を通じて Nature より許可を得て転載．]

タータンパク質（たとえばプラキン）を介在因子とする複数の膜内在性タンパク質から構成されている．上皮のヘミデスモソームにおける主な ECM 接着受容体は，インテグリン α6β4 である．

インテグリンは，上皮細胞でも他のさまざまな細胞でも接着受容体および CAM として機能し，多くの細胞間，および細胞-マトリックス間の相互作用を仲介する（表 20・4）．脊椎動物では，18 種類の α サブユニットと 8 種類の β サブユニットがさまざまに組合わされた，少なくとも 24 種類のインテグリン αβ ヘテロ二量体が知られている．一つの β 鎖は，複数の α 鎖の一つと相互作用し

表 20・4　代表的な脊椎動物のインテグリン[†]

サブユニット構成	おもな細胞分布	リガンド
α1β1	さまざまな種類	おもにコラーゲン
α2β1	さまざまな種類	おもにコラーゲン，ラミニンも
α3β1	さまざまな種類	ラミニン
α4β1	造血細胞	フィブロネクチン，VCAM-1
α5β1	繊維芽細胞	フィブロネクチン
α6β1	さまざまな種類	ラミニン
αLβ2	T リンパ球	ICAM-1，ICAM-2
αMβ2	単 球	C3b，フィブリノーゲン，X 因子などの血清タンパク質，ICAM-1
αIIbβ3	血小板	フィブリノーゲン，フォンビルブラント因子，ビトロネクチンなどの血清タンパク質，フィブロネクチン
α6β4	上皮細胞	ラミニン

[†] インテグリンは，同じ β サブユニットをもつサブファミリーに分類した．赤で示したリガンドは CAM で，その他はすべて ECM か血清タンパク質である．サブユニットには複数のスプライスアイソフォームを含む場合があり，それぞれには，異なる細胞質ドメインが含まれる．
出典: R. O. Hynes, 1992, *Cell* **69**(1): 11 による．

て，異なるリガンドに結合するインテグリンを形成する．この組合わせによる多様性（combinatorial diversity）によって，比較的少数の構成要素から多数の異なる機能を果たせるようになる．ほとんどの細胞は複数の異なるインテグリンを発現し，同一あるいは異なるリガンドに結合するが，個々のインテグリンは特定の種類の細胞に多く発現する場合が多い．多くのインテグリンが複数のリガンドに結合する一方，リガンドにも複数のインテグリンに結合するものがある．

すべてのインテグリンは，二つの主要な祖先型サブグループから進化したと考えられている．通常 **RGD 配列**（RGD sequence）とよばれるトリペプチド配列（Arg-Gly-Asp）を含むタンパク質（たとえばフィブロネクチン）に結合するグループと，ラミニンに結合するグループである．いくつかのインテグリン α サブユニットには，特徴的な挿入領域（**I ドメイン** I domain）が含まれていて，これによって特定のインテグリンが，ECM にある種々のコラーゲンへの結合を仲介する．I ドメインを含むインテグリンには，リンパ球（白血球）だけで，あるいは白血球と赤血球の前駆細胞（造血細胞）だけで発現しているものがある．I ドメインは，Ig スーパーファミリーのタンパク質（たとえば ICAM，VCAM）などの他の細胞にある細胞接着分子を認識し，それによって細胞間接着にも関与する．

インテグリンは，リガンドとの結合の解離定数 K_d が 10^{-7}〜10^{-6} (mol/L) という比較的弱い親和性を示すことが多い．しかし，数百から数千のインテグリン分子が細胞上や細胞外マトリックスにあるリガンドに結合することによって，この複数の弱い相互作用は，リガンドをもつ標的に細胞を固定できる．

インテグリン分子の α および β サブユニットの一部は，主要な細胞外リガンド結合部位として機能する（図 20・2）．また，インテグリンへのリガンドの結合には，2 価陽イオンの結合が同時に必要である．インテグリンの細胞質ドメインは，他の細胞表面接着分子と同様に，アダプタータンパク質と相互作用し，さらにそ

のアダプタータンパク質は細胞骨格や細胞内シグナル伝達分子に結合する（図20・8）．上皮細胞の基底面をECM分子であるラミニンを介して基底膜につないでいるインテグリンのように、ほとんどのインテグリンはアダプターを介してアクチン細胞骨格に連結している．しかし、一部のインテグリンは中間径フィラメントと相互作用する．たとえば、ヘミデスモソーム（図20・1）にあるα6β4インテグリンのβ4鎖の細胞質ドメインは、他のインテグリンβサブユニットの細胞質ドメインよりもずっと長く、特定のアダプタータンパク質に結合し、さらにこのアダプタータンパク質はケラチンからなる中間径フィラメントと相互作用する（表20・4）．α3β1インテグリンなどの他のインテグリンは、フォーカルアドヒージョンにおける接着受容体となっていて、上皮の基底膜をアクチン細胞骨格につないでいる（図20・1）．

後述するように、インテグリンとそのECMリガンドが多様であることによって、広範な生物学的過程、たとえば、胚のボディープラン形成（形態形成）や炎症応答において細胞が正確な位置へ移動することなどにインテグリンが関与することが可能になっている．多様な過程におけるインテグリンの重要性は、さまざまなインテグリンサブユニットが変異をもつように操作した遺伝子ノックアウトマウスが異常を示すことからも明らかである．そのなかには、発生、血管形成、白血球の機能、炎症、骨代謝、止血などの大きな異常がある．これらの現象はそれぞれ異なるが、こうした過程では、すべて細胞骨格とECMか他の細胞上のCAMとのインテグリンを介した相互作用に依存している．

インテグリンは、これらの接着機能に加えて、細胞外から細胞内への、また細胞内から細胞外へのシグナル伝達を仲介する（図20・8）．細胞外から細胞内へのシグナル伝達では、インテグリンが細胞外のリガンドと結合することが、インテグリンの細胞質ドメインに結合したアダプタータンパク質に伝わり、それが細胞骨格や細胞内シグナル伝達経路に影響を及ぼす．逆の細胞内から細胞外へのシグナル伝達では、細胞内のシグナル伝達経路がインテグリンの構造を細胞内から変化させ、その結果、細胞外リガンドに対する結合能と細胞間、および細胞-マトリックス間相互作用を変化させる．インテグリンが介在するシグナル伝達経路の例については、§20・5で解説する．そのようなシグナル伝達経路は、細胞の生存、細胞の増殖、プログラム細胞死（22章）などのさまざまな過程に影響を及ぼす．

密着結合は体腔を密封し、細胞膜の構成成分の拡散も制限する

極性をもつ上皮細胞が、防御線として機能したり、選択的な輸送を行ったりするには、頂端側と側底側の細胞膜周辺にある細胞外液を分離しなければならない．隣接する上皮細胞間の密着結合は、通常、頂端面の少し下側で細胞を取囲むように位置している（図20・17、図20・11）．この特殊な結合が、小腸内腔などでは体腔を密封する障壁を形成し、中枢神経系では血液と脳脊髄液とを分けている（血液脳関門）．

密着結合は、大きな分子の拡散を妨げるとともに、程度はさまざまだが水溶性の小分子やイオンが細胞間の間隙を通って上皮層を通過するのを妨げる．また密着結合は、細胞膜の頂端面と側底面の間を膜タンパク質や糖脂質が拡散するのを妨げることによって、上皮細胞の極性を維持しており、二つの面には別々の膜構成成分が含まれるようにしている．実際、頂端側と側底側とでは反

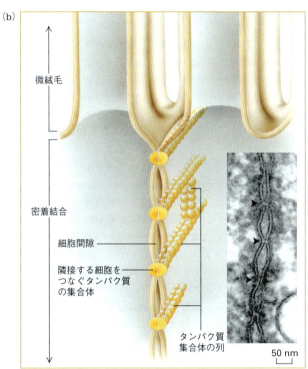

図 20・17 密着結合．(a) 凍結割断法によって観察される小腸上皮細胞間の密着結合．割断面は隣接した二つの細胞のうち、一方の細胞膜の内側から眺めたものに相当する（図20・11）．微絨毛（写真上側）の直下にある密着結合の領域には、隆起部分と溝部分からなるハチの巣状の構造がみられる．(b) 粒子状のタンパク質が連結してつくられる密着結合を示す模式図．密着結合の超薄切片の電子顕微鏡写真（挿入写真）では、1列になったタンパク質分子がみられ、隣接する細胞が密に接している様子がわかる．［(a)はL. A. Staehelin 提供．(b)は S. Tsukita, et al., 2001, *Nat. Rev. Mol. Cell Biol.* **2**(4): 285, Copyright Clearance Center, Inc. を通じてNature より許可を得て転載．L. A. Staehelin and B. F. Hull, 1978, *Sci. Am.* **238**: 140 参照．］

細胞質側リーフレット（10章）の脂質成分が異なる．特に、糖脂質はすべて頂端側の反細胞質面に局在しており、グリコシルホスファチジルイノシトール（glycosylphosphatidylinositol: GPI）アンカー（図10・19参照）によって膜に結合したタンパク質はすべて同じ局在を示す．一方、頂端側と側底面側の細胞質側リーフレットは、上皮細胞では膜組成が均一であり、それらに含まれる脂質とタンパク質は、膜の領域間で二次元的に拡散することができる．

密着結合は、細胞の周囲を完全に取囲む細胞膜タンパク質の細い帯を構成していて、隣接する細胞にある同じ細い帯と接触している．密着結合を含む細胞薄片を電子顕微鏡で観察すると、隣接

する細胞の側面どうしが，ところどころで互いに接触しているように見え，頂端面のすぐ下の部分では融合しているように見える（図20・11b）．凍結割断試料を用いた電子顕微鏡観察では，密着結合は，細胞膜上の隆起した部分と溝とが組合った網目のように見える（図20・17a）．非常に高倍率で見ると，密着結合の凍結割断法による顕微鏡写真に見られた隆起では，タンパク質が直径3〜4 nmの粒子の形になった集合体が列のようになっていることがわかる．図20・17(b)のモデルに示すように，密着結合は，この粒子が二つの列になることで形成されており，一つの列が一つの細胞に由来する．上皮をプロテアーゼであるトリプシンで処理すると，密着結合は破壊される．したがって，タンパク質が密着結合に必須の構成成分とする仮説が支持される．

密着結合には，さまざまな膜内在性タンパク質がある．そのなかで，よく知られているものが，**オクルディン**（occludin）と**クローディン**（claudin，ラテン語の"閉じる"という意味のclaudereに由来する）である．これらのタンパク分子には，4本の膜貫通αヘリックスがあり（図20・18），ともに，テトラスパニン（tetraspanin）とよばれる細胞膜表在性タンパク質の代表的な例である．哺乳類のクローディンファミリーでは，27種の相同タンパク質があり，後述するように，組織ごとに異なる特徴的な発現をしている．**結合接着分子**（junction adhesion molecule: **JAM**）に含まれるタンパク質群も，密着結合による同種間接合や他の機能に関係していることがわかっている．JAMと**CAR**（coxsackievirus and adenovirus receptor）とよばれる別のタンパク質には，1個の膜貫通αヘリックスが含まれ，細胞接着分子（CAM）のなかの免疫グロブリン（Ig）スーパーファミリーに属する．同じ細胞内の細胞膜にあるオクルディン，クローディン，JAMタンパク質の細胞外ドメインが1列に並び，隣接する細胞に存在する同じタンパク質からできている同様の分子列と非常に強く連結することによって，強固なシールがつくられる．また，Ca^{2+}依存的なカドヘリンによる接着も，密着結合の形成，安定化，機能に重要な役割を果たしている．

密着結合によって連結された三つの細胞が交わる点（図20・13，図20・18a）には，ほかに2種類の膜タンパク質が密着結合を構成している．**トリセルリン**（tricellulin）には，四つの膜貫通ヘリックスがある．**アングリン**（angulin）には，一つの膜貫通ヘリックスがあり，細胞外ループに一つの免疫グロブリンドメインがある．これは，細胞が交わる点にトリセルリンが集まるために必要である．この交点箇所にある接着結合の中には，密着結合にあるような張力に反応するタンパク質分子がみられる箇所もある．

接着結合やデスモソームと同じように，細胞質側にあるアダプタータンパク質，さらに，それを経由して接続されている細胞骨格は，密着結合の重要な構成要素であるとともに，細胞内へのシグナル伝達の機能も重要である．たとえば，クローディンのグループのなかの一つクローディン6という分子は，細胞間をつなぐ密着結合で働く分子であるが，その細胞質ドメインは，キナーゼを介したシグナル伝達を開始させ，核内にある受容体（たとえばレチノイン酸受容体γ，エストロゲン受容体αなど）を活性化する役割を担っている（8章）．また，オクルディンのC末端側にある長鎖の細胞質領域には複数のドメインをもつ，大きなアダプタータンパク質のPDZドメインが結合する．**PDZドメイン**（PDZ domain）は80〜90アミノ酸程度からなり，さまざまな細胞質タン

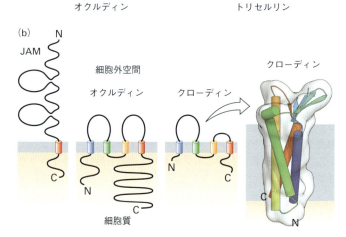

図 20・18 密着結合をつくるタンパク質．(a) マウスの小腸上皮において，オクルディン（緑）とトリセルリン（赤）が局在する様子を蛍光免疫染色法によって観察した写真．三つの細胞が接合する箇所にトリセルリンが集まっている様子に注意．(b) 結合接着分子（JAM）は，1個の膜貫通ドメインと2個の抗体結合部位をもつ細胞外ドメインからなる．一方，オクルディンとクローディンは，ともに四つの膜貫通ヘリックス構造をもつ．クローディン15分子（右図）は，4本のヘリックス束からなる膜貫通部分，および5個のβシート（ここでは端に沿うように見える）とαヘリックスからなる細胞外ループ構造をもつ．この細胞外ドメインは，シス型相互作用によってクローディン分子を1列に配列させると同時に，形成されたクローディン分子列の間の相互作用にもかかわる．隣接する細胞間では，クローディン分子列間でのトランス型相互作用も存在する（図20・20）．［(a)は J. Ikenouchi et al., 2005, *J. Cell Biol.* **171**(6): 939, Fig. 3A．(b) クローディン15の構造は H. Suzuki et al., 2014, *Science* **344**: 304, PDB ID 4p79．］

パク質に含まれ，特定の細胞膜タンパク質のC末端側や，他の細胞質タンパク質との結合を仲介する．PDZドメインをもつ細胞質タンパク質には，多くの場合，複数のPDZドメインが含まれ，ヒトゲノムでは数百個のタンパク質中に250種類以上のPDZドメインが見いだされている．複数のPDZドメインをもつタンパク質は，大きなタンパク質機能複合体を集合させる足場のような構造になっている．複数のPDZドメインを含むアダプタータンパク質のなかには，**ZOタンパク質**（zonula occludens protein, ZO-1, ZO-2, ZO-3など）のように密着結合内に存在するものもあって，この分子は，オクルディンやクローディン，他のアダプタータンパク質，シグナル伝達タンパク質などと相互作用するとともに，アクチン繊維との結合にも関与する．これらの相互作用は，オクルディン分子とクローディン分子の間の連結を安定化し，これが密着結合を完全な状態に保つために不可欠である．ZOタンパク質は，密着結合において，役割分担している他の生体分子を集積させる役割を担っている可能性があり，さらに，接着結合（図20・

14) やギャップ結合のアダプタータンパク質としても機能している．

多くの実験で，密着結合が，透過を抑制する障壁として働くことが示されている．たとえば，水酸化ランタン（高分子量の電子密度の高いコロイド）を実験動物の膵臓の血管に注入した実験では，注入数分後に，膵臓の上皮細胞である腺房細胞を固定して電子顕微鏡で観察すると，図20・19に示すように，水酸化ランタンは血液から隣接した腺房細胞の側面の間の空間へと拡散するが，密着結合を通過できないことがわかった．

密着結合が存在することによって，さまざまな栄養素は腸上皮を通過する際には細胞間を通るのではなく，多くは膜に存在する特異的な輸送タンパク質の働きで**細胞横断経路**（transcellular pathway）を通る（図20・20a，図11・30参照）．しかし，密着結合による拡散の障壁は絶対的なものではなく，密着結合に組込まれたクローディンの種類に依存して，大きさとイオンに対する選択性がみられる場合もある．また，密に集まったクローディンの細胞外ドメイン部分が，隣接する細胞間でトランス型相互作用をする結果，細胞膜に接したある外のチャネル（傍細胞チャネル）（図20・20b）を形成する場合もある．したがって，ある種の小分子やイオンは，**傍細胞経路**（paracellular pathway，図20・20）を通って，上皮の片側からもう片側へと移動できる．この選択性が重要であることは，選択性を形成する分子が進化的に保存されていることと，選択性が壊れたときにひき起こされる疾病からもわかる．たとえば，マウス胚でこの選択性が壊れると，上皮層の両側での液体の均衡を正しく保つことができなくなるため，発生は停止する．また腎臓では，体液を正常に保つために必要なイオン濃度の勾配をつくったり，老廃物を除去したりする際に，密着結合の透過性が正しく働くことが必要である．異なる性質をもつさまざまなクローディン分子が密着結合の種類に応じて存在することは，密着結合が示すイオン，小分子，水の透過性が上皮の種類によって大きく異なる理由の一つである．

密着結合の物質透過性は，特に，Gタンパク質とcAMPが共役した経路などの細胞内シグナル伝達経路（15章）によって変化す

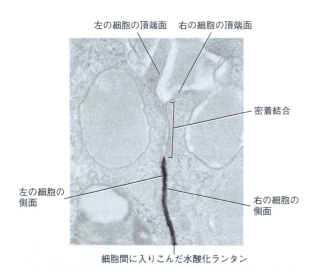

図 20・19（実験）　**密着結合があるので，大きな分子は上皮細胞間の隙間を通れない**．膵臓細胞に密着結合があるので，上皮の側底面に注入した大きな水溶性コロイドである水酸化ランタン（濃く染まった箇所）は通過できない．［D. S. Friend and N. B. Gilula, 1972, *J. Cell Biol.* **53**(3): 758 による．］

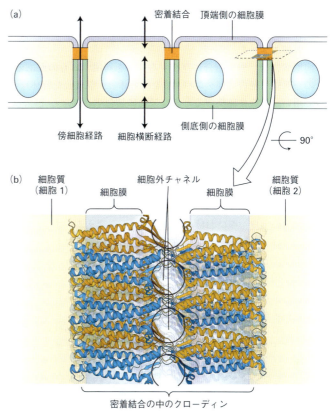

図 20・20　**上皮細胞層における細胞横断輸送と傍細胞輸送**．（a）細胞横断輸送では，11章で説明した機構によって，細胞が片側から分子を取込み，反対側で放出するしくみが使われる．傍細胞輸送では，輸送される分子は，細胞外の密着結合の箇所を通過して移動する．この輸送のしくみは，密着結合の小分子やイオンに対する透過性，密着結合を構成する成分（おもにクローディン）や上皮細胞の生理学的な状態に依存している．図の右端に示す2細胞間の密着結合において，破線で示した四角領域の断面を上側から眺めたものが（b）である．（b）密着結合を構成するクローディン15の構造のコンピューター予測モデル．ここには他の構成タンパク質は描かれていないが，クローディン15の膜貫通ヘリックスの部分が，細胞膜にある密着結合の全長に渡って並ぶ様子が示されている．細胞膜内でクローディン分子（橙と青）が1列に並び，それらが隣接する細胞間のトランス型結合を形成する．灰色の円で示す箇所は，クローディン15の細胞外のドメインによって形成されたもので，断面図に直角な方向にある細胞外のチャネル構造である．このチャネルを通して，小分子やイオンが細胞側面を通って輸送される（傍細胞チャネル）．チャネルの内側には負の電荷を帯びたアスパラギン酸側鎖があって，輸送するクローディン15依存性チャネルのイオン選択性にかかわるようである．［(a)は S. Tsukita et al., 2001, *Nat. Rev. Mol. Cell Biol.* **2**: 285 による．(b)は P. Samanta et al., 2018, *J. Gen. Physiol.* **150**: 949 による．］

る．密着結合の透過性の調節は，MDCK細胞などの上皮細胞の単層を通過するイオンの流れ（経上皮電気抵抗値とよばれる電気抵抗の値）を測定したり，放射性分子や蛍光分子の移動を測定したりして調べる．

傍細胞輸送の重要性は，複数のヒトの疾患からも明らかになっている．遺伝性低マグネシウム血症では，クローディン16遺伝子の欠損によって腎臓におけるマグネシウムの傍細胞輸送が正常に行われない．その結果，血液中のマグネシウム濃度が異常に低くなり，けいれんがひき起こされる．また，クローディ

ン14遺伝子が変異すると，遺伝性の聴覚障害が，内耳の蝸牛にある有毛細胞からなる上皮周辺で物質輸送が変化することによってひき起こされる．

病原体には，密着結合に存在する分子を利用するものがある．その一部は，密着結合タンパク質を受容体の一部（共受容体）として用い，細胞に感染するときに最初に結合する（たとえば，C型肝炎ウイルスはクローディン1とオクルディンを，他の二つの共受容体とともに利用して肝細胞へ侵入する）．また，別の病原体は，密着結合の障壁を破壊して，細胞の横から上皮を通り抜けたり，障壁としての機能を変化させる毒素を産生したりする．たとえば，コレラの原因となる腸内細菌であるコレラ菌 *Vibrio cholerae* がつくる毒素は，密着結合の組成や活性を変化させることで，腸の上皮細胞における透過性の障壁を変える．また，コレラ菌はプロテアーゼを分泌してオクルディンの細胞外ドメインを分解することで密着結合を壊す．他の細菌の毒素にも，小腸上皮細胞の膜輸送体のイオンポンプ活性に影響を与えるものがある．毒素による密着結合の透過性の変化（傍細胞輸送の上昇）とタンパク質によるイオンポンプの変化（細胞横断輸送の上昇）によって，体内のイオンと水が消化管に大量に流れ出て失われる．これによって下痢や死に至るほどの脱水症状がひき起こされる（11章）．■

密着結合は，組織の構造をまとめ，機能発現のうえで重要である点は明らかである．ということは，外的な張力（尿が蓄積することで起こる膀胱での上皮の伸長など）や内的な力（アクチン・ミオシンによる張力発生）など，上皮で起こる動的な変化に応じて，密着結合は変化しなければならないことになる．密着結合部位で機械的な力変化が起こると，結合アダプタータンパク質の構成や，傍細胞チャネルの透過性も変化するのは明らかである．接着結合と同様に，密着結合においても，ZO-1が機械刺激センサーとして働く可能性はあるものの，その機械刺激伝達の分子機構は十分には理解が進んでいない．

ギャップ結合はコネキシンから構成され，隣接する細胞間で小分子を直接通過させる

初期の電子顕微鏡を使った組織の解析から，特徴的な隙間（ギャップ）をもつ細胞間の接着部位があることが見いだされた（図20・21a）．この特徴的な構造は接触しているほぼすべての動物細胞間に存在したため，初期の形態学者はこのような領域をギャップ結合とよんだ．現在の知見では，この結合の最も重要な特徴は，2〜4 nmほどの隙間そのものではなく，この隙間を横切って円筒状の粒子が集まり，隣接する細胞の細胞質をつなぐ孔を構成していることである（図20・21b, c）．§20・6で述べるように，植物にも隣接する細胞間で細胞質をつなぐ孔をつくっているが，この原形質連絡とよばれるチャネルは，ギャップ結合の構造とは大きく異なる．

多くの動物組織では，ギャップ結合の粒子が数個から数千個集まって，小さな領域をつくっている（たとえば上皮細胞の側面，図20・11）．細胞膜を精製して破砕し，小さな断片にすると，ギャップ結合の小さな領域をおもに含む断片が得られる．この断片は，他の断片よりタンパク質含量が多いため，細胞膜全体よりも密度が大きくなり，密度勾配沈降平衡法（図4・37参照）によって分離・精製できる．このように調製した膜を，膜に対して垂直方向から観察すると，ギャップ結合は，水でみたされたチャネルを囲む六角形の粒子が集まった形として観察される（図20・21b）．

脂質二重層を通らないさまざまな大きさの分子に蛍光色素を共有結合で結合させたものを細胞内に注入し，それが隣接した細胞に広がるかどうかを蛍光顕微鏡で観察することによって，実際のギャップ結合の孔径を測定できる．哺乳類細胞間のギャップ結合は，大きさが直径1.2 nmまでの分子の通過が可能である．昆虫細胞では，直径2 nmまでの分子が透過できる．一般的には，1200 Daより小さい分子は自由に通過するが，2000 Daより大きい分子は通過しない．その中間の大きさの分子の透過性は物質によって変わり，ある程度制限される．したがって，イオン，細胞内の巨大分子の前駆体となる小分子の多く，代謝中間産物，また小さな細胞内シグナル伝達分子は，ギャップ結合を通って細胞間を行き来することができる．

神経組織では，一部の神経細胞がギャップ結合で連結されており，そこをイオンが迅速に通過して，電気信号が速やかに伝達される．この連結を介した刺激の興奮伝達機構は**電気シナプス**（electrical synapse）とよばれ，化学シナプスより約1000倍も速い（23章）．また，ギャップ結合は，神経以外にも多くの組織に存在し，さまざまな細胞の電気活動と代謝活動を統合させる働きをもっている．たとえば心臓では，デスモソームで強固に連結された心筋細胞間でギャップ結合が迅速にイオンのシグナルを伝播し，拍動時に心筋細胞が協調して収縮するように電気的な刺激が伝わるようにしている．15章で述べたように，ある種のホルモンによる細胞外からの刺激によって，**二次メッセンジャー**（second messenger，たとえばcAMP, IP_3, Ca^{2+}）とよばれる小さな細胞内シグナル伝達分子の産生や放出が誘導され，細胞内の代謝を調節する．二次メッセンジャーはギャップ結合を介して細胞間を伝播されるため，一つの細胞にホルモン刺激を与えると，その細胞に加えて，近くの細胞の多くに協調した応答をひき起こすことができる．このようなギャップ結合を介したシグナル伝達は，たとえば膵臓からの消化酵素の分泌や，腸の協調した筋収縮の波（蠕動）などにおいて，重要な役割を果たす．ギャップ結合を介した輸送がよくわかる別の例に，**代謝共役**（metabolic coupling）や**代謝協同**（metabolic cooperation）とよばれる現象がある．この現象では，二つの細胞が，栄養物質や代謝中間産物を，それを合成できない隣接するもう一つの細胞に移動させる．またギャップ結合は，卵巣において卵母細胞と周囲の顆粒膜細胞の間と隣接する顆粒膜細胞どうしで代謝産物やcGMPのようなシグナル伝達分子の移動を仲介し，卵細胞の発達に重要な役割を果たす．

現在受け入れられているギャップ結合の構造モデルを図20・21(c), (d)に示す．脊椎動物のギャップ結合は，分子量26,000〜60,000で構造が類似した膜貫通タンパク質ファミリーである**コネキシン**（connexin）から構成される．脊椎動物でみられる六角形の粒子は，いずれも非共有結合性の相互作用で結びついた12個のコネキシン分子からなる．6個が一方の細胞膜で円筒状の**コネクソン**（connexon）半チャネルを形成し，隣接する細胞膜上のコネクソン半チャネルと結合して，細胞の間をつなぐ親水性チャネル（直径約14 Å）が形成される．それぞれのコネキシン分子は，クローディンの膜中の配向と同じように，αヘリックスが膜を4回貫通しており（図20・18），したがって，半チャネルそれぞれ

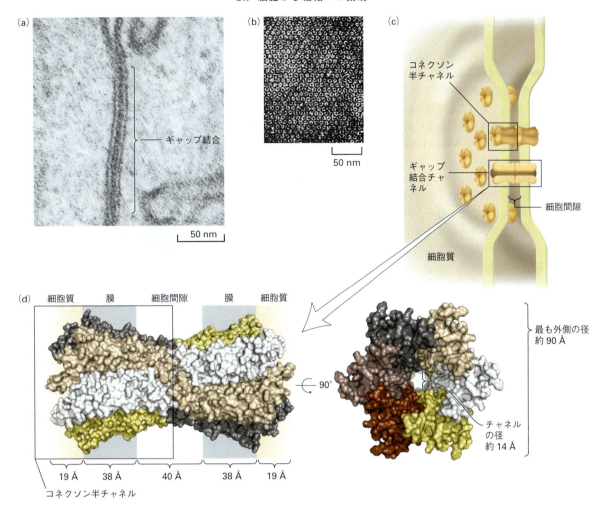

図 20・21 ギャップ結合. (a) マウス肝細胞をつなぐギャップ結合の薄片像では，2枚の細胞膜が2〜3 nm の間隙（ギャップ）で，数百ナノメートルに渡って接している様子がわかる．(b) ギャップ結合が密に集まっている領域を，細胞質側から眺めると，六角格子状に配列した粒子が無数に観察される．この粒子は，隣接する細胞の同じ構造に並ぶように配置していて，これが二つの細胞を連結するチャネル構造となる．(c) 二つの細胞膜間のギャップ結合の概略図．それぞれの膜には，6個のダンベル形のコネキシン分子が円筒形に並んだ構造のコネクソン半チャネルが存在する．二つのコネクソン半チャネルが細胞間のギャップで融合し，細胞質間をつなぐギャップ結合チャネル（直径 1.4〜2.0 nm）となる．(d) X線結晶構造解析（解像度 3.5 Å）によって決定されたヒト Cx26 組換えタンパク質で構成されたギャップ結合コネクソンチャネルのモデル．（左）二つの半チャネルが(c)で示した方向に結合してできたチャネルを横から見たときの空間充填モデル．コネクソン半チャネルを構成する六つのコネキシンを別の色で示している．それぞれのコネクソンには四つの膜貫通ヘリックスが存在する．膜貫通ヘリックスをつなぐループ構造は明確ではなく，ここでは示していない．（右）細胞質側から眺めた図で，コネクソンの中央に孔があることがわかる．このチャネルの孔は直径約 14 Å で，極性あるいは電荷をもつ多くのアミノ酸が取囲んだ構造をしている．[S. Nakagawa et al., 2010, *Curr. Opin. Struct. Biol.* **20**(4): 423 参照. (a) は D. Goodenough 提供. (b) は D. L. Casper, 1977, *J. Cell Biol.* **74**: 605, Fig. 2b. (c) は L. A. Staehelin and B. E. Hull, 1978, *Sci. Am.* **238**: 140 による. (d) は S. Maeda et al., 2009, *Nature* **458**: 597, PDB ID 2zw3.]

には 24 の膜貫通 α ヘリックスがある．

　無脊椎動物では，これとは全く別のタンパク質ファミリーである**イネキシン**（innexin）がギャップ結合を構成する．イネキシンに似たタンパク質からなる第三のファミリーとして，**パネキシン**（pannexin）とよばれるタンパク質が脊椎動物と無脊椎動物の両方で発見されている．パネキシンは，六量体の半チャネル（パネクソン）を形成し，その開閉は膜電位の変化や機械刺激によって調節される．パネクソンが開くと，細胞間および細胞-細胞外環境間で ATP などの小分子やイオンが直接交換される．パネクソンは，ATP を細胞外空間へと放出する際に重要な役割を果たしていると考えられている．細胞外の ATP は，ADP や AMP とともに標的細胞の表面にあるプリン受容体 P1, P2X, P2Y に結合することによって，細胞間メッセンジャーやトランスミッターとしての働きをする．

　ヒトには 21 個の異なるコネキシン遺伝子が存在し，細胞の種類に応じて異なる組合わせのコネキシンが発現している．この多様性と，コネキシン遺伝子を不活性化する変異を導入した変異マウスを作製した実験から，多様な細胞系でのコネキシンの重要性が明らかにされている．ある細胞では，1種類のコネキシンのみを発現し，同一分子からなるコネクソンを形成している．しかし，ほとんどの細胞では，2種以上のコネキシンが発現し，複数のタンパク質によって異種分子からなるコネクソンが形成され，さらに，異種分子間でのギャップ結合チャネルが形成されている．チャネルの組成が多様であることは，チャネル透過性もさまざまであることにつながる．たとえば，最も遍在して発現するコネキシンアイソフォームである Cx43 (43 kDa) からなるチャネルは，Cx32

（32 kDa）からなるチャネルよりも 100 倍以上 ADP と ATP に対する透過性が高い．

ギャップ結合の透過性は，コネキシンの翻訳後修飾（リン酸化など）によって調節され，また，細胞内 pH や Ca^{2+} 濃度，膜電位，結合している隣接した細胞間の細胞内電位の違い（電位開口性）などの周辺環境の変化によっても影響される．コネキシンの N 末端は，このような開口機構に特に重要であると考えられている．したがって，多くのイオンチャネル（11 章）と同様に，ギャップ結合に存在するチャネルも開閉できる．ギャップ結合が生理的に調節される例として，哺乳類の出産がある．哺乳類の子宮では，分娩の際に，平滑筋細胞が同調して強く収縮して胎児を押出さなければならない．この同調した活動を行うため，分娩の直前から分娩の間，子宮筋の主要なコネキシンである Cx43 の量が通常の約 5〜10 倍に増加してギャップ結合の数と大きさを増やし，分娩後に急速に減少する．

コネキシンの集合，細胞内での輸送，また機能的なギャップ結合の形成は，N カドヘリンとこれに結合するアダプタータンパク質（たとえば α カテニン，β カテニン，ZO-1，ZO-2）と，デスモソームタンパク質（プラコグロビン，デスモプラキン，プラコフィリン 2）に依存するらしい．ZO-1 と ZO-2 にある PDZ ドメインは Cx43 の C 末端に結合し，Cx43 とカテニンや N カドヘリンとの相互作用を仲介している．この関係は，心臓で明らかにされている．すなわち，電気的な共役をすばやく協調して起こすにはギャップ結合が必要であり，さらに心筋細胞間での機械的な動作を共役させるには，隣どうしに接着結合とデスモソームが存在することが必要である．これらによって正常な心臓の機能に必要な電気的活動と運動が細胞間で統合される．ZO-1 が，接着結合（図20・14），密着結合，そしてギャップ結合においてアダプターとして機能することは注目すべき点であり，ZO-1 をはじめとするアダプター分子が多様な結合の形成と機能を統合する役割があることが示唆される．

コネキシン遺伝子の変異は，少なくとも八つのヒト遺伝病の原因となる．それには，神経感覚性難聴（Cx26, Cx31），白内障あるいは心臓機能障害（Cx43, Cx46, Cx50），および進行性の末梢神経変性が起こる X 染色体連鎖シャルコー–マリー–トゥース病（Charcot-Marie-Tooth disease, Cx32）がある．

トンネルナノチューブは動物細胞間で代謝反応の連携や細胞小器官の移送にかかわる

トンネルナノチューブ（tunneling nanotube）が，ギャップ結合の代わりに，2 細胞間で分子を移送させる役割を担う可能性もある．トンネルナノチューブとは，動物細胞においてみられる 2 細胞の間を連結する細胞膜の細長い管状突起で（図 20・22），植物細胞における原形質連絡（§20・6）のように，細胞質内の化学物質や電気的な信号を伝達する役割を担うと考えられている．トンネルナノチューブは，枝分かれせず，多様な 50〜300 nm の直径で，長さも 10 μm 以下から，細胞直径の数倍の長さの 100 μm を超すものもある．管の中心部分にアクチンフィラメントがみられるが，微小管も含むこともある．活性のあるミトコンドリアがトンネルナノチューブを通って，他のミトコンドリアをもたない，あるいはミトコンドリアが機能しなくなった別の細胞に移送され

図 20・22（実験） ヒト培養細胞で観察されるトンネルナノチューブとミトコンドリア観察像．(a) ヒトの色素上皮細胞（ARPE-19 細胞株）を蛍光色素（JC-1, ミトコンドリアを染色）の入った培地で培養し，通常の明視野顕微鏡観察（4 章）で細胞の形を，蛍光顕微鏡観察で細胞内部の緑色の蛍光を観察して二つの像を重ね合わせた写真．細胞 1 と 2 をつなぐ典型的なトンネルナノチューブが観察される．(b) 挿入写真は，トンネルナノチューブに見られた膨らみ部分（破線丸の箇所）を拡大して示したもの（明視野顕微鏡像のみ）．(c) 挿入写真は，同じ箇所を蛍光顕微鏡観察像と重ねて示したもので，膨らみの部分にミトコンドリアらしきものがあることがわかる．［D. Wittig et al., 2012, *PLoS One* **7**(3): e33195 による．］

て，活性を復活させるような興味深い観察例が，培養細胞（図 20・22）や in vivo 観察で行われている．このように，これまでギャップ結合に限って考慮されてきた 2 細胞間の代謝反応の連携は，トンネルナノチューブを通した小分子や細胞小器官の移送へも拡張して考えることができる．病原体も，トンネルナノチューブを通して他の細胞へも伝わる可能性もある．

20・2 細胞間および細胞–マトリックス間の結合と接着分子 まとめ

- 上皮細胞には，頂端面，基底面，および側面がある．多くの上皮細胞が，頂端面に微絨毛の突起構造をもち，細胞表面積を非常に大きくしている．
- 3 種類の主要な細胞結合には，固定結合，密着結合，およびギャップ結合があり，これによって上皮細胞がシート状に集合し，細胞間で情報伝達を行う（図 20・1，図 20・11）．固定結合はさらに，接着結合，フォーカルアドヒージョン，デスモソーム，ヘミデスモソームに分けられる．
- 接着結合とデスモソームは，カドヘリンを含む固定結合であり，隣接する細胞の膜を結合して，組織全体に強度と剛性を与える．
- カドヘリンは，上皮などの組織で Ca^{2+} の存在下で細胞間相互作用を担う細胞接着分子（CAM）である．カドヘリンは側方性のシス型相互作用と，他の細胞の間でのトランス型相互作用を仲介することで，強い細胞間接着をつくる．
- カドヘリンやその他の細胞間および細胞–マトリックス間の

- 接着受容体の細胞質ドメインに結合するアダプタータンパク質は，細胞骨格やシグナル伝達分子を細胞膜に結合させる（図20・8，図20・14）．強固な細胞間接着は，相互作用している接着受容体の細胞骨格への結合に依存している．
- ヘミデスモソームはインテグリンを含む固定結合であり，細胞下にある細胞外マトリックスの構成成分に細胞を接着させる．
- インテグリンは，αβヘテロ二量体を形成する細胞表面タンパク質の大きなファミリーであり，さまざまな組織において細胞間および細胞-マトリックス間の接着，および細胞内から細胞外と細胞外から細胞内へのシグナル伝達を仲介する．
- 密着結合は，タンパク質や一部の脂質が細胞膜の平面上を拡散するのを妨げており，上皮細胞の極性に寄与している．また，密着結合は細胞外（傍細胞）で水分や溶質が上皮の片側から反対側へと流れるのを制限および調節している（図20・20）．密着結合にある二つの主要な膜内在性タンパク質は，オクルジンとクローディンである．
- ギャップ結合は，複数のコネキシンタンパク質によって構成される．コネキシンは，隣接する二つの細胞の細胞質を互いに連結する膜貫通チャネルの形に集合する（図20・21）．小分子とイオンはギャップ結合を通過することができるため，隣接する細胞間における代謝の共役と電気的な共役が可能になっている．
- トンネルナノチューブは細胞膜が管状に伸びた構造で，隣接した動物細胞間を連続した細胞質チャネルでつないでいる（図20・22）．

20・3 細胞外マトリックス I: 基底膜

動物では，細胞外マトリックス（ECM）は多様な機能を果たしている（表20・2）．ECM は，細胞の成長，増殖，遺伝子発現を制御する細胞内シグナル伝達経路を活性化することによって，細胞を組織へと編成し，細胞機能を協調させる働きをしている．ECM は細胞と組織の構造と機能に直接影響を与えうる．また ECM は，不活性な，あるいは潜在しているシグナル伝達分子（たとえば増殖因子）を貯蔵する場所にもなり，これらの分子は，ECM がプロテアーゼなどの加水分解酵素によってばらばらになったり，再構成されたりするときに，解放されて機能しはじめる．実際に，加水分解によって生じた ECM 巨大分子の断片分子がさまざまな生物活性を示す場合もある．ECM を構成するタンパク質と，ECM に関連する共有結合（たとえば化学架橋，リン酸化，切断）の修飾を行ったり，ECM の構成や構造を別の方法で調節したりするタンパク質全体を**マトリソーム**（matrisome）とよぶ．プロテオミクス（3章）やゲノミクスによる分析を行った結果，ヒトおよびマウスのマトリソームを構成する遺伝子は，それぞれ1030個および1110個であることが示唆された．マトリソーム構成因子に機能欠損が起こると，多数の組織や器官において病気がひき起こされる．ECM構成因子や細胞膜タンパク質の細胞外ドメインにおいても，セリン，トレオニン，およびチロシン側鎖のリン酸化が起こることは重要な事実である．分泌経路の内腔側に存在するキナーゼや，細胞外へ直接分泌されるようなキナーゼが，上記のリン酸化反応をひき起こす．

ECM の多くの機能のうえで，また ECM がつくられる過程で，ECM 構成成分に直接結合し，またアダプタータンパク質を介して細胞骨格と相互作用する膜貫通型の接着受容体が必要である．インテグリンがこれに含まれる．接着受容体は，すべての組織の細胞外マトリックスに多数存在する三つの種類の分子に結合する（表20・1）．

- プロテオグリカン（proteoglycan）は一群の糖タンパク質であり，細胞を衝撃から守り，またさまざまな細胞外分子や細胞表面分子と結合している．
- コラーゲン（collagen）繊維は，統制のとれた整然とした構造をつくり，機械的な強度を与え，弾性を与える．
- ラミニンやフィブロネクチンのような水溶性の**多価接着マトリックスタンパク質**（multi-adhesive matrix protein）は，細胞表面の接着受容体や他の ECM 構成成分と結合して架橋する．

本節では，以上の主要な ECM 構成成分の構造と機能について，基底膜と関連させ説明することからはじめる．基底膜は，上皮の全体的な構造や機能を決めるうえで特に重要な役割をもつ特殊な細胞外マトリックスのシートである．次節では，結合組織などの上皮以外の組織でよくみられる ECM 分子について説明する．

基底膜は細胞が組織に集成するための基盤である

動物では，上皮であれ，非上皮であれ，組織化された細胞集団の多くは，基底膜という通常 60〜120 nm 以下の厚みの ECM 構成成分がシート状になった網目構造の上に存在するか，あるいはこれに囲まれて存在する（図20・23）．基底膜は，組織によって構造が異なる．円柱細胞などでできた上皮（たとえば小腸の裏打ちや皮膚）では，基底膜は，そのうえで上皮細胞の一表面が接するように配置する土台となる．筋肉組織や脂肪組織などでは，基底膜がそれぞれの細胞を取囲んでいる．基底膜は，組織が損傷したあとの再生や胚発生に重要な役割をもつ．たとえば，4細胞期や8細胞期の胚では，細胞を丸くなるように一つに集める役割を担う（図22・2，図22・3）．発生途上の神経系では，神経細胞は基底膜の成分を含む ECM の経路に沿って移動する．高等動物には，2種類の特殊な基底膜がある．一つは，血液と脳の間（血液脳関門）で分子の拡散を制限する強固な障壁をつくっており，もう一つは，腎臓で特殊化した基底膜が血液の選択的透過性を与えるフィルターとして働く．また，筋肉では，基底膜は収縮と弛緩の際に細胞膜を傷害から守っている．つまり，基底膜は，細胞の組織への編成，区画の分割，組織の修復，透過性の障壁，また発生においては移動する細胞を案内する重要な役割をもっている．したがって，基底膜の構成成分が進化の過程で高度に保存されてきたことは，当然である．

基底膜に存在する ECM 構成成分の大半は，基底膜の上にある細胞によって合成される．以下の四つのタンパク質構成成分は，多数の異なるドメインが繰返した構造を含み，基底膜に存在する（図20・24）．

- **IV型コラーゲン**（type IV collagen）は，棒状ドメインと球状ドメインからなる三量体分子で，二次元の網目構造を構成する．
- **ラミニン**（laminin）は，多価接着性をもつ十字形のタンパク質

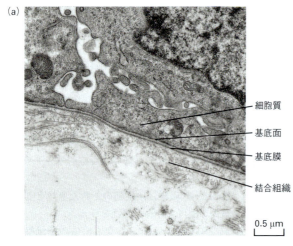

のファミリーで，IV型コラーゲンとともに二次元網目構造の繊維を形成し，またインテグリンなどの接着受容体に結合する．

- **パールカン**（perlecan）は，7種の異なるドメインのコピーが連結して構成される（合計48ドメイン）巨大なプロテオグリカンで，多くのECM構成成分や細胞表面分子と結合して架橋する．
- **ニドジェン**（nidogen，**エンタクチン** entactinともよばれる）は，IV型コラーゲン，パールカン，ラミニンを架橋する棒状分子で，他の構成成分がECMに取込まれるのを助け，また基底膜を安定化する．

フィビュリン（fibulin）とよばれる進化的に古い糖タンパク質ファミリーの分子など，その他のECM構成分子は，組織に応じた基底膜の特定の機能に必要な要素として，基底膜へと取込まれている．

図20・1に示すように，基底膜の片側の面は，ヘミデスモソームにあるインテグリンなどの接着受容体によって細胞に結合しており，この接着分子は基底膜にあるラミニンに結合している．基底膜のもう一方の面は，プロテオグリカンに富む細胞外マトリックスに埋込まれたコラーゲンの繊維層によって，隣接する結合組織に結合している．層状の扁平上皮細胞（たとえば皮膚，図20・10d）では，この表皮と真皮の間の結合は，連結性のVII型コラーゲンがつくる細繊維によって仲介されている．VII型コラーゲンで起こる突然変異で機能が失われると，栄養障害型表皮水疱症（dystrophic epidermolysis bullosa）という皮膚が弱くなり水疱ができる疾患となる．そのため，**基底膜**（basal lamina）の定義を，このコラーゲン細繊維を含む層まで拡大して考えることもある*．

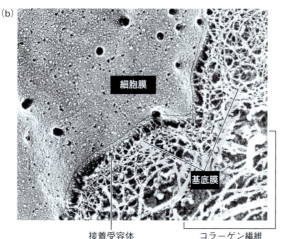

図 **20・23** **上皮と結合組織を分ける基底膜**．(a) 上皮（上側）と結合組織（下側）の箇所の薄切片電子顕微鏡観察像．上皮細胞の底面に沿って濃く染まった基底膜がある．(b) 骨格筋の細胞膜，基底膜，周囲の結合組織にあるコラーゲン繊維を示した電子顕微鏡写真（急速凍結ディープエッチング法での観察）．結合組織にある太いコラーゲン繊維と筋細胞の膜の間に，網目構造像をした基底膜があることがわかる．［(a) は P. Fitzgerald 提供．(b) は D. W. Fawcett/Science Source/amanaimages.］

多価接着マトリックスタンパク質であるラミニンは基底膜の構成成分を架橋する働きをもつ

基底膜における主要な多価接着マトリックスタンパク質である**ラミニン**（laminin）は，α，β，およびγ鎖から構成されるヘテロ三量体タンパク質である．脊椎動物では，少なくとも16のラミニンアイソフォームが，5種類のα鎖，3種類のβ鎖，および3種類のγ鎖から形成されており，それぞれにラミニンのαβγ鎖の構

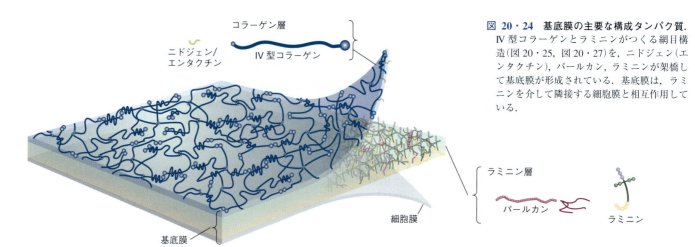

図 **20・24** **基底膜の主要な構成タンパク質**．IV型コラーゲンとラミニンがつくる網目構造（図20・25，図20・27）を，ニドジェン（エンタクチン），パールカン，ラミニンが架橋して基底膜が形成されている．基底膜は，ラミニンを介して隣接する細胞膜と相互作用している．

---

* 訳注：本書では，基底膜という言葉をここに述べた狭義と広義の意味を合わせもつ用語として用いている．狭義の基底膜(basal lamina)には別に基底層や基底板などの訳語があるが，細胞層や細胞板などと混同しやすいため，広義の基底膜(basement membrane)に統一して用いている．

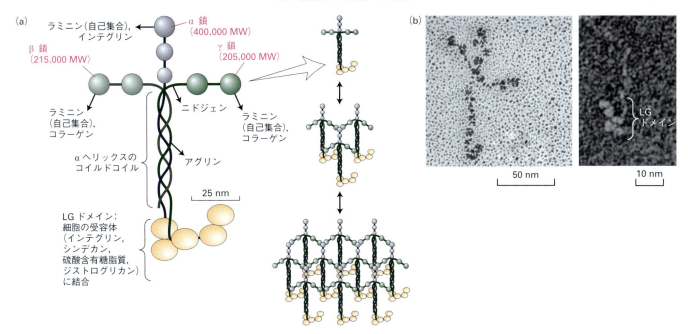

図 20・25 ラミニンはすべての基底膜にあるヘテロ三量体の多価接着マトリックスタンパク質である．(a) ラミニンの模式図．十字形をしたラミニンの形を示す．球状ドメイン，コイルドコイル領域からなる3分子が互いにジスルフィド結合で連結した分子である．ラミニンは，別々の場所で，接着受容体や多様な ECM 成分と結合する(矢印と四角で示す箇所)．(右) ラミニンは N 端側の球状ドメイン間の相互作用で格子状に集合する．(b) ラミニン分子全長の電子顕微鏡写真．特徴的な十字形(左)と C 末端近くの糖鎖結合 LG ドメイン(右)がわかる．[(a)は G. R. Martin and R. Timpl, 1987, *Annu. Rev. Cell Biol.* **3**: 57; M. Durbeej, 2010, *Cell Tissue Res.* **339**: 259; S. Meinen et al., 2007, *J. Cell Biol.* **176**: 979 参照．(b)は J. Engel 提供．左：J. Engel et al., 1981, *J. Mol. Biol.* **150**(1): 97, 右：R. Timpl et al., 2000, *Matrix Biol.* **19**(4): 309, ともに Copyright Clearance Center, Inc. を通じて Elsevier より許可を得て転載．]

成を反映した番号が，たとえば，ラミニン-111 (α1β1γ1) やラミニン-511 (α5β1γ1) のようにつけられている．アイソフォームそれぞれは，組織と発生段階に応じた特異的な固有の発現パターンを示す．図 20・25 に示すように，ラミニンは大きな十字形のタンパク質 (分子量が約 820,000) であるが，一部には Y 字形や棒状の分子もある．各鎖 (サブユニット) の N 末端にある球状ドメインは，互いに結合することによって，ラミニンを網目構造へと自己集合させる．ラミニン α サブユニットの C 末端にある5個の **LG ドメイン** (LG domain) という球状ドメインは，ある種のインテグリン (表 20・4) などの細胞表面のラミニン受容体に Ca^{2+} 依存的に結合する作用をもつほか，§20・4 で詳しく述べる硫酸含有糖脂質，シンデカン，ジストログリカンにも結合する．これらの相互作用の一部は，受容体上にある負に荷電した糖鎖を介して行われる．LG ドメインは他のタンパク質にも広く存在し，糖鎖だけではなく，ステロイドやタンパク質にも結合する．ラミニンは，基底膜上に存在する，インテグリンに対するリガンドでもある．

シートを形成するⅣ型コラーゲンは基底膜の主要な構成成分である

Ⅳ 型コラーゲンは，ラミニンとともにすべての基底膜の主要な構成成分であり，一部のインテグリンを含む接着受容体に結合する．Ⅳ 型コラーゲンは，さまざまな組織にある多様な細胞外マトリックスの形成に関与し，ヒトでは 28 種類以上存在するコラーゲンのうちの一つである (表 20・5)．ヒトプロテオームでは，さらに 20 以上のコラーゲン様タンパク質 (たとえば宿主防御コラーゲン) が存在する．コラーゲンは種類によって構造上の特徴や組織分布がある程度異なるが，すべてのコラーゲンはコラーゲン α 鎖 (collagen α chain) とよばれる 3 本のポリペプチド鎖からなる三量体タンパク質である．3 本の α 鎖がすべて同一の場合 (ホモ三量体) と異なる場合 (ヘテロ三量体) がある．これらのポリペプチド鎖はヒトでは少なくとも 43 個の遺伝子にコードされる．三本鎖のコラーゲン分子の全部，あるいはその一部は，**コラーゲン三重らせん** (collagenous triplet helix) とよばれる特殊な三重らせんの形に集まる．また，三重らせん領域が複数ある場合には，らせん領域は，そのタンパク質中の非らせん領域によって連結されている．この例として，Ⅳ 型コラーゲンの場合を以下に述べる．らせん領域では 3 本の α 鎖が，それぞれが左巻きのらせん構造をとるように曲がっており，この 3 本の鎖は，互いのまわりに巻付いて，右巻きの三重らせん構造を形成している (図 20・26)．

コラーゲン三重らせんの形成には，グリシン，プロリン，および修飾されたプロリンであるヒドロキシプロリン (hydroxyproline, 図 2・15 参照) の 3 種のアミノ酸が非常に多く含まれていることが重要な要素となっている．この 3 種のアミノ酸によって，Gly-X-Y モチーフという特徴的な繰返しモチーフが構成される．このモチーフの中で，X, Y はどのアミノ酸でもよいが，X はプロリン，Y はヒドロキシプロリンの場合が多く，また少数のリシンとヒドロキシリシンが含まれる．グリシンが必須である理由は，その側鎖が小さな水素原子であり，コラーゲン分子の三重らせん構造の狭い中央部分に収まることが可能な唯一のアミノ酸だからである (図 20・26b)．3 本の鎖は，水素結合によって互いにつなぎとめられている．ペプチジルプロリンとペプチジルヒドロキシプロリンという回転の自由がない固い結合は，古典的な 1 本の α

表 20・5 主要なコラーゲン

タイプ	分子構成	構造上の特徴	おもな発現組織
繊維状コラーゲン			
I	[α1(I)]$_2$[α2(I)]	300 nm 長の細繊維	皮膚，腱，骨，靱帯，象牙質，間質性組織
II	[α1(II)]$_3$	300 nm 長の細繊維	軟骨，ガラス体
III	[α1(III)]$_3$	300 nm 長の細繊維，しばしば I 型と複合体	皮膚，筋肉，血管
V	[α1(V)]$_2$[α2(V)], [α1(V)]$_3$	390 nm 長の細繊維，N 末端側に球状ドメイン，しばしば I 型と複合体	角膜，歯，骨，胎盤，皮膚，平滑筋
細繊維結合コラーゲン			
VI	[α1(VI)][α2(VI)][α3(VI)]	I 型の側面に結合，周期的な球状ドメインの存在	ほとんどの間質性組織
IX	[α1(IX)][α2(IX)][α3(IX)]	II 型の側面に結合，N 末端側に球状ドメイン，グリコサミノグリカン結合	軟骨，ガラス体
シート形成コラーゲンと係留コラーゲン			
IV	[α1(IV)]$_2$[α2(IV)]	平面的な網目構造	すべての基底膜
VII	[α1(VII)]$_3$	長い細繊維	皮膚の基底膜の下側
XV	[α1(XV)]$_3$	コンドロイチン硫酸プロテオグリカンのコアタンパク質	広く分布，筋肉の基底膜周辺
膜貫通コラーゲン			
XIII	[α1(XIII)]$_3$	膜内在性タンパク質	皮膚にあるヘミデスモソーム
XVII	[α1(XVII)]$_3$	膜内在性タンパク質	皮膚にあるヘミデスモソーム
宿主防御コラーゲン			
コレクチン		三重らせんのオリゴマー，レクチンドメインをもつ	血液，肺胞腔
C1q		三重らせんのオリゴマー	血液(補体)
A 型スカベンジャー受容体		ホモ三量体の膜タンパク質	マクロファージ

出典：K. Kühn, 1987, in R. Mayne and R. Burgeson, eds., *Structure and Function of Collagen Types*, Academic Press, p.2; M. van der Rest and R. Garrone, 1991, *FASEB J.* **5**: 2814.

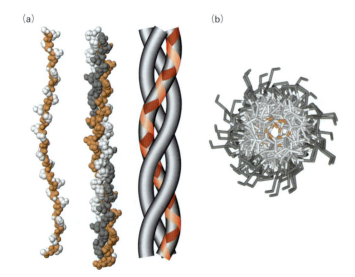

図 20・26 コラーゲンの三重らせん構造． (a) 左：コラーゲン α 鎖の結晶構造(側面図)．コラーゲンの特徴となる Gly-X-Y という 3 アミノ酸からなる配列を繰返し単位として含む．中央：それぞれの鎖は左巻きらせんを形成するようにねじれており，その 3 本の鎖が互いに絡まって右巻きの三重らせん構造をつくる．右：三重らせん構造(右巻き)と，その中の左巻きのコラーゲン α 鎖(赤線)を示す模式図．(b) 三重らせんを軸に沿って見たもの．グリシン残基側鎖の水素原子(橙)は，三重らせんの中央のポリペプチド鎖の間の狭い空間に向いている．コラーゲンに，グリシンが他のアミノ酸に置き換わる変異が起こると，グリシンの水素原子はもっと大きな基に変わるため，鎖をらせん状態にうまくまとめられなくなり，三重らせん構造が不安定になる．[R. Z. Kramer et al., 2001, *J. Mol. Biol.* **311**: 131, PDB ID 1bkv.]

　ヘリックスを形成できないが，特徴的な三本鎖のコラーゲンヘリックス構造を安定化している．Y の位置にあるヒドロキシプロリン中のヒドロキシ基によって，コラーゲン三重らせん構造を安定化する三次元構造になるように，5 員環が配置されている．

　IV 型コラーゲンなどのいくつかのコラーゲンに対しては，それぞれ細胞表面受容体が存在する．IV 型コラーゲン以外については次節で述べる．この細胞表面受容体には，ある種のインテグリン，ディスコイジンドメイン受容体 1 と 2 (受容体型チロシンキナーゼ)，糖タンパク質 VI (血小板)，白血球 Ig 様受容体 1，マンノース受容体ファミリーのタンパク質，CD44 タンパク質の特定の修飾型などがある．これらの受容体は，細胞外マトリックスを集合させる作用をもち，また細胞の活動を細胞外マトリックスに合わせる重要な働きをもつ．

　それぞれの種類のコラーゲンの特性は，主として，1) コラーゲンの三本鎖領域の数と長さ，2) 三本鎖領域を分断する領域と両側の領域，および他の立体構造をとる領域，3) α 鎖に存在する共有結合による修飾 (ヒドロキシ化，グリコシル化，酸化，架橋など) の違いによって決まっている．たとえば，IV 型コラーゲンの鎖は IVα 鎖とよばれ，哺乳類では六つのよく似た IVα 鎖が発現していて，性質が異なる 3 種類のヘテロ三量体 IV 型コラーゲンが形成される．しかし，IV 型コラーゲンに含まれるすべてのコラーゲン分子は，400 nm の長さの三重らせんを形成し (図 20・27)，このなかには 24 回の非らせん構造が挟まれている．さらに，鎖の C 末端には大きな球状ドメインが，また N 末端側にはそれよりも小さな球状ドメインが存在する．この非らせん領域によってコラーゲン分子に柔軟性が出てくる．三重らせん領域間の側面での結合と

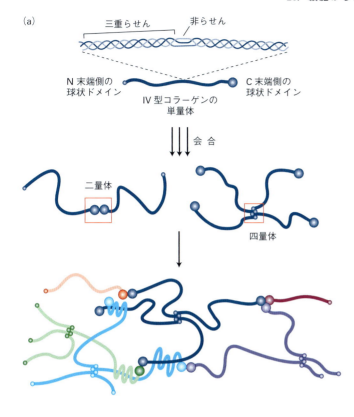

腎臓では，糸球体基底膜という二重の基底膜が，尿腔内の表面を覆う上皮と，血液を含む周辺の毛細血管の内面を覆う内皮細胞とを分離している．この構造は，血液を限外沪過して原尿をつくる最初の過程を担っているため，これが損なわれると腎不全になる．たとえば，ある種のIVα鎖のC末端側の球状ドメインの構造を変化させる変異は，**アルポート症候群**（Alport's syndrome）とよばれる，聴力障害と視覚異常を伴う，進行性の腎不全をひき起こす．また，**グッドパスチャー症候群**（Goodpasture's syndrome）は比較的まれな自己免疫疾患で，糸球体基底膜や肺に存在するIV型コラーゲンのα3鎖に抗体が結合する．この結合によって免疫反応がはじまり，細胞が傷害を受け，進行性腎不全や肺出血がひき起こされる．

プロテオグリカンの一種であるパールカンは基底膜の構成成分と細胞表面受容体を架橋する

基底膜に含まれる主要な分泌型プロテオグリカンである**パールカン**（perlecan）には，ラミニン様のLGドメイン（3コピー），EGF様ドメイン（12コピー），およびIgドメイン（22コピー）を含む五つの異なるドメインの繰返しで構成される，大きな多ドメインコアタンパク質（約470 kDa）が含まれる．多くの球状構造の繰返しを電子顕微鏡で観察すると，真珠（パール）が連なった糸（約200 nm長）のように見えるため，パールカンと命名された．パールカンは糖タンパク質であり，3種類の共有結合で結合した糖鎖，すなわちN結合型糖鎖（14章），O結合型糖鎖，およびグリコサミノグリカン（GAG）を含む（O結合型糖鎖とGAGについては§20・4で述べる）．GAGは二糖の繰返しからなる直鎖状の長い重合体である．GAG鎖を共有結合で結合した糖タンパク質は**プロテオグリカン**（proteoglycan）とよばれる．パールカンではタンパク質成分とGAG成分の両方が，基底膜に取込まれて基底膜の構造と機能を決める働きをする．パールカンに含まれる複数のドメインと糖鎖は異なる結合活性をもつため，何十種類もの分子に結合し，それらには，他の細胞外マトリックス構成成分（たとえばラミニン，ニドジェン），細胞表面受容体，またポリペプチド性の増殖因子がある．パールカンは，これらの分子に同時に結合することによって架橋する．パールカンは基底膜にも基底膜以外の細胞外マトリックスにも存在する．接着受容体であるジストログリカンは，LGドメインを介してパールカンに直接結合でき，またラミニンを介して間接的にパールカンと結合できる．ヒトでは，パールカン遺伝子の変異によって，筋肉の"発火"を調節する神経筋結合部の機能障害が起こるため，小人症や筋異常になる．

図20・27　IV型コラーゲンの構造と分子集合．(a) IV型コラーゲンの模式図．この400 nmの長さをもつ分子には，N末端側に小さな球状ドメイン（非コラーゲンドメイン）と，C末端側に大きな球状ドメインがある．三重らせんの中心には非らせん領域があって，これにより分子内でねじれが起こるので柔軟な構造となる．三重らせん領域の側面間での相互作用，および頭部球状ドメイン間，尾部球状ドメイン間の相互作用とによって，二量体，四量体さらに高次の複合体が形成されてシート状の網目構造となる．(b) in vitroで形成させたIV型コラーゲンの網目構造の電子顕微鏡写真．レース状になるのは，分子の柔軟性，三重らせん領域の側面どうしの結合（白矢印）と，C末端側の球状ドメイン（黄矢印）間の相互作用があるためである．〔(a)はA. Boutaud et al., 2000, *J. Biol. Chem.* **275**: 30716 参照．(b)はP. D. Yurchenco and G. C. Ruben, 1987, *J. Cell Biol.* **105**(6): 2559, Fig. 1cによる．〕

N末端側とC末端側の球状ドメインにおける相互作用によって，IV型コラーゲン分子は枝分かれし，共有結合で架橋され，平面的に不規則に集合した繊維からなる網目状の格子を形成し，これがラミニンのつくる格子状構造とともに基底膜を形成する（図20・24，図20・27）．隣接したIV型コラーゲン分子のC末端ドメインの間で，ヒドロキシリシン（またはリシン）とメチオニン残基間のスルフィルイミン結合（−S=N−）が多数形成される箇所もあって，これが基底膜の網目構造を安定化している．

20・3　細胞外マトリックスI：基底膜　まとめ

- マトリソームは，細胞外マトリックスタンパク質とこれを共有結合修飾（化学架橋，リン酸化，切断）する関連タンパク質の総体である．
- 基底膜は，細胞外マトリックス（ECM）を構成する分子が集まった薄い網目構造であり，多くの上皮などの組織をつくる細胞集団と隣接した結合組織とを分離している．また，基底膜という用語は，広義にはこの網目構造とこれに隣接するコラーゲンの網目構造を合わせた構造に対しても用い

- すべての基底膜には，四つの ECM タンパク質が見いだされる（図 20・24）．それはラミニン（多価接着マトリックスタンパク質），Ⅳ 型コラーゲン，パールカン（プロテオグリカンの一種），ニドジェン（エンタクチン）である．
- インテグリンなどの細胞表面の接着受容体は，細胞を基底膜に係留し，基底膜はさらに，他の ECM 構成成分に連結している（図 20・1）．基底膜にあるラミニンは，α6β4 インテグリンの主要なリガンドである（表 20・4）．
- ラミニンや他の多価接着マトリックスタンパク質は，さまざまな接着受容体や ECM 構成成分と結合する複数のドメインからなる分子である．
- Ⅳ 型コラーゲンは，大きく柔軟性に富む分子であり，末端どうしと側面の両方で相互作用して細目状の構造をつくり，これは他の ECM 構成成分や接着受容体が結合する足場となる（図 20・24，図 20・27）．
- Ⅳ 型コラーゲンは，コラーゲンの三重らせん構造（図 20・26）をつくるトリペプチド配列（Gly-X-Y）の繰返しを含むことが特徴であるコラーゲンファミリーのタンパク質である．コラーゲンは，α 鎖の長さと受ける化学修飾と，三重らせん領域を分断する領域とその両側の領域の存在によって種類が分けられる．
- 分泌型プロテオグリカンであるパールカンは，多くのドメインから構成される巨大分子であり，おもに基底膜に存在して，多くの ECM 構成成分と接着受容体に結合する．プロテオグリカンは，膜結合型か分泌型のコアタンパク質と，共有結合によって結合した一つ以上のグリコサミノグリカン（GAG）とよばれる特殊な多糖の鎖からなる．

20・4 細胞外マトリックス Ⅱ: 結合組織

腱や軟骨などの結合組織は，他の固形組織とは異なり，その体積のほとんどが細胞ではなく，細胞外マトリックス（ECM）によって占められている．この細胞外マトリックスには不溶性のタンパク質繊維が詰まっている（図 20・4）．結合組織において重要な ECM 構成成分は以下のとおりであるが，この一部は他の組織にも存在する．

- コラーゲンは三量体分子であり，さらに集合して繊維を形成することが多い（繊維性コラーゲン）．
- グリコサミノグリカン（glycosaminoglycan: **GAG**）は特殊な直鎖状多糖鎖で，水和を多く受ける特異的な二糖の繰返しからなる．さまざまな結合特異性と物理的な性質（耐圧性など）を示す．
- プロテオグリカンは 1 個以上の GAG 鎖が共有結合でつながっている糖タンパク質である．
- 多価接着タンパク質は複数のドメインをもつ大きなタンパク質で，少数の異なるドメインが多コピー存在すること（リピート）によって構成される．さまざまな接着受容体や ECM 構成成分に結合し，架橋する．
- エラスチン（elastin）は弾性繊維の不定形の中心部を構成するタンパク質である．

コラーゲンは，結合組織で最も多い繊維状タンパク質である．ゴムのような特性をもつエラスチン繊維は，伸びたり縮んだりし，皮膚や腱，心臓などの形が変化する部位に存在する．多価接着マトリックスタンパク質の一つのファミリーであるフィブロネクチンは，ほとんどの結合組織の ECM で独自に繊維を形成する．結合組織には数種類の細胞が存在するが，ECM を構成する成分の多くは **繊維芽細胞**（fibroblast）によってつくられる．本節では，結合組織の ECM に存在するさまざまな構成成分の構造と機能をみていく．また ECM が，一群の特殊なプロテアーゼによってどのように分解され，再構築されるかをみる．

繊維状コラーゲンは，結合組織の細胞外マトリックスに存在する主要な繊維状タンパク質である

体内にあるコラーゲンの約 80〜90％ は，Ⅰ, Ⅱ, Ⅲ 型の **繊維状コラーゲン**（fibrillar collagen）であり，おもに結合組織に存在する（表 20・5）．Ⅰ 型コラーゲンは，ラットの尾などの腱を多く含む組織に豊富に存在するため単離が容易で，詳しく調べられた最初のコラーゲンである．これの基本的な構造単位は，長く（300 nm）細い（直径 1.5 nm）三重らせん（図 20・26）であり，それぞれ 1050 アミノ酸からなる 2 本の α1(Ⅰ)鎖と 1 本の α2(Ⅰ)鎖から構成される．この三本鎖分子は，互いに堅く巻付いて **コラーゲン微細繊維**（collagen microfibril）を形成し，これがより高次の **コラーゲン細繊維**（collagen fibril）とよばれる多量体になったのち，さらに集合して **コラーゲン繊維**（collagen fiber）とよばれる大きな束になっていることが多い（図 20・28）．

コラーゲンには量的に少ないものもあり，**細繊維結合コラーゲン**（fibril-associated collagen）とよばれる．これらの量は少ないが機能は重要であり，繊維状コラーゲンどうしを結合させたり，繊維状コラーゲンと他の ECM 構成成分とを結合させたりする．また，なかには **シート形成コラーゲン**（sheet-forming collagen）や **係留コラーゲン**（anchoring collagen）とよばれ，基底膜で平面的な網目構造を形成したり（Ⅳ 型），皮膚で基底膜と下層の結合組織を結合させたりするもの（Ⅶ 型），**膜貫通コラーゲン**（transmembrane collagen）とよばれ，接着受容体として働くものもある．さらには，**宿主防御コラーゲン**（host defense collagen）とよばれ，体が病原体を認識し除去する際に働くものがある．興味深いことに，いくつかのコラーゲン（たとえば Ⅸ 型, XVIII 型, XV 型）は，GAG を共有結合で結合してプロテオグリカンになる（表 20・5）．

繊維状コラーゲンは分泌されて，細胞外で細繊維を形成する

繊維状コラーゲンは分泌タンパク質であり，おもに繊維芽細胞によってつくられ，ECM に存在する．コラーゲンの生合成と分泌は，13 章と 14 章で詳しく述べた，分泌タンパク質の通常の経路に従う．コラーゲン α 鎖は，小胞体に結合したリボソームにおいてプロ α 鎖とよばれる長い前駆体として合成される．プロ α 鎖（pro-α chain）は一連の共有結合形成による修飾を受け，小胞体からゴルジ体に運ばれ，放出される前に三重らせんの **プロコラーゲン**（procollagen）分子の形に折りたたまれる（図 20・28）．ここで巨大なコラーゲン分子が，ゴルジ体へ運ばれる膜小胞中へ折りたたまれるときには，小胞内にある特殊な膜タンパク質が使われる．

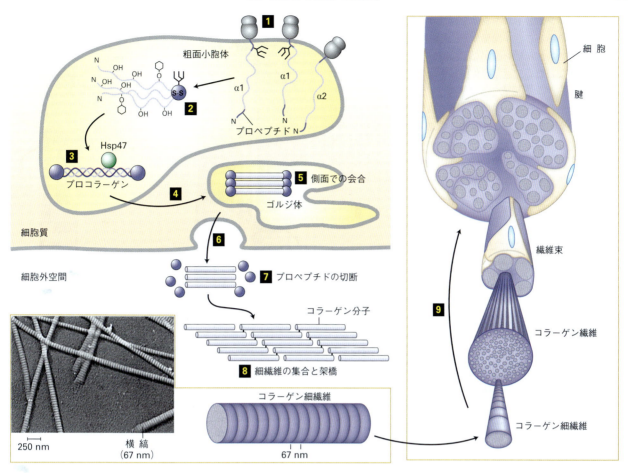

図 20・28 繊維状コラーゲンの生合成. 段階**1**: プロコラーゲンα鎖は, 小胞体（粗面小胞体）に結合したリボソーム上でつくられ, ここでアスパラギン結合型のオリゴ糖鎖がC末端のプロペプチドに付加される. 段階**2**: プロペプチドどうしが会合して三量体を形成し, ジスルフィド結合によって共有結合する. さらに, Gly-X-Yの3アミノ酸の繰返し配列中の特定の残基が共有結合修飾を受ける（特定のプロリンとリシンはヒドロキシ化を受け, ガラクトースやガラクトース-グルコース（図中の六角形）がヒドロキシリシンの一部に結合し, プロリンはシス-トランス異性化を受ける）. 段階**3**: この修飾によって相互の側面でジッパーのように会合しやすくなり, 三重らせんが安定化される. さらに, シャペロンタンパク質Hsp47が結合して, らせん構造の安定化や三量体の不完全な凝集形成を防ぐと考えられている. 段階**4**, **5**: 折りたたまれたプロコラーゲンは, 小胞体の膜タンパク質（図示なし）の働きで大型の輸送小胞に移され, ゴルジ体に輸送されてさらに先へと運ばれ, この過程で側面の相互作用が起こり束状の構造になる. コラーゲン鎖は, 細胞外へ分泌され（段階**6**）, その後, N末端, C末端のプロペプチド鎖が取除かれ（段階**7**）, 三量体は, 共有結合で架橋されて細繊維を形成する（段階**8**）. 三量体は, 互いに67 nmずつずれて結合していて電子顕微鏡観察すると縞模様が見える（挿入図）. 段階**9**: 細繊維は, さらに大きな束へと順次集合し, これによって筋肉を骨に結合させる腱などがつくられる. ［A. V. Persikov and B. Brodsky, 2002, *Proc. Natl. Acad. Sci. USA* **99**: 1101 参照. 写真は J. Gross, 1953, *Ann. NY Acad. Sci.* **56**(4): 674, Copyright Clearance Center, Inc. を通じて John Wiley & Sons, Inc. より許可を得て転載.］

　プロコラーゲンは, 細胞から分泌されたのち, 細胞外ペプチダーゼによってN末端とC末端にあるプロペプチドが切取られる. その結果, コラーゲンに特有のGly-X-Yの長い繰返し配列をもつ領域が側面どうしで結合して直径50〜200 nmの細繊維をつくるので, ほとんどの領域が三重らせんで構成されている分子となる. この細繊維では, 隣接するコラーゲン分子は, 全長の約1/4に相当する67 nm互いにずれている. この並びのずれによって縞模様ができていて, これはコラーゲン細繊維を光学顕微鏡や電子顕微鏡で観察すると見える（図20・28挿入図）. 繊維状コラーゲンに特有の重要な性質は, できた細繊維によるものである.

　繊維状コラーゲンα鎖の両末端にある短い領域は, Gly-X-Yモチーフの繰返し構造を含まないので三重らせん構造をとってはいないが, コラーゲン細繊維の形成に非常に重要な働きをもつ. この領域にあるリシン残基とヒドロキシリシン残基の側鎖は, 細胞外のリシルオキシダーゼによる共有結合修飾を受けて, 側鎖の末端にあるアミノ基がアルデヒドになる. この反応性に富むアルデヒド基は, 隣接する分子のリシン, ヒドロキシリシン, ヒスチジンと共有結合の架橋を形成する. この架橋によって, コラーゲン分子間での側面どうしの接着が安定になり, 非常に強い細繊維ができる. このようにプロペプチドの末端領域の除去と共有結合による架橋は, 細胞内で起こったら致命的になりかねない細繊維形成が起こるので, それを防ぐように, 細胞外空間で反応が進むようになっている.

　プロα鎖の翻訳後修飾は, 成熟したコラーゲン分子の形成と細繊維への集合に必須である. これらの修飾に欠陥があると, 昔の船乗りがしばしば経験した, ある深刻な状況がもたらされる. これには, アスコルビン酸（ビタミンC）は, プロα鎖

のプロリンとリシンにヒドロキシ基を付加するヒドロキシラーゼに必須の補因子であることが関係する．**壊血病**（scurvy）にかかった場合，細胞にアスコルビン酸がなくなり，プロα鎖は十分にヒドロキシ化されないため，通常の体温において安定な三重らせん構造のプロコラーゲンを形成できず，できたプロコラーゲンは，正常な細繊維に集合できない．血管，腱，皮膚が，コラーゲンによる構造的な支えがなくなると，脆弱な構造になる．新鮮な果実を摂取し十分なビタミンCが供給されると，正常なコラーゲンを形成できるようになる．歴史的には，英国の船乗りに対して壊血病を防ぐためにライムが与えられていたため，英国人は船乗りを"ライミー（limey）"とよぶようになった．リシルヒドロキシラーゼ遺伝子における変異も，結合組織の不全をひき起こす．

I 型および II 型コラーゲンには非繊維状コラーゲンが結合してさまざまな構造がつくられる

コラーゲンは，その種類に応じてコラーゲン分子がつくる繊維の構造が異なり，また，その繊維がつくる網目構造も異なる．結合組織に存在する重要なコラーゲンのなかでは，I 型コラーゲンは長い繊維を形成し，II 型コラーゲンはより網目に近い構造をつくる．たとえば腱においては，I 型コラーゲンの繊維が筋肉を骨に結びつけ，強い力に耐えられるようになっている．I 型コラーゲンは張力に対して強く，腱は壊れることなく伸びることができる．実際，1g 当たりに換算して比較すると，I 型コラーゲンは鋼鉄よりも強い．量的に少ない繊維状コラーゲンである V 型と XI 型コラーゲンは，I 型コラーゲンとともに繊維を形成して，繊維の構造や特性を調節する．たとえば，V 型コラーゲンが加わることによって，径が小さな繊維ができる．

I 型コラーゲンの細繊維は，骨を構築する際にも強度を高める役割をしている．骨や歯は，カルシウムとリン酸を含む無機物の結晶であるダーライト（炭酸・水酸リン灰石）を多量に含んでいるために硬くて強い．ほとんどの骨は，約70％が無機物で30％がタンパク質であるが，このタンパク質のほとんどすべてが I 型コラーゲンである．骨の形成では，軟骨細胞や骨芽細胞という特定の細胞がコラーゲンの細繊維を分泌し，それに小さなダーライト結晶が沈着して無機質化する．

多くの結合組織，特に骨格筋では，プロテオグリカンと細繊維結合性をもつ VI 型コラーゲンが，I 型コラーゲン細繊維に共有結合を用いずに結合して，細繊維を束ねてより太いコラーゲン繊維を形成する（図 20・29a）．VI 型コラーゲンは，両端に球形のドメインをもつ比較的短い三重らせんをつくる点で特殊である．2本の VI 型コラーゲン単量体が側面で相互作用することによって"逆平行"の二量体が形成される．この二量体が球状ドメインを介して末端どうしで相互作用することによって，VI 型コラーゲンの"微細繊維"が形成される．これらの微細繊維は，糸にビーズをつないだような形をしており，直径 40 nm の球状ドメインに挟まれた約 60 nm の長さの三重らせん領域を含む．

軟骨組織における主要なコラーゲンである II 型コラーゲンの細繊維は，I 型コラーゲンの細繊維に比べて直径が小さく，粘性が高いプロテオグリカンのマトリックス中でさまざまな方向を向いている．この剛性の高いコラーゲン細繊維によって，マトリックスに強度が与えられ，大きな変形力に対して抵抗できるようになっている．II 型コラーゲン細繊維は，別の細繊維結合性コラー

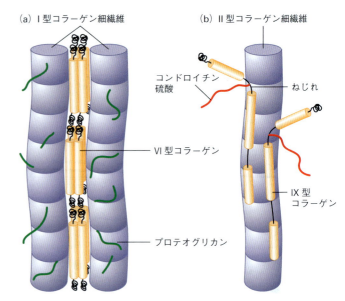

図 20・29 繊維状コラーゲンと細繊維結合コラーゲンとの相互作用．(a) 腱では，すべての I 型細繊維は腱にかかる力の方向に向いている．プロテオグリカンと VI 型コラーゲンは非共有結合性相互作用で細繊維に結合し，I 型細繊維の表面を覆う．球状領域と三重らせん領域を含む VI 型コラーゲンの微細繊維は，I 型細繊維に結合してより太い繊維をつくっていく．(b) 軟骨では，IX 型コラーゲン分子が II 型細繊維に沿って一定の間隔をおいて共有結合で結合している．コンドロイチン硫酸鎖は，柔軟なねじれのところで α2(IX) 鎖に共有結合で結合し，球形の N 末端側領域と同じように，細繊維から外に向かって突き出ている．[(a) は R. R. Bruns et al., 1986, *J. Cell Biol.* **103**: 393 参照．(b) は L. M. Shaw and B. R. Olson, 1991, *Trends Biochem. Sci.* **16**: 191 参照．]

ゲンである IX 型コラーゲンによってマトリックスのプロテオグリカンに架橋されている．IX 型コラーゲンやこれと類似のコラーゲン分子種には，柔軟なねじれ領域によって連結された 2〜3 の三重らせん領域と N 末端側に球形の領域がある（図 20・29b）．IX 型コラーゲンの球形の N 末端側領域は，らせん領域の一つの末端で II 型コラーゲン細繊維から外へと伸びており，これは IX 型コラーゲンに結合するコンドロイチン硫酸（後述）の GAG 鎖が IX 型コラーゲンの鎖の一つに結合した状態とほぼ同様である．これらの外へ伸びた非らせん構造によって II 型細繊維がプロテオグリカンやマトリックスの他の因子に係留すると考えられている．IX 型コラーゲンやこれに類似したコラーゲンでは三重らせん構造が途中で中断されているため，他の型のコラーゲンからなる細繊維に結合して共有結合による架橋形成はできるが，自身では細繊維をつくることはできない．

I 型コラーゲンやこれに結合するタンパク質が変化する変異が起こると，さまざまなヒト疾患がひき起こされる．I 型コラーゲンの α1(I) 鎖あるいは α2(I) 鎖をコードする遺伝子に特定の変異があると，**骨形成不全症**（osteogenesis imperfecta）になる．三重らせん構造をつくるには，コラーゲン α 鎖で 3 残基ごとにグリシンが存在することが必須なため（図 20・26），グリシンが他のどのアミノ酸に置き換わっても，らせんがうまく形成できずに不安定になるため，破滅的な事態がひき起こされる．コラーゲン分子の 3 本の α 鎖のうち 1 本に欠陥があるだけで，分子全体の三重らせん構造が壊され，機能が損なわれる．そのため，常染

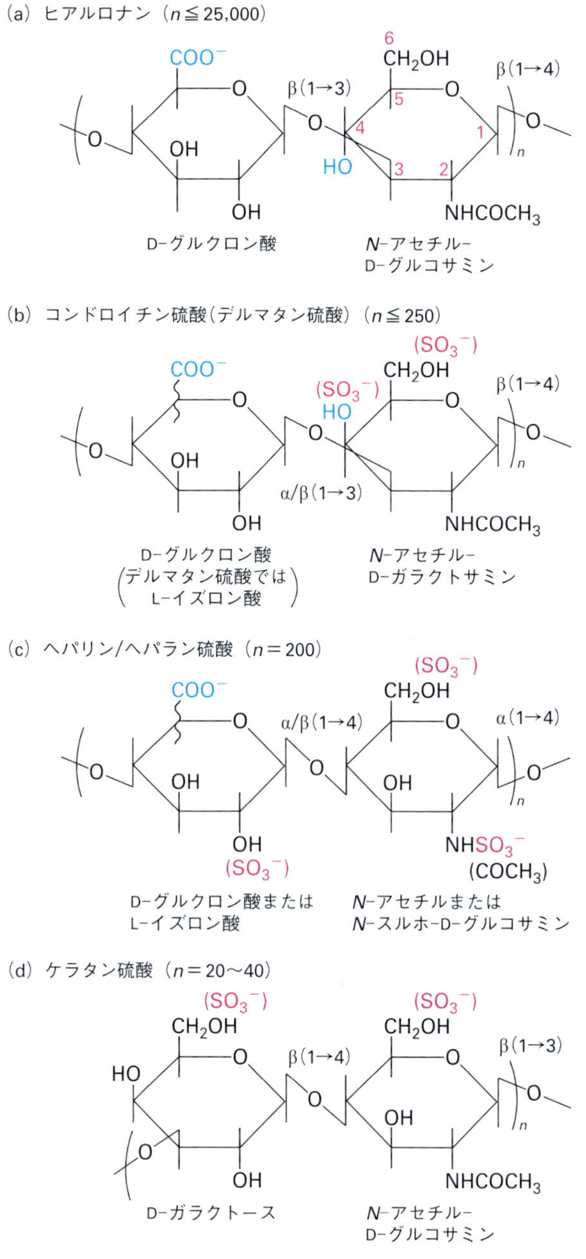

色体上にある α1(I) 遺伝子あるいは α2(I) 遺伝子において，一方の対立遺伝子に変異があると，この疾病がひき起こされる．したがってこの疾病は常染色体顕性の遺伝様式（6章）になる．

VI 型コラーゲン遺伝子の変異により筋組織のコラーゲン細繊維に結合した微細繊維が欠失したり機能不全になったりすると，顕性あるいは潜性の先天性筋ジストロフィーがひき起こされる．この先天性筋ジストロフィーでは，全身の筋力低下，呼吸不全，筋萎縮，筋肉が関係する関節異常がみられる．また，VI 型コラーゲン疾患では，皮膚の異常もみられる．■

プロテオグリカンとその構成成分である GAG は細胞外マトリックスにおいて多様な役割をもつ

基底膜におけるパールカンのように，プロテオグリカンは細胞-マトリックス間接着において重要な役割を果たす．プロテオグリカンは，分泌型もしくは細胞表面に結合した一群の糖タンパク質で，共有結合で結合した特殊な多糖鎖である**グリコサミノグリカン**（glycosaminoglycan: **GAG**）が含まれる．GAG は，特定の二糖の繰返しからなる長い直鎖状の重合体である．通常，この二糖のうちの一方の単糖はウロン酸（D-グルクロン酸か L-イズロン酸）か D-ガラクトースであり，もう一方は，N-アセチルグルコサミンか N-アセチルガラクトサミンである（図 20・30）．一方あるいは両方の糖には，少なくとも一つの負に荷電した基をもつ（カルボキシ基か硫酸基）．そのため，各 GAG 鎖には多くの負電荷が含まれる．GAG は，繰返している二糖単位の性質をもとに，主要な型が分類される．それらは，ヘパラン硫酸，コンドロイチン硫酸，デルマタン硫酸，ケラタン硫酸，ヒアルロナンである（図 20・30）．多くの硫酸基をもつヘパラン硫酸は**ヘパリン**（heparin）とよばれ，大半はマスト細胞によってつくられて，アレルギー反応に重要な役割を担う．ヘパリンには，**アンチトロンビン III**（antithrombin III）とよばれる血液凝固の阻害因子を活性化する作用があるため，医学的には抗凝固薬として使用される．

後述するヒアルロナンを除いて，主要な GAG はいずれもプロテオグリカンの構成成分として存在する．プロテオグリカンのコアタンパク質は，他の分泌型や膜貫通型の糖タンパク質と同様に，小胞体上で合成され，GAG 鎖は，ゴルジ体においてつくられ，コアタンパク質に共有結合で結合する．ヘパラン硫酸鎖やコンドロイチン硫酸鎖の形成では，コアタンパク質の特定のセリン残基のヒドロキシ側鎖に三糖のリンカーが最初に付加される（図 20・31a）．したがって，このリンカーは **O 結合型オリゴ糖**（O-linked oligosaccharide）である（図 20・31）．

多くの分泌性のタンパク質や一部の膜タンパク質細胞外ドメインには，セリンやトレオニンのヒドロキシ基を介して，O 結合型オリゴ糖が結合している．たとえば，ムチン様 O 結合型糖鎖の結合する糖タンパク質の場合，N-アセチルガラクトサミン（GalNAc）単糖を介してオリゴ糖が結合するが，そこへさらに，シアル酸（SA，図 20・31b）を含む他のさまざまな糖が共有結合している．この上皮細胞頂端面の細胞膜上のムチン様糖タンパク質には，長い O 結合型糖鎖が多く含まれ，これが細胞膜を曲がりやすくして，微絨毛の形成を容易にしている（図 20・11，図 17・1，図 17・2参照）．パン酵母にある唯一の O 結合型タンパク質は，マンノースを介した結合（O-Man）をしている．他の真核生物（線虫と高等植物を除く）では，ある特殊な O 結合型糖はマンノース単糖を介した結合をする糖タンパク質がある．カドヘリンやプロトカドヘリン（§20・2）では，O-Man 結合型の比較的短めのオリゴ糖がみられる．細胞表面にあるタンパク質，ジストログリカン（図 20・31c，§20・5で詳述）に結合する長い糖鎖をもつ糖タンパク質も O-Man 結合をしている．

タンパク質に結合したヘパラン硫酸やコンドロイチン硫酸鎖が O 結合型オリゴ糖であるのとは対照的に，ケラタン硫酸鎖を付加するためのリンカーは，アスパラギン残基に結合する **N 結合型**

図 **20・30** グリコサミノグリカン（**GAG**）の二糖の繰返し．ここで示す4種類の GAG 分子では，単糖が重合して特定の二糖の繰返し構造をつくり，硫酸基が付加され，さらに D-グルクロン酸の C5 位のカルボキシ基の反転（エピマー化）によって L-イズロン酸になるなどの修飾を受ける．図中の波線は，環の上向き（D-グルクロン酸）あるいは下向き（L-イズロン酸）に結合した共有結合を示している．ヘパリンは，ヘパラン硫酸に多くの硫酸基が付加されることでできる．一方，ヒアルロナンには硫酸基はない．

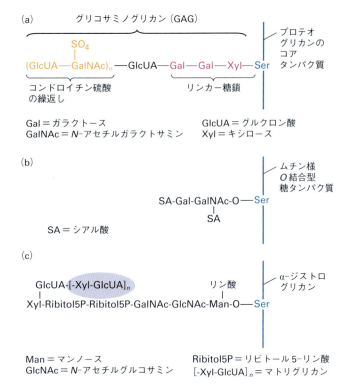

図 20・31　O 結合型オリゴ糖．(a) ここで示しているコンドロイチン硫酸の GAG の合成は，コアタンパク質中のセリン残基にキシロース残基(Xyl)が転移することからはじまる．この反応は，ゴルジ体で行われると考えられており，つづいて，ガラクトース残基(Gal)が二つ連続して付加される．グルクロン酸残基(GlcUA)と N-アセチルガラクトサミン残基(GalNAc)は，その後，このリンカー糖鎖に順に付加され，GalNAc 単量体に硫酸基が付加されてコンドロイチン硫酸鎖ができる．ヘパラン硫酸鎖も，同じ三糖リンカーを用いて，コアタンパク質に連結される．ケタラン硫酸 GAG は，O 結合型ではなく，N 結合型によってタンパク質に共有結合している．(b) ムチン様 O 結合型糖鎖は，N-アセチルガラクトサミン単糖(GalNAc)を介して，糖タンパク質に共有結合で結合する．(c) 細胞表面の膜タンパク質にある α-ジストログリカンでは，多糖のヒドロキシ基残基に O-マンノース単糖(O-Man)を介してタンパク質が結合する．GlcUA-Xyl 二糖(陰を付けた部分)の重合体であるマトリグリカン([-Xyl-GlcUA]$_n$)が，リン酸化された O 結合型マンノースに付加するときには，N-アセチルグルコサミン(GlcNAc)，リビトール 5-リン酸(Ribitol5P)，Xyl, GlcUA を含むオリゴ糖を介して結合する．マトリグリカンは，ラミニンやパールカンなどの ECM 分子が結合する場所となる(詳細は§20・5 参照)．

オリゴ糖 (*N*-linked oligosaccharide) である．このような N 結合型オリゴ糖は，多くの糖タンパク質 (13 章, 14 章) にみられるが，GAG を含むものはごく一部である．すべての GAG 鎖は，単糖が交互に付加されることによって伸長し，それぞれの GAG の特徴となる二糖の繰返しが形成される．さらにこの糖鎖は，硫酸基などの小さな分子が共有結合で結合する修飾を受けることが多い．どのタンパク質が GAG で修飾されるのか，また，付加される二糖の配列，硫酸基が付加する部位，GAG 鎖の長さを決定する機構などはわかっていない．すべてのプロテオグリカンでは，タンパク質成分に対する多糖成分の割合が，他の糖タンパク質のほとんどよりずっと大きい．

GAG 鎖修飾の機能　タンパク質におけるアミノ酸配列と同じように，GAG 鎖における糖鎖の配置や特定の糖の修飾は，GAG 鎖の機能，およびこれを含むプロテオグリカンの機能を決める．たとえば，ヘパラン硫酸プロテオグリカンの GAG 鎖中で一群の特定の修飾された糖が存在することによって，特定の受容体に対する増殖因子の結合や，血液凝固カスケードにおけるタンパク質の活性が制御される．

以前は，プロテオグリカンが化学的，構造的に複雑なため，これらの構造を解析することや多様な機能を理解することは困難であった．近年になって，従来の技術に加え，先端的な生化学技術，質量分析法，遺伝学を駆使することによって，広範に存在する ECM 分子の詳細な構造と機能が解明されるようになった．現在も進行中の研究から，一つの特定の配列ではなく，一般的な修飾を含む一連の糖鎖の組合わせが，さまざまな GAG の機能を決定していることがわかった．代表例として，重要な血液凝固プロテアーゼであるトロンビンに対する阻害因子として働くアンチトロンビン Ⅲ (ATⅢ) の活性を調節する一群のヘパリン GAG にみられる 5 糖残基(五糖)の配列がある．ヘパリン中のこれらの五糖で，2 箇所の特異的な場所に硫酸基が付加されると (図 20・32)，ヘパリンは ATⅢ を活性化できるようになり，その結果，血液凝固が阻害される．ほかにも，さまざまな組合わせで，活性型の五糖中に複数の硫酸基が存在する場合があるが，それらはヘパリンの血液凝固阻害活性は特に重要というわけではない．一つの特定配列の糖ではなく，一群の類似配列が活性をもつ意味については，よくわかっていない．

プロテオグリカンの多様性　プロテオグリカンは，すべての動物組織の細胞外マトリックスに多量に存在し，また細胞表面に発現する非常に多様な分子群を構成している．たとえば，ヘパラン硫酸プロテオグリカンには五つの主要な種類がある．そのうち三つは細胞外マトリックスに存在しており(パールカン，アグリン，XVIII 型コラーゲン)，残りの二つは細胞表面タンパク質である．後者は，膜内在性タンパク質(シンデカン)と GPI アンカータンパク質(グリピカン)である．この細胞表面プロテオグリカンに含まれる GAG 鎖は，いずれも細胞外空間に伸びている．プロテオグリカンのコアタンパク質の配列と長さはかなり異なっており，また結合している GAG 鎖の数は，2, 3 個から 100 個以上までの広範囲にわたる．さらにコアタンパク質には，二つの異な

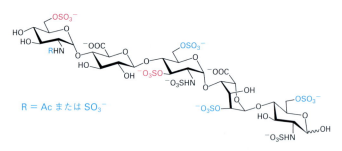

図 20・32　GAG 鎖にあるアンチトロンビン Ⅲ (ATⅢ) の活性を調節する五糖の配列．ヘパリンとよばれる長い GAG 中で，ここに示した組成をもつ一群の修飾された五残基配列が，ATⅢ に結合して活性化し，血液凝固を阻害する．赤で示した硫酸基は，ヘパリンのこの機能に必須である．青で示した修飾もあるが，必須なものではない．GAG 中にある他の修飾の組合わせは，別の標的タンパク質の活性を調節すると考えられている．

る種類のGAG鎖が結合している場合も多く，ハイブリッド型のプロテオグリカンになっている．基底膜のプロテオグリカンであるパールカンは，おもに3本か4本のGAG鎖をもつヘパラン硫酸プロテオグリカンであるが，一つのコンドロイチン硫酸鎖を結合しているものもある．プロテオグリカンの多様性は，同じコアタンパク質に結合するGAG鎖の数，組成，配列が大きく異なるためにさらに増している．ショウジョウバエ，線虫，およびマウスにおいて，プロテオグリカンの形成に欠陥がある変異体を作製して解析した結果，プロテオグリカンは，おそらくさまざまなシグナル伝達経路(16章のTGF-β経路とWnt経路を参照)の調節因子として，発生において重要な役割を果たすことが明確になった．

シンデカン (syndecan) は上皮の細胞などで発現する細胞表面プロテオグリカンであり，コラーゲンや多価接着マトリックスタンパク質(たとえばフィブロネクチン)と結合して，細胞を細胞外マトリックスに固定する．シンデカンの細胞質ドメインは，多くの膜内在性タンパク質と同様に，アクチン細胞骨格と，またある場合には細胞内の調節因子と相互作用する．加えて，シンデカンを含む細胞表面のプロテオグリカンには，多くのタンパク質性の増殖因子や細胞外のシグナル伝達分子に結合して，細胞の代謝や機能を調節する役割がある．たとえば，脳の視床下部に存在するシンデカンは，食物が不足したときの摂食行動を調節している．シンデカンは，食欲調節ペプチドと細胞表面受容体との結合に関与することで，摂食行動を調節している．飽食状態では，ヘパラン硫酸GAG鎖で修飾されたシンデカンの細胞外ドメインがタンパク質分解によって表面から遊離し，その結果，食欲調節ペプチドの活性が抑制されて摂食行動が調節される．syndecan-1 を脳の視床下部や他の組織で過剰発現させるように操作したマウスでは，食欲調節ペプチドによる正常な摂食制御が失われ，マウスは過食になって肥満する．

ヒアルロナンは圧力に耐えて細胞の移動を促進し，軟骨にゲル状の性質を与える

ヒアルロナン (hyaluronan) は，ヒアルロン酸 (hyaluronic acid: HA) やヒアルロン酸塩 (hyaluronate) ともよばれ，細胞膜に結合した酵素である **HA シンターゼ** (HA synthase) によって合成されて，ただちに細胞外空間に直接分泌される，硫酸基を含まないGAG (図20・30a) である．(同様の方法は，植物細胞の細胞外マトリックス構成成分であるセルロースの合成にも使われる．) ヒアルロナンは，特に胚組織においては，移動あるいは増殖する細胞を取囲む細胞外マトリックスの主要な構成成分である．さらに，ヒアルロナンは，軟骨に代表される多くの細胞外マトリックスにある複雑なプロテオグリカン集合体の骨組をつくっている．ヒアルロナンには非常にすぐれた物理的な特性があるため，関節などのさまざまな結合組織において，潤滑剤として働くと同時に，組織に硬さと形の復元力を与えている．

ヒアルロナン分子には，二糖の鎖長として，2,3回繰返しているものから，約25,000回繰返しているものまである．肘などの関節にある一般的なヒアルロナンは，10,000回の繰返しをもつ全質量 4×10^6 Da の分子で，長さは 10 μm (小さな細胞の直径程度)である．ヒアルロナン分子の各領域は，糖の間のβ-グリコシド結合と糖鎖内の多数の水素結合によって，棒状の立体構造になっている．一定の間隔で外に飛び出ている負に荷電したカルボキシ基どうしの斥力もまた，この局所的な硬い構造に寄与している．しかし，全体としてみれば，ヒアルロナンは繊維状コラーゲンのような長く硬い棒ではなく，溶液中ではむしろ非常に柔軟であり，曲がったりねじれたりすることでさまざまな構造になるランダムコイルを形成している．

典型的なヒアルロナン分子は，表面に多数の陰イオンがあるため，多量の水分子と結合し，直径が約 500 nm にもなる，水を含んだ球のようになっている．ヒアルロナンの濃度が高くなると，長鎖はしだいに絡まるようになって，粘性の高いゲルが形成される．ヒアルロナンは，低い濃度でも水を多く含むゲルを形成するので，二つの細胞間のマトリックスのような限られた空間に存在するときには，長いヒアルロナン分子は外へ押出されやすくなる．この外への圧力によって，細胞外空間での **膨圧** (turgor pressure) がつくり出される．さらに，カルボキシ基 (COO^-) によって陽イオンがヒアルロナンの表面で結合するため，そこでのイオン濃度が上昇し，ゲル内の浸透圧が上昇する．その結果，多量の水がマトリックス内に取込まれ，膨圧に寄与する．この膨張力によって，結合組織は圧力に抵抗する働きを得ている．これは，コラーゲン繊維が張力に抵抗する働きと対照的である．他の電荷が多いGAG鎖にも同様に水が結合する．

ヒアルロナンは，ヒアルロナン結合ドメインを含む **CD44** とよばれる受容体をはじめとする類似した立体構造をもつ多くの接着受容体を介して，移動中のさまざまな細胞の表面に結合する．ヒアルロナンには水に富む粗い多孔質の性質があるため，"コート"された細胞は，互いに離れた状態に保たれ，細胞が動き回ったり増殖したりする自由度を与えている．細胞の移動の中止や細胞間接着の開始には，ヒアルロナン量の低下，ヒアルロナン受容体の減少，また細胞外マトリックスにあるヒアルロナンを分解する細胞外酵素であるヒアルロニダーゼの増加が相関していることが多い．こうしたヒアルロナンの変化は，分化の際によく起こる細胞移動や，哺乳類の排卵後における卵母細胞の周辺の細胞からの脱離に，特に重要である．

軟骨組織で主要なプロテオグリカンとなっている **アグリカン** (aggrecan) は，ヒアルロナンとともに非常に大きな集合体を形成し，これはプロテオグリカンによって形成される複雑な構造物の見本になっている．軟骨組織のプロテオグリカン集合体の骨格はヒアルロナンの長い分子で，それに複数のアグリカン分子が共有結合を用いずに強く結合している (図20・33)．一つのヒアルロナン-アグリカン集合体は，最も大きな巨大分子複合体の一つであり，長さは 4 μm 以上で，体積も細菌より大きい．このような集合体によって軟骨組織は特有のゲル様の特性をもち，変形力に対して抵抗できる．この特性は，関節にかかる力の負荷を分散するために必須である．

アグリカンのコアタンパク質は分子量約 250,000 で，N 末端側にある一つの球状ドメインがヒアルロナンに含まれる特定の 10 糖の配列に高い特異性で結合する．この特定の配列は，ヒアルロナン鎖内にある二糖の繰返しの一部が共有結合による修飾を受けてできる．アグリカンとヒアルロナンの間の相互作用は，アグリカンのコアタンパク質とヒアルロナンの両方に結合する連結タンパク質によって促進される (図20・33b)．アグリカンと連結タンパク質には，ともに約 100 アミノ酸からなる連結ドメインがあり，このドメインは軟骨組織でも他の組織でも，多数の細胞外マト

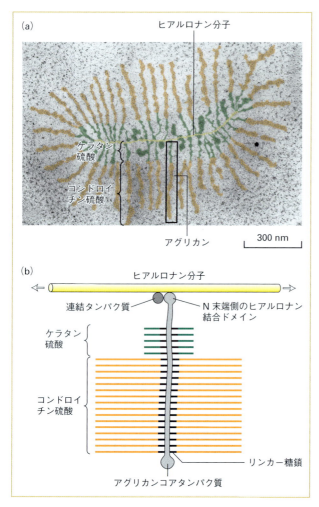

図 20・33　軟骨組織のプロテオグリカン集合体の構造．(a) ウシ胎児の骨端軟骨から得たアグリカン集合体の電子顕微鏡写真(色分けして示している)．ヒアルロナン分子にアグリカンのコアタンパク質が約 40 nm の間隔で結合している．(b) ヒアルロナン(黄)に結合したアグリカン単量体の模式図．アグリカンでは，ケラタン硫酸鎖(緑)とコンドロイチン硫酸鎖(橙)の両方がコアタンパク質に結合している．コアタンパク質の N 末端ドメインは，ヒアルロナン分子に非共有結合性相互作用で結合している．この結合はヒアルロナン分子とアグリカンコアタンパク質の両方に結合する連結タンパク質によって支えられている．アグリカンコアタンパク質には 127 個の Ser-Gly 配列が含まれ，ここに GAG 鎖が付加される．アグリカン体の分子量は平均 2×10^6 である．集合体全体では 100 個以上のアグリカン単量体を含むことがあり，そのときの分子量は 2×10^8 以上になり，これは大腸菌とほぼ同じである．［(a) は J. A. Buckwalter and L. Rosenberg, 1983, *Collagen Rel. Res.* **3**(6): 489, Copyright Clearance Center, Inc. を通じて Elsevier より許可を得て転載.］

繊維芽細胞で，培養皿に強く接着する正常細胞の表面には存在するが，培養皿に弱くしか接着しない腫瘍性の細胞(がん細胞様の細胞)の表面には存在しないことから発見された．20 個程度のフィブロネクチンのアイソフォームが単一の遺伝子から RNA 転写産物の選択的スプライシング(図 5・28 参照)によって生じる．フィブロネクチンは，胚発生において多くの種類の細胞の移動と分化に必須である．また，創傷治癒にも重要であり，この過程でフィブロネクチンは，血液凝固を促進し，マクロファージや他の免疫系細胞が損傷を受けた部位へと移動するのを助ける．

フィブロネクチンは，繊維状コラーゲンやヘパラン硫酸プロテオグリカンなどの細胞外マトリックスの構成成分に結合することによって，細胞が接着するのを助けている．また，インテグリンなどの細胞表面接着受容体(図 20・2)にも結合し，この接着受容体との相互作用を介して，フィブロネクチンは細胞の形態と移動，また細胞骨格の構築に影響を与える．逆に，細胞は，受容体を介したフィブロネクチンや他の ECM 構成成分に対する接着を調節することによって，必要に応じた ECM 環境をすばやくつくる．

フィブロネクチンは，二つのジスルフィド結合によって二つのよく似たポリペプチド鎖が C 末端で結合した二量体であり，各鎖は，長さが約 60〜70 nm で太さが 2〜3 nm である．フィブロネクチンを少量のプロテアーゼで部分分解したときに生じた断片を解析した結果，各鎖にはいくつかの機能領域が存在し，それぞれが別々のリガンド結合特異性をもつことがわかった(図 20・34a)．この機能領域のそれぞれには，特定の配列の繰返しが含まれる．この配列は 3 種に分類され，アミノ酸配列の類似性に基づいてフィブロネクチン I 型，II 型，III 型リピートとよばれている．ただし，同じ型のリピートでも二つの配列は同一ではない．これらの機能領域がつながっているため，フィブロネクチン分子は糸でビーズをつないだような外見になっている．この領域を構成するリピートがさまざまに組合わされて存在するため，フィブロネクチンは複数のリガンドに結合できる．

フィブロネクチンの細胞結合領域にある III 型リピートには，ある種のインテグリンへの結合を仲介するものがある．このリピート部分に対応する合成ペプチドを用いた研究から，**RGD 配列** (RGD sequence) とよばれる Arg-Gly-Asp のトリペプチド配列が，インテグリンが認識して結合するうえで必要なリピート内の最小配列であることがわかった．また，RGD 配列を含むヘプタペプチドと，配列を変えたヘプタペプチドに，ラット腎臓細胞の培養皿への接着を仲介する作用があるかどうかを調べた結果，RGD 配列を含むヘプタペプチドは，フィブロネクチンと同じようにインテグリンが介在する接着を促進する作用を示したが，RGD 配列がないと，この作用はみられなかった(図 20・35)．

フィブロネクチンとインテグリンの部分構造に基づいて，インテグリンに結合したフィブロネクチンの三次元構造モデルがつくられた．インテグリンに結合したフィブロネクチン III 型リピートとそれに隣接した III 型ドメインを高解像度で見ると，RGD 配列は，分子から外に突き出ているループの頂上にあり，これによってインテグリンと結合しやすくなっている(図 20・34b)．RGD 配列はさまざまなインテグリンとの結合に必要であるが，RGD 配列だけの親和性は全長のフィブロネクチンやフィブロネクチンの細胞結合領域全体に比べるとかなり小さい．したがって，フィブロネクチンや他の RGD 配列を含むタンパク質に含まれる RGD 配

リックスタンパク質や細胞表面のヒアルロナン結合タンパク質に存在する．これらのタンパク質は，このドメインだけをコードしていた一つの祖先遺伝子から進化して生じたことは確実である．

フィブロネクチンは細胞と細胞外マトリックスを連結し，細胞の形態，分化，移動に影響を与える

多くの種類の細胞が**フィブロネクチン** (fibronectin) という，すべての脊椎動物で豊富に存在する多価接着マトリックスタンパク質を合成している．フィブロネクチンの接着分子としての機能は，

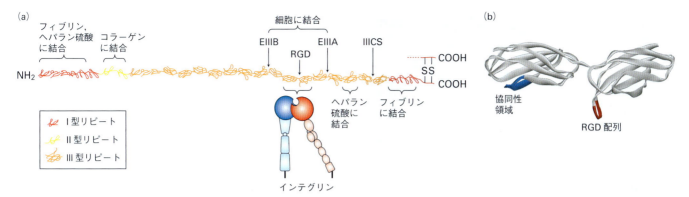

図 20・34 フィブロネクチンの構成とインテグリンへの結合. (a) フィブロネクチンの大きさがわかるように示した模式図で, 二つのⅢ型リピートがインテグリンの細胞外ドメインに結合する箇所も示している. ここでは, 二量体のフィブロネクチン分子の片方だけを示す. もう一つは, C末端近く(右端)でジスルフィド結合によってつながっている. 各鎖は2446アミノ酸を含み, 三つの型の繰返しアミノ酸配列(Ⅰ型, Ⅱ型, Ⅲ型リピート)からなる. 図中の矢印は, EⅢA, EⅢB(ともにⅢ型リピート)やⅢCSドメインが, 挿入されている箇所で, この部分は多様性がある. 血漿中にあるフィブロネクチンには, EⅢAとEⅢBのうち片方, あるいは両方がない. ⅢCS領域には, 選択的スプライシングによって異なる少なくとも5種類の配列が存在することがわかっている(図5・28参照). 各鎖には, 複数の繰返しを含む領域があり, その中にはヘパラン硫酸, フィブリン(血液凝固の主成分の一つ), コラーゲン, 細胞表面インテグリンへの特異的な結合部位が含まれる. インテグリン結合領域は, 細胞結合領域としても知られている. このフィブロネクチンの各領域の構造は, 分子断片の解析から明らかになったものである. (b) 高解像度の分子構造から, RGD配列(赤)は, フィブロネクチンの協同性領域(青)と同じ側にある小さくまとまったⅢ型ドメインからループの形で外に突き出ていることがわかる. この協同性領域もインテグリンに対する高親和性の結合に寄与している. [D. J. Leahy et al., 1996, *Cell* **84**: 155, PDB ID 1fnf.]

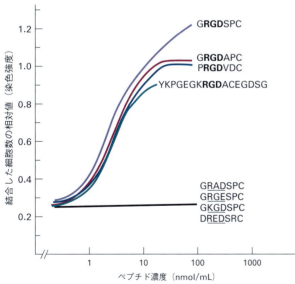

図 20・35(実験) フィブロネクチンの細胞結合領域にある特定のトリペプチド配列(**RGD**)は細胞との結合に必要である. フィブロネクチンの細胞結合領域には, アミノ酸の一文字表記でGRGDSPというインテグリンに結合するヘキサペプチド配列が含まれる. このC末端にシステイン(C)残基を加えたヘプタペプチドとその配列を変えたペプチドを化学合成した. 各合成ペプチドを, 免疫グロブリンG(IgG)が表面に固く結合したポリスチレン製の培養皿にさまざまな濃度で加え, 次にこのペプチドを化学的にIgGに架橋した. その後, 培養した正常なラット腎臓細胞をこの培養皿に加えて, 30分間インキュベートし, 接着させた. 結合しなかった細胞を洗い流したのち, 強固に結合した細胞を染色し, その染色強度を分光光度計で測って, 結合した細胞数の相対的な値を求めた. ここに示した結果から, RGD配列を含むペプチドの濃度が上昇すると, バックグラウンドと比較して細胞接着の程度は上昇するが, RGD配列を含まないペプチド(RGD配列を変えた部分を下線で示した)では結合の上昇はみられないことがわかる. [M. D. Pierschbacher and E. Ruoslahti, 1984, *Proc. Natl. Acad. Sci. USA* **81**: 5985 による.]

列周辺の構造(協同性領域を含む隣接するリピートなど, 図20・34b)が, インテグリンへの結合を強めていると考えられる. さらに, 肝臓や繊維芽細胞でつくられる水溶性のフィブロネクチン二量体は, RGD配列がインテグリンに近づきにくい構造になっていてうまく結合できないため, そのままでは機能をもたない. フィブロネクチンをコラーゲンマトリックスや基底膜に吸着させる, あるいは実験的にプラスチックの組織培養皿に吸着させると, 構造の変化が起こり, 細胞への接着能が高まる. この変化によって, RGD配列がインテグリンに接近して結合できると考えられる.

顕微鏡観察や結合実験などの他の生化学的実験によって, インテグリンがフィブロネクチンや他のECM構成成分を細胞骨格に架橋する役割をもつことがわかった. たとえば, 細胞骨格のアクチンフィラメントとインテグリンが細胞内で共局在することが, 蛍光顕微鏡によって観察できる(図20・36a). 細胞表面のインテグリンがマトリックス内でフィブロネクチンに結合することによって, インテグリン分子がアクチン細胞骨格に依存して細胞膜上を移動する. 一つのフィブロネクチン二量体に結合している複数のインテグリン分子が互いに異なる動きをすると機械的な張力が発生し, 機械刺激センサーとしてのフィブロネクチン分子に力がかけられる(図20・9). この張力を感知することで, フィブロネクチンは自己集合して多量体の細繊維がつくられる.

フィブロネクチンの折りたたみをほどいて自己集合部位を露出させるために必要な力は, フィブロネクチンとインテグリンの結合を壊すために必要な力よりもずっと小さい. そのため, フィブロネクチン分子は, 細胞から与えられる機械的な力によって細繊維が形成されるときに, インテグリンに結合したままとなる. 実際, インテグリンが, アダプタータンパク質を介して, アクチン細胞骨格がつくる細胞内の力を細胞外のフィブロネクチンに伝える役割をしている(機械刺激伝達を介した内から外への作用). 最初に形成されたフィブロネクチンの細繊維は, 共有結合による架

こるほか，皮膚などの組織も伸縮する．弾性繊維は，これらの組織が可逆的な伸縮を柔軟に行うことができるようにしている．

弾性繊維は直径が数百～数千ナノメートルあり，その中心のコア部分は，**エラスチン**（elastin）というタンパク質からなる不溶性で不定形な構造をしている．このエラスチンは，**トロポエラスチン**（tropoelastin）とよばれるエラスチン単量体が，コラーゲンと同様にリシンオキシダーゼが関与してできる共有結合によって架橋され，それが集まることで形成される．トロポエラスチンには，プロリンとグリシンに富む疎水的な配列がモチーフとして繰返し存在するため，自己集合と伸縮を自由に行う機能が備わっている．中心部のエラスチンは，フィブリリンとフィビュリン，およびそれに結合する潜在型 TGF-β 結合タンパク質（latent TGF-β biding protein: **LTBP**）などのタンパク質によって周囲を覆われていて，直径 10～12 nm の微細繊維をつくっている（図 20・37b）．この微細繊維が，弾性繊維構造が形成されるときの中心となる．眼には，エラスチンを含まない微細繊維が存在し，これは筋肉の力をレンズに伝えることでレンズを変形させるが，角膜を構造的に支えにもなっている可能性がある．

微細繊維は，細胞外マトリックスの構成成分と同様に，細胞のシグナル伝達に関与している．分泌経路において，ともに分泌され，微細繊維に取込まれる前に，LTBP はトランスフォーミング増殖因子 β（TGF-β，サイトカイン，図 16・22 参照）の不活性型に結合する．細胞表面のインテグリンが，LTBP-TGF-β 複合体に結合したり，これを引っ張ったりすることによって起こる機械的なストレスやペプチド結合の切断が直接の原因となって，ECM から活性型の TGF-β が遊離し，シグナル伝達に関与する（図 16・22 参照）．同じように，他の ECM タンパク質に結合した LTBP-

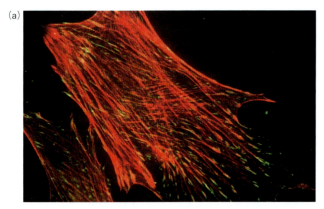

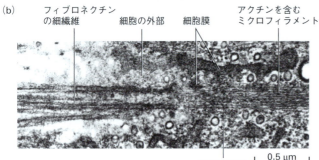

図 20・36（実験） インテグリンは細胞外マトリックスにあるフィブロネクチンと細胞骨格の間の連結を仲介する．(a) 固定した培養繊維芽細胞の免疫蛍光顕微鏡写真で，α5β1 インテグリン（緑）とアクチンからなるストレスファイバー（赤）との共局在を示す．この細胞は次の2種のモノクローナル抗体と反応させている．一つは緑色蛍光色素を結合したインテグリン特異的な抗体，もう一つは赤色蛍光色素を結合したアクチン特異的抗体である．ストレスファイバーはアクチンフィラメントの束であるが，細胞が基板と接着している点から細胞の内部に向けて伸びていることがわかる．この繊維の端にあたる細胞膜近くでは，アクチン（赤）とフィブロネクチンに結合したインテグリン（緑）の2色が重なって黄色の蛍光として観察されている．(b) 培養繊維芽細胞におけるフィブロネクチンとアクチンを含む繊維束との結合部位を示す電子顕微鏡写真．ストレスファイバーの成分であるアクチンフィラメント（直径 7 nm のミクロフィラメント）の先端は，それぞれ切断面が斜めにみえている細胞膜に達している．細胞外にあって，より太くみえている濃く染色されたフィブロネクチン細繊維の近いところで，ミクロフィラメントが配向している様子がわかる．〔(a) は J. L. Duband et al., 1988, *J. Cell Biol.* **107**: 1385 による．(b) は I. I. Singer, 1979, *Cell* **16**(3): 675, Copyright Clearance Center, Inc. を通じて Elsevier より許可を得て転載．〕

橋によって，徐々に非常に安定なマトリックス構成成分へと成熟していく．電子顕微鏡観察では，外部のフィブロネクチンの細繊維が，細胞内のアクチンを含む繊維束と同じ直線上に連続して並んでいるように見えることがある（図 20・36b）．これらの観察や他の研究の結果から，インテグリンなどの分子レベルでよくわかっている接着受容体は，細胞内の細胞骨格と細胞外マトリックス構成成分との間に架橋を形成するという，現在では広く知られている現象を示す最初の例になった．

多くの組織では弾性繊維によって伸縮が繰返される

弾性繊維は，機械的な張力や変形力が加わるさまざまな組織の細胞外マトリックスに存在する．たとえば，肺は呼吸時に拡張と収縮を行い（図 20・37a），血管では拍動によって血液の脈流が起

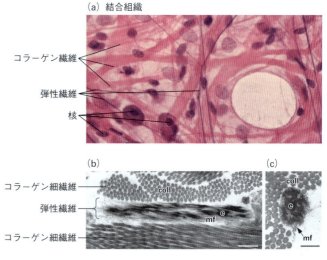

図 20・37 結合組織に存在する弾性繊維とコラーゲン繊維．(a) 肺の疎性結合組織の光学顕微鏡写真．弾性繊維は紫に染色された細い繊維で，コラーゲン細繊維（コラーゲン細繊維が束になったもの）はピンクに染色されている．細胞核は紫に染色されている．(b), (c) マウス皮膚にある弾性繊維とコラーゲン細繊維(coll)の電子顕微鏡写真で，縦断面(b)と横断面(c)を示す．弾性繊維は，エラスチン(e)が集まった中心部とそこに集まって取囲んでいる細繊維(mf)からなる．スケールバーは 0.25 μm．〔(a) は Biophoto Associates/Science Source/amanaimages．(b), (c) は J. Choi et al., 2009, *Matrix Biol.* **28**(4): 211, Copyright Clearance Center, Inc. を通じて Elsevier より許可を得て転載．〕

TGF-β 複合体が活性化して，活性型 TGF-β によるさまざまな生理活性が制御が行われている．

🜲 骨格の異常や心臓血管の異常などが伴うさまざまな疾病には，弾性繊維の構成タンパク質や，弾性繊維の集合を正しく行わせるタンパク質をコードする遺伝子に変異が起こったことによって生じるものがある．たとえば，フィブリリン 1 (fibrillin-1) 遺伝子の変異は，**マルファン症候群**(Marfan syndrome) の原因であり，骨が過剰に形成される，関節が弱くなる，手足や顔が異常に長くなる，動脈や他の血管の壁が弱くなることが要因となって心臓血管に欠損が生じるなどの異常がひき起こされる．一説では，Abraham Lincoln 大統領の身長が高く，体部と顔が長いことはマルファン症候群によるものであるとされている．■

哺乳類では，ほとんどのトロポエラスチンは誕生時の前後にだけ，すなわち胎生後期と出生直後だけに合成される．そのため，体内のエラスチンのほとんどは非常に安定で，一生の間保持される．エラスチンが非常に安定なことは，さまざまな方法で確認できる．放射性標識したアミノ酸を加えるパルスチェイス実験 (3章) によって，動物体内でのエラスチンの寿命が測定された．またヒトでは，以下の二つの方法でエラスチンの寿命が研究され，ヒト肺にあるエラスチンの平均寿命は，なんと 70 年にも及ぶことがわかった．この測定は，L-アスパラギン酸が，タンパク質合成によってタンパク質中に取込まれたのち，自然に D-アスパラギン酸へとゆっくり変換するという自然現象を利用したものである．つまり，用いた組織の年齢とともに，含まれるタンパク質 (エラスチン) の化学組成を分析して，L-アスパラギン酸の何割が時間とともに D-アスパラギン酸に変換したかを調べたのである．もう一つの方法は，実験で使うパルスチェイス実験を応用したものである．1950 年代と 1960 年代に行われた核兵器実験によって，^{14}C が大気中に放出され，それが食物連鎖に入った．この環境に由来する ^{14}C がパルスチェイス実験と基本的に同じ放射能の"パルス"とみなして，タンパク質の安定性が調べられた．

メタロプロテアーゼによって細胞外マトリックスは分解・再構築される

多くの重要な生理過程，たとえば発生における組織形成，細胞の増殖や移動の制御，損傷に対する応答，また生存ということにおいても，ECM の産生とともに ECM の分解と再構築が必須である．ECM は，多細胞動物の細胞外の局所環境において，鍵となる非常に重要な因子であるため，ECM の分解と再構築は厳密に制御される必要がある．ECM の分解は，おもに亜鉛依存性の**マトリックスメタロプロテイナーゼ** (matrix metalloproteinase: MMP) によって行われる．ECM 構成成分にはさまざまな種類があるので，当然，さまざまな基質特異性と発現部位を示す多数の MMP が存在する．多くの場合，MMP の名称には基質の名前が入っており，たとえば**コラゲナーゼ** (collagenase)，**ゲラチナーゼ** (gelatinase)，**エラスターゼ** (elastase)，**アグリカナーゼ** (aggrecanase) のようによばれる．MMP には，細胞外液に分泌されるものや細胞膜に非共有結合で強く結合するもの，および細胞膜内在性タンパク質として細胞膜に強く結合するものがある．MMP の多くは，最初は不活性な前駆体として合成され，特異的な活性化を受けることで機能する．

マトリックスプロテイナーゼには酵素の構造に基づいた三つの主要グループ (サブファミリー) がある．これらは，MMP (ヒトでは 23 種類)，ADAM (a disintegrin and metalloproteinase)，および ADAMTS (ADAM with thrombospondin motif) という略称をもつサブグループである．これらのプロテアーゼは，ECM 構成成分を分解するとともに，細胞表面の接着受容体などの他のタンパク質も分解する．16 章で，すでに ADAM が Notch，EGF 受容体によるシグナル伝達機構で重要な役割を担うことは学んだ．これらのプロテアーゼ活性を制御する機構には，**TIMP** (tissue inhibitor of metalloproteinase) や **RECK** (reversion-inducing-cysteinerich protein with kazal motif) とよばれる阻害タンパク質の産生がある．これらの阻害タンパク質には固有の細胞表面受容体があり，MMP を阻害する機能とは独立した機能をもつものがある．また，ECM を分解する MMP はさまざまな疾病にも関係しており，最もよく知られた例としてがんの転移がある (25 章)．

20・4 細胞外マトリックス II: 結合組織　まとめ

- 腱や軟骨などの結合組織が他の固形組織と最も大きく違う点は，結合組織では体積のほとんどが細胞ではなく細胞外マトリックス (ECM) によって占められることである (図 20・4).
- I, II, III 型の繊維状コラーゲンの合成は，細胞内において，新たにできた α 鎖が化学的に修飾されて，小胞体内で三重らせんのプロコラーゲンに集合することからはじまる．プロコラーゲン分子は，分泌されたのちに切断され，側面どうしが結合する．さらに，これが共有結合で架橋されてコラーゲン細繊維とよばれる束がつくられる．これから，コラーゲン繊維とよばれるもっと大きな集合体が形成される (図 20・28)．
- さまざまなコラーゲンは，らせん領域と非らせん領域がもつ，細繊維を形成する作用，シートを形成する作用，および他の型のコラーゲンを架橋する作用によって分類される (表 20・5)．
- プロテオグリカンは，一つ以上のグリコサミノグリカン (GAG) 鎖を共有結合で結合した膜結合型か分泌型のコアタンパク質によって構成される．GAG 鎖は，硫酸基の修飾をしばしば受けた二糖の直鎖状重合体である．
- シンデカンのような細胞表面のプロテオグリカンは，細胞－マトリックス間相互作用を促進し，特定の細胞外シグナル伝達分子を細胞表面受容体に与える作用をする．
- 多量に水和した GAG であるヒアルロナンは，移動性の細胞や増殖中の細胞にある ECM の主要な構成成分である．ある種の細胞表面の接着受容体は，ヒアルロナンを細胞に結合させる．
- 大きなプロテオグリカンの集合体では，中心にあるヒアルロナン分子にアグリカンなどのプロテオグリカン分子のコアタンパク質が共有結合を用いずに結合している．この大きな集合体は，細胞外マトリックスに耐圧性を与えている (図 20・33)．
- フィブロネクチンは，多量に存在する多価接着マトリックスタンパク質で，細胞の移動と分化に非常に重要な役割を

果たしている．フィブロネクチンには，コラーゲンやプロテオグリカンなどのECM構成成分とインテグリンに対する結合部位があり，これによって細胞は細胞外マトリックスに接着できる（図20・34）．
- フィブロネクチンや他のいくつかのマトリックスタンパク質に存在するトリペプチドのRGD配列（Arg-Gly-Asp）は，さまざまなインテグリンによって認識される．
- 弾性繊維は，架橋された不定形のエラスチンからなる弾性に富む中心部と，その周囲を取囲む微細繊維の網目からなる構造をもち，これによって組織が繰返し収縮できるようになっている．また，微細繊維はTGF-βによるシグナル伝達を調節している．
- ECMの分解と再構築は，分泌型と膜結合型の多数の亜鉛メタロプロテイナーゼ（MMP）によっておもに行われる．これらのMMPは，いくつかのサブファミリー（MMP, ADAM, ADAMTS）に分類され，これらの活性は活性化と阻害タンパク質（TIMP, RECK）によって調節される．

20・5 運動性細胞と非運動性細胞の接着相互作用

　上皮では，分化の過程で接着相互作用がつくられると，その接着は非常に安定になることが多く，細胞が死ぬまで続くか，上皮がさらに分化するまで続く．このような長く続く非運動性の接着は，上皮以外の組織にもみられるものの，非上皮細胞には細胞外マトリックスや他の細胞の層を縦横に移動する能力が必要な場合もある．さらに，発生過程や創傷の治癒過程，またがんなどの病的状態においては，上皮細胞がもっと運動性の細胞に転換（上皮-間葉転換）する場合がある．この転換においては，接着分子の発現が変化することが重要な点であり，この現象は，白血球が感染部位へ向かう移動のような細胞の移動を伴う他の生物過程でも起こる．本節では，細胞の移動に特化した一過性の接着相互作用を仲介するさまざまな細胞表面の構造と，長く続く接着を仲介するさまざまな細胞表面の構造について述べる．細胞を動かし，その形状を変える機械的な力を生じる際に用いられる細胞内の機構は，17章と18章で取上げた．

インテグリンは細胞間の情報や三次元的な環境の情報を伝達する

　すでに述べたように，インテグリンは上皮細胞と基底膜をつなぎ，またアダプタータンパク質を介して細胞骨格の中間径フィラメントと連結させている（図20・1）．すなわち，上皮細胞，非上皮細胞ともに，インテグリンは細胞外マトリックス（ECM）と細胞骨格間の橋渡しをしている．また，細胞膜内のインテグリンは，他の分子とともに集合体を形成してフォーカルアドヒージョン（フォーカルコンタクト，接着斑），フォーカルアドヒージョンに似た**フォーカルコンプレックス**（focal complex，限局性構造），**三次元接着**（3-D adhesion, 3D接着），**細繊維性接着**（fibrillar adhesion）などのほか，**ポドソーム**（podosome）とよばれる円形の接着構造をつくる．こうした構造は，多量体タンパク質複合体であり，1) フィブロネクチン（図20・36），コラーゲン，ラミニンのインテグリンを介した結合のようなECMへの細胞接着，2) 細胞骨格へのインテグリンの結合, 3) 接着依存的な外から内へと内から外へのシグナル伝達（図20・8），4) 細胞-環境間の機械刺激伝達に介在している．これらの構造は，インテグリンやそこに集まる他の分子を認識する抗体を用いた蛍光顕微鏡観察によって容易に観察することができる（図20・38）．

　インテグリンを含む接着構造には数十個の細胞内アダプターや結合タンパク質が存在し，構成要素が常に入れ代わったり，共有結合を含む修飾も起こったり，動的な変化を常にしている．このような接着構造の中には，生体分子が凝集して（3章）生じた相分離によって変化した構造として生じ，直接他の多くの構成要素と直接相互作用するものもあるだろう．構成するタンパク質は，すでに同定されているだけでも数百あり，これらが行うタンパク質間の相互作用の種類はさらに多く，それぞれが調節を受けている可能性がある．たとえば，インテグリンとインテグリン結合タンパク質がリン酸化されて生じた結合部位や隣接する細胞膜でのホスファチジルイノシトール誘導体のリン酸化が起こることによって，接着複合体に別のタンパク質が集められたり，また，タンパク質が解離したりする場合もあるだろう．このような複合体には，受容体型チロシンキナーゼ（図20・8）などが関与する他のシグナル伝達経路による細胞内シグナルと，ECMの安定性や堅固さなどの細胞外シグナルとが，いわば綿密に書かれたシナリオに基づく演出のように制御されている．したがって，これらのシグナルによってインテグリン複合体の構成や活性が厳密に決定され，最終的にインテグリン複合体は細胞の構造と活性に対する作用（外から内への作用）と，細胞のアクチン細胞骨格のECMに対する作用（内から外への作用）をもつことになる．接着構造のなかでも，安定なものは，組織の構造に深くかかわるものもあるだろうし，一時的な構造もありうるだろう．たとえば，接着構造の動的な形成や崩壊によって，細胞がECMを引寄せたり，別の結合部位へ移動させたり，細胞を分離して隣接する別の組織へと遊走させたりもするだろう．

　インテグリンを含む接着構造は，上皮細胞以外にもさまざまな細胞に存在するが，その研究の多くはガラス平面やプラスチック表面（基板）上に培養した繊維芽細胞を用いて行われてきた．この条件は，生体内で細胞を通常取囲んでいる三次元のECMの環境にはほど遠い．繊維芽細胞を，細胞や組織から得た三次元的なECM中で培養すると，この立体的なECMの基板との接着を形成する．これを三次元（3D）接着とよぶ．この構造は，培養細胞の実験によく用いられる平面的な基板上で成長している細胞で観察される斑点状や繊維状の接着とは，組成，形態，分布，活性の点で少し異なる（図20・38）．三次元ECMで培養した培養繊維芽細胞では，接着性や移動性がより高く，細胞増殖も速く，また平面上に培養した細胞よりも組織にある繊維芽細胞にずっと類似した紡錘形を示す．これらの観察結果から，ECMの空間的特性，組成，また機械的特性のすべてが，細胞の形態や活性を調節していること，少なくとも，その一部はインテグリンによるECM-細胞間分子との架橋形成によってひき起こされたと考えられる．こうしたECMの性質の組織特異的な差違は，細胞の組織特異的な性質に関係していると考えられる．

　細胞の空間的な環境の重要性は，乳の産生に特化した乳腺上皮細胞とそれががん化した細胞を用いて，形態形成，機能，安定性について培養系を用いて研究した結果からわかった．たとえば，

(a) フォーカルアドヒージョン (b) 三次元接着

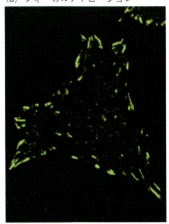
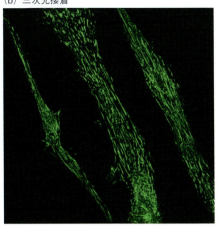

図 20・38（実験） インテグリンは，上皮細胞以外においても集合してさまざまな形態の接着構造を形成する．インテグリンを含む接着構造（緑）を培養細胞で検出するために，免疫蛍光法を用いた．ヒト繊維芽細胞の表面にある，フォーカルアドヒージョン(a)と三次元接着(b)を示す．細胞は，培養皿の平面で直接培養するか(a)，ECM構成成分の立体的なマトリックス上で培養した(b)．細胞がつくるインテグリンを含む接着構造の形態，分布，組成は細胞の環境に依存してさまざまに変化する．[(a)は B. Geiger et al., 2001, *Nat. Rev. Mol. Cell Biol.* **2**(11): 793, Copyright Clearance Center, Inc. を通じて Nature より許可を得て転載．(b)は K. Yamada and E. Cukierman 提供．]

三次元 ECM に依存した細胞外から内へのインテグリンを介したシグナル伝達は，上皮増殖因子（EGF）の受容体型チロシンキナーゼのシグナル伝達経路に作用し，その逆方向にも作用する．また，三次元 ECM において，乳腺上皮細胞は，腺房とよばれる生体内の環状の上皮構造に似た構造を形成でき，この腺房からは乳に含まれる主要なタンパク質が分泌される．正常細胞とがん細胞の応答性を，こうした三次元 ECM の培養細胞系を用いて比較することによって，化学療法剤の候補を選ぶことができるようになった．三次元 ECM を抽出あるいは合成して同じような系をつくることによって，肝臓など他の複雑な組織や器官を研究する，生体内により近い条件が開発されつつある．適した ECM 存在下，三次元型の構造で，無傷の生体試料にある器官に似たオルガノイド（organoid）を，分化多能性のある細胞や成体幹細胞（4 章, 22 章）から創出することも可能になっている．

インテグリンを介した接着とシグナル伝達の調節によって，細胞の機能や運動が制御される

細胞は，インテグリンの発現量やリガンド結合活性を調節することによって，インテグリンが介在する細胞-マトリックス間相互作用の強さを巧妙に制御している．この調節は，細胞の移動や運動が関係する他の機能においても，この相互作用が働く際に非常に重要となる．

インテグリンの結合 ECM や隣接する細胞にインテグリンが結合することで，細胞の発生上の運命に影響し，前駆細胞の分化をひき起こすことがある（22 章）．また，インテグリンは，ECM の強度などの周囲環境の機械的な特性を感知するしくみにもかかわり，それに適切に反応させる役割も担う．

インテグリンは多くの場合，少なくとも，次の三つの立体構造で存在する．一つは，不活性型（屈曲閉鎖型構造，図 20・39a，左）で，αβ ヘテロ二量体の細胞外ドメインが曲がって近接しているので，α 鎖のプロペラ構造と βA ドメインの間にあるリガンド結合部位が，細胞膜に接近し，ECM からは遠ざかっている．この屈曲閉鎖型構造へは，リガンドは結合できず，膜貫通ドメインやヘテロ二量体にある細胞質側の C 末端尾部領域は接近して一緒になっている．二つ目は，部分的に活性化したインテグリンで，α 鎖と β 鎖の膜貫通ドメインと細胞質ドメインは，少なくとも部分的に分離していて，細胞外ドメインは伸長閉鎖型構造となっている．そのため，リガンド結合部位は細胞表面から離れ，ECM 構成タンパク質などのリガンドに対して中間的な親和性を示す（図 20・39a，中央）．三つ目は，伸長開放型の活性化構造で，外部の張力によって β 鎖の細胞外ドメインが伸長しているので，屈曲閉鎖型よりも 4000 倍も高いリガンド結合親和性をもつようになる（図 20・39a，右）．細胞内にあるインテグリンの末端尾部領域でも構造変化が起こるので，これは細胞内のアダプタータンパク質との結合にも影響するだろう．たとえば，テーリン（タリン）やキンドリン（kindlin）など，インテグリン細胞内アダプタータンパク質は，屈曲閉鎖型構造ではなく，伸長した構造の α 鎖から分かれた β 鎖の短い細胞内ドメインと結合できるようになる（図 20・39a）．

インテグリンの三つの立体構造は，同時にすべて存在していて平衡状態（互いに，すぐに交換，変化する関係）にあると考えるとよいだろう．インテグリンが，細胞外のリガンド（たとえば ECM など）にも細胞内のアダプター（たとえばテーリンなど）にも結合していない場合，大半のインテグリン分子は屈曲した不活性型となる．細胞外リガンドが，伸長した構造の分子に結合すると，インテグリンの中で伸長した構造が，リガンドがないときよりも増えて（分布の平衡状態が変わる），これによってテーリンやキンドリンなどの細胞内アダプタータンパク質が β 鎖の細胞質ドメインへ，より結合しやすくなる．同じように，細胞内アダプターが伸長したインテグリンに結合すると，より伸長したインテグリンの割合が増えて（平衡状態の変化），これが中間・活性型インテグリンへの細胞外リガンド結合を加速する．このようにして，細胞膜を挟んで，片方へのリガンド結合が，細胞膜のもう片方へのリガンド結合を増加させるしくみである．

このようにインテグリン分子の α 鎖，β 鎖の構造が，屈曲したり伸長したりするような特性は，多細胞動物には，よく保存されている点から，機能上重要な意味をもつことを示しており，事実，三つの立体構造は，インテグリンが外から内へ，また内から外へのシグナル伝達を仲介する機能をうまく説明している．ある種の ECM 分子や他の細胞上にある CAM がインテグリンの細胞外リガンド結合部位に結合することによって，インテグリンの立体構造の分布が変わり，さらに伸長閉鎖型や，伸長開放型で細胞内の尾部を一部でも解離させたものが増えるだろうし，その尾部

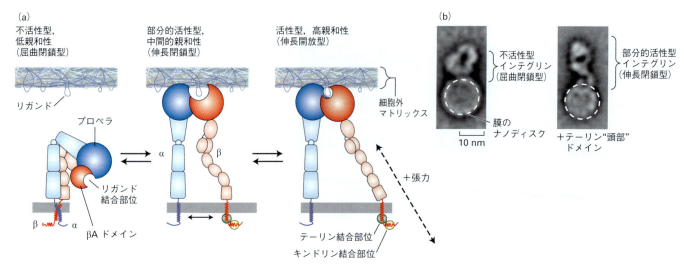

図 20・39（実験） インテグリンの三つの構造. (a) インテグリンには，次の三つの相互変換可能な構造があると考えられる．不活性型（屈曲閉鎖型，左図）：細胞外のリガンドに対して親和性の低い状態．部分的活性型（伸長閉鎖型，中央の図）：中間的な親和性を示す状態．活性型（伸長開放型，右図）：高い親和性を示す状態．細胞外のリガンド，あるいは細胞内の結合部位によって生じる引き離す力によってインテグリン分子は引き伸ばされ，活性型になる．細胞外のリガンド結合部位は，α鎖にあるプロペラドメインと，β鎖にあるβAドメインの間にある．β鎖の細胞質ドメインには，テーリンおよびキンドリン（緑，黄の楕円）などのアダプタータンパク質と結合する場所である．これらの細胞内結合部位は，インテグリンが曲がった分子形態をしているときは隠されてアダプタータンパク質は結合できないが，インテグリンが引き伸ばされるとα鎖とβ鎖の膜貫通ドメインや細胞内ドメインが分離されるので，結合できるようになる（中央の図の両矢印）．(b) 不活性型の（屈曲閉鎖型）αIIbβ3 インテグリンの単一分子をリン脂質のナノディスク（小さな脂質二重層片で，インテグリンの細胞外ドメインと細胞質ドメインの両方が外側に露出している）に取込んだもの（左）で，インテグリンに結合して活性化させるアダプタータンパク質テーリンの"頭部"ドメインを加えた状態が右側である．多数のナノディスクの電子顕微鏡像を重ねて平均化して得られた像を示している．リン脂質のナノディスクを破線の白い円で示す．ナノディスクの上方に伸びたインテグリンの細胞外ドメイン部分を波括弧で示してある．テーリン頭部ドメインがβ鎖の細胞質ドメインに結合して，インテグリンを伸長閉鎖型構造に保持する．［(a)は J. Wang et al., 2019, *Nat. Commun.* **10**: 5481 による．(b)は F. Ye et al., 2010, *J. Cell Biol.* **188**(1): 157-173, Fig. 7 による．］

に結合するアダプターは分離した尾部を認識して結合しやすくなる．このようなアダプターの変化は，細胞骨格に変化を及ぼしたり細胞内シグナル伝達経路を活性化あるいは不活性化したりする．逆に，細胞の代謝状態やシグナル伝達の変化によって，細胞内のアダプターが尾部に結合したり解離したりするかもしれない．その結果，インテグリンの立体構造の分布が変わり，尾部領域の分離や会合をひき起こし（図20・39a），インテグリンの大半が，屈曲閉鎖型（不活性型）あるいは伸長閉鎖型（部分的に活性化），さらに伸長開放型（活性型）に変化し，ECMや他の細胞との相互作用を変える．事実，精製インテグリンを使い脂質二重層ナノディスクに取込ませた in vitro EM 研究では，アダプタータンパク質であり機械刺激センサーの役割を担うテーリン（詳しくは後述，図20・40）が，インテグリンβ鎖の細胞内尾部領域に結合するだけでインテグリンを部分的に活性化し，屈曲閉鎖型構造を伸長閉鎖型構造へと変えることが電子顕微鏡を使った観察から示されている（図20・39b）．

フォーカルアドヒージョンが形成される初期に，インテグリンが仲介した細胞内・細胞外情報連絡が起こる例も知られている（図20・40）．ほかにも多くのタンパク質が関係しているが，ここで示す図では，テーリン，アクチン，ビンキュリンに焦点を当てて示している．図20・40(a)は活性型のテーリンの分子構造モデルで，図20・40(b)，(c)は，インテグリン-テーリンによる細胞の内側から外側へのシグナル伝達にかかわる重要な段階を示す．刺激がないと，テーリンの大半は，細胞質中で凝集した不活性型，自己抑制型となり，コンパクトにまとまった分子構造をしている

ので，ドメイン間の結合により立体構造的にテーリンが，インテグリンやアクチンなど，他のタンパク質へ結合するのが妨げられている（図20・40b，左下）．

たとえば，テーリンの頭部ドメイン内の球状ドメインが結合するポリホスホイノシチドの生成，あるいは低分子量GTP結合タンパク質など（図20・40b，段階 **1** と **2**）の細胞内シグナルによって，テーリンが細胞膜の内側のリーフレットへ移動がひき起こされる．段階 **2** や **3** では，コンパクトな自己抑制型の棒状ドメインの構造がほどけて活性型の立体構造になり（図20・40a），頭部ドメインの一部がインテグリンβ鎖の細胞内ドメインへ結合するようになる．インテグリンの膜貫通ドメインや細胞内のα，β鎖が，部分的にでも解離して伸長閉鎖型立体構造になると，テーリンはβ鎖の細胞内ドメインに結合する．この立体構造では，インテグリンとECMとの結合は中間的な親和性を示す（図20・39）．この段階がどのように進むかの順番は，まだ，不明な点がある．テーリンのC末端の二量体化ドメインは，開いて引き伸ばされ，活性化したテーリンは，二量体化が進むと，C末端の二量体化ドメインを含む，二量体化テーリンの複数の結合部位へアクチンフィラメントが結合できるようになる（段階 **4**，図20・40a）．開いた構造の活性型テーリンへ結合する他の結合タンパク質もあるだろう．部分的に活性化した伸長閉鎖型インテグリンによるシグナル伝達（たとえばフォーカルアドヒージョンキナーゼ，scr様キナーゼなどのキナーゼ活性）によってフォルミンが仲介するアクチンフィラメントの形成やミオシンによるアクチンフィラメントを介してテーリンへ力が伝わる（段階 **5**，17章）．これにより，

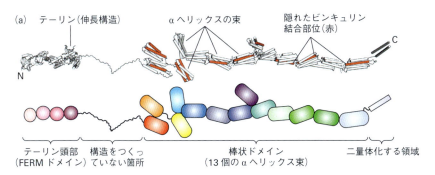

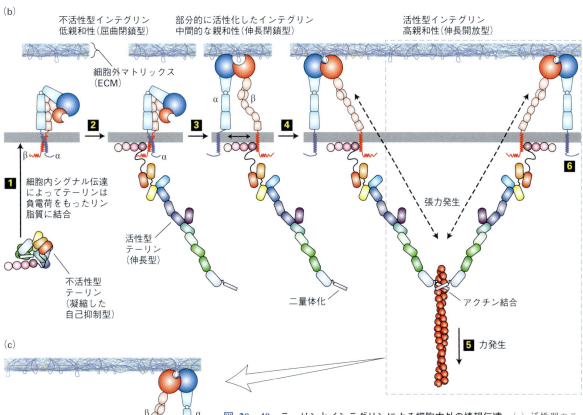

図 20・40　テーリンとインテグリンによる**細胞内外の情報伝達**．(a) 活性型のテーリンの分子構造モデル．αヘリックスやβシートなどの二次構造の箇所をつなぎ合わせてつくった伸びた分子形態のものを示している．N 末端の"頭部"ドメイン（四つのサブドメインに分けられる）は，構造のないようにみえるドメイン部分を介して，長い棒状のドメインにつながっている．この棒状の部分は，13 個のαヘリックス束（それぞれ 4～5 個のαヘリックスからなる）からなり，そのなかで 1～2 個のαヘリックス（図中の赤，合計 11 個）が隠れたビンキュリン結合部位となっている．いくつかの束は潜在的なアクチン結合部位も含む．この部位は，各ドメインの折りたたみ構造がほどけたときにはじめてビンキュリンと結合できるようになる（図 20・9b）．C 末端にあるαヘリックスはテーリンが二量体になるときに使われるドメインである．頭部サブドメインを灰色，棒状ドメインを色分けしたカプセル，二量体化ドメインを長細い四角で示している．(b) 細胞内のシグナル伝達によって，細胞質にある不活性型のテーリンが，細胞膜側へ移動し，活性型の伸びた状態になる様子（段階❶,❷）．活性化したテーリンがインテグリンβ鎖の細胞質ドメインに結合し，インテグリンは伸びて閉じた状態で安定化し，これが ECM との結合をひき起こす（段階❸）．引き伸ばされたテーリンは二量体になり，図中の C 末端のドメインや他の複数の箇所（示していない）で，アクチンフィラメントなどの他のタンパク質と結合する（段階❹）．アクチンフィラメントが生み出す牽引力（段階❺）によって，ECM-インテグリン-テーリン複合体に張力がかけられることになる．この張力は，さらに，インテグリン分子を引き伸ばし，活性化させる（段階❻）．(c) (b) の灰色の破線で示した部分で起こる次の段階を示す．さらに加わった張力によってテーリン分子のαヘリックス束の部分がほどけ（段階❼），これにより隠れていた結合部位（赤のαヘリックス）が露出してビンキュリンや他のタンパク質に結合できるようになり（段階❽,❾），フォーカルアドヒージョンが形成される．[(a) は B. T. Goult, et al., 2018, *J. Cell Biol.* **217**(11): 3776; M. Yao et al., 2014, *Sci. Rep.* **4**: 4610. (b), (c) は J. Wang et al., 2019, *Nat. Commun.* **10**: 5481; D. Dedden et al., 2019, *Cell* **179**(1): 120; S. Chakraborty et al., 2019, *Biochemistry* **58**(47): 4677; Y. A. Kadry and D. A. Calderwood, 2020, *Biochim. Biophys. Acta, Biomembr.* **1862**(5): 183206 による．]

ECMに結合したインテグリン-テーリン複合体で張力が発生し，インテグリンは，もっとも活性化した伸長開放型へと変わる（段階 6 ）．

インテグリン-テーリン複合体に，さらに，細胞質（たとえばアクチンフィラメントやミオシン）やECMからの力が加わると，テーリンのαヘリックスでできた束がほどけて（図20・40c，段階 7 ），隠れていたビンキュリン結合領域が露出する（赤のヘリックス部分）．力が大きくなるにつれ，このテーリンαヘリックスの束はさらに解離して，より多くのビンキュリンやアクチンなどのタンパク質がインテグリン-テーリン複合体へ結合するようになる．そして，テーリンの中の解離した束領域に結合するビンキュリンは，アクチンフィラメントなど，他のタンパク質をより多く集めてくる（段階 8 ， 9 ）．加わる力が小さくなれば，ほどけた束は，すぐにでも再結合する．また，ECMの構造が堅い場合，インテグリン-テーリン複合体へかけられる力は大きくなり，細胞接着もそれだけ強くなるのも大きな特徴である．このように段階 3 〜 9 を経ながら，インテグリンは集合し，フォーカルアドヒージョンがより強固となり，細胞は強くECMへ結合できるようになる．逆に，インテグリンや他の成分を不活性化するような抑制性のタンパク質が増えると，この細胞接着に寄与していたタンパク質複合体は解離していく．

ほかの研究から，実際の細胞内でインテグリンが効率よく活性化するには，他のアダプターで，インテグリンβ鎖尾部の別の領域に結合する**キンドリン**（kindlin）とよばれるアダプターが必要であることが示唆されている（図20・39a）．キンドリンは，インテグリンや微細繊維が介在したTGF-βの活性化（細胞内から細胞外へのシグナル伝達で，弾性繊維や微細繊維結合タンパク質であるLTBPが関与する）や，葉状仮足内で枝分かれしていたアクチンフィラメントが集合するなどの，インテグリンが介在するシグナル伝達に重要な役割を果たしている（17章）．

血小板の機能は，以下に詳しく述べるように，インテグリンの結合活性を調節することによって細胞-マトリックス間相互作用などのように調節するかを示すよい例である．血小板は，血液中を循環し，ECM分子と一緒に凝集して血餅をつくる細胞断片である．基底（不活性化）状態では，αIIbβ3インテグリンは，通常は，血小板の細胞膜上に存在し，屈曲した不活性型構造になっているため，血餅の形成に働くフィブリノーゲンやフィブロネクチンなどのリガンドタンパク質にあまり強固に結合できない．血餅形成時には，血小板はコラーゲンなどのECMタンパク質と**フォンビルブラント因子**（von Willabrand factor）とよばれる大きなタンパク質と受容体を介して結合し，この受容体から細胞内シグナルが生じる．また，血小板はADPや凝固酵素であるトロンビンによっても活性化する．このシグナルは細胞質のシグナル伝達経路に変化を誘導し，αIIbβ3インテグリンの活性型への構造変化をひき起こす．その結果，αIIbβ3インテグリンは，細胞外の凝固物質と強固に結合できるようになり，血餅の形成に関与する．β3インテグリンサブユニットに遺伝的欠損をもつ人は，多量に出血しやすくなっていることから，血餅形成におけるαIIbβ3インテグリンの役割が裏づけられる（表20・4）．

インテグリンの発現 細胞がECM構成成分に接着することは，細胞表面に露出するインテグリン分子の数が変化することによっても調節される．多くの造血細胞にみられるα4β1インテグリンは，この調節機構のよい例である．これらの造血細胞が増殖して分化するには，骨髄にあるストロマ細胞という支持細胞が分泌するフィブロネクチンに接着する必要がある．造血細胞上のα4β1インテグリンは，ECM中のフィブロネクチンのGlu-Ile-Leu-Asp-Val（EILDV）配列に結合し，細胞をマトリックスに係留する．α4β1インテグリンは，骨髄のストロマ細胞に存在する血管細胞接着分子（vascular CAM-1: VCAM-1）というCAM中の配列にも結合する．したがって造血細胞はマトリックスに接着すると同時にストロマ細胞にも直接接触する．分化の後期には，造血細胞はα4β1インテグリンの発現を低下させる．その結果，細胞表面上のα4β1インテグリン分子数が減るため，成熟した血液細胞は骨髄中のマトリックスとストロマ細胞から解離して循環系に入ると考えられている．

筋ジストロフィーでは，
細胞外マトリックスと細胞骨格の間の結合が欠損している

接着受容体によるECM構成成分と細胞骨格との結合が重要であることは，**筋ジストロフィー**（muscular distrophy）と総称される一群の遺伝性筋萎縮症との関係から明らかになっている．このうち最も多いデュシェンヌ型筋ジストロフィー（Duchenne muscular dystrophy: DMD）は伴性遺伝する疾患であり，3300人の男児に1人みられ，心臓や呼吸器の異常が通常は10代後半から20代はじめに起こる．この疾患の分子機構の最初の解明への手掛かりは，DMDの患者には**ジストロフィン**（dystrophin）というタンパク質をコードする遺伝子に変異があるという発見であった．この非常に大きなタンパク質は，細胞質にあるアダプタータンパク質で，中心部に，三つのαヘリックス束からなる繰返し配列による棒状構造領域を24個含み，N末端のFアクチン結合ドメインや細胞膜や細胞内にある複数のタンパク質に結合するC末端ドメインは，折りたたまれていない構造をとっている（図20・41）．中心部の繰返し配列の中にもFアクチンに結合する部位があり，その結果，ジストロフィンは，接着受容体の一つである**ジストログリカン**（dystroglycan）とアクチンフィラメントを連結する役割を担う．テーリン分子が外力で解離することを思い浮かべてみると（図20・40），ジストロフィンも外部の力を受けると，αヘリックスからなる束構造が解離して，タンパク質が大きく引き伸ばされる可能性がある点は，大きな特徴である．しかし，機械刺激伝達機構においてのジストロフィンの役割は，まだ明確にはなっていない．

ジストログリカンは，細胞表面にあるヘテロ二量体（αβサブユニット）の糖タンパク質である（図20・41）．§20・4で解説したが，ジストログリカンαサブユニットの20個以上あるO結合型オリゴ糖鎖の三つほどは，ヒドロキシ基に直接結合したリン酸化マンノースを介したものである（図20・31c）．このリン酸化マンノースへと，他のリン酸化された六炭糖一つを介して，**マトリグリカン**（matriglycan）とよばれるキシロース-グルクロン酸の二糖のGAG様配列が連結されている．ゴルジ体におけるジストログリカンへのマトリグリカンの結合は，**LARGE**とよばれる酵素によって触媒される．

このO結合型マトリグリカンは，多価接着マトリックスタンパク質であるラミニン（図20・25，図20・41），プロテオグリカン

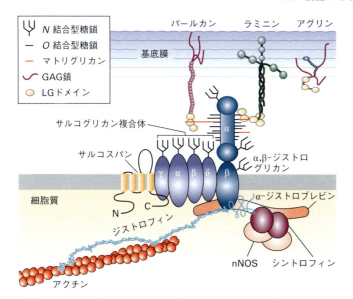

図 20・41 骨格筋細胞におけるジストロフィン糖タンパク質複合体（DGC）． DGC は，α,β-ジストログリカンサブ複合体，膜内在性タンパク質であるサルコスパンとサルコグリカンからなる複合体，およびジストロフィンと別のアダプタータンパク質やシグナル伝達タンパク質からなる細胞質アダプター部分複合体の三つの複合体部分から構成されている．α-ジストログリカンは，その O 結合型マトリグリカン糖鎖（図 20・31c）を介して，ラミニン，GAG を含む糖タンパク質であるパールカンやアグリンなど，基底膜内の LG ドメインをもつ成分と結合している．ジストロフィンは，デュシェンヌ型筋ジストロフィーで欠損しているタンパク質であるが，β-ジストログリカンをアクチン細胞骨格に結合する役割を担う．さらに α-ジストロブレビンは，ジストロフィンをサルコグリカン複合体やサルコスパンに結合する．一酸化窒素合成酵素（nNOS）は，気体のシグナル伝達分子である NO を産生する酵素であるが，シントロフィンとよばれるアダプターを介してジストロフィンに結合している．［S. J. Winder, 2001, *Trends Biochem. Sci.* **26**: 118; D. E. Michele and K. P. Campbell, 2003, *J. Biol. Chem.* **278**(18): 15457; T. Yoshida-Moriguchi and K. P. Campbell, 2015, *Glycobiology* **25**(7): 702; Y. M. Kobayashi and K. P. Campbell, 2012, Chapter 66, in J. A. Hill and E. N. Olson, eds., *Muscle*, vol. 2, Elsevier/Academic Press 参照．］

であるパールカンやアグリンなど，さまざまな基底膜構成成分と結合する．神経細胞で発現する細胞表層接着タンパク質，ニューレキシンもマトリグリカンへ結合している．これらのマトリグリカンへの結合は，すべて，LG ドメインを介したものである（図 20・41）．

ジストログリカンの膜貫通 β サブユニットは，サルコグリカン複合体（sarcoglycan complex）やサルコスパン（sarcospan）などの膜内にあるタンパク質と結合し，また細胞質ドメインは，直結するジストロフィンのほか，他のアダプターやシグナル伝達タンパク質へも直接・間接的に結合している（図 20・41）．サルコスパンは，密着結合にあるクローディンやオクルディンと同じテトラスパニン（tetraspanin）というタンパク質の一つである（図 20・18b）．ここで形成される複数の異なる成分からなる巨大な集合体である**ジストロフィン糖タンパク質複合体**（dystrophin glycoprotein complex: **DGC**）が，細胞外マトリックスをアクチン細胞骨格と結びつけている．基底膜にあるラミニンへの結合が起こる結果，DGC は細胞表層へと集まる．DGC は，筋細胞や他の細胞でも，シグナル伝達経路に関連している．たとえば，神経細胞の

シグナル伝達酵素である一酸化窒素合成酵素（NO シンターゼ，nNOS）は，シントロフィン（syntrophin）を介して骨格筋内の DGC と連結している．筋収縮によって細胞内 Ca^{2+} が上昇すると，nNOS が活性化されてシグナル伝達分子である一酸化窒素 NO が産生され，NO は近くの血管を取囲む平滑筋細胞へと拡散する．NO は，平滑筋の弛緩を促し，それによって収縮する骨格筋に栄養や酸素を供給する血液の流れを局所的に上昇させる．心筋の収縮も，同じ NOS-シントロフィンの相互作用によって影響されている可能性がある．

ジストロフィン，他の DGC 構成成分，ラミニン，マトリグリカンをジストログリカンへの結合を仲介する酵素などをコードする遺伝子に変異があると，DGC による筋細胞内外の連結が壊され，筋ジストロフィーがひき起こされる．また，ジストログリカンの変異は，神経筋接合部において，基底膜タンパク質であるラミニンとアグリンに依存して筋細胞上に形成されるアセチルコリン受容体のクラスターを大きく減少させることがわかっている．DGC 欠損によるこれらの現象や他の作用によって，筋細胞が収縮と弛緩を繰返すうちに筋細胞の構造的な安定性がしだいに脆弱になり，その結果細胞が劣化して，筋ジストロフィーを発症する．

ジストログリカンは，細胞生物学上で明らかとなった複雑なネットワーク形成が精細であり，また医学的にも重要な意味をもつことを示す好例である．もともとは，筋ジストロフィー研究の経緯から見いだされたものであるが，その後，筋細胞以外でも見つかり，ラミニンとの結合によって，少なくとも一部の基底膜では，その形成と安定性に重要な役割を果たすことが示されている．マトリグリカンにみられる繰返し構造のように，ジストロフィンの糖鎖の長さは組織によって異なるので，それぞれの糖鎖結合の制御が行われていると考えられる．ジストロフィンは，また，神経細胞におけるシナプスの機能発現など，正常発生にも必須である（23 章）．また，別の研究から，ジストログリカンは，しばしば致死性にもなるヒトの疾患であるラッサ熱をひき起こすウイルスとそれに類似したウイルスに対する細胞表面受容体としても同定された．さらに，ジストログリカンは神経系に存在する特殊な細胞であるシュワン細胞にもあり，これを受容体として，ハンセン病の病原体である病原性細菌 *Mycobacterium leprae* が結合する．■

IgCAM は，神経組織などにおいて細胞間接着を仲介する

細胞外領域に複数の免疫グロブリンドメインをもつのが特徴の膜貫通タンパク質が多数知られており（図 20・2，NCAM の例），これを CAM の免疫グロブリン(Ig) スーパーファミリー（**IgCAM**）とよぶ．この Ig ドメインは，70〜110 残基からなる，多くのタンパク質に共通するもので，最初は抗体，すなわち抗原と結合する免疫グロブリンで最初に同定されたドメインである（24 章）が，CAM の進化的起源はそれよりもずっと古い．ヒト，ショウジョウバエ，線虫のゲノムには，それぞれ 765, 150, 64 個の Ig ドメインを含むタンパク質をコードする遺伝子が存在する．Ig ドメインは多様な細胞表面タンパク質に存在し，そのなかにはリンパ球でつくられる T 細胞受容体や接着相互作用にかかわる多くのタンパク質などがある．IgCAM には，神経系 CAM，白血球が組織へ移動するときに関与する細胞間 CAM（ICAM），密着結合に存在する結合接着分子（junction adhesion molecule: JAM，図 20・18b）などがある．

神経系 CAM は，名前のとおり，神経組織において特に重要である．この一つである NCAM は，おもに同種間相互作用を行う．NCAM は，形態形成時に最初に発現し，筋細胞，グリア細胞，神経細胞が分化するときに重要な役割を果たす．細胞接着における NCAM の役割は，抗 NCAM 抗体によって接着が阻害されることから直接示された．一つの NCAM 遺伝子から多数のアイソフォームが，選択的 mRNA スプライシングと糖鎖付加の違いによってつくられる．L1-CAM などの他の神経系 CAM は，別の遺伝子にコードされる．ヒトでは，L1-CAM 遺伝子のさまざまな部位における変異によって，精神遅滞，先天的水頭症，痙縮などのさまざまな神経病態がひき起こされる．

NCAM は，五つの Ig ドメインと二つのフィブロネクチン Ⅲ 型ドメインを含む細胞外領域，一つの膜貫通領域，および細胞骨格と相互作用する細胞質領域から構成される（図 20・2）．一方，L1-CAM の細胞外領域には六つの Ig ドメインと四つのフィブロネクチン Ⅲ 型ドメインがある．IgCAM による接着では，カドヘリンの場合と同様に，シス型（同一細胞内）相互作用とトランス型（細胞間）相互作用が重要な役割を果たしていると考えられているが（図 20・3），IgCAM による接着は Ca^{2+} に依存しない．

白血球の組織内への移動では，一連の接着相互作用が決まった順序で調整されて行われる

成体では，さまざまな種類の白血球が，細菌やウイルスなどによって起こる感染や，外傷や炎症によって起こる組織の損傷に対する防御に関与している．感染と戦い，損傷を受けた組織を取除くために，白血球細胞は，休止した細胞として接着せずに血液中を循環している状態から，感染，炎症あるいは損傷を受けた血管外の組織に，すばやく移動する必要がある．4 種類の白血球が，溢出（extravasation, 溢血，血管外遊走，遊出 transmigration, 漏出 diapedesis ともいう）とよばれる組織への移動を行うことがよく知られている．それは，複数の抗菌タンパク質を放出する好中球，異物の粒子を飲込んで破壊できるマクロファージの前駆体である単球，免疫系の抗原認識細胞である T リンパ球および B リンパ球である（24 章）．

溢出には，血液中の白血球と血管を裏打ちする内皮細胞との間で細胞間接触が次々に形成され，また壊されることが必要である．この接触の一部は，白血球と血管の細胞間相互作用を行う CAM のファミリーである **セレクチン**（selectin）が関与する．内皮細胞は，血液と接する表面に P セレクチンと E セレクチンを発現し，活性化した血小板が P セレクチンを，また白血球が L セレクチンを発現している．すべてのセレクチンには Ca^{2+} 依存的な **レクチンドメイン**（lectin domain）が含まれ，これはセレクチン分子の細胞外領域の端に位置して，糖タンパク質や糖脂質にある特定の糖鎖を認識する（図 20・2）．たとえば，P セレクチンと E セレクチンのおもなリガンドは，**シアリルルイス x 抗原**（sialyl Lewis-x antigen）とよばれるオリゴ糖であり，これは白血球の糖タンパク質や糖脂質に豊富に含まれる長いオリゴ糖鎖の一部である．

白血球の溢出における細胞間相互作用の基本的な過程を図 20・42 に示す．まず，感染部位や炎症部位から放出される各種の炎症シグナルが，血管内皮細胞の活性化をひき起こす．活性化した内皮細胞の表面に露出した P セレクチンが，そこを通過する白血球を弱く接着する．血流による機械的な力が存在するなかでは，P セレクチンのリガンドへの接着はオンとオフがすばやく切替わるため，こうした結合状態の白血球は遅くはなるが停止することはなく，内皮の表面に沿って文字どおり回転していく．内皮細胞の活性化を促進するシグナルには，内皮細胞や白血球細胞を含むさまざまな細胞によってつくられる **ケモカイン**（chemokine）という 8〜12 kDa の一群の小さな分泌タンパク質がある．

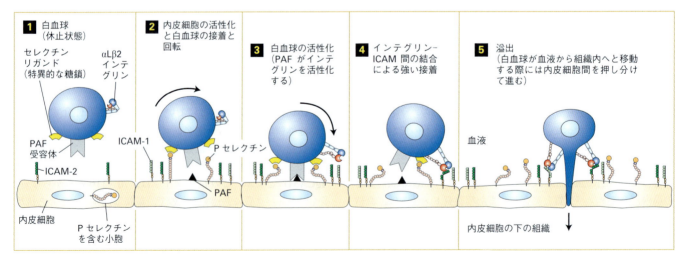

図 20・42 内皮細胞−白血球間の相互作用：活性化，結合，回転，そして溢出．段階 **1**：感染や炎症のないときは，白血球と血管を裏打ちする内皮細胞は休止状態にあり，相互作用していない．段階 **2**：感染あるいは炎症が起こった部位から放出される炎症シグナルが，休止状態の内皮細胞を活性化して，細胞内小胞に格納されていた P セレクチンを細胞表面に移動させる．外部へ露出した P セレクチンは，白血球上の糖鎖リガンドと相互作用することで，白血球細胞と弱く結合する．弱く結合した白血球は，血流によって血管の内皮細胞に沿って回転しながら動く（曲線の矢印）．また内皮細胞が活性化すると，血小板活性化因子（PAF）と ICAM-1 の合成が起こり，いずれも内皮細胞の表面上に発現する．PAF やケモカインなどの，多くは分泌性の他の活性化因子が，白血球の形態変化を誘導し，T リンパ球に発現する αLβ2 などの白血球インテグリンを活性化する（段階 **3**）．その後，白血球の活性化したインテグリンと，ICAM-2 や ICAM-1 などの内皮細胞上の CAM との間に強い結合ができて接着が強固になり（段階 **4**），溢出とよばれる外の組織への移動（段階）が起こる．[R. O. Hynes and A. D. Lander, 1992, *Cell* **68**: 303 参照.]

活性化した内皮細胞と白血球との間で強固な接着を形成するには，白血球の表面にあるβ2を含むインテグリンが，ケモカインや血小板活性化因子（platelet-activating factor: PAF）のような他の局所的な活性化シグナルによってさらに活性化される必要がある．血小板活性化因子はタンパク質でなくリン脂質である点で特殊である．この分子は，内皮細胞が活性化するときに，Pセレクチンと同時に表面に露出する．PAFや他の活性化因子が白血球上のGタンパク質共役型受容体に結合することによって，白血球のインテグリンが活性化して，高親和性型になる（図20・39）．白血球上で活性化したインテグリンは，内皮細胞の表面にあるさまざまなIgCAMに結合する．こうしたIgCAMとして，常に発現しているICAM-2があり，ほかにICAM-1がある．ICAM-1は，活性化によって合成が誘導され，通常は活性化直後の白血球と内皮細胞との結合には大きな寄与はせず，むしろあとに起こる慢性的な炎症に関与する．その結果，Ca^{2+}非依存的なインテグリン-ICAM相互作用によって強固な接着ができて，これによって白血球は回転を中止して，内皮細胞の表面に広がる．すると，付着した白血球はただちに隣接する内皮細胞の間を移動して，直下の組織に入っていく．溢出の過程（図20・42，段階 5）自体には，おもにVEカドヘリンというCAMによる内皮細胞間の安定した接着相互作用が解除されることが必要である．白血球と内皮細胞がCAMによって相互作用することで，内皮細胞の外から内へのシグナル伝達がひき起こされ，これには，リン酸化，低分子量GTPaseの活性化，および細胞質Ca^{2+}濃度の上昇が関係していると考えられている．このシグナル伝達によってVEカドヘリンによる接着結合が破壊されるか弱体化し，またアクチン-ミオシンによる収縮が起こって，内皮細胞シートが引っ張られて隙間ができると，白血球が隣接する内皮細胞の間をアメーバのように通ることができるようになる．溢出では，このアメーバのような白血球の移動が重要である．

このように，白血球が感染や炎症の部位近傍の内皮細胞に選択的に接着するには，相互作用する細胞の表面に複数の異なるCAMが順に出現して活性化することが必要である．白血球の種類が異なると，β2サブユニットを含む点は同じだが，別の種類のインテグリンが発現している．しかし，すべての白血球は図20・42に示したのと同じ一般的な機構で組織内へ移動する．

白血球との結合に直接用いられるCAMの多くは，白血球や標的組織が異なってもほぼ同じである．しかし，一つの組織には，特定の種類の白血球だけが導かれることが多い．この特異性はどのようにつくられるのだろう．この白血球-内皮細胞間の相互作用のような細胞特異性を説明するものとして，三段階モデルが提唱されている．第一段階では，内皮の活性化によって，セレクチンとその糖鎖リガンドとの相互作用などの比較的弱く，一過性で可逆的な結合が起こる．ここでさらに局所的な活性化シグナルがないと，白血球はただちに立ち去る．第二段階では，感染や炎症が起こった部位のごく近傍に存在する細胞が，ケモカインやPAFなどの化学シグナルを放出，あるいは発現し，これによって一過的に接着した白血球のなかで，ケモカイン受容体によって決まる特定の細胞だけが活性化する．第三段階では，インテグリンなどの他のCAMの活性化によって，その相手となる分子を結合してとらえ，持続的な強い接着をつくる．正しいCAMの組合わせ，その結合相手，および活性化シグナルが，特定の部位で適切なタイミングで一緒に作用したときだけ，白血球は強固に接着する．このような組合わせの多様性と相互作用の関係によって，少数のCAMの組合わせで全身での多様な機能を果たすことができる．効率な細胞間相互作用を実現する好例である．

白血球接着不全症（leukocyte-adhesion deficiency）は，インテグリンβ2サブユニットの合成に遺伝的な欠陥があるために起こる．この疾患の患者は，白血球が適切に溢出できず，組織内で感染に対応することができないため，細菌に繰返し感染しやすい．

病原性ウイルスには，正常な炎症応答に関与する細胞表面タンパク質を自分の目的に利用する機構を発達させているものがある．たとえば，通常の風邪の原因となるライノウイルスというRNAウイルスの多くは，ICAM-1に結合して細胞に侵入する．また，ケモカイン受容体は，AIDS（後天性免疫不全症候群）の原因であるHIVの侵入部位として重要である．インテグリンは，レオウイルス（特に幼児の発熱と胃腸炎の原因となる），アデノウイルス（結膜炎，急性呼吸器疾患の原因となる），口蹄疫ウイルス（ウシとブタの発熱の原因となる）など，さまざまな種類のウイルスの結合と侵入に関与していると考えられている．

20・5 運動性細胞と非運動性細胞の接着相互作用 まとめ

- 多くの細胞には，フォーカルアドヒージョン，三次元接着，ポドソームなどのインテグリンを含む集合体があり，これによって細胞は細胞外マトリックスと物理的および機能的に結びつき，内から外へと，外から内へのシグナル伝達を行っている．
- 細胞を空間的に取囲むECMの構造は，インテグリンとの相互作用を介して，細胞の挙動に大きな影響を与える．
- インテグリンには，少なくとも3種類の立体構造（屈曲閉鎖型，伸長閉鎖型，伸長開放型）がある．リガンドへの親和性の違いがあり，細胞質アダプタータンパク質や細胞外リガンドとの相互作用でも異なり（図20・39），これらの構造の切替わりは，一部には，機械的力の作用に依存するが，細胞接着と細胞移動の調節に重要なインテグリン活性を調節する．インテグリンと相互作用する細胞内アダプターであるテーリンは，機械刺激センサーとして機能する．テーリンは，インテグリンと細胞骨格との相互作用を仲介することで，インテグリンの立体構造や機能を切替える働きをしている．
- 接着受容体であるジストログリカンは，ジストロフィン，他のアダプタータンパク質，およびシグナル伝達分子とともに大きな複合体を形成する（図20・41）．この複合体は，アクチン細胞骨格を細胞周辺のマトリックスに連結し，これによって筋肉は機械的な安定性を得ている．この複合体を構成するさまざまな成分に変異が起こると，異なる種類の筋ジストロフィーがひき起こされる．
- 神経細胞接着因子（NCAM）は，CAMのなかの免疫グロブリンファミリーに属し，神経組織や他の組織で，Ca^{2+}に依存しない細胞間接着を行っている．
- セレクチン，インテグリン，ICAMなどの数種類のCAM

が組合わされた一連の相互作用が，感染や炎症によって誘導された局所的なシグナルに応答して継時的に起こる．これは，さまざまな種類の白血球の特異的かつ堅固な内皮細胞への接着に非常に重要な働きをもつ（図20・42）．

20・6 植物組織

次に，植物における細胞から組織の形成をみていく．植物の全体構造は動物に比べて概して単純な構成になっている．たとえば，植物には大きく分けて4種類の細胞しかなく，その4種類で成熟した植物にある四つの基本的な組織ができている．**表皮組織**（dermal tissue）は外部環境と相互作用し，**維管束組織**（vascular tissue）は水と水溶性物質（たとえば糖，イオン）を運び，空間を埋めている**基本組織**（ground tissue）は代謝を行う主要な場であり，また**胞子形成組織**（sporogenous tissue）は生殖器官をつくる．この植物組織によって，わずか四つの器官系が構成される．**茎**（stem）は支持と輸送の機能をもち，**根**（root）は足場をつくり，栄養を吸収し，また貯蔵する．**葉**（leaf）は光合成の場であり，**花**（flower）には生殖構造が包まれている．このように，細胞，組織，器官レベルで，一般に植物はほとんどの動物に比べて単純である．

さらに，植物は，動物とは異なり，古くなったり損傷を受けたりした細胞や組織を置き換えも修復もせず，ただ新しい器官を成長させるだけである．実際，植物細胞の発生における運命は，系譜ではなく，おもに個体での位置に基づいて決まるが，動物では，系譜と位置の両方が重要である（22章）．しかし，植物でも動物でも，細胞がその周辺と情報交換を直接行うことが重要である．本節の最も重要な点は，植物では動物と異なり細胞膜に存在する分子を介して細胞どうしが直接接触することがほとんどないことである．その代わり，植物細胞は堅固な細胞壁に通常囲まれていて，これが隣接する細胞の細胞壁と接触している（図20・43a）．また，植物細胞は個体内で他の細胞に対する相対的位置を変えることがほとんどない点も動物細胞と異なる．これらの植物とその構成の特徴は，細胞が組織をつくる分子機構と情報交換する分子機構の違いに基づいて決定されている．

植物のECMである細胞壁は，セルロース細繊維の薄層が，多糖と糖タンパク質のマトリックスに埋込まれたものである

植物の細胞外マトリックス，すなわち**細胞壁**（cell wall）は，おもに多糖類から構成され，厚さが約0.2μmで，植物細胞の細胞膜の外側を完全に覆っている．細胞壁は，動物細胞でつくられる細胞外マトリックス（ECM）と一部の機能は同じだが，全く異なる巨大分子から構成されていて構築のされ方も異なる．顕花植物であるシロイヌナズナ（1章，7章）では，約1000の遺伝子が細胞壁の合成と機能に投入されていて，そのなかには，糖をタンパク質や多糖に転移させる約414個のグリコシルトランスフェラーゼ遺伝子や，糖を含むポリマー類を分解する316個以上のグリコシルヒドロラーゼ遺伝子が含まれる．植物の細胞壁は，動物細胞のECMと同じように，細胞を組織へと連結し，細胞の成長や分裂を促すシグナルを送り，植物の器官の形態（形態形成）を調節する．細胞壁は動的な構造体であり，胚発生と成長の際に植物細胞の分化を調節する重要な役割を果たし，病原体の感染から守る障壁となる．細胞外マトリックスが動物細胞の形を決めているのと全く同じように，細胞壁は植物細胞の形を決定する．植物細胞から細胞壁を加水分解酵素で分解して除くと，細胞膜に囲まれた球形の細胞だけが残る．

植物細胞壁の主要な役割は細胞の浸透膨圧（$1.0 \sim 30.6 \text{ kg/cm}^2$，動物細胞よりはるかに大きく，車のタイヤ圧の13倍，11章）に耐えることであり，細胞壁は側方の力に対して強くできている．細胞壁は，**セルロース**（cellulose），すなわちグルコースがβ-グリ

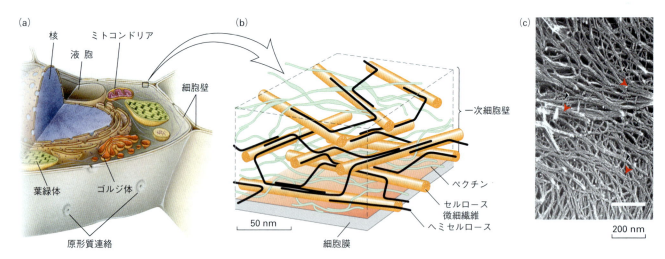

図20・43 植物の細胞壁の構造．（a）一般的な植物細胞の構造を示す全体像．細胞小器官でみたされた細胞は，細胞膜の外側を細胞壁とよばれる構造で囲まれている．（b）タマネギの細胞壁の模式図．少なくとも3層に分けられる，多糖のペクチンや糖タンパク質でつくられるマトリックスがあり，その中にセルロース（整然とした構造をしたグルコースでできたポリマー）とヘミセルロース（不定形な多糖）が並んだ構造をしている．それぞれの重合体の大きさや位置は，実際の大きさを反映して示してある．簡略化のため，ヘミセルロースの架橋のほとんどと，他の構成成分（糖タンパク質のエクステンシン，リグニンとよばれる複雑な有機ポリマーなど）は示していない．（c）エンドウの細胞壁の急速凍結ディープエッチング法による電子顕微鏡写真．ペクチン多糖の一部は，化学的な処理によって除かれている．多量に存在する太い繊維はセルロース微細繊維であり，細い繊維は，ヘミセルロースの架橋（赤矢じり）である．［(b)はM. C. McCann 提供．(c)はT. Fujino et al., 2000, *Plant Cell Physiol.* **41**(4): 486, Copyright Clearance Center, Inc. を通じてOxford University Press より許可を得て転載．］

コシド結合でつながった直鎖状の長い（4 μm 以上にもなる）重合体が、多数の水素結合で 18〜36 本まとまった微細繊維の層からなる。このセルロース微細繊維は、負電荷をもつ D-ガラクツロン酸と他の単糖の重合体である**ペクチン**（pectin），および数個の五炭糖と六炭糖が短く多数の枝分かれをもつようにつながった重合体である**ヘミセルロース**（hemicellulose）からなるマトリックス中に埋もれている。細胞壁の機械的な強さは、セルロース微細繊維がヘミセルロース鎖によって架橋されることで生まれる（図 20・43 b, c）。微細繊維の層は、細胞壁を側方への張力から守っている。セルロース微細繊維は、細胞質中でつくられる UDP グルコースと ADP グルコースを用いて細胞膜の反細胞質側で合成される。**セルロースシンターゼ**（cellulose synthase）とよばれる重合酵素は、細胞膜上を細胞内の微小管に沿ってセルロースを合成しながら移動する。この移動には細胞内の微小管と細胞外にある重合酵素を連絡する特殊な機構が関与する。こうしてできたセルロース微細繊維は、細胞壁が細胞内の状況に合った正しい方向になるように配置され、これによって細胞の成長方向が決まる。

ペクチンとヘミセルロースは、セルロースとは異なり、ゴルジ体で合成され、細胞表面に輸送される。そこで絡み合った網目構造を形成し、これが隣接する細胞の網目構造と結合して、クッションの役目をする。精製したペクチンは、Ca^{2+} とホウ酸イオンの存在下で水と結合してゲルを形成するため、多くの加工食品に用いられている。細胞壁の 15% ほどが、**エクステンシン**（extensin）という、ヒドロキシプロリンとセリンを多量に含む糖タンパク質からできている。ヒドロキシプロリン残基のほとんどにはアラビノース（五炭糖）の短鎖が結合しており、セリン残基にはガラクトースが結合している。これらの糖は重量でエクステンシンの約 65% を占め、このタンパク質の骨組は棒状のらせんの形に伸びていて、ヒドロキシ基と O 結合型糖鎖が外に突き出ている。**リグニン**（lignin）というフェノール性の複雑で不溶性の重合体が、セルロースに結合して、それの強化物質となっている。リグニンは、軟骨におけるプロテオグリカンのように、耐圧性を与えている。

細胞壁は、おもにマトリックス内のペクチンによって決まる透過性を選択フィルターになっている。水やイオンは細胞壁を自由に拡散できるが、20 kDa より大きいタンパク質などの大きな分子の拡散は制限される。この制限は、多くの植物ホルモンが小さな水溶性の分子で、細胞壁を通って拡散して植物細胞の細胞膜にある受容体と相互作用できる理由である。

植物細胞の成長は細胞壁が緩むことによって起こる

植物細胞は取囲む細胞壁によって細胞の拡大が妨げられているため、細胞が成長するときは、細胞壁の構造を緩くする必要がある。植物細胞の成長の程度、種類、方向は、**オーキシン**（auxin）とよばれる低分子量ホルモンによって調節される。オーキシンが細胞壁の弱化を誘導することによって、水の取込みによって細胞内の液胞（図 20・43 a）が膨張し、それによって細胞が伸長する。この現象の重要性は、もしセコイアスギ（高さが 100 m 近くになるものもある）のすべての細胞の大きさが肝細胞の大きさまで縮んだとしたら、木の高さはせいぜい 1 m にしかならないことからもわかる。

細胞壁は、根や茎頂にある**分裂組織**（meristem，メリステム）において最も大きく変化する。この部位は、22 章で述べるように細胞が分裂して成長する場所である。分裂組織の若い細胞は、薄い柔軟な**一次細胞壁**（primary cell wall）によってつながれており、これは緩んだり伸びたりするので細胞が伸長できる。この若い細胞の細胞壁は、セルロース、ペクチンと**キシログルカン**（xyloglucan）とよばれる多糖類が主成分となっている。細胞の伸長が止まると細胞壁は厚くなることが多いが、この現象は、巨大分子が分泌されて一次細胞壁へと付加されるか、複数の層からなる**二次細胞壁**（secondary cell wall）が形成されることも多い。セルロース、リグニン、**キシラン**（xylan）とよばれる多糖類、**グルコマンナン**（glucomannan）が、この二次細胞壁の主成分である。ほとんどの細胞は最終的には縮退して、木部（xylem）などのような成熟組織中では細胞壁しか残らない。こうしてできた木部は、水や塩を根から茎を通って葉まで運ぶ管となる。綿花など植物繊維や木の固有の性質は、もとになる組織にあった細胞壁の分子的な性質による。

原形質連絡によって隣接した植物細胞の細胞質が直接連結されている

植物では、細胞を分離している細胞壁の存在が、細胞間情報伝達の障壁となっている。これは動物細胞にはない障壁である。植物細胞にみられる明らかに異なるしくみの一つは、**原形質連絡**〔plasmodesm(a)，pl. plasmodesmata，プラスモデスム〕で、細胞壁を貫通する特殊な細胞間結合で、直接、2 細胞間を連絡している（図 20・44）。1855 年に発見された。原形質連絡は、ギャップ結合と同様に、隣接した細胞の細胞質間を細胞膜の境界なく、連結するチャネルとして働く。この構造は、細胞間の転写因子や核酸タンパク質複合体などの移送にもかかわることが示唆されており、そのため、病原体の移動を防いだり、植物細胞の発生や組織形成を調節したりするうえでも、特に重要な役割を担っているようである。

原形質連絡とギャップ結合とは、一つの細胞の細胞質から、他の細胞の細胞質へと、直接分子が拡散で移動できるようにする点では機能のうえではそっくりであるが、構造は次の 2 点で全く異なる。動物細胞のギャップ結合では、接触している隣接細胞の細胞膜は分離していて、細胞質はタンパク質が連結して形成されたコネクソン半チャネル（図 20・21）でつながっている。植物の原形質連絡（図 20・44）では、隣接する細胞の細胞膜がつながって連続した 1 枚の膜となり、**環帯**（annulus）とよばれる 2 細胞をつなぐチャネルの壁に沿って伸びている。この環帯の直径は、30〜60 nm と幅があり、長さ 1 μm 以上のものもある。環帯に沿ってみられる特殊な細胞膜の脂質やタンパク質組成は、細胞を取囲む他の脂質膜とは異なる。2 点目は、原形質連絡の中心部は**デスモ小管**（desmotubule，デスモチューブル）とよばれる狭い管になっていて、二つの細胞の小胞体が伸びてつながったものである。デスモ小管と原形質連絡をつくる特殊な細胞膜の間には、2〜10 nm の隙間がある。この細胞質スリーブ（cytoplasmic sleeve）とよばれる場所を通って、片方の細胞質から他方へと分子が拡散する。細胞質スリーブの全長に渡って繊維状のアクチンがみられる。原形質連絡で、細胞膜と、デスモ小管の小胞体膜が近接している構造は、特殊な膜接触部位（membrane contact site: MCS）の例で、ほかにも 12 章のミトコンドリアや小胞体でも紹介した。デスモ小管の膜貫通タンパク質の複合体は **MCTP** とよばれるが、細胞

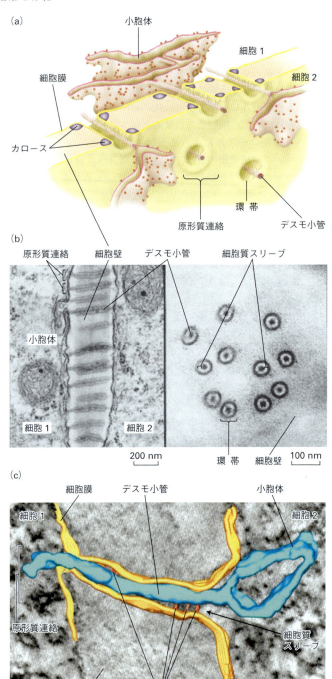

図 20・44 原形質連絡．(a) 原形質連絡の模式図．小胞体から伸長してつくられるデスモ小管，および隣接する細胞の細胞質間を連結する細胞膜がつながったチャネルである環帯を示す．チャネル入口に隣接した細胞壁，細胞外側の空間にカロースとよばれるグルコースの重合体が，これが環帯を狭めてチャネルを閉鎖することで，細胞間の輸送を抑制するような働きをするようにみえる．(b) サトウキビ葉の超薄切片の電子顕微鏡写真．(左) 原形質連絡の縦方向の切片像では，デスモ小管や小胞体が各環帯の間を通過するようにみえる．(右) 環帯，デスモ小管，細胞質スリーブ（筒状構造の原形質）がみえる．(c) 培養したシロイヌナズナ細胞を凍結し，凍結したままグルタルアルデヒドで固定後，四酸化オスミウム，酢酸ウランで染色した試料．一つの原形質連絡をさまざまな角度で傾けながら電子顕微鏡写真を撮影し，コンピューター上で再現した三次元トモグラフィーモデルから，ある一画面を取出して示している（白黒写真）．その中で原形質連絡の箇所に色をつけた．細胞膜を黄，小胞体とデスモ小管を青，この二つを連結するスポーク状の構造を赤で示した．黄と青の箇所の間が，細胞質スリーブである．[(b) は K. Robinson-Beers and R. F. Evert, 1991, *Planta* **184**(3): 307, Copyright Clearance Center, Inc.を通じて Springer Nature より許可を得て転載．(c)は W. J. Nicolas et al., 2017, *Nature Plants* **3**: 17082, Copyright Clearance Center, Inc. を通じて Springer Nature より許可を得て転載．]

質スリーブの全長にわたり存在して，細胞膜の側の負電荷をもつリン脂質と結合している．電子顕微鏡で観察すると，この MCTP は二つの膜を固定するスポークのように見える（図 20・44c）が，これが細胞質スリーブの直径や特性を決め，原形質連絡を通る分子の動きを制御しているようにも見える．膜でつながったチャネルが 2 細胞間で分子を移動させる点で，動物細胞におけるトンネルナノチューブが，原形質連絡に類似している（§20・2）．しかし，トンネルナノチューブでは，原形質連絡のように小胞体がつながっている例は見つかっていない．

原形質連絡には一本のもの（図 20・44 に示すような単一の孔），複数の枝分かれしたチャネルで形成されるものもある．また，植物の種類や細胞の種類でも原形質連絡の密度はさまざまである．プロテオーム解析からは，115 種以上のタンパク質が，原形質連絡の周囲にみられ，構造上，機能上でも，重要な役割を担うものと示唆されている．このなかに，MCTP，アクチン結合タンパク質（フォルミンやアダプタータンパク質である NET1A など），多数の受容体タンパク質（キナーゼなど），酵素類が含まれている．

さまざまな種類の分子が原形質連絡を通って移動する．代謝化合物やシグナル伝達分子（イオン，糖，アミノ酸）を含むおよそ 1000 Da より小さい分子は，通常は細胞質スリーブを通って自在に拡散する．しかし，その径や特性は，高度に調節されている．状況によっては，チャネルは閉じているときもあれば，転写因子，核酸-タンパク質複合体，代謝産物，さらに植物ウイルスなど，10,000 Da よりも大きい分子であっても通過できる拡張しているこもある．移送を促進するのに特殊なシャペロンを要するものもある．水溶性の分子は，細胞質スリーブを通るが，細胞膜に結合した分子や小胞体内腔内の分子などは，デスモ小管を通って移送されるかもしれない．このチャネルの入口付近の細胞外には**カロース**（callose）とよばれるグルコースの重合体（図 20・44a）が存在し，これが重合したり分解したりすることによって，チャネルの開閉を調節すると考えられている．特殊なキナーゼ活性をもった酵素がデスモ小管の成分をリン酸化して活性を調節してい

る可能性もある（チャネルの開閉など）．細胞質内の Ca^{2+} 濃度が上昇すると原形質連絡を通る分子の移動が可逆的に抑制する例のように，Ca^{2+} 濃度も形質連絡の透過性に影響を与える因子の一つである．

植物で細胞接着や機械刺激受容にかかわる分子は動物のものとは異なる

本節のはじめに解説したように，細胞の組織形成過程は，動物と植物では大きく異なる．この違いは，細胞がどのように組織内へ取込まれるか，細胞間，細胞-マトリックス間の相互作用で他の

細胞とどのように情報交換するかの分子機構の違いによるものである.

植物における接着分子　シロイヌナズナゲノムの系統的な解析や他の植物の生化学的な解析からは, 動物にある CAM, 接着受容体, 細胞外マトリックス構成成分の大半で, 植物にホモログが存在することを示す証拠は発見されていない. つまり, 植物では細胞間と細胞-マトリックス（細胞壁）間相互作用に, 全く別の分子を使っていることになる. 現在, 植物における細胞-マトリックス間接合に関しては, 動物のものほどは, 理解が進んでいない.

植物細胞は, 分厚い細胞壁で囲まれているので, 細胞が組織へと統合されるときは, 細胞-マトリックス間の相互作用が重要である. 細胞壁を形成する多糖類（セルロース, ヘミセルロース, ペクチン, 糖タンパク質）は, 互いに架橋されていて, その中で, ペクチンによる結合特性が, 細胞壁の物理的な特性, および細胞壁とその下にある細胞膜との相互作用を決めるうえで, 重要と考えられている. ペクチンの生合成に重要な酵素, グルクロン酸転移酵素1をコードする遺伝子を破壊すると, 分裂組織内での細胞どうしをつなぎとめる役割をもった特殊なペクチンの生合成が劇的に抑制される. その結果, 正常な細胞の接着と光合成細胞への分化が阻止される. in vitro での結合実験結果や植物の変異体を用いた in vivo での研究から, 細胞外マトリックスに存在する接着に重要な巨大分子が数種類同定された. たとえば, イースターリリー（テッポウユリの一種）の花では, SCA (stigma/stylar cysteine-rich adhesion) とよばれるシステイン含有量の多いタンパク質と, SCA に結合する特殊なペクチンがあって, はじめて, 受粉時に精子を含む花粉が, 雌性生殖器官の柱頭 (stigma) か花柱 (style) に正常に結合できる.

多くの膜タンパク質が, 細胞壁の多糖類, 特にペクチンに, よく結合して細胞-マトリックス間結合を仲介する. そのなかには, **細胞壁結合型キナーゼ** (wall-associated kinase: WAK), GPIアンカータンパク質, ヒドロキシプロリンを多く含む糖タンパク質 (HRGP), グリコシルイノシトールホスホセラミド (GIPC) などが含まれている. 例として, シロイヌナズナの細胞膜に発現している五つの WAK や WAK 様タンパク質がある. これら膜貫通タンパク質には細胞内にセリン/トレオニンキナーゼドメインがあり, 細胞外領域には動物細胞の表面受容体によくみられる上皮増殖因子 (EGF) リピートが複数含まれている. 一部の WAK には, 細胞外ペクチン結合ドメインがあり, これはペクチンとペクチン分解断片を認識して結合する. この結合は, 正常な成長の際に, また病原体の感染や細胞壁の損傷時に, 細胞壁の状態を検知し, それらに対応していると予想されている. つまり, 植物における WAK は, 動物細胞における接着受容体と類似した機能をもち, ECM を結合して感知し, 外から内へのシグナル伝達を仲介していると考えられている.

植物細胞における機械感覚　動物の細胞と同じように, 内的なものであれ（膨圧や細胞骨格による力など）, 外的なものであれ（風など）, 植物の細胞も機械的な力（張力や変形）を受けて, それに対して反応する（細胞骨格の配置を変える, Ca^{2+} の流出, 遺伝子発現, 木部形成, 細胞壁の強化, 成長の方向や大きさなど）. 細胞壁内にある機械刺激センサーは, 機械的な力の変化に反応して構造を変え, その結果, 細胞壁の特性を変化させ, 細胞膜との相互作用を変えるようなしくみのものであろう. 細胞膜にある機械刺激センサーは, 細胞壁と結合し（ペクチン結合性の WAK のような受容体様キナーゼ）, 機械的な刺激に反応するイオンチャネルのようなものであろう. 植物における機械的な刺激への反応に使われる細胞接着分子を使って, 細胞の内から外へ, 外から内側へと情報が伝わることを示した証拠もある.

肉眼でもわかる植物での機械刺激反応でよく知られているのは, ハエトリグサ *Dionaea muscipula* のものであるが, 1759 年にノースカロライナ州の知事だった A. Dobbs が記載したのが最初である. Charles Darwin も, ハエトリグサを広範囲で調べ, 1875 年の書籍では, この植物を "世界で最も素晴らしい植物の一つ" とよび, また "世界のすべての種の起源よりも, そのなかの一つに関心があった" と指摘している. ハエトリグサは, 直径 200 µm, 長さ 2 mm の刺激感覚毛に昆虫が接触することで, 葉の上に昆虫がいることを認識する. 感覚毛は多細胞の器官で, 獲物が触れて曲げると, 根本にある一群の細胞に変形を生じ, これが機械刺激感受性 Ca^{2+} チャネルを開かせる. 流入した Ca^{2+} は葉に活動電位を発生させ (23 章), 葉を閉じて, ホルモンによって消化酵素の分泌が誘発される. その分解酵素によって, 1〜2 週間をかけて, 獲物を分解して栄養にする.

植物の細胞壁での接着について知られている事実は, トマトやイチゴが熟すときに軟らかくなる現象である. 果実の成熟は, 色, 風味, 芳香, 栄養成分, 触感（柔らかさや含水量の変化なども含む）に影響する複雑な過程である. 種子をもった果実を成熟させることは, 果実を食用にする動物に食べさせて種を分散させたり, 食べ残しの果実部分を壊して（柔らかくなったり, 腐敗したりして）, そのまま種を放出するので, 植物にとって有利な点がある. しかし, 熟しすぎると, 保存や運搬ができなくなり, 有効な期間が短くなる. ペクチン酸リアーゼ (pectate lyase: PL) などを含む細胞壁を分解する一群の酵素の発現と, ペクチン分解による細胞壁の再構成は, 果実の軟化の速度と度合いを決めるうえで重要である. CRISPR 遺伝子編集や RNA 干渉 (6 章) を使ってペクチン酸リアーゼの発現を抑制したイチゴやトマトを使った実験では, 果実の軟化を大きく遅らせるが, 他の成熟過程で期待される変化（色や芳香の変化など）は, 抑制できないことがわかった. 将来は, 細胞壁での代謝反応を遺伝学的に変化させて, 生産や物流コストを下げつつ, 果実の質を上げることができるかもしれない.

20・6　植物組織　まとめ

- 植物における細胞から組織への構築は, 動物組織とは基本的に異なっており, これは個々の植物細胞が比較的堅固な細胞壁に囲まれていることがおもな理由である.
- 植物の細胞壁は, ヘミセルロース, ペクチン, エクステンシン, および他の微量分子からなるマトリックスに埋込まれたセルロース微細繊維の複数の層から構成される.
- 大きな直鎖状のグルコース重合体であるセルロースは, 自己集合して, 水素結合によって安定化な微細繊維になる.
- 細胞壁は植物細胞の形態を決定し, その伸長を制限する.

- オーキシンによって細胞壁の構造が緩くなることによって伸長が可能になる．
- 隣接する植物細胞間は，原形質連絡でつながっている．原形質連絡は，特殊な細胞質と小胞体で構成されて，隣接する細胞の細胞質をつなぐもので，これを通して細胞間で分子を通過させる（図20・44）．
- 植物には，動物でみられる一般的な接着分子のホモログは存在しない．植物に特有のごく少数の接着分子だけが，これまでによく調べられている．
- 植物で細胞-マトリックス間の接合を仲介する分子は，動物細胞ほどよくは解明されていないが，細胞壁タンパク質，細胞膜タンパク質などの，植物細胞の細胞接着にかかわる分子は見つかり，研究が進みつつある．
- 動物細胞と同じように，植物細胞における機械刺激伝達は，組織を統合したり，分化や発生を方向づけたりするうえで重要な役割を担う．

重要概念の復習

1. カドヘリンなどの接着分子において，多様性を与える二つの現象を述べよ．この二つのほかに，インテグリンの多様性を与えている別の現象は何か．
2. カドヘリンは細胞間での同種間相互作用をすることが知られている．同種間相互作用とは何か．また，それをEカドヘリンを用いた実験でどのように示すことができるか．カドヘリンによる同種間相互作用に必要な細胞外環境の要素は何か．また，この要求性はどのようにして示すことができるか．
3. 接着結合は，隣接した上皮細胞の側面をつなぐ役割に加えて，細胞の形を制御している．この役割に関与する細胞内の構造とタンパク質は何か．
4. 密着結合の正常な機能は何か．密着結合が適切に機能しないと，組織にどのようなことが起こりうるか．
5. 心筋細胞間にあるギャップ結合や，子宮筋層の平滑筋細胞間にあるギャップ結合は，速い情報伝達を行う連結構造である．この現象は何とよばれているか．また，子宮筋層平滑筋細胞のギャップ結合における情報伝達は，分娩（出産）の際にどのようにして強くなるか．
6. コラーゲンとは何か，またこれはどのように合成されるか．コラーゲンが組織の健全性に必要であることは何からわかるか．
7. インテグリンの構造変化がどのように外から内へ，また内から外へのシグナル伝達を仲介しているかを説明せよ．
8. すべての組織の細胞外マトリックスに多量に存在する3種類の巨大分子それぞれの機能と性質を比較せよ．
9. 多くのプロテオグリカンには細胞のシグナル伝達の役割がある．その一例に，脳の視床下部におけるシンデカンによる摂食行動の調節がある．この調節はどのように行われるか．
10. 両側に別のアミノ酸配列を含むRGD配列をもつオリゴペプチドを合成した．培養皿にフィブロネクチンの層を吸着させてそのうえで繊維芽細胞を培養し，これにこのペプチドを加えたとき，どのような影響が現れるか．またその理由を説明せよ．
11. 正常な生理的状態と病的状態で起こる組織再構築において，細胞外マトリックスを分解あるいは再構築するタンパク質の三つの主要な種類と，それらのおもな活性と局在について述べよ．これらのタンパク質が重要な作用をする病的状態は何か．
12. 血液凝固は，哺乳類の生存のために必須な機能である．フィブロネクチンの多価接着能によって，どのように血小板が凝固塊に集められるのか．
13. 細胞外マトリックスと細胞骨格の分子的な連結が変化すると，どのようにデュシェンヌ型筋ジストロフィーがひき起こされるのか．
14. 白血球は，感染防衛のために血液中から感染部位へと速やかに移動する．この過程は何とよばれているか．また，この過程に接着分子はどのようにかかわっているか．
15. 植物の細胞壁の構造は，細胞を成長させるために緩む必要がある．この過程を制御するシグナル伝達分子は何か．
16. 植物細胞にある原形質連絡と，動物細胞にあるギャップ結合を比較せよ．

21

細胞環境への応答

臨床的に重要な抗真菌薬で, mTORC キナーゼ複合体の阻害剤であるラパマイシン(左上)は, イースター島に生息する *Streptomyces hygroscopicus* という細菌から分離された. これは島の現地語名であるラパ・ヌイ(Rapa Nui)にちなんで命名された.〔Y. Malega/Shutterstock.〕

- 21・1 血糖値の調節
- 21・2 栄養とエネルギー量による細胞成長シグナルの統合
- 21・3 コレステロールと不飽和脂肪酸の濃度変化に対する応答
- 21・4 低酸素応答
- 21・5 温度上昇に対する応答
- 21・6 昼と夜を知覚する: 概日リズム
- 21・7 物理的環境の感知と応答

　すべての細胞は, 環境の変化を感知し, しばしば遺伝子の発現パターンを変化させることで対応している. 細菌は, 環境中の糖とアミノ酸の濃度を常に監視し, 栄養素の供給源に向かって遊走し, これらの分子を最も効率的に代謝できるように遺伝子発現を誘導または抑制することで環境に対応する. 酵母や他の単細胞真核生物も, 環境中の糖やアミノ酸をはじめとする多くの代謝物を感知し, 生合成経路, 膜輸送体, 代謝を調節している. 1章では, 単細胞緑藻類のクラミドモナスが光を感知し, その強さに応じて光源に近づいたり遠ざかったりして泳ぐ様子を観察した.

　本章では, 多細胞動物, 特に脊椎動物の細胞が, どのように環境中のグルコースやアミノ酸, コレステロールなどの脂質, 酸素, その他化学物質の濃度および昼夜の変化を感知し, 他の細胞と情報交換して適切に応答しているかに焦点を当てる. 3章と15章で学んだように, これらの細胞外シグナルは, 通常数分以内に酵素や他のタンパク質の修飾を惹起することで短期的な効果をもたらす. また, 本書で取上げたすべての細胞外シグナルは, 遺伝子発現に影響を与え, その結果, 細胞機能に長期的な変化を誘導する.

　ここで説明するシグナル経路は, 8章, 15章, 16章で説明したシグナル伝達経路と共通する部分が多い. **センサー** (sensor) は, 細胞外シグナル伝達分子に対する受容体のように, 一般に特定の標的分子に結合することで構造変化を起こす. **機械受容体** (mechanoreceptor) は物理的環境の変化 (たとえば圧力や張力, 20章) を感知する. これらのセンサーは, 一つまたは多くの段階をもつ**シグナル伝達経路** (signal transduction pathway) を活性化する. 最終的には, 単一または複数の**エフェクタータンパク質** (effector protein) が活性化され, 代謝経路の短期的な変化, 特定の遺伝子の誘導または抑制, あるいはその両方といった, 細胞の反応を誘発する. **シグナル増幅** (signal amplification) と**フィードバック抑制** (feedback repression, 15章) は, 本章で説明するすべてのシグナル伝達経路を特徴づけており, 細胞の代謝と遺伝子発現のパターンを適切に調整し, 過剰に反応しないように制御している. これらの経路によって, 細胞はさまざまなストレス, たとえば栄養の枯渇や温度の上昇に対応できるようになり, **ホメオスタシス** (homeostasis), すなわち細胞の正常な化学的・物理的状態の回復, さらには細胞自体の生存が可能になる.

　血中グルコースは, 食後の栄養豊富時と空腹時の栄養枯渇時に, おもにインスリンとグルカゴンという二つのホルモンによって調節されている. §21・1で学ぶように, 血糖値が高くなりすぎると, インスリンを合成・貯蔵する膵島β細胞がインスリンを血流中に分泌する. (1923年のノーベル生理学・医学賞は, インスリン発見の功績に対して授与された.) インスリンは, 脂肪細胞や筋細胞に血液中のグルコースの取込みを増やすよう信号を送り, また肝細胞にグルコースをグリコーゲンとして貯蔵するように指令を出すことで, 血液中のグルコース濃度を低下させる. 血中グルコース濃度が低くなりすぎると, 別の膵島α細胞が分泌小胞からグルカゴンを放出する. グルカゴンは肝細胞にグルコースを血中に放出するように指令する (15章). このようにインスリンとグルカゴンはともに働き, 血中グルコース濃度の恒常性を維持し, ヒトの正常なグルコース濃度である約 5 mM という血糖値を回復させる. これらの経路の欠陥は, 糖尿病や心血管疾患などの主要な疾病をひき起こし, 個人だけでなく, 社会的にも深刻な影響を及ぼすようになってきている.

　細胞数を2倍にする細胞増殖には, 16章で説明したように, 一つ以上の増殖因子の存在が必要となる. また, 細胞分裂には, 細胞量を倍増させるために必要なタンパク質, 核酸, 膜などの構成要素をすべてつくり出すのに十分な ATP, アミノ酸, その他の栄養素が必要である. §21・2では, **mTORC1** とよばれる大規模なタンパク質複合体の構成要素である **mTOR プロテインキナーゼ** (mTOR protein kinase) について説明する. mTORC1 には複数のセンサータンパク質が含まれ, 特定の栄養素の濃度やエネルギー

の利用可能性（ATP濃度），増殖因子受容体の下流で活性化された細胞内シグナル伝達タンパク質の活性を検出する．mTORキナーゼは，これらのシグナルがすべて同時に存在するときにのみ活性化され，結果として細胞の成長，代謝，増殖を促進する．ここでは，mTORC1複合体の複数のセンサーが，mTORキナーゼの活性化にどう作用するかを述べる．

多くの栄養素のなかでも，膜脂質と膜脂質の前駆体であるコレステロールや不飽和脂肪酸は，細胞増殖と細胞機能に不可欠である（2章，10章）．細胞は，これらの必要な脂質を生合成または細胞外環境からの取込みによって得ている．これらの脂質が十分でない場合，細胞は成長，分裂，または適切に機能することができない．一方，これらの脂質が過剰に存在すると，正常な細胞機能を阻害することになる．§21・3では，細胞が細胞内コレステロールと不飽和脂肪酸の濃度をどのように感知しているのか，またコレステロールとリン脂質の比率を一定の望ましい範囲内に維持するために脂肪酸とコレステロールの生合成と取込みの速度をどのように調節しているのかについて述べる．動脈内の過剰なコレステロールの蓄積は，心血管疾患や脳卒中をひき起こす主要な原因である．10章では，抗動脈硬化薬**スタチン**（statin）がどのようにコレステロールの生合成を阻害し，低密度リポタンパク質（しばしば"悪玉コレステロール"とよばれる，14章）の濃度を下げ，動脈硬化性プラークの形成を減少させるのかについて学んだ．1985年のノーベル生理学・医学賞は，コレステロール代謝調節機構の発見に対して授与された．

2019年のノーベル生理学・医学賞は，多細胞動物細胞がどのように酸素濃度を感知し適応するのか，そのしくみを解明した3人の科学者に授与された．§21・4では，血液中の酸素濃度の低下が体内の多くの細胞で感知されるしくみと，転写因子HIF-1αが，低酸素に対応するために体の多くの反応を調整するしくみについて述べる．通常の酸素濃度では，HIF-1αは酸素要求性酵素によって共有結合の修飾を受け，ポリユビキチン化されプロテアソームにより分解される．HIF-1αは酸素濃度が低下するにつれてしだいに安定化する．ある種の腎臓細胞では，HIF-1αはエリスロポエチン遺伝子の発現を誘導する．このエリスロポエチンは，肺から体の組織へ酸素を運ぶ赤血球の生産を増加させる（16章）．その他の細胞では，HIF-1αは低酸素状態での生存を促進するための遺伝子発現を誘導する．HIF-1αは多細胞動物にしか存在しない．そこで，進化の非常に早い時期に生じた，植物と動物の両方で発現する別の酸素感知転写因子ファミリーについても説明する．

単細胞生物，植物，無脊椎動物，冷血動物である脊椎動物を問わず，すべての生物はその内部および外部環境の温度変化にさらされている．脊椎動物であっても，発熱時や夏の暑い時期には温度上昇の影響を受ける．温度上昇の影響の一つは，多くの細胞タンパク質に生じる部分的変性や完全な変性で，これが修正されないと，細胞にとって致命的な結果をもたらす可能性がある．§21・5では，これまでに研究されているすべての真核生物において，シャペロンが折りたたまれていないタンパク質ドメインに結合することでその存在を感知し（3章），**熱ショック応答**（heat-shock response）を誘導することを学ぶ．この反応中に，特定の転写因子が活性化して多くのシャペロンの合成を誘導し，温度が正常に下がるまで細胞が高温環境を生存できるようにする．同様のシャペロンは，13章で述べたように，小胞体内腔やミトコンドリア内でのタンパク質の折りたたみを促進する重要な役割を担っている．

地球上のほとんどの生物は，ほぼ正確な24時間の昼と夜のサイクルをもつ．それらの細胞には**概日時計**（circadian clock），あるいは**概日発振器**（circadian oscillator）があり，そのシグナル伝達は自律的に24時間の周期で振動し，環境からのおもに昼光と夜闇といった毎日のシグナルを受けて，その時刻を外界に適合させている．§21・6で述べるように，このような細胞時計の同調によって，生物は昼夜のサイクルに由来する環境変化を予測し，それに応じて生命現象や行動を調整することが可能になる．

2017年，ノーベル生理学・医学賞は，ショウジョウバエの概日リズムを制御する分子機構の発見により3人の科学者に授与された．同様の時計は，植物，真菌類，脊椎動物の細胞にもあり，生命活動の多くの側面を昼夜サイクルに適合させている．特定の脳神経細胞における概日リズムは，マウスやライオンは夜に活動し，ヒトは昼間に活動する，といった個体の活動を制御している．

発生過程では，細胞が増殖・分化し，特定の大きさの器官がつくられる．実際，ショウジョウバエ（1章）のある種の突然変異は，過剰な器官成長をもたらす．その一つはHippoとよばれる変異体であり，この突然変異は幼虫がカバ（hippopotamus）のようにみえる過成長を誘導することから名づけられた．成体の肝臓の一部を外科的に切除すると，肝臓は急速にもとの大きさに再生する．このことから，適切な臓器サイズに達したときに，成長を負に制御する遺伝子産物が明らかに存在するはずである．§21・7では，Hippo経路について述べる．**Hippo経路**（Hippo pathway）は，すべての多細胞動物に保存されているプロテインキナーゼのシグナル伝達カスケードで，複数の環境上の情報を感知，統合し，物理的環境に対応して細胞の成長を調節する．この経路は，細胞が埋込まれている細胞外マトリックスの物理的・機械的な手掛かりを感知すると同時に，張力を感知し（機械刺激伝達），他の細胞と接している接着結合（20章）からシグナルを受容する．Hippo経路は，増殖制御や分化にかかわる複数の遺伝子発現を制御しており，この経路の構成要素の異常が，発達障害や細胞形質転換，多くの種類のがん転移に寄与していることを学ぶ．

21・1 血糖値の調節

ここでは，最も重要な生理的制御システムの一つであるグルコース要求性の調節に焦点を当て，複数のホルモンとシグナル伝達経路がどのように相互作用するかを考察する．これらの経路の欠陥は，特に2型糖尿病（成人型糖尿病）などの重大な疾病につながり，成人の失明，腎不全，四肢切断の主要な原因となる．§21・2では，アミノ酸やその他の栄養素の変化に対する細胞応答は，遺伝子発現の変化に大きく反映されることを取上げる．

インスリンとグルカゴンの協働による安定な血糖値の維持

ここではおもに，正常な血糖値が約5 mMである脊椎動物を取上げる．脳神経細胞を含むほとんどの体細胞は，グルコースを主要なエネルギー源として利用している．そのため，**低血糖**（hypoglycemia）とよばれる血糖値の低下が長く続くと，けいれん発作や意識喪失をひき起こし，死に至ることがある．一方，血糖値が

9～10 mM 以上に上昇した状態が長く続くと，糖尿病をひき起こす可能性がある．通常の生活において血糖値を正常に保つには，**インスリン**（insulin）と**グルカゴン**（glucagon）という二つのペプチドホルモンのバランスが重要である．これらのホルモンは，**膵島細胞**（pancreatic islet cell，ランゲルハンス島細胞）とよばれる膵臓の島状の領域にある，別々の隣接した内分泌細胞でつくられ（図21・1a），調節された分泌が起こる前に分泌小胞に貯蔵される（図14・2参照）．血糖値を下げるインスリンは，ジスルフィド結合で結ばれた2本のポリペプチド鎖をもち，膵島β細胞で合成される（図14・24参照）．グルカゴンは膵島α細胞から分泌され，肝臓でグリコーゲンをグルコースに分解し，グルコースを血中に分泌させることにより血糖を上昇させる作用をもつ（15章）．血中の利用可能なグルコースの量は，血糖が豊富な時期（食後）や不足する時期（空腹時）には，膵島β細胞およびα細胞から分泌されるインスリンとグルカゴンの量によって調節される．

膵島α細胞からのグルカゴンの分泌は，血糖値が高いときにはインスリンによって抑制され，逆に血糖値が上昇すべきときには中枢神経系からの信号によって促進される．エピネフリン受容体と同様に，グルカゴン受容体はおもに肝細胞に存在し，アデニル酸シクラーゼをエフェクタータンパク質とする$G_{s\alpha}$タンパク質と結合している．グルカゴンが受容体に結合するとcAMPが上昇し，プロテインキナーゼAが活性化され，グリコーゲン合成を抑制し，グリコーゲン分解を促進してグルコース1-リン酸を生成する（図15・22参照）．肝細胞はグルコース1-リン酸をグルコースに変換して血液中に放出し，血糖値を正常な値まで戻す．

ここでは，インスリンというホルモンに焦点を当てる．インスリンは，短期的および長期的に血糖値の上昇を抑えるためにいくつかの働きをする．

- インスリンは分泌後数秒以内に，おもに細胞膜のグルコース輸送体の数を増加させることによって，血液から筋肉や脂肪細胞へのグルコースの取込みを増加させる．
- 数秒から数分以内に，インスリンは肝臓に作用し，グルコースからのグリコーゲン合成を活性化し，解糖系を介するグルコース代謝を加速させる．この両方の過程が，血中のグルコース濃度を低下させる．
- β細胞から放出されたインスリンは，近くにある膵島α細胞に作用し，グルカゴン合成を抑制する．
- 数時間かけて，インスリンは肝臓に作用し，**糖新生**（gluconeogenesis）とよばれる過程（より小さな代謝物からグルコースを合成する過程）を触媒する酵素の合成を抑制する．

次項では，血糖値の上昇によってインスリンの分泌が促進されるしくみ，そしてインスリンが血糖値を下げる複数のしくみについてみていく．

血糖値の上昇が膵島β細胞からのインスリン分泌を誘発する

食後，血糖値が正常値の5 mMを超えると，膵島β細胞はグルコースの上昇（同時に血中アミノ酸の上昇）に応答して，インスリンを血中に放出する（図21・1b）．14章では，これらの細胞は，脱水されたほぼ結晶形のインスリンを分泌小胞に貯蔵していることを説明した．すべての調整された分泌経路と同様に，これらの小胞と細胞膜の融合とその内容物質の分泌は，細胞質Ca^{2+}の上

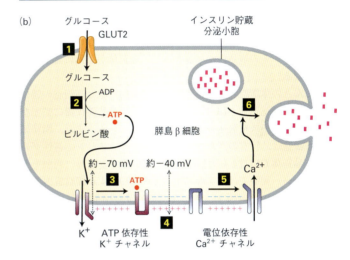

図 21・1 5 mM 以上の血糖値上昇に伴う膵島β細胞からのインスリンの分泌．(a) ヒト膵臓の膵島断面．膵島は膵臓の質量の約2%を占めている．ヒトの膵臓には約100万個の膵島があり，それぞれの膵島には約1000個のβ細胞が存在する．膵島細胞の約70%を占めるβ細胞は，インスリンの組織化学染色で標識される(赤)．グルカゴンは，膵島周辺部の大部分を占めるα細胞で合成される(緑)．DAPI色素(青)ですべての核を染色した．(b) インスリン分泌調節．グルコースの膵島β細胞への取込みは，グルコース輸送体GLUT2によって行われる(段階**1**)．GLUT2のグルコースに対するK_mは20 mMであるので，細胞外のグルコースが5 mMから上昇すると，それに比例してグルコースの取込み速度が増加する(図11・5参照)．つづいて，グルコースからピルビン酸への変換(図12・3参照)が促進され，細胞質内のATP濃度が上昇する(段階**2**)．ATPがβ細胞内のATP感受性K^+チャネルに結合すると，そのチャネルは閉じられ(段階**3**)，細胞からのK^+の流出が抑制される．その結果，細胞膜が-70 mVから-40 mVへとわずかに脱分極し(段階**4**)，電位感受性Ca^{2+}チャネルが開口する(段階**5**)．Ca^{2+}の流入により細胞質Ca^{2+}濃度が上昇し，インスリン貯蔵分泌小胞が細胞膜に融合してインスリンの分泌が誘発される(段階**6**)．[J. C. Henquin, 2000, *Diabetes* **49**: 1751 参照．(a) は Dr. S. B-Weir, Joslin Diabetes Center 提供．]

昇によってひき起こされる．インスリン分泌は，細胞外のグルコースの上昇によってひき起こされる．これは，GLUT2グルコース輸送体（図11・5参照）を介して，細胞内へのグルコースの取込み速度とそれに比例した解糖速度の上昇をひき起こす．その結果，細胞質ATP：ADP濃度の比が上昇し，β細胞特有のイオンチャネルであるATP依存性K^+チャネルが閉じられ，細胞からのK^+の

流出が抑制される．神経細胞の軸索末端で起こるように（23章），細胞膜が約 $-70\,\mathrm{mV}$ から $-40\,\mathrm{mV}$ に脱分極すると，電位感受性 Ca^{2+} チャネルが開き，細胞質 Ca^{2+} が増加し，インスリンが分泌されるのである．

脂肪細胞や筋細胞でインスリンは，グルコース輸送体GLUT4貯蔵細胞内小胞を細胞膜に融合させ，グルコース取込み速度を増加させる

インスリンは膵島β細胞から分泌されると血液中を循環し，肝臓，筋肉，脂肪細胞などさまざまな細胞に存在するインスリン受容体に結合する．脂肪細胞や筋細胞では，受容体型チロシンキナーゼであるインスリン受容体（16章）がいくつかのシグナル伝達経路を活性化し，数分以内に血液からグルコースを取込む速度を10倍程度に増加させる．いったん取込まれたグルコースはヘキソキナーゼによって速やかにリン酸化され，グルコース 6-リン酸（図 12・3 参照）となり，細胞外に輸送されることはない．したがって，グルコースの取込みが増加すると，血糖値が急速に低下することになる．

ほとんどの体細胞の細胞膜と同様に，脂肪細胞と筋細胞の膜にもグルコース輸送体 GLUT1 が存在し，細胞が基礎代謝に必要な十分なグルコースを取込むことを可能にしている．また，脂肪細胞と筋細胞は，特有のグルコース輸送体，インスリン応答性グルコース輸送体 GLUT4 も大量に発現している．安静時（刺激を受けていない）細胞では，実際にすべての GLUT4 が細胞質内の小胞に局在している（図 21・2a）．一部の GLUT4 はエンドソームに存在するが，大部分は **GLUT4 貯蔵小胞**（GLUT4 storage vesicle: **GSV**, 図 21・2b）とよばれる脂肪細胞および筋細胞に特有の小器官に存在する．これらの小胞は，エンドソームとは別物であるが，エンドソームから派生したものであり，**TUG**（Tether containing a UBX domain for GLUT4）とよばれるタンパク質によって，ゴルジ体複合体を取巻くコイルドコイルタンパク質のネットワークであるゴルジ体基質につなぎとめられている．TUG の N 末端ドメインは GLUT4 やその他の小胞タンパク質と，C 末端ドメインはゴルジマトリックスタンパク質とそれぞれ結合し，インスリンシグナルのない状態では，小胞の細胞膜への移動を防いでいるのである．

インスリンが受容体に結合すると，プロテアーゼが活性化され，TUG の部位特異的なエンドプロテアーゼ切断が起こり，N 末端の GLUT4 結合セグメントとゴルジ体に固定されている C 末端が切り離される（このシグナル伝達経路は，現在完全に解明されつつある）．TUG の切断により，ゴルジマトリックスから GLUT4 貯蔵小胞が放出され，放出された N 末端 TUG 断片が微小管モータータンパク質キネシン（18章）と結合できるようになる．これにより，GSV の細胞膜への微小管に基づく移動が開始される．

GSV の細胞膜への移動は，RalA と Rab10 という二つの単量体 GTP 結合タンパク質によっても調節されている．いくつかの単量体 GTP 結合タンパク質は細胞内輸送小胞の出芽に必須であり（たとえば Sar タンパク質，図 14・7，図 14・9 参照），他の Rab タンパク質は小胞の融合に必須である（図 14・11 参照）ことは述べた．他の単量体 GTP 結合タンパク質と同様に，RalA と Rab10（図 21・2b）は不活性な GDP 結合状態と活性な GTP 結合状態の間で切替えが起こる．Rab10 は共有結合した脂質によって GSV に結合し，GLUT4 小胞の細胞膜への移動を調節する．一方，RalA は小胞の細胞膜への融合を調節している．

他の受容体型チロシンキナーゼと同様に，インスリン受容体は PI 3-キナーゼ/PKB 経路を活性化する（図 16・17 参照）．活性化された PKB は，**AS160** と **RGC** とよばれる二つの GAP タンパク質をリン酸化して GTP → GDP 加水分解活性を阻害する．リン酸化はまた，AS160 を 14-3-3 タンパク質（図 16・13 参照）に結合させて，細胞質にとどめることで，標的の Rab タンパク質から隔離させる．基底状態（刺激されていない状態）では，これらの GAP は RalA と Rab10 の GTP 加水分解速度を高めることで機能を阻害し，GLUT4 貯蔵小胞が微小管に沿って細胞膜に移動して融合するのを防いでいる．PKB による両 GAP のリン酸化により，RalA と Rab10 は GTP が結合した活性な状態で蓄積し，GLUT4 貯蔵小胞の微小管に沿った細胞表面への輸送や小胞と細胞膜の融合など，GLUT4 経路の複数の段階を促進できる（図 21・2b）．RalA と Rab10 が GSV の標的化と融合を調節する機構については，現在多くの研究が行われている．

血糖値が下がると，インスリン分泌量やインスリン血中濃度が低下し，インスリン受容体がそれほど強く活性化されなくなる．脂肪細胞や筋細胞では，細胞膜の GLUT4 がエンドサイトーシスにより内在化される．インスリン濃度が低くなると，GLUT4 は他のエンドサイトーシスされた小胞から分岐し，エンドソームからトランスゴルジネットワークの一部へ，そこから GSV へ移動して貯蔵され，細胞表面の GLUT4 の量，すなわちグルコースの取込み量を低下させる．

インスリンは，肝臓でグルコース合成を抑制し，解糖速度を向上させ，グルコースをグリコーゲンとして貯蔵するのを促進する

15 章では，肝臓の主要な細胞である肝細胞がグルコース代謝の重要な調節因子であり，この細胞が余分なグルコースをグリコーゲンとして貯蔵していることを学んだ．インスリンは肝臓に対して，糖新生（ピルビン酸，オキサロ酢酸，アセチル CoA などの代謝産物がグルコースに変換される代謝経路）の抑制，解糖速度の向上，グルコースからのグリコーゲン合成促進などの複数の作用を及ぼす．これらの作用はすべて，肝細胞によるグルコースの生成と放出を抑制し，血中グルコース濃度を低下させるという共通の目的をもつ．

インスリンはグルコースからのグリコーゲン合成を促進する インスリンにより肝細胞を刺激すると，数分以内にグルコースからグリコーゲンへの変換が促進される．インスリン受容体の下流で活性化される PKB は，この過程においても重要な役割を担っている．活性化された PKB は GSK3（Wnt および Hh 経路で機能する酵素，16章）をリン酸化する．安静時（インスリン刺激を受けていない）細胞では，GSK3 は触媒活性をもち，グリコーゲンシンターゼをリン酸化してその活性を阻害し，その結果グルコースからのグリコーゲン合成を阻害する（図 15・22 参照）．一方，インスリンが肝臓に作用すると，GSK3 が PKB によってリン酸化され，その触媒活性が阻害されるため，グリコーゲンシンターゼのリン酸化およびその阻害が起こらなくなる．したがって，インスリン刺激による PKB の活性化は，グリコーゲンシンターゼの急速な活性化とグリコーゲン合成をもたらし，血液循環からグルコー

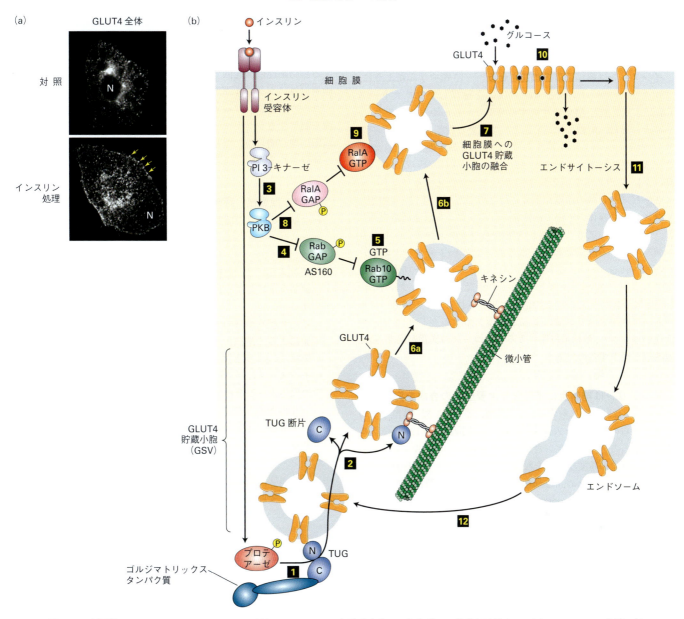

図 21・2(実験) 脂肪細胞におけるインスリン刺激は，GLUT4 の細胞内小胞から細胞膜への移動を誘発する．(a) GLUT4 の C 末端に緑色蛍光タンパク質(GFP)を融合したキメラタンパク質を発現する培養脂肪細胞．生きた細胞を共焦点蛍光顕微鏡で観察した．インスリン非投与下では，GLUT4 はほとんど細胞膜に結合していない細胞内の膜に存在し，細胞の表面はほとんど染色されない．インスリンを投与すると，GLUT4 貯蔵膜と細胞膜の融合が誘発され，それによって GLUT4 が細胞表面に移動し，血液から細胞内へのグルコース輸送が可能になる．矢印は，細胞膜に存在する GLUT4，N は核の位置を示す．(b) 脂肪細胞および筋細胞では，インスリンシグナルが複数の段階で作用し，細胞膜の GLUT4 濃度を上昇させる．安静時の細胞では，GLUT4 タンパク質の大部分は特殊な GLUT4 貯蔵小胞(GSV)に局在している．GLUT4 の大部分は TUG タンパク質によってゴルジマトリックスタンパク質とよばれるゴルジ体の周囲のタンパク質に固定されており，細胞表面へ移動できないようになっている．インスリンがインスリン受容体に結合すると，プロテアーゼが活性化され(段階❶)，TUG タンパク質が切断され，GLUT4 貯蔵小胞がゴルジ体から遊離される(段階❷)．TUG の N 末端断片は小胞に結合したまま，微小管モータータンパク質であるキネシンと結合し(段階❻a，18 章)，小胞が微小管に沿って細胞表面に移動できるようになる(段階❻b，下記参照)．インスリンはまた，PKB を活性化する(段階❸，図 16・17 参照)．PKB は Rab GAP タンパク質 AS160 をリン酸化し(段階❹)，脂質が共有結合で結合した GTP 結合タンパク質 Rab10 による GTP 加水分解を促進する機能を抑制する．そして，Rab10 は活性型 GTP 結合状態で蓄積し(段階❺)，GLUT4 貯蔵小胞を微小管に沿って移動させ，細胞表面の標的タンパク質と相互作用させる(段階❻a と❻b)．最後に，これらの GSV は細胞膜と融合する(段階❼)．この段階は，もう一つの単量体 GTP 結合タンパク質である RalA が，GTP 結合の活性状態にあるときに触媒される．PKB は RalA GAP タンパク質をリン酸化して不活性化し(段階❽)，RalA が GTP を結合できるようにすることで，この膜融合現象を刺激する(段階❾)．その結果，細胞膜 GLUT4 が増加し，細胞は刺激されていない細胞の約 10 倍の速度で細胞外液からグルコースを取込むことができる(段階❿)．インスリンの除去後，細胞膜 GLUT4 はエンドサイトーシスにより細胞内に取込まれ(段階⓫)，最終的には GSV に輸送される(段階⓬)．他にもここに示していない多くのタンパク質がこれらのシグナル伝達や小胞の出芽・融合現象に関与している．これらのタンパク質のいくつかは，PKB を必要とする経路以外のインスリン受容体の下流でも活性化されている．[J. S. Bogan, 2012, *Annu. Rev. Biochem.* **81**: 507; A. Klip, et al., 2019, *J. Biol. Chem.* **294**: 11369 参照. (a) は C. Yu et al., 2007, *J. Biol. Chem.* **282**: 7710, Copyright Clearance Center, Inc. を通じて American Society for Biochemistry and Molecular Biology より許可を得て転載.]

インスリンは解糖速度を加速させる　12章で学んだように，フルクトース 6-リン酸と ATP の反応を触媒してフルクトース 1,6-ビスリン酸と ADP を生成する酵素である 6-ホスホフルクト-1-キナーゼは，解糖の律速酵素として重要な役割を担う．インスリン刺激は 6-ホスホフルクト-1-キナーゼの活性上昇と，グルコースの異化反応を促進する．これは，肝細胞においてアロステリックに 6-ホスホフルクト-1-キナーゼを活性化するフルクトース 2,6-ビスリン酸の濃度が上昇したためである（図 12・4 参照）．インスリン受容体の下流で活性化されるシグナル伝達経路を通じて，フルクトース 6-リン酸と ATP からフルクトース 2,6-ビスリン酸を生成する酵素である 6-ホスホフルクト-2-キナーゼの活性が増強される．一方，フルクトース 2,6-ビスリン酸を加水分解してフルクトース 6-リン酸と P_i に戻す酵素であるフルクトース-2,6-ビスホスファターゼ-2 の活性は阻害される．その結果，フルクトース 2,6-ビスリン酸によって 6-ホスホフルクト-1-キナーゼ活性が増強され，解糖系経路によるグルコースの異化が促進され，血糖値が低下するのである．

インスリンは糖新生に不可欠な主要酵素の合成を抑制する
インスリンは肝細胞にも作用して，乳酸，ピルビン酸，酢酸などの小分子からのグルコース合成（糖新生）を抑制し（12章），グルコースからのグリコーゲン合成を促進させる．インスリンシグナルは，糖新生の重要な段階を触媒する酵素をコードする遺伝子の発現を低下させるため，これらの作用の多くは，遺伝子転写レベルで現れる．こうした一連の作用の全体としての効果は，血糖値を空腹時の濃度である約 5 mM まで下げて，過剰なグルコースを将来の利用のためにグリコーゲンとして細胞内に貯蔵することである．

急激な筋活動などにより血糖値が約 5 mM 以下になると，膵島 β 細胞からのインスリン分泌が減少するため，隣接する膵島 α 細胞からのグルカゴン分泌が増加する．グルカゴンの血中への分泌は，グリコーゲンの分解を速やかにひき起こし（図 15・22 参照），血糖値を上昇させ，その結果，血糖値を正常範囲に回復させる．

不幸にも，この複雑で強力な制御システムが時として破綻し，**糖尿病**（diabetes mellitus）をはじめとする生命を脅かす重大な病気をひき起こすことがある．糖尿病では，血糖値の調節がうまくいかず，血糖値が持続的に上昇する（高血糖）状態になり，そのまま放置すると，重大な合併症をひき起こす．1 型糖尿病は，小児および若年成人に多く，膵島 β 細胞を破壊する自己免疫疾患によってひき起こされる．**インスリン依存性糖尿病**（insulin-dependent diabetes）とよばれることもあり，この種の糖尿病は一般に，生涯にわたって調整されたインスリン注射による制御と，絶え間ない血糖値の監視が必要となる．

先進国の成人の糖尿病のほとんどは 2 型糖尿病で，**非インスリン依存性糖尿病**（non-insulin-dependent diabetes）ともよばれる．この状態は，筋肉，脂肪や肝細胞のインスリンに反応する能力が低下すること，そして生体がグルコース濃度の上昇を補おうとしてインスリンを過剰に分泌することによって，膵島 β 細胞の機能が喪失することに起因する．この疾患の根本的な原因は十分に理解されていないが，肥満は 2 型糖尿病の発症率の著しい増加と相関している．また，肥満は，脂肪酸をトリグリセリドとして貯蔵する脂肪細胞の機能低下にも寄与している．筋肉や肝臓における脂質（特にジアシルグリセロールとスフィンゴ脂質）の蓄積は，これらの組織におけるインスリンの作用を損なう．エネルギー代謝を制御するシグナル伝達経路がさらに解明されれば，糖尿病の病態生理が明らかになり，新しい予防法や治療法につながることが期待される．

21・1　血糖値の調節　まとめ
- 血糖値の正常な維持は，隣接する膵島細胞でつくられるインスリンとグルカゴンという二つのホルモンのバランスに依存する．
- インスリンは，血糖値が正常な 5 mM 以上に上昇すると血糖値を下げるように作用し，グルカゴンは血糖値を上昇させる．
- 膵島 β 細胞からのインスリン分泌は，グルコース流入の増加による，解糖の増加，ATP 濃度の上昇，K^+ チャネルの閉鎖，Ca^{2+} チャネルの開口によりひき起こされる．
- インスリンは脂肪細胞および筋細胞に作用し，グルコースの取込み速度を増加させる．インスリン受容体の活性化は，いくつかのシグナル伝達経路をひき起こし，GLUT4 グルコース輸送体を細胞内の GSV から細胞膜に移動，融合させる．
- インスリンは肝細胞に作用し，グルコース合成を抑制し，解糖速度を速め，グルコースをグリコーゲンとして貯蔵することを促進する．

21・2　栄養とエネルギー量による細胞成長シグナルの統合

前節では，脊椎動物の細胞や生物の代謝において，グルコースという単一の分子を感知し，その濃度を維持することがいかに重要であるかを説明した．しかし，ある経路においては，細胞は複数の多様な分子を同時に感知し，これらのシグナル入力をシグナル伝達経路に統合して，複数の下流経路を活性化する必要がある．重要な例として，細胞が細胞分裂周期に入るかどうかの決定があげられる（19章）．細胞分裂の開始には，隣接する細胞の表面や周囲の培地中に存在する特定の増殖因子による刺激（16章）だけでなく，細胞の環境中に十分なアミノ酸やヌクレオチド，その他の小分子が存在することが必要である．さらに，グルコースや脂肪酸，その他のエネルギー源の代謝速度が，細胞分裂に備えて細胞量が倍増するのに必要なすべてのタンパク質，核酸，膜，その他の成分の合成に必要な濃度の ATP を生成するのに十分でなければならない．

本節では，TOR 経路とその重要な構成要素である mTORC1 プロテインキナーゼについて説明する．mTORC1 は，細胞質のセンサータンパク質からのシグナルを統合することによって細胞増殖を調節する，大きな多サブユニットの複合体である．このキナーゼの活性が，細胞質内およびリソソーム内の特定のアミノ

の量，ATPの量，そして増殖因子受容体の下流で活性化されるいくつかの細胞内シグナル伝達タンパク質（おもにキナーゼ）の量によって調節されることを詳しく説明する．また，活性化されたmTORC1キナーゼの複数の基質が，細胞の成長と増殖に必要な多くのシグナル伝達経路を活性化し，巨大分子を小分子として再利用するオートファジーを抑制するしくみも説明する．さらに，mTORC1シグナルネットワークの不適切な活性化がどのようにヒトの病気に関与しているか，またこのキナーゼの阻害剤が臨床で使用されていることを述べる．

TOR経路は，*Streptomyces*属の細菌が産生する抗生物質ラパマイシンの作用機構の研究から発見された（本章の章頭図）．ラパマイシンは，臓器移植患者の免疫反応抑制に有効であることが証明されているが，発見当初は，ラパマイシンがどのように機能するのかは不明であった．ラパマイシンによって阻害されるタンパク質，すなわちラパマイシン標的タンパク質(the target of rapamycin: **TOR**) は，ラパマイシンによる細胞増殖阻害に耐性をもつ酵母の変異体の解析によって同定された．酵母のTORは約2400アミノ酸からなる大型のプロテインキナーゼで，栄養状態に応じて酵母細胞のいくつかの細胞過程を調節する．酵母のTORも**多細胞動物のTOR**（metazoan TOR: **mTOR**）＊も，mTORC1とmTORC2という二つの多サブユニット複合体に組込まれている．ここでは，よりよく理解されているmTORC1複合体に焦点を当てる（図21・3）．大きなmTORC1複合体は，リソソームの細胞質表面で集積する．はじめに，mTORC1が活性化する複数のシグナル伝達経路が細胞の増殖や分裂を促すことを説明し，次にmTORC1活性化の機構について述べる．

活性型mTORC1複合体は，多くの同化にかかわるシグナル伝達経路を活性化する

本項では，活性化されたmTORC1によって直接リン酸化される標的タンパク質をいくつか説明する．これらは，細胞の増殖に不可欠であるリボソームやRNA，タンパク質合成を刺激し，グルコース代謝速度を加速する（図21・3b）．次項では，mTORC1活性がどのように調節されるかを詳述する（図21・3a）．

mRNAの翻訳速度とタンパク質合成速度の向上　mTORC1は，mRNA翻訳速度，また全体的なタンパク質合成を促進する．この現象は，リボソームや他のタンパク質合成に必要な分子の生産を促進することと，mRNA上のリボソームによるポリペプチド鎖の合成開始速度を亢進すること，というおもに二つの機構によってひき起こされる．

真核生物のmRNAの翻訳の最初の段階は，eIF4開始複合体がそのeIF4Eキャップ結合サブユニットを介してmRNAの5′キャップに結合することである（図5・36参照）．活性型のeIF4Eの濃度，すなわちポリペプチド鎖合成の開始速度は，eIF4EとmRNAの5′キャップとの相互作用を阻害する，**eIF4E結合タンパク質**（eIF4E-binding protein: **4E-BP**）という少数の相同なタンパ

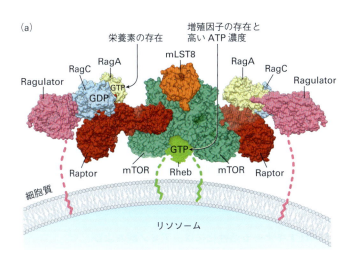

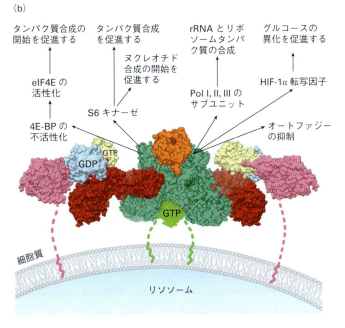

図21・3　mTORC1複合体．(a) リソソーム表面に存在する活性型mTORC1複合体のモデル．mTORC1キナーゼは，キナーゼであるmTOR，Raptor (regulatory protein associated with mTOR)，およびmTOR活性を制御する他の多くのタンパク質から構成されている．mTORキナーゼの活性化には，二つの低分子量GTP結合タンパク質であるRhebとRagAが同時に活性型GTP結合状態に変換され，リソソーム表面に局在化することが必要である．RagAのGTP結合状態への変換は，細胞質内に十分な量のアミノ酸や他の栄養素が存在するときに起こる（図21・4）．Rhebの活性型GTP結合状態への変換は，多くの増殖因子受容体の下流で活性化されるシグナル伝達経路の一部であるERKやPKBのような活性化キナーゼの下流で行われる（図21・5）．またこの変換には高濃度のATPが必要である．このようにmTORC1は，多くの細胞状態からのシグナルを統合し，その結果，細胞の成長と代謝の多くの側面を制御している．RhebとRagA（およびそれに結合したRagC）に結合するRagulatorタンパク質の両方は，脂質修飾された末端残基をもち，これらの超複合体の構成要素をリソソーム膜に固定している．(b) mTORC1複合体によって活性化される同化を担う複数のシグナル伝達経路．mTORC1複合体によってリン酸化される複数の標的タンパク質は，細胞増殖に不可欠なRNAやタンパク質の合成および解糖を促進する．詳しくは本文を参照．[(a)はK. B. Rogala et al., 2019, *Science* **366**(6464): 468のデータによる．K. Rogala and D. Sabatini 提供．]

＊　訳注：哺乳類のTOR (mammalian TOR) もmTORと略される．

ク質を含むファミリーによって抑制される．この 4E-BP は，mTORC1 の直接の標的である．4E-BP は，mTORC1 によってリン酸化されると eIF4E を解離し，mRNA 上の翻訳開始複合体の集積を促進し，タンパク質翻訳の開始を促進する．また，mTORC1 は別のプロテインキナーゼである S6K をリン酸化して，その下流でいくつかの翻訳開始因子を活性化して，タンパク質合成速度をさらに上げる．

5′ 非翻訳領域に連続したピリミジンをもつ特定の mRNA（tract of oligopyrimidine: TOP mRNA）の翻訳は，4E-BP のリン酸化および S6K による mTORC1 の別の基質である RNA 結合タンパク質 LARP1 のリン酸化によって特に強く促進される．TOP mRNA にはリボソームタンパク質や翻訳開始・伸長因子がコードされている．これらのタンパク質の産生が促進されると，細胞内のリボソーム産生が亢進し，mRNA の翻訳速度がさらに促進される．S6K は，その名のとおり基質であるリボソーム小サブユニットの S6 サブユニットもリン酸化するが，このリン酸化がタンパク質合成に及ぼす影響についてはわかっていない．

rRNA と tRNA の合成を促進する　リボソームは，平均的な多細胞動物細胞の質量の約 15% を占める．mTORC1 が活性化すると，上述のようにリボソームタンパク質だけでなく，rRNA の合成も促進され，リボソームの産生が促される．まだ完全には解明されていないが，mTORC1 は RNA ポリメラーゼ I 転写因子 TIF-1A を活性化し，大きな rRNA 前駆体の転写を促進する（図 8・51 参照）．また，mTOR は，RNA ポリメラーゼ III による転写も活性化する．これは，RNA ポリメラーゼ III 転写阻害タンパク質である MAF1 をリン酸化するプロテインキナーゼを，mTOR がリン酸化し活性化していることでひき起こされる．MAF1 はリン酸化されることで，核から輸送され，これにより RNA ポリメラーゼ III の転写抑制が解除され，5S リボソーム RNA や多くの tRNA が合成できるようになる．mTOR 活性が低下すると，細胞質内の MAF1 は速やかに脱リン酸化され，核内に取込まれ，RNA ポリメラーゼ III による転写を抑制する．

さらに，mTOR は，リボソームタンパク質と翻訳因子遺伝子の転写を誘導する二つの RNA ポリメラーゼ II 活性化因子を活性化する．最後に，mTOR は rRNA 前駆体（§9・5 参照）から成熟 rRNA へのプロセシングを促進する．これらの複数の mTOR 基質がリン酸化された結果，リボソームの合成と組立て，翻訳因子と tRNA の合成が大幅に増加する．さらに，mTORC1 は，RNA の主要な構成要素であるピリミジンの小分子からの合成を促進し，リボソームやその他の RNA の産生を再び促進する．一方，mTOR キナーゼ活性が阻害されると，これらの基質が脱リン酸化され，タンパク質合成速度やリボソーム，翻訳因子，tRNA の生産量が大きく減少し，細胞の成長が遅くなるか停止する．

以上をまとめると，mTORC1 が活性化すると，リボソーム因子，tRNA，翻訳因子の発現を促進する転写因子が活性化され，タンパク質合成の全体速度，ひいては細胞の成長が促される．mTORC1 はまた，mRNA の翻訳を直接促進する二つの重要なタンパク質も活性化する．

解糖の促進　細胞の増殖には ATP 供給が必須であり，活性化された mTORC1 は，グルコース輸送体 GLUT1 の発現を増加させ，細胞内へのグルコースの取込みを促進することにより，解糖（グルコースのピルビン酸への変換とそれに伴う ATP の生産）を促進する（11 章）．活性化された mTORC1 は，転写因子である低酸素誘導因子 1α（HIF-1α）の活性を上昇させることにより，解糖系の多くの酵素の産生も増加させる（12 章）．§21・4 で学ぶように，HIF-1α タンパク質は通常の酸素濃度下では急速に分解されるが，酸素欠乏時には安定化される．これは mTORC1 活性とは無関係な調節である．しかし，mTORC1 によって HIF-1α mRNA の翻訳速度が選択的に増加するため，mTORC1 の活性化は，通常の酸素濃度下でも HIF-1α 濃度の上昇をもたらす．HIF-1α は解糖系酵素をコードする多くの遺伝子の転写速度を増加させ，酸素が存在する状態でも ATP 濃度を高める．

オートファジーの抑制　mTORC1 は，細胞内のタンパク質合成速度やリボソーム，tRNA，翻訳因子の生成を促進するだけでなく，低栄養状態への対応にかかわる他の過程，特にマクロオートファジー（または単に**オートファジー** autophagy）を調節する．1 種類以上の必須栄養素の飢餓状態において，mTOR 活性が低下すると，細胞は小器官全体を含む細胞質成分を分解し，エネルギーと基礎的な細胞機能を実行するための前駆体となる分子を供給する（14 章）．この過程で，大きな二重膜構造が細胞質領域を包み込んでオートファゴソームを形成し，これがリソソームと融合して，閉じ込められたタンパク質，脂質，その他の巨大分子が分解され，その栄養成分が再利用される．活性化した mTORC1 は，栄養が豊富な成長期の細胞では，オートファジー開始キナーゼである Unc-51 様キナーゼ-1（ULK1）のリン酸化による阻害により，マクロオートファジーを抑制している．このような mTORC1 の作用の詳細やその他の作用の多くは，現在ようやく解明されつつあるところである．

mTORC1 キナーゼ活性化には，アミノ酸および高 ATP：AMP 比，増殖因子受容体の下流にあるシグナル伝達経路の活性化が必要である

ここまで活性化された mTORC1 が巨大分子合成と細胞増殖を促す多くの経路を刺激することを説明したので，次にその活性化機構に目を向ける．mTORC1 キナーゼの活性化は，同時に高濃度の細胞質アミノ酸，高い ATP：AMP 比，および増殖因子受容体からのシグナルを必要とするのである．この過程には，図 21・3(a) に描かれている巨大な多サブユニット mTORC1 複合体のリソソームの細胞質表面における集積が関与している．

細胞質アミノ酸による活性化　タンパク質合成を進めるためには，十分な全 20 種類のアミノ酸が必要であることは明らかであるが，脊椎動物の進化では，なぜかロイシン，アルギニン，メチオニン代謝物 S-アデノシルメチオニン（SAM）の 3 種類のアミノ酸だけが，mTORC1 キナーゼ活性を調節するものとして選択されている（図 21・4）．ハエと酵母では利用するアミノ酸や栄養素が異なる．1 対の低分子量 GTP 結合タンパク質である RagA と RagC は，細胞質内のこれらのアミノ酸の濃度によって調節されている．これらの低分子量 G タンパク質は，Rag 結合タンパク質である Ragulator に結合した脂質によって常にリソソーム表面に係留されている．

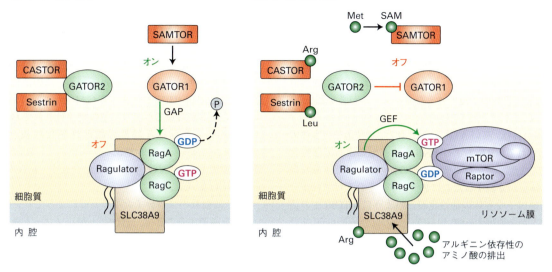

図 21・4　三つの細胞質アミノ酸による mTORC1 複合体の RagA 調節因子の活性化モデル．RagA と RagC は，共有結合した長鎖の脂質によってリソソーム膜の細胞質表面につながれている Ragulator に結合している．すべての低分子量 GTP 結合タンパク質と同様に，RagA は GTP が結合した活性型と，GDP が結合した不活性型の間を行き来している．RagA が GTP 結合型（そして奇妙なことに RagC が GDP 結合型）でなければ，コアとなる mTORC1 複合体をリソソーム表面に呼び寄せることができない．mTORC1 複合体はリソソーム表面に局在することではじめて増殖因子受容体の下流にある他のシグナルによって活性化されることになる．GATOR1 は，活性型 RagA・GTP を不活性型 RagA・GDP に変換する GAP であり，その活性は，ロイシン，アルギニン，およびメチオニンの代謝物である S-アデノシルメチオニン（SAM）の三つのアミノ酸濃度によって制御されている．(a) アミノ酸が枯渇した条件では，GATOR1 は活性化して RagA・GTP の RagA・GDP への変換を促進し，mTORC1 が結合できない RagA/C ヘテロ二量体を生成している．GATOR2 は，GATOR1 の GAP 活性に結合して阻害するタンパク質であるが，空の細胞質ロイシン受容体 Sestrin および空のアルギニン受容体 CASTOR に結合して，GATOR1 阻害活性を制約されている．SAM の細胞質受容体である SAMTOR は，SAM と結合していないとき，GATOR1 に結合して活性化し，RagA・GTP から RagA・GDP への変換をさらに促進する．(b) アルギニン，ロイシン，SAM が十分に存在すると，GATOR1 の GAP 活性は阻害され，RagA は GTP 結合の活性型で蓄積される．このようなアミノ酸が豊富な条件下で，ロイシン，アルギニン，メチオニン由来の SAM は，それぞれセンサーである Sestrin, CASTOR, SAMTOR に直接結合する．これが GATOR1 の GAP 活性阻害をひき起こす．GATOR2 から Sestrin と CASTOR が放出されると，GATOR2 は未知の機構で GATOR1 に結合してこれを阻害し，SAMTOR は GATOR1 の GAP 活性を促進できなくなる．また，輸送タンパク質 SLC38A9 によって触媒される，リソソームの内腔から細胞質へのアルギニンの排出は，GTP 結合活性型の RagA の蓄積に寄与している．RagA・GTP はリソソーム表面にある mTOR キナーゼと結合するが，mTORC1 キナーゼ活性の活性化には，増殖因子受容体の下流にさらなるシグナルが必要である（図 21・5）．[A. J. Valvezanand and B. B. Manning, 2019, Nat. Metab. 1: 321 参照．]

低分子量 GTP 結合タンパク質である RagA は，mTORC1 活性の重要な調節因子であり，細胞質内のロイシン，アルギニン，SAM の濃度が十分に高い場合にのみ mTORC1 キナーゼ活性を活性化するようになっている．（RagA に結合する GTP 結合タンパク質である RagC は，mTORC の調節において小さな役割を担っており，奇妙なことにその活性型は，GTP ではなく GDP が結合したものである．）すべての低分子量 GTP 結合タンパク質と同様に，RagA は GTP 結合した活性型と GDP 結合した不活性型の間を行き来する．RagA が，核となる mTOR キナーゼ複合体をリソソーム表面に呼び寄せるためには，GTP 結合状態でなければならない．これにより，mTOR キナーゼ複合体は，増殖因子受容体の下流の他のシグナルによって活性化されるようになる．RagA の GEF であるリソソーム膜タンパク質 SLC38A9 は，いくつかのアミノ酸に対し，アルギニン調節性アミノ酸輸送体としても機能する．この分子は，RagA・GDP からの GDP の解離を継続的にひき起こし，RagA に GTP が結合した RagA・GTP の産生を誘導する．Rag の調節は，活性型 RagA・GTP を不活性型 RagA・GDP に変換する GAP である GATOR1 が中心となっている．

GATOR1 は，ロイシン，アルギニン，SAM の三つの重要なアミノ酸のいずれかが細胞質で枯渇すると活性化し，RagA を GDP 状態にして，リソソームへの mTOR の呼び寄せを阻害する（図 21・4a）．GATOR2 とよばれる別のタンパク質複合体が GATOR1 に結合することで，GATOR1 の GAP 活性が阻害される．しかし，アルギニンまたはロイシンの濃度が低い場合，GATOR2 の GATOR1 への結合は阻害される．おそらく GATOR2 が，占有されていないアルギニンセンサーである CASTOR（cellular arginine sensor for mTORC1）または占有されていないロイシンのセンサー Sestrin2 に代わり結合するためである．十分な量が存在すると，アルギニンとロイシンは，それぞれ CASTOR と Sestrin2 の決められた部位に結合する．この結合は，CASTOR と Sestrin2 が GATOR2 との阻害的な相互作用から解離する構造変化をひき起こし，GATOR2 が GATOR1 に結合して GATOR1 の GAP 活性を阻害することを可能にする．これにより，GTP 結合状態の活性型 RagA の蓄積が促進され（図 21・4b），リソソーム表面の複合体に mTOR を呼び寄せることが可能になる．

SAM 結合タンパク質である SAMTOR は，異なる働きをする．SAM がない場合，SAMTOR は GATOR1 に直接結合し，その GAP 活性を高める．SAM が SAMTOR に結合すると，GATOR1 への結合が妨げられ，GATOR1 の GAP 活性が低下する．輸送タンパク質 SLC38A9 によって触媒される，リソソーム内腔から細胞質

へのアルギニンの排出も GTP 結合型の活性状態の RagA の蓄積に寄与している．

このように RagA は，ロイシン，アルギニン，SAM が細胞質内に十分に存在する場合にのみ，GTP 結合型の活性型で蓄積される．RagA・GTP は次に不活性な mTOR を細胞質からリソソーム表面に呼び寄せるが，mTORC1 キナーゼの活性化には，次項で述べるように，増殖因子受容体の下流のさらなるシグナルが必要となる．

mTORC1 複合体は，高い ATP：AMP 比と，増殖因子受容体の下流で活性化される ERK および PKB キナーゼによって活性化される　アミノ酸，ヌクレオチド，その他の小分子が十分な量あることは，細胞が分裂するために必要だが，それだけでは十分ではない．増殖因子受容体の活性化がどのように mTORC1 の活性化を促進するかを理解する鍵は，もう一つの低分子量 GTP 結合タンパク質である **Rheb** である（図 21・5）．RagA と同様に，Rheb は GTP 結合の活性型と GDP 結合の不活性型の間で切替えが起こ

る．Rheb は共有結合した脂質によってリソソーム表面に係留されており，GTP 結合型になることで，RagA・GTP によってリソソーム表面に運ばれてきた mTOR 複合体に結合し活性化する．

RagA と同様に，正体不明の GEF タンパク質が，継続的な Rheb・GDP からの GDP の解離，Rheb・GTP の形成，ひいては mTORC1 の活性化を可能にする引金を担っている．この活性型 Rheb・GTP を不活性型 Rheb・GDP に変換する GAP として，TSC1 と TSC2 のサブユニットからなるヘテロ二量体が注目されており，その名称は，後述する医学的症候群の結節性硬化症複合体（tuberous sclerosis complex）に由来する．この TSC は，Rheb を GDP 結合型に変換するが，これは mTOR と結合せず，mTORC1 キナーゼを活性化しない．

TSC2 は複数のプロテインキナーゼによってリン酸化され，その活性を調節することで，mTORC1 がリソソーム表面に活性型で蓄積する能力を調節している（図 21・5）．16 章で学んだように，多くの細胞表面増殖因子受容体型チロシンキナーゼからのシグナ

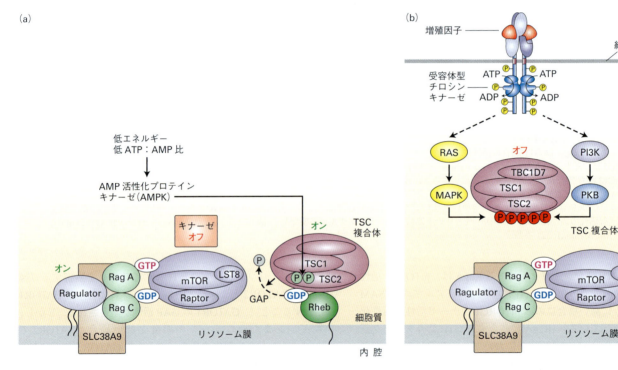

図 21・5　高い ATP：AMP 比と増殖因子受容体の下流で活性化されたキナーゼによる mTORC1 複合体の活性化モデル． mTORC1 複合体がリソソーム表面に結合するためには，細胞質内に 3 種類のアミノ酸が十分な量存在することが必要である（図 21・4）．mTORC1 キナーゼ活性が完全に活性化されるには，不活性型の Rheb・GDP タンパク質が活性型の Rheb・GTP に変換される必要がある．増殖因子受容体の下流で活性化されたキナーゼと，高い ATP：AMP 比によってこの Rheb の活性型への変換が起こる．TSC-GAP 複合体は，現在までに同定された唯一の確立された Rheb の調節因子である．(a) 増殖因子がない場合や低 ATP 状態では，mTORC1 キナーゼはリソソーム表面に固定されているが（図 12・4），触媒的に不活性な状態である．なぜなら Rheb が GDP 結合状態で蓄積し mTORC1 キナーゼ活性を活性化できないためである．増殖因子シグナルがない場合，TSC1 と TSC2 からなる TSC タンパク質複合体は，リソソーム表面に局在している．TSC は Rheb に対して非常に特異的な GTPase 活性化タンパク質（GAP）活性をもち，Rheb を不活性な GDP 結合型へと変換している．グルコース欠乏時などの低エネルギー状態では，細胞質の AMP 量が上昇し，AMP 活性化プロテインキナーゼ（AMPK）が活性化される．AMPK は，TSC 複合体の Rheb・GTP に対する GAP 活性をさらに促進する部位で TSC2 をリン酸化する．このように ATP：AMP 比が低いと，Rheb も不活性な GDP 結合型で蓄積し，mTORC1 複合体の結合と活性化が阻害される．(b) 増殖因子の添加により，Rheb は GTP 結合型で蓄積し，mTORC1 キナーゼが活性化される．TSC2 は高度にリン酸化されたタンパク質であり，異なる増殖因子受容体の下流で活性化されたいくつかのプロテインキナーゼが TSC 複合体の TSC2 サブユニットの部位をリン酸化し，TSC の GAP 活性を不活性化して TSC 複合体をリソソームと結合した Rheb から遊離させる．ここでは，PI 3-キナーゼ経路で活性化されるプロテインキナーゼ B（PKB，図 16・17 参照）と Ras/MAP キナーゼ経路で活性化される MAP キナーゼ（MAPK，図 16・13 参照）という二つのキナーゼを示す．これらのリン酸化を介する TSC の GAP 活性の阻害により，Rheb はその GTP 結合活性型で蓄積し，すでにリソソーム膜に結合している mTORC1 複合体のサブユニットに結合することができ，そうすることで mTORC1 キナーゼ活性を活性化し，複数の下流シグナル伝達経路を誘発することが可能となる．[A. J. Valvezan and B. D. Manning, 2019, *Nat. Metab.* **1**: 321 参照．]

ルは，特に Ras/MAPK 経路と MAP キナーゼ（MAPK）の活性化につながる．プロテインキナーゼ B（PKB）もまた，多くの受容体型チロシンキナーゼの下流にある PI 3-キナーゼシグナル伝達経路の一部として活性化される．MAPK と PKB はともに TSC1-TSC2 の GAP 活性を阻害する部位をリン酸化し，Rheb・GTP の蓄積の増加と mTORC1 キナーゼの活性化をひき起こす（図 21・5b）．このような細胞表面受容体を介した調節は，細胞増殖の制御を，細胞間相互作用によって制御される発生過程に結びつけるものである．

また，細胞が増殖するためには，高濃度の ATP が必要である．ATP 濃度が減少すると，ADP と AMP の濃度が増加する．AMP が蓄積すると AMP 活性化プロテインキナーゼ（AMPK）が活性化される．活性化された AMPK は，TSC2 の異なる部位をリン酸化してその GAP 活性を高め，細胞のエネルギー枯渇の条件下で Rheb・GTP-mTORC1 シグナルを停止させる（図 21・5a）．AMPK は ATP が十分条件下では不活性であるが，低酸素や他の細胞ストレスも TSC1-TSC2 の Rheb-GAP 活性を促進する．

つまり，増殖因子受容体の下流にある MAPK, PKB などのキナーゼの活性化と，高い細胞質 ATP 濃度によって，Rheb は GTP に結合した活性型で蓄積し，リソソームの表面にすでにある mTORC1 キナーゼに結合し活性化して，上述した下流の複数の同化過程を誘発するのである．

mTOR 経路の構成要素をコードする遺伝子は，多くのヒトのがんで変異しており，その結果，正常な増殖シグナルがない状態で細胞が増殖している．TSC1 と TSC2（図 21・5）が最初に同定されたのは，これらのタンパク質のどちらか一方が，結節性硬化症というめずらしいヒトの遺伝的症候群で変異しているためである．この疾患の患者は複数の組織に良性の腫瘍を形成する．この疾患は，TSC1 または TSC2 のいずれかの不活性化により，TSC1-TSC2 ヘテロ二量体の Rheb-GAP 活性が消失し，Rheb・GTP の濃度が異常に高くなり，その結果 mTORC1 の活性が高くなり調節されなくなるために生じるものである．細胞表面受容体から TSC1-TSC2 の Rheb-GAP 活性の阻害につながるシグナル伝達経路の構成要素の変異も，ヒト腫瘍でよくみられる．これらの変異は，成長と増殖のための正常なシグナルがない状態での細胞の成長と複製に寄与する（25 章）．

腫瘍中の高い mTORC1 プロテインキナーゼ活性は，臨床における予後不良と相関している．そのため現在，mTOR 阻害剤の他の治療法と併用したがん治療の有効性を検証するための臨床試験が行われている．ラパマイシンおよび構造的に関連する他の mTOR 阻害剤は，外来抗原に対する T リンパ球の活性化および複製を阻害するため，免疫反応の強力な抑制剤である（24 章）．いくつかのウイルスは，ウイルス感染後，早期に mTOR を活性化するタンパク質をコードしている．その結果，翻訳が促進され，細胞に寄生するウイルスにとって明らかな選択的利点をもたらす．

21・2 栄養とエネルギー量による細胞成長シグナルの統合 まとめ

- mTORC1 キナーゼ複合体は，リソソームの細胞質表面に集積し，mTOR キナーゼ，低分子量 GTP 結合タンパク質 RagA と Rheb, その他 mTOR キナーゼ活性を調節する多くのタンパク質から構成されている（図 21・3）．
- 活性化された mTORC1 キナーゼは，mRNA の翻訳，rRNA やタンパク質，tRNA の合成，解糖など多くの同化シグナル伝達経路を活性化し，オートファジーを阻害する（図 21・3b）．
- mTORC1 キナーゼの活性化には，細胞質内にアルギニン，ロイシン，S-アデノシルメチオニンといったアミノ酸が存在することが必要である．これらのアミノ酸がない場合，RagA の GAP である GATOR1 は RagA を GDP 結合型で蓄積させる．その結果，RagA・GDP 複合体は mTOR キナーゼを活性化される場であるリソソーム表面まで移動させることができない．
- これら三つのアミノ酸がそれぞれの細胞質センサータンパク質に結合すると，GATOR の GAP 活性が阻害され，RagA が GTP 結合の活性型で蓄積し，mTOR キナーゼをリソソーム表面につなぎとめることができるようになる（図 21・4）．
- mTOR キナーゼの活性化には，高い ATP：AMP 比と，受容体型チロシンキナーゼの下流で活性化されるキナーゼである ERK および PKB の活性化も必要である．これらのシグナル伝達経路は，Rheb とよばれる別の低分子量 GTP 結合タンパク質の GAP である TSC に作用し，Rheb が GTP 結合した活性型に蓄積することを可能にする．
- Rheb・GTP の蓄積は，RagA・GTP によってリソソーム表面につなぎとめられた mTOR キナーゼの活性化を誘発する（図 21・5）．

21・3 コレステロールと不飽和脂肪酸の濃度変化に対する応答

すべての細胞は，細胞膜の脂質の量と組成を制御する必要がある．10 章では，細胞は膜の流動性を適切に保つ必要があること，それは各細胞膜に含まれるコレステロールなどのステロイドの量と，膜リン脂質中の不飽和脂肪酸の割合の両方によって決まることを述べた．実際，膜をつくるのに十分な量のリン脂質がなかったり，コレステロールが多すぎて大きな結晶ができ，細胞の構造を壊してしまったりすると，細胞はすぐに危機に直面する（10 章）．ここでは，細胞がコレステロールと脂肪酸のホメオスタシスを維持するために，それらの生合成の重要な段階を触媒する酵素の合成と，細胞外液からのコレステロールの取込みの両方を調節していることを説明する．この調節の重要な特徴は，小胞体にあるタンパク質がこれらの代謝物を感知することである．

脂肪酸とコレステロールの生合成およびその取込みは，遺伝子転写レベルで調節されている

コレステロール生合成経路（図 10・26 参照）の多くの酵素をコードする遺伝子の転写は，フィードバック調節の対象になっている．細胞内のコレステロール値が適切な場合，コレステロールの生合成は抑制され，毒性のある非エステル化コレステロールが過剰に蓄積されないようにする．細胞内のコレステロール濃度が下がりすぎて，細胞膜が正常な状態を保てなくなると，コレステ

ロールの生合成が促進される．コレステロール生合成経路の酵素の一つである HMG-CoA 還元酵素は，コレステロール生合成の律速酵素であるため，合成が厳密に調節されている．

フィードバック調節は，細胞外コレステロールの流入も制御する．14 章で述べように，リポタンパク質は脂質でみたされた粒子であり，循環系を介して疎水性分子を輸送する．ヒトの場合，コレステロールをコレステロールエステルの形で最も多く輸送しているのは低密度リポタンパク（LDL，図 14・27 参照）である．LDL は細胞表面の LDL 受容体に結合することにより，コレステロールを細胞に送り込む．LDL 受容体は LDL 粒子のエンドサイトーシスへの取込みを行い，その後リソソームで分解される．これにより，コレステロールは細胞内プールに入る（図 14・29 参照）．細胞のコレステロールのホメオスタシスを維持するために，LDL 受容体の転写は調節されており，同様のシステムは不飽和脂肪酸の濃度を調節するためにも用いられている．

ステロール調節配列（SRE）

コレステロールなどのステロールや不飽和脂肪酸の濃度は，細胞内の多くの遺伝子の発現量を調節している．HMG-CoA や LDL 受容体を含むほとんどのコレステロール感受性および不飽和脂肪酸感受性遺伝子のプロモーターには，10 塩基対の**ステロール調節配列**（sterol regulatory element: SRE），または SRE ハーフサイトが一つ以上含まれている（これらの SRE は，§16・2 で述べた多くの初期応答遺伝子を制御する血清応答配列とは異なっている）．**SRE 結合タンパク質**（SRE-binding protein: **SREBP**）とよばれる脂質調節転写因子がこれらの応答配列と相互作用することにより，標的遺伝子の発現が調節される．

哺乳類は 3 種類の SREBP アイソフォームを発現している．SREBP-1a，SREBP-1c は同じ遺伝子から選択的スプライシングでつくられたものであり，SREBP-2 は別の遺伝子にコードされたものである．これらの転写因子は，コレステロールだけでなく，脂肪や脂肪酸からつくられるトリグリセリドやリン脂質の利用を調節するタンパク質の発現を制御している．哺乳類細胞では，SREBP-1a および SREBP-1c はコレステロール代謝よりも脂肪酸代謝に大きな影響を及ぼし，SREBP-2 はその逆である．

細胞はどのようにしてコレステロールや不飽和脂肪酸の量を感知し，その情報をもとに核内の SREBP の量を制御し，遺伝子発現を制御しているのだろうか．SREBP を介した経路は小胞体膜からはじまり，SREBP 以外にもいくつかのタンパク質を含む．16 章では，**調節性膜内タンパク質分解**（regulated intramembrane proteolysis）が Notch や EGF のシグナル伝達経路において重要な役割を果たしていることをみてきた．ここでは，調節性膜内タンパク質分解が，コレステロールや脂肪酸濃度の変化に対する細胞応答においても重要な役割を果たしていることを述べる．

小胞体 SCAP タンパク質は，細胞のコレステロール量を感知している

細胞に十分な量のコレステロールが存在すると，SREBP は SCAP（SREBP cleavage-activating protein），insig-1（またはそのホモログの insig-2），および他のタンパク質と複合体化して小胞体膜に存在する（図 21・6a）．SREBP には三つの異なるドメインがある．N 末端の細胞質ドメインは塩基性ヘリックス-ループ-ヘリックス（bHLH）DNA 結合モチーフをもち（図 8・25d 参照），SREBP の残りの部分から切断されると転写因子として機能する．残りは，中央の膜貫通ヘリックスを含む膜係留ドメインと C 末端の細胞質に面した調節ドメインである．

SCAP は八つの膜貫通 α ヘリックスと大きな C 末端細胞質ドメインをもち，SREBP の調節ドメインと結合する．SCAP の膜貫通 α ヘリックスのうち五つは，HMG-CoA レダクターゼのものと同様の**ステロール感受性ドメイン**（sterol-sensing domain）を形成している（図 21・6a，§10・3 も参照）．SCAP のステロール感受性ドメインにコレステロールが結合すると，SCAP は insig-1(2) と結合するような立体構造になる．SCAP-コレステロール複合体が insig-1(2) に強く結合すると，COPII 小胞被覆複合体の Sec24 サブユニットとの結合を阻害するような立体構造となる（図 14・9 参照）．これにより，SCAP-SREBP 複合体は COPII 小胞体-ゴルジ体間輸送小胞に組込まれることができなくなる（14 章）．その結果，SCAP-SREBP 複合体は小胞体内に保持されるため，SREBP の N 末端ドメインの転写因子が核内で遺伝子発現を制御することができなくなるのである．これは，コレステロールの割合が，小胞体膜脂質全体の 5% を超えると起こる．

ゴルジ体における SREBP の調節性膜内タンパク質分解により，適切なリン脂質とコレステロール濃度を維持する bHLH 転写因子が放出される

SCAP は，小胞体膜のコレステロールの割合が小胞体脂質の 5% 以下（正常な細胞コレステロール濃度を反映する値）になると，結合していたコレステロールを放出する．その結果，insig-1(2) はコレステロールを失った SCAP に結合できなくなり，SCAP-SREBP 複合体は小胞体から COPII 小胞を介してゴルジ体へ移動する（図 21・6b）．その後，SREBP はゴルジ膜に存在する二つのプロテアーゼにより，二つの部位で順次切断される．Site-1 プロテアーゼ（S1P）は SREBP の内腔ループを切断し，膜に結合した二つのタンパク質に分割する．S1P は，SREBP の N 末端側を Site-2 プロテアーゼ（S2P）の基質として提供する．S2P は，SREBP の N 末端の bHLH ドメインを細胞質-膜境界付近で切断し，細胞質へと放出する調節性膜内タンパク質分解の一例である．このタンパク質は **nSREBP**（nuclear SREBP）ともよばれ，核内に速やかに移行し，プロモーターにステロール調節配列（SRE）を含む遺伝子の転写を活性化する．

SREBP-2 は，おもに LDL 受容体や HMG-CoA レダクターゼをコードする遺伝子など，コレステロールの合成と取込みに必要な遺伝子の転写を活性化する．このように，**insig-1(2)/SCAP/SREBP 経路**〔insig-1(2)/SCAP/SREBP pathway〕を活性化することにより，細胞内のコレステロールが減少すると，コレステロールを細胞内に取込むタンパク質（LDL 受容体）と小さな前駆体分子からコレステロールを合成するタンパク質（HMG-CoA レダクターゼ）をコードする遺伝子の発現が誘導されるのである．

SREBP-1a と SREBP-1c は脂肪酸とトリグリセリドの合成に必要な遺伝子の転写を優先的に活性化する．不飽和脂肪酸（飽和脂肪酸ではない）の濃度も SREBP-1 の切断を調節するが，その機構は少し異なっている．不飽和脂肪酸のない細胞では，insig-1 はポリユビキチン化の基質となり，**小胞体関連分解**（ER-associated degradation: **ERAD**，§13・3 の終わり参照）とよばれる過程によっ

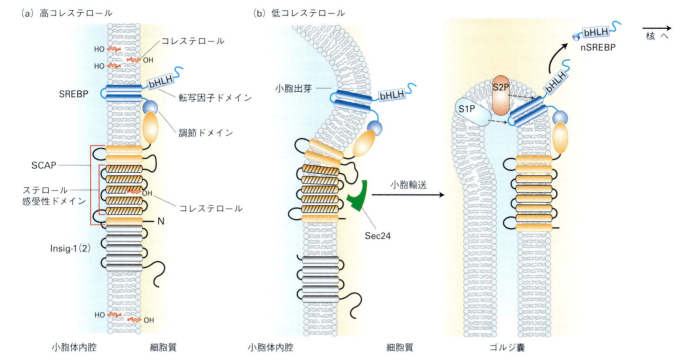

図 21・6 コレステロール感受性の SREBP 活性化制御．細胞内のコレステロールプールは，小胞体膜に存在するコレステロールセンサー SCAP によって監視され，その C 末端を介して膜タンパク質 SREBP の C 末端と安定的に結合している．SCAP の膜貫通ヘリックス 2〜6 (橙と黒線)はステロール感受性ドメインを形成している．(a) コレステロール濃度が十分に高く，小胞体のコレステロールが小胞体膜脂質分子全体の 5% を超えると，コレステロールは SCAP のステロール感受性ドメインに結合し，SREBP-SCAP-コレステロール複合体が insig-1(2) に結合できるような構造変化を誘導し，SCAP–SREBP 複合体全体を小胞体膜中に固定化させる．(b) 低コレステロールでは，コレステロールが SCAP ステロール感受性ドメインから解離し，SCAP を insig-1(2) から解離させ，SCAP が COPII 複合体のサブユニットである Sec24 (緑) に結合できるよう，反対の構造変化を誘導する (図 14・9 参照)．その結果，SCAP–SREBP 複合体は COPII 被覆小胞に入り，ゴルジ体へと輸送される．ゴルジ体では，SREBP が部位 1 および部位 2 のプロテアーゼ (S1P, S2P) によって順次切断され，SREBP の N 末端の bHLH 転写因子ドメインが細胞質へ放出され，核へ移行する．核内 SREBP (nSREBP) とよばれる SREBP の放出された bHLH ドメインは，プロモーターにステロール調節配列 (SRE) を含む遺伝子の転写を制御する．SCAP タンパク質はゴルジ体から小胞体に戻るサイクルを繰返す (図には示していない)．[M. S. Brown et al., 2018, *Annu. Rev. Biochem.* **87**: 783; R. A. DeBose-Boyd and J. Ye, 2018, *Trends Biochem. Sci.* **43**: 358 参照.]

て小胞体膜から細胞質に放出され，その後プロテアソームによって分解される．insig-1 がない場合，SCAP-1 は COPII 小胞の Sec24 サブユニットに結合できる立体構造をとる．これは図 21・6(b) に示した低コレステロールの状況に似ている．これにより SCAP と結合した SREBP は小胞体からゴルジ体へと輸送され，そこで S1P と S2P によるタンパク質分解を受け，bHLH を含む SREBP-1 転写因子ドメインを遊離して，脂肪酸とトリグリセリドの合成に必要な遺伝子の発現を活性化することができるようになる．いずれの場合も，ゴルジ体で SREBP が切断されたのち，SCAP は小胞体に戻り，そこで insig-1(2) と別の切断されていない SREBP 分子と結合する．

この転写因子はユビキチンを介したプロテアソーム経路によってかなり速く分解されるため，SRE 制御遺伝子の十分な転写には新規の nSREBP の継続的な生成が必要である (3 章)．nSREBP の迅速な生成と分解は，細胞が細胞内のコレステロールや脂肪酸の濃度の変化に迅速に対応することにも役立っている．

ある状況下 (たとえば細胞の成長期) において，細胞は必須の膜脂質とその脂肪酸前駆体の供給を増やす必要があり，その過程には多くの代謝経路の協調的な調節が必要である．肝臓では，mTOR は多くの増殖因子受容体による刺激を受けて活性化されたのち (§21・2)，*SREB-1c* 遺伝子の転写を直接活性化する．そ

の結果，脂肪酸合成の段階を触媒するタンパク質をコードする下流の標的遺伝子すべての転写が増加する．

21・3 コレステロールと不飽和脂肪酸の濃度変化に対する応答　まとめ

- 脊椎動物の細胞は，その膜に一定量のコレステロールを保持している．
- SCAP タンパク質は，完全長 SREBP と安定な複合体を形成し，小胞体膜上で細胞内のコレステロールプールを監視している．
- コレステロール濃度が高い場合，コレステロールは SREBP-SCAP 複合体と結合し，さらに小胞体タンパク質 insig-1(2) と結合する．これにより，SREBP-SCAP-コレステロール複合体全体が小胞体膜に係留されるため，ゴルジ体に運ばれて転写因子活性をもつ nSREBP ドメインが放出されないよう制御される．
- コレステロール濃度が低い場合，コレステロールは SREBP-SCAP 複合体から解離し，SCAP と insig-1(2) の解離，SREBP と SCAP の COPII 被膜への結合，SREBP-SCAP 複合体のゴルジ体への輸送につながる構造変化を誘発する．

- SREBPはゴルジ体において2種類のプロテアーゼによって切断され，その結果N末端の転写因子であるbHLHドメイン（nSREBP）が核に移行し，プロモーターにステロール調節配列（SRE）をもつ遺伝子の発現を活性化させる．これらの遺伝子のなかには，コレステロールを細胞内に取込むタンパク質や，コレステロールの生合成の主要な段階を触媒する酵素をコードする遺伝子が含まれている．
- SREBP-2はおもにコレステロールの取込みと合成を調節し，SREBP-1aとSREBP-1cはおもに非エステル化脂肪酸の合成を調節する．

21・4 低酸素応答

酸素は多細胞動物が生きていくうえで必要不可欠なものである．12章でミトコンドリアがグルコースや脂肪酸，アミノ酸などの代謝物を酸化することでADPとP_iからATPをつくり出すしくみを述べた．脳や心臓など多くの臓器は，嫌気性解糖では十分なATPを生産できないため，酸化的リン酸化によるATP生産に強く依存している．本節では，高地に登ったときや，心肺機能不全のように心臓や肺が血液中の酸素結合ヘモグロビンを十分に生成できない病気のときに起こるような，環境中の酸素濃度の低下を細胞が感知して，そのストレスに対応する方法について説明する．多細胞動物において，転写因子の一つであるHIF-1αが，どのように低酸素に対する多くの細胞応答を調整しているか，HIF-1αがどのように生成され，通常の酸素濃度下では急速に分解されるか，そして酸素濃度が低下するとHIF-1αが徐々に安定化する機構について学習する．HIF-1αは，酸素応答性遺伝子のプロモーターやエンハンサーに存在する低酸素応答配列（hypoxia-responsive element: HRE）に結合することにより，低酸素誘導性遺伝子の転写を活性化する．HIF-1αは多細胞動物にしか存在しないが，最近の研究により，動物と植物の両方に保存されている別の酸素感知転写因子ファミリーが発見された．これらのタンパク質は，HIF-1αと同様に周囲の酸素で分解されるが，その機構が異なる．

低酸素環境におけるエリスロポエチン遺伝子の誘導

赤血球は肺から全身の細胞に酸素を運搬しており，血液量の約40〜50%の赤血球を正確に維持することが正常な身体機能にとって重要である．16章では，サイトカインのエリスロポエチン（Epo）が赤血球の形成を促す主要なホルモンであること，Epoは酸素濃度が低下すると肝臓と腎臓の特定の細胞で合成されることを学習した（図16・18a参照）．一時期，これらの細胞は低酸素に反応する体内の数少ない細胞だと考えられていた．

1990年代初頭，肝細胞を低酸素状態にすると，エリスロポエチン遺伝子の3′末端のエンハンサー領域にある5′-CGTG-3′をコア配列とするHREに，当時としては新奇なタンパク質が結合することが重要な発見となった．現在では低酸素誘導因子1α（hypoxia-inducible factor 1α: HIF-1α）とよばれているこのタンパク質の性質を調べたところ，低酸素環境で培養した細胞のみに存在し，酸素によりその量が調節を受けないHIF-1βという第二のタンパク質と，HIF-1αはホモ二量体を形成しHREに結合することがわかった（図21・7a）．

酸素感知とHIF-1α発現制御は，すべての有核哺乳類細胞の特性である

この発見からまもなく，*HIF-1α* 遺伝子は酸素濃度に関係なくすべての体細胞でmRNAに転写されるが，HIF-1αタンパク質は酸素濃度が非常に低いときにのみ存在することが明らかにされた．一例として，培養HeLa細胞では，HIF-1αタンパク質とHIF-1αのDNA結合活性の程度は，細胞内の酸素濃度が低下すると指数関数的に増加し，周囲の酸素が20%のときと比較して，酸素濃度0.5%で最大値を示し，1.5〜2%で半値になることが示された．実際，HIF-1αの発現が血管内皮増殖因子（vascular endothelial growth factor: VEGF）の合成を誘導することはすぐに明らかとなった．VEGFは，動脈と静脈をつなぐ毛細血管の形成を促し，周囲の組織への酸素供給を増加させる分泌ホルモンである．HRE配列は解糖系の酵素をコードする多くの遺伝子のエンハンサーにも見いだされ，HIF-1αの安定化がこれらの遺伝子の発現を誘導することがわかった．特に，解糖系で調節された律速段階を触媒するいくつかのタンパク質〔ホスホフルクトキナーゼ，ピルビン酸キナーゼ，乳酸デヒドロゲナーゼ（§12・1参照）〕をコードする遺伝子は低酸素状態でHIF-1αにより強く発現が誘導され，酸素非依存的にATP合成を促進する．

HIF-1αの機能と安定性は通常の酸素濃度では阻害される

HIF-1αタンパク質は，低酸素環境と通常環境ではほぼ同じ速度で合成されるが，通常環境では急速に分解される．このしくみを理解する鍵は，プロリンおよびアスパラギンのヒドロキシラーゼ群の発見にあった．これらの酵素は，鉄を含む酵素であり，分子状酸素とクエン酸回路の中間体である2-オキソグルタル酸（図12・13参照）を基質とし，タンパク質中のプロリン残基の4番目の炭素原子またはアスパラギン残基の3番目の炭素原子にヒドロキシ基を付加する．下図のプロリンヒドロキシラーゼ（proline hydroxylase: PHD）と同様のアスパラギンヒドロキシラーゼは，明らかに細胞内に十分な酸素があるときにのみ機能することができる．

酸素依存性のヒドロキシラーゼに基づくチェックポイントは二つあり，いずれも通常酸素下でHIF-1αの活性を阻害する．酸素濃度が0.5%以上になると，アスパラギンヒドロキシラーゼであるFIHが最初に活性化される（図21・7b）．FIHはHIF-1αタン

プロリン + 2-オキソグルタル酸 →[PHD2, O_2, CO_2] 4-ヒドロキシプロリン + コハク酸

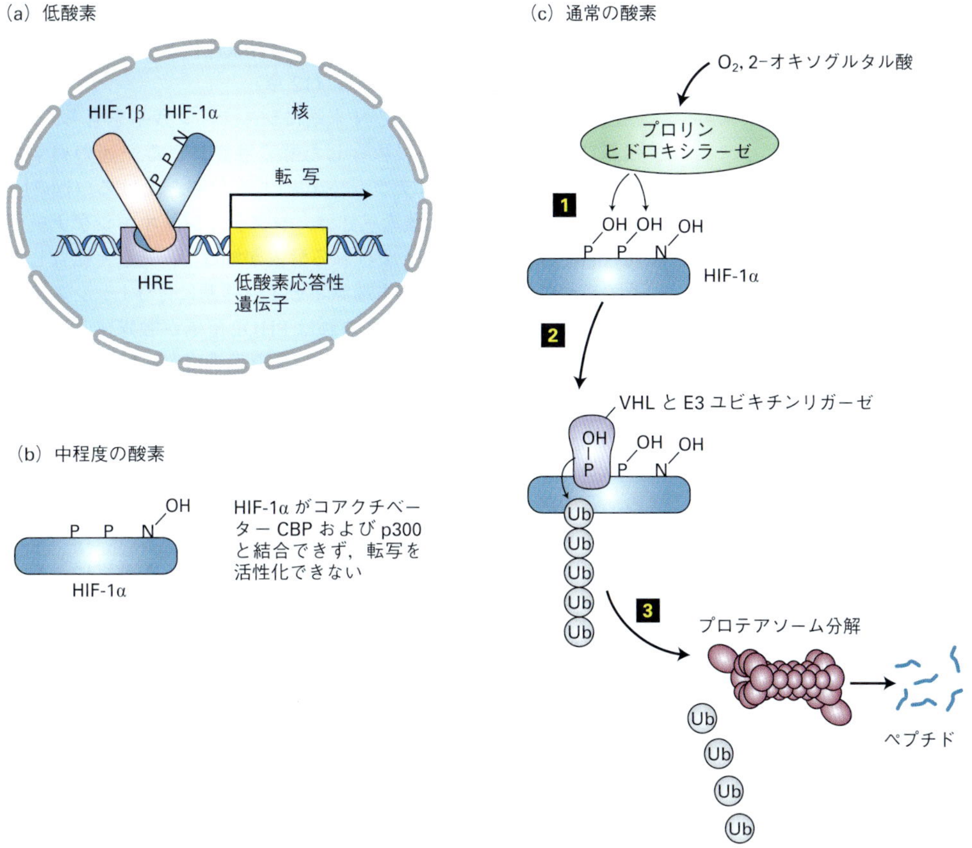

図 21・7 通常の酸素濃度における HIF-1α 転写因子の分解. (a) 低酸素状態 (0.5%). HIF-1α は安定で機能的である. HIF-1β とヘテロ二量体を形成し, 多くの低酸素応答性遺伝子のプロモーターあるいはエンハンサーにある HRE に結合し, その転写を誘導する. (b) 中程度の (1〜2%) 酸素状態. アスパラギンヒドロキシラーゼ FIH は, 十分な酸素と結合すると触媒活性をもち, HIF-1α タンパク質上のアスパラギン残基に OH 基を転移させることができる. ヒドロキシ化は, HIF-1α が遺伝子の転写を活性化するために必要なコアクチベーター CBP および p300 と結合する能力を阻害する. (c) 通常の濃度 (4%以上) の酸素存在状態. 段階 **1**: プロリンヒドロキシラーゼ PHD2 は十分な酸素を結合して活性化し, HIF-1α タンパク質中の二つのプロリン残基に OH 基を転移させることができる. 段階 **2**: これらのヒドロキシプロリン残基はそれぞれ, E3 ユビキチンリガーゼの VHL サブユニットとの結合部位を形成する. 段階 **3**: その後, E3 リガーゼはポリユビキチン鎖を付加し, プロテアソームによる HIF-1α タンパク質の即時分解を誘発する. 詳細は本文参照.

パク質の C 末端トランス活性化ドメインにある特定のアスパラギン残基に OH 基を付加する. このヒドロキシ化によって, HRE に結合した HIF-1α タンパク質のコアクチベーター CBP および p300 (8 章) との結合が阻害され, HIF-1α の転写活性化が抑制される.

酸素濃度がわずかに高くなると, PHD2 酵素が活性化され, HIF-1α タンパク質中の二つのプロリン残基にヒドロキシ基を付加する (図 21・7c). HIF-1α 上のこれらのプロリン残基はそれぞれ, 特定の E3 ユビキチンリガーゼの VHL サブユニットに対する別々の結合部位を形成する. このユビキチンリガーゼは, HIF-1α タンパク質にポリユビキチン鎖を付加し, プロテアソームによる HIF-1α の迅速な分解を誘導する. このようにして, HIF-1α タンパク質は, 酸素濃度が非常に低い場合にのみ細胞内に存在し, 中程度の酸素濃度において残存する HIF-1α タンパク質は, アスパラギンのヒドロキシ化によって不活性化されるのである.

興味深いことに, HIF-1α は PHD 酵素である PHD2 の唯一の標的として知られており, マウスで PHD2 を不活性化すると赤血球が過剰に産生される多血症がひき起こされる. しかし, ヒトの他の二つのプロリンヒドロキシラーゼである PHD1 および PHD3 は, 分子状酸素を基質として, 機能が知られている他の多くのタンパク質にヒドロキシ基を付加する. 現在の研究では, プロリンのヒドロキシ化によるこれらの標的タンパク質の調節が明らかにされつつある. ハエやミミズも単一のプロリンヒドロキシラーゼをもつ. このことは, 低酸素ストレスに対する防御において, この酸素依存性シグナル伝達経路が進化的に保存されていることを示す.

HIF-1α にユビキチン鎖を付加する E3 ユビキチンリガーゼは, 酸素感知に関する研究ではなく, 腎臓腫瘍の研究から発見された. 初期の研究では, ある種の腎臓腫瘍には腫瘍抑制遺伝子である VHL (von Hippel-Lindau) タンパク質の不活性化変異があり, これらの腫瘍は VEGF を大量に生産するため, 腫瘍の周囲の毛細血管の数が異常に増加していることが示されていた. VHL タンパク質の機能を明らかにしようとした研究者たちは, VHL タンパク質が, E3 ユビキチンリガーゼ酵素の一部であることが知られている他のタンパク質と複合体になっていることをすぐに見いだした. そして, この複合体はプロリン残基の一方または両方がヒドロキシプロリンに修飾された HIF-1α にユビキチン鎖を付加するユビキチンリガーゼであることが判明した. 実際, VHL は HIF-1α タンパク質のヒドロキシプロリンを含む二つの部位に直接結合することが示され, VHL を欠損した腫瘍細胞では, 解糖系酵素の多くを含む既知の HIF-1α 標的タンパク質の発現量が増加することが示された. 解糖の亢進は, 多くのがん細胞の増殖に重要であることが知られている. 25 章で述べるように, 多くのがん細胞は, 酸素濃度が高い状態でも解糖を行っている. 好気性解糖は, ミトコンドリアの酸化的リン酸化よりもグルコース 1 mol 当たりの ATP 生産量は少ないが, 解糖経路から取出される多くの中間体を, アミノ酸やがん細胞の急速な増殖に必要なその他の分子の合成材料として生産している.

植物と動物に共通する酸素感知転写因子ファミリーは, アルギニン残基の翻訳後修飾によって調節されている

動物細胞と同様に, 植物細胞も無酸素状態になることがある.

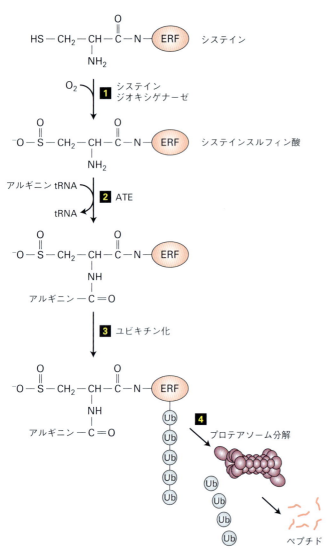

図 21・8 通常の酸素濃度における ERF 転写因子の分解. この経路は，植物でも動物でも同じように行われる．段階 **1**: 通常の酸素濃度下では，システインジオキシゲナーゼは，すべての ERF タンパク質の N 末端にあるシステイン残基に，酸素からの 2 個の酸素原子を付加し，N 末端システインスルフィン酸残基を形成する．段階 **2**: N 末端システインスルフィン酸は，アルギニン tRNA-タンパク質トランスフェラーゼ（ATE）の結合部位となり，アルギニン tRNA からシステインスルフィン酸のアミノ基にアルギニン残基を転移させる．段階 **3**: N 末端にアルギニン残基をもつタンパク質を基質とする E3 ユビキチンリガーゼ酵素が，ERF タンパク質にユビキチン鎖を付加する．段階 **4**: ユビキチン依存的な ERF のプロテアソームによる即時分解が起こる．[D. J. Gibbs and M. J. Holdsworth, 2020, *Cell* **180**(1): 22 による.]

しばしば洪水や湛水時に，種子や分裂組織（22章）内の細胞も酸素拡散の減少に悩まされることがある．最近の研究から，イネ，シロイヌナズナ，オオムギなどの植物は，**グループ VII エチレン応答因子**（group VII ethylene response factor: ERF）とよばれる酸素感知転写因子群の濃度を上げることによって低酸素に応答することが明らかになった．ヒトや他の動物細胞でも，同様の酸素感知因子の存在が明らかにされており，このシグナル伝達経路が真核生物の進化過程のごく初期に現れたことを示している．ERF は，HIF-1α と同様，低酸素状態での生存を助けるタンパク質の合成を促進する．そのなかには，アルコールデヒドロゲナーゼやピルビン酸デカルボキシラーゼといった嫌気性代謝を促進する解糖系の重要な酵素が含まれている（12章）．

ERF タンパク質はすべて N 末端にシステイン残基をもち，この残基は周囲の酸素濃度に依存した酵素触媒による一連のめずらしい反応を受け，プロテアソームによる分解を受ける（図21・8）．最初の段階である酸素感知は，**システインジオキシゲナーゼ**（cysteine dioxygenase）とよばれる酵素が触媒し，酸素と結合してその二つの酸素原子を N 末端システイン残基に付与し，システインスルフィン酸を形成する．これは PHD2 酵素が触媒する反応とは異なるが，PHD2 同様，この反応は酸素濃度が高い場合にのみ起こることに注意しよう．N 末端のシステインスルフィン酸は，**アルギニン tRNA-タンパク質トランスフェラーゼ**（arginyl-tRNA-protein transferase: ATE）とよばれる酵素の結合部位として機能する．この酵素は，アルギニン tRNA からアルギニン残基をシステインスルフィン酸のアミノ基へ転移させる反応を触媒している．（なお，この反応はアミノアシル tRNA がリボソーム触媒によるタンパク質合成に関与しないめずらしい反応である．）N 末端にアルギニン残基をもつタンパク質は不安定であり，ただちにユビキチン化され，プロテアソームで分解される．実は，この酸素感知経路が発見されるずっと以前から，研究者たちは，タンパク質の生体内半減期が N 末端残基の同一性によって決定されるという，いわゆる N 末端ルール（N-end rule）とよばれるものを定義していた．N 末端が不安定になると，ユビキチン標的装置によって直接認識されることが示され，N 末端にアルギニンをもつタンパク質は非常に不安定であることが知られていた．

このように，少なくとも 2 種類の酸素感知転写因子，ERF と HIF-1α が進化してきたのである．どちらも，細胞や生物が低酸素状態で生き残るためのタンパク質の合成を誘導する．また通常酸素環境下では，酵素触媒による酸素原子の結合によって分解される．

21・4 低酸素応答 まとめ

- 多細胞動物では，低酸素状態では転写因子 HIF-1α が蓄積し，細胞や生物がこのストレス下でも生き残るための多くの遺伝子の転写を誘導する．多くの体細胞では，解糖系の律速反応を触媒するタンパク質が誘導され，特定の腎臓細胞では，エリスロポエチンが誘導される．
- 高酸素濃度下では，プロリンヒドロキシラーゼ PHD2 が HIF-1α の二つのプロリン残基に OH 基を転移し，腫瘍抑制タンパク質 VHL との結合，E3 複合体によるポリユビキチン化，プロテアソームによる分解をひき起こす（図21・7）．
- 多くの動植物は，システインの酸化とアルギニン残基の翻訳後修飾により，ポリユビキチン化され分解される別の酸素感知転写因子ファミリーを発現している（図21・8）．

21・5 温度上昇に対する応答

熱ショック応答は，温度上昇を含む一つ以上の細胞ストレスによってひき起こされる，折りたたまれていないタンパク質の蓄積

に対する一般的な細胞応答の一つである（この応答はこの名前の由来となった）．酸化ストレス（システインやメチオニンの硫黄原子を酸化させる），低酸素，重金属，エタノール，その他の有害物質など，タンパク質の変性をひき起こす他のストレスも熱ショック応答を誘導する．アーキアからヒト培養細胞まで，さまざまな生物において，類似の機構でおよそ50〜200の遺伝子の発現が誘導されることから，この応答が真核生物の進化の初期につくられたことが示唆される．これらの遺伝子にコードされる**熱ショックタンパク質**（heat-shock protein: **HSP**）は，細胞内タンパク質の大部分が正しく折りたたまれない際に，その影響から細胞を保護するために働く．

本節では，熱ショック応答の主役である二つのタンパク質について説明する．折りたたまれていないタンパク質の蓄積は，ストレスを受けていない細胞で中程度に発現しているHSP70タンパク質によって感知される．これらの分子シャペロンがタンパク質の正しい折りたたみを回復できない場合，HSP70遺伝子や他の熱ショック遺伝子の発現をさらに誘導する経路が活性化され，折りたたまれていないタンパク質の凝集を防ぐ働きをする．この遺伝子発現プログラムは，転写因子である熱ショック因子（heat-shock factor: HSF）を介して行われる．このタンパク質はふだんは抑制されていて，細胞内に高濃度の折りたたまれていないタンパク質が存在するときに放出される．以下，HSPがどのように折りたたまれていないタンパク質と相互作用して，正しい立体構造を回復するのか，HSF転写因子がどのように活性化され，熱ショック応答がどのようにひき起こされるのかをみていこう．

熱ショック反応の詳細を説明する前に，その最も顕著で驚くべき特徴の一つを記しておかなければならない．それはわずか数 °Cの温度上昇でこの応答が誘発される点である．37 °C（310 K）で培養されたヒトの細胞では，42 °C（315 K）に温度が変化すると，熱ショックタンパク質遺伝子の転写が最大レベルまで活性化され，ストレスを受けていない細胞の100倍以上の割合で活性化されるのである．溶液中の分子の運動エネルギーは温度（K）に比例するので，これはタンパク質分子の運動エネルギーが1%増加したにすぎない．このような小さな運動エネルギーの増加が，どうして熱ショック遺伝子の転写を最大限に活性化させるのだろうか．この謎に対する答えは，その生物の通常の生育温度において，タンパク質の立体構造が柔軟であるように進化してきたことに起因すると考えられている．この柔軟性は，構造的にも酵素的にも，多くのタンパク質の機能に必要である．その結果，ほとんどのタンパク質は，一次配列の進化によって，通常の生育温度ではほんのわずかな安定性しかもたないように最適化されてきた．そのため，わずかな温度上昇でも，タンパク質が変性してしまう可能性がある．誘導された熱ショックタンパク質によるタンパク質変性に対する防御がなければ，これらの折りたたまれていないポリペプチドの領域が絡み合い，非特異的なタンパク質の凝集や細胞死をひき起こす可能性がある．これを防ぐ熱ショック応答は，わずか数 °Cの温度上昇で折りたたまれていないポリペプチドの量が大きく増加することで誘発されるのである．

熱ショック応答は開いたポリペプチド鎖によってひき起こされる

熱ショックタンパク質は，分子シャペロンとして，非特異的なタンパク質凝集体の形成を防ぎ，折りたたまれていないタンパク質が本来の構造へ正しく折りたたまれるのを助ける役割を担っている．ヒトには，HSP27に代表される11種類の小さなHSP（45 kDa以下）が存在する．これらは折りたたまれていない疎水性ポリペプチドに結合し，それらが大きな分子凝集体を形成するのを阻害する．ヒトの遺伝子で，高温に応答して最も多く誘導されるのは，**HSP70**とよばれる近縁のタンパク質群である．これらのタンパク質は，あらゆる生物界で最も高度に保存されているタンパク質シャペロンである．細菌のHSP70は，**DnaK**とよばれ，真核生物のHSP70と約60%の配列相同性をもつ．HSP70は，おもに細胞質および小胞体，ミトコンドリア，葉緑体などの小器官に存在する．通常の生理的条件下では，HSP70は新生タンパク質や新しく合成されたタンパク質の de novo の折りたたみを助ける（図3・19a参照）．ヒトでは，**HSPA8**（別名は**HSC70**，Cは"構成的 constitutive"の意）がこの機能を担っており，すべての細胞で常時発現しており，熱ショックでは誘導されない．熱ショックによって誘導される二つの主要なHSP70は，*HSPA1A*（*HSP70-1*ともよばれる）と*HSPA1B*（*HSP70-2*）によってコードされており，配列はほぼ同じで，HSC70と90%程度一致する．この二つのHSP70は似たような機能をもつと考えられている．以下の議論では，これらをまとめて単にHSP70とよぶことにする．

HSP70（HSC70を含む）には，ATPaseドメインとタンパク質結合ドメインの二つのドメインがある（図3・19a参照）．ATPaseドメインのヌクレオチド結合ポケットにATPが結合すると，タンパク質結合ドメインは，おもに疎水性アミノ酸7残基が伸びた状態で結合する開いた立体構造に保持される．このような長い疎水性アミノ酸の伸長は，一般に正しく折りたたまれたタンパク質の疎水性コアや膜貫通αヘリックスにしか起こらない．したがって，HSP70は，このような疎水性アミノ酸の伸長部分が露出しているポリペプチドまたはポリペプチド中の折りたたまれていない領域と結合する．この最初の結合は，低親和性で可逆的である．

以下の熱ショック遺伝子の転写調節の議論では，このATP結合型のHSP70をおもに取上げることにする．3章で述べたように，コシャペロンである**HSP40**の助けを借りて，標的タンパク質の折りたたまれていない領域に弱く結合したHSP70は，ATPをADPに加水分解する．その結果，HSP70タンパク質結合ドメインの構造変化を介して，標的タンパク質の結合領域は，それが解離したときに自然に正しい折りたたみに適した構造になる．また，ATP加水分解により，標的タンパク質は非常に高い親和性で結合する．次に，ヌクレオチド交換因子の助けを借りて，ATPがHSP70のATPaseドメインに結合することで，ADPと標的タンパク質の両方が放出される．これによって，タンパク質結合ドメインは開いた状態になる．そして，この結合が解除された標的ポリペプチドは，再び正しい立体構造に折りたたまれる機会をもつ．標的タンパク質との結合，ATP依存的な折りたたまれていない状態，放出されたポリペプチドの自発的な再生のサイクルが繰返され，大きな凝集体にあるポリペプチドの適切な再生に至ることさえある．

全真核生物において，熱ショック応答はおもに，ヒトのHSF1を含む熱ショック因子とよばれる関連転写因子によって調節されている

熱ショックに応答して細胞内の折りたたまれていないタンパク

質の量が増加すると，HSC70と熱ショックによって誘導されたHSP70は，生成した折りたたまれていないポリペプチド領域やタンパク質凝集体に会合する（図21・9b）．まだリボソームと結合している新たに合成されたポリペプチド鎖は，一般に最初にほどけるタンパク質である．なぜなら，不完全なポリペプチドは，完全なタンパク質に比べて安定化させるような相互作用が少ないからである（図21・9b）．その結果，細胞内のHSC70およびHSP70のほとんどは，新しく合成されたポリペプチド鎖と結合している状態になる．この遊離状態のHSC70とHSP70の枯渇は，熱ショック応答を誘発する．

前述のように，熱ショック応答では，シャペロンなどのタンパク質の量が急激に増加する．これは，HSF1転写因子の放出によって達成される．HSF1は活性化された状態では三量体を形成し，各単量体のαヘリックスは，nGAAn（nは任意のヌクレオチドを表す）の配列をもつ三つの連続した交互逆向き反復配列の主溝と相互作用する（たとえば，nTTCnnGAAnnTTCn，図21・9a）．HSF結合部位は**熱ショック配列**（heat-shock element: **HSE**）とよばれ

る．熱ショック応答により活性化される遺伝子は，そのプロモーター近傍に一つ以上のHSEをもつことがほとんどである．HSF1のC末端の活性化ドメインは，8章で述べたように，メディエーター複合体や他のコアクチベーターとの相互作用を通して，転写を活性化する．ショウジョウバエのHsp70遺伝子の研究から，多細胞動物の多くの遺伝子の転写開始点から約50塩基下流で転写が一時停止していることが発見された（図8・16参照）．常温で培養したショウジョウバエの細胞では，RNAポリメラーゼⅡはこの部位で一時停止したままである．熱ショック後，HSFは活性化され，熱ショック遺伝子のプロモーター近位のHSEに結合し，サイクリンT-Cdk9の活性化を介してポリメラーゼによる転写を促進する（図8・16参照）．この結果，RNAポリメラーゼはすでに転写を開始しているため，タンパク質の変性に対して非常に速い転写応答が得られる．

熱ショック後，折りたたまれていないタンパク質の濃度が上昇すると，HSF1と相互作用できる遊離のHSC70とHSP70の濃度は急激に低下する．HSP70とHSF1の相互作用は可逆的なので，HSF1はHSC70とHSP70から解放されて自由に三量体化してインポーチンと相互作用できるようになる．そして，核内に輸送され，HSEと結合し，プロモーター近傍のHSEをもつすべての遺伝子の転写を促進する．

精製した酵母のHSP70とHSF1誘導体を用いた最近の研究により，HSF1の熱ショック調節に関する以下のモデルが強く支持されている．熱ショックによる活性化の前に，ほとんどのHSF1はHSF1よりも過剰に存在するHSC70と結合した不活性型で細胞質内に存在する（図21・9a，右）．ATP結合型HSC70は，HSC70の開いたタンパク質結合ドメインを介してHSFのいくつかの領域と可逆的に結合し，ポリペプチドの伸長した疎水性の領域と結合する（図3・19，段階**1**）．このHSC70とHSF1との可逆的な結合は，HSF1の核内移行に必要なインポーチンとの相互作用を阻害する．また，脊椎動物では，HSC70はHSF1三量体の大部分を解離させ，HSC70が結合する不活性なHSF1単量体を形成する．

重要なことは，*HSF1*遺伝子自体のプロモーター近位領域にHSEが存在することであり，*HSF1*は熱ショックの下流で発現する遺伝子でもあるということである．HSF1のmRNAとタンパク質は長時間の熱ショック中に蓄積し，熱ショック遺伝子の発現を増加させ，主要な細胞タンパク質となる．熱ショック応答を最大限に誘導するために42°Cで数時間維持したヒト細胞を37°Cに戻すと，この過程は逆転する．熱ショック遺伝子の転写は，数時間以内にショックを受けていない細胞の水準に戻る．これは，熱ショックによって誘導されたHSP70や他のタンパク質シャペロンにより，ほどかれたポリペプチドが再生したことによって，HSP70が遊離し，活性化したHSF1と結合してそのDNA結合と転写活性化を阻害し，すべての熱ショック遺伝子の転写を抑制するために起こるものである．

長時間の熱ショック直後には，熱ショックによって誘導されたHSF1やHSP70などのタンパク質シャペロンが高濃度で残存している．このため，熱ショックを受けた細胞は，37°Cの通常培地で連続培養した通常の細胞よりも高温に強く，エタノールなどの高濃度の変性剤にも耐性があることがわかっている．このように，熱ショック応答は，細胞が急性のタンパク質変性を生き延びるのを助けると同時に，細胞が繰返し変性条件にさらされる環境に適

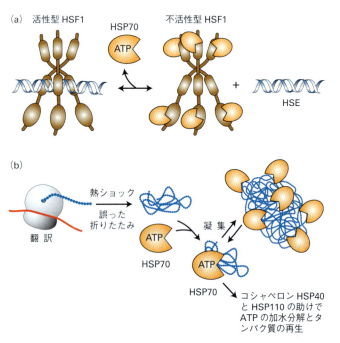

図21・9 **熱ショック応答の調節**．HSF1はATPと結合した遊離のHSP70と結合することにより不活性化される．(a) HSP70によるHSF1の調節．正常の温度でタンパク質変性剤のない通常の生理的条件下（右）では，ほとんどのHSF1は細胞質でHSC70・ATPと複合体化した不活性型である．細胞内の正しく折りたたまれないタンパク質の量が大幅に増加すると，細胞内のHSC70のほとんどが変性タンパク質と結合するようになる．これによりHSF1が解放され，三量体を形成して核内に取込まれ，プロモーター近傍のHSEをもつ遺伝子の転写を活性化する（左）．(b) 熱ショック時には，リボソームに結合した新生ポリペプチドが一般的に最初に変性する．これは，正しい折りたたみを安定化する相互作用が完全長のタンパク質よりも少ないためである．疎水性アミノ酸が露出した領域と変性したタンパク質凝集体は，HSP70・ATPの折りたたまれていないタンパク質結合ドメインに結合し，質量作用の法則に従ってHSP70・ATPをHSF1から引き離す．放出されたHSF1は三量体を形成し，インポーチンに結合して核内に輸送され，(a)のようにHSEに結合してHSP遺伝子の転写を活性化する．[A. E. Masser et al., 2019, *eLife* **8**: e47791 参照．]

応するのを助けるのである．このことは，エタノールなどの変性剤で初期処理した細胞が，37℃で連続培養し，HSP の発現を誘導しなかった細胞よりも，昇温などの代替変性剤に対して耐性がある理由にもつながる．

21・5 温度上昇に対する応答 まとめ

- 熱ショック応答は，高温を含むさまざまな条件下で生成される折りたたまれていないポリペプチド鎖によって誘導されるものである．
- ほとんどのタンパク質は，その機能を発揮するための柔軟性を確保するために，通常の生育温度ではほんのわずかな安定性しかもたないように進化的に最適化されている．その結果，わずか数℃の温度上昇により，ポリペプチド鎖の大部分がほどけてしまうのである．まだリボソームに結合している新しく合成されたポリペプチドは，一般に全長タンパク質よりも適切な立体構造を保つ相互作用が少ないため，変性ストレスに対して特に感受性が高い（図 21・9b）．
- 熱ショック因子（ヒトでは HSF1）は，すべての真核生物に発現しており，折りたたまれていないポリペプチドが蓄積されると熱ショック遺伝子の転写を活性化する．これらの遺伝子にコードされる熱ショックタンパク質は，ポリペプチドの折りたたまれていない領域に結合してその凝集を防ぎ，タンパク質を正しい立体構造に再生するのを助ける．HSF1 は，プロモーター近傍の DNA 配列に存在する熱ショック配列に結合し，高度な転写活性を発揮する．
- 常温では，RNA ポリメラーゼ II は，多くの熱ショック遺伝子の約 50 塩基下流で一時停止した状態でいる．HSF が活性化されると，プロモーター近位の HSE に結合し，サイクリン T-Cdk9 の活性化を通じてポリメラーゼの放出を行う（図 8・16 参照）．この結果，RNA ポリメラーゼはすでに転写を開始しており，転写がはじまる前にクロマチンの脱凝縮や開始前複合体の組立といった段階を踏む必要がないため，タンパク質の変性に対して非常に速い転写応答が得られることになる．
- 高温下では，HSP70 の多くはポリペプチドの折りたたまれていない領域に結合するため，HSP70 は HSF1 から離れる（図 21・9a）．このため，HSF1 は三量体化して核内に輸送され，熱ショック遺伝子のプロモーター近位領域にある HSE と結合するようになる．そして，HSF1 は，休止していた RNA ポリメラーゼ II を放出させ，熱ショック遺伝子の転写を高速で再開させる．

21・6 昼と夜を知覚する：概日リズム

地球は地軸を中心に 24 時間周期で自転しており，われわれは，夜は太陽に背を向け，昼は太陽に向かって生きている．この変化に適応するため，すべての生物は明暗によって調節される内在性の**概日リズム**（circadian rhythm）を進化させてきた．概日リズムの語源は，ラテン語で"約1日"を意味する"circa diem"で，概日リズムが約 24 時間ごとに繰返されるという事実を反映している．概日リズムの生物学的研究を**クロノバイオロジー**（chronobiology）とよぶが，これはギリシャ語で"時間"を意味する"chronos"に由来する．

ヒトや他の昼行性動物にとって最も身近な行動上の概日リズムは，おそらく睡眠/覚醒のサイクルであろう．概日リズムは，細胞内の分子時計が 24 時間周期で振動することで成り立つ．さらに，この内因性時計は，ドイツ語で"時を与える者"を意味する"ツァイトゲーバー zeitgeber"とよばれる外部からの合図によってリセットされる特徴をもつ．実際，概日リズムの定義には，外部からの合図で調律できる内在性の自律的な時計が含まれていることが条件とされている．ヒトの睡眠/覚醒のサイクルは，この二つの条件を満たしている．1938 年，2人の研究者がケンタッキー州の洞窟に 32 日間滞在し，睡眠/覚醒のサイクルを監視する実験を行った．その結果，光が全くない状態でも，睡眠/覚醒の概日リズムが継続していることがわかった．ただし，時間とともに，外界の実際の明暗の開始時刻に対してリズムがずれていくことがわかった．洞窟を出ると，睡眠/覚醒周期は外界の明暗周期に再同期するようになった．このように，ヒトの概日リズムは内在的で自律的であるばかりでなく，外部からの合図によって同調させることができる．時差ぼけは，ヒトの体内時計が修正可能であることを示すもう一つの例である．異なるタイムゾーンに移動したあと，ヒトは通常，内在する睡眠/覚醒パターンを継続するが，数日のうちに新しい環境の暗明周期に適応してしまう．

すべての真核生物と一部の原核生物は，概日リズムをもつ．ヒトやその他の生物における睡眠/覚醒のサイクルに加え，概日リズムを示す生物学的過程の例としては，インスリンやグルカゴンなどのホルモンの放出（§21・1），げっ歯類の摂食行動，植物の葉の運動，ハエの活動のほか，シアノバクテリアにおける窒素固定も含まれる．いずれの場合も，これらの行動には，細胞に内在する分子時計が関与しており，外部環境によってその時計が調整されることがある．外界からの最も強力な合図（ツァイトゲーバー）は明暗周期であるが，概日リズムに影響を与えるその他の手掛かりとしては，薬剤，気温，社会的相互作用，運動，食事，天候などがあげられる．分子時計を構成する遺伝子と分子，そしてその時計に影響を与える経路と合図の解明は，めざましい進歩をとげており，これらが組合わさって概日リズムが生み出されているのである．ここでは，まず，分子時計を生み出す機構について考察し，次に，外的な合図がどのように分子時計を調節し，概日リズムを同調させるかという問題に目を向けることにする．

ほとんどの生物の概日時計は，ネガティブフィードバックループに依存している

概日時計の分子解析は，行動の遺伝的基盤について生物学で最も強力な実証の一つであり，その成果には 2017 年のノーベル生理学・医学賞が授与された．概日リズムに関する最初の発見は，ショウジョウバエを用いて行われた．このショウジョウバエは，すべての生物と同様に，多くの行動において概日リズムを示す．1970 年代初頭に行われた一連の遺伝子スクリーニングでは，科学者たちは，概日リズムに変化をもたらす変異体のハエを探した．この遺伝子は，ショウジョウバエの生理機能の他の側面に影響を与えることなく，概日リズムの周期性を変化させることができるため，彼らはこの遺伝子を *period* または *per* とよぶことにした．この *per* 遺伝子の発見により，およそ 24 時間周期の振動的な分子

フィードバックループ全体が解明され，研究分野が一気に広がった．このフィードバックループには，転写調節および翻訳後調節の過程が含まれており，これらが一体となって，ほとんどすべての真核細胞および一部の原核細胞に存在する体内時計を生み出している．

図 21・10 に示すように，ショウジョウバエの細胞における時計の中心的な構成要素は，時計遺伝子が自身のタンパク質産物によって調節されるネガティブフィードバックループを構成している．このループの構成要素には，per と timeless (tim) 遺伝子にコードされる二つの転写抑制因子 PER と TIM，clock (clk) と cycle (cyc) 遺伝子にコードされる二つの転写活性化因子 CLK と CYC，およびいくつかのキナーゼと E3 ユビキチンリガーゼが含まれている．フラビン基が結合したタンパク質で，青色光を吸収すると立体構造変化を起こす cry 遺伝子にコードされるクリプトクロム (CRY) は，この制御において重要な役割を担っている．TIM と PER の量は 24 時間周期で変化しており，日中に蓄積され，夜間に分解される．

CLK と CYC はともに塩基性ヘリックス-ループ-ヘリックス型転写因子 (§8・3 参照) で，ヘテロ二量体を形成し，日中に per と tim 遺伝子のプロモーター領域に結合してその発現を誘導する．PER と TIM のタンパク質は，その転写が誘導されてまもないころは，タンパク質分解を受けるため，その発現量は低くなる．PER タンパク質の安定性は DOUBLETIME (DBT) キナーゼによるリン酸化によって調節されている．このリン酸化によって，PER を標的とする E3 ユビキチンリガーゼが呼び寄せられ，プロテアソームを介した分解が誘導される．

PER と TIM の濃度は夕方にピークに達し，TIM は PER に結合して安定化させる．その後，TIM-PER 複合体は別のキナーゼ群によってリン酸化され，TIM-PER 複合体の核内移行が促進される．核内で TIM-PER 複合体は CLK-CYC 二量体と会合し，それによってその転写能を抑制し，夜間の間，自らの per および tim 遺伝子の発現を抑制する．

CRY はフラビンを含む光感受性タンパク質であり (図 2・33 参照)，明方の光照射により CRY の構造変化が起こり，その後 CRY が TIM に結合する．CRY と結合した TIM はユビキチン化されてプロテアソームで分解され，PER は再び DBT によるリン酸化を介してユビキチン化され，分解されるようになる．TIM と PER の分解により，CLK-CYC の抑制が解除され，それによって日中の PER と TIM の転写活性化が再開される．

このようなフィードバック機構が約 24 時間かけて行われ，分子時計を構成している．概日時計には二つの転写抑制因子 PER と TIM が関与しており，リン酸化，ユビキチン化，分解によってその安定性が調節されている，と単純化することができる．PER と TIM は，CLK と CYC の転写活性化因子 (per と tim 遺伝子の発現を促進する) に結合してその働きを不活性化することにより，自身の遺伝子の発現を抑制するのである．

細菌の概日時計：異なる解決策

ほとんどの分子時計は，図 21・10 に示すような種類の転写フィードバックループによって振動を実現している．シアノバクテリアの一種 *Synechococcus elongatus* では，時計は KaiA, KaiB, KaiC の三つのタンパク質からなり，振動フィードバックループには KaiC に対する一連の翻訳後修飾が関与している (図 21・11a)．KaiC は内因性のキナーゼ活性とホスファターゼ活性をもっている．単離タンパク質としては，ホスファターゼが最も活性が高く，KaiC はそのほとんどが脱リン酸化状態で存在する．KaiA が KaiC

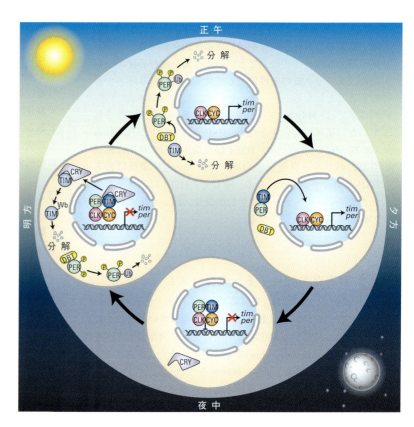

図 21・10 真核生物における分子概日時計．ショウジョウバエの概日時計は，二つの転写抑制因子 PER と TIM，二つの転写活性因子 CLK と CYC，いくつかのキナーゼ (DBT キナーゼを含む) と E3 リガーゼ，および光感受性タンパク質 CRY から構成されている．日中，CLK と CYC は二量体化し，PER と TIM の転写を活性化するが，TIM と PER タンパク質はともに調節された分解を受ける．PER の場合，日中に DBT キナーゼによるリン酸化を介して，E3 リガーゼによってユビキチン化されて分解される．PER と TIM の濃度は夕方にピークに達し，TIM は PER と結合して DBT によるリン酸化とその後の分解から PER を保護する．夜間，TIM-PER 二量体は核に運ばれ，そこで CLK と CYC に結合し，一晩中 per と tim の mRNA 転写を抑制する．明方には，光によって CRY 光感受性タンパク質の立体構造が変化し，TIM に結合して PER から解離させ，CLK と CYC からも解放される．CRY が TIM に結合すると，TIM のユビキチン化と分解が誘発される．PER は，TIM と結合しない場合，DBT を介したリン酸化とユビキチン化によって，分解される．これにより，CLK と CYC が per と tim のプロモーターに結合し，それらの転写を誘導することができるようになる．このサイクル全体は約 24 時間で完了する．

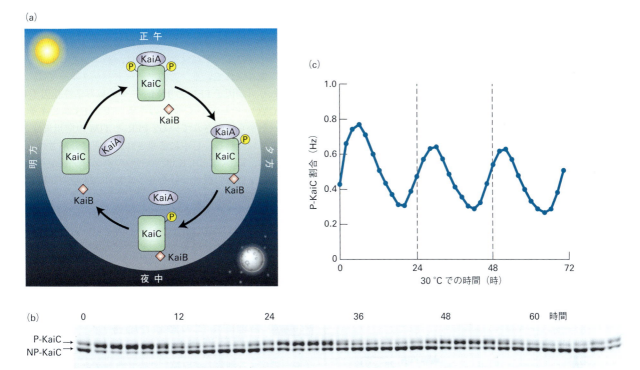

図 21・11 原核生物における分子概日時計. (a) シアノバクテリアの概日時計は, KaiA, KaiB, および KaiC の三つのタンパク質から構成されている. KaiC はキナーゼ活性とホスファターゼ活性を内在している. 明方には, KaiC はリン酸化されていない状態で存在する. しかし, KaiA が結合すると, キナーゼ活性が活性化され, 二つの残基で自身を自己リン酸化する. KaiC の一方の残基はゆっくりと脱リン酸化され, KaiB タンパク質が結合し, KaiA が遊離することになる. KaiB が KaiC に結合すると, KaiC のキナーゼ活性が阻害され, KaiC が完全に脱リン酸化され, KaiB が放出される. (b) このシアノバクテリアの全サイクルは, 試験管内で再現することができる. KaiC のリン酸化状態は 24 時間振動し, リン酸化型(P-KaiC)と非リン酸化型(NP-KaiC)を分離した免疫ブロットが示すように, このサイクルは 24 時間周期で変動している. (c) (b)の P-KaiC と NP-KaiC の比率を定量したところ, 24 時間の概日リズムが確認された. [(b), (c)は M. Nakajima et al., 2005, *Science* **308**(5720): 414, Copyright Clearance Center, Inc. を通じて AAAS より許可を得て転載.]

に結合することにより, ホスファターゼ活性が阻害され, キナーゼ活性が促進され, KaiC は 2 箇所で自己リン酸化される. その後, KaiC は二つの部位のうち一つの部位で緩やかに脱リン酸化されることで, 1 箇所だけリン酸化された KaiC が KaiB に結合する. KaiB は KaiC のキナーゼ活性を阻害し, KaiC は時間とともに脱リン酸化された状態に戻る. この単純なフィードバックループは, 一つのタンパク質 (KaiC) が KaiA と KaiB とのタンパク質間相互作用に応じて交互にリン酸化と脱リン酸化を繰返すもので, 実際に試験管内で完全に再構成することができる (図 21・11b, c).

視交叉上核: 哺乳類の中枢時計

分子時計は全身の細胞に分布しているが, **視交叉上核** (suprachiasmatic nucleus: **SCN**) は脳の**視床下部** (hypothalamus) という領域にある神経細胞の集合体で (図 21・12a), 哺乳類の概日リズムの中枢時計またはペースメーカーとしての機能を果たしている. SCN がすべての時計を同期させる中心的な役割を担っていることを裏づけるように, SCN を破壊するとすべての規則的な概日リズムが消失し, SCN を破壊した動物に SCN を移植すると概日リズムが回復する. SCN の神経細胞は, 網膜の光受容体をもつ神経節細胞から入力を受ける. この情報は, SCN の神経細胞によって下流の神経細胞や組織に伝えられ, ホルモンの分泌を誘発し, 一連の生体リズムを制御している. たとえば, 明暗周期は松果体からのメラトニンの分泌を調節している. 入眠を促すホルモンであるメラトニンの分泌は, 光によって抑制され, 暗闇によって促進される. この明暗の情報は, 網膜→SCN→松果体へと伝達され, 松果体はメラトニンの分泌を促進する. また, 光によって副腎からのコルチゾールの放出が活性化される例もある. コルチゾールはストレスホルモンとよばれ, 昼間に最も多く分泌され, 血圧, 血糖値, 炎症など多くの生理的過程を調節している.

SCN は, 明暗の情報を伝えるだけでなく, 特に強固な固有の分子時計をもっている. SCN は, 脳の両側にある約 10,000 の神経細胞からなる非均質な集合体である. SCN の神経細胞を単離し, 培養すると, 培養を続ける限り, 細胞質中の遊離カルシウムの濃度と電気発火に 24 時間周期の概日リズムがみられる (図 21・12b). このような細胞自律的な概日リズムに加えて, SCN 内の神経細胞間のシグナル伝達も概日リズムを示すことから, SCN の回路特性は全身の概日リズムの生成に重要であることがわかる.

近年の研究により, 転写, 翻訳, 翻訳後の調節, 細胞小器官の動態, 細胞分化, 細胞死など, 細胞生物学の多くの側面に概日リズムが影響を及ぼすことが明らかになってきた. そのため, 多くの研究者が研究室で実験を行う時間帯を考慮するようになった. また, 概日リズムは臨床的にも重要である. ナルコレプシー (日中の眠気と不随意で制御不能な睡眠症状の発現を特徴とする症候群)や睡眠相が変化する睡眠障害など, 概日リズムの

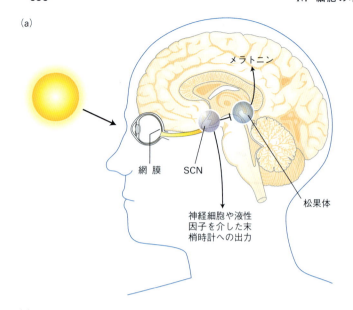

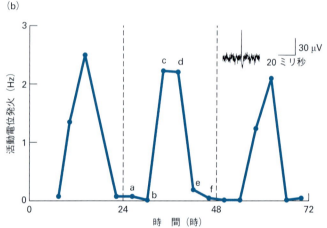

図 21・12 視交叉上核（SCN）は，哺乳類の中枢時計である．(a) 網膜の細胞によって検出された光は，神経経路（橙）を介して脳の SCN に伝達される．SCN は他の神経細胞や分泌腺に信号を送り，全身の分子時計を調節する信号を発する．これらのシグナルの一つが松果体へのシグナルであり，松果体は睡眠の開始を調節するホルモンであるメラトニンを放出する．(b) SCN から単離された個々の神経細胞は，24 時間周期の活動電位発火のリズムを示し（活動電位については 23 章），それは神経細胞を培養している間，継続的に維持される．［(b) は D. K. Welsh et al., 1995, Neuron **14**: 697 による．］

の合図でリセットされる．
- 時計遺伝子が自身のタンパク質産物によって調節されるネガティブフィードバックループは，ハエからヒトまで進化的に保存されている．このフィードバックループは，二つの転写抑制因子 PER と TIM，二つの転写活性化因子 CLK と CYC，そしていくつかのキナーゼと E3 ユビキチンリガーゼから構成されている．PER と TIM の発現量は 24 時間ごとに変動し，日中に蓄積され，夜間に分解される．
- 細菌は，KaiA，KaiB，KaiC の三つのタンパク質からなる異なる分子機構の概日時計をもっており，24 時間周期で振動する翻訳後修飾フィードバックループを形成している．
- 哺乳類では，脳の視床下部とよばれる部位にある視交叉上核（SCN）が中枢時計またはペースメーカーとして機能している．SCN を切除すると，すべての規則的な概日リズムが消失する．

主要疾患に加えて，その他の多くの疾患でも概日リズムの変化を伴っている．たとえば，アルツハイマー病の患者の約 25% に重大な睡眠障害があり，自閉スペクトラム症の子どもの 75% に睡眠障害があるといわれている．分子時計の機能や，外部からの合図によって時計が調整される機構についての分子生物学的，細胞生物学的な知見が深まれば，これらの臨床疾患に対する治療法として重要な意味をもつ可能性がある．■

21・6 昼と夜を知覚する：概日リズム　まとめ
- すべての生物は，細胞内の分子時計によって駆動される約 24 時間の概日リズムをもち，これらは明暗などの外部から

21・7 物理的環境の感知と応答

15 章と 16 章では，シグナル伝達細胞から分泌される水溶性分子や，隣接する細胞の細胞膜に結合したシグナル伝達タンパク質と結合する受容体を通じて，細胞が互いに情報を交換しながら自らの機能を調節していることを学んだ．本章の前半では，細胞が，環境中の多くの小分子の変化や，温度や光の変化に応答するセンサーによって，代謝や遺伝子発現のパターンを調節していることをみてきた．加えて，細胞は自分が埋込まれている細胞外マトリックス（ECM）からの物理的・機械的な手掛かり（機械刺激伝達）と，アクチン細胞骨格への間接的接続から生じる細胞間接着結合の張力によって微小環境を感知する（図 20・1，図 20・38 参照）．本節では，ECM の物理的特性に関するこれらの手掛かりを感知・統合し，それに応じて細胞の成長と分化を調節する，すべての多細胞動物に保存されているプロテインキナーゼのシグナル伝達カスケードである Hippo 経路について説明する．例として，発生過程では，細胞が増殖・分化して特定の大きさの器官を生み出すが，この経路の変異がどのように器官の過剰な成長をもたらすか，また，Hippo 経路が成長と分化にかかわる複数の遺伝子の発現を調節していることをみていくことにする．この経路の異常は，多くの発達障害や多くの種類のがんの発症に寄与している．

ショウジョウバエと哺乳類の Hippo キナーゼカスケード経路

Hippo キナーゼ経路（図 21・13a）は，すべての多細胞動物と近縁の単細胞に保存されており，多細胞化以前に進化したことが示唆される．Hippo 経路の発見は，ショウジョウバエの遺伝学者が，細胞の複製を制御する遺伝子，現在では**腫瘍抑制因子**（tumor suppressor）として知られている遺伝子を探索する研究から明らかにされた（25 章）．変異原で処理したハエの第二世代の個体を調べたところ（図 6・4 参照），Hippo と名づけられた遺伝子のホモ接合性潜性突然変異が，前述のように小さなカバに似た異常に太った幼虫の表現型を示すことがわかり，この遺伝子名がつけられた．さらに詳しく調べたところ，この表現型はショウジョウバエの幼虫の生理学的な肝臓に相当する脂肪体が，異常に肥大化しているためであることが判明した．同様のホモ接合性潜性表現

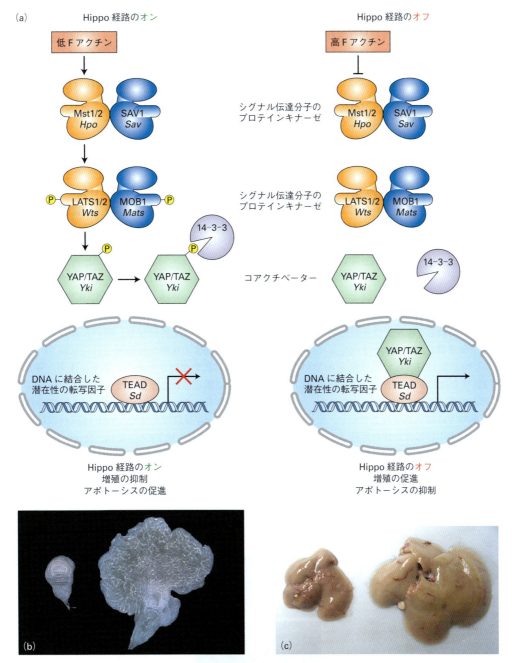

図 21・13 Hippo 経路は，ショウジョウバエと哺乳類で類似の構成要素と機能をもつ．(a) ショウジョウバエとヒトの Hippo 経路において相同な機能をもつタンパク質をそれぞれ斜体および立体で示した．矢印は下流のシグナル伝達成分の活性化を示す．詳細は本文を参照．(b), (c) ショウジョウバエの翅成虫原基における Yki の胚発生中の過剰発現(b)，およびマウスの肝臓における YAP の胚発生中の過剰発現(c)の結果．左側が正常組織，右側が Yki または YAP を過剰発現している組織．[(b), (c)は D. Pan, 2010, *Dev. Cell* **19**(4): 491, Copyright Clearance Center, Inc. を通じて Elsevier より許可を得て転載．]

型をもつ他のショウジョウバエ変異体の単離と特性解析から，Hippo 経路の中核的な構成要素であるヘテロ二量体プロテインキナーゼ Hpo-Sav と Wts-Mats をコードする遺伝子が同定され，これらはコアクチベーター Yki の核内移行を調節していることが明らかになった（図 21・13a）．核内に取込まれた Yki は，*Sd* がコードする配列特異的 DNA 結合タンパク質と結合することで転写を活性化する．これらは，Yki が存在しない場合は転写に影響を与えない．本節の後半では，ヒトの Yki のオルソログである **YAP** と **TAZ**，ショウジョウバエの **Sd** に対応するヒトの DNA 結合タンパク質 TEAD1〜4 によって誘導される細胞増殖や分化に関連する多くの遺伝子について説明する．

Hippo 経路が活性化すると，活性化した Hpo-Sav キナーゼが Wts-Mats プロテインキナーゼをリン酸化して活性化する．その結果，コアクチベーター Yki がリン酸化されて不活性化される．特定のセリン残基でリン酸化された Yki は，リン酸化セリン残基と密接に関連するリン酸化トレオニン残基を介して **14-3-3 タンパク質**（14-3-3 protein）に結合し，細胞質に係留されて（16 章），コアクチベーターとして不活性化される．

ショウジョウバエにおいてオルソログ遺伝子の重複があることを除いては，Hippo 経路は哺乳類でも高度に保存されている（図 21・13a）．ヒトの遺伝子 MST1 と MST2 は，ショウジョウバエのオルソログである Hpo 遺伝子と密接な関係にあり，経路の最初のプロテインキナーゼの触媒サブユニットをコードしている．LATS1 と LATS2 はともにショウジョウバエの Wts 遺伝子のオルソログであり，経路中の第二のプロテインキナーゼの触媒サブユニットをコードしている．そして，YAP と TAZ はアミノ酸配列が約 60% 同一で，ともにショウジョウバエの転写因子遺伝子 Yki のオルソログである．7 章で β グロビン遺伝子ファミリーの構成因子について述べたように，これらの重複し分岐した Hippo 経路遺伝子がコードするタンパク質は，おそらく類似しているがやや特異的な機能をもつ．Hippo 経路の不活性化は，YAP/TAZ コアクチベーターの核局在化シグナル（NLS）に従った核内移行をひき起こす．これにより，TEAD 転写因子がエンハンサーにあらかじめ結合している遺伝子群の転写が活性化される．このように，核内に移行した YAP と TAZ のコアクチベーターによって遺伝子が活性化されるためには，TEAD があらかじめエンハンサーに結合していることが必要であり，このしくみが異なる細胞間で Hippo シグナルがそれぞれどの遺伝子群を調節するかを決定している．

ショウジョウバエと哺乳類の Hippo 経路の機能的類似性は，ショウジョウバエの Yki またはヒトの YAP 遺伝子を発生中の胚の細胞内で過剰発現させた実験によって明確に証明された．ショウジョウバエの翅成虫原基で Yki を過剰発現させると，原基のサイズが大きくなる一方で，発生中の器官全体の形態はあまり影響を受けなかった（図 21・13b）．同様に，発生中のマウス肝臓で YAP を過剰発現させると，肝臓のサイズが通常よりも大幅に大きくなったが，発生中の器官全体の形態はほぼ正常であった（図 21・13c）．さらに解析したところ，ショウジョウバエとマウスの両方で臓器のサイズが大きくなったのは，発生中の臓器で細胞分裂の回数が増え，アポトーシスが減少したためであることがわかった．さらに，YAP と TAZ は，いくつかの種類のヒトのがんにおいて正常よりもはるかに高い量で発現しており，細胞周期を刺激し（19 章），アポトーシスを阻害する（22 章）ことによってがん化に貢献していると考えられることから，がん遺伝子であると考えられている（25 章）．

細胞外マトリックスとの相互作用とアクチンフィラメントの張力による Hippo キナーゼカスケードの調節

4 章で，ほとんどの種類の動物細胞は，固体表面に付着してはじめて培養が可能になることを学んだ．多くの細胞はフィブロネクチンやコラーゲンなどの細胞外マトリックスタンパク質を分泌して，プラスチックやガラスの培養皿の表面に付着し，それが細胞表面のインテグリンと結合して，細胞が培養皿の上に広がっていく．Hippo 経路，ひいては YAP と TAZ の核内局在は，細胞と ECM との相互作用によって調節されている．これは，野生型ヒト上皮および間葉幹細胞を，硬い表面または柔らかい表面のいずれかで培養する実験から証明された（図 21・14a）．基質の硬さは，その形状を変形させるのに必要な圧力，キロパスカル（kPa）の単位で測定される．免疫蛍光染色等で細胞の単層培養に日常的に使用されるガラスカバースリップと同等の高い硬さ（40 kPa）では，Hippo 経路はオフで，YAP は核内に存在していた．一方，硬度の低い素材（0.7 kPa）では，Hippo 経路はオンで，YAP はおもに細胞質内に存在した（図 21・14a）．

もう一つの興味深い知見として，マウスの初期胚から採取した間葉幹細胞を用いた実験がある．細胞が接着できないような表面

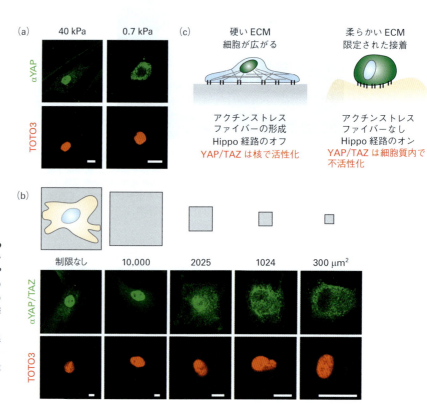

図 21・14（実験） ECM の物理的性質による Hippo 経路活性調節．(a) 硬い（40 kPa）または柔らかい（0.7 kPa）基質に接着した間葉幹細胞における YAP の局在を免疫蛍光法で検出した．TOTO3 は DNA の蛍光染色剤で，核の位置を示す．(b) YAP と TAZ の核局在に対するフィブロネクチンの基質面積の影響（ともに緑で免疫染色）．(c) アクチンストレスファイバーの形成と YAP/TAZ の細胞内局在に対する基質の硬さと細胞拡散の面積の影響のまとめ．[(a), (b) は S. Dupont et al., 2011, Nature 474: 179, Copyright Clearance Center, Inc. を通じて Springer Nature より許可を得て転載．写真は S. Dupont 提供．]

に，しだいにサイズが小さくなる正方形の乾燥させたフィブロネクチンを固定し，その上に間葉幹細胞をまいた（図21・14b）．個々の細胞は，フィブロネクチンのパッチ上にのみ広がった．フィブロネクチンの連続した表面で細胞が覆う面積が 2025 μm² 以上の場合では，YAPは核に局在し，Hippo経路がオフであることが示唆された．一方，細胞が広がらない，わずか 300 μm² の小さな正方形のフィブロネクチン上に接着した細胞では，YAPはおもに細胞質にあり（図21・14b），Hippo経路が活性化してYAPおよびTAZがリン酸化され，細胞質に保持したことが示唆された．これらの実験から，Hippo経路の活性は，ECMの物理的性質と細胞接着の領域に応じて変化することが明らかになった（図21・14c）．

17章で，アクチンフィラメントと細胞膜タンパク質との相互作用が，細胞接着の多くの点で重要であることを述べた．実際，硬い基質上に広がった細胞には，蛍光標識した真菌毒素ファロイジンで可視化したアクチンストレスファイバーが広範囲に存在していた（図21・15a）．これらは，核のYAPによって示されるように，Hippo経路がオフになっている細胞である（図21・14a）．一方，柔らかい基質上にまいた細胞では，アクチンストレスファイバーは観察されなかった（図21・15a）．これらの細胞では，細胞質のYAP（図21・14a）によって示されるように，Hippo経路はオンであった．この相関関係から，アクチンストレスファイバーが何らかの形でHippo経路を阻害し，細胞質の14-3-3タンパク質によって結合されないYAPの核内移行をひき起こしていることが示唆された．アクチンフィラメントを破壊する真菌毒素ラトランキュリンを用いた追加の実験により，アクチン繊維がHippoシグナルの阻害とYAPの核局在化に確かに必要であることが示された（図21・15b）．

Hippo経路と初期胚発生

Hippo経路は発生の多くの段階で必須の役割を果たす．たとえば，哺乳類の胚発生における分化の最初の段階では，**桑実胚**（morula）とよばれる 16〜32 細胞からなる胚の表面にある細胞が栄養外胚葉に分化する（図22・2参照）が，この分化過程にはHippo経路が必須である．桑実胚の内側の細胞は未分化のまま分裂し，初期胚盤胞の内部細胞塊を形成し，のちに胚そのものに分化する．外側の栄養外胚葉は胚盤胞が子宮上皮に着床するために必要であり，のちに胎盤の胚性部分を含む胚体外組織を形成する（図22・3参照）．

Hippo経路は，桑実胚の内側の細胞でのみ活性化される．これらの細胞は，周囲を他の細胞に囲まれ，接着結合でつながっている細胞である（図20・14e，図21・16a, b）．これらの細胞では，YAPとTAZがLATSキナーゼによってリン酸化され，細胞質内に保持されている（図21・16a）．一方，桑実胚の外側の細胞は，他の細胞に付着していない自由な表面をもつ．この細胞膜の下には長いFアクチンのフィラメントがあり，後述するように，これによってHippo経路が不活性化される．その結果，YAP/TAZは核内に取込まれ，TEAD（図21・13a）とともに，栄養外胚葉分化プログラムを開始させる遺伝子の転写を活性化する．

桑実胚では，Hippo経路のシグナル伝達はアンジオモチン（angiomotin: Amot，図21・16b）とよばれるアクチン結合タンパク質によって制御されている．内側の細胞では，Amotは細胞の全表面に存在する接着結合と関連している（図21・16c）．Amotと接着

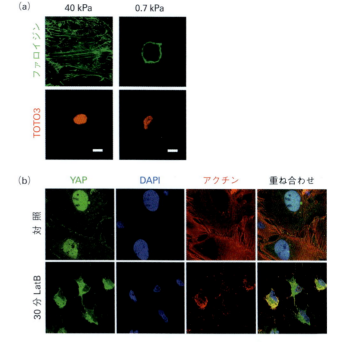

図21・15（実験） アクチンフィラメントの張力によるHippo経路活性の調節．(a) 硬い（40 kPa）基質または柔らかい（0.7 kPa）基質に接着した間葉幹細胞において，アクチン単量体ではなくアクチンフィラメントと結合する真菌毒素であるファロイジンを蛍光標識（緑）してアクチンストレスファイバーを可視化したもの．(b) アクチンストレスファイバーはYAPの核局在に必要である．E1AKD293細胞は，頂端から底端の接着結合部に走るアクチン繊維の張力により，基質に対して平らになる．この張力は，ミオシンモータータンパク質が生み出しており，ミオシンモータータンパク質が，頂端の接着結合から伸びるアクチン繊維を，基底部の接着結合から伸びるアクチン繊維を越えて移動させるために起こる（17章）．これにより，核を含む細胞全体が基質に対して平らになり，上から見たときに大きくみえる（対照）．培地にラトランキュリンB（LatB）を加えて30分後，アクチンケーブルはアクチン単量体に解離し，核は球状の形態になり，上から見るとかなり小さく見えるようになる．アクチン繊維がない状態では，Hippo経路がオンとなり，YAPは細胞質内に隔離された状態で存在する．［(a)はS. Dupont et al., 2011, *Nature* **474**: 179, Copyright Clearance Center, Inc.を通じてSpringer Natureより許可を得て転載．写真はS. Dupont提供．(b)はN. R. Zemke et al., 2019, *Genes Dev.* **33**(13): 828, 著者より許可を得て転載．］

結合部の相互作用には，接合部に関連するもう一つのHippo経路構成要素，後述する神経繊維腫症 II 型の原因遺伝子産物（Nf2）が必要である．この接着結合タンパク質複合体において，Amotの特定のセリン残基がHippo経路プロテインキナーゼLATS1/2によってリン酸化される．これらの着床前胚では，Amotのリン酸化はLATS1/2によるYAP/TAZのリン酸化を刺激し，YAP/TAZを細胞質に保持させることになる．

Amotタンパク質（マウスとヒトでは三つのパラログが存在）はFアクチン結合と重合活性をもち，LATS1/2によってリン酸化されるAmotのセリンは，そのアクチン結合ドメインに存在する．この部位でAmotがリン酸化されると，Fアクチン結合能が阻害され，LATS1/2によるリン酸化が促進される．このようにAmotのリン酸化が促進されると，接着結合部においてHippoシグナルが刺激され（図21・16b），桑実胚の内側の細胞ではYAP/TAZの細胞質局在が維持される（図21・16a）．しかし，16〜32細胞胚

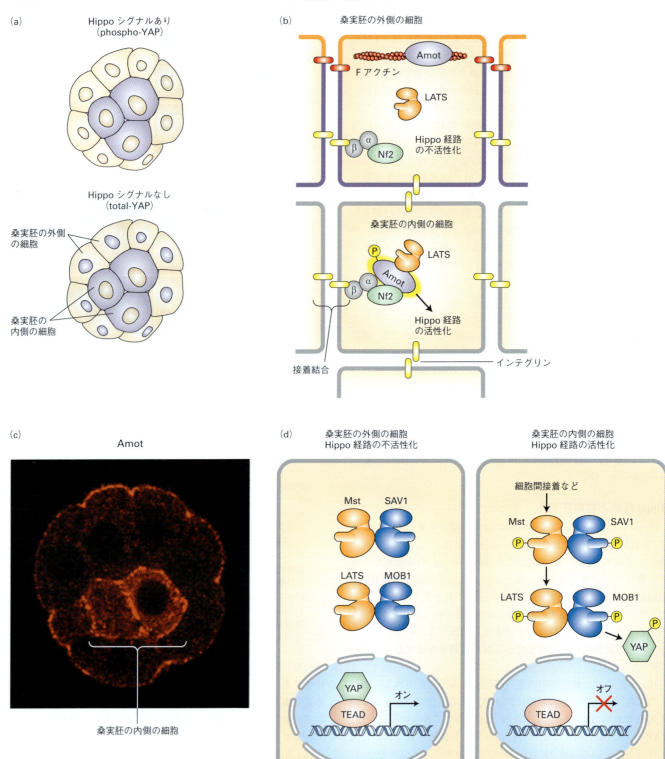

図 21・16　桑実胚におけるアンジオモチンの細胞内局在による Hippo 経路調節．（a）桑実胚の内側の細胞における Hippo シグナルの活性は，phospho-YAP（上）と total YAP（下）の両方が細胞質に局在していることによって示される．外側の細胞では，Hippo 経路はオフで，YAP はリン酸化されずに核内に存在する．（b）内側の細胞では，細胞表面の接着結合にアンジオモチン（Amot）が結合し（下），外側の細胞では頂端のアクチン繊維に結合している（上）．内側の細胞では，Amot が接着結合部で Nf2 と結合することで，LATS1/2 による Amot のリン酸化が促され，Hippo 経路が活性化される．外側の細胞では，頂端の表面で Amot が隔離されることにより，Hippo シグナルが不活性化される．（c）桑実胚における Amot の免疫蛍光染色．示された二つの内側の細胞では細胞表面全体に局在し，外側の細胞では，頂膜表面に隔離されていることがわかる．（d）桑実胚の内側と外側の細胞における Hippo 経路の活性と YAP の核局在のまとめ．［(c)は H. Sasaki, 2017, *Dev. Growth Differ*. **59**: 12, Copyright Clearance Center, Inc. を通じて John Wiley & Sons, Inc. より許可を得て転載．］

の外側の細胞では，Par-aPKC系（22章）を介した細胞極性化により，細胞頂端面に表層アクチンフィラメントの太いバンドが集合し，隣接する細胞がないため接着結合が形成されない．これらの外側の細胞では，リン酸化されていないAmotが表層アクチンフィラメントに結合することによって，接着結合部から隔離される．その結果，AmotはLATSによってリン酸化されず，Hippo経路は不活性化され，YAP/TAZは核に取込まれる（図21・16d）．この細胞では，核のYAP/TAZとTEAD（図21・13a）がホメオドメイン遺伝子 *Cdx2* とジンクフィンガー転写因子 *Gata3* の転写を活性化し，これにより栄養外胚葉細胞の発生プログラムが開始される．このように，細胞膜外側のEカドヘリンを介した細胞間相互作用が，細胞質でのHippoシグナルを制御しているのである．

図21・14と図21・15の実験は，Hippo経路の活性を制御するシグナルが，ECMの硬さ，接着細胞表面の相互作用面積，アクチン細胞骨格の張力などの物理的特性によって制御されることを示している．そしてこれらは，胚発生やその後の成長過程において変化する細胞や組織の環境によって調節され，発生中の胚におけるHippoシグナル伝達や前駆細胞の増殖・分化を制御している．このような接着力や機械的な力は，最終的に，発生過程や損傷後の組織再生過程における組織や臓器の大きさや形態を制御することになる．

Hippo経路の構成要素であるヒトNf2の一方の対立遺伝子を不活性化する変異（図21・16b）は，顕性遺伝性疾患である神経繊維腫症Ⅱ型の末梢神経系組織の異常な成長をひき起こす．Nf2は，接着結合部の細胞質側でカドヘリン関連タンパク質であるαカテニンと結合している（図20・14e参照）．上述のように，これらの接着結合関連タンパク質複合体において，特定のAmotのセリン残基がHippo経路プロテインキナーゼLATS1/2によってリン酸化される（図21・16b）．着床前胚では，このAmotのリン酸化がLATS1/2によるYAP/TAZのリン酸化を刺激し，YAP/TAZが細胞質内に隔離された状態になる．また，この部位でのリン酸化は，Amotとアクチンフィラメントとの結合を阻害する．*Nf2* 遺伝子が一つでも不活性化された患者では，Nf2タンパク質が通常の半分の量で発現している．このため，Hippo経路の活性が低下し，YAP/TAZによる活性化が異常に高くなり，過剰な細胞増殖が起こる．

この経路全体が，多細胞動物の器官サイズと形状を形成するのに役立つことは明らかであるが，アクチン細胞骨格の張力に応じたHippo経路の制御が，組織のサイズと形態にどのように寄与しているかについては，まだ多くのことがわかっていないが研究中である．Hippo経路の機能異常は，ヒトのがんの発症，浸潤・転移に寄与するため，Hippo経路の制御機構を理解することは，医学的にも重要である．Hippo経路の機能をより深く理解することで，これらの疾患に対する治療法の論理的な設計が可能になるかもしれない．

21・7 物理的環境の感知と応答　まとめ

- Hippoプロテインキナーゼ経路は，多細胞動物の胚発生過程において，いくつかの器官のサイズと形態を調節している．
- 再生可能な多くの多細胞動物の組織において，Hippo経路は損傷した組織や臓器の再生に必要とされる．
- この経路の中心的な構成要素は，二つのヘテロ二量体型プロテインキナーゼ（ショウジョウバエではHpo-SavとWts-Mats）である．このHippo経路の活性は，接着結合からのシグナル，アクチン細胞骨格に作用する機械的な力，その他の細胞環境の物理的特性によって調節される．
- この経路の主要な標的は，哺乳動物ではコアクチベーターであるYAPとTAZである．YAP/TAZがリン酸化されると，細胞質への隔離が起こり，その結果，それらのコアクチベーターとしての機能が不活性化される．
- 哺乳動物において，リン酸化されないYAP/TAZは核内に取込まれ，複数の細胞種特異的エンハンサーにあらかじめ結合した不活性なTEAD転写因子と結合し，これらの遺伝子を転写活性化させる．このため，TEAD因子が結合する場所によって，異なる細胞で重複しない一連の遺伝子がHippo経路によって調節されることになる．
- 多くの細胞種において，Hippo経路の活性化はアポトーシスを促進し，細胞周期を阻害することで，組織の成長を妨げる．Hippo経路の不活性化は，細胞複製を促進し，アポトーシスを抑制することで，組織の成長を促進させる．
- Hippo経路の調節異常は，いくつかの種類のヒトのがんの無秩序な増殖に寄与し，またアクチン細胞骨格の異常な調節により，がんによる正常な周辺組織への浸潤や転移にも寄与している．

重要概念の復習

1. 膵臓におけるインスリンとグルカゴンの分泌はどのように調節されているか．それぞれのホルモンは血糖値にどのような影響を与えるか．

2. GLUT4とは何か．またインスリンによってどのように調節されているか．

3. 1型糖尿病では血糖調節経路のどの部分が影響を受けるか．2型糖尿病ではどうか．

4. mTORC1によって活性化される同化シグナル伝達経路を列挙し，簡単に説明せよ．これらの経路はどのように細胞増殖に寄与しているか．

5. mTORを活性化するシグナルの一つは，細胞質アミノ酸の濃度である．この経路はどのように機能するか．

6. Rhebはどのようなタンパク質に属しているか．Rhebは細胞内のどこに存在するか．Rhebを調節する機構を説明し，細胞が活性化したRhebを蓄積した場合に起こることを説明せよ．

7. 小胞体膜に十分なコレステロールが存在するとき，SCAPとSREBPタンパク質はどのようにしてステロール調節配列を含む遺伝子の発現を阻止するか．

8. 小胞体膜のコレステロール量が小胞体脂質全体の5％以下になると，細胞内でどのような変化が誘発されるかを説明せよ．

9. nSREBPとは何か．どこで生成されるか．その機能はどのようなものか．

10. HIF-1αによって哺乳類で発現が誘導される2種類のタンパク質は何か．これらのタンパク質は低酸素状態での生存にどのように

貢献しているか．

11. アスパラギンヒドロキシラーゼ，プロリンヒドロキシラーゼ，E3 ユビキチンリガーゼはどのようにして通常の酸素濃度下で HIF-1α を抑制しているか．

12. 植物の ERF タンパク質は，どのようにして通常の酸素濃度下で抑制されているのか．

13. なぜタンパク質は，ごくわずかな温度変化にも敏感に反応するのか．

14. タンパク質が折りたたまれる過程で，熱ショックタンパク質（HSP）はどのような役割を担っているか．

15. ストレスのない細胞では，HSP と熱ショック因子（HSF）タンパク質はどのように相互作用して，熱ショック応答を抑えているか．

16. ショウジョウバエの概日時計の鍵となる遺伝子やタンパク質は何か．概日時計においてネガティブフィードバックループはどのように機能しているか．

17. シアノバクテリアの概日時計について説明せよ．

18. ツァイトゲーバーとは何か．ツァイトゲーバーは生物の概日リズムにどのような影響を与えるか．ツァイトゲーバーの例にはどのようなものがあるか．

19. Hippo 経路はハエと哺乳類でどのような役割を担っているか．

20. 細胞外マトリックス（ECM）に関する情報が，どのようにして Hippo 経路のオン／オフに変換されるのか，本章で紹介した実験に基づいて説明せよ．経路構成要素の細胞内局在はどのように関与しているか．

21. Hippo 経路は，桑実胚の内側と外側の細胞分化にどのようにかかわっているか．

22

幹細胞, 細胞の非対称性, および細胞死

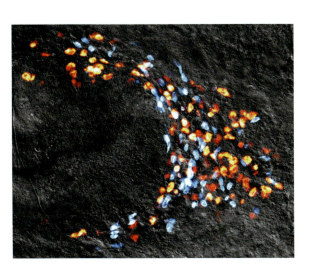

プラナリアにおいては，ネオブラストとよばれる多能性幹細胞が再生を行う基盤である．ここに見えるネオブラスト（黄，橙，赤）の集団は，尾が切断されて14日後までにすべて1個のネオブラストから再生したものであり，分化途中の細胞（青）も見える．[D. E. Wagner and P. W. Reddien, MIT, Whitehead Institute 提供．]

22・1 哺乳類の初期発生，胚性幹細胞，および人工多能性幹細胞
22・2 多細胞生物の幹細胞と幹細胞ニッチ
22・3 細胞極性と非対称細胞分裂の機構
22・4 細胞死とその制御

　細胞分裂について記述するときには，親細胞と同じ形状と機能をもつ二つの娘細胞ができることを前提としている．つまり，細胞は**対称細胞分裂**（symmetric cell division）を行い，できた娘細胞は親細胞と同じような性質をもつと考えている（図22・1a）．酵母などの真菌類の生物や他の真核単細胞生物の多くは，このような様式で分裂する．また，成熟した肝細胞も同様に対称分裂して，2個の娘肝細胞を生じる．

　しかし，いつもそうであれば，複雑な多細胞生物である植物や動物に存在する何百種類もの分化した細胞や機能的な組織をつくることはできない．細胞間の差異は，最初は同じであった細胞が別々の発生シグナルや環境シグナルを受けることによって生じる．あるいは，二つの娘細胞が，親細胞から別々の部分を継承することで，"生まれながらにして"異なる場合もある（図22・1b）．このような**非対称細胞分裂**（asymmetric cell division）によって生まれた娘細胞では，大きさ，形，タンパク質組成が異なる可能性があり，また，遺伝子の活性，またはその後の活性が異なるようになる可能性もある．このような内部シグナルの差異によって，二つの細胞に別々の運命が与えられる．また，ある種の非対称分裂では，一つの娘細胞は親細胞に似ていて，もう一つの娘細胞は別種の細胞になる．

　多細胞生物では，発生過程と細胞の代替わりにおいて，実際に機能する組織や器官をつくるためには，細胞分裂が特定の様式で行われることが必要である．これらの一連の細胞分裂は系統樹に似ているので，**細胞系譜**（cell lineage）とよばれる．この細胞系譜をみると，細胞の発生運命がしだいに狭められて，皮膚の細胞，神経細胞，筋細胞などの特定の種類の細胞へと**分化**（differentia-tion）する順序をたどることができる（図22・1c）．

　新しい多細胞動物個体の発生は，**卵**（egg），すなわち母親から1組の染色体をもらった**卵母細胞**（oocyte）と父親から1組の染色体をもらった**精子**（sperm）からはじまる．この二つの**配偶子**（gamete），すなわち生殖細胞は，減数分裂（19章）を経ているので一倍体である．**受精**（fertilization）とよばれる過程によって，二つの配偶子が合体して最初の1細胞，すなわち接合子ができる．接合子は，2組の染色体を含むので二倍体である．接合子は，胚発生の間に多くの細胞分裂（対称分裂と非対称分裂）を行い，最終的に完全な生命体になる．本章の後半で述べるように（図22・26），線虫の発生初期の細胞分裂は，**モザイク発生**（mosaic devel-opment）の方法に従って起こり，この過程では初期の細胞分裂のすべては非対称的で，娘細胞それぞれから別種の細胞集団が生じる．

　しかし，§22・1では，線虫とはかなり異なる哺乳類の初期発生と，胚性幹細胞の産生について考える．マウス胚にもヒト胚にも，各細胞がすべての組織（胚組織と胚外組織の両方）をつくることが可能な8細胞期がある．つまり，この8細胞期の8細胞すべてに**全能性**（totipotency）がある．しかし，16細胞期にはこの状況は変化していて，一部の細胞は特定の分化経路に入っている．

　内部細胞塊（inner cell mass）とよばれる一群の細胞からは，おもに胚本体に含まれるすべての組織がつくられ，胚体外栄養外胚葉とよばれる別の細胞群からは胎盤組織がつくられる（図22・2, 図22・3）．内部細胞塊に存在する細胞は，胚外組織をつくることができないが，すべての胚組織をつくることはできるため，**万能性***（pluripotency）であるとよばれる．§22・1では，内部細胞塊

---

* 訳注：本書では細胞の分化能を高い順に，全能性（totipotent），万能性（pluripotent），多能性（multipotent）と区別して述べているが，それらの境界は必ずしも明確ではなく，また，分化能の程度には多様性もある．さらには，人工多能性幹細胞（induced pluripotent stem cell, iPS 細胞）のように，pluripotent の訳語として多能性が定着している用語も多いことから，万能性と多能性を合わせて多能性と表記することがある．

図 22・1　細胞の誕生，系譜，および細胞死の概観．細胞は，成長したあとに，対称分裂あるいは非対称分裂によって"生まれる"．(a) 対称分裂によってできる二つの娘細胞は，基本的には互いに等しく，また親細胞とも同等である．このような娘細胞も，異なるシグナルが与えられると，その後に異なる運命をたどることがある．(b) 非対称分裂でできる二つの娘細胞は生まれながらに異なるため，別の運命をたどる．左：二つの娘細胞は，互いに異なるだけではなく，親細胞とも異なる．右：一つの娘細胞は親細胞と同じで，もう一つの娘細胞は別の運命をもつ．非対称分裂は，親細胞が幹細胞であるときに非常によく行われ，幹細胞（黄）は一定のまま，常に他の細胞（橙）を生じ，これから1種類以上の分化した細胞種へと成熟する．(c) 細胞系譜とよばれる一連の対称分裂と非対称分裂によって，多細胞生物に存在する特殊化した細胞が生まれる．細胞系譜のパターンは厳密な遺伝子の支配下にある．

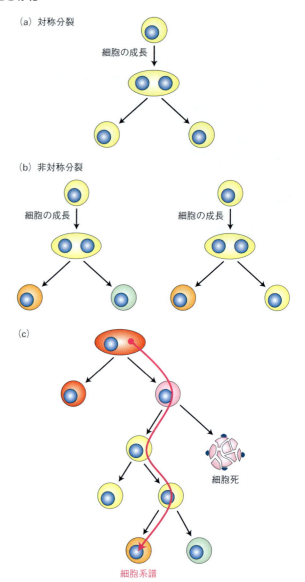

に存在する細胞は，特定の培地中で培養することが可能で，**胚性幹細胞**（embryonic stem cell, **ES 細胞** ES cell）になることを述べる．ES 細胞は，培養すると無限に増殖することが可能で，新しくできた細胞はすべてが万能性をもち，すべての動物組織になることができる．ES 細胞は，万能性を与える遺伝子発現ネットワークを解析したり，培養下で特定の種類の分化細胞をつくらせて研究に用いたり，また，病気をもつ患者の細胞や古くなった組織を置き換える部品としたりすることを目的として用いられる．

動物の分化は一方向であると長年考えられてきたが，最近になって実験的に分化を反対方向に動かすことができることがわかった．特定の転写因子を組合わせて発現させると，分化細胞を別の種類の分化細胞へと変換できるのである．この研究の驚異的な点は，ES 細胞の万能性を制御するごく少数の転写因子を，特定の条件下で，さまざまな種類の**体細胞**（somatic cell）に導入することによって，これらの体細胞，胚性幹細胞と一見区別できない性質をもつ**人工多能性幹細胞**〔induced pluripotent stem cell, **iPS 細胞**（iPS cell），誘導多能性幹細胞〕へと変換できることである．iPS 細胞は生物学の実験や医学に大いに役立つ．

多くの種類の**幹細胞**（stem cell）は，多細胞動物の発生で重要であるほか，成体の寿命においても重要である．成体に存在する幹細胞は，未分化細胞であり自己を複製することや，一部の分化細胞になることができる（図 22・1b）．幹細胞という名称は，植物（木）の幹に由来し，上へと成長しながら幹をつくり続けるとともに，枝や葉を側方へつくる様子から生まれた．§22・2 では，さまざまな種類の幹細胞の例について述べる．これには，生殖細胞や小腸を生じる幹細胞，また，血液中に含まれるさまざまな細胞を生じる幹細胞などがある．ES 細胞とは異なり，成体に存在する幹細胞は能力が限られた**多能性**（multipotency）であり，個体に存在する分化細胞のすべての種類ではなく，一部の種類だけを生じる細胞である．

幹細胞は，二つの娘細胞がともに幹細胞になる対称分裂を行うことができる．また，動植物に存在するさまざまな幹細胞は，娘細胞の一方が幹細胞になる非対称分裂を行う．したがって，幹細胞の数は，一生の間，同じか増大する．多くの種類の細胞は，個体よりも寿命が短いため，常に置き換える必要がある．たとえば哺乳類では，腸を裏打ちする細胞や食細胞であるマクロファージはほんの数日しか生存しない．したがって幹細胞は，発生においても，また，成体ですでに存在する細胞を置き換えるうえでも重要である．しかし，ある種の幹細胞の数は生体の加齢とともに減少することが多く，老朽化した細胞や組織を置き換える能力に限界がある．

接合子は，体を構成するすべての細胞種をつくる能力があり，また胚発生を補助する役目をもつ胎盤の細胞をつくる能力があることから，究極の全能性幹細胞である．しかし，接合子は**自己再生**（self-renewal），すなわち自身を増加させることはないので，幹細胞とは異なる．

動物個体に存在する細胞が多様になるには，二つの娘細胞の運命が別々になる非対称分裂が必要なことはすでに述べた．非対称分裂の過程では，親細胞が分裂前に非対称になる，すなわち極性をもつこと（**極性化** polarization）が必要であり，これによって二つの娘細胞間で細胞に含まれる物質が不等分配される．この極性化の過程は，発生段階で重要なほか，機能にとってもほとんどの細胞で重要である．たとえば，腸を裏打ちして輸送を行う上皮細胞は極性化しており，内腔に面して何とも接しておらず，栄養物を吸収する頂端面と，細胞外マトリックスと接触し，栄養物を血液に向かって輸送する側底面とがある（図 11・30, 図 20・1 参

照). 別の例としては, 化学物質の勾配に従って移動する走化性をもつ細胞 (図 18・55 参照) や細胞体の一方から樹状突起を伸ばしてシグナルを受け, もう一方からは軸索を伸ばして標的細胞にシグナルを伝達する神経細胞 (23 章) などがある. つまり, 細胞が極性をもつ機構は重要であり, 細胞機能にとって本質的な問題である. この機構では, シグナル伝達経路 (15 章, 16 章), 細胞骨格の再構築 (17 章, 18 章), また, 膜輸送 (14 章) にかかわる要素が総合的に関与することは当然である. §22・3 では, 細胞がどのように極性をもつか, また, 非対称分裂が幹細胞の維持にいかに重要であり, 分化した細胞ができる際にどのような役割を果たすのかについて述べる.

個体もその中の細胞も, 死は生命の本質的な部分であり, 注意深く制御された死なくして生命は存在しえない. 本章の最終節では, **プログラム細胞死** (programmed cell death) とよばれる細胞死とその制御機構を述べる. 進化的に保存されたプログラム細胞死の一種であるアポトーシスは, 多くの組織の形成と維持に非常に重要であることを学ぶ (図 22・1c). また, 第二のプログラム細胞死であるネクロプトーシスは, 脊椎動物がウイルスに感染した細胞を殺し, 感染の拡大を防ぐために利用していることを学ぶ. また, 細胞は環境ストレスや個体にとって不要になった場合も死ぬ. 細胞死は, 厳密な遺伝子発現の調節を系統的に制御することによって, 抑制と均衡が保たれている. その様子は, 別の遺伝子プログラムによって細胞分裂と細胞分化が制御されているのと似ている.

細胞の誕生, 細胞極性の形成, プログラム細胞死という細胞生物学の分野は, 発生生物学と統合される. またこうした過程は, ここまでの章で述べたシグナル伝達経路による調節を受ける最も重要な過程である.

22・1 哺乳類の初期発生, 胚性幹細胞, および人工多能性幹細胞

受精によってゲノムが統合される

哺乳類の 1 個の精子が卵に到達して侵入する現象は驚異的である. たとえばヒトでは, 1 億個以上の精子が 1 個の卵母細胞をめぐって互いに競争する. 最初の精子がうまく卵母細胞の表面と融合すると, 精子の侵入部位から Ca^{2+} が流入して卵母細胞内に広がる. この Ca^{2+} 動員の作用の一つは, 他の調節性分泌と同じように, 卵の細胞膜直下にある**表層顆粒** (cortical granule) とよばれる小胞から中の内容物を細胞膜の外に放出させることであり, これによって他の精子が侵入するのを阻止する保護受精膜がつくられる. 最終的に精核が卵母細胞に侵入して卵核と精核が融合できるようになり, 接合子の二倍体核ができる.

卵母細胞にはミトコンドリア DNA が多コピー含まれ, 接合子に含まれるミトコンドリア DNA はすべて卵に由来し, 哺乳類や他の多くの動物種では精子のミトコンドリア DNA は受精後まで残らない (12 章). 雌性特異的なミトコンドリア DNA の遺伝によって, たとえば, アフリカでのヒトの起源にはじまる人類の歴史における母性遺伝を追跡することができる. また, 卵母細胞の細胞質には, 発生初期段階に必須の遺伝子の転写産物である**母性 mRNA** (maternal mRNA) が多量に含まれる. 卵母細胞の減数分裂時と初期胚の卵割時には, 転写はほとんどあるいは全く起こらないため, この間は卵母細胞の mRNA が非常に重要となる.

哺乳類の胚では卵割から最初の分化がはじまる

接合子である受精卵は, 短時間しか単細胞のままでいない. 受精後すぐに**卵割** (cleavage) がはじまり, 細胞分裂がほぼ 1 日ごとに起こる (図 22・2). この卵割は, 胚が子宮壁に着床する前に行われる. 最初の卵割の間, 細胞はほぼ球形で互いに弱く接着している. 実験によって証明されているように, 8 細胞期の各細胞は全能性をもち, 偽妊娠させた個体 (ホルモン処理によって子宮が胚を受入れるようにした雌個体) に移植すると, それぞれが完全な個体になる能力をもつ. ヒトや他の哺乳類の 8 細胞胚の各細胞もまた全能性をもつが, マウス胚とはタイミングが異なるかもしれないが, のちの細胞分裂の間に全能性は失われる.

8 細胞期胚は**緊密化** (compaction, コンパクション) を受ける. この緊密化の過程は, 同種細胞間の接着作用を行う細胞表面分子 E カドヘリンに一部依存し (図 20・14 参照), これら卵割した細胞は互いの親和性を大幅に高め, 細胞は極性化する. 受精後 3 日に 8 細胞期胚が再び分裂して 16 細胞からなる**桑実胚** (morula, ギリシャ語でラズベリーという意味, 図 22・2) ができる. 分裂の際, これら卵割した細胞のうち一つは 16 細胞胚の内部に移動し, 残りの細胞は表面に残る. 16 細胞胚の外部の細胞は, のちの**胚盤胞** (blastocyst, 図 22・2 と図 22・3) とよばれる 64 細胞胚を構成する**栄養外胚葉** (trophectoderm: TE) になり, 胎盤などの胚外

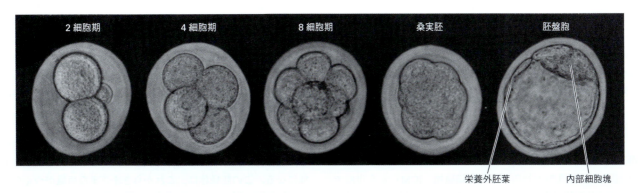

図 22・2 マウス胚の卵割. ここに示した卵割期の細胞分裂では, 細胞の成長はほとんどなく, したがって細胞はしだいに小さくなる. 詳細は本文参照. [T. P. Fleming 提供.]

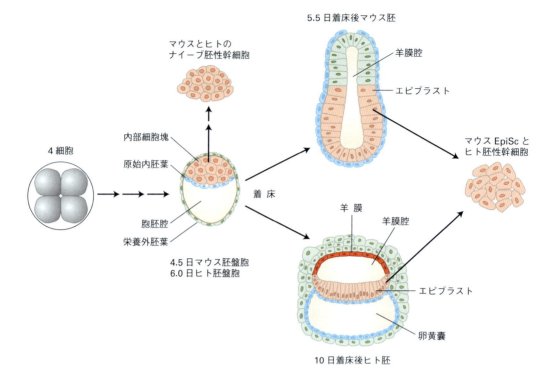

図 22・3 マウスとヒトの着床前後胚とこれら由来の幹細胞株の略図. マウスでもヒトでも 4 細胞期胚が正常に発生すると，外側の栄養外胚葉(TE)細胞と，内部の内部細胞塊(ICM)細胞からなる胚盤胞ができる（図 22・2）. ICM は胚外の原始内胚葉(PE)と胚を形成する胚盤葉上層(エピブラスト)に分化する. 子宮壁に着床後，マウスとヒト胚は少し異なる発生をする. しかしいずれの場合もエピブラストの細胞が胚を形成する. エピブラスト細胞や初期の ICM 細胞は，培養下で胚性幹細胞となる. 胚外細胞は子宮壁由来の細胞と共培養すると子宮の一部を形成する. 胚外組織は異なる形の青で, エピブラスト由来の組織は薄赤で示した. [M. N. Shabazi et al., 2019, *Science* **364**: 948 参照.]

組織をつくる. 16 細胞胚の内部の細胞は，胚盤胞を構成する**内部細胞塊**（inner cell mass: **ICM**, マウスではわずか 10～15 細胞である）になり，胚の本体をつくる（図 22・3）. これらの細胞分裂期に，内部の腔である**胞胚腔**（blastocoel）に液体が流入しはじめる.

胚盤胞では，ICM 細胞は胚盤胞の片側に存在し，TE 細胞は ICM と胞胚腔を取囲む中空の球を形成する. この時期には, TE 細胞は上皮シートをつくり, ICM 細胞は, **間葉**（mesenchyme, 間充織）とよばれるゆるく組織化されている細胞集団になる. 間葉という言葉は中胚葉由来の細胞に対して用いられることが多いが, ゆるく組織化されてゆるく接着している細胞のことである. 初期胚の細胞が TE と ICM のいずれの運命をたどるかは, 細胞の位置によって決まる. 標識した細胞を外側に置くと, これらの細胞はほぼ例外なく胚外組織をつくり, 一方, 内部に置いた細胞はおもに胚組織をつくる. ICM 細胞も TE 細胞も幹細胞である. つまり, この 2 種類の細胞はそれぞれに固有の系譜を開始させてさまざまな分化細胞の集団を生み出す. ICM や TE, これら由来の組織の初期発生の各段階での遺伝子発現を解析した結果, 各段階で遺伝子発現が劇的に変化することがわかった. このようなごく初期の胚においても Wnt, Notch, TGF-β のシグナル伝達経路が用いられる（16 章）.

内部細胞塊から胚性幹細胞（ES 細胞）が得られる

ES 細胞は, 哺乳類の初期胚の内部細胞塊（ICM）から単離でき, 特定の増殖因子を供給するフィーダー細胞の層に接着させて無制限に培養することができる（図 22・4a）. 本章の章頭で述べ

たように, 培養した ES 細胞には万能性がある. つまり, ES 細胞は, 培養した状態でも宿主胚に再び導入した場合でも, 三つのおもな胚葉に存在するさまざまな種類の細胞に分化できる. 具体的には, マウスの ES 細胞をマウス初期胚の胞胚腔に導入し, その細胞集団を偽妊娠させた雌の子宮に移植すると, その ES 細胞はできたキメラマウスのすべてではないがほとんどの組織の形成に加わる. さらに, 導入した ES 細胞からは精子や卵として機能するものもできるので, これから正常な生きたマウスが生まれる.

ごく最近, 宿主となる胞胚腔に細胞分裂を一時的に阻害する薬剤を注入して処理することによって胚盤胞の細胞を四倍体（各染色体を 4 個もつもので, 分化した細胞や組織を形成できない）にする実験が行われた. その結果, 胚盤胞に移植した ES 細胞は正常な二倍体なので, 胚盤胞を移植して生まれたマウスのすべての細胞はドナーの ES 細胞に由来することになる. この実験結果は, 個々の ES 細胞が真に万能性をもつことを強く示唆する証拠である. しかし, このような移植実験をヒト ES 細胞を用いて行うことは倫理的な観点から, また多くの国では法的な制約から許されないので, ヒト ES 細胞が真に万能性をもつことの証拠はない.

ここで重要な点は, ヒト ES 細胞もマウス ES 細胞も培養下でさまざまな細胞種へ分化できることである. ES 細胞を懸濁培養すると, **胚様体**（embryoid body, 図 22・4b）とよばれる細胞の集合体になる. この胚様体は, これからさまざまな組織がつくられる点で初期胚に似ている. 胚様体を増殖因子を組合わせて処理したり, 固い表面の培地に移したりすると, そのなかには消化管上皮

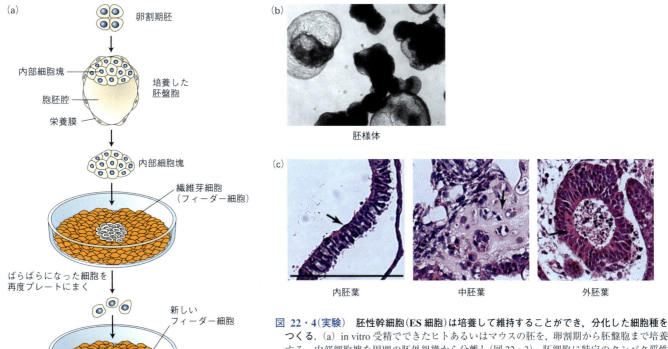

図 22・4（実験） 胚性幹細胞（ES細胞）は培養して維持することができ，分化した細胞種をつくる．(a) in vitro 受精でできたヒトあるいはマウスの胚を，卵割期から胚盤胞まで培養する．内部細胞塊を周囲の胚外組織から分離し（図22・3），胚細胞に特定のタンパク質性ホルモンなどの栄養源を与える繊維芽細胞の層の上にのせる．各細胞を新しいプレートに移植する（再プレート）と，ES細胞のコロニーができる．これは何世代にもわたってこのまま培養して維持することも，凍結保存することもできる．ES細胞は，特定のサイトカイン〔例：白血病阻害因子（LIF），Stat3 転写因子を活性化させることによってマウスES細胞を増殖させる〕を加えることによって，繊維芽細胞のフィーダーなしに培養できる．(b) ES細胞は，懸濁培養すると胚様体とよばれる多細胞集合体へと分化する．(c) 胚様体をヘマトキシリンとエオシンで染色したもので，これには胚発生過程で内部細胞塊に由来する三つの胚葉から発生する組織が含まれている．図中の矢印は，次の組織の特徴を示している．消化管上皮（内胚葉，左），軟骨（中胚葉，中央），ロゼット状の神経外胚葉（外胚葉，右）．スケールバーは 100 μm．〔(a) は J. S. Odorico et al., 2001, Stem Cells 19: 193 参照．(b), (c) は Dr. Lauren Surface, Dr. Laurie Boyer 提供．〕

や軟骨，神経細胞などの分化したさまざまな細胞ができる（図22・4c）．また，別の培養条件では，ES 細胞は血球細胞や色素上皮細胞など，さまざまな細胞種の前駆細胞になる．そのため，ES細胞は，多能性幹細胞から特定の細胞系譜に沿って分化させる因子を同定するために非常に有用である．

初期胚の細胞がもつどのような性質によって，このような驚くべき可塑性が生まれているのだろうか．以下で述べるように，多様な因子がそれぞれの役割をもっている．たとえば，DNAメチル化，転写因子，クロマチン調節因子，さらにはマイクロRNAなどが，どの遺伝子を活性化するかを決めている．

複数の因子によって ES 細胞の万能性が制御されている

胚発生の初期には，受精卵が分裂しはじめると同時に，父親由来と母親由来のDNAがともに脱メチル化される（8章）．この現象は，主要な維持メチルトランスフェラーゼであるDNMT1が一時的に核から排除されることと，発生初期に5-メチルシトシン残基にある DNA メチル化の印を積極的に消去するデメチラーゼが作用することに依存している．その結果，メチル化のパターンは最初の数回の分裂でリセットされて，それまであったDNAのエピジェネティックな印が消され，細胞はさまざまな発生経路をたどる可能性をもつようになる．DNMT1 を欠損するように操作したマウスは，DNAが極度の低メチル化状態になって初期発生段階で致死となり，また，この胚から樹立したES細胞は，培養下で分裂はできるが，正常なES細胞とは異なり，in vitro での分化ができない．

ES 細胞の性質は，受精後ただちにつくられるマスター転写因子の活性に大きく依存している．Oct4，Sox2，および Nanog とよばれる転写因子は，初期発生に必須の役割をもち，胚の内部細胞塊としての運命が決まる過程や，培養下で ES 細胞をつくる過程に必要である．Oct4 と Nanog の発現は，ICM の細胞や培養下の ES 細胞などの万能細胞だけで起こる．Sox2 は万能細胞で発現しているほか，神経細胞とグリア細胞だけをつくる多能性の神経幹細胞においても必要である（23章）．マウスでの遺伝学的実験から，これらの調節因子にはそれぞれ異なる役割があるが，各因子が関連した経路で機能することによって，万能細胞がもつ発生における潜在能力を維持している．たとえば，Oct4 や Sox2 の欠損は，ICM の分化異常をひき起こし，ES 細胞が胎盤をつくる栄養外胚葉の細胞になってしまう．したがって，これらの転写因子によって調節される一群の遺伝子を知ることによって，発生過程でのそれぞれがもつ必須の役割を解明できる可能性がある．

この三つの転写因子が結合する遺伝子が，クロマチン免疫沈降実験（8章）によって同定された．その結果，各転写因子は，染

色体上の1000箇所以上の部位に結合することがわかった．これらの標的遺伝子にはさまざまなタンパク質がコードされ，なかにはOct4, Nanog, Sox2タンパク質という自分自身が含まれており，自己制御ループを形成して，他の遺伝子とともに自分自身の発現を調節している（図22・5）．また，これらの転写因子は，ES細胞の分裂による自己複製に重要なタンパク質やマイクロRNAをコードする多くの遺伝子の転写調節領域にも結合する．

複数のタンパク質性のホルモンをフィーダー細胞から供給するか，培地に加えることによって，ES細胞は分化しないようになっている．これらのホルモンには，Stat3を活性化する白血球阻害因子（LIF），βカテニン転写因子を活性化するWnt，またSmad1転写因子を活性化する骨形成タンパク質4（BMP4）がある（16章）．ES細胞では，これら三つの転写因子（Stat3, Wnt, Smad1）は，Oct4, Nanog，およびSox2タンパク質とともにゲノム上の多くの部位に結合する．つまり，細胞表面受容体によって活性化するシグナル伝達経路は，万能性を形づくる回路の中心にある遺伝子の調節と共役している．また，このことは，16章で述べたように，細胞表面受容体によって活性化する転写因子が，その細胞に特異的なマスター転写因子が結合するゲノム領域に結合することを示している．

ES細胞においても，遺伝子の転写を制御するクロマチン調節因子（8章）は重要である．ショウジョウバエでは，Polycombタンパク質が複合体を形成して，DNA結合性転写因子によって最初に確立された遺伝子抑制を維持する．ショウジョウバエPolycombタンパク質に類似した哺乳類のタンパク質複合体であるPRC1とPRC2（図8・48参照）は，ES細胞に多量に存在する．PRC2複合体の構成因子を欠くマウス胚は，発生初期に欠損を示す．PRC2複合体は，ヒストンH3のリシン27をメチル化し，これによってクロマチン構造を遺伝子抑制状態にする．(ここでのメチル化はタンパク質のアミノ酸のメチル化であり，DNAのシトシン塩基のメチル化による制御とは異なることに留意．) ES細胞では，PRC1とPRC2は，ともに特定の種類の細胞分化を誘導するタンパク質やマイクロRNA（miRNA）をコードする遺伝子を抑制している．つまり，Polycombタンパク質は，これらの遺伝子をエピジェネティックな機構によって前活性化段階に維持し，のちに活性化して発生における特定の遺伝子発現プログラムを正しく実行するしくみとして作用できる状態に保つ．そのため，PRC2の機能を失ったES細胞は正しく分化できない．

他の多くの調節因子も，遺伝子発現の制御とごく初期の胚での万能性の維持に重要な役割をもっている．たとえば，miRNAである*let-7*をコードする遺伝子は，ES細胞で転写はされるが，前駆体であるRNA転写産物が成熟した機能をもつmiRNAになるように切断されることはない．それは，ES細胞では，Lin-28とよばれる，発生過程で発現調節されるRNA結合タンパク質が発現し，これが*let-7* RNA前駆体に結合して切断を妨げているからである．成熟型の*let-7* miRNAをES細胞で人為的に発現させると，ES細胞の自己複製能が阻害されることから，Lin-28によって*let-7*のプロセシングを抑制することは，万能性の維持に重要であることがわかる．

あとに述べるように，胚性幹細胞を治療目的に利用して，損傷した組織を回復や置き換える可能性について，どのようにES細胞を特定の種類の細胞に分化させるかという問題意識から盛んに研究されている．ES細胞には，疾病の治療に向けた可能性とは別に，マウス変異体を作製するという，非常に大きな価値がすでに明らかになっている．こうした変異体は，たとえば，さまざまな病気の研究のほか，発生のしくみ，行動，生理などの多くの研究分野において有用である．6章で述べた組換えDNA技術を用いることで，ES細胞において特定の遺伝子の機能を欠損させたり変化させたりできる．次に，この変異ES細胞を用いて遺伝子ノックアウトや遺伝子改変マウスをつくることができる（図6・40参照）．この方法で遺伝子を欠損あるいは変化させて，その結果生じた影響を分析することによって，その遺伝子とそれにコードされるタンパク質の正常機能を知る手掛かりが得られる．

クローン動物の実験から分化は逆戻りできることがわかった

細胞の種類が異なると転写されるゲノム領域は異なるが，すべての細胞のゲノムはほぼ同一である．造血前駆細胞からTリンパ球とBリンパ球が発生する際には，ゲノム領域が再編成してDNA断片が失われるが（24章），体細胞のほとんどは生殖系列の細胞と同じ完全なゲノムをもつと考えられている．少なくとも一部の体細胞が完全で機能をもつゲノムを含む証拠は，核移植によってクローン動物をつくることに成功したことからわかった．**体細胞核移植**（somatic-cell nuclear transfer: SCNT）とよばれるこの方法では，成体の体細胞の核を，あらかじめ除核した卵に移入する．この操作によって，卵には接合子と同じ二倍体の染色体が含まれることになるので，これを代理母に移植する．卵に残るミトコンドリアDNAを除けば，この胚の発生を導く遺伝情報の源は，供与された体細胞のゲノムだけである．しかし，体細胞核移植によってクローン動物を作製する効率が低いこと，また，クローン動物では肥満などの疾病の頻度が高くなることから，どの程度の成体の体細胞が実際に完全な機能的ゲノムをもつのか，また，それらが多能性をもつ未分化状態に完全に再プログラムされているのかなどの疑問が残されている．有名なクローンヒツジであるド

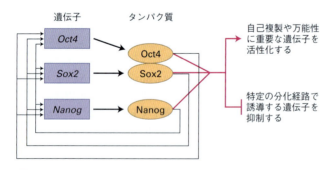

図22・5 ES細胞の万能性を制御する転写ネットワーク．マスター転写因子Oct4とSox2は二量体を形成する．Oct4, Sox2, Nanogの三つの転写因子は，それぞれ自分のプロモーターと他の二つのプロモーターの両方に結合し（黒線），それぞれの遺伝子の転写を活性化する正の自己制御ループをつくっている．また，これらの転写因子は，ES細胞の増殖と自己複製に重要なタンパク質やマイクロRNAをコードする遺伝子が活性化した状態になっているときに，それらの転写調節領域に結合している．また，分化していないES細胞では，さまざまな分化細胞をつくるために必須のタンパク質とマイクロRNAをコードする多数の遺伝子は転写されない状態になっているが，これらの転写因子は，こうした遺伝子の転写調節領域にも結合する（赤線）．［M. Li and J. C. I. Belmonte, 2018, *Nat. Cell Biol.* **20**: 382 参照．］

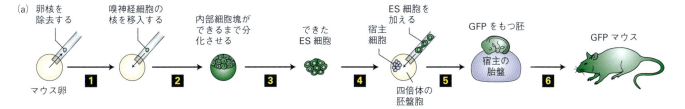

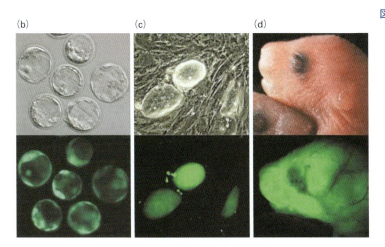

図 22・6（実験） 嗅神経細胞の体細胞核移植によってマウスのクローンができる．(a) 嗅神経細胞の核を用いて ES 細胞株のクローンを得る方法とクローンマウスの作製法．段階 **1**：嗅覚系組織で GFP を発現するマウスから嗅神経細胞の核を単離し，マウス卵の核と置き換えた．段階 **2**：生じた接合子を培養して内部細胞塊まで分化させた．段階 **3**：ICM を構成する細胞は，すべてがもとの嗅神経細胞のクローンで GFP を発現する．これらを用いて ES 細胞株を作製した．段階 **4**：ES 細胞を四倍体の胚盤胞に導入した．段階 **5**：胚盤胞を偽妊娠させたマウスの子宮に移植すると，宿主に由来する四倍体細胞は，胎盤（紫）にはなるが，胚本体にはならない．段階 **6**：そのため，胚本体の全細胞と，生まれたマウスは GFP を発現する．(b), (c) 核移植した胚盤胞と内部細胞塊から単離した ES 細胞の明視野（上）と蛍光（下）の顕微鏡写真．(d) 生後 12 時間のマウス（対照，上）と嗅神経細胞由来のクローンマウス（下）で，後者の全細胞は GFP を発現する．[(b)〜(d) は K. Eggan et al., 2004, *Nature* **428**(6978): 44, Copyright Clearance Center, Inc. を通じて Nature Publishing Group より許可を得て転載．]

リーなどの成功例はあるものの，医学的には問題がある．分化細胞には，物質的には完全なゲノムがあったとしても，その一部だけが転写活性をもっていることは明らかである（8 章）．たとえば，細胞には完全なゲノムがあったとしても，クロマチンのエピジェネティックな状態を継承したために，特定の遺伝子は適切に応答できない可能性がある．

分化細胞のゲノムを，すべての発生能をもつ胚性幹細胞の性質をもつように戻すことができる別の証拠が，最終分化して分裂しなくなった嗅神経細胞を用いた実験から得られている．この実験では，緑色蛍光タンパク質（GFP）の印を遺伝子操作で付加し，これを核のドナーとして用いた（図 22・6）．分化した嗅神経細胞の核を，脱核したマウス卵母細胞に移植すると，一部は GFP を産生する胚盤胞へと発生した．この胚盤胞から ES 細胞株を樹立し，これを四倍体の胚盤胞に導入した．嗅神経細胞のゲノムだけに由来するこの操作された胚から，緑色の蛍光を発する正常なマウスができた．したがって，少なくとも場合によっては，分化細胞のゲノムを完全に再プログラムすることができ，マウスのすべての組織をつくることができる．

体細胞から人工多能性幹細胞（iPS 細胞）をつくることができる

体細胞核移植の効率はよくないことから，哺乳類のすべての体細胞に完全なゲノムがあるのか，また，それらを脱分化するように誘導して，ES 細胞のような状態をつくることができるかに関しては不明のままであった．2012 年にノーベル賞を受賞した山中伸弥は，レトロウイルスベクターを用いて，培養繊維芽細胞でさまざまな転写因子を単独，あるいは組合わせて発現させた．その結果，驚くべきことに，ヒトの細胞もマウスの細胞も万能性状態に再プログラムできることを見いだした．この状態の細胞を**人工多能性幹細胞**（induced pluripotent stem cell，**iPS 細胞**）とよび，これは胚性幹細胞に類似している．このときレトロウイルスベクターで導入したのは，わずか 4 種類の因子 KLF4, Sox2, Oct4, Myc をコードする遺伝子である．このうちの Sox2 と Oct4 は，すでに述べたように ES 細胞に存在するマスター転写因子のなかの二つである．繊維芽細胞以外でも，ケラチノサイト（角化細胞，皮膚をつくる細胞）などの分化細胞が iPS 細胞へと再プログラムされた．マウスの iPS 細胞 1 個を実験的に胚盤胞に導入すると，ES 細胞と同じように，生殖細胞を含めたすべてのマウス細胞を形成できるため，体細胞が真に胚性の万能細胞へと再プログラムできることが確かめられた．

他の複数の転写因子やある種の有機分子を，"山中の再プログラムカクテル"の *Oct4* 遺伝子の代わりにすることができる．その後の研究から，これらの因子は内在性（細胞内にある）*Oct4* 遺伝子の活性化を直接ひき起こしていて，これによって多能性幹細胞が誘導されることがわかった．つまり，転写因子をコードする遺伝子を強制発現することによって，Oct4 や他の万能性タンパク質をコードする多くの細胞の遺伝子がしだいに活性化され，さらに数週間のうちに，この活性化によって体細胞が ES 細胞様の状態へと再プログラムされる．内在性遺伝子の活性化によって ES 細胞様の状態へと再プログラムされることを実験的に証明するために，山中が示した四つの基本的な転写因子 KLF4, Sox2, Oct4, Myc をコードする mRNA を合成して，培養したケラチノサイトに繰返し導入した．その結果，この培養細胞から正常な iPS 細胞が生じ，そこには外から導入した mRNA は残っていなかった．つまり，ケラチノサイトから iPS 細胞へは，正常な細胞の遺伝子の発現誘導によって再プログラムされたのである．

繊維芽細胞では，万能性に関係する遺伝子の多くのクロマチンには転写因子が結合できない．そのおもな理由は，ヒストン H3 リシン 9 のトリメチル化（$H3K9Me_3$）という抑制作用をもつエピジェネティックな印の作用による．Oct4 によって活性化される遺伝子のうちの二つには，この抑制作用をしているクロマチンの印

を取除く H3K9 デメチラーゼがコードされており，これが時間とともに万能性遺伝子を活性化する．この考えと合致するように，H3K9 デメチラーゼの発現は再プログラミングの間に亢進しており，逆に，これをノックダウンすると iPS 細胞の生成効率が下がる．実際，再プログラミングでは，主たるエピジェネティックな修飾が変化していて，そのなかには DNA メチル化や他のヒストン修飾が含まれるので，その結果として何百もの遺伝子が抑制されたり活性化したりする．

再プログラミングで上昇する遺伝子のなかに Lin-28 がある．すでに説明したように，Lin-28 は let-7 miRNA ファミリーの生合成を阻害することで万能性を維持する．テロメラーゼ（図 7・40 参照）の発現も再プログラミングで誘導される．すなわち，テロメラーゼは，分化細胞の形成に必要な細胞分裂ごとに短くなるテロメアを正常の長さを回復させる．細胞の万能性獲得への再プログラミングでは，代謝経路の変化も伴う．たとえば，ほとんどの分化細胞に特徴的な高い呼吸代謝（すなわちミトコンドリアに依存する ATP 産生から），正常胚の ICM に特徴的な解糖経路へと大きく変化する．

患者特異的 iPS 細胞を使って多くの病気に対する治療法を開発することができる

iPS 細胞は，解明がむずかしい病気をもつ患者の体細胞からつくることができるので，さまざまな病気を分子や細胞レベルで解析する際に非常に有効であることがわかっている（図 22・7）．ここでは，ルー・ゲーリグ病（Lou Gehrig's disease）とも称される**筋萎縮性側索硬化症**（amyotrophic lateral sclerosis: ALS）を考えてみる．この病気は，脊髄と体の筋肉をつなぐ運動ニューロンが少しずつ死ぬ，致死性の病気である．この運動ニューロンの死によって，筋肉は弱って失われ，四肢が麻痺し，呼吸ができなくなるため死に至る．この治療法はない．

この病気になった患者の約 10％は顕性遺伝（家族性 ALS）であるが，90％には遺伝性はない（孤発性 ALS）．この病気の背景にある原因を，分子および細胞レベルで分析することは，運動ニューロンやその周囲にあるグリア細胞を生きたヒトから取出して分析したり培養したりすることはできないので，不可能であった（23章）．iPS 細胞を，さまざまな家族性および孤発性の ALS の年配の患者の皮膚細胞からつくり，それを培養して運動ニューロンへとうまく分化させることに成功した複数の例がある．この成功から，自己複製する iPS 細胞を用いることで，ALS の要因をもつ細胞を無限につくり出す可能性が証明された．初期の研究から，何種類かの ALS 変異をもつ運動ニューロンは興奮性が亢進していて，活動電位（23章）とよばれる電気シグナルを，正常ニューロンよりも多く生じることがわかった．これら分化した細胞を用いて，すでに他の病気の治療のために開発された医薬品を含む何千もの小さな有機分子を用いて，ALS 患者に由来する iPS 細胞からつくった運動ニューロンの異常を正常化する物質を求めてスクリーニングが行われている．こうした実験から，iPS 細胞と ES 細胞は，研究が困難なさまざまなヒト疾病の培養細胞モデルをつくるのに非常に重要であることが示され，まだ治療が困難な苦痛を和らげる薬剤をスクリーニングするために用いられている．

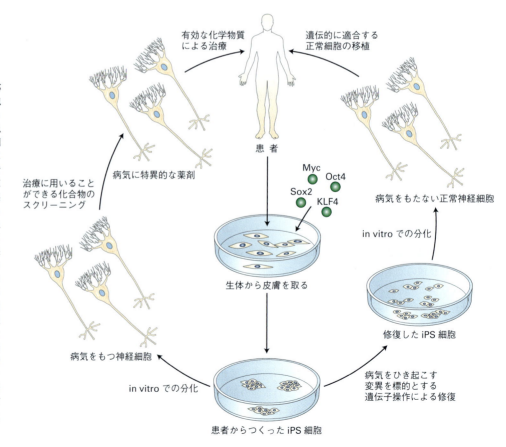

図 22・7 iPS 細胞の医療における応用．この例では，ある種の神経細胞（ニューロン）に起こった異常によってひき起こされた神経変性疾患の患者を想定している．患者由来の iPS 細胞株を，患者の皮膚から得た細胞に山中 4 転写因子を発現させることで確立し，二つの用途に用いている．家族性のパーキンソン病のように，疾患をひき起こす変異がわかっているときには，遺伝子操作によって DNA 配列を修復することができる（右）．このとき，遺伝子を修復した患者由来の iPS 細胞を，疾患の要因となっている種類の神経細胞（たとえば，中枢のドーパミンニューロン）へと分化させ，患者の脳に移植する（黒質線条軸への移植）．もう一つの方法では，患者由来の iPS 細胞を，疾患の要因となっている種類の神経細胞へと直接分化させ（左），in vitro における患者モデルとして，治療薬の候補をスクリーニングし，治療に利用可能な新たな化合物を発見することをめざす．[D. A. Robinton and G. Q. Daley, 2012, Nature **481**: 295 参照．]

ES 細胞と iPS 細胞は，分化して機能をもつヒト細胞になる

ヒト iPS 細胞からつくった神経細胞とグリア細胞，あるいは別の他の細胞を，マウスに移植したところ，有望な結果が得られた．特にマウス幹細胞からつくった心筋細胞はマウスの不整脈を治すことができ，グリア細胞の一種であるオリゴデンドロサイトの移植は脊髄損傷のマウス実験モデルを回復させる可能性を示し，また網膜上皮細胞の移植はマウスの視覚障害モデルにおける欠損を一部回復させることができたのである．しかし，ヒト iPS 細胞由来の分化細胞が同様にヒトへの移植でうまく機能するかはまだ不明である．

最近の研究成果は，ヒト iPS 細胞と ES 細胞からつくった，インスリンを分泌する正常な膵島 β 細胞が，I 型と II 型の糖尿病の両方を治療しうる可能性を示している．I 型糖尿病は β 細胞の自己免疫による破壊であり，これよりもずっと多い II 型糖尿病は，肝臓や筋肉でのインスリン抵抗性（図 21・1，図 21・2 参照）のためにひき起こされ，最終的に β 細胞の機能欠損と死につながる．死後摘出したヒト膵臓の移植を受けた患者は，5 年以上治療にインスリンを用いずに済むが，この方法はドナーとなる膵臓の不足と質に問題があり，幹細胞からヒト β 細胞を無限につくることができれば，何百万人もの新たな患者に対してもこの治療を拡大できる．

β 細胞をうまく作製するうえで重要なことは，iPS 細胞や ES 細胞を，未分化の内部細胞塊の細胞が成熟した機能的な β 細胞になるまでに通る一連の正常な胚発生過程で必要とされるさまざまな増殖因子の組合わせによって順次処理することである（図 22・8a）．正常な β 細胞と非常によく似た構造をもつ，いわゆる SC-β 細胞には，インスリンが結晶化するほど詰まった分泌顆粒が含まれている．この細胞は，培地のグルコース濃度が上昇したときに応答して，正常な量のインスリンを分泌する．この細胞をマウスに移植すると，ただちにヒトのインスリンをグルコース濃度によって調節されて血中へと分泌する．ここで最も重要な点は，この細胞を免疫適合性をもつ糖尿病マウスに移植したあとは，それまでは高かったグルコース濃度が正常値に下がることであり（図 22・8b），さらに，このような膵 β 細胞は，糖尿病の治療に用いるために，原理的には無限に培養できる点である．また，β 細胞の機能，生存，増殖を改善する新たな薬剤スクリーニングにおいて，こうした幹細胞由来の β 細胞が利用される．21 章で解説したように（図 21・1 参照），正常な膵臓には他種類の細胞に加えてグルカゴンを分泌する α 細胞も存在する．iPS 細胞から α 細胞と β 細胞の両方を含む膵臓様の細胞塊をつくり出すことが目指されている．

ヒト iPS 細胞からさまざまな種類の分化細胞をつくる方法が開発される時代がくることは確実である．これら細胞は多くの難病における"代替部品"として用いることが可能になる．実際，マウス ES 細胞や，胚性繊維芽細胞や成体尾部繊維芽細胞から誘導された人工多能性幹細胞からも，完全に機能的なマウス卵が培養により生成されている（図 22・9）．また野生型精子との体外受精を行うと，これら体外生成されたすべてのこれらの体外受精卵は，すべて 2 細胞胚に成長した．驚くべきことに，これら 2 細胞胚を仮妊娠の雌に移植したところ，数個は生存可能な仔として生まれた．

しかし，ヒトの ES 細胞や iPS 細胞由来の分化細胞を治療を目的として実用化する前に，多くの重要な問題に答えなければならない．たとえば，ヒトとマウスの未分化の ES 細胞や iPS 細胞を実験マウスに移植すると，部分的に分化した細胞の塊を含む腫瘍の一種であるテラトーマをつくる．したがって，ES 細胞や iPS 細胞を移植に供するには，用いる細胞のすべてが分化して万能性をすでに失っていて，テラトーマを形成したり，他の問題を起こさないことを確認することが必須である．多くのグループが，ある種の女性不妊症の治療法として，ヒト ES 細胞や iPS 細胞から完

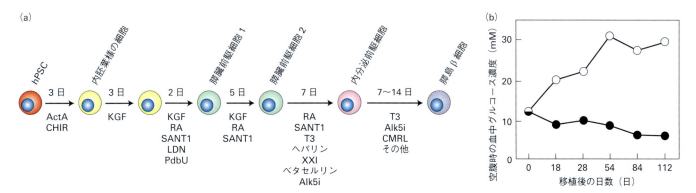

図 22・8 ヒトの iPS 細胞や ES 細胞に由来するインスリンを正常に分泌する β 細胞の生成．(a) ヒト ES 細胞や iPS 細胞をインスリンを分泌する膵島 β 細胞に分化させる方法の概要．数百個のヒト ES 細胞か iPS 細胞の集団を，図に示した増殖因子を含む培地中で，順次示した日数培養する．最初に内胚葉様の細胞になり，次に一連の膵臓前駆細胞を経て，膵臓の分泌細胞の前駆細胞になる．最終的に，インスリンを分泌する β 細胞（SC-β 細胞）が幹細胞からできる．略号は使用された複数のシグナル伝達分子を示す．ActA: アクチビン A，CHIR: GSK3 阻害因子，KGF: ケラチノサイト増殖因子，RA: レチノイン酸，SANT1: ソニックヘッジホッグ経路のアンタゴニスト，LDN: I 型 BMP 受容体の阻害因子，PdbU: プロテインキナーゼ C 活性化因子，Alk5i: Alk5 受容体阻害因子 II，T3: トリヨードチロニンという甲状腺ホルモン，XXI: γセクレターゼ阻害因子，ベタセルリン: EGF ファミリーの因子．(b) この実験では，インスリン遺伝子に変異をもつ糖尿病マウスの系統を用いており，このマウスには，ヒト組織を移植したときに拒絶しないように免疫系の変異を複数もっている．この研究より前に，このマウスでのグルコース濃度の上昇は，ヒト膵臓細胞を移植することによって正常値に回復することがわかっている．この実験では，マウスは SC-β 細胞（黒丸）と，対照となる膵臓前駆細胞（白丸）を移植した．実験開始時では，これらのマウスの血中グルコース濃度の平均は 11 mM であり，正常値の 5 mM よりも高い．対照に用いたマウスの血中グルコース濃度の平均は，しだいに上昇して 30 mM となり，重篤な糖尿病の症状を示すのに対して，ヒト SC-β 細胞を移植したマウスでは，血中グルコース濃度は，ほぼ正常値の 5 mM まで低下する．［(b) は F. W. Pagliuca et al., 2014, Cell **159**: 428 による．］

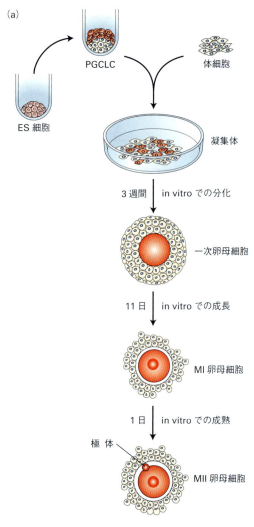

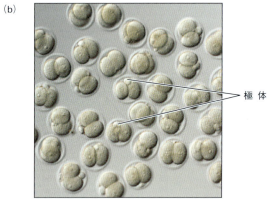

図 22・9 多能性幹細胞からの機能性マウス卵子の作製. (a) 試験管内における卵子産生の模式図. 雌のマウス ES 細胞を培養して始原生殖細胞様細胞 (PGCLC) に分化させたのち, 12.5 日目のマウス胚から分離した雌の生殖腺体細胞と一緒に培養して始原卵巣様凝集体を形成させた. 2〜3 週間培養すると, 発育中の卵が間質細胞に囲まれた一次卵母細胞が形成された. 多くの卵前駆細胞が減数分裂を繰返していた. さらに培養を続けると, 成熟した一倍体卵母細胞〔減数第二分裂中期 (MII)〕が形成された. (b) MII 期の最終分化を終えた試験管でつくられた卵を, 野生型精子と体外受精させたところ, すべて受精し, 2 細胞胚に発育した. 極体は減数分裂のもう一つの産物であり, 受精能力をもたない小さな一倍体細胞であることに留意されたい. 〔(b) は O. Hikabe et al., 2016, *Nature* **539**: 299, Copyright Clearance Center, Inc. を通じて Springer Nature より許可を得て掲載.〕

全な機能をもつ卵子を作製しようとしている. 体外受精した卵子から新生児が生まれる可能性があり, またその卵子を生み出す ES 細胞のゲノムを編集する可能性があることから, 社会全体がこの重要で複雑な倫理的問題に取組む必要がある. 科学者も科学者でない人々も, これら議論を優先させ, 促進させる必要がある.

22・1 哺乳類の初期発生, 胚性幹細胞, および人工多能性幹細胞 まとめ

- 非対称分裂によって, 一つの親細胞から 2 種類の異なる娘細胞ができる. 一方, 対称分裂によってできる二つの娘細胞は同等であるが, 異なる外部シグナルが与えられると異なる運命をたどることもある (図 22・1).
- 一倍体の精子と一倍体の卵の核が融合して, 二倍体の接合子ができる. 哺乳類胚の最初の何回かの分裂によっては同等の全能性細胞ができるが (図 22・2), その後の分裂によって最初の分化現象が起こり, 内部細胞塊から栄養外胚葉が分かれる (図 22・3).
- 内部細胞塊は, 胚本体のもとになるほか, 胚性幹細胞 (ES 細胞) のもとにもなる.
- 培養した ES 細胞には万能性があり, 胚外組織を除く, 生命体に必要なすべての細胞種になる能力が備わっている. また, ES 細胞は遺伝子改変マウスの作製に用いることができるほか, 治療に用いる可能性をもっている.
- ES 細胞の万能性は, 複数の要素によって制御されている. その要素には, DNA メチル化, クロマチン調節因子, ある種のマイクロ RNA, また転写因子 Oct4, Sox2, および Nanog がある.
- クローン動物を作製できたことから, 細胞分化は逆方向に動かせるという概念が確立された.
- 人工多能性幹細胞 (iPS 細胞) は, 体細胞に KLF4, Sox2, Oct4, Myc を含む転写因子を組合わせて発現させることによって作製できる.
- ALS に例示されるように, ヒト iPS 細胞を培養してつくった分化細胞を用いて, 病気の背景にある原因を明らかにし, 病気の治療に用いる薬剤をスクリーニングできる.
- ヒト iPS 細胞を培養してつくった膵島 β 細胞は, 糖尿病マウスに導入すると, 培地中のグルコース濃度上昇に応答してインスリンを正常に分泌し, 導入前の高いグルコース血中濃度を下げる.
- マウス ES 細胞や iPS 細胞から完全な機能をもつマウス卵を培養で作製することができる.

22・2 多細胞生物の幹細胞と幹細胞ニッチ

分化した細胞種の多くは, 体から少しずつ失われていくので, 細胞の寿命は個体の寿命よりも短い. また, 病気や外傷も分化した細胞の消失につながる. 分化した細胞は分裂しないことが多いため, 新たな細胞を近傍の幹細胞集団から補充しなければならない. 脊椎動物や無脊椎動物の多くでは, 万能性の ES 細胞とは異なり, 単能性または多能性の幹細胞が多種類存在して, 体内に存在する一部の種類の細胞をつくることができる. 生後の個体 (成

体）では，血液，腸，皮膚，卵巣と精巣，筋肉などの多くの組織に幹細胞が含まれている．成体の脳にも，通常はほとんど分裂しないものの，幹細胞の集団が存在する（23章）．横紋筋では，成体では幹細胞の細胞分裂は通常はあまり起こらないが，損傷の治癒過程では最重要になる．肝細胞や，インスリンを産生する膵島のβ細胞などの他の細胞は，おもにすでに分化した細胞の分裂によって再生する．たとえば，肝臓の大きな部分を外科手術で取除いたときの再生でもこうした再生がみられる．

成体のプラナリアには万能性の幹細胞がある

1章と16章で述べたように，プラナリアでは体の小さな断片から個体全体を再生することが可能である．この再生には，**ネオブラスト**（neoblast，新生芽細胞，新生細胞）とよばれる増殖する幹細胞様の細胞の集団が必要であり，これは体全体に存在する．しかし，このような能力をもつ動物で起こる再生では，複数の系譜が，ある程度限定された幹細胞と前駆細胞が総合的な活動することによって生じるのか，あるいは万能性の幹細胞から生じるのか，という重要な疑問は残されている．最近の研究から，プラナリアの成体には，万能性の幹細胞とともに**クローン形成ネオブラスト**（clonogenic neoblast，**c ネオブラスト**）とよばれる，系譜が限定されたネオブラストが存在することがわかった．

プラナリア成体にγ線を照射してほとんどすべての細胞の分裂を阻害した重要な実験がある．この照射プラナリアは，再生が行われず，老化した分化細胞を置き換えることができないため，多くの組織が失われる．少数の機能をもつネオブラストが，照射後にも残っていて分裂することは，*smedwi-1* とよばれるマーカー遺伝子によって同定できる．照射後数日過ぎると，個々のネオブラストは *smedwi-1* 陽性細胞のコロニーを形成し，この陽性細胞には複数種類の分化した体細胞が含まれ，*smedwi-1* 陽性のネオブラストの集団には万能性があると考えられる（図22・10）．この真偽を調べるために，単一のネオブラストを，自身のネオブラストをすべて失わせるように致死量の照射を受けたプラナリアに移植した．驚いたことに，移植したプラナリアのうちの複数の個体が7週間後にも生存していて，体全体に存在する，神経細胞，腸細胞，また他のさまざまな分化細胞を，単一の移植細胞から再生していた．最終的には，再生したプラナリアは食行動を獲得し，眼などの複雑な組織を再生した．これらの実験から，プラナリア成体にあるネオブラスト細胞の少なくとも一部は真に万能性をもち，これがプラナリアの驚異的な再生能力を与える基盤となっている細胞であることがわかった．しかし，多くの試みがなされているものの，脊椎動物の成体には，確かに万能性をもつ幹細胞であると同定されている細胞はない．

多能性の体性幹細胞から，幹細胞自身と分化する細胞の両方が生まれる

多細胞動物の成体にある主要な幹細胞は，多能性の体性幹細胞であり，これから体の組織を構成する分化細胞ができる．これら幹細胞を他のあらゆる細胞と区別する二つの重要な特性は，多数回の細胞分裂を通じて自己再生する能力（自己複製能）と，潜在能力がより限定された子孫細胞を生成する能力である．多能性体幹細胞には，ほかにも二つの重要な性質がある（図22・11）．

1. 幹細胞は複数の種類の分化細胞をつくることができる．この点において，幹細胞は1種類あるいは2種類の分化細胞をつくる**始原細胞**（progenitor cell，**前駆細胞** precursor cell ともいう）とは異なる．幹細胞には，多くの異なる細胞種をつくる能力があるが，すべての能力，すなわちES細胞のような万能性はない．たとえば，多能性の造血幹細胞は，自分自身を増殖させることに加えて複数種類の血液や免疫担当細胞をつくるが，皮膚や肝臓の細胞はつくらない．

2. 幹細胞は未分化である．一般に幹細胞では，子孫細胞でつくら

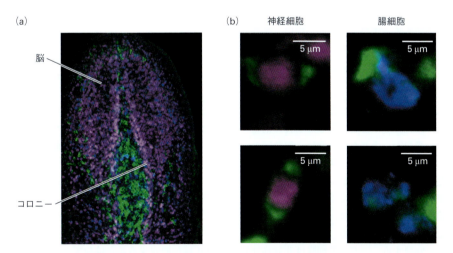

図 22・10（実験）　プラナリアネオブラストの幅広い分化能．プラナリアをほぼ全照射すると，生存するネオブラストはほとんどなくなるが，1個の生存したネオブラストから頭部にコロニーがつくられた．(a) ネオブラストはSMEDWI-1 タンパク質に対する抗体で緑に標識されている．*smedwi-1* 遺伝子はネオブラストで特異的に転写され，ネオブラストの子孫細胞が分裂・分化を停止すると転写が停止する．ネオブラストで産生されたSMEDWI-1 タンパク質は，成熟細胞に分化する過程でゆっくりと分解されるが，ネオブラストの子孫を検出するには十分量が残っている．(b) SMEDWI-1 抗体と分化細胞マーカーのRNAプローブによる蛍光 in situ ハイブリダイゼーションの二重標識によって，単一のネオブラスト由来の新たに生成された分化細胞が検出される．神経細胞は *chat* 遺伝子に対するRNAプローブで紫に，腸細胞は *gata4/5/6* 遺伝子に対するRNAプローブで青に標識されている．前方が上．[D. E. Wagner et al., 2011, *Science* **332**: 811 参照． D. Wagner and P. Reddien, MIT, Whitehead Institute 提供．]

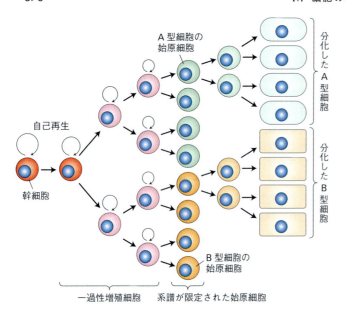

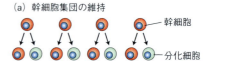
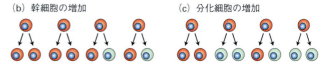

図 22・12 幹細胞の分化様式. さまざまな比率の幹細胞(赤)と分化細胞(緑)をつくる幹細胞の分裂を示す複数の様式. (a) 幹細胞が非対称分裂して, 1個の幹細胞と1個の分化細胞ができる. この様式では, 幹細胞集団は大きくならない. (b) 集団中の幹細胞の一部は対称分裂して幹細胞集団を大きくする. この様式は正常発生や傷害から回復するのに役立つ. 一方, (a)と同じように非対称分裂する幹細胞もある. (c) 第三の様式では, 一部の幹細胞が(b)と同じように分裂し, 他の幹細胞からは二つの分化細胞の子孫ができる. [S. J. Morrison and J. Kimble, 2006, *Nature* **441**: 1068 参照.]

図 22・11 幹細胞から系譜が限定された始原細胞, そして分化細胞に至る経路. 多能性の体性幹細胞が分裂するたびに, 平均して少なくとも1個の娘細胞は, 親細胞に似た幹細胞になる. したがって, 幹細胞は自己再生を行う分裂をしていて, 特定の種類の幹細胞の数は, 個体の一生の間, 一定のままである. 幹細胞にならなかった他の娘細胞は, 一過性増殖細胞とよばれ, 速い分裂を行って, 決められた回数に達するまで自己再生する. これら娘細胞の性質は親細胞とよく似ている. 娘細胞は, 最終的に系譜が限定された始原細胞をつくる. 始原細胞は, 自己再生のための分裂はできないが, 分裂して特定の種類の分化細胞をつくる.

れる分化細胞の特性を示すmRNAやタンパク質は発現していない. 特定の種類の幹細胞は, 一般に胚発生過程で出現し, 急速にその数を増やす. その子孫は, 胚や若い個体を構成する多種類の分化細胞を生み出す. 成体に達すると, 幹細胞の数は比較的一定に保たれ, 年齢とともに減少する場合が多い. その意味で, 幹細胞はしばしば不滅であるといわれるが, 動物の一生を通じて存続する幹細胞は一つもないのである. 実際, 慢性的な損傷, 多数回の化学療法, ゲノムの完全性を損なうような遺伝的欠損によって, 通常よりも多くの回数分裂することを幹細胞が強いられた状態を観察した結果から, 幹細胞の分裂能が有限であることがわかった.

成体にある多くの種類の幹細胞は, 頻繁には分裂しない. すなわち, 幹細胞は, ある種の分化細胞が必要になった場合に備えて保存されている. 一方, 幹細胞から生じた娘細胞は, 複数回の分裂をすばやく行う. こうした細胞は, **一過性増殖細胞** (transient amplifying cell, TA細胞) とよばれ (図 22・11), 自己再生できる回数は限られているが, これから生まれた子孫細胞は, 分化の系譜がより限定された始原細胞となる. 次に, この始原細胞が分裂して最終分化した特定の種類の細胞になる.

幹細胞は, 複数の様式で分裂する. 一部の幹細胞は非対称分裂して, 自分自身のコピーの細胞と, 幹細胞よりも能力が限定されている娘細胞をつくる. この娘細胞は, 分裂する期間が限られていたり, 親幹細胞よりも少ない種類の子孫しかつくれなかったりする (図 22・12a). この種の分裂は, 以下に述べるように, ショウジョウバエなどの無脊椎動物によくみられる.

もう一つの幹細胞の細胞分裂の様式は脊椎動物でよくみられ, その動物個体の必要性に応じて, 幹細胞の数と分化細胞数を増減させる (図 22・12b, c). 隣接した細胞の表面から放出されたホルモンによって幹細胞の細胞分裂の様式が調節される. たとえば, 幹細胞が対称分裂して, 異なる運命をたどる二つの細胞を生じるが, このとき他の細胞から与えられる外部シグナルに応答して一つの細胞は幹細胞のままととどまり, もう一つの細胞は一過性増殖細胞を経て数回分裂し, 最終的に分化した始原細胞になる. 以下に詳しく述べるように, この現象は小腸で起こる. 一つの娘細胞は親細胞と同じ幹細胞のままで, もう一つの細胞はさらに分裂して数種類の分化した腸細胞をつくる. また別の幹細胞の分裂は対称的で, 二つの幹細胞をつくり, 特定の種類の幹細胞の数を増加させる. この種の幹細胞の分裂は発生過程でよく起こる. まとめると, 幹細胞の分裂によって, 幹細胞の集団が大きくなる場合と, 幹細胞の集団を維持しつつ分化細胞の系統を確実につくる場合とがある.

さまざまな組織の幹細胞はニッチにおいて維持されている

幹細胞が多能性を維持し, 分裂の時期とパターンを調節して行うには, それに適当な微小環境が必要である. 幹細胞が幹細胞としての状態を維持するには, ある種の転写因子や他の調節タンパク質を発現するといった内在性の調節シグナルのほか, 周囲の細胞からの外来性の調節シグナルが必要である. 幹細胞が幹細胞の運命を維持している部位は, 生態学のニッチ, すなわち特定の生物種の生存と生存競争における優位性を与える領域という意味を表す用語の類比から, **幹細胞ニッチ** (stem-cell niche) とよばれる.

幹細胞を研究したり利用したりするためには, まず幹細胞を見いだしてその性質を調べなければならない. 幹細胞の数は非常に少なく, また明確な形態や遺伝子発現の特性がないため, 幹細胞を正確に同定することはむずかしい場合が多い. 幹細胞は, 新しい細胞が必要であることを知らせるシグナルで刺激されるまで, 分裂しないか, ごくゆっくりとしか分裂しない. たとえば, 酸素の供給異常は造血幹細胞を分裂するように刺激し, 皮膚や筋肉の傷害は幹細胞の活性化にはじまる再生へ向けた細胞分裂を刺激する. しかし, 常に失われている小腸上皮をつくる幹細胞のように, 幹細胞には通常はゆっくりではあるが常に分裂しているものもあ

る．本節では，よく研究されている，動植物の四つの幹細胞について述べるが，近い将来には，他の幹細胞の詳細も理解されると思われる．

多くの生物で生殖系列の幹細胞から卵母細胞と精子ができる

生殖系列（germ line）は，卵母細胞と精子をつくる細胞系列である．一方，体細胞系列は，卵母細胞と精子以外のすべての組織をつくるが，その特性は子孫には伝わらない．生殖系列は，体細胞系列と同様に，幹細胞からはじまるが，これらの細胞は生殖細胞だけをつくる**単能性**（unipotent）である．この幹細胞ニッチについては，ショウジョウバエや線虫の生殖系列幹細胞（GSC）の研究から詳しく解析されている．生殖幹細胞は成虫に存在しており，その存在部位もよくわかっている．

ショウジョウバエの卵巣では，卵母細胞前駆体がつくられて分化を開始させるニッチが，卵を形成する卵巣の一部である**形成細胞巣**（germarium）の片端に接して存在する（図22・13a）．そこでは，2〜3個の生殖幹細胞が，数個のキャップ細胞の隣に位置する．キャップ細胞は，二つのTGF-βファミリータンパク質（DppとGbb），およびヘッジホッグ（Hh）タンパク質を分泌することによってニッチを形成している（図22・13b，これらの分泌タンパク質シグナルについては16章）．キャップ細胞は，TGF-βに分類されるシグナル伝達分子を送り出し，それが，隣接する生殖系列の幹細胞において重要な分化因子である**Bam**（Bag of marbles）タンパク質の転写を抑制することによってニッチを形成している．*bam*遺伝子が抑制されると，生殖幹細胞は分裂して自己再生する．一方，*bam*遺伝子の活性化は分化を促進する．生殖幹細胞が分裂すると，二つの娘細胞のうちの一つはキャップ細胞に接したままになり，そのため親細胞と同じ幹細胞として維持される．もう一つの娘細胞はキャップ細胞から離れているため，キャップ細胞から送られるDppとGbbを受取ることができない．その結果，Bamの発現がはじまり，生殖細胞の分化プログラムに入る．生殖幹細胞に関するシグナル伝達因子については，ショウジョウバエの遺伝学的解析から同定されていて，Dpp受容体かGbb受容体，あるいはその下流のシグナル伝達タンパク質に欠損をもつ変異生殖幹細胞は，途中で失われる．逆に，キャップ細胞においてDppの発現が過剰になると，生殖幹細胞の分化が阻害され，腫瘍状の細胞塊ができる．

この幹細胞は，膜貫通型の細胞表面タンパク質であるEカドヘリン（20章）によってニッチに固定されている．Eカドヘリンは，キャップ細胞上にある類似したEカドヘリンと同種間相互作用を行うことで接着結合をつくっている．この接着結合によって，生殖幹細胞の紡錘体の方向を，娘細胞の一方がキャップ細胞と接触し，もう一方がニッチから離れるように配置される．これと似た非対称な幹細胞の分裂は，あとに述べるように（図22・31b）ショウジョウバエ発生の別の過程でもみられる．ショウジョウバエのβカテニンである**Armadillo**（Arm）は，Eカドヘリンの細胞質尾部をアクチン細胞骨格に結合させていて，ArmもEカドヘリンと同様，幹細胞ニッチの維持に重要である．

これとは別に，形成細胞巣にある体性幹細胞から濾胞細胞がつくられ，この細胞から卵殻ができる．体性幹細胞にもニッチがあり，これはWingless（Wg）タンパク質（ショウジョウバエのWnt）とHhタンパク質をつくる内部鞘細胞によって形成される（図

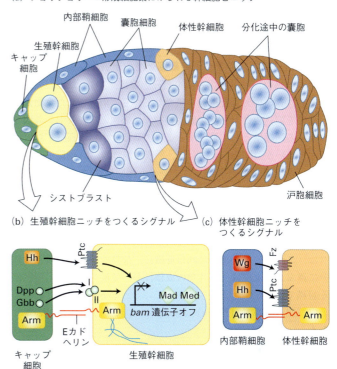

図22・13 ショウジョウバエの形成細胞巣．(a) 形成細胞巣の断面を示した．ニッチには雌性生殖系列の幹細胞（生殖幹細胞，黄）と体細胞系列の幹細胞（体性幹細胞，橙），およびこれに由来する子孫細胞が含まれている．生殖幹細胞からシストブラスト（濃紫）がつくられるが，この幹細胞は4回分裂して16個の互いに連結した嚢胞細胞をつくり（淡紫），そのうちの一つが卵母細胞になる．体性幹細胞から濾胞細胞（茶）がつくられ，これが将来，卵殻をつくる．キャップ細胞（濃緑）によって生殖幹細胞ニッチがつくられ，生殖幹細胞は維持される．一方，内部鞘細胞（青）からは体性幹細胞ニッチがつくられる．(b) 生殖幹細胞の性質を調節するシグナル伝達経路．TGF-βファミリーのタンパク質であるDppとGbb，およびHhというシグナル伝達分子はキャップ細胞によってつくられる．これらのリガンドが生殖幹細胞の細胞表面受容体であるI型とII型のTGF-β受容体およびPtcにそれぞれ結合すると，二つの転写因子MadとMedによって*bam*遺伝子が抑制される．*bam*の抑制によって生殖細胞が自己再生されるようになり，一方，*bam*の活性化は分化を促進する．膜貫通型の細胞接着タンパク質であるEカドヘリンが，同種間相互作用による接着結合（20章）を生殖幹細胞とキャップ細胞の間につくる．Arm（Armadillo）は，ショウジョウバエのβカテニンであり，Eカドヘリンの細胞質側の尾部をアクチン細胞骨格に結合する．EカドヘリンとArmは，いずれも幹細胞ニッチの維持に重要である．(c) 体性幹細胞の性質を調節するシグナル伝達経路．Wntシグナル伝達分子であるWingless（Wg）タンパク質は，内部鞘細胞でつくられ，体性幹細胞上のFrizzled受容体（Fz）によって受容される．Hhも同様につくられ，Ptc受容体によって受容される．この二つの受容体はシグナルを伝達して転写を調節し，体性幹細胞の自己再生を促す．［R. Lehmann, 2012, *Cell Stem Cell* **10**: 729; E. W. Kahney et al., 2019, *Curr. Opin. Cell Biol.* **60**: 27 参照．］

22・13c）．つまり，幹細胞の二つの異なる集団が密接に協調して作用することによって，卵の別々の部分がつくられる．

ショウジョウバエの生殖幹細胞が同定されて解析されたこと，また線虫でも同様の細胞が解析されたことは，幹細胞ニッチが存在することを明確に示した点と，自己再生が可能な幹細胞をつくり，その状態を維持するためにニッチが出すシグナルを同定する

実験を可能にした点で重要である．つまり，幹細胞ニッチとは，一群の細胞とそれがつくるシグナル伝達分子を含めたものであり，単なる場所ではない．

腸幹細胞は腸上皮のすべての細胞を絶えず供給している

ヒトの場合，小腸の内表面を覆う上皮は，$30\,m^2$ 以上の表面積をもち，二つのおもな機能を果たしている．消化された食物から代謝物を取込むことと，毒素，細菌，その他の環境ストレス因子に対する防護壁として機能することである．小腸は細胞1層の厚みしかないが（図20・11参照），吸収性腸細胞，M細胞，タフト細胞（刷子細胞），杯細胞（ゴブレット細胞），パネート細胞，腸内分泌細胞などの6種類の分化細胞からなる．

このなかで最も多い上皮細胞である吸収性腸細胞は，グルコースやアミノ酸など生存に必須の栄養物質を腸内腔から体内へと輸送する（図11・30参照）．上皮の下にある毛細血管のネットワークは，これらの栄養素を最初は肝臓に，最終的には体の残りの部分に運ぶ．腸上皮は，哺乳類の成体において最も速く自己再生する組織で，5日ごとに置き換わっている．ヒトでは，3億もの腸上皮細胞（全重量は約1g）が毎日失われており，補充が必要である．

腸上皮の細胞は，クリプト（crypt, 陰窩）とよばれる腸壁の底部に存在する幹細胞集団から常に再生している（図22・14）．放射性標識したチミジンを用いたパルスチェイス実験から，腸幹細胞から一過性に増殖する前駆細胞ができ，前駆細胞が増殖してできた細胞が，クリプトの側方からしだいに上部へと移動するとともに分化して，絨毛（villus, pl. villi）とよばれる指状の突起の表面を形成し，そこで腸管吸収が行われることがつくることがわかった．この絨毛によって腸での吸収が行われる．クリプトで細胞がつくられて絨毛の先端で失われるまでの時間はわずか3〜5日である（図22・15）．この新しい細胞の産生過程に関しては，分裂が少なすぎると絨毛が失われて腸の表面が崩壊することになり，一方，多すぎると過剰な上皮を生じてがんにつながるため，精密に調節されている．パネート細胞は，分化した腸管上皮細胞の一種で，絨毛の細胞よりも寿命が長い．パネート細胞は，リゾチームという酵素を含むいくつかの抗菌タンパク質を生産し，細菌の細胞壁を分解して腸を感染から守っている．

図22・15 に示した実験などから，腸幹細胞は，パネート細胞近傍のクリプト底部周辺に存在することが示唆された．しかし，これらの幹細胞の候補となっている細胞には，その驚くべき能力を示すような形態の目立った特徴はなく，どれが本当の腸幹細胞なのか，また，どれがニッチを形成する支持細胞なのかはわからなかった．

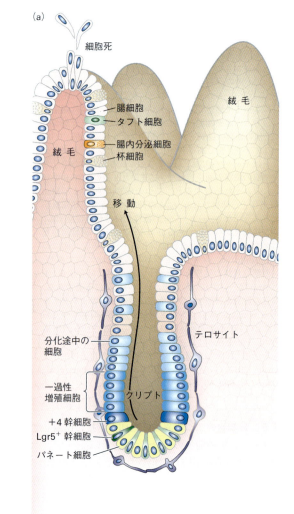

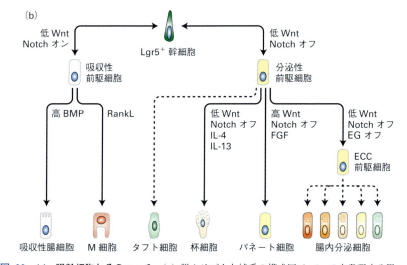

図 22・14 腸幹細胞とそのニッチ．(a) 腸クリプトと絨毛の模式図で，Lgr5 を発現する腸幹細胞（Lgr5$^+$幹細胞，濃緑），それが分裂して生まれた子孫細胞である一過性増殖細胞（やや濃い青），分化の最終段階にある細胞（淡青），および絨毛に存在する何種類かの分化細胞を示した．クリプト底部にはパネート細胞（黄）が存在し，抗微生物作用をもつ防御タンパク質が分泌される．+4 細胞（クリプト底部から4番目の位置にある，濃青）は，Lgr5$^+$幹細胞から生じ，損傷を受けたときに，Lgr5$^+$幹細胞が存在する領域を回復させる．テロサイトは，腸全体の上皮細胞の下にある三次元ネットワークを形成する長い突起をもつ薄い細胞で，幹細胞の自己再生に必要な Wnt および R スポンジンホルモンの主要な供給源である．(b) 小腸にある細胞の系譜と，個々の細胞系譜の特性を支える細胞外シグナル．上皮細胞は3〜5日で置き換わる．新しいパネート細胞は，3〜6週間ごとに一過性増殖細胞から供給される．Lgr5$^+$幹細胞は，クリプト底部のニッチから押出され，テロサイトからのWntシグナルが減少すると，分化を開始する．隣接する細胞からのNotchシグナル（16章）の程度に応じて，吸収性（Notch オン）あるいは分泌性（Notch オフ）の運命へと分化する．他のホルモンは，吸収性あるいは分泌性一過性増殖前駆細胞のその後の運命を決定し，これらは特定の種類の分化細胞になる．タフト細胞の正確な分化シグナルはまだ完全に解明されていない．異なる内分泌系のサブタイプがどのように特異化されるのかもまだよくわかっていない．[M. Shoshkes-Carmel et al., 2018, Nature 557: 242; B. Degirmenci et al., 2018, Nature 558: 449 参照．(a) は L. C. Samuelson, 2018, Nature 558: 380. (b) は H. Gehart and H. Clevers, 2019, Nat. Rev. Gastroenterol. Hepatol. 16: 19 による．]

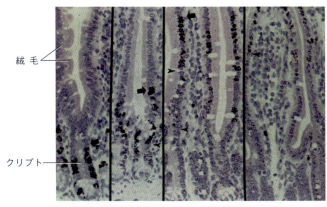

図 22・15（実験） パルスチェイス実験によって幹細胞による腸上皮の再生がわかる．放射性標識したチミジン（パルス）を，腸上皮の組織培養に加えたパルスチェイス実験の結果を示す．分裂中の細胞は，放射性標識したチミジンを新しく合成した DNA に取込む．短時間経過したのち，標識チミジンを除いて非標識チミジンと置き換える（チェイス）と，チェイス後に分裂した細胞には標識されない．この写真では，標識後 40 分には，すべての標識がクリプト底部に存在する細胞に観察される．その後時間が経つにつれて，標識された細胞は，生まれた部位であるクリプトからしだいに離れていくのが観察される．上部にある細胞は失われる．この過程によって，消化管上皮は，常に新しい細胞へと置き換わることで保たれているのがわかる．[P. Kaur and C. S. Potten, 1986, *Cell Tissue Kinet.* **6**: 601, Copyright Clearance Center, Inc. を通じて John Wiley & Sons, Inc. より許可を得て転載．]

Wnt と R スポンジンは Lgr5$^+$ 腸幹細胞の機能に必須である

以前の遺伝学的実験から，Wnt シグナルが腸幹細胞の維持に必須であることがわかっている．Wnt の重要性を示す証拠として，活性化した β カテニン（通常は，Wnt シグナルによって活性化する，図 16・26 参照）を腸幹細胞で過剰発現すると，腸上皮での細胞増殖が異常に亢進する．逆に，β カテニンの機能を，Wnt によって活性化する TCF 転写因子を変異させたり阻害したりすることによって妨げると，幹細胞が腸からなくなり，腸が縮退して死に至る．したがって，Wnt シグナル伝達は，腸幹細胞ニッチでも非常に重要な役割をもっており，これは皮膚や血液などの他の器官と同じである．実際，Wnt シグナル伝達を異常に活性化する変異は，腸がんの進行に大いに関係している（25 章）．

腸において Wnt シグナル伝達によって誘導される一群に遺伝子を分析したところ，クリプトの最底部の少数の細胞だけで発現する G タンパク質共役型受容体をコードする *Lgr5* 遺伝子が注目された．Lgr5 タンパク質は，**R スポンジン**（R-spondin）とよばれるある種の分泌ホルモンに結合し，Wnt シグナル伝達を促す細胞内シグナル伝達経路を活性化する．細胞系譜を追跡した研究から，実際に Lgr5 発現細胞の子孫からすべての腸上皮細胞ができることがわかった（図 22・16）．この研究では，特殊な Cre リコンビナーゼ（図 6・40 参照）であるエストロゲン受容体(ER)–Cre のキメラ分子を *Lgr5* 遺伝子のプロモーター支配下で発現するように遺伝子操作したマウスを用いた．つまり，ER–Cre キメラリコンビナーゼは，クリプト底部に存在する，Lgr5 を発現するごく少数の幹細胞だけに発現する．この実験で用いた Cre 分子は，通常は細胞質で不活性な状態にあるが，エストロゲンを加えたときだけ核へ移行する（図 22・16a）．そうすると，Cre は DNA 断片を切取ることによってレポーター遺伝子である β–ガラクトシダーゼの発現を活性化する．ここで重要なのは，この発現細胞の子孫のすべてが β–ガラクトシダーゼを発現するようになることである．エストロゲンアナログ添加直後に β–ガラクトシダーゼを発現する細胞だけが，クリプトに存在する腸幹細胞である．数日後には，その子孫である上皮細胞のすべてが β–ガラクトシダーゼを発現することから（図 22・16b），Lgr5 の発現が真に腸幹細胞マーカーになることがわかった．

その後の研究では，*Lgr5* 遺伝子を発現する個々の幹細胞を腸クリプトから単離し，腸上皮の底部で組織を支持している IV 型コラーゲンやラミニンを含む細胞外マトリックス（図 20・24 参照）上で培養した．この細胞から絨毛様の構造が形成され，そのなかには成熟した腸上皮に存在する 4 種類の分化細胞のすべてが含まれていた（図 22・17）．このようにある種の幹細胞から培養によってつくり出される臓器の特徴をもつ三次元組織を**オルガノイド**（organoid）とよぶ．オルガノイドは，ヒトの脳を含む多くの臓器の形成の研究や，多くの疾患の治療法の開発に利用されている．

したがって，これらの実験から，*Lgr5* 遺伝子の発現が腸上皮幹細胞を規定することが確かになり，クリプト底部で最終分化したパネート細胞の間にまばらに存在することが示された（図 22・14a）．Lgr5 発現細胞は，小腸と同じく胚性内胚葉から形成される胃，大腸，膵臓にも存在し，これらの組織においても幹細胞であると考えられる．実際，Lgr5 発現細胞をこれらの組織から単離して，Wnt や R スポンジンなどのホルモン存在下で培養すると，これらの組織に特徴的な分化細胞を含むオルガノイドが生成される．

長い突起をもつ薄い繊維芽細胞様の細胞で，腸全体の上皮細胞のシートを取囲んでいるテロサイト（telocyte，図 22・14a）は，Lgr5 を発現する幹細胞の正常な機能に必須のホルモンである Wnt と R スポンジンの両方の主要な供給源である．パネート細胞も Wnt を分泌し，かつては主要な Wnt 産生腸管細胞と考えられていたが，パネート細胞を含むすべての腸管上皮細胞の Wnt 発現をノックアウトしても，腸管幹細胞や腸管上皮細胞の再生には影響がなかった．一方，マウスのテロサイトにおいて，すべての Wnt タンパク質の機能的成熟に必要な *porcupine* 遺伝子を条件つきで破壊すると，腸クリプトへの Wnt シグナルが急速に停止し，続いて幹細胞および一過性増殖細胞の増殖が失われ，上皮の再生が損なわれた．したがって，クリプトの基部を取囲むテロサイトは，腸管幹細胞への Wnt および R スポンジンの自己再生シグナルの主要な供給源である．これらの細胞はまた Lgr5$^+$ 幹細胞の機能に必要な上皮増殖因子ファミリーの二つのホルモンである EGF と TGF-α を産生する．

Lgr5 発現細胞だけが唯一の腸幹細胞ではない可能性がある．複数の証拠から +4 細胞とよばれるクリプトに存在する細胞（図 22・14a）が，予備の幹細胞として保存されていて，放射線照射などによって腸が損傷された際には，Lgr5 発現幹細胞をつくることが示されている．ここで一過性増殖細胞には自己再生能に限界があることを思い出そう（図 22・11）．腸が損傷を受けて多くの Lgr5 発現幹細胞が失われた場合には，一過性増殖細胞の一部が Wnt シグナルの影響を受けて，"脱分化"することができ，Lgr5 発現幹細胞に戻って，パネート細胞がつくるニッチの隣に位置取る．この分化細胞の幹細胞への変換は，実験的に iPS 細胞をつくる場

(a)

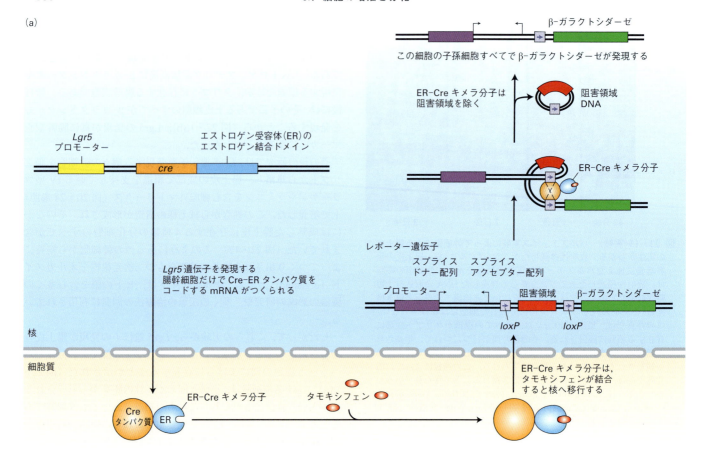

(b)

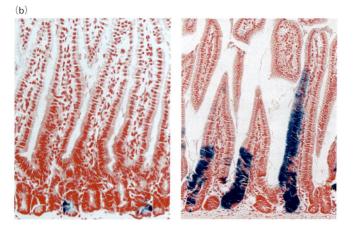

合と同じように，正常過程として，ストレスや損傷が起こった体内で行われているのだろう．つまり，小腸には，1種類の幹細胞から分化細胞への系譜が存在するのではなく（図22・14b），幹細胞のプールを複数保存しているようにみえる．今後の研究によって，こうした細胞が小腸上皮細胞をつくるうえでのそれぞれの役割が明らかになると考えられる．

造血幹細胞がすべての血球細胞と免疫担当細胞をつくる

すべての赤血球と白血球，そして免疫系を構成するほぼすべての細胞は，継続的に補充される必要がある．ヒトの赤血球は，おもに脾臓に存在するマクロファージによって分解されるまで

図 22・16（実験） 細胞系譜を追跡する実験からクリプト底部に存在する Lgr5 発現細胞が腸幹細胞であることがわかった．(a) 遺伝子操作した ES 細胞を用いることによって，Lgr5 プロモーター支配下においた特殊な Cre リコンビナーゼ（図6・40参照）をもつマウス株を樹立した．この Cre リコンビナーゼは，腸幹細胞のような Lgr5 遺伝子を発現する細胞だけでつくられる．この ER-Cre 分子には，エストロゲンアナログであるタモキシフェンを結合するエストロゲン受容体のドメインが含まれ，エストロゲン受容体などの他の核内受容体（図8・44参照）と同じように，タモキシフェンがないときには細胞質にとどまっている．タモキシフェンが存在すると，ER-Cre は核へ移行し，染色体 DNA に存在する loxP 部位と相互作用する．二つ目のマウス株は，大腸菌の β-ガラクトシダーゼ遺伝子をもつレポーター株で，この β-ガラクトシダーゼ遺伝子の前に二つの loxP 部位が存在する．この二つの loxP 部位の間に阻害領域 DNA が存在し，これが β-ガラクトシダーゼ遺伝子の発現を妨げているため，活性をもつ Cre リコンビナーゼが二つの loxP 部位間の配列を取除くと，その細胞だけで β-ガラクトシダーゼ遺伝子が発現する．上記の二つのマウス株を交配し，両方の導入遺伝子をもつ子孫を選んだ．このマウスでは，Lgr5 プロモーター支配下に ER-Cre 遺伝子が発現し，かつ，その個体にエストロゲンアナログであるタモキシフェンを与えたあとにはじめて β-ガラクトシダーゼが発現する．その結果，その Lgr5 発現細胞とその子孫細胞のすべてが，β-ガラクトシダーゼ遺伝子を発現することになる．(b) タモキシフェンをマウスに与えて1日後には，青の抗体染色像からわかるように，β-ガラクトシダーゼを発現する細胞はクリプト底部にある Lgr5$^+$ 発現幹細胞だけである（左）．タモキシフェン投与後5日では，この腸幹細胞子孫である青の上皮細胞が絨毛の側面と上部へと移動しているのがわかる．少数の青い幹細胞は，クリプト底部に存在し続けている．[(b)はN. Barner et al., 2007, Nature 499: 1003, Copyright Clearance Center, Inc. を通じて Nature Publishing Group より許可を得て転載．]

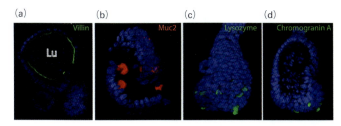

図 22・17(実験) Lgr5 を発現する単一の腸幹細胞を培養すると，ニッチ細胞なしにクリプトから絨毛に至るオルガノイド構造ができる．腸クリプトから単離した単一の Lgr5 発現細胞を，IV 型細胞外マトリックス上に培養した(図 20・24 参照)．2 週間後に，この細胞から構造が絨毛に似た上皮シートがつくられた．このオルガノイドを，特定のマーカータンパク質に対する染色を行った結果，4 種類の分化した腸細胞が含まれていることがわかった．(a) ビリン(緑): オルガノイドの頂端側表面(内腔面，Lu)近傍に位置する吸収上皮細胞のマーカータンパク質．(b) Muc2(赤): 杯細胞のマーカー．(c) リゾチーム(緑): パネート細胞のマーカー．(d) クロモグラニン A(緑): 腸内分泌細胞のマーカー．このオルガノイドは DAPI(青)でも染色し，核を示した．[T. Sato et al., 2009, Nature **459**: 262, Copyright Clearance Center, Inc. を通じて Nature Publishing Group より許可を得て転載．]

90〜120 日生存する．マクロファージは数カ月間生存するが，好中球は数日しか生存しない．これらの細胞はすべて，1 種類の多能性自己複製**造血幹細胞**(hematopoietic stem cell: **HSC**)から，多能性，そして単能性の前駆細胞に至る複数の一過性増殖細胞の分裂を経て生じる(図 22・18)．

移植によって造血幹細胞の特性が明らかになる

造血幹細胞とより限定された前駆細胞の特性の解明は，先に述べた，組織内の特定の場所にあるニッチに局在している生殖細胞や腸管幹細胞の特定よりもはるかに困難であった(図 22・13，図 22・14)．造血幹細胞も，他のすべての幹細胞と同じようにニッチに存在するが，胚では造血幹細胞は胎児肝細胞の間に分散しており，成人では造血幹細胞とそのニッチ細胞は骨髄内の他の多くの種類の細胞の間に散らばっているからである．また，造血幹細胞は骨髄や胎児肝細胞の約 0.01% しか存在しないため，造血幹細胞と造血幹細胞ニッチを構成する細胞の同定も困難であった．

造血幹細胞とその前駆細胞は，あらかじめ放射線照射によって造血幹細胞と前駆細胞を失わせたマウスへの骨髄移植実験(図 22・19)によって最初に見いだされ，その性質が明らかになった．造血幹細胞だけに発現する細胞表面タンパク質がなく，その他の分子を含めてマーカーがないため，造血幹細胞の分離は困難であった．しかし，多くの研究から，造血幹細胞は，CD150 と Sca-1 と機能不明の細胞表面タンパク質を発現することと，分化細胞の特徴となる **Lin**(lineage-restricted)とよばれる数十種類のタンパク質を発現しないことから同定可能で，単離できるであろうと考えられている．造血幹細胞は生存のために**幹細胞因子**(stem cell factor: **SCF**)とよばれる増殖因子が必要であり，このタンパク質は幹細胞に隣接するシグナル伝達細胞の表面に存在し，造血幹細胞にある c-Kit という受容体型チロシンキナーゼを活性化する．また，造血幹細胞は CXCL12 という G タンパク質共役型受容体に結合する因子を必要とし，これはニッチ内に造血幹細胞を維持するために必要である．造血幹細胞上には CXCL12 の受容体である CXCR4 が存在する．

したがって造血幹細胞を分離するためには，まず分化した造血細胞表面の Lin タンパク質に特異的な一連のモノクローナル抗体を結合した磁気ビーズで骨髄細胞を処理し，ビーズに付着した Lin 陽性の分化細胞をすべて磁石で除去すればよい．次に残った Lin 陰性細胞を c-Kit, CD150, Sca-1 の蛍光標識抗体で処理し，これらマーカータンパク質をすべて発現している少数の細胞を蛍光励起式セルソーター(FACS，図 4・1 および図 4・2 参照)で分離すれば，移植実験に使用できる．

驚いたことに，このような移植実験から，1 個の造血幹細胞が，放射線を致死量照射してすべての造血幹細胞を失わせたマウスの血液系を完全に回復させることがわかった．移植後は，造血幹細胞が骨髄にあるニッチを居場所として，分裂して多くの幹細胞をつくるとともに，さまざまな血球細胞系譜に属する前駆細胞をつくる．

最初のヒトでの骨髄移植の成功は 1959 年である．このとき，末期の白血病患者に対して，がん細胞のみならず正常な造血幹細胞も失われる放射線照射が行われた．この患者に，免疫応答が起こらない患者の双子姉妹の骨髄細胞を輸血したところ，3 カ月後に寛解状態になった．1990 年にノーベル生理学・医学賞を受けたこの先駆的な事例から現在に至るまで治療が行われ，さまざまな病気を完治させる治療ができるようになった．骨髄にある幹細胞からあらゆる種類の機能的な血液細胞だけでなく，免疫系のあらゆる細胞をつくることができるため，正常なドナーからの骨髄造血幹細胞を用いた移植は，β サラセミア(ヘモグロビン β 鎖の生産量が減少する突然変異が原因)や鎌状赤血球貧血(ヘモグロビン β 鎖の点突然変異が原因)，また，X 連鎖重症複合免疫不全症(SCID)のように IL-2 受容体の共通 γ 鎖の遺伝子(図 16・19b 参照)が不活性化して免疫細胞がつくられない病気の患者など，いくつかの遺伝性の貧血症の患者に有用である．また，放射線治療や化学療法によってがん細胞だけでなく骨髄細胞も破壊された多くのがん患者の治療にも移植が行われている．

β サラセミア，SCID，鎌状赤血球貧血症の患者には，遺伝子治療と自家骨髄移植を組合わせて治療することができるようになった．患者から造血幹細胞を含む細胞集団を取出し，培養下でこれらを，変異遺伝子に対応する正常な遺伝子を挿入されたレンチウイルスベクター(HIV に由来するレトロウイルスの一種，図 6・35 参照)で処理することで，造血幹細胞の遺伝子変異を修復する．その後，再び患者に輸血する．

造血幹細胞と多くの造血前駆細胞のニッチ

胎生期には，哺乳類の造血幹細胞は肝臓に存在し，対称分裂することが多く，二つの娘幹細胞をつくり出す(図 22・12b)．この過程で，幹細胞の数は時間とともに増加し，出生前に必要な血液細胞のすべてをつくるのに必要な大量の前駆細胞がつくられる．肝前駆細胞は胎児肝臓の造血幹細胞ニッチを形成する主要な細胞である．これらの細胞は SCF や造血幹細胞の生存に必要な他のタンパク質を発現している．これら肝前駆細胞と造血幹細胞を共培養すると，造血幹細胞の数が増し，さらに分化した子孫細胞もつくられる．したがって，肝前駆細胞が造血幹細胞ニッチをつくる主要な細胞であることがわかった．

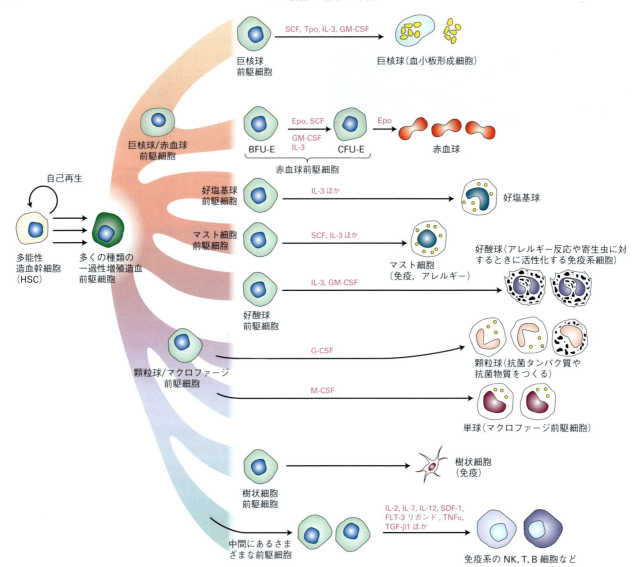

図 22・18　骨髄の造血幹細胞からの血球細胞の形成．哺乳類の発生初期には，多能性造血幹細胞は対称分裂することが多く，幹細胞の数を増加させる．成体では，非対称分裂することが多く，親細胞と同じ多能性をもつ娘細胞と，自己再生能が限定されたもう一つの娘細胞をつくる．最近になって，分離された前駆細胞集団の単細胞解析により，予期せぬ異種性が明らかになった．少なくとも 18 種類の異なる一過性増殖造血前駆細胞が存在する．これら多能性一過性増殖細胞は限られた数の自己複製分裂しかできないが，存在するサイトカインの種類と量に応じて数回の細胞分裂をすばやく行い，さまざまな種類の前駆細胞（淡緑）をつくる．これらの前駆細胞には多能性の細胞（たとえば，二分化能の顆粒球/マクロファージ前駆細胞および巨核球/赤血球前駆細胞）と単能性の細胞とがあり，複数の分化した血液細胞をつくる場合と 1 種類の血液細胞しかつくらない場合がある．これら細胞は 1 種類または少数の特定のサイトカインに応答する．リンパ系の細胞分化については，単一細胞のトランスクリプトミクスでまだ詳細に研究されていない．今後の研究により，免疫系の B, NK, T 細胞（24 章）がどのように特異化されるのかが明らかになるはずである．この過程を支援するサイトカインのいくつかを示す（ピンクの文字）．CSF: コロニー刺激因子，IL: インターロイキン，SCF: 幹細胞因子，Epo: エリスロポエチン，Tpo: トロンボポエチン．[S. Watcham et al., 2019, *Blood* 133: 1415 参照．写真は Dr. B. Gottgens 提供．]

　成体哺乳類では，造血幹細胞は骨髄に存在し，骨髄幹細胞ニッチにおいて G_0 期の"休止"状態に送られ，親細胞と同じような幹細胞と，盛んに増殖して前駆細胞をつくるもう一つの細胞，すなわち一過性増殖細胞ができる（図 22・18）．個々の造血幹細胞が対称分裂と非対称分裂のいずれを行うかを決定するしくみは，わかっていない．

　少数の間葉細胞が，骨髄内に張り巡らされている細い血管（**類洞血管** sinusoid）を取囲んでいる．これら細胞の一部は，サイトカインであるレプチン受容体を細胞表面に発現しているため，レプチン受容体陽性（leptin receptor positive）とよばれている．また，SCF を大量に発現し，さらに CXCL12 を盛んに合成していることから，骨髄内の主要な造血幹細胞ニッチをつくる細胞であると考えられている（図 22・20a）．蛍光免疫染色法を用いた実験から，造血幹細胞のおよそ 85% が，これら細胞と物理的に接触していることがわかった（図 22・20b）．骨髄にある他の細胞も，別のホルモンを分泌して幹細胞の維持やニッチ機能に影響していると考えられている．

　造血幹細胞と同様に，多くの造血前駆細胞もその細胞増殖と細

分化造血細胞の産生制御

成体では造血幹細胞はほとんど分裂しない．造血幹細胞が分裂した場合，平均すると，娘細胞の一方は親と同じ幹細胞のままであり（自己再生），他方は急速に分裂して最終的には多能性前駆細胞を生み出す．多能性前駆細胞はその運命が限定され，他の系統における一過性増殖細胞（図22・11）と同様に，系統特異的な前駆細胞を生み出す前には，限られた回数しか自己複製できない．その後は，特異的な分化細胞を多数生み出す（図22・18）．

サイトカイン（cytokine）とよばれる多くの細胞外増殖因子は，造血幹細胞の自己複製を制御し，またさまざまな血球細胞系譜を形成するために前駆細胞の増殖と分化を制御する（16章）．血球系譜の各枝は，異なるサイトカインの影響を受けるため，特定の種類の細胞の産生を精密に制御することができる．たとえば，出血性外傷のあとなど，すべての種類の血球細胞が必要とされる場合，複数のサイトカインを産生される．一方，1種類の細胞しか必要としない場合は，特定のシグナルによってその産生を制御する．たとえば，人が高地を旅行しているとき，腎臓で**エリスロポエチン**（erythropoietin）がつくられ，CFU-E（赤芽球前駆）細胞の増殖と分化を促すが，他の種類の血球前駆細胞はそうならない．エリスロポエチン受容体は赤血球前駆細胞にのみ発現し，細胞内シグナル伝達経路を活性化し，成熟赤血球の形成に必須な約400の遺伝子を誘導する（図16・18参照）．同様に，異なるサイトカインであるG-CSFは，二分化能の顆粒球/マクロファージ前駆細胞の増殖と顆粒球への分化を促進し，一方，M-CSFはマクロファージへ分化と産生を促進する（図22・18）．

特定の種類の造血前駆細胞をマウスに移植し，どの血液細胞が産生されるかを観察することで，特定の種類の前駆細胞から，どの前駆細胞や最終分化細胞（赤血球や単球など）が生じるかを推測することができる．コロニー形成アッセイによって，前駆細胞の潜在的な運命を決定することもできる．たとえば，メチルセルロースなどの半固形マトリックス中，一群のサイトカイン存在下で，前駆細胞を培養できる．前駆細胞から産生された娘細胞はコロニーを形成する．コロニー内の分化した細胞の種類を特定することで，その前駆細胞が何であったかを推測することができる．

これらの実験から，造血幹細胞や前駆細胞は個別の状態にあり，これらの細胞が細胞分化とともに，トランスクリプトームがある特定の状態から別の状態へと変化する，という考え方が生まれた．複数の個々の細胞のトランスクリプトームを解析できる一細胞シークエンス技術は，この造血に関する理解を修正した．ある種の造血幹細胞は，リンパ球系（免疫系）への分化に必要な転写因子と，骨髄系（赤血球および白血球）への分化に不可欠な転写因子を発現する．そのため，ある種の造血幹細胞は，リンパ球系あるいは骨髄系への分化がプログラムされていると考えられている．顆粒球/単球前駆細胞と分化した顆粒球，単球など個別の前駆細胞状態間での細胞間遷移ではなく，ある分化細胞状態から別の分化細胞状態へとトランスクリプトームが徐々に変化する"連続分化経路"という考えが多くの研究から支持されている（図22・18）．

分裂組織は植物における幹細胞ニッチである

植物にあるすべての組織と器官の形成は，多細胞動物と同じように，少数の幹細胞に依存する．植物の幹細胞は，動物の幹細胞と同じように，自己再生できる能力があること，また

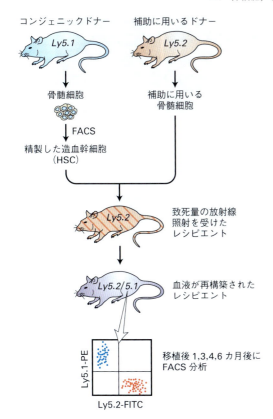

図22・19（実験）骨髄移植を用いたマウス造血幹細胞の機能解析． ここに示した二つのマウス系統は，核をもつすべての血球細胞（TおよびBリンパ球，顆粒球，単球を含む）の表面に存在するLy5とよばれるタンパク質をコードする遺伝子を除いて，遺伝子が同一である．この遺伝子の二つの対立遺伝子 Ly5.1 と Ly5.2 にコードされるタンパク質（Ly5.1, Ly5.2）は，それぞれ特異的なモノクローナル抗体によって区別できる．レシピエントである Ly5.2 マウスに対して致死量の放射線照射を行ってすべての造血幹細胞を殺し，骨髄の幹細胞ニッチを除去することで，ドナーマウスから幹細胞を受取ることができるようにする．その後，Ly5.1 系統から精製した造血幹細胞を移植する．造血幹細胞から分化した血球細胞ができるまでには数週間から数ヵ月かかるが，同一の遺伝子をもつマウスの骨髄前駆細胞（"補助"細胞とよばれる）がないと死んでしまう．これらの前駆細胞は，移植後の数週間の間だけ，成熟した血球細胞をつくることができる．移植からさまざまな時間経過したのちに，血液と骨髄を採取して，Ly5.1 に対して青い蛍光を発するモノクローナル抗体と，Ly5.2 に対して赤い蛍光を発するモノクローナル抗体を反応させた．ドナー幹細胞の子孫である成熟した血球細胞は，FACS解析では，青い蛍光細胞として検出され，赤の蛍光は発しない．この細胞を分離して，成熟した血球細胞に存在する，さまざまな種類のマーカータンパク質に特異的な蛍光抗体で染色した結果，造血幹細胞には真の万能性があって，すべての種類のリンパ系細胞と骨髄細胞をつくる能力があることがわかった．[Dr. C. Zhang 提供．]

胞分化にSCFを必要とし，SCF受容体であるc-Kitをその表面に発現している．造血幹細胞から形成される多能性前駆細胞の多くや巨核球/赤血球前駆細胞，顆粒球/マクロファージ前駆細胞を含むこれら細胞は，SCFを発現するレプチン受容体陽性細胞に隣接して骨髄中に見いだされる．実際，これらのレプチン受容体陽性細胞から条件つきでSCFを欠失させると，骨髄から前駆細胞とその子孫細胞はすべて枯渇した．このように，造血幹細胞のみならず多くの造血前駆細胞は，その生存と機能のために特定の種類の骨髄ニッチ細胞を必要とするのである．

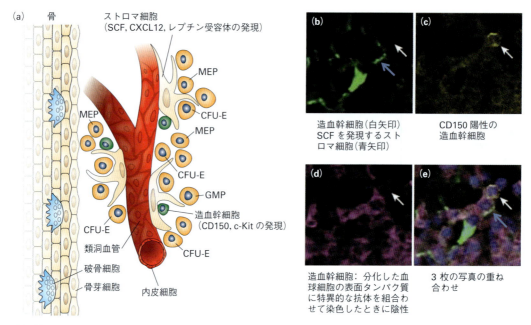

図 22・20（実験） 骨髄にある造血幹細胞ニッチ．(a) 骨髄には数十種類の細胞が含まれていて，骨を形成する骨芽細胞や，骨を破壊する破骨細胞が存在するほか，造血幹細胞や前駆細胞などさまざまな細胞が存在する．骨髄には，類洞血管とよばれる細い血管が張りめぐらされている．造血幹細胞ニッチをつくる主要な細胞はめずらしい種類の間葉系細胞であり，この血管に接着して，レプチン受容体（LepR+ 細胞）や SCF（造血幹細胞や多くの種類の造血前駆細胞の c-Kit タンパク質チロシンキナーゼ受容体に結合して活性化するホルモン）などの細胞表面タンパク質を複合的に発現している．このストロマ細胞は，造血幹細胞の走化性因子である CXCL12 を分泌し，LepR+ 細胞は多くの造血前駆細胞の支持的ニッチ細胞としても働いている（図 22・18）．MEP: 巨核球/赤血球前駆細胞，GMP: 顆粒球/マクロファージ前駆細胞，CFU-E: 赤芽球/赤血球コロニー形成前駆細胞．(b)～(d) 造血幹細胞とニッチ細胞の骨髄での蛍光免疫染色法による検出で，造血幹細胞が SCF を発現する細胞の隣に局在することを示す．SCF に対する抗体がないため，SCF の発現を検出するために，SCF の遺伝子座に GFP cDNA を挿入したマウスを作製し，SCF をつくる細胞だけで GFP を発現するようにした．(b) 骨髄の切片を用いて，SCF 発現細胞を蛍光顕微鏡観察で検出した．(c) 造血幹細胞を検出するために，切片を造血幹細胞の表面に発現している CD150 タンパク質に対する抗体で染色した．(d) さらに，造血幹細胞ではなく，特定の種類の分化した血液細胞の表面に発現するタンパク質に複数の特異的な抗体でも切片を染色した．(e) 三つの画像を統合すると，SCF を発現するストロマ細胞に隣接して造血幹細胞（白矢印）がわかる．
[(a) は S. J. Morrison and D. T. Scadden, 2014, *Nature* **505**: 327; S. Comazzetto et al., 2019, *Cell Stem Cell* **24**: 477 参照．(b)～(e) は L. Ding et al., 2012, *Nature* **481**(7382): 457, Copyright Clearance Center, Inc. を通じて Nature Publishing Group より許可を得て転載．]

複数の組織を形成する娘細胞をつくる能力があることから定義される．植物の幹細胞は，これも動物の幹細胞と同様に，特殊な微細環境である幹細胞ニッチに存在し，そこでは細胞外シグナルがつくられて幹細胞の多能性状態を維持している．しかし，動物と植物も最後の共通祖先は単細胞真核生物であることから，異なる経路で進化してきたと考えられる．したがって，植物と動物における幹細胞と幹細胞ニッチは，基本的な構築は同じであっても，互いに独立した進化の結果であり，いわゆる**収斂進化**（convergent evolution）の一例である．

植物の幹細胞は，**分裂組織**（meristem，メリステム）とよばれるニッチに存在し，これはセコイアメスギのような寿命の長い種では何千年も維持される．植物体の体軸は胚発生時に確立される．**茎頂分裂組織**（shoot apical meristem，頂端分裂組織，略称 **SAM**）と**根端分裂組織**（root apical meristem）という二つの一次分裂組織によって決まる．動物とは異なり，植物の胚発生では，ごく少数の組織と器官だけに運命決定される．葉，花，さまざまな生殖細胞といった器官は，植物の成長と発達に従って恒常的につくられる．植物の地上部分は，茎頂分裂組織に由来し，地下部分は根端分裂組織に由来する．古典的なクローン解析実験から，植物細胞の運命は，系譜ではなく，細胞の位置によって決定されることが明らかになっている．また，そのアイデンティティーは，ホルモン，移動性のシグナル伝達ペプチド，miRNA などの細胞間シグナルによって補強される．■

植物の体性幹細胞は，多細胞動物とは異なり，特定の組織や系譜だけをつくるのではなく，全器官をつくることができる．ゆっくりと分裂し，万能性をもつ幹細胞が茎頂分裂組織の頂点に存在し，その周辺には，もっと速く分裂して複数の種類の細胞へと分化する能力をもつ一過性増殖娘細胞が存在する．茎頂分裂組織の子孫は，分裂組織の周縁部へと移動し，葉や茎などの新しい器官をつくる原基となる．細胞は，特定の細胞種の性質を獲得するに従って分裂を停止し，器官の大半は細胞の伸長と膨張によって大きくなる（図 22・21a）．新たな茎頂分裂組織が葉原基の葉腋につくられ，それがのちに大きくなって側枝をつくる．一方，花分裂組織からは，花を構成する四つの花器官，すなわち，がく片，雄ずい，心皮，および花弁がつくられる．花分裂組織は，茎頂分裂組織とは異なり，花器官をつくるに従って失われる．

茎頂分裂組織の幹細胞集団の数はネガティブフィードバックによって維持される

幹細胞のアイデンティティー，維持，分化に必要な遺伝子が，シロイヌナズナ *Arabidopsis thaliana*（アブラナ科の一

(a) 茎頂分裂組織　　　　(b) 根端分裂組織

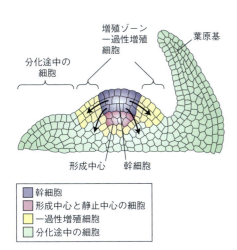
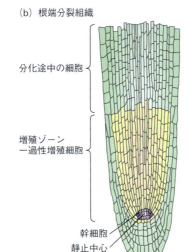

図 22・21　シロイヌナズナの茎頂および根端分裂組織の構造．(a) 茎頂分裂組織の頂点を含む断面図．組織形成中心にある細胞は，その上にある幹細胞を維持するシグナルを送る．幹細胞は，黒矢印で示した方向に分裂して娘細胞をつくり，その結果，一過性増殖細胞ができて，これが迅速な細胞分裂を行う．一過性増殖細胞は，最終的に分化し，葉などの器官全体をつくる．(b) 根端分裂組織の断面図．幹細胞は，あまり分裂しない静止中心を取囲むように存在する．静止中心には4個の細胞が存在して，幹細胞の分化を妨げるシグナルを送る．幹細胞は，それぞれ非対称分裂し，1個の娘細胞は静止中心に接したままで幹細胞にとどまり（自己再生），もう1個の娘細胞は一過性増殖細胞になって何回も分裂し，その後，細胞周期を出て伸長しながら特定の分化状態になる．［R. Heidstra and S. Sabatini, 2014, Nat. Rev. Mol. Cell Biol. 15: 301 による．］

年草，図1・23h参照）を用いて行った，分裂組織の大きさが変化したり，途中からつくられなくなったりする変異体を得る遺伝スクリーニングや，分裂組織の細胞を単離して最新の遺伝子発現プロファイリングを行うことによって明らかにされた．茎頂分裂組織の決定因子の一つは，WUSCHEL（WUS）とよばれるホメオドメインをもつ転写因子（8章）をコードする遺伝子である．WUSは幹細胞集団の維持に必要であるが，これの発現は幹細胞の基底側にある支持細胞で起こる．これらの支持細胞は**形成中心**（organizing center）とよばれる部位にあり，多細胞動物のニッチ細胞のようなものである（図22・21a）．WUS mRNAとWUSタンパク質は，形成中心にある細胞でつくられるが，一連の実験から，WUSタンパク質は，おそらく細胞をつなぐ原形質連絡を介して形成中心の細胞から幹細胞へと移動する（図20・43参照）．ある実験では，WUS-GFP 融合タンパク質を，WUS をもたないシロイヌナズナの変異体に発現させると，その表現型が補償されることがわかった．その後行われた顕微鏡観察で，このWUS-GFP 融合タンパク質が幹細胞に蓄積していることが示されたことから，形成中心にある細胞から移動することがはっきりした．

WUSは，幹細胞に入ると，ゲノム上の多くの部位に結合し，分化途中の細胞で発現する多数の遺伝子を抑制する．こうした遺伝子には葉の発生に必須で分化を促進する転写因子が含まれる．またWUSは，幹細胞におけるCLAVATA3（CLV3）の発現を促進する．CLV3には小さな分泌性ペプチドがコードされ，このペプチドは，形成中心細胞の表面にあるCLV1受容体に結合して，WUSの発現を抑制する細胞内シグナルを発生させる．WUSの過剰発現は，分裂組織にある幹細胞の数を増加させ，同時に分化細胞の数を減少させる．したがって，転写因子WUSとシグナル伝達ペプチドCLV3の間のネガティブフィードバックループによって，植物個体の一生を通して，幹細胞集団の大きさと分裂して生じる娘細胞の数とが維持される（図22・22）．■

茎頂分裂組織と根端分裂組織の両方が正常に機能するために必須の転写調節タンパク質がほかにも何種類かある．そのなかには，ヒトのがん抑制遺伝子にコードされるタンパク質である網膜芽腫（Rb）タンパク質（25章）の植物ホモログである RBR がある．RBR は，動物細胞の場合と同様に，E2F 転写因子に結合して機能

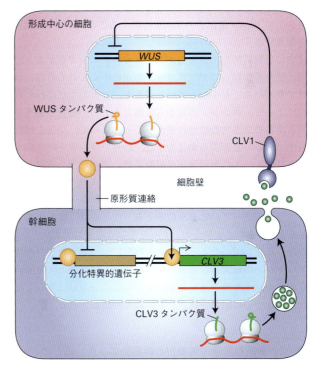

図 22・22　シロイヌナズナ茎頂分裂組織の幹細胞ニッチにある調節ネットワーク．転写因子WUS（橙丸）は，形成中心にある細胞で合成され，原形質連絡を介して幹細胞へと移動する．WUSの幹細胞における機能の一つは，CLV3ホルモン（緑丸）の発現を誘導することである．CLV3タンパク質は分泌され，形成中心細胞の表面にある，CLV3の受容体型プロテインキナーゼ（CLV1）に結合し，WUSの転写を抑制するシグナルを活性化する．［E. Aichinger et al., 2012, Annu. Rev. Plant Biol. 63: 615 参照．R. Heidstra and S. Sabatini, 2014, Nat. Rev. Mol. Cell Biol. 15: 301 による．］

を阻害する．E2FからRBRが解離するか，RBR遺伝子が失われると，E2F因子が，細胞周期への侵入と細胞分裂の促進を行うさまざまな遺伝子の転写を促進する（図19・16参照）．RBRの量が減少すると幹細胞の数が増加し，RBRの量が増加すると幹細胞からの分化が促進されることから，RBRが幹細胞の維持に重要な役割をもつことが示された．

根端分裂組織の構造と機能は茎頂分裂組織に類似している

根端分裂組織は，茎頂分裂組織と異なり，細胞系譜が限定されている幹細胞から構成される．この幹細胞は，ごくゆっくりと分裂し，幹細胞ニッチとしての働きをもつ4個の細胞から構成される**静止中心**（quiescent center）の周囲に存在する（図22・21b）．根端の幹細胞の細胞分裂は，茎頂分裂組織とは異なり非対称的である．また，静止中心との接触を失った娘細胞もさらに数回分裂し，その後にはじめて分化を開始する．WOX5というWUS相同タンパク質が，静止中心に発現していて，これが幹細胞の維持に必要である．もちろん他の転写因子も重要である．たとえば，植物ホルモンであるオーキシン（インドール-3-酢酸）は，植物の成長と分化に関して多数の過程で協調作用をもつ．特に，根端分裂組織のニッチを形成する際に，オーキシンは欠くことができない因子である．静止中心が失われた場合は，オーキシン濃度が高い部位に新しいニッチが形成される．しかし，オーキシンの幹細胞における作用は，細胞の種類によって異なる．たとえば，根冠をつくる幹細胞では，オーキシンは，オーキシン応答性の転写因子を介して*WOX5*遺伝子の発現を抑制することによって，細胞分化を促進する．

植物には驚異的な再生能力がある．ガーデニングをする人であれば，葉や茎を切ってガラスコップの水の中に入れて窓際に置くだけで芽が出ることを知っているだろう．20世期半ばに行われた実験によって，ニンジンの根から単離した一つの細胞を適当な栄養素とホルモンを含む培地に植えることによって，完全な植物体を再生できることが明らかになった．最近では，単一細胞のトランスクリプトームの配列決定や細胞系譜の追跡などの詳細な分子解析によって，再生の過程が研究されている．いくつかの例では，再生は，すでに存在していた分裂組織から胚形成過程に類似したプログラムに従っているようにみえる．たとえば，根の先端を切除すると，静止中心が除かれ，オーキシンの濃度勾配が乱される．その後，局在していたオーキシンの移動によって，新しい遠位端にオーキシンの最大値が形成される．*WOX5*は当初は広範囲の発現を示すが，ホルモン濃度勾配ができると，しだいに新しく形成された静止中心に限定され，分裂組織も再構築される．

22・2 多細胞生物の幹細胞と幹細胞ニッチ　まとめ

- プラナリアにはcネオブラストとよばれる万能性をもつ幹細胞が存在し，体の一部を切断により除去したあとに行われる再生に重要である．
- 動物に存在するほとんどの幹細胞は多能性であるが，生殖系列の幹細胞は単能性である．
- 幹細胞は未分化状態である．幹細胞は対称分裂と非対称分裂を行い，自己再生することによって，その個体の生涯にわたって数を維持したり，増したりする（図22・12）．
- 多能性の幹細胞はニッチにおいて形成され，そこから分化しない幹細胞集団を維持するシグナルが与えられる．幹細胞ニッチは，幹細胞が過剰につくられないように維持するとともに，分化を妨げる働きをする．
- 幹細胞は，ニッチにおいて特異的な調節作用を受けることで，その分化が妨げられている．生殖系列と小腸にある幹細胞を維持する際には，Wntシグナル伝達経路の因子であるβカテニンが高濃度に存在することで，細胞を分化の方向ではなく，自己再生する分裂の方向に向かわせている．
- ショウジョウバエの生殖器では，少数の細胞が生殖幹細胞ニッチを形成し，それが隣接する幹細胞に直接シグナルを送っている．ニッチ細胞と接触できなくなった娘細胞は，増殖と分化を行って生殖細胞になる（図22・13）．
- 腸上皮などの多くの組織に存在する幹細胞の集団は，分化後に傷ついたり剥がれたり老化したりした組織・細胞を再生する（図22・14）．
- 腸幹細胞は，腸クリプトの基底部に存在し，ニッチの主要な部分を形成するパネート細胞に接している．また腸幹細胞は，Lgr5受容体を発現する（図22・14）．
- 血球細胞の系譜では，異なる種類の前駆細胞がさまざまなサイトカインの調節を受けて形成され，増殖する（図22・18）．これによって，必要とされる一部，あるいはすべての種類の血球細胞の補給が特異的に誘導される．
- 造血幹細胞は骨髄移植実験（図22・19）によって検出・定量される．またこのニッチ細胞は，表面タンパク質マーカーの組合わせによって検出できる（図22・20）．
- 植物の幹細胞は植物体の命が続く限り分裂組織内に維持される．分裂組織細胞は，さまざまな細胞種と細胞構造を生み出すことができる（図22・21）．
- 茎頂分裂組織の幹細胞の数の維持には，WUS転写因子が関係するネガティブフィードバックループが関与する．

22・3　細胞極性と非対称細胞分裂の機構

発生過程でさまざまな細胞をつくるとき，また，幹細胞の数を組織や細胞集団の中で維持するとき，非対称分裂が重要であることはすでに述べた．細胞分裂の前に細胞が非対称性をもち，異なる細胞運命をもつ細胞をつくる作用の背景にあるしくみはどのようなものであろうか．細胞の非対称性は，実はすでに述べている．ここでは，あらためて**細胞極性**（cell polarity）という概念を用いて，細胞が極性化することの重要性を考える．

細胞極性とは，細胞が内部構造を組織して細胞の形態や細胞膜の領域を異なるタンパク質組成と脂質組成に変化させる作用であり，すでにいくつかの章でも述べた．たとえば，極性化した腸上皮細胞では，微絨毛を多く含む頂端ドメインが密着結合によって側底ドメインと隔離されている（図17・1，図20・11参照）．上皮での輸送には，上皮細胞は頂端膜と側底膜とに別々の輸送タンパク質を用意することが必要である（図11・30参照）．本節の後半で述べるように，上皮細胞は，どのように極性化するかを導く細胞外シグナルに応答する．こうした上皮細胞の性質は細胞極性の一例にすぎず，動物体内にあるほぼすべての細胞は極性化している．以下で，それに関係する機構がよく知られている例を述べる．このなかで，細胞極性には三つの中心的な機構があることがわかっている．第一は，細胞には**内在性の極性化プログラム**（intrinsic polarity program）があることで，これは，外部シグナルなしに極性化するという驚くべき能力が備えられていることからわかる．ここで述べる例では，このプログラムの中心にある共通因子は，Cdc42という低分子量GTPaseである．第二は，この内在

性の極性化プログラムは，外部および内部シグナルによって誘導されることである．第三は，各細胞の極性は，通常，細胞内で相互に拮抗する複合体（mutually antagonistic complex）によって維持されることである．

ここではまず，出芽酵母における内在性の極性化プログラムについて述べる．この機構にかかわるすべての要素は，動物細胞にも共通であることから，酵母で見いだされた機構は進化的に保存されているらしいことがわかった．次に，外部シグナルに細胞が応答して極性を確立する例について述べる．この機構では，拮抗する相互作用が働いている．最後に，非対称分裂によって，娘幹細胞と分化細胞ができる例を述べる．

内在性の極性化プログラムは，Cdc42がかかわるポジティブフィードバックループに依存している

出芽酵母は，表面の1箇所を選んでそこに新しい芽体を形成することによって増殖する（図19・4参照）．ここで重要な点は，芽体を形成する場所としてただ1箇所を確実に選ぶことである．もし，酵母が同時に二つの芽体を形成すると，細胞分裂が起こるときに複製して二つになった染色体が親細胞と一つの芽体の間で分離し，もう一つの芽体には染色体がなくなり，生存できなくなる．一倍体酵母では，出芽の単一性は，細胞表面に残されている手掛かりをシグナルとして，次の出芽をその前に出芽した部位近傍に誘導する．おもしろいことに，細胞自体の生存には必須ではないこの手掛かりを決める遺伝子が欠失すると，酵母は正常に増殖するが，一つの芽体ができる部位が無作為に決まる．この結果から，酵母には前の出芽によって残される手掛かりがない場合にも内在性のプログラムが存在していて，これによって芽体をつくる際に一つの部位を決めることが可能なことがわかる．このプログラムには，芽体ができる部位にCdc42が集積することが必要である．

驚いたことに，新しい芽体ができる部位でのCdc42の集積は，アクチンフィラメントにも微小管にも依存しておらず，この両方の繊維がなくなってもCdc42は単一の部位に集積する（図22・23a）．この点については，この機構を生物学者が考えるずっと以前に，優れた数学者でありコンピューターの先駆者でもあるAlan Turingが，均一に分布する極性化因子を単一の部位へと集積した状態に移行させる機構について考察している．1952年，Turingが，

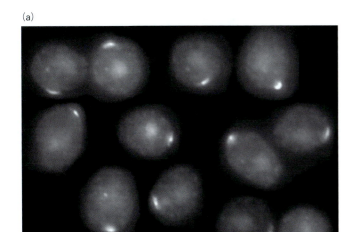

(a)

(b)

図22・23 出芽酵母の内在性の極性化プログラムには，Cdc42 GTPaseの活性化を行うポジティブフィードバックループが作用している．(a) 極性化シグナルを欠いている二倍体酵母で，芽体をつくりはじめる時期にCdc42を蛍光顕微鏡で観察すると，極性化の様子が見える．ここに示した細胞は，アクチンフィラメントと微小管の両方を壊す薬剤で処理しており，Cdc42の極性化には，この二つの細胞骨格繊維が関与していないことがわかる．(b) Cdc42の活性化を行うポジティブフィードバックループ．不活性なCdc42・GDPは，グアニンヌクレオチド解離阻害因子（GDI）に結合して細胞質に存在する状態と，膜に結合した状態の間の平衡にある．段階 **1**: 膜に結合したCdc42・GDPの一つが，無作為にCdc42・GTPへと活性化することがある．段階 **2**: 活性化Cdc42・GTPは，グアニンヌクレオチド交換因子（GEF）を含む複合体を集める．段階 **3**: 集められたGEFは，その場所でさらに多くのCdc42・GDPをCdc42・GTPに変換する．段階 **4**: 活性化Cdc42・GTPはさらに多くのGEFを集め，ポジティブフィードバックループをさらに動かして，Cdc42・GTPを局所的に蓄積させる（鮮やかな赤の点）．[J. G. Chiou et al., 2017, *Annu. Rev. Cell Dev. Bi.* **33**: 77 参照．(a) は J. E. Irazoqui et al., 2003, *Nat. Cell Biol.* **5**: 1062, Copyright Clearance Center, Inc. を通じて Nature Publishing Group より許可を得て転載．]

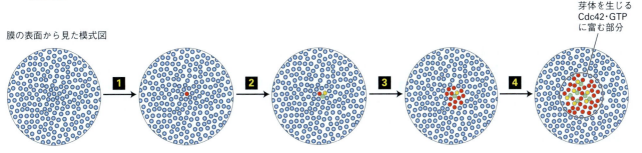

このような移行が極性化因子の濃度が不規則に増加する現象をポジティブフィードバック反応によって増幅できる可能性を示した．実際にも，このTuring説が正しかったのである．

ここで，Cdc42が低分子量GタンパクのなかのRhoファミリーに属することを思い出そう（図17・40参照）．Cdc42は分子スイッチとして働き，不活性状態（Cdc42・GDP）と膜に結合した活性化状態（Cdc42・GTP）がある．特異的なグアニンヌクレオチド交換因子（Cdc42-GEF）に結合すると，Cdc42はGDPを解離してGTPを結合する．活性化したCdc42・GTPはエフェクターに結合し，下流のシグナル伝達の事象を活性化する．不活性なCdc42・GDPは，グアニンヌクレオチド解離阻害因子（GDI）に結合して細胞質に存在する状態と，膜に結合して存在する状態との間での平衡にある（図22・23b）．偶然かつ不規則に膜結合型Cdc42・GDPがGDPを解離してGTPを結合し，活性化したCdc42・GTPになることがある（図22・23b，段階1）．Cdc42・GTPを集めるエフェクターの一つが，Cdc42-GEFを含む複合体である（段階2）．したがって，活性化Cdc42が細胞膜上に存在すると，Cdc42-GEFを集め，そこで局所的により多くのCdc42を活性化する．さらに活性化したCdc42は，より多くのCdc42-GEFを集める．この単純なポジティブフィードバックによって，細胞表面のある部位で局所的に高濃度にCdc42・GTPが集積する（段階3と4）．これを，Turing自身もひとりの先駆者であるコンピューターモデリングにかけると，この系ではいわゆる"全部取り"の筋道がつくられて局在化が1箇所だけで起こる．こうしたポジティブフィードバックループが，酵母できわめて安定な出芽部位を形成する機構の中心にある．

18章に述べたように，Cdc42は，移動する細胞で極性化を誘導する上位の調節因子でもある（図18・55参照）．以下に述べるように，Cdc42は，細胞極性を調節する他の多くの例にも関与する．極性化がより柔軟に行われる場合では，ネガティブフィードバックループによって単一の極性化部位が強くなりすぎないようにしていて，適当なシグナルを受取ったときには，細胞表面の別の部位に極性化が誘導されるようにしている．たとえばCdc42・GTPが，極性化を強めるGEFを集めるほかに，ポジティブフィードバックをゆっくり弱めるような調節を行う負の調節因子を集める．実際，酵母のCdc42は，Cdc42-GEFをリン酸化して阻害するキナーゼを集め，これによってネガティブフィードバックが形成されている．したがって，Cdc42・GTPの局所濃度は急速に上昇するが，その後ゆっくりと働く負の調節因子が作用するようになると，下がるか，やがてなくなる．あとで述べるように，特異的なシグナルがこうした内在性の極性化プログラムを誘導していて，細胞の物理的な極性化をつくっている．

細胞分裂に先立つ細胞の極性化は共通の階層的事象に従って起こる

細胞の極性化は，細胞分裂を伴う場合でも伴わない場合でも，図22・24(a)に示した一定の様式に従う．最初に，どの方向に極性化する，つまり非対称になるかを決めるには，細胞は，空間情報を与える特定の"合図"を受取る必要がある（段階1）．このような合図には，別の細胞か細胞外マトリックスから出された局在化した水溶性のシグナルがある．細胞は，この合図を受取るために細胞表面に適当な受容体をもつか，他の機構によってこの合図

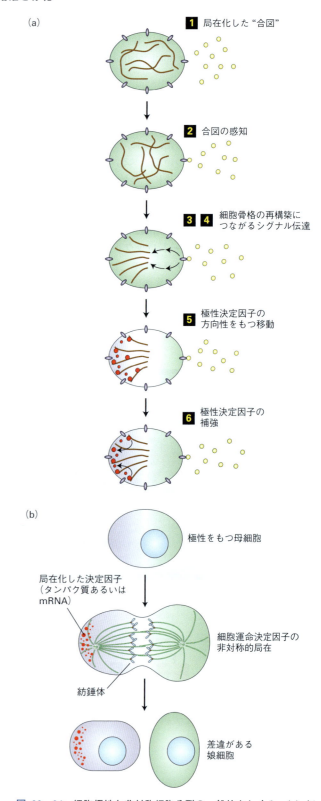

図 22・24　細胞極性と非対称細胞分裂の一般的なしくみ．(a) 極性化した細胞ができるまでの一般的な段階を示す過程．詳細は本文を参照．(b) 異なる運命をつくり出すためには，細胞極性には，mRNA，タンパク質，脂質などの特定の決定因子が細胞内で非対称的に局在することが必要である．紡錘体が細胞分裂時に上記の決定因子が分離するように配置されると，二つの娘細胞は異なる運命になる．しかし，適当な方向に紡錘体が配置されないと，決定因子は適切に分配されず，娘細胞は同じ運命になる（そのときの様子は図には示していない）．

を感知する（段階**2**）．この合図を感知すると，細胞は入力されたシグナルに従って情報変換を行い，極性化の方向を決定する（段階**3**）．多くの場合，次の段階には細胞骨格の要素，たいていはミクロフィラメントか微小管の局所的な再構築が関係する（段階**4**）．細胞は，以上の過程で構造的な非対称性を獲得し，分子モーターを用いて極性因子を適切な部位へ運ぶ．この極性化因子は系によって異なり，細胞質のタンパク質であったり，分泌経路によって適宜局在化する膜タンパク質であったりする（段階**5**）．極性は，極性決定因子を低濃度の部位から極性化部位に移動させて極性化部位での最大濃度を維持することによって，補強ないし維持される（段階**6**）．

細胞が極性化し，その後の細胞分裂が極性の方向と垂直な平面で行われるとき，その細胞は非対称分裂を行うことになる．このとき，特定のタンパク質やmRNAなどの運命決定因子は，細胞間で差ができるように分配される（図22・24b）．

細胞の極性化は非常に動的な過程である．マクロファージが細菌を追跡してそれを捕捉し，ファゴサイトーシスによって破壊する場合を考えてみよう．まずマクロファージは常にその細菌を感知していなくてはならないが，これは細菌から放出されるペプチドの濃度勾配を追跡することによって行っている（図17・45参照）．マクロファージは，このシグナルによって方向転換するか極性化して正しい方向に移動する．この例から，細胞極性の重要かつ普遍的な要素を知ることができる．多くの場合，マクロファージの例でみられるように細胞が動的であることが必要で，すばやく方向を変化できるようにしている．ここでは細胞極性の動態をマクロファージを例としてみたが，上皮細胞などの他の細胞の，一見非常に安定してみえる極性も，異なる環境に移されたときにはきわめて動的になる．

次項では，非対称性を示す単純な細胞である酵母細胞について述べる．ここでは，接合という，水溶性の合図に応答して行われる現象をみる．それ以降は動物細胞に戻って，進化的に保存された極性化タンパク質が道具となって極性化の合図が解釈され，細胞分裂に先立って細胞の非対称性をつくる過程をみる．その後に，ここで述べたタンパク質と同じタンパク質が，上皮細胞の極性化に用いられること，また最後には，幹細胞の非対称分裂の現象についても考える．

酵母の接合では極性化した膜輸送によって非対称的に細胞が成長する

細胞の非対称性の最も単純でよく研究された例が，出芽酵母が接合する際にみられる．すでに述べたように，酵母は一倍体（各染色体が1コピー）と二倍体（各染色体が2コピー）のいずれかの状態にある．一倍体細胞は，**a**および**α**とよばれる二つの接合型（"性"）のいずれかである．自然界において酵母にとって望ましいのは二倍体であるため，**a**細胞は常に**α**細胞を探して接合し，二倍体状態を回復しようとしている（図1・24b参照）．一倍体細胞は，それぞれ特異的な接合フェロモンを分泌している．つまり，**a**細胞は**a**因子を分泌し，**α**細胞は**α**因子を分泌している．また，各細胞は逆の接合型のフェロモンを感知する受容体を細胞表面に発現している．つまり，**a**細胞は**α**因子に対する受容体をもち，**α**細胞は**a**因子に対する受容体をもつ（図16・15参照）．異なる接合型をもつ細胞を近くに置くと，一方の細胞型にある受容体は，もう一方の細胞のフェロモンの合図を結合して認識し，どの方向に接合するかを知るためにフェロモン濃度が最も高い方向を見定める．酵母細胞が自分とは異なる接合因子を結合すると，二つの重要な過程がはじまる．第一は，細胞周期をG_0に停止させることによって互いに同調させ，二つの細胞が接合するときに二つの一倍体ゲノムが細胞周期の同じ段階になるようにする．第二は，フェロモンが存在する方向に細胞の成長を行い，"シュムー"（形がこれと似た風刺漫画のキャラクターの名前）とよばれる接合突起を形成する．接合突起をもつ異なる細胞型の細胞が接触すると，二つの細胞はこの突起の先端で融合し，その後，一倍体核は一つになって二倍体状態を回復する．

一倍体酵母で，自身とは異なる型の接合フェロモンに応答した接合突起の形成ができなくなった変異体をスクリーニングした結果，接合突起形成に必要な非対称的な成長がどのように起こるかがわかった（図22・25）．この機構には，予想どおり，極性化した細胞骨格を確立するシグナル伝達経路が関与し，次に極性化した細胞骨格が非対称的な成長を行うために適した部位への膜輸送を誘導する．典型的なGタンパク質共役型受容体（図15・12，図16・15参照）である接合フェロモン受容体が活性化すると，内在性の極性化プログラムが発動して，Cdc42がフェロモンを検出した部位に最も近い細胞表層領域に集まって活性化する（図22・25，段階**1**）．この活性型Cdc42・GTPによってフォルミンタンパク質が局所的に活性化される（段階**2**）．フォルミンタンパク質は，これも17章で述べたように，アクチンフィラメントの（＋）端がフォルミンに結合した状態を保つため，極性化したアクチンフィラメントの集合の核となる（図17・13参照）．これによってミオシンVモータータンパク質を用いてアクチンフィラメントの（＋）端へと分泌顆粒を輸送する経路がつくられ，局所的な成長が起こり，その結果，接合突起が形成される（段階**3**）．この機構にはCdc42・GTPなどの極性化タンパク質が成長途中の突起の先端に集まってとどまることが必要なことに注意しよう．この機構を突起が伸長する間維持するには，方向が定まったエンドサイトーシスが繰返し起こることが必要であると考えられている．この繰返しの間に，極性化した部位から拡散によって離れたCdc42がエンドサイトーシスで取込まれ，接合突起の先端へと輸送される．その結果，極性が強化される（段階**4**）．

Parタンパク質が線虫の胚における細胞の非対称性を決める

線虫 *Caenorhabditis elegans* は，細胞運命の決定について研究するための優秀なモデル系である（図1・23c参照）．この系が選ばれる理由は，個体が透明で，生活環が短く，変異体を得て解析することが容易であるほか，1細胞の胚から成虫に至る細胞系譜が不変なことである（図22・26a, c, d）．この系譜において重要な現象に最初の細胞分裂があり，ここでP0細胞，すなわち受精卵（接合子）から非対称分裂によってAB細胞とP1細胞ができ，このそれぞれから別の系統ができる．この最初の非対称分裂に関しては多くのことがわかっているので，最初にここに注目して解説する．

線虫の接合子には，最初の細胞分裂より前に，目に見える非対称性ができている．すなわち，**P顆粒**（P granule）とよばれる細胞質中の複合体が細胞の端に集まっていて，これから胚の後端ができる（図22・26b）．このP顆粒はその後の細胞分裂の間，最終

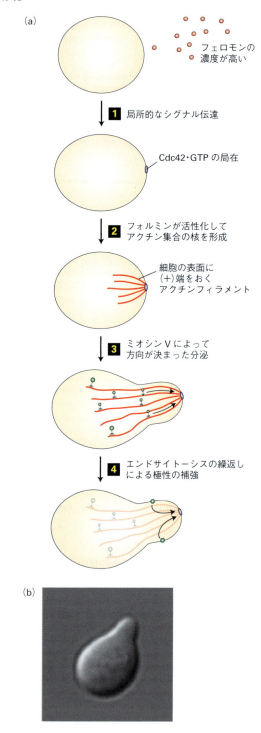

図 22・25 **酵母における接合突起の形成**．(a) 一倍体の酵母細胞は，異なる接合型の接合因子の濃度がより高い方向に成長する．細胞表面の受容体はより高い濃度の方向を伝える細胞内シグナルを生成する．このシグナルによって Cdc42 の局所的な活性化がひき起こされ，この部位での Cdc42・GTP の濃度がより高くなる（段階**1**）．Cdc42・GTP はフォルミンを局所的に活性化し，この部分からアクチンフィラメントの形成と伸長を促す（段階**2**）．フォルミンはアクチンフィラメントの（+）端に結合するため，（+）端は Cdc42・GTP がある方向，すなわち接合因子の濃度がより高い方向に揃う．ミオシン V モータータンパク質が，分泌小胞をアクチンフィラメントに沿って輸送し，その結果，接合突起が伸長する（段階**3**）．接合突起の方向性は，エンドサイトーシス経路を用いた回収を行うことによって Cdc42 などの拡散性の極性化因子をアクチンフィラメントに沿って極性化部位へと戻し続け，これによって補強される（段階**4**）．(b) 接合突起を形成している酵母細胞の微分干渉顕微鏡写真．〔(b) は A. Miller and A. Bretscher 提供．〕

的に生殖細胞系列になる細胞に集積し，生殖細胞の発生に重要な役割を果たすことがわかっている．P0 細胞の最初の非対称分裂によって，P 顆粒を含む P1 細胞とそれよりも大きな AB 細胞ができる．その後，2 細胞期には紡錘体は一定の方向に向き，細胞が正しい方向に分裂するようにしている（図 22・27a）．この重要な最初の非対称分裂がどのように行われるかを知ることを目的として最初の細胞分裂が対称になってしまう変異体が解析され，6 個の遺伝子が同定された．変異体では P 顆粒が正しく分配されないため，これらの遺伝子は分割欠損遺伝子（partition defective gene）あるいは *par* 遺伝子とよばれる．これらの変異体では，P 顆粒が接合子（P0 細胞）の後端に正しく局在せず，また，2 回目の細胞分裂に備えた紡錘体の方向づけが正しく起こらない（図 22・27a）．*par* 遺伝子の産物である Par タンパク質が局在することがわかったことによって，重要な概念が生まれた．すなわち，野生型の接合子では，Par タンパク質の多くは，細胞の前側の表層か，あるいは後半部の表層に局在する．たとえば Par3 は Cdc42, Par6, aPKC（非典型型プロテインキナーゼ C）とともに大きな複合体を形成して前半部に局在し，Par1 と Par2 は後半部に局在する（図 22・27b）．その後の研究から，これらのタンパク質複合体には**拮抗的な相互作用**（antagonistic interaction）があることがわかった．つまり，Par3-Par6-aPKC からなる複合体がある領域に存在すると，そこから Par2 が排除され，またその逆も成り立つ．これは，*par2* 変異体では Par3-Par6-aPKC 複合体が表層全体に広がることと，*par3* あるいは *par6* 変異体では Par2 が表層全体に広がることからわかる．この互いを排除する拮抗現象の分子機構は完全にはわかっていないが，その一部はプロテインキナーゼである aPKC が局所の Par1 をリン酸化し，Par1 が前半部の表層領域に結合する作用を阻害することによって行われる．一方，Par1 キナーゼは，散在している Par3 をリン酸化して，表層領域に結合することを阻害する（図 22・27c）．さらに，前半部に局在する Par6 は，接合子の機能的極性を維持するために Cdc42・GTP と，Cdc42 を不活性化する GTPase 活性化タンパク質 Cdc42-GAP を呼び寄せる．GTP は後端に集められ，活性化された Cdc42・GTP が前半部に限定されるようにする．

未受精卵は対称的であるのに，何が 1 細胞期胚で非対称性の方向を決定しているのだろう．この非対称性は，精子の侵入部位によって決まり，ここが後端になることがわかっている．精子が侵入する前は，卵表層全体に活性型のミオシン II を含むアクチンネットワークによって張力が与えられている．ミオシン II は，17 章において筋肉や収縮環に関連して述べたように，双極性のフィラメントを形成してアクチンフィラメントを引っ張り，張力を与える．ミオシン II の活性は，低分子量 G タンパク質である Rho が関与するシグナル伝達経路（図 17・42 参照）によって調節される．未受精卵では，グアニンヌクレオチド交換因子 Rho-GEF という活性化因子が均一に分布することによって，活性型である Rho・GTP の状態に維持されている．Rho・GTP は Rho キナーゼを

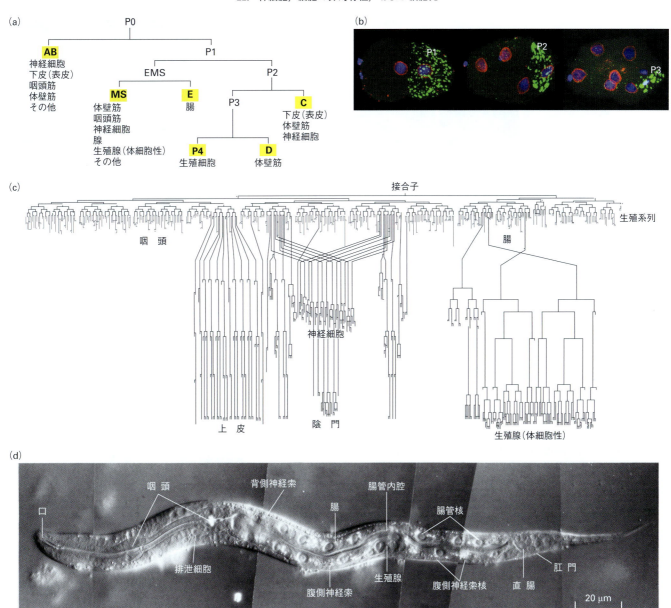

図 22・26 線虫の細胞系譜. (a) P0(接合子)からはじまり 6 個の創始細胞(黄で強調した)に至る最初の数回の分裂様式. 最初の分裂は非対称的であり, P1 細胞と AB 細胞ができる. EMS 細胞という名称は, 内胚葉(endoderm)と中胚葉(mesoderm)の大半の細胞を生じる前駆細胞であることからつけられた. P4 細胞からはじまる系譜によってすべての生殖系列細胞がつくられる. (b) 2 細胞期, 4 細胞期, 8 細胞期の胚の顕微鏡写真で, DNA を青, 核膜を赤, P 顆粒を緑に染色した. 将来, 生殖系列になる P1, P2, および P3 細胞を示した. (c) 線虫全体の完全な系譜. 形成される組織の一部を示した. この図では細胞分裂を線が分かれることで示し, その時期を垂直方向の長さで示した. (d) 線虫の孵化したての幼虫. 微分干渉(DIC)顕微鏡で撮影したこの写真には, 雌雄同体型の 959 個の体細胞核の一部が見えている. [(b)は S. Strome and D. Updike 提供. (d)は J. E. Sulston and H. R. Horvitz, 1977, *Dev. Biol.* **56**: 110, Copyright Clearance Center, Inc. を通じて Elsevier より許可を得て転載.]

活性化し, Rho キナーゼはミオシン II のミオシン軽鎖をリン酸化して活性化する(図 22・28a). 精子の侵入後すぐに精子の中心体に由来する Aurora A キナーゼによって, Rho-GEF が局所的に失われる. このように, 精子中心体の非対称な位置は, Rho・GTP の局所的枯渇を誘導し, ミオシン II の活性を低下させ, 後部領域が決まる. この局所的な張力の減少によって, アクトミオシンのネットワークは, 前方に向かって収縮する(図 22・28b). また, この収縮が起こるに従って, Par3 は前部領域に運ばれ, 次に Par3 は前部複合体の構成因子である Par6 や aPKC を前方に呼び寄せる

(図 22・28c). 前部複合体がなくなったことによって, Par2 は後部の表層に存在するようになり, 上述の拮抗的な相互作用によって, 細胞の非対称性が成立する.

このアクトミオシンの収縮によって最初に非対称性が形成される際, 重要な要素である Cdc42 は必要ではないことがわかっている. しかし, この低分子量 GTPase の活性型である Cdc42・GTP が Par6 に結合し, 前端において Par6 を含む複合体を維持する作用を果たす. また最近の研究から, 酵母の接合突起の形成に関して述べたのと同じエンドサイトーシスによる補強の繰返しが極性の

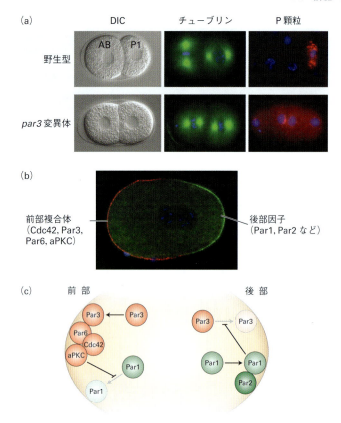

図 22・27（実験） Par タンパク質は線虫の 1 細胞期胚で排他的な相互作用によって非対称的に局在する．(a) 野生型と par3 変異体の胚の微分干渉（DIC）顕微鏡写真．野生型胚では，AB 細胞が P1 細胞よりも大きいが，par3 変異体胚では二つが同じ大きさであることに注意しよう．また，par3 変異体では，紡錘体の配向（微小管の緑の染色からわかる）と P 顆粒（赤）の分配に欠損がみられる．DNA を青に染色してある．(b) 前部の Par 複合体（Par3–Par6–aPKC，赤）と後部決定因子（緑）は，1 細胞期胚で相補的な局在を示す．(c) 前部および後部の Par 複合体間の拮抗的な相互作用．Par3 が前部に局在するようになると，複合体の他の因子である Par6 と aPKC などを呼び寄せる．aPKC のキナーゼ活性は，局在する Par1 をリン酸化し，前部表層領域への結合を阻害する．Par1 と Par2 は後部複合体を形成し，Par1 キナーゼは存在する Par3 をリン酸化し，後部表層領域への結合を阻害する．[(a), (b) は D. Morton, K. Kemphues 提供．]

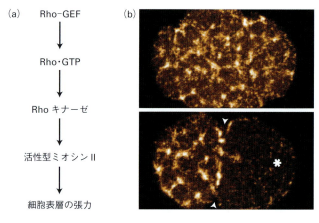

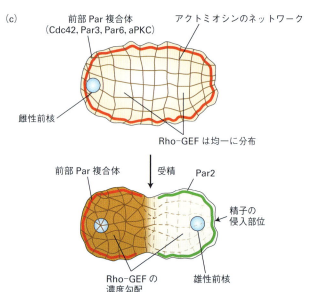

図 22・28 線虫の 1 細胞期胚における Par 複合体の前部への分配機構．(a) 受精前は，低分子量 GTPase である Rho のグアニンヌクレオチド交換因子 Rho-GEF の活性によって細胞表層に張力が生じている．Rho・GTP は Rho キナーゼを活性化し，Rho キナーゼはミオシン II の調節軽鎖をリン酸化することで活性化する．活性型のミオシン II は，アクチンフィラメントとともに細胞表層での張力を保つ．(b) ミオシン II の受精前（上）と受精後（下）の局在．星印は精子の侵入部位．(c) 受精前は Rho-GEF が全領域で活性型であるため，細胞表層には活性型ミオシン II による張力が生じており，前部 Par 複合体は，細胞表層に均一に分布している．受精すると Rho-GEF が局所的に減少して，その部位でミオシン II が不活性になる．この不活性化によって張力が不均一になり，その結果，アクチン-ミオシン II は，のちに前端になる方向に向かって収縮する．この収縮によって，Par3 が Par6 と aPKC とともに前端へと移動する．前部複合体の局在ができると，Par2 などの因子が細胞後方の表層に結合する．[(b) は E. Munro et al., 2004, *Dev. Cell* **7**: 413, Copyright Clearance Center, Inc. を通じて Elsevier より許可を得て転載．(c) は D. St. Johnston and J. Ahringer, 2010, *Cell* **141**: 757 による．]

維持に必要であることが示唆されている．以上のように，空間的な合図に応答する過程，非対称性の確立，また，非対称性維持は，線虫の系でも酵母の系でも進化的に保存された性質をもっている．

上皮細胞の極性には Par タンパク質や他の極性化複合体が関与する

脊椎動物では，極性化した上皮細胞が，隣の細胞と細胞外マトリックスからの合図を受けて細胞の極性の軸方向を配向させる．この脊椎動物の上皮細胞の極性化の過程は，ショウジョウバエとよく似ており，これに関する知見の多くは，変異体の単離と解析が容易なショウジョウバエの系から得られた．

ショウジョウバエの遺伝的スクリーニングから，上皮細胞の極性をつくるために必要な複数の遺伝子がわかった．これらの変異体の表現型と，遺伝子にコードされるタンパク質の解析から，三つの主要なタンパク質群が同定された．すなわち，Cdc42, Par3, Par6, aPKC からなる**頂端 Par 複合体**（apical Par complex，あるいは単に **Par 複合体**ともいう），Crumbs 複合体，および Scribble 複合体である．これらの複合体を構成するそれぞれの因子が失われたときに互いに及ぼす影響を詳細に解析した結果，まだ分子レベルでの研究は進行中であるが，これらの複合体が上皮細胞の極性

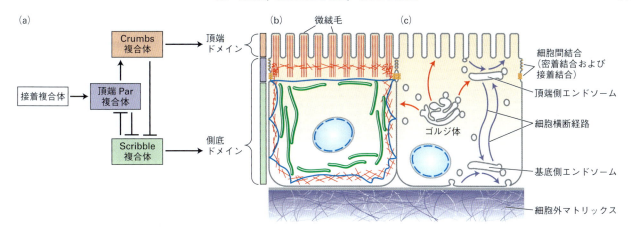

図 22・29 上皮細胞における極性の確立. (a) 上皮細胞での極性決定は頂端 Par 複合体によって導かれる. 細胞間の細胞接着複合体が形成されると, Par 複合体が呼び寄せられる. 基底側の Scribble 複合体と頂端側の Crumbs 複合体の両方の Par 複合体間で複雑な拮抗的相互作用をすることによって, 上皮細胞の極性が形成, 維持される. 図では, 膜のドメインごとに別々の因子が局在することを色の違いで示してある. Scribble 複合体は側面に結合し, Par 複合体は細胞間結合がある領域に, また, Crumbs 複合体は Par 複合体の頂端側すぐの部位に局在する. 上皮細胞の極性の働きは, 極性をもつ細胞骨格 (b) と, 膜小胞の輸送経路 (c) によって維持される. 頂端ドメインと側底ドメインにそれぞれ輸送されるタンパク質と脂質は, 生合成の過程でゴルジ体に分配され, あるべき膜表面へと輸送される (赤の矢印). エンドサイトーシス経路 (青の矢印) によって, それぞれの表面のタンパク質と脂質の量が調節され, 細胞横断経路によってそれぞれの表面に分配される.

化に果たす役割の全体的な理解ができた (図 22・29a).

上皮細胞の極性化でわかっている最初の段階は, 細胞外マトリックスと隣接する細胞間の相互作用である. 膜貫通タンパク質 β1 インテグリンは, 細胞外マトリックスのコラーゲンに結合し, ここが細胞の基部であるというシグナルを送る. 脊椎動物では, 隣接する細胞間の相互作用は, ネクチンとよばれる免疫グロブリン (Ig) スーパーファミリーの細胞接着分子と, JAM-A とよばれる接着タンパク質によって行われる. このシグナルによって細胞は接着結合と密着結合 (図 20・1 参照) をつくり, Par3 は頂端側に呼び寄せられる. Par3 が頂端複合体の構成因子である Par6 や aPKC と相互作用することで, Crumbs 複合体は Par 複合体よりも頂端側に集合し, Scribble 複合体は側底側表面を決定する. Par 複合体が存在しないと細胞は極性化できないので, 線虫の胚と同じようにこれが細胞極性の上位の調節因子である. Scribble 複合体が存在しないと頂端ドメインが広がり, 一方, Crumbs 複合体が存在しないと頂端ドメインは大幅に縮小する. これらの現象から, この二つの複合体には拮抗的な関係, すなわち頂端側の Crumbs 複合体と側底側の Scribble 複合体が拮抗しているという考え方が生まれた (図 22・29a). この関係の例に, 頂端 Par 複合体にある aPKC が側底側 Scribble 複合体をリン酸化して阻害すること, そして側底側の Par1 キナーゼが頂端 Crumbs 複合体を阻害するがあげられる. このように, 線虫の胚の場合と同様に, 非対称性は, 互いに拮抗的に働く極性複合体によって制御されている.

まだ一部しか解明されていないが, この極性タンパク質の配列によって細胞骨格が再編成され, 頂端側と側底側の膜にそれぞれ異なる配列のミクロフィラメントが結合するようになる. 上皮細胞の微小管の分布は通常とは異なり中心体と結合せず, 側面の微小管は (−) 端を頂端ドメインに向け, 他の微小管は, この側面の微小管と垂直方向に配向して, 微絨毛の下側と細胞底面に沿って走っている (図 22・29b) が, どうしてこの配置になるかはわかっていない. また, 膜輸送も極性化する (図 22・29c). 新しくつく

られた膜タンパク質は, その行先となる頂端膜あるいは側底膜をめざして, トランスゴルジ網 (TGN) で別々の輸送小胞に分配, 梱包されて, その後, 定められた目的地の細胞表面へと輸送される. さらに, 頂端側と側底側の両方の表面からのエンドサイトーシス経路が, 複雑な分配エンドソームを組合わせて用いることで, 豊富な膜タンパク質や誤って分配されたタンパク質を制御する. これはトランスサイトーシス (transcytosis) とよばれる細胞横断経路である.

さらに上皮細胞の極性に重要な別の因子をショウジョウバエで遺伝的スクリーニングした結果, エンドサイトーシスの輸送にかかわる因子が見いだされた. たとえば, これらの変異体では頂端側タンパク質複合体 Crumbs の輸送に影響がみられる. エンドサイトーシスが正確に行われないと, 細胞表面の Crumbs の量が上昇して頂端ドメインが拡大する. したがって, 上皮細胞の極性には空間を示す合図と細胞骨格の再構築が関係し, 後者によって分泌系とエンドサイトーシス系の膜輸送経路の枠組をつくって用いることで極性化状態ができて維持される.

平面内細胞極性経路によって上皮内の細胞の方向が決まる

ここまでは一次元の非対称性だけについて述べてきたが, 多くの場合, 細胞には少なくとも二次元の極性 (上下と体軸に沿った前後) がある. われわれのまわりにいる動物を見たときにも, 魚の鱗, 鳥の羽, われわれの腕に生えている毛のように, これらの構造をつくっている細胞の集まりは上下 (頂端と側底) 方向に加えて, 前後 (近位と遠位) 方向にも組織化されている必要がある. この種の極性は, 平面内細胞極性 (planar cell polarity: PCP) とよばれる. 最もよく研究された例として, ショウジョウバエの翅の各細胞上の後方に向けて生えている 1 本の毛があげられる (図 22・30a). すでに述べたように, ショウジョウバエは遺伝学的解析を行いやすい系である. この解析によって, 各細胞は, 隣接する細胞が配置されている平面内の方向に応答していることがわかった. 同時に, 平面内細胞極性に特異的に作用する因子が同定

(a) 野生型 (b) *Dishevelled* 変異体 (d)

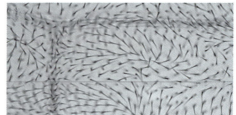
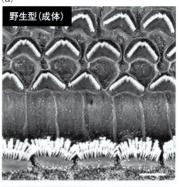
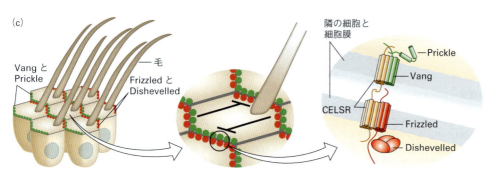
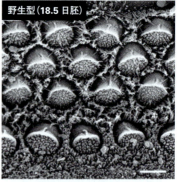

図 22·30（実験） 平面内極性（PCP）によって細胞の配向が決定される．(a) 野生型ショウジョウバエの翅では，各細胞が同じ方向に向けて 1 本の毛をつくる．(b) ショウジョウバエの野生型と PCP 経路に欠損をもつ変異体（*Dishevelled* 変異体）では，上皮の細胞は組織化されるが，翅の毛の配向は乱れる．(c) 毛の方向性は，PCP 経路の因子が非対称的に局在することによって決まる．このような因子には，Frizzled, Dishevelled, Vang, Prickle などがあり，これらのすべてが毛の正しい配向に必要である．PCP は，二つの機構によって組織内に広がる．第一は，ある細胞で CELSR と結合した Frizzled が，隣の細胞で Vang と結合した CELSR に結合することである．第二は，各細胞内で Frizzled と Vang の分布がそれぞれのタンパク質複合体の拮抗作用によって相互排他的になることである．(d) 脊椎動物内耳の感覚有毛細胞には，V 字形に並んだ不動毛（聴毛）が表面に存在する．マウスの成体と 18.5 日胚では（上段と中央），すべての細胞が厳密に同じ方向に並んでいる．PCP を欠損したマウス *Celsr1* 変異体では，18.5 日胚の細胞は正常に見えるが，相対的な方向の秩序が乱れる（下段，矢印）．スケールバーは 2.5 μm．[(a), (b) は J. D. Axelrod and C. J. Tomlin, 2011, *Wiley Interdisc. Revs. Sys. Biol. Med.* **3**: 588, Copyright Clearance Center, Inc. を通じて John Wiley & Sons, Inc. より許可を得て転載．(d) は M. Fanto and H. McNeill, 2004, *J. Cell Sci.* **117**: 527, Copyright Clearance Center, Inc. を通じて The Company of Biologists Ltd. より許可を得て転載．]

された（図 22·30b）．上皮の平面極性全体が，Wnt のようなあるリガンドの濃度勾配か，組織に加えられる機械的な力の勾配によって決定されると考えられている．この勾配によって上皮内のすべての細胞が同じように極性化される．原因となるタンパク質の，*Frizzled* と *Dishevelled* 遺伝子にコードされるタンパク質が各細胞の片側に，*Vang* と *Prickle* にコードされるタンパク質がもう片側に局在するようになる（図 22·30c）．Frizzled も Vang も膜貫通タンパク質であり，隣接細胞上の CELSR という別の膜タンパク質と結合する（図 22·30c）．このように PCP タンパク質が非対称に分布することによって，毛は適切な方向性に成長する．Frizzled については膜貫通受容体であること，また Dishevelled については Wnt 経路のアダプタータンパク質であることは述べた（図 16·26 参照）．したがって，PCP においても Wnt などのリガンドが関与している可能性がある．また，たとえば，*Dishevelled* 変異体など PCP 経路の因子が失われると，上皮は無傷だが，毛の配向が乱れる（図 22·30b）．

PCP の構成要素が相補的に配置されているということは，細胞の側面の片側にある膜タンパク質 Vang が，隣接する細胞にある Frizzled タンパク質と隣接することになる．上記のように，それぞれのタンパク質は CELSR と会合しており，CELSR は Frizzled と Vang の二つの異なる状態をとることができると考えられている．これらのタンパク質複合体は，線虫やハエの極性複合体と同じように，細胞内で互いに拮抗している（図 22·30c）．そのため，ある細胞上の Frizzled が隣接する細胞の Vang と隣り合うと，隣接する細胞では反対側に Frizzled が濃縮し，そこで隣の細胞の Vang と結合する．このパターンが組織全体で繰返される．このように，Frizzled と Vang を含む複合体の細胞間の相補的な相互作用と細胞内の相互拮抗作用によって，平面内極性（PCP）が組織全体に広がる．

平面内極性の別の例に，内耳の感覚有毛細胞があり，これを用いて脊椎動物は音を感じることができる．それぞれの細胞には，V 字形に整然と並んだ不動毛（聴覚に必要な耳の感覚細胞のアクチン系構造体，図 17·20b 参照）があり，各細胞は隣接する細胞と全く同じ配向になっている．PCP 遺伝子 *Celsr1* に欠損をもつマウスでは，すべての細胞の不動毛の配置自体は保たれているが，細胞どうしの相対的な配向が乱れる（図 22·30d）．この種の欠損によって聴覚障害がひき起こされる．

Par タンパク質は幹細胞の非対称細胞分裂にも関与する

すでに述べたように，幹細胞からは，しばしば娘幹細胞と分化細胞とができる（図 22·12）．この非対称細胞分裂を行わせる合図は何だろうか．これには二つの機構があることがわかっている（図 22·31）．第一の機構は，細胞外の合図に応答して，細胞運命決定因子が細胞分裂前に細胞の片端に分離することである．この

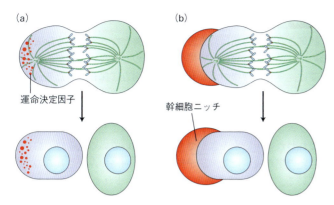

図 22・31 幹細胞の非対称分裂を誘導する二つのしくみ．(a) 外部からの合図に応答して細胞が極性化し，運命決定因子が細胞分裂前に分離する．分裂によって幹細胞と分化細胞が一つずつできる．(b) 幹細胞と幹細胞ニッチは相互作用しながら，分裂紡錘体を方向づけ，ニッチと結合した幹細胞とニッチから離れた分化細胞ができる．[S. J. Morrison and J. Kimble, 2006, *Nature* 441: 1068 参照．]

幹細胞の非対称分裂が最もよく理解されている例に，ショウジョウバエの中枢神経系での神経細胞とグリア細胞の形成がある（図 22・32）．この系では，幹細胞である神経芽細胞が，頂端面と基底面をもつ典型的な上皮層である神経外胚葉から生じる．この神経芽細胞が大きくなり（段階 **1**），胚の内部へと基底側に移動するが，外胚葉である上皮とは接触を保ったままになる（段階 **2**）．次に，非対称的に細胞分裂し（段階 **3**），新しい神経芽細胞と神経母細胞（ganglion mother cell: GMC）ができる（段階 **4**）．神経母細胞は 1 回だけ分裂でき，神経細胞とグリア細胞（1 個ずつ，あるいはどちらか一方を 2 個）をつくる．神経芽細胞は，神経上皮ニッチとの結合を維持することによって幹細胞であり続ける間は何回も分裂でき，多くの神経母細胞をつくって，これから神経細胞とグリア細胞がつくられる（段階 **5**）．その結果，多数の細胞からなる中枢神経系が形成される．つまり，ここでの重要な現象は，神経芽細胞が非対称的に分裂する能力である（図 22・32 b）．この過程に，再び Par3–Par6–aPKC からなる頂端 Par 複合体が非対称に蓄積することが関係し，また，Scribble と拮抗関係がある上皮に近い細胞側への配置が関与している．Par3 が紡錘体極から伸びる星状微小管と相互作用する因子を呼び寄せることで，紡錘体は方向づけられ，細胞は分裂する（図 22・32 b）．他の極性決定因子は Miranda とよばれるアダプタータンパク質で，細胞の基底側に位置し，細胞分裂によってこれらの因子は分離される（図 22・32 c）．Miranda は細胞の増殖と分化を制御する因子と会合し，非対称分裂では，Miranda とこれに結合する因子は神経芽幹細胞には入らずに，神経母細胞に入る．

機構では頂端側の Par タンパク質が関与しており，これについては線虫胚の最初の非対称分裂と上皮細胞の極性形成で述べた．第二の機構では，幹細胞が決まった方向に繰返し分裂し，その結果，一つの娘細胞は幹細胞ニッチに結合したままになり，もう一つの娘細胞はニッチから離れて，その後分化する．この機構は，ショウジョウバエの卵巣で述べた状況と同じであり，卵巣ではキャップ細胞が生殖細胞系列の幹細胞ニッチを形成している（図 22・13）．

本章の最初の 3 節では，すべての多細胞動物が発生過程におい

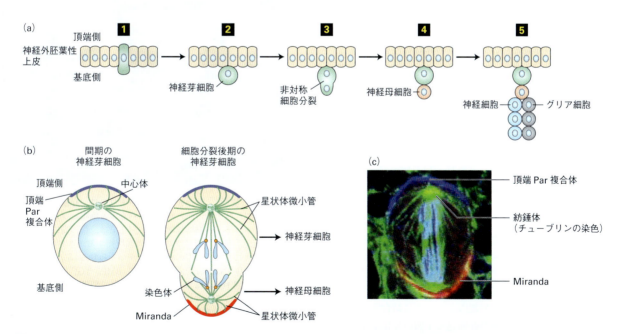

図 22・32 神経芽細胞が非対称分裂して中枢神経系の神経細胞とグリア細胞ができる．(a) 幹細胞である神経芽細胞は，細胞が大きくなるように誘導するシグナルを受けて外胚葉から生じる（段階 **1**）．次に，神経芽細胞は，上皮層から下方向に移動するが，上皮との接触を保つ状態にとどまる（段階 **2**）．神経芽細胞は非対称分裂して（段階 **3**），神経芽細胞一つと神経母細胞（GMC）一つをつくる（段階 **4**）．この神経母細胞は 1 回分裂して，二つの神経細胞あるいはグリア細胞をつくる（段階 **5**）．一方，神経芽細胞は何回も分裂することができ，多くの神経母細胞をつくり，これから神経組織ができる．(b) 神経芽細胞の非対称分裂では，大きな神経芽細胞と小さな神経母細胞ができるように，頂端側の Par 複合体と遠位の Miranda 複合体を介した，紡錘体の正しい配向が必要である．(c) 分裂期後期の神経芽細胞の写真．頂端側の Par タンパク質複合体（青）と基底側の Miranda タンパク質（赤）が離れて存在する．[(c)は S. Siegrist, C. Doe 提供．]

て，さまざまな分化細胞を正しい数だけ産生し，これらの細胞が近隣の細胞に対して適切に配置されたり，極性をもつようになるために，遺伝的に決まったタンパク質複合体を進化させてきたことを解説した．意外であるが，多くの種類の細胞は，生まれてもすぐに死ぬ．線虫の発生過程（図22・26a）では，形成された細胞の約15％がすぐに死ぬようにプログラムされている．また，病原体に対するさまざまな種類の抗体を形成することは，免疫系のB細胞に必須の機能であり（24章），外来タンパク質を標的とする抗体をつくれないB細胞は，死滅するようにプログラムされている．本章の最後では，細胞死を制御する進化的に保存された遺伝子プログラムについて解説し，これらが多くの身体組織の形成と維持にも絶対的に重要であることを学ぶ（図22・1c）．

22・3 細胞極性と非対称細胞分裂の機構 まとめ

- 細胞極性には，タンパク質や脂質や他の巨大分子の細胞内における非対称な分布が関係する．
- 細胞には，フィードバックループを用いて細胞極性をつくるプログラムが内在している．
- 多くの系で極性化プログラムの重要な因子は低分子量Gタンパク質Cdc42である．
- 出芽酵母が芽体をつくるとき，この内在性プログラムはフィードバックループを利用して，1箇所でCdc42・GTPを蓄積させる．
- 非対称化には，細胞が合図を感知し，それに応答して極性をもった細胞骨格をつくり，この極性を利用してさまざまな因子を適切に分布させることが必要である．
- 一倍体酵母が接合するときには，接合フェロモンが最も高い濃度の方向に接合突起を形成し，そこから細胞の伸長が起こるように細胞構成因子をそれに向けて分泌する．
- 線虫胚の最初の分裂において前後軸の非対称性を形成する際には，アクチン-ミオシンネットワークの非対称的な収縮が起こり，これによって細胞表層の前部Par3-Par6-aPKC複合体が非対称的に局在し，次に，Par2などの後部因子が細胞表層に局在化する．この前部複合体と後部複合体の非対称性は，相互拮抗関係によって維持される．
- 頂端/基底方向の上皮細胞の極性も，頂端Par3-Par6-aPKC複合体によってつくられる．これは，頂端側のCrumbs複合体と基底側のScribble複合体との相互拮抗関係が作用する．
- 平面内細胞極性（PCP）は，複数の異なる相互拮抗関係を利用して，平面状（シート状）の上皮細胞の方向を制御する．
- 非対称細胞分裂では，最初に細胞が極性をもつことが必要であり，次に分裂によって運命決定因子が非対称に分配されることが必要である．
- 幹細胞の非対称分裂には，幹細胞がニッチに結合する場合が多く，これによって1個の幹細胞と1個の分化細胞がつくられる．
- 非対称的な幹細胞の分裂においても，Par複合体の非対称的な分布が関与し，幹細胞ではこの複合体が保持されるが，運命決定因子はPar複合体から離れたところに局在し，分化細胞側に集まる．

22・4 細胞死とその制御

制御された細胞死は，有害または不要となった細胞を除去するために，多細胞動物において欠くことのできない過程である．本節では，無脊椎動物および脊椎動物の両方に保存された共通の分子経路である**アポトーシス**（apoptosis）とよばれるプログラムされた主要な細胞死に焦点を当てる．胚の時期に，特定の細胞がプログラムされたアポトーシスによって死ぬことで，ニワトリの足やわれわれの手に水かきができるのを防いでいる（図22・33）．また，胚の尾が残ったり，脳が無用な神経回路でみたされるのを防いでいる．実際，脳の発生過程では，生まれた神経細胞の最大50％が，その後，他の細胞との適切な連結ができずにアポトーシスにより死滅する．多くの筋肉，上皮，白血球は常に消耗し，アポトーシスによって除去され，置き換わる必要がある．また，脊椎動物の細胞が感染やその他のストレスに対応するための，複数種類のプログラム細胞死の一つであるネクロプトーシスについても述べる．ネクロプトーシスは，免疫反応を誘導し，感染を改善することもあれば，炎症を起こして組織に大きな障害を起こすこともある．

細胞死は，細胞間の相互作用によって，二つの基本的に異なる方法で制御されている．第一に，多細胞生物に存在する，すべてではないが大半の細胞は，生き続けるために特定のタンパク質ホルモンのシグナルを必要とする．このシグナルは**栄養因子**（trophic factor）とよばれ，こうした生存シグナルがないと，細胞は"自殺"

図 22・33（実験） 水かきをもつニワトリの肢． 脊椎動物が四肢を形成する際，胚の指の間の軟組織に存在する細胞はプログラム細胞死を起こす．多くの脊椎動物の肢の発生では，指の間にある軟部組織の細胞が，胚期の間にプログラム細胞死する．ニワトリの肢では，この過程によって4本の離れた指がつくられる（左）．このニワトリの肢の発生では，骨形成タンパク質（BMP: TGF-βファミリーのホルモン，図16・22a参照）が指間の細胞で発現し，アポトーシスを誘導する．ここに示した実験では，ドミナントネガティブの働きをするI型BMP受容体を発生途中のニワトリの肢で発現させて，BMPのシグナル伝達を阻害することによって，通常起こるプログラム細胞死を妨げている．この操作によって，指間にある細胞が生き残り，その後分裂して水かきに分化する（右）．ここで形成された水かきがアヒルの肢に似ていることから，アヒルの指間にある細胞ではBMPが発現していないことを示す実験が行われた．これらの結果から，BMPシグナル伝達が，胚期の肢で細胞死を担っていることが示された．[H. Zou and L. Niswander, 1996, *Science* 272: 738, Copyright Clearance Center, Inc. を通じてAAASより許可を得て転載．]

プログラムを活性化する．第二に，免疫系などの一部の発生過程や成体では，特定のホルモンシグナル（多くは細胞表面上）によって，他の細胞の自殺プログラムの活性化を誘導し，標的細胞を殺すことがある．細胞が生存シグナルがないために自殺の方向に向かう場合も，他の細胞からの殺傷シグナルによって殺される場合も，細胞死はほとんどの場合，アポトーシスによって行われる．できた細胞の残骸は，周辺の細胞に飲み込まれ，その成分は小分子へと分解されて，他の細胞をつくるために再利用される．アポトーシスでは細胞膜の破裂がないため，細胞の内容物が周囲の環境に漏れ出ることはなく，炎症性免疫反応の誘導には至らない．

アポトーシスとは異なる様式の細胞死に，ネクローシス（necrosis）があり，これは，熱，酸素の枯渇，病原体の感染などの傷害や過剰なストレスを受けたときに起こる．ネクローシスでは，細胞が膨張し，細胞膜に穴があき，細胞内物質が外に漏れ出し，マクロファージや貪食細胞などの白血球を引寄せる．その結果，熱，痛み，腫れなどの炎症反応が起こり，壊死した細胞を取除き，組織の修復が起こる．驚くべきことに，ネクローシスの一形態に細胞自殺機構の活性化で生じる場合がある．この細胞死はネクロプトーシス（necroptosis）とよばれ，高等脊椎動物にのみに観察される．ネクロプトーシスは，腫瘍壊死因子α（tumor necrosis factor α: TNFα）などの細胞外サイトカインによってしばしば開始される．ネクロプトーシス経路の活性化は炎症をひき起こすことが多く，神経変性やアテローム性動脈硬化症などの多くのヒトの病気の発生につながる．

腸や皮膚などで細胞が過剰になり，それらの上皮層から押出される場合がある．本現象は機械的に制御された過程で，細胞は上皮層から剥離し，栄養生存シグナルを失う．押出された細胞は，アノイキス（anoikis）とよばれる異なるシグナル経路で死ぬ．細胞は死ぬが，細胞の増殖の速度と死の速度を一致させることで，上皮の防御機能を維持される．

本節では，まずプログラム細胞死と受動的細胞死の違いを述べ，次に，線虫での遺伝学的解析によって，アポトーシス誘導に至る進化的に保存されたエフェクター経路が明らかにされたことを述べる．その後，栄養因子によっても細胞死が制御される脊椎動物に戻り，神経発生におけるプログラム細胞死の重要性や，この細胞死が炎症性サイトカインや病態時のDNA損傷などの細胞ストレスによって活性化されることを述べる．その次に，脊椎動物の細胞死経路を開始する際にミトコンドリアが果たす重要な役割について述べ，アポトーシス細胞がその細胞膜表面に"イート・ミー（私を食べて！）"シグナルを発生させるしくみについて説明する．最後に，ネクローシスとネクロプトーシスについて説明し，この過程を理解することが，ある種の病気の治療にいかに道を開いてきたかを述べる．

ほとんどのプログラム細胞死はアポトーシスを介して起こる

プログラム細胞死による細胞の終末は，アポトーシスとよばれる一連の明確な形態変化を示すことが特徴である．アポトーシスという言葉は，木から葉が"落ちる"，あるいは"脱落する"という意味のギリシャ語を語源としている．死にゆく細胞は縮んで小さくなったあとに断片化し，膜に囲まれた小さいアポトーシス小体となって放出され，それらは，通常，他の細胞によって貪食される（図22・34）．アポトーシスをひき起こした細胞では，ミト

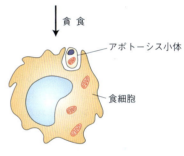

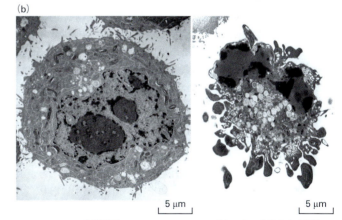

図 22・34 アポトーシスによる細胞死で観察される超微細構造．(a) アポトーシスをひき起こしている細胞でみられる形態的変化の進行を示す模式図．アポトーシスの初期には，核の周縁部で染色体が密に凝縮する．細胞自体は縮むが，大部分の細胞小器官はまだそのままである．あとになると，核と細胞質はともに断片化して，膜に包まれたアポトーシス小体を形成し，これは周囲の細胞によって貪食される．細胞の内容物は外部環境に漏れ出ない．(b) 正常HeLa細胞とアポトーシスを起こしている細胞を比較した電子顕微鏡写真．後者では，核が断片化しはじめるにつれて，凝縮したクロマチンの密な球体がはっきりと見える．[(b)はT. J. Piva et al., 2012, *Int. J. Mol. Sci.* 13: 2650による．写真はT. Piva 提供．]

コンドリアが分裂し，膜電位を失い，核が凝縮し，ヌクレアーゼ切断により DNA が断片化される．ここで重要なのは，細胞内の物質が細胞外の環境に放出されるなどして，周囲の細胞に有害な影響を及ぼすことがないようにしている点である．代わりに，周囲の細胞がファゴサイトーシスを行って，この細胞断片を取込む．核の凝縮や周辺の細胞による貪食のように，アポトーシスにおける変化には一定の様式があることから，研究者たちは，この種の細胞死は厳密なプログラムの支配下にあると考えた．このプログラムは，胚でも成体でも正常な細胞数と細胞構成を維持するために重要である．

細胞死の制御に関与する遺伝子には，次のような三つの異なる機能をもつタンパク質がコードされている．

- "殺傷(killer)" タンパク質あるいは開始タンパク質は，アポトーシス過程を開始するために必要である．
- "破壊(destruction)" タンパク質は，死につつある細胞の中でタンパク質や DNA の分解などを行う．
- "貪食(engulfment)" タンパク質は，他の細胞によって死につつある細胞がファゴサイトーシスによって取込まれるために必要である．

一見すると，貪食作用は単に死後の清掃過程のように思われるが，いくつかの証拠から，これも死の最終的な過程の一部であることが示唆されている．たとえば，殺傷遺伝子の突然変異が起こると，細胞のアポトーシスの開始が恒常的に妨げられるが，貪食を阻害する突然変異によっても，死につつある細胞をしばらく生存させる場合がある．貪食が起こる際には，死につつある細胞あるいは細胞の断片の周囲がアクチンで囲まれる．この現象は，アクチンの重合を制御する低分子量 G タンパク質である Rac の活性化によって誘導される（図 17・44 参照）．

アポトーシスとは対照的に，ネクローシスあるいはネクロトーシスによって死ぬ細胞は，全く異なる形態変化を示す．通常，この過程を開始した細胞は，膨張して破裂し，細胞内構成成分を放出し，その物質は，周囲の細胞に損傷を与え，しばしば炎症をひき起こす．その結果，壊死した細胞やもとの傷ついた組織を取除き，組織の修復を開始するきっかけとなる．

アポトーシス経路には進化的に保存されたタンパク質が関与する

線虫の遺伝学的解析とヒトのがん細胞の研究を総合した結果，アポトーシスは進化的に保存された経路に従って起こることが示唆された．線虫では，細胞系譜は厳密な遺伝的制御下にあり，すべての個体で同一である．最大で 10 回程度の細胞分裂によって約 1 mm 長で直径 70 μm の成体ができる（図 22・26c）．成体には，雌雄同体（雌と雄の両方の生殖器をもつ）と雄の場合がある．雌雄同体には 959 個，雄には 1031 個の体細胞核が含まれる．個体のすべての細胞系譜を，受精卵から成体へと発生するまで，微分干渉(DIC)顕微鏡を用いて生きた個体を観察することによって追跡した（図 22・26d）．

雌雄同体の成体に至る発生によって 947 個の非生殖細胞がつくられるが，その過程で 131 個の細胞がプログラム細胞死する．特定の突然変異から，線虫の発生におけるプログラム細胞死の制御に不可欠なタンパク質をコードする四つの遺伝子（ced-3, ced-4, ced-9, egl-1）が同定された．たとえば，ced-3 あるいは ced-4 の変異体では，"死ぬ運命にあった" 131 個の細胞が生き残る（図 22・35）．これらの変異体によって，アポトーシスが遺伝子プログラムの制御下にあることの最初の証拠が得られ，Robert Horvitz は 2002 年のノーベル賞を授与された．線虫の CED-3, CED-4, CED-9, EGL-1 タンパク質に対応する最も近縁な哺乳類タンパク質を図 22・36 に示した．以下では，線虫のタンパク質について考える際にも，括弧内に哺乳類のタンパク質名を入れて二者の関係をわかりやすくする．

最初にクローン化された哺乳類のアポトーシス遺伝子である bcl-2 は，ヒトの沪胞性リンパ腫という，免疫系の抗体産生 B 細胞の腫瘍から単離された．この変異型の遺伝子は，患者のリンパ球で染色体の再編成によってつくられ，bcl-2 遺伝子のコード領域が免疫グロブリン遺伝子のエンハンサーにつながっている．この組換えによって Bcl-2 タンパク質が過剰産生し，その結果，がん細胞は，通常は死ぬようにプログラムされた場合でも生き長らえる．ヒトの Bcl-2 タンパク質と線虫の CED-9 タンパク質は相同であり，タンパク質のアミノ酸配列の同一性（相同性）は 23 % しかないにもかかわらず，bcl-2 を線虫へ遺伝子導入すると，ced-9 変異体の線虫で起こる過剰な細胞死が阻止される．つまり，この二つのタンパク質はともにアポトーシス経路を抑制する調節因子として機能する（図 22・36）．また，このタンパク質には膜貫通領域が一つあり，おもにミトコンドリア外膜に局在し，そこで外来刺激に応じてアポトーシス経路を調節するセンサーとして働く．

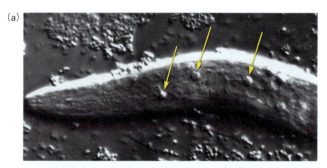

図 22・35（実験） ced-3 遺伝子の変異によって線虫のプログラム細胞死が阻害される．(a) ced-1 遺伝子が変異した孵化直後の幼虫．この遺伝子に変異があると死んだ細胞の貪食が妨げられ，光屈折率の高い（観察しやすい）死んだ細胞が蓄積する（矢印）．(b) ced-1 および ced-3 遺伝子の両方が変異した孵化直後の幼虫．この二重変異体には屈折率の高い死細胞は存在せず，細胞死が起こっていないことがわかる．この結果から，プログラム細胞死には CED-3 タンパク質が必要なことが示された．[H. M. Ellis and H. R. Horvitz, 1986, Cell 44: 817, Copyright Clearance Center, Inc. を通じて Elsevier より許可を得て転載．]

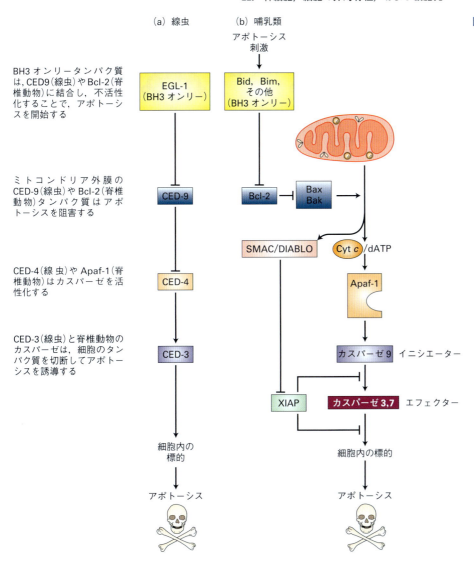

図 22・36 アポトーシス経路の進化的保存性．同一の色で示す類似したタンパク質が，線虫と哺乳類の両方で対応する役割を果たしている．(a) 線虫では，EGL-1 とよばれる BH3 オンリータンパク質がミトコンドリア外膜にある CED-9 に結合し，この相互作用によって CED-4 が CED-9–CED-4 複合体から解離する．次に，解離した CED-4 は，カスパーゼである CED-3 に結合し自己切断反応を活性化し，これで活性化したカスパーゼは細胞のタンパク質を分解してアポトーシスをひき起こす．この関係は遺伝的な経路にも表れていて，EGL-1 は CED-9 を阻害し，次に CED-9 は CED-4 を阻害するという関係が明らかになっている．活性化した CED-4 は CED-3 を活性化する．(b) 哺乳類では，線虫のタンパク質のホモログと，線虫にはない他のタンパク質がアポトーシスを制御する．Bcl-2 は CED-9 に類似していて，その機能の一部は CED-4 に類似した Apaf-1 の活性化を妨げることによって細胞の生存を促す．Bcl-2 はまた図 22・42 と図 22・44 に示す別の機構によってアポトーシスを抑制する．図 22・41 と図 22・42 に詳細を示すように，複数の BH3 オンリータンパク質が，Bcl-2 を阻害してアポトーシスを導く．アポトーシス刺激はミトコンドリア外膜に損傷を与え，細胞死を促進する数種類のタンパク質を放出させる．特に，ミトコンドリアから放出されたシトクロム c は Apaf-1 を活性化し，次に Apaf-1 はカスパーゼ 9 (線虫 CED-3 のホモログ) を活性化する．このイニシエーター（開始）カスパーゼは，次にエフェクター（実行）カスパーゼであるカスパーゼ 3 と 7 を活性化し，最終的に細胞死を導く．線虫にホモログが存在しない他の哺乳類タンパク質 (SMAC/DIABLO および XIAP) については本文参照．[S. J. Riedl and Y. Shi, 2004, Nat. Rev. Mol. Cell Biol. 5: 897 による．]

以下に述べるように，他の三つの調節因子は，アポトーシスを促進する．

線虫のアポトーシス経路では，CED-3（哺乳類のカスパーゼ 9）が，アポトーシスで細胞の重要な構成成分を破壊するために必要なプロテアーゼである．CED-4 (Apaf-1) は，プロテアーゼ活性化因子であり，CED-3 前駆体タンパク質の自己切断を誘導し，活性型の CED-3 プロテアーゼをつくって細胞死を開始させる（図 22・36，図 22・37）．CED-3 は，すべての細胞で合成され，不活性な前駆体（酵素前駆体）として存在する．ced-3 や ced-4 の単一の機能喪失異変体や ced-9/ced-3 二重変異体では細胞死は起こらない．一方，ced-9 の機能喪失変異体では胚期にすべての細胞がアポトーシスで死ぬため，成体はできない．このような遺伝学的解析から，CED-3 と CED-4 は細胞死に必要な "殺傷" タンパク質であること，CED-9 (Bcl-2) はアポトーシスを抑制することが示された．また，ced-9 変異体ではすべての細胞が死ぬことから，アポトーシス経路はすべての細胞に存在し，すべての細胞で起こりうることが示された．さらに，ced-9/ced-3 二重変異体では細胞死が起こらないことから，CED-9 が CED-3 の "上流" で作用して，アポトーシスを抑制していることが示唆された．

CED-9 (Bcl-2) が CED-3 (カスパーゼ 9) を調節する機構が線虫ではわかっており，これはあとに述べる哺乳類細胞の場合と少し異なる（図 22・42）．線虫の CED-9 タンパク質はミトコンドリア外膜に存在し，通常は CED-4 (Apaf-1) 二量体と複合体を形成することによって，CED-4 が CED-3 を活性化するのを妨げている（図 22・37）．その結果，細胞は生存する．この機構は，CED-9 欠失ではすべての細胞が死ぬが，CED-9 の欠失は CED-3 も同時に失われていれば何の作用もひき起こさない（ced-3/ced-9 二重変異体では細胞死が起こらない）ことを示した遺伝学的解析の結果に合致する．CED-4–CED-9 三量体複合体の立体構造から，2 個の CED-4 分子のそれぞれと 1 個の CED-9 分子の間には広い接触面があることがわかった．この大きな接触面によって結合が非常に特異的になっており，さらにこの接触によって複合体の解離を調節できるようにもなっている．

遺伝学的解析から見いだされた第四のアポトーシス調節因子である egl-1 の転写は，細胞死がプログラムされた細胞で促進される．新たにつくられた EGL-1 タンパク質は CED-9 に結合して構造を変化させ，CED-9 から CED-4 を解離させる（図 22・37）．EGL-1 と CED-9 の両方には，12 アミノ酸からなる BH3 ドメインが含まれる．EGL-1 には CED-9 に含まれる他のドメインのほとんどがないため，EGL-1 は **BH3 オンリータンパク質** (BH3-only

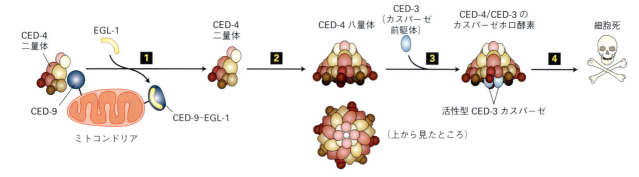

図 22・37 線虫における CED-3 プロテアーゼの活性化. BH3 オンリータンパク質である EGL-1 タンパク質は, 細胞死をひき起こす発生シグナルに応答してつくられ, CED-9 と会合している CED-4 二量体を解離させる (段階 1). 解離した四つの CED-4 二量体は結合して八量体になり (段階 2), 2 分子の CED-3 酵素前駆体 (酵素的に不活性なカスパーゼプロテアーゼの前駆体) と結合する. 2 分子の CED-3 酵素前駆体を一緒にすると, CED-3 酵素の自己切断が起こり, 活性型 CED-3 プロテアーゼになる (段階 3). このエフェクターカスパーゼは細胞構成成分の破壊をはじめることによって, 細胞死を導く (段階 4). [N. Yan et al., 2005, *Nature* **437**: 831; S. Qi et al., 2010, *Cell* **141**: 446 参照.]

protein) とよばれる. EGL-1 に配列と機能が最も類似した哺乳類の BH3 オンリータンパク質は, アポトーシス促進タンパク質の Bim と Bid である. これについてはあとで述べる. EGL-1 によって CED-4–CED-9 複合体が解離すると, 解離した四つの CED-4 二量体が結合して八量体となり, 後述する機構で, これが CED-3 を活性化する. その後ただちに, 細胞死が起こる (図 22・37).

上に述べた過程がアポトーシスの活性化に十分なことは, 精製した因子を用いて in vitro で再構成し, この現象を再現した実験から判明した. CED-3, CED-4, ミトコンドリア膜に係留する膜貫通領域を失って短くなった CED-9 および EGL-1 を精製し, 次に CED-4–CED-9 複合体をつくる. 精製した CED-4 (Apaf-1) は精製した CED-3 (カスパーゼ 9) の自己切断を促進して活性化できるが, CED-9 (Bcl-2) を反応液に加えるとこの自己切断が阻害される. CED-4–CED-9 複合体を CED-3 に混ぜると自己切断は起こらないが, EGL-1 を反応液に加えることによって, CED-4 が CED-9 との複合体から解離して CED-3 の自己切断能が回復する.

アポトーシスにおける EGL-1 の発現調節が重要であることは, 線虫の雌雄同体には存在するが雄にはない一群の神経細胞の研究からわかった. この雌雄同体特異的な神経細胞は, 胚発生時には雌雄同体でも雄でもつくられるが, 雄ではプログラム細胞死によって失われる. 雌雄同体で, この神経細胞における *egl-1* 遺伝子の発現は, 転写因子 TRA-1A によって抑えられている. 雌雄同体で TRA-1A を欠失させると, この神経はアポトーシスをひき起こす. この発見からも, すでに述べた概念, すなわち, すべての多細胞動物の細胞は潜在的にアポトーシスをひき起こすことができるという概念が補強され, したがってまた, この過程には厳密な調節が必要であることもわかった.

カスパーゼは最初のアポトーシスシグナルを増幅して細胞内の重要なタンパク質を破壊する

アポトーシスを実行する重要な酵素は**カスパーゼ** (caspase) である. この名前は, システイン (cysteine) 残基を触媒部位にもち, アスパラギン酸 (aspartic acid) 残基の C 末端側を選択的に切断することに由来する. カスパーゼはホモ二量体の形で働き, それぞれに含まれる 1 個のドメインが他方の活性部位を安定化している. カスパーゼは, 好みの切断部位をもつ基質タンパク質を選択的に分解することで, アポトーシスを促進する. 細胞内の特異的な標的として, 核膜や細胞骨格を形成するタンパク質もあり, これらのタンパク質が切断されると, 細胞死がひき起こされる. 脊椎動物では, Bid などのアポトーシス促進タンパク質も標的となり, ミトコンドリア傷害を促進する. 線虫のアポトーシスは唯一のカスパーゼである CED-3 によって実行されるが, ヒトには 14 種類のカスパーゼが存在する. 哺乳類細胞では, アポトーシスはカスパーゼのカスケードによって媒介され, 最初の死のシグナルを順次増幅していく. すべてのカスパーゼは, 最初, **プロカスパーゼ** (procaspase) としてつくられ, 活性化するためには, 特定のタンパク質複合体に結合するか, タンパク質分解によって切断される必要がある.

哺乳類細胞のアポトーシスは, 内在性または外来性のシグナル伝達経路によって活性化される. 内在性アポトーシス経路は, イニシエーター (開始) カスパーゼ (たとえば, カスパーゼ 9) によって媒介され, カスパーゼ 3 やカスパーゼ 7 などのエフェクター (実行) プロテアーゼの活性化を仲介する. これによって少数の活性化したイニシエーターカスパーゼのタンパク分解活性が, エフェクターカスパーゼを活性化することによって, 急速かつ大幅に増加し, 細胞内のカスパーゼ活性の全量も同時に大きく増え (図 22・36), 細胞死が起こる. 後述する外来性のアポトーシス経路の活性化は, TNFα (図 22・44) や FasL などの細胞死受容体 (death receptor) ファミリーリガンドがそれぞれの受容体に結合することで開始する. この結果, イニシエーターカスパーゼであるカスパーゼ 8 が活性化され, 次にエフェクターカスパーゼであるカスパーゼ 3 やカスパーゼ 7 などが活性化されて, 細胞死に至る.

ホスファチジルセリンは, アポトーシス細胞の表面で "イート・ミー" シグナルとして機能する

§10・1 で述べたように, リン脂質であるホスファチジルセリンは通常は細胞膜の内側の細胞質側に存在する. アポトーシスが起こると, ホスファチジルセリンが細胞外に存在する量が多くなる. これが "イート・ミー" シグナルとして働き, ホスファチジルセリンはこれを貪食する周囲の細胞の表面に存在する数種類のホスファチジルセリン受容体に結合し, 細胞や細胞断片の貪食がはじまる. 細胞表面にホスファチジルセリンが存在する場合, その細

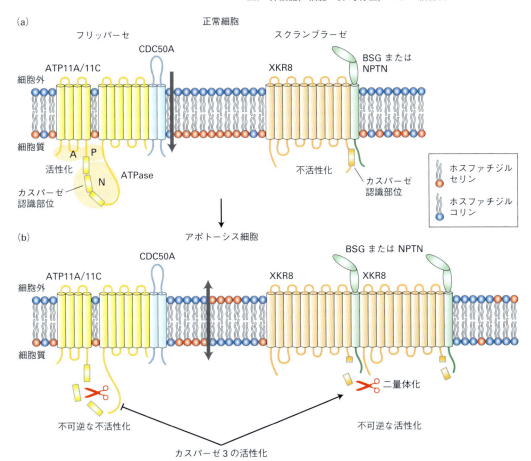

図 22・38 アポトーシス時にはホスファチジルセリンは細胞膜の外側へと移動する．(a) 脊椎動物の正常細胞では，ATP を駆動力とするリン脂質フリッパーゼ ATP11A と ATP11C が，ホスファチジルセリンを細胞膜の外側から内側へと輸送し続ける（灰色矢印）．一方，ホスファチジルセリンを細胞膜の内外に平衡化させるリン脂質スクランブラーゼ XKR8 は不活性化状態である．(b) アポトーシスを起こしている細胞では，カスパーゼ3切断により ATP11A と ATP11C が不可逆的に不活性化される．加えて，カスパーゼ3は不活化状態のリン脂質スクランブラーゼ XKR8 の一部を切断する．切断された XKR8 は，バシギン（BSG）やニューロプラスチン（NPTN）とともに，二量体を形成し，活性化され，リン脂質を両方向に移動させる．その結果，細胞膜の外表面に"イート・ミー"シグナルであるホスファチジルセリンが出現する．[S. Cory, 2018, Proc. Natl. Acad. Sci. USA 115: 12092 による．]

胞はアポトーシスを起こしていることを示しており，アネキシンVタンパク質と結合させることで検出可能（蛍光分子との結合により可視化）であることが実験的に示されている．アネキシンVの正常時の細胞機能は不明であるが，ホスファチジルセリンと強固に特異的に結合する．

正常な脊椎動物の細胞では，ATP11A と ATP11C とよばれる ATP 駆動ポンプである ABC 膜貫通型ポンプ（図 11・16 参照）が，常にホスファチジルセリンを細胞膜の外側のリーフレットから内側のリーフレットに輸送している．一方，ホスファチジルセリンを細胞膜の外側のリーフレットに露出させるリン脂質スクランブラーゼである XKR8 と TMEM16F は通常は不活性化状態にある（図 22・38）．アポトーシス時になると，カスパーゼ3が ATP11A と ATP11C を切断し，両者を不活性化する．カスパーゼ3はさらに XKR8 の一部を切断し，その機能を活性化する．切断された XKR8 は他の二つのタンパク質と結合して二量体となり，活性型の転位酵素になり，ホスファチジルセリンを含むすべてのリン脂質を細胞膜の一方から他方へと移動させる．その結果，"イート・ミー"シグナルであるホスファチジルセリンが細胞膜の外側に露出することで，マクロファージが現れる．ホスファチジルセリンがマクロファージや他の免疫系細胞の表面の受容体に結合することで，細胞やアポトーシス断片が貪食される（図 22・34）．

ニューロトロフィンは神経細胞の生存を促す

線虫では，すべての細胞系譜は厳密な遺伝的制御下にあり，種内のすべての個体で同一であることは注目に値する．雌雄同体の

成体へと発生する過程で正確に 131 個の細胞がプログラム細胞死を起こす．脊椎動物の発生過程においても，多くの細胞が生まれては死んでいくが，脊椎動物細胞のアポトーシスのほとんどはプログラムされた遺伝子の制御下にはない．哺乳類のアポトーシスは，多くの分泌性の細胞表面にあるタンパク質ホルモンや，紫外線照射や DNA 損傷などの環境からのストレスによって生成する細胞内シグナルによっても調節される．線虫におけるアポトーシス機構の中枢は哺乳類でも保存されているが，このほかにさまざまな細胞内タンパク質がアポトーシスを調節する（図 22・36 右）．

哺乳類のアポトーシスに関する分子の詳細にはいる前に，アポトーシスにおける栄養因子の重要性を神経系の発生過程から簡単に述べる．神経細胞が成長して他の神経細胞や筋肉に接続するとき，ときにはかなりの距離を移動することもあり，最終的に生き残れる数よりも多くの神経細胞が成長する．たとえば，感覚ニューロンと運動ニューロンの細胞体は，脊髄とその近くの神経節に存在するが，これらの軸索は標的細胞（多くの場合，神経支配される筋肉細胞）に向かってこの存在領域からはるか遠くまで伸びて長くなる（図 18・56 参照）．シナプスとよばれるシグナル伝達を行う接続（図 23・3 参照）をつくった神経細胞は勝って生き残るが，接続できなかった神経細胞は死ぬ．

1900 年代の初期に，末梢にある細胞を神経支配する神経細胞の数は，それらが接続する組織，すなわち，いわゆる"標的野"の大きさに依存することが示された．たとえば，発生途中のニワトリ胚の肢芽を除去すると，これを神経支配する感覚ニューロンと運動ニューロンの数がともに減少する（図 22・39）．逆に，肢芽に

余分な肢組織を移植すると，これに対応する脊髄と感覚神経節の領域において神経細胞数が増加する．実際，標的野の大きさが増加するにつれて，標的野を支配するニューロンの数もそれに比例して増加する．このような関係がみられる理由は，神経細胞分化や増殖が変化したためではなく，むしろ神経細胞が選択的に生存したためであることが明らかになった．多数の感覚ニューロンや運動ニューロンが末梢の標的野に到達したあとに死ぬという観察結果から，これらの神経細胞は，標的組織が産生する生存因子をめぐって競合していることが示唆された．

このような初期の観察結果に続き，マウスの肉腫（筋肉の腫瘍）をニワトリに移植すると，ある種の神経細胞の数が局所的に著しく増加することが発見された．この発見は，腫瘍が栄養因子の豊富な供給源であることを示唆している．今日では**神経成長因子**（nerve growth factor: **NGF**）として知られるこの因子を精製する目的で，感覚神経節（神経）からの神経突起の伸長を測定する in vitro 測定法が開発された．**神経突起**（neurite）は細胞の細胞質から伸長した突起であり，これが成長して軸索と樹状突起という神経系の長い配線部がつくられる（図 23・1 参照）．その後，マウスの顎下腺も多量の NGF を生産することが発見され，Rita Levi-Montalcini によってこの因子が精製，配列が決定された．彼女はこれによりノーベル賞を授与された．NGF は 118 残基のポリペプチド二つからなるホモ二量体で，**ニューロトロフィン**（neurotrophin, 神経栄養因子）と総称される．脳由来神経栄養因子（brain-derived neurotrophic factor: BDNF）やニューロトロフィン 3（NT-3）も，このタンパク質ファミリーの因子である．

ニューロトロフィンは，**Trk**（"トラック"と発音する）とよばれる受容体型チロシンキナーゼに結合し，これを活性化する．（受容体型チロシンキナーゼの一般的な構造と，これによって活性化される細胞内シグナル伝達経路については 16 章．）ニューロトロフィンは，それぞれ一つの受容体に高い親和性で結合する．NGF は TrkA に結合し，BDNF は TrkB に，NT-3 は TrkC に結合する．さらに，NT-3 は，TrkA と TrkB の両方にも低い親和性で結合できる．また，ニューロトロフィンは **p75^{NTR}**（NTR5 ともよばれる，NTR はニューロトロフィン受容体の意味）とよばれる別種の受容体にも結合するが，その親和性は Trk に対してよりも低い．p75^{NTR} は，複数の種類の Trk 受容体とヘテロ多量体を形成し，Trk 受容体シグナルを増強する．Ⅲ 型 TGF-β 受容体が他の 2 種類シグナルを伝達する TGF-β 受容体の TGF-β の結合を強化する方法とよく似ている（図 16・23 参照）．このようにニューロトロフィンとニューロトロフィン受容体の結合が多様であることによって，異なる種類の神経細胞に，それぞれ応じた生存シグナルが与えられる．神経細胞が脊髄から末梢へと成長するにつれて，標的組織でつくられるニューロトロフィンが伸長途中の軸索の成長円錐（図 18・56 参照）にある Trk 受容体に結合し，これによって神経細胞の生存が促されて標的にうまく到達できる．

発生におけるニューロトロフィンの役割を正確に知るため，ニューロトロフィンとニューロトロフィン受容体をそれぞれ欠損したノックアウトマウスがつくられた．これらの研究から，異なるニューロトロフィンとそれに対応する受容体が，その組合わせに応じて異なる種類の感覚ニューロンが生存するために必要であることが明らかになった（図 22・40）．たとえば，TrkA を発現する痛覚感受性の神経細胞（pain-sensitive neuron，侵害受容ニューロン nociceptive neuron）は，NGF か TrkA を欠損したノックアウトマウスの後根神経節から選択的に失われるが，TrkB や TrkC を発現する神経細胞は，このノックアウトでは影響を受けない．一方，TrkC を発現し，四肢の位置を検出する働きをもつ自己受容ニューロンは，*TrkC* や *NT-3* の変異体の後神経節から失われる．

脊椎動物の細胞ではアポトーシスの制御においてミトコンドリアが中心的な役割をもつ

すでに述べたように，線虫の CED-9 とその哺乳類相同タンパク質 Bcl-2 は，アポトーシスを制御するうえで重要な役割をもつ．線虫では，CED-9 が CED-4 に結合して活性を抑えることによってアポトーシスを抑制する．脊椎動物では，**Bcl-2 ファミリー**（Bcl-2 family）タンパク質は，アポトーシスを抑制する機能をもつ Bcl-2 や Bcl-x$_L$ と，逆にアポトーシスを促進する機能をもつ Bax や Bak

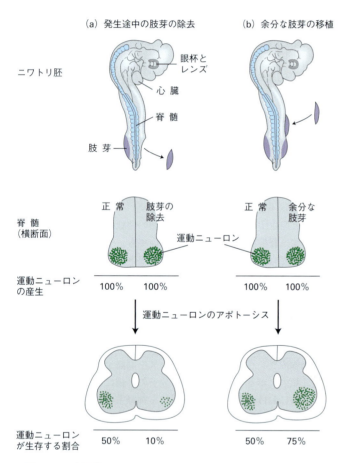

図 22・39（実験） 脊椎動物の運動ニューロンの生存はそれが神経支配する筋標的野の大きさに依存する．(a) 約 2.5 日齢のニワトリ胚の一方の側から肢芽を除去すると，除去した側の運動ニューロンの数が著しく減少する．肢芽を切断された胚（上）のどちらの側でも正常な数の運動ニューロンがつくられる（中央），成長し肢筋肉を支配する．しかし発生後期になると，肢芽を失った側の脊髄に残っている運動ニューロンの数は正常な側に比べてずっと少なくなる（下）．正常な場合でも，生き残る運動ニューロンは，つくられた数の約 50% にすぎないことにも注意する必要がある．(b) ニワトリ初期胚に余分の肢芽を移植すると逆の効果がみられ，余分な標的組織をもつ側では正常な側よりも運動ニューロンが多くなる．［D. Purves, 1988, "Body and Brain: A Trophic Theory of Neural Connections", Harvard University Press; E. R. Kandel et al., 2000, "Principles of Neural Science", 4th ed., McGraw-Hill, p. 1054, Fig. 53・11 による．］

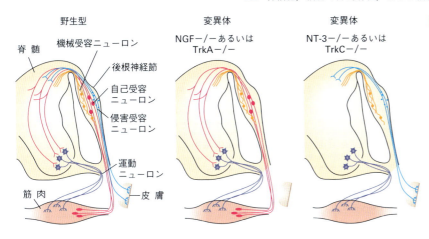

図22・40（実験）　さまざまな栄養因子やその受容体を欠くノックアウトマウスでは，失われた因子の種類に応じて異なる種類の感覚ニューロンがそれぞれ失われる．神経成長因子（NGF），もしくはその受容体である TrkA を欠く動物では，皮膚に神経接続をつくる侵害受容ニューロン（痛みを感じる神経細胞，青）が失われる．これらの神経細胞は TrkA 受容体を発現し，NGF を産生する標的を神経支配する．ニューロトロフィン3（NT-3），もしくはその受容体 TrkC を欠く動物では，筋紡錘に神経接続をつくる大きな自己受容ニューロン（赤）が失われる．筋肉は NT-3 をつくり，自己受容ニューロンは TrkC を発現する．後根神経節に存在する別種の感覚ニューロンである機械受容ニューロン（橙，図23・33参照）については，上記の変異体では変化がみられない．[W. D. Snider, 1994, *Cell* **77**: 627 による．]

などへと拡大している（図22・41）．Bcl-2 ファミリータンパク質は，通常，ミトコンドリア外膜に存在するが，刺激によってミトコンドリアに移動が誘導される場合もある．Bcl-2 ファミリータンパク質は，おもにミトコンドリア外膜の構造を保ち透過性を低く維持する働き（抗アポトーシス作用）があり，シトクロム c などのミトコンドリアタンパク質（図12・22参照）がミトコンドリア内膜から細胞質に拡散することを抑える．ミトコンドリア外膜が破壊されると（アポトーシス促進作用），ミトコンドリアタンパク質は細胞質に拡散し，アポトーシスを誘導するカスパーゼを活性化する．

Bcl-2 がどのようにこの機能を果たし，Bcl-2 の活性が栄養因子と環境からの多数の刺激に応じてどのように調節されるかを理解するには，Bcl-2 ファミリーに含まれる他の重要なタンパク質について知っておく必要がある．Bcl-2 ファミリーのすべてのタンパク質には，Bcl-2 ホモロジードメイン（BH1～4 ドメイン，図22・41）とよばれる最大で四つの非常に類似した特徴的な領域が含まれる．これらのタンパク質には，生存を促進する働き（抗アポトーシス作用）か，あるいはアポトーシスを促進する働き（アポトーシス促進作用）がある．Bcl-2 ファミリーのすべてのタンパク質は，オリゴマー化することができ，また，その多くのC末端には1箇所の疎水性配列が含まれていて，ミトコンドリア外膜に係留される．

アポトーシス促進タンパク質である Bax と Bak はミトコンドリア外膜に孔を形成する

脊椎動物の細胞では，Bax か Bak がミトコンドリアの損傷と，それからはじまるアポトーシスに必要である．この二つの類似したアポトーシス促進タンパク質には BH1～4 ドメイン（図22・41）のうちの3個が含まれ，その立体構造は，同じ Bcl-2 ファミリーに属する生存促進因子（抗アポトーシスタンパク質）によく似ている．Bax と Bak がアポトーシスの促進に機能していることは，Bax と Bak の両方を欠損したマウスは出生前にほとんどが死ぬことや，生き残ったマウスには大きな異常があり，また，これには指間の水かきが残っていること，さらには中枢神経系や造血系に余分な細胞が蓄積していることからわかる．このマウスから単離した細胞は，ほぼすべてのアポトーシスを促進する刺激に対する耐性がある．逆に，培養した細胞に Bax を過剰発現すると細胞死が誘導される．

Bak はミトコンドリア外膜に存在し，通常は Bcl-2（あるいは，これとよく似た Bcl-x_L）と強く結合している（図22・42）．もし，Bak の量が過剰になったり，ある種の BH3 オンリータンパク質が Bcl-2 に結合して Bak が Bcl-2 から解離したりすると，Bak はオ

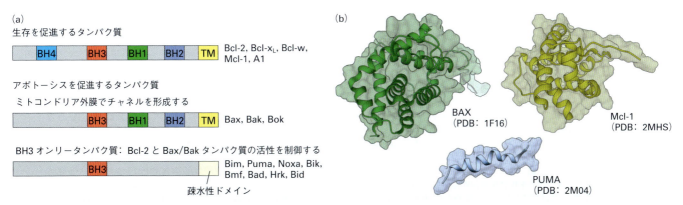

図22・41　**Bcl-2 ファミリータンパク質の構造**．(a) Bcl-2 ファミリーは機能的な Bcl-2 ホモロジードメイン（BH1～4）を含むタンパク質から構成され，三つの種類に分けられる．すべての抗アポトーシスタンパク質とアポトーシス促進タンパク質と，一部の BH3 オンリータンパク質では，疎水的でおそらく膜貫通（TM）ドメインとして働く配列があり，ミトコンドリア外膜に係留する機能をもつ可能性がある．(b) 三つのクラスの代表的なタンパク質の Bcl-2 ホモロジードメインの三次元構造．myeloid cell leukemia（MCL）-1 および BCL-2-associated X（BAX），p53 up-regulated modulator of apoptosis（PUMA）の BH3 ドメイン．[(a)は M. Giam et al., 2009, *Oncogene* **27**: S128 による．(b)は M. P. A. Luna-Vargas and J. E. Chipuk, 2016, *Trends Cell Biol.* **26**(12): 906 による．]

リゴマーを形成し，ミトコンドリア外膜に孔を形成する．健康な細胞では，Bax はおもに細胞質にあって，一部だけがミトコンドリア表面に結合している．後述するように，アポトーシスを促進するタンパク質と結合すると，Bax も Bak と同様に，オリゴマー化してミトコンドリア外膜に入って，直径数百ナノメートルの孔をつくる．ミトコンドリア外膜に孔ができると，正常な細胞では外膜と内膜の間の空間（膜間腔）に存在するシトクロム c などのミトコンドリアタンパク質が細胞質へと流出する．

図 22・43 に示すように，細胞質の放出されたシトクロム c は，おもに CED-4 の哺乳類ホモログである Apaf-1 に結合してこれを活性化することによって，カスパーゼ9を活性化する（図 22・36 右，図 22・42）．Apaf とシトクロム c が7分子ずつ結合したアポトソームが形成され，1.4 MDa の円盤状の"死の車輪"が形成される．2分子の Apaf タンパク質は2分子のプロカスパーゼ9分子内のドメインに結合し，プロカスパーゼ9が隣接するアポトソーム部位へ結合することを促進する．結合時に起こる構造変化が，こ

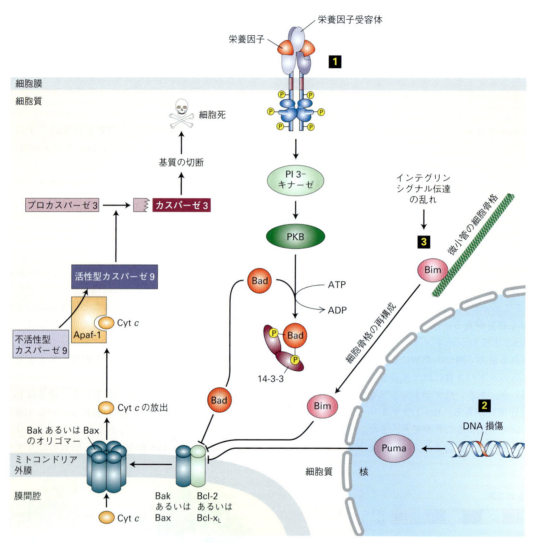

図 22・42 脊椎動物細胞における複数のシグナル伝達経路の統合と，それによるミトコンドリア外膜の透過性とアポトーシスの制御．正常な細胞では，抗アポトーシスタンパク質 Bcl-2 とその類似タンパク質 Bcl-x_L がミトコンドリア外膜に存在するアポトーシス促進タンパク質 Bak および Bax に結合して，Bak と Bax がオリゴマー化してミトコンドリア外膜に孔を形成するのを妨げている．Bad, Bim, Puma などのある種の BH3 オンリータンパク質が Bcl-2 タンパク質に直接結合すると，Bcl-2 から解離した Bak や Bax はミトコンドリア外膜にオリゴマーの孔を形成する．この孔を介してシトクロム c が細胞質へと放出され，アダプタータンパク質 Apaf-1 に結合することでカスパーゼ9の活性化を促し，ここからアポトーシスカスケードの開始と細胞死を導く．さまざまな刺激がこのアポトーシス経路を活性化したり阻害したりする．段階❶: NGF などの特定の栄養因子が存在すると，栄養因子に対応する TrkA などの受容体型チロシンキナーゼが活性化され，PI 3-キナーゼ/PKB 経路を活性化する（図 16・17 参照）．PKB は Bad をリン酸化し，リン酸化した Bad は 14-3-3 タンパク質と複合体を形成する．Bad はこれによって集められ，Bcl-2 に結合できなくなる．栄養因子がない場合には，リン酸化されていない Bad が Bcl-2 に結合するため，Bax や Bak が解離して，それらがオリゴマー化して孔を形成する．段階❷: DNA 損傷や紫外線照射によって BH3 オンリータンパク質である Puma タンパク質が誘導される．Puma は Bcl-2 に結合して，Bax や Bak にオリゴマーの孔を形成させる．また，Puma は Bak や Bax と直接結合し，オリゴマーを形成させ，ミトコンドリア外膜の透過性を高める．段階❸: 細胞が接着している基壁から離れると，インテグリンのシグナル伝達が壊され，BH3 オンリータンパク質 Bim が細胞骨格から解離する．Bim は，Bcl-2 に結合して孔形成を促進する．［D. Ren et al., 2010, *Science* **330**: 1390; P. E. Czabootar et al., 2014, *Nat. Rev. Mol. Cell Biol.* **15**: 49; M. P. A. Luna-Vargas and J. E. Chipuk, 2016, *Trends Cell Biol.* **26**(12): 906 参照.］

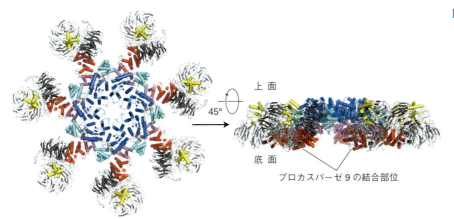

図 22・43 哺乳類 Apaf-1 アポトソームの構造．シトクロム c と細胞質タンパク質 Apaf が結合すると，Apaf とシトクロム c がそれぞれ 7 分子からなる，7 回対称性をもつアポトソームが形成される．上面から見ると，アポトソーム円盤の露出側にシトクロム c が存在する．シトクロム c は黄に，Apaf-1 プロトマー(オリゴマータンパク質の構造単位)内の七つのドメインは色分けされている．Apaf-1 の分子内にはカスパーゼの呼び寄せるドメインを含んでいる．七量体のアポトソームでは，これらのドメインのうち二つが 2 分子のプロカスパーゼ 9 分子のドメインと結合し，プロカスパーゼ 9 の結合と二量体化を促進し，これが開始プロテアーゼを活性化させる．［© 2015 Zhou et al., Cold Spring Harbor Laboratory Press（Creative Commons License Attribution 4.0 International）参照．］

のイニシエータープロテアーゼを活性化させる引金となる．カスパーゼ 9 は活性化のために自身の切断を必要としない．次にカスパーゼ 9 は，カスパーゼ 3 などの多数のエフェクターカスパーゼ分子を切断し（図 22・36，図 22・42），活性化させ，細胞内のタンパク質を破壊し，細胞死へと導く．このような制御系が存在する証拠として，Bcl-2 を培養細胞で過剰産生させるとシトクロム c の放出が阻害されてアポトーシスが阻止されることがあげられる．逆に Bax を過剰に発現させると，シトクロム c が細胞質内に放出され，アポトーシスが促進される．

ミトコンドリアから放出される SMAC/DIABLO タンパク質もカスパーゼを活性化する

哺乳類やショウジョウバエでは，線虫とは異なり，アポトーシスは上記のほかに数種類のタンパク質によっても調節される（図 22・36 右）．たとえば，アポトーシス阻害タンパク質（inhibitor of apoptosis protein: IAP）ファミリーのタンパク質である XIAP は，別の方法でイニシエーターカスパーゼとエフェクターカスパーゼの両方を阻害する．XIAP の N 末端には三つの BIR ドメインがあり，その一つである BIR2 が二つのエフェクターカスパーゼ（カスパーゼ 3 および 7）に結合して阻害する．またもう一つの BIR ドメインである BIR3 は，イニシエーターカスパーゼ 9 に結合して阻害する．〔他の IAP ファミリーのタンパク質は，TNFα によって誘導されるアポトーシスを阻害する（図 22・44）．〕しかし，IAP によるカスパーゼの阻害は，細胞がアポトーシスをひき起こす必要があるときには障害となる．ここで再びミトコンドリアが登場する．ミトコンドリアは，IAP を阻害する SMAC/DIABLO とよばれるタンパク質ファミリーの貯蔵庫となっていて，これが IAP を阻害する．Bax や Bak のオリゴマーが形成されると（図 22・42），ミトコンドリア膜間部からシトクロム c と同様に SMAC/DIABLO が放出される．SMAC/DIABLO は細胞質で XIAP と結合し，XIAP がカスパーゼと結合するのを阻害する．つまり，SMAC/DIABLO は，XIAP による阻害作用を解除することによってカスパーゼを活性化して細胞死を促す．

栄養因子はアポトーシス促進 BH3 オンリータンパク質 Bad の不活性化を誘導する

NGF などのニューロトロフィンが，細胞死から神経細胞を守ることはすでに述べたが，この作用は **Bad** とよばれる，アポトーシスを促進する BH3 オンリータンパク質の不活性化による．Bad は，栄養因子がないときにはリン酸化されていないため，ミトコンドリア外膜にある Bcl-2，あるいはこれに非常によく似た抗アポトーシスタンパク質である Bcl-x_L に結合する（図 22・42）．この結合によって Bcl-2 と Bcl-x_L が Bax と Bak に結合する能力が損なわれ，Bax と Bak はオリゴマーをつくってミトコンドリア外膜に孔や穴をつくり，シトクロム c の放出とアポトーシス誘導の引金となる．

NGF を含む多数の栄養因子が PI 3-キナーゼシグナル伝達経路を活性化し，プロテインキナーゼ B（PKB）の活性化を導く（図 16・17 参照）．活性化した PKB が Bad をリン酸化すると，リン酸化した Bad は Bcl-2 や Bcl-x_L に結合できなくなって，細胞質でホスファチジルセリン結合タンパク質 14-3-3（図 16・13 参照）と複合体をつくる．この経路が働いていることは，恒常的に活性化した PKB が，アポトーシスを起こして死んでしまうはずの神経栄養因子を欠いた培養神経細胞を生存させることからわかる．これらの結果から，図 22・42 に示した栄養因子による生存作用の機構が支持される．他の種類の細胞では，別の栄養因子が細胞死機構に含まれる別の因子を翻訳後修飾することによって，細胞の生存を促進する．

脊椎動物におけるアポトーシスは，環境ストレスで活性化するアポトーシス促進 BH3 オンリータンパク質によって調節される

線虫には BH3 オンリータンパク質は EGL-1 という 1 種類しか存在しないが，哺乳類には Bad を含めて少なくとも 8 種類が存在し，細胞腫やストレス特異的に作用する．これらタンパク質のアポトーシス促進活性は，さまざまな転写時および転写後の機構によって厳密に調節される．Puma と Noxa（図 22・42）の二つの BH3 オンリータンパク質は，p53 タンパク質（図 19・32，19・34 参照）によって転写誘導される．これらのタンパク質は，おもに抗アポトーシス分子である Bcl-2 および Bcl-x_L タンパク質に結合して不活性化し，アポトーシス促進分子である Bax および Bak の重合と孔形成を促進することによりアポトーシスを誘導する．この相互作用は，修復されていない DNA 損傷がアポトーシスを誘導するためのチェックポイントの一部になっている．そのため，多くのがんでわかっている p53 の欠失によって，DNA 損傷を激しく受けた細胞が生存できるようになる（図 25・23 参照）．もう一つの BH3 オンリータンパク質である Bim は，通常はダイニン

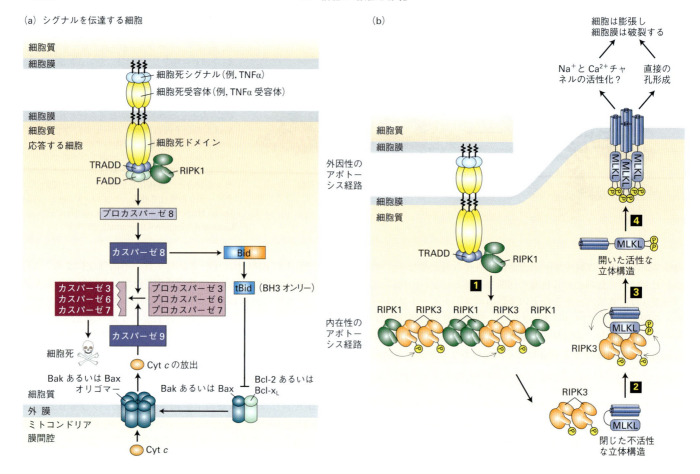

図 22・44 細胞死：外因性のアポトーシスとネクロプトーシス経路．(a) 外因性，すなわち細胞死受容体依存性のアポトーシス経路は，さまざまな細胞に存在する．Fas や TNFα，および他の TNFα ファミリータンパク質によって活性化される．たとえば，ある細胞の表面にある TNFα が隣接する細胞の TNFα 細胞死受容体に結合すると，細胞質に存在する二つの細胞死ドメイン (DD) 含有タンパク質が結合することになる．TNFα 受容体 1 の細胞内部位の DD に，アダプタータンパク質 TRADD (TNF receptor-associated DD protein) と受容体相互作用タンパク質 1 (RIPK1) が結合し，大きな細胞内シグナル伝達複合体が形成される．さらに FADD (Fas-associated DD protein) が結合すると，イニシエーターカスパーゼ 8 に結合し，カスパーゼ 8 の二量体化とタンパク質分解を伴った活性化を導く．活性化したカスパーゼ 8 は，次にプロカスパーゼ 3,6,7 を切断して活性化し，活性化したカスパーゼ 3,6,7 が生存に重要な細胞内基質を切断して細胞死を誘導する．BH3 オンリータンパク質 Bid がカスパーゼ 8 で切断されると tBid 断片が生成し，これがミトコンドリア外膜上の Bcl-2 と結合する．Bak や Bax が遊離し，ミトコンドリア外膜でオリゴマー化と孔形成し，シトクロム c の細胞質への放出と，内在性アポトーシス経路も活性化される (図 22・42)．RIPK1 は，アポトーシスおよびネクロプトーシス経路に必須のキナーゼおよびアダプターであり，N 末端のキナーゼドメインと RHIM ドメインから構成されている．アポトーシスによる死が決定されると，RIPK1 は上記のように FADD と結合し，イニシエーターカスパーゼ 8 との結合，二量体化，タンパク質分解を伴うカスパーゼ 8 の活性化をひき起こす．(b) アポトーシスが活性化されない場合，たとえばカスパーゼ 8 や FADD がない場合，RIPK1 キナーゼの活性化を引金にネクロプトーシス経路が活性化されることがある．段階❶：活性化された RIPK1 は RHIM ドメインを介してキナーゼ RIPK3 と複数のタンパク質からなる複合体を形成し，RIPK3 は活性化ループの残基がリン酸化されることにより活性化される．段階❷：次に活性化した RIPK3 が MLKL タンパク質のキナーゼ様ドメインに結合し，リン酸化する．段階❸：これにより，MLKL は構造変化を起こし，オリゴマーを形成し，細胞膜に挿入する (段階❹)．直接的にはイオンチャネルを形成することにより，間接的には他の細胞膜タンパク質と相互作用することにより，細胞膜の完全性を不安定にすることで，細胞の膨張や破裂を誘発する．[P. Bouillet and L. A. O'Reilly, 2009, *Nat. Rev. Immunol.* **9**: 514; A. Ashkenazi and G. Salvesen, 2014, *Annu. Rev. Cell Dev. Bi.* **30**: 337; Y. Dondelinger et al., 2016, *Trends Cell Biol.* **26**: 721; B. Shan et al., 2018, *Genes Dev.* **32**: 327 参照．]

軽鎖に結合することによって，微小管細胞骨格に係留されている (18 章)．細胞が基底から離れて遊離状態になると，インテグリンからのシグナル伝達が損なわれ，細胞骨格が再編成されて Bim が解放される．Bim は Puma と同様に Bcl-2 に直接結合し，Bak と Bax を Bcl-2 から解放し，ミトコンドリア外膜に孔と穴を形成することができる (図 22・42)．つまり，哺乳類細胞のアポトーシスは，Bcl-2 や Bcl-x_L などの抗アポトーシスタンパク質の活性と，複数のアポトーシス促進 BH3 オンリータンパク質の活性との微妙な釣合によって調節されている．

腫瘍壊死因子，Fas リガンド，および細胞死関連タンパク質はアポトーシスとネクロプトーシスの引金になる

細胞死は，生存因子が存在しないことを原因に作動する自動設定過程 (デフォルト過程) としてひき起こされるが，アポトーシスは外因性のアポトーシス経路を活性化する死のシグナルによっても促進される．細胞死リガンドによって活性化される外因性経路も，ネクロプトーシス (necroptosis) とよばれる別のプログラム細胞死を活性化できる．感染した細胞を死滅させることは，生体内への病原体の拡散を食い止める有効な手段である．そのため，

マクロファージなどの免疫系細胞は感染部位に集められ，活性化され，腫瘍壊死因子α（TNFα）などのサイトカインを産生する．これらサイトカインは，細胞表面に付着したまま，あるいは切断されて分泌型ホルモンとして機能する．TNFαは感染した隣接細胞を死滅させる引金となる．しかし，TNFα産生が過剰になると，慢性炎症性疾患にみられる組織破壊をひき起こす（24章）．もう一つの重要な細胞死誘導シグナルであるFasリガンドは，活性化したナチュラルキラー細胞と細胞傷害性Tリンパ球がつくる細胞表面タンパク質である．標的細胞上のFasタンパク質と結合することで，このシグナルは，ウイルス感染細胞，ある種の腫瘍細胞，および外部からの移植細胞の細胞死を導く．こうした細胞死は，細胞の種類によってアポトーシスとネクロプトーシスのいずれかの経過をとる（本節の最後で説明）．

図22・44に示したようにTNFαとFasリガンド（CD95リガンドともよばれる）は，三量体として細胞表面に存在し，いずれも隣接する細胞表面にある**細胞死受容体**（death receptor）に結合して作用する．これら細胞死受容体は，リガンドと結合する細胞外ドメイン，1個の膜貫通ドメイン，**細胞死ドメイン**（death domain: DD）とよばれる細胞内タンパク質相互作用ドメインをもっている．これらの受容体は，リガンド三量体の結合によって3個の受容体分子が互いに接近し活性化する．下流のシグナル伝達分子を含む細胞内複合体が形成されるが，これはインターロイキン1のシグナルソームの形成と似ている（図16・31参照）．ここでは，ヒトのさまざまな疾患に関与する炎症性サイトカインであるTNFαを例にとって説明する．

TNFαがDDを含む細胞死受容体のTNF受容体1（TNFR1）に結合すると，細胞内シグナル伝達複合体が形成され，TNF受容体結合細胞死ドメイン（TRADD）と受容体相互作用プロテインキナーゼ1（RIPK1）の2種類のDD含有シグナル伝達分子を呼び込み活性化される（図22・44a）．次にTRADDとRIPK1は，図には描かれていない大きなシグナル伝達複合体（E3ユビキチンリガーゼや脱ユビキチン化酵素，キナーゼを含む）を動員し，数分以内に，NF-κBを活性化して細胞が生き残るか，あるいはアポトーシスやネクロプトーシスで死ぬかを決定する．

RIPK1キナーゼの活性化は，アポトーシスまたはネクロプトーシスによる細胞死をひき起こす重要な決定的事象である．活性化されたRIPK1はFADDと結合し，FADDはアダプターとして働き，イニシエーターカスパーゼであるカスパーゼ8を集めて活性化する（図22・44a）．また，FADDはTRADDと結合することでも直接的に活性化され，RIPK1非依存的なアポトーシス活性化を誘導する．すなわち，別のイニシエーターカスパーゼであるカスパーゼ9と同じように，2分子のプロカスパーゼ8が活性化した三量体受容体に結合したFADDタンパク質に結合すると，プロカスパーゼ8は二量体化して活性化する．カスパーゼ8は活性化されると，いくつかのエフェクターカスパーゼを切断し活性化し，また，多くの細胞内のタンパク質を切断し，アポトーシスによる細胞死を完成させる．

カスパーゼ8はBH3オンリータンパク質であるBH3相互作用ドメイン細胞死アゴニスト（BH3-interacting-domain death agonist: Bid）も切断する．これによって生成したtBid断片は，ミトコンドリア外膜にあるBcl-2に結合し，BakとBaxが解離し，Bak/Baxの孔形成を導く．その結果，シトクロムcが細胞質へ放出され，内在性アポトーシス経路（図22・42）も活性化される．

ネクロプトーシスとは，遺伝的にプログラムされた壊死の一種で，ある種のウイルスに対する防御機構としてよく知られている．多くのウイルスは，複製サイクルの一部として，TNFα細胞死経路の重要な構成因子であるカスパーゼ8（図22・44a）の阻害剤を産生する．感染細胞がアポトーシスをひき起こして死ぬのを妨げ，ウイルスの複製を継続させ，ウイルスが隣接する細胞に広がるのを邪魔されないようにしている．しかし，カスパーゼ8の機能を欠く細胞では，TNFαは別の経路であるネクロプトーシスを誘発する．この経路では，活性化したRIPK1がRIPK1ファミリーメンバーであるRIPK3と結合し，RIPK3の活性化を促し，ネクロプトーシスをひき起こす．この過程で，活性化されたRIPK3は，別の必須タンパク質MLKLをリン酸化する．MLKLはリン酸化すると構造変化しオリゴマーを形成し，細胞膜に入り込んで穴をつくるため，そこからCa^{2+}が流入する．このCa^{2+}流入によって，細胞と細胞小器官が膨張して破裂する．その結果，細胞と細胞小器官の内容物は，細胞外空間に放出される．放出されたこれらの細胞内タンパク質には，免疫系の活性化をひき起こすものがあり，そのために組織での炎症や損傷をまねくことになる．ネクロトーシスによる炎症は，ヒトの主要な炎症性疾患に関与している．たとえば，関節リウマチ，炎症性腸疾患，筋萎縮性側索硬化症やアルツハイマー病などの神経変性疾患，進行性アテローム性動脈硬化症などが含まれる．

16章で述べたように，TNFαの阻害タンパク質は，さまざまな炎症性疾患の治療薬として広く用いられているものの一つである．したがって，RIPK1キナーゼの阻害もネクローシスや炎症がかかわるヒトの病気を治療するための方途となることが有望視されている．ここでTNFαが複数のシグナル伝達経路を活性化することを思い出そう．第一は，転写因子NF-κB（図16・30参照）の転写の活性化につながり，第二はアポトーシスにつながり，第三はネクロプトーシス（図22・44）につながる．TNFαというサイトカインは多くの炎症性疾患に関与しているため，これらの経路がそれぞれどのように調節されているのか，また，経路間の相互作用について理解することが必要である．

22・4 細胞死とその制御　まとめ

- すべての細胞は，生存するために栄養因子を必要とする．これらの因子がないと細胞は自殺する．
- 線虫における遺伝学的研究から，進化的に保存されたアポトーシス経路が明らかになり，それには三つの主要な構成因子，すなわち，膜結合型の調節タンパク質，細胞質の調節タンパク質，およびアポトーシスをひき起こすプロテアーゼ（脊椎動物ではカスパーゼとよばれる）があることがわかった（図22・36）．
- カスパーゼは，活性化すると特定の細胞内基質を切断して細胞を死に導く．調節タンパク質とカスパーゼに結合する他のタンパク質（たとえば，CED-4やApaf-1）は，カスパーゼの活性化に必要である（図22・36，図22・37，図22・43）．
- 発生過程において運動ニューロンと感覚ニューロンが生き残るには，標的となる組織から放出されるニューロトロ

フィンが必要であり，この因子は神経の成長円錐に存在するTrkという受容体型チロシンキナーゼに結合して（図22・40），PI 3-キナーゼ経路を介した抗アポトーシス応答を活性化する（図22・42）.
- Bcl-2ファミリーのタンパク質には，アポトーシス促進タンパク質と抗アポトーシスタンパク質の両方が含まれる．その多くは膜貫通タンパク質であり，タンパク質間相互作用を行う．
- 哺乳類では，アポトーシスはBaxあるいはBakタンパク質がミトコンドリア外膜にオリゴマーを形成することによって開始される．その結果，シトクロムcやSMAC/DIABLOタンパク質が細胞質へ放出され，次にこれらがカスパーゼを活性化して細胞死を促す．
- Bcl-2タンパク質は，BaxやBakのオリゴマー形成を抑制し，細胞死を阻止する．
- アポトーシス促進BH3オンリータンパク質（例，PumaやBad）は，環境ストレスによって活性化してBaxとBakのオリゴマー形成を促進する．これによってシトクロムcは細胞質に入り，Apaf-1に結合してカスパーゼを活性化する．
- 栄養因子が存在しないときには，アポトーシス促進タンパク質と抗アポトーシスタンパク質が直接相互作用することで細胞死がひき起こされる．細胞外にある栄養因子の結合は，この相互作用を変化させることによって細胞を生存させる（図22・42）．
- 腫瘍壊死因子やFasリガンドなどの細胞外の細胞死シグナルがその受容体に結合すると，結合タンパク質（FADD）をオリゴマー化する．オリゴマー化したFADDは，次にカスパーゼカスケードを動かしてアポトーシスによる細胞死を導く（図22・44a）．
- カスパーゼ8の阻害因子が存在すると，腫瘍壊死因子はネクロプトーシスを誘導する（図22・44b）．その結果，細胞周辺に放出された細胞内タンパク質が炎症をひき起こし，組織に傷害を与える．

重要概念の復習

1. 幹細胞を定義する二つの性質とは何か．全能性幹細胞，万能性幹細胞，および前駆（始原）細胞の差異を述べよ．
2. 植物では幹細胞はどこにあるか．動物成体では幹細胞はどこにあるか．動物と植物では，幹細胞の概念はどのように違うか．
3. 1997年に，体細胞核移植（核移植クローニング）とよばれる技術によってクローンヒツジのドリーが生まれた．成体の乳腺細胞から採取した核を，あらかじめ核を除去した卵に移植した．その卵を培養して数回分裂させたあとに，代理母の体内に移植し，やがてドリーが生まれた．ドリーは交尾して生存可能な仔を産み，2003年に死亡した．ドリーが生まれたことから，完全に分化した成体細胞に由来する核の潜在能力に関して何がいえるか．ドリーがつくられたことから，完全に分化した成体親細胞の潜在能力について何がいえるか．
4. 次のa～dには全能性細胞，万能性細胞，多能性細胞が含まれているかどうかを述べよ．(a) 内部細胞塊，(b) 桑実胚，(c) 8細胞期胚，(d) 栄養外胚葉
5. 次の記述は正しいか，誤りがあるかを述べ，その解答を支持する本章で述べられている証拠を示せ.
   分化した体細胞には，再プログラムされて他の細胞種になる能力がある．
6. 腸幹細胞を最初に同定した方法を述べ，これが多能性幹細胞であることを証明した実験を説明せよ．
7. 造血幹細胞には多能性があり，自己再生できることを示した実験を説明せよ．
8. 線虫は，細胞の誕生，細胞の非対称性，細胞死を研究するための優れたモデル生物である．線虫のどのような性質が，これらの研究に非常に適したものにしているのか．線虫の実験で得られた情報が，哺乳類の発生に興味をもつ研究者に非常に多く用いられているのはなぜか．
9. 非対称細胞分裂では，細胞骨格因子に依存して細胞内因子の非対称な分布ができたり，維持されたりすることが多い．出芽酵母でミオシンモーターによって芽体に局在化される因子は何か．ショウジョウバエの神経芽細胞において，微小管によって頂端側に局在化される因子は何か．
10. 線虫の胚において前後軸の極性をつくる際のpar遺伝子の役割を述べよ．
11. ノックアウトマウスを用いた脳の発生の研究から，アポトーシスが神経細胞で自動設定経路（デフォルト経路）であるという見解がどのように支持されるか．
12. アポトーシスとネクローシスによる細胞死を比較して差異を述べよ．
13. 細胞死を調節する三つのクラスのタンパク質をあげ，その機能を述べよ．
14. 細胞死に関する現象の知見をもとに，以下の性質をもつ細胞はアポトーシスの能力に関してどのようになっているかを予想せよ．
a. 機能するCED-9と機能しないCED-3
b. 活性化したBaxとシトクロムc，機能しないカスパーゼ9
c. 不活性なPI 3-キナーゼと活性化したBad
15. TNFやFasリガンドが細胞表面受容体へ結合すると，細胞死がひき起こされる．細胞死シグナルは細胞外でつくられるにもかかわらず，なぜこれらの分子で誘導される死がネクローシスではなく，アポトーシスであると考えられるのか．
16. 次の突然変異が，細胞のアポトーシスを起こす能力に与える影響を予想せよ．
a. プロテインキナーゼB（PKB）によるリン酸化を受けなくなるBadの突然変異
b. Bcl-2の過剰発現
c. ホモ二量体を形成できなくなるBaxの突然変異
   がん細胞の一般的な特徴の一つにアポトーシス経路の機能喪失がある．上にあげた突然変異のうちのどれが，がん細胞に見いだされると予想されるか．
17. IAP（アポトーシス阻害タンパク質）は，どのようにカスパーゼと相互作用してアポトーシスを阻害するか．ミトコンドリアタンパク質は，どのようにIAPと相互作用してアポトーシスの阻害を妨げるか．

23

神経系細胞

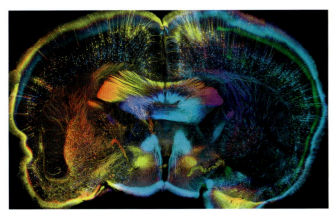

CLARITY で処理した一部の神経細胞において GFP を発現している成体マウス(Thy1-GFP)の脳の前額断．CLARITY は組織を透明化することで脳を含め組織の深部にまで完全にイメージングを可能とする．切片を GFP に対する抗体で染色し，深さに応じて色分けし，それぞれの神経細胞を別個に可視化した．この手法によりこれまでに不可能であった脳全体のイメージを細胞レベルの解像度で可視化が可能となり，どのように脳において神経細胞が接続されているかを包括的に理解できるようになった．[Luis de la Torre-Ubieta, Geschwind Laboratory, UCLA.]

- 23・1 神経細胞とグリア細胞: 神経系の構成単位
- 23・2 電位依存性イオンチャネルと活動電位の伝播
- 23・3 シナプスにおける情報伝達
- 23・4 環境の感知: 触覚，痛覚，味覚，嗅覚
- 23・5 記憶の形成と蓄積

神経系は中枢神経系（脳と脊髄）および末梢神経系（脳と脊髄以外の神経）から構成され，身体機能のほぼすべての側面を調節しており，驚くほど複雑である．1.3 kg の成体のヒト脳は情報を保存し，解析し，統合し，伝達する司令塔であり，約 10^{11} のニューロンとよばれる神経細胞が存在する．これらの神経細胞は 10^{14} ものシナプス，すなわち神経細胞どうしが情報伝達する接合領域で連結されている．そして一つの神経細胞が最大 10,000 もの他の神経細胞とシナプスを形成している．

神経細胞は，それぞれが接続され異なる機能をもつ単位もしくは回路として構成されている．いくつかの回路は生物の内外における環境を感知し，それらの情報を処理，蓄積するために脳へと送る．ある回路では，筋肉の収縮やホルモン分泌を調節する．またその他の回路では，認識や感情，また先天的もしくは後天的に獲得した活動を制御する．歴史的には神経細胞を補助するために存在していると考えられていたグリア細胞が，脳の機能制御に積極的にかかわっていることも明らかとなってきた．

神経系を構成する細胞の生物機能は大きく二つに分けられる．一つは，体のなかで最も形態学的に非対称であり細胞内が区画化している神経細胞である．したがって神経細胞はさまざまな細胞生物学的な過程によって制御を受け，それは細胞骨格の動態や膜輸送を介したシグナル伝達や遺伝子発現などがあげられる．二つ目はそれぞれの神経細胞とグリア細胞は精密に複合体を形成し正確なネットワークもしくは回路を構築している．神経回路は完全に固定されたものではなく，むしろ経験に応じて神経間接続は変化する．これは**シナプス可塑性**（synaptic plasticity）とよばれ，神経間におけるシナプス接続の強さや数が経験によって制御されている．現在の脳科学の主流は神経回路の形成機構と可塑性を論理的に理解することにある．神経細胞の構造と機能は，他のどの細胞よりも詳しく理解されている．しかし，神経回路がどのように構築され，経験に応じてどのように変化し，情報をどのように処理するかについては不明である．これらの問題点は 21 世紀における生物学の最も注目するべきものの一つであり，B. Obama 元大統領がブレインイニシアティブ〔Brain Research through Advancing Innovative Neurotechnologies (BRAIN) Initiative〕を 2013 年に開始することになった．この現在進行中のブレインイニシアティブは神経細胞そのものとそれらが織りなす複雑な神経回路を解析する新しい技術開発を行い，ヒト脳の活動を包括的に理解することを目的とした国家レベルでの研究プロジェクトである．

脊椎動物における神経系は解剖学的に脳および脊髄に存在する神経およびグリア細胞から構築される中枢神経系と，それらの外に存在する神経およびグリア細胞を含む末梢神経系からなる．解剖学的には別れているものの，中枢神経系と末梢神経系は接続されており，末梢神経系は脳と身体をつなぐ役割を果たす回路である．中枢神経系そのものはさらに四つの主要な構成からなる．脊髄，脳幹，小脳そして大脳である（図 23・1a）．それぞれの領域は異なる機能を発揮する．たとえば，脊髄は身体から脳へ感覚もしくは運動にかかわる情報を伝えている．また脳幹は呼吸や血圧を制御し，小脳は運動機能を司っている．さらに大脳では運動や感覚情報に加えて言語や記憶学習，さらなる高次機能を処理している．これらの構成はさらに分かれた機能的な領域に分類される．たとえば，大脳は，前頭葉，側頭葉，頭頂葉，後頭葉に分かれている．それぞれの葉は部分的に重複しながらも特徴的な機能を果たしている（図 23・1b）．それぞれの領域において特異的な性質や特徴を示す神経細胞やグリア細胞が存在することが知られているが，それぞれの脳領域の機能の特異性は構成している細胞の違いというよりも，それぞれの回路の違いに大きく依存していることが明らかとなってきている．

実際，多細胞動物にはさまざまな種類や形をした神経細胞があ

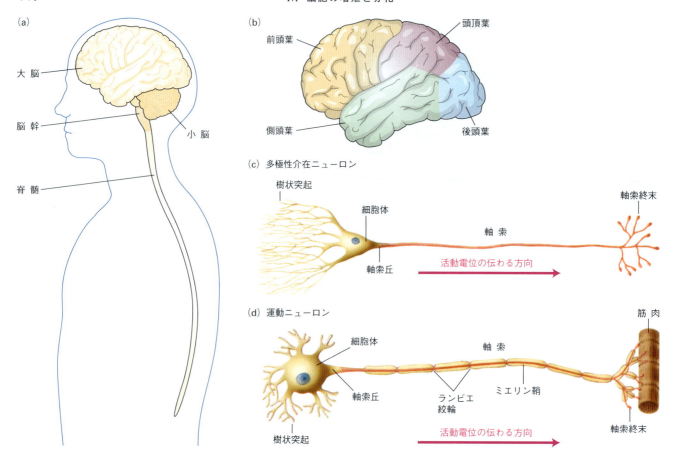

図 23・1 哺乳類の中枢神経系の領域と 2 種類の神経細胞の典型的な形態．(a) 哺乳類の中枢神経系は四つの主要な領域に分けられる．脊髄は感覚および運動にかかわる情報を身体から脳へと伝える．脳幹は呼吸や心拍などの基本的な機能を制御する．小脳は運動を統合する．大脳は言語や学習，感情などの高度な機能を制御する．(b) 哺乳類の大脳はおもに四つの葉からなり，それぞれの葉が重複しながらも特異的な機能をもっている．前頭葉は，問題解決，言語，衝動の制御などの実行機能に関与する．側頭葉は聴覚処理，記憶，感情にかかわる．頭頂葉は，触覚，味覚，温度感覚，運動感覚に関与する．後頭葉はおもに視覚に関与する．(c) 多極性介在ニューロンの樹状突起は大きく枝分かれしており，シナプスで数百の他のニューロンから信号を受取る．樹状突起の入力によって与えられる小さな電圧変化を合計すると，軸索丘からはじまるより大規模な活動電位が生じる．1 本のその末端で横方向に分枝した 1 本の長い軸索が，他のニューロンへ信号を伝達する．(d) 筋細胞を支配する運動ニューロンには，通常，細胞体からエフェクター細胞まで伸びる 1 本の長い軸索がある．哺乳類の運動ニューロンでは，通常，ミエリン鞘が，ランビエ絞輪と軸索の末端を除く軸索のすべての部分を覆っている．ミエリン鞘は，中枢神経系ではオリゴデンドロサイト，末梢神経系ではシュワン細胞とよばれるグリア細胞から構成されている（図 23・18）．

るが，すべての神経細胞には電気および化学シグナルを用いて情報を伝達することに特化しているという共通の性質がある．**電気シグナル**（electrical signal）は，通常長く伸びた形態をもつ神経細胞内で情報を処理し伝える（図 23・1c, d）．神経細胞を伝わる電気パルスは**活動電位**（action potential）とよばれ，情報は活動電位が発火する頻度によって表現される．電気による伝導は非常に速いので，神経細胞は情報伝達速度の頂点に位置し，ホルモンを分泌する細胞よりもずっと速い．神経細胞内で情報を伝える電気シグナルとは異なり，**化学シグナル**（chemical signal）は細胞間で情報を伝達し，他のシグナル細胞で使われているのと同様な過程で用いられている（15 章，16 章）．

以上をまとめると，神経系の電気および化学シグナルは，外部からの刺激を検出し，受取った情報を統合して処理し，高次の脳中枢に受け渡して，刺激に対する適当な応答を生じさせる．たとえば**感覚ニューロン**（sensory neuron）は，環境からの多様な刺激（たとえば光，触覚，音，におい）を電気シグナルに変える特殊な受容体をもっている．この電気シグナルは化学シグナルに変えら

れて，**介在ニューロン**（interneuron）とよばれる他の細胞に受け渡される．介在ニューロンは，その情報を再び電気シグナルに変換する．最終的に情報は，筋肉を刺激する**運動ニューロン**（motor neuron）や腺などの他の細胞を刺激する別の神経細胞に伝達される（単純化された神経回路の例について図 23・4 に示されている）．

本章では，細胞と分子レベルでの神経生物学に焦点を当てる．まず，神経細胞の一般的な構造と，それがどのようにシグナルを伝達するかを説明する．次に，イオンの流れ，チャネルタンパク質，膜の性質をみて，どのように電気パルスが神経細胞に沿ってすばやく伝わるのかを述べる．第三に，神経細胞間の情報伝達を調べていく．細胞に沿って伝わった電気シグナルは，細胞間で化学パルスに変換され，その後，受容細胞で再び電気シグナルに戻す必要がある．最後の節では，触覚，味覚，嗅覚などの感覚組織にある神経細胞を説明する．神経のシグナル伝達の速度，正確性，統合力によって，急速に変化する外界（環境）の情報を正確かつ迅速に感覚受容することが可能になっている．最後に，記憶の形

成にかかわる神経回路，神経細胞そして細胞生物学的な機構についてふれる．

神経細胞に関する多くの情報が，神経系の特定の機能を失わせる変異をもつヒト，マウス，線虫，ハエなどから集められている．加えて，電位依存性イオンチャネルや受容体などの神経系の重要なタンパク質の分子クローニングと構造解析によって，本能，学習，記憶，感情などの複雑な脳機能の根底にある細胞装置が明らかになってきた．本章のなかで，これらのモデル生物と方法論についてもふれていく．

23・1　神経細胞とグリア細胞：神経系の構成単位

本節では，神経細胞の構造とこれらの細胞の機能と構造がどのように関連するかを述べる．**神経細胞**（nerve cell，ニューロン neuron）の特徴は，長く伸びた非対称的な形態であること，タンパク質や細胞小器官が高度に局在化していること，そして特に，一群のタンパク質によって細胞膜を通るイオンの流れが制御されていることである．これらの神経細胞の特徴は神経系にシグナルを分析する高度な能力を与える．一つの神経細胞は複数の神経細胞からの入力に応答して電気シグナルを発生し，そのシグナルを複数の細胞に伝達できる．たとえば，一つの神経細胞が，これに入力する神経細胞から活性化シグナルを五つ同時に受取ったときだけにシグナルを伝達するとしよう．このとき，受容神経細胞は，入力シグナル全体の"量"と同時に，五つのシグナルがおよそ"同調（synchronous）"しているかどうかを監視していることになる．一つの神経細胞から別の神経細胞に入力するときには，興奮性の場合と抑制性の場合がある．**興奮性**（excitatory）というのは，受容細胞での電気伝導の引金を（他のシグナルとともに）引く性質であり，**抑制性**（inhibitory）というのは，電気伝導を抑える性質である．興奮性と抑制性に加え，神経細胞はノルアドレナリンやドーパミン，セロトニン，アセチルコリンなどの緩やかな**神経調節性**（neuromodulatory）の入力も受ける．これらの刺激はGタンパク共役型受容体（15章）を活性化し，興奮および抑制性の閾値を変化させる．したがって，各神経細胞の性質と接続によって，情報の統合と区分の段階が形成される．また，神経系の出力というのは回路の性質によってもたらされる．ここでの回路の性質としては，神経細胞間のつながりまたは相互連絡であり，また相互連絡の強さもある．まず，神経系ではどのようなシグナルが送られ，受取られるのかを述べ，つづいて，これに関係する細胞装置の分子基盤をみる．

情報は神経細胞の樹状突起から軸索へと流れる

神経細胞は，ほぼ球形の**神経芽前駆細胞**（neuroblast precursor）から生じる．新しくできた神経細胞は丸いままの細胞の状態で長い距離を移動し，その後，長い細胞へと劇的に伸長する．完全に分化した神経細胞はさまざまな形になるが，通常は一定の重要な特徴が共通にみられる（図23・1c, d）．核は，**細胞体**（cell body）とよばれる丸形の部分に存在する．**樹状突起**（dendrite，ギリシャ語の"木のような"という意味）とよばれる分枝した細胞の突起が一方の端にみられ，これがシナプスを介して他の神経細胞からのシグナルを受取る主要構造である．入力シグナルは，細胞体上に形成されたシナプスでも受取られる．神経細胞には，特に中枢神経系（脳と脊髄）で複雑な分枝をもつ非常に長い樹状突起をもつものがある．これによって，何万にも及ぶ多数の別の神経細胞とシナプスをつくり，それらからシグナルを受取ることができる．収束する分枝をもつ樹状突起によって，単一の神経細胞で多くの細胞からのシグナルを受取り，統合することができる．

神経細胞が最初に分化するとき，樹状突起と反対側に細胞端が急激に伸びていき，**軸索**（axon）とよばれる長い腕を形成する．これは，長い電線のようなものである．軸索の伸長は適切な回路が形成されるように調節する必要があり，この**軸索誘導**（axon guidance）とよばれる複雑な過程は細胞骨格の大きな変化を伴うが，これについては§18・8で述べた．軸索の直径はヒト脳の神経のように1 μmのものからイカの巨大神経軸索のように1 mmのものまである．軸索には1 mもの長さのものもあり（たとえばキリンの首），**ミエリン鞘**（myelin sheath）とよばれる電気絶縁体で一部覆われている（図23・1d）．これは，グリア細胞の一つである，オリゴデンドロサイト（中枢神経系）もしくはシュワン細胞（末梢神経系）によってつくられる．絶縁することによって電気伝導が速くなり，ショートが防がれている．神経細胞の樹状突起と反対側にある軸索の端には短い分枝した末端があり，**軸索終末**（axon termini）とよばれる．ここは，シグナルを次の神経細胞，または筋肉やホルモン分泌細胞などの他の細胞に渡す場所である．一端に樹状突起があり，他端に軸索終末があるという神経細胞の非対称性は，樹状突起から軸索へと情報が一方向に流れることを示している．

情報は活動電位とよばれるイオンの流れのパルスとして軸索に沿って移動する

神経細胞は，筋細胞や膵臓，その他の細胞などを含む**興奮性細胞**（excitable cell）とよばれる種類の一員である．すべての多細胞動物の細胞と同じように，興奮性細胞は内部が負の電位をもち，細胞膜を横切る電位勾配，すなわち**膜電位**（membrane potential）をもつ（11章）．他の細胞と異なり，神経細胞はこの特徴的な電気的特性を用いてシグナルを送ることができる．シグナルは，内部が負から正になる短い局所的電位変化という形をとるが，この現象を**脱分極**（depolarization）とよぶ．この脱分極の電位変化の強い波が神経細胞の一端から他端に進むことを，**活動電位**（action potential）とよぶ．内部が負から正になる神経細胞における脱分極の様子を記録したものが図23・2である．その膜電位が活動電位の頂点では+50 mV（内側が正）にまで上がり，その差は約120 mVである．§23・2でもっと詳しくみていくが，活動電位は最大毎秒100 mの速度で軸索に沿って軸索終末にまで伝わる．たとえばヒトの軸索には1 m以上のものがあるが，端まで伝わるのに2～3ミリ秒しかかからない．神経細胞は短い回復期ののち，何回も発火できる．たとえば図23・2に示すように，4ミリ秒ごとに発火する．活動電位が神経細胞の一区画を通り過ぎれば，チャネルタンパク質とポンプが，内側が負の静止電位を回復させる（**再分極** repolarization）．この回復過程は活動電位を追いかけて軸索終末にまで達し，神経細胞は再びシグナルを伝える準備ができる．

活動電位は"全か無か"になっている．電位が一度閾値に達すると，完全な発火が起こる．そのため，信号情報は活動電位の強さで一義的に決まるのではなく，活動電位のタイミングと頻度によって運ばれていく．刺激が強ければ強いほど，活動電位の頻度

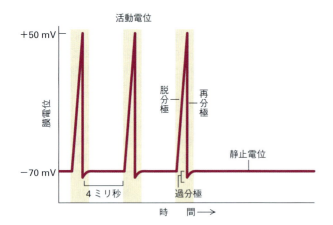

図 23・2（実験） 軸索の膜電位の経時変化を記録すると活動電位の強度と頻度がわかる．活動電位とは，膜が一時的に脱分極し，その後すぐに約 −70 mV の静止電位に再分極するという電位の変化である．軸索の膜電位は，小さな電極を挿入して測定できる（図 11・19 参照）．この神経細胞の軸索の膜電位の記録から，活動電位が約 4 ミリ秒ごとに発生していることがわかる．

が高くなる．

興奮性細胞には神経細胞以外のものもある．筋収縮は，興奮性の筋細胞に直接シナプス接続している運動ニューロンによってひき起こされる（図 23・1 d）．膵島 β 細胞からのインスリン分泌は神経細胞によってひき起こされる．両方の場合ともに，活性化の現象には細胞膜のイオンチャネルの開口が関係し，膜を通るイオンの流れが変化して，調節を受ける非神経細胞の電気的性質が変化する．

情報はシナプスを介して神経細胞間を流れる

何が活動電位を発生させるのだろうか．一つの神経細胞の軸索終末は，他の神経細胞の樹状突起と非常に近くにあり，**化学シナプス**（chemical synapse）または単に**シナプス**（synapse）という接続をつくる（図 23・3）．**シナプス前細胞**（presynaptic cell）の軸索終末には**シナプス小胞**（synaptic vesicle）とよばれる小胞があり，**神経伝達物質**（neurotransmitter）として知られる小分子が 1 種類詰まっている．軸索終末に活動電位が到着すると，少数のシナプス小胞のエキソサイトーシスの引金が引かれ，中にたくわえられていた神経伝達物質が放出される．

神経伝達物質は，シナプスを約 0.5 ミリ秒で拡散し，隣接する神経細胞の樹状突起上の受容体に結合する．神経伝達物質の結合が**シナプス後細胞**（postsynaptic cell）の樹状突起の細胞膜にある特定のイオンチャネルの開口または閉鎖をひき起こし，この部位での膜電位の変化を導く．通常，それらの変化はシナプス後細胞を脱分極させる（細胞内の負の電位を小さくする）．局所的な脱分極が十分に大きければ，軸索内で活動電位が発生する．伝達は一方向性で，シナプス前細胞の軸索終末からシナプス後細胞の樹状突起に伝わる．

一部のシナプスでは，神経伝達物質の作用によって過分極がひき起こされ，この場合はシナプス後細胞での活動電位は発生しにくくなる．中枢神経系の 1 本の軸索は多数の神経細胞とシナプスを形成し，そのすべてに同時に応答を誘導することができる．逆に，多くの神経細胞がシナプス後細胞にほぼ同時に作用し，活動

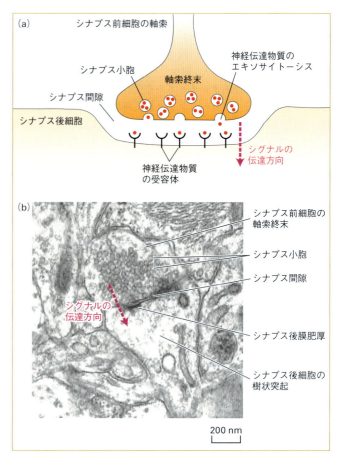

図 23・3 化学シナプス．(a) シナプス前細胞の細胞膜とシナプス後細胞の細胞膜との間にはシナプス間隙とよばれる狭い空間がある．シナプス前細胞において活動電位が到達すると，少数のシナプス小胞がシナプスでエキソサイトーシスされ，神経伝達物質を含む内容物（赤丸）が放出される．それはシナプス間隙を拡散して，シナプス後細胞膜の特異的受容体に結合する．通常は，このシグナルによりシナプス後細胞膜が脱分極して（負の細胞内電位が少し正方向にずれる）活動電位が発生する，もしくはシナプス後膜が過分極し（細胞内電位がより負になる），活動電位の誘導を阻害する．(b) シナプス小胞でみたされた軸索終末とシナプスを形成している樹状突起の電子顕微鏡写真．シナプス領域においては，シナプス前細胞の細胞膜は小胞のエキソサイトーシスに特化している．神経伝達物質を含むシナプス小胞がこの領域に集まっている．向かい合ったシナプス後細胞（この場合は神経細胞）の膜には神経伝達物質に対する受容体が存在する．シナプス後膜肥厚は受容体や接着分子，足場分子や細胞骨格分子を含む高タンパク質密度の特殊な領域である．[(b) は S. Okabe, 2013, *Microscopy* **62**(1): 51, Copyright Clearance Center, Inc. を通じて Oxford University Press より許可を得て転載．]

電位を発生するのに必要な作用を与えることもある．脱分極および過分極を与えるシグナルの神経細胞での統合によって活動電位の起こりやすさが決定される．このように神経細胞は軸索に沿った非常に速い電気伝導と細胞間の速い化学的通信を組合わせて用いている．これを**電気化学的シグナル**（electrochemical signaling）とよぶ．

神経系は複数の神経細胞からなる
シグナルを伝達する回路を利用している

複雑な多細胞生物では，複数の異なる性質をもつ神経細胞がシグナルを伝達する回路を形成している．特に脊髄では，中枢およ

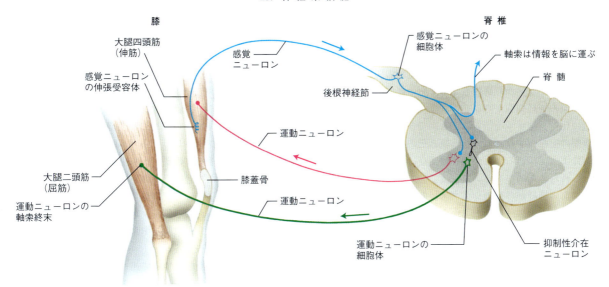

図 23・4　膝蓋(しつがい)腱反射弓.ハンマーでたたくと大腿四頭筋が伸展し,感覚ニューロンの伸展受容体の電気的活性の引金が引かれる.活動電位は,上の青い矢印の方向に進み,脳にシグナルを送るので,われわれは何が起こっているのかがわかる.また,シグナルは脊髄にある後根神経節の2種類の細胞にも送られる.一つは四頭筋に情報を戻す運動ニューロンであり(赤),筋収縮を促進して膝をたたいた人を蹴り返す.第二の接続は,抑制性介在ニューロン(黒)を活性化(興奮)させる.この介在ニューロンには抑制作用があり,大腿四頭筋とは逆向きに働く膝屈曲筋を活性化する屈筋運動ニューロン(緑)の活動を抑制する.このように,膝屈曲筋の弛緩は大腿四頭筋の収縮と共役している.この動きは意志決定を必要としないので反射である.

び末梢神経系の間の情報をつなぐシグナル回路が存在し,3種類の神経細胞によって構成されている.それは,求心性ニューロン,介在ニューロン,遠心性ニューロンである.**感覚ニューロン**(sensory neuron)ともよばれる**求心性ニューロン**(afferent neuron)が受容器や感覚器官から中枢神経系(脳と脊髄)に神経インパルスを運ぶ.これらのニューロンは光の照射の到達や筋肉の動きのような現象を脳に知らせる.触覚や痛みの刺激は,刺激が求心性ニューロンを介して伝わったという情報がきてはじめて脳にその感覚を生じさせる.**遠心性ニューロン**(efferent neuron)は**エフェクターニューロン**(effector neuron)ともよばれ,神経インパルスを中枢神経系から遠くに運び応答をひき起こす.たとえば運動ニューロンは,筋肉にシグナルを伝えて収縮を刺激する(図 23・1d).他のエフェクターニューロンは内分泌細胞によるホルモン分泌を促進する.介在ニューロンは一番大きなグループを形成し,求心性ニューロンから遠心性ニューロン,または別の介在ニューロンに神経経路の一部としてシグナルを受け渡す.介在ニューロンは複数の神経細胞を橋渡しして,場合によってはシグナルを統合したり多様化したり,別の場合には,シグナルの到達範囲を延長したりする.**反射弓**(reflex arc)とよばれる単純な回路の場合,複数の感覚ニューロンと運動ニューロンの間を介在ニューロンが接続して,一つの感覚ニューロンが複数の運動ニューロンに作用したり,複数の感覚ニューロンが一つの運動ニューロンに作用したりできる.この方法で介在ニューロンはシグナルを統合し,反射を強める.ヒトの膝蓋腱反射は一方の筋肉を収縮させつつ他方の筋肉の収縮を抑制するという複雑な反射弓である(図 23・4).反射はまた,情報を脳に送って,何が起こったかを知らせる.このような回路によって,動物は一つの感覚入力に対して,一つの目的のために一連の筋肉を同時に協調して動かす応答を行う.

しかし,このような単純なシグナル伝達の回路によっては,理

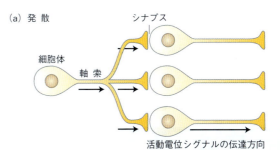

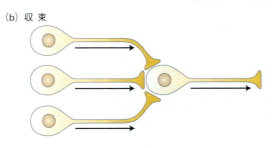

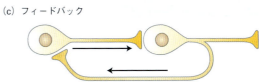

図 23・5　神経回路においてみられる一般的なパターン.神経細胞は他の神経細胞と機能的な回路を形成する.多くの神経回路において観察される一般的な三つのパターンを示す.(a) 発散型神経回路では一つの神経細胞が多数の異なる神経細胞に対して軸索を分枝し接続する.(b) 収束型神経回路では多数の異なる神経細胞が一つの標的神経細胞に対して軸索を接触させる.(c) フィードバック型神経回路では,神経細胞がシナプス前神経細胞に対して軸索を伸ばし接続する.これらと他の接続様式パターンの組合わせによって神経回路内で情報が伝達される.

解，計算，記憶といった高次の脳機能を直接説明することはできない．この回路においては標的となる神経細胞に活動電位を誘導する連続した興奮性ニューロンと，標的細胞の活動電位を阻害する抑制性ニューロン，さらに標的細胞の活動電位の閾値を制御する神経調節性ニューロンから構成される．脳の典型的な神経細胞は千にも及ぶ他の神経細胞からシグナルを受取り，次に他の多くの神経細胞に化学シグナルを伝えることができる．神経系の出力は神経細胞間の配線，すなわち相互接続とその接続の強さなどの回路の性質によって決まる．しかし神経回路は複雑かつ多様であるため，限られた基本的パターンによって構成される．それは一つのシナプス前の神経が多数のシナプス後の神経細胞と接続する"発散"，多数のシナプス前神経細胞からの入力が一つのシナプス後神経細胞に入る"収束"，そしてシナプス後の神経細胞が再度シナプス前の神経細胞，もしくは自身に再度出力する"フィードバック"からなる（図 23・5）．フィードバック回路は**閉鎖的ループ**（closed loop）としても知られ，システムとしての出力が入力として使用される．ポジティブフィードバック回路では，出力が当初の入力の活動を維持，もしくは増加させる．ネガティブフィードバック回路では出力が当初の入力を抑制する．

グリア細胞はミエリン鞘をつくり，神経細胞を保護する

ヒトの脳においては神経細胞以外の細胞も存在する．**グリア細胞**（glial cell，ニューログリア neuroglia，単にグリア glia ともいう）は，脳において多くの役割を担っているものの，それ自身電気インパルスを発生するわけではない．多くの教科書で神経細胞の約 10 倍存在すると記載されているが，最近の実験結果によると，種や領域によって大きく異なるものの，ヒト脳におけるグリア細胞と神経細胞の比はほぼ 1：1 であると考えられる．たとえば，ヒト大脳においてグリア細胞は神経細胞よりはるかに多いが，ヒト小脳においては神経細胞がグリア細胞よりも多い．4 種類のグリア細胞のうち，二つは神経軸索を取巻く絶縁体であるミエリン鞘をつくる（図 23・1d）．それは，中枢神経系（CNS）の鞘をつくる**オリゴデンドロサイト**（oligodendrocyte，希突起膠細胞）と，末梢神経系（PNS）の鞘をつくる**シュワン細胞**（Schwann cell）である．第三の**アストロサイト**（astrocyte，星状膠細胞）は，神経細胞に増殖因子などのシグナルを提供し，神経細胞からシグナルを受取り，また神経細胞間のシナプス形成を誘導する．四つ目にあげられるグリアは**ミクログリア**（microglia，小膠細胞）であり，中枢神経系における免疫反応を担っている．ミクログリアは神経細胞や他のグリア細胞と由来が異なっているが，脳の発生や機能維持に重要な役割を果たしている．以後の 2 段落において，アストロサイトの機能について述べる．オリゴデンドロサイトとシュワン細胞については §23・2 で，ミクログリアについては §23・3 で述べる．

アストロサイト（astrocyte）は，その星形の形態から命名され（図 23・6），これらは脳の体積の 1/3 以上，脳の細胞数の 20〜40％を占める．近年の研究から，アストロサイトの分子，生理的，機能的な多様性が明らかとなった．脳機能におけるアストロサイトの機能の理解は活発に研究が進められている分野である．アストロサイトは，多くのシナプスや樹状突起を取囲んでいる．アストロサイトの細胞膜にある Ca^{2+}，K^+，Na^+，および Cl^- チャネルは，細胞外空間の遊離イオンの濃度に影響し，これによって神経細胞やアストロサイト自身の膜電位が変化する．アストロサイトは多くの細胞外マトリックスタンパク質を産生し，その一部は移

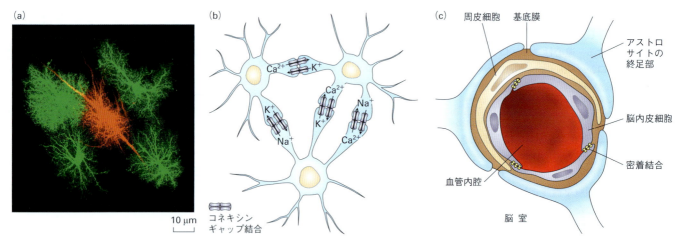

図 23・6　アストロサイトの形態，密着結合を介したアストロサイトネットワーク，血液脳関門における内皮細胞との相互作用．（a）この写真では，アストロサイトは，グリア繊維酸性タンパク質（GFAP）を認識する抗体で橙に標識されている．中央のアストロサイトには，可溶性緑色蛍光色素を注入し（橙と緑のラベルの合成で黄色く見える），小枝とよばれる細かい枝がたくさんあることがわかる．（b）アストロサイトはそれぞれがギャップ結合により連結され（図 20・21 参照）ネットワークや合胞体を形成し，Ca^{2+}，K^+，Na^+ などのイオンは，アストロサイトから別のアストロサイトへ急速に流れることができる．ここでは示していないが，アストロサイトは，神経細胞やオリゴデンドロサイトともギャップ結合を形成している．（c）アストロサイトは血液脳関門を構成している．脳の毛細血管は，ほとんどの分子を通さない密着結合によって互いに相互連結した内皮細胞によって構成されている．細胞間の輸送は妨げられているため，細胞膜を透過可能な小分子や，特別に細胞を通る物質のみが障壁を超えることができる．ある種のアストロサイトは血管を取囲み，内皮細胞に接触して分泌タンパク質シグナルを送り，内皮細胞に選択性のある障壁をつくらせる．内皮細胞（紫）は周皮細胞とよばれる細胞（薄茶）を含む基底膜（茶）と相互作用し，アストロサイトの突起（水色）により覆われている．［(a) は UC San Diego, Eric Bushong, Maryann Martone, Mark Ellisman (2002) CCDB: 1053, rattus norvegicus, protoplasmic astrocyte. CIL. Dataset. https://doi.org/10.7295/W9CCDB1053．(c) は N. J. Abbott et al., 2006, *Nat. Rev. Neurosci.* **7**: 41 参照．］

動している神経細胞の誘導指標として用いられているほか，神経細胞へ多様な情報を運ぶ増殖因子の供給源になっている．また神経間シナプス形成に必要なさまざまな因子を放出する（§23・3）．アストロサイトは**ギャップ結合**（gap junction）によって互いにつながり（ギャップ結合の構造については図20・21参照），ある一つのアストロサイトのイオン組成の変化は，アストロサイトまで伝達される．この点で神経系においてアストロサイトは神経細胞のように，**アストロサイト合胞体**（astrocyte syncytia）とよばれるネットワークを構成している．

アストロサイトの一部は血液脳関門の形成に重要な調節因子である．血液脳関門とは，どのような分子が血液から脳内に運ばれるか，またはその逆方向の移動を調節する場所である（図23・6c）．脳内の血管は，すべての細胞から数ミリメートル以内にある毛細血管で酸素を供給して二酸化炭素を除き，グルコースやアミノ酸を運ぶ．この障壁は，毛細血管壁を構成する内皮細胞を連結する一群の密着結合（20章）から構成されている．アストロサイトの終足部は，**周皮細胞**（pericyte，ペリサイト）とよばれる収縮性の細胞を含む脳血管の内皮細胞と基底膜と緊密に相互作用している（図20・23および図20・24参照）．血液脳関門は神経系疾患においては異常が認められ，また効果的な神経系治療を開発するうえでの大きな障壁となっているため，多くの研究者が興味をもっている．

神経幹細胞は中枢神経系における神経細胞およびグリア細胞を生み出す

神経系の発生の理解や，神経変性疾患の予防や治療における細胞補充治療を目指すうえで，神経幹細胞の特徴と成熟した神経細胞やグリア細胞への分化機構の解明は重要である．神経およびグリア幹細胞に関するわれわれの知識の多くは胚発生期における脳の発生段階の解析から得られている．脊椎動物において最も初期の神経発生は胚の頭部から尾部にわたる外胚葉（胚の外側に位置する細胞層）の管状化である（図23・7a）．この**神経管**（neural tube）は脳および脊髄となる．はじめはこの神経管は1層の細胞からなっているが，これらの**神経上皮細胞**（neuroepithelial cell）

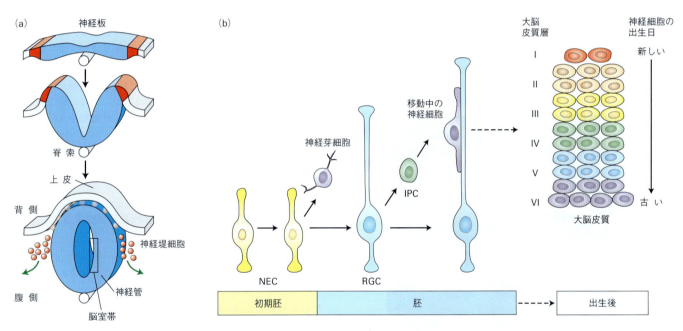

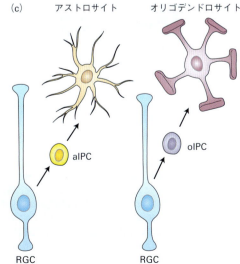

図 23・7 神経管の形成と神経幹細胞の分裂．(a) 脊椎動物の初期発生時には外胚葉の一部が管状化し他の細胞と分離する．この結果，上皮（灰色）と神経管（青）が形成される．これらの境界に近い部位では神経堤細胞が生じ，皮膚の色素沈着や神経の形成，頭蓋顔面の骨形成，心臓の弁，末梢神経など他の構造に寄与するため移動していく．脊索動物の名前の由来でもある中胚葉の棒状構造である脊索は，神経管の細胞運命に影響するシグナルを供給する．神経管の内部は液体によってみたされた脳室となる．脳室近傍の脳室帯（VZ）に存在する神経幹細胞は分裂し，神経系の最も外側に配置される神経細胞を生み出す．(b) 発生初期において，神経上皮において神経上皮細胞（NEC，黄）は対称的に分裂し，さらに神経上皮細胞を生み出す．いくつかの細胞は初期の神経細胞（神経芽細胞，紫）になると考えられている．発生が進むと脳上皮は薄くなり，神経上皮細胞は放射状グリア細胞（RGC）となる．RGCは対称的に分裂する，もしくは非対称的に分裂し神経もしくは中間前駆細胞（IPC，緑）となり，最終的に神経を生み出す．RGCは伸長し突起をVZおよび髄膜へと伸ばす．新生ニューロンは伸びたRGCに沿ってそれぞれの最終目的地へと遊走する．大脳においては，その結果若いニューロンは最も表層の大脳皮質層（IおよびII）に位置し，古くに生まれたニューロンは深部層（VおよびVI）に存在する．(c) 胚発生の終期にはRGCはアストロサイト中間前駆細胞（aIPC）およびオリゴデンドロサイト中間前駆細胞（oIPC）となり，それぞれからアストロサイトとオリゴデンドロサイトが生み出される．[A. Kriegstein and A. Alvarez-Buylla, 2009, *Annu. Rev. Neurosci.* **32**: 149 参照.]

とよばれる細胞群は胚性神経幹細胞（neural stem cell: NSC）となり，中枢神経系すべてを構築する．前脳部から伸びる神経管の内側は**脳室**（ventricle）とよばれる，液体でみたされた領域となり，それに沿って存在する細胞層は脳を構築するためのほとんどの細胞分裂が行われる，**脳室帯**（ventricular zone: VZ）とよばれる領域となる．

マウスにおける標識・追跡実験により，どのように細胞が生まれてその後どこへ移動するかについて検討された．脳室に沿って存在する神経幹・前駆細胞である胚性神経上皮細胞（embryonic neuroepithelial cell）は対称性に分裂し，隣り合った二つの娘神経幹細胞もしくは娘神経前駆細胞を生み出し（図23・7b），前駆細胞群の増加に寄与する．同時に神経発生が開始し，NECは胚性神経発生における初期の前駆細胞である放射状グリア細胞（radial glial cell: RGC）に転換する．放射状グリア細胞は，同様に対称性分裂により二つの娘放射状グリア細胞を生み出すほかに，非対称性に分裂し，放射状グリア細胞と分化した神経細胞，もしくは放射状グリア細胞と中間前駆細胞となる（図23・7b）．発生後期には放射状グリア細胞はアストロサイト，オリゴデンドロサイトを含むグリア細胞を生み出す（図23・7c）．

長年にわたり，成体では新しく神経細胞はつくられないと考えられてきた．実際，ほとんどの哺乳類の脳細胞は成体で分裂が停止している．しかし成体における**脳室下帯**（subventricular zone: SVZ）に相当する側脳室におけるいくつかの細胞や，**海馬**（hippocampus，側頭葉の中で記憶形成にかかわる領域）の中で顆粒細胞下帯（subgranular zone: SGZ）とよばれる領域に存在する細胞は，幹細胞のように振舞い続け神経細胞を新生する（図23・8a）．他の幹細胞と同様に，これらの神経幹細胞は自己複製する能力をもつと同時に神経細胞，アストロサイト，オリゴデンドロサイトなど神経系細胞へと分化する能力をもつことで分類される（図23・8b）．神経幹細胞を同定しかつ解析するためには，側脳室の細胞を分離しFGF2もしくはEGFのような増殖因子存在下で培養する．いくつかの細胞は生き残り未分化の状態で生存する．すなわち，自己複製能力をもつ．他の増殖因子の存在下で，これら未分化な細胞から神経細胞やアストロサイト，オリゴデンドロサイトが生み出される．このように成体脳から自己複製かつ多分化能を示す細胞を同定できることは，神経幹細胞の存在を強く示している．成体脳における新生神経細胞の機能については不明な点が多いが，げっ歯類における解析からは豊かな生育環境や運動によりこれらの細胞の生存が増加することが示されている（図23・8b，下の写真）．これらの研究はヒトにおける神経系修復を目指した治療法開発の基礎につながっていくことが期待されている．

23・1 神経細胞とグリア細胞：神経系の構成単位 まとめ

- 神経細胞（ニューロン）は非対称性が強い細胞で，一方の端に樹状突起があり，核を含む細胞体，長い軸索，および軸索終末から構成される．
- 神経細胞は，細胞膜を横切るイオンの瞬間的な流れ（パルス）を使って，情報を一端から他端へと運ぶ．細胞の一端にある分枝した細胞の突起は樹状突起とよばれ，他の神経細胞から化学シグナルを受取り，イオンの流れの引金を引く．電気シグナルは細胞の他端にある軸索終末に向かってすばやく移動する（図23・1）．
- 刺激を受けていない神経細胞の静止電位は$-70\,\mathrm{mV}$程度である．刺激がチャネルタンパク質を開口させると，$+50\,\mathrm{mV}$に脱分極する（図23・2）．
- この強い膜電位の変化は活動電位とよばれ，軸索に沿って神経細胞体から軸索終末に向かって最大毎秒100 mの速さで流れる．
- 神経細胞どうしは，シナプスとよばれる小さな間隙で連結している．活動電位はこの間隙を乗り越えられないので，シナプス前細胞の軸索終末でシグナルは電気的なシグナルから化学的なシグナルに変換され，シナプス後細胞を刺激する．

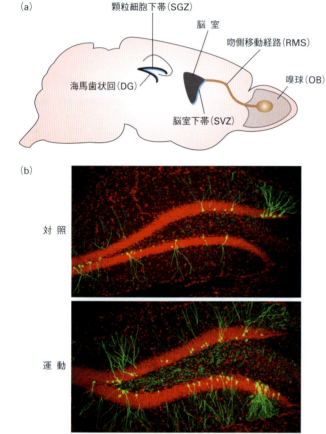

図 23・8 **成体脳における神経発生**．(a) 成体脳においては海馬の歯状回（DG）の顆粒細胞下帯（SGZ）と脳室下帯（SVZ）の2箇所において新生神経細胞が生じている．マウスにおいて，SVZの神経幹細胞に由来する神経は吻側移動経路（RMS）し通り嗅球（OB）にも移動する．(b) DGにおける新生神経細胞をGFPを発現させるレトロウイルスによって標識した．示しているのは野生型マウスと走行輪がケージにあり運動可能なマウスから得たDGの切片．新生神経細胞は緑で示されている．多くの樹状突起がみられているのはこれらの細胞が生存し海馬に組込まれていることを示す．他の海馬の細胞は赤の各マーカーによって標識されている．DG（横向きのV字形構造）で濃赤で標識されているのは顆粒細胞の細胞体を示す．他の赤い細胞体はグリア細胞や抑制性神経細胞を表す．この図が示すとおり，歯状回を構成している顆粒細胞において新生神経細胞が占める割合はごくわずかではあるが，運動により顕著に増加している．[(b)はC. Zhao and F. H. Gage 提供．]

- 軸索終末は，活動電位によって刺激されると，エキソサイトーシスによって神経伝達物質とよばれる化学物質を含む小胞を放出する．神経伝達物質はシナプスを拡散し，シナプスの反対側にある樹状突起の受容体に結合する（図23・3）．
- 神経細胞は，求心性（感覚）ニューロン，介在ニューロン，遠心性（運動）ニューロンから構成される回路を形成する．
- 神経細胞は他の神経細胞と接続し回路を構築する．発散，収束，フィードバック回路が神経間接続を構成する三つの基礎的なパターンである（図23・5）．
- グリア細胞は神経系に豊富に存在し，多くの働きをもつ．オリゴデンドロサイトやシュワン細胞は多くの神経細胞を覆うミエリン絶縁体を構築する．第三のグリア細胞であるアストロサイトは，神経突起によってシナプスや血管を包み込み血液脳関門の形成を促進する（図23・6）．アストロサイトはシナプス形成を促進するタンパク質を分泌し，また神経回路の形成と機能制御に関与する．
- 脳室帯における胚性神経幹細胞は中枢神経系におけるすべての細胞腫を生み出す．これらの幹細胞および前駆細胞はさまざまな対称性もしくは非対称性分裂を行い，さらに前駆細胞を生み出すほか，グリア細胞や神経細胞となる（図23・7）．
- 成体脳においては，側脳室（SVZ）や歯状回の顆粒細胞下帯（SGZ）において神経細胞が新生される（図23・8）．

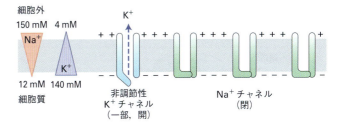

(a) 静止状態（細胞質側面は負）

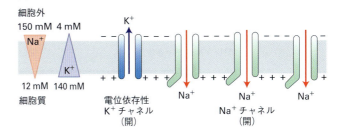

(b) 脱分極状態（細胞質側面は正）

図 23・9 調節性 Na^+ チャネルが開くことによる細胞膜の脱分極．(a) 静止状態の神経細胞では，ある種の非調節性 K^+ チャネル（青）は一部開いているが，もっと大量に存在する調節性 Na^+ チャネル（緑）は閉じている．ほとんどの細胞では K^+ が外へ出ようとすることにより内側に負の膜電位が生じている．(b) 調節性 Na^+ チャネルが開くと大量の Na^+ が流入しようとするので，膜電位の逆転が起こる．脱分極した状態では，電位依存性 K^+ チャネルが開き，膜は再分極する．実際に移動するイオンは少ないので，細胞内または細胞外液体中の Na^+ や K^+ の濃度には大きな変化を与えることはないことに注意．

23・2　電位依存性イオンチャネルと活動電位の伝播

神経系における情報処理は神経細胞におけるシグナル伝達に依存し，これは複数の膜チャネルの機能に依存している．11章で，興奮していない神経細胞を含めすべての細胞の細胞膜には約 70 mV の電位勾配（細胞質側が負）が存在することを学んだ．この静止電位は，細胞膜上にある開口している非調節性の K^+ チャネルを介した K^+ の外向きの流れによって生じていて，K^+ の濃度勾配（細胞質側＞細胞外）に依存している．外液に比べて細胞質側の K^+ が高く Na^+ が低くなるのは細胞膜の Na^+/K^+ ポンプによるもので（図11・12参照），ATPの高エネルギーリン酸結合の加水分解によって生じたエネルギーを利用して Na^+ を外に運び，K^+ を細胞内に入れている．Na^+ の外液から細胞質への流入は熱力学的にも支持され，Na^+ 濃度勾配（細胞外＞細胞内）と細胞内が負の膜電位によっても駆動される（図11・24参照）．しかし，細胞膜上のほとんどの Na^+ チャネルは静止状態では閉じており，内向きの Na^+ の流入はほとんど起こらない（図23・9a）．

活動電位が起こると，Na^+ チャネルの一部が開口し，Na^+ の内への流入が起こって膜が脱分極する．軸索の一部の電位の変化が隣接する部分のチャネルの開口を誘発するため，活動電位は軸索に沿って伝わっていく．それゆえ，この**電位依存性チャネル**（voltage-gated channel）は神経伝導の中心に位置する．本節では，最初に，軸索に沿って神経細胞体から軸索終末にすばやく移動する活動電位の鍵となる性質のいくつかについて紹介する．次に，神経細胞に活動電位を伝える電位依存性チャネルがどのように作用するかを述べる．本節の最後には，グリア細胞によってつくられたミエリン鞘が，いかにして神経細胞における電気伝導を効率よくすばやく行うかについてみていくことにする．

活動電位の大きさは E_{Na} に近く，開口した Na^+ チャネルを通る Na^+ の流入によって起こる

膜電位の脱分極は Na^+ チャネルの開口によって行われる．図23・9(b)は，細胞膜の Na^+ チャネルが十分なだけ開口すると膜電位がどのように変化するかを示している．正に荷電した Na^+ の細胞質への流入が静止 K^+ チャネルを通って流出する K^+ の量を相殺して余りあるほど多くなる．その結果，正味として内側に陽イオンが移動するほうが多くなり，膜を挟んで細胞質側に正電荷，反細胞質側に同量の負電荷が生じる（これは，Na^+ の流入後に細胞外液に"残された" Cl^- によるものである）．いいかえると，細胞膜が脱分極して内側が外側に対して正の電位をもつまでになる．

イオンの平衡電位というのは，二つの相反する力，すなわちイオン濃度勾配と膜電位の釣合のために膜の一方から他方へのそのイオンの移動がないときの膜電位であることを11章で述べたことを思い出してほしい．活動電位における脱分極の頂点における膜電位の値はネルンストの式〔(11・2)式〕から導かれる Na^+ の平衡電位 E_{Na} に大変近い．これは，活動電位の発生が電位依存性 Na^+ チャネルの開口によるとしたときに予想される結果である．

電位依存性 Na^+ チャネルと K^+ チャネルの連続した開閉により活動電位が発生する

膜電位変化のサイクルと静止電位に復帰する過程を活動電位と

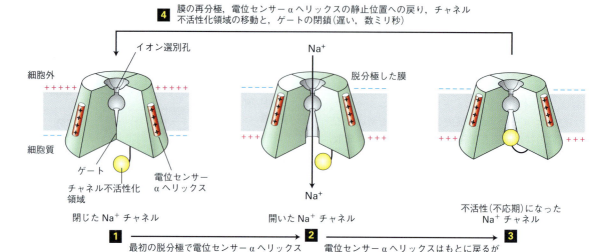

図 23・10 電位依存性 Na^+ チャネルの動作モデル．図 11・20 に示した K^+ チャネルと同様に，このタンパク質の 4 個の膜貫通ドメインが，イオンが通る中央の孔を形成している．Na^+ の移動を調節する重要な要素については，4 個のドメインから 1 個を取除いた断面図で示してある．チャネルが閉じている静止時には，3 残基ごとに正電荷をもつアミノ酸が並ぶ電位センサー α ヘリックスは，静止した膜の細胞質側にある負電荷に引寄せられている．これにより，チャネルがふさがれた"閉じた"配置になっており，細胞質側表面に近いところにゲートがきて Na^+ が入れないようにしている（段階 **1**）．膜がわずかに脱分極すると，電位センサーは膜の外側に向かってリン脂質二重層の中を動き，それによってタンパク質の細胞質側にあるゲートの構造変化がただちに起こってチャネルが開く（段階 **2**）．1 ミリ秒以内に，チャネル不活性化領域が開口部に入り込み，それ以上のイオンの流入を止める（段階 **3**）．膜が再分極すると，電位センサーヘリックスが静止位置に戻り，チャネル不活性化領域は開口部から出ていき，ゲートが閉じる．これで，チャネルは閉じた静止状態に戻り，膜の脱分極によって再び開くことができる状態になる（段階 **4**）．［W. A. Catterall, 2001, *Nature* **409**: 988; S. B. Long et al., 2007, *Nature* **450**: 376 参照．］

いい，この過程は 1〜2 ミリ秒で完結し，一般的な神経細胞では 1 秒間に何百回も繰返すことができる（図 23・2）．この膜電位の速やかな変化は神経細胞が刺激の強度を活動電位の頻度と書き換えることが重要である．すなわち，弱い刺激は活動電位の低い頻度となり，強い刺激は高い活動電位頻度に変換される．この一連の膜電位変化は，まず**電位依存性 Na^+ チャネル**（voltage-gated Na^+ channel）の開閉が軸索の細胞膜の一部で起こり（これは膜電位の変化によって開くチャネル），次に**電位依存性 K^+ チャネル**（voltage-gated K^+ channel）が開閉することによって起こる．活動電位の発生におけるこれらのチャネルの役割は，細胞膜を傷つけずに複数の微小電極を挿入できるイカの巨大軸索を使った古典的研究によって明らかにされたものである．基本的に同じ機構はすべての神経細胞で使われている．

電位依存性 Na^+ チャネル　　少し前で述べたように，電位依存性 Na^+ チャネルは静止神経細胞では閉じている．膜のわずかな脱分極（神経伝達物質がシナプス後細胞を刺激したときに起こる）がチャネルの開口確率を上げる．すなわち，脱分極が大きければチャネルの開口する可能性も高くなる．脱分極はこのチャネルタンパク質の構造を変えて，孔の細胞質側面にあるゲートを開けるため，Na^+ が孔を通って細胞内に流入できるようになる．最初の脱分極が大きいほど多くの電位依存性 Na^+ チャネルが開き，多くの Na^+ が流入する．

Na^+ が開いたチャネルから流入するようになると，その余剰の正電荷は膜の細胞質側を拡散し，脱分極の起こった部位から少し離れたところまで達する．負電荷も同様に反細胞質側を拡散していく．この細胞質側の正電荷と外側の負電荷（結果的に内側の負

が弱まる）の**受動的広がり**（passive spread）により細胞膜の隣接した部位で脱分極が起こり，その部位に存在する別の電位依存性 Na^+ チャネルが開くので，Na^+ の流入が増す．この Na^+ の流入によって細胞膜はさらに脱分極し，より多くの電位依存性 Na^+ チャネルが開き，膜はさらに脱分極する．こうして，Na^+ の爆発的流入が起こる．1 ミリ秒の何分の一かの間だけこの小領域の Na^+ の透過性が K^+ に比べ非常に大きくなり，膜電位は E_{Na}（Na^+ だけが透過できるときの平衡電位）に近づく．しかし，膜電位が E_{Na} と近づくと，Na^+ の濃度勾配（外側＞内側）と膜電位（内側が正）とが釣合って Na^+ の流入は止まる．そこで，活動電位は E_{Na} に近い最大値を示す．

図 23・10 は電位依存性 Na^+ チャネルの構造上の特徴と開閉に伴う構造変化を模式的に表したものである．静止状態では，このタンパク質の細胞質側の一部である**ゲート**（gate）が中央の開口部（孔）をふさぎ，イオンを通れなくしている．チャネルには四つの正に荷電した**電位センサー α ヘリックス**（voltage-sensing α helix）があり，静止時にはヘリックスは細胞膜の内側の負に荷電した側に引きつけられている．膜の小さな脱分極によってこれらの電位センサーヘリックスは細胞外の負の電荷をもつほうに動き，これによってゲートに構造変化が起こって，チャネルが開き，ここを Na^+ が通るようになる．約 1 ミリ秒後，細胞質側の**チャネル不活性化領域**（channel-inactivating segment）が開口部に移動し，それ以上のイオンの流入は抑えられる．膜の脱分極状態が続く限り，チャネル不活性化領域はチャネル開口部にとどまるため，この**不応期**（refractory period）の間，チャネルは不活性化されていて，再び開くことはできない．再び内側が負の静止電位に戻ると，2〜3 ミリ秒でチャネル不活性化領域は開口部から離れ，電位

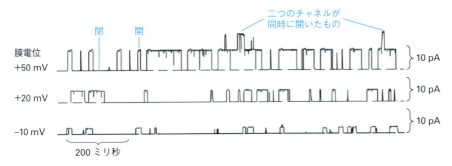

図 23・11（実験）　チャネル開口確率と個々の電位依存性 K⁺ チャネルを通る電流が膜の脱分極の程度を増加させる．このパッチクランプ法による計測は神経細胞膜上の小さな領域の膜電位を +50，+20，および −10 mV に固定して行った．電流が上に向かって変化するのは，K⁺ チャネルが開き K⁺ が外へ（細胞質側から反細胞質側へ）膜を通って移動することに対応している．膜電位を −10 mV から +50 mV に増し脱分極（電圧固定）させていくと，チャネルが開く確率，開いた状態の時間，そしてチャネルを通る電流（イオンの数）が増える．pA はピコアンペア．[B. S. Pallotta et al., 1981, Nature 293: 471; B. Hille, 1992, Ion Channels of Excitable Membranes, 2d ed., Sinauer, p.122 に基づき作成．]

センサー α ヘリックスは静止時の位置である膜の細胞質側に戻る．その結果，チャネルは閉じた静止状態に戻り，脱分極が起こると開くことができるようになる．図 23・10 に示すように，"閉じた" チャネルと "不活性化状態" のチャネルの差異に注意しよう．

電位依存性 K⁺ チャネル　不応期に起こる膜の再分極は，おもに電位依存性 K⁺ チャネルが開くことによる．つづいて起こる細胞質からの K⁺ の流出の増加によって，細胞膜の内側にたまった過剰の正電荷が除去され（膜の内側がより負になる），内側が負の静止電位が回復する．実際には，短い時間ではあるが，膜は過分極になる．この**過分極**（hyperpolarization）のピークでは，電位は静止電位より低い K⁺ の平衡電位 E_K に近づく（図 23・2）．

活動電位による膜の大きな脱分極が電位依存性 K⁺ チャネルを開口させる．電位依存性 Na⁺ チャネルとは異なり，ほとんどの種類の電位依存性 K⁺ チャネルは膜が脱分極している間は開口したままで，膜電位が負になってようやく閉じる．この K⁺ チャネルは，脱分極のはじまりからほんの少し遅れて活動電位が頂点に達したころ開くので，**遅延型 K⁺ チャネル**（delayed rectifier K⁺ channel）とよばれる．最終的には，すべての電位依存性 K⁺ チャネルと電位依存性 Na⁺ チャネルが閉じて静止状態に戻る．この基底状態で唯一開いているのは非調節性 K⁺ チャネルで，その結果，膜電位は通常の静止状態の値である約 −60〜−70 mV に戻る（図 23・9a）．

図 23・11 に示すパッチクランプ法による記録から電位依存性 K⁺ チャネルの重要な性質がわかる（パッチクランプ法の概要は図 11・22 参照）．この実験では，神経細胞の細胞膜の小領域をさまざまな電位に固定し，その小領域にある開いた K⁺ チャネルを通る K⁺ による電流を計測した．電流記録にみられるパルスの数と幅から判断すると，−10 mV 程度の脱分極ではこのチャネルは頻繁には開かず，2〜3 ミリ秒開き続けることがわかる．また，開いたチャネルを流れる電流値（パルスの高さ）から，このチャネルを通るイオンの数はあまり多くないといえる．+20 mV まで脱分極させると，チャネルの開く頻度は 2 倍になる．また，個々のチャネルを通る K⁺ の量も増す（パルスの高さが大きくなっている）．これは，+20 mV のときのほうが −10 mV のときより細胞質ゾルの K⁺ を外に押し出す力が強くなるからである．活動電位の頂点と同じ +50 mV まで脱分極させると，もっと多くの K⁺ チャネルが開き，各チャネル内を通る K⁺ も増す．したがって，この K⁺ チャネルは活動電位が頂点に達するところで開口して，K⁺ が外向きに出るようにすることで，膜電位を再分極させ，一方，電位依存性 Na⁺ チャネルは閉じて不活性化される．

ヒトやその他の脊椎動物から 100 以上の電位依存性 K⁺ チャネルが同定されている．このあとで述べるように，これらのチャネルタンパク質の全体的構造はよく似ているが，電位依存性，伝導度，チャネルの速度論的性質，その他の機能上の性質は異なっている．多くは強く脱分極したときだけ開き，この性質によって活動電位が最大の脱分極を起こし，その後再分極が開始される．

電位依存性 Na⁺ チャネル，K⁺ チャネルが活動電位の発火頻度を決定していることを考慮すると，これらのチャネルにおける変異がヒトにおける単一遺伝子に起因する遺伝性てんかんに関与することは驚くべきことではない．てんかんは人口の約 1% を占める発作性疾患であり，脳の多くの細胞が同時に活動することで生じる．てんかんそのものは脳の発生異常や脳外傷，薬物やアルコール中毒などさまざまな原因で生じるが，いくつかのてんかんについてはイオンチャネルをコードする遺伝子の変異により発症する．これらの疾患を**チャネロパチー**（**チャネル病** channelopathy）とよぶ．ヒトにおける遺伝学的研究により，電位依存性 Na⁺ チャネル Nav1.1 の遺伝子変異は熱性けいれんに特徴づけられる，ドラベ症候群（Dravet syndrome）とよばれる**乳児重症ミオクロニーてんかん**（severe myoclonic epilepsy）の原因となる．電位依存性 K⁺ チャネル Kv7.2 や Kv7.3 の遺伝子変異は**良性家族性新生児けいれん**（benign familial neonatal convulsion）とよばれる別のてんかんの原因となる．電位依存性 Na⁺ チャネルや K⁺ チャネルの変異はさまざまな機構により神経細胞の過活動の原因となる．たとえば，Na⁺ チャネルの不活化を変化させたり，K⁺ チャネル依存性の神経細胞の再分極を阻害する．これらは活動電位の時間を延長したり，活動電位を生じる閾値を低下させる．またある時はたとえば，神経細胞に対する抑制性入力と興奮性入力の比を低下させる．

活動電位は減衰することなく一方向に伝わる

活動電位の発生は神経細胞体に近い軸索細胞膜の小さな領域で起こる変化である．活動電位が頂点に達すると膜の脱分極が近隣

の領域に受動的に広がり，その領域で少数の電位依存性 Na^+ チャネルを開口させる．それによりその領域の脱分極はさらに強まり，爆発的に多数の Na^+ チャネルを開かせ，活動電位を発生させる．この脱分極はすぐに電位依存性 K^+ チャネルを開かせ，静止電位に戻らせる．活動電位が減衰することなく最初の位置から進行波のように広がっていく．

前に述べたように，電位依存性 Na^+ チャネルには数ミリ秒の間不活性になる不応期がある．このような不応期の Na^+ チャネルは，受動的に広がる脱分極が起こっても，この期間にはイオンを流すことはなく，再び開口することはない．図23・12に示すように，Na^+ チャネルは不応期に入ると再び開口しないため，活動電位は最初に発生した軸索丘から軸索終末へと一方向に伝わる．活動電位の場所よりも上流にある Na^+ チャネルは不活性化されているので，受動的な広がりによって小さく脱分極しても再び開口することはない．一方，活動電位の下流にある Na^+ チャネルは開口しはじめる．Na^+ チャネルの不応期により神経細胞が1秒間に伝えることのできる活動電位の数も限られている．この性質は，情報を運ぶのは活動電位の頻度であるため，非常に重要である．

活動電位における膜の脱分極は，神経細胞内へのわずか数個の Na^+ の移動によるものであり，細胞内 Na^+ 濃度に大きな影響を与えるものではない．Na^+ や K^+ の流れは膜電位を脱分極，過分極，再分極の順に大きく変化させる一方で，膜を介したこれらのイオンの交換は，細胞質内や細胞外空間に存在する Na^+ や K^+ の総量に比べれば微量であることが重要である．

すべての電位依存性チャネルは類似した構造をもつ

活動電位が電位依存性イオンチャネルの調節された開閉によることを説明したので，次に，このすばらしいタンパク質の分子機構についてみていこう．これらのチャネルの基本構造について説明したのち，次の三つの疑問点に焦点を当てる．

- これらのタンパク質はどのように膜電位の変化を感知するのか．
- この変化がどのようにチャネルの開口に変換されるのか．
- チャネルが開いたあとすぐに不活性化されるのは何によるのか．

電位依存性イオンチャネルを理解する突破口は，キイロショウジョウバエ Drosophila melanogaster の shaker 変異から得られた．この変異体はエーテル麻酔をかけるとひどく震えだす．この震えは運動の制御が失われたこと，すなわち，ある種の運動ニューロンに異常に長い活動電位を示す欠陥があるために起こる．研究者たちは shaker 変異がチャネル機能の欠陥ではないかと考えた．原因となる遺伝子をクローニングした結果，欠陥タンパク質は電位依存性 K^+ チャネルであることがわかった．shaker 変異をもつチャネルは，脱分極が起こってもすぐに開口できなくなっている．shaker 遺伝子が K^+ チャネルをコードすることを調べるため，野生型の shaker の cDNA がクローン化され，これを鋳型に無細胞系を用いて shaker mRNA がつくられた．この mRNA をカエル卵母細胞で発現させ，パッチクランプ法により新たにつくられたチャネルタンパク質を調べたところ，機能特性が神経細胞膜にある電位依存性 K^+ チャネルと同じであることがわかり，shaker 遺伝子がこの K^+ チャネルをコードすると結論された．

この Shaker K^+ チャネルやこれまで同定されている他のほとんどの電位依存性 K^+ チャネルは4個の同一サブユニットからなる四量体で，サブユニットは膜内で中央の孔を取囲むように配置されている．各サブユニットにはS1〜S6と名づけられた6本の膜貫通 α ヘリックスとPセグメントがある（図23・13a）．このうちS5およびS6 α ヘリックスとPセグメントは，構造的にも機能的にも，先に述べた非調節性静止 K^+ チャネルのものと類似している（図11・20参照）．S5およびS6 α ヘリックスはイオンが移動する K^+ 選択性フィルターの縁を構成する．S1〜S4ヘリックスは強固な複合体を形成し電位センサーとして機能する（S4の正に荷電した側鎖が主要センサーである）．S1から細胞質に突き出てい

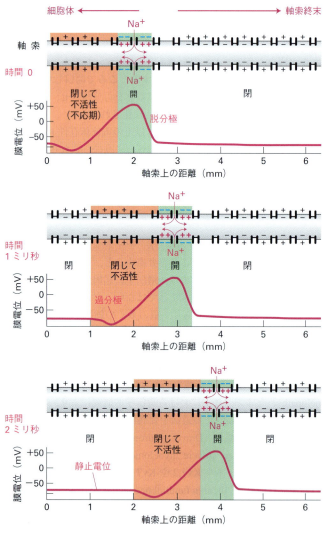

図 23・12 電位依存性 Na^+ チャネルの一過性の不活性化により活動電位は一方向に伝播する．時間 0 では軸索上の 2 mm の位置に活動電位（赤）が発生している．この部位の Na^+ チャネルは開口して（緑の影），Na^+ が流入する．過剰な Na^+ は膜内を両方向に拡散し，受動的に脱分極が両方向に広がる（曲がった赤の矢）．1 mm の位置にある Na^+ チャネルはまだ不活性状態なので（橙の影），この受動的拡散によって生じた小さな脱分極によって開かない．一方，3 mm 下流の位置にある Na^+ チャネルは開きはじめる．活動電位が通過したのち，それらの膜領域は2〜3ミリ秒の間不活性状態（不応期）となる．したがって，2 mm の位置で時間 0 にあった脱分極は，下流にだけ活動電位を誘発する．1 ミリ秒後には 3 mm の位置を活動電位が通過し，2 ミリ秒後には 4 mm の位置を活動電位が通過する．

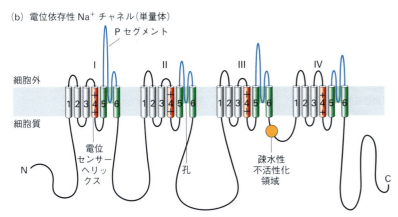

図 23・13 電位依存性 K$^+$ チャネルと Na$^+$ チャネルの二次構造の模式図. (a) 電位依存性 K$^+$ チャネルは，600〜700 個のアミノ酸からなる，6 本の膜貫通 α ヘリックス (S1〜S6) をもつ同一サブユニット 4 個でできている．各サブユニットの細胞質にある N 末端 (N と示した) は，開いたチャネルを不活性化する球状ドメイン (不活性化領域，橙の球) を形成している．S5 と S6 ヘリックス (緑) と P セグメント (青) は非調節性の静止 K$^+$ チャネルのものと類似しているが，そのほかに 4 個の膜貫通 α ヘリックスをもっている．そのうちの一つ S4 (赤) はおもな電位センサー α ヘリックスであり，S1〜S3 ヘリックスとともに強固な複合体を形成している．(b) 電位依存性 Na$^+$ チャネルはアミノ酸数 1800〜2000 の単量体で四つの類似した膜貫通ドメイン (I〜IV) をもち，各ドメインは電位依存性 K$^+$ チャネルのサブユニットと類似している．チャネル不活性化領域 (橙の球) はドメイン III と IV の間の細胞質側に 1 個ある．電位依存性 Ca^{2+} チャネルの全体の構造もこの Na$^+$ チャネルと似ている．ここには示していないが，多くの電位依存性イオンチャネルには調節 (β) サブユニットがある．〔(a) は C. Miller and H. Hughes, 1992, *Curr. Biol.* **2**: 573; H. P. Larsson et al., 1996, *Neuron* **16**: 387. (b) は W. A. Catterall, 2001, *Nature* **409**: 988 参照．〕

る N 末端の "ボール" がチャネル不活性化領域である．

電位依存性 Na$^+$ チャネルは単量体タンパク質であるが，四つの類似したドメイン (I〜IV) をもっていて (図 23・13b)，ドメインそれぞれが電位依存性 K$^+$ チャネルのサブユニットに似ている．チャネル不活性化領域を全部で四つもつ K$^+$ チャネルと異なり，単量体の Na$^+$ 電位依存性チャネルには一つのチャネル不活性化領域しかない．こうした構造上のわずかな違いとイオン透過性の違いを除けば，すべての電位依存性イオンチャネルの作用機序はよく似ていて，6 本の膜貫通 α ヘリックスをもつ祖先型の単量体チャネルタンパク質から進化してきたと考えられている．次項では，電位依存性 K$^+$ チャネルの構造に焦点を当て，そして最近解明された Na$^+$ チャネルの構造についても簡単に説明する．

膜の脱分極に応答して電位センサー S4 α ヘリックスが動く

これまでの 20 年間で，チャネルタンパク質の生化学および機能の理解は，細菌の K$^+$ チャネルや Shaker K$^+$ チャネルなどの結晶構造が解析されて急速に進展した．また近年開発された，非常に強力なクライオ電子顕微鏡技術 (11 章) の発展により，脂質膜内に存在する Na$^+$ チャネルおよび K$^+$ チャネルを含むさまざまな膜貫通タンパク質の天然構造が決定されるようになった．

チャネルの構造から，電位センサードメインの驚くべき配置が明らかになり，タンパク質のさまざまな部分がチャネルを開口するときにどのように動くのかが示唆された．すでに述べたように，K$^+$ チャネル四量体は Na$^+$ チャネル単量体のように，S5 および S6 ヘリックスが取囲むようにつくられた孔をもつ (図 23・14)．このコア構造の外側に，個々にヘリックス S1〜S4 を含む四つの腕 (櫂) が周囲の膜に突き出ていて，同時に S5 および S6 ヘリックスの外側と相互作用している．これらが電位センサーであり，孔とは最小限の接触をしているにすぎない．高感度の電気的測定によって，電位依存性 K$^+$ あるいは Na$^+$ チャネルが開くときに，タンパク質にある正電荷が，細胞膜の細胞質側面から反細胞質側面へ動くことが示唆された．タンパク質の動く部分は，ヘリックス S1〜S4 でできた強固な複合体である．S4 には，3〜4 残基ごとにリシンかアルギニンの正電荷があり，この正電荷のほとんどを説明できるので S4 が主要な電位センサーである (図 23・14d)．S4 にあるアルギニンは，チャネルが開口すると 1.5 nm 動くと計測されたが，この動きの大きさは膜の厚さが約 5 nm，α ヘリックスの直径が 1.2 nm であることと比較するとよくわかる．これらの重要な構造変化がチャネルの開口を支えている．

静止状態では，S1〜S4 の複合体 (櫂) にある正電荷は膜の細胞質側の負電荷に引寄せられる．脱分極した膜では，これらの正電荷は膜の外側にある負の電荷に引寄せられ，S1〜S4 の櫂が膜を横切って細胞質側から細胞の外側に向かって動く．電位依存性 Na$^+$ チャネルにおけるこの動きを模式的に図 23・10 に示した．この動きによってタンパク質の立体構造の変化がひき起こされてチャネルが開口する．

電位を感知するチャネルの構造で通常の膜貫通タンパク質にはみられない変わった点は，アルギニンのように電荷をもつ残基の存在であり，これが脂質と接触している．電位センサーの位置をみると，以前の実験で電位非依存性チャネルに電位センサードメインを付加したことによって電位依存性チャネルに変換されたことがよく理解できる．もし電位センサーがコア構造の中に深く埋まっていたなら，このような実験はうまくいかなかっただろう．

この S4 α ヘリックスが電位の感知に重要な役割を果たしていることが，変異型 Shaker K$^+$ チャネルの研究から支持された．S4 α ヘリックス内にあるアルギニンやリシンを一つ以上中性か酸性のアミノ酸に置き換えると，脱分極に応答して膜を移動する電荷

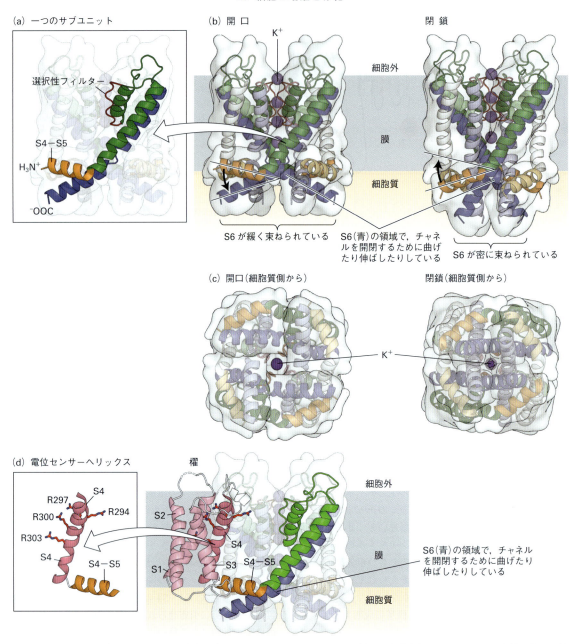

図 23・14 電位依存性 K^+ チャネルの原子構造. K^+ チャネルの一つのサブユニット (a) と四量体 (b) の開口および閉鎖状態を横から見たモデル図. 細胞の内側が下, 外側が上になるように配置すると四つの緑 (S5) と青 (S6) の α ヘリックスは膜に埋込まれているのが見える. 閉鎖状態ではヘリックスが底のほうで密になっていて, チャネルが閉じられて K^+ が通れないことに注意してほしい〔(b) の下にある括弧で示す S5 ヘリックス間の距離を比較せよ〕. 細胞質中にある S4 と S5 の間のリンカー (橙) は, S4 ヘリックス (ここでは見えない) を S5 ヘリックスにつなげている. わかりやすくするために, このモデルでは S1 から S4 ヘリックスは省略してあるが, これらは通常は S4-S5 リンカーの端につながっていて, 分子の外側へと張り出している. (c) 開口および閉鎖状態のチャネルを細胞質側から膜に対して見たリボンモデル図. 濃紫で示された K^+ は開口状態では孔を通過できるが, 閉鎖状態ではできない. (d) ヘリックス S1~S4 からなる電位を感知する"櫂"の三次元構造. S4 にある四つの電位センサーのアルギニン残基 (R) も示す. これらの櫂は, 脱分極に応答して膜の内側近くから外側に向かって動く. 個々の櫂は S4-S5 リンカーに結合しているので, リンカーとそれに結合した S5 ヘリックスが動くと, 同時に S6 ヘリックスも動いて孔が開く. (b) で示したように, S4 と S5 の間のリンカーは, 開いたチャネルでは, 上向きに細胞外側 (外側) を指していて, S1~S4 の櫂が外向きに動くと上向きに引っ張り上げられることに注意してほしい. 反対に, 閉じたチャネルでは S1~S4 の櫂は細胞質側表面により近づいて S4-S5 リンカーは下向きになっている. 〔X. Chen et al., 2010, *Proc. Natl. Acad. Sci. USA* **107**: 11352, PDB ID 3lut; Y. Zhou et al., 2001, *Nature* **414**: 43, PDB ID based on 1k4c.〕

が通常より減ったため, この S4 α ヘリックス内のアルギニンとリシンが膜を横切って動くことが示された. 哺乳類の電位依存性 K^+ チャネルの開口時の構造が, 他の K^+ チャネルの閉鎖時の構造と比較された. その結果によれば, 膜を横切る電位センサーの動きに応答してチャネルが開閉するモデルが示唆されている (図 23・14 a, b). このモデルでは, ヘリックス S1~S4 でできている電位センサーは電圧に応答して動き, S4 と S5 をつなぐリンカーヘリックスをひねる作用をする.

- 開口状態のチャネルでは，S4－S5 リンカーの位置によって S6 ヘリックスが細胞質表面のほうにねじれを生じさせ（図 23・14a の青），細胞質表面近くにある内側の孔が開く．孔の径は 1.2 nm で，水和した K^+ が通るにはちょうどよい大きさである（図 23・14c）．
- 細胞膜が再分極し電位センサーが細胞質側に動くと，S4－S5 リンカー（図 23・14b，橙）はねじれて細胞の内側に入る．S6 ヘリックスはその結果，まっすぐになってチャネルの口を絞り閉じる．したがって，イオンが通る孔は S5 と S6 ヘリックスの細胞質に面した末端部から構成されていて，そこで孔が最も狭くなっている．

電位依存性 K^+ チャネルと電位依存性 Na^+ チャネルは類似した電位センサーと孔構造をもっているが，イオン選択性フィルターとイオンに対するふるまいは異なる（11 章においても説明した）．Na^+ の直径（0.102 nm）は K^+（0.138 nm）よりも小さいにもかかわらず，Na^+ チャネルの選択性フィルターは K^+ チャネルのものより大きい．K^+ チャネルの孔にはカルボニル酸素原子が並ぶように保存されたアミノ酸が存在する（図 11・21 参照）．K^+ が孔に入ると，これらの酸素原子は水和している水を取除く．Na^+ は小さいため，K^+ チャネルの孔に存在するカルボニル基と相互作用できない．一方，Na^+ は水により水和した状態で Na^+ チャネルの孔を通る．この孔には保存された負に荷電したアミノ酸が並んでおり，水和した水分子を通じて正に荷電した Na^+ がこれらの負に荷電したアミノ酸と相互作用しながら通り抜けられるよう，ちょうど一つの水和した Na^+ に合致した大きさの孔となっている．水和した K^+ は大きすぎてこの孔を通ることはできない．

⚕ 歯医者や縫合糸の切断など小さな外科手術において痛み止めのために頻用される局所麻酔薬のリドカイン（lidocaine）は電位依存性 Na^+ チャネルによる Na^+ の流れを阻害する．リドカインはチャネル孔のアミノ酸に結合し Na^+ の流入を阻害し，活動電位の発生を抑制する．リドカインの結合部位はチャネルが開口状態のときにのみ露出するため，リドカインの結合はチャネルの孔を塞ぎながら開口状態でチャネルの構造を固定する．■

チャネル不活性化領域が開いた孔に移動してイオンの流れを止める

電位依存性チャネルの重要な性質に不活性化がある．すなわち，チャネルは一度開いたあと，ただちに自発的に閉じ，再分極するまでは開けない状態になる．静止状態のとき電位依存性 K^+ チャネルの 4 個のサブユニットの N 末端にある球状部分（ボール）は細胞質で自由に動くことができる（図 23・13）．脱分極によってチャネルが開いてから数ミリ秒後にボールの一つが，2 個のサブユニットの間にある開口部から入って，孔の中央にある疎水性ポケットに収まり，K^+ の流れを止める（図 23・10）．さらにおよそ 2～3 ミリ秒後，ボールは孔から移動して，チャネルタンパク質は閉じた静止状態に戻る．この K^+ チャネルの球と鎖からなるドメインは Na^+ チャネルの不活性化領域と同じ機能を果たしている．図 23・15 に示した実験から，K^+ チャネルの不活性化はボールドメインに依存し，チャネルの開口のあとで起こること，またそれにはボールドメインがチャネルタンパク質に共有結合でつながれている必要はないことが示された．

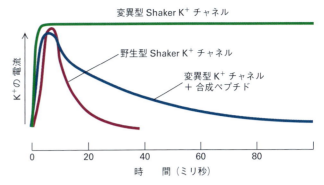

図 23・15（実験） N 末端の球状ドメインを欠く変異型 K^+ チャネルを用いた実験によって球と鎖による不活性化モデルが支持される．野生型 Shaker K^+ チャネルと N 末端のボール部分をつくるアミノ酸を欠損した変異型 Shaker K^+ チャネルをアフリカツメガエルの卵母細胞で発現させた．チャネル活性は，パッチクランプ法によって測定した．取出した膜の小領域を 0 mV から +30 mV に脱分極させると，野生型チャネルは約 5 ミリ秒間開いてから閉じた（赤線）．一方，変異型チャネルは正常に開いたが，閉じることができなかった（緑線）．このとき，ボールに相当する合成ペプチドをパッチの細胞質側に加えると，変異型チャネルは正常に開き，その後，閉じた（青線）．この結果から，加えた合成ペプチドが開いたチャネルを不活性化することと，ボールが働くにはチャネルにつながれる必要がないことが示された．［W. N. Zagotta et al., 1990, *Science* **250**: 568 による．］

電位依存性 Na^+ チャネルに一つだけあるチャネル不活性化領域には，イソロイシン，フェニルアラニン，メチオニン，トレオニンからなる保存された疎水性モチーフがある（図 23・13b）．K^+ チャネルのボールと鎖からなるドメインと同様に，この部分も孔の中に折れ曲がり，Na^+ の通る孔をふさぎ，膜が再分極するまで動かない．

ミエリン形成によってインパルスの伝導が速くなる

先に述べたように，活動電位は軸索の膜上での Na^+ チャネルと K^+ チャネルにおけるイオン透過によって発生する．髄鞘のない軸索上を活動電位は減衰することなく毎秒 1 m の速さで伝わる．しかし，動物に特徴的な複雑な運動には，その速さでも不十分である．たとえば，成人のヒトの下肢を支配する運動ニューロンの細胞体は脊髄にあり，軸索の長さは約 1 m である．もし活動電位が，脊髄から運動ニューロンの軸索を伝わって下肢の筋肉に達するのに 1 秒かかるとしたら，歩行や走行のような動きに必要な筋肉の協調した収縮は不可能になるだろう．この問題の解決法は，活動電位の伝導速度を増加させる絶縁体で細胞を覆うことである．この絶縁体は**ミエリン鞘**（myelin sheath）とよばれる（図 23・1d）．ミエリン鞘が軸索のまわりに存在すると活動電位の伝導速度は 10～100 m/s になる．その結果，ヒトの通常の運動ニューロンでは，0.01 秒以内に活動電位が 1 m の軸索を伝わって筋を刺激し収縮させる．

ミエリンをもたない神経細胞における活動電位の伝導速度は，軸索の直径にほぼ比例する．理由は，太い軸索ほど拡散するイオンの数が多いからである．ヒトの脳には，比較的小さい，ミエリン鞘をもつ神経細胞が詰まっている．もし脳の神経細胞がミエリン形成されていなかったとしたら，同じ伝導速度にするためには，軸索の直径を 10,000 倍にしなければならない．したがって，神経

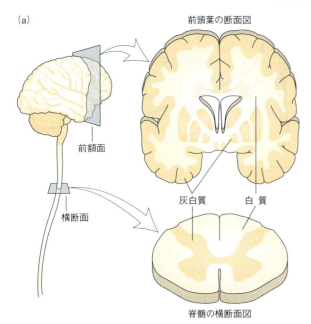

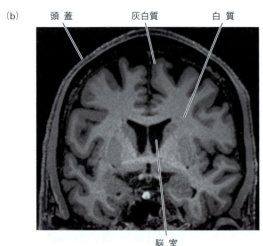

図 23・16 中枢神経系の灰白質と白質．脊椎動物の脳と脊髄は，神経細胞体とグリア細胞体からなる"灰白質"と，ミエリンによって覆われた軸索路からなる"白質"に分けられる．この密度や脂質組成の違いが，組織学的に目に見える違いとなって現れている．(a)では脊髄と大脳について示している．組織密度の違いは大脳の磁気共鳴画像法 (MRI) などの画像診断技術によっても検出される (b)．[(b)は Roger P. Woods and the Ahmanson-Lovelace Brain Mapping Center at UCLA.]

細胞が密に集まった脊椎動物の脳はミエリン鞘なしには進化できなかったであろう．

脊椎動物の脳および脊髄は灰白質と白質とよばれる二つの領域に分けることができる（図 23・16）．灰白質は神経細胞とグリア細胞の細胞体とミエリンをもたない突起からなり，白質は白色に見える脂質に富んだミエリンによって覆われた軸索の束から構成される．組織密度の違いはコンピューター断層撮影〔computerized tomography (CT) scanning〕や核磁気共鳴画像法 (magnetic resonance imaging: MRI, 図 23・16b) とよばれる脳画像化技術によっても検出される．これらの技術によりミエリンに影響を与える病態と神経細胞に影響するものを区別することができる．

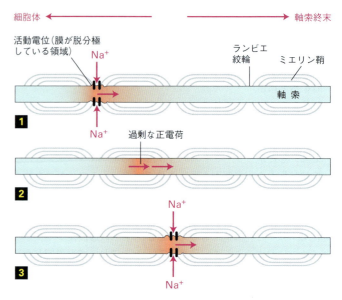

図 23・17 ミエリン鞘をもつ軸索での活動電位の伝導．ミエリン層は膜を通過するイオンの動きを膜不透過性にし，電位依存性 Na^+ チャネルはランビエ絞輪の軸索膜だけに存在するので，活動電位に伴う Na^+ の流入は絞輪でだけ起こる．一つの絞輪で活動電位が発生すると（段階 1），細胞内で過剰となった正電荷は絶縁されたミエリン鞘の外に出ることなく，軸索に沿って速やかに伝わる．この正電荷は次の絞輪を脱分極させ（段階 2），その絞輪に活動電位を発生させる（段階 3）．このように活動電位は絞輪から絞輪へと跳躍するように伝わる．

ミエリン鞘をもつ軸索では活動電位が絞輪から絞輪へ跳躍する

軸索を包むミエリン鞘は多数のグリア細胞によってつくられる．一つのグリア細胞によってつくられたミエリン鞘の領域と別のグリア細胞によってつくられたミエリン鞘の領域の間には，**ランビエ絞輪**（node of Ranvier, 単に絞輪ともいう，図 23・1d）とよばれる 1 μm ほどのミエリン鞘のない軸索の膜領域がある．軸索膜はこの絞輪だけで細胞外液と直接接触しており，ミエリン鞘が覆うことによって，絞輪以外ではイオンが軸索を出入りしないようにしている．さらに，軸索のイオン濃度勾配を維持する電位依存性 Na^+ および Na^+/K^+ ポンプが絞輪に高濃度で存在するのに対し，K^+ チャネルは絞輪の隣に高濃度で存在する．

こうした局在によって，活動電位をひき起こす Na^+ の流入はミエリン鞘がない絞輪のところでだけ起こる（図 23・17）．膜が脱分極している間に，絞輪では Na^+ が細胞質へ流入するために過剰な陽イオンが存在することになり，陽イオンは軸索の細胞質で受動的に拡散する．しかし，これによって，次の絞輪まで活動電位が減衰することはほとんどない．その理由は Na^+ はミエリン鞘がある膜を通過できないからである．その結果，一つの絞輪で起こった脱分極は速やかに次の絞輪に伝わってそこで活動電位を誘導するので，活動電位は絞輪から絞輪へと確実に "ジャンプ" していく．この伝達を**跳躍伝導** (saltatory conduction) とよぶ．ミエリン鞘をもった神経細胞の伝導速度は，ずっと大きな直径のミエリン鞘がない神経細胞と同じなのはこのためである．

ミエリン鞘をつくる 2 種類のグリア細胞

神経系においてミエリン鞘は 2 種類のグリア細胞により形成さ

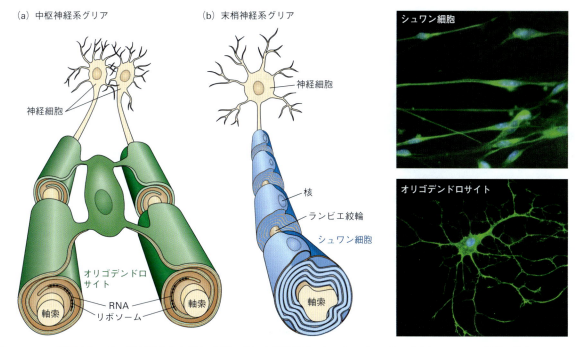

図 23・18 2種類のミエリン鞘を形成するグリア細胞. (a) 中枢神経系にあるオリゴデンドロサイトは,一つで複数の軸索にミエリンを形成する. (b) 個々のシュワン細胞は,末梢神経系の軸索で一つの領域を絶縁する. [B. Stevens, 2003, *Curr. Biol.* **13**: R469; D. L. Sherman and P. J. Brophy, 2005, *Nat. Rev. Neurosci.* **6**: 683 参照. 写真は V. Shukla and D. Fields from NIH.]

れる. **オリゴデンドロサイト** (oligodendrocyte) は中枢神経系の鞘をつくり, **シュワン細胞** (Schwann cell) は末梢神経系の鞘をつくる (図 23・18). 理由は定かではないが, すべての軸索がミエリン鞘に覆われているわけではない.

オリゴデンドロサイト　オリゴデンドロサイトは, 中枢神経系の軸索のまわりにらせん状のミエリン鞘を形成する (図 23・18a). 個々のオリゴデンドロサイトは, 複数の神経細胞にミエリン鞘をつくる. 主要なタンパク質成分は, ミエリン塩基性タンパク質 (myelin basic protein: MBP) とプロテオリピドタンパク質 (proteolipid protein: PLP) である. MBP は中枢神経系と末梢神経系の両方に存在する細胞内タンパク質であり, RNA スプライシングによって生じる7種類の mRNA にコードされる. MBP は, 成長しつつあるミエリン鞘に局在するリボソームで合成される. これは, 細胞内周縁領域への mRNA の特異的な輸送の例である (9章). 離れたオリゴデンドロサイトの突起への MBP mRNA の局在は微小管に依存し, 局所的な翻訳がミエリン鞘の形成にかかわっている.

オリゴデンドロサイトによってつくられるタンパク質の損傷が, ヒトでよくみられる神経疾患である多発性硬化症 (multiple sclerosis: MS) の原因である. この病気の症状は, 四肢のけいれんや筋力低下, 膀胱の機能不全, 局部的な感覚喪失, 視覚障害などで, 脳や脊髄の一部でミエリン鞘がパッチ状に消失することが要因となる**脱髄疾患** (demyelinating disease) である. 多発性硬化症患者の場合, ミエリン鞘を失った神経細胞の活動電位の伝導が遅くなり, Na^+ チャネルが絞輪から広がり, 絞輪での濃度が下がる. この病気の原因はわかっていないが, 自己抗体 (正常な自己タンパク質と結合する抗体) ができることが関係しているらしい. マウスの変異体である *shiverer* では MBP 遺伝子のほとんどが欠失しており, これによってふるえ, けいれんが生じ, 早期に死ぬ. 同様に, 中枢神経系のミエリンの主要タンパク質である PLP をコードする遺伝子の変異によって, ヒトではペリツェウス-メルツバッハー病 (Pelizaeus-Merzbacher disease), マウスでは *jimpy* 変異が生じ, オリゴデンドロサイトの消失とミエリン形成の不全が起こる. 多発性硬化症に対する新しい薬が複数開発され, FDA により承認されている, もしくは治験が行われているが, その多くは免疫系に作用するものである.

シュワン細胞　シュワン細胞は, 末梢神経のまわりにミエリン鞘を形成する. そのミエリン鞘は, 見事ならせん状の覆いである (図 23・18b). 長い軸索には, その全長にわたって数百のシュワン細胞があり, それぞれが軸索上の絞輪の間に 1〜1.5 μm ほどの絶縁体をつくっている. シュワン細胞が欠損する変異をもつマウスでは, ほとんどの神経細胞が死ぬ.

オリゴデンドロサイトと違い, シュワン細胞は一つの軸索にだけ結合している. 鞘は約70%の脂質 (コレステロールが多い) と30%のタンパク質から構成される. 末梢神経系では, ミエリンの主要タンパク質構成成分 (約80%) は, 免疫グロブリン (Ig) ドメインをもつ**プロテイン 0** (P_0) とよばれる膜内在性タンパク質である. MBP も主要な構成成分である. P_0 の細胞外の Ig ドメインは互いに結合し合って, 軸索の周囲を次々に覆うため, ミエリン鞘のらせんが圧縮される (図 23・19). 中枢神経系では別のタンパク質がこのような役割を果たしている.

ヒトでは末梢神経系のミエリンは中枢神経系のミエリンと同様, 自己免疫疾患の標的になっていて, おもに P_0 に対する自己抗体の形成が関係する. ギラン-バレー症候群 (Guillain-

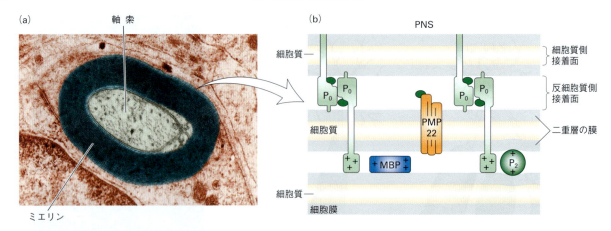

図 23・19 末梢神経系(PNS)におけるミエリン鞘の形成と構造. (a) 高倍率で見ると，この特殊化したらせん状のミエリン膜は，軸索の周囲を包むリン脂質二重層の連続した層，すなわちラメラのようにみえる．(b) ミエリンらせん膜の3層を拡大したもの．最も大量に存在する内部ミエリン膜タンパク質は P_0 と PMP22 であり，これらはシュワン細胞だけでつくられる． P_0 タンパク質の反細胞質ドメインには免疫グロブリンと似た構造があり，向かい合った膜表面から出ている P_0 の同じようなドメインと結合する．この相互作用によって膜表面どうしがジッパーで合わされたようになり，細胞外側の接着面が密着する．細胞質側面の接着には， P_0 タンパク質の細胞質側尾部と反対側の膜のリン脂質との結合が寄与している可能性がある．また，膜の密着には PMP22 も寄与している可能性がある．細胞質タンパク質であるミエリン塩基性タンパク質(MBP)は，細胞質が押出されるに従って狭くなるときに膜の間に残る．[(a)は Biophoto Associates/Science Source.(b)は L. Shapiro et al., 1996, *Neuron* **17**: 435; E. J. Arroyo and S. S. Scherer, 2000, *Histochem. Cell Biol.* **113**: 1 参照.]

Barre syndrome: GBS) は**急性炎症性脱髄多発性ニューロパチー** (acute inflammatory demyelinating polyneuropathy) ともよばれる，そうした病気の一つである．GBS は急性の麻痺の最も多い原因であり，約10万人に1人発病する．原因は不明だが，通常は急性感染症のあとに発症し，末梢神経系に対する免疫攻撃が関与していると考えられている．これもよく知られた遺伝性神経疾患である**シャルコーマリートゥース病** (Charcot-Marie-Tooth disease) 1A 型では，末梢の運動ニューロンと感覚ニューロンが損傷を受けるが，これは末梢神経系のミエリンの別の構成成分である PMP22 タンパク質をコードする遺伝子の過剰発現が原因である．■

グリア細胞と神経細胞の相互作用によって，ミエリン鞘の配置と間隔，そしてランビエ絞輪での神経伝達装置の集合が制御される．たとえば，高濃度で局在する電位依存性 Na^+ チャネルと Na^+/K^+ ポンプは，活動電位の形成において膜電位の上昇に必要であるが，細胞骨格タンパク質と相互作用しランビエ絞輪に集まる．これら細胞骨格タンパク質の活性はグリアと神経細胞における細胞接着タンパク質の相互作用によって制御されている．ミエリンが存在しない絞輪に近接した領域は**パラノード** (paranode) とよばれ，以下で述べられる細胞接着タンパク質間の相互作用によって形成される，ミエリンと軸索の膜の間に構成される特殊な結合部である．これらの結合部は軸索膜上におけるイオンチャネルの移動を制限する．これらの領域により，**傍パラノード** (juxtaparanode) とよばれる電位依存性 K^+ チャネルに富んだ領域と分けられる．これらの K^+ チャネルにより活動電位のあとに膜電位が静止電位に回復する．この物理的な Na^+ チャネルと K^+ チャネルの分離が活動電位の効率的な伝播にかかわっている．

光活性化イオンチャネルと光遺伝学

クラミドモナス *Chlamydomonas reinhardtii* (図1・23b 参照) のような単細胞鞭毛虫は光に反応し誘引される**正の走光性** (phototaxis) もしくは忌避する**負の走光性** (photophobia) を示す．この速やかな**光運動性** (photomotility) 反応は**眼点** (eyespot) とよばれる特殊な光感受性器官における光活性化陽イオンチャネルの働きによるものである．最初に同定された光活性化チャネルは緑藻であるクラミドモナスのチャネルである．これは**チャネルロドプシン** (channelrhodopsin) とよばれ7回膜貫通タンパクであり光異性化する発色団である全 *trans*-レチナールが共有結合している (図 23・20a, b)．15章において説明したように，同じ発色団は眼において光子の検出に用いられている (図15・34 参照)．全 *trans*-レチナールが光子を吸収すると，13-*cis*-レチナールに変化し，チャネルタンパクの構造変化を惹起する．その結果，直径約 0.6 nm の孔が開き迅速に陽イオンが流入する．チャネルロドプシンは非選択的な陽イオンチャネルであり， H^+, Na^+, K^+, Ca^{2+} を流入させる．他にさまざまな光活性化陽イオンチャネルが同定され，さらに遺伝子改変技術により，特異的な波長や強さの光によって活性化もしくは不活性化されるチャネルや，特定のイオンのみを透過させるチャネルなど，人工的に設計されたさまざまなチャネルロドプシンの開発がなされた．これらの研究成果はさらに**光遺伝学** (optogenetics, オプトジェネティクス) とよばれる新しい領域の開拓につながった．すなわち，電気的興奮性細胞に対してこれらのチャネルロドプシンを発現させ，光を利用して迅速かつ選択的に細胞の膜電位を制御する方法論である (図23・20c)．

光遺伝学技術は単純に神経活動を測定して行動との相関をみるだけであった神経科学者に対して，神経回路の影響が行動に及ぼす影響を直接的に検討させることができるようにした点で，神経回路研究に革命をもたらしたといえる．共通する実験手法としては，まず細胞特異的なプロモーター (6章) を用いて脳における一部の神経細胞にのみチャネルロドプシンを発現させた遺伝子改変マウスを作製する．そして頭蓋骨に孔をあけ，脳の表層に存在するチャネルロドプシン発現細胞に対してレーザーを用いて光照

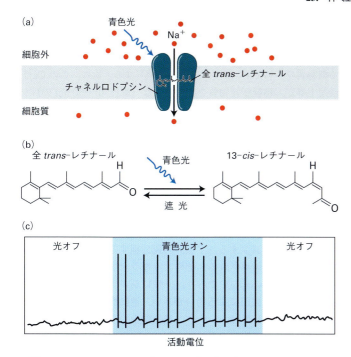

図 23・20 チャネルロドプシンと光遺伝学：光による神経細胞活性化．(a) 光活性化イオンチャネル．チャネルロドプシンは緑藻類から同定された光活性化陽イオンチャネルであり，光走化性を制御する．このチャネルは 7 回膜貫通タンパク質であり，光異性化する全 trans-レチナールが共有結合している．(b) 全 trans-レチナールは青色光（約 470 nm）を吸収すると 13-cis-レチナールに構造転換する．その結果チャネルの構造変化が生じ，チャネルが開口し陽イオンが透過する．(a) に示したようにチャネルロドプシンが開口すると細胞外液から Na^+ が細胞内に流入し，興奮性細胞では迅速な脱分極が生じる．光がなくなると，レチナールは全 trans-レチナールに戻り，チャネルが閉鎖する．チャネルロドプシンを発現する神経細胞に青色光を照射すると光が照射されている間は活動電位が生じる様子を (c) に示した．[J. Wong et al., 2012, J. Mech. Phys. Solids 60: 1158 参照．]

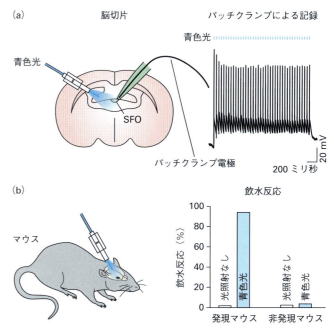

図 23・21 光遺伝学による口渇を介在する神経回路の同定．(a) 興奮性神経特異的なプロモーターを用いて蛍光タンパク質 (YFP) が付加されたチャネルロドプシンを視床下部の脳弓下器官 (SFO) の興奮性神経細胞に発現させた．チャネルロドプシン-YFP 融合タンパク質を発現している神経細胞が青色光の照射によって興奮することを急性視床下部スライスによって確認した．(b) SFO の興奮性神経細胞を生きているマウスで青色光により活性化すると，マウスは十分に水が与えられていても水を探索し大量に飲水する．[Y. Oka et al., 2015, Nature 520: 349 による．]

射する，もしくは脳の深層に存在する細胞に対しては，光ファイバーケーブルを用いてチャネルロドプシン発現細胞に光を当てる．光は神経細胞に活動電位を生じさせ，神経回路を活性化する．そのときのマウスの行動を解析することで，特有の行動に対する回路の関係性を検討できる．

このような実験の一つの例として，光遺伝学により最近，口渇を制御する脳の神経細胞が同定された．その目的で，マウスにおける視床下部の**脳弓下器官**（subfornical organ: SFO）とよばれる領域にチャネルロドプシンを発現させた（図 23・21）．あるマウス系統においては興奮性神経細胞にのみチャネルロドプシンが発現していたが，他のマウス系統では抑制性神経細胞に発現していた．光ファイバーケーブルを用いて SFO に光を照射した．興奮性神経細胞を光によって脱分極させたところ，マウスは口渇を感じた（水を探索し，積極的に飲水した）が，抑制性神経細胞を活性化したところ，この渇きは抑えられた．視床下部の SFO に存在する神経細胞が口渇を制御するという知見に加え，興奮性神経細胞が口渇を促進し，抑制性神経細胞がそれを抑えているということが明らかとなった．同様の研究手法により，歩行，摂食，過食，不安，攻撃性やその他の社会行動に関する神経回路が解明された．加えて，光遺伝学は脳内の特有の回路を解剖学的に明らかに

する目的でカルシウムイメージング（4 章および §22・3 参照）など他の手法にも活用された．これは光で特定の神経細胞を活性化しひきつづいてイメージング技術によって下流の神経細胞における活性を視覚化する（たとえばカルシウム濃度の変動を測定するなど）ことで可能となる．

23・2 電位依存性イオンチャネルと活動電位の伝播 まとめ

- 活動電位とは，急激な脱分極とすぐあとに続く速い再分極である．
- 活動電位は，神経細胞や筋細胞の細胞膜にある電位依存性の Na^+ チャネルと K^+ チャネルの連続したすばやい開閉によって生じる（興奮性細胞，図 23・9）．
- 軸索上の 1 点で生じた活動電位に伴って過剰となった細胞質の正電荷は，隣接した部分に受動的に広がって近接した電位依存性 Na^+ チャネルの開口をひき起こし，軸索に沿って活動電位が伝わっていく．
- 活動電位がピークに達すると，電位依存性 K^+ チャネルが開口して K^+ の流出が起こり，これによって膜は再分極し，さらに過分極になる．これらのチャネルが閉じると，膜は静止電位に戻る．その後，このチャネルは閉じ，数ミリ秒の間，開かない状態（不応期）になり，Na^+ のさらなる流入は防がれる（図 23・2, 図 23・9, 図 23・10）．
- 電位依存性 Na^+ チャネルには絶対的な不応期があり K^+ が

- 流出してただちに過分極するため，活動電位は軸索終末に向かう一方向だけに広がる（図23・12）．
- 電位依存性Na^+チャネルは四つのドメインをもつ単量体タンパク質で，このドメインは，四量体タンパク質である電位依存性K^+チャネルの各サブユニットに構造的にも機能的にも類似している．電位依存性陽イオンチャネルの各ドメインまたはサブユニットは，六つの膜貫通αヘリックスとイオン選択孔をつくる非らせんPセグメントをもっている（図23・13）．
- 電位依存性チャネルの開口は，脱分極が十分に大きくなるとそれに応答して正に荷電したS1～S4 αヘリックス（櫂）が膜の細胞外側へ動くことによって起こる（図23・14）．
- 電位依存性陽イオンチャネルの閉鎖と不活性化は，細胞質のボールドメインが開口した孔へ移動することによって起こる（図23・10）．
- 電位依存性K^+チャネルと電位依存性Na^+チャネルの電位センサーとゲートの不活性化機構は類似しているが，選択性フィルターの構造は異なっており，その結果チャネルを通過するイオンの特異性が生み出されている．
- ミエリン形成によって刺激伝導速度が約100倍にも増し，これによって，脊椎動物の脳の特徴である神経細胞の密な圧縮が可能になった．
- 中枢神経系は神経およびグリア細胞の細胞体からなる灰白質と，ミエリン鞘に覆われた軸索からなる白質の二つに分けることができる（図23・16）．
- ミエリン形成した神経細胞では，電位依存性Na^+チャネルはランビエ絞輪に濃縮されている．一つの絞輪の脱分極はほとんど減衰することなくすばやく次の絞輪に伝わり，その結果，活動電位は絞輪から絞輪へと跳躍する（図23・17）．
- ミエリン鞘は，グリア細胞によってつくられ，神経細胞の周囲をらせん状に包む．オリゴデンドロサイトは中枢神経系のミエリンをつくり，シュワン細胞は末梢神経系のミエリンをつくる（図23・18）．
- 光遺伝学の技術は神経回路研究に革命をもたらした．これは神経細胞におけるチャネルロドプシンとよばれる光活性化陽イオンチャネルの遺伝子発現と，光による一部の神経細胞の特異的な活性化もしくは不活性化による（図23・20）．この方法により，神経科学者は特異的な神経回路と特異的な行動の相関を直接的に解析できるようになった．

23・3 シナプスにおける情報伝達

すでに述べたように，電気パルスは神経細胞に沿ってシグナルを伝達するが，神経細胞間や他の興奮性細胞との間ではおもに化学シグナルによってシグナルが伝達される．シナプスは接合部であり，シナプス前神経細胞（presynaptic neuron）が化学シグナル，すなわち神経伝達物質を放出し，これがシナプス後標的細胞（postsynaptic target cell）に作用する（図23・3）．標的となるシナプス後細胞は，別の神経細胞，筋細胞，あるいは腺細胞である．化学シナプスにおける細胞間情報伝達は一方向性に，すなわちシナプス前細胞から後細胞へと伝達される．

活動電位がシナプス前細胞の軸索終末に届くと細胞膜上の電位依存性Ca^{2+}チャネルが開口してCa^{2+}が流入し，軸索終末において細胞質ゾルのCa^{2+}濃度が局所的に上昇する．次に，このCa^{2+}濃度上昇が，神経伝達物質を含む小さな（直径40～50 nmの）シナプス小胞と細胞膜との融合の引金となって，神経伝達物質がシナプス前細胞からシナプス間隙とよばれるシナプス後細胞との狭い空間に放出される．シナプス後細胞の細胞膜は，シナプス前細胞の細胞膜からおよそ20 nm以内に位置し，神経伝達物質が拡散する距離を小さくしている．

グルタミン酸（興奮性）やγ-アミノ酪酸（GABA，抑制性）など水溶性の小分子である神経伝達物質はシナプス後細胞の受容体に結合し，その後，細胞膜の局所的電位変化を誘発する．もし膜電位の負の値が減少する，すなわち脱分極すると，シナプス後細胞に活動電位が誘導される．そのようなシナプスは**興奮性シナプス**（excitatory synapse）であり，一般にシナプス後細胞膜にあるNa^+チャネルの開口による場合が多い．逆に**抑制性シナプス**（inhibitory synapse）では，シナプス後細胞上の受容体に神経伝達物質が結合すると細胞膜の過分極が起こる．すなわち，細胞内がより負になる．多くの場合，過分極はシナプス後細胞のK^+チャネルやCl^-チャネルの開口の結果であり，活動電位の発生を抑制する．

神経伝達物質の受容体は，二つに大別される．神経伝達物質の結合によってただちに開口するリガンド依存性イオンチャネル（イオンチャネル型受容体ともよばれる）と，代謝型Gタンパク質共役型受容体（GPCR）である．Gタンパク質共役型受容体は，神経伝達物質の結合によって秒から分の時間で，上と異なるイオンチャネルの開口あるいは閉鎖を誘導する．この"遅い"神経伝達物質受容体については，15章において，さまざまな種類のリガンドを結合してイオンチャネル以外の細胞質タンパク質の活性を制御するGタンパク質共役型受容体とともに述べた．中枢神経系においては**グルタミン酸**（glutamic acid）とGABAが一次的にイオンチャネル型受容体に結合し，それぞれ興奮と抑制をひき起こし，セロトニンやドーパミンのような神経調節分子は代謝型受容体に結合する．末梢神経系においては，主要な神経伝達物質はアセチルコリンとノルアドレナリン（noradrenaline，ノルエピネフリンともいう）であるが，ともに中枢神経系においても発現している．

神経伝達物質によるシグナルの持続性は，シナプス前細胞から放出される神経伝達物質の量に依存する．この量は，シナプスにたくわえられた神経伝達物質の量とシナプスに到着した活動電位の頻度に依存する．また，シグナルの持続性は，受容体に結合しなかった神経伝達物質がシナプス間隙で分解されたり，シナプス前細胞へ再取込みされる速度にも依存する．シナプス前細胞の細胞膜には，グリア細胞と同様に，細胞膜を通して神経伝達物質を再取込みする輸送タンパク質が含まれており，細胞外の神経伝達物質の濃度が低く抑えられている．

本節では，最初にどのようにシナプスが形成され，シナプスにおいてどのように神経伝達物質の調節性分泌が，14章で述べた膜輸送の基本的な原則に従って制御されているかを述べる．次に，シナプスでのシグナルの持続を抑える機構を述べ，神経伝達物質がシナプス後細胞によってどのように受容されて解釈されるかをみる．

シナプスの形成にはシナプス前構造とシナプス後構造の集合が必要である

軸索は発生過程で細胞体から伸びる．そのとき，他の細胞からのシグナルによって途中の道筋が誘導され，軸索終末は正しい場所に到達する（§18・8参照）．軸索が伸長するとともに他の神経細胞の樹状突起などの標的になりうる細胞と接触し，シナプスはその部位に形成されることが多い．中枢神経系では，特殊なシナプス前構造をもつ en passant 型とよばれるシナプスが軸索に沿って存在することが多いが，これは軸索終末だけに筋細胞とのシナプスをもつ運動ニューロンとは対照的である．

グリア細胞はシナプス形成に必要な機能をもつ．単独で培養された神経細胞はうまくシナプスをつくれないが，グリア細胞を加えると，シナプスの形成速度がかなり増加する．アストロサイトやシュワン細胞が神経細胞に信号を送り，シナプスの形成を促進し，その後はシナプスを保持するのを助ける．このようなシグナルの一つが，細胞外マトリックスの構成成分である**トロンボスポンジン**（thrombospondin: TSP）である．二つのトロンボスポンジン遺伝子を欠損したマウスでは，脳で通常の数の70%のシナプスしかつくられない．神経細胞とその周囲にあるグリア細胞の相互の情報伝達は，頻度が高く，複雑である．それらのシグナルや情報については，現在活発に研究が行われている．新しいイメージング技術により，アストロサイトが多数の突起を伸ばし神経細胞間に入り込んでシナプスを取囲んでいることが示された（図23・6a）．したがってアストロサイトはシナプス形成を促すグリア由来因子を供給するだけではないと多くの神経科学者は考えており，むしろシナプスとはシナプス前とシナプス後に加えてアストロサイトが加わった三者からなる要素から構築されていると考えられている（図23・22）．

シナプスでは，シナプス前細胞に数百から数千のシナプス小胞があり，その一部は膜に結合していて，残りは待機状態にある．シナプス間隙への放出は**活動帯**（active zone）で起こる．これは細胞膜が特殊化し驚くほどさまざまなタンパク質が集合した領域で，シナプス小胞の性質を変えたり，シナプス小胞を細胞膜と結合や融合が起こる部位に移動させたりする．電子顕微鏡で観察すると，活動帯には電子密度が高い物質があり，微細な細胞骨格繊維がある（図23・23）．同じように特殊化した構造をもつ電子密度の高い領域がシナプスを隔てたシナプス後細胞にもみられ，これを**シナプス後膜肥厚**（postsynaptic density: PSD）という．シナプス前細胞とシナプス後細胞をつなぐ細胞接着分子によって活動帯とPSDが並んで配置される．活動電位に応答したシナプス小胞の放出後，シナプス前細胞は活動帯の内外で**エンドサイトーシス**（endocytosis）によってシナプス小胞の膜タンパク質を回収する．

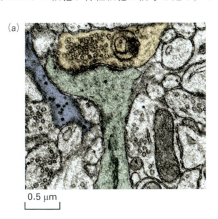

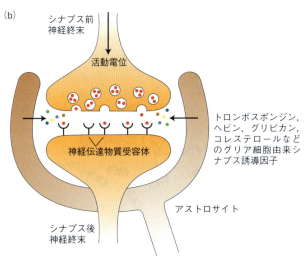

図 23・22　アストロサイトと三者シナプス構造．(a) げっ歯類海馬のシナプスの電子顕微鏡写真に示されるように，多くのシナプスはアストログリアの突起によって囲われている．シナプス後部（樹状突起および棘）は緑で，シナプス前終末は橙で，アストログリアの突起は青で示した．(b) アストロサイトはシナプスを囲うだけではなく，正確にシナプス形成を誘導するために数多くの因子を分泌する．それらの因子にはトロンボスポンジン，ヘビン，グリピカン，コレステロールなどが含まれる．神経細胞を培養細胞として維持する際にも，正確なシナプス形成と発達を行うためにはアストロサイトが必要であることからも，神経細胞シナプス形成においてアストロサイトが重要であることがわかる．［(a) は J. Bourne and K. M. Harris, 2007, Curr. Opin. Neurobiol. 17(3): 381, Copyright Clearance Center, Inc. を通じて Elsevier より許可を得て転載．］

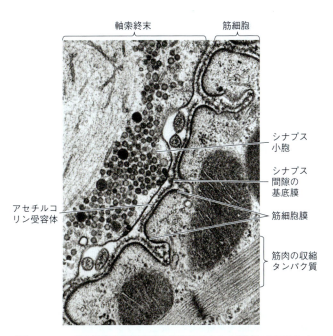

図 23・23　軸索終末の神経伝達物質が放出される領域におけるシナプス小胞．この神経筋接合部の縦断面には，神経細胞と複雑に入り組んだ筋肉の膜の間を分けるシナプス間隙に基底膜がみえる．アセチルコリン受容体はシナプス後細胞である筋細胞膜の上面とひだの側面に多く存在している．軸索終末はシュワン細胞によって包まれている．［Don W. Fawcett/T. Reese/Science Source/amanaimages．］

シナプスの形成は**神経筋接合部**(neuromuscular junction: **NMJ**)において詳しく研究された(図23・23).このシナプスでは,後述するが,**アセチルコリン**(acetylcholine)が運動ニューロンによってつくられる神経伝達物質で,アセチルコリン受容体(AChR)がシナプス後細胞である筋細胞によってつくられる.筋細胞の前駆体である筋芽細胞を培養すると,自発的に融合して多核の筋管細胞になる.これは正常な筋細胞と似ている.筋管細胞が形成されると,細胞の中心付近で AChR がつくられて細胞膜に挿入され,ところどころにパッチ状に存在するようになる(図23・24a).

神経筋シナプスの形成は,運動ニューロンと筋繊維の情報相互作用を必要とする多段階過程である.主役は受容体型チロシンキナーゼである **MuSK** で,筋管細胞膜の AChR に富むパッチに局在している.まだ知られていない機構によって,MuSK は AChR の集積を誘導し,成長途上の運動ニューロンの軸索終末を誘引する.たとえば MuSK をノックダウンすると,その両方の過程が阻害されるが,培養筋細胞で MuSK を過剰発現させると,筋全体に運動ニューロンの成長を促し過剰のシナプスを形成させてしまう.

もう一つの主役が成長中の運動ニューロン細胞で合成される糖タンパク質**アグリン**(agrin)である.アグリンは軸索微小管に沿って小胞で運ばれ,成長中の筋管細胞近くに分泌される.アグリンは1回膜貫通タンパク質 LRP4 と結合するが,これによって LRP4 と MuSK の結合が促進され,MuSK のキナーゼ活性が上昇する(図23・24b).これによって下流のシグナル伝達経路が活性化され,細胞骨格タンパク質ラプシンと AChR を集積させる.この相互作用は,アクチンを含む他の細胞骨格タンパク質の結合と

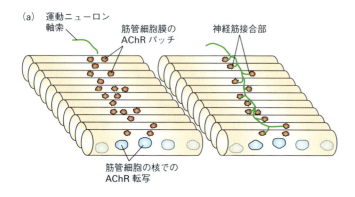

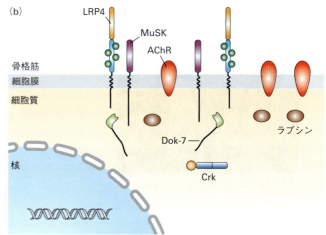

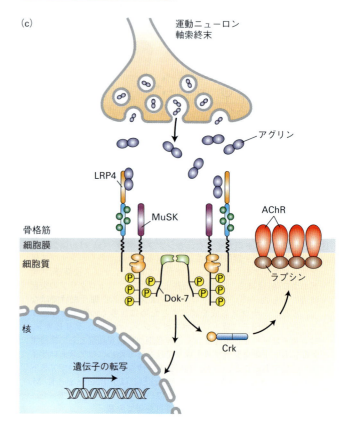

図 23・24 神経筋接合部の形成.(a) 運動ニューロン-筋管細胞相互作用は NMJ 形成を開始する.筋芽細胞が融合し多核の筋管細胞を形成すると,核でアセチルコリン受容体(AChR)mRNA が合成される.個々の筋繊維の中心近くの核では,他の核よりも有意に多くの AChR mRNA が合成される.AChR は MuSK 受容体キナーゼとともに細胞の中心近くの小さな膜領域に集結し,そこが将来のシナプスになる.これは神経による支配が起こる前にかつ独立に起こる.このことから,"細胞はあらかじめパターン化される"ことがわかる.運動ニューロンの軸索終末はこれらの AChR クラスターに向かって伸びていき,糖タンパク質であるアグリンを分泌する.アグリンはその後,軸索末端(緑)のまわりに AChR(濃赤)と MuSK の集積を誘発し,神経筋接合部を形成する.(b),(c) 七つのタンパク質〔アグリン,LRP4,MuSK,Dok-7,Crk,ラプシン,アセチルコリン(Ach)受容体〕によって介在されるアグリン受容体の下流シグナル.(b) 運動ニューロンによる支配がない場合には,LRP4,MuSK,AChR は表面膜上に分散して局在し,Dok-7,Crk,ラプシンも筋肉細胞の細胞質に分散している.(c) 運動ニューロンによる神経支配ののち,運動ニューロンの軸索がアグリンを分泌し,LRP4 と結合して MuSK キナーゼを活性化することによって,シナプス後細胞の分化を安定化する.Ⓟで示す MuSK の膜直下領域にあるチロシンのリン酸化が,筋肉に特異的に発現しているアダプタータンパク質 Dok-7 を引寄せ,そのチロシンのリン酸化を促進する.Dok-7 は二量体を形成し,MuSK のキナーゼ活性を促進し,次にアダプタータンパク質 Crk を引寄せる.Crk はラプシン依存性の経路の活性化に必須であり,この活性化によってシナプス前細胞の軸索末端と向かい合う場所(対面側)で AChR を集積させる.最近,ラプシンが E3 リガーゼ(図3・32参照)であり AChR に対してユビキチン様修飾を行うことが受容体の集合に必要であることが明らかとなった.シナプス特異的な転写経路についてはよくわかっていないが,コリン作動性神経筋接合部シナプスの形成に必要なさまざまなタンパク質の発現を活性化する転写因子のキナーゼ依存的な活性化がかかわっていると考えられている.

ともに，神経筋結合部における神経終末の対極にAChRの局在を誘導する．成熟したシナプスのアセチルコリン受容体の密度は，細胞膜よりも1000倍多い．

中枢神経系におけるシナプスの形成機構についてはまだ不明な点が多いが，シナプス前部とシナプス後部の相互作用がすでに発現しているシナプス構成要素の再構築を促すという神経筋接合部と類似した理論により進められていることが明らかとなっている．神経筋接合部におけるラプシンがAChRを集積させる機能をもつように，中枢神経系においては興奮性，抑制性シナプスにおいて異なる足場タンパク質が神経伝達物質受容体を集積させる．**PSD95**とよばれる巨大なPDZ（20章におけるPDZドメインの定義を参照）タンパクは興奮性シナプスにおいてグルタミン酸受容体を集積させ，抑制性シナプスにおいては異なる足場タンパクである**ゲフィリン**（gephyrin）がGABAもしくはグリシン受容体を集積させる（図23・25）．

シナプス前部とシナプス後部は細胞間接着分子によって構築されるネットワークにより接続される．その接着は非常に強いため，生化学的にシナプス前部とシナプス後部を分離することはできない．シナプス接着分子は，細胞内ドメインを通じて足場タンパク質や細胞骨格要素に結合し，シナプス前およびシナプス後の区画におけるタンパク質複合体の編成を促進する．この接着分子にはカドヘリンや，免疫グロブリン含有接着分子（20章），ニューレキシンとニューロリジン，エフリン，エフリン受容体が含まれる．

神経系における回路形成はシナプス形成だけではなく，**シナプス除去**（synapse elimination）も含めて行われる．多くの動物では生後の新生児期は過剰なシナプス数が認められるが，大部分のシナプスがシナプス剪定とよばれる重要な過程を経て消失することで神経回路として成熟化する．シナプス剪定は神経活動に依存して生じ，強いシナプスは残されるが弱いシナプスは消失する．たとえば，生後はそれぞれの筋肉は複数の運動ニューロンによる神経支配を受けているが，徐々に大部分の神経支配は失われ，最終的には一つの筋肉は一つの運動ニューロンによって神経支配を受けるようになる．このシナプス消失過程は筋細胞における活動に依存する．筋細胞を薬理学的に不活化すると，複数の神経細胞による支配が保たれる．

どのシナプスが消失するか，また消失機構そのものを含め，シナプス消失にかかわる細胞生物学的な機構については現在活発に研究がなされている．特に最近の研究ではアストロサイトやミクログリアがシナプス剪定において消失するシナプスをファゴサイトーシスすることが見いだされている．さらにヒト遺伝学の解析からミクログリアに発現している，補体系因子（24章）を含めた免疫関連遺伝子の特殊な対立遺伝子が統合失調症の危険因子として同定され，シナプス消失の異常がこの精神疾患の発症にかかわっているという仮説が支持されている．

神経伝達物質はH^+と共役する対向輸送体によりシナプス小胞に輸送される

多数の小分子がさまざまな化学シナプスで神経伝達物質として働く．図23・26に示した神経伝達物質のうち，アセチルコリンを除いて，すべてアミノ酸あるいはその誘導体である．ATPのようなヌクレオチドやそれからリン酸が失われたヌクレオシドも神経伝達物質として働く．一般に，各神経細胞は1種類の神経伝達物質だけをつくる．神経伝達物質の種類が違ったり，神経系の異なる場所で働いていたりするが，すべての神経伝達物質によるシグナル伝達は電気シグナルを伝達するか抑制するかの二つのうちの一方の結果をもたらす．神経伝達物質の種類はさまざまで，神経系のさまざまな場所で作用しているが，神経伝達物質が放出されると，電気信号の誘導と抑制のどちらかの結果になる．

すべての神経伝達物質は細胞質で合成され，軸索終末に存在する膜に囲まれたシナプス小胞に取込まれ，そこにたくわえられる．この小胞は直径40〜50 nmで，小胞の膜に存在するV型プロトンポンプの働きで内腔のpHが低くなっている．植物の液胞に代謝産物をたくわえるときと同様に（図11・29参照），このH^+濃度

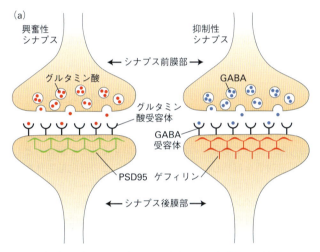

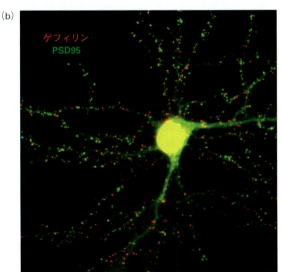

図23・25 **PSD95とゲフィリンはそれぞれ興奮性，抑制性シナプスを区画化する足場タンパク質である．**（a）PDZドメインを含むタンパク質PSD95は興奮性シナプスのシナプス後膜肥厚を構成する分子の一つであり，シナプス後膜でグルタミン酸受容体を集積させる足場タンパク質の機能をもつ．足場タンパク質ゲフィリンは抑制性シナプスにおいて類似した機能を果たしており，シナプス後膜でGABA受容体を集積させる．（b）PSD95とゲフィリンはそれぞれ興奮性，抑制性シナプスを標識するために用いられる．一つのマウスの大脳由来神経培養細胞におけるPSD95を含む興奮性シナプスが緑で，ゲフィリンを含む抑制性シナプスが赤で示されている．［(b)はG. G. Gross et al., 2013, *Neuron* **78**(6): 971, Copyright Clearance Center, Inc. を通じてElsevierより許可を得て転載．］

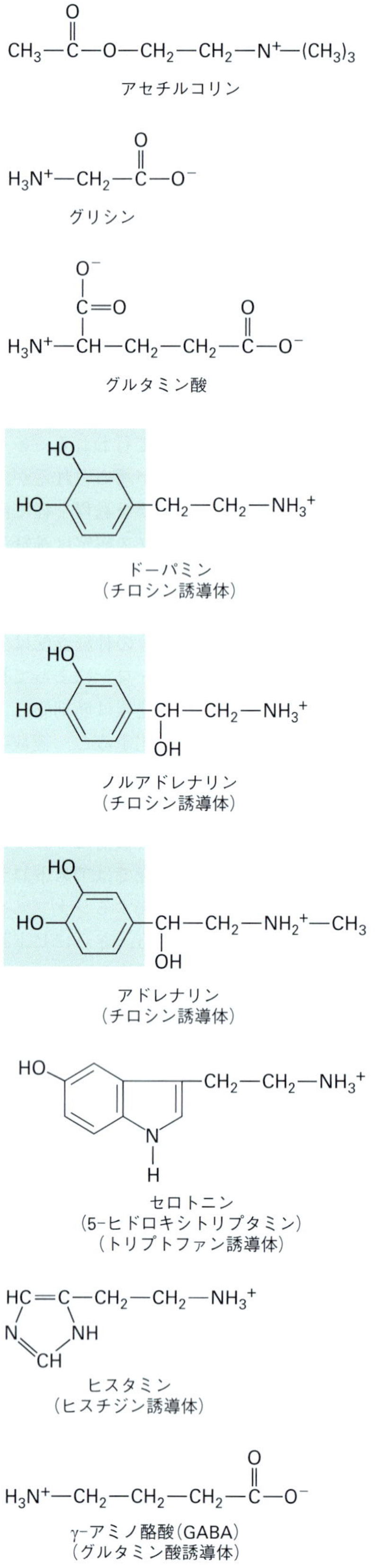

勾配（小胞内腔＞細胞質ゾル）によって，小胞膜に存在するリガンド特異的な H^+ 共役型の対向輸送体が神経伝達物質を内部に取込む（図 23・26）.

たとえば，細胞質のアセチルコリンは，グルコースや脂肪酸の代謝中間体であるアセチル CoA とコリンからコリンアセチルトランスフェラーゼが触媒する反応によってつくられる.

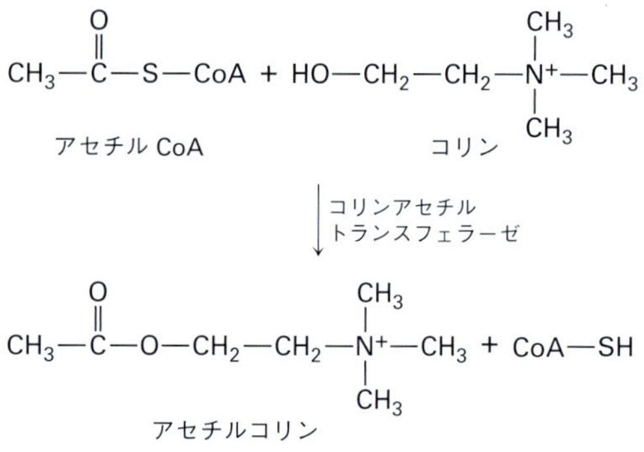

シナプス小胞はアセチルコリンを細胞質から濃度勾配の大きな違いに逆らって取込んで濃縮する．このとき，小胞膜にある H^+/アセチルコリン対向輸送体は他の対向輸送体と同様に，H^+ を電気化学的勾配に従って形成中の小胞から放出することを駆動力として神経伝達物質を取込む．不思議なことに，この対向輸送体をコードする遺伝子はコリンアセチルトランスフェラーゼをコードする遺伝子の第一イントロン内にすべて含まれている．これはこの二つのタンパク質を協調して発現させることを確実にするために進化において保存されてきたしくみと考えられる．

他の神経伝達物質をシナプス小胞に取込むときには，別の H^+/神経伝達物質の対向輸送タンパク質が使われる．たとえば，グルタミン酸は**小胞性グルタミン酸輸送体**（vesicular glutamate transporter: VGLUT）とよばれるタンパク質によってシナプス小胞に輸送される．VGLUT はグルタミン酸に非常に特異的であるが，基質との親和性はむしろ低い．別の輸送タンパク質である**小胞性 GABA 輸送体**（vesicular GABA transporter: VGAT）は GABA やグリシンをシナプス小胞に輸送する．これらの輸送体はアセチルコリン輸送体と同じで対向輸送体であり，グルタミン酸，GABA もしくはグリシンをシナプス小胞に，H^+ は逆方向に輸送する．VGLUT や VGAT はそれぞれ興奮性，抑制性シナプス終末のよいマーカーとして用いられている．

神経伝達物質を積込んだシナプス小胞はシナプス前終末の中に局在する

軸索終末の細胞骨格繊維の高度に組織化された構造によって，シナプス小胞がシナプス前膜部に局在する．シナプス小胞は三つの状態のプールとして存在すると考えられている．一つのプールは少ないが即座に分泌可能な状態にあるもので，細胞表面膜直下の活動帯に接合している．それよりは多い割合の小胞が再循環状態として存在し，表面膜に接合はしていないものの近傍に存在し，中間レベルの刺激によって放出される．そして三つ目は予備的な状態であり，終末に存在する大部分のシナプス小胞がこのプールに含まれ，最も活動帯から遠くに局在し非常に強い刺激を受けたときにのみ反応する．シナプス小胞は，リン酸化タンパク質である**シナプシン**（synapsin）によって，アクチン細胞骨格と，もし

図 23・26 神経伝達物質として働く小分子の構造． アセチルコリンを除き，すべてはアミノ酸（グリシンとグルタミン酸）かアミノ酸の誘導体である．チロシンから合成される 3 種類の神経伝達物質はカテコール構造（青）をもつので**カテコールアミン**（catecholamine）とよばれる．

くは小胞どうしでつながっている．神経活動はシナプシンのリン酸化を行うキナーゼを活性化しシナプス小胞の結合を制御することで放出できるシナプス小胞の数を調節する．実際，シナプシンをノックアウトしたマウスは，生存するものの，発作を起こしやすく，多くの神経細胞を繰返し刺激すると，細胞膜と融合するシナプス小胞の数が大きく減少する．

Ca^{2+} の流入が神経伝達物質放出の引金となる

シナプス小胞からの神経伝達物質のエキソサイトーシスには，分泌タンパク質や細胞膜タンパク質の細胞内輸送（14 章）で起こる現象に似た小胞輸送と膜融合の現象が含まれている．しかし，シナプスの機能に重要な次の二つの点で，他の分泌経路とは違っている．1) 分泌は軸索終末への活動電位の到達と厳密に共役していることと，2) シナプス小胞は，細胞膜と一度融合したのちに，軸索終末部で再利用されることである．図 23・27 にシナプス小胞が神経伝達物質を積込み，それを放出し，再利用される循環を示した．

細胞膜の脱分極だけではシナプス小胞を細胞膜と融合させることはできない．小胞の融合の引金を引くには，活動電位が局所的な細胞質ゾルの Ca^{2+} 濃度の上昇という化学シグナルに変換されなければならない．電気シグナルを変換しているのはシナプス小胞近傍の細胞膜に局在する**電位依存性 Ca^{2+} チャネル**（voltage-gated Ca^{2+} channel）である．活動電位が到達して膜の脱分極が起こると，このチャネルが開き，シナプス小胞が係留されている軸

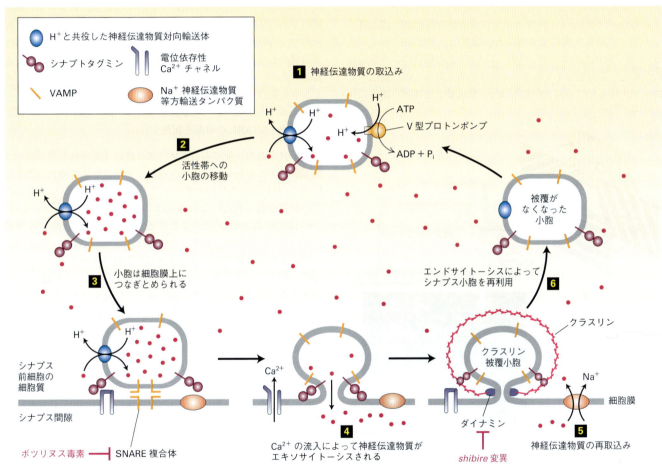

図 23・27 軸索終末における神経伝達物質とシナプス小胞の循環．ほとんどのシナプス小胞はここに示したエンドサイトーシスの再利用によって形成される（ただし，一部のシナプス小胞は，微小管に沿った軸索輸送によって細胞体から輸送されることに注意）．1 回の循環には約 60 秒かかる．段階**1**: 被覆をもたない小胞には，V 型プロトンポンプ（橙）と特定の神経伝達物質に特異的な H^+-神経伝達物質対向輸送体（青）が存在し，神経伝達物質（赤のドット）を細胞質ゾルから取込む．段階**2**: 神経伝達物質を積込んだシナプス小胞は活性帯に移動する．段階**3**: 小胞は，シナプス前細胞の細胞膜の決まった部位につなぎとめられ，VAMP とよばれる小胞の v-SNARE は細胞膜の t-SNARE に結合して SNARE 複合体をつくる．シナプトタグミンは膜の融合と神経伝達物質の放出を阻害する．ボツリヌス毒素は，小胞上の v-SNARE である VAMP を分解することによってエキソサイトーシスを妨げる．段階**4**: 神経インパルス（活動電位）に応答して細胞膜の電位依存性 Ca^{2+} チャネルが開き，細胞外から Ca^{2+} が流入する．細胞質 Ca^{2+} の上昇により，つなぎとめられた小胞が細胞膜と融合し，シナプス間隙に神経伝達物質が放出される（図 23・29）．段階**5**: Na^+ 共輸送体がシナプス間隙から細胞質ゾルへ神経伝達物質を取込むが，これによって活動電位の持続時間が制限され，これが神経伝達物質の再充塡に一部用いられる．段階**6**: 小胞はエンドサイトーシスで回収されて被覆がなくなることで，再充塡の用意ができて，新しい循環が再びはじまる．最初にまず，v-SNARE や神経伝達物質輸送体を含むクラスリン-AP で被覆された小胞が内側に出芽し，ダイナミンが関与する過程によって切り離され，被覆がはずれる．ショウジョウバエの *shibire* 変異のようにダイナミンの変異があると，シナプス小胞の再形成が阻止されて，麻痺が起こる．アセチルコリンは，多くの神経伝達物質とは異なり，再利用されない．[K. Takei et al., 1996, *J. Cell Biol.* **133**: 1237; V. N. Murthy and C. F. Stevens, 1998, *Nature* **392**: 497; R. Jahn et al., 2003, *Cell* **112**: 519 参照．]

索終末領域に細胞外のCa^{2+}が流入する．重要なのは，細胞質のCa^{2+}の上昇が局所的でしかも一過的であり，過剰なCa^{2+}は細胞膜のCa^{2+}ポンプによって細胞外に即座にくみ出されることである．

1回の活動電位の到着によるCa^{2+}濃度上昇によって，係留されているシナプス小胞の約10％がエキソサイトーシスされる．エキソサイトーシス後，シナプス小胞に固有の膜タンパク質はエンドサイトーシスによって特異的に取込まれる．この取込みは，他の種類の細胞で細胞膜タンパク質を回収するときに使うのと同じクラスリン被覆小胞によって行われる．エンドサイトーシスされた小胞はクラスリン被覆を失ったのち，すぐに神経伝達物質が再充填される．多くの神経細胞が1秒間に50回も発火できる能力は，この小胞膜タンパク質の再利用が非常に速やかであることの証拠である（図23・27）．エンドサイトーシスとエキソサイトーシスを行う装置は高度に保存されており，14章で詳しく説明した．

蛍光Ca^{2+}検出分子の開発は培養神経細胞や神経回路におけるシナプス活動性を視覚化するうえで非常に有用であったといえる．4章で説明したように，これらはCa^{2+}との結合により蛍光波長が変化する蛍光分子であるが，化学物質であるもの，遺伝子でコードされるものの両方がある．Ca^{2+}検出分子を神経回路内に存在する神経細胞に導入もしくは発現させタイムラプス顕微鏡を用いることで数百の神経細胞やグリア細胞におけるCa^{2+}濃度変動をリアルタイムに検出できる．たとえば，遺伝子によってコードされるCa^{2+}検出分子であるGCaMP6をマウスの視覚野に導入し，視覚刺激と in vivo 二光子顕微鏡を併用することで特定の方向性をもつ視覚情報に反応する神経細胞集団を同定することができる（図23・28）．

カルシウム結合タンパク質がシナプス小胞の細胞膜への融合を調節している

シナプス小胞の軸索終末の細胞膜への融合は，他の調節性分泌小胞の膜融合を仲介するタンパク質である **SNARE** と **SM タンパク質**（Sec1/Munc18-like protein: SM protein）に依存している．シナプス小胞の主要な v-SNARE である VAMP は，軸索終末の細胞膜の主要な t-SNARE であるシンタキシンと SNAP-25 に強固に結合して4本のらせんをもつ SNARE 複合体を形成する．SNARE 複合体の形成はシナプス小胞の膜をシナプス前膜部の表面膜に近接させるが，さらに融合させるためには SM タンパク質とシンタキシンの結合を必要とする．融合ののち，前に分泌小胞の融合で述べたように（図14・11参照），軸索終末にあるタンパク質が VAMP と t-SNARE の解離を促進する．

食中毒の一種であるボツリヌス菌による麻痺と死（ボツリヌス中毒 botulism）をひき起こすボツリヌス毒素の作用機構から，神経伝達物質のエキソサイトーシスにおける VAMP の役割の証拠が得られた．この毒素は二つのポリペプチドからなり，一つは筋細胞とのシナプスでアセチルコリンを放出する運動ニューロンに結合し，もう一つのポリペプチドであるプロテアーゼを軸索終末の細胞質に侵入させる．このプロテアーゼが切断する唯一のタンパク質が VAMP である（図23・27，段階❸）．ボツリヌス毒素のプロテアーゼが軸索終末に侵入すると，細胞膜につながれていなかったシナプス小胞は細胞膜と融合する能力を急速に失う．理由は，VAMP の切断によって SNARE 複合体の集合が阻害されるからである．これによって神経筋シナプスでのアセチルコリンの放出が阻止され，麻痺が起こる．しかし，すでに細胞膜に係留された小胞は毒素に対してかなり抵抗性を示すため，小胞がシナプス前膜に係留されているときには SNARE 複合体がすでに部分的に集合し，プロテアーゼに抵抗性をもつ状態になっていることが示唆される．

すでに係留されている小胞のエキソサイトーシスの引金になるシグナルは，小胞近くの細胞質ゾルの非常に限局したCa^{2+}濃度の上昇である．静止細胞では0.1 μM 以下であるが，刺激された細胞では活動電位の到達によって1〜100 μM になる．細胞質ゾルCa^{2+}の上昇後にシナプス小胞がシナプス前膜と融合する時間が短いこと（1ミリ秒以下）から，融合装置は静止状態で完全に集合していて，すばやく構造変化を起こして神経伝達物質をエキソサイトーシスすることがわかる（図23・29）．**シナプトタグミン**（synaptotagmin）とよばれるCa^{2+}結合タンパク質はシナプス小胞膜に局在しており，Ca^{2+}に応答してエキソサイトーシスの引金を引く小胞融合装置の重要な因子と考えられている．**コンプレキシン**（complexin）とよばれているタンパク質は，集合してシナプス小胞と細胞膜を橋渡ししている v-SNARE–t-SNARE 複合体の α

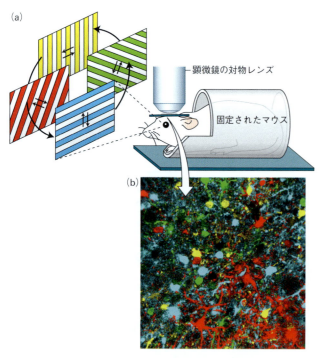

図 23・28　Ca^{2+}検出分子による神経回路活動の可視化．マウスの視覚野神経細胞において遺伝子によってコードされたCa^{2+}検出分子を発現させた．(a) マウス頭蓋骨に観察窓を設け，顕微鏡（対物レンズで示した）によってマウスが異なる方向に動く格子を見ているときのカルシウム流入を視覚野の神経細胞群において可視化する．視覚野内のそれぞれの神経細胞は特定の方向の格子に対して反応することがCa^{2+}検出分子の蛍光増加によるCa^{2+}濃度上昇変化としてとらえられる．(b) 特定の方向の格子によってCa^{2+}濃度が上昇する神経細胞を色分けして示している（写真）．黄で示された神経細胞は水平に動いている格子，青で示された神経細胞は垂直方向，緑と赤で示した神経細胞は斜め方向に動く格子に反応している．このような実験によって特異的な方向の視覚刺激によって反応するそれぞれの神経細胞を明らかにすることができる．［(b) は T.-W. Chen et al., 2013, *Nature* **499**(7458): 295, Copyright Clearance Center, Inc. を通じて Nature より許可を得て転載．］

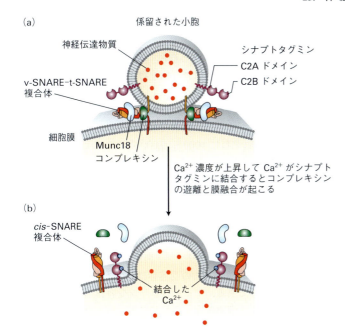

図 23・29 **シナプトタグミンによるシナプス小胞と細胞膜との融合**. ごく一部のシナプス小胞がシナプス前細胞膜に係留されている. これらが細胞膜との融合の準備である. (a) シナプス小胞と細胞膜の強固な相互連結は, 小胞の v-SNARE と細胞膜の t-SNARE タンパク質からなる複合体に由来する 4 本の α ヘリックスの束によってつくられる (図 14・11 参照). 二つの膜の融合は, コンプレキシンタンパク質が v-SNARE-t-SNARE 複合体に結合することで阻害されている. シナプトタグミンは, 内腔側にある短い配列, 分子をシナプス小胞につなぎとめる単一の膜貫通 α ヘリックス, リンカー, および C2A と C2B とよばれる二つの Ca^{2+} 結合ドメインから構成される. Ca^{2+} を結合していないシナプトタグミンは v-SNARE-t-SNARE 複合体にも結合し, 膜融合を防いでいる可能性がある. (b) Ca^{2+} の局所的な増加によって Ca^{2+} がシナプトタグミンに結合し, 構造を変える. これがコンプレキシン融合阻害タンパク質の脱離の引き金になり, シナプトタグミンが v-SNARE-t-SNARE 複合体に結合して (または, 結合性が変わり), 即時に膜が融合し, 神経伝達物質の細胞外空間への放出が起こる. シンタキシンに結合する SM タンパク質 Munc18 は SNARE が介在する膜融合に必要であるが, その正確な分子機構はいまだ不明である. [T. C. Südhof and J. E. Rothman, 2009, *Science* **323**: 474; T. C. Südhof, 2013, *Neuron* **80**: 675 参照.]

ヘリックスの束に結合すると考えられており, 最後の融合過程を阻害している. Ca^{2+} がシナプトタグミンに結合すると, この阻害が外れてコンプレキシンを遊離させ, ただちに融合が起こる. 哺乳類はさまざまな異なるシナプトタグミンのアイソフォームを発現し, それぞれ異なる Ca^{2+} 結合定数をもつので, エキソサイトーシスの速度は神経細胞におけるどのシナプトタグミンを特異的に発現しているかに依存している.

複数の証拠から, シナプトタグミンには神経伝達物質のエキソサイトーシスのための Ca^{2+} センサーとしての役割があると考えられている. シナプトタグミンを完全に欠損したショウジョウバエや線虫の変異体の胚は孵化できず, 筋収縮が著しく弱くなって協調性が失われている. シナプトタグミンの部分的な機能喪失型変異をもつ幼虫は生存するものの, 神経細胞では Ca^{2+} が促進する小胞のエキソサイトーシスに欠陥がみられる. さらにマウスでは, Ca^{2+} に対する親和性が低下するシナプトタグミンの変異によって, 速いエキソサイトーシスの引き金を引くために必要な細胞質ゾルの Ca^{2+} 濃度が親和性の低下に呼応して増加する.

最も重要なシナプス小胞エキソサイトーシスの特徴は速度である. シナプス小胞の融合は活動電位が到着したあと数百マイクロ秒以内に生じる必要があり, それは電位依存性 Ca^{2+} チャネルによって生じる Ca^{2+} 流入の時間経緯とは大きく異ならない. このような速度は電位依存性 Ca^{2+} チャネルの近傍に存在する放出機構によって達成される. この近接構造には **RIM** (Rab3-interacting molecule protein) と **RIM 結合タンパク質** (RIM binding protein: **RIM-BP**) とよばれる二つの足場タンパク質が存在し, Rab3 を含むシナプス小胞と電位依存性 Ca^{2+} チャネルの複合体を形成させている. RIM を欠くマウスや RIM-BP を欠くショウジョウバエでは活動帯に電位依存性 Ca^{2+} チャネルが存在せず, 神経伝達物質の放出が非常に遅れ, 同期して生じない.

ダイナミンを欠損したハエの変異体はシナプス小胞の再利用ができない

シナプス小胞は, 主として軸索終末の細胞膜からエンドサイトーシスによる出芽により形成される (図 23・27). エンドサイトーシスには, 通常クラスリン被覆ピットが関与し, シナプス小胞に固有のいくつかの膜タンパク質 (たとえば神経伝達物質の輸送体) がエンドサイトーシスされた小胞に特異的に取込まれ, 細胞膜に内在するタンパク質 (たとえば電位感受性 Ca^{2+} チャネル) はそのまま残るという点で非常に特異的である. この方法で, シナプス小胞の膜タンパク質は再利用され, 再利用された小胞には神経伝達物質が再充填される (図 23・27, 段階 **6**).

他のクラスリン-AP 被覆小胞の形成と同様に, エンドサイトーシスされたシナプス小胞の切取りには GTP 結合タンパク質である**ダイナミン** (dynamin) が必要である (図 14・20 参照). 事実, ショウジョウバエのダイナミンタンパク質をコードする *shibire* (*shi^ts*) とよばれる温度感受性変異の分析から, エンドサイトーシスにおけるダイナミンの役割の証拠が最初に得られた. 許容温度である 20 ℃ では変異体は正常だが, 非許容温度である 30 ℃ では, 神経細胞や他の細胞でクラスリン被覆ピットの切取りが阻止されるため, 麻痺する (*shibire* は日本語の "しびれ" である). 電子顕微鏡で観察すると, *shi^ts* 変異体の神経細胞には 30 ℃ では長い首をもつクラスリン被覆ピットが多量にあるが, クラスリン被覆小胞はほとんどない. *shi^ts* 変異体では, ハエを非許容温度に上げたときに, 新しいシナプス小胞を切取ることができないため, 神経細胞のシナプス小胞がなくなり, シナプスでの情報伝達が止まって, 麻痺が起こる.

シナプスにおける情報伝達は神経伝達物質の分解か再取込みによって終了する

シナプス前細胞から神経伝達物質が放出されたのち, シナプス間隙から伝達物質が拡散することによってシグナル伝達を停止させることができるが, それには時間がかかる. その代わりに, ほとんどのシナプスでは以下の二つの速やかな神経伝達物質の作用を止める機構を利用している. 神経伝達物質が神経伝達物質輸送体によってシナプスから積極的に除去される機構, もしくはシナプス間隙に存在する酵素によって破壊され, シナプス後細胞への刺激が継続しないようにする機構である.

アセチルコリンによるシグナルの伝達は，シナプス間隙に存在するアセチルコリンエステラーゼ (acetylcholinesterase) によって酢酸とコリンに分解されることにより終了する．この反応で生じたコリンは Na^+/コリン等方輸送体でシナプス前細胞の軸索終末に取込まれ，再びアセチルコリン合成に使われる．この輸送体の作用は，細胞が濃度勾配に逆らってグルコースを取込む際に使われる Na^+/グルコース等方輸送体（図11・25参照）に似ている．

図23・26に示した神経伝達物質でアセチルコリン以外のすべては，シナプス間隙から，放出された軸索終末に輸送体によって取込まれることによって除去される．したがって，それらの伝達物質は図23・27の段階5に示したようにそのままの形で再利用される．GABA, ノルアドレナリン，ドーパミン，およびセロトニンの輸送体が最初にクローン化されて研究された．これら四つはすべて Na^+ 共役型の等方輸送体である．これらのアミノ酸配列は60～70%が同一であり，それぞれ12本の膜貫通αヘリックスをもつと考えられている．他の Na^+ 共役型等方輸送体と同様に，Na^+ が電気化学勾配に従って細胞内に移動することが神経伝達物質の取込みに必要なエネルギーを与える．電気的中性を保つために，Na^+ や神経伝達物質とともにしばしば Cl^- がイオンチャネルを介して輸送される．

神経伝達物質とその輸送体は，強力で時には破滅的にもなるさまざまな薬物の標的になる．コカインは，ノルアドレナリン，セロトニン，およびドーパミンの輸送体を阻害する．コカインがドーパミン輸送体に結合すると，ドーパミンの再取込みが阻害され，シナプス間隙に残るドーパミン濃度が通常より高くなり，シナプス後細胞への刺激が長くなる．常習者のようにコカインに曝露される時間が長くなると，ドーパミン受容体の下方制御が起こり，ドーパミンシグナルによる調節が変わってくる．永続的なコカイン愛用によるドーパミンシグナルの低下は，うつ病をひき起こしたり，重要な脳の報酬回路をコカインの増強効果に対する感受性を高め，薬物依存になる．抗うつ薬であるフルオキセチン (プロザック®) やイミプラミンなどの治療薬は，セロトニン再取込みを阻害し，別の三環系の抗うつ薬であるデシプラミンはノルアドレナリンの再取込みを阻害する．フルオキセチンや同様の機能をもつパロキセチン (パキシル®)，セルトラリン (ゾロフト®) などの医薬は，特異的セロトニン再取込み阻害薬 (selective serotonin reuptake inhibitor: SSRI) と総称される．結果として，これらの医薬は，通常以上の濃度の神経伝達物質をシナプス間隙に残存させ，シナプス後細胞への刺激を長引かせる．

近年注目を浴びているクライオ電子顕微鏡を用いた単分子解析により，ドーパミン輸送体やセロトニン輸送体を含むさまざまな神経伝達物質輸送体の構造が，幻覚剤イボガインのような薬剤の存在下もしくは非存在下で明らかとなった．これらの研究により，神経伝達物質輸送体が細菌における $2Na^+$/ロイシン共輸送体と構造および機能の点で類似性がある仮説が支持された（図11・25, 図11・26参照）．これはこれまでに進められてきた，抗うつ薬を含めた神経伝達物質輸送体を標的とした創薬において細菌における $2Na^+$/ロイシン共輸送体の構造生物学的情報に基づいた研究にとって重要である．神経伝達物質輸送体の高解像度での構造解析はこれらのモデルを支持するだけではなく，さらに精密な，かつ特異性の高い治療薬の開発につながることが期待される．

アセチルコリン依存性陽イオンチャネルの開口によって筋収縮が起こる

本項では，運動ニューロンと筋肉の間の情報伝達を例にとり，シナプス後細胞上の受容体に神経伝達物質が結合すると，どのように膜電位の変化が起こるのかをみていく．このシナプスは神経筋接合部とよばれ，アセチルコリンが神経伝達物質である．カエルの運動ニューロンの一つの軸索終末には100万以上ものシナプス小胞があり，それぞれに1000～10,000分子のアセチルコリンが含まれている．この小胞は活動帯に多数集まっている（図23・23, 図23・24）．この運動ニューロン1個は，数百の部位で1個の骨格筋細胞とシナプスを形成する．

骨格筋で発現している**ニコチン性アセチルコリン受容体** (nicotinic acetylcholine receptor) は，**リガンド依存性チャネル** (ligand-gated channel, リガンド開口型チャネル) の一つで，K^+ と Na^+ の両方を通す．この受容体は脳でもつくられており，学習や記憶に重要である．アセチルコリン受容体の欠損は，統合失調症，てんかん，薬物依存，そしてアルツハイマー病にみられる．アセチルコリン受容体に対する抗体は，**重症筋無力症** (myasthenia gravis) での自己免疫反応の主要部分である．この受容体のニコチン性という名前は，ニコチンを結合することからつけられ，喫煙者のニコチン依存に関係するといわれてきた．アセチルコリン受容体には少なくとも14種類のアイソフォームがあり，いろいろな性質をもつホモおよびヘテロ五量体を形成する．これらの多様な生理機能とさまざまな疾患における病的役割を踏まえ，これらのアイソフォームは新しい創薬における重要な標的分子群である．

細胞表面を外向きにした筋細胞膜の小領域パッチを使い，この受容体に対するアセチルコリンの作用をパッチクランプ法で研究することができる．この方法は，単離したパッチ内にあるチャネル受容体に対する細胞外液の作用を調べる方法である（図11・22c参照）．この実験によって，アセチルコリンは受容体である陽イオンチャネルを開き，1ミリ秒に15,000～30,000個の Na^+ と K^+ を通すことがわかった．しかし，筋細胞膜の静止膜電位は K^+ の平衡電位 E_K に近いので，アセチルコリン受容体のチャネルが開いても K^+ の流出はほとんど起こらない．一方，Na^+ は Na^+ の電気化学勾配に従って筋細胞内に流れ込む．

アセチルコリンの結合により Na^+ と K^+ の透過性が同時に上昇することによって，筋細胞の膜電位は静止時の約 -85～-90 mV から約 -15 mV へと脱分極する．図23・30に示すように，この筋細胞膜の局所的な脱分極は電位依存性 Na^+ チャネルを開口させて筋細胞膜で活動電位が発生する．この活動電位の発生と伝播は神経細胞と同じしくみである．膜の脱分極がT管（横行小管）という細胞膜が陥入した特別な部分（図17・32b参照）に到達すると，その細胞膜の Ca^{2+} チャネルに作用するが，開口させることはしない．理由はわかっていないが代わりに隣接する筋小胞体膜上にある Ca^{2+} 放出チャネルを開口させる．筋小胞体にたくわえられた Ca^{2+} が細胞質に流入するため細胞質の Ca^{2+} 濃度が十分高くなり，筋収縮がひき起こされる．

コリン作動性運動ニューロンとシナプスを形成している筋細胞膜の膜電位を注意深く観測した結果，運動ニューロンの刺激なしに無作為に自然発生する0.5～1.0 mVほどの約2ミリ秒の脱分極

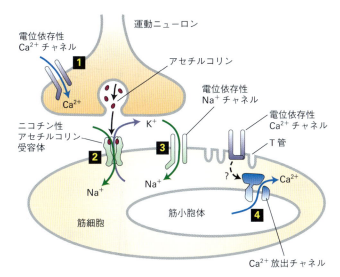
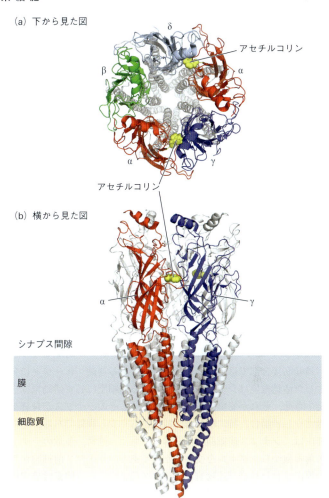

図 23・30 神経筋接合部における各種イオンチャネルの連続した活性化. 活動電位がシナプス前細胞である運動ニューロンの終末に到着すると, 運動ニューロンの電位依存性 Ca^{2+} チャネルが開いて (段階 1), アセチルコリンが放出され, それが筋細胞膜上のリガンド依存性アセチルコリン受容体を開口させる (段階 2). 筋細胞にある開いたチャネルから Na^+ の流入と K^+ の流出が起こる. Na^+ の流入が膜の局所的脱分極をひき起こし, これにより電位依存性 Na^+ チャネルが開口して活動電位が発生する (段階 3). 脱分極が広がってT管に達すると, 細胞膜の電位依存性 Ca^{2+} チャネルがそれを感知する. このチャネルは閉じたままだが, 未知の機構 (図中の?で示した) により, それが筋小胞体膜 (筋の膜ネットワーク) にある Ca^{2+} チャネルに伝わり, 筋小胞体内の Ca^{2+} が細胞質ゾルに放出される (段階 4). 細胞質ゾルの Ca^{2+} 濃度の上昇は 17 章で述べた機構で筋肉を収縮させる.

があることが明らかになった. この小さな脱分極は, ニューロン内の 1 個のシナプス小胞が自発的にアセチルコリンを放出するために発生する. 1 個のアセチルコリンを含むシナプス小胞が放出されるとシナプス後細胞膜にある約 3000 のイオンチャネルが開く. この数は活動電位を発生させる閾値に到達させるにははるかに足りない. 運動ニューロンが筋収縮を起こさせるには, 多数のシナプス小胞がほぼ同時にアセチルコリンを放出する必要がある.

ニコチン性アセチルコリン受容体にある 5 個の サブユニットのすべてによってイオンチャネルができている

多くの神経筋シナプスにみられる興奮性のニコチン性アセチルコリン受容体の構造と作用をみる. この受容体は, 最初に精製されてクローン化され, 分子レベルで性質が解析されたイオンチャネルであり, 他の神経伝達物質依存性のイオンチャネルの規範になっている. アセチルコリン受容体は $\alpha_2\beta\gamma\delta$ のサブユニット構成をもつ五量体である. これら 4 種類のサブユニットのアミノ酸配列の間には高い類似性がある. どのサブユニット間の比較でも平均して約 35~40% のアミノ酸残基が一致し, これらすべて共通の祖先遺伝子に由来することを示唆している. 完成した受容体には5 回対称性があり, 実際の陽イオンチャネルは, 五つのサブユニットのそれぞれにある相同な領域が縁取るようにつくった先が狭い孔である (図 23・31). このチャネルは, 図 23・31(a) に示すように受容体サブユニットの α と δ および α と γ の間の境界面にそれぞれある部位に 2 個のアセチルコリンが協調して結合したと

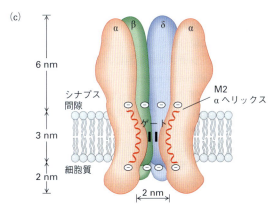

図 23・31 ニコチン性アセチルコリン受容体の三次元構造. 電気ウナギのニコチン性アセチルコリン受容体の三次元分子構造で, シナプス間隙から見たもの (a) と, 膜面と平行に横から見たもの (b). 見やすくするために, (b) では前方の二つのサブユニット α と γ を示している (α: 赤, β: 緑, γ: 青, δ: 薄青). 黄に示した二つのアセチルコリン結合部位は膜表面から約 3 nm 離れたところに位置している. (b) では $\alpha\gamma$ の界面に位置する一つだけを示してある. (c) 膜に存在する受容体の五量体構造を模式的に示したもの. 各サブユニットには四つの膜貫通 α ヘリックス M1~M4 が含まれており, そのうち M2 α ヘリックス (赤) は中央の孔に面している. M2 α ヘリックスの両端にあるアスパラギン酸とグルタミン酸の側鎖が負電荷の環をそれぞれ形成して, 陰イオンを排除して陽イオンをチャネルに引きつけている. アセチルコリンの結合によって開くゲートはチャネル孔の内部にある. [N. Unwin, 2005, *J. Mol. Biol.* **346**: 967, PDB ID 2bg9.]

きに開口する．アセチルコリンが結合すると2〜3ミリ秒以内にこのチャネルは開く．さまざまな陽イオンの透過性を調べたところ，このイオンチャネルは開いた状態で一番狭いところで直径約0.65〜0.80 nmであることが示唆され，これは電子顕微鏡観察の結果と合っている．この大きさは水和したNa^+やK^+を透過させるに十分である．

ここまでに，神経筋接合部を代表的な例として，どのように神経伝達物質とその受容体が機能するかを説明した．アセチルコリンと同様，グルタミン酸も脊椎動物脳の主要な神経伝達物質であり，2種類の受容体を利用している．一つは，**イオンチャネル型グルタミン酸受容体**（ionotropic glutamate receptor）で，リガンド依存性チャネルである．これは，アセチルコリン受容体と同様の方法で，グルタミン酸の結合に応答して，K^+とNa^+，またときにはCa^{2+}を流入させる．グルタミン酸は第二の受容体にも結合するが，これはGタンパク質に共役している．本章の終わりでは，このようなGタンパク質共役型受容体（GPCR）とイオンチャネルが**におい物質**（odorant）や**味物質**（tastant）の受容体として機能し，多くの感覚ニューロンを活性化することをみていく．

神経細胞は活動電位を発生する際に，全か無かの決定を下す

神経筋接合部では，シナプス前細胞である運動ニューロンに発生した活動電位はシナプス後細胞である筋細胞に必ず活動電位を発生させ，それが筋繊維を伝わっていく．そのシナプスが神経細胞どうしの場合，特に脳では，状況はもう少し複雑である．その理由は，シナプス後細胞となる神経細胞は，通常，多数のシナプス前細胞からシグナルを受けるからである．シナプス前細胞からの放出された神経伝達物質がシナプス後細胞にある**興奮性受容体**（excitatory receptor）に結合すると，Na^+あるいはNa^+とK^+の両方を通すチャネルが開く．前述したアセチルコリンとグルタミン酸の受容体は興奮性受容体の例で，こうしたイオンチャネルが開くとシナプス後細胞膜に脱分極が起こり，活動電位の発生が促進される．それに対して，シナプス後細胞にある活動電位の発生を抑える**抑制性受容体**（inhibitory receptor）に神経伝達物質が結合すると，シナプス後細胞膜のK^+あるいはCl^-チャネルが開き，K^+が細胞質ゾルから流出したりCl^-が流入する．いずれの場合も，このイオンの流れは細胞膜を過分極させ，シナプス後細胞での活動電位の発生を抑制する．

一つの神経細胞が複数の興奮性と抑制性のシナプスでシグナルを同時に受取ることがある．神経細胞は常にこれらのシグナルを統合し，活動電位を発生するかどうか決めている．この過程で，複数のシナプスで発生した多数の小さな脱分極や過分極が，細胞膜を伝わって樹状突起から細胞体へ，そして軸索丘に向かって動き，軸索上で合算される．軸索丘の膜がある電位まで脱分極してそれが**閾値電位**（threshold potential）とよばれるある値を超えると（図23・32），活動電位が発生する．この閾値は神経細胞によって異なる．したがって活動電位は全か無かの様式で発生する．脱分極が閾値を超えると必ず活動電位を発生するが，閾値を超えないときには決して発生しない．

神経細胞が軸索丘で活動電位を発生するかどうかは，それが受取るすべてのさまざまな入力の時期，強度，およびその入力の位置を合わせた均衡の上に成立する．このシグナル処理の方法は神経細胞ごとに異なる．ある意味で，それぞれの神経細胞は小さい

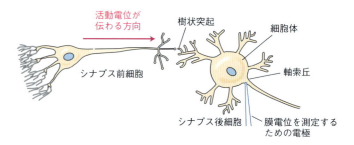

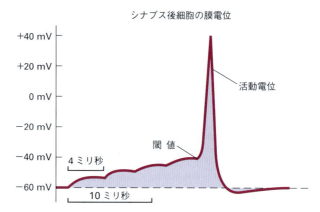

図23・32（実験） シナプス後細胞が活動電位を発生するためには，入力シグナルが膜電位を閾値電位に到達させる必要がある．この例では，シナプス前細胞は4ミリ秒に1回活動電位を発生している．シナプスに活動電位が到来すると，シナプス後細胞の軸索丘での膜電位が少し変化する．この例では約5 mVの脱分極である．複数の刺激によってこのシナプス後細胞の膜が閾値電位（ここでは約−40 mV）を超えて脱分極すると活動電位が誘発される．

アナログデジタル変換コンピューターであり，すべての活性化された受容体によって膜に起こった電気的変化を平均化し（アナログ）活動電位を発生させて，それを軸索に伝導するかどうか（デジタル）を決定している．一つの神経細胞では活動電位の"強度"は常に同じである．したがって，すでに述べたように，ある神経細胞で発生した活動電位の"頻度"がその神経細胞が他の細胞にシグナルを送る際の重要な指標となる．

ある種の神経細胞ではギャップ結合が情報伝達に直接関与する

神経伝達物質を用いる**化学シナプス**（chemical synapse）は，かなりの速度での一方向性の伝達を行う．しかし，化学シナプスを介さずにシグナルを細胞から細胞へと電気的に伝えることがある．**電気シナプス**（electrical synapse）は，二つの細胞をつなぐギャップ結合チャネルに依存する（20章）．ギャップ結合による連結には，つながった細胞の活性を完全に協調させる作用がある．また，電気シナプスは**双方向性**（bidirectional）であり，どちらの神経細胞も他方を興奮させる．新皮質や視床などの脳の部分で，電気シナプスがよくみられる．電気シナプスの重要な特徴は，その速さである．シグナルが化学シナプスを通るには0.5〜5ミリ秒かかるが，電気シナプスはほとんど即時にシグナルを通すことができ，それは1ミリ秒の何分の一のオーダーである．また，細胞間の細胞質はつながっているので，シナプス前細胞（シグナルを送る側）はシナプス後細胞にシグナルを送るときに，活動電位を生じさせる閾値に達する必要はない．その代わりに，すべての電流は隣の細胞に継続して伝わり，電流量に応じた脱分極を生じさ

せる．

　神経細胞と同様にグリア細胞もギャップ結合を形成する．脳のアストロサイトは互いにギャップ結合により接続されているため，脳内のアストロサイトネットワークを介して 1 μm/秒の速度で Ca^{2+} の濃度変化が伝わっていく．ギャップ結合はまた単一のシュワン細胞内でも形成され，各ミエリン層の間をつないでいる．これらのギャップ結合がミエリン層間における代謝物やイオンの透過を促進する．

　電気シナプスは数千のギャップ結合チャネルを含んでおり，この各チャネルは対面する細胞に一つずつ由来する二つのヘミチャネルから構成される．神経細胞のギャップ結合チャネルは，通常のギャップ結合と類似した構造をとっている（図 20・21 参照）．個々のヘミチャネルは，六つのコネキシンタンパク質の集合体である．哺乳類には約 20 種類のコネキシン遺伝子があり，チャネルの構造と機能の多様性は，タンパク質成分の違いによって生じる．この 1.6〜2.0 nm のチャネルは，約 1000 Da までの大きさの分子を拡散させ，すべての一般的なイオンは問題なく通る．

23・3　シナプスにおける情報伝達　まとめ

- シナプスは，シナプス前細胞とシナプス後細胞の間の接合部位で，小さな間隙からできている（図 23・3）．
- シナプス前細胞とシナプス後細胞間の情報伝達は，シナプスが形成されるにつれて多くなる．細胞接着分子によって，細胞が正しく配置される．神経筋接合部では，運動ニューロンが軸索終末に近いところで，シナプス後細胞である筋細胞膜にアセチルコリン受容体を集積させる（図 23・23）．
- シナプス前細胞において，低分子量の神経伝達物質（たとえばアセチルコリン，ドーパミン，アドレナリン）は細胞質ゾルからシナプス小胞へ H^+ 共役型対向輸送体によって運び入れられる．V 型プロトンポンプは，小胞内の pH を低い状態に保ち，濃度勾配に逆らって神経伝達物質を輸送する．
- 神経伝達物質はシナプス前細胞の軸索終末にある数百から数千のシナプス小胞にたくわえられる．活動電位がここに到達すると，電位依存性 Ca^{2+} チャネルが開口し，流入した Ca^{2+} がシナプス小胞と細胞膜とを融合させ，神経伝達物質をシナプス間隙に放出させる（図 23・27，段階 **4**）．
- 神経伝達物質は，シナプスに拡散し，神経細胞や筋細胞であるシナプス後細胞にある受容体に結合する．これらの化学シナプスは一方向性である（図 23・3）．
- シナプス小胞は，エキソサイトーシスに標準的に用いられる SNARE と SM タンパク質などを含む細胞装置を用いて細胞膜と融合する．シナプトタグミンタンパク質は活動電位を検出するカルシウムセンサーで，カルシウムの増加によってシナプス小胞の膜融合をひき起こす（図 23・29）．RIM および RIM-BP は電位依存性 Ca^{2+} チャネルを放出機構に近接させることで活動電位と神経伝達物質放出の間の迅速な協調性を保たせる．
- シナプス前細胞からの神経伝達物質の放出に続いて，エンドサイトーシスによるシナプス小胞の再形成と再利用が行われる（図 23・27，段階 **6**）．
- 運動ニューロンと横紋筋のシナプスでの四つのイオンチャネルの協調した働きによって，軸索終末からのアセチルコリンの放出，筋細胞膜の脱分極，活動電位の発生，そして筋収縮が起こる（図 23・30）．
- 神経伝達物質の受容体は二つに分類される．開口してイオンを通すリガンド依存性イオンチャネルと，別のイオンチャネルに作用する G タンパク質共役型受容体である．
- シナプス後膜側の神経細胞では，多くの神経受容体の活性化によってつくられる細胞膜の小さな脱分極と過分極の総和が軸索丘の細胞膜閾値を超えたときだけ，活動電位が発生する（図 23・32）．
- 電気シナプスは，神経細胞とグリア細胞間のギャップ結合による接続である．電気シナプスは，神経伝達物質を使う化学シナプスとは異なり，シグナルの伝達が圧倒的に速く，双方向性である．

23・4　環境の感知: 触覚，痛覚，味覚，嗅覚

　われわれの身体は環境から常にシグナルを受取っている．光，音，におい，味，機械刺激，また高温と低温である．これらのシグナルの知覚は，脳によって行われている．最近になって，われわれの感覚が外界をどう感知し，脳がその情報をどう処理するかという理解が急速に深まった．たとえば，15 章ではヒト網膜にある 2 種類の光受容細胞のうちの一つ（**桿体** rod）の機能を解析し，それらが視覚刺激の一次受容器としてどのように働いているかを説明した．桿体は月の光のような弱い光によって広い波長で刺激されるが，もう一つの光受容体である**錐体**（cone）は色覚を仲介する．これらの光受容細胞は，層状に存在し，その上にある介在ニューロンの層とシナプスを形成している．この介在ニューロンはさまざまな組合わせの受容細胞からの入力を受ける．これらの信号は**視皮質**（visual cortex）とよばれている脳の一部位によって処理され解釈される．視皮質では，こうした神経インパルスが現実世界の像として翻訳される．

　本節では，触覚，痛覚，味覚，嗅覚など他の感覚にかかわる分子細胞機構と特殊な神経細胞について述べる．これから，二つの大きな種類の受容体，イオンチャネルと G タンパク質共役型受容体がこれらの感知過程に機能することをみていく．視覚と同様，多数の介在ニューロンがこれらの感覚細胞と脳をつないでおり，脳において伝達された信号が環境の認知へと変換される．光遺伝学のような新たな技術は，これらの神経回路を同定するうえで強力な手法として使われている．特に嗅覚の場合には，個々の感覚ニューロンは単一の嗅覚受容体を発現しているので，同一受容体を発現している多くの感覚ニューロンがどのように同じ脳の部位を活性化するかをみることができる．つまり，におい物質の結合と脳における感知とは直接的であり，かなりよくわかっている．

機械感受体は陽イオンチャネルである

　皮膚，特に指の皮膚は感覚情報を集めるように特化している．実際，ヒトの全身には，膨大な数の**機械刺激センサー**（mechanosensor）がさまざまな組織に埋込まれている．これらの感覚器は，接触，手足や頭の位置と動き（自己受容感覚），痛み，温度を頻繁に伝えている．もちろんわれわれは，こうした入力を無視してや

り過ごす場合も多くあるのだが，哺乳類は接触や温度，痛みを知らせるために，それぞれ別々の受容細胞を使っている．これらの機械感受性受容体は**後根神経節細胞**（dorsal root ganglion cell）とよばれる二極性神経細胞の終末に存在している．これらの細胞体は脊髄近傍の後根神経節に存在し（図23・4），軸索を二叉に分けて末梢側では機械感受性受容体が発現して皮膚を神経支配している．中枢側では感覚刺激を処理するために脊髄もしくは脳幹に投射している．

多くの機械感受性受容体はNa^+またはNa^+/Ca^{2+}チャネルであり，特定の刺激によって開口する．これらの受容体の活性化によってNa^+あるいはNa^+とCa^{2+}の両方の流入がひき起こされ，膜が脱分極する．たとえば伸長・触覚受容体は，細胞膜を引き伸ばすことによって活性化されるが，こうした受容体は脊椎動物の筋細胞や上皮細胞から酵母，植物，細菌に至るまで多くの細胞で同定されている．

触覚受容体をコードする遺伝子のクローニングは，弱い体表接触を感じる線虫の変異体の単離からはじまった．変異が単離された四つの遺伝子，*MEC-2*，*MEC-4*，*MEC-6*，*MEC-10*は，Na^+チャネルの二つのサブユニット（MEC-4 と MEC-10）と二つの補助タンパク質（MEC-2 と MEC-6）をコードしている．これらの遺伝子の変異をもつ線虫の研究から，これらのチャネルは弱い体表接触の情報伝達に必要であることがわかった．生物物理学的研究から，これらのチャネルは直接機械刺激に応答して開口することも明らかになった（図23・33）．触覚受容体は複合体を形成しており，このほかにいくつかのタンパク質を含む．このなかには，細胞質にある新規の15本のプロトフィラメントからなる微小管や細胞外マトリックスの特定のタンパク質も含まれている．類似したチャネルは，細菌や下等真核生物でも見つかっており，それらは膜の伸展に応答して開くことによって，浸透圧調節にかかわり，細胞の体積を一定に保つ役割があるものと思われる．

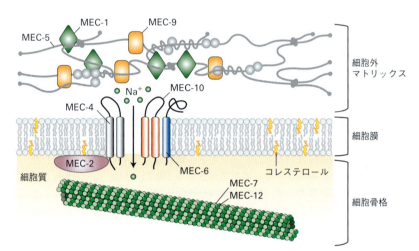

図 23・33 線虫の MEC-4 触覚受容体複合体は Na^+ チャネルと細胞外マトリックスタンパク質から構成されている．MEC-4 と MEC-10 タンパク質は Na^+ チャネルの孔形成サブユニットであり，MEC-2 と MEC-6 はチャネル活性に必要な補助サブユニットである．機械情報伝達は，コラーゲンアイソフォームである MEC-5 や，多数の EGF リピートをもつタンパク質である MEC-1 と MEC-9 を含む特殊な細胞外マトリックスを必要とする．MEC-7 と MEC-12 はチューブリン単量体であり，接触感受性に必要な 15 プロトフィラメント微小管を形づくっている．[E. A. Lumpkin et al., 2010, *J. Cell Biol.* **191**: 237 参照．]

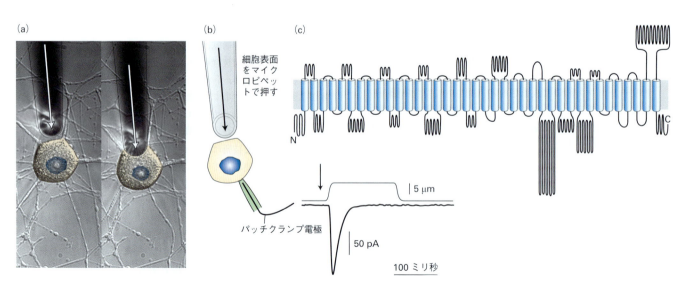

図 23・34 Piezo チャネルは機械刺激受容体である．(a) 機械的刺激情報を伝達するチャネルを同定する目的で，膜タンパク質をコードする cDNA を細胞に異種発現させ，パッチクランプ記録（写真で示した）もしくはカルシウムイメージング（示していない）によってガラスピペットによる機械的な刺激に対する反応を検討した．(b) Piezo1 もしくは Piezo2 cDNA を培養細胞に発現させ，ガラスピペットで刺激すると，非常に強い内向き電流が発生した．(c) Piezo1 と Piezo2 はホモ三量体の陽イオンチャネルを形成する．それぞれのサブユニットは非常に大きく，2000 以上のアミノ酸残基と 38 個の膜貫通領域からなる．チャネルとして構成されると 114 個の膜貫通領域，分子量 1200 万強（リボソームの小サブユニットをほぼ同じ分子量である）もある．[(a) は A. Patapoutian 提供．]

2010年には哺乳類細胞において機械刺激を直接陽イオン透過性に変換する，**Piezo1** および **Piezo2** とよばれる二つのチャネルが同定された（これは"圧力"を意味するギリシャ語の piesi に由来する）．ともに三つの相同なサブユニットからなる巨大な陽イオン選択的なチャネルであり，それぞれのサブユニットは 38 以上の膜貫通領域を含む．つまり，チャネルとしては 114 個の膜貫通領域からなるチャネルである．Piezo1 や Piezo2 の過剰発現は細胞において機械刺激選択性の陽イオン電流を生じさせる．これらは細胞における過剰発現と，小さなガラスピペットによる細胞伸展刺激に対する反応性をカルシウムイメージングにより測定することで検出可能である（図 23・34）．マウス後根神経節において Piezo2 の発現が低下すると機械感受性が低下する．ショウジョウバエにおいて一つしかない Piezo 相同分子のノックアウトを行うと，有害な機械刺激に対する反応性が著減する．したがってこれらの結果は Piezo チャネルが機械刺激シグナルを伝達していることを示す．

痛覚受容体も陽イオンチャネルである

カタツムリからヒトに至るまで多様な動物は有毒物質を感知する（この過程を**侵害受容** nociception とよぶ）．**侵害受容体**（nociceptor）とよばれる痛覚受容体は，機械的刺激，熱，および特定の毒性のある化学物質に応答する．痛みは組織の損傷などの傷害をひき起こしている可能性を知らせ，組織治療を促す作用を起こさせる．組織傷害に応答する持続性の痛みはよくあり，多くの人々がこの慢性の疼痛に悩まされている．そのため，急性と慢性の疼痛の両方を理解することは，疼痛を治療するための新薬の開発と同様に研究の重要な目的である．

最も早く同定されクローン化された哺乳類の疼痛受容体が TRPV1 で，この Na^+/Ca^{2+} チャネルは末梢神経系の多くの感覚疼痛ニューロンに存在し，さまざまな外因性と内因性の物理および化学刺激によって活性化する．TRPV1 のよく知られた活性化刺激には，43℃以上の熱，酸性の pH，そしてチリペッパーの

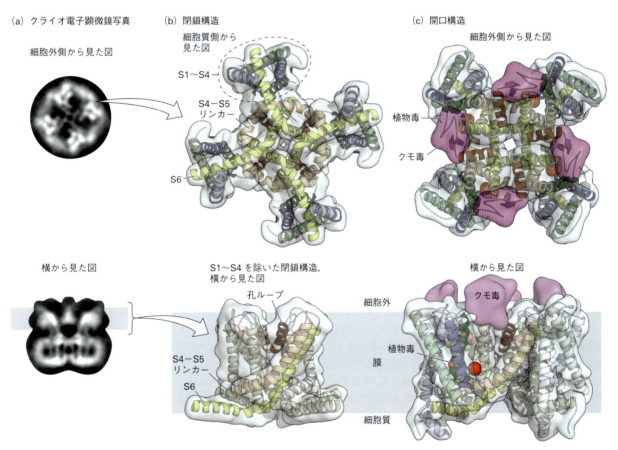

図 23・35 単分子解析クライオ電子顕微鏡による TRPV1 チャネルの高分解能構造はさまざまな化学刺激による活性化機構を明らかにした． 単分子解析クライオ電子顕微鏡により，0.34 nm の解像度で解析されたラット TRPV1 の高解像度構造．(a) ガラス質の氷の薄膜に埋込まれた TRPV1 チャネル四量体の二次元構造の写真について，チャネルの細胞外側から見たものを上のパネルに，横から見たものを下のパネルに示す．(b, 上) S1～S4 の膜貫通領域と S5 および S6 で構成された孔についてこれらをつなぐ孔(P)ループと合わせて，細胞質側からチャネルを見たリボン構造図．S1～S4 ドメインは電位感受性 K^+ チャネルや Na^+ チャネルにある電位感受性ドメインの構造と類似している（図 23・14）が，これらは動かない点で異なる．(b, 下) S5-P-S6 で構成される孔ドメインについて，閉鎖構造のチャネルを横から見たリボン構造図．(c) 二つのアゴニストであるクモ毒（ピンク）や植物毒（赤）によって開口状態で固定化されたチャネル．クライオ電子顕微鏡における密度地図から，クモ毒はチャネルの外側に結合し，二つの球状のシステインノットドメインを介して二つのサブユニットをつないでいる．一方植物毒は孔内の深い位置に結合している．カプサイシンは植物と同じ部位に結合している（ここでは示していない）．異なる二つの部位にアゴニストが結合することは，TRPV1 が二重のゲートが存在し，チャネル機能を大きく制御することができることを示している．[(a) は M. Liao et al., 2013, *Nature* **504**: 107, Copyright Clearance Center, Inc. を通じて Nature より許可を得て転載．(b) は M. Liao et al., 2013, *Nature* **504**: 107, PDB ID 3j5p．(c) は E. Cao et al., 2013, *Nature* **504**: 113, PDB ID 3j5q．]

辛味を与える分子であるカプサイシンがある．TRPV1 受容体の活性化によって，痛い，焼けるような感覚が得られる．疼痛緩和剤として多数の TRPV1 アンタゴニストが製薬産業によって開発された．しかし，これらの薬剤の利用を妨げる主要な副作用として体温上昇がある．これはすなわち，TRPV1 の"正常機能"が体温の感知と調節であり，薬剤はこの機能を阻害することを示唆している．

最近の重要な研究成果として，単分子解析クライオ電子顕微鏡（3 章，11 章）を用い，高分解能（0.34 nm）で閉鎖状態と，カプサイシンもしくは 2 種類の強力な TRPV1 活性化剤（一つは植物から，もう一つはクモ毒から）と結合した開口状態のラット TRPV1 の構造が明らかにされた．図 23・35 に示すように，TRPV1 チャネルの構造は電位依存性イオンチャネルの構造に類似し（図 23・13），六つの膜貫通領域（S1～S6）からなるサブユニットが 4 回対称性に配置されている．しかし電位依存性イオンチャネルにおいて電位センサーとして機能する S1～S4 における電荷アミノ酸が，TRPV1 では芳香族アミノ酸に変わっている．これは電位センサーが脱分極に伴い動くのとは異なり，チャネルの中心構造が安定化され TRPV1 の S1～S4 ヘリックスはリガンド結合によって惹起される動きの支えとなっている．孔領域では二つの狭い構造，もしくはゲートが見いだされる．クモ毒はチャネルの孔を構築するヘリックスの傍の細胞外領域に結合し，チャネルの細胞外側を開口状態で固定する．カプサイシンと植物毒素は孔の膜内から細胞質側の深い領域に結合し，孔の直径を大きくする．これらの発見から，TRPV チャネルは二重のゲートがあると考えられている．

五つの基本味はそれぞれの味蕾に存在する別々の細胞群によって感知される

われわれは唾液中の多くの化学物質の味を感じている．それらの化学物質はすべて親水性で非揮発性の分子であり，唾液に溶けている．他の感覚と同様に，味覚は動物の生存確率を上げるために進化してきたと考えられる．多くの毒性物質は苦いか酸っぱく，栄養価のある食物は小分子に分解され，それらには甘味（たとえば砂糖），塩味，うま味（たとえばグルタミン酸ナトリウムや他のアミノ酸のように肉の味がしたり，風味がある）がある．ヒトを含む動物は何が口に入ったかを正確に知ることはできないため，味覚によって食べるか吐き出すかをすばやく決断する．味覚では，嗅覚よりも調べる分子の種類が少ないので，神経系は嗅覚よりも複雑ではない．重要なのは味覚の感受性であり，苦味分子には 10^{-12} M の濃度を検出できるものがある．

すべての味覚は舌の全域で感受され，それぞれの味に反応する特異的な細胞が存在する．塩味，甘味，酸味，うま味，苦味の受容体は舌の全域に分布している．味覚受容体には二つの種類があり，一つは塩味と酸味にかかわるチャネルタンパク質であり，もう一つは甘味，うま味，苦味にかかわる 7 回膜貫通タンパク質（G タンパク質共役型受容体）である．また，脂肪酸を検出する膜受容体も味蕾の細胞に存在するが，脂肪の味が第六の基本味覚となる可能性が出てきた．

味蕾は乳頭（papillae）とよばれる舌上の隆起のなかに位置し，それぞれの味蕾には細孔があり，ここを通って液体に含まれる溶質が内側に入る．一つの味蕾には約 50～100 の細胞が存在する（図 23・36a, b）．これらの細胞は上皮細胞であるが，神経細胞の機能の一部をもっている．味を感じる細胞の頂端先にある微絨毛には**味覚受容体**（taste receptor）があって，口腔内での外部環境と直接接触しているので，害となりうる化合物とともに，食物に由来するさまざまな分子群を食物の変化として感じている．舌と口腔内の他の部分にある細胞は傷ついたり壊れたりすることが多く，味蕾細胞は味蕾下層の上皮層での細胞分裂によってたえず置き換わっている．

味覚シグナルの受容は細胞膜の脱分極をひき起こし，また活動電位を発生させる．このことが電位依存性 Ca^{2+} チャネルを通して Ca^{2+} の取込みと神経伝達物質の放出をひき起こす（図 23・36c～e）．味覚細胞は軸索を伸ばしていないが，近傍にある神経細胞にシグナルを届ける．これらの神経細胞は味覚に関する情報を多数の接続を介して大脳皮質において味覚情報に特化した領域である**島皮質**（insula）へと伝達する．どのように島皮質が甘味ではなく塩味の受容体が活性化されたことを認知できるのかを明らかにするために，さまざまな味覚を感受させているマウスの島皮質に対する二光子顕微鏡イメージング（4 章）が行われた．この実験では活性化された神経細胞の同定の目的で，カルシウム依存性に蛍光を発するカルシウム検出分子が用いられ多数の神経細胞の活動が可視化された．その実験により，四つの味覚（甘味，苦味，うま味，塩味）は島皮質に存在する重複しない別々の領域により認識され，われわれの味覚感受性にかかわる味覚地図が脳内に存在することが示された．

苦　味　苦味物質は多様性に富んでおり，**T2R** とよばれる，25～30 種程度の G タンパク質共役型受容体（GPCR）の多様なファミリーによって検出される．図 23・36(c) に示すように，これらすべての GPCR は，ほぼ味覚細胞だけに発現している**ガストデューシン**（gustducin）とよばれる特定の G タンパク質 G_α アイソフォームを活性化する．しかし，遊離した普遍型ヘテロ三量体 G タンパク質の $G_{\beta\gamma}$ サブユニットが，ホスホリパーゼ $C\beta$ の特定のアイソフォームに結合して活性化し，その結果 IP3 が生成される．この IP_3 は小胞体から Ca^{2+} を放出させる（図 15・28 参照）．Ca^{2+} はつづいて Ca^{2+} 依存性の Na^+ チャネルであり TRP ファミリー型イオンチャネルである TRPM5 に結合してチャネルを開き，Na^+ の流入と脱分極をひき起こす．Ca^{2+} の上昇と脱分極という二つの作用は **Panx1** とよばれるチャネルの巨大な孔を開口させる．その結果 ATP や他のシグナル分子が細胞外へ放出される．ATP は，神経細胞を刺激して，結果的に味覚情報を脳に運ぶ．

苦味分子の構造は実に多様であり，これがおそらく T2R ファミリーが非常に多様になる必要がある理由である．一部の T2R 受容体はわずか 2～4 種類の苦味物質と結合するが，別の T2R は多様な苦み物質と結合する．最初の T2R ファミリーのタンパク質は，ヒトの遺伝学の研究から明らかになった．この研究から 5 番染色体にある重要な苦味を感知する *TAS2R38* 遺伝子がわかった．この T2R タンパク質は T2R5 とよばれ，このなかの 5 箇所にアミノ酸の変化をもつマウスでは，シクロヘキシミド（タンパク質合成阻害剤）の苦味を感じることができない．多様な T2R が同じ味覚細胞に発現していて，味蕾細胞の約 15％ が T2R を発現する．

遺伝子の発現制御系を交換する鮮やかな実験によって T2R タ

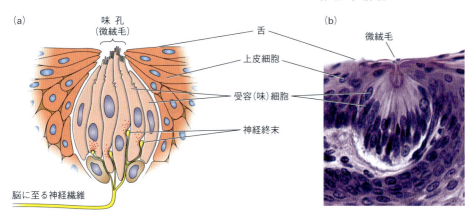

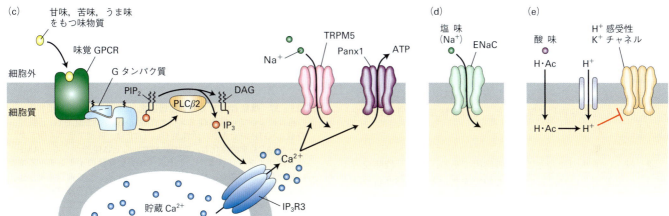

図 23・36 化学シグナルによる味の感知. (a) 味蕾細胞(ピンク)の一部は,神経細胞(黄)と接触している.化学シグナルは上部の微絨毛に到達する.(b) 味蕾の顕微鏡写真,味蕾細胞が見える.味蕾の先には,矢印で示すようにはっきりと微絨毛が見える.(c) 甘味,苦味,うま味のリガンドは II 型受容細胞に発現する特定の味覚 GPCR に結合し,細胞質ゾルの Ca^{2+} 濃度を上げるホスホイノシチド経路を活性化する.次に Ca^{2+} は Ca^{2+} 依存性 Na^+ チャネルである TRPM5 に結合して開口させ,Na^+ の流入と脱分極をひき起こす.Ca^{2+} 濃度の上昇と脱分極という二つの作用によって Panx1 とよばれる膜チャネルの大きな孔が開口し,細胞外空間への ATP と他のシグナル分子の放出が起こる.ATP と他の分子は神経細胞を活性化して,最終的に情報を脳に運ぶ.(d) 塩は,ENaC イオンチャネルを含む膜イオンチャネルに作用して Na^+ を直接通過させ細胞膜を脱分極させることによって検出される.(e) 酢酸のような有機酸はプロトン化($H \cdot Ac$)された状態で表面膜を透過し,細胞質を酸性化する.塩酸のような強酸の取込みは酸味感受細胞の頂端側の膜に存在する H^+ チャネルによって細胞質に H^+ の取込みとして促進される.細胞内 H^+ は未同定の H^+ 感受性 K^+ チャネルを阻害し,脱分極させる.電位感受性 Ca^{2+} チャネルもおそらく開口し,細胞質内 Ca^{2+} 濃度の上昇によりシナプス小胞のエキソサイトーシスがひき起こされる(図には示されていない).
[N. Chaudhari and S. D. Roper, 2010, *J. Cell Biol.* **190**: 285; S. Frings, 2010, *Proc. Natl. Acad. Sci. USA* **107**: 21955 参照. (b) は Ed Reschke/Stone/Getty Images.]

ンパク質の役割が明らかになった.もともとはマウスが好む甘味を感知する細胞で,苦味受容体である T2R タンパク質を発現するようにマウスを改変した.そのマウスは苦味に対する強い嗜好性をもつようになったが,これは明らかにその細胞は苦味を検出しているにもかかわらず"そこに行ってこれを食べろ"というシグナルをその細胞が出し続けているからである.この実験は,味覚細胞の特異性は細胞自体で決定されることと,その細胞が送るシグナルはその細胞の種類がつくる神経との接続に従って解釈されることを示している.つまり,T2R を発現している甘味感知細胞は島皮質における"甘味"を甘受する領域に接続されているため,甘味を表しているといえる.

甘味とうま味 甘味やうま味の味覚は T1R とよばれる GPCR ファミリーによって検出される.T1R ファミリーは T2R ファミリーと関連しており,ホスホイノシチドのシグナル伝達経路を介したシグナルも伝達する.哺乳類には三つの T1R があり,互いにアミノ酸の違いがある.T1R タンパク質は,いずれも大きな細胞外ドメインをもっていて,そこが味物質の結合部位になっている.うま味受容体では,この細胞外ドメインはグルタミン酸をハエジゴクがハエをつかまえるようにまわりを包む(15 章).単量体で働くことが多い他の GPCR と違って T1R はホモ二量体またはヘテロ二量体を形成する.これによってシグナルとなる分子の多様性を増加させていると考えられている.しかし,異なる分子がどのような応答をひき起こすかについては,まだ検討中である.T1R2 もしくは T1R3 を欠損するマウスは糖を感知できないので,実際の甘味受容体はこの二つからなるヘテロ二量体だと考えられている.T1R3 は甘味とうま味の両方の受容体であるようにみえるが,それは T1R3 が T1R2 と組合わさると甘味を感知し,T1R1 と組合わさるとうま味を感知しているからである.また,味蕾細胞は T1R1 と T1R2 のうちのいずれかを発現していて両方は発現していない.そうでなければ曖昧な情報を脳に送ることになってしまう.

興味深いことに，甘味受容体は腸にある特定の内分泌細胞の表面にも存在することが見つかっている．これらの細胞にはガストデューシンといくつかの味覚情報伝達タンパク質が発現している．腸にグルコースが存在すると，これらの細胞からホルモンであるグルカゴン様ペプチド1（GLP-1）が分泌される．そうすると次に食欲が調節され，インスリン分泌が増進して腸の動きが活発になる．このように，腸の特定の細胞が舌の味覚細胞と同様な機構を使ってグルコースを"味わっている"可能性がある．

塩味 塩味は10〜500 mMの広範なNa$^+$濃度によって生じ，**ENaCチャネル**（ENaC channel）とよばれるNa$^+$チャネルファミリーのタンパク質によって感知される（図23・36d）．事実，味覚細胞にあるENaCの重要なサブユニットをノックアウトすると，マウスの塩味感覚が損われる．チャネルを通るNa$^+$の流入によって味覚細胞が脱分極し，神経伝達物質が放出される．塩味センサーとしてのENaCチャネルの役割は，進化的に古く，昆虫に発現するENaCタンパク質も，塩を検出する．ショウジョウバエでは，味覚センサーは肢を含む身体の複数の部分に分布していて，ハエの肢が味物質に触れると，それを検知しようと口吻を伸ばす．

酸味 酸味の受容とはH$^+$の検出である．最近，酸味受容体の一つとして，前庭器官で重要な役割を果たすタンパク質ファミリーの一つとして発見されたオトペトリンチャネルが同定された．酸味感受細胞の頂端側でオトペトリンチャネルが酸を感知すると，細胞内H$^+$濃度が上昇する．H$^+$は哺乳類においてはH$^+$感受性K$^+$チャネルを阻害し，膜が脱分極する（図23・36e）．そして塩味の場合と同様に，電位依存性Ca^{2+}チャネルが開口し，細胞質Ca^{2+}濃度が上昇する結果，神経伝達物質が充填されたシナプス小胞の放出を促す．

膨大な数の受容体がにおいを検出する

揮発性で空気中を運ばれる化学物質の知覚には，光や音，触覚や味覚とは異なる必要性がある．光は，さまざまな波長に対するたった四つのロドプシン分子で感知される．音は，さまざまな波長に対して調整された毛（不動毛）を介する機械的な作用によって検出される．痛覚と触覚には少数の種類の異なる開口性イオンチャネルが必要である．味覚は水に溶けた比較的少数の物質を検出している．嗅覚系はこれらすべての感覚とは異なり，空気中を漂う何百もの揮発性分子を識別することができる．多くの化学物質を識別することを利用して，食物や仲間を見つけ，フェロモンを感知し，捕食者や毒から逃げ，火を避ける．**嗅覚受容体**（olfactory receptor）は非常に高い感受性を伴って機能する．たとえば雄のガは，雌から発せられた空気中を移動してきた1個の分子を検出できる．多数のシグナル分子を処理するため，嗅覚系は嗅覚受容体タンパク質の大きなファミリーを用いる．ヒトには約700種の嗅覚受容体遺伝子があり，そのうちのおよそ半分が機能をもつ（残りは産物をつくらない偽遺伝子）．これはおよそ20,000程度と見積もられるヒトの遺伝子中でかなり大きな割合を占める．マウスはもっと効率がよく，1200個以上の遺伝子があって，そのうち約800個が機能をもつ．これはマウスゲノムのうち3%が嗅覚受容体遺伝子で構成されていることを意味する．ショウジョウバエ

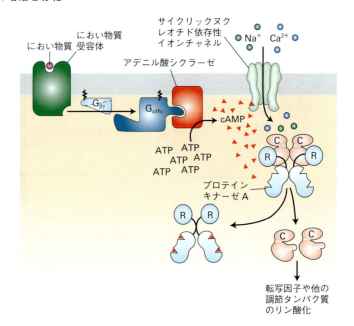

図 23・37 **嗅覚 GPCR からの情報伝達**．におい物質の嗅覚受容体への結合によって三量体Gタンパク質G$_{olf\alpha}$・G$_{\beta\gamma}$が活性化され，活性型のG$_{olf\alpha}$・GTPができる．活性型G$_{olf\alpha}$・GTPは，III型アデニル酸シクラーゼ（AC3）を活性化し，これがATPからcAMPをつくる．cAMP分子はサイクリックヌクレオチド（CNG）依存性のイオンチャネルに結合して開口させ，Na$^+$とCa^{2+}の流入を起こして細胞を脱分極させる．cAMPはまたプロテインキナーゼA（PKA）を活性化し，転写因子や他の細胞内タンパク質をリン酸化して調節する．

は約60個の嗅覚受容体遺伝子をもつ．**におい物質**（odorant，オドラント）の化学構造は多様であるため，抗体やホルモン受容体が直面する困難の一部と同じ困難に直面する．つまり，比較的小さい多数の分子の違いを見分けて結合する必要がある．本節においては，どのように嗅覚受容体が用いられ，脳がどのようににおい物質の感知を感じ，われわれの化学界を理解するはじめの一歩となっているのかについて説明する．

嗅覚受容体は7回膜貫通タンパク質である（図23・37）．哺乳類では，嗅覚受容体は鼻の嗅上皮にある細胞によってつくられる．**嗅覚受容ニューロン**（olfactory receptor neuron: **ORN**）とよばれるこの細胞は化学シグナルを活動電位に変換する．個々のORNは一つの樹状突起を上皮の外側表面に伸ばしていて，そこに吸い込まれた空気中のにおい物質がこの動かない繊毛に結合する（図23・38a）．この嗅覚感受性繊毛には多くの嗅覚受容体や情報伝達分子が存在し，これらによって最初の情報伝達が行われる．ショウジョウバエでも，ORNは似たような構造をしており，触角に存在する（図23・38b）．

哺乳類でもショウジョウバエでも，ORNは神経系のより高次の段階へと軸索投射するが，哺乳類では投射先は脳の嗅球である．ORNの軸索は哺乳類では**僧帽ニューロン**（mitral neuron，昆虫では**投射ニューロン** projection neuron という）の樹状突起とシナプスを形成する．これらのシナプスが多数集まって**糸球体**（glomerulus）という構造をつくる．僧帽ニューロンは脳にあるより高次な嗅覚中枢に接続する（図23・39）．

ヒトでは特定のにおいを検出する能力に大きな差がある．ある人は，汗のなかに含まれるテストステロン関連物質でステロイド

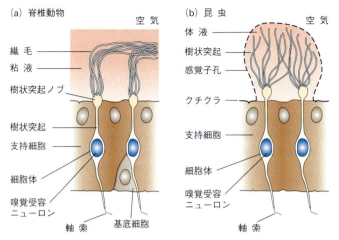
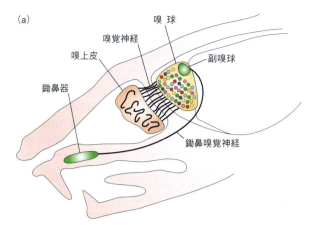

図 23・38 嗅覚受容ニューロンの構造は進化的に保存されている．(a) 脊椎動物の嗅覚受容ニューロンには樹状突起ノブで終わる一つの樹状突起がある．樹状突起ノブからは約 15 本の繊毛が鼻粘膜に伸びている．(b) 昆虫の嗅覚受容ニューロンも形態的に，双極性ニューロンであり，1 本の軸索を触角葉にある糸球体に投射している．頂端側では 1 本の樹状突起があり，そこから感覚繊毛が伸びている．[U. B. Kaupp, 2010, *Nat. Rev. Neurosci.* **11**: 188 による．]

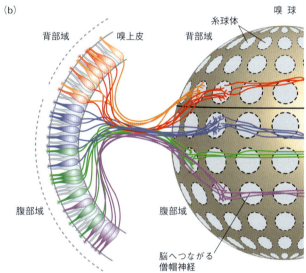

図 23・39 マウスの嗅覚系の構造．(a) 成体マウス頭部の縦断面模式図．主要嗅上皮にある嗅覚受容ニューロン (ORN) からの軸索が束になって嗅覚神経をつくり，嗅球に投射している．主要嗅上皮にある個々の嗅覚受容ニューロンは，ただ 1 種類の嗅覚受容体遺伝子を発現している．鋤鼻器と副嗅球はフェロモン感知に関係する．(b) 1 種類の受容体を発現する嗅覚受容ニューロンは，すべて同一の糸球体に軸索を投射している．この図では，特定の受容体を発現している神経の連結を別々の色で表してある．糸球体は脳内で嗅球の近くにあり，糸球体では嗅覚受容ニューロンが僧帽細胞とシナプスを形成し，個々の樹状突起を単一の糸球体に伸ばし，そこでそれに相当する嗅覚受容ニューロンと接続している．これによって特定のにおい物質の情報は脳の高次中枢へと運ばれる．つまり，個々の糸球体は，単一の嗅覚受容体を発現する感覚ニューロンからの神経支配を受け，これによって嗅覚感知地図の解剖学的基礎がつくられる．[T. Komiyama and L. Luo, 2006, *Curr. Opin. Neurobiol.* **16**: 67; S. DeMaria and J. Ngai, 2010, *J. Cell Biol.* **191**: 443 参照．]

であるアンドロステノンを感知できない．ある人はそのにおいを心地よく麝香のようだと形容し，ある人は汚い靴下のにおいのようだという．これらの差は，一つのアンドロステノン GPCR 遺伝子のミスセンス変異によるものである．野生型対立遺伝子を 2 コピーもつ人はアンドロステノンを不快と感じ，野生型一つか機能喪失型二つをもつ人はアンドロステノンを不快と感じないか，検知できない．

嗅覚受容体の数は膨大であるが，すべての受容体は同一の三量体 G タンパク質である $G_{olf\alpha}\cdot G_{\beta\gamma}$（図 23・37）の活性化を介して同一の細胞内シグナルを発生させる．$G_{olf\alpha}$ はおもに ORN に発現している．$G_{s\alpha}$ と同じように，リガンド結合によってできた活性型の $G_{olf\alpha}\cdot GTP$ はアデニル酸シクラーゼを活性化し，cAMP（図 15・20 参照）を産生する．二つの下流情報伝達経路が cAMP によって活性化される．cAMP はサイクリックヌクレオチドによって開口する Na^+/Ca^{2+} チャネルの細胞質側に結合してチャネルを開き，Na^+ と Ca^{2+} を流入させて細胞膜の局所的な脱分極をひき起こす．この嗅覚樹状突起でのにおい物質による脱分極は ORN の細胞膜全体に広がっていき，軸索丘にある電位依存性 Na^+ チャネルを開口させ活動電位を発生させる．cAMP 分子はまた，プロテインキナーゼ A（PKA）を活性化し，これが転写因子や他の細胞内タンパク質をリン酸化して調節する．

それぞれの嗅覚受容ニューロンは 1 種類の嗅覚受容体を発現する

嗅覚系の特異性を理解する鍵は，哺乳類でも昆虫でも，各 ORN がただ 1 種類の嗅覚受容体を産生する，という点にある．その細胞から脳へ伝わるすべての電気シグナルは"私が担当するにおいが，いま私の受容体に結合しています"という単純なメッセージである．受容体は，におい物質に対して単一の特異性をもつわけではなく，多くの受容体は 2 種類以上の分子を結合できる．しかし，検出する複数の分子の構造は似ている場合が多い．逆に，一つのにおい物質は複数の受容体に結合する．

マウスには約 500 万の ORN がある．したがって，平均すると約 800 の嗅覚受容体遺伝子のそれぞれは約 6000 個の ORN で働いていることになる．マウスには約 2000 の糸球体（各嗅覚受容体遺伝子当たり約二つ）があるので，各糸球体には平均すると 2000～3000 の ORN からの軸索が収斂している（図 23・39）．糸球体からは，一つ当たり約 25，すなわち全体で約 50,000 の僧帽細胞から樹状突起が伸びていて，さらに僧帽細胞の軸索が高次の脳中枢に接続している．つまり，最初の嗅覚感知情報が処理をあ

まり受けずに，どの受容体ににおい物質が結合したかという単純な報告として，高次の脳領域に運ばれる．

1ニューロン-1受容体という規則は，ショウジョウバエにもほぼ適用できる．詳細な研究がハエの幼虫を用いて行われており，これはわずか21のORNが10～20の嗅覚受容体遺伝子を用いる単純な嗅覚系である．ここから一つの特定の受容体が一つのORNに発現し，そのORNは一つの糸球体に投射している．ORNは軸索終末から興奮性か抑制性のシグナルのいずれかを送るが，おそらくこれは誘引性のにおいと反発的なにおいを識別するためである．哺乳類と同様に，ORNからの軸索はハエの幼虫では脳の触角葉にある糸球体に投射する．このハエの研究は，どのにおい物質がどの受容体に結合するかを調べることからはじめられた（図23・40a）．一部のにおい物質は一つの受容体で検出され，また別のにおい物質は数個の受容体で検出される．したがって，パターンの組合わせを用いることによって嗅覚受容体の数よりもずっと多くのにおい物質を識別することができる．ORNの数が全部でも少ないため，どのにおい物質がそれぞれの糸球体で検出されるかを示す地図をつくることができた（図23・40b）．新たな発見の一つは，互いに近くにある糸球体は化学構造が類似したにおい物質，たとえば直鎖脂肪酸どうしや芳香族化合物に応答することである．この配置は，新しい受容体の進化と，脳の嗅覚領域の分割が同時に行われたことを反映しているのであろう．

各細胞が1種類の受容体だけをもつという単純な系は，次のようなむずかしい問題に直面することにもなる．1) 各受容体は1種類あるいは一群のにおい物質を個体の必要に適した特異性で識別できなければならない．過剰な頻度で刺激される受容体はおそらくあまり役に立たない．2) 各細胞は一つの受容体遺伝子を発現して，一つの受容体産物だけを産生しなければならない．つまり，他のすべての受容体遺伝子は働きを止めなければならない．同時に，嗅上皮の全細胞を統合したときに，その動物に必要な感覚の範囲を十分確保できる数の受容体の種類をつくる必要がある．要するに何百もの受容体遺伝子をもっていても，その大半が使われないのも問題である一方，各細胞ではその一つをオンにすると同時に，一つだけに限定し，さらに細胞の集団全体でみたときにはすべての遺伝子を使うというのは，制御の面で非常にむずかしい問題である．3) 嗅覚系の配線は，脳がどのにおいが存在するか認識できるように，におい物質間で別の配線になるようにならなければならない．そのようになっていないと，一刻も速く逃げなければならない場面で，その動物がくつろいでリラックスしてしまう可能性がある．

最初の問題の解決策は，嗅覚受容体タンパク質の多様性を種間でも種内でも非常に大きくすることである．一つの細胞当たり単

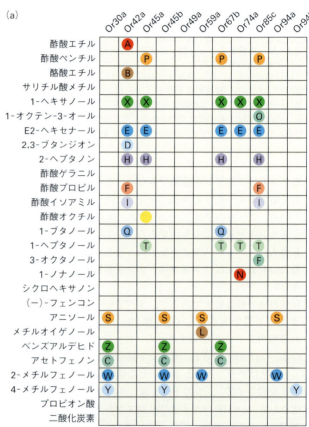

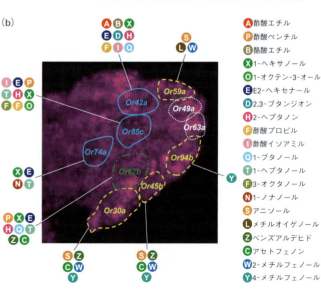

図 23・40（実験） ショウジョウバエ幼虫の嗅覚系では，嗅覚受容体の種類を個別ににおい物質それぞれと実験的に結びつけることが可能であり，特異的な糸球体までたどることができる．(a) 上の欄に異なる嗅覚受容体を並べ，左側に試した27のにおい物質が示してある．色をつけた点は強い嗅覚応答があったことを示す．におい物質の一部（たとえば酪酸エチル）は，一つの受容体だけを刺激するが，他のにおい物質（たとえば酢酸ペンチル）は，複数の受容体を刺激することに注意．Or30aやOr59aなどの受容体はおもに芳香族化合物に応答するが，Or42aやOr67bなどの他の受容体はおもに脂肪族化合物に応答する．(b) ショウジョウバエ幼虫の脳の糸球体にみられる嗅覚情報の空間地図．この地図は，各ORNの制御下にレポーター遺伝子を発現させて作成された．写真は，10種類の受容体タンパク質（Or42aなど）をつくるORNからそれぞれ投射される糸球体を示す．また，各受容体が強く応答するにおい物質も示してある．一部の例外（Or42aとOr45bの1組）を除いて，各糸球体は別々の感覚能力をもつことがわかる．しかし，この例外は，もっと多くの嗅覚遺伝子の発現を調べれば，例外ではなくなる可能性がある．化学的に類似したにおい物質を感知する糸球体は，隣どうしに位置する傾向がある．たとえば，青の実線で示した三つの糸球体は，直鎖脂肪族化合物を感知し，黄の破線で示した糸球体は芳香族化合物を感知する．[(b)は S. A. Kreher et al., 2005, Neuron **46**(3): 445, Copyright Clearance Center, Inc. を通じて Elsevier より許可を得て転載．]

一の嗅覚受容体の発現という，第二の問題については，それぞれのORNにおいて数千の嗅覚受容体の遺伝子がエピジェネティックな制御により発現不可能となる，驚異的なサイレンシング機構によって達成されている．発生過程において単一の嗅覚受容体が選択的にORNで活性化されると，そのORNでは他の受容体タンパク質をコードする遺伝子が発現抑制される．この活性化はヒストンデメチラーゼと特異的なアデニル酸シクラーゼによってひき起こされ，その結果一つの嗅覚受容体遺伝子座の発現抑制が解除される．この活性化された遺伝子と不活性化されている遺伝子群は核内で空間的に近接しており，不活性化された遺伝子はヘテロクロマチン内に埋没しているのに対して活性化されている遺伝子はユークロマチン領域に存在する（8章）．

第三の問題，つまり脳がどのにおいが検出されたかを理解するために，回路をどのように配線するかについては，部分的な解答が得られている．一つは，同じ受容体を発現しているORNは同じ糸球体に軸索を送っていることである．つまり，同じにおい物質（群）に応答するすべての細胞は同じ目的地に投射される．嗅覚受容体がORNにおいて以下の二つの役割，すなわちにおい物質の結合と発生過程における軸索誘導をもつことがマウスで発見されたことから，嗅覚系のパターン形成に関する重要な手掛かりが得られた．同じ受容体を発現している複数のORNの軸索誘導は同じ糸球体を目的地とする．それぞれの嗅覚受容体はにおい非依存性に異なるレベルのアデニル酸シクラーゼ活性化能をもち，さまざまな濃度のcAMPはCREB依存性の一般的な軸索誘導分子の発現を誘導することで，異なる神経活動によって特定の糸球体特異的に軸索を送ることを可能としている．

23・4 環境の感知：触覚，痛覚，味覚，嗅覚　まとめ

- 機械受容体と疼痛受容体は，開口性のNa^+チャネルまたはNa^+/Ca^{2+}チャネルである．これらの受容体は感覚ニューロン終末に特異的に存在し，求心性に脊髄および脳幹へ情報を伝達する．
- 接触感覚には，開口性Na^+チャネルのほか，複数の細胞骨格タンパク質と細胞外マトリックスタンパク質を必要とする（図23・33）．
- Piezo1と2は機械刺激を直接陽イオン透過性に変換する巨大なチャネルタンパク質である（図23・34）．
- TRPVチャネルは熱やカプサイシンなどさまざまな刺激で活性化される侵害受容体である．最近，単分子解析クライオ電子顕微鏡により明らかとなったその構造は電位依存性イオンチャネルと類似している（図23・35）．
- 五つの基本味は一つの味蕾にある別々の細胞群によって感知される．塩味と酸味は特定のイオンチャネルタンパク質によって検出され，甘味，うま味，苦味はGタンパク質共役型受容体で検出される．
- 味物質は膜の脱分極をひき起こし，ATPなどの小分子を分泌して隣接するニューロンを活性化する．
- 味覚は大脳皮質内の島皮質とよばれる領域における味覚地図として表すことができる．特定の味覚（たとえば甘味や塩味）による味覚受容体の活性化は，島皮質内の重複しない特定の領域の神経細胞を活性化する．

- 嗅覚受容体は，7回膜貫通Gタンパク質共役型受容体であり，多数からなる一群の遺伝子ファミリーによってコードされている．一つの嗅覚受容ニューロンはたった1個の嗅覚受容体を発現しており，これによってORNから脳へと伝わるシグナルは，感知した化学物質の性質をまちがいなく伝達する．
- 同じ受容体遺伝子を発現しているORNは脳の同じ糸球体に軸索を伸ばし，投射ニューロン（哺乳類では僧帽ニューロン）はにおい物質特異的情報を糸球体から脳へと運ぶ（図23・38，図23・39，図23・40）．

23・5 記憶の形成と蓄積

脳の最も驚くべき特徴は記憶を形成し，蓄積するという能力である．数十年来にわたる研究から，神経間における結合の強さや数の変化として記憶が蓄積されていることが明らかとなった．神経系全体としては直接接続された構造をしているが，神経回路としてはさまざまな刺激に応じて激しく刈り込まれ，再接続されている．この経験に基づくシナプス接続の変化を**シナプス可塑性**（synaptic plasticity）とよぶ．経験に応じて脳内の配線様式を変化させることで，シナプス可塑性はわれわれの生物学的な先天性と後天性を統合し自らの独自性の獲得につながっている．

記憶は神経間シナプスの数と強さを変えることで形成される

シナプス可塑性の考え方には長い歴史が存在し，古くは19世紀のSantiago Ramón y Cajalによる神経解剖学的な解析にはじまる．彼は**ゴルジ染色**（Golgi stain）とよばれる方法でヒトやさまざまな動物の脳における神経細胞を観察していた（図23・41a）．ゴルジ染色は1906年に神経系の構造に関する研究成果により，Ramón y Cajalとノーベル生理学・医学賞を共同受賞したイタリア人科学者Camillo Golgiによって開発された．Golgiは脳がそれぞれの神経細胞が直接接続された巨大な合胞体として"網状ネットワーク"であると信じていたのに対して，Ramón y Cajalはそれぞれの神経細胞が現在われわれがシナプスとして理解している接触部位によって相互作用していることを見いだしていた．Ramón y Cajalはシナプスが小さな樹状突起からの突起であると認識していた．この突起は興奮性シナプスのシナプス後部であり，ゴルジ染色のみならず現代ではさらに進んだ，GFPのような蛍光タンパクの遺伝子過剰発現によって視覚化することが可能である（図23・41b）．Ramón y Cajalは自分の組織学的解析に基づき，神経突起の構造の変化や，神経間に構築されているシナプスの構造や数の変化によって記憶が蓄積されていると仮説を立てた．Ramón y Cajalは"大脳皮質は数え切れないほど多数の木からなる庭であり，錐体細胞は知的な教養に対応してその枝を増やし…さらにはさまざまな花を咲かせ果実を実らせる"と，詩的に表現している．

数十年にわたる研究によりRamón y Cajalの仮説が検証され，現在では記憶は樹状突起や軸索（"枝"）の変化ではなく，シナプス（"花や果実"）の変化として一次的に蓄積されると考えられている．ジャンボアメフラシ *Aplysia californica* におけるエラ引き込み反射の研究を通じて，記憶の蓄積に関する構造学的な基礎的知

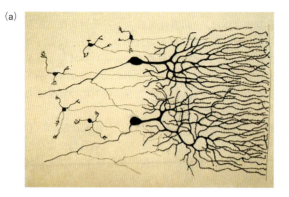

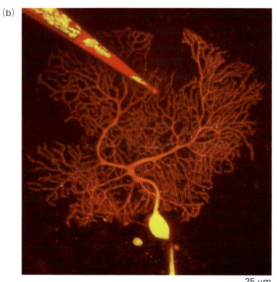

図 23・41 樹状突起棘の可視化. (a) 1899 年に Santiago Ramón y Cajal はハトの小脳におけるここの神経細胞を可視化するためにゴルジ染色を用いた. この方法により, Ramón y Cajal は脳の個々の神経細胞を可視化できるようになった. 脳において神経細胞は非常に密に詰込まれているがゴルジ染色は組織内のわずかな神経細胞のみを染めるためである. 興奮性シナプスのシナプス後部は樹状突起から飛び出している棘状突起からなっており, **樹状突起棘**(スパイン spine)とよばれている. Ramón y Cajal は神経細胞においてこれらの棘を見いだし(ここでは小脳のプルキンエ神経細胞を示す), 現代の科学技術では, 蛍光タンパク質を微小電極を用いて注入したり, 遺伝子により発現させることで, 組織における単一神経細胞を可視化できる. (b) マウス小脳のプルキンエ神経細胞に対して微小電極(下)を利用して黄色蛍光色素を導入し, 二光子顕微鏡を用いて可視化した. 高倍率での観察により, タイムラプス顕微鏡を利用して棘の動的変化を可視化することが可能であり, この方法によってシナプスの結合性が経験によって変化することを直接検出することができる. この図では, 黄色蛍光色素が充塡された二つ目の大きな電極(上, 電極中に黄の沈殿物が認められる)によって標識された神経に対してシナプスが刺激されている. [(a)は Science Source/amana-images. (b)は P. Meera and T. Otis 提供.]

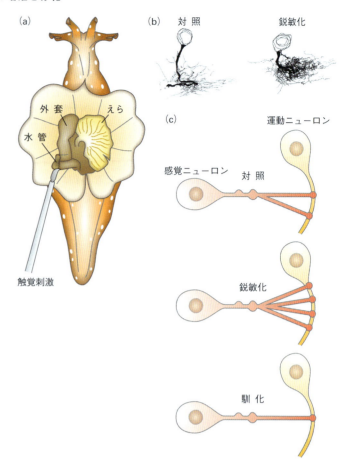

図 23・42 長期記憶はシナプス接続性の変化として蓄積される. (a) アメフラシはシナプス可塑性や記憶の細胞生物学を研究するために用いられているモデル動物である. 水管(水を通すための管状の構造物)に対する触覚刺激はエラ引き込み反射をひき起こす. 馴化過程においては, 水管が繰返し触られることでアメフラシがこの刺激に馴れてエラ引き込みの程度が弱くなる. 鋭敏化においては尾部への電気ショックのような障害刺激を受けるとエラ引き込みが強くなり反射の感受性が高まる. (b) 対照のアメフラシと, エラ引き込み反射が長期鋭敏化したアメフラシの水管の感覚ニューロンの三次元再構成画像. 鋭敏化されると感覚ニューロンの分枝が大きく広がっていることに注目されたい. 神経突起が伸長すると同時に感覚ニューロンと運動ニューロンの間で新しいシナプス結合が増加する. (c) エラ引き込み反射における可塑性と神経間結合の変化の模式図. 鋭敏化は感覚ニューロンと運動ニューロンの間の新しい結合の増加を伴っており, 順化はこれらの結合の数の低下を伴っている. [(b)は C. H. Bailey and M. Chen, 1988, *Proc. Natl. Acad. Sci. USA* **85**: 2373.]

見が得られた(図 23・42). アメフラシは神経系が比較的単純であり, 神経細胞が巨大かつ認識が簡単なため, それぞれの神経細胞を見分けることが可能となり, 記憶の細胞生物学を研究するうえでは有用なモデル生物である. これらの特徴を活かし, ノーベル賞受賞者である Eric Kandel らは, 動物における特異的な行動を司る神経回路を明らかにし, そして記憶の形成時にこの神経回路における神経細胞がどのようにシナプス結合性を決定するかについて解析した. 特に彼らは水管のエラ引き込み反射とよばれる, 水管(水を通す管状の構造物)に軽く刺激を与えると呼吸器官であるエラを引き込む一種の防衛反応に着目した. 水管の感覚ニューロンは反射を起こすエラを支配する一つの運動ニューロンとシナプスをつくっている. 水管を触ると感覚ニューロンが活性化し, エラの筋肉に投射している運動ニューロンにおいて活動電位が生じ, その結果エラの筋肉が収縮する. この反射は経験に基づき両方向性に変化する. 繰返し水管に軽い刺激を与えると, エラ引き込み反射の強さが低下していき, これを**馴化**(habituation)とよぶ. 一方, 尾部に対する電気ショックのような強い侵害刺激はエラ引き込み反射の強さを高め, これを**鋭敏化**(sensitization)とよ

ぶ. 鋭敏化はある種の恐怖記憶と考えられる. 馴化と鋭敏化が一過性であるか長期間にわたって続くかは, 刺激の強さと期間による. 長期間継続する馴化と鋭敏化はそれぞれ感覚ニューロンと運動ニューロンの間の接続数が減るか増えるかに対応する. すなわち, Ramón y Cajal が予見したように, 動物の経験は神経系における接続様式を変化させ, 記憶をつくり, 動物の行動を変化させる.

海馬は記憶の形成に必要である

アメフラシに加えて, ショウジョウバエやマウスなど他のモデル生物を用いて経験に依存するシナプス可塑性の分子機構の解明を目指したさまざまな研究が進められてきた. ヒトにおける医学的研究と動物における実験的な解析から, **海馬**(hippocampus)が長期記憶の形成に必要であることが示された. 海馬に傷害をもつヒトや動物では, 短期記憶の形成は可能であり, また古い記憶は保たれているが, 新たに長期記憶を形成することはできない. 長期記憶の形成のみならず, その解剖学的な特徴から海馬はシナプス接続様式に関する電気生理学的な解析に適している. 図 23・43 に示したように, 海馬は大きく分けて三つの経路からなっている

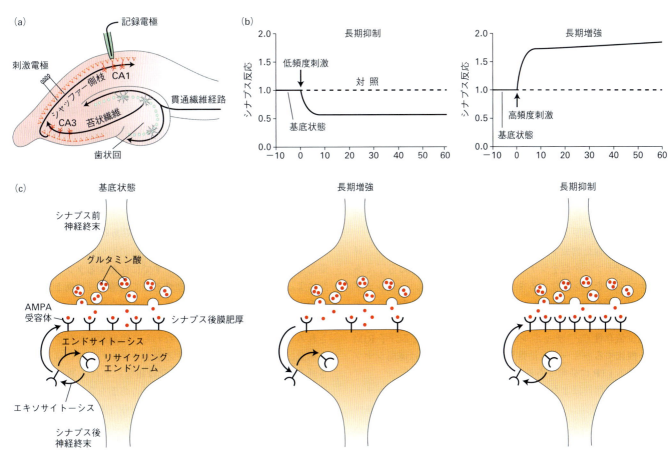

図 23・43 マウス海馬におけるシナプス可塑性: 長期記憶(LTP)と長期抑制(LTD), および AMPA 型のグルタミン酸受容体の調節性移行の役割. (a) マウス脳から海馬は三つの連続したシナプス経路を保持した状態で横向きのスライスとして切り出すことができる. 貫通繊維経路では嗅内皮質から投射された軸索が歯状回顆粒細胞(緑丸)の樹状突起にシナプスを形成する. 苔状繊維経路では歯状回顆粒細胞からの軸索が CA3 の錐体細胞(赤三角)の樹状突起にシナプスを形成する. シャッファー側枝経路では CA3 からの軸索が CA1 の錐体細胞(赤三角)の樹状突起にシナプスを形成する. 歯状回顆粒細胞(緑)と CA3, CA1 の錐体細胞の細胞体は別れた細胞層をつくりそれぞれ決まった経路に軸索と樹状突起を伸ばしている. 電極によって求心性の軸索を刺激することや, ひき続くシナプス後細胞における記録をとることができ, 図ではシャッファー側枝経路(CA3-CA1)を示している. (b) 軸索繊維を低頻度または高頻度で刺激すると, 刺激に対するシナプス後膜側の反応としてシナプス結合強度の持続的な減少または増加が観察される. これらの記録は, x 軸に時間をとり, y 軸にシナプス結合の強さを示している. 点線はベースラインであり, 低頻度刺激で減少し, 高頻度刺激で増加する. このような可塑性の形態は, 長期抑圧(LTD)および長期増強(LTP)とよばれている. (c) 基底状態においては, AMPA 受容体(黒)はシナプス後膜肥厚から恒常的に表面膜とリサイクリングエンドソームの間を行き来するよう, 輸送される. 受容体はエキソサイトーシスによってシナプス後膜の側部の表面膜に輸送され, クラスリン依存性エンドサイトーシスによってリサイクリングエンドソームに内在化される. シナプス後膜肥厚においては, AMPA 受容体は膜貫通 AMPA 受容体調節タンパク質(TARP, 図では示していない)などのタンパク質との結合によって安定化されている. グルタミン酸シナプスにおける長期抑制(LTD)の誘導のあと, シナプス後膜肥厚から側方への拡散, さらにはリサイクリングエンドソームへ内在化する AMPA 受容体が増加する. その結果, シナプス後膜における AMPA 受容体の数が減少し, シナプス前細胞から放出されるグルタミン酸へのシナプス後膜側の反応性が低下する. グルタミン酸シナプスにおける長期増強(LTP)の誘導の場合は, AMPA 受容体のエキソサイトーシスが増加し, シナプス後膜肥厚への側方拡散が亢進する. この結果, シナプス後膜における AMPA 受容体の数が増加し, シナプス前細胞から放出されるグルタミン酸に対するシナプス後膜側の反応性が増加する. AMPA 受容体の輸送制御はシナプス可塑性や記憶に伴う, 神経活動依存性シナプス強度の変化の分子機構の一つである. [V. M. Ho et al., 2011, *Science* **334**: 623; J. D. Shepherd and R. L. Huganir, 2007, *Annu. Rev. Cell Dev. Bi.* **23**: 613 参照.]

(貫通繊維,苔状繊維,シャッファー側枝),それぞれ異なる細胞体層から軸索および樹状突起を伸ばしている.それらの経路におけるシナプス前神経細胞の軸索を高頻度刺激すると,**長期増強**(long-term potentiation: LTP)とよばれる長期間継続する接続の強化がシナプス後神経細胞において生じる.一方,低頻度刺激では長期間にわたる接続の低下が生じ,これは**長期抑制**(long-term depression: LTD)とよぶ.

非常に多くの研究が LTP,LTD,そして記憶との関連を示してきたが,近年の光遺伝学的な解析は記憶形成過程におけるシナプス可塑性の因果関係について明らかにした.研究者はマウスの海馬神経細胞にチャネルロドプシンを発現させ,LTP を誘導するために光刺激を行った.LTP を生じさせられたマウスでは恐怖刺激を与えられたことのない環境においても恐怖反応を示し,恐怖記憶が形成されていることが示されたのである.

さまざまな分子機構がシナプス可塑性に寄与している

どのように経験がシナプスの強さを変化させるかを考えるためには,§23・3 で述べたシナプス伝達機構と化学的シナプスの構造を考えるとよいだろう.可塑性において長期にわたる変化とは,シナプス前側における神経伝達物質放出の変化,シナプス間接着,そしてシナプス後側の神経伝達物質への反応性の変化が含まれる.ここではシナプス前およびシナプス後における機構について簡単に説明し,特によく研究されているシナプス後側の分子機構について詳細に解説を加える.

海馬神経細胞を刺激する経験により,細胞内カルシウムの上昇が生じ,シナプス小胞をシナプス前部において制御する分子であるシナプシンをリン酸化するキナーゼを活性化する.このシナプシンのリン酸化は放出可能なシナプス小胞の数を増やすことから,刺激に呼応して放出される神経伝達物質の量を増加する.経験は電位依存性 Ca^{2+} チャネルを放出機構に近接させる分子 RIM をリン酸化するキナーゼも活性化し,このリン酸化は海馬シナプスにおける LTP に必須である.

シナプス可塑性はまたシナプス後部におけるさまざまなキナーゼの活性化に依存している.シナプス後膜における電位依存性 Ca^{2+} チャネルや特定のグルタミン酸受容体を介した Ca^{2+} の流入は CaMKIIα(calcium-calmodulin-dependent kinase IIα,15 章にカルシウムおよびカルモジュリンシグナルについて述べた)とよばれる非常に重要なキナーゼを活性化する.このキナーゼは特殊な性質をもち,いったん活性化されると刺激がなくても継続する.これは CamKIIα が自己リン酸化するためであり,30 分程度は継続的に活性化状態となり,グルタミン酸受容体を含めてシナプス後部に存在するさまざまな基質をリン酸化する.CamKIIα を欠くマウスでは海馬における LTP,さらには記憶形成に障害が認められる.

15 章で説明したように,細胞外からのシグナルに対する細胞の感受性は表面膜上の受容体数によって決定される.この考え方に基づくと,神経活動依存性にシナプス後膜に存在するグルタミン酸受容体の数が変化することで生じるシナプス可塑性が最もよく研究されているものの一つである.この過程は海馬における LTP や LTD の観点において特によく研究されている(図 23・43c).グルタミン酸受容体のうち主要なものの一つである **AMPA 受容体**(AMPA receptor)は常に表面膜に輸送され,リサイクリングエンドソームへと取込まれている.AMPA 受容体はシナプス外領域にエキソサイトーシスされたあとに,側方性にシナプス後膜肥厚とよばれる,シナプス前終末から放出された神経伝達物質を受容するシナプス間隙に面したタンパク質が豊富な領域へと拡散する.AMPA 受容体はシナプス外へ側方拡散するとクラスリンを介在したダイナミン依存性のエンドサイトーシスにより内在化されて除かれる.

AMPA 受容体の輸送は基底状態でも生じているが,神経活動に応じてアクチンやミオシンの動態の変化とともに足場タンパク質や補助タンパク質との相互作用の変化によって調節されている.そのような補助タンパク質の一つに,シナプス後膜肥厚に存在するタンパク質 PSD95 を AMPA 受容体の結合を介在する**スターゲージン**(Stargazin)があげられる.PSD95 がシナプス後膜肥厚における AMPA 受容体の局在を安定化するため,この結合は AMPA 受容体がシナプスに存在するために必須である.神経活動はスターゲージンのリン酸化を促し,AMPA 受容体の動きを抑制することでシナプスにおける濃度を高める.スターゲージンのリン酸化を阻害したり脱リン酸化を行うとそれぞれ海馬の LTP や LTD を抑制する.スターゲージンは **TARP**(transmembrane AMPA receptor regulatory protein)とよばれるファミリー分子の一つである.TARP はすべての AMPA 受容体サブユニットと結合するが脳内での発現は多様であり,神経細胞表面膜やシナプスに対する AMPA 受容体の輸送を行っている.

長期記憶の形成には遺伝子発現が必要である

これまでに述べられてきた機構は短期記憶の形成にかかわる短期的な可塑性に特に重要である.すでに存在するタンパク質の調節によって生じる短期的な可塑性そして記憶形成機構と,長期記憶の形成には遺伝子発現の必要性という観点から異なる.これは 15 章で議論した,細胞外からの刺激に対して異なる効果をもたらされることを考えるとよい.すなわち,短期的な変化をひき起こす刺激は細胞中にすでに存在する酵素やタンパク質の活性を変化させる一方で,長期的な機能変化は細胞における遺伝子発現を伴っている(図 15・3 参照).げっ歯類の海馬を含めてさまざまな組織や種において検討されてきた結果から,LTP や LTD には遺伝子発現を伴わないものと mRNA およびタンパク質発現を必要とする超長期間のもの(L-LTP,L-LTD)に分けられることが示された.

非常に高い形態学的極性と細胞内の区画化が行われている神経細胞においては,刺激依存性に遺伝子発現を変化させることはとてもむずかしいことでもある.第一に,転写を開始するためにはシナプスから核までシグナルを伝達する必要があるが,多くの場合細胞体からかなり離れたところにシナプスが存在する.神経細胞は電気的シグナルを迅速に伝達することに特化している.しかしさまざまな研究成果から,キナーゼやホスファターゼ,転写調節因子などのシグナル分子が刺激を受けたシナプスから核へと能動的に輸送されて転写を制御していることが示されている.多くの場合,この長距離にわたる逆方向性輸送は微小管に沿って分子モーターであるダイニンを介して行われている(18 章).シナプス刺激に伴う遺伝子発現制御を行ううえで,この長距離の輸送においてシグナルがどのように正しく保たれているかという点については活発に研究されている.

シナプス可塑性にかかわる刺激依存性遺伝子発現制御機構の理

解において困難な点の二つ目は，それぞれの神経細胞は一つの核しかもたないが数千にもおよぶシナプスの入力を受けているということである．長時間維持されるシナプス可塑性ではしばしば"シナプス特異性"が知られており，これは単一の神経細胞のうちいくつかのシナプス強度が上昇していてもすべてのシナプスでは強度が変わらないということである．長期可塑性は転写が必要であることから，シナプス特異性はこのように高度に区画化された細胞において空間的に遺伝子発現がどのように制御されているのか，という疑問につながる．一つ重要な機構としては，mRNAの局在とシナプス刺激特異的な局所的な翻訳が想定されている（9章）．実際，海馬シナプスのL-LTPにおいては，樹状突起シナプスのmRNAの翻訳が必要であることがわかっている．電子顕微鏡による解析から，海馬神経細胞の神経棘の基部に活発に翻訳を行っているリボソームであるポリリボソームが同定されていること，またL-LTPの誘導後にポリリボソームを制御している神経棘の数が顕著に増加していることが知られている．したがって，これらの結果は転写以降の遺伝子発現制御が神経細胞におけるシナプス可塑性に重要であることを示している．同時に，mRNAの局在化や翻訳の制御について疑問が湧いてくる．つまり，どのmRNAがシナプス局在化しているのか．どのように局在化するのか．シナプス活動によって翻訳がどのように制御されているのか．局在化特異的に翻訳されたタンパク質の機能はどのようなものか．なぜいくつかのmRNAは細胞体でタンパク質となりシナプスに輸送されるのに，一部のタンパク質はシナプスで翻訳されるのか．

神経系における転写後遺伝子制御が重要であることを示したのは，RNA結合タンパク質である脆弱性X精神遅滞タンパク質（fragile X mental retardation protein: FMRP）の変異が，一般的な精神遅滞の一つである脆弱性X症候群（fragile X syndrome: FXS）の原因となることに起因する．FMRPをコードする遺伝子である *fmr1* 遺伝子の変異は，単一遺伝子による自閉症のおもな原因である．最も一般的なFXS変異は *fmr1* 遺伝子におけるCGGリピートが繰返される（6章で述べたハンチントン病と同様である）ことで遺伝子のメチル化が生じサイレンシングされる．FMRPは転写抑制因子であり標的mRNAに結合しその翻訳を抑制する．一定のFMRPはシナプス刺激による転写活性化が起こるまで休眠状態となっているmRNAを維持するために樹状突起棘の基部に存在する．FMRPを欠いている遺伝子改変マウスは驚くほどよいヒト病態モデルである．このマウスはFXS患者でみられるような学習障害や知的機能の低下による反射が観察される．またマウス，ヒトともにシナプス棘の形態に異常が認められ，成熟した短いものよりも伸長した未成熟なものが観察される．マウスの解析から，シナプスにおいて定常的に多くの翻訳が生じ，タンパク合成依存性の海馬LTDに異常が認められる．まとめると，これらの結果は局在化したmRNAのシナプスにおける翻訳は神経回路の形成と経験依存性の可塑性に重要であり，その過程の異常は神経発生異常や認知機能疾患の発症を誘引する．■

23・5 記憶の形成と蓄積　まとめ

- 経験は脳においてシナプス可塑性として知られる神経細胞間接続の数と強さを変化させる．シナプス可塑性は記憶の形成と蓄積の生物学的基盤である．
- ジャンボアメフラシにおけるエラ引き込み反射の馴化と鋭敏化に関する研究から，学習は神経間接続を変化させることが明らかとなった．順化は感覚ニューロンと運動ニューロンの間の接続を低下させ，鋭敏化はこの接続を増加させる（図23・42）．
- 海馬は長期記憶の形成に必要な脳の領域である（図23・43）．海馬シナプスはLTPとよばれる活動依存性のシナプス強化とLTDとよばれる活動依存性のシナプス抑制を生じる．
- シナプス強度はシナプス前，シナプス間，シナプス後における分子機構によって変化しうる．
- 神経活動はシナプス後部におけるCamKIIαを恒常的に活性化構造とし，グルタミン酸受容体を含むシナプス後膜肥厚における基質のリン酸化を導き，シナプス強度を変化させる．
- 神経活動はシナプス後膜におけるAMPA受容体の輸送を制御する．LTPはシナプス後膜肥厚に対するAMPA受容体の存在量増加とともに生じる一方，LTDはAMPA受容体の濃度低下と連動する（図23・43c）．
- 短期間のシナプス可塑性はすでにシナプスに存在するタンパク質の変化により生じるが，長期間のものについては新たなmRNAとタンパク質合成が必要である．
- シナプス特異的な可塑性に対してはシナプスに局在したmRNAの局所的な翻訳が関連している．
- RNA結合タンパクであるFMRPをコードする遺伝子における機能喪失型変異により脆弱X症候群が生じる．FMRPはシナプス局所における翻訳を制御する．FMRPを欠くマウスは異常なシナプスをもち，学習障害や海馬LTDに異常が認められる．

重要概念の復習

1. 脳や他の神経系でのグリア細胞の役割は何か．
2. 神経細胞の静止電位は細胞の外部と比べ内部が -70 mV である．動物細胞ではこの静止電位はどのように維持されているか．
3. 活動電位の三つの段階の名称を述べよ．それぞれの背景にある関連する分子基盤とイオンについて記述せよ．なぜ電位依存性チャネルという名称が活動電位の発生にかかわる Na^+ チャネルに使われているのか．
4. K^+ チャネルの結晶構造から，電位感受性ドメインがこのタンパク質の他の部分とどのように相互作用して開閉していると考えられているか，説明せよ．この構造-機能相関は他の電位依存性イオンチャネルではどのように適用できるか．
5. なぜ活動電位の強度が軸索の末端へと伝わっていく際に下がらないのか説明せよ．
6. なぜ活動電位の間，膜電位が上がり続けず，むしろ平坦になって落ちるのか．
7. 活動電位が"全か無か"であるという意味は何か．
8. 神経シグナルが細胞体に向かって逆行することを，何が防いでいるのか．

9. 不応期に刺激されても，なぜ細胞はもう一つの活動電位を出すことができないのか．
10. ミエリン形成によって軸索に沿った活動電位の伝播速度が上がる．ミエリン形成とは何か．ミエリン形成によって，軸索に沿って存在するランビエ絞輪における電位依存性 Na^+ チャネルと Na^+/K^+ ポンプが集積している．ランビエ絞輪間の間隔を 10 倍に増やすと，活動電位の伝播にどのような影響を与えると予想されるか．
11. コカインのような常習性のある薬物の作用機構を述べよ．
12. アセチルコリンはシナプスで放出される一般的な神経伝達物質である．神経筋シナプスにおいてアセチルコリンエステラーゼの活性が低下した筋肉活動はどのような結果になるか，予測せよ．
13. 筋収縮過程におけるイオンの動きを述べよ．
14. 刺激された細胞で活動電位がシナプスに到達すると，シナプス小胞は速やかにシナプス前細胞の細胞膜に融合する．これは 1 ミリ秒以内に起こる．このように驚くべき速さでこの現象が起こるのはどのような機構によるか．
15. 脳においては特に，神経細胞は複数の興奮性と抑制性のシグナルを受取る．神経細胞のこのシグナルを受取る突起の名前は何か．神経細胞はこのシグナルをどのように統合し，活動電位を生じさせるか否かを決定しているか．
16. 抑制性シナプスを介してシグナルが伝達された場合，活動電位がシナプス後細胞に伝播するのが妨げられる機構を説明せよ．
17. シナプス小胞の再利用において，ダイナミンはどんな役割をしているか．それを支持する証拠は何か．
18. 電気シナプスと化学シナプスの違いを比較対照せよ．
19. 塩味と酸味受容体，甘味・苦味・うま味を規定する味覚受容体，嗅覚受容体，それぞれの分子の構造と機能を比較せよ．
20. 記憶の形成過程におけるシナプスの分子機構を説明せよ．

24

免 疫 学

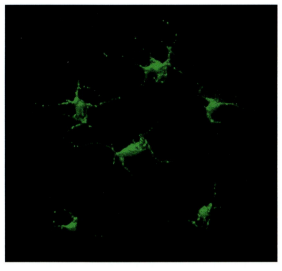

MHC クラス II 分子を細胞表面に発現している皮膚に存在する樹状細胞. 写真は GFP と融合した MHC クラス II 分子を発現するため，緑の蛍光を発色する．[M. Boes, H. L. Ploegh 提供.]

23・1 宿主防御の概観
23・2 免疫グロブリン：構造と機能
23・3 抗体多様性の創出と B 細胞の分化
23・4 MHC と抗原提示
23・5 T 細胞と T 細胞受容体，そして T 細胞の分化
23・6 獲得免疫応答における免疫系細胞間の協調

　多細胞動物やその細胞は，多くの病原体，ウイルスや細菌，真菌などに囲まれており，これらに対するさまざまな防御機構を進化させてきた．これを総称して**免疫系**（immune system）とよぶ．**免疫**（immunity）とは，病原体にさらされたときにその有害な作用から防御する状態をいう．ショウジョウバエのような昆虫でも，二つの種類の防御機構をもつ．1）物理的バリアあるいは化学的防御，と 2）自然免疫系を構成する細胞で，ある種の病原体を認識，殺傷する（図 24・1）．物理的バリア/化学的防御は常に働いている．自然免疫は，常時存在する細胞や分子によって行われ，急速に活性化される（数分から数時間）．自然免疫系は，多くの病原体に共通する分子を認識するため，異なる病原体を区別する能力は限られている．

　これらの防御機構に加えて，脊椎動物は**獲得免疫系**（acquired immune system, 適応免疫系 adaptive immune system, 後天性免疫ともいう）とよばれる精巧な免疫系を進化させてきた．獲得免疫系は特異的な病原体を含む，正常な体内には存在しない多くの分子を認識し，応答することができる．獲得免疫系は，抗体とよばれる分泌タンパク質を産生し，抗体は特異的な外来性の標的分子に結合する（図 3・22 参照）．また，獲得免疫系は，病原体を攻撃，破壊する多くの種類の細胞も産生する．獲得免疫応答が十分反応して高い特異性を発揮するまで数日を要するが，よく似た病原体を，タンパク質や多量体の非常に小さな分子構造の違いに基づいて区別することができる．獲得免疫系は，宿主がさらされてきたおびただしい数の病原体に反応して変化しながら，時間をかけて進化してきた．

　すべての病原体は，宿主の免疫系を無力化する方法や免疫系を自分たちに有利に操作する方法を探ってきた．宿主–病原体間の相互作用は，常に進行途中にある進化の営みである．事実上，すべての病原体は宿主に比べて世代時間は短く，宿主の免疫系に対して精巧な対抗策を進化させている．これによって，なぜ人類は，きわめて精巧な獲得免疫系が進化しているにもかかわらず，病原性のウイルスや細菌，寄生虫に脅かされ続けているかを説明できる．インフルエンザウイルスの新たな株の出現が原因となり周期的に大流行となるのはその一例である．

　このような精巧な防御にはかなりの犠牲が伴う．急速に進化する膨大かつ多様な病原体集団に対処できる免疫系は，宿主自身の細胞や組織も攻撃する可能性，すなわち**自己免疫**（autoimmunity）とよばれる現象をもたらしている．それでもわれわれは，多様な感染症から身を守ってくれるワクチンをつくり，免疫系の働きを利用することを学んできた．ワクチンは費用効果に優れ，天然痘などの多くの伝染病の排除に貢献してきた．

　本章では，おもに脊椎動物の免疫系を扱う．特に免疫系を構成する分子や細胞の種類，また免疫系を他の細胞や組織と区別する独自の経路に力点をおいて解説する．脊椎動物の免疫系を特徴づける四つの特色がある．**特異性**（specificity），**多様性**（diversity），**記憶**（memory）と**寛容**（tolerance）である．特異性とは，非常に類似した物質を区別する免疫系の能力である．多様性とは，驚くような大きな数（$>10^6$）の異なる分子を特異的に認識できる免疫系の能力である．記憶とは，以前に経験した外来物質との曝露を呼び覚まし，次にその外来物質と出会うときはより迅速かつ効率的に防御する宿主の能力である．寛容とは，免疫系が宿主自身の細胞や組織を攻撃することを避ける宿主の能力で，自身の組織（"自己"）と病原体を含む外来物質（"非自己"）を区別する能力である．

　免疫応答を誘導する物質を**抗原**（antigen）という．のちに解説するように，免疫系は，抗体や特異的な細胞表面受容体のような膨大な数の異なるタンパク質を産生することで特異性と多様性を実現している．これらタンパク質はそれぞれ病原性分子などの標的抗原に非常に強く結合するが，構造的に非常に近い他の分子には結合しない．

　免疫学的記憶と寛容は複雑な細胞による複雑なシステムに依存している．記憶と寛容は，多種多様な抗原に特異的に結合する細

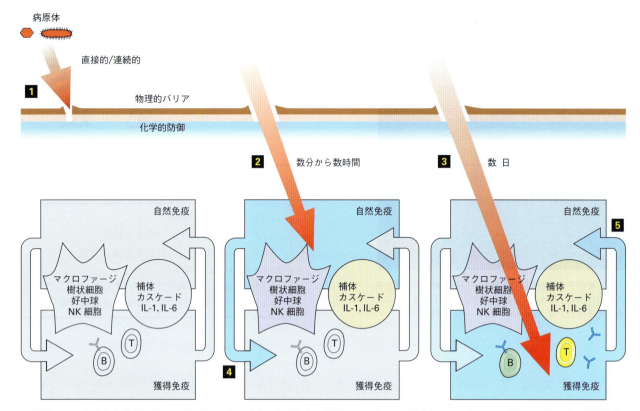

図 24・1　3層からなる脊椎動物の免疫防御. 左: 上皮と皮膚からなる物理的バリア. 化学的防御は, 胃環境の低 pH や涙液中の抗菌酵素を含む. これらのバリアによって侵入者に対する持続的な防御が保たれる. 病原体は, 宿主に感染するためにはこれらの障壁を物理的に突破しなければならない(段階**1**). 中央: 物理的バリア/化学的障壁を突破した病原体(段階**2**)は, 食細胞(好中球, 樹状細胞, マクロファージ), ナチュラルキラー(NK)細胞, 補体タンパク質やある種のインターロイキン(IL-1 や IL-6)などの自然免疫系(青)の細胞や分子によって処理される. 食細胞は病原体を貪食してリソソームで殺す. 自然免疫の防御は, 感染後数分から数時間以内で活性化される. 右: 脊椎動物では, 自然免疫によって除去されなかった病原体は, 獲得免疫系, 特に B リンパ球とその抗体産物(Y 字形の図形)や, いくつかの種類の T リンパ球とそれらが産生する病原体を殺傷するさまざまなタンパク質によって処理される(段階**3**). 獲得免疫系の十分な活性化には数日を必要とする. 自然免疫応答の産物がつづいて起こる獲得免疫応答を促進する(段階**4**). 同様に, 抗体を含む獲得免疫応答の産物は, 自然免疫系の機能を促進する(段階**5**). いくつかの細胞と分泌産物は, 自然免疫系と獲得免疫系の両方で用いられ, 両者を連携する役割を果たす.

胞表面受容体の産生を通じて行われる. これらの受容体を発現する細胞は, 自己成分にはほとんど反応しないように"教育"を受ける(自己寛容).

実用的な観点から, 免疫系の力は病気の治療に用いることができる. 今日, モノクローナル抗体は, 炎症, 自己免疫, およびがんに有効な治療法として数十億ドルの市場となっている. 一方, 獲得免疫系を構成する分子, 特に抗体は, 3 章および 4 章で説明したように, 細胞生物学者に必須の道具となっている. 抗体を用いることで, それが認識する分子の可視化や単離が高い精度で可能になった. これらの抗体の能力は, 細胞や組織において, 細胞と細胞小器官を構成する因子とその局在を正確に記述するために非常に貴重である. たとえば, **免疫蛍光法**(immunofluorescence)は, 細胞の形態や動きを研究するために広く細胞生物学者に利用されている. 一方, **免疫ブロット法**(immunoblotting, **ウエスタンブロット法** Western blotting ともいう)はシグナル伝達研究の必須の方法になっている.

外来物質を認識し排除する方法は, 免疫系に特徴的な分子生物学と細胞生物学の原理を必要とする. 本章では哺乳類の免疫系の構成全体から簡単に説明する. まず, 自然免疫と獲得免疫を担う細胞を説明し, 組織傷害や感染に対する局所的な反応で, 免疫系の細胞を活性化してその部位へ誘導する炎症について述べる. 次の二つの節では, 抗原上の特異的な分子構造に結合する**抗体**(antibody, すなわち**免疫グロブリン** immunoglobulin)の構造と機能, そして抗体の多様性がいかに抗原の特異的な認識に貢献するかについて説明する. 膨大な種類の抗原が獲得免疫系によって認識されるしくみは, B および T リンパ球で DNA 断片の再編成により抗原特異的な受容体がつくり出されることによって説明できる. B および T リンパ球は通常, **B 細胞**(B cell)と **T 細胞**(T cell)とよばれるが, 抗原を認識する白血球である. この遺伝子再編成によって, リンパ球の抗原受容体の特異性が決まり, 多種多様な病原体に対して適応できるようになる. さらに遺伝子再編成によってリンパ球の分化運命も決定する.

B 細胞や T 細胞上の抗原特異的な受容体を生み出す遺伝子再編成機構は非常に類似しているが, 抗原受容体が抗原を結合(認識)する方法はかなり異なる. B 細胞上の受容体, すなわち細胞膜に結合した抗体分子は抗原と直接相互作用できるが, T 細胞上の受容体はそうでない. §24・4 で解説するように, T 細胞受容体は, 標的細胞によって加工された抗原を認識する. これらは小さなペプチドや小分子で, 特化した細胞表面糖タンパク質によって細胞表面に提示される. これら糖タンパク質は, **主要組織適合遺伝子**

複合体(major histocompatibility complex: **MHC**)とよばれるゲノム領域の遺伝子によってコードされている．MHC によってコードされた糖タンパク質(**MHC 産物** MHC product ともよばれる)は，宿主が抗原に対して T 細胞および B 細胞応答を起こす能力を決定するのに役立つ．

　免疫系の基本的な特性を理解することで多くの実用的な疑問に答えることができる．たとえば，感染性病原体から防御する抗体をつくり出す最良の方法は何か．研究室で目的のタンパク質を認識する抗体をどのように調製できるか．抗原のプロセシングと提示のしくみを知ることによって，感染症から防御するワクチンを設計したり，研究に必要なツールをつくり出すことができる．MHC がコードする糖タンパク質は，自身の抗原に対する免疫寛容の形成に重要である．効果的な応答に必要となる，免疫系を担当するさまざまな細胞の協調に力点をおきながら，病原体に対する免疫応答の概観を述べ，本章を終える．

24・1　宿主防御の概観

　免疫系は病原体を含む微生物とともに進化してきたものなので，まず宿主の中で病原体が存在する部位とそれが複製する部位に視点をおいて宿主防御を概観する．次に自然免疫と獲得免疫の概念を，重要な働きをする細胞や分子を含めて説明する．

病原体はさまざまな経路を通じて体内に侵入し，さまざまな部位で複製する

　ヒトの皮膚の表面積は，約 $1.9\,m^2$ である．体内の気道や消化管，泌尿生殖器の上皮の表面積はもっと大きく $372\,m^2$ もの表面積をもつ．これらすべての表面がそれぞれの環境でウイルスや細菌，真菌にさらされている．このうち**共生細菌**(commensal bacteria)とよばれる細菌は，通常は疾患をひき起こすことなくむしろ有益であり，重要な栄養物の供給や健康な皮膚を保つのを助けてくれる．これらの細菌叢は，受容体との結合や小分子の放出を介して，自然免疫系と獲得免疫系の反応性と構成の調節を助ける．成人のヒトではいずれの時点でも，明らかな炎症性の免疫応答を生じさせない 1.4 kg もの微生物を保有していると考えられている．これら共生細菌は人体の外表面に存在する限りは病原性はない．しかし，表面を構成する上皮の正常な防御機能が落ちると，これら微生物は体内に侵入し病原体となる．食物由来の病原体や性感染因子は上皮を標的にする．インフルエンザに感染した患者のくしゃみからは，まわりの人が吸入しやすい霧状の何百万ものウイルス粒子が放出される．皮膚の断裂や組織を保護する上皮の障壁の破壊は小さなすり傷でも病原体に容易な侵入経路を提供し，細菌にとっては豊かな栄養源，ウイルスにとっては複製可能な細胞に接触させる機会となる．

　ウイルスの複製は，ウイルスタンパク質合成やウイルス遺伝物質の複製の場である細胞質および核に限局される．ウイルスは，最初に感染した細胞から放出される拡散可能なウイルス粒子(ビリオン virion)の形態あるいは隣接する細胞への直接の移動(細胞間伝播)によって，他の細胞へと蔓延する．多くの細菌は体内の細胞外に存在する空間で複製できるが，ある種の細菌は宿主細胞に侵入しそこでしか生存できない．そのような細胞内細菌，たとえば結核の原因菌である *Mycobacterium tuberculosis* は，エンドサイトーシスやファゴサイトーシス(図 17・19 参照)によって細胞内に取込まれる細胞膜で包まれた小胞の状態か，あるいは小胞から抜け出した場合は細胞質内に存在する．そのため，宿主防御システムが有効に働くには，細胞外のウイルスや細菌だけでなく，病原体をかくまっているこうした細胞も除去することが必要となる．

　寄生する真核生物も病気をひき起こす．睡眠病をひき起こす原生動物(トリパノソーマ)やマラリア原虫(図 1・25 参照)などの寄生虫はとても複雑な生活環を示し，宿主の免疫系によって殺されないための複雑な対応策を進化させてきた．

自然免疫系および獲得免疫系の免疫細胞は体中を循環し，組織やリンパ節に入って，そこにとどまる

　循環系(図 24・2)は，血液を全身に運搬する役目を果たしている．血液は赤血球や白血球，血小板の細胞成分と，タンパク質やイオン，小分子などの溶解物を含む血漿の液体成分からなる．血液は，ヘモグロビンを含み酸素を運搬する圧倒的多数の赤血球(赤い血球細胞)に加えて，**白血球**(leukocyte)と血小板(血液凝固に関与する)を含む．白血球は，リンパ球(B 細胞と T 細胞)や単球(**マクロファージ** macrophage とよばれる清掃細胞の前駆

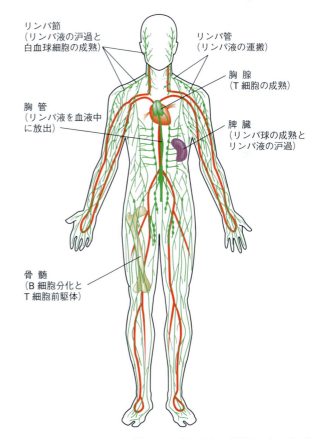

図 24・2　循環系とリンパ系．ポンプ作用をもつ心臓がつくる正の動脈圧を原動力として，循環系(赤)から組織の間隙へ液体が流入する．その結果，体内すべての細胞は栄養分を手に入れ，また老廃物を処理できる．循環系の全血液の約 3 倍の体積である間質液は，特別な解剖学的構造をしたリンパ節を通過し，リンパ液として循環系に戻される．リンパ球を産生する一次リンパ組織は，骨髄(B 細胞と T 細胞前駆体)と胸腺(T 細胞)である．免疫応答の開始には二次リンパ組織(リンパ節や脾臓)が必要である．

体),樹状細胞,好中球,ナチュラルキラー(NK)細胞など異なる免疫機能を担うさまざまな細胞を含む.赤血球は老化し死ぬまで循環系から出ることはないが,白血球は循環系を出て標的組織に入り,侵入者から体を守る.循環系の輸送機能によって,リンパ球はその産生部位(骨髄,胸腺,胎児肝)から,活性化部位(リンパ節,脾臓)や,感染部位へと運搬される.リンパ球は,一度決められた部位に到着すると,機能に応じて,循環系から離れたり戻ったりする.

免疫系は,血管や器官,細胞を相互に結ぶシステムを構成し,一次および二次リンパ組織に分類される(図24・2).**一次リンパ組織**(primary lymphoid organ)は,**リンパ球**(lymphocyte, B 細胞と T 細胞を含む白血球の一群)を産生し,機能的特徴を付与する場所である.一次リンパ組織には,前駆細胞から T 細胞を産生する胸腺と,B 細胞を産生する骨髄がある.獲得免疫応答は,十分な機能をもつリンパ球を必要とするが,リンパ節や脾臓を含む**二次リンパ組織**(secondary lymphoid organ)で開始される.リンパ組織内のすべての細胞は,最初は胎児肝,最終的には骨髄で産生される造血幹細胞由来である(図22・18参照).若い男性の全リンパ球数は,約 $500×10^9$ 個,そのうち約15%は脾臓,40%は他の二次リンパ組織(扁桃,リンパ節),10%は胸腺,10%は骨髄に存在し,残りは血液中を循環するか,他の組織に存在している.

正常時には,ポンプ作用をもつ心臓がつくる圧力は,血管内の血液輸送を行うだけでなく,細胞成分を含まない体液を,血管壁を横切って組織へと押出す.この液体は栄養分と生体防御機能をもつタンパク質を運ぶ.この液体の総量は血液の3倍にものぼる.恒常性を維持するために,循環系を出た液体は,最終的にはリンパ管経由で**リンパ液**(lymph)の形態で循環系に戻る必要がある.リンパ管は最末端で開口していて,組織内の細胞を取囲む間質液を集める.リンパ管は大きな収集管と融合し,リンパ液を**リンパ節**(lymph node)に運び込む(図24・3).リンパ節は,存在する細胞の種類によって複数の領域に区切られた被膜からなる.リンパ節に入る血管はリンパ節に B 細胞や T 細胞を運ぶ.輸入リンパ管は,組織からリンパ節へ,可溶性抗原や,抗原に遭遇して"サンプリング"した特化した細胞を運ぶ.リンパ節の中では,獲得免疫に必要な細胞と分子が相互作用し,新しく獲得された抗原情報に応答し,体から病原体を取除くために必要な効果機能を実行する(図24・3).

リンパ節は,体中の末梢部位から集められた抗原情報を,応答を惹起するのに適した形で採取し,免疫系に提示する濾過器であると考えることができる.休止しているリンパ球の活性化に至るすべての重要な段階は,リンパ組織で起こる.機能的に働くように教育された細胞は,最終的にリンパ液を血流に戻す輸出リンパ

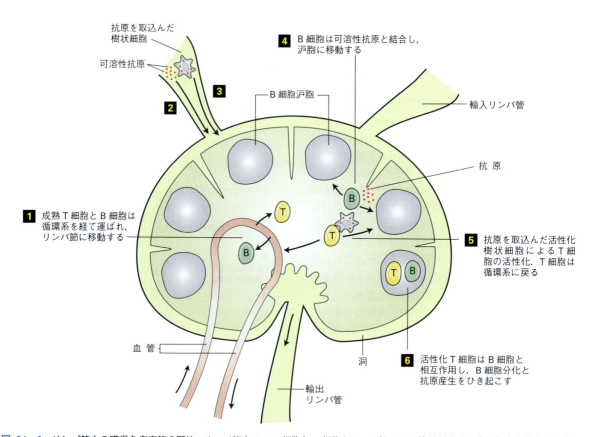

図 24・3 リンパ節内の獲得免疫応答の開始.リンパ節内での B 細胞と T 細胞(リンパ球)による抗原認識は,獲得免疫応答を開始する.T および B リンパ球は循環系を離れ,リンパ節に移動する(段階 1).リンパ液は,可溶性抗原と樹状細胞内に取込まれた抗原の2種類の形態で抗原を運び込む.両者とも輸入リンパ管を通ってリンパ節に運び込まれる(段階 2 と 3).樹状細胞は,棘のような突起をもつことからこのように命名された,"抗原提示細胞"とよばれる特殊な細胞である.樹状細胞は,抗原をペプチドまたは小さな断片に分解し,細胞表面の MHC タンパク質を用いて,T 細胞に抗原を"提示"する.可溶性抗原は B 細胞によって認識される(段階 4).抗原を取込んだ樹状細胞は抗原を T 細胞に提示する(段階 5).T 細胞と B 細胞の生産的相互作用(段階 6)によって B 細胞は濾胞に移動し,大量の分泌性免疫グロブリン(抗体)を産生する形質細胞へと分化する.輸出リンパ管を通ってリンパ球はリンパ節から循環系に戻る.

管を通ってリンパ節を離れる．そのような活性化した細胞は血流を通して循環し（いつでも反応できる），走化因子と反応し再び循環系を離れ，組織の中に移動し，病原体を探してウイルスに感染した細胞を破壊したり，病原体を認識する抗体を産生する．

リンパ球や他の白血球が循環系から出て行くこと，これら細胞が感染部位に供給されること，抗原情報が処理されること，そしてこれら免疫系細胞が循環系に戻ることは，精巧に制御されている．この過程にはあとで説明する，特異的な細胞接着や走化性，内皮障壁の透過性などのしくみがかかわっている．

免疫系を構成する主要な細胞について紹介したので，外来病原体に対する第一線での二つの生体防御，すなわち物理的バリアと化学的防御，および自然免疫系について述べる．

物理的および化学的境界が病原体に対する最初の生体防御となる

すでに述べたように，物理的および化学的防御が宿主による病原体に対する最初の防御線となる（図 24・1）．物理的バリアには，皮膚，上皮，節足動物の外骨格が含まれる．これらは機械的損傷や特別な酵素的攻撃によってのみ破壊される障壁である．化学的防御には，胃液分泌による低 pH のほか，涙液や腸分泌中の病原体を直接攻撃する**リゾチーム**（lysozyme）などの酵素も含まれる．

物理的バリアの重要性は，やけどになるとよくわかる．皮膚（表皮および真皮，図 1・4）が傷つけられると，その下層の組織の豊富な栄養源が表面に現れ，空気伝播する細菌や皮膚上に存在する比較的無害な常在細菌が抑制されることなく増殖し，ついには宿主を圧倒する．ウイルスや細菌もこれらの物理的バリアを壊す戦略を進化させてきた．たとえば，ある種の病原性細菌（たとえば高い病原性の連鎖球菌株の肉食性細菌）は，結合組織を傷つけるコラゲナーゼを分泌し，細菌の下層の組織への侵入を促進する．

自然免疫は第二の防御障壁を提供する

機械的および化学的防御が破られると，**自然免疫系**（innate immune system, 先天性免疫）は活性化され，侵入者を感知する（図 24・1）．自然免疫系は病原体にすばやく応答できる細胞と分子から構成されている．**食細胞**（phagocyte, 図 17・19 参照）は病原体を取込んで破壊する細胞で，細胞表面に，正常な体細胞には存在せず病原体に多く存在する分子に結合する受容体をもつ．たとえば，多くの酵母やその他の真菌は，糖マンノースの重合体を含む細胞壁をもつ．そのような重合体は正常な体細胞由来のタンパク質には存在しない．マクロファージは，多くの真菌病原体と結合するために，細胞表面のマンノース受容体を用いる．マクロファージは組織や上皮に広く存在し，感染部位に集積する．獲得免疫がない動物，たとえば昆虫は，感染との闘いをもっぱら自然免疫に頼っている．同じように植物も自然免疫に頼っており，

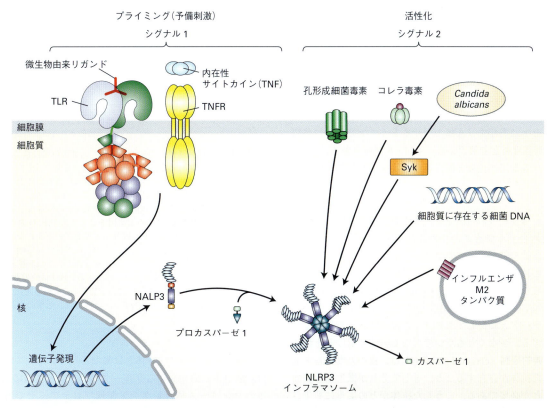

図 24・4　**NLRP3 インフラマソームは，2 種類のシグナルを受容したときのみカスパーゼ 1 を活性化する**．シグナル 1 は，Toll 様受容体（TLR）によって認識された微生物由来リガンドあるいは内在性サイトカインである TNF の TNF 受容体（TNFR）への結合などによって提供される．シグナル 1 は NLRP3（NALP3 ともよばれる）と IL-1β 前駆体の発現を亢進する．NLRP3 インフラマソームを活性化するシグナル 2 は，孔形成細菌毒素やインフルエンザ M2 タンパク質，真菌粒子（酵母の一種である *Candida albicans* を示す）による Syk シグナル，コレラ毒素によって提供される．細胞質に存在する細菌 DNA も NLRP3 インフラマソームを活性化できるが，この詳細な分子機構は明らかにされていない．

獲得免疫がない．そのほか，リンパ球に似ているが自然免疫系の細胞として分類される自然リンパ球（innate lymphoid cell: ILC）については，本章の後半で概説する．

食細胞と抗原提示細胞　自然免疫系には，マクロファージ，好中球，樹状細胞が含まれる．これらの細胞はすべて貪食作用をもち，細胞表面にはほかの種類の病原体を認識する**Toll様受容体**（Toll-like receptor: TLR，図24・37）やスカベンジャー受容体（scavenger receptor）を備えている．マンノース受容体のように，これら受容体は，細菌の細胞壁成分やメチル化されていないCpGや二本鎖RNAを含む核酸など広範な病原体特異的マーカーを検出し，細菌やウイルスなどの侵入を知らせる重要なセンサーとして機能する．これらマーカーがTLRに結合すると，細胞は抗菌ペプチドを含むエフェクター分子を産生する．TLRにより病原体を検出した樹状細胞とマクロファージは，プロセシングされた外来物質を抗原特異的T細胞に示す**抗原提示細胞**（antigen-presenting cell: APC）としても機能し，自然免疫と獲得免疫を橋渡しする．TLRの構造と機能，樹状細胞活性化における役割については§24・6で詳細に解説する．

インフラマソームと非TLR核酸センサー　哺乳類細胞はあらゆる種類の非自己成分を認識でき，危険シグナルに気づくことができるタンパク質ファミリーをもつ．これらのタンパク質によって認識される分子は，細菌の細胞壁成分から，尿酸結晶，ヘム分解産物，さらに石綿やシリカ（二酸化ケイ素）にまで及ぶ（図24・4）．いったん認識されると，この"危険シグナル"は**インフラマソーム**（inflammasome）とよばれる多量体タンパク質複合体の会合を活性化し，炎症に関与するエフェクタータンパク質を活性化する．インフラマソームを構成しているタンパク質は，基本構造（モジュール）を含んでおり，アダプタータンパク質と相互作用を仲介し，最終的にカスパーゼ1と物理的に結合し，活性化する．カスパーゼ1は炎症をひき起こすサイトカインの産生に必須である（この過程はあとで解説する）．§24・6で解説するように，インフラマソームは自然免疫と獲得免疫応答をつなげる重要な役割を果たす．

補体系　もう一つの自然免疫の構成要素は，微生物や真菌の表面に直接結合する血清タンパク質の集合体の**補体**（complement）である．この結合は，プロテアーゼ活性化のカスケードを開始し，最終的に病原体の保護膜に穴を開けるのに必要な複数のタンパク質からなる**膜侵襲複合体**（membrane attack complex）が形成される（図24・5）．補体活性化のカスケードは，概念的には血液凝固カスケードと類似しており，ひき続いて起こる活性段階で反応が増幅する．少なくとも三つの異なる経路で補体系を活性化できる．**古典的経路**（classical pathway）は，獲得免疫応答を通じて産生された抗体が存在すること，そしてそれが微生物の表面に結合することが必要である．こうした抗体がどのように産生されるかは，§24・3で解説する．この補体経路は，獲得免疫系と一緒に働く自然免疫系の成分の代表例である．

補体活性化の古典的経路に加えて，マンノースに富む細胞壁をもつ病原体は，**マンノース結合レクチン経路**（mannose-binding lectin pathway）によって補体を活性化する（これは前述のマクロ

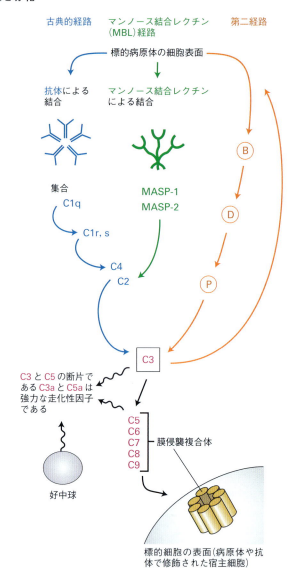

図24・5　補体活性化の三つの経路．古典的経路は抗体-抗原複合体の形成を必要とする．一方，マンノース結合レクチン経路では，多くの病原体の表面にみられるマンノースに富む構造が，マンノース結合レクチンによって認識される．第二経路では，病原体表面に，補体の主要成分である血清タンパク質C3の特殊な形態が結合することが必要である．C3の上流因子として因子B, D, Pがある．それぞれの活性化経路は，下流成分がプロテアーゼからなるプロテアーゼカスケードである．連続する次の段階で活性が増幅される．三つの経路すべてはC3に集まり，C5を切断し，これが膜侵襲複合体の形成の引金となり，標的細胞を破壊する．補体活性の間に生じたC3とC5の小さな断片は，走化性因子である．それら走化性因子は，好中球を引寄せ，炎症を開始する．好中球は，近傍の細菌を取込んで殺す食細胞である．

ファージマンノース受容体とは異なる）．マンノース結合レクチンは，病原体表面の異なるグループのマンノース糖に結合し，2種類のマンノース結合レクチン関連プロテアーゼであるMASP-1とMASP-2の活性化を誘導する．プロテアーゼ活性化は，補体カスケードの下流の構成成分を活性化する（図24・5）．最終的に多くの微生物の表面は，完全にはわかっていないが，ある種の物理化学的特性をもっており，血漿に存在する因子BやDやPを含むカスケードである**第二経路**（alternative pathway, 代替経路）に

よって補体を活性化する.

これら 3 種類の経路は,補体タンパク質 C3 の活性化へと収束する.C3 は,システインとグルタミン酸残基間のチオエステル結合を内部にもつ前駆体として合成され,十分な反応性を得るためにはタンパク質切断による構造変化が必要である.C3 は近傍の抗原-抗体複合体とだけ沈着する.マンノース結合レクチン経路で適切に修飾された表面あるいは第二経路を介して C3 をもつ表面は,同様に標的となる.この近傍制限によって補体の効果は近傍の表面だけに限定され,抗原を提示しない細胞を不適切に攻撃することが避けられる.

補体活性の経路にかかわらず,活性化した C3 は,補体カスケードの最終構成成分である C5 から C9 までを解放し,最終的に膜侵襲複合体の形成に至る.この複合体は自身をほとんどの近傍の生体膜に挿入することができ,孔形成で膜を透過性にする.電解質や小さな溶質が失われることで,標的細胞は分解され死に至る.補体が活性化されると常に膜侵襲複合体が形成され,これをもつ細胞は死ぬことになる.十分に活性化された補体カスケードが行う直接的な殺菌効果は,重要な防御機能である.

三つの補体活性化経路すべてで C3a と C5a の切断断片が生じる.これらは G タンパク質共役型受容体に結合し,炎症に関与する好中球や他の細胞の走化性因子として機能する.加えて,**マクロファージ**(macrophage)のような食細胞は,C3 断片の共有結合により標識された細胞を認識し,摂取し破壊する.

以上のように補体カスケードは宿主防御において多様な役割を果たしている.補体カスケードは病原体(細菌やウイルス)を包む膜を破壊できる.また,補体カスケードは標的の病原体に共有結合性の装飾を施し,食細胞に食べられやすくする.食細胞は病原体を殺したり,獲得免疫応答を開始する細胞にその内容物を提示することができる.最終的に,補体の活性化の作用によってシグナルが生じて,自然免疫を担う細胞(好中球,マクロファージ,樹状細胞)や獲得免疫系(リンパ球)を感染部位に引寄せる.これらは**走化性シグナル**(chemotactic signal)とよばれる.

ナチュラルキラー(NK)細胞 自然免疫系は細菌や寄生虫の侵入のほか,ウイルスに対しても防御する.ウイルス感染細胞の存在が検出されると,自然免疫系の他の細胞が活性化され,ウイルス感染した標的を探し出し,これらを殺す.たとえば,多くの種類の細胞(免疫系細胞でない)が感染すると,それら細胞は**I 型インターフェロン**(type I interferon)とよばれるタンパク質を合成し分泌し,感染が存在することを免疫系に警告する.**インターフェロン**(interferon)は,さまざまな方法で免疫応答を助ける小さな分泌性タンパク質である**サイトカイン**(cytokine)に分類される.本章では,他のサイトカインやその受容体に関しても解説していく.

インターフェロンは,**ナチュラルキラー細胞**〔natural killer (NK) cell,**NK 細胞**〕を活性化する.NK 細胞は,自然リンパ球 1(ILC1)のグループに属する.これら自然リンパ球については§24・5 で解説する.活性化された NK 細胞はさまざまな方法で体を守る.第一に NK 細胞は,ウイルスに感染した宿主細胞を殺すため(それゆえ,ナチュラルキラーとよばれる),感染拡大につながる新たなウイルス粒子の産生を予防する.第二に NK 細胞は,抗ウイルス防御の多くの戦略を統合するのに必須である II 型

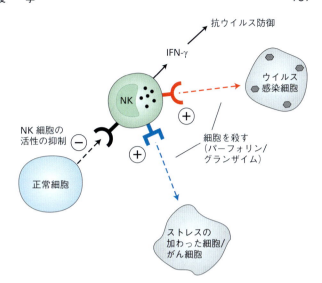

図 24・6 ナチュラルキラー細胞. ナチュラルキラー(NK)細胞あるいは ILC1 は,サイトカインであるインターフェロン γ(IFN-γ)の重要な産生源であり,抗ウイルス防御に関与し,ウイルス感染細胞やがん細胞をパーフォリンによって殺すことができる.これら孔形成細胞傷害性タンパク質は,標的細胞の細胞質にグランザイムとよばれるセリンプロテアーゼを導入する.グランザイムもまたカスパーゼを活性化し,アポトーシスを開始する(22 章).NK 細胞の受容体は感染細胞あるいはストレスを受けている細胞を同定し,NK 細胞がそれらを殺すように刺激する.他の受容体は正常細胞を認識し NK 細胞の活性化を抑制する.

インターフェロン γ を産生する(図 24・6).第三に NK 細胞は,抗体で修飾された標的細胞を殺すことができる.NK 細胞は,促進性(細胞殺傷を促進する)あるいは抑制性シグナルを生じいくつかの表面受容体を用いることで標的を認識する.

炎症とは自然免疫と獲得免疫による損傷に対する複合応答である

血流のある組織が損傷すると,つづいて決まって起こる応答が**炎症**(inflammation)である.損傷は,筋肉が裂けたり,紙で切ったり,病原体が感染したなど物理的あるいは化学的過程の結果生じる.炎症すなわち**炎症反応**(inflammatory response)には,**発赤**(redness),**腫脹**(swelling),**熱**(heat),**疼痛**(pain)という四つの古典的な徴候がある.これらの徴候は,血管拡張(vasodilation)や損傷部位への免疫系細胞の遊走,熱や痛みの感覚の原因である水溶性の炎症性伝達物質の産生によって起こる.炎症は,ある種の細胞と水溶性産物の活性化によって自然免疫応答を働かせるので,即時的な防御効果がある.さらに炎症は,獲得免疫応答を開始する局所環境をつくり出す.しかし,適切な制御が行われないと,炎症は組織傷害の重大な原因にもなる.

図 24・7 に,細菌に対する炎症反応とひき続き起こる獲得免疫応答の主要な構成要素を示す.組織に存在する**樹状細胞**(dendritic cell)は,Toll 様受容体(TLR)を介して病原体の存在を感知し,サイトカインや**ケモカイン**(chemokine)のような小さな水溶性の伝達物質を放出する.ケモカインは免疫系細胞に対する走化性因子として働く.**好中球**(neutrophil)は,損傷した組織から産生されるサイトカインやケモカインに応答して,循環系を離れ,傷ついた組織や感染部位に移動する(図 20・42 参照).循環してい

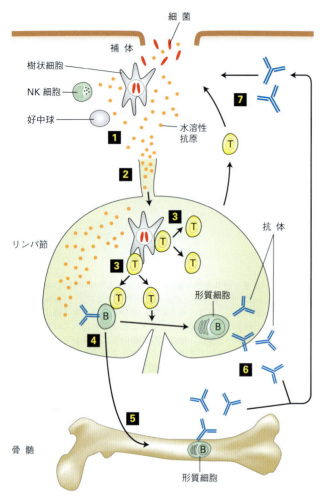

図 24・7 細菌に対する自然免疫応答と獲得免疫応答の相互作用. 細菌が宿主の機械的/化学的障壁を突破すると、その細菌は補体カスケードの成分や好中球のような即時性防御を担う細胞にさらされる（段階**1**）. 組織損傷によって誘導されるさまざまな炎症性タンパク質は、局所の炎症反応に貢献する. その場所で細菌が破壊されると、細菌に由来する抗原の放出が起こり、この抗原は組織につながる輸入リンパ管を経由してリンパ節に運ばれる（段階**2**）. 感染部位で抗原をとらえた樹状細胞は、活性化して移動可能になり、リンパ節に移動し、そこでT細胞を活性化する（段階**3**）. リンパ節で抗原を提示されたT細胞は増殖し、B細胞を助ける能力を含むエフェクター機能を獲得する（段階**4**）. B細胞の一部は骨髄に移動し、細胞分化を完了し、そこで形質細胞になる（段階**5**）. 免疫応答の後期になると、活性化T細胞は、抗原を経験したB細胞を助けて、大量の抗原特異抗体を分泌する形質細胞になるように働く（段階**6**）. 最初の細菌との曝露の結果産生された抗体は、補体と協調して感染を排除する（段階**7**）. この状態が維持されると、同一の病原体と再度出会った場合、迅速な防御ができる.

ばリゾチームやプロテアーゼ）も放出する. 活性化した好中球は、近傍の病原体を殺傷するスーパーオキシドアニオンや他の活性酸素種も産生する酵素も活性化する（§12・4参照）. また好中球は、**ネトーシス**（NETosis）とよばれる反応を起こす. 好中球は自殺し、核DNAを細胞外空間に放出することにより、微生物や血小板を捕捉できる繊維網を放出する（図24・8）. この反応は、好中球の活性化が起こる場所で病原体を閉じ込めるのに役立つ. 炎症反応に貢献するもう一つの細胞に、組織に存在する**マスト細胞**（mast cell, 肥満細胞）がある. マスト細胞は多様な物理・化学的刺激によって活性化し、Gタンパク質共役型ヒスタミン受容体に結合する小分子、ヒスタミンを放出する. ヒスタミンとその受容体の結合によって、血管透過性は亢進し、その結果、侵入した病原体に作用する血漿タンパク質（たとえば補体）の組織への接触が促進される.

感染や損傷に対して非常に重要な初期応答は、すでに述べた補体カスケードを含むさまざまな血漿プロテアーゼの活性化である. 解説したように、これらプロテアーゼの活性化で産生される切断片は、好中球を損傷した組織に引寄せる（図24・5）. さらにそれらはインターロイキン1や6（IL-1とIL-6）のような炎症性サイトカインの産生を誘導する. 好中球の移動と集合は、血管透過性の亢進にも依存する. 血管透過性は、一部はリン脂質や脂肪酸由来の脂質シグナル伝達分子（たとえばプロスタグランジンやロイコトリエン）によって制御される. これらすべての現象は、組織損傷を受けて数分以内に急激に起こる. この即時性の応答によって炎症の原因を取除けなかった場合は、組織障害に至る慢性炎症に陥る. 慢性炎症では獲得免疫系を担当する細胞が重要な働きをする.

組織損傷部位での病原体の力が大きいと、感染に対する自然免疫防御機構の能力を超えてしまう. さらに、いくつかの病原体は、その進化の過程で、自然免疫防御を無力化あるいはすり抜ける手段を獲得している. このような状況下で、獲得免疫応答は感染を制御することが求められている. 獲得免疫応答は、獲得免疫系と自然免疫系の両方に関与する特殊な細胞に依存している. これら細胞には、病原体を捕捉して殺傷するのみならず獲得免疫系に抗原を提示するマクロファージや樹状細胞が含まれる. 特に樹状細胞は、新たに得た病原体由来抗原を二次リンパ組織に運ぶことで、獲得免疫応答を開始する（図24・7）.

第三の防御障壁である獲得免疫は特異性を示す

獲得免疫（acquired immunity）には、抗原特異的受容体によって外来物質を高度に特異的に認識する. 十分に綿密なしくみをつくるために、最初の感染が起こってから数日から数週間を必要とする. 抗原特異的受容体をもつリンパ球は、獲得免疫にとって重要な細胞である. Bリンパ球は形質細胞に分化し、細胞表面の抗原受容体の分泌型タンパク質を再生する. これらのタンパク質は免疫グロブリン、あるいは抗体とよばれる. 免疫グロブリンは細菌毒素を中和する（不活性化する）のみならず、ウイルスのような有害な因子にも直接結合しウイルスが宿主細胞に接着するのを阻害して中和する. 中和抗体をつくり出すことは、事実上すべてのワクチン投与計画の理論的根拠になっている. ワクチン投与とは能動免疫（active immunization）とよばれる方法の一つであり、計画的に個体に外来抗原を曝露し、獲得免疫応答（のちに解説す

る白血球のほぼ半分を構成している好中球は、病原細菌や真菌を直接取込み、殺傷する食細胞である（図17・19参照）. また、好中球はTLRを介して、病原体由来のさまざまな巨大分子とも相互作用する. のちに詳しく解説するこれら受容体は好中球を活性化し、好中球はさらなるサイトカインやケモカインを産生する. ケモカインは、好中球やマクロファージ、ついにはリンパ球（T細胞やB細胞）まで多くの白血球を感染と戦っている部位へと遊走させる. 活性化した好中球は、**デフェンシン**（defensin）と総称される殺菌活性のある小さなペプチドとともに殺菌酵素（たとえ

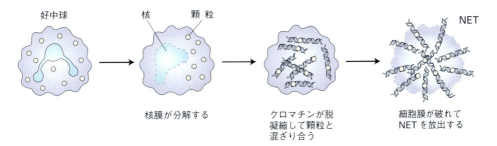

図 24・8 ネトーシスでは，好中球は自分自身を犠牲にして細菌を捕獲する．リポ多糖などの細菌由来産物と遭遇すると，好中球は一種の細胞死により，核DNAと関連分子を含む網を放出する（好中球細胞外トラップまたはNET）．NETには，抗菌成分が含まれており，貪食作用に頼ることなく細胞外で細菌を殺すことができる．NETは，病原体の拡散を物理的に制限する．

る）と外来抗原に結合する抗体をつくり出すことで防御免疫を引出す．

同じようなやり方で，ヘビ毒に対する抗体は，ヘビに噛まれた犠牲者をその中毒から守るために噛まれた比較的直後に投与される．抗ヘビ毒抗体は毒に結合し，毒が宿主の標的に結合するのを妨げることで中和する．この方法は**受身免疫**（passive immunization）とよばれ，毒素のような有害な物質を迅速に中和し，命を救うことができる．受身免疫は，ウイルス性肝炎が風土病であるような場所を旅行する者を守るために予防的にも用いられている．免疫のある個人から得られた血清は一時的な感染防御を提供する．このように抗体は即時性の防御効果をもつ．今日の医学的進歩によって，免疫系が著しく低下している患者（化学療法や放射線治療を受けたがん患者，薬剤によって免疫系が抑制されている移植患者，AIDS 感染患者，免疫系が生まれながらに欠損している患者）を救う場合は，受身免疫は即時性と実用性の観点から重要である．マウスやウサギなどの動物に外来物質を計画的に曝露（免疫）することで，その外来物質（抗原）を特異的に認識する**抗血清**（antiserum）を産生できる．抗血清は細胞生物学者の標準的な道具になっている．

24・1 宿主防御の概観　まとめ

- 物理的バリアおよび化学的障壁は，ほとんどの病原体から生体を防護する．この防御は即時的かつ持続的であるが，特異性はない．自然免疫と獲得免疫は，生体の物理的/化学的境界を突破する病原体に対する防御反応である（図 24・1）．
- 循環系とリンパ系は，自然免疫および獲得免疫に関与する分子や細胞を体内に循環させる（図 24・2）．
- 自然免疫系は補体系（図 24・5）と NK 細胞，好中球，マクロファージや樹状細胞などの食細胞を含む数種類の白血球を介して行われる．自然免疫系に関与する細胞や分子は迅速に動員される（数分から数時間）．病原体の存在を診断する分子的様式は Toll 様あるいは他の受容体によって認識されるが，その特異性は中程度であり，これら受容体は広範に関連分子を認識する．
- T および B リンパ球は獲得免疫を担う．これらの細胞が十分に活性化して発動するには数日を要するものの，よく似た抗原を区別できる．この抗原認識の特異性は，獲得免疫の重要かつ際立った特徴である．

- 自然免疫と獲得免疫は互いに協調して働く．組織損傷や感染に対する初期の応答である炎症には，自然免疫と獲得免疫を構成する因子を組合わせる一連の現象がかかわる（図 24・7）．

24・2　免疫グロブリン: 構造と機能

B 細胞によって産生される免疫グロブリン（抗体ともよばれる）は，獲得免疫を担う分子のなかで最も理解されている．ヒト個人は異なる抗体を制限なくつくる能力をもっているが，どの特異抗体も典型的には個人が抗原にさらされる（免疫される）ときだけつくられる．それゆえ，抗体産生は獲得免疫応答である．本節では免疫グロブリンの構造とそれらの多様性，そして抗体がどのように抗原に結合するかを解説する．多様な抗体がつくられる機構については §24・3 で解説する．

免疫グロブリンには重鎖と軽鎖からなる保存された構造がある

免疫グロブリン（immunoglobulin: **Ig**）は，多量に存在する血清タンパク質であり，その構造と機能の観点からいくつかのクラスに分類される．免疫グロブリンは，免疫された動物の血清（抗血清）から生化学的に精製され，抗体活性の原因である血清タンパク質として同定された．免疫グロブリンは，病原体の殺傷を仲介する能力や対応する抗原すなわち同種抗原に直接結合する能力に基づいて精製された．最も一般的な免疫グロブリンは，2 個の同一の**重鎖**（heavy chain，H 鎖）と 2 個の同一の**軽鎖**（light chain，L 鎖）が共有結合して構成されている（図 24・9，さまざまなクラスについては次項で解説する）．そのため，一般的な免疫グロブリンは，二重対称構造をしており，H_2L_2 と表記される．1 個の H_2L_2 抗体分子は，2 個の抗原分子と結合できる（2 価の結合，以下で解説する）．この基本 H_2L_2 構造の例外が，ラクダ科（ラクダ，ラマ，ビクーナ）およびサメ科にある．これらの動物では重鎖二量体（H_2）という軽鎖がない免疫グロブリンをつくることができる．

抗体がいかにして類似する抗原を区別するかという問題（すなわち，1 個の抗体がその特異抗原には結合するが，構造的に類似の他の分子には結合しないということ）は，生化学的方法によって解答が得られた．かなり大きなタンパク質（約 150 kDa）である免疫グロブリンの抗原結合に直接かかわる領域を同定するため，免疫グロブリンを断片化するプロテアーゼが用いられた（図

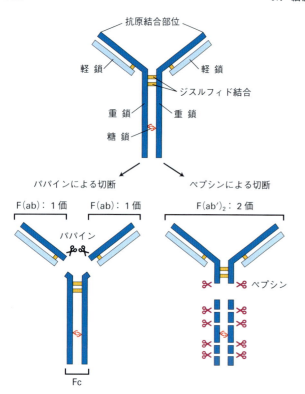

24・9).プロテアーゼであるパパインによって，抗原1分子に結合できる **F(ab)** とよばれる1価の断片が生じる.一方，別のプロテアーゼであるペプシンによって **F(ab′)₂** とよばれる，二つの抗原結合部位をもつ2価の断片が生じる（Fは断片 fragment，abは抗体 antibody の略）.これらの酵素は，完全な免疫グロブリン分子を1価あるいは2価の反応性をもつ断片に変換するときに用いられる.F(ab) 断片は二つの抗原に結合できないため，抗原が細胞表面に発現している際，"架橋（cross-linking）"できないが，F(ab′)₂断片はできる.研究者は，細胞表面受容体を架橋結合させて活性化させるために，しばしばこの特性を利用する.EGF受容体など多くの受容体は，リガンドが結合すると二量体化する（**リガンド誘導性二量体化** ligand-induced dimerization）.二量体化は，下流のシグナルカスケードを十分に活性化するために必須である（16章）.免疫系細胞上の多くの受容体も同様に振舞う.パパインによる切断でできる抗原とは結合できない断片は結晶化しやすいことから **Fc** とよばれる（Fは断片 fragment，cは結晶化可能 crystallizable）.

多数の免疫グロブリンアイソタイプが存在し，それぞれが異なる機能を果たす

異なる生化学的特性に基づいて，免疫グロブリンは異なるクラス，すなわち**アイソタイプ**（isotype）に分けられている.軽鎖には2種類のアイソタイプκとλがある.重鎖はもっと多様性を示し，哺乳類では，おもな重鎖アイソタイプはμ, δ, γ, α, εである.これらの重鎖はκあるいはλ軽鎖と結合できる.脊椎動物の種によっては，さらにα鎖とγ鎖が分岐していて，魚類には哺乳類では見つからないあるアイソタイプがある.会合した免疫グロブリン（Ig）の名前は重鎖に基づく.すなわち，μ重鎖をもつ抗体はIgMであり，α鎖からはIgA，γ鎖からはIgG，δ鎖からはIgD，

図 24・9 免疫グロブリン分子の基本構造．抗体は血清タンパク質であり，免疫グロブリンとしても知られている．2個の同一の重鎖と2個の同一の軽鎖からなる対称的な二重構造をしている．プロテアーゼによって抗体を断片化すると，抗原結合能を保持している断片が生じる．パパインで切断すると，1価のF(ab)断片が生じ，ペプシンで切断すると，2価のF(ab′)₂断片が生じる．Fc断片は抗原とは結合できないが，別の機能的特性をもつ．F(ab)断片は，現在では通常，タンパク質分解によらず，組換え DNA 技術により調製されている．

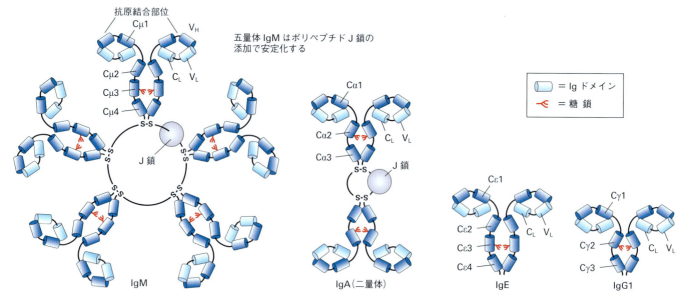

図 24・10 免疫グロブリンのアイソタイプ．免疫グロブリンの異なるクラスはアイソタイプとよばれ，生化学的にも免疫学的技術によっても区別される．マウスやヒトでは，2種類の軽鎖アイソタイプ（κとλ）と5種類の重鎖アイソタイプ（μ, δ, γ, ε, α）がある．重鎖のアイソタイプに基づいて，免疫グロブリンの各アイソタイプが定義される．IgG, IgE と IgD（示していない）は，全体的に類似した構造をとる単量体である．IgM と IgA は血清中でそれぞれ五量体と二量体をとる例外である．これらは修飾サブユニットのJ鎖によってジスルフィド結合で共有結合している．図は免疫グロブリンのモジュールデザインを強調して描かれており，円柱は個々のIgドメインを表している．異なるアイソタイプは異なる機能をもつ．略語の定義は，図24・13を参照．

そしてε鎖からはIgEができる．主要なIgアイソタイプの一般的な構造を図24・10に示す．重鎖のFc部分の独特な構造上の特徴によって，各Igアイソタイプはそれぞれ特殊な機能を発揮する．

IgM分子は，重鎖末端間のジスルフィド結合と別のJ鎖によって安定化し，H_2L_2の五量体として分泌される．五量体構造中に，IgMは10個の同一の抗原結合部位をもち（H_2L_2当たり2個），対応する（同種の）抗原を提示する表面と高いアビディティーで相互作用することができる．**アビディティー**（avidity）は，利用可能な個々の結合部位の相互作用（アフィニティー affinity）の"強度"とその結合部位の"数"を加味した結合力の総和として定義される．低いアフィニティーの相互作用も多く結合すれば，高いアビディティーの相互作用になる（マジックテープのように）．同種の抗原をもつ表面にIgMが結合すると，五量体IgM分子は補体カスケードの活性化に十分な構造になって，補体が結合し，結果的に膜は効果的に破壊される．

IgA分子もJ鎖と相互作用し，H_2L_2の二量体構造を形成する．二量体IgAはIgA受容体と上皮細胞の側底面側の細胞膜上で結合し，この結合によって，受容体依存性エンドサイトーシスが生じる．その後，IgA受容体は切断され，二量体IgAは切断された受容体断片（いわゆる"分泌片"）とともに上皮細胞の頂端側から放出される．**トランスサイトーシス**（transcytosis, 経細胞輸送）とよばれるこの過程は，上皮の側底面側から頂端側へ免疫グロブリンを効率よく運ぶ手段である（図24・11a）．涙液や他の分泌物（特に消化管）にはIgAが豊富に含まれており（血液から消化管へ数グラムの免疫グロブリンが毎日分泌される），環境にある病原体からの保護を保証している．

IgGアイソタイプはウイルス粒子を中和するうえで重要である．またIgGは，IgG分子のFc部分に特異的な受容体を発現する細胞が，ウイルスや細菌由来の大きな断片などの粒子状抗原を捕獲するのを助ける（後述参照）．

新生児の免疫系は未成熟であるが，保護的に働く抗体が母乳を介して母から子に伝播される．母親のIgGを捕捉する受容体は子がもつFc受容体（FcRn）であり，げっ歯類では，腸上皮細胞上に存在する．母親のIgGは，トランスサイトーシスによって，新生児腸管の内腔側でFcRn受容体によって捕捉され，腸上皮を横切って新生児の血液循環系に放出される．これによって，げっ歯類乳児の受動的な免疫防御が成立する（図24・11b）．ヒトの場合，Fc受容体は胎盤の母親の循環系と接触する胎児の細胞上に見つかる．母親の循環系から胎盤を横切って，IgG抗体のトランスサイトーシスが行われ，母親由来の抗体は胎児に運ばれる．母親由来の抗体は，新生児の免疫系が十分成熟し自身で抗体を産生できるまでの間，新生児を保護する．成体では，FcRnは内皮細胞にも発現し，これによって，内皮の壁を横切り下部の組織へのIgGの運搬のみならず，循環系のIgGの代謝回転も制御する．

§24・3で解説するが，IgMとIgDアイソタイプは，新しく産生されたB細胞上に膜結合B細胞受容体として発現する．ここではμ鎖がB細胞の分化と活性化に重要な役割を果たす．

ナイーブB細胞は独自の免疫グロブリンを産生する

クローン選択説（clonal selection theory）では，それぞれの**ナイーブBリンパ球**（naive B lympocyte, 特異抗原にまだ曝露されていない）は，独自の特異性で抗原と結合する受容体を細胞膜上に発現すると規定される．この受容体は，後述するように（図24・19），細胞膜内のタンパク質と結合できるような疎水性配列をもつC末端が伸長している抗体である．リンパ球が特異的な抗原に出くわすと，クローン増殖が生じる．その結果，応答が増幅されて，形質細胞から大量の特異的な抗体（最初の前駆細胞によってつくられた抗体と同じもの）が産生，分泌される（図24・12）．（クローンとは一つの前駆細胞に由来するすべての細胞をさし，クローン増殖では迅速な細胞分裂によって，一つの細胞からクローン集団が生まれることに注意．）抗原特異的抗体は抗原に結合し，その後，抗原を個体から除去することを仲介する．一般的な免疫応答では，応答をひき起こす抗原は，複雑な混合物から構成され

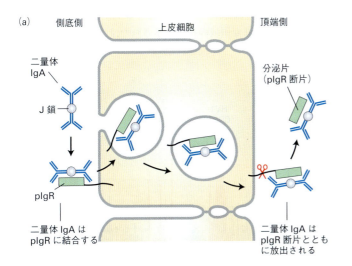
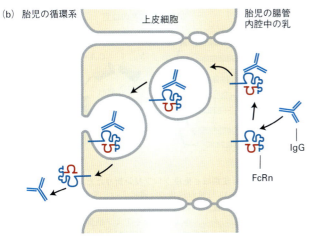

図24・11 IgAおよびIgGのトランスサイトーシス．（a）涙液やさまざまな粘膜の分泌液中に見つかるIgAは，上皮を横切って輸送されることが求められる．IgAは上皮細胞の基底膜側に発現する多量体IgA受容体（pIgR）と結合し，細胞内に取込まれる．単層の上皮を通り抜けて運ばれたのち，受容体の一部は切断され，IgAは切断された受容体断片（分泌片）とともに上皮細胞の頂端側から放出される．（b）げっ歯類の乳児は，母親の乳からIgを得る．新生児は腸管上皮細胞の管腔側の膜表面上に，MHCクラスI分子に似た構造をもつ新生児型Fc受容体（FcRn）をもつ（図24・24）．この受容体がIgGのFc部分と結合すると，トランスサイトーシスによって取込まれたIgGは上皮の側底側に運ばれる．ヒトでは，胎盤の合胞体栄養細胞がFcRnを発現し，母親の循環系からIgGを取込み，胎児へと運び込む（胎盤通過）．

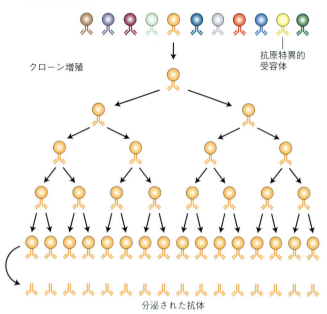

図 24・12 クローン選択. クローン選択説では, 独自の抗原特異的受容体を細胞表面に発現するBリンパ球の巨大な集合の存在(異なる色で示されている)を仮定している. 受容体は抗体のC末端に細胞膜に結合する疎水性配列が付加されている(図24・19). ある特定のリンパ球の受容体と適合する抗原があると, それらは結合し, リンパ球は刺激され, クローン増殖する. あまり多くなかった抗原特異的細胞のなかから, 望ましい特異性をもつ細胞が多数つくられると考えられている. これらの細胞の多くは, 形質細胞へと分化し, 膜結合部位を欠く抗原特異的受容体が抗体として分泌される. 細胞表面上抗原特異的受容体は, 分泌された抗体と同様に, 二つの重鎖と二つの軽鎖をもつことに注意.

れる領域に密集して起こることである. この領域は軽鎖のN末端の約110アミノ酸からなる. 逆に同一のアイソタイプκやλであるならば, 異なる軽鎖であっても残りの配列は全く同一である. そのため, この領域は**軽鎖の定常領域**(constant region of the light chain: C_L) とよばれる. 腫瘍患者の血清から, その後, その患者個人に特有の免疫グロブリンが精製された. これらの試料から重鎖の配列が決定され, 重鎖を区別する異なるアミノ酸残基は, **重鎖の可変領域**(variable region of the heavy chain: V_H)とよばれる境界線を定められる領域内に集中していることが示された.

さまざまな軽鎖の試料から得られた可変領域配列を並べた結果, 可変領域は無作為に決まるのではないこと, **フレームワーク領域**(framework region)とよばれる部分に挟まれた領域にHV1, HV2, HV3の三つの**超可変領域**(hypervariable region)が存在することが示された(図24・13a).(免疫グロブリン重鎖配列の比較からも同様の超可変領域の存在が示された.) 免疫グロブリンの

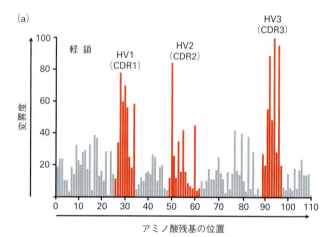

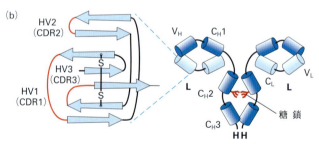

図 24・13 超可変領域と免疫グロブリン折りたたみ構造. (a) アミノ酸の変異度は Ig 軽鎖の残基の位置によって異なる. 異なるアミノ酸をもつ可変領域配列の割合を配列内のそれぞれの残基の位置に対してプロットしてある. 多くの異なるアミノ酸側鎖が存在する位置には高い変動指数を割当てている. 比較配列内で変化しない位置には0を割当てている. この解析によって, 変動度の大きい三つの領域〔超可変領域(HV)1, 2, 3〕が明らかになった. この領域が形成する表面構造は免疫グロブリンが結合する抗原の表面に相補的であるため, これらは相補性決定領域(CDR)ともよばれている. (b) F(ab')₂断片のボリュームレンダリング描写(右)と超可変領域を赤で示した典型的な Ig 軽鎖可変領域(V_L)のリボンモデル(左). 超可変領域はβストランドをつなぐループ内にみられ, 抗原に接触する. βストランド(矢印で示す)は二つのβシートをつくり, 抗体ドメインに類似した折りたたみ構造をもつ骨組領域を構成する. それぞれの可変領域と定常領域は, 免疫グロブリン折りたたみ構造とよばれる特徴的な三次元構造をとることに注意. L: 軽鎖, H: 重鎖, V_H: 重鎖可変領域, V_L: 軽鎖可変領域, C_H1, C_H2, C_H3: 重鎖定常領域, C_L: 軽鎖定常領域.

る. 最も単純なウイルスでも数種類の異なるタンパク質が含まれる. それぞれのタンパク質は, 複数の互いに独立に認識される分子的に異なる特徴を免疫系に提示する. このように, 多くの個々のリンパ球は, 与えられた抗原のそれぞれ異なる部分に応答し, 独立したクローンへと増殖し, それぞれのクローンが独特の構造と独自の結合特性(アフィニティー)をもつ自身の抗原特異的受容体と抗体を産生する. それぞれのリンパ球は, 独自の受容体を発現し, 抗原に応答してクローン増殖する. この多数で独立したB細胞前駆細胞の応答は**ポリクローナル**(polyclonal)とよばれる.

個々のBリンパ球が悪性にクローン増殖したB細胞腫瘍によって, 抗体の多様性が生まれる過程が, はじめて分子レベルで解析された. ここで重要なのは, リンパ球由来の腫瘍が, 1種類の分泌型免疫グロブリンを多量に産生するという観察結果である. そのような腫瘍患者では, 免疫グロブリンの軽鎖が尿中に分泌される. **ベンス-ジョーンズタンパク質**(Bence-Jones protein)とよばれるようになったこれらの軽鎖は, すぐに精製され, 免疫グロブリンの化学的解析の最初の対象になった.

この研究から次の二つの重要な観察が得られた. 1) 同一の生化学的特性の軽鎖を産生する独立のB細胞腫瘍は一つもなく, これら軽鎖の配列がすべて特有で異なること, 2) ある軽鎖と他の軽鎖を区別するアミノ酸配列の違いはランダムに分布するのではなく, **軽鎖の可変領域**(variable region of the light chain: V_L)とよば

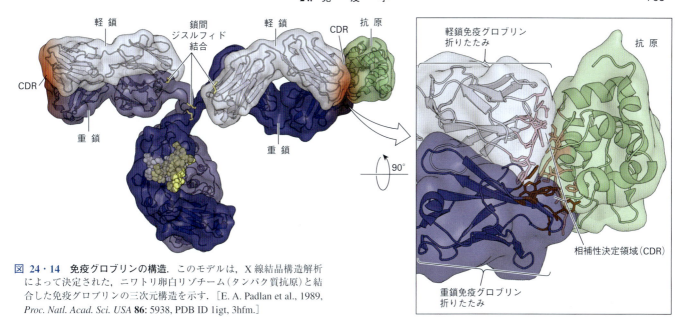

図 24・14 免疫グロブリンの構造. このモデルは，X 線結晶構造解析によって決定された，ニワトリ卵白リゾチーム（タンパク質抗原）と結合した免疫グロブリンの三次元構造を示す．[E. A. Padlan et al., 1989, *Proc. Natl. Acad. Sci. USA* **86**: 5938, PDB ID 1igt, 3hfm.]

適切に折りたたまれた三次元構造では，これら超可変領域は近傍に存在し（図 24・13b，図 24・14），抗原と接触する．このように Ig 分子の超可変領域を含む部分は，抗原結合部位を形成する．この理由から，超可変領域は**相補性決定領域**（complementarity-determining region: **CDR**）ともよばれている．

膨大な多様性をもつ抗体のレパートリー（ゲノムは約 20,000 の独立した遺伝子をコードしていることがわかっているが，異なる抗体分子は百万を超える）を生み出すために必要な情報のすべてを遺伝子（生殖細胞）にコードすることは困難であることから，独自の機構によってこのような多様性ができると考えられた．一般的な抗体の重鎖と軽鎖の大きさを考えると（重鎖と軽鎖の組合わせをコードするには，アイソタイプによって，約 2.5〜3.5 kb の DNA の長さが必要となる），生物がさらされる病原体や外来物質に対して適切に防御するために必要となる多様な抗体分子をコードするためには，生物がもつ DNA のコード能をはるかに超える DNA が必要となる．以下に，独自の機構が働くことで，適切で多様な抗体がつくり出されていることを述べる．

免疫グロブリンドメインは特徴的な折りたたみ構造をもち，ジスルフィド結合によって安定化された二つの β シートから構成される

免疫グロブリン（Ig）の可変領域も定常領域も，免疫グロブリンドメインとよばれる，おもに β シートからなる密集した三次元構造へと折りたたまれる（図 24・13b）．典型的な Ig ドメインは，ジスルフィド結合によって，サンドイッチのように固定された二つの β シート（一つは 3 本の β ストランド，もう一つは 4 本の β ストランドからなる）を含む．内側に面しているアミノ酸残基のほとんどは疎水性であり，このサンドイッチ構造を安定化している．水性環境に面したアミノ酸残基は極性や電荷をもつ側鎖である傾向が強い．ジスルフィド結合をつくっているシステイン残基の間隔および少数の高度に保存されたアミノ酸残基により，**免疫グロブリン折りたたみ構造**（immunoglobulin fold，免疫グロブリンフォールド）とよばれる進化的に古い構造上のモチーフの特徴をもつ．基本的な免疫グロブリン折りたたみ構造は，抗原認識には直接関係しない多くの真核生物のタンパク質中に見いだせる．たとえば，細胞接着分子の Ig スーパーファミリーや Ig CAM がそうである（20 章）．

抗体と接触する抗原上の領域は，**エピトープ**（epitope）とよばれる．免疫グロブリンの，抗原と接触する部位は**パラトープ**（paratope）とよばれる．タンパク質抗原は通常多数のエピトープをもつ．エピトープはタンパク質上の露出しているループ部分や表面であることが多く，それゆえ異なる抗体分子に結合しうる．B 細胞クローン集団から調製された均一な抗体は，抗原上の一つのエピトープを認識する．

抗原上のエピトープに結合した抗体複合体の構造を決定するためには，精製した均一な免疫グロブリンと抗原の試料を手に入れることが重要である（3 章）．解説したように，均一な免疫グロブリンは B 細胞腫瘍から得ることができる．しかし，その場合は抗体が特異的に認識する抗原が何かはわからない．構造解析に適した均一抗体の調製は，特異的な選択培地を用い，ハイブリドーマから抗体を得る技術の開発により飛躍的に前進した．特定の特異性を示す抗体（**モノクローナル抗体** monoclonal antibody）を産生する不死化した細胞株の作出は，細胞生物学者に必須の道具を与えた．モノクローナル抗体は，巨大分子のみならず，薬剤や薬物代謝物，さらには cAMP などのシグナル伝達分子の特異的な検出や定量に広く使用されている．モノクローナル抗体は，タンパク質とその修飾（たとえばリン酸化，ニトロシル化，メチル化，アセチル化など），複雑な炭水化物，（糖）脂質，核酸，およびそれらの修飾を検出できる．それゆえ，研究室での広範な使用のみならず，診断や治療の目的でも利用されている．

現在では，多数のモノクローナル抗体とその特異抗原との複合体の構造について詳しく知ることができる．この相互作用には厳格な規則があるわけではなく，タンパク質と他の分子や巨大分子との分子相補性にみられる通常の規則が適用できる（3 章）．CDR 領域が抗原−抗体の境界面で最も重要である．免疫グロブリン重鎖の V_H の CDR3 や軽鎖の V_L の CDR3 が，特に顕著な役割を担う．

免疫グロブリンの定常領域はその機能特性を決定する

解説したように，抗体はその可変領域で抗原を認識する．抗体の定常領域は，病原体を中和するために適切なエフェクター分子を決定する．

ウイルスや病原体の表面に結合した抗体は，免疫グロブリンのFc部分に特異的な受容体を発現する細胞によって直接認識される．個々の免疫グロブリンのクラスやサブクラスに特異的な**Fc受容体**（Fc receptor: **FcR**）は，構造も機能もかなり多様である．FcRを介して，樹状細胞やマクロファージなどの特別な食細胞は，抗体によって修飾された粒子や細胞と結合したのち，それを取込み，破壊する．標的抗原が結合した抗体によって修飾されたり，補体成分によって共有結合で修飾されたりすることを**オプソニン化**（opsonization）という．FcRを介して，ある種の免疫細胞（たとえば単球やナチュラルキラー細胞など）は，直接，抗体が結合したウイルスなどの抗原を発現している標的細胞と結合することができる．この結合によって，免疫細胞は，有毒な小分子（たとえば酸素ラジカル）やパーフォリンやグランザイムを含む細胞傷害活性をもつ顆粒を放出する．**パーフォリン**（perforin）は，結合した標的細胞の表面に接着し，標的細胞の膜に孔を形成するタンパク質である．この新しく形成された孔により，標的細胞を殺す一連の反応をひき起こすプロテアーゼである**グランザイム**（granzyme）が作用できる（図24・6）．**抗体依存性細胞傷害**（antibody-dependent cell-mediated cytotoxicity: **ADCC**）とよばれるこの過程によって，自然免疫細胞がどのように獲得免疫応答の産物と協調し，利益をもたらしているかがわかる．

免疫グロブリンのアイソタイプに依存して，抗原-抗体（免疫）複合体は，補体の古典的経路を活性化する（図24・5）．IgMとIgG3は特に補体の活性化に優れているが，原理的にはすべてのIgGクラスが補体を活性化できる．一方，IgAやIgEにはこの特性はない．腸で見つかるIgAの大部分は，腸に常在する微生物を中和することで防御機能に貢献している．

24・2 免疫グロブリン：構造と機能　まとめ

- ほとんどの免疫グロブリン（抗体）は，2個の同じ重（H）鎖と2個の同じ軽（L）鎖からなる（H_2L_2）．それぞれの鎖は可変（V）領域と定常（C）領域を含む．プロテアーゼによる切断によって，1価のF(ab)と2価のF(ab')$_2$の断片が生じる．これらの断片には可変領域があり，抗原結合能をもつ（図24・9）．Fc部分は定常領域を含み，補体成分を活性化するあるいは白血球上に発現するFc領域に特異的な受容体に結合する能力を決定する．
- 免疫グロブリンは重鎖の定常領域に基づいてクラスに分けられる（図24・10）．哺乳類には5種類の主要なクラスIgM，IgD，IgG，IgA，IgEがある．対応する重鎖はμ，δ，γ，α，εとよばれる．軽鎖にもまた定常領域の特性が異なる2種類の主要なクラスκとλがある．
- IgMとIgAは高次構造を形成できる．IgMは五量体（同一のH_2L_2が5コピー），IgAは二量体（同一のH_2L_2が2コピー）を形成する．
- 個々のBリンパ球は，独自の配列からなる免疫グロブリンを発現し，その結果，特定の抗原に対して特異性を発揮する．抗原の認識にあたっては，特異的な受容体をもつBリンパ球だけが活性化し，クローン増殖する（クローン選択，図24・12）．
- 抗体の抗原特異性は，超可変領域あるいは相補性決定領域とよばれる配列の非常に多様な可変領域によって決定される（図24・13a）．超可変領域は，可変領域の先端部に位置し，抗原と特異的に結合する．
- 免疫グロブリン分子の繰返し領域は，免疫グロブリン折りたたみ構造とよばれる特徴的な三次元構造をとる．ジスルフィド結合によってサンドイッチ状に固定された2個のβシートからなる（図24・13b）．
- 重鎖の定常領域は抗体に，補体結合能力，上皮を通って運ばれる能力，免疫グロブリンのFc領域に特異的な受容体と結合する能力など，独自の特性とエフェクター機能を付与する．

24・3　抗体多様性の創出とB細胞の分化

病原体は複製時間が短く，遺伝的な構成が多様であり，また，変異により早く進化し，抗原性の変化も激しい．そのため，適切な防御を行うには，同様に多様な応答をとらなければならない．抗体は宿主防御を成功させるために必要な多様性を提供する．抗体が応答する時期や病原体の抗原構造の変化に対応するために必要な調節は，獲得免疫系の構成と制御に，特殊な要求を突きつけている．独特な機構の進化によって，ウイルスや細菌感染に対して，事実上無制限に抗体セットをつくることが可能な多様性（**レパートリー** repertoire）が生まれ，抗体親和性を増すことが可能となっている．B細胞による適切な抗体産生には，T細胞の助けが必要である．以下では，リンパ球の多様性を担う分子機構が基本的に類似している，B細胞とT細胞を解説する．

抗体産生を担うB細胞は，免疫グロブリンの重鎖と軽鎖の合成に必要な遺伝情報を，分離して存在するDNA配列にもつ．そして，免疫グロブリン遺伝子の断片をつなぎ合わせるという独自の機構を利用して，機能的な転写単位をつくる．また，この免疫グロブリン遺伝子断片を精密に連結する組換え機構によって，配列の多様性が劇的に拡大する．抗体の多様性を創出するこの機構は，生殖細胞のみで起こる減数分裂時の組換えともエクソンの選択的スプライシングとも根本的に違う（7章）．この組換えは体細胞で起こり生殖細胞では起こらないので，**体細胞遺伝子再構成**（somatic gene rearrangement）あるいは**体細胞組換え**（somatic recombination）として知られている．BおよびTリンパ球の抗原受容体にのみみられるこの特殊な組換え機構によって，DNAコード領域を最小限に抑えながら，膨大で多様な受容体を特異的にすることが可能になっている．

分離した遺伝子断片を任意に結合する作用（組合わせ多様性）と組換え機構においてコードされる受容体の配列多様性を与える作用によって，宿主がコードする分子や自然界には存在しない化学構造物を含めて事実上無制限の抗原に対して獲得免疫応答することが可能になっている．このように，膨大な多様性を生み出すだけでなく，"自己"の成分に対する不必要な反応を除去するために寛容を誘導する機構が存在する．また，この獲得免疫系の上記

の二つの要素は完璧ではなく，すべての外来物質に対する受容体を産生することはできない．また同様に，われわれが支払う避けがたい代償として，**自己免疫**（autoimmunity）に関係する自己反応性のB細胞受容体およびT細胞受容体を産生する可能性がある．

機能的な軽鎖遺伝子は V遺伝子断片とJ遺伝子断片の連結を必要とする

遺伝子発現の準備ができている連結済みの免疫グロブリン遺伝子は，もともとのゲノム中には存在しない．B細胞分化の過程で必要な遺伝子断片が寄せ集められ連結する．免疫グロブリン遺伝子を含むゲノム領域の構成を図24・15に示す．B細胞では，自身や子孫細胞で十分に機能する連結された免疫グロブリンをコードする遺伝子を産生するために，この領域のDNAを再編成する．B細胞分化の過程では，重鎖遺伝子の組換えのほうが軽鎖遺伝子の組換えより先に起こるが，複合体構成が少ない軽鎖遺伝子から説明する．

免疫グロブリン軽鎖遺伝子は，V遺伝子断片の集団とその下流に存在する1個のC遺伝子断片によって構成される．それぞれのV遺伝子断片は，自身のプロモーター配列をもち，軽鎖可変領域の大部分をコードする．軽鎖可変領域の一部をコードする小さなヌクレオチド配列はV遺伝子断片にはない．この欠けている部分は，組換えの起こっていない（もしくは生殖細胞系列の）κ軽鎖遺伝子座のV遺伝子断片と単一のC遺伝子断片の間に位置する多数のJ断片の一つから与えられる（図24・15a）．このJ断片は遺伝子の一部であり，五量体IgM分子のポリペプチドサブユニットやIgAとの会合にかかわるJ鎖ではない（図24・10）．B細胞分化の過程で，特定のV遺伝子断片を用いるB前駆細胞になると（無作為の過程），選ばれたV遺伝子断片は一つのJ遺伝子断片（これも無作為の選択）の隣に位置することになり，軽鎖可変領域全体をコードする一つのエクソン（V_L）が形成される（図24・15a）．このDNA組換えの現象は，完全に機能的な軽鎖遺伝子を生じさせるだけでなく，そのプロモーターを軽鎖のC遺伝子領域のエクソンの近傍に位置する転写に必要なエンハンサー配列の制御下に近づける働きがある．組換えが生じた軽鎖遺伝子のみ転写され，その後，タンパク質に翻訳される．

組換えシグナル配列　軽鎖と重鎖の遺伝子座の詳細なDNA配列の解析から，それぞれのV遺伝子断片の3′末端に保存された配列があることが明らかとなった．この保存された配列は，**組換えシグナル配列**（recombination signal sequence: **RSS**）とよばれ，23塩基対のスペーサーによって分離された7塩基対（ヘプタマー）と9塩基対（ノナマー）からなる特殊な塩基配列から構成される．各J遺伝子断片の5′末端には，類似した保存性の高い12塩基対のスペーサーを含むRSSが存在する（図24・16）．12塩基対と23塩基対のスペーサーは，保存されたヘプタマーやノナマー配列と，それぞれDNAらせん1回転および2回転分離れている．

体細胞組換えは，リンパ球のみで発現するRAG1とRAG2の2種類の組換え酵素によって触媒される．それゆえ，この再編成は体内の他の細胞では起こらない．RAG1とRAG2複合体によって，二つの遺伝子断片が隣接して安定化する（図24・17）．RAG1-RAG2複合体の構造はRSSを並べて配置し，適切に免疫グロブリン遺伝子断片が共有結合できるように，間にあるDNAを共有結合により閉環した環状DNA分子として遊離させる．

RAGタンパク質合成が欠損すると体細胞遺伝子組換えの可能性は失われる．次に説明するように，再編成過程はB細胞の分化に必須である．RAGの欠損によってB細胞は全くできなくなる．そのため，RAG遺伝子機能に欠陥のあるヒトは，重篤な免疫不全に陥る．マウスでRAG遺伝子を欠失させると，同様に免疫グロブリン（とT細胞受容体）遺伝子の再編成が完全に欠損するので，BおよびTリンパ球の分化が阻害される．■

不正確な連結　V遺伝子断片やJ遺伝子断片の無作為な選択に加えて，組換えの過程でつくり出される中間生成物のプロセシングによって，免疫グロブリンの配列の変化が拡大する．このさらなる多様性は，V遺伝子断片とJ遺伝子断片における連結の不正確性，すなわち，V-J断片の連結部位において，どちらかの末端で塩基が無作為に挿入あるいは欠失することによって生じる．V遺伝子断片とJ遺伝子断片が結合するときは，VJ産物の配列と読み枠は予測不能となる．3回に1回の割合で読み枠が一致して，軽鎖が合成される．

それゆえ，軽鎖の多様性は，V遺伝子断片とJ遺伝子断片の組合わせに加えて，連結による不正確さによっても生じる．軽鎖の三次元構造の詳細な解析から，連結による不正確さの結果生じる高度に多様化した連結部は，超可変領域3（HV3）のループをとること，その部分が抗原結合部位となり抗原に接触することが示された（図24・13b）．

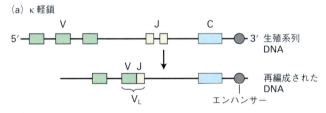
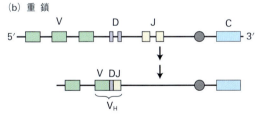

図24・15　免疫グロブリンDNAの体細胞組換えの概要．B細胞を生み出す幹細胞は，免疫グロブリン重鎖と軽鎖の部分をコードする多数の遺伝子断片をもつ．B細胞分化の過程で，これら遺伝子断片の体細胞組換えが起こり，機能的な軽鎖遺伝子(a)と重鎖遺伝子(b)ができる．V遺伝子断片のそれぞれは，自身のプロモーターをもっている．組換えの結果，エンハンサーが免疫グロブリン遺伝子座に連結もしくは含有することで，結合した配列の転写が活性化する．軽鎖可変領域(V_L)は二つの結合した遺伝子断片によってコードされる．重鎖可変領域(V_H)は結合した三つの遺伝子断片にコードされる．免疫グロブリンをコードする染色体領域は，図示したよりも多くのV，D，J遺伝子断片を含むことに注意．加えて，κ軽鎖遺伝子座には一つの定常領域(C)遺伝子断片しか存在しないが，重鎖遺伝子座では，免疫グロブリンアイソタイプをコードする複数の異なるC遺伝子断片が存在する(図示していない，後述)．

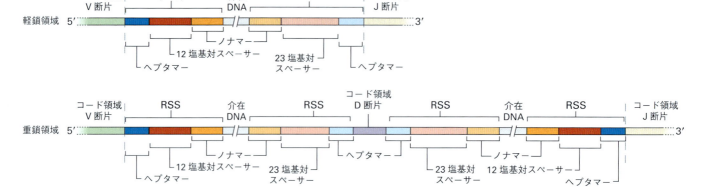

図 24・16 免疫グロブリン遺伝子座における V(D)J 組換えに関与する DNA 断片．免疫グロブリン軽鎖（上）および重鎖（下）の概要．免疫グロブリン遺伝子座の 3′ 末端において，各免疫グロブリン可変 (V) 領域をコードする配列は，組換えシグナル配列 (RSS) と隣接している．RSS は，12 塩基対のスペーサーによって隔てられた保存されたヘプタマー (7 塩基対) と保存されたノナマー (9 塩基対) から構成される．組換えには，この遺伝子断片が RSS をもった第二の遺伝子断片と並置されることが必要である．第二の遺伝子断片がもつ RSS は，第一の遺伝子断片の RSS に相補的でかつ逆向きのヘプタマーとノナマーの配列をもっている．第二の RSS では，スペーサーは 23 塩基対の可変領域配列である．軽鎖の遺伝子座では，V 遺伝子断片と J 遺伝子断片に隣接する RSS は介在 DNA により分断されている．組換えは異なる長さのスペーサーを含む RSS からなる配列間でのみ起こりうる（12/23 塩基スペーサールール）．重鎖の遺伝子座は，組換えを起こす三つの遺伝子断片により構成されている．重鎖の V 遺伝子断片は 3′ 末端に RSS があり，D 遺伝子断片は 3′ 末端と 5′ 末端の両方に RSS があり，J 遺伝子断片は 5′ 末端に RSS がある．免疫グロブリン重鎖遺伝子断片の D-J，V-DJ で組換えが可能になるが，V-J の直接組換えは，12/23 塩基スペーサールールに当てはまらないので起こらない．

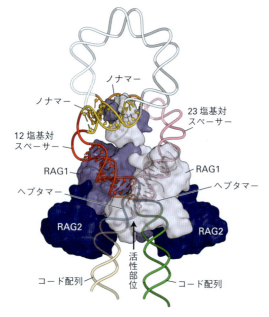

図 24・17 **RAG1-RAG2 の構造**．RAG1 および RAG2 タンパク質（薄紫，濃紫）は組換えのために免疫グロブリン遺伝子の断片に結合する．RAG1-RAG2 複合体は，12 塩基対と 23 塩基対スペーサー配列に位置して，RSS 中のコード配列とヘプタマー配列の境界で切断する．[M. S. Kim et al., 2015, *Nature* **518**: 507, PDB ID 4wwx; F. F. Yin et al., 2009, *Nat. Struct. Mol. Biol.* **16**: 499, PDB ID 3gna.]

重鎖遺伝子座の再編成は，V, D, J 遺伝子断片を必要とする

重鎖遺伝子座の構成は，κ 軽鎖遺伝子座よりずっと複雑である．重鎖遺伝子座は，直列に並んだ多数の V 遺伝子断片（それぞれが独自のプロモーターをもつ）と J 遺伝子断片のみならず，さらに多数の D 遺伝子（多様性 diversity を意味する）断片をもつ（図 24・15b）．V, D, J 遺伝子断片の体細胞組換えによって，重鎖可変領域 (V_H) をコードする再編成された配列がつくられる．

重鎖 DNA のそれぞれの V 遺伝子断片の 3′ 末端には，軽鎖 DNA の組換えシグナル配列 (RSS) と同様に，保存されたヘプタマーとノナマーがスペーサー DNA によって分断されて存在する．これら RSS は，それぞれの D 遺伝子断片の 5′ 末端と 3′ 末端にも相補的，そして逆平行の構造で見いだされる（図 24・16）．J 遺伝子断片にもその 5′ 末端に同様に，必須の RSS が備わっている．これら RSS に存在するスペーサーの長さは，D 遺伝子断片が J 遺伝子断片に結合できるように，そして V 遺伝子断片がすでに再編成済の DJ 遺伝子断片に結合できるように調節されている．しかし，V 遺伝子断片が直接 J 遺伝子断片に結合したり，D 遺伝子断片が D 遺伝子断片に結合することは，12/23 塩基スペーサールール（組換えは，異なる長さのスペーサーの RSS をもつ配列間でのみ起こる）の観点から許されていない．重鎖の再編成は，上で述べた軽鎖再編成と同じしくみで進行する．

B 細胞分化の過程で，重鎖遺伝子座がいつも最初に D-J 再編成を開始することで再編成する．D-J 再編成に続いて V-D-J 再編成が起こる．D-J および V-D-J 再編成の過程で，**ターミナルデオキシヌクレオチジルトランスフェラーゼ** (terminal deoxynucleotidyl-transferase: TdT) とよばれる酵素が鋳型非依存的方法で，DNA の遊離 3′-OH 末端にヌクレオチドを付加する．D-J および V-D-J 再編成が起こるたびに，**N 領域** (N region, N ヌクレオチド N-nucleotide) とよばれる 12 塩基程度のヌクレオチドが，結合部位に付加され，さらに配列多様性をつくり出す（図 24・18, 段階 **7**）．軽鎖遺伝子を形成する再編成でも同様に，3 回の再編成のうち 1 回のみ，再編成された VDJ 配列において適切な読み枠をつくる．もし再編成が機能するタンパク質をコードする配列をつくった場合，"生産的 (productive)" とよばれる．重鎖遺伝子座は，二つの相同染色体上に存在するが，次に解説するように，一つの生産的再編成しか許されていない．

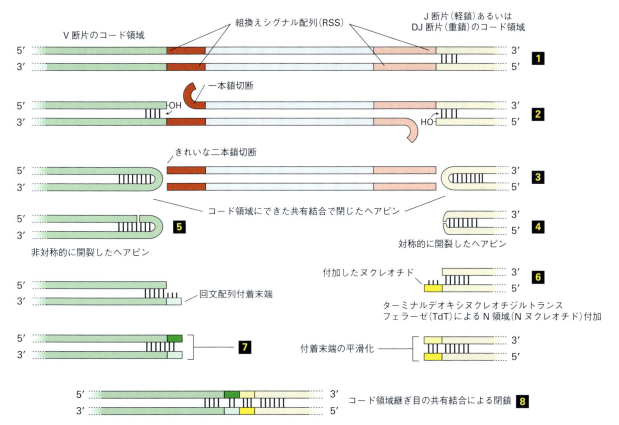

図 24・18 段階的な V(D)J 遺伝子組換え．段階**1**：組換えられる免疫グロブリン遺伝子断片の模式図．組換えを起こす免疫グロブリン遺伝子断片には組換えシグナル配列（RSS）が存在する．V 遺伝子断片は 3′ 末端に，J 遺伝子断片（軽鎖）および組換えを起こした DJ 遺伝子断片（重鎖）は 5′ 末端に RSS が存在する．段階**2**：RAG1/RAG2 組換え酵素は一本鎖 DNA を切断し，遊離した 3′-ヒドロキシ基（OH）を生成する．段階**3**：ヒドロキシ基はもう一方の DNA 鎖に作用して，共有結合で閉じたヘアピン構造を生成する．RSS を含む介在 DNA は，RSS との境界で正確に切り離され，共有結合で閉じた環状 DNA が遊離する（環状化は図示していない）．組換えを起こす遺伝子断片は RAG1/RAG2 組換え酵素とその結合タンパク質により近接して保持される．段階**4**：コード配列の末端で共有結合により閉じたヘアピン構造は，対称的（左）もしくは非対称的に（右）開環される（段階**5**）．もし，非対称に開環される場合（左）は，対をなさない塩基がヌクレアーゼによって除かれて"平滑"末端となるか（図示していない），短い回文配列となって欠失していた塩基が埋められて，平滑化する（段階**7**）．実際に結合する部位に塩基が付加されることで，組換え産物の多様性が増す．このとき付加される塩基は回文構造をもつことから**P ヌクレオチド**（P nucleotide）とよばれる．ヘアピン構造が対称的に開環された場合（段階**4**，右）も，ターミナルデオキシヌクレオチジルトランスフェラーゼ（TdT）という酵素が，鋳型とは無関係に，ヌクレオチドを遊離した 3′-ヒドロキシ基に無作為に付加し，結合部位における配列の多様性が増す（段階**6**）．TdT 活性の標的は，免疫グロブリン重鎖の V, D, J 遺伝子断片に限られている．コード配列の末端が平滑化されると（段階**7**），コード配列の末端は非相同性末端結合により連結される．

J 遺伝子断片の集団の下流，かつ，定常領域遺伝子断片の上流に存在するエンハンサーが，再編成した VDJ 配列の 5′ 末端に位置するプロモーターからの転写を活性化する（図 24・15）．再編成した重鎖遺伝子からの一次転写産物はスプライシングされ，μ 重鎖をコードする機能的な mRNA ができる．免疫グロブリン重鎖と軽鎖の両遺伝子ともに，体細胞組換えによって，それらの V 遺伝子断片の上流に位置するプロモーターは，転写に必須のエンハンサーが機能できる範囲におかれる．その結果，生殖系列の構造を残した V 遺伝子断片ではなく，再編成された VJ および VDJ 配列のみ転写される．

体細胞超変異はより高い親和性の抗体の産生と選択を可能にする

体細胞組換えと不正確な連結に加えて，抗原によって活性化された B 細胞では**体細胞超変異**（somatic hypermutation）とよばれる付加的な多様性産生過程が起こる．多くの場合 T 細胞からであるが，B 細胞が抗原にさらされ適切なシグナルを受取ると，活性化誘導シチジン脱アミノ酵素（activation-induced cytidine deaminase: AID）の発現がはじまる．この酵素は，C 残基を脱アミノして U に変換する．この損傷をもつ B 細胞が DNA を複製すると，相補鎖上では G が A に置き換わり，G から A への転移となる（図 5・14 参照）．あるいは，U は DNA グリコシラーゼによって取除かれて，塩基がない部位（abasic site）となる．これら塩基のない部位は，コピーされるとき，相補的 DNA 鎖において A, G, C となる．すなわち，G-C 塩基対が体細胞超変異により T-A, A-T, G-C 塩基対に置き換わる．このように連続して B 細胞が分裂するたびに変異は蓄積し，再編成した VJ および VDJ 遺伝子断片に多くの変異が生じる．ヌクレオチド除去修復によって生じたギャップを DNA ポリメラーゼで補充する際のまちがいも，体細胞超変異に貢献する．

体細胞超変異の過程は，リンパ球が**胚中心**（germinal center）として知られる特別で微小な解剖学的構造に存在するときに生じる．免疫されると二次リンパ器官の沪胞内に発生するこの構造は，

迅速に増殖しかつ体細胞超変異を起こしている数千のB細胞集団から構成される．胚中心は，B細胞に加えて，B細胞によって回収される抗原に対する倉庫の役割を果たす細胞である濾胞樹状細胞と，B細胞を制御する選択的なシグナルを提供することに特化した少数のヘルパーT細胞を含む．AIDによって誘導される体細胞超変異の多くは，抗原に対する抗体の親和性を低下させるが，一部の変異はコードする抗体の抗原への親和性を改善する場合がある．ダーウィン的進化と類似の過程として，親和性を高める変異をもつ免疫グロブリンを細胞表面に発現するB細胞は，濾胞樹状細胞からの抗原を獲得できるので選択的に優位となり，その結果，胚中心に存在する限られた数のヘルパーT細胞からのシグナル獲得競争に勝利する（§24・6でさらに詳述する）．このシグナルは，標的抗原に対する高親和性抗体を細胞表面にもつB細胞クローンの増殖と選択を惹起する．これは，さらなる増殖と変異を惹起し，抗体を分泌する形質細胞や記憶B細胞への分化を誘導する．その結果，多くの場合，抗原に対して高親和性を示す抗体を産生するB細胞集団が生まれる．

免疫応答や繰返し免疫の過程を通じて，体細胞超変異とクローン選択の結果，獲得免疫応答は**親和性成熟**（affinity maturation）を示す．親和性成熟とは，抗原に対する抗体の親和性が，抗原曝露後の時間経過とともに増加することをいう．体細胞超変異の獲得免疫応答に続いて産生される抗体は，ナノモル（あるいはそれ以下）濃度範囲の抗原に対する親和性を示す．理由はよくわからないが，再編成された免疫グロブリン遺伝子座の染色体構造に関係して，再編成されたVJ遺伝子断片とVDJ遺伝子断片に集中してAIDの活性化が起こり，この標的化には転写活性を必要とするようだ．体細胞超変異の全過程は，厳密に抗原依存的であり，B細胞とある種のT細胞との相互作用を必ず必要とする．

B細胞分化はプレB細胞受容体からの入力情報を必要とする

抗体をつくる運命にあるB細胞は，機能する重鎖と軽鎖遺伝子を組立てるために必要な遺伝子断片を再編成しなければならない．これらの再編成は，B細胞の発生を通じて，重鎖の再編成からはじまり，注意深く順序立てて連続的に起こる．さらに，前述のように，再編成した重鎖はC末端付近に細胞膜貫通領域を含む（図24・19，図24・20）．この膜結合型受容体は，その後に続く軽鎖遺伝子の再編成を許可することによって，B細胞分化（と抗体合成）に必要な細胞の運命決定を行う．インフレームのVDJ組換えを生じる生産的な再編成だけが，完全なµ重鎖をつくる．これらµ鎖の産生は，再編成が無事に完了したこと，さらに，残った対立遺伝子の重鎖領域に再編成が起こらないことを，B細胞に伝えるシグナルの役目を果たす．どのリンパ球前駆細胞も生殖系列と同じ2本の免疫グロブリン領域（再編成していない）を保有する染色体をもっていることを思い出してほしい．どのリンパ球も1種類の抗原受容体を発現すると規定するクローン選択説に従うと，もしひき続いて再編成が起こってしまった場合，異なる特異性をもつ2種類の重鎖をもつB細胞を生むという，望ましくない結果が生じる．

重鎖遺伝子座のV, D, J遺伝子断片の再編成が成功すると，µ鎖の合成が許可される．この分化段階のB細胞は，**プレB細胞**（pre-B cell）とよばれる．なぜなら，この細胞は機能的な軽鎖遺伝子の組立てがまだ完全でなく，抗原認識に関与できないからである．他の膜貫通タンパク質と同様に（13章），µ鎖は小胞体で合成され，膜結合型のシグナル伝達受容体の一部になる．その発現は整然と進行するB細胞の分化に必須である．

プレB細胞では，新しく合成されたµ鎖は，代替軽鎖とよばれるλ5とVpreBの二つのサブユニットと複合体を形成する（図24・19）．µ鎖自身はC末端の細胞質領域が非常に短い（3アミノ酸）ので，シグナル伝達の目的で細胞質成分を集めることはできない．代わりに，プレB細胞は，細胞質部分に免疫受容体活性化チロシンモチーフ（immunoreceptor tyrosine-based activation motif: ITAM）をもつ**Igα**と**Igβ**とよばれる2種類の補助的な膜タンパ

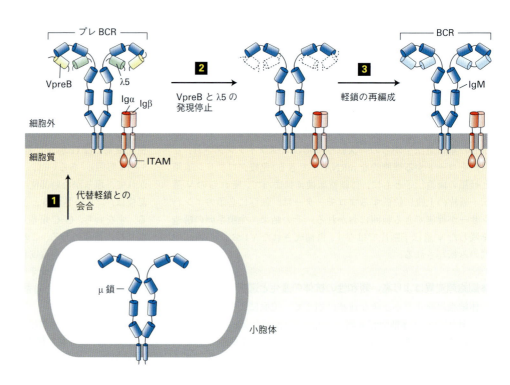

図24・19 プレB細胞受容体の構造とB細胞分化における役割．V, D, J重鎖遺伝子断片の再編成が成功すると，膜結合型µ重鎖がプレB細胞の小胞体で合成される．この段階で軽鎖遺伝子の再編成は起こらない．新しくつくられたµ鎖は，λ5とVpreBからなる代替軽鎖とIgα/Igβと会合し，プレB細胞受容体（プレBCR）をつくる（段階1）．この受容体はプレB細胞の増殖を促進する．また，もう一方の染色体上の重鎖遺伝子座の再編成を抑制し，対立遺伝子排除を仲介する．増殖の過程で，λ5とVpreBの合成は停止し（段階2），使用可能な代替軽鎖は"希釈"され，プレBCRは減少する．結果として，軽鎖遺伝子領域の再編成が進行する（段階3）．もしこの再編成が生産的ならば，B細胞は軽鎖を合成し，膜結合型IgMとIgαおよびIgβからなるB細胞受容体（BCR）の会合は完了する．こうしてできたB細胞は，抗原特異的な刺激に応答する．

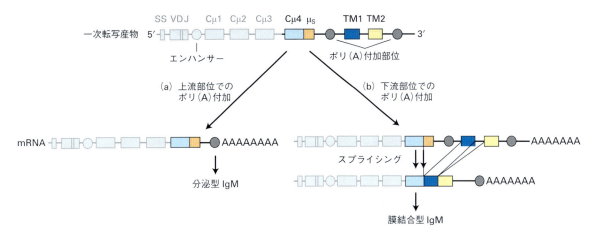

図 24・20 分泌型および膜結合型 IgM の合成. μ 重鎖の一次転写産物の構造を上段に示してある. Cμ4 は 4 番目の μ 定常領域をコードするエクソンである. μ_S は分泌型 IgM に特徴的なコード配列である. TM1 と TM2 は μ 鎖の膜貫通領域を特徴づけるエクソンである. 分泌型がつくられるかそれとも膜結合型がつくられるかは, 一次転写産物のプロセシング段階で, どちらのポリ(A)付加部位が選ばれるかに依存する. (a) 上流のポリ(A)付加部位が使われるなら, できる mRNA は Cμ4 エクソン全体を含み, 分泌型 μ 鎖をつくり出す. (b) 下流のポリ(A)付加部位が使われるなら, Cμ4 エクソン内のスプライス供与部位が膜貫通エクソンとスプライシングし, 膜結合型 μ 鎖をコードする mRNA を産生する. 同様の機構によって, 他の Ig アイソタイプも分泌型および膜結合型がつくられる. SS はシグナル配列を示す.

ク質を発現する. μ 鎖, λ5, VpreB, Igα と Igβ を含む複合体全体で**プレ B 細胞受容体**(pre-B-cell receptor, プレ BCR)を構成する. (未知の)適切なシグナルによりこの受容体が会合すると, Src-チロシンキナーゼファミリーが集められ, 活性化され, ITAM のチロシン残基のリン酸化が起こる. ITAM はリン酸化されると, シグナル伝達に必須の他の分子を呼び寄せる(下記参照). 抗原結合部位は重鎖と軽鎖の両方が貢献するため, 機能的でない軽鎖がまだ一部を占めるこの受容体は抗原認識できないと推定されている(図 24・14, 重鎖のみの抗体を産生するラクダ類を除く).

プレ B 細胞受容体は, いくつかの重要な機能をもっている. 第一に, RAG 組換え酵素の発現を停止する. その結果, もう一方の対立遺伝子の重鎖遺伝子座では再編成は起こらない. **対立遺伝子排除**(allelic exclusion)とよばれるこの現象によって, 重鎖遺伝子座の利用可能な 2 コピーのうち一つだけが再編成され, 完全な μ 鎖が発現することが保証される. 第二に, プレ B 細胞受容体が Igα と Igβ と結合することで, この受容体は機能的なシグナル伝達単位となる. プレ B 細胞受容体によるシグナルによってプレ B 細胞の増殖は開始し, 生産的な D-J および V-D-J 組換えを経験済みの B 細胞の数が増える.

この増殖の過程で, 代替軽鎖サブユニット VpreB と λ5 の発現はなくなる. 連続する細胞分裂によって VpreB と λ5 がしだいに希釈されると, 小胞体中の十分に会合したプレ B 細胞受容体が不足する. その結果, 重鎖は分解され(13 章, 14 章), プレ B 細胞受容体シグナルの量は低下する. このシグナルが低下すると, RAG 酵素の発現が再開し, κ あるいは λ 軽鎖遺伝子座が組換えの標的となる. 軽鎖 V-J 再編成によって完全な軽鎖が産生するようになった場合も対立遺伝子座の再編成は停止する(対立遺伝子排除). V-J 軽鎖の再編成がうまく進むと, B 細胞は μ 重鎖と κ あるいは λ 軽鎖をもつことになり, 機能的な **B 細胞受容体**(B-cell receptor: **BCR**)を構築し, 抗原を認識できる(図 24・19).

B 細胞が完全な BCR をいったんその細胞表面に発現すると, BCR は抗原を認識できるようになり, その後の B 細胞活性化や分化のすべての段階に, BCR に特異的である抗原の認識がかかわることになる. BCR は抗原とうまく出会って, B 細胞の増殖を促進するだけでなく, 受容体依存性エンドサイトーシスの装置の一部としても機能する. エンドサイトーシスはとらえた抗原を加工し, T 細胞の助けをよぶシグナルに変換する重要な過程である. 消化する装置としても機能する. B 細胞のこの抗原提示機能はあとの節で説明する.

獲得免疫応答を通して, B 細胞は膜結合型 Ig 産生から分泌型 Ig 産生へと切替える

これまで述べたように, 膜結合型 IgM である B 細胞受容体は, B 細胞に特定の抗原を認識する能力を付与する. B 細胞と抗原との結合は B 細胞のクローン選択と増殖の引金となり, 抗原特異的な B 細胞の数が増加する(図 24・12). しかし, 抗原を中和したり細菌を殺傷するなどの免疫グロブリンの重要な機能のためには, 免疫グロブリンが B 細胞から放出されることが必要である. 免疫グロブリンは細胞外の環境に蓄積し, 産生された場所から離れたところで働くことができる.

膜結合型の合成か分泌型の合成かの選択は, 重鎖の一次転写産物のプロセシングの過程で決定される. 図 24・20 に示すように, μ 遺伝子領域は, 細胞膜を貫通して IgM を細胞膜につなぎとめる C 末端ドメインをコードする二つのエクソン(TM1 と TM2)を含む. 一つ目のポリ(A)付加部位はこれらエクソンの上流に見いだされる. 2 番目のポリ(A)付加部位は下流に存在する. 下流のポリ(A)付加部位が選ばれると, 膜結合型の μ 鎖をコードする mRNA が産生する. 上で説明したように, この選択は, 膜結合型 IgM を含む B 細胞受容体の形成に必要である. もし上流のポリ(A)付加部位が選択されると, 分泌型の μ 鎖が産生する. 同様の構成は他の Ig 定常領域遺伝子断片(γ, α, ε)でも見いだされ, それぞれのポリ(A)付加部位によって膜結合型あるいは分泌型の重鎖が決まる. ポリ(A)付加部位の切替えを利用した(選択的スプライシングではない), 免疫グロブリン重鎖の膜結合型から分泌型への切替え能力は, これまでのところこの遺伝子産物ファミリー

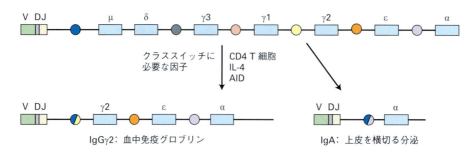

図 24・21 免疫グロブリン重鎖遺伝子座のクラススイッチ組換え．クラススイッチ組換えは，それぞれの重鎖定常領域遺伝子の上流にある反復配列（色丸）であるスイッチ部位を必要とする．クラススイッチ組換えには，活性化誘導シチジン脱アミノ酵素（AID）や，ある種のヘルパーT細胞が産生するサイトカイン（たとえばIL-4）が必要である．クラススイッチ組換えによって，μエクソン上流のスイッチ部位と定常領域上流のスイッチ部位間のDNA断片は除去される．クラススイッチによって，当初の反応を開始したB細胞のIgMと同じ抗原特異性をもつ抗体分子がつくられるが，その重鎖定常領域が異なることで，エフェクター機能は異なる．

に特徴的である．

B細胞の分化の過程で，B細胞は，膜結合型免疫グロブリンの合成から分泌型免疫グロブリンの合成へと切替える能力を獲得する．**形質細胞**（plasma cell，プラズマ細胞）とよばれる最終分化したB細胞は，分泌型抗体の合成のみ行う（図24・7）．形質細胞は，1秒間に何千もの抗体分子を合成し分泌する．この急激な分泌型抗体の産生は，病原体を排除し同じ病原体の再感染に対する防御における獲得免疫応答の効率のよさの根底をなしている．抗体による保護能力は，循環して存在する抗体の濃度に比例する．事実，循環する抗体量は，しばしば特別な病原体に対するワクチン接種が成功したか否かの重要な指標として使われる．多量の免疫グロブリンを分泌する形質細胞の能力のためには，形質細胞の特徴である小胞体の著しい増大が必要となる．B細胞では，折りたたまれないタンパク質応答（13章）が必須の生理機構として始動し，将来活発な分泌細胞として働くために，小胞体は増大しB細胞分化が準備される．折りたたまれないタンパク質応答を阻害すると，B細胞から形質細胞への分化能力は失われる．

B細胞は免疫グロブリンのアイソタイプを切替えられる

免疫グロブリン重鎖遺伝子座では，μ鎖の定常領域をコードするエクソンは，再編成されたVDJエクソンのすぐ下流に位置する（図24・21 上）．この下流にはδ鎖の定常領域をつくるエクソンが存在する．新たに再編成された免疫グロブリン重鎖遺伝子座の転写によって，μとδ定常領域の両方を含む単一の一次転写産物が産生される．この大きな転写産物のスプライシングが，μ鎖をつくるかそれともδ鎖をつくるかを決定する．μとδエクソンの下流には，他の重鎖アイソタイプの定常領域のすべてをコードする複数のエクソンが存在する．異なるアイソタイプをコードするそれぞれのエクソンの上流には（δ遺伝子領域は例外），その特性から組換えを起こしやすい繰返し配列（スイッチ部位）が存在する．どのB細胞も必ず細胞表面IgMからはじまるので，この部位が関与する組換えが起こる場合は，IgMの**クラススイッチ**（class switch）からはじまり，下流に一続きに並んだ定常領域遺伝子である他のアイソタイプへ切替わる（図24・21）．介在するDNAは欠失する．

分化の過程で，B細胞は連続的にクラススイッチできる．重要なことに，軽鎖はこの過程で影響を受けないし，このB細胞分化経路の開始時に再編成されたVDJ遺伝子断片も影響されない．このようにクラススイッチ組換えは異なる定常領域からなる抗体を産生するが，可変領域は変化しないので抗原特異性は同一である．それぞれの免疫グロブリンアイソタイプは，その独自の定常領域によって特徴づけられる．すでに説明したように，これら定常領域は，多様なアイソタイプの機能的な特徴を決定する．クラススイッチ組換えは，AIDの活性，さらに抗原およびヘルパーT細胞の存在に依存する．体細胞超変異とクラススイッチ組換えは同時に起こり，その組合わせの効果によって，産生される抗体の親和力と使用されるエフェクター機能に関して，獲得免疫応答の微細な調整がなされる．

24・3 抗体多様性の創出とB細胞の分化　まとめ

- 機能的抗体をコードする遺伝子は，重鎖と軽鎖遺伝子座に存在する多数のDNA断片の体細胞組換えによってつくり出される．免疫グロブリン軽鎖にはV遺伝子断片とJ遺伝子断片，そして免疫グロブリン重鎖にはV, D, J遺伝子断片の再編成が必要である（図24・15）．
- 免疫グロブリン遺伝子断片の再編成は，12塩基対あるいは23塩基対のスペーサーによって分離された7塩基対（ヘプタマー）と9塩基対（ノナマー）からなる保存された組換えシグナル配列（RSS）によって制御されている（図24・16）．異なる長さのスペーサーをもつこれら遺伝子断片だけが再編成できる．結合する二つの断片は12塩基対あるいは23塩基対のスペーサーをもたなければならず，同じ長さの二つでは再編成は起こらない．
- 再編成過程を実行する分子機構には，リンパ球のみでつくられるタンパク質（RAG1とRAG2組換え酵素）が含まれる．
- 抗体の多様性は，Ig遺伝子断片の無作為な選択による再結合と，再編成Ig遺伝子から生じる重鎖と軽鎖がそれぞれ異なる軽鎖や重鎖と会合することで創出される．
- 連結による不正確さによって，体細胞組換えの過程で，遺伝子断片の結合部において，さらに抗体の多様性がつくられる．
- B細胞が抗原に出会うと，さらなる抗体多様性が生じる．体細胞超変異の結果，親和性成熟とよばれる高親和性の抗体を産生するB細胞の選択と，増殖が起こる．

- B 細胞分化の過程で，重鎖遺伝子がまず再編成し，プレ B 細胞受容体の発現に至る．ひき続き起こる軽鎖遺伝子の再編成の結果，IgM 膜結合型 B 細胞受容体の会合が生じる（図 24・19）．
- 重鎖遺伝子も軽鎖遺伝子も二つある対立遺伝子のうち片方のみが再編成する（対立遺伝子排除）．その結果，B 細胞は単一の抗原特異性をもった Ig を発現することが保証される．
- Ig 一次転写産物の異なるポリ(A)付加部位でのポリ(A)付加によって，産生される抗体が膜結合型であるか分泌型であるかが決まる（図 24・20）．
- 免疫応答の過程でクラススイッチが起こり，B 細胞から産生される免疫グロブリンは，その抗原特異性を保持したまま，クラスとエフェクター機能が調整される（図 24・21）．

24・4 MHC と抗原提示

抗体は，他の分子の関与なくして標的抗原に結合できる．抗原と抗体の存在だけでこの相互作用は十分である．B 細胞は，その分化の過程で T 細胞から必要不可欠な助けをシグナルにより受取る．この過程は以下で詳しく解説する．文字通り **T 細胞の助け**（T-cell help）とよばれるこの過程は抗原特異的であり，これを実行する T 細胞は**ヘルパー T 細胞**（helper T cell）である．抗体は，細菌性およびウイルス性病原体の排除に貢献するが，新しいウイルス粒子の源として機能する感染した宿主細胞を壊すこともしばしば必要となる．この仕事は**細胞傷害性 T 細胞**（cytotoxic T cell, cytotoxic T lymphocyte: CTL，キラー T 細胞ともいう）によって実行される．

ヘルパー T 細胞も細胞傷害性 T 細胞も，抗原特異的 T 細胞受容体を用いる（§24・5）．これらの遺伝子は，B 細胞が免疫グロブリン遺伝子をつくる場合と類似の機構（遺伝子再編成を含む）でつくられる．しかし，T 細胞の抗原認識の方法は，B 細胞の場合とは非常に異なっている．T 細胞上の抗原特異的受容体はタンパク質抗原の短い断片を認識するが，それはペプチド断片が**抗原提示細胞**（antigen-presenting cell）の外表面上の糖タンパク質複合体に非共有結合で結合しているときだけである．重要なことに，個々の T 細胞は表面上に 1 種類の T 細胞受容体を大量に発現しており，異なる種類の T 細胞受容体は，抗原提示細胞上の糖タンパク質複合体に結合した異なるペプチドと結合する．

抗原断片を提示する膜糖タンパク質複合体は，**主要組織適合遺伝子複合体**（major histocompatibility complex: **MHC**）とよばれるゲノム DNA 領域にコードされている．詳しく後述するが，さまざまな抗原提示細胞は，その正常な活性の過程で，病原体由来（そして自身の）タンパク質を消化し，その後，細胞表面に，これらのタンパク質断片（通常は小さいペプチド）と MHC タンパク質との複合体を"提示する"．T 細胞はこれら複合体を点検することができる．MHC 分子に結合している病原体由来ペプチドを検出すると，T 細胞は MHC-ペプチド複合体を運ぶ細胞を殺傷するなど適切な行動をとる．本節では，MHC とそれらがコードするタンパク質について説明し，これら MHC 分子がいかに T 細胞による抗原提示と抗原認識に関与するかを解説する．

MHC は同種の血縁関係にない 2 個体間の移植を受容するか拒絶するかの能力を決める

MHC は，その名前が意味するように，移植を受容するか拒否するかを制御する遺伝子座として発見された．まだ組織培養の技術が未発達で，研究室で腫瘍由来の細胞株を増やすことができなかった時代，研究者は個体（in vivo）を用いた腫瘍組織の継代に頼っていた（すなわち腫瘍をマウスからマウスへ移植した）．ある近交系のマウスに自然に生じた腫瘍は，同じ系統で首尾よく増やすことができるが，一般的に遺伝的に異なる系統では増えない事実が観察されていた．遺伝学的解析によって，レシピエントマウスの単一の主要な遺伝子座がこのふるまいの原因であることが示された．同様に，健康な皮膚の移植は同系のマウスには実現可能だが，レシピエントの遺伝的背景が異なる場合は不可能であることが示された．移植拒絶の遺伝学的解析もまた，受容と拒絶という免疫応答を制御する単一遺伝子座（腫瘍拒絶の原因と同一）を同定した．この遺伝子座は，この領域に複数の遺伝子が存在することを反映して MHC という名称に拡張されたのである．現在，獲得免疫系をもつすべての脊椎動物は，最初にマウスで定義された MHC に相当する遺伝子領域をもっていることがわかっている．

マウスでは，移植拒絶の原因となる遺伝子領域は，**H-2 複合体**（H-2 complex）とよばれる（図 24・22a）．ヒトでは，MHC をコードする遺伝子領域は免疫応答を刺激する複数回の輸血を受けた患者の研究を通じて明らかにされた．ヒト MHC 領域は **HLA 複合体**（HLA complex）とよばれる（図 24・22b）．典型的な哺乳類の MHC は何十もの遺伝子を含み，多くは免疫に関与するタンパク質をコードするが，図にはすべてを示していない．すべての脊椎動物の MHC は，構造や遺伝子の詳細はニワトリやマウスやヒトなど種間でかなりの変化はあるものの，高度に類似した一群のタ

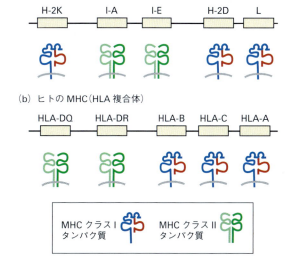

図 24・22 マウスとヒトの主要組織適合遺伝子複合体の構成．主要な遺伝子座を，その下にそれらがコードするタンパク質の概略図とともに描いてある．MHC クラス I タンパク質は，MHC がコードする 1 回膜貫通糖タンパク質と β2 ミクログロブリンとよばれる小さなサブユニットの非共有結合で構成される．β2 ミクログロブリンは，MHC にコードされておらず，膜結合タンパク質でもない．MHC クラス II タンパク質は，MHC によってコードされる 2 種類の同一でない 1 回膜貫通糖タンパク質からなる．

ンパク質をコードしている．後述するように，いくつかのMHCタンパク質は，免疫系による認識のために抗原ペプチドを提示する．脊椎動物のほとんどの細胞はMHCタンパク質を発現しているので，特に病原性細菌やウイルスに由来する抗原を，獲得免疫系に提示する能力をもっている．

興味深いことに，ヒト胎児は母体内で組織移植が寛容されている．胎児は母親の遺伝物質を半分しか共有しておらず，残り半分は父親由来である．父親の遺伝子にコードされる抗原は対応する母親抗原とは異なっており，母親の免疫応答をひき起こすのに十分である．そのような応答は起こりうる．なぜなら，妊娠期間を通じて，母親の循環系に排出される胎児の細胞は，母親の免疫系を刺激し，父性抗原に対する抗体応答を誘起するからである．これら抗体は，ヒトMHCによってコードされるタンパク質を認識する．胎児組織に対する母親の免疫応答の開始を阻害する胎盤の特殊構造のおかげで，胎児は拒絶を免れている．

細胞傷害性T細胞の殺傷活性は抗原特異的かつMHC拘束的である

MHC分子は外科的移植の交換を阻止するために進化したわけではない．MHC分子は，細胞傷害性T細胞（cytotoxic T lymphocyte: CTL）によるウイルス感染細胞の認識において必須の役割を果たす．ウイルス感染細胞では，MHC分子はウイルスタンパク質由来のペプチドと結合し，細胞表面に提示される．感染を除去する役目のCTLはそれを認識できる．そのような抗原断片がどのように産生され，提示されるかは以下で解説する．特定のペプチド-MHC複合体を認識できる受容体をもつCTLは，致死誘導分子を感染標的細胞上に放出し，標的細胞の膜を破壊する．これらの標的となった細胞が物理的に破壊されたときに放出される細胞質の内容物から，標的細胞の破壊を知ることができる．このように感染した宿主細胞をCTL殺傷するには，下記の条件が必要となる．1) 宿主細胞の表面に病原体由来の抗原ペプチドをMHC上に提示すること，2) MHC-抗原複合体を認識できるT細胞受容体をCTLがその表面に発現すること，3) T細胞受容体がMHC-抗原複合体と結合するとCTL殺傷装置が活性化することである．

特定のウイルス感染から回復したマウスには，同じウイルスに感染した標的細胞を認識して殺傷するCTLが準備されている．インフルエンザウイルスの感染がうまく排除されたマウスからCTLを得ると，インフルエンザウイルス感染標的細胞に対する細胞傷害活性が観察される．しかし，非感染の対照細胞は傷害されない（図24・23aと図24・23b, 実験**2**）．さらに，インフルエンザウイルス特異的CTLは，水疱性口内炎ウイルスなど異なるウイルスが感染した標的細胞は殺傷しない（図24・23b, 実験**3**）．CTLは，近縁のインフルエンザウイルス株間の差さえも区別でき，しかも高い精度でそれを行える．ウイルス抗原内のたった一つのアミノ酸の違いだけで，CTLによる認識と殺傷を回避するには十分なのである．これらの実験から，CTLは真に抗原特異的であり，ウイルスの種類に関係なく，ウイルスに感染した細胞に共通する特性を認識しているのではないことがわかる．

図24・23(a) の例では，インフルエンザウイルスで免疫したマウスから調製したCTLは，同一系統のマウス（系統a）に由来するインフルエンザウイルス感染標的細胞を識別できると考えられた．しかし，もし完全に関連のない系統のマウス（系統b, 図24・23b, 実験**4**で青で示された標的細胞）由来の細胞がインフルエンザウイルスに感染し標的として用いられても，系統a由来のCTLは，感染した系統b標的細胞を殺傷できない（図24・23b, **1** vs **4**）．つまり，抗原（インフルエンザウイルス由来のタンパク質）が存在するだけでは感染標的細胞の認識に十分ではない．CTLによる抗原の認識はマウスの系統特異的な因子によって**拘束**（restriction）されている．遺伝子地図解析により，これら拘束因子をコードする遺伝子は，MHCであることが示された．このように，インフルエンザウイルスに免疫されたあるマウス系統由来のCTLは，関連するMHC分子のMHCが適合する場合のみ，他の系統由来のインフルエンザウイルス感染標的細胞を殺傷する．以上から，この現象は**MHC拘束性**（MHC restriction），MHC分子は**拘束因子**（restriction element）とよばれる．

異なる機能的特性をもつT細胞は，2種類の異なるクラスのMHC分子によって制御される

MHCには，免疫認識に必須な**MHCクラスI分子**と**MHCクラスII分子**とよばれる2種類の糖タンパク質がコードされる．マウスとヒトのMHCの遺伝子地図は，種間で配置の違いはあるものの，それぞれ数個のMHCクラスI分子とクラスII分子が存在することがわかる（図24・22）．MHCは，MHCクラスI分子とクラスII分子に加えて，抗原の加工（たとえばタンパク質分解）や提示装置のための重要な構成因子をコードする．さらには，典型的な脊椎動物のMHCは，補体カスケードの構成因子もコードしている．

MHCクラスIとクラスIIの産物は，抗原をT細胞に提示することに関与するが，二つの大きく異なる機能を果たす．MHCクラスI産物は抗原を細胞傷害性T細胞に提示し，感染細胞を破壊することを許可する．細胞傷害性T細胞は表面糖タンパク質である**CD8**の発現で特徴づけられる．CD8はMHCクラスI産物と相互作用することでT細胞の能力を決定する．ほとんどすべての有核細胞は恒常的にMHCクラスI分子を発現し，多くの細胞はウイルスの複製を可能とする．したがって，細胞傷害性T細胞は，ウイルス由来の抗原（ペプチド）を結合（提示）した細胞表面上のMHCクラスI分子を介して，ウイルスに感染した体内のすべての細胞を認識し殺傷する．

MHCクラスII産物は，**プロフェッショナル抗原提示細胞**（professional antigen-presenting cell: professional APC）とよばれる特化した抗原提示細胞上に見いだされる．これら抗原提示細胞は，ヘルパーT細胞とよばれるクラスのT細胞にMHCクラスII分子に結合した抗原を提示する．この提示によって，細胞傷害性T細胞が標的細胞を殺すことや，B細胞が抗原特異的抗体を産生するなどの獲得免疫応答が開始する．ヘルパーT細胞の助けなしにB細胞は抗体を産生する形質細胞へと最終分化できない．ヘルパーT細胞は**CD4**とよばれる表面糖タンパク質を発現し，標的細胞上のMHCクラスII分子と結合するが，MHCクラスIとは結合しない．MHCクラスII分子の恒常的な発現は，B細胞や樹状細胞，マクロファージを含むいわゆるプロフェッショナル抗原提示細胞に限定されている．（特定の上皮細胞など，いくつかの細胞種は，特別な環境下でMHCクラスII分子の発現が誘導されるが，ここでは説明しない．）ここでも次に示すように，発現や会合やMHCクラスII分子による抗原提示法などの根底をなす生物学が，機能の特

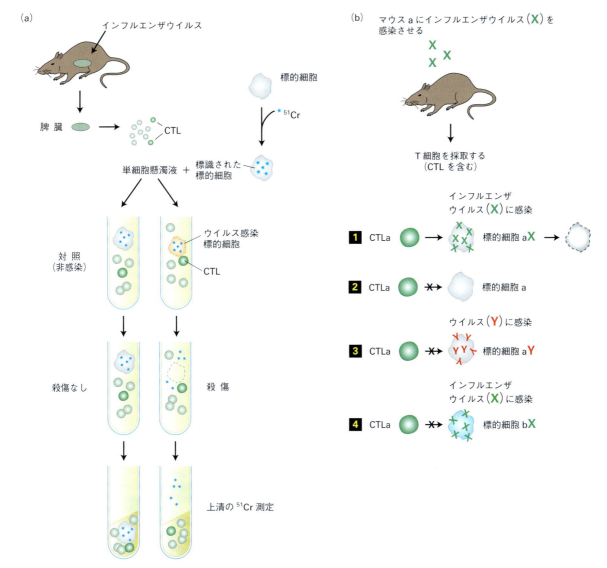

図 24・23 (実験) クロム(^{51}Cr)放出試験によって，異なる細胞集団における細胞傷害性 T 細胞の細胞傷害性と特異性が直接的に証明される．(a) 細胞傷害性 T 細胞 (CTL) を含む脾臓細胞の懸濁液を，特殊なウイルス(たとえばインフルエンザウイルス)に曝露し，その後その感染から回復したマウスから調製する．標的細胞は，同系統のマウスから調製し，同一のウイルスを感染させるか非感染のままにした．感染後，標的細胞懸濁液を ^{51}Cr と培養することで，細胞のタンパク質は非特異的に標識される．放射性標識された標的細胞と T 細胞懸濁液を混ぜ培養すると，標的細胞が殺されることで，^{51}Cr で標識したタンパク質が放出される．一方，感染していない標的細胞は殺されることなく，放射性標識された内容物を保持する．したがって，上清への放射能の放出を測定することによって，CTL による細胞の溶解を容易に検出し定量化できる．(b) インフルエンザウイルス (X) に感染した経験のあるマウスから採取した CTL は，さまざまな標的細胞に対する CTL 介在性殺傷の特異性を決定する試験に用いることができる．インフルエンザウイルスに感染した標的細胞を溶解できる CTL (**1**) は，非感染細胞を殺すことはできない (**2**)．たとえ，水疱性口内炎ウイルス Y に感染した細胞も殺せない (**3**)．これら CTL を，異なる MHC をもつ系統由来のインフルエンザウイルス X 感染標的細胞系統 (b, 青で示した標的細胞) に対して検討すると，このときもやはり殺傷は観察されない (**4**)．すなわち，CTL 活性はウイルス特異的でかつ MHC に拘束される．

殊化に利用されている．

機能が異なる T リンパ球の二つの主要グループである細胞傷害性 T 細胞とヘルパー T 細胞は，細胞表面に提示する膜タンパク質と標的として使われる MHC 分子によって区別される．これら標的分子は拘束因子とよばれる．

- 細胞傷害性 T 細胞: CD8 マーカー，MHC クラス I 拘束性
- ヘルパー T 細胞: CD4 マーカー，MHC クラス II 拘束性

CD4 と CD8 はともに，B 細胞や T 細胞受容体，多量体 IgA 受容体を含む多くの他の免疫系のタンパク質と同様に，一つあるいは複数の免疫グロブリン (Ig) 領域を含む免疫グロブリンスーパーファミリーのタンパク質に属する．拘束因子としての CD8 の発現と MHC クラス I 分子の利用，あるいは CD4 の発現と MHC クラス II の利用の厳密な相互関係の分子的基盤は，MHC 分子の構造と作用様式の点からも理解できる．

MHC 分子は非常に多くの多型性があり，ペプチド抗原と結合し，T 細胞受容体と相互作用する

MHC 遺伝子座の多型は移植拒絶の基礎である　MHC クラス I およびクラス II 分子には，非常に多くの**多型** (polymorphism)

がある．すなわち，同じ種の個体間に，類似のタンパク質をコードするがアミノ酸配列がわずかに異なる多くの対立遺伝子変異が存在する．脊椎動物の免疫系は，これら多型の違いに応答できる．MHCの違いを認識するこの能力は，親類でない遺伝的に異なる個人にみられる移植拒絶の免疫的原因の根底をなしている．

　二つのクラスのMHC分子は，ペプチドやT細胞受容体との相互作用にかかわる多くの点でも構造上もよく似ている．MHC分子は"自己"の組織を認識し，"非自己(病原性)"の物質と区別するうえで特に重要である．近親者を除いて一般に，二人の個人が同一のMHC変異を共有する可能性はきわめて低い．移植のドナーとレシピエントにおけるMHC分子の個人間の違いは，レシピエントの免疫系によって認識される．移植組織は異物として扱われ，排除される（移植拒絶）．ドナーとレシピエントそれぞれのMHC遺伝子セットが類似していればしているほど，移植が受容される可能性が高まる．これこそ外科医が臓器提供時にMHC"適合"の個人を探す理由である．もしドナーの組織の型（MHC遺伝子の型）がレシピエントのそれと完全に一致しない場合は，臓器拒絶を阻止するために，レシピエントの免疫応答を抑制する薬を使用する必要がある．

　"自己"と"非自己"（あるいは非病原性と病原性）を区別する能力を発達させてきた免疫系の細胞生物学的機構は複雑であり，現在その理解は重要である．免疫の分子と細胞の基盤を理解することで，医学や公衆衛生学にとって非常に多くの実用的な結果を得られる．それゆえ，はじめにMHCタンパク質の構造とペプチドがMHCタンパク質に結合する様式を解説し，これら分子と細胞の機構について詳細に解説する．

MHC クラス I 分子　MHCクラスI分子はIgスーパーファミリーに属し，二つのポリペプチドサブユニットからなる．大きなサブユニットは，哺乳類ゲノムのMHC領域には存在する多数の独立した遺伝子にコードされているI型膜糖タンパク質である（図13・10参照）．小さなサブユニット**β2 ミクログロブリン**（β2-microglobulin）は，MHCにコードされておらず，構造上はIg領域に相当する．ヒトのMHCクラスI分子の大きなサブユニットは，HLA-AとHLA-B，HLA-C遺伝子座にコードされている（図24・22）．同様に，マウスでは，MHCクラスI分子の大きなサブユニットは，H-2KとH-2D，H-2L遺伝子座にコードされている．

　MHCクラスI分子の三次元構造から，二つのIg様領域がわかった（図24・24a）．この領域は，二つのヘリックスを頂に載せた8本のβストランドからなるβシート構造を支えている．βシートとαヘリックスは協同して，ペプチドが結合する両端の閉じた溝を形成している．MHCクラスI分子によるペプチドの結合では，通常8〜10アミノ酸の一定した長さのペプチドが要求されていて，ペプチドの両端は，ペプチド末端の荷電したアミノ基とカルボキシ基に適応したポケットのなかにぴったり収容される．さらに，ペプチドは，MHC分子のポケットに適応する少数のアンカー

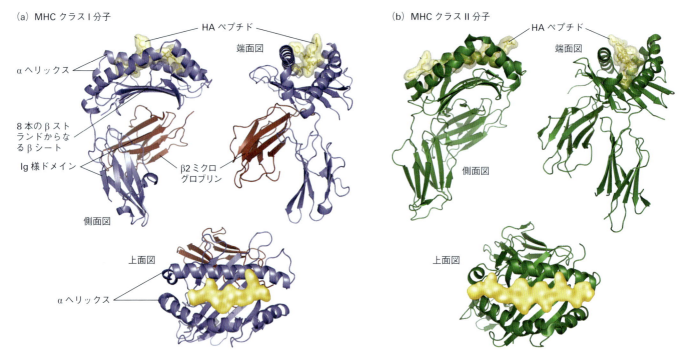

図 24・24　MHC クラス I とクラス II 分子の三次元構造．(a) X線結晶構造解析によって決定された抗原性(HA)ペプチドが結合したMHCクラスIの構造を示す．ペプチドに結合するMHCクラスI分子の部分は，8本のβストランドからなるβシートと隣接する2本のαヘリックスから構成される．ペプチドの結合ポケットはもっぱらMHCがコードする大きなサブユニットから形成され，小さなサブユニット（β₂ミクログロブリン）と非共有結合で結合している．(b) MHCクラスII分子は，構造上クラスI分子に類似しているが，いくつか重要な違いがある．MHCクラスII分子のαとβサブユニットはともにMHCにコードされ，ペプチドの結合ポケットの形成に貢献している．MHCクラスII分子のペプチドの結合ポケットは，クラスIのペプチドの結合ポケットより，幅広い大きさのペプチドと結合する．MHCクラスIとクラスIIタンパク質は細胞膜をまたがる．また，MHCクラスIとクラスIIタンパク質は膜貫通領域と細胞質末端部位をもつ（図24・26, 図24・28）．結晶解析では示されておらず，図示されていない．〔(a)はD. N. Garboczi, 1996, *Nature* **384**: 134, PDB ID 1ao7. (b)はJ. Hennecke et al., 2000, *EMBO J.* **19**: 5611 PDB ID 1fyt.〕

アミノ酸側鎖によって，ペプチドの結合ポケットにつなぎとめられる（図24・25a）．平均して，二つのそのような"特異性ポケット"が正確にみたされることが安定にペプチドが結合するために必要である．ポケットに適合できる側鎖でペプチドとの結合を制限している．この様式で，与えられたMHC分子は，制限されているが，多様な配列の多数のペプチドを収容できる．

一つのMHCを別のMHCと区別する多型残基のほとんどは，ペプチドの結合ポケットの中や近傍に位置する．そのため，これら残基は，ペプチドの結合ポケットの構造とペプチドの結合特異性を決定する．さらに，これら多型残基はMHC分子の表面にも，T細胞受容体との接触点にも影響を及ぼす．その結果，ある特別なMHCクラスI分子に相互作用するT細胞受容体は，表面構造が異なるため，一般に関連しないMHC分子とは相互作用しない（図24・25b）．これがMHC拘束の分子基盤である．細胞傷害性T細胞上のCD8マーカーは共受容体として機能し，MHCクラスI分子の保存された領域に結合する．このように，CD8の存在は，それをもつ成熟T細胞の拘束特異性を定める．

MHCクラスII分子　MHCクラスII分子の二つのサブユニット（αとβ）は，ともにI型膜糖タンパク質であり，Igスーパーファミリーに属する．典型的な哺乳類のMHCは，MHCクラスII分子をコードする数箇所の遺伝子座を含む（図24・22）．クラスI分子の大きなサブユニットのように，クラスII分子のαとβサブユニットは遺伝子多型を示す．

MHCクラスII分子の基本的な三次元設計は，MHCクラスI分子と似ている．二つの膜近位のIg様領域が，ペプチドを結合するポケットをもつペプチド結合部を支える（図24・24b）．MHCクラスII分子では，αとβサブユニットが，ペプチドの結合ポケットの構築に等しく貢献している．このポケットは両端とも開いているので，MHCクラスI分子に結合するペプチドより大きな，ポケットから突き出るようなペプチドも結合できる．ペプチドを結合する様式では，MHC分子の側鎖と結合するペプチドの主鎖原子間の接触とともに，特異的なアミノ酸側鎖を収容するポケットが必要である．MHCクラスIと同様に，MHCクラスIIの多型は主として，ペプチドの結合ポケットの中と近傍のアミノ酸残基に影響を与える．そのため，ペプチド結合の特異性は，通常，異なる対立遺伝子間で異なる．特定のMHCクラスII分子と相互作用するT細胞受容体は，一般に，異なるMHCクラスII分子とは相互作用しない．MHCクラスII分子のペプチドの結合特異性のみならず，T細胞受容体と接触するアミノ酸残基に影響を与える多型のためである．MHCクラスIは，MHCクラスII拘束性の抗原認識の基盤である．MHCクラスI分子とCD8共受容体でみたように，CD4受容体はMHCクラスIIの保存された特徴を認識する．CD4共受容体をもつ成熟T細胞は，抗原認識にMHCクラスII分子を用いる．

のちに説明するように，MHCクラスII分子は，おもにエンドソームとリソソームでつくられたペプチドを提示するように進化した．ペプチドとMHCクラスII分子の結合は，これら細胞小器官で生じる．MHCクラスII分子は小胞体で合成されたのち，特異的にこれら小器官に輸送される．この輸送は，**インバリアント鎖**（invariant chain）とよばれるII型膜糖タンパク質である分子シャペロンによって行われる（図13・10参照）．インバリアント鎖（Ii）は，小胞体で新しくつくられたMHCクラスIIαβヘテロ二量体と会合して三量体構造をつくり，MHCクラスII生合成の初期の段階で重要な役割を果たす．最終集合産物は九つのポリペプチド（αβIi)$_3$からなる．IiとαβヘテロII量体の相互作用は，**CLIP断片**（CLIP segment）とよばれるIiの領域を必要とする．CLIPはMHCクラスIIのペプチドの結合ポケットをふさぐ．いったん（αβIi)$_3$複合体ができると，この複合体は分泌経路に入り，トランスゴルジ網のエンドソームやリソソームに運ばれる（図14・2参照）．この輸送シグナルは，Iiの細胞質側尾部が担っている．

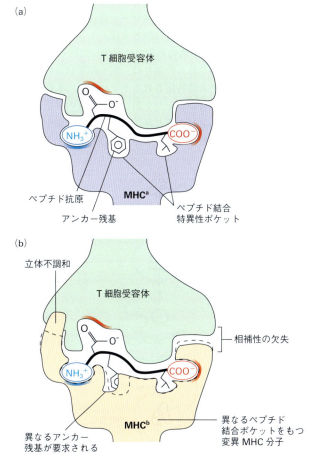

図24・25　**ペプチド結合とMHCクラスI拘束性**．(a) クラスI分子に結合するペプチドは，平均8〜10個のアミノ酸残基の長さで，末端が適切に収容される必要があり，2〜3個の保存されたアミノ酸残基（アンカー残基）を含む．対立遺伝子を区別することが可能なクラスI分子のアミノ酸残基（多型残基）は，ペプチドの結合ポケットの中あるいは近傍に生じる．MHCの多型残基は，ペプチドとの結合特異性とT細胞受容体との相互作用に影響する．抗原ペプチド-MHC複合体がT細胞受容体にうまく"認識"されるには，受容体，ペプチド，そしてMHC分子間での良好な適合が必要である．(b) アンカー残基とMHC分子間，あるいはT細胞受容体とMHC分子間で，立体構造がぶつかったり，相補的でなかったりすると，適切に結合できなくなる．個々のT細胞は，このように特異的なペプチド-MHC複合体との結合が拘束された，1種類のT細胞受容体を発現する．

抗原提示では，タンパク質断片がMHC産物と複合体を形成して細胞表面に運ばれる

外来物質が免疫系に入る過程は，免疫応答の最終結果を決定す

る重要な段階である．抗体産生やヘルパーT細胞および細胞傷害性T細胞をつくる獲得免疫応答がうまく進むには，プロフェッショナル抗原提示細胞の関与が絶対的に必要である．これらの細胞は，抗原を取込み，プロセシングし，抗原をT細胞に認識される様式で提示する．抗原がT細胞認識に適切な形に変換される経路を，**抗原プロセシング**（antigen processing）および**抗原提示**（antigen presentation）という．

MHCクラスI経路は，おもに細胞自身によって合成されたタンパク質断片（感染細胞内の病原体がコードするタンパク質を含む）の提示が中心であり，一方，MHCクラスII経路は，抗原提示細胞が外界から得た物質の提示を中心に行っている．すべての有核細胞がMHCクラスI産物を発現している，あるいは発現を誘導できることを思い出してほしい．この事実は，有核細胞が核酸とタンパク質を合成する能力によって，原理的に病原ウイルスを複製できるという点において重要な意味をもつ．免疫系に細胞内の侵入者の存在を警告する作用は，MHCクラスI拘束性抗原提示と密接につながっている．抗原提示細胞自身によって合成された物質の提示と，細胞外から獲得された抗原のプロセシングと提示との違いは，決して絶対的なものではない．抗原プロセシングと提示を行うクラスIとクラスII経路が一緒になって，細胞内外のすべて分画をサンプリングして病原体の存在を監視している．

クラスIとクラスII経路が行う抗原のプロセシングと提示は，次の六つの段階に分けることができる．これは二つの経路を比較するのに有効である．1) 抗原の獲得，2) 抗原を分解するための標識，3) タンパク質分解，4) MHC分子へのペプチドの運搬，5) MHC分子へのペプチドの結合，6) MHC-ペプチド複合体の細胞表面への提示．ここではそれぞれの経路の分子レベルの詳細を解説する．

MHCクラスI経路は細胞質抗原を提示する

図24・26に，ウイルス感染細胞を例に用いて，MHCクラスI経路の六つの段階をまとめた．以下ではそれぞれの段階で起こる事象について説明する．

1 **抗原の獲得**：ウイルス感染の場合，通常，抗原の獲得は，感染状態にあることと同義である．ウイルスは，新しいウイルスタンパク質を産生するため，宿主のタンパク質合成装置に頼る．タンパク質合成は，DNA複製と異なり，まちがいを起こしやすい過程であり，新しくはじまったポリペプチド鎖合成は未熟なまま停止したり，他のまちがいを被る（たとえば，アミノ酸の誤った取込み，フレームシフト，不適切あるいは遅延した折りたたみ）．タンパク質合成におけるこれらの誤りは，宿主細胞自身のタンパク質にも，ウイルスゲノムに特定されるタンパク質にも影響を与える．そのような誤りを含むタンパク質は，細胞質の目詰まりを起こしたり，対になるタンパク質と非生産的な相互作用やドミナントネガティブな作用を起こさないように，迅速に除去されなけれ

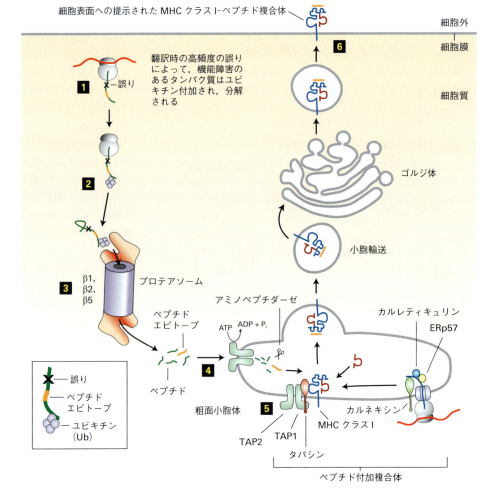

図 24・26 抗原のプロセシングと提示を行うMHCクラスI経路．段階**1**：抗原性の獲得は，タンパク質がまちがって産生されるときや（たとえば不完全な翻訳，誤ったアミノ酸の取込みなど），病原体由来のタンパク質が産生されるときに起こる．段階**2**：機能不全のタンパク質は，ユビキチン化を介して分解へと仕分けられる．段階**3**：プロテアソームによってタンパク質分解が行われる．インターフェロンγに曝露された細胞では，プロテアソーム活性のある触媒βサブユニットが，インターフェロン誘導性免疫特異的βサブユニットに置き換わる．段階**4**：ペプチドは，二量体TAPペプチド輸送体の作用で，小胞体の内腔に運ばれる．段階**5**：各ペプチドは，ペプチド付加複合体によって，新たにつくられたMHCクラスI分子に結合する．段階**6**：完全に会合したMHCクラスI-ペプチド複合体は，分泌経路を通って細胞表面に運ばれる．詳細は本文参照．

ばならない．適切に折りたたまれたタンパク質も完全あるいは部分的に折りたたまれない状態に至る損傷を抱えているかもしれず，除去される必要がある．これら異常タンパク質は，MHC クラス I 分子に提示される抗原ペプチドの重要な供給源となる．交差提示（後述）とよばれる特別な過程を除いて，MHC クラス I 経路は，MHC クラス I をもつ細胞自身によって合成されたタンパク質に由来するペプチドを使って，ペプチド-MHC 複合体を形成する．

2 **抗原を分解するための標識**: 多くの場合で，ポリユビキチン付加がタンパク質の分解の標識となっている（§3・4 参照）．ポリユビキチンの付加は共有結合による修飾であり，厳密に制御されている．

3 **タンパク質分解**: ポリユビキチンが付加したタンパク質は，プロテアソームによるタンパク質分解により破壊される．プロテアソームはプロテアーゼで，基質をとらえ，中間体を放出することなく，3〜20 アミノ酸の大きさのペプチドを最終消化物として生じる（図 3・32 参照）．炎症反応では，インターフェロン γ に反応して，プロテアソームの三つの触媒活性のある β サブユニット（β1, β2, β5）が，三つの免疫特異的なサブユニット（β1i, β2i, β5i）に置き換わる．β1i, β2i, β5i サブユニットは，ゲノムの MHC 領域にコードされている．この置換の結果，**免疫プロテアソーム**（immunoproteasome）が形成され，これによってつくられる産物（ペプチド産物の長さ）は，MHC クラス I 分子によるペプチド結合に適した性質をもつ．免疫プロテアソームは，切断部位とともに産生されるペプチドの平均の長さを調整する．MHC クラス I 分子によって提示されるペプチドの産生においてプロテアソームが中心的な役割を果たすことは，プロテアソーム阻害剤が強力に MHC クラス I 経路を介した抗原プロセシングを阻害することからもわかる．

4 **MHC クラス I 分子へのペプチドの運搬**: タンパク質合成，ポリユビキチン結合，プロテアソームによるタンパク質分解のすべては細胞質で起こる．一方，MHC クラス I 分子によるペプチドの結合は，小胞体の内腔で起こる．このように，ペプチドは新しくつくられたクラス I 分子のペプチド結合部位に近づくために小胞体膜を通り抜けなければならない．この過程は，ATP 駆動ポンプである ABC スーパーファミリーの一員であるヘテロ二量体 TAP 複合体によって仲介される（図 11・15 参照）．この TAP 複合体は，小胞体の細胞質面でペプチドと結合し，ATP の結合と加水分解のサイクルを介して，ペプチドを小胞体の内腔へ運び込む．TAP 複合体は，すべての細胞質ペプチドのうちおもに 5〜10 アミノ酸の長さのペプチドのみを特異的に運ぶ．それらは MHC クラス I 分子に結合できる制限された長さのペプチドと一致する．マウス TAP 複合体は，ロイシン，バリン，イソロイシン，あるいはメチオニンを C 末端にもつペプチドに対する顕著な特異性を示す．これらは MHC クラス I 分子の結合の特性と一致する．TAP 複合体を構成する TAP1 と TAP2 サブユニットをコードする遺伝子は，MHC 領域に位置する．細胞質と小胞体内腔のペプチダーゼは，プロテアソームによるタンパク質分解産物をさらに修飾する可能性がある．

5 **MHC クラス I 分子へのペプチドの結合**: 小胞体内では，新たに合成された MHC クラス I 分子は，**ペプチド付加複合体**（peptide-loading complex）とよばれる多重タンパク質複合体の一部になっている（図 24・27）．この複合体には，二つのシャペロン（カルネキシンとカルレティキュリン）と酸化還元酵素 ERp57 が含まれる．別のシャペロン（タパシン）は，ペプチドを受容するために，TAP 複合体と MHC クラス I 分子に結合する．TAP 複合体と MHC クラス I 分子の物理的近さは，タパシンによって維持される．ペプチドが MHC クラス I 分子に一度付加すると，構造が変化して，ペプチドを付加した MHC クラス I は，ペプチド付加複合体から解離する．このしくみによって，効率よくペプチドを付加した MHC クラス I 分子だけが小胞体から放出され，細胞表面に輸送され，提示される．この経路全体の効率は，与えられたタンパク質約 4,000 分子が破壊されて，特定のポリペプチド由来のペプチドをもつ MHC-ペプチド複合体が 1 分子産生される程度である．

6 **MHC クラス I-ペプチド複合体の細胞表面への提示**: ペプチド付加が完了すると，MHC クラス I-ペプチド複合体は，ペプチド付加複合体から解放され，恒常的分泌経路に入る（図 14・2 参照）．ゴルジ体から細胞表面の移行は迅速に行われ，MHC クラス I-ペプチド複合体の生合成経路が完了する．

MHC クラス I 経路の一連の全事象は，すべての有核細胞で恒常的に起こっている．有核細胞では MHC クラス I 分子も他の必要なタンパク質も発現しているか，発現誘導可能である．解説したように，インターフェロン γ のようなサイトカインを曝露することで，免疫特異的なプロテアソームのサブユニットを誘導し，免疫プロテアソームを産生することができる．免疫プロテアソーム

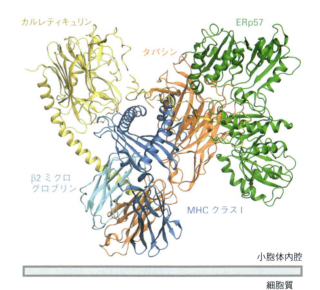

図 24・27 MHC クラス I ペプチド付加複合体．ペプチド付加複合体は，ペプチドを受容する MHC クラス I 分子以外に，TAP 関連タンパク質タパシン，シャペロンであるカルレティキュリン，酸化還元酵素 ERp57 から構成されている．タパシンは，MHC クラス I 分子をペプチド受容状態に維持し，ペプチド付加複合体はタパシンを介して，抗原提示に関連するトランスポーター（TAP，この図には示されていない）と結合する．ペプチドが結合すると，MHC クラス I 分子はペプチド付加複合体から離れ，目的の細胞表面に到達するために分泌経路に入る．[T. Papakyriakou 提供．]

はMHCクラスI分子による抗原提示に適したペプチド産生する能力が亢進している．ウイルス感染していない場合は，タンパク質合成とタンパク質分解によって，恒常的に次々とMHCクラスI分子と結合するペプチドが産生する．したがって，健康で正常な細胞は，宿主タンパク質由来の代表的な選択されたペプチドが細胞表面に提示される．典型的な有核細胞の表面には，おそらく数千の異なるMHC-ペプチドの組合わせが提示される．正常の非感染細胞表面上のMHC-自己ペプチド複合体の提示は免疫系において必須の役割を果たす．ウイルスが現れてはじめて，ウイルス由来のペプチドは細胞表面のペプチド-MHC複合体の提示に貢献しはじめる．

これまでに解説したように，適切に機能する免疫系は自己（非病原性）抗原と非自己（外来性，潜在的な病原性）抗原を区別することができる．**胸腺**（thymus）とよばれる小さな器官（ヒトでは心臓の高さにある胸骨のそばに位置する）は，自己と非自己を見分ける免疫系の能力を制御するうえで重要な役割を果たす．**胸腺細胞**（thymocyte）とよばれる胸腺内の分化中のT細胞は，胸腺上皮細胞で産生される一群のMHC-ペプチド複合体に対する抗原特異的受容体を検定する．胸腺での自己MHC分子による自己ペプチドの提示によって，分化中の個々のT細胞は，どのペプチド-MHCの組合わせが自己由来であるかを学び，自己を破壊する自己免疫反応を避けるため，自己由来ペプチドを無視する．このように自己ペプチドを結合した自己MHC分子を有用なT細胞集団をつくるための"鋳型"として用いることで，T細胞の分化は促進される．簡単にいうと，自己ペプチドMHC複合体と強く反応する受容体をもつT細胞は，胸腺から外へ出たときに，潜在的に危険となるので，除去されなければならない．この選択過程についてはのちに解説する．

細胞傷害性T細胞の分化に必須である通常の様式とは異なる抗原提示として，**交差提示**（cross-presentation）がある．この言葉は，樹状細胞がファゴサイトーシスで，アポトーシス細胞の残骸や抗体に結合した抗原複合体，他の形態の抗原を取得することをいう．まだ十分にわかっていない経路で，これら物質はファゴソーム/エンドソームから細胞質へと抜け出し，その後は上で説明した段階に従って処理され，MHCクラスI分子に結合した断片となる．同様に，エンドソーム/リソソームでのタンパク質分解によって生じたペプチドは，エンドサイトーシス分画，もしくは細胞質へ運ばれて，標準的なクラスIプロセシングおよび提示過程に入ることもある．樹状細胞は最も効率的にこの交差提示を行うことができ，これによって，抗原提示細胞自身以外の細胞由来のペプチドをMHCクラスI分子に付加できる．

MHCクラスII経路は
エンドサイトーシス経路に運ばれた抗原を提示する

MHCクラスIとMHCクラスII分子は構造上非常によく似ているが，ペプチドを獲得する方法や免疫認識における機能は大きく異なる．MHCクラスI分子の主要な機能は，CD8をもつ細胞傷害性T細胞を標的細胞（通常は感染細胞）に導くことであるが，MHCクラスII分子の役目は，CD4をもつヘルパーT細胞をおもにプロフェッショナル抗原提示細胞に導くことである．活性化したヘルパーT細胞は，B細胞の抗体産生を助けることで防御に貢献するのみならず，さまざまなサイトカインの一群を自身が産生することで，食細胞を活性化して病原体を除去したり，炎症反応の開始を助けたりする．

すでに説明したように，MHCクラスII分子は，プロフェッショナル抗原提示細胞，すなわち食作用をもつ樹状細胞やマクロファージ，そして食作用のないB細胞で発現する．したがって，抗原のプロセシングと提示をするMHCクラスII経路は，通常，これらの細胞に限定される．この経路の段階は図24・28に示してある．

❶ 抗原の獲得：MHCクラスII経路では，抗原はピノサイトーシス（飲作用），ファゴサイトーシス（食作用），あるいは受容体依存性エンドサイトーシスで獲得される．ピノサイトーシスはかなり非特異的で，膜の取込みとそれに続く小胞融合によって，細胞外の液体やそれに溶解している分子の取込みに関与する．細菌やウイルスや死細胞の残骸など微粒子からなる物質の摂取を行うファゴサイトーシスでは，粒子を取込むために，アクチン系の細胞骨格の再構築が関与する．ファゴサイトーシスは，特異的な受容体-リガンドの相互作用によって開始する場合もあるが，それに限らない．ラテックス粒子やガラスビーズのような微粒子ですら効率よくマクロファージに取込まれる．抗体や補体成分によって修飾（オプソニン化）された病原体は，補体成分や免疫グロブリンのFc部分に対する細胞表面受容体によってマクロファージや樹状細胞に認識され，貪食される．その後，それらの細胞は病原体を貪食する（図24・29）．マクロファージや樹状細胞はまた，数種類の選択性の低い受容体（たとえばC型レクチン，Toll様受容体，スカベンジャー受容体）を発現している．それらの細胞は水溶性あるいは微粒子状の抗原の分子パターンを認識する．結合した抗原は，受容体依存性エンドサイトーシスで細胞内に取込まれる．貪食を行わないB細胞も，抗原特異的B細胞受容体を用いて，受容体依存性エンドサイトーシスによって抗原を獲得できる（図24・30）．最終的には，細胞質の抗原も，オートファジー（自食作用）を経由して，MHCクラスII経路に入る（図14・34参照）．

❷ 抗原を分解するための標識：大きなタンパク質抗原をMHCクラスII分子との結合に適した大きさをもつペプチドに変えるため，タンパク質分解は必須である．タンパク質抗原はエンドサイトーシス経路に沿って進行する間に，pHによって変性し，分解されるものとして標識される．細胞外環境のpHは約7.2であり，初期エンドソームではpH 6.5と5.5の間，後期エンドソームとリソソームではpH 4.5まで低下する．エンドソームとリソソーム膜に存在するATP駆動V型プロトンポンプが，この酸性化を担う（図11・9参照）．中性pHで安定なタンパク質は，極端なpHにさらされると，水素結合の開裂と塩橋の不安定化によって，変性しやすくなる．さらに，エンドソーム/リソソームの環境は，還元当量の濃度がミリモル単位になるような還元状態にある．多くの細胞外タンパク質を安定化しているジスルフィド結合は，インターフェロンγによって誘導されるチオレダクターゼによって触媒され，還元される．低pHと還元環境を組合わせて作用させることで，抗原のタンパク質分解の準備を行う．

❸ タンパク質分解：MHCクラスII経路でのタンパク質分解は，多数のリソソームプロテアーゼによって行われる．これらは

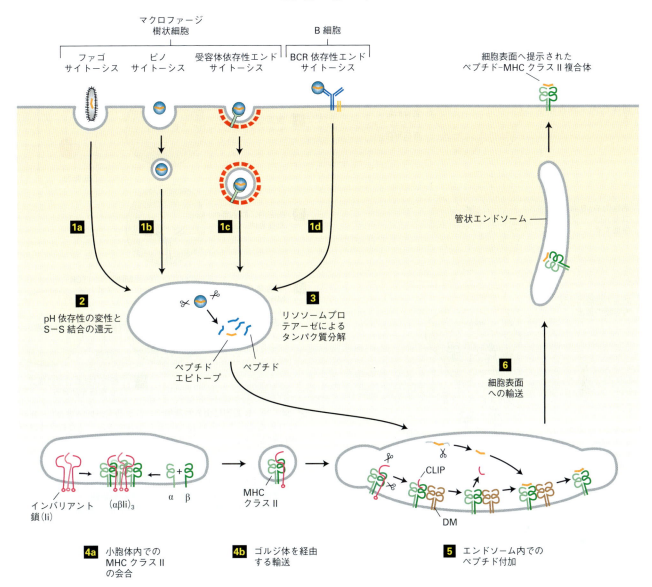

図 24・28 抗原のプロセシングと提示を行う MHC クラス II 経路. 段階1: 粒子状抗原はファゴサイトーシスによって，そして非粒子状抗原はピノサイトーシスやエンドサイトーシスによって獲得される. 段階2: 抗原をエンドソームやリソソームの酸性かつ還元環境におくことで，タンパク質分解の準備が整う. 段階3: 抗原はエンドソームやリソソーム内のさまざまなプロテアーゼによって分解される. 段階4: 小胞体内でサブユニットが会合した MHC クラス II 分子は，インバリアント(Ii)鎖と結合し，そのシグナルによって，エンドソーム/リソソームに運ばれる. この運搬先は，後期エンドソーム，リソソーム，そして初期エンドソームであり，このすべてのエンドサイトーシス経路で，抗原のタンパク質分解産物は MHC クラス II 分子と確実に出会う. Ii ポリペプチドはこれらの区画で分解され，その後提示される予定の他のペプチドと引き換えに Ii 残骸が除去される. 段階5: MHC クラス II 様のシャペロンタンパク質 DM の助けで，ペプチドの付加は完了する. 段階6: ペプチドを付加された MHC クラス II 分子が細胞表面に運ばれる. 詳細は本文参照.

ひとまとめにしてカテプシン (cathepsin) とよばれるが，システインプロテアーゼあるいはアスパルチルプロテアーゼである. これらの反応によって MHC クラス II 分子に結合できるペプチドを含む多種類のペプチド断片が産生される. リソソームプロテアーゼは，酸性 pH を最適条件としてリソソーム内で働く. そのため，酸性を維持する V 型プロトンポンプの活性を阻害する薬剤は，リソソームプロテアーゼの阻害剤と同様に，抗原の加工を阻害する.

4 MHC クラス II 分子とペプチドとの出会い: ほとんどの MHC クラス II 分子は小胞体で合成され，後期エンドソームに送られることを思い出そう. タンパク質分解によってできたペプチドは，これにより MHC クラス II 分子と同じ細胞内空間 (細胞小器官膜の内腔側) に存在する. それゆえ，MHC クラス I 分子にペプチドを結合させた場合とは異なり，ペプチドを膜通過させる必要はない (図 24・26). ペプチドと MHC クラス II 分子を会合させるために, $(\alpha\beta Ii)_3$ 複合体は小胞体から分泌経路を介してエンドソームに運搬される.

5 MHC クラス II 分子へのペプチドの結合: エンドソームに運ばれた $(\alpha\beta Ii)_3$ 複合体は，クラス II 分子のペプチド結合ポケットがインバリアント鎖 (Ii) で占められているため，他のペプチドと結合することはできない. 同じ理由で，新たに会合したクラス II の $(\alpha\beta Ii)_3$ 複合体は，TAP を介して小胞体に運ばれる MHC クラス I と結合するペプチドに対しては競合しない. ペプチド結合部

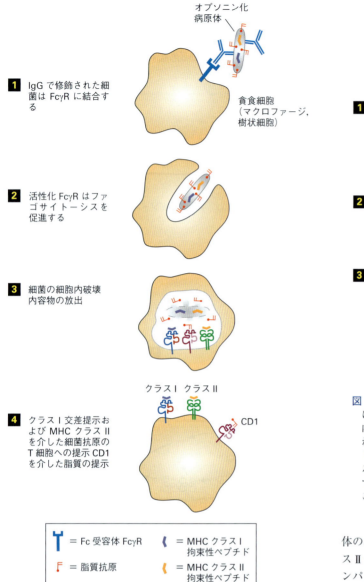

図 24・29 **食細胞によるオプソニン化抗原の提示.** マクロファージや樹状細胞など特別な食細胞は，細胞表面に存在する FcγR のような Fc 受容体を用いて，抗体によって修飾された(オプソニン化)病原体と結合し，消化する．ファゴサイトーシスで取込まれた粒子(たとえば免疫複合体，細菌，ウイルス)は消化されたあと，病原体断片(橙)を含むペプチドとして産生され，その一部は MHC クラス II 分子(緑)上に付加される．細胞表面に提示された MHC クラス II-ペプチド複合体は，これらに特異的な受容体をもつ T 細胞を活性化する．脂質抗原は，MHC クラス I 様分子 CD1(ピンク)に運ばれる．CD1 の結合部位は特殊化していて，脂質を収容できる．ある種の病原体由来ペプチド(紫)は，交差提示によって，MHC クラス I 産物(青)に運ばれる．しかし，交差提示の分子機構は不明である．

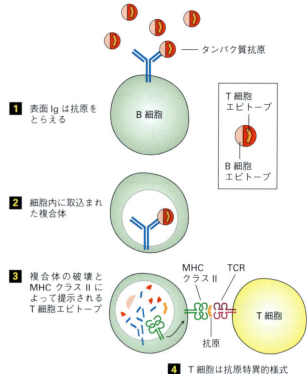

図 24・30 **B 細胞による抗原提示.** 抗原濃度が低い場合も，B 細胞は B 細胞受容体や表面 Ig で抗原と結合できる．免疫複合体は細胞内に取込まれ，エンドソーム/リソソームに運ばれて，そこで分解される．タンパク質抗原の断片を含む免疫複合体から遊離したペプチドは，MHC クラス II-ペプチド複合体として，細胞表面に提示される．提示された複合体に特異的なヘルパー T 細胞は，B 細胞を助けて，増殖させ，最終的には抗体を分泌する形質細胞へと分化させる．この助けは MHC 拘束性であり，抗原特異的である．

位がすでに Ii によって占有されているからである．小胞体は MHC クラス I とクラス II 複合体が集まる場であることを思い出してほしい．MHC クラス II 複合体の初期に Ii が存在することで，小胞体内では MHC クラス II 分子はペプチドと結合しないことが保証される．エンドソームとリソソーム内の，細胞内に取込まれた抗原をペプチドに分解したのと同じプロテアーゼが，再び $(\alpha\beta Ii)_3$ 複合体に作用し，**CLIP 断片**(CLIP segment)とよばれる Ii 複合体の小さな部分を除いて複合体から Ii を除去する．CLIP はクラス II 分子のペプチド結合ポケットに強固に結合しているので，タンパク質分解の攻撃に対して耐性である．MHC クラス II 分子自身も，エンドサイトーシスの厳しい条件下で，タンパク質変性や分解の攻撃に耐性である．次にシャペロン DM によって，CLIP 断片は αβ ヘテロ二量体から除かれ，エンドサイトーシス経路に大量に存在するペプチドが，MHC クラス II の新たに空いたペプチドの結合ポケットに結合できる．DM タンパク質は，MHC にコードされ，構造もクラス II 分子によく似ているが，これ自身はペプチドとは結合できない．しかし，新たに形成された MHC クラス II-ペプチド複合体は，DM によるさらなる"編集"を受ける．DM によっても取除かれない強固なペプチドをクラス II 分子が得るまで，結合したペプチドは取除かれ続ける．その結果，MHC クラス II-ペプチド複合体は，かなり安定で，推定半減期は 24 時間をはるかに超える．

⑥ MHC クラス II-ペプチド複合体の細胞表面への提示: 新たにできた MHC クラス II-ペプチド複合体のほとんどは，多胞エンドソーム(多胞体)を含む後期エンドソームに局在する(図 14・32 参照)．このエンドソーム区画が伸長し，ついには細胞膜との融合によって MHC クラス II-ペプチド複合体が細胞表面に運ばれる．これらの現象は厳密に制御されている．樹状細胞やマクロ

ファージでは，感染に応答するシグナルによる活性化で，管形成とMHCクラスII分子の細胞表面への運搬が促進される．たとえば，プロフェッショナル抗原提示細胞上のToll様受容体によって検出される細菌のリポ多糖や，CD4を発現するヘルパーT細胞が産生するインターフェロンγなどの炎症性サイトカインなどのシグナルである．

プロフェッショナル抗原提示細胞では，上記の過程が恒常的に起こっているが，微生物やサイトカインにさらされると変化する．ここに述べたMHCクラスIおよびII産物の経路に加えて，MHCクラスI関連分子であるCD1タンパク質の経路が存在する．これは脂質抗原の提示に特化している．CD1分子の構造はMHCクラスI分子の構造に類似しており，大きなサブユニットとβ2ミクログロブリンからなる複合体である．多種類の細菌は，哺乳類の宿主にはみられない化学構造をもつ脂質をつくる．これらの脂質がCD1分子で提示されると，抗原として認識される（図24・29）．脂質は，概念的にはほとんどのMHC分子のペプチド結合ポケットと類似しているCD1分子の脂質結合ポケットに結合する．大きなCD1サブユニットの細胞質に飛び出た部分がシグナルとなって，CD1分子はエンドソームやリソソーム内に運ばれ，そこで抗原脂質との結合が起こる．のちに説明するように，CD1-脂質複合体は，ナチュラルキラーT細胞（**NKT細胞** NKT cell あるいは**γδT細胞**）とよばれる比較的まれなクラスのT細胞に関与する．NKT細胞はサイトカイン産生において重要な役割を果たし，サイトカイン産生を介して獲得免疫応答の開始や調和を助ける．MR1タンパク質などのMHCクラスI産物に構造的に関連する他のタンパク質は，小さな代謝産物に結合し，特別なTリンパ球サブセットである**MAIT細胞**（MAIT cell）に提示できる．

24・4 MHCと抗原提示 まとめ

- 移植の受容と拒絶の原因遺伝子領域として発見されたMHCには，免疫応答に関与する多くの異なるタンパク質がコードされている．このうちの二つのタンパク質であるMHCクラスI分子とクラスII分子は非常に多くの多型があり，多数の対立遺伝子変異が生じる（図24・22）．
- MHCクラスI分子とクラスIIタンパク質の機能は，ペプチド抗原と結合し，抗原-MHCタンパク質複合体がT細胞上の抗原特異的受容体と相互作用できるように，細胞表面に提示することである．抗原提示細胞上の抗原-MHCタンパク質複合体がT細胞上の相補的なT細胞受容体と結合すると，T細胞は活性化され，サイトカインの産生やウイルス感染細胞を殺傷する能力などのエフェクター機能が発動される．MHCクラスI分子は，ほとんどの有核細胞上に存在するが，MHCクラスII分子の発現は，樹状細胞，マクロファージ，そしてB細胞などプロフェッショナル抗原提示細胞に限定されている．
- MHCクラスIとクラスII分子の構成と構造は類似しており，多種類のペプチドを結合できる特別なペプチド結合ポケットを含む（図24・24）．
- 異なる対立遺伝子変異をもつMHC分子は異なるペプチドと結合する．なぜなら，ある多型と別の多型を区別できるペプチドの結合ポケットの構造を決定するアミノ酸残基が含まれるからである（図24・25）．MHC分子の変異アミノ酸残基には，T細胞受容体との直接の接触に関与する残基も含まれる．そのため，異なるMHC分子の多型変異は，たとえ同一のペプチドに結合する場合でも，同じT細胞受容体とは通常は反応しない．この現象をMHC拘束性とよぶ．
- MHCクラスI分子とクラスII分子によるペプチド結合は，異なる細胞内分画で起こる．クラスI分子はおもに細胞質の物質と結合する．一方，クラスII分子は，ファゴサイトーシス，ピノサイトーシス，受容体依存性エンドサイトーシスによって取込まれた細胞外物質と結合する．
- タンパク質抗原を獲得して，ペプチドに加工し，細胞表面に提示するMHC-ペプチド複合体へと変換する過程は，抗原のプロセシングと提示とよばれる．この過程は，適切なMHC分子を発現する細胞内では恒常的に働いており，免疫応答の過程で調節を受ける．
- 抗原のプロセシングと提示は，次の六つの段階に分けられる．1) 抗原の獲得，2) 抗原を分解するための標識，3) タンパク質分解，4) MHC分子とペプチドとの出会い，5) MHC分子へのペプチドの結合，6) MHC-ペプチド複合体の細胞表面への提示（図24・26，図24・28）．

24・5 T細胞とT細胞受容体，そしてT細胞の分化

Tリンパ球はT細胞受容体とMHC分子との特異的な相互作用を通じて抗原を認識する．この仕事を任された個々のTリンパ球は，多様な抗原特異的T細胞受容体をもつが，T細胞受容体は構造的に免疫グロブリンのF(ab)部位に類似している．膨大な数の多様な抗原特異的なT細胞受容体を産生するために，T細胞はT細胞受容体サブユニットをコードする遺伝子を再編成する．そのしくみは，免疫グロブリン遺伝子を再編成するためにB細胞が用いているのと同じ体細胞組換え機構である．T細胞の分化も，B細胞の分化と同様，体細胞遺伝子組換えがうまく進行し機能的なT細胞受容体が生じることに厳密に依存している．RAG遺伝子を欠損させると，抗体を産生するB細胞とともに，T細胞も除去される．以前から，個々のTリンパ球は，1種類のT細胞受容体を発現することが知られている．本節では，抗原特異的認識を仲介する受容体サブユニットが，どのようにシグナル伝達に必須である膜糖タンパク質と対になるのか，この複合体はどのようにMHC-ペプチドの組合わせを認識するのかについて解説する．

前節で述べたように，個人のT細胞は，その個人に存在する多型のMHC分子と一緒のときだけペプチド抗原を認識する．T細胞の分化過程において，T細胞はこの"自己"MHC分子の同一性を"学習"し，自己免疫を避けるために，無視するべきMHC-ペプチドの組合わせについて"教育"を受けなければならない．自己免疫反応は，自己の組織を潜在的に攻撃するT細胞が新しく生まれることによって起こる．

T細胞受容体の構造は，免疫グロブリンのF(ab)領域と類似している

B細胞がその表面上のB細胞受容体を用いて抗原を認識し，そ

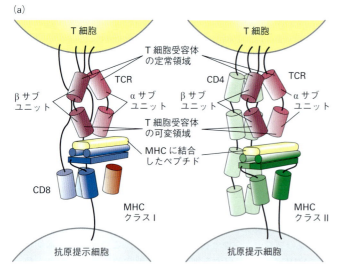

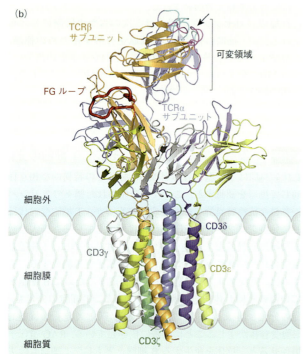

図 24・31 T細胞受容体とその共受容体の構造. (a) 抗原特異的T細胞受容体(TCR)は, 2本の鎖であるαとβサブユニットからなる. それらは V-J および V-D-J 組換えで, それぞれつくられる(図24・32). TCRαβ サブユニットは CD3 複合体(図24・33)と結合することが, シグナル伝達に必要である. 完全な TCRαβ-CD3 複合体の形成は細胞表面で発現するためにも必要である. TCR はさらに, CD8 (薄青) と CD4 (薄緑) の共受容体と結合する. CD8 と CD4 はそれぞれ, 抗原提示細胞上の MHC クラス I 分子と MHC クラス II 分子の保存された構造と相互作用する. (b) クライオ電子顕微鏡によって決定された TCR-CD3 複合体の細胞外領域の構造. CD3 複合体のサブユニットは色分けされている. TCRα と TCRβ サブユニットと, CD3γ, δ, ε サブユニットの細胞外領域はすべて Ig ドメインの基本的な折りたたみ構造をもつ. CD3 複合体の細胞質領域はクライオ電子顕微鏡で解析されていないので, 図には示していない. CD3γ, δ, ε サブユニットと異なり, CD3ζ サブユニットは細胞外領域が短い. CD3 複合体の細胞内領域には免疫受容体活性化チロシンモチーフ(ITAM)が含まれる. ITAM は TCR-CD3 複合体を介したシグナル伝達に必須である. [(b) は E. L. Reinherz, 2019, Nature 573(7775): 502, Copyright Clearance Center, Inc. を通じて Nature Publishing Group より許可を得て転載.]

してクローン増殖に至るシグナルを伝達するように, T細胞も免疫応答の参加に際して **T細胞受容体** (T-cell receptor: **TCR**) に依存している. 抗原特異的受容体を介して活性化した T 細胞は, 増殖して, 抗原をもつ標的細胞を殺傷する能力 (細胞傷害性T細胞の場合), あるいは B 細胞から抗体を産生する形質細胞への分化を助けるサイトカインを分泌する能力 (ヘルパーT細胞の場合) を獲得する. T細胞受容体は, 適切な MHC 分子に結合した抗原ペプチドを認識する.

T細胞受容体は, 体細胞組換えによってできた遺伝子にコードされる二つの核となる糖タンパク質サブユニットから構成される (図24・31). 受容体は通常, α と β サブユニットから構成されるが, 代わりに γ と δ サブユニット対から構成されることもある. これらのサブユニットの構造は, 免疫グロブリンの F(ab) 領域に類似している. すなわち, N 末端には可変領域があり, つづいて定常領域と膜貫通領域がある. TCR サブユニットの細胞質側末端は短すぎて, 細胞質のシグナル伝達分子と相互作用できない. 代わりに, TCR は, γ, δ, ε, ζ 鎖からなる膜糖タンパク質である CD3 複合体と会合している. この複合体の構造はクライオ電子顕微鏡による解析によって明らかになった (図24・31b). CD3 サブユニットの細胞外ドメインは免疫グロブリンドメインと類似しており, それぞれの細胞質ドメインには ITAM が含まれる. ITAM 中のチロシン残基がリン酸化されると, アダプター分子が会合する. ζ 鎖はジスルフィド結合ホモ二量体で CD3-TCR 複合体に挿入され, ζ鎖には三つの ITAM が含まれる (図24・33).

T細胞受容体遺伝子は免疫グロブリン遺伝子と同様の方法で再編成される

実際, 体細胞組換えでつくられるすべての抗原特異的受容体には, V-D-J 組換えの産物であるサブユニット (たとえば Ig 重鎖, TCR β 鎖) と V-J 組換えによってつくられたサブユニット (たとえば Ig 軽鎖, TCR α 鎖) が含まれる. TCR の V-D-J および V-J 組換えの機構は, 本質的には免疫グロブリン遺伝子で述べたものと同一であり, 非相同末端結合装置を構成するすべてのタンパク質 (RAG1, RAG2, Ku70, Ku80, DNA 依存性プロテインキナーゼの触媒サブユニット, XRCC4, DNA リガーゼ IV, Artemis) を必要とする. 同様に組換えシグナル配列 (RSS) も必須である (図24・32).

多くの注目すべき特性が, TCR 遺伝子座の構成や再編成を特徴づけている. 第一に, 免疫グロブリン (Ig) とは異なり, D-D 再編成が可能なように RSS が構成されている. 第二に, TCR 遺伝子が再編成するとき, ターミナルデオキシヌクレオチジルトランスフェラーゼ (TdT) が活性化しているので, **N ヌクレオチド** (N nucleotide) がすべての再編成 TCR 遺伝子内の V-D および D-J 接合部位に挿入される. 第三に, ヒトとマウスにおいて, TCR δ 遺伝子座が, TCR α 遺伝子座内に埋込まれている. その結果, TCR α の再編成が起こるときに, 挿入された δ 遺伝子座は完全に除去される. したがって, 再編成の対象として TCR α 遺伝子領域が選択されると, 除去されてなくなった δ 遺伝子座を利用できなくなる. αβ 受容体を発現する T 細胞と γδ 受容体を発現する T 細胞は, それぞれ異なる機能を果たす違う系譜だと考えられている. γδ 受容体には, すでに学んだように, 脂質抗原を提示することに特化した CD1 分子を認識できるものがある. γδ T 細胞は, 特定の解剖

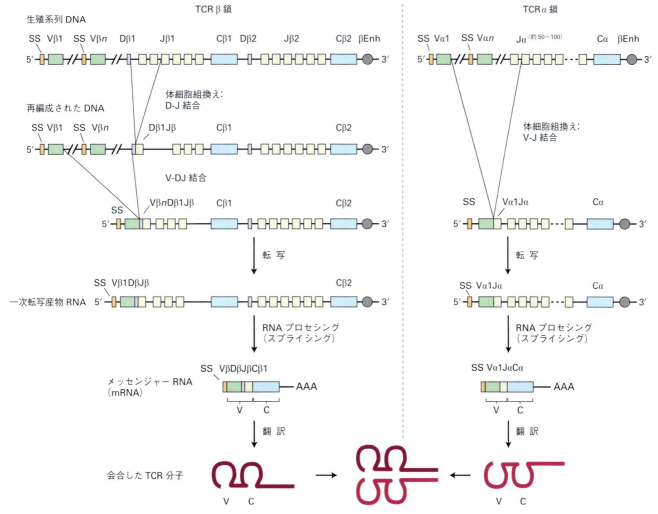

図 24・32 TCR遺伝子座の構成と組換え. TCR遺伝子座の構成は，基本的には，免疫グロブリン遺伝子座と同じである（図 24・15）．（左）TCR β鎖遺伝子座には，V遺伝子断片集団，D遺伝子断片集団，そして数個のJ遺伝子断片，下流には二つの定常領域が含まれる．組換えシグナルの配置から，D-J組換えだけでなく，D-J組換えに続くV遺伝子断片への結合も起こる．組換えシグナルの配置から可能性はあるものの，TCR β遺伝子座では直接のV-J組換えは観察されない．（右）TCR α鎖遺伝子座は，V遺伝子断片集団と多数のJ遺伝子断片から構成される．SS: シグナル配列をコードするエクソン，Enh: エンハンサー．

学上の部位（たとえば上皮層や生殖器，皮膚）に存在し，これらの部位に共通に見つかる病原体に対する宿主防御の役割を果たすようにプログラムされている．γδT細胞は抗腫瘍活性ももつ．

RAG組換え酵素のような組換え装置の重要な成分の欠損は，TCR遺伝子の再編成を阻害する．B細胞で説明したように，リンパ球の分化は，厳密に抗原受容体遺伝子の再編成に依存する．したがって，RAG1やRAG2の欠損は，B細胞とT細胞の両者の分化を妨げる．RAG遺伝子をホモで欠損するマウスは，生理学的および病態生理学的過程におけるB細胞やT細胞の役割を解明するために頻繁に利用されている．

T細胞受容体の多様なアミノ酸残基の多くは，V, D, J遺伝子断片間の接合部にコードされる

TCR遺伝子の体細胞組換えによってつくり出される多様性は莫大であり，10^{10}を超える別々の受容体があると見積もられている．すでに免疫グロブリン遺伝子の再編成のところで説明したように，連結による不正確さとNヌクレオチド付加のほかに，異なるV, D, J遺伝子断片が組合わせて使われることがこの多様性に大きく貢献している．その結果，V領域の多様性の程度は少なくとも免疫グロブリンの多様性と一致する（図 24・13）．実際，TCRの可変領域それぞれは，BCRと同等の三つの超可変領域（CDR）を含む．しかし，免疫グロブリン遺伝子と異なり，TCR遺伝子には体細胞変異は生じない．したがって，TCRでは免疫応答の過程で生じる抗体の親和性成熟に該当する現象はない．また，クラススイッチ組換えの選択も，受容体の分泌型と膜結合型をつくり出す選択的なポリ(A)付加部位の使用もない．

MHCクラスI-ペプチドあるいはMHCクラスII-ペプチド複合体に結合した多くのT細胞受容体の結晶構造が解明された．これらの構造から，T細胞受容体がどのようにさまざまなやり方でMHC-ペプチド複合体と結合しているかがわかる．体細胞再編成より生じた多様なCDR3領域内の最も広範囲にわたる接触は，複合体の中央のペプチドを含む領域と，MHC分子のαヘリックスと接触する生殖系列のままコードされたCDR1とCDR2の間につくられている．構造が解明されたT細胞受容体の多くは，MHC-

ペプチド複合体のペプチド領域を斜めに横切る形で結合している．結果として，MHC 分子の α ヘリックスと同様に，T 細胞受容体はペプチドの結合部分と広範囲に接触する．多様な MHC 分子の変異位置は，T 細胞受容体と直接接触するアミノ酸残基であることが多く，そのため，不適当な変異 MHC 産物との強固な結合は排除される．

　一つの MHC を別の MHC と区別するアミノ酸の違いは，ペプチドの結合ポケットの構築に影響を与える．T 細胞受容体と直接相互作用する MHC のアミノ酸残基が二つの MHC 分子に共有されている場合も，ペプチドの結合ポケットのアミノ酸が違えば，ペプチドの結合特異性は異なる．結果として，"不適当な" MHC−ペプチドの組合わせには，TCR との安定な相互作用に必須のペプチド内の接触残基が欠けることになる．そのため T 細胞受容体との生産的な相互作用は起こらない．前述したように，このような分子の特徴が MHC 拘束性の基盤となる．

抗原特異的受容体を介したシグナルは，T および B 細胞の増殖と分化をひき起こす

　T 細胞や B 細胞を介した免疫応答は，TCR や BCR がそれぞれのリガンドと結合し活性化されると開始する．TCR のリガンドは，抗原提示細胞表面に発現する MHC−ペプチド複合体である．BCR のリガンドは受容体に結合する抗原であり，MHC の関与や抗原提示細胞は必要ない．抗原による TCR と BCR の活性化は，すでに述べたチロシンキナーゼのようなシグナル伝達受容体 (16 章) の活性化と類似している．すべてのケースで，多くのリン酸化チロシンによるシグナルカスケードが関与している．いくつかの必須の膜タンパク質や可溶性の細胞質酵素も TCR と BCR シグナルに関与している．いくつかの場合で，これら膜結合タンパク質は受容体の補助サブユニットと考えることができる．そのような補助タンパク質がどのようにシグナルに関与しているかの例は図 24・33 に示す．抗原特異的受容体の細胞質部分は，細胞膜から長く突き出ていないので，下流のシグナル伝達分子を引寄せられない．代わりに，抗原特異的受容体は，ITAM を含む補助サブユニットと結合する．リガンドで抗原特異的受容体が刺激されると，受容体近傍で一連の現象がはじまる．キナーゼ活性化，ITAM 配列中の一つもしくは二つのチロシン残基のリン酸化，アダプタータンパク質の SH2 ドメインのリン酸化チロシンへの会合へと続き，アダプター分子はさらに下流のシグナル伝達分子を集める足場として働く．

　おもな下流のシグナル伝達経路の概要を図 24・33 に示す．リガンドが抗原特異的受容体に結合すると，細胞質に存在する Src ファミリーチロシンキナーゼが活性化される (たとえばヘルパー T 細胞における Lck，B 細胞における Lyn と Fyn，図 24・33，段階**1**)．これらのキナーゼは，抗原特異的受容体と近傍に存在するか，物理的に結合している．活性化キナーゼは，ITAM のチロシン残基をリン酸化する (段階**2**)．ITAM は，リン酸化されると，非 Src ファミリーチロシンキナーゼ (T 細胞では ZAP-70，B 細胞では Syk) の SH2 ドメインに結合して，これらのキナーゼを活性化する (段階**3**)．ITAM は，非 Src ファミリーチロシンキナーゼによって活性化した他のアダプタータンパク質にも結合する．他のリン酸化チロシンによってひき起こされるシグナル伝達経路 (16 章) と同様に，イノシトールリン脂質特異的ホスホリパーゼ Cγ と PI-3 キナーゼも活性化される．つづいて起こる下流の現象は，16 章で説明した受容体型チロシンキナーゼからのシグナルと同じである．B および T 細胞の抗原特異的受容体は，おそらく最もよく解析された "モジュール" 型の受容体型チロシンキナーゼであり，リガンド認識の単位とキナーゼドメインがそれぞれ別々の分子で実行される．最終的に，T および B 細胞の抗原特異的受容体を介したシグナルは，転写プログラムを開始し，活性化されたリンパ球の運命 (増殖と分化) を決定する．

　T 細胞のクローン増殖は，サイトカインであるインターロイキン 2 (IL-2) に強く依存している．T 細胞の抗原刺激にひき続いて，最初に転写活性化される遺伝子の一つは IL-2 である (図 16・19 参照)．T 細胞は，最初に爆発的につくった自身の IL-2 に応答し，さらに多くの IL-2 を産生する．これは自己分泌刺激の一例であり，ポジティブフィードバックループの一部を構成している．IL-2 合成の誘導に必須な重要な転写因子は，活性化 T 細胞核内因子 (nuclear factor of activated T cell: NFAT) タンパク質である．このタンパク質は，リン酸化型では細胞質中に隔離され，脱リン酸化されるまで核内に入ることができない．この脱リン酸化を触媒するホスファターゼは，Ca^{2+} によって活性化される酵素であるカルシニューリンである．カルシニューリンの活性化に至る細胞質中の Ca^{2+} 濃度の上昇は，$PI(4,5)P_2$ の加水分解によってできる IP_3 がひき起こす小胞体内の Ca^{2+} 貯蔵からの動員が原因である (図 15・28, 段階**2**〜**4**参照)．

　免疫抑制剤シクロスポリン (cyclosporine) は，カルシニューリンに結合し阻害するシクロスポリン−シクロフィリン複合体の形成を介して，カルシニューリン活性を阻害する．NFAT の脱リン酸化が抑制されると，NFAT は核に入ることができず，*IL-2* 遺伝子の転写を誘導できない．これによって抗原刺激された T 細胞のクローナル増殖は起こらず，免疫抑制に至る．この現象を利用したおそらく最も重要な貢献は，**同種組織移植** (allogeneic tissue transplantation) とよばれる親類でない臓器提供者と受容者 (遺伝的に異なり，異なる MHC 産物を発現する個人) 間の臓器移植の成功である．使用される器官によって移植の成功率は異なるものの，シクロスポリンのような強力な免疫抑制剤の利用によって，移植の臨床応用の可能性が大いに高まった．

MHC 分子を認識する T 細胞は，ポジティブ選択とネガティブ選択を通じて分化する

　遺伝子断片を集め合わせ機能する T 細胞受容体をコードする遺伝子をつくる再編成は，偶然の現象である．T 細胞受容体が最終的には相互作用しなければならない MHC 分子について事前に知らされないまま T 細胞の一部を完成させる．B 細胞の Ig 重鎖遺伝子座の体細胞組換えと同様に，最初に再編成する遺伝子断片は，TCR β 鎖では D 遺伝子断片と J 遺伝子断片であり，ひき続いて V 遺伝子断片が新たにできた DJ 遺伝子断片に結合する (図 24・32)．T 細胞分化のこの段階では，再編成がうまくいくと，TCR β 鎖が合成される．これは，プレ Tα (pre-Tα) とよばれる代替的な TCR α サブユニットと会合することで，プレ TCR に組込まれる．この二量体のプレ TCR は，B 細胞分化におけるプレ BCR の機能と非常に類似した機能を果たす．β 鎖の再編成が成功した T 細胞は，相同染色体上のもう片方の対立遺伝子における β 鎖の再編成

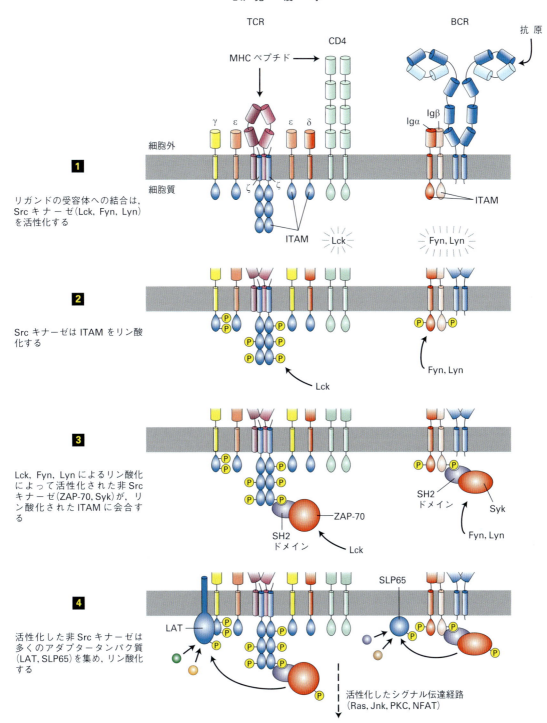

図 24・33　T細胞受容体(TCR)とB細胞受容体(BCR)からのシグナル伝達．T細胞(左)とB細胞(右)の抗原特異的受容体によって使われるシグナル伝達経路は，概念的に類似している．開始段階を図に示している．下流のシグナル伝達の現象は，遺伝子発現の変化に至り，その結果，抗原刺激を受けたリンパ球は増殖，分化する．詳細は本文参照．

を必要としない．プレTCRは，TCRβ鎖の再編成が成功したプレT細胞のクローン増殖を可能にし，対立遺伝子排除を行い，その後はそのT細胞と子孫細胞で一つの機能的TCRβサブユニットだけが産生されるようにする．プレT細胞の増殖期が完了するまでRAGの発現は低下している．その後，RAGの発現が再び開始し，TCRα遺伝子座の再編成を可能にするが，これは最終的に，再編成されたαとβサブユニットが完全に会合したTCRをもつ

T細胞を生み出す．図24・34に，T細胞とB細胞の分化における類似する段階を示した．

多様なプレTCRセットをもつT細胞集団は，どのようにして，自己MHC-ペプチド複合体とうまく相互作用できるT細胞だけが生き残るように選ばれるのだろうか．無作為な遺伝子再編成過程と結果として生じる莫大な変異によって，膨大で多様なT細胞受容体群が生じる．しかし，そのTCRセットの大部分は宿主の

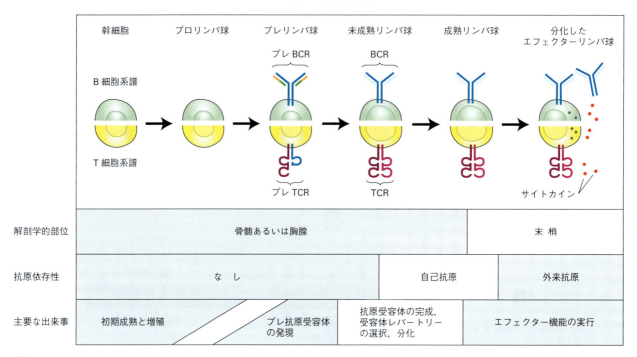

図 24・34　T 細胞と B 細胞の分化の比較. 細胞の運命決定は，新たに再編成された μ 鎖（プレ BCR）あるいは新たに再編成された β 鎖（プレ TCR）を含む受容体によって，実行される．プレ BCR とプレ TCR 受容体は，類似の機能を果たす．再編成と対立遺伝子排除が成功した細胞のクローナル増殖シグナルを担う．この段階のリンパ球分化は，抗原特異的認識を必要としない．プレ BCR もプレ TCR もそれぞれの受容体に固有のサブユニットを含み，成熟リンパ球にみられる抗原特異的受容体を欠いている．プレ BCR に対しては VpreB と λ5（橙と緑），プレ TCR に対してはプレ Tα（青）が含まれる．増殖段階が完了すると，抗原特異的な受容体の残りのサブユニットをコードする遺伝子の発現がはじまる．BCR に対しては Ig 軽鎖（水色），TCR に対しては TCR α 鎖（薄赤）が発現する．リンパ球の発生と分化は，異なる解剖学的部位で起こり，十分に会合した抗原特異的受容体（BCR と TCR）のみ抗原を認識する．成熟したリンパ球の活性化は，抗原認識に完全に依存する．

MHC 産物とうまく相互作用できず，それゆえ，無用である．役に立たない受容体をもった胸腺細胞は，末梢組織に運ばれることはなく，そのまま死ぬ．免疫系は，宿主自身の MHC（自己 MHC）とペプチドによる複合体とうまく相互作用できない TCR をつくる T 細胞を排除する選択過程を発展させてきた．胸腺内の選択によっても，自己 MHC-自己ペプチド複合体と強く相互作用する TCR をもつ T 細胞は取除かれる．そのような T 細胞は自己反応性で，正常で健康な組織を傷害する（自己免疫）可能性があるからである．このような両極端の間にある親和性で，胸腺内でペプチド-MHC 複合体を認識する TCR をもつ T 細胞は，生存シグナルを受容し，ポジティブ選択を受ける．ある T 細胞は偶然，外来性タンパク質由来のペプチドと MHC の複合体と強く結合するかもしれない．抗原のプロセシングと提示は恒常的過程であり，そのため胸腺では，すべての自己 MHC 分子は必ず自己タンパク質由来のペプチドに占有されていることを思い出そう．MHC クラス I やクラス II 分子と複合体を形成する自己ペプチドの組合わせは，新たに産生される T 細胞受容体群によって使用され，"自己"とは何かを規定し，自己は無視されるように決定するための基盤を構成する．

選択を受けている T 細胞は，胸腺に存在する細胞からさまざまなペプチド-MHC 複合体の提示を受けて，T 細胞受容体は，ある特定のペプチド-MHC 複合体との相互作用の強さと持続時間だけではなく，別の方法でもシグナルを感知する．すなわち，提示されている異なる MHC-自己ペプチドの組合わせの結合エネルギーの総和が，選択結果を決定する．この過程は，**T 細胞選択のアビディティーモデル**（avidity model of T-cell selection）とよばれる．

新しく生まれた T 細胞は，MHC-ペプチド複合体として胸腺内で適切な自己抗原が提示されたときだけ，アポトーシスによって抹殺される．胸腺内でつくられる T 細胞はその場所では正常には発現しない自己抗原を無視することを学ぶが，免疫系はどのようにしてそれを可能にしているのか．組織特異的様式あるいは胸腺の発生後に発現するタンパク質，たとえば膵島 β 細胞のインスリンや神経系のミエリン鞘の成分は，この部類に属する．**AIRE**（自己免疫調節因子 autoimmune regulator）とよばれる因子は，このような組織特異的な抗原が胸腺内のある一群の上皮細胞で発現することを許す．どのように AIRE がこれを行っているかはわかっていないが，胸腺や二次リンパ器官の選ばれた部位で，適切な遺伝子の転写を直接制御していると広く考えられている．AIRE を欠損すると，胸腺でこれら組織特異的抗原が発現しなくなる．AIRE を発現しない個体では，分化途中の T 細胞は胸腺で十分な教育を受けられない．そのため，潜在的に自己反応性の T 細胞を除去することができない．その結果，重篤な自己免疫応答の数々を示し，広範な組織傷害と疾患をひき起こす．

T 細胞は胸腺内で CD4 あるいは CD8 系譜に運命決定する

TCR 再編成は，共受容体の獲得と同時に起こる．T 細胞分化の重要な中間体は，機能的な TCR-CD3 複合体とともに，TCR 共受

容体である CD4 と CD8 の両者を発現する胸腺細胞である．この細胞は，**ダブルポジティブ（CD4$^+$CD8$^+$）細胞**〔double-positive (CD4$^+$CD8$^+$) cell〕とよばれ，胸腺で発生の中間体としてのみ見いだされる．T 細胞は成熟するとともに，CD4 か CD8 を失い，シングルポジティブ細胞になる．どちらの共受容体（CD4 あるいは CD8）の発現を選択するかで，T 細胞が MHC クラス I あるいはクラス II 分子のどちらを認識するかが決定する．どのように新生の CD4$^+$CD8$^+$ 細胞が教育され CD8$^+$（MHC クラス I 拘束性）T 細胞あるいは CD4$^+$（MHC クラス II 拘束性）T 細胞になるかは，完全にはわかっていないが，転写因子 ThPOK や Runx3 が基本的な役割を果たしていることがわかっている．ThPOK や Runx3 は TCR シグナルによって制御されている．一過的に ThPOK を発現する細胞は CD4 系譜に運命決定し，Runx3 の発現を抑制する．一方，ThPOK の発現が誘導されないと，Runx3 の発現は高くなり細胞は CD8 系譜に運命決定する．*ThPOK* 遺伝子の機能消失変異マウスでは，CD4$^+$T 細胞分化は生じず，すべての胸腺細胞は CD8 を発現する T 細胞になる．

　胸腺では，**ナチュラル制御性 T 細胞**（natural regulatory T cell, thymically derived regulatory T cell, ナチュラル Treg）と名づけられた別の種類の CD4$^+$T 細胞も分化する．下記で解説するように，その機能は CD4$^+$ ヘルパー T 細胞とは異なる．胸腺は少数の別の種類の T 細胞もつくり出す．たとえば，インバリアントナチュラルキラー T 細胞（iNKT）は，NK 細胞マーカーである NK1.1 を発現し，脂質抗原を提示する非古典的 MHC 分子である CD1 との結合能に基づいて選択される．腸の粘膜表面に存在する腸管上皮細胞間リンパ球もつくられる．成熟の最終段階が終了すると，すべての種類の T 細胞は末梢のリンパ器官に運び出される．

T 細胞を完全に活性化するには 2 種類のシグナルが必要である

　すべての T 細胞は，その活性化のために TCR を介したシグナルを必要とするが，これだけでは十分ではない．T 細胞は抗原提示細胞から提示される**共刺激シグナル**（co-stimulatory signal）も必要とする．共刺激シグナルを認識するために，T 細胞の細胞表面には数種類の異なる受容体があり，CD28 分子は最も知られている例である．これらの制御性シグナルはモノクローナル抗体を用いたがん免疫療法の基盤となっている．モノクローナル抗体が標的とするシグナル伝達タンパク質は CTLA4, PD-1, PD-L1 などである．これらの治療法については §24・6 で述べる．

　T 細胞上の CD28 は CD80 と CD86 と結合する．この二つは，T 細胞が相互作用するプロフェッショナル抗原提示細胞の 2 種類の表面糖タンパク質である．抗原提示細胞が，たとえば，Toll 様受容体（TLR）の活性化など適切な刺激シグナルを受容すると，CD80 と CD86 の発現が上昇する．CD28 を介した T 細胞へのシグナルは，同種自己 MHC-ペプチド抗原複合体に結合した TCR から発生するシグナルと協調する．T 細胞の完全な活性化にはこれらすべてが必要である（図 24・35，段階 **1**〜**3**）．

　T 細胞は，いったん活性化すると，共刺激シグナル分子を認識しながら，減弱あるいは阻害シグナルを与える類似した受容体を発現するようになる．ネガティブフィードバック制御である．活性化したときのみ T 細胞上に発現が誘導される CTLA4 タンパク質は，CD80 や CD86 との結合をめぐって CD28 と競合する．CD80 や CD86 タンパク質に対する CTLA4 の親和性は CD28 のそれよ

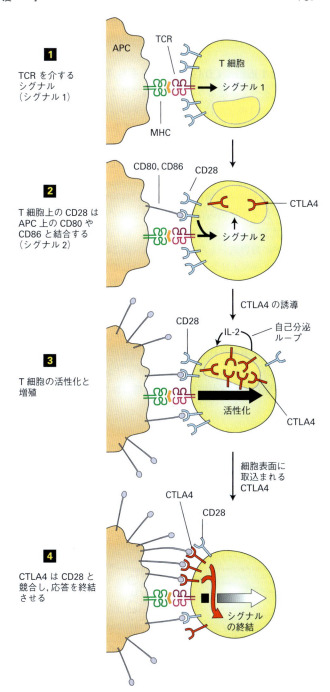

図 24・35 T 細胞の活性化と活性化終結に関与するシグナル．T 細胞活性化を誘導する 2 シグナルモデル（two signal model）は，T 細胞受容体による MHC-ペプチド複合体の認識（シグナル 1，段階 **1**）と，CD28 による抗原提示細胞表面の共刺激分子（CD80 と CD86）の認識（シグナル 2，段階 **2**）を必要とする．完全な活性化によって，T 細胞表面上に CTLA4 の発現が増加する（段階 **3**）．CTLA4 は，CD80 や CD86 と結合し，T 細胞の応答を抑制する（段階 **4**）．CTLA4 の CD80 と CD86 への親和性は，CD28 の親和性より高いので，T 細胞の活性化は最終的に終結する．シグナル 1 のみでシグナル 2 が与えられないと，T 細胞は不応答（アナジー）となることに注意．

り高いので，CTLA4 を介して与えられる阻害シグナルは，最終的に CD28 を介する刺激シグナルより優位となる．共刺激分子は，このように刺激的かあるいは抑制的（命名を調整することなしにのちに発見されたためこう表現される）であり，そのため，T 細

胞応答の活性化状態や持続時間を制御する重要な手段を与えている.

細胞傷害性T細胞はCD8共受容体をもち,殺傷に特化している

ここまで述べてきたように,細胞傷害性T細胞（CTL）は通常その表面に,CD8とよばれるTCR共受容体糖タンパク質を発現する.CD8⁺T細胞は,同種MHCクラスI-ペプチドの組合わせを提示する標的細胞を鋭敏に感知して殺す.1個のMHC-ペプチド複合体があれば,適切に活性化されたCTLは,標的細胞を殺傷することができる.

CTLによる殺傷の機構には,相乗的に作用する2種類のタンパク質,パーフォリン（perforin）とグランザイム（granzyme）が関与する（図24・36）.パーフォリンは,膜侵襲複合体である補体カスケードの最終成分と相同性がある（図24・5）.膜侵襲複合体と同様に,パーフォリンは細胞膜に結合して20 nm程度の小孔を形成する.小孔によって,電解質や小さな溶質が細胞から漏出して,細胞は死に至る.グランザイムは,標的細胞に向けて運ばれ,パーフォリンによってつくられた小孔を通って標的細胞内に入ると推定されている.グランザイムはセリンプロテアーゼで,エフェクターカスパーゼを活性化し,標的細胞をプログラム細胞死に進ませる（アポトーシス,22章）.パーフォリンとグランザイムは,細胞傷害性顆粒に含まれていて,細胞傷害性T細胞内に蓄積されている.T細胞受容体が同種MHCクラスI-抗原複合体と結合すると,TCRからのシグナル伝達によって,細胞傷害性顆粒とその内容物が,細胞傷害性T細胞と標的細胞の間に形成される**シナプス間隙**（synaptic cleft）に放出される.T細胞が,シナプス間隙に放出されるグランザイムとパーフォリンから,どのように死を免れているのかはまだわかっていない.ナチュラルキラー細胞も,細胞傷害活性を発揮し,同じくパーフォリンとグランザイムを介して,標的細胞を殺傷する（図24・6）.

T細胞は,他の免疫系細胞にシグナルを伝達する一連のサイトカインを分泌する

リンパ組織に存在する多くのリンパ球と他の細胞は,サイトカインを産生する.これらの小さな分泌タンパク質は,リンパ球細胞表面の特異的受容体に結合し転写プログラムを開始することで,リンパ球の活性を制御する.これにより,リンパ球が増殖するか,それとも細胞傷害活性（細胞傷害性T細胞）やヘルパー活性（ヘルパーT細胞）あるいは抗体分泌活性（B細胞）をもつエフェクター細胞へと分化するかが決まる.白血球から産生され,おもに白血球に作用するサイトカインは,**インターロイキン**（interleukin）とよばれる.35種類以上のインターロイキンが同定され,分子レベルで解析されている.インターロイキン受容体は,互いに構造の類似点があり,エリスロポエチンに対する受容体と

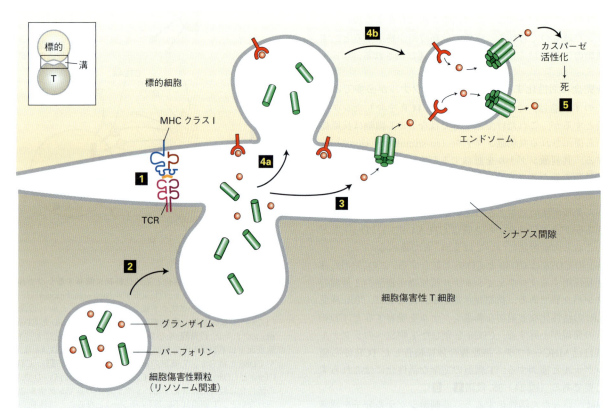

図24・36 細胞傷害性T細胞によるパーフォリンおよびグランザイムを介した細胞殺傷.細胞傷害性T細胞は標的細胞を認識すると（段階**1**）,標的細胞と強固な抗原特異的結合を形成する.しっかり固定した結合はシナプス間隙を形成し,そこに細胞傷害性顆粒の内容物（パーフォリンとグランザイムが含まれる）は放出される（段階**2**）.パーフォリンは吸着先の膜上に小孔を形成する.またグランザイムはセリンプロテアーゼで,パーフォリンが形成する小孔を通って細胞内に入る（段階**3**）.パーフォリンは,標的細胞の細胞表面のみならず,パーフォリン分子が細胞表面から細胞内部に取込まれたのち,エンドソームの表面にも運ばれる（段階**4**）と考えられている.グランザイムはいったん細胞質に入ると,カスパーゼを活性化し,プログラム細胞死を開始する（段階**5**）.

も類似する．構造が類似したインターロイキンは，祖先を同じくする構造が類似した受容体によって認識される．IL-2受容体（図16・19b参照）は特によく解析された例である．T細胞増殖因子であるIL-2は，T細胞が刺激されたときに最初に産生されるサイトカインの一つである．IL-2は，自己分泌あるいは傍分泌増殖因子として働き，活性化したT細胞のクローン増殖を促進する．

ヘルパーT細胞によって産生されるインターロイキン4（IL-4）は，活性化B細胞を増殖させたり，クラススイッチの組換えや体細胞超変異を誘導する．骨髄中の間質細胞によって産生されるインターロイキン7（IL-7）は，T細胞とB細胞の分化に必須である．IL-7とIL-15は，**記憶細胞**（memory cell）の維持に働く．記憶細胞とは抗原を経験したことのあるT細胞で，抗原に再曝露されると招集される．これら記憶T細胞は，急速に増殖し，再侵入した病原体に対応する．IL-2，IL-4，IL-7，そしてIL-15に対する受容体はすべて，シグナル伝達において共通のサブユニットに依存している．共通γ鎖（γ_c）とαサブユニット（IL-2とIL-15）あるいはβサブユニット（IL-2, IL-4, IL-7, IL-15）でリガンド特異性を与えている（図16・19b参照）．γ_cの遺伝的欠失によって，ほぼ完全にリンパ球の分化ができなくなる．この結果は，免疫応答のエフェクター期のみならず，リンパ球分化の過程でもこれらサイトカイン（およびその受容体）が重要であることを示している．IL-7はリンパ球分化で特に重要な役割を果たす．共通γ鎖をコードする遺伝子をノックアウトすることによって，ヒト由来の組織や腫瘍を移植片として受容できる免疫不全マウスを作製することができる．そのようなマウスは腫瘍免疫を研究したり，マウスの体内で部分的にヒトの免疫システムを構築するのに非常に有用である．たとえば，HIVの研究では，HIVはマウスのリンパ球には感染しないので，役に立つ．

JAK/STAT経路を通じたサイトカイン受容体によるシグナル伝達機構は16章で説明した（概要は図16・19a参照）．インターロイキンやSTAT経路制御下の多くの遺伝子のなかに，サイトカインシグナル伝達抑制因子（suppressor of cytokine signaling: SOCS）タンパク質がある．このタンパク質自身はサイトカインによって誘導され，JAKの活性型に結合し，それをプロテアソーム分解に導く（図16・21b参照）．

ヘルパーT細胞は，サイトカイン産生と表面マーカーの発現に基づいて異なるサブセットに分けられる

CD4を発現するT細胞は，B細胞を助けて，その増殖と形質細胞への分化を誘導するヘルパーT細胞である．ヘルパーT細胞の機能は，ヘルパーT細胞とB細胞との直接の接触はもちろん，IL-4などのサイトカインの産生と分泌を必要とする．

第二のクラスのヘルパーT細胞は，その主要な機能として，炎症環境の確立に貢献するサイトカインを分泌する．複数のサブタイプの炎症性T細胞は，それが産生するサイトカインの種類とその免疫応答を制御する役割から分類されてきた．すべての活性化したT細胞はIL-2を産生するが，他のサイトカインは特定のヘルパーT細胞サブセットだけで産生される．

T_H1細胞に分類されるヘルパーT細胞は，インターフェロンγと腫瘍壊死因子（TNF）を分泌して，マクロファージを活性化し，炎症反応を刺激する．**炎症性T細胞**（inflammatory T cell）ともよばれるT_H1細胞は，さらに，抗体産生においても重要な役割を果たしており，IgG1やIgG3のような補体結合抗体の産生を顕著に促進する．T_H2細胞はIL-4とIL-10を分泌し，IL-4の産生を介して，IgG1とIgEアイソタイプへのクラススイッチ組換えに関与するB細胞応答に重要な役割を果たす（§24・3）．B細胞では，活性化誘導シチジン脱アミノ酵素（AID）の誘導がクラススイッチ組換えと体細胞超変異を準備することを思い出してほしい．AIDの誘導は，ヘルパーT細胞によって産生されるサイトカインの正確な組合わせと，CD40の結合によって生じる．CD40は活性化T細胞上に誘導される表面膜タンパク質で，**CD40リガンド**（CD40 ligand）もしくは**CD40L**とよばれるB細胞上のタンパク質と結合する．

従来のヘルパーT細胞は，IL-17を産生するT_H17細胞にも分化でき，**誘導性制御性T細胞**（induced regulatory T cell，誘導性Treg）に分化する（胸腺で産生されるナチュラルTregとは異なる）．二つの種類のTregは，他の種類のT細胞に抑制効果を発揮することで，免疫応答を弱める．ナチュラルTregは，潜在的に自己反応性のT細胞の活性を抑制し，末梢の免疫寛容の維持に重要である（自己抗原に対する免疫応答の欠如）．一方，誘導性Tregは，外来抗原に対する過剰に強い免疫応答を制御していると考えられている．T_H17細胞は，細菌（特に細胞外の細菌）に対する宿主防御に重要であり，また自己免疫疾患の病因的役割にも関与する．

自然リンパ球は炎症と免疫応答全体を制御する

病原体に対する免疫応答による選択圧によって，抗体はT細胞によって認識されないような病原体の変異株が出現するようになる．インフルエンザウイルスやヒト免疫不全ウイルスなどの，比較的小さなゲノムをもつ多くのウイルスはエラーを起こしやすいポリメラーゼによって複製され，アミノ酸置換をもつ変異株が生じる．そのような変異によって，正しいエピトープが発現しなくなるために，免疫系に認識されなくなる場合がある．ヘルペスウイルスのような大きなゲノムをもつウイルスは，たとえばMHCクラスI分子の発現低下など，他の手段を用いて免疫系から逃避する．これによって感染細胞はCD8$^+$T細胞によって殺傷されにくくなる．似たような状況が多くのがん細胞に当てはまる．がん細胞ではしばしばMHCクラスI分子の発現が著しく低下している．ナチュラルキラー（NK）細胞はMHCクラスI分子を認識して，NK細胞の機能を抑制する受容体を発現しているので，MHCクラスI分子の欠如を感知することができる．ウイルス感染細胞やがん細胞は表面にMHCクラスI分子を発現しないので，そのような受容体による免疫抑制を解除して，NK細胞は標的を殺傷することができる．このように，CD8$^+$T細胞とNK細胞が強調して働くことによって，おのおのが単独で働く場合よりも効果的に，ウイルス感染細胞やがん細胞に対してある一定程度の防御が可能となる．

NK細胞は数十年前に発見されたが，いまでは**自然リンパ球**（innate lymphoid cell: ILC）のグループの一つと考えられている．これらの細胞は，産生するサイトカインの種類など，多くの点で従来型のリンパ球と類似しているが，受容体をつくるのに獲得免疫系のB細胞およびT細胞に特徴的な遺伝子再編成を用いない．ILCは炎症や免疫応答全体の制御に重要である．ILCは活性化さ

れるとすぐにサイトカインを分泌できる準備が整っており，粘膜部位に好んで位置することからさまざまな感染における役割が示唆されている．ILC グループ 1 は，T_H1 サイトカイン，特にインターフェロン γ や TNF を産生する NK 細胞などの ILC を含む．ILC2 は古典的な T_H2 CD4$^+$ T 細胞と同様に，インターロイキン 5 (IL-5) や IL-13 を発現する．ILC2 は，T_H2 CD4$^+$ T 細胞とともに，蠕虫（寄生虫）感染を防御する．ILC3 は当初，NK 細胞活性化受容体 NKp46 を発現する腸管リンパ球と定義されたが，NK 細胞（ILC1）とは全く異なる．ILC3 は IL-17A や IL-22 を発現する．リンパ組織誘導（LTi）細胞は ILC3 に近い ILC サブセットだが，その関連性については異論がある．LTi 細胞と ILC3 はともに ILC グループ 3 に分類される．

白血球は，ケモカインによって提供される走化性因子に応答して移動する

インターロイキンは，転写プログラムを引出すことによって，リンパ球が特別なエフェクター機能を獲得できるようにして，リンパ球に何をすべきかを教える．一方，ケモカインは，白血球に行く場所を教える．多くの細胞は，ケモカインの形式で走化性因子を放出する．組織に損傷が生じたとき，内在する繊維芽細胞は，好中球を損傷部位に誘引するケモカイン IL-8 を産生する．リンパ節内でのリンパ球の移動の制御は，樹状細胞にとっては T 細胞を誘引するために，T 細胞や B 細胞にとっては互いが出会うために必須である．これら移動の段階は，すべてケモカインによって制御されている．

約 40 種類の異なるケモカインと 10 種類を超えるケモカイン受容体が存在する．一つのケモカインは，1 種類以上のケモカイン受容体に結合し，単一の受容体は数個の異なるケモカインと結合できる．この柔軟性によって非常に複雑な走化性因子の組合わせ暗号が生み出される．この暗号は，白血球を，生まれた場所である骨髄から，血流へ，そして標的とする目的地へと輸送するための誘導に使われる．

いくつかのケモカインは，リンパ球に，循環系を出てリンパ組織に移動するように指示する．これらの移動は，必要なセットのリンパ球からなるリンパ組織の集団形成に貢献する．この移動は正常なリンパ系細胞の分化の一部としても起こるので，そのようなケモカインは**恒常性ケモカイン**（homeostatic chemokine）ともよばれる．白血球を炎症部位や損傷した組織に呼び込む役割を果たすケモカインは**炎症性ケモカイン**（inflammatory chemokine）とよばれる．

ケモカイン受容体は G タンパク質共役型受容体で，細胞接着と細胞移動の制御に必須の成分として機能している．白血球は，速い速度で血管を移動し，強い流体力学的ずり応力にさらされている．白血球が内皮を通り抜け，リンパ節に移動あるいは組織の感染部位を探す場合には，まず減速しなければならない．この過程には，**セレクチン**（selectin）とよばれる糖タンパク質細胞表面受容体と，白血球の表面に存在する，通常おもに糖であるリガンドとの相互作用が必要である．もしケモカインが細胞外マトリックスに吸着され，またもし白血球がそのケモカインに対する受容体を発現していると，ケモカイン受容体の活性化によってシグナルが誘導され，白血球がもつインテグリンの構造の変化が生じる．この変化によって，インテグリンのリガンドに対する親和性が高まり，白血球は確実に停止する．ひき続いて，**溢出**（extravasation, 血管外遊走）という過程によって，白血球は血管から出る（図 20・42 参照）．

24・5 T 細胞と T 細胞受容体，そして T 細胞の分化 まとめ

- 抗原特異的 T 細胞受容体は，α と β サブユニットあるいは γ と δ サブユニットからなる二量体タンパク質である．T 細胞は，糖タンパク質共受容体の CD4 と CD8 の発現に基づいて，少なくとも二つの主要なクラスに分化する（図 24・31）．

- 抗原認識の分子の道しるべ（免疫学の用語で拘束因子）として MHC クラス I 分子を用いる細胞は，CD8 を発現する．MHC クラス II 分子を用いる細胞は CD4 を発現する．これら二つのクラスの T 細胞は機能的に異なる．CD8$^+$ T 細胞は細胞傷害性 T 細胞である．CD4$^+$ T 細胞は B 細胞を助ける細胞であり，サイトカインの重要な供給源である．

- TCR サブユニットをコードする遺伝子は，V 遺伝子断片と J 遺伝子断片（α 鎖）あるいは V, D, J 遺伝子断片（β 鎖）の体細胞組換えによってできる．この再編成は，B 細胞の Ig 遺伝子の再編成で定義されたのと同じ規則に従う（図 24・32）．TCR 遺伝子の再編成は，胸腺内で T リンパ球になると運命づけられた細胞のみで起こる．

- 完全な T 細胞受容体は，抗原と MHC 認識に必要な α と β サブユニットに加えて，シグナル伝達に必要な付属の CD3 複合体を含む．CD3 複合体を構成するサブユニットは，細胞質部分に一つあるいは三つの ITAM ドメインをもつ．ITAM はリン酸化されると，シグナル伝達に関与するアダプタータンパク質を集める（図 24・33）．

- T 細胞の分化過程では，TCR β 遺伝子座が最初に再編成する．その遺伝子座が機能的な β サブユニットをコードするようになると，プレ Tα 鎖とともにプレ TCR に取込まれる（図 24・34）．プレ BCR と同様，プレ TCR は，対立遺伝子排除（すなわち，二つの対立遺伝子のうち片方だけでコードされる，機能的な再編成された T 細胞受容体の発現）と，TCR β 再編成がうまくいった細胞の増殖を仲介する．

- 自己 MHC 分子を認識できない分化途上の T 細胞は，生存シグナルの欠損のため，死ぬ．分化途中で出会った自己ペプチド-自己 MHC 複合体と強過ぎる相互作用をする T 細胞は，死ぬように教育される（ネガティブ選択）．自己ペプチド-自己 MHC 複合体に対して中程度の親和性をもつ T 細胞は，成熟することを許され（ポジティブ選択），胸腺から末梢へと運ばれる．

- 自然リンパ球（ILC）は，特に産生するサイトカインの種類でリンパ球と共通する特徴をもつが，T リンパ球とは異なり抗原特異的な受容体に依存しない．

- T 細胞は，ケモカインの形態の走化性シグナルによって，どこに行くかを教えられる（細胞移動）．ケモカインの受容体は，複数種類のケモカインと結合できる G タンパク質共役型受容体である．ケモカイン-ケモカイン受容体結合の複雑さによって，リンパ組織や末梢で，白血球が移動するときの正確な制御が可能になっている．

24・6 獲得免疫応答における免疫系細胞間の協調

有効な獲得免疫応答には，B細胞，T細胞，そして抗原提示細胞（APC）が必要である．B細胞がクラススイッチ組換えや親和性の高い抗体の産生には欠くことのできない体細胞超変異を実行するためには，活性化T細胞の助けが必要である．同様に，これらのT細胞自身は樹状細胞のようなプロフェッショナル抗原提示細胞によってのみ活性化される．樹状細胞は，Toll 様受容体（TLR）や他のパターン認識受容体（多糖類や糖の決定基を認識できる細胞表面のマンノース結合タンパク質やレクチンなど）を用いて病原体を検出する．つまり，自然免疫系と獲得免疫系の構成要素間の相互作用は，獲得免疫の大変重要な側面である．自然免疫と獲得免疫の階層的に絡み合った性質は，直接的な保護作用を示す迅速な初期応答を保証し，また，絶え間のない侵入者に対する特異的な応答を獲得免疫系に準備させる．本節では，これら多様な因子がどのように活性化され，そして関連する複数の細胞がどのように相互作用するかについて解説する．

Toll 様受容体は，多様な病原体由来の巨大分子のパターンを読み取る

自然免疫系の重要な機能の一部は，ただちに微生物侵入者の存在を検出し，それに応答する能力である．この応答には侵入者の直接的除去が含まれるが，それはまた哺乳類宿主に，特にプロフェッショナル抗原提示細胞の活性化を通じた適切な獲得免疫系の準備をさせることも含んでいる．抗原提示細胞は，病原体との接触が最も生じやすい上皮（気道，消化管，生殖器官）のいたるところに存在する．皮膚では，**ランゲルハンス細胞**（Langerhans cell）とよばれる樹状細胞のネットワークが存在し，病原体が，これらプロフェッショナル抗原提示細胞との接触を免れて，この障壁を突破することは，事実上不可能である．樹状細胞や他のプロフェッショナル抗原提示細胞は，TLRファミリーのタンパク質を介して，細菌やウイルスの存在を検出する．これらのタンパク質は，構造と機能の相同性から，ショウジョウバエのタンパク質Tollにちなんで名づけられた．ショウジョウバエのTollは，ショウジョウバエの背腹のパターン形成に重要な役割をすることから発見された．しかし現在では，類似した受容体は脊椎動物と同様に昆虫でも自然免疫応答をひき起こす能力があると認識されている．

TLRの構造 Toll 自身もすべての TLR も，**ロイシンに富む反復配列**（leucine-rich repeat）からなる鎌状の細胞外ドメインをもつ．これらはリガンド結合に関与すると考えられている．TLRの細胞質部分は，シグナル伝達を行えるアダプタータンパク質の会合を担う領域を含む．TLRが用いるシグナル伝達経路は，サイトカイン IL-1 の受容体が用いる構成因子（と結果）の多くを共有している（図 24・37，図 16・31 参照）．

ショウジョウバエの Toll タンパク質は，そのリガンドである Spaetzle と結合する．Spaetzle 自身は，ショウジョウバエを食い物にする真菌の細胞壁の成分からはじまる一連のタンパク質分解による変換で生じる産物である．ショウジョウバエでは，Toll の活性化は，最終的には抗菌ペプチドをコードする遺伝子の制御を担うシグナル伝達カスケードの活性化に至る．細胞表面の活性化した受容体は，一連のアダプタータンパク質を用いて，転写装置

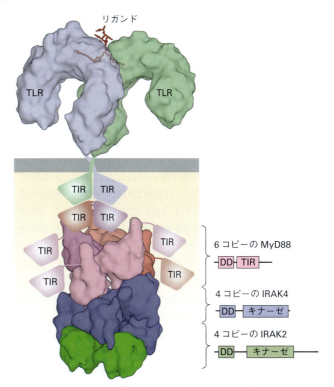

図 24・37 **Toll 様受容体（TLR）の活性化**．TLR の細胞外部分は，多様な化学的性質のリガンド（核酸やリポ多糖）を認識する．TIR（BToll/IL-1β 受容体相同）ドメインとよばれる TLR の細胞質部分は，複合体当たり6コピーのアダプター分子 MyD88 と結合し，IRAK ファミリーの2種類のキナーゼを呼び寄せる．図に示すように，この複合体相互作用は，TIR ドメインとデスドメイン（DD）を介して維持される．細胞質側に会合した複合体は，ミッドソーム（myddosome）とよばれる．図 16・31 で示されているように，E3 ユビキチンリガーゼである TRAF6 は IRAK2 に結合する．広範な TRAF6 間の相互作用により何百コピーもの TLR 複合体が架橋されて細胞膜に巨大なシグナルソームを形成する．[J. Y. Kang and J.-O. Lee, 2011, *Annu. Rev. Biochem.* **80**(1): 917, Copyright Clearance Center, Inc. を通じて Annual Reviews より許可を得て転載．]

と情報のやりとりを行う．一連のアダプタータンパク質は，下流のキナーゼを活性化することで Toll タンパク質や TLR と転写因子間を介在する．重要な段階は，Cactus タンパク質のユビキチン依存性のプロテアソーム分解である．Cactus が除かれると，タンパク質 Dif は核に移行して転写を開始させる．この経路は哺乳類の NF-κB 経路と働きも構造的構成も非常によく似ている（図 16・30 参照）．

TLR の多様性 さまざまな微生物の生成物によって活性化され，さまざまな細胞で発現する十数種類の哺乳類 TLR が存在する．TLR の機能は樹状細胞やマクロファージの活性化に必須である．好中球も TLR を発現する．TLR によって認識される微生物の生成物には，リポ多糖，フラジェリン（細菌の鞭毛を構成するサブユニット），細菌のリポペプチドなど細菌の細胞表層に見いだされる巨大分子が含まれる．これらの巨大分子の少なくともいくつかと TLR との直接的な結合が，複合体の結晶解析から直接示された．異なる種類の微生物の分子は，異なる TLR で感知される．たとえば，リポ多糖は TLR4，リポペプチドは TLR1 と TLR2 あるいは TLR2 と TLR6 のヘテロ二量体，そしてフラジェリンは

TLR5に結合する．これらのTLRによる細菌エンベロープ膜成分の認識は，すべて細胞表面で行われる．

TLRの第二群，すなわちTLR3，TLR7，TLR9は病原体由来の核酸の存在を感知する．それは細胞表面でなく，受容体が存在するエンドソーム画分内で行われる．哺乳類のDNAは，多くのCpGジヌクレオチドでメチル化されている．一方，微生物のDNAには一般的にこの修飾はない．TLR9はメチル化されていないCpGを含む微生物のDNAによって活性化される．同様に，RNAウイルス複製の中間体としてウイルス感染細胞に存在する二本鎖RNA分子は，TLR3を活性化する．最後に，TLR7はある種の一本鎖RNAの存在に反応する．以上のように，哺乳類TLRの完全なひと揃いは，細菌性，ウイルス性，真菌性の病原体や，さらにマラリアなどの寄生虫の存在を示す多様な巨大分子の認識を可能にしている．

インフラマソーム　ウイルスのRNAを認識し，構造的にTLRとは異なるRNAやDNAに対するさまざまな細胞内受容体が報告された．病原体と宿主由来のDNAの両方を認識できる細胞質受容体の数は増え続けている．これら受容体のいくつかは，インフラマソーム（inflammasome）会合に関与している（図24・38）．インフラマソームの主要な機能は，酵素前駆体であるプロカスパーゼ1を活性化カスパーゼ1に変換することである．カスパーゼ1は，プロIL-1βを活性化IL-1βに変換するプロテアーゼである．IL-1βは，強い炎症反応を惹起するサイトカインである．成熟型IL-1はシグナル配列がなく，ガスダーミンタンパク質からなる小孔の形成による非典型的な分泌経路を介して産生細胞から分泌される（図24・39）．ガスダーミンはカスパーゼによって不活性型の前駆体から活性型に変換され，タンパク質が通過する大きさの小孔を形成する．そのようにして，これらの小孔はIL-1β

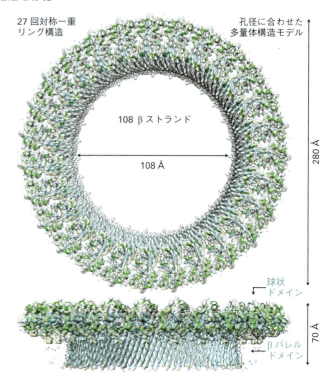

図24・39　クライオ電子顕微鏡によって決定されたガスダーミンA3による小孔の構造．インフラマソームが活性化すると，カスパーゼによりガスダーミンサブユニットは活性型に変換される．活性型サブユニットは自己集合して多量体構造となる．上方および側方から見るとここに示すように，27個のガスダーミンA3サブユニットからなる複合体が形成される．βバレルドメインは脂質二重層の脂肪酸アシル鎖と結合して，細胞膜を貫通する．その結果，細胞の中身が漏出して細胞死に至る．ガスダーミン複合体が会合して形成する大きな孔は，IL-1などの細胞内で活性化したサイトカインを細胞外に放出するのに役立っているのかもしれない．IL-1はシグナル配列を欠く典型的な分泌タンパク質である．[J. Ruan et al., 2018, *Nature* **557**(7703): 62, Copyright Clearance Center, Inc.を通じてSpringer Natureより許可を得て転載．]

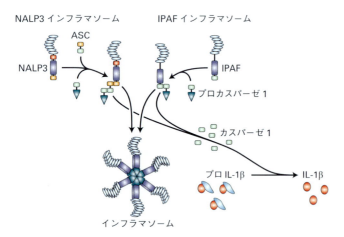

図24・38　インフラマソーム．インフラマソームは，細胞質の病原体由来の核酸の存在を感知する複合体の一種で，尿酸結晶やアスベストのような微細粒子を含む他の危険シグナルによっても活性化される．20以上のタンパク質がこの複合体の形成に関与し，異なる構成成分のインフラマソームをつくる．ここでは二つを示す．完全に会合したインフラマソームは，カスパーゼ1を活性化する．カスパーゼ1は，プロIL-1βを切断型の活性化IL-1βに変換する酵素である．NALP3は，NLRPともよばれ，NACHT，LRRそしてPYDドメインが存在することが特徴となっているタンパク質ファミリーの一員である．ASCは，apoptosis-associated Speck-like protein containing a CARD（caspase recruitment domain）の略．

を分泌するだけでなく，**パイロトーシス**（pyroptosis，炎症を伴う細胞死）とよばれる一種の細胞死に寄与する．インフラマソームの主成分は，ロイシンに富む反復配列をもつタンパク質であるNALP（neuronal inhibitors of apoptosis）ファミリータンパク質やNOD（nucleotide oligomerization domain）タンパク質である．アポトーシスに関与するApaf-1分子（22章）に類似のタンパク質Ipaf-1は，アダプタータンパク質ASCの会合を可能にし，プロカスパーゼ1との複合体形成を仲介する．この多サブユニット複合体の集合の結果，プロカスパーゼ1は活性化カスパーゼ1に変換され，プロIL-1βは活性化IL-1βに変換される．シリカや尿酸結晶，アスベスト（石綿）粒子など多くの見かけ上関連のない基質が，インフラマソームの会合と活性化を誘導する．したがって，インフラマソームシグナルカスケードの阻害やIL-1β受容体の抑制は，多くの炎症疾患に対する治療となる可能性がある．

TLRシグナルカスケード　図24・37に示すように，哺乳類のTLRが活性化すると，アダプタータンパク質MyD88が会合し，次にIRAK（interleukin 1 receptor-associated kinase）タンパク質の結合と活性化が起こる．IRAKがTNF受容体関連因子6（TRAF6）

をリン酸化したのち，複数の下流キナーゼの活性化がはじまり，活性化した NF-κB が解離する．NF-κB は転写因子であり，細胞質から核に移行して，さまざまな標的遺伝子を活性化する(図16・30参照)．これらの標的遺伝子には，TNF や IL-12 の遺伝子のほか，すでに説明した炎症に関与するサイトカイン IL-1β や IL-6 が含まれる．抗ウイルス効果をもつ低分子量タンパク質である I 型インターフェロンの発現も，TLR シグナルに応答して起こる．

TLR シグナルに対する細胞応答は，きわめて多様である．プロフェッショナル抗原提示細胞の細胞応答には，サイトカインの産生のほか，共刺激分子の発現上昇が含まれる．この表面タンパク質は，抗原刺激をまだ受けていない T 細胞("ナイーブ" T 細胞とよばれる)の完全活性化に重要である．TLR シグナルによって，樹状細胞は病原体と出会った場所からその近傍のリンパ節へと遊走することが可能となり，そこでナイーブリンパ球と相互作用できるようになる．活性化した TLR のすべてが同じ応答をひき起こすわけではない．樹状細胞では，活性化した TLR のそれぞれは特定のサイトカイン群の産生を調節する．それぞれの TLR の活性化に対して，共刺激分子とサイトカイン群の組合わせが誘導され，独特の活性化樹状細胞の表現型がつくり出される．樹状細胞と出会った微生物の抗原の素性によって活性化される TLR のパターンが決定される．今度はこのパターンが活性化樹状細胞の分化経路を形づくる．すなわち，産生されるサイトカインや提示される表面分子，樹状細胞が応答する遊走因子などに影響する．樹状細胞の活性化の様式とそれが応答して産生するサイトカインによって，T 細胞が分化するための独特の局所微小環境が形成される．この微小環境内で隣接する T 細胞は，最初に TLR が感知した感染因子と闘うために必要な機能的特徴を獲得する．

Toll 様受容体の活性化は，抗原提示細胞の活性化を導く

プロフェッショナル抗原提示細胞(APC)は，恒常的にエンドサイトーシスを行っており，病原体がないときは，自己タンパク質由来のペプチドと結合した MHC クラス I およびクラス II 分子を表面に提示する．病原体が存在すると，これらの細胞上にある TLR は活性化し，APC は運動性を獲得する．APC は周囲の細胞外マトリックスから離れて，ケモカインによって提供される走化性因子に従って，流入領域リンパ節の方向へと移動を開始する．たとえば活性化した樹状細胞では，抗原を獲得する速度は低下し，エンドソーム/リソソームのプロテアーゼの活性は上昇し，また MHC クラス II-ペプチド複合体の荷積分画から細胞表面への移動は亢進する．最終的に，活性化した APC は，T 細胞をより効果的に活性化する共刺激分子 CD80 と CD86 の発現を上昇させる(図24・35)．つまり，病原体とプロフェッショナル APC の最初の接触により結果として，ナイーブ T 細胞を十分に活性化できる状態の APC が流入領域リンパ節へ移動する．抗原はペプチド-MHC 複合体の形態で提示され，共刺激分子は豊富に存在し，そして T 細胞が活性化するために適切な分化プログラムを助けるサイトカインも分泌される．

抗原を取込んだ樹状細胞は，抗原特異的 T 細胞を増殖と分化へ導く．このプライミング反応において産生されるサイトカインは，CD4 発現 T 細胞を炎症細胞あるいは古典的なヘルパー T 細胞の表現型のどちらに方向づけるかを決定する．もしこれが MHC クラス I 分子を経て起こるなら，CD8 発現 T 細胞は，未成熟な細胞傷害性 T 細胞から完全に活性化した細胞傷害性 T 細胞へと分化する．活性化した T 細胞は運動性を獲得し，B 細胞と出会うため，リンパ節内を通って移動か，体のどこかちがう場所でエフェクター機能を発揮するために循環系に入る．

高親和性抗体の産生には，B 細胞と T 細胞の協調が必要である

抗原との強い結合や病原体の効果的な中和に必要な高親和性抗体を産生するには，B 細胞は T 細胞からの助けを必要とする．B 細胞の活性化には，B 細胞受容体(BCR)に結合して活性化する抗原と活性化した抗原特異的 T 細胞の両者が必要である(図24・40)．

水溶性抗原は，輸入リンパ管を通って末梢からリンパ節に到達する(図24・7)．細菌の増殖は，抗原として働く微生物の生成物の放出を伴う．もし感染が局所的な組織破壊を伴う場合，補体カスケードの活性化によって，殺菌と同時に細菌タンパク質の放出が起こる．細菌タンパク質も，リンパ管を通って流入領域リンパ節に運ばれる．補体系のタンパク質によって共有結合で修飾された抗原は，非修飾の抗原より，補体受容体を介した B 細胞の活性化を盛んに行う．補体受容体は，BCR の共受容体として機能する．

BCR を介して抗原を獲得する B 細胞は，エンドサイトーシスによって抗体-抗原複合体を細胞内部に取込み，抗原をペプチドにタンパク分解して，MHC クラス II 経路によって T 細胞に提示する(図24・28)．このように，抗原をうまく取込んだ B 細胞は，取込んだ抗原を，細胞表面に発現する MHC クラス II-ペプチド複合体という T 細胞の助けを求める信号へと変換する(図24・40，段階**2**)．重要なことに，B 細胞受容体(膜結合型免疫グロブリン)によって認識される抗原分子のアミノ酸配列は，MHC クラス II 分子と結合して細胞表面に最終的に提示されるペプチドとはかなり異なる．抗原上の B 細胞エピトープと MHC クラス II によって提示されるペプチド(T 細胞エピトープ)が，共有結合であろうと非共有結合であろうと，同じ抗原の一部として物理的に連結している限り，T 細胞の助けを得て B 細胞の分化や抗体産生はうまく開始される．

次に解説するように，連動認識の概念(すなわち，B 細胞の BCR による抗原の取込みと，MHC クラス II 分子による T 細胞への抗原由来断片の提示)は，なぜ高親和性抗体応答を引出す分子に最小のサイズが存在するかを説明する．このような抗原分子は，いくつかの基準をみたさなければならない．B 細胞受容体に結合するエピトープを含むこと，エンドサイトーシスやタンパク質分解を受けること，タンパク質の分解断片は MHC クラス II 分子に結合し，MHC クラス II-ペプチド複合体として提示され，T 細胞の助けを求める信号として機能することが求められる．

しばしば研究者は，大きなタンパク質由来の小さなペプチド断片を認識できる抗体(ポリクローナルあるいはモノクローナル)を求める．そのような抗体は，免疫蛍光法や免疫沈降法による標的分子の検出を含むさまざまな実験に用いられる．このような抗体は**抗ペプチド抗体**(anti-peptide antibody)とよばれる．もしペプチド単独を抗原として使用した場合(抗体を産生するために，たとえば，ウサギやヤギ，マウスなどの動物に注射する)は，たとえペプチドと強固に結合できる BCR をもつ B 細胞が存在したとしても，おそらく健全な抗体形成は誘導されない．この理由は，B 細胞が同じペプチドを用いて，MHC クラス II と

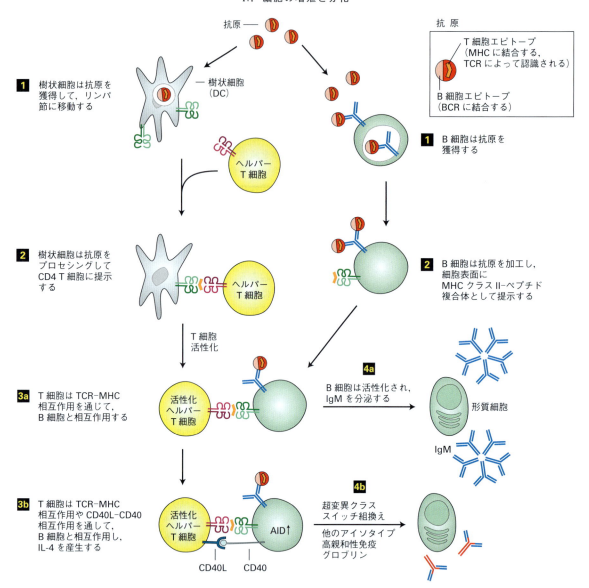

図 24・40　抗体産生の開始に必要な T 細胞と B 細胞の協力．（左）抗原を結合，提示する樹状細胞(DC)による T 細胞の活性化．（右）B 細胞による抗原獲得と，それに続く B 細胞の活性化．増殖，抗体を産生する形質細胞への分化．段階 **1**：プロフェッショナルな抗原提示細胞（樹状細胞や B 細胞）は抗原を獲得する．段階 **2**：プロフェッショナル抗原提示細胞(APC)は抗原を細胞内に取込み，分解し，抗原由来のペプチドを MHC タンパク質に結合した形で提示する．抗原ペプチド-MHC 複合体と結合する受容体をもった T 細胞に，樹状細胞が抗原を提示すると，T 細胞の活性化が起こる．段階 **3a**：B 細胞は抗原に対して BCR（膜結合型免疫グロブリン）を発現し，T 細胞に対しては，他の APC と同様に，膜表面のペプチド-MHC 複合体を介して抗原を提示して，活性化 T 細胞と結合する．段階 **3b**：持続的に活性化した T 細胞は，CD40 リガンド(CD40L)の発現を開始する．CD40L は，B 細胞が完全に活性化するため，またクラススイッチ組換えや体細胞超変異を開始する酵素的装置（活性化誘導シチジン脱アミノ酵素，AID を含む）を稼働させるために必要である．段階 **4a**：CD4 ヘルパー T 細胞から適切な教育を受けた B 細胞は，IgM を分泌する形質細胞になる．段階 **4b**：活性化された CD4 ヘルパー T 細胞から，CD40-CD40L 相互作用やサイトカインの形態でシグナルを受けた B 細胞は，クラススイッチを起こして他の免疫グロブリンアイソタイプをつくる．また体細胞超変異を生じ，最終的に形質細胞へと分化する．

複合体を形成して，B 細胞の増殖と抗体の親和性成熟を促進するヘルパー T 細胞と会合することができないからだと考えられる．このことから，抗体作製のために用いられる合成ペプチドは，抗原性を高めるために，担体タンパク質と結合される．担体タンパク質は，MHC クラス II 産物を介した提示のためのペプチドの源として役割を果たす．TCR を介したこの MHC クラス II-ペプチド複合体の認識を通した場合のみ，T 細胞は B 細胞を助けて，健全で高い親和性の抗体産生に至る分化過程を完了させる．

この概念は，同様に，タンパク質やペプチド上の特別な修飾を認識できる B 細胞にも当てはまる．キナーゼのリン酸化を認識する抗体は，共通して，目的のリン酸化ペプチドを担体タンパク質に結合したのち，実験動物に免疫することで作製される．目的に合う特異的な BCR は，ペプチド上のリン酸化部位を認識し，リン酸化ペプチドと担体からなる複合体を細胞内に取込み，担体タンパク質のエンドソームタンパク質分解によって，複雑なペプチド群を産生する．これらペプチドのなかに，少なくとも一つは B

細胞がもつMHCクラスⅡ分子に結合するものがなければならない．もしB細胞の表面に適切に提示されるなら，このMHCクラスⅡ-ペプチド複合体は，T細胞の助けを求めることができる．このヘルパーT細胞は，MHCクラスⅡ分子と担体由来ペプチドの複合体を認識できる受容体をもっている．■

ヘルパーT細胞は，自身のTCRを通じて，B細胞が提示するMHCクラスⅡ-ペプチド複合体を認識し，抗原を経験したB細胞を同定する（図24・40, 段階 3a ）．B細胞は，共刺激分子と，活性化T細胞によって産生されるサイトカイン（たとえばIL-4）に対する受容体を発現する．T細胞との相互作用ののち，これらB細胞は増殖する．それらのいくつかは形質細胞へと分化する．他のB細胞は除外されて，記憶B細胞になる．最初に産生する抗体は，いつもIgMである（段階 4a ）．他のアイソタイプへのクラススイッチや体細胞超変異（高親和性抗体の産生と選別に必要）には，抗原に持続的に繰返し曝露することが必要である．これらの過程を開始するために，サイトカインに加えて，B細胞は細胞と細胞の接触を必要とする．これら接触には，B細胞上のCD40タンパク質とT細胞上のCD40Lが関与する（段階 3b ）．これらのタンパク質は，TNF-TNF受容体ファミリーの一員である．HIVに関する最近の研究から，広く中和する抗体（多様な非常に変わりやすいHIV分離株を中和できる抗体）の産生にはB細胞内の超変異が必須であることが示唆された．予防的治療戦略として，そのような望ましい抗体を引出すことのできる抗原の本質の理解のためには，体細胞超変異の制御に関するさらなる洞察が求められる．

ワクチンは，さまざまな病原体に対して保護的免疫を引出す

議論の余地はあるが，免疫学原理の最も実用的な応用は，ワクチンである．ワクチンは，有害な病原体から身を保護する目的で，無害だが免疫応答を引出せるように設計された物質である（図24・41）．そのようなワクチンがなぜ，現状のように成功しているかは必ずしも理解されていないが，多くの場合，病原体（ウイルス）を中和するか殺菌効果（細菌）をもつ抗体を生じさせる能力が，ワクチン接種の成功を示すよい指標となっている．

いくつかの戦略によって，ワクチンを成功に到達させることができる．分子基盤はよく理解されていないが，病原体を組織培養あるいは動物から動物へと連続的に継代することで，しばしば**弱毒化**（attenuation）が起こる．ワクチンは，かなり有害な病原体を，生きたまま弱毒化した変種からつくられている場合がある．弱毒化した病原体は，軽症あるいは全く病気の兆候をひき起こさない．しかし，そのような弱毒生ワクチンは，獲得免疫系のすべての成分を稼動させることで，保護効果がある量の抗体をつくらせることができる．免疫学的記憶を担うリンパ球は有限の寿命をもつため，この抗体量は，年齢とともに減少する．そのため繰返し免疫すること（追加免疫）が，十分な保護を維持するために必要である．弱毒性の生ワクチンは，インフルエンザ，麻疹，流行性耳下腺炎，結核に対して用いられている．結核の場合，病気をひき起こすマイコバクテリアの弱毒株が用いられている（カルメット-ゲラン桿菌，BCG）．弱毒性の生ポリオウイルスがワクチンとして最近まで使用されていたが，その使用は中止となった．なぜなら，変異によるポリオウイルスのより有毒株の再出現の危

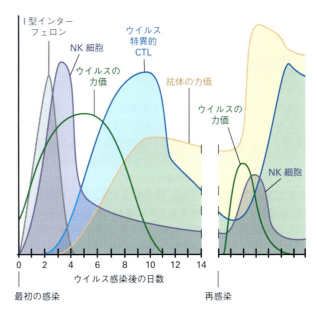

図 24・41 ウイルス感染の時間経過．感染粒子の数が上昇するときに観察される最初の抗ウイルス応答は，ナチュラルキラー(NK)細胞の活性化とⅠ型インターフェロンの産生である．これら応答は自然免疫応答の一部である．抗体の産生と細胞傷害性T細胞(CTL)の活性化がこれに続き，最後には感染を取除く．同じウイルスを再感染させると，抗体の迅速かつ著しい産生と細胞傷害性T細胞の迅速な活性化がひき起こされる．ワクチンの成功例では，病気の重篤な症状を発症させることなく，病原体に最初に感染した場合といくつかの点で同じ免疫応答を誘導する．もしワクチン接種済の個人が，その後，同じ病原体に感染する場合，獲得免疫系は迅速かつ強力に応答する．

険が長所を上回ったからである．最近では，不活化ポリオウイルスが，米国やヨーロッパでワクチンとして選択されている．一方，ひき続き弱毒性の生ポリオウイルスがワクチンとして使用されている国もある．

天然痘の原因であるヒト天然痘ウイルスとよく似た，牛痘ウイルスを用いたワクチンの使用により，天然痘の根絶に成功し，最初の感染症撲滅となった．ポリオ（小児麻痺）に対する同様の試みが達成されつつあるが，経済社会的，政治的要因あるいは武力衝突によって，ワクチン行政がしばしば紛糾する事態になる．その結果，最近アジアではポリオが再び出現している．

ワクチンが自閉症を起こすというデマによって，風疹や流行性耳下腺炎などの小児の重い疾患に対するワクチンに懐疑的になる人がいるかもしれない．親が子どものワクチン接種をしないという選択をしたら，ワクチン接種人口は減少する．その結果，**集団免疫**（herd immunity）とよばれる防御が弱まって，小児期のワクチンにより制御可能な病気の再燃に人々はさらされることになる．小児のワクチンが自閉症や関連疾患の発症や重症化に関係するという証拠はない．

他の種類のおもなワクチンは，**サブユニットワクチン**（subunit vaccine）とよばれている．弱毒化あるいは不活化した病原体よりも，一つあるいは複数の病原体成分が免疫に用いられる．ある場合には，ワクチンに用いた抗原の由来となった有害病原体に対して，これだけで十分に持続的保護を与えてくれる．この方法は，B型肝炎ウイルスの感染阻止に成功している．よく用いられているインフルエンザワクチンは，ほとんどの場合，ノイラミニダー

ゼや赤血球凝集素などのエンベロープタンパク質から構成されている（図3・10参照）．これらワクチンは中和抗体を引出す．子宮頸がんの原因ウイルスであるヒトパピローマウイルス（HPV）16型に対するワクチンとして，ウイルスDNAをもたないウイルスのキャプシド構造タンパク質からなるウイルス様粒子がつくられている．このウイルス様粒子は非感染性であるが，多くの点で，完全なウイルス粒子を模倣する．現在ヒトでの使用を認可されたHPVワクチンでは，感受性のよい集団では80％程度も子宮頸がんの発生率を低下させることが期待されている．特定のがんを阻害するワクチンの最初の例である．

公衆衛生の観点からいえば，安く生産され，広く出回るワクチンは，伝染性の病気を撲滅する非常に優れた武器になる．最近は，適切な治療法がない病気（エボラウイルスや，2020年のパンデミックの原因となったSARS-CoV-2ウイルスのようなコロナウイルス）や社会経済的状況により麻薬問題が広まった場所での病気（マラリアやHIV）に対するワクチンをつくることに大きな労力が向けられている．免疫系がいかに働くかを完全に理解することで，現存するワクチンの設計の改善や，現時点では有効なワクチンのない病気にワクチン療法を広げることが可能になるにちがいない．残された挑戦的な課題として病原体が獲得できる大きな遺伝的変化がある．HIVの逆転写酵素は誤りを起こしやすく，ウイルスの複製サイクルごとに変異を導入するため，膨大な変種をつくり出す．そのような変異をもった変異体は，免疫系による検出から逃れるものも生じる．それゆえ，HIVだけでなくインフルエンザウイルスに対しても，有効なワクチンを設計するためには，変異を許容せず獲得免疫系から"監視"される構造的要素に注目すべきである．

免疫系はがんを防御する

免疫系は，病原体による即時性の感染に対する防御のみならず，がんの防御にも貢献している．解説してきたように，獲得免疫系ではネガティブ選択によって多くの自己反応性のB細胞とT細胞が除かれる．この過程を逃れた自己反応性のリンパ球は，適切な共刺激シグナルを提供されないため，通常は不活性状態である．たとえば，RAG体細胞組換え装置の遺伝的障害やHIVによる免疫不全などにより重篤な免疫抑制状態になると，悪性転換をひき起こすウイルスによるがんのみならず，発がん物質によってひき起こされるがんに関しても，リスクが増大する．このような観察から，免疫応答は前がん細胞を監視する役割があることが明らかとなった．

B細胞やT細胞の活性化には，抗原特異的受容体のみならず，第二の共刺激（たとえば，T細胞上のCD28とAPC上のCD80やCD86との結合，図24・35）が必要である．この共刺激シグナルが与えられないと，T細胞選択の過程で排除を逃れた自己反応性リンパ球は不活性化，つまりアネルギー化する．腫瘍細胞は，がん化に必要な少しの変異（ドライバー変異）をもつが，その祖先の細胞に非常に類似しているため（25章），免疫認識がどのようにして，（前）悪性細胞が大きな腫瘍に成長する前に根絶するのに役立つかは，明らかではない．

体細胞変異によって免疫系は腫瘍細胞を認識する　成長中の腫瘍細胞における体細胞変異は，偶発的でがん化には直接貢献しない体細胞変異であっても，T細胞上の抗原特異的受容体によって認識されるいわゆるネオアンチゲンをつくり出すことができる．肺をたばこの煙に曝露する大量喫煙者が経験するような化学変異原は，腫瘍形成を促進する遺伝子に変異（ドライバー変異）をもたらすのみならず，他の遺伝子にも変異をもたらす（パッセンジャー変異）．この変異によって，分化中の免疫系がさらされたことのない多様な変異遺伝子産物を生じる．もしこれら変異原によって誘導された新生抗原に対する免疫寛容がないとすれば，これらは宿主免疫系によって認識される標的になる．

形質転換に伴い遺伝子発現の制御が異常になると，初期発生段階に特徴的な抗原（分化抗原）の再発現がしばしば生じる．もしこれら分化抗原が，免疫系が十分に成熟していない発生段階で発現すると，これら分化抗原に対する免疫寛容は成立しない．それゆえ，これら抗原は免疫認識の標的になる．最後に，宿主によって正常につくられるタンパク質であっても，がん細胞内でその発現量が適切に制御されず，通常よりも大量につくられることで免疫認識に必要な閾値を超える場合がある．

要約すると，がんは本質的には遺伝子変異（エピジェネティックな事象によって修飾される）が原因の病気であると考えることができるので（25章），がん細胞を免疫系で認識することは可能である．さらに，ウイルスや細菌に対する免疫応答が免疫系によって認識できない変異種の増殖につながるのと同じように，免疫系の選択圧の結果，がん抗原の発現がなくなるがん細胞の変異種が現れる場合がある．たとえば，多くの大腸がんでは，MHCクラスIの発現が低下し，細胞傷害性T細胞に認識されなくなる．

CTLA4，PD-1，PD-L1に対する抗体はがん免疫療法の基礎となっている　腫瘍の微小環境は間質細胞（繊維芽細胞やマクロファージを含む骨髄由来の細胞）から構成される．リンパ球は好中球と同様，がんを攻撃することが知られている．腫瘍細胞とこれら細胞が存在する微小環境との相互作用は，たとえ腫瘍細胞の抗原性が十分に高くて認識される程度であっても，抗腫瘍免疫応答が起こらないような免疫抑制条件をつくり出すことができる．免疫抑制環境を確立する重要な構成因子は，CTLA4のような**免疫チェックポイント**（immunological checkpoint）とよばれる分子である．免疫チェックポイント分子は，T細胞が活性化して成熟すると，T細胞上に発現が増加する．通常，CTLA4は免疫応答を終結させるが，腫瘍特異的T細胞の表面に発現すると抗腫瘍活性を低下させる．さらに，胸腺や末梢リンパ節では，T細胞の活性を抑制できるTregが産生される．豊富なTregは他のT細胞が腫瘍を攻撃することを防ぐ．同じ論理で，これらTregは，自己免疫疾患の開始を防いだり，その程度を軽減するために潜在的な自己反応性のT細胞を監視する．

二つの重要な免疫抑制因子が，T細胞上のPD-1とT細胞標的上のPD-L1である．腫瘍細胞上のPD-L1は，ネオアンチゲンを認識するT細胞上のPD-1に結合すると，腫瘍細胞に対する細胞傷害活性を含むT細胞機能を抑制する．T細胞に発現する抑制性受容体であるCTLA4やPD-1，ある種のがん細胞にしばしば発現するPD-L1を標的にした抗体の使用により，がん治療が飛躍的に進歩した．他の治療では治らなかった転移性メラノーマをもった患者の30％が，この抗体処置により改善し，完全な鎮静あるいは治癒に至った．同様の試みが肺がんや腎臓がんに対して進行中で

ある．CTLA4 抗体による治療によって，Treg 細胞の活性の抑制に加えて，がん抗原を認識できる細胞傷害性 T 細胞のレパートリーが増す．PD-1 抗体あるいは抗 PD-L1 抗体による治療によって，腫瘍に対する T 細胞の認識が亢進する．皮肉だが，大量のたばこの煙に曝露されている喫煙者ほど，がんに多くの変異をもつため，この治療の恩恵を受けるかもしれない．■

24・6 獲得免疫応答における免疫系細胞間の協調 まとめ

- 樹状細胞などの抗原提示細胞は，自身の Toll 様受容体 (TLR) や他のパターン認識受容体に伝えられたシグナルによって，活性化されることが必要である．これらの受容体は，細菌やウイルスが産生する巨大分子に対して広範な特異性を示す．受容体の結合により，NF-κB シグナル伝達経路が活性化され，炎症性サイトカインの合成が促進される (図 24・37)．
- 樹状細胞は活性化すると，運動性を獲得して，リンパ節に移動し，T 細胞と出会う準備をする．また樹状細胞の活性化は MHC-ペプチド複合体の提示と，T 細胞応答の開始に必要な共刺激分子の発現を亢進する．
- B 細胞が，形質細胞になるための分化プログラムを完全に実行するためには，活性化 T 細胞の補助を必要とする．B 細胞表面の MHC クラス II-ペプチド複合体を認識する活性化 T 細胞によって，B 細胞は抗原特異的に補助される．これらの B 細胞は，BCR を介したエンドサイトーシスで抗原を取込み，次に抗原をプロセシングして MHC クラス II 経路を経て提示し，抗原に関連する MHC-ペプチド複合体をつくる (図 24・40)．
- 体細胞超変異とクラススイッチ組換えを開始するためには，B 細胞は，活性化した T 細胞が産生するサイトカインに加えて，細胞間の接触を必要とする．この過程には，B 細胞上の CD40 と T 細胞上の CD40L が関与する．
- T 細胞と B 細胞が協調する免疫学上の概念を応用した重要な例に，ワクチンがある．最も一般的な形態に，症状をひき起こすことなく保護的免疫応答を喚起する弱毒生ウイルスや細菌，あるいはサブユニットに基盤をおいたワクチンがある．
- 獲得免疫系は，ときに正常細胞とがん細胞を識別できる．多くの場合，正常細胞とがん細胞が比較的小さな違いしかもたないことが免疫系によるがん細胞の検出を困難にしている．
- 免疫チェックポイントは，正常な状況下で，抗原特異的 T 細胞の活性を弱めて，免疫応答を終結・制御する．

重要概念の復習

1. 次の病原体が，宿主の免疫系を無力化したり，病原体にとって有利になるように免疫系を操作する方法を述べよ．(a) 黄色ブドウ球菌 *Staphylococcus aureus* の病原性株 (細胞外で増殖して，細胞毒性のある毒素を分泌するグラム陽性細菌) (b) エンベロープをもつウイルス (たとえば HIV, §5・7 参照)．
2. リンパ球が体内いたるところで機能を果たすときのリンパ球の動きを順次述べよ．
3. 微生物の攻撃から内側の組織を保護するためのおもな物理的および化学的防御を述べよ．
4. 補体活性化の古典的経路と第二経路を比較せよ．
5. オプソニン化とは何か．この過程で抗体の役割は何か．
6. B 細胞で，再編成した V 遺伝子だけが転写されることを保証するしくみは何か．
7. プレ B 細胞で，免疫グロブリン重鎖遺伝子断片をうまくつくる再編成が一度起こると，別の対立遺伝子の重鎖遺伝子の再編成が阻止されるしくみは何か．
8. B 細胞はどのようにして，またなぜ，産生中の IgM 抗体から他のアイソタイプの抗体へとクラススイッチするのか．
9. 抗体応答の親和性成熟を支える生化学的しくみは何か．
10. MHC クラス I とクラス II 分子の構造を比較せよ．どのような種類の細胞がそれぞれの MHC クラスの分子を発現するか．また，それらの細胞の機能は何か．
11. MHC クラス I 拘束経路を介する抗原加工と提示の六つの段階を述べよ．
12. MHC クラス II 拘束経路を介する抗原加工と提示の六つの段階を述べよ．
13. 何が自己反応性の T 細胞が胸腺から出ていくのを阻止するのか．
14. T 細胞を介した自己免疫疾患は MHC クラス II 遺伝子の特定の対立遺伝子と関連する理由を説明せよ．
15. どのように抗原提示細胞とヘルパー T 細胞が B 細胞の活性化に関与するのか．
16. 病原体が侵入してから除去されるまでの自然免疫と獲得免疫応答の現象を概説せよ．
17. 受身免疫を定義し，例を述べよ．
18. 患者に感染する可能性なしで，HIV 感染から保護できるようなワクチンをどのように設計したらよいか．
19. 毎年行われるインフルエンザの予防接種は，弱毒化したインフルエンザウイルスあるいはウイルスのサブユニット (エンベロープタンパク質，ノイラミニダーゼや赤血球凝集素) が成分である．このインフルエンザ予防接種はどのように感染から守るのか．
20. 興味あるタンパク質に対するモノクローナルおよびポリクローナル抗体を作製するためのプロトコールを設計せよ (§4・1 参照)．
21. 機能する形質細胞をもたない人を仮定せよ．その人の獲得免疫系および自然免疫系はどのような影響を受けているか．

25 がん

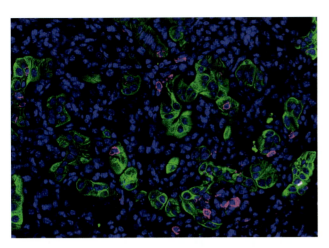

免疫系の細胞は，腫瘍微小環境下でしばしばがん細胞と相互作用する． この肺腺がんの切片は，すべての細胞核(青)，がん細胞(緑)，CD8$^+$ T細胞(ピンク)を示している．T細胞はがん細胞と接触する傾向があることに注意．[E. Torres and S. Spranger, MIT 提供．]

- 25・1　がん細胞と正常細胞の違いは何か
- 25・2　がんの遺伝学およびゲノム的基盤
- 25・3　腫瘍形成をはじめる細胞増殖および発生経路の異常調節
- 25・4　プログラム細胞死と免疫監視機構の回避

　がんは，最も単純な言葉で表現すると，体内の正常な体細胞が，ある種の突然変異を起こし組織形成の秩序から逸脱し，成長して組織全体に広がった病気である．正常な発生過程の制御はさまざまな理由で失われて無秩序な増殖につながる可能性があるため，実際にはがんはそのがん細胞の起源によって異なるさまざまな病気である．内胚葉(腸管上皮)や外胚葉(皮膚や神経上皮)などの上皮系組織に由来する腫瘍は，**がん腫**(carcinoma)として分類される．一方，中胚葉組織(筋肉，骨，軟骨，結合組織前駆体)に由来する腫瘍は，**肉腫**(sarcoma)に分類される．多くの腫瘍は固形の塊を形成するが，**白血病**(leukemia)や**リンパ腫**(lymphoma)のような血液や骨髄の腫瘍は血液中を循環する個々の細胞として増殖する．がんの種類は，発生した細胞の起源や，特定の細胞型に機能不全をひき起こす変異の種類によって分類されることもある．がんの種類は，腫瘍細胞の組織学的検査に基づいて約200種類あるが，分子レベルでがん細胞の違いを識別できるようになったことで，認識されるがんの種類も増えている．

　がんにはさまざまな種類があるが，すべてのがんは**発がん**(oncogenesis)または**腫瘍形成**(tumorigenesis, 腫瘍発生)とよばれる同じ過程によって生じると考えられている．これは体細胞における一つの突然変異からはじまり，やがて多くの発がん性変異をもつがん細胞のクローンに発展する．分裂している10^{12}個の体細胞のうちの1個に非常にまれな突然変異が起こることは想定できても，がん細胞のすべての表現型に必要な，高度に特異的な変異がすべて生じた一つの細胞クローンが生じることは考えにくい．この問に対する答えは，発がんとは，まわりの細胞と比較して少し速く増殖し，起こるべきアポトーシスから逃れ，さらなる遺伝子変異が生じた結果起こる，厳しい自然選択の結果であるというものである．ほとんどの腫瘍はゆっくりと成長し何年もかけて選択的に発がん性変異を獲得していく．

　図25・1に，がんの進行として，単一の細胞において初期変異から完全な腫瘍としての変異に至る連続的な過程を理解するための概要を示す．通常，腫瘍が発見され，そのゲノムを解析できるようになるまでに，非常に多くの突然変異が蓄積されている．そのため，最初の変異を確実に特定することはできない．一般的に2種類の突然変異が発がんの原因となることが知られている．一つ目のイニシエーション変異は細胞増殖を制御する多くのシグナル伝達経路のうちの一つに影響を与える可能性がある．このような突然変異は，細胞の増殖促進経路を活性化するか，あるいは増殖抑制経路を不活性化する可能性がある．どちらの場合でも，変異細胞はうまく制御されている隣の細胞よりも急速に成長するため，さらに発がん性変異を獲得する機会を得ることになる．二つ目のイニシエーション変異は，**(突然)変異原**(mutagen)またはDNA複製の誤りによってひき起こされたDNAの損傷を修復する細胞の能力を損なう．このような変異はDNA修復酵素そのものであったり，細胞周期のチェックポイントの一つに生じ，その結果細胞分裂の停止が阻害され，修復が行われなくなる可能性がある(19章)．5章でも述べたように，DNAの損傷から突然変異が生じるには，DNAの複製と細胞分裂が必要である．この細胞分裂と突然変異誘発の基本的な関係は，活発な細胞分裂を行う組織の細胞が最も発がん性変異を獲得する可能性が高い理由であり，したがって一般に最も腫瘍を形成する傾向がある．

　これらの変異を獲得した子孫細胞は，細胞増殖を促進する種類であれ，DNA修復を阻害する種類であれ，さらなる発がん性変異を獲得する可能性が増大する．この突然変異より急速に成長する細胞への選択のサイクルが繰返されるたびに，子孫細胞はより無秩序な成長とゲノムの欠損を次々に示すようになる．腫瘍が発見されるのは，通常，1 cm^{3}の大きさに達したあとである．そのころには，細胞は誤りを起こしやすいゲノム複製を何度も繰返しており，そのゲノムには，複製の誤りによる一塩基の変化や，DNAの切断の修復の誤りによる染色体再編成など，さまざまな変化がみられるようになる．がん細胞のゲノムの塩基配列には，通常，大量の突然変異が存在する．そのため，発がん過程を促進する変異と，偶然生じたがそれ自身は発がんに関与していない変異を区別することはしばしば困難である．

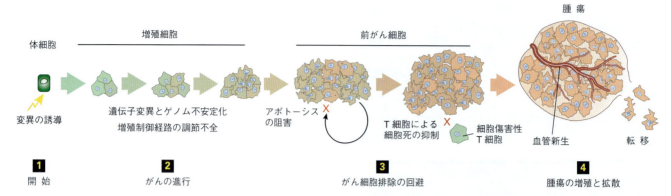

図 25・1 がんの進化的な進行の全体像. がんは, 正常な体細胞から成長した腫瘍に至るまで, 四つの段階を経て進行すると考えられる. 段階❶: 開始. がんが, 腫瘍ウイルスの感染などの特異な遺伝的事象によってひき起こされるまれな場合を除き, それを特定することはできないが, 通常は体細胞変異が疑われる. 段階❷: がんの進行. 前がん細胞が変異を獲得し, 増殖制御経路の調節がうまくいかなくなり, 不適切な細胞増殖をひき起こす. さらに, 変異を獲得することでゲノムが不安定になり, おもに DNA 損傷チェックポイントの喪失によって, さらに多くの変異を獲得する傾向がある. ほとんどのがんは, 自然選択の過程によって進行し, 異なる経路でこのような複数の変異を順次獲得する. 段階❸: がん細胞排除の回避. 前がん細胞は通常, アポトーシスや免疫監視機構によって体外に排出される. この段階を越えて進行するためには, 腫瘍細胞はさらに体細胞変異を獲得し, これらの機構を回避する必要がある. 段階❹: 腫瘍の増殖と拡散. 腫瘍の継続的な成長には血液の供給が必要であり, 腫瘍細胞は, 血管新生を促進するさらなる変異を獲得しなければならない. 転移によって全身に広がるには, 固形腫瘍の細胞はもとの場所から移動し, 体内の新しい場所に付着する能力を獲得しなければならない.

　他の発がん性変異は, がん細胞が異常な細胞を除去する二つの主要な機能を回避することを可能にする. 哺乳類細胞は通常, ゲノムの完全性を監視することができ, もしゲノム構造に修復不可能な大きな異常が生じると, 細胞死プログラムに入り (22 章), がんになる前に排除される. 腫瘍となりうる生き残った前がん細胞は, プログラム細胞死の重要な要素を一つ以上失っている. 腫瘍にしばしばみられる別の種類の発がん性変異は, 免疫系の T 細胞による監視を回避する. がん細胞がゲノムに変異を蓄積していくと, 細胞のタンパク質はアミノ酸の置換や切断, ドメインの再配置を受けることが多くなる. 最終的には, がん細胞は免疫系にとって異物であるとみなされるようになる. しかしがん細胞の特異的な変異により免疫による検出と破壊を回避することができる.

　急速に分裂する細胞塊の成長は限界に達する. それは拡散によって細胞塊内部の細胞に対して栄養と酸素の供給が制限されるからである. 腫瘍が数ミリメートルの大きさを超えて成長するためには血液が供給される必要がある. そこで, 固形がんにみられる四つ目の種類の発がん性変異として, 腫瘍細胞がある種の増殖因子を分泌することで, 血管形成のためのシグナルを送るものが知られている. 腫瘍は, 形質転換したがん細胞に加えて, 通常, 変異していない多数の細胞を取込み, それらの細胞はシグナルに反応して分化した構造を形成し, がん細胞から発せられるシグナルに応答する. 腫瘍は複数の細胞型と構造を含むため, クローン性の塊というよりは発達した臓器に似ている. 最後に, さらに他の発がん性変異により腫瘍細胞はしばしば原発性腫瘍から離脱する能力を獲得している. そして血液やリンパ液の循環系に入り, 別の組織で二次腫瘍を形成する. このように腫瘍が全身に広がることを**転移** (metastasis) といい, 最も致命的ながんの特徴である.

　がんの発生, 進行, 成長, 拡大に関するこうした基本的な概要をみると, がんがなぜこれほど治療が困難な病気であるのかがわかる. がん細胞は正常な体細胞から発生するため, 一般に, 正常な細胞をある程度殺すことなく, がん細胞を選択的に殺すことはできない. がん治療の多くは, DNA を効率的に修復することができない, 急速に分裂する細胞を殺すことを目的としている. たとえば, DNA に架橋を形成するアルキル化剤は, 最もよく使われる抗がん化学療法剤の一つである. DNA の複製は活発に行われているが, 架橋や切断された DNA を修復する能力を失った細胞を優先的に殺す. 最も効果的な抗がん剤であっても活発に分裂している正常な細胞, たとえば毛包, 骨髄, 免疫系などに多大な副次的損傷を与え, 脱毛, 貧血, 易感染性などをひき起こす.

　がん治療のもう一つの方法は, たとえば, 発がん性変異の産物を阻害することによって, その効果を逆転させることである. この種の標的療法は, 単一の発がん性事象が原因で発生するまれながんの治療に有効である. しかし後述するように, 大半のがんは細胞増殖, DNA 修復, プログラム細胞死のさまざまな経路で複数の発がん性変異を獲得している. 複数の経路の制御異常を同時に解消する特効薬はまだ見つかっていない.

　現在, がんが細胞レベルでどのように発生するのかを理解することは, 早期診断と予防に最も有望である. 既知のすべての発がん性変異とその生理学的に生じうる結果は, 前がん細胞の存在を早期に発見するための分子マーカーと考えることができる. 病気の進行の初期段階において, 前がん細胞は特定の経路を標的とした薬剤による介入や免疫監視機構の強化による排除に対して, 最も脆弱であると考えられる. ほとんどのがんは長期にわたり段階的に進行することがわかっていることから, 発がんの最初の段階を発見することは, 介入するための重要な機会となりえる.

　本章では, まず, 腫瘍細胞の特性について紹介する. ゲノム, 細胞代謝, 成長・増殖の制御, 形態のすべてが, どのように変化するのかを説明する. また, がん細胞と環境との相互作用により, 大きな腫瘍の発生や転移によるがんの広がりが可能になることを理解する. 次に, がんの遺伝学的およびゲノム的基盤について説明する. 遺伝的変異や発がん物質による体細胞変異がどのようにがんを発生させるのか, また, ゲノム維持機能の破綻がどのように発がんに寄与するのかについて述べる. さらに過剰な細胞増殖をもたらす可能性のある, 増殖促進経路と増殖抑制経路の両方に

影響を及ぼす一般的な遺伝的変化の種類を考察する．そしてがん細胞がどのようにして突然変異を獲得し，プログラム細胞死や免疫監視機構から逃れることができるのかについて考察し，本章を締めくくる．特に最後に**がん免疫療法**（cancer immunotherapy）として知られる，がん細胞を認識し破壊する免疫系の活性化に基づく，成熟した腫瘍を治療する有望な新しい方法を紹介する．

25・1　がん細胞と正常細胞の違いは何か

　がんにおける遺伝子レベルの変異を考える前に，がん細胞が正常細胞と異なる点と腫瘍形成の一般的な過程について述べる．正常細胞ががん細胞になるには多数の段階が必要である．その段階ごとに，細胞が腫瘍へと変化する性質が加わっていく．発がんのもとになる遺伝子の変異により細胞の基本的な性質が変化し，正常な細胞増殖制御を免れ，組織の微小環境を変化させすべてのがん形質を獲得するに至る（図25・1）．がん細胞は外部からの誘導シグナルによらず増殖することができる．また，細胞分裂を抑制するシグナルには反応せず，死ぬべきときがきても生き続ける．がん細胞は周辺の細胞や細胞外マトリックスとの接着様式も変化させ，接着を壊して移動し，腫瘍を広げる．腫瘍は**低酸素状態**（hypoxic）にあり，ある一定の大きさを超えて増殖するには血流を獲得する必要がある．そのためがん細胞はしばしば腫瘍へと血管を伸ばさせるシグナルを放出する．がんが進行するにつれて腫瘍は異常な形に成長し，ますます増殖に適合して，周辺組織に浸潤していく．

　本節においては，がん細胞の特徴について述べる．まずがん細胞の細胞機能を変化させ，細胞増殖制御機構から逃れて永久に分裂できる能力を獲得するに至る遺伝子構造の変化を説明する．そして，この腫瘍細胞における遺伝学的変化や周囲環境との相互作用が，どのようにしてもともと存在していた組織という制約を超えて体内の別の組織へと侵入し，その場で増殖していく能力を促進していくのかをみてみよう．

多くのがん細胞における遺伝子構成は大きく変わっている

　20世紀初頭に，David v. Hansemannと Theodor Boveriは，現在知られている，がん細胞ほぼすべてに共通する性質を述べた．すなわち，がん細胞における遺伝子構成の全体的に正常細胞に比べて大きく変わっているということである．光学顕微鏡で観察できるように染色されたがん細胞の染色体は，しばしば核型が大きく変化し，大きな染色体の増幅や欠失，転座，異常な数の染色体〔一般に多すぎる，**異数性**（aneuploidy）とよばれる状態〕が観察される．典型的ながん細胞は，ゲノムの1/4を占める全染色体あるいは染色体群の増減を示す（図25・2）．効率的な次世代DNAシークエンシング法の登場により，数千の異なる腫瘍から完全ながんゲノム配列を得ることができるようになった．染色体全体の異常に加え，一塩基の変異や局所的な遺伝子重複や欠失によってがん細胞のゲノムの10%は影響を受けている（図25・3）．がんのゲノムシークエンスから明らかになったことで最も驚くべきことは，おそらく遺伝子変異の頻度について，異なるがんの間で大きく多様性が認められるということであろう．小児がんにおいては1ゲノム当たり数百塩基の変異率と低いが，ある種の肺がんやメラノーマなど，変異原で誘発されたがんでは，1ゲノム当たり50万

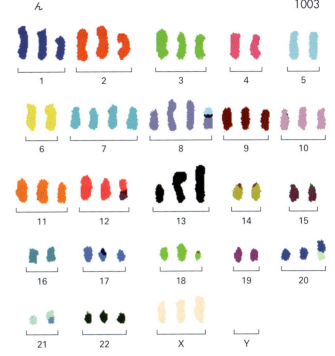

図25・2　**がんは高度に異常な核型を示す**．大腸がん由来腺がんSW403細胞の染色体像．24個のそれぞれの染色体対は異なる色分けがなされている．がん細胞における二つの特徴がわかる．第一に，正常な核型では各染色体が正確に二つずつ含まれているが，がん細胞には多くの染色体のコピーが一つか二つ余分に含まれている．第二に，多くの染色体は転座によって，異なる染色体の断片との複合体になっている．[W. M. Abdel-Rahman et al., 2001, *Proc. Natl. Acad. Sci. USA* **98**(5): 2538, Fig. 3c. © 2001 National Academy of Sciences, U.S.A.]

塩基の変化が起こることもある．§25・2で述べるように，ある腫瘍におけるゲノム突然変異の頻度や種類は，しばしばDNA修復経路における突然変異の存在に帰結することができる．これらの遺伝的変化は，細胞の恒常性，増殖，組織構成，移動特性，生存率など，事実上あらゆる側面に影響を及ぼす．また，体内の転移先での生存や増殖にも影響を与える．

制御を受けない増殖はがんの一般的な特徴である

　正常組織においては，細胞の増殖は厳密に制御されている．組織を補充する際にのみ細胞が増殖することを保証するため，増殖促進因子の放出は高度に制御されている．がん細胞の普遍的な特徴として，発がん性変異を獲得することで，これらの厳しい制御から逃れ継続的かつ無限に増殖することを可能にしている．ここでは，最も一般的な三つの**発がん性（突然）変異**（oncogenic mutation）を例として簡単に紹介する．§25・3および§25・4で，さまざまな変異ががん細胞の増殖を可能にする方法について，より包括的な図式を述べる．

　16章で説明した**Rasタンパク質**（Ras protein）は受容体型チロシンキナーゼを介して成長刺激シグナルを受取るシグナル伝達経路の多くにおいて，GTPaseスイッチとして働く．RasはMAPキナーゼのシグナル伝達経路を活性化し，細胞増殖を制御する多くの転写因子を活性化する．最初に報告された発がん性変異はMAPキナーゼ経路の構成的活性化をひき起こす*Ras*遺伝子の点変異である．この経路は通常，細胞環境に増殖因子が存在する場合にの

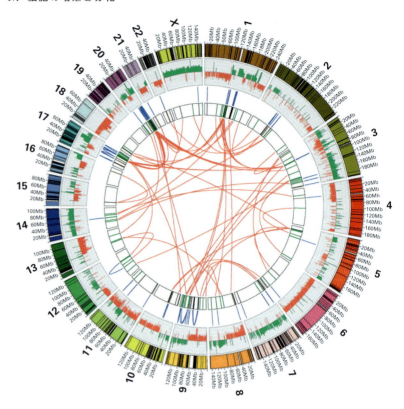

図 25・3 がんゲノムの配列決定で数千もの配列変化が明らかになった. MCF-7 乳腺がん細胞株の全ゲノム配列を Circos プロットで表示した. 23 本の染色体が外側のリングのまわりに配置されている. 次のリングでは, DNA のコピー数が通常の $2n$ (二倍体) から増加 (緑) または減少 (赤) していることを表している. MCF-7 のゲノムのほとんどが異常なコピー数であることがわかる. 染色体内および染色体間の染色体再編成は, それぞれ青と赤の曲線で表されている. 合計 157 の染色体切断点が発見された. [Oliver A. Hampton et al., 2009, Genome Res. 19: 167; © 2009 Cold Spring Harbor Laboratory Press.]

み活性化される. 発がん性 Ras 変異をもつ前がん細胞は, あたかも増殖シグナルを受け続けているかのように増殖する.

ほとんどのヒトの腫瘍は, **p53** または p53 を制御するタンパク質に発がん性の変異がある. 通常であれば p53 はゲノムの完全性を維持するために重要な役割を果たしている. 19 章で説明したように DNA 損傷が細胞内で最初に検出されると p53 は細胞周期を M 期より前に停止させ, 修復酵素が DNA 損傷を修復するのに十分な時間を与える. DNA 損傷が修復されない場合, p53 は最終的にアポトーシスを活性化させ, DNA 損傷が修復されない異常な細胞を体から抹消する. p53 活性が不十分な前がん細胞は, DNA に大きな損傷を受けても分裂を続ける. このような無制限の細胞分裂はゲノムを不安定にし, さらなる発がん性変異の獲得を大幅に加速させる.

発がん性変異の第三の例は腫瘍によくみられる無秩序な細胞増殖を可能にする**テロメラーゼ** (telomerase) の発現を増加させる DNA 再編成である. テロメラーゼはテロメアとよばれる直線状の染色体の末端に短い DNA 配列を付加する酵素である. 7 章で述べたようにテロメアは染色体が複製されるたびに短くなる. ほとんどのヒトの体細胞は少量のテロメラーゼを産生するのみであり, 無秩序な増殖は, やがてテロメアの大幅な短縮につながる. テロメアの短縮は, 二本鎖の切断と認識され, 細胞周期の停止やアポトーシスをひき起こす. しかし, 腫瘍細胞はテロメア発現量を増やしテロメラーゼの発現を上昇させることで, この運命を克服し, 複製不死の状態をつくり出す.

がん細胞では基本的な細胞維持機能が異なっている

がん細胞は顕微鏡観察でも正常細胞と区別できる. がん細胞は, 正常細胞や良性腫瘍細胞に比べてあまり分化していない. 特定の組織では悪性腫瘍細胞は通常速く増殖する. すなわち, 核/細胞質比が高く, 核小体が大きくて細胞分裂し, また, 特殊化した構造をもっていないことも多い.

腫瘍細胞は形態が正常細胞と違うだけでなく, 全体のタンパク質構成が異なっている. したがってがん細胞を特徴づける染色体全体や一部分を欠失, もしくは重複するなどのゲノムの変化は, 細胞のタンパク質構成に対して非常に大きな影響を与え, そして, すべてではないが多くの場合, 細胞機能に影響を与える. 多タンパク質粒子の組成の不均衡により多くのタンパク質が部分的にしか折りたたまれない. このことは, 細胞を高温にすることによってひき起こされるのと同様のストレス反応をひき起こし (21 章), タンパク質の不均衡を解消しようとするストレス反応をひき起こす. その結果, がん細胞が生存できるかどうかについてはシャペロンによるタンパク質の折りたたみや, プロテアソームを含む分解機構に大きく依存している.

がん細胞の別の特徴は, 通常であれば酸素欠乏状態でのみ用いられる異常なエネルギー産生機構の利用である. 正常の分化細胞は, エネルギー要求をみたすためにミトコンドリアの酸化的リン酸化に依存している. 細胞は, ミトコンドリアのクエン酸回路を介してピルビン酸を酸化することによって, グルコースを二酸化炭素に代謝している (12 章). 嫌気性条件のときのみ, 細胞は嫌気的解糖を行って多くの乳酸を生成する. 正常の細胞に比べ, ほとんどのがん細胞は酸素濃度の高低にかかわらずエネルギー産生を解糖に依存し, 大量の乳酸を生成する (図 25・4). 酸素の存在下でもエネルギー産生のために解糖を利用する**好気的解糖** (aerobic glycolysis) は, 細胞生物学者である Otto Warburg によってがん細胞で最初に発見されたので, **ワールブルグ効果** (Warburg effect) とよばれている. グルコースから乳酸への代謝によって, グルコース 1 分子当たり 2 分子の ATP がつくられる. 一方, 酸化的リン酸化ではグルコース 1 分子当たり 36 分子の ATP ができる.

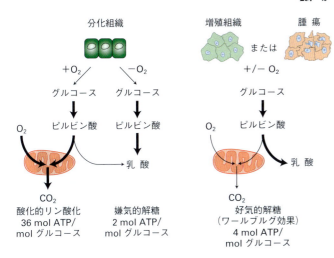

図 25・4 好気的解糖によるがん細胞のエネルギー代謝. O_2 の存在下では非増殖細胞(分化細胞)はグルコースをピルビン酸に代謝している. ピルビン酸は次にミトコンドリアに輸送され, クエン酸回路に利用される. O_2 は, 酸化的リン酸化における最後の電子受容体である. また, O_2 が限られているとき, 細胞はピルビン酸を乳酸に代謝し, NADH を NAD^+ に戻して解糖を続けようとする. がん細胞や増殖細胞では, O_2 があろうとなかろうと, ほとんどのグルコースを乳酸に変える. O_2 存在下での乳酸の生成は好気的解糖とよばれる. [M. G. Vander Heiden et al., 2009, Science 324: 1029 による.]

しかしクエン酸回路を用いてエネルギーを産生しないことで, 増殖細胞はクエン酸回路の分子を使って核酸やアミノ酸, 脂質の前駆体を合成する. このグルコース代謝の再構築により, 代謝中間体を ATP 合成経路から除き細胞を構築する分子の産生を高めるような, 速やかな細胞増殖に適した代謝平衡に切替えられている.

がん細胞は代謝経路を再構築するのみではなく, いくつかのがん細胞においては疾患に重要な役割を果たす代謝産物を新たに合成する. このような**がん代謝物**(oncometabolite)は直接もしくは間接的に, 血管新生にかかわる遺伝子を含む遺伝子群の発現を変動させる.

がん細胞は異常な細胞間相互作用を示し多様性をもつ組織をつくり出す

多くのヒト細胞はきちんと 1 層に並んだ細胞層(単層)を形成する. 細胞が完全に周囲を他の細胞で囲まれると, 増殖を取りやめ, 細胞周期の休止期である G_0 期を起こす**接触阻害**(contact inhibition)とよばれる現象により, 単層の外側へと増殖していく. 前がん細胞では接触阻害が失われ, 正常細胞より接着が弱く丸まった形態をとり, 顕微鏡下で焦点として認識できる三次元の細胞塊として分裂を続ける. Eカドヘリンのような接着分子や, 細胞極性因子, アクチン細胞骨格調節因子や Hippo 経路 (21 章) などが, 細胞間接触の結果生じる細胞周期の停止を介在していることが示されている. しかしその正確な分子機構や, がん細胞においてどのような経路が異常をきたしているかについてはまだ不明であり研究が必要である.

たとえ腫瘍が一つの細胞からはじまったとしても, 腫瘍はいつも均一な細胞から構成されるわけではない. たとえばいくつかの腫瘍においては, ある種の腫瘍細胞である**がん幹細胞**(cancer stem cell)のみが新しい腫瘍を生み出すことができる. これら腫瘍においては, ある細胞は増殖を止め, 他の細胞は速く増殖する. 後者はもちろん最も危険であり, 抗がん治療によって破壊されるべき細胞である. がん幹細胞は非常に高い複製能を示すいくつかの細胞を生み出すと同時に, 限られた分裂能を示す細胞を生じる. このがん幹細胞の起源は不明である. ある種のがんにおいては, 正常組織の幹細胞ががん幹細胞を生じる. また他の腫瘍では, 最終的に分化した細胞が脱分化して前駆細胞を生じて, おそらくがん幹細胞となる. その起源によらず, がん幹細胞は正常組織の幹細胞と類似した遺伝子発現様式を示すことから, 幹細胞様の細胞と考えられるようになった.

腫瘍近傍の環境(**腫瘍微小環境** tumor microenvironment)は腫瘍内の細胞の多様性に関与し, 一般的にがん幹細胞や腫瘍細胞のふるまいに影響する. あるときには近傍の細胞が他の細胞よりも腫瘍の成長を亢進する場合もある. 腫瘍微小環境の重要性はさらに, 腫瘍細胞に影響を与える最も一般的な環境の一つである炎症細胞にも及ぶ. 免疫系の細胞は腫瘍と相互作用していることが広く知られている. §25・4 で詳しく述べるように, $CD8^+$ 細胞傷害性 T 細胞やナチュラルキラー細胞は腫瘍を取囲んだり, また内部に入り込み, 腫瘍形成を抑制していると考えられている. これらの細胞や免疫系関連分子を欠損したマウスでは野生型マウスよりも化学物質誘導性のがんを発症しやすい. これらのことから, 免疫系ががん細胞を除去していると考えられるようになった. がん細胞がどのようにしてこの免疫監視機構から逃れているかということについて, 現在の知見を §25・4 で述べる.

一方, 免疫系の細胞が腫瘍を促進する機構をもっていることについても, 数多くの知見が見いだされつつある. がんは外傷や慢性的感染部位において高い頻度で発生することは古くから知られている. 20% ものがんが慢性感染に関係していると推測されている. たとえば, ピロリ菌 Helicobacter pylori の持続的感染は胃がんに関連がある. クローン病は小腸に発症する自己免疫疾患であるが, 大腸がんと相関する. B 型, C 型肝炎ウイルスは, 肝細胞がんのリスクを増加させる. 免疫系の細胞はこれら外傷もしくは感染部位へと遊走し, さまざまな増殖因子を生み出すことから, 腫瘍細胞の生存を刺激する. さらに血管の成長を促すような因子も産生する. この血管の成長については次項で議論するが, 腫瘍の成長や遠隔臓器への転移にも重要なかかわりをもつ.

腫瘍の成長には新たな血管が必要である

腫瘍が大きく成長するには新しい血管を近くに誘導することが必要である. 血液の供給がない場合には腫瘍は細胞数約 100 万個の大きさ, 直径約 2 mm の球形までにしか成長しない. この時点で, 腫瘍の外側での細胞分裂と, 十分な栄養補給が得られない内部での細胞死が平衡状態に達する. このような腫瘍は, ホルモンを分泌していない限り問題にはならない. しかし, 大部分の腫瘍は新たな血管の形成を誘導し, この血管は腫瘍の内部まで入り込んで腫瘍に栄養を与える. この血管形成過程を**血管新生**(angiogenesis)とよぶ. この複雑な過程には, いくつかの独立した段階がある. それは, 近くの毛細血管を取囲む基底膜の分解, 毛細血管を裏打ちする内皮細胞の腫瘍内部への移動, この内皮細胞の分裂, そして新しく伸びた毛細血管の周囲に新しい基底膜をつくること, などである.

多くの腫瘍では, 血管新生を促進する増殖因子を産生する. 周

囲の正常細胞にこのような増殖因子をつくらせ，分泌させている腫瘍もある．多くの腫瘍から分泌される塩基性繊維芽細胞増殖因子（basic fibroblast growth factor: β-FGF），トランスフォーミング増殖因子α（transforming growth factor α: TGF-α），血管内皮増殖因子（vascular endothelial growth factor: VEGF）などには，血管新生作用がある．新しくつくられた血管は腫瘍を大きく成長させ，結果的にさらに有害な変異が起こる確率を上昇させる．また，隣接する血管の存在は転移を起こりやすくさせる．

VEGF受容体はチロシンキナーゼであり，内皮（血管壁）細胞の生存やその成長，移動，血管壁の透過性などの，さまざまな血管成長に関する現象を調節している．VEGF遺伝子の発現はがん遺伝子や低酸素に応答して誘導される．21章で述べたように，低酸素シグナルは，低酸素誘導因子1α（hypoxia-inducible factor 1α: HIF-1α）によって伝達される．これは，低酸素状態で活性化される転写因子で，VEGF遺伝子や解糖系関連酵素を含む他の30個程度の遺伝子の転写を誘導する．解糖系の亢進はひき続いて多くのがん細胞の増殖を刺激する．HIF-1αの活性は，通常酸素濃度では活性化されるが低酸素状態で不活性化される，酸素センサーとして働くプロリンヒドロキシラーゼによって調節されている．すなわち，HIF-1はプロリンヒドロキシラーゼでヒドロキシ化されるとユビキチン化されて分解されるが，この分解は低酸素で阻害される．HIF-1αを分解するユビキチンリガーゼのサブユニットをコードする遺伝子の変異はある種の腎腫瘍を通常の酸素濃度で惹起する．血管新生を阻害する化合物が腫瘍に対して有効な治療薬剤であると注目されたが，臨床的にはかなり限局的な効果しかもたらしていない．

浸潤と転移は腫瘍形成の後期に生じる

腫瘍は，特に高齢者に高い頻度で発生する．しかし，そのほとんどは小さく限局して存在するため，リスクは小さい．そのような腫瘍は**良性腫瘍**（benign tumor）とよばれる．一例が皮膚の良性腫瘍であるいぼ（wart）である．腫瘍が良性の場合には，腫瘍を構成する細胞は正常細胞によく似ており，機能も似ている場合がある．組織をつなぎとめる細胞接着分子によって，良性腫瘍細胞は，正常細胞と同じように，生じた組織に保持されている．通常，良性腫瘍の周囲には繊維性の被膜があり，これが外科手術の際の目印になっている．良性腫瘍が医学的に重大な問題となるのは，大きくなりすぎて組織の正常な機能を阻害したときか，ホルモンのような生理活性物質を大量に分泌したときだけである．たとえば，頭部や四肢の成長が過剰になる先端巨大症は，下垂体の良性腫瘍が成長ホルモンの過剰産生を起こすのが原因である．

一方，**悪性腫瘍**（malignant tumor），すなわち**がん**（cancer）を構成する細胞（図25・5）は細胞が増殖し続けると同時に周辺組織へ浸潤して播種し，新たな腫瘍を生じさせる．この能力が良性腫瘍と悪性腫瘍の最も主要な相違点である．卵巣がんや乳がんなどのある種の悪性腫瘍は，一定の時期までは限局して被膜に覆われて存在する．しかし，このような腫瘍も進行すると，まわりの組織に浸潤し，転移する（図25・6a）．

正常細胞は，細胞間の接着や，**基底膜**（basement membrane）のような物理的な障壁によって，臓器や組織の本来の部位から動けない．基底膜は上皮細胞層の下に存在し，血管内皮細胞を囲んでいる（20章および図1・26参照）．これに対してがん細胞は**浸潤**

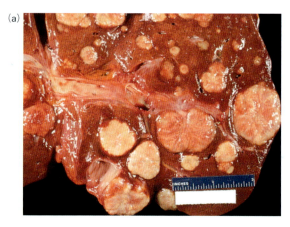

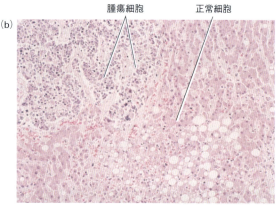

図25・5 正常な肝組織に侵入した腫瘍の外観と顕微鏡図．（a）転移した肺がんが成長しているヒトの肝臓の形態．肝臓表面にある白い突出が腫瘍塊である．（b）（a）の腫瘍からつくった組織切片の光学顕微鏡写真．暗染された小さな腫瘍細胞が，明染された大きな正常肝細胞の間に浸潤している．[J. Braun 提供．]

突起（invadopodium）とよばれる突起構造を用いて基底膜に侵入し，体の離れた部位に移動する能力を獲得する（図25・6b）．**上皮－間葉転換**（epithelial-mesenchymal transition: EMT）とよばれる発生過程は，いくつかのがんの転移過程で重要な役割をもつと考えられている．正常の発生過程では，上皮細胞が間葉細胞になることが臓器や器官形成の1段階である．EMTには遺伝子発現パターンの変化が必要で，細胞間接着の消失，細胞極性の消失，転移・浸潤する性質の獲得などの細胞形態の基本的変化が生じる．転移時には，腫瘍の浸潤先端でEMT制御経路が活性化され，移動可能な単一細胞が産生されていると考えられている．

基底膜が破壊されるに従って，腫瘍細胞の一部は血流に入るが，原発腫瘍から出た細胞のうち生き残って別の組織で転移性の二次腫瘍を形成する細胞は10,000個に1個もない．多くの予防薬は，血流を循環するごく少数の腫瘍細胞を検出する新手法に焦点を絞って研究が行われている．**血流を回る腫瘍細胞**（circulating tumor cell: CTC）を捉えることができれば，がんの早期発見の強力かつ非侵襲的な手段となるだけでなく，その分析は病気の本質に関する洞察と治療法を与えてくれる．

新たな腫瘍として根づく細胞は，原発腫瘍を離れて血流に入ることに加えて，毛細血管を裏打ちしている内皮細胞に接着してその間を通って移動するか，または，さらにその背後にある組織へと移動する**溢出**（extravasation）とよばれる過程（20章）を経な

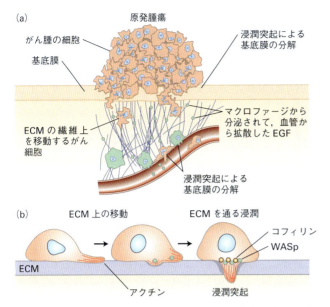

図 25・6 転移．(a) 乳がん細胞を例とした転移の初期段階．がん細胞は原発腫瘍を離れて基底膜を攻撃し，細胞外マトリックス（ECM）の繊維に沿って，血管に到達する．がん細胞は，マクロファージによって分泌される上皮増殖因子（EGF）などのシグナルによって誘引される．血管では，血管壁をつくる内皮細胞層を通って，血流に入る．(b) がん細胞は浸潤突起（アクチンに富んだ表面膜の突起）を伸ばすことによって細胞外マトリックスや血管壁を通過する．浸潤突起では，マトリックスメタロプロテアーゼなどのプロテアーゼを産生し，通り道をつくる．[H. Yamaguchi et al., 2005, Curr. Opin. Cell Biol. **17**: 559 による．]

25・1 がん細胞と正常細胞の違いは何か　まとめ

- 多くのがん細胞のゲノムは大きな変化が生じており，点突然変異から遺伝子欠失，増幅，さらには染色体再編成や全体の増加や減少まで多岐にわたる．
- がん細胞の遺伝子構造の変化にはさまざまな細胞機能に影響を与える発がん性変異を含む．
- がん細胞が無秩序に増殖する能力を獲得する方法の一例として，増殖制御経路，細胞周期制御，テロメア維持における発がん性変異があげられる．
- がん細胞は，糖代謝が好気的解糖に切替わるなど，代謝の変化がみられることが多い．
- がん細胞は接触阻害を失っているため，正常な細胞層の外側で塊状に成長することができる．
- 腫瘍は最大の増殖性を獲得するために周囲の環境と相互作用しているさまざまな細胞種からなる複雑な臓器である．
- 腫瘍が大きく成長するために新しい血管を形成する血管新生が必要である．
- がん細胞はしばしば組織の境界を決定する基底膜を破壊して周囲の組織へ浸潤し，二次的な増殖を行うため身体全体へと伝播し，これは転移とよばれている．
- 転移性腫瘍細胞は上皮-間葉転換とよばれる過程により，遊走能を獲得している．

けらばならない．また遠隔臓器に転移するためには，腫瘍細胞が播種されるだけではなく，異なる組織環境に適応することが必要である．少なくとも最初の段階では，転移した腫瘍細胞はその新しい環境にあまり適応できていない．しかし，異なる環境において生存し増殖するために進化すると考えられている．この適応を促進する分子経路についてはほとんど不明であるが，いくつかの環境要因はがん細胞の定着を促進していることが示されつつある．

転移はがんにおける死因の最も一般的なものであることから，腫瘍がどのように転移能を獲得し，実際に転移するかを理解するための数多くの努力が行われてきた．古典的には顕微鏡による観察によって腫瘍細胞と正常細胞を観察比較し，その組織学的解析から，ある一定の制限はあるものの，多くのがんの予後が決定されてきた．しかし細胞の外観からは非常に限られた情報しかわからないため，腫瘍形成能を理解すると同時に，予後および治療について意味のある，かつ正確な判断することに足る，腫瘍細胞の性質を明らかにする方法が求められてきた．そして腫瘍におけるRNA，タンパク質，脂質や代謝産物のパターンを解明する方法が開発され，腫瘍の性質がさらに詳細に検討されるようになった．予期されるように，転移した腫瘍とその原発腫瘍については，産生されるRNAやタンパク質が異なっており区別することが可能であることが多い．遺伝子発現の全体的なパターンの解析（6章）は現在では患者の病態進行の予想や，さまざまながんに対する最も優れた治療法の選別に用いられており，近いうちに治療法の決定における標準方法となるだろう．

25・2 がんの遺伝学およびゲノム的基盤

がんは，二つの意味で遺伝病と考えることができる．がんができるしくみを考えてみると，腫瘍は，周囲の細胞が増殖できない環境で，増殖できる能力を与える多くの変異をもつ体細胞から発生する．この意味で体細胞変異ががんの原因である．では腫瘍そのものを考えてみると，腫瘍は通常，何千もの点変異とゲノム再編成を獲得していることがわかる．この意味で，突然変異はがんの結果である．このような対照的な関係は，がんの進行を，変異と選択が繰返されるがん細胞のクローンの成長に作用する**ダーウィン的進化**（Darwinian evolution）の一形態とみなすことによって理解することができる．この考え方では，がん形成の初期に前がん細胞のゲノムは非常に変異しやすくなっており，その細胞とその子孫は無作為な変異を獲得しはじめる．しかしこれらの変異の大部分は遺伝子には存在せず，また表現型にもほとんど影響を及ぼさないが，ごく一部は機能的な影響を及ぼす．それらによって前がん細胞がより速く成長し，排除されることを回避し，あるいは拡散することを可能にするような変異が選択されると，腫瘍を形成する系統の一部となる．このように発がん性変異はがんを進行させる原因となるため選択される．現代のがん生物学研究のほとんどは，発がん性変異を同定し，その根底にある機構を理解することを目的としている．

本節では，まず，がんの体細胞変異のおもな原因である，環境中の**発がん物質**（carcinogen）として知られるDNA損傷物質と，DNA損傷が忠実に修復されるのを妨げる遺伝的変異または体細胞変異について考える．次にがんゲノムにみられるさまざまな変異を考察する．そのなかには，ごく一部の発がん性ドライバー変異が含まれる．そしてウイルスを媒介とするがん遺伝子，機能獲

得型変異，機能喪失型変異を含む，がん原性突然変異のおもな種類を考察する．最後にクロマチン構造やマイクロRNAの発現を介した遺伝子発現の一般的な変化により効果を発揮する発がん性変異を考える．

発がん物質はDNAを損傷することでがんをひき起こす

化学発がん物質ががんをひき起こす能力は，それらがひき起こすDNA損傷と，細胞が損傷を修復する際にDNAに入る誤りの二つによって説明できる．発がん物質が変異原として働くことを強く示す証拠は，培養細胞を発がん物質にさらした際のDNAにおける突然変異と，細胞の形質転換や動物モデルにおいてがんを誘導する能力に強い相関が認められたことから示唆された．

化学発がん物質として同定された物質は，さまざまな構造をもち，全部に共通する特徴はないが，二つの大きなカテゴリーに分類できる．数は少ないものの**直接作用性発がん物質**（direct-acting carcinogen）は，主として反応性の求電子剤（別の化合物の電子密度の高い部位を探し出して反応する化合物）である．これらの化合物はDNA中の窒素および酸素原子と化学反応を起こすことによって，DNA中の塩基を修飾することがあり，正常な塩基対のパターンを変化させる可能性がある．もし修飾されたヌクレオチドが修復されないと，複製時に正しくないヌクレオチドが取込まれる．この種の発がん物質には，エチルメタンスルホン酸（EMS）やジメチル硫酸（DMS），ナイトロジェンマスタードなどがある．

一方，**間接作用性発がん物質**（indirect-acting carcinogen）は通常は化学的な反応性がない脂溶性物質で，求電子剤と反応してはじめて強力ながん誘発物質として作用する．動物では，**シトクロムP-450**（cytochrome P-450）がほとんどすべての細胞の小胞体に存在し，特に肝細胞では高濃度に存在する．P-450は，殺虫剤や治療薬などの外来の非極性物質に求電子剤（たとえばヒドロキシ基）を与えることによって，それらを可溶化して体外に排出できるようにする．化合物によっては，シトクロムP-450による修飾でDNAとの反応性が高まり，変異原や発がん物質に変化するものもある．

発がん物質は特定のがんに関係する場合がある

がん研究の黎明期に，少なくともいくつかのがんは環境毒物によって起こることが明らかになった．たとえば18世紀には，煙突掃除人がすすにさらされることで陰囊がんを生じることが報告され，嗅ぎたばこが鼻腔のがんに関与することも報告された．環境化学物質ががんに関係していることは，最初に動物実験から明らかになった．古典的実験では，被験物質をマウスの背中に繰返して塗布し，動物に局所性または全身性のがんが発生するかをみる．この実験から，1933年にコールタールから純粋な化学発がん物質であるベンゾ[a]ピレンが精製された．

化学発がん物質は，多くのヒトのがんの危険因子と考えられているが，特定のがんに対する直接的な関係が確立されているのはほんの少数の例しかなく，そのなかで最重要なのは喫煙と肺がんやその他のがん（喉頭がん，咽頭がん，胃がん，肝臓がん，膵臓がん，膀胱がん，子宮頸がんなど）との関連である．疫学的研究によって，喫煙が肺がんの主要な原因であることが最初にわかった．たばこの煙やコールタールに含まれる化学物質ベンゾ[a]ピレン（benzo[a]pyrene）は，肺でシトクロムP-450による代謝の活性化を受けて強力な変異原になり（図25・7），シトシン(C)からアデニン(A)への転換（トランスバージョン変異）のおもな原因になる．これを培養した気管支上皮細胞に投与すると，活性化

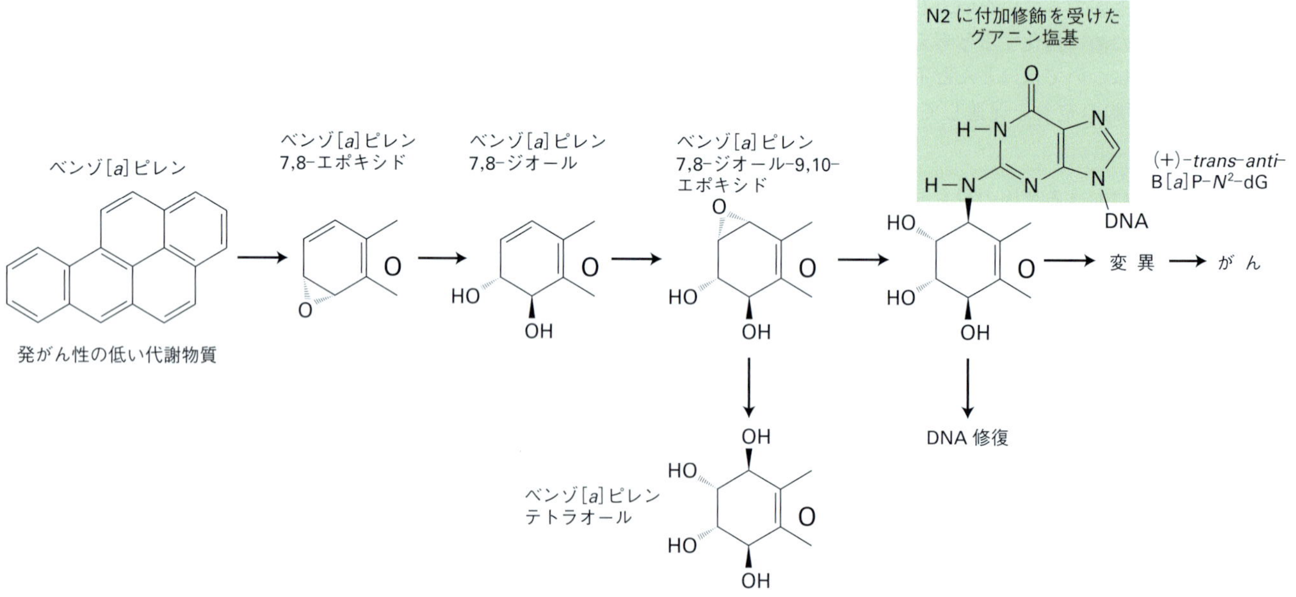

図25・7 ベンゾ[a]ピレンは酵素反応によって強力な変異原，発がん物質になる．P-450をはじめとする肝臓の酵素がベンゾ[a]ピレンを一連の反応で修飾し，ベンゾ[a]ピレン7,8-ジオール-9,10-エポキシドが生じる．これは強力な変異原性をもつ物質であり，おもにDNAのグアニン塩基のN2原子に反応する．その結果生じた付加体 (+)-trans-anti-B[a]P-N²-dG に対して，DNAポリメラーゼは相補鎖においてグアニンに対してシトシンではなくアデニンを挿入する．次にこのDNAが複製されると，アデニンに対してチミンが挿入され，変異が完了する．横の矢印は，毒性が強力になる方向性を示し，縦の矢印は毒性が減少する方向性を示す．大きな"O"は，一番左に示したベンゾ[a]ピレン分子の多環構造の残りの部分を示す．

したベンゾ[a]ピレンは，多くの遺伝子座位にトランスバージョン変異を誘導する．そのため喫煙者の肺がん患者にはベンゾ[a]ピレンが特徴的な足跡をDNAに残している．たばこの煙には60以上の発がん物質が含まれているため，肺がん患者における遺伝子変異の全体像としては，重複した特徴を示す複雑なパターンとなる．

化学発がん物質に加え，DNAを損傷するのに十分なエネルギーをもつ電磁波も発がん性がある．X線とγ線は，電離放射線とよばれる放射線の一種であり，原子から電子を奪ってイオンを生成するのに十分なエネルギーをもっている．電離放射線がDNAに当たると，DNA鎖を切断するのに十分なエネルギーをもつ．1927年にHermann J. Mullerによって報告された古典的な実験により，ショウジョウバエにおいてX線が変異を起こすのに十分であることが報告された．電離放射線とがんの関係は，夜光塗料の文字盤に塗られた絵筆をなめてラジウムを摂取していた"ラジウムガール"とよばれる時計工場で働く女性の口の中にがんが多発したことから示唆された．直接的な因果関係については，原爆被爆者の大規模な調査によって明らかにされた．原爆被爆者では，爆風による放射線被曝に比例して，白血病をはじめとするがんの発生率が高くなることが明らかになった．DNAの切断の修復はしばしば誤りをおかしやすいので，電離放射線は非常に広い範囲の突然変異をひき起こす．

紫外線はDNA鎖を切断するエネルギーをもっていない．しかし，紫外線は隣接するピリミジン残基と相互作用して，化学的に変化したDNAをつくり出すことができる．そのDNAはヌクレオチド除去修復経路によって修復される（図5・18参照）．メラノーマ（日光に当たることで発生するがん）の特徴として，シトシン(C)からチミン(T)への塩基変換が圧倒的に多いことが特徴であり，紫外線の変異誘発作用が知られているのと一致する．

DNA修復ができなくなる家族性症候群はがんを招く

外部からの発がん物質や変異原にさらされなくても，通常の生物学的過程において大量のDNA損傷が発生する．この損傷は，脱プリン反応，アルキル化反応および酸素ラジカルなどの活性種の生成によるものであり，これらはすべてDNAを変化させる．すべての細胞で，活性酸素種と脱プリン反応により1日に2万個以上のDNAの変化が起こっていると推定されている．その大半は5章で述べた高い忠実度をもつDNA修復系によって正しく修復される．ほとんどのがんにみられる多くの突然変異は，これらの修復系の一つまたは複数の欠陥に起因している．

DNA修復がうまくいかない原因としてよく知られているものは，DNA修復の経路の一つに欠陥があり，それが家族内で遺伝することである．表25・1は，DNA修復経路の欠陥に起因する，最もよく理解されている家族性症候群と，それに対応するがんの発生傾向の増加に関する影響を示す．たとえば，色素性乾皮症（xeroderma pigmentosum: XP）患者では通常の1000倍も皮膚がんを起こしやすい．八つのXPの原因遺伝子のうち七つが除去修復機構の構成要素をコードしている．UV光によるDNA損傷がヌクレオチド除去修復を必要とすることから，皮膚がんとの関係は明確である．家族性非ポリポーシス大腸がん（hereditary nonpolyposis colorectal cancer: HNPCC，または**リンチ症候群** Lynch syndromeともよばれる）では高度に大腸がんを生じる．HNPCCの原因遺伝子はミスマッチ修復系の構成要素をコードしており，このがんは，修復がないために持続的にミスマッチ変異が蓄積し，良性のポリープから完全な腫瘍まで通常よりきわめて速く進展する．ミスマッチ修復機構に異常があることは理論的には全身のすべての細胞における発がん変異の出現頻度が上昇する．HNPCCの大腸がん特異性の理由については不明である．

二本鎖切断は特に深刻な損傷である．その理由は，二本鎖DNAの不正確な再結合によって染色体全体の再編成や転座をひき起こされて，ハイブリッド遺伝子がつくられたり，増殖調節遺伝子が異なったプロモーター支配下におかれたりするからである．こうした損傷を修復する際には，対応した相同染色体を鋳型として用いることがよくある（図5・21参照）．免疫系のB細胞やT細胞は，免疫グロブリンやT細胞受容体の再編成時につくられる二本鎖DNA切断によってDNA再編成が特に起こりやすい．これが，白血病やリンパ腫においてこれらの遺伝子座の関与が多い理由である．BRCA1とBRCA2はヒト乳がんや卵巣がんに関与する遺伝子であるが，これらはDNA二本鎖切断修復系の重要な構成要素をコードしている．5章でみたように，切断されたDNAは，通常，相同染色体との組換えによって修復される．これは通常，高い忠実度を示す過程である．しかし，相同組換えがうまくいかないと，壊れた末端は非相同末端結合（nonhomologous end-joining: NHEJ）によって修復されるが，これは非常に変異原性が高い．BRCAの機能のいずれかを欠いた細胞は相同組換えによって切断されたDNA鎖を修復することができないため代替手段がな

表25・1 DNA修復系の欠損が関連するヒト遺伝病とがん				
疾患	影響を受けるDNA修復系	感受性	がん感受性	症状
家族性非ポリポーシス性大腸がん	DNAミスマッチ修復	紫外線照射，化学変異原	大腸がん，卵巣がん	腫瘍形成の初期段階
色素性乾皮症	ヌクレオチド除去修復	紫外線照射，点突然変異	皮膚がん，メラノーマ	皮膚や眼の光感受性，角化症
ブルーム症候群	相同組換えによる二本鎖切断の修復	アルキル化剤	がん腫，白血病，リンパ腫	光感受性，顔面血管拡張，染色体変化
ファンコニ貧血	相同組換えによる二本鎖切断の修復	DNA架橋試薬，活性酸素発生物質	急性骨髄性白血病，扁平細胞がん	不妊や骨格変形を含む先天性異常，貧血
家族性乳がん，BRCA1とBRCA2の欠損	相同組換えによる二本鎖切断の修復		乳がん，卵巣がん	乳がん，卵巣がん

出典：A. Kornberg and T. Baker, 1992, *DNA Replication*, 2d ed., W. H. Freeman and Company, p.788; J. Hoeijmakers, 2001, *Nature* **411**: 366; L. Thompson and D. Schild, 2002, *Mutation Res.* **509**: 49 より改変．

く，NHEJ によって修復され，挿入や欠失が導入，または染色体再編成を導入する．

DNA 損傷応答経路の体細胞変異は発がん性である

DNA 修復に欠陥のある遺伝的素因は腫瘍のごく一部にすぎないが，大多数のがん細胞は正常な体細胞よりもはるかにゲノムの不安定性が高く，突然変異誘発速度が速いことがわかっている．このようにがん細胞が高い確率で新たな変異を獲得する性質は，がんの進行中に獲得した体細胞変異が，効率的な DNA 修復を損なった結果である．これらの修復不全体細胞変異の大部分は，修復経路そのものに直接影響を与えるのではなく，細胞が DNA 損傷に応答する方法を変化させるものである．

19 章で，すべての分裂する真核細胞における DNA 損傷に対する一般的な反応として，細胞周期を停止させ，修復系が損傷を修復する時間を確保することを述べた．簡単に説明すると，セリンキナーゼ ATM または ATR が DNA 損傷部位に動員され，活性化される（図 19・34 参照）．活性化されたキナーゼは p53 の N 末端のセリン残基をリン酸化することにより，DNA 損傷の存在を知らせる．このリン酸化により，ユビキチンを介した分解が回避され，p53 の著しい安定化をもたらし，p21 をコードする遺伝子の転写を活性化する．p21 は哺乳類の CDK2，CDK1，CDK4/6 複合体（図 19・34 参照）に結合し，阻害する．このシグナル伝達過程の最終的な結果は，損傷した DNA をもつ細胞において，細胞周期チェックポイントを活性化し，細胞周期を停止させ，分裂における染色体分離の前に，DNA 修復のための時間を確保することで達成される．DNA 修復が完了すると p53 は分解され，細胞周期が再開され，有糸分裂が完了する．何らかの理由で DNA 損傷が修復されない場合，細胞は永久に停止し，老化する．

この DNA 修復酵素が効果的に働くようにするこの経路は，体細胞変異に最も弱い DNA 修復の側面であるように思われる．すべてではないにせよ，ほとんどのヒトの腫瘍には，p53 自体か，あるいは p53 の活性を制御する他のタンパク質に変異がある．p53，G_1，S 期チェックポイントの制御がうまく働かない場合，損傷した DNA が複製され，突然変異や DNA 再編成が生じ，娘細胞に受け継がれ，転移性細胞に変化する可能性が高くなる．たとえば，p53 の機能が失われると，遺伝子増幅の頻度が 100 倍以上に増加する．同時に，p53 の機能喪失は G_2 期停止の期間を制限し，DNA に損傷を受けた細胞が停止する期間が制限され，DNA が損傷した細胞が有糸分裂に移行することが可能になる．p53 の活性は，細胞周期停止の誘導にとどまらない．§25・4 では，アポトーシスの誘導における p53 の役割について説明する．

がん細胞には通常，一つ以上の欠陥のある DNA 修復系が存在するという事実が弱点となり，DNA に損傷を与える化学物質によって腫瘍を死滅させることができる．たとえば，シスプラチンなどの古典的な化学療法剤は，DNA の架橋をひき起こすが，腫瘍細胞は効率的に修復することができない．ドキソルビシンやエトポシドのような DNA トポイソメラーゼを阻害する薬剤は，S 期中に大量の DNA 切断をひき起こし有糸分裂への移行を阻害し，腫瘍細胞の細胞死をひき起こす．この正常な DNA 修復の喪失が，腫瘍細胞の急速な増殖と相まって，一般的に使用されている化学療法剤ががん細胞を優先的に殺すが，体内の正常な非増殖細胞は殺さない理由となっている．ただし，骨髄や免疫系に存在する増殖の速い正常細胞は例外であり，これらの細胞も化学療法薬によってある程度損傷を受ける．このためがん患者は化学療法中，貧血や感染症にかかりやすくなる．

がんゲノムの解析は体細胞変異の大きな多様性を明らかにした

次世代 DNA シークエンサー技術の登場により，数千のがんゲノムの迅速なシークエンスが可能になり，膨大な数の体細胞変異を解析できるようになった．図 25・8 に示すようにさまざまな体細胞変異の種類や数が複雑で多様であることがわかる．正常な体細胞は細胞分裂ごとに平均して一つの突然変異を獲得する．がん細胞における 10^5 個を超える突然変異の蓄積を考えるとがん進行中の変異率は少なくとも 1000 倍以上となる．体細胞変異は非常に多様であるにもかかわらず，いくつかの点で一般化が可能である．

1. 体細胞変異は，一塩基変異（single nucleotide variant，SNV，または点突然変異），挿入欠失（insertion or deletion，Indel），構造変異（structural variant，SV）の三つに分類され，構造変異には染色体再編成，重複，コピー数変異なども含まれる．

2. 典型的な腫瘍には，5000 個の SNV，500 個の Indel，50 個の SV が含まれる可能性があるが，その数は同じ種類のがんであっても腫瘍ごとに大きく異なる．

3. 変異の数とばらつきが最も大きいがんは，変異原にさらされた組織から発生する．日光によるメラノーマや，ヘビースモーカーによる肺腫瘍などである．

4. 突然変異の種類は，突然変異誘発の増加の基礎となる機構を反映することができる．たとえば，BRCA1 変異をもつ女性の乳がんは，孤発性乳がんよりも Indel や SV の割合が高い傾向がある．これは BRCA1 の欠失により，DNA 切断の修復を誤りやすくするため，Indel や SV につながるという予想と一致する．

発がん遺伝子はがんウイルスの関連から見いだされた

さて，がん細胞が多数の無作為な体細胞変異を獲得する方法のいくつかを述べてきたが，次に，これらの突然変異のうち機能的な影響をもち，がんの進行に寄与しているごく一部の突然変異を同定する問題に目を向けることにする．ゲノム全体を解析できるようになった現在，典型的な腫瘍には，がん細胞の特徴である無秩序な細胞増殖，プログラム細胞死の回避，不安定なゲノムに寄与する既知の**ドライバー変異**（driver mutation）がおよそ五つあることがわかっている．何万もの体細胞変異のなかから数個のドライバー変異を見つけ出すことが可能になったのは，ごく最近のことである．最初に明らかとなったドライバー遺伝子は，単一の強力なドライバーが異常な遺伝学的事象によって活性化された事例で明らかにされた．発がん性**形質転換**（transformation）をひき起こした遺伝子は**がん遺伝子**（oncogene）とよばれている．

1911 年にはじまった Peyton Rous の先駆的な研究によって，ウイルスを宿主となる動物に注射することによってがんが起こることがはじめて明らかになった．長い年月ののち，分子生物学者たちはラウス肉腫ウイルス（Rous sarcoma virus: RSV）が**レトロウイルス**（retrovirus）で，その RNA ゲノムを DNA に逆転写して宿主ゲノムに挿入することを明らかにした（図 5・43 参照）．RSV のような発がん性の形質転換ウイルスは，すべてのレトロウイル

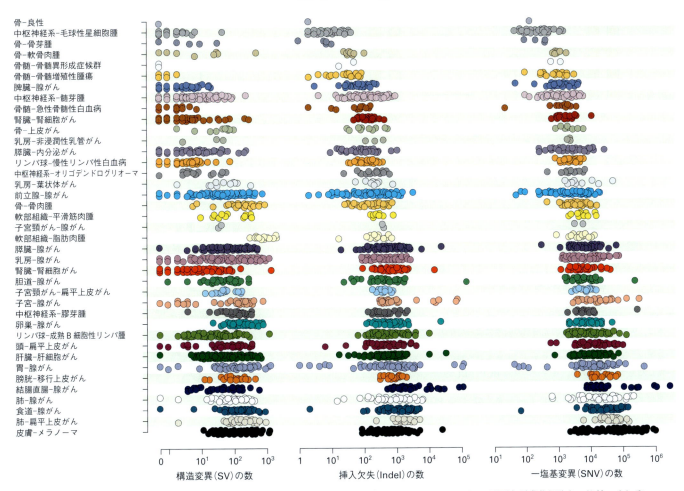

図 25・8　配列決定されたがんゲノムには，多数の多様な体細胞変異が存在する． 2658 のがんゲノム配列と正常体細胞との比較．それぞれの配列は 38 の腫瘍型に分類され，構造変異(SV)，短い挿入または欠失(Indel)，一塩基変異(SNV)に分類された腫瘍の変異の数をドットで示した．〔P. J. Campbell et al., 2020, *Nature* **578**: 82, Creative Commons Attribution 4.0 International License.〕

スに存在する"正常な"遺伝子に加えてがん遺伝子をもつが，ラウス肉腫ウイルスの場合，それは v-*src* 遺伝子である．その後の変異型 RSV の研究によって，他のウイルス遺伝子ではなく，v-*src* 遺伝子のみにがん誘導作用があることが示された．

1970 年代末に，ニワトリや他の生物の正常細胞に RSV の v-*src* 遺伝子によく似た遺伝子があることがわかり，科学者たちは驚いた．この正常細胞がもつ遺伝子は**がん原遺伝子**（proto-oncogene）とよばれ，ウイルス由来の遺伝子と区別するために"cellular（細胞の）"の"c"をつけて c-*SRC* のように表記される．この遺伝子の産物である c-Src は，細胞質タンパク質チロシンキナーゼであり，多くのシグナル伝達経路に関与している．RSV をはじめとする発がん性形質転換ウイルスは，宿主の正常な細胞のがん原遺伝子をゲノムに組込んだものであると考えられている．その後，突然変異により，構成的に活性化されたキナーゼをコードするがん遺伝子に変化したと思われる．正常な c-*SRC* がん原遺伝子が存在する場合でも宿主細胞を形質転換させることができる．この現象が最初に発見されたとき，この危険なウイルスが宿主自身のがん遺伝子を変化させていることに驚かされた．

また，レトロウイルスは，がん遺伝子をもっているのではなく，宿主細胞の DNA に組込まれることで，その発現を活性化することによってがんをひき起こすことがある．たとえば，トリ白血病ウイルス（avian leukosis virus: ALV）によってひき起こされた腫瘍の細胞において，レトロウイルスの DNA は *MYC* 遺伝子の近くに挿入される．この細胞は MYC タンパク質を過剰に産生するため細胞増殖が異常に速くなり，がんの進行がはじまる．その後，さらに変異が起こり，本格的な腫瘍が発生する．

単一の発がんドライバー変異が染色体再編成によって活性化されることがある

1960 年代に，まず研究者は光学顕微鏡観察によって同定可能な特徴的な染色体異常をもつがんの存在を明らかにした．ヒトにおける最も一般的な白血病である慢性骨髄性白血病（chronic myelogenous leukemia: CML）では**フィラデルフィア染色体**（Philadelphia chromosome, 図 25・9a）とよばれる，22 番および 9 番染色体の転座により生じる染色体が観察される．この転座はそれぞれの染色体の末端領域が交換され，22 番染色体の大きさに特徴的な変化をひき起こす．クローニングと転座領域の DNA 解析から，この転座の染色体切断点において BCR-ABL 融合タンパク質が新たに合成される．この BCR-ABL は，野生型 ABL が基質としないタンパク質もリン酸化できるキナーゼであるため，多様な細胞内シグナル伝達タンパク質を活性化する．この転座が骨髄の造血幹細胞で起こると，*BCR-ABL* キメラがん遺伝子の活性化に

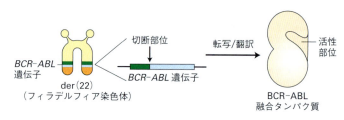
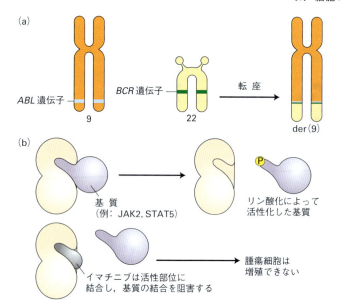
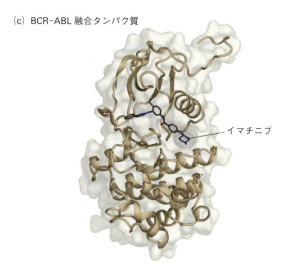

図 25・9 BCR-ABL プロテインキナーゼ. (a) フィラデルフィア染色体は, 9番, 22番染色体の先端部の転座によって生じ, この転座によって発がん性を示す融合タンパク質が生じる. (b) BCR-ABL 融合タンパク質は, 多数のシグナル伝達タンパク質をリン酸化する, 恒常的に活性化したキナーゼである. イマチニブは BCR-ABL の活性部位に結合し, そのキナーゼ活性を阻害する. (c) BCR-ABL 活性部位に結合したイマチニブ. [B. Nagar et al., 2002, *Cancer Res.* **62**: 4236, PDB ID 1iep.]

より CML の初期段階となり, 白血球数の増加が認められる.

フィラデルフィア染色体とその結果生じるがん遺伝子である *BCR-ABL* 融合遺伝子の同定, そして ABL タンパク質の分子機能解析により, CML に対する新しい強力な治療法の開発につながった. 莫大な労力をかけたスクリーニングの結果, **イマチニブ** (imatinib, グリベック® Gleevec) と名づけられた ABL キナーゼの阻害剤が CML 治療薬の候補として同定された. イマチニブは ABL キナーゼの活性部位に直接結合してキナーゼ活性を阻害するため, 正常細胞を殺さずに, CML 細胞だけを殺す (図25・9b, c). 多少の副作用はあるものの, イマチニブが CML の治療に大変効果があるという臨床試験の結果が出て, 2001 年に FDA によって, 腫瘍細胞に特異的なシグナル伝達タンパク質を標的とした最初のがん治療薬として承認された. イマチニブは, 他のがんでの関与が示唆されるいくつかの別のチロシンキナーゼも阻害するため, 臨床試験が行われて, 消化管腫瘍などの治療に成功しつつある. ヒトゲノムには 90 の機能をもつチロシンキナーゼが存在し, イマチニブに類似した薬剤はこれらすべてのタンパク質の活性を制御するために有効である可能性がある.

イマチニブの開発は, **分子標的療法** (molecular targeted therapy) とよばれるがん治療法の大きな成功の一つである. 一般的な概要として, 分子標的療法の考え方は, 特定の種類の腫瘍の発がん性ドライバー変異を見つけ出し, 発がん性変異の効果を逆転させる薬剤を設計することである. CML の発がんドライバーである BCR-ABL を標的とする事例は, この方法の威力を示すと同時に, その限界も明らかにした. CML は, 単一の発がん性ドライバーの結果として発症し, その影響を逆転させることで病気を治すことができるという点で, めずらしい病気である. しかしこのあと述べるように, 大多数のがんは複数のドライバー変異の結果であり, どれか一つのドライバー変異の影響を逆転させても, 病気を治すことはできない. さらに, ほとんどのがんは突然変異率が高いので, 特定の酵素阻害剤に耐性をもつような突然変異を急速に獲得することもある. 実際, CML の腫瘍はやがて BCR-ABL 融合タンパク質をコードする遺伝子に変異を獲得し, イマチニブの結合を阻害するようになる. 研究者たちは, こうした変異型 BCR-ABL キナーゼのいくつかを特異的に阻害する分子を同定し, これらは CML の第二選択療法として使用されている. 複数の経路が影響を受け, 突然変異によって薬剤耐性が生じるという二つの課題は, 多くのがんの根本的な遺伝的複雑性の特徴であり, 分子標的療法の開発にとって最も重要な障害であり続けている.

がんの遺伝的素因が発がん性ドライバーの同定を可能とした

がんの進行の原因となる個々の遺伝子を特定するもう一つの方法は, ある種のがんに対する遺伝的な素因をもつ症候群を解析することである. これらの症候群の大部分では, 親から遺伝子の一方の対立遺伝子に機能喪失型変異が生じ, もう片方の対立遺伝子に体細胞変異が生じている. その古典的な例が, 網膜芽細胞腫 (retinoblastoma) である. これはがん抑制遺伝子として最初に同定された *RB* 遺伝子の機能喪失によって起こる. 19 章で説明したように, *RB* 遺伝子にコードされるタンパク質は, 細胞周期に入るのを調節するタンパク質である.

家族性(遺伝性)網膜芽細胞腫 (hereditary retinoblastoma) の子どもは, 一方の *RB* 遺伝子に欠損をもち, これは 13 番染色体の小さな欠失として観察されることもある. 彼らには子どものときから網膜の腫瘍が認められ, 通常は両眼に生じる. もう一方の染色体にある正常な *RB* 遺伝子が欠失あるいは変異することが腫瘍形成に必須の過程であり, これによって機能的な **Rb タンパク質**

（Rb protein）を産生しない細胞ができる（図25・10a）. 一方, 散発性（弧発性）網膜芽細胞腫（sporadic retinoblastoma）の患者では, 二つの正常な RB 対立遺伝子を受け継いでいるが, 1個の網膜細胞で両方の対立遺伝子に体細胞性の機能喪失型変異が起こる（図25・10b）. 両方の対立遺伝子に変異が起こる確率は, 片方に起こるよりずっと低いので, 散発性網膜芽細胞腫はまれで, ふつうは片方の眼だけに生じる.

悪性化する前に網膜腫瘍を除去すれば, 家族性網膜芽細胞腫の子どもは成人するまで長生きして子どもをもつことができる. しかし, 彼らはその後も他の腫瘍を発病するリスクが他の人より高くなる. 彼らの生殖細胞には RB の正常型対立遺伝子と変異型対立遺伝子が一つずつ存在するので, 平均して, 半数の子どもに変異型対立遺伝子が, 半数の子どもに正常型対立遺伝子が受け渡される. 正常型対立遺伝子を受け継いだ子どもは, もう片方の親が二つの RB 正常型対立遺伝子をもっていれば, 正常である. しかし, 変異型対立遺伝子を受け継いだ子どもは, 正常な片親から正常な RB 対立遺伝子を受け継いでも, 患者である親と同様に網膜腫瘍を生じる可能性が高くなる. したがって, 網膜芽細胞腫をひき起こす形質は顕性遺伝する. つまり, 一つの変異型対立遺伝子の変異が, がんをひき起こすのに十分となる.

以下で述べるように, 網膜腫瘍だけでなく多くのヒトの腫瘍には変異型の RB 対立遺伝子が含まれていたり, RB と同じ経路で働く他の因子に変異が含まれていたりするが, 大部分は体細胞変異によって生じたものである. 米国での家族性網膜芽細胞腫の症例数は年間100例程度であるが, 年間約10万人程度のその他のがん患者で RB 遺伝子の後天的な体細胞変異が関与している.

図25・10 **網膜芽細胞腫における自然発生的な体細胞変異の役割.** この疾患は, 二つの変異型 RB^- 対立遺伝子をもつ細胞から生じる網膜の腫瘍である. (a) 家族性（遺伝性）の網膜芽細胞腫では, 子は片親から正常型 RB^+ 対立遺伝子を受け継ぎ, もう片親から変異型 RB^- 対立遺伝子を受け継ぐ. ヘテロ接合体のヒトの網膜細胞で, 正常な対立遺伝子を不活性化させる1回の体細胞変異が起こると, 二つの変異により正常な RB 遺伝子をもたない細胞ができる. (b) 散発性（弧発性）の網膜芽細胞腫においては, 子は両親から二つの正常な RB^+ 対立遺伝子を受け継ぐ. 特定の網膜細胞で, 体細胞性の突然変異が2回, 独立に起こることが, すべての RB 機能を失った細胞を生じるときに必要である.

統計によっても違うが, 遺伝性のがん, つまりある遺伝子が部分的にせよ要因となって起こるがんは, ヒトのがんの10％ほどを占めると考えられている. ヒト遺伝子に関する研究がさらに進めば, この割合は増えると思われる. しかし, 遺伝的に受け継がれた生殖系列の変異だけでは, 腫瘍の形成に十分ではない点を知っておく必要がある. すべての場合において, 受け継いだがん抑制遺伝子の正常型対立遺伝子が欠失あるいは不活性化するほかに, 他の遺伝子における変異も, がんが発生するためには必要である. そのため, がん抑制遺伝子の潜性変異をもつヒトは, 放射線などの環境変異原に対して極度に高い感受性をもつ.

片親からがん抑制遺伝子の変異型対立遺伝子を受け継いでも, 残っている正常な対立遺伝子が異常増殖を妨げているので, がんは潜性であり, このこと自体でがんが生じるのではない. その後体細胞で正常型対立遺伝子の欠失や不活性化が起こることが, がん化するための必要条件である. これを**ヘテロ接合性の喪失**（loss of heterozygosity: **LOH**）とよび, どのようにがんができるかを説明している. 正常対立遺伝子を欠失する三つの機構が存在する. まず新規に生じる不活性化変異や遺伝子欠失により正常な対立遺伝子が不活化されるものである. 第二に, 染色体の誤った分配（mis-segregation）により, 正常な対立遺伝子をもつ染色体が失われることがある. しかし, これらの機構はそう多くはない. 最もLOHを起こす機構は, 正常型の対立遺伝子をもつ染色分体と変異型をもつ染色分体の間での体細胞組換えが起こることである. その後に起こる染色体の分離によって, 変異型のがん抑制遺伝子がホモ接合になった娘細胞を形成することがある.

発がん性ドライバー変異は多くの遺伝子で確認されている

がんウイルスがもつ最初のがん遺伝子が発見されたあと, 40年の間に, 発がん性ドライバー変異をもちうる数多くの異なる遺伝子が同定されてきた. これらの遺伝子は, 特定の腫瘍検体や腫瘍に固有の遺伝子マーカーを研究することによって同定された. 特に小児がんやめずらしい成人がんのように, 遺伝子の変化の総数が少ない種類の腫瘍を研究することによって, 最も大きな進歩がもたらされた. ほとんどの発がん性ドライバー変異は, 次の六つのアプローチのうちの一つによって同定された（最初の五つの例はすでに述べた）.

1. 腫瘍をひき起こすウイルスに関連するがん遺伝子の同定.
2. レトロウイルスの挿入によって活性化され, がんをひき起こす遺伝子の同定.
3. がんに関連する染色体再編成の切断点にある遺伝子の同定.
4. 家族性がん遺伝子のマッピング
5. 活性化または発現上昇されると, 細胞形質転換をひき起こす遺伝子の同定.
6. がん細胞で特異的に発現が増加する遺伝子の同定.

発がん性ドライバー変異は, がんのゲノムを比較することによって同定することができる

ある腫瘍におけるすべての発がん性ドライバー変異は, 腫瘍のゲノム配列と適合する正常な組織由来細胞の配列とを比較することによって発見できるはずである. この方法のむずかしさは, ほとんどの腫瘍において, 何万もの体細胞変異のうち, わずか数個

しか発がん性ドライバー変異が存在しないことである．しかし，多数の異なるがんゲノム配列を比較すると，腫瘍細胞内のはるかに多くの潜在的な細胞変異のなかからドライバー変異を同定することができるパターンが浮かび上がってくる．最も明白なパターンは，同じ種類の複数の腫瘍に現れる同じ遺伝子の変異を探すことである．この方法は，同じ種類のがん細胞は，形態，代謝，制御，遺伝子発現ネットワークが類似しており，そのため，同じ種類のがん細胞で同じ遺伝子に変異がみられる可能性が高いという概念に基づいている．遺伝子配列情報をより高度に解析することで同じ種類の腫瘍に共通する変異を特定することができる．たとえば，*RB* における変異は，遺伝子機能の喪失をひき起こす欠失であることが多い．一方，*Ras* の変異は通常，機能を獲得する点変異である．

このような解析を，さまざまな種類のがんから採取した2500種類の腫瘍配列に適用したところ，図に示すような一連の共通の発がんドライバーを得られた（図25・11）．最も一般的なドライバー遺伝子の変異の数は平均五つである．最も多く変異したドライバー遺伝子はp53（*TP53*）であり，これは腫瘍の77％に認められた．発がん性ドライバー遺伝子の数と種類は，一見すると困惑するほど多いが，ほぼすべての遺伝子が，以前よりがんの進行に関連し，その基本的な細胞機能は知られているものであった．さらに，発がん性ドライバー遺伝子の多くは，表25・2に示すように，比較的少数の調節経路および細胞過程で作用している．§25・3で，われわれは細胞増殖制御経路に関与する発がん性ドライバー

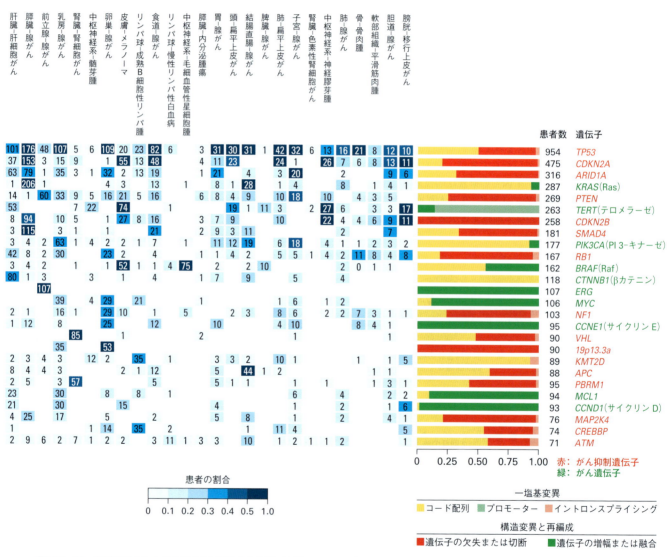

図25・11　配列決定されたがんゲノムに同定された発がん性ドライバー変異．26種類の異なる腫瘍型の2583のがんゲノム配列を検索し，共通の発がん性ドライバー変異を検索した．表の列は異なる種類のがんを表し，行は頻度の高い順にドライバー変異を表している．表中の数字は，特定のドライバー変異をもつ特定の種類の腫瘍の数を表す．色のついた棒は，特定の型のドライバー変異の割合を示す．最も一般的な種類は，コード配列の一塩基変異（黄）であり，*TP53*の場合のように機能喪失型変異であることも，*KRAS*の場合のように機能獲得型変異であることもある．一般的な機能喪失型変異は構造的な変異であり，遺伝子の欠失や切断につながる構造変異（赤），あまり一般的ではないイントロンスプライシング変異（薄赤）である．一般的な機能獲得型変異は，増幅された遺伝子や遺伝子融合（緑）をもたらす構造変異であり，プロモーター変異（薄緑）はあまり一般的でない．がん抑制遺伝子（赤）は，おもに機能喪失型変異をもつ．一方，がん遺伝子（緑）は，機能獲得型のがんドライバー変異をもつ．［ICGC/TCGA Pan-Cancer Analysis of Whole Genomes Consortium, 2020, *Nature* **258**: 82 による．］

表 25・2 発がんを促す共通の遺伝子変異型

細胞内機能	タンパク質（ヒト遺伝子）	変異の種類（機能獲得型もしくは機能喪失型）
細胞増殖経路の活性化（MAPキナーゼ経路など）	Ras(*KRAS*) Raf(*BRAF*) Nf1(*NF1*)	コード配列上の活性化（機能獲得型） コード配列およびプロモーター上の活性化（機能獲得型） 大部分の欠失（機能喪失型）
細胞増殖抑制経路の不活化（TGF-β経路など）	Smad4(*SMAD4*)	大部分の欠失（機能喪失型）
細胞周期の活性化	p16(*CDKN2A*) Rb(*RB*) サイクリンD(*CCND1*)	大部分の欠失（機能喪失型） 大部分の欠失（機能喪失型） 遺伝子増幅（機能獲得型）
テロメアの延長による染色体複製の維持	テロメラーゼ(*TERT*)	プロモーター（機能獲得型）
DNA損傷チェックポイントの消失	p53(*TP53*) ATM(*ATM*)	欠失およびコード配列上の変異（機能喪失型） 欠失およびコード配列上の変異（機能喪失型）
アポトーシスの回避	p53(*TP53*) Bcl2(*MCL1*) PI 3-キナーゼ(*PIK3CA*) PTEN(*PTEN*)	欠失およびコード配列上の変異（機能喪失型） 遺伝子重複（機能獲得型） コード配列上の活性化（機能獲得型） 大部分の欠失（機能喪失型）
SWI/SNFによるクロマチン状態変化	ARID1(*ARID1A*)	大部分の欠失（機能喪失型）
核内転写因子の活性化	MYC(*MYC*) βカテニン(*CTNNB1*)	遺伝子重複（機能獲得型） コード配列上の活性化（機能獲得型）

の機能をより詳細に説明する．§25・4では，プログラム細胞死を防ぎ，免疫監視機構の回避を可能にする発がんドライバーについて考察する．

発がん性ドライバー変異は機能獲得型と機能喪失型がある

簡単にいえば，突然変異によって遺伝子の機能が変化するのは，以下の二つの方法のどちらかである．遺伝子は，突然変異によって部分的または完全に不活性化され，機能喪失をひき起こす．または，突然変異によって，活性の増加や新しい活性を獲得する．通常，がんのゲノム配列から，発がん性変異が機能喪失をひき起こすのか，機能獲得をひき起こすのか推測することは通常可能であり，それによって変異ががんを進行させる機構に関する重要な情報を得ることができる．

代表的な機能喪失型変異は以下の通りである．

1. 遺伝子の全部または一部が**欠失**したもの．
2. コード配列に**点変異**が生じ，終止コドンやフレームシフトを導入されるもの．

典型的な機能獲得型変異は以下の通りである．

1. 遺伝子の**重複**や**増幅**による，コードされたタンパク質の過剰な産生．
2. 高活性または構成的活性化を起こすタンパク質産物をもたらす**点変異**．
3. **プロモーター変異**による，タンパク質産物の発現の増加．
4. DNA再編成の結果，タンパク質産物の発現が異常となる変異．

機能喪失型変異により発がん性が生じる遺伝子は，通常，**がん抑制遺伝子**（tumor suppressor gene）とよばれ，*RB*は典型的ながん抑制遺伝子である．*RB*遺伝子の両コピーに機能喪失型変異があるため，網膜芽細胞腫が発生することはすでにみたとおりである．また，*RB*ががん抑制遺伝子であることは，図25・11に示したがんのゲノム配列からも推測できる．*RB*における発がん性変異のほとんどは欠失であるからである．同じように*TP53*遺伝子の発がん性変異の約半分は欠失であることから，p53ががん抑制遺伝子であることは明らかである．

機能獲得型変異によりがん化する遺伝子は，通常，がん遺伝子とよばれる．たとえば*RAS*遺伝子の発がん性変異は，一塩基の変化によるもので，Rasタンパク質を活性型GTP結合状態で永久に活性化し，MAPキナーゼを活性化して過剰または制御不能な増殖促進シグナルを生成する．ほぼすべての腫瘍で同定される*RAS*変異のほとんどはこのようなものである．一方，*MYC*がん遺伝子は，通常，*MYC*遺伝子の増幅によって機能を獲得し，タンパク質産物の存在量を増加させる．

がん抑制遺伝子とがん遺伝子はしばしば同じ経路で作用する

図25・11に示した一般的な発がん性変異のほとんどは，成長制御や細胞周期進行を制御する経路に影響を与える．これらの経路には正に作用する要素もあるが，通常は負に作用する要素も含まれている（図25・12）．細胞増殖やがんの進行を促進する経路の場合，機能獲得が重要である．この変異は，正に作用する経路要素で起こり，一方，機能喪失型変異は，負に作用する経路要素で起こる．このように，がん遺伝子とがん抑制遺伝子の両方が，同じ経路で機能することがある．しかし，ほとんどの腫瘍には通常，特定の経路を活性化する発がん性変異が一つだけ存在する．たとえば，多くの腫瘍は*Ras*または*Raf*に発がん性変異をもつ腫瘍が多い（図25・11）．しかし同じシグナル伝達経路で作動するため，両方の遺伝子に変異があるものはほとんどない（図16・13および表25・2参照）．

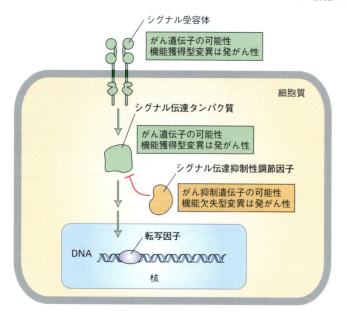

図 25・12 典型的な細胞増殖経路において機能獲得型変異や機能喪失型変異がどのようにがんを進行させるか．遺伝子の転写と細胞周期の開始によって細胞増殖を活性化する典型的な経路が示されている．細胞外シグナルに応答して，遺伝子の転写や細胞周期の進行を開始することで細胞増殖を活性化する経路が示されている．この経路で正に作用するタンパク質，たとえば受容体タンパク質や細胞内タンパク質が機能獲得型変異を起こすことでがん遺伝子となる．一方，この経路の負の調節因子は，機能喪失型変異によりこの経路を活性化する可能性がある．このような場合，負の制御に対応する遺伝子は，腫瘍抑制遺伝子となる．

マイクロ RNA は腫瘍形成を促進したり抑制したりする

ここ 20 年の間で，新しい種類の発がん性因子が同定されてきた．非コード RNA（タンパク質をコードしていない RNA），特にマイクロ RNA（miRNA）が腫瘍形成に重要な役割を果たしていることが明らかになってきた．9 章で述べたように，miRNA の生成は，通常，前駆体 RNA が多くのプロセシング段階を経て裁断され 20〜22 ヌクレオチドの長さの成熟 miRNA になる．成熟 miRNA は標的 RNA の 3′ 非翻訳領域（UTR）に結合して翻訳を妨げたり，標的 RNA の分解をひき起こしたりする（9 章）．いままでに約 1500 個の miRNA がヒトで同定され，細胞増殖，分化，アポトーシスなど，細胞の基本的機能を担う mRNA の 30％ の調節にかかわっていると示唆されている．そのうちの多くは，がん抑制遺伝子またはがん遺伝子として機能していることが示されている．

腫瘍形成における miRNA の役割は，染色体 13q14.3 領域の分析からはじめて明らかになった．このゲノム領域は，ヒトで最も多い白血病である慢性リンパ球性白血病（chronic lymphocytic leukemia: CLL）の多くの症例で欠失していることがわかっている．病気をひき起こす欠失の性質から，その領域に存在する二つの miRNA が CLL の原因であることが示された．二つの miRNA 変異マウスは CLL を発症することから，これらの miRNA はがん抑制遺伝子として機能していることが示された．二つの miRNA は細胞増殖にかかわる遺伝子群の発現を抑制しているようである．これらがないと B 細胞の増殖が亢進する．また let-7 ファミリーの miRNA が肺がん，大腸がん，乳がん，そして子宮がんに関係することが示唆されている．let-7 miRNA は Ras の翻訳を下方制御する．したがってこの miRNA がなくなると，Ras が恒常的に過剰に合成され腫瘍形成を促す．let-7 miRNA は次節において説明する発がん性転写因子 MYC を含む他の標的も存在する．がんにおける miRNA の研究により，個々の miRNA は複数の標的をもち，これによって腫瘍形成に十分な機会を与えているという一般性が明らかとなってきた．

他の miRNA ではがんにおいて過剰発現しているものもある．特別に興味深いのが miR-21 であり，神経膠芽腫，乳がん，肺がん，膵臓がん，大腸がんなどのほとんどの固形がんで過剰に発現している．この miRNA の標的は PTEN ホスファターゼを含むいくつかのがん抑制遺伝子である．PTEN は通常 PI 3-キナーゼシグナル経路を抑制する（16 章）．miRNA がどのように腫瘍形成に関与するのかという点については，これから解析すべきことも多いが，多くの異なる遺伝子を制御する能力を通して，さまざまな方法で病気の進行に影響を与えていることは明らかである．

エピジェネティックな変異が腫瘍形成に関与する

これまでに，がん抑制遺伝子の機能喪失型変異やがん遺伝子の機能獲得型変異によって腫瘍が形成される例をみてきた．しかし，9 章で述べたように，遺伝子の発現はクロマチンの状態によっても抑制されたり促進される．クロマチン状態の全般的に影響を与える，DNA のメチル化や，**ヒストン修飾酵素**（histone-modifying enzyme），**クロマチンリモデリング複合体**（chromatin-remodeling complex）に関連する遺伝子もまた，腫瘍形成の主要なドライバーであることが明らかとなりつつある．

DNA メチル化は多くの場合遺伝子プロモーター領域に存在する CpG アイランドのシトシンに対して生じる．これらシトシンのメチル化はプロモーター活性を低下させる．大腸がんの大部分では DNA の過剰メチル化が特徴的に見受けられる．DNA の低メチル化もまた，がんの特徴である．がんにかかわる多くの遺伝子のプロモーターが低メチル化になると，その下流に存在する遺伝子の発現が上昇する．たとえば，急性リンパ性白血病の 25％ では CpG ジヌクレオチドのメチル化を行う酵素における不活性化変異のため低メチル化が特徴的に観察される．

クロマチン修飾因子や調節因子をコードする遺伝子も腫瘍形成を促進する因子であることが明らかとなってきている．多種のがん細胞における系統的な全ゲノムシークエンシングにより，約 40 のエピジェネティック調節因子をコードする遺伝子における異常が非常に高頻度で観察された．またヒストン修飾酵素やこれらの翻訳後修飾にかかわる遺伝子においても遺伝子変異が頻発していることが認められた，ヒストンメチルトランスフェラーゼ，ヒストンデメチラーゼ，そしてヒストンアセチルトランスフェラーゼをコードする遺伝子における変異が広範囲の腫瘍において同定されている．興味深いことに，クロマチン修飾酵素の遺伝子変異は一つの対立遺伝子においてのみ認められることから，これらの変異はハプロ不全であると考えられる．おそらく両対立遺伝子を欠失すると細胞が死んでしまうが，機能的な対立遺伝子が一つだけの場合は腫瘍形成を促進するのに十分な遺伝子発現異常を惹起していると考えられる．

クロマチン再構成因子のなかで，がんにおいて中心的な役割を果たしているのは SWI/SNF 複合体である．この巨大で多様な多

量体タンパク質複合体の中心には ATP 依存性ヘリカーゼがあり，ヒストンの修飾とクロマチンリモデリングを制御している（8章）．たとえば，SWI/SNF 複合体は，ヌクレオソームの位置や構造を変化させることによって，転写を調節する DNA 結合タンパク質を遺伝子に近づけたり離したりする．もし，ある遺伝子が，正常な状態で SWI/SNF 複合体によるクロマチンの変化によって活性化されたり抑制されたりすれば，SWI タンパク質や SNF タンパク質をコードする遺伝子の変異は標的遺伝子の発現に変化を与えると考えられる．トランスジェニックマウスを用いた研究から，SWI/SNF には E2F 遺伝子を抑制する役割があり，それによって細胞周期の進行が阻止されることが示唆されている．そのため，SWI/SNF 機能の喪失は，過剰増殖を導き，おそらくがんにつながることが予想される．

ヒトとマウスで得られた最近の知見から，SNF5 遺伝子ががんに関与していることが強く示唆された．SNF5 は SWI/SNF 複合体の中心タンパク質である．ヒトでは，SNF5 の体細胞における不活性化変異は腎臓に最も好発するラブドイド腫瘍（rhabdoid tumor, 横紋筋肉腫様腫瘍）をひき起こす．また遺伝的に家族性の脳腫瘍や他の腫瘍をひき起こしやすくなる．その後の解析により，やはり SWI/SNF 複合体の構成因子の一つである BAF タンパク質をコードする遺伝子について，40％の腎臓がん，50％の子宮がん，そして肝臓や膀胱がんでは大部分の腫瘍細胞で変異が認められている．まとめると，異常なエピジェネティック制御は腫瘍形成において重要な役割を果たしている．エピジェネティックな制御によって多数の因子の発現や調節経路が同時に変化しうることを考えると，この仮説はおそらく驚くべきことではない．

25・2 がんの遺伝学およびゲノム的基盤 まとめ

- 発がん性変異は DNA 配列の複製の誤りや，DNA アルキル化剤や UV 光，電離放射線を含む環境変異原によって生じる．
- がんを起こす変異原は発がん性物質として知られる．ベンゾ[a]ピレンのような発がん性物質は，シトクロム P-450 酵素によって活性化される必要がある．
- がん細胞における突然変異誘発のおもな要因は，正常な DNA 修復過程の喪失によるものである．BRCA1 遺伝子の変異など，DNA 修復過程における先天的な異常は，特定のがんに対する感受性の増加と関連する．
- がん細胞における突然変異誘発を増加させる最も一般的な体細胞変異は，DNA 損傷チェックポイントの喪失をひき起こす．そのような突然変異のほとんどは，がん抑制遺伝子 p53 の変異である．
- がんゲノムの塩基配列を決定すると，通常，何千もの変異が明らかになる．そのなかには，一塩基変異（SNV），挿入欠失（Indel），あるいは染色体再編成，重複，コピー数の変化などを含む構造変異（SV）がある．
- がんをひき起こす最初のがん遺伝子は，腫瘍ウイルスとの関連から同定された．
- 細胞の発がん性ドライバー変異は，染色体再編成の分岐点で，家族性がんの原因となる遺伝子をマッピングし，組織培養細胞を用いた形質転換によって同定された．

- 最初に同定されたがん抑制遺伝子である RB は，網膜芽細胞腫やその他多くの腫瘍で変異している．遺伝性 RB の変異対立遺伝子が一つでもあると，正常な対立遺伝子の突然変異や欠失，染色体の誤った分配，体細胞分裂による組換えなどによるヘテロ接合性の喪失（LOH）によって，体細胞は RB の機能を容易に失うため，がんが発生する確率が非常に高くなる．
- 同じ種類の腫瘍から得られた多数のゲノム配列の比較により，発がん性のドライバー変異をがんゲノムに存在する多くの潜在的な細胞変異と区別することができる．
- 多くの発がん性ドライバー遺伝子は，増殖促進経路を活性化したり，増殖抑制経路やアポトーシス経路を阻害することで，細胞増殖をひき起こす．
- 機能獲得型変異の結果，発がんドライバーとなる遺伝子は，がん遺伝子とよばれる．
- 機能喪失型変異の結果，発がんドライバーとなる遺伝子は，がん抑制遺伝子とよばれる．
- マイクロ RNA（miRNA）は，複数のがん遺伝子やがん抑制遺伝子の発現に影響を与えることで，腫瘍形成を促進または抑制することができる．
- ヒストン修飾酵素やクロマチン再構築因子のようなエピジェネティックな調節因子に影響を与える変異はさまざまな腫瘍と関連している．

25・3 腫瘍形成をはじめる細胞増殖および発生経路の異常調節

制御不能な細胞増殖は，がんの中心的な特徴である．すでに，発がんを起こす遺伝学的ドライバーの多くが，正常な組織の増殖と抑制を制御するシグナル経路に関与する遺伝子にあることをみてきた．本節では，発がん性変異がその効果を発揮する機構に重点をおいて，これらの経路をより詳細に検討する．

外部からの増殖因子がなくても受容体の変異が増殖をひき起こしうる

増殖促進シグナルを伝達する細胞表面受容体をコードするがん遺伝子は，さまざまな種類のがんに関係していることがわかっている．このような増殖因子の受容体の多くは，細胞質ドメインにチロシンキナーゼ活性が備わっている**受容体型チロシンキナーゼ**（receptor tyrosine kinase: **RTK**）であり，これが刺激を受けてはじめて活性をもつようになる．16 章で述べたように，これらの細胞外ドメインにリガンドが結合すると，二量体化とキナーゼの活性化が起こり，最終的に増殖を促進する細胞内シグナル伝達経路が働き出す．

正常な RTK が点変異によって二量体を形成し，リガンドがなくても恒常的に活性をもつ受容体に変化する場合もある．たとえば，一つの点変異が正常なヒト上皮増殖因子受容体 2（human epidermal growth factor receptor 2: HER2）をがんタンパク質 NEU に変換して（"NEU" という名称は，最初に神経芽細胞腫 neuroblastoma で機能がわかったことによる），マウスである種のがんのイニシエーター（開始因子）となる（図 25・13 左）．同様に，**多発性内**

分泌腺腫症 II 型（multiple endocrine neoplasia type 2）とよばれるヒトの腫瘍では，グリア細胞由来神経栄養因子（glia-derived neurotrophic factor: GDNF）受容体の細胞外ドメインの点変異によって恒常的に活性化した二量体ができる．GDNF 受容体も HER2 受容体もタンパク質チロシンキナーゼであり，このシグナル伝達経路については 16 章で詳細に述べた．恒常的な活性化によって下流シグナル系を過剰活性化した結果，最終的に細胞周期の進行，細胞の生存と増殖を促進する．また別の場合には，細胞外のリガンド結合ドメインの大きな欠失が，恒常的に活性をもつ発がん性受容体をつくる．たとえば，正常な EGF 受容体の細胞外ドメインが欠失すると（図 25・13 右），二量体の ErbB がんタンパク質に変換する（"ErbB" という名称は，赤芽球症ウイルス（erythroblastosis virus）でこの遺伝子がウイルス型に変換していることが最初に発見されたことに由来する）．正常な RTK を過剰産生させるような突然変異によっても，発がん性が現れることがある．たとえば，ヒトの多くの乳がんでは正常な HER2 受容体が過剰に産生している．その結果，EGF やそれに類似したホルモンが正常な細胞は増殖できない程度の非常に低い濃度しかなくても，細胞増殖が促進される（16 章）．

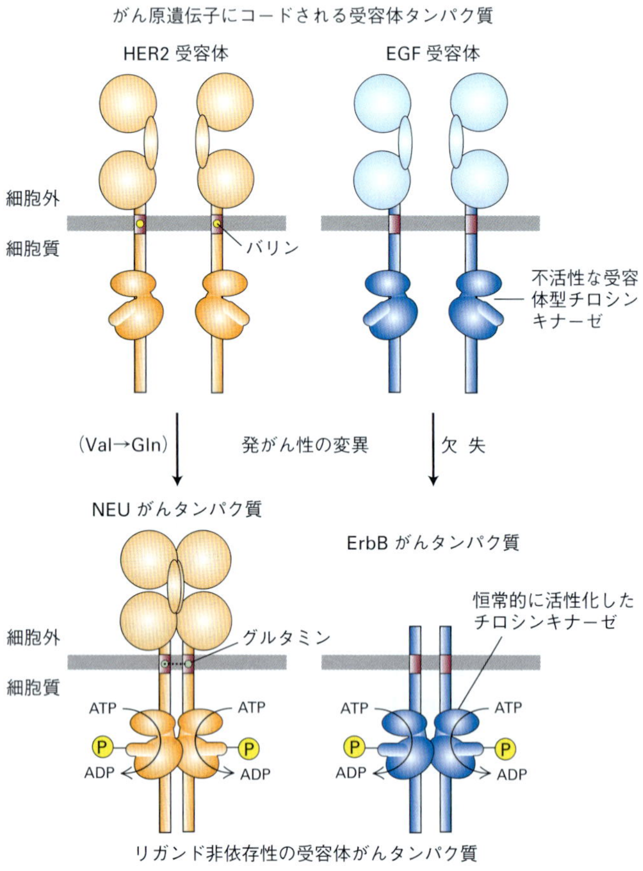

多くのがん遺伝子には恒常的に活性化したシグナル伝達タンパク質がコードされている

多くのがん遺伝子は，シグナル伝達経路を構成する，もしくは制御するタンパク質をコードするがん原遺伝子に由来する．最もよく知られている経路が Ras 経路である．16 章で述べたように，Ras は活性化した受容体からプロテインキナーゼカスケードへとシグナルを伝える重要な因子である．この経路の最初の部分で，活性化した RTK からのシグナルが二つのアダプタータンパク質を介して Ras に伝えられ，Ras は活性をもつ GTP 結合型に変換される（図 16・10 参照）．次の段階では，活性化した Ras は，二つのプロテインキナーゼを介して MAP キナーゼにシグナルを伝える．最後に，活性化した MAP キナーゼは，多くの転写因子をリン酸化して重要な細胞周期タンパク質や分化特異的タンパク質の合成を誘導する（図 16・13 および図 16・14 参照）．RTK/Ras/MAP キナーゼ経路の他の因子が変化したものをコードするがん遺伝子も同定されている（図 25・14）．

この種のがん遺伝子のなかで最もよく研究されているものが RAS^D 遺伝子であり，ウイルス由来ではないがん遺伝子として最初に発見されたものである．Ras タンパク質にはさまざまな変異が知られているが，そのいずれによっても，制御を受けない．したがって顕性に働く活性化がひき起こされる．特に Ras タンパク質の 12 番目のグリシンは，点変異によって他のどのアミノ酸残基に置換した場合も，正常なタンパク質が恒常的に活性化した

図 25・13 細胞表面受容体をコードするがん原遺伝子における発がん性変異の作用．左：HER2 受容体の膜貫通領域にある 1 個のアミノ酸が変化する（バリンからグルタミンへ）変異によって，正常な EGF 関連リガンドが存在しない状態で受容体の二量体化をひき起こし，がんタンパク質 NEU という恒常的に活性化したキナーゼに変化させる．右：細胞外リガンド結合ドメインの欠失を生じた EGF 受容体の変異は，機構は不明であるが，生じたがんタンパク質 ErbB キナーゼの恒常的活性化を導く．

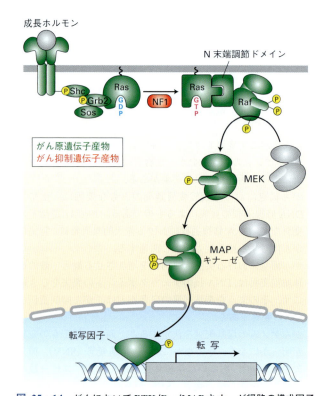

図 25・14 がんにおいて RTK/Ras/MAP キナーゼ経路の構成因子は高頻度に変異が生じている．RTK/Ras/MAP キナーゼ経路を活性化する発がん性変異は，多くのヒトのがんで同定されている．緑で色づけされたほとんどの構成要素は，経路を活性化し，発がん性変異により機能獲得が起こる．一方，赤で色づけされた NF1 は，通常この経路を不活性化するが，両コピーの機能喪失を招来する発がん性変異はその機能を失わせる．

がんタンパク質に変換される（16章）．この単純な変異が起こるとGTPase活性が低下してRasは活性をもつGTP結合型になる．活性化Rasの変異は，RTK経路の最初の部分を短絡させ，リガンドが受容体に結合することによってひき起こされる上流の活性化機構を不要にしている．この恒常的に活性化したRasがんタンパク質は，膀胱がん，大腸がん，乳がん，皮膚がん，肺がん，神経芽細胞腫，白血病などさまざまな種類のヒト腫瘍で発現している．

GTPase活性化タンパク質（GAP）遺伝子に起こった潜性の機能喪失型変異によっても恒常的なRasの活性化がひき起こされる．正常なGAPの機能は，GTPの加水分解を促進してGTP結合型の活性化Rasを不活性なGDP結合型に変換することである（図3・35参照）．NF1遺伝子がコードしているRas-GAPタンパク質の機能喪失型変異により，下流のシグナル伝達タンパク質が持続的に活性化される．がん遺伝子であるRASとがん抑制遺伝子であるNF1が同じ経路で作用している関係は，図25・12にわかりやすい例として示した．NF1は，家族性がん症候群である神経線維腫症の根本原因として最初に発見された．単一の変異型NF1対立遺伝子を受け継いだヒトは，その後，神経線維腫を発症する．神経線維腫は，神経を取囲む鞘細胞の良性腫瘍であり，両対立遺伝子のLOHによる欠損が原因である．

RTK/Ras/MAP経路における他の構成因子の変異ががん遺伝子となることも示されている（図25・14）．たとえばRafの恒常的活性化変異はメラノーマの約50%において認められる．恒常的活性型Rasの場合と同様に，この変異型Rafは細胞外からの制御シグナルに反応しなくなり，連続的に細胞増殖と生存を促し続ける．

増殖制御経路は最終的に細胞周期の開始を制御する

RTK/Ras/MAPキナーゼ経路のような増殖刺激経路は，最終的に二つの出力をもつ．細胞増殖に必要な一連の遺伝子の転写と，細胞周期の活性化である．細胞周期において，細胞はG_1期のある時点（**制限点** restriction pointとよばれる）を過ぎると，不可逆的にS期に移行し，DNAを複製する．サイクリンD（cyclin D），サイクリン依存性キナーゼ（CDK），Rbタンパク質はすべて制限点を通過する制御系の要素である．細胞周期の開始を制御するこれらのタンパク質の多くは発がん性変異の標的である．

細胞周期への入口を制御する経路が，ヒトのがんの約80%で誤調節されていると推測される．この経路の中心はサイクリンD-CDK4/6複合体と転写阻害タンパク質であるRbである（図19・16参照）．サイクリンDの発現は，多くの細胞外増殖因子，すなわち**分裂促進因子**（マイトジェンmitogen）によって誘導される．このサイクリンは，相手となるCDK4やCDK6とともに，触媒活性をもつサイクリン-CDK複合体を形成し，これのキナーゼ活性がG_1期の進行を促進する．制限点を通過する前に分裂促進因子を取除くと，二つのCDK阻害因子が蓄積される．19章で述べたように，この二つのタンパク質，p15とp16は，サイクリンD-CDK4/6複合体に結合してその活性を阻害し，それによってG_1期停止をひき起こす．

多くの腫瘍細胞は，このS期に移行するのを調節する経路のなかの一つの要素を過剰生産するか，失活させる発がん性の変異をもっており，細胞は適切な細胞外からの増殖シグナルなしにS期へと進む．たとえば，三つ存在するサイクリンDの一つであるサイクリンD1量の上昇が多くのヒトのがんで見いだされている．サイクリンDの過剰発現につながる機構の一つは転座である．抗体産生Bリンパ球のある種の腫瘍で，サイクリンD1遺伝子が転座して，転写が抗体遺伝子のエンハンサーの制御下におかれ，細胞外シグナルに関係なく細胞周期を通して多量のサイクリンD1産生が起こる．サイクリンD1ががんタンパク質になりうることは，サイクリンD1遺伝子を乳管細胞特異的なエンハンサーの制御下においたトランスジェニックマウスの研究で示された．初期段階では乳管細胞が過剰増殖し，最終的にこのトランスジェニックマウスに乳腺腫瘍が発生した．二つ目のサイクリンDの過剰発現につながる機構は遺伝子重複である．サイクリンD1遺伝子の増幅とそれによるサイクリンD1タンパク質の過剰発現は，ヒトの乳がんにもよくみられる．過剰産生したサイクリンD1によって，細胞周期の進行が促進される．

すでに述べたように，RB対立遺伝子の両方を不活性化させる変異によって，比較的まれながんである小児期の網膜芽細胞腫がひき起こされる．しかし，RB遺伝子機能の喪失は，より老年期に生じる一般的ながん（たとえば肺がん，乳がん，膀胱がん）においてもよくみられる（図25・11）．これらの組織は網膜とは異なり，RBに機能が似たタンパク質（たとえばp107やp130とよばれる構造的にRBに類似したタンパク質）を産生しており，これらはRBと機能が重複しているため，RBの喪失はこれらの組織でがんが発生するためにはそれほど重要ではない．しかし網膜では，細胞周期への入口の制御は明確にRbタンパク質に依存しており，RB遺伝子がヘテロの患者のこの組織で最初に腫瘍を発生させる理由になっている．不活性化変異のほかにも，RBの機能はE7とよばれる阻害タンパク質の結合によっても失われる．E7は，ヒトパピローマウイルス（HPV）によってコードされていて，これはウイルス産生組織をつくるためのウイルスの巧妙な策略である．現時点では，これは子宮頸がんおよび口腔咽頭がんだけで起こることが知られている．

サイクリン-CDK阻害因子として機能するタンパク質は，細胞周期の調節に大切な働きをしている．特に，p16（CDKN2A）がサイクリンD-CDK4/6のキナーゼ活性を阻害しなくなる機能喪失型変異は，いくつかのヒトのがんで頻繁にみられる（図25・11および表25・2）．p16の消失はサイクリンDの過剰発現と似た状況をもたらす．したがってp16は，通常はがん抑制因子として働く．p16がん抑制遺伝子はヒトのある種のがんで欠失しているが，他ではp16遺伝子の配列は正常である．このようながん（たとえば肺がん）では，p16遺伝子や他に機能の類似したタンパク質をコードする遺伝子のプロモーター領域が過剰にメチル化されたために不活性化されていて，これによって転写が阻害されている．何がp16のメチル化の変化を促進しているかは不明だが，これによってこの重要な細胞周期制御タンパク質の産生が抑えられている．

p16をコードしている遺伝子座は特に注目すべきで，そこには三つのがん抑制遺伝子がコードされていてヒトゲノムのなかでも高度に脆弱な遺伝子座である．そこにはp16をコードする遺伝子CDKN2Aがあるうえ，すぐ上流にはCDKN2B遺伝子座があり，もう一つのサイクリンD-CDK4/6阻害タンパク質であるp15をコードしている（図25・15）．その遺伝子座には，これらのCDK

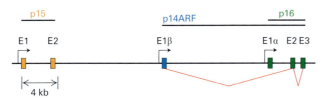

図 25・15 **p15-ARF-p16 遺伝子座は三つのがん抑制遺伝子をコードしている**．エクソンはEと表示してある．二つの *p15* エクソン（橙）は *ARF* 遺伝子座の上流に位置している．*ARF*（青）はこれだけにある E1β というエクソンと *p16* と共通な E2, E3 というエクソン（緑）をもつ．*ARF* は p53 活性化タンパク質をコードする．[C. J. Sherr, 2006, *Nat. Rev. Cancer* **6**: 663 による．]

阻害タンパク質と同様，がん抑制遺伝子 *p53* の活性化タンパク質もコードされている．p14ARF（マウスでは p19ARF）は *CDKN2A* 遺伝子の最初のエクソンの上流にある一つのエクソンと，*CDKN2A* と共有するエクソン2とエクソン3にコードされている．§25・4で述べるように，このタンパク質は p53 の安定性を制御している．このように，この遺伝子座の変異は細胞の二つの重要ながん抑制経路（Rb と p53 経路）に同時に影響を与えている．

核内転写因子の不適切な発現が悪性転換を誘導する

がん遺伝子の形成やがん抑制遺伝子の損傷などの発がん性の変異の結果，遺伝子発現が広く変化する．これは，正常細胞と腫瘍細胞で生成する mRNA 量を比較することで実験的に確かめられる．遺伝子発現に対する最も直接的な作用は転写因子によって行われるため，多くのがん遺伝子が転写因子をコードすることは驚くに当たらない．このような転写因子のうち，腫瘍形成に明確な役割を果たすのが FOS および MYC タンパク質で，細胞周期の G_1 期と G_1-S 期移行を進行させるタンパク質をコードする遺伝子の転写を促進する．これらのタンパク質の異常制御について述べる．

JUN と FOS は最初，悪性転換能をもつレトロウイルスで見つかり，その後，ヒトの腫瘍で過剰発現していることが見いだされた．*JUN* や *FOS* がん原遺伝子は，**AP1** とよばれるヘテロ二量体の転写因子を形成し，多くの遺伝子のプロモーターやエンハンサーにある配列に結合する（図 8・28a および 16 章）．これらは，増殖促進タンパク質をコードする重要な遺伝子の転写を活性化したり，増殖抑制遺伝子の転写を阻害したりすることによって，がんタンパク質として機能する．

正常細胞が増殖促進されているときには多くの核内がん原タンパク質が産生されているが，このことはがん原タンパク質が増殖制御に直接関係することを示している．たとえば，休止期の 3T3 細胞を PDGF 処理すると，正常ながん原遺伝子である *FOS* と *MYC* の産物である FOS と MYC の産生が約 50 倍に誘導される．最初に FOS が一過的に上昇し，その後 MYC の持続的な上昇が起こる（図 25・16）．どちらのタンパク質の量も数時間で低下するが，これはおそらく正常細胞ががん化を避けるための調節作用であると思われる．

発がん性の *FOS* や *MYC* は機能獲得型変異である．正常細胞では FOS と MYC の mRNA とタンパク質は本質的に不安定で，遺伝子が誘導されたあとにはすぐに分解される．*FOS* 遺伝子が正常遺伝子からがん遺伝子に変換する際に，FOS mRNA やタンパク質

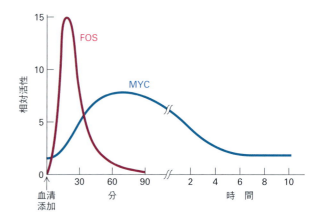

図 25・16（実験） **休止期の 3T3 細胞に血清を添加すると二つのがん原遺伝子産物 FOS と MYC の急激な活性上昇がみられる**．血清には，休止している細胞の増殖を促進する血小板由来増殖因子（PDGF）などの因子が含まれている．増殖因子の早期の作用の一つは，転写因子をコードする *FOS* と *MYC* の発現を誘導することである．[M. E. Greenberg and E. B. Ziff, 1984, *Nature* **311**: 433 による．]

を短寿命にしている遺伝子配列の欠失が認められる．*MYC* がん原遺伝子からがん遺伝子への変換は，別の機構で起こりうる．バーキットリンパ腫（Burkitt's lymphoma）とよばれるヒトの腫瘍細胞では，*MYC* 遺伝子が抗体の重鎖遺伝子の近くに転座しており，この遺伝子は，抗体を産生する白血球細胞で通常活性化している（図 25・17）．この *MYC* の転座は，抗体産生細胞の成熟過程で起こる DNA の正常な再編成がまれに失敗して起こる．転座した *MYC* 遺伝子は，抗体遺伝子のエンハンサーによって制御されるようになり，持続的に発現して，細胞をがん化させる．複数のヒト腫瘍でみられる *MYC* 遺伝子を含む DNA 領域の局所的な増幅によっても，正常な MYC タンパク質が不適切に高発現する．このような発がん性活性化はフィラデルフィア染色体を生み出す転座によって産生される *BCR-ABL* がん遺伝子の形成に類似している．

MYC 遺伝子は塩基性ヘリックス-ループ-ヘリックスタンパク質をコードし，このタンパク質が一群のタンパク質と相互作用することで二量体を形成して DNA に結合し，標的遺伝子の転写を協調して調節する．この群に含まれる他のタンパク質には，MAD, MAX, MNT が知られている．MAX は MYC, MAD, MNT とヘテロ二量体を形成できる．MYC-MAX 二量体はサイクリンなどの細胞増殖を制御する遺伝子を調節する．MAD タンパク質は MYC

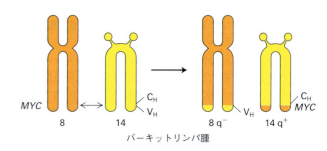

図 25・17 **バーキットリンパ腫における染色体転座**．8番染色体と14番染色体の転座の結果，*MYC* 遺伝子が抗体の重鎖（C_H）遺伝子の近傍におかれて，リンパ球で MYC 転写因子の過剰発現を導く．これによって増殖し，リンパ腫がひき起こされる．

タンパク質を阻害するため，がん形成に関与するMYCの過剰な活性を調節する目的でMADタンパク質そのものや，MADタンパク質を刺激する薬剤が注目されている．MYCタンパク質複合体はヒストンアセチルトランスフェラーゼを含むクロマチン修飾複合体（通常は転写を促進する，8章）をMYC標的遺伝子に集めることで転写に影響を与える．MADとMNTは，SIN3コリプレッサータンパク質とともに，ヒストンデアセチラーゼを介して転写を阻害する方向に働く．まとめると，これらすべてのタンパク質はタンパク質どうしの会合，DNA結合の変化，転写調節を通して，細胞増殖に関する制御ネットワーク機構をつくっている．MYCタンパク質の過剰生産は細胞分裂や増殖に決定的な役割を果たしている．

発生を制御するシグナル伝達経路の異常が多くのがんに関連している

正常な発生過程では，ヘッジホッグ（Hh），Wnt，TGF-βなどの分泌性のシグナル伝達分子が頻繁に用いられて，細胞を特定の発生運命に導いており，それには速く分裂するという性質も含まれる．このようなシグナルの作用は，増殖が正しい時期と場所で起こるように制御される必要がある．強力な発生シグナルの作用を統制するために用いられる機構には，細胞内アンタゴニスト，受容体遮断物質，競合性シグナルの誘導などがある．これらの阻害機構が妨げられる変異は発がん性であることが多く，不適切な，すなわちがんに似た増殖をひき起こすことがある．

Hhシグナル伝達は，発生過程で細胞運命の制御に繰返し利用されるが，シグナル伝達経路ががん誘導に関係するよい例である．皮膚と小脳では，ヒトHhタンパク質の一つであるソニックヘッジホッグタンパク質は，**Patched1**（**PTC1**）とよばれる膜タンパク質に結合して不活性化することで細胞分裂を促進する（図16・29参照）．*PTC1* 遺伝子に機能喪失型変異が起こると，Hhシグナルなしに細胞増殖が起こるので，*PTC1* はがん抑制遺伝子である．一つの *PTC1* 対立遺伝子しか正常に働かない遺伝子をもつヒトでは，正常な *PTC1* 対立遺伝子が損なわれることによって，皮膚がんや脳腫瘍をひき起こしやすい．RBおよびNF1がん症候群でみられたようなLOHの機構によって，残りの *PTC1* 対立遺伝子が失われた場合，どちらかが発生する可能性がある．また，これらのがんの散発例では，この遺伝子の両コピーに突発性変異が観察されている．Hhシグナル伝達経路の他の遺伝子の変異も，がんと関係する．これらには，Hhの標的遺伝子を不適切に活性化するがん遺伝子をつくる変異がある一方，PTC1のような負の調節因子が影響を受ける潜性変異もある．

16章や20章で説明したシグナル伝達経路の多くは，胚発生の制御や，成体組織における細胞増殖に重要な役割を担っている．近年，これらのほとんどのシグナル伝達経路の構成因子の変異ががんと関連していることがわかってきた．事実，発生経路の一つの遺伝子が，ある種のヒトのがんと関連していることがわかると，線虫やショウジョウバエ，マウスなどのモデル生物から得た知識を利用して，他のがん症例でも同じ経路の別の遺伝子が関係する可能性が集中して研究されるようになった．たとえば，大腸がんの発生で最も初期に変異を起こす重大な遺伝子である *APC* は，現在Wntシグナル伝達経路の一部であることがわかっているが（16章），これから大腸がんにおいてβカテニンの変異がかかわっていることの発見につながった．

がん抑制性発生遺伝子に変異が生じると，その遺伝子が通常増殖を抑制する組織において腫瘍の形成を促進する．その例として，トランスフォーミング増殖因子β（TGF-β）は，名前に反して，ほとんどの上皮細胞や免疫細胞を含むさまざまな細胞の増殖を抑制する．TGF-βがその受容体に結合すると，細胞質にあるSmad転写因子群の活性化が誘導される（図16・24参照）．Smadは核に移行したのち，CDK4の阻害因子であるp15をコードする遺伝子の発現を促進し，その結果，細胞はG_1期で停止する．また，TGF-βシグナル伝達は細胞外マトリックスタンパク質や，プラスミンによるマトリックスの分解を低減させるプラスミノーゲンアクチベーターインヒビター1（PAI-1）をコードする遺伝子の発現を促進する．そのため，TGF-β受容体やSmadの機能喪失型変異は細

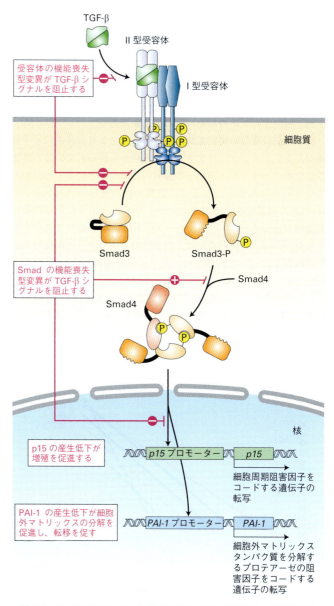

図 25・18 TGF-βシグナル伝達が失われたときの効果． 抗増殖因子であるTGF-βの結合は，Smad転写因子群の活性化をひき起こす．受容体の変異やSmadの変異によって効果的なTGF-βシグナル伝達ができなくなると，細胞増殖が亢進し，周囲の細胞外マトリックスへの浸潤が増す．［X. Hua et al., 1998, *Genes Dev.* **12**: 3084参照．］

胞増殖を促進し，おそらく腫瘍細胞の浸潤や転移にかかわる（図25・18）．このような変異は，実際にいろいろなヒトのがんで見つかっている．たとえば，Smad4 遺伝子の欠失が多くのヒト膵臓がんで見いだされている．また，網膜芽細胞腫や大腸がんの細胞には機能をもつ TGF-β 受容体がないため，TGF-β による増殖抑制に応答しない．Smad4 はもともと，**DPC**（deleted in pancreatic carcinoma）として知られていたものである．

実験的な発がん多段階ヒットモデルの再構成

がんゲノムのシークエンスからわかるように，典型的な腫瘍は何千もの変異を獲得している可能性がある．そのうちの五つは，発がんの原動力となるもので，その多くは先ほど説明したように細胞の増殖と分裂を制御する遺伝子である．図 25・19 のデータが示すように，多くの種類のヒトのがんの発生率は，年齢とともに急激に増加する．これは，必要な複数の突然変異が起こるのに何十年もかかることを示している．がんの進行が遅いというこのモデルから，以下のような基本的な疑問が生じる．ドライバーとなる突然変異はどのような順序で起こるのだろうか．異なるドライバー変異は相乗的に作用するのか．これらの疑問に対する答えは，がんがどのように形成されるかを解明するために必要であり，早期診断やがん予防の戦略にとって重要である．

腫瘍形成に複数の突然変異が必要なことをより直接的に示す証拠が，トランスジェニックマウスの実験から得られている．さまざまな組合わせでがん遺伝子が協同的に働くことによって，がんはひき起こされる．たとえば，顕性のがん遺伝子変異 ras^{V12} と MYC がん原遺伝子をそれぞれレトロウイルス由来の乳腺細胞特異的プロモーター/エンハンサー支配下に発現するマウスが作製された．このプロモーターは，内在性のホルモン量と組織特異的な調節因子によって誘導され，乳腺組織で MYC と ras^{V12} を過剰発現する．

先に述べたように，MYC タンパク質は，細胞周期の G_1 期から S 期に移行するのに必要ないくつかの遺伝子の発現を誘導する転写因子である．この MYC の過剰発現は，すでに知られているが

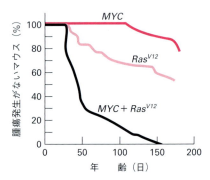

図 25・20（実験） 一つおよび二つの発がん遺伝子を導入した雌マウスの腫瘍発生の経時的解析．各導入遺伝子は，マウス乳腺腫瘍ウイルス（MMTV）の乳腺特異的プロモーターの支配下で発現させた．妊娠によるホルモン促進作用により MMTV プロモーターが活性化され，乳腺で導入遺伝子の発現が活性化される．グラフは，MYC 遺伝子と Ras^{V12} 遺伝子の一方を導入したマウスと，それらを掛け合わせて作製した MYC と Ras^{V12} の両遺伝子をもったマウスの腫瘍形成の経時変化を示す．この結果から，明らかに，発がん誘導において複数の遺伝子における変異が協同的な作用を示すことがわかった．[E. Sinn et al., 1987, *Cell* **49**: 465 参照.]

ん原遺伝子をがん遺伝子に変換する発がん性の MYC 転写活性化変異に似ている．MYC の導入は，単独では 100 日くらいにようやく腫瘍を生じ，その後も腫瘍は少数のマウスだけで生じる．すなわち，MYC タンパク質を過剰産生する乳腺細胞のごく一部だけが悪性化する．同様に，変異型タンパク質 Ras^{V12} の単独の産生も腫瘍を早期にひき起こすが，非常にゆっくりで 150 日経ても 50% のマウスにしか腫瘍ができない．しかし MYC と ras^{V12} の 2 種類のトランスジェニックマウスを交配して，すべての乳腺細胞が MYC と Ras^{V12} の両方を過剰産生するようにすると，腫瘍はずっと早期に形成され，すべての個体ががんで死ぬ（図 25・20）．このような実験によって，複数のがん遺伝子の相乗効果を裏づけることができる．また，この二重トランスジェニックマウスでも腫瘍形成の前に長い潜伏期間があることから，別の体細胞変異が起こる必要性が示唆される．

一連の発がん性変異は大腸がんでは追跡できる

がんの進行を再構成する直接的な方法は，緩やかに発がんしている組織から時系列を追って試料を回収することである．ヒトのさまざまながん組織のかなり純粋な試料が外科手術によって得られるが，腫瘍は手術時の一度しか観察できないため，それがどの進行段階にあるかを正確に決定することはむずかしい．しかし，大腸がんはその例外で，異なる形態を示す明確に識別できる段階を経て進行する．この中間段階には，ポリープ，良性腺腫，がん腫があり，外科手術で摘出して分析すれば，形態的にわかる段階のそれぞれで起こる変異を同定できる．数々の研究から，大腸がんでは一連の変異が通常は決まった順序で起こることが示され，**多段階ヒットモデル**（multi-hit model）を強く支持する結果となっている（図 25・21）．

大腸がんの進行に対する洞察は，最初，家族性腺腫性ポリポーシス（familial adenomatous polyposis: FAP）のような大腸がんの素因の研究から得られた．これら多くの疾患で Wnt シグナル伝達経路の変異が同定され，いまでは Wnt シグナルの調節不全が，家族性腺腫性ポリポーシス患者だけでなく，散発性の大腸がんにか

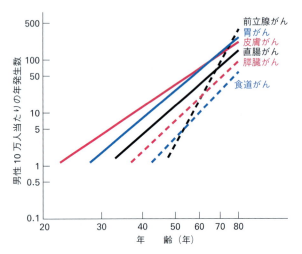

図 25・19 ヒトのがんの発生率は年齢とともに上昇する．年齢の上昇に伴うがんの発生率の急激な上昇は，がん誘発の多段階ヒットモデルを支持する．両軸ともに対数表示してあることに注意．[B. Vogelstein and K. W. Kinzler, 1993, *Trends Genet.* **9**: 138 による.]

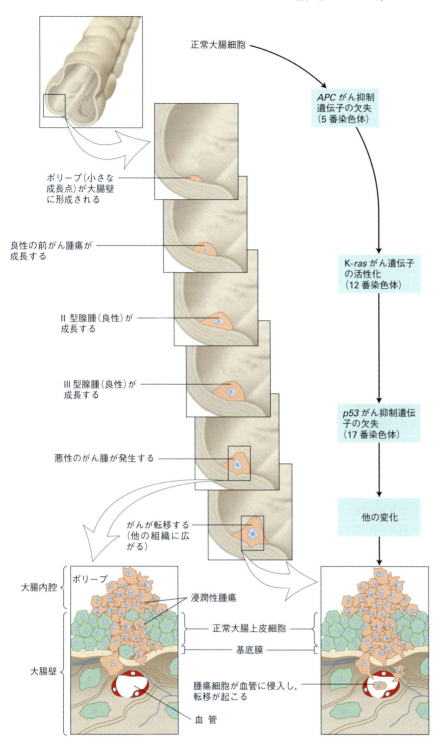

図 25・21 ヒト大腸がんの発生と転移, およびその遺伝学的基盤. 一つの上皮細胞における APC がん抑制遺伝子の変異によって, 細胞が分裂するようになるが(周囲の上皮細胞は分裂しない), ポリープ(polyp)とよばれる限局的な良性腫瘍を形成する. その後の変異によって, 恒常的に活性化した Ras タンパク質が発現し, がん抑制遺伝子 p53 を失ってしまう. これとまだ未同定の遺伝子の変異が加わって, 悪性細胞ができる. 変異細胞は分裂を繰返し, その子孫は組織を取囲む基底膜に侵入する(左下). その腫瘍細胞の一部は血管に入って広がり, 体内の別の場所に分布する(右下). さらに他の変異が起こると, 腫瘍細胞は血管から出て離れた場所で増殖する. [B. Vogelstein and K. W. Kinzler, 1993, *Trends Genet.* **9**: 138 参照.]

かった人の大腸壁内部でポリープ(前がん成長)形成をもたらすと考えられている. APC タンパク質(APC は adenomatous polyposis coli の頭字語)は, *MYC* 遺伝子の発現を活性化して細胞周期に入るのを促進する Wnt シグナルの負の調節因子である(図 16・26 参照). したがって APC タンパク質の機能がなくなると, 転写因子 MYC が不適切に産生され, そのため *APC* 遺伝子の両方の対立遺伝子に変異がある細胞は, 通常より速く増殖し, ポリープが形成される. *APC* 遺伝子の機能喪失型変異は, 初期の大腸がんにみられる最も多い変異である. ポリープ内の多くの細胞が APC 遺伝子内に一つか二つの同じ変異を含み, それによって APC の機能喪失や不活性化が起こっている. また, それらの細胞は最初に変異が起こった細胞のクローンであることもわかる. このように, *APC* はがん抑制遺伝子であり, もし細胞に野生型 *APC* 遺伝子が一つあれば正常な機能に十分な APC タンパク質が発現するため, ポリープが形成されるには *APC* 遺伝子の両方の対立遺伝子に不活性化変異が起こらなければならない.

もしポリープ内の細胞の一つが別の突然変異を起こし, それが *ras* 遺伝子の活性化変異であると, その子孫はさらに無制限に分

裂し，大きな腺腫（adenoma）を形成する．加えて p53 遺伝子の不活性化が起こると，正常な調節は徐々に失われて，悪性腫瘍が形成される（図 25・21）．p53 タンパク質は DNA 損傷などのストレスに応答して細胞周期を止め，アポトーシスを誘導するがん抑制遺伝子産物である（§25・4）．ここにあげた三つの"ヒット"は確かに全体像の重要な部分なのだが，これに加えて，関連する遺伝子の現象も存在する．しかし，すべての大腸がんがその後の変異を必要とするわけでもなく，図 25・21 に示す順に起こる必要もない．結局，異なった変異の組合わせによって同一の表現型が得られているのだろう．

いろいろなヒト大腸がんから得た DNA には，多くの場合，以下の三つの遺伝子すべてに変異がある．がん抑制遺伝子 APC と p53 の機能喪失型変異と顕性がん遺伝子となる K-ras（ras ファミリー遺伝子の一つ）の活性型（機能獲得型）変異であり，同一細胞での多重変異ががん化に必要なことが明らかになった．これらの変異のいくつかは腫瘍の初期段階での増殖に有利になっており，他はより後期段階で浸潤や転移などを促進して，悪性の表現型が現れるために必要である．

生検や摘出で済む大半の腫瘍に対して，現在，シークエンスに基づく手法によりがんの進行における事象のいくつかを再構築することができる．この着想は腫瘍から採取した複数の細胞から情報を得て，腫瘍全体としての系統図を作成することで可能となる．この解析がどのように機能するかを知るために二つの発がん性腫瘍の結果として生じた腫瘍の簡単な場合を考えてみよう．腫瘍が生検された時点で，すべての細胞は，発生した最初のドライバー変異をもつはずである．しかし 2 番目の変異は一部の腫瘍細胞だけがもっていることになる．この方法では，腫瘍の中に少なくとも数個の，どちらかの変異をもたない細胞が見つかれば，二つの発がん性ドライバー変異の出現順序を決定することができる．腫瘍内の細胞系統を再構築するこの方法は，腫瘍細胞 1 個からゲノム情報を得ることができる次世代シークエンサーの進歩により，現在では実現可能なものとなっている．

がんの発生は動物モデルを用いて解析できる

一般に遺伝子改変マウスは，腫瘍のイニシエーション（開始）とプログレッション（進行）の各段階について多くの示唆を与えてくれた．しかし，マウスモデルによるがん研究が必ずしも期待通りに進むわけではない．多くのがん抑制遺伝子は正常マウスの発生に必須であり，これらの遺伝子 2 コピーを欠損させたマウスは生存できない．初期発生におけるこれらの遺伝子の機能が重要なために，腫瘍の進行におけるそれらの役割の研究ができないのである．この問題を解決するために，研究者たちはコンディショナル"ノックイン"や"ノックアウト"戦略を用いて，特定の組織や特定の発生過程で目的の遺伝子の活性化や不活性化を行っている．

コンディショナルマウスモデルでは，特定のがん遺伝子やがん抑制遺伝子の一つの対立遺伝子ははじめは野生型であるが，外から化学物質を与えたりウイルスが感染すると，組織特異的，または時期特異的に，その野生型遺伝子を活性化したり不活性化したりできる．コンディショナル系で中心的な役割を担うのは，Cre リコンビナーゼと FLP リコンビナーゼである．この二つのリコンビナーゼは，それぞれ loxP 部位どうし，および FRT 部位どうしの相同組換えを行う（図 25・22, 図 6・40 も参照）．このリコン

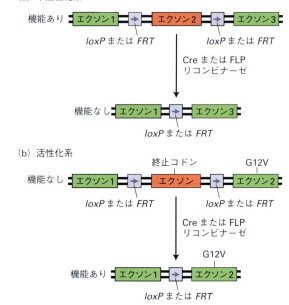

図 25・22　がんのコンディショナルマウスモデル．不活性化の系(a)では，一つのエクソンが二つの loxP 部位または FRT 部位に挟まれている．Cre または FLP リコンビナーゼの発現によって二つの loxP または FRT 間で相同組換えを起こす．その結果，エクソンが切取られ，遺伝子が機能をもたなくなる．活性化の系(b)では，終止コドンをもつ別のエクソンを標的遺伝子に導入して，遺伝子を不活性化する．このエクソンは loxP または FRT 部位によって挟まれている．Cre または FLP リコンビナーゼが誘導されると，終止コドンを含むエクソンは相同組換えによって切取られ，目的の遺伝子が発現する．

ビナーゼが組織特異的プロモーターによって駆動されると，組換えはリコンビナーゼが発現している組織の中でだけ起こる．このリコンビナーゼ系の使い方には 2 通りある．一つ目は，リコンビナーゼの標的部位を一つのエクソンを挟んで配置する．ここでリコンビナーゼを誘導すると，エクソンが失われ，遺伝子が不活性化される（図 25・22a）．この系は特にがん抑制遺伝子を組織特異的に不活性化するときに有用である．もう一つの方法は，がん遺伝子の発現を終止コドンをもつエクソンをがん遺伝子に挿入・付加することで制御する．この終止コドンを含むエクソンをもつがん遺伝子は機能しなくなる．しかし，付加したエクソンがリコンビナーゼの標的部位で挟まれているので，リコンビナーゼで誘導するとがん遺伝子ができる（図 25・22b）．この系を利用することで研究者たちは，マウスで発がん性変異型 Ras の役割を調べ，このコンディショナル発がん型 ras 発現系を用いてヒト肺がんのマウスモデルを作出した．

分子細胞生物学はがんの診断と治療を変えようとしている

細胞増殖や発生を制御する遺伝子における腫瘍形成ドライバー変異の同定は，どのようにがんが生じ進行するかについて分子的な理解を進めたのみならず，がんの診断および治療法に対して大きな技術革新をもたらした．歴史的には，腫瘍が生じた組織，および顕微鏡下で組織学的な特徴を示すがん細胞の情報に基づいて分類され，治療されてきた．しかしわれわれは現在，同様に見える腫瘍が異なる挙動を示すことを理解し，またゲノムの変化を理

解することで特定の腫瘍のサブセットに区別することが可能となっている．特に乳がんや脳腫瘍において精力的に用いられているこれらの方法は治療法に重要な意味をもつ．がん細胞と正常細胞の差異を見いだすことで，その差異からがん細胞だけを殺したり，あるいはがん細胞の制御不能な増殖を最低限止めたりする，特定の薬剤や治療法を見いだす新たな機会が与えられる．つまり，より正確にがん細胞だけを標的にできるような抗がん治療を開発するには，開発をめざす研究者にとって，腫瘍の分子細胞生物学的知見が決定的な情報となる．

乳がんは，分子細胞生物学的な手法がどのように根治的な治療にも緩和的な治療にも影響を与えているかを示すよい例になっている．乳がんは女性では2番目に多いがん死の要因である．乳がんはマンモグラフィー（X線）検診でしばしば発見される．確定診断には非常に小さな組織を針により採取して，その生検組織について，抗体を用いてエストロゲンやプロゲステロン受容体の高発現があるかどうか，検査が行われる．これらのステロイド受容体は腫瘍の成長を促進し，乳がん細胞において高発現が認められることがある．もしいずれかの受容体の高発現があった場合，これを治療に適用することができる．**タモキシフェン**(tamoxifen) という薬剤はエストロゲン受容体（図8・26参照）を阻害するため，腫瘍細胞に作用して増殖を促進するホルモンを除くために用いられる．生検組織は，16章で述べたEGF受容体HER2をコードするがん原遺伝子 *HER2/NEU* の増幅の有無の検討にも用いられる．HER2タンパク質特異的なモノクローナル抗体が，HER2を過剰生産する一部の乳がんの治療法として大きな成果を上げている．血管内に注入したHER2抗体は，HER2を認識して細胞に取込まれ，正常な量のHER2を生産している正常な乳腺細胞や他の細胞を大きく傷つけることなく，がん細胞だけを選択的に殺す．最近，HER2モノクローナル抗体と強力な細胞傷害性をもつ共有結合体が利用可能になり，HER2過剰産生腫瘍細胞を標的にし，モノクローナル抗体の殺傷効果を高めることができるようになった．これらの先進的な抗体結合体は，従来の治療法では効きにくかった腫瘍に対する第二の防御策として使用されている．

乳がんは外科手術，放射線療法，化学療法の組合わせで治療される．最初の段階は外科手術で腫瘍組織を切除することと，リンパ節を調べて転移の有無を明らかにすることである．リンパ節転移は，予後を大きく悪化させる因子である．次に行われるのが複数の抗がん剤を用いた8週間の化学療法と，6週間の放射線療法である．これらの厳しい治療は分裂しているがん細胞を殺すために設計されている．しかし血球細胞の産生減少，脱毛，嘔気，末梢神経炎などのさまざまな副作用もひき起こす．これらの治療は免疫力を低下させて感染症のリスクを高めるとともに，酸素供給量の低下による体力低下の原因となる．これを助けるため，患者には好中球（細菌や真菌感染に対抗する白血球の一種）の形成を促す増殖因子であるサイトカインG-CSFや，赤血球の形成を促進するエリスロポエチン（Epo）が投与される（16章）．これらの治療をすべて行った場合にも，10年以内に1/3は死亡する．このリスクは，タモキシフェンのようなホルモン阻害療法を併用することによって15％，さらに，HER2/NEUがんタンパク質に対する抗体を治療に用いることで10％減少させることができる．このように先進的な分子生物学的手法により，乳がんの死亡率を総体として25％削減することができる．

25・3 腫瘍形成をはじめる細胞増殖および発生経路の異常調節　まとめ

- 正常なリガンドがない状態で二量体化する変異は，受容体活性を構成的に変化させる．受容体の過剰生産も同じ効果をもたらし，異常な細胞増殖につながる可能性がある．
- ほとんどの腫瘍細胞は，細胞内シグナル伝達タンパク質の一つまたは複数の構成的活性型を産生し，正常な増殖因子がないにもかかわらず成長を促進するシグナル伝達をひき起こす．
- ほとんどのがんの増殖の特徴は，細胞周期の制限点の通過が制御されていないことである．これは，サイクリンD1の機能獲得型変異やp16やRBの機能喪失型変異によってひき起こされる．
- FOS, JUN, MYC などの核内転写因子の不適切な産生は，形質転換を誘発することがある．バーキットリンパ腫細胞では *MYC* が抗体遺伝子の近くに転座し，MYCの過剰産生をひき起こしている．
- 負の増殖制御因子であるTGF-βによるシグナル伝達の喪失により細胞増殖が促進され，悪性腫瘍が発生する．
- 典型的な腫瘍は，細胞増殖および発生経路の遺伝子に長年かけて獲得された5個程度の発がん性変異をもつ．がんがどのように進行するかを理解するうえで，未解決の大きな問題は，これらの変異の順序を再構築できるかどうかにかかっている．
- 大腸がんは，追跡可能な，特定の発がん性変異に起因する明確な形態学的段階を経て発症する．
- 腫瘍内の複数の個別細胞のゲノム配列決定により，特定の発がん性変異をもつ細胞の系統を再構築することができる．

25・4 プログラム細胞死と免疫監視機構の回避

これまでに本章では，がんの進行の初期段階には，2種類の発がん性変異があることを説明してきた．§25・2で述べたDNA修復を損ない，ゲノムの不安定化をもたらすものと，§25・3で説明した，増殖を促進する経路を活性化し増殖を抑制する経路を不活性化するものである．発がんを促すこれらの変異に加えて，前がん状態に達した多くの細胞は，潜在的な細胞変異，染色体再編成などの染色体DNAの欠陥がある．重大な染色体異常をもつ細胞は，アポトーシス経路に入り，プログラム細胞死の対象となる．タンパク質をコードする遺伝子に多くの点変異をもつ細胞は，変異タンパク質を発現し，免疫系の細胞によって認識され，破壊される可能性がある．少数の前がん細胞が発生したときに何が起こるかについては，直接的にはほとんどわからないが，その大半は，どちらか一方，あるいは両方の機構によって効率的に排除されると思われる．われわれが最終的に観察するがん細胞がアポトーシスと免疫監視機構の両方を回避するための変異を獲得しているのは，このためである．

ほとんどのがん細胞が，アポトーシス経路を遮断する変異と，がん細胞に対する免疫反応を抑制する変異を獲得していることはがんの進行が突然変異と選択の進化過程から生じることを示す有力な例である．本節では，高い突然変異量をもつ腫瘍細胞が生き残ることを可能にする，ある種の発がん性変異についてみていく．また最後に免疫系を再活性化させ，がん細胞を標的にする新しい治療法を紹介する．

発がん性ドライバー変異はがん細胞のアポトーシス回避を可能にする

22章でみたようにプログラム細胞死，すなわちアポトーシスは発生において重要な役割を担っている．たとえば哺乳類の四肢の形成過程では，アポトーシスが，櫂状の四肢芽から指を形成する役割を担っている．また，アポトーシスは，成熟した組織の構成を維持するための編集機能として，機能する器官の発達に必要のない過剰な細胞を除去することによって，成熟した組織の構成を維持する機能を果たしている（22章）．一部の細胞では，アポトーシスがデフォルト経路であり，PI 3-キナーゼ/Akt 経路からのシグナルが細胞の生存を確保するために必要である（図 22・42 参照）．

主要な発がん性変異のクラスはアポトーシスを阻害し，腫瘍細胞が不適切に増殖し続けることを可能にする．たとえば，慢性リンパ性白血病（CLL）は，細胞が生き延びるべきでないのに生き延びるために起こる．細胞はゆっくりと蓄積され，そのほとんどは活発に分裂していないが，死ぬことはない．CLL細胞には染色体転座があり，アポトーシスを阻害する重要な因子である bcl-2 遺伝子を活性化する（図 22・42 参照）．その結果，Bcl-2 タンパク質の不適切な過剰産生が起こり，正常なアポトーシスが阻害され，これらの腫瘍細胞の生存を可能にする．したがって CLL 腫瘍は細胞死の失敗が原因である．また，通常はアポトーシスを負に制御するのに関与する 12 個ほどのがん原遺伝子が変異してがん遺伝子になることが発見されている．それらの遺伝子にコードされたタンパク質の過剰産生はがん細胞の増殖を止めるために必要なアポトーシスを阻害する．

p53 は DNA 損傷に応答する DNA 損傷チェックポイントもしくはアポトーシスを活性化する

p53 タンパク質が腫瘍形成の中心的な役割を担っていることはすでにみてきたとおりである．ヒトの腫瘍は，すべてとはいわないまでも，そのほとんどが p53 自体の変異か，あるいは p53 の活性を制御するタンパク質のどちらかに変異があると考えられている．§25・2 で，p53 が DNA 損傷に応答して細胞周期の停止をひき起こすうえで主要な役割を担っていることも述べた．発がん性の p53 変異をもつ細胞は DNA 損傷が修復されるのに十分な時間を与えるために停止しないので，ゲノムが不安定になり，体細胞変異が蓄積する．p53 変異細胞はまた，広範な DNA 損傷に対してアポトーシス経路に移行しないため，正常な細胞であればプログラム細胞死によって除去されるような損傷を受けたあとでも，増殖を続けることができる．

p53 の発がん性変異は機能喪失によるものであるが，それにもかかわらず，細胞内の二つの p53 対立遺伝子のうち，片方だけにミスセンス変異が生じると p53 の DNA 活性のほとんどすべてを消失させることが可能である．このような挙動は活性型 p53 は四つの同一のサブユニットからなる四量体であり，少なくとも一つの欠陥のあるサブユニットを含む混合複合体では転写を活性化する能力が低下することに起因する．p53 のミスセンス変異体を一つもつ前がん細胞は増殖性の成長のために選択される．しかし，その機能喪失は不完全であり，より速く増殖するために，しばしば残りの機能的対立遺伝子を失うことが多い．このように，*p53* 遺伝子の一つ目の変異と二つ目の変異が選択されるという異常な特徴は，なぜがん細胞がこれほど頻繁に p53 の発がん性ドライバー変異をもつのかを説明するかもしれない．

p53 がある状況下では細胞周期の停止をひき起こし，ある状況下ではアポトーシスをひき起こす理由はまだわかっていない．p53 が DNA 損傷に応答して安定化した結果，両方の反応が起こる可能性がある．他の細胞周期タンパク質とは異なり p53 は非常に不安定で急速に分解されるため，正常細胞では非常に低い濃度で存在する．p53 の活性は通常，**Mdm2** とよばれるタンパク質によって低く保たれている．Mdm2 が p53 と結合すると，p53 の転写活性化能を阻害すると同時に Mdm2 は E3 ユビキチンリガーゼ活性をもつため，p53 のユビキチン化を触媒し，プロテアソームによる分解を促進する．DNA 損傷後，ATM や ATR は損傷部位に集められ，そのセリンキナーゼ活性が活性化される．ATM や DNA-PK によって p53 の N 末端のセリン残基がリン酸化されると，結合していた Mdm2 が p53 から遊離し，安定化させる（図 25・23）．安定化された p53 は，p21 をコードする遺伝子の転写を活性化する．p21 は哺乳類の CDK2, CDK1, CDK4/6 複合体に結合してこれを阻害する（図 19・34 参照）．

安定化された p53 はまた，Bax や Puma など Bcl-2 に結合して阻害し，アポトーシスを誘導するタンパク質の発現を誘導する（図 22・42 参照）．細胞が広範な DNA 損傷を受けると p53 によって誘導されるアポトーシス関連タンパク質の発現により，細胞は速やかに死滅する．アポトーシスは，DNA 損傷に対する思い切った反応のように思われるかもしれないが，複数の突然変異を蓄積する可能性のある細胞の増殖を防ぐことができる．p53 の機能が失われると，アポトーシスが起こせなくなり，がんの発症や増殖に必要な変異がさらに蓄積されることになる．

アポトーシスは，内在性シグナルと外来性シグナルに反応してひき起こされる．たとえば，次項で紹介するように，細胞傷害性 T 細胞は標的細胞のアポトーシスを誘導することによって標的を殺傷することができる．

免疫系はがん形成に対する第二の防御線である

腫瘍細胞は点変異，Indel，染色体構造変異など，何千もの変異があることがわかっている（図 25・8）．5000 個の突然変異をもつ典型的な腫瘍では，平均して約 50 個がタンパク質をコードする配列にあり，したがって何らかの形で変化したタンパク質産物を生じさせる可能性がある．メラノーマ（紫外線），肺がん（たばこの煙）など，変異原への曝露によって生じる腫瘍では突然変異の数は，これの何百倍にもなる．これらの変化したタンパク質は**ネオアンチゲン**（**新抗原** neo-antigen）とよばれ，腫瘍細胞はウイルスや細菌などの病原体の感染によって誘導された外来タンパク質を含む細胞と同じように，免疫系に認識され排除されることが期待される．

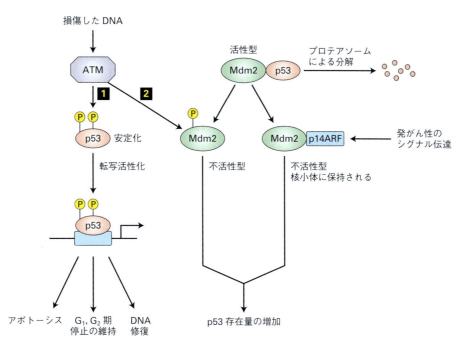

図 25・23　DNA 損傷に応答した G_1 期停止．ATM, ATR, DNA-PK キナーゼの活性は多くのストレス(たとえば紫外線照射，熱)によって生じた DNA 損傷に応答して活性化される．活性化した ATM, ATR は次に二つの経路の引金を引き，G_1 期停止を導く．段階**1**: p53 のリン酸化によって p53 自身が安定化し，G_1 期の停止をひき起こすタンパク質，アポトーシスを促進するタンパク質，DNA 修復に関係するタンパク質などをコードする遺伝子の発現が促進される．段階**2**: 第二の経路は p53 の存在量を調節するもう一つの経路である．Mdm2 タンパク質は活性化型になると p53 と複合体を形成して転写因子を阻害し，p53 のユビキチン化をひき起こしてプロテアソームによる分解を導く．ATM と DNA-PK は Mdm2 をリン酸化して不活性化し，p53 の安定性を高める．さらに Mdm2 の量は，Mdm2 に結合して核小体に保持して p53 と接触させない p14ARF(マウスでは p19ARF)によって調節される．*p14ARF* 遺伝子は，増殖因子シグナル伝達経路における発がん性変異をもつ細胞に頻繁にみられる高レベルの細胞分裂シグナルによって誘導される．ヒトの *Mdm2* 遺伝子は肉腫で増殖していることがよくあり，これによって p53 が過度に不活性化されると考えられる．同様に，p14ARF は他のがんでも変異していることがわかっている．

ネオアンチゲンをもつ前がん細胞のほとんどは，免疫監視機構によって効率的に排除されると考えられている．このことは，免疫不全マウスの研究によって証明されている．免疫不全マウスでは発がん性物質により誘発されるがんを獲得する可能性が野生型よりも高いという研究結果がある．このことからどのようにして腫瘍が免疫監視機構から逃れているのか，という重要な疑問が生じる．次項では腫瘍内の局所環境がどのように免疫系を抑制するのか，また，腫瘍細胞の表面に濃縮された分子を認識するモノクローナル抗体によって，特定の免疫系細胞が腫瘍細胞を殺すよう方向転換されるしくみについて説明する．最後に，免疫系の T 細胞を遺伝子工学的に操作して，その表面にモノクローナル抗体を発現させ，これらの細胞が多くの種類の腫瘍を認識して殺すことを可能にする新しい方法について説明する．

腫瘍の微小環境と免疫編集により腫瘍を検出し殺す免疫系の能力が制限される

固形がんが発生すると，がん細胞自身だけでなく，さまざまな種類の細胞が取込まれる．腫瘍が発生した臓器の繊維芽細胞や，免疫系に由来する多種多様な細胞などが含まれ，腫瘍を単に孤立したがん細胞のクローンではなく，一種の組織として変化させる．悪性がん細胞を取囲む非がん細胞は**腫瘍微小環境**（tumor microenvironment）とよばれるものを構成している．がん細胞は，微小環境中の繊維芽細胞や免疫細胞の挙動に影響を与え，逆に，腫瘍微小環境の細胞は，特に免疫認識に関して，がん細胞が進化する方法に影響を与える．

腫瘍発生のごく初期には好中球，マクロファージ，樹状細胞などの炎症性免疫細胞は，これらの異常ながん細胞の存在に反応しサイトカイン分子を放出する．がん細胞の増殖と血管新生を抑制し，さまざまな種類の T 細胞を活性化する信号を送る．特にがん細胞を殺すのに特に重要な T 細胞は，**細胞傷害性 T 細胞**（cytotoxic T cell）とよばれ，表面に CD8 タンパク質が存在することで区別される（24 章）．細胞傷害性 T 細胞がどのような機構で腫瘍細胞を殺すことができるのか，また，なぜそのようなことがしばしば起こらないのかを理解するうえで，一般的な T 細胞と細胞傷害性 T 細胞がどのように外来分子を認識しているのか，いくつかの要点をおさえる必要がある．

細胞傷害性 T 細胞はがん細胞を標的にする　24 章で詳述したように，T 細胞は無傷のタンパク質ではなく，10 個程度のペプチドの断片を認識する．細胞内でつくられたものであれ，病原体によって持ち込まれたものであれ，細胞内のすべてのタンパク質は代表的試料としてこの大きさのペプチドに分解し，このペプチドは **MHC 分子**（MHC molecule）とよばれる 2 本鎖の糖タンパク質複合体のうちの一つに結合する．この MHC-ペプチド複合体は細胞表面に運ばれ，T 細胞によって検出される．腫瘍細胞自体の表面に現れる変異タンパク質に由来するペプチドの場合，これらは一般にクラス I MHC 分子と結合している（図 24・26 参照）．なぜなら，ほとんどのがん細胞は，体内のすべての有核細胞と同

様に，その表面にMHCクラスI分子を発現しているため，細胞傷害性T細胞はネオアンチゲンを発現するがん細胞を直接認識することができる．しかし，T細胞によって異物として認識されるネオアンチゲンはごく一部である．したがってメラノーマのような変異の多い腫瘍が，免疫監視機構によるT細胞の標的として認識される閾値に達する．

細胞傷害性T細胞は，そのMHCクラスI分子上にある外来腫瘍抗原をもつがん細胞を，二つの異なる機構で殺傷することができる．活性化された細胞傷害性T細胞の一部は，パーフォリンとグランザイムBというタンパク質を含む顆粒を放出する．パーフォリンとグランザイムはエンドサイトーシスによって標的細胞に入る．そしてパーフォリンはエンドサイトーシスの小胞膜に穴を開け，グランザイムの細胞質への侵入を可能にする．グランザイムはセリンプロテアーゼであり，標的細胞内のアポトーシス分子を切断し，活性化し，プログラム細胞死をひき起こす（図24・36参照）．他の細胞傷害性T細胞は，その表面にFasLを発現している．FasLは，TNFに関連する内因性リガンド分子である．FasLががん細胞に発現しているFasタンパク質と結合すると，がん細胞内のアポトーシスシグナル伝達経路が活性化され，死滅する．固形腫瘍の発生初期にはこのような過程により，多くのがん細胞を効果的に除去する．その結果，発育中の腫瘍と免疫系は，腫瘍は成長しないが完全には排除されないという釣合に到達する．

がん細胞は細胞傷害性T細胞による殺傷から逃れる　腫瘍の成長が止まっても，がん細胞は免疫による殺傷と釣合をとりながら定常的に分裂を続けている．やがてがん細胞はさらに発がん性変異を獲得し，免疫系から逃れ，再び増殖をはじめる．このような免疫回避は，さまざまな機構で起こる可能性がある．ある場合には，がん細胞はシグナルを送り，微小環境に動員される免疫細胞の種類を変化させる．マクロファージや好中球が抗炎症性，創傷治癒性の好中球やマクロファージに置き換わる．マクロファージは別のサイトカインを分泌し，T細胞を腫瘍に誘導することができなくなる．他の場合では，がん細胞のクラスIMHCタンパク質の発現を低下させ，腫瘍を細胞傷害性T細胞に認識できなくする．ときにはがん細胞はBcl-2のような抗アポトーシスタンパク質の発現を増加させグランザイムやパーフォリン，FasLなどの殺傷効果を鈍化させることもある．

がん細胞が生き残るために利用する他の二つの機構は，T細胞ががん細胞を殺すために使うシグナル伝達機構をがん細胞が直接攻撃することである．細胞傷害性T細胞が外来抗原をもつ細胞を殺せるようになるためには，クラスIMHC分子上に提示される腫瘍抗原のペプチド断片の認識に加え，第二の共刺激活性化シグナルを必要とする（詳細は図24・35参照）．この第二のシグナルは，おそらく細胞傷害性T細胞が誤って正常細胞を殺してしまい，正常な組織に自己免疫的損傷を与えることを防ぐために存在すると考えられる．最もよく理解されている共刺激シグナルの一つはT細胞の細胞表面タンパク質であるCD28を介しており，抗原提示細胞の表面にある二つの細胞表面タンパク質（CD80とCD86）のいずれかに結合する（図25・24，段階**3**）．T細胞は，MHC結合した外来腫瘍抗原を認識し，CD28を通じてシグナルを受けたときだけ，サイトカイン産生とT細胞介在性殺傷のために活性化される．活性化後1日以内に，T細胞は別の細胞表面タンパク質である CTLA-4 の発現を上昇させる．このタンパク質は，CD28と競合してCD80およびCD86に結合し，T細胞応答を抑制する負のシグナルを送る（段階**4**）．これは免疫活性化の程度を抑制し，炎症性組織の損傷を抑えるために重要である．抗腫瘍性の細胞傷害性T細胞におけるCTLA-4の発現上昇が原因で，がん細胞を殺すことを自己抑制するようになる．

T細胞機能の負の調節因子として働く第二のT細胞表面受容体タンパク質がPD-1（programmed death-1）である．PD-1はCTLA-4と類似した構造をもち，活性化されたT細胞のアポトーシスを誘導することで，T細胞の機能を負に制御する．PD-1のリガンドは二つであり，PD-L1およびPD-L2は，CD80およびCD86と同じタンパク質ファミリーであり，抗原提示細胞の表面に存在する．これらのリガンドは活性化した細胞傷害性T細胞のアポトーシスを誘導し，T細胞による抗原提示細胞の不適切な殺傷を防ぐ（段階**5**）．多くのがん細胞はPD-L1を過剰発現しているため，抗原提示細胞として振舞い，細胞傷害性T細胞による死から逃れるこ

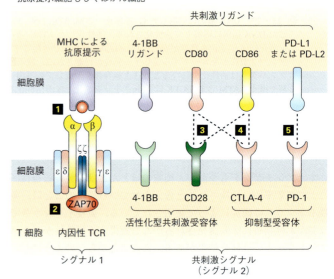

図 25・24　T細胞シグナル伝達の全体像．T細胞の活性化は，T細胞受容体（TCR）によって開始される．T細胞受容体には，1本のα鎖と1本のβ鎖があり，その鎖の配列は細胞によって微妙に異なる．各αβ TCRは，抗原提示細胞上のMHCタンパク質の表面に結合した（"提示された"）単一または関連する標的ペプチドに結合する（段階**1**）．TCRはまたγ鎖，δ鎖，ε鎖に加えてシグナル伝達を行うζ鎖を含む．TCRとMHC-ペプチド複合体が結合すると，ζ鎖の細胞質ドメインに結合したZAP70タンパク質チロシンキナーゼの活性化を誘発する（段階**2**）．細胞傷害性T細胞では，これがシグナル伝達経路（シグナル1）をひき起こし，T細胞の能力を活性化するのに必須であり，抗原提示細胞上のタンパク質（おもにCD80またはCD86）が，T細胞表面のCD28と結合することにより（段階**3**），T細胞の第二の伝達経路が活性化される．第二のシグナル伝達経路が活性化されると，第一のシグナル伝達経路とともにT細胞の活性化につながる．T細胞活性化の過程で誘導されるタンパク質のうち，CTLA-4が抗原提示細胞上のCD80あるいはCD86に結合すると（段階**4**），別のシグナル伝達経路が活性化されT細胞を不活性化させる．もし，抗原提示細胞がその表面にPD-L1あるいはPD-L2タンパク質を発現している場合，これらはT細胞上のPD-1タンパク質と結合し（段階**5**），T細胞のアポトーシスを誘導するシグナル伝達経路をひき起こし，T細胞が抗原提示細胞を殺すのを阻止する．

とができる.

CTLA-4 経路と PD-1/PD-L1 シグナル伝達系の両方は，**免疫チェックポイント経路**（immune checkpoint pathway）とよばれ，通常，自己免疫疾患の発症を防ぐために免疫系を抑制している．どちらの経路も抗腫瘍免疫を抑制するためにがん細胞によって利用される．このように，当初免疫系により排除されていたがん細胞が定常状態に達すると，やがて免疫系から逃れるこの過程全体は，自然免疫系および獲得免疫系に対する反応によって形成される最終的な腫瘍の成長につながることから，**免疫編集**（immunoediting）とよばれている．

免疫系の活性化ががん治療の大きな可能性を開く

これまでみてきたように，免疫系には，おもに細胞傷害性 T 細胞の活性化に基づき，前がん細胞，特にネオアンチゲンを豊富に発現している前がん細胞を認識し，排除する能力がある．また，免疫監視機構の目を逃れて増殖を続け，腫瘍を形成するがん細胞は，細胞傷害性 T 細胞による殺傷を抑制する能力を獲得していることもわかってきた．したがって，がん治療の一つの方法として成熟した腫瘍を認識し排除するためには，免疫系の再活性化または再構築がある．ここではがん免疫療法の最も有望な二つのアプローチについて述べる．

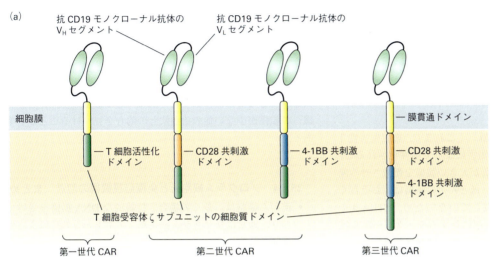

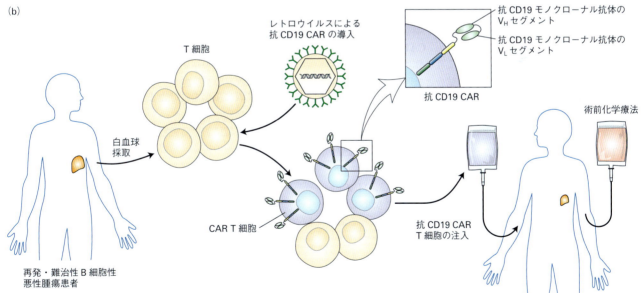

図 25・25　CAR T 細胞の三つの世代．(a) キメラ抗体（CAR）を T 細胞で発現させたもの．B 細胞性悪性腫瘍を治療するための第一世代の CAR T 細胞は，T 細胞表面に，V_L および V_H セグメント，膜貫通ドメインと T 細胞受容体のζサブユニットの細胞質ドメインを含むキメラタンパク質を発現する（2 番目）．TCR とペプチド MHC 複合体との結合は，通常，ζ鎖の細胞質ドメインに相互作用している ZAP70 タンパク質チロシンキナーゼを活性化させる．第二世代の CAR は，さらに共刺激受容体の一つである 4-1BB タンパク質の細胞質シグナル伝達ドメインもしくは CD28 タンパク質の細胞質シグナル伝達ドメインを含んでいた（図 25・24）．その後の CAR は，これらの共刺激ドメインと他のタンパク質からのシグナル伝達ドメインの両方を組込んでいる．これらの共刺激ドメインは複数のシグナル伝達経路を活性化し，迅速かつ広範な T 細胞殺傷の活性化を誘発する．(b) CAR T 細胞の作製．キメラ抗体受容体をコードする cDNA をレンチウイルスベクター（図 6・35 に示したレトロウイルスベクターに類似しているが，ヒト HIV レトロウイルスに由来する）にクローニングする．B 細胞性悪性腫瘍の患者から T 細胞を抽出する方法である白血球除去（leukapheresis）を行い，T 細胞を感染させるこの T 細胞を培養してレンチウイルスベクターに感染させる．ウイルス DNA のゲノムへの組込みを行ったのち，キメラ抗体の発現が確認された T 細胞は，再び患者に輸血される．CAR T 細胞の作製には，通常 17～21 日かかる．

**免疫チェックポイント分子に対するモノクローナル抗体による
がん治療**　がんの治療法として非常に成功している方法の一つが CTLA-4 が CD80 や CD86 に結合するのを阻害し，細胞傷害性 T 細胞が CTLA-4 から阻害シグナルを受取るのを阻止する抗体を用いる方法である．CTLA-4 を阻害するイピリムマブという抗体が，進行性メラノーマの治療薬として承認された．免疫チェックポイントの活性化を阻害するこの抗体や同様のモノクローナル抗体は，メラノーマのように変異が多く，異なる T 細胞により認識されるネオアンチゲンをもつがんの治療に，非常に有効であることが証明されている．PD-L1 または PD-1 に対するモノクローナル抗体もまた，いくつかの種類の進行がん，特にメラノーマや特定の肺がんなど，多くの変異タンパク質を含む腫瘍の治療に有効である．しかし，CTLA-4, PD-1, PD-L1 に対するモノクローナルを単独で投与した場合は，ごく一部のがん患者に対してのみ有効であるため，他の抗体や薬剤を併用する併用療法が増加している．このようながん免疫療法の有効性が高まりつつあり，末期がん患者の生存を可能にする可能性がある．

腫瘍抗原を認識する T 細胞の設計　これまで，細胞傷害性 T 細胞は，免疫チェックポイントの阻害によって活性化されると，変異の多い腫瘍を認識し変異の負荷が大きい腫瘍を死滅させる能力があることをみてきた．しかし，ほとんどの腫瘍は，おそらく十分な数のネオアンチゲンを発現していないため，CTLA-4 や PD-1 などのチェックポイント阻害剤に対するモノクローナル抗体には反応しない．別のアプローチとして，実験室で遺伝子操作により，表面にマーカータンパク質をもつがん細胞を直接攻撃できる T 細胞をつくり，それを患者に投与し，殺傷機能を発揮させるという方法である．この T 細胞は，キメラ T 細胞受容体とよばれる特別に設計された T 細胞受容体を発現し，**CAR T 細胞**（CAR T cell）とよばれる．CAR T 細胞がどのように作用するのかを理解するためには，まず，T 細胞受容体の結合と抗腫瘍活性を結ぶシグナル伝達経路を確認する必要がある．

T 細胞受容体の α サブユニットと β サブユニットの細胞質ドメインは，直接シグナル伝達経路を活性化することはない．むしろ，細胞外 TCR ドメインが MHC-ペプチド複合体に結合することで二つの ζ 鎖に結合するタンパク質チロシンキナーゼ ZAP70 の活性化をひき起こす（図 25・24 左）．CAR の理論的背景は，MHC-ペプチド複合体ではなく，腫瘍特異的抗原の存在に反応して ZAP70 を活性化するように，T 細胞受容体を設計することである．第一世代の CAR は，がん細胞の表面に濃縮されたタンパク質（たとえば B 細胞腫瘍の CD19）に結合するモノクローナル抗体の抗原結合 V_H および V_L セグメントを，CAR の細胞質ドメインに連結させることによって，これを達成した．このようなキメラ受容体を発現している T 細胞は CD19 タンパク質を表面に発現しているがん細胞に遭遇すると ZAP70 を活性化する（図 25・25a）．しかし，そのがん細胞を殺すことはできなかった．この失敗は，重要な共刺激シグナル（図 25・24 のシグナル 2）がないためである可能性があることに気づいた研究者たちは，キメラ抗原受容体の細胞質ドメインが，ζ サブユニットの細胞質ドメインと CD28 や 4-1BB（図 25・24）などの共刺激性受容体の一つまたはそれ以上のシグナル伝達セグメントを含むキメラ抗原受容体を設計した．臨床試験では，CD19 を標的とするこのような CAR は，数種類のヒト B 細胞性腫瘍をもつ多数の患者から分離した正常 T 細胞においてレンチウイルスベクターを使用して発現させた（図 25・25b）．これらの操作された CAR T 細胞をこれらの患者に再投与すると，多くの場合，がんの完全寛解につながった．現在，研究者たちは，多くの種類のヒト腫瘍の表面に濃縮されている多くのタンパク質を標的とする CAR を発現する CAR T 細胞を開発している．現在，治療法の確立されていない多くの悪性腫瘍に対して治験が行われている．

がん免疫療法の合併症　これらの免疫活性化治療（免疫チェックポイント分子に対するモノクローナル抗体と CAR T 細胞の両方）には，一つの注意点がある．これらの治療法は腫瘍だけでなく，がんではない隣接する正常な組織に対しても，免疫系の力を最大限に発揮することである．その結果，これらの治療法のおもな副作用は，**サイトカインストーム**（cytokine storm）であり，患者に壊滅的な組織損傷を与える可能性がある．がん免疫療法を成功させるためには腫瘍を認識する T 細胞の活性化と正常組織への損傷が少ない他の治療法との釣合を見つけることが必要である．

25・4 プログラム細胞死と免疫監視機構の回避　まとめ

- 前がん細胞は，多くの場合，持続的な DNA 損傷を受けており，通常はプログラム細胞死（アポトーシス）によって排除される．
- アポトーシスを抑制する発がん性ドライバー変異は，持続的な DNA 損傷がある場合でも腫瘍細胞の増殖を継続させる．
- 最も一般的な発がん性ドライバー変異は，細胞周期停止やアポトーシスの遺伝子の発現を活性化する転写因子である p53 の変異である．p53 の機能喪失型変異をもつがん細胞は，ゲノムに損傷を受けたまま増殖を続けるため，変異を蓄積する傾向がある．
- 腫瘍微小環境における免疫細胞は，変異タンパク質を検出し，腫瘍細胞の排除，腫瘍細胞と免疫系の平衡，腫瘍細胞の免疫制御からの逃避の 3 段階を経て，腫瘍形成にかかわる．
- 細胞傷害性 T 細胞は，腫瘍細胞の表面にある MHC タンパク質によって提示される変異タンパク質の断片を認識する．しかし，T 細胞の殺傷活性は，CTLA-4 や PD-1 といった T 細胞表面の抑制性受容体が活性化されるため変化する．
- CTLA-4 や PD-1 に対するモノクローナル抗体や，PD-1 のリガンドである PD-L1 に対するモノクローナル抗体により，これらの抑制性受容体の活性化が抑制され，T 細胞の殺傷能力を高める．これらのモノクローナル製剤は，メラノーマなど多くの変異が蓄積しているがんの治療に用いられる．
- CAR T 細胞は，キメラタンパク質である CAR を，レンチウイルスベクターで導入した正常な T 細胞である．CAR は腫瘍細胞表面のタンパク質を標的とするモノクローナル抗体の V_H および V_L セグメント，TCR からの膜貫通ドメイン，TCR ζ 鎖の細胞質ドメインおよびいくつかの共刺激

受容体からのドメインが含まれている．CAR T細胞は，多くの種類のヒトの腫瘍を死滅させ，がんを治癒させるのに有効である．

重要概念の復習

1. 異なる組織由来であっても，がん細胞は正常細胞から分化するうえで多くの共通した特徴を示す．これらの特徴を述べよ．

2. 良性と悪性の腫瘍を区別する性質は何か．

3. Otto Warburg が発見した腫瘍細胞の重要な性質は何か．この性質が腫瘍形成の過程にどのように関与しているのか．

4. 組織の細胞は，酸素と栄養が必要なため，血管から 100 μm 以内に存在しなければならない．この情報から，なぜ多くの悪性腫瘍が次の遺伝子のうちどれかの機能獲得型変異をもつのか，以下の単語を用いて説明せよ．βFGF, TGF-α, VEGF.

5. がんによる死亡の 90% が，原発腫瘍によるものではなく，転移が原因である．転移を定義せよ．マトリックスメタロプロテアーゼとプラスミノーゲンアクチベーターインヒビターのバチマスタットを用いたがん治療の目的を説明せよ．

6. 転移における EMT の重要性は何か．

7. ヒトのがんの発生数が年齢とともに指数関数的に上昇する現象を説明する仮説を説明せよ．この仮説を確認するデータの例を示せ．

8. がん原遺伝子とがん抑制遺伝子の違いは何か．がん原遺伝子とがん抑制遺伝子は，それぞれがんを促進するとき機能獲得型変異と機能喪失型変異のいずれを起こすか．次の遺伝子をがん原遺伝子とがん抑制遺伝子に分類せよ．p53, ras, BCL-2, JUN, Mdm2, p16.

9. ゲノム保全因子における変異がどのようにして腫瘍形成を招くか説明せよ．ミスマッチ修復遺伝子の不活性化がなぜ大腸がんの発症につながるか説明せよ．

10. 家族性網膜芽細胞腫は，一般的に子どもの両眼に起こるが，散発性網膜芽細胞腫は通常は大人になってから片眼にだけ起こる．これら二つの型の網膜芽細胞腫が疫学的に区別される遺伝子レベルの基盤を説明せよ．また，がん抑制遺伝子の機能喪失型変異は潜性に作用するにもかかわらず，家族性網膜芽細胞腫が常染色体顕性に遺伝するという一見矛盾するように思われる現象を説明せよ．

11. ヘテロ接合性の喪失（LOH）という概念を説明せよ．なぜほとんどのがん細胞で，一つ以上の遺伝子に LOH がみられるのか．また，どのように紡錘体形成チェックポイントの失敗がヘテロ接合性の喪失を導くのか．

12. 多くの悪性腫瘍では，一つ以上の増殖因子受容体の活性化が特徴となっている．EGF 受容体のような膜貫通型増殖因子受容体がもつ触媒活性は何か．なぜ HER2 受容体の膜貫通領域のなかのバリンをグルタミンに変換する点突然変異が当該の増殖因子受容体の活性化を誘導するか説明せよ．

13. RAS や NF-1 をコードする遺伝子にがん化を促進する変異が起こったとき，共通のシグナル伝達の変化を述べよ．なぜ，RAS の変異が NF-1 の変異よりも，がんで頻度が高いのか．

14. バーキットリンパ腫で，MYC がん遺伝子がつくられる突然変異について述べよ．発がん性の MYC ができる特別の機構によって，他のがんではなくリンパ腫をひき起こす理由を述べよ．発がん性の MYC を生じる別の機構を説明せよ．

15. 膵臓がんには，Smad4 タンパク質をコードする遺伝子に機能喪失型変異があることが多い．どうしてこの変異が膵臓がんの増殖阻害の消失や高転移性を促進するのか．

16. なぜ p16-ARF-p15 遺伝子座の変異が危険なのか．

17. エピジェネティックな変化が腫瘍形成にどのように関与するのか説明せよ．

18. ヒトパピローマウイルス（HPV）のいくつかの系統は，子宮頸がんをひき起こす．ウイルスタンパク質 E7 がどのように感染細胞の形質転換にかかわるのか．

19. p53 機能の喪失が，ヒト腫瘍の大半でみられる．p53 機能の喪失が悪性形質の発現に寄与する二つの方法は何とよばれているか．ベンゾ[a]ピレンが p53 機能を失わせる機構を説明せよ．

20. p53 の活性型は，四つの同一のサブユニットからなる四量体である．しかし，たった一つのサブユニットに変異が生じると四量体全体を不活性化することができる．この顕性的な負の相互作用が，がんの発生過程で p53 の突然変異が選択される確率をどのように高めるか説明せよ．

21. がん細胞の突然変異のうち，細胞性タンパク質に影響を及ぼすものが，わずか 1% 程度であるのはなぜか．またネオアンチゲンを産生する可能性があるのはなぜか．

22. CAR T 細胞は，がん細胞を殺すために遺伝子工学的に設計された細胞であり，モノクローナル抗体の抗原結合ドメインと T 細胞受容体の細胞質サブユニットを結合させたキメラタンパク質を導入することで，がん細胞を殺傷するがん細胞を標的として殺傷する．キメラタンパク質の抗体部分と T 細胞受容体部分について，がん細胞を標的として殺傷する機能を説明せよ．

欧文索引

A

α-actinin（αアクチニン） 673
α₁-antitrypsin（α₁ アンチトリプシン） 524
α carbon atom（α 炭素原子） 38
α helix（α ヘリックス） 62
α-SNAP（soluble NSF attachment protein） 555
AAA ATPase 711
AAA ATPase family（AAA ATPase ファミリー） 525
abasic site（塩基がない部位） 969
ABCB1 426
ABCC7（嚢胞性線維症膜貫通調節タンパク質） 429
ABC superfamily（ABC スーパーファミリー） 420
A box（A ボックス） 330
acceptor（アクセプター） 622
acceptor stem（受容ステム） 178
acetylation（アセチル化） 715
acetylcholine（アセチルコリン） 930
acetylcholinesterase（アセチルコリンエステラーゼ） 936
acetyl CoA（アセチル CoA） 405, 463
acid（酸） 49
acid hydrolase（酸性加水分解酵素） 15
acidic activation domain（酸性活性化ドメイン） 302
acidic amino acid（酸性アミノ酸） 39
acquired immune deficiency syndrome（後天性免疫不全症候群） 192
acquired immune system（獲得免疫系） 953
acquired immunity（獲得免疫） 960
ActA 669
actin（アクチン） 658, 660
actin-activated ATPase activity（アクチンによって活性化される ATPase 活性） 677
actin cross-linking protein（アクチン架橋タンパク質） 673
actin-nucleating protein（アクチン核形成タンパク質） 667
action potential（活動電位） 579, 683, 910, 911
activation domain（活性化ドメイン） 298
activation energy（活性化エネルギー） 53, 83
activation-induced cytidine deaminase（活性化誘導シチジン脱アミノ酵素） 969
activation loop（活性化ループ） 95, 618
activator（アクチベーター） 282
activator element（活性化因子） 252
active immunization（能動免疫） 960
active site（活性部位） 83, 171
active transport（能動輸送） 413
active zone（活動帯） 929
acute inflammatory demyelinating polyneuropathy（急性炎症性脱髄多発性ニューロパチー） 926
acute myeloid leukemia（急性骨髄性白血病） 354
acylation（アシル化） 401
acyl group（アシル基） 44
ADAM（a disintegrin and metalloproteinase） 823
ADAMTS（ADAM with thrombospondin motif） 823
adaptation（適応） 584
adaptive immune system（適応免疫系） 953
adaptor protein（アダプタータンパク質） 625, 674, 789
adaptor protein complex（アダプタータンパク質複合体） 560
ADCC 966
adenine, A（アデニン） 41, 153
adenoma（腺腫） 1024
adenomatous polyposis coli（大腸腺腫症） 647
adenosine diphosphate（アデノシン二リン酸） 5
adenosine triphosphate（アデノシン三リン酸） 5, 447
adenylyl cyclase（アデニル酸シクラーゼ） 596
adherens belt（接着帯） 660
adherens junction（接着結合） 675, 797
adhesion modulation domain（接着調節ドメイン） 799
adhesion receptor（接着受容体） 788
adhesive interaction（接着性相互作用） 790
ADP 5, 54
ADPKD 720
adrenaline（アドレナリン） 579, 595
adsorption（吸着） 190
adult stem cell（成体幹細胞） 123
AE1 440
Aequorea victoria（オワンクラゲ） 132, 589
aequorin（エクオリン） 589
aerobic（好気的） 56
aerobic glycolysis（好気的解糖） 1004
aerobic oxidation（好気的酸化） 447, 449
aerobic respiration（好気的呼吸） 447, 449
AF 792
afferent neuron（求心性ニューロン） 913
affinity（アフィニティー，抗体の） 963
affinity（親和性） 36, 81
affinity chromatography（アフィニティークロマトグラフィー） 104, 587
affinity maturation（親和性成熟） 970
aggrecan（アグリカン） 819
aggrecanase（アグリカナーゼ） 823
aggregation factor（プロテオグリカン集合因子） 792
agonist（アゴニスト） 586
agrin（アグリン） 930
AID 969
AIDS（後天性免疫不全症候群） 192, 293
AIRE 988
AKAP 600
A kinase-anchor protein（A キナーゼアンカータンパク質） 600
Akt 632
alanine（アラニン） 38
alcoholic fermentation（アルコール発酵） 453
aliphatic amino acid（脂肪族アミノ酸） 38
allele（対立遺伝子） 195
allelic exclusion（対立遺伝子排除） 971
allogeneic tissue transplantation（同種組織移植） 986
allosteric-binding site（アロステリック結合部位） 92
allosteric effector（アロステリック因子） 92
allosteric protein（アロステリックタンパク質） 92, 579
allostery（アロステリック効果） 48, 92
A loop（A ループ） 95
Alport's syndrome（アルポート症候群） 813
ALS 872
alternating access model（交互アクセスモデル） 414
alternative pathway（第二経路） 958
alternative polyadenylation（選択的ポリアデニル酸付加） 346
alternative RNA splicing（選択的 RNA スプライシング） 348
alternative splice site（選択的スプライス部位） 242, 349
alternative splicing（選択的スプライシング） 174, 335
Alu element（Alu 因子） 257
ALV 1011
Amanita phalloides（タマゴテングダケ） 672
amino acid（アミノ酸） 6, 38
aminoacyl-tRNA（アミノアシル tRNA） 177
aminoacyl-tRNA synthetase（アミノアシル tRNA 合成酵素） 177
AML 354
Amot 861
AMP 41
AMPA receptor（AMPA 受容体） 950
amphipathicity（両親媒性） 29, 65, 388, 526
amphitelic attachment（双方向性結合） 769
amplification（増幅） 584
amyloid fibril（アミロイド繊維） 80
amyloidosis（アミロイド症） 81
amyloid state（アミロイド状態） 80
amylopectin（アミロペクチン） 487
amylose（アミロース） 487
amyotrophic lateral sclerosis（筋萎縮性側索硬化症） 872
anaerobic respiration（嫌気的呼吸） 449
anaphase（後期） 721
anaphase-promoting complex（分裂期後期促進複合体） 753
anchoring collagen（係留コラーゲン） 814
anchoring junction（固定結合） 795, 796
aneuploid（異数体） 121, 196, 779
aneuploidy（異数性） 721, 1003
Anfinsen, Christian 75
angiogenesis（血管新生） 1005
angiomotin（アンジオモチン） 861
angulin（アングリン） 804
animal virus（動物ウイルス） 189
anion（陰イオン） 33
anion antiporter（陰イオン対向輸送体） 440
anion exchanger 1（陰イオン交換輸送体 1） 440
aniridia（無虹彩） 26
ankyrin（アンキリン） 675
annular phospholipid（環状リン脂質） 399
annulus（環帯） 833

anoikis（アノイキス） 897
antagonist（アンタゴニスト） 586
antagonistic interaction（拮抗的な相互作用） 890
antenna complex（アンテナ複合体） 490
anterograde transport（順行性輸送） 707
anterograde transport vesicle（順行性輸送小胞） 544
antibody（抗体） 81, 954
antibody-affinity chromatography（抗体アフィニティークロマトグラフィー） 104
antibody-dependent cell-mediated cytotoxicity（抗体依存性細胞傷害） 966
anticodon（アンチコドン） 176
antidiuretic hormone（抗利尿ホルモン） 419
antigen（抗原） 81, 588, 953
antigen presentation（抗原提示） 978
antigen-presenting cell（抗原提示細胞） 958, 973
antigen processing（抗原プロセシング） 978
anti-mitogen（分裂抑制因子） 758
antiparallel（逆平行） 154
anti-pausing factor（抗停止因子） 293
anti-peptide antibody（抗ペプチド抗体） 995
antiport（対向輸送） 437
antiporter（対向輸送体） 413
antisense inhibition（アンチセンス阻害） 368
antiserum（抗血清） 961
antithrombin III（アンチトロンビンIII） 817
AP1 304, 1020
APC（抗原提示細胞） 958
APC（大腸腺腫症） 647
APC/C 752, 753
APE1 164
apical（頂端側） 565
apical Par complex（頂端Par複合体） 892
apical surface（頂端面） 22, 123, 443, 796
Apicomplexa（アピコンプレクス類） 21
Aplysia californica（アメフラシ） 376, 947
apolipoprotein（アポリポタンパク質） 568
apoptosis（アポトーシス） 25, 89, 896
apurinic endonuclease I（APE1） 164
apurinic lyase（APリアーゼ） 164
aquaporin（アクアポリン） 399, 417
Arabidopsis thaliana（シロイヌナズナ） 8, 18, 457, 884
archaeon, *pl.* archaea（アーキア） 9
ARF 551
arginine（アルギニン） 39
arginyl-tRNA-protein transferase（アルギニンtRNA-タンパク質トランスフェラーゼ） 852
Argonaute protein（Argonauteタンパク質） 366
arm（腕） 741
Armadillo（Arm） 647, 877
Arp2/3 complex（Arp2/3複合体） 667
arrestin（アレスチン） 603
ARS 207, 275
ASD 353
Ash1（asymmetric synthesis of HO） 374
A site（A部位） 182
asparagine（アスパラギン） 39
aspartic acid（アスパラギン酸） 39
assay（アッセイ法） 104
assembly（集合） 191
aster（星状体） 721
astral microtubule（星状体微小管） 721
astrocyte（アストロサイト） 914
astrocyte syncytia（アストロサイト合胞体） 915
asymmetric carbon atom（不斉炭素原子） 31
asymmetric cell division（非対称細胞分裂） 26, 865
ATE 852
atherosclerosis（アテローム性動脈硬化症） 36, 358, 407
ATM（ataxia telangiectasia mutated） 776
ATP 5, 6, 54, 447

ATP/ADP antiporter（ATP/ADP対向輸送体） 485
ATPase fold（ATPaseフォールド） 661
ATP-binding cassette（ATP結合カセット） 420
ATP-powered pump（ATP駆動ポンプ） 413
ATP synthase（ATP合成酵素） 420, 448
ATR（ataxia telangiectasia and Rad3-related protein） 776
Atractylis gummifera 486
atractyloside（アトラクチロシド） 486
atrazine（アトラジン） 494
attenuation（弱毒化） 997
augmin complex（オーグミン複合体） 700
AU-rich element（AUリッチエレメント） 365
Aurora 726, 765, 769
autism spectrum disorder（自閉スペクトラム症） 353
autocrine signaling（自己分泌シグナル伝達） 579
autoimmune regulator（自己免疫調節因子） 988
autoimmunity（自己免疫） 953, 967
autonomously replicating sequence（自律複製配列） 207, 275
autophagic vesicle（自食作用小胞） 574
autophagosome（オートファゴソーム） 574
autophagy（オートファジー） 15, 89, 461, 574, 844
autoradiography（オートラジオグラフィー） 107
autosomal dominant allele（常染色体顕性対立遺伝子） 219
autosomal dominant polycystic kidney disease（多発性嚢胞腎疾患） 720
autosomal recessive allele（常染色体潜性対立遺伝子） 219
autosome（常染色体） 219, 271
auxin（オーキシン） 833
avian leukosis virus（トリ白血病ウイルス） 1011
avidity（アビディティー） 963
avidity model of T-cell selection（T細胞選択のアビディティーモデル） 988
axial（アキシアル） 43
axon（軸索） 699, 911
axonal transport（軸索輸送） 707
axonemal dynein（軸糸ダイニン） 716
axoneme（軸糸） 715
axon guidance（軸索誘導） 911
axon termini（軸索終末） 911
axoplasm（軸索原形質） 707

B

β-adrenergic receptor（アドレナリンβ受容体） 587, 591
β barrel（βバレル） 63
β-catenin（βカテニン） 647
β-FGF 1006
β2-microglobulin（β2ミクログロブリン） 976
β oxidation（β酸化） 473
β pleated sheet（βプリーツシート） 63
β-propeller domain（βプロペラドメイン） 570
β sheet（βシート） 62, 63
β strand（βストランド） 62
β TrCP 647
β turn（βターン） 62
BAC 206
Bacillus subtilis（枯草菌） 8
backbone（骨格） 61, 153
bacterial artificial chromosome（細菌人工染色体） 206
bacteriophage（バクテリオファージ） 189
bacterium, *pl.* bacteria（細菌） 9
Bad 633, 905
Balbiani ring（バルビアニ環） 360
ball-and-stick model（棒球モデル） 66

Bam（Bag of marbles） 877
band-shift assay（バンドシフト法） 297
Bardet-Biedl syndrome（バルデー-ビードル症候群） 720
Barth's syndrome（バース症候群） 477
basal body（基底小体） 699, 715
basal lamina（基底膜） 22, 123, 733, 796, 810
basal layer（基底層） 733
basal surface（基底面） 22, 123, 796
base（塩基） 7, 41, 49
basement membrane（基底膜） 1006
base pair（塩基対） 154
basic amino acid（塩基性アミノ酸） 39
basic fibroblast growth factor（塩基性繊維芽細胞増殖因子） 1006
basic helix-loop-helix（塩基性ヘリックス-ループ-ヘリックス） 65, 302
basic zipper（塩基性ジッパー） 302
basolateral（側底側） 565
basolateral surface（側底面） 22, 443, 796
B box（Bボックス） 330
B cell（B細胞） 954
B-cell receptor（B細胞受容体） 971
Bcl-2 1028
Bcl-2 family（Bcl-2ファミリー） 902
BCR 971
BDNF 902
beige-fat cell（ベージュ脂肪細胞） 486
Bence-Jones protein（ベンス-ジョーンズタンパク質） 964
benign familial neonatal convulsion（良性家族性新生児けいれん） 919
benign tumor（良性腫瘍） 1006
benzo[*a*]pyrene（ベンゾ[*a*]ピレン） 1008
beta-blocker（β遮断薬） 587
BFA 575
B form（B形） 154
BH3-interacting-domain death agonist（BH3相互作用ドメイン細胞死アゴニスト） 907
bHLH 65, 302
BH3-only protein（BH3オンリータンパク質） 899
Bid 907
bidirectional（双方向性，電気シナプスの） 938
bidirectional growth（両方向に伸長） 162
bile acid（胆汁酸） 392
binding（結合） 60
binding assay（結合実験） 585
binding-change mechanism（結合状態変化機構） 482
binding specificity（結合特異性） 580
bioinformatics（バイオインフォマティクス） 4, 213
biomarker（バイオマーカー） 114
biomembrane（生体膜） 387
biomolecular condensate（生体分子凝縮体） 17, 71
bi-oriented（双方向性，姉妹染色体の） 725, 769, 784
BiP 510
bivalent chromosome（二価染色体） 781
Blackburn, Elizabeth 276
BLAST（basic local alignment search tool） 215
blastocoel（胞胚腔） 868
blastocyst（胚盤胞） 867
blastopore（原口） 24
blastula（胞胚） 744
blood（血液） 787
blue native-PAGE（ブルーネイティブ-PAGE） 476
blunt end（平滑末端） 209
BMP 640
BN-PAGE 476
body plan（ボディープラン） 24
bone morphogenetic protein（骨形成タンパク質） 640
boundary element（境界エレメント） 265
boundary membrane（境界膜） 454
53BP1 777

欧文索引

brain-derived neurotrophic factor（脳由来神経栄養因子）　902
Brain Research through Advancing Innovative Neurotechnologies（BRAIN）Initiative（ブレインイニシアティブ）　909
branching morphogenesis（枝分かれをもつ形態の形成）　792
branch migration（分岐点移動）　168
branch point（分枝部位）　340
BRCA1　777
BRE　288
breast cancer resistance protein（乳がん耐性タンパク質）　427
brefeldin A（ブレフェルジン A）　575
Brenner, Sydney　25
BRF（TFIIB-related factor）　331
bright-field light microscopy（明視野光学顕微鏡法）　128
bromodomain（ブロモドメイン）　266, 310
brown-fat tissue（褐色脂肪組織）　486
buffer（緩衝剤）　49
buffering capacity（緩衝能）　50
bundle sheath cell（維管束鞘細胞）　500
Burkitt's lymphoma（バーキットリンパ腫）　1020
bZIP　302

C

C_α backbone trace（α炭素骨格モデル）　66
CAD domain（CAD ドメイン）　607
cadherin（カドヘリン）　797
Caenorhabditis elegans（線虫）　8, 18, 889
Cajal body（カハールボディ）　383
CAK　751, 752
cal（カロリー）　52
calcium adhering（カルシウム接着）　798
calcium signaling（カルシウムシグナル伝達）　463
Callilepis laureola（インピラ）　486
callose（カロース）　834
calmodulin（カルモジュリン）　93, 421, 598
calnexin（カルネキシン）　522, 604
calreticulin（カルレティキュリン）　522, 604
Calvin cycle（カルビン回路）　496
Calvin, Melvin　496
CAM　22, 120, 788, 789
Cambrian explosion（カンブリア爆発）　454
CaMKIIα（calcium-calmodulin-dependent kinase IIα）　950
cAMP　582
cAMP-dependent protein kinase（cAMP 依存性プロテインキナーゼ）　597
cAMP-response element（cAMP 応答配列）　600
cancer（がん）　1006
cancer immunotherapy（がん免疫療法）　1003
cancer stem cell（がん幹細胞）　1005
5′ cap（5′ キャップ）　173, 336
cap-binding complex（キャップ結合複合体）　357
5′ capping（5′ キャップ形成）　335
capping protein（キャップタンパク質）　666
capsid（キャプシド）　188
capsomere（カプソメア）　189
CapZ　666
CAR（coxsackievirus and adenovirus receptor）　804
carbohydrate（炭水化物）　42
carbon fixation（炭素固定）　55, 490
carbonic anhydrase（炭酸デヒドラターゼ）　440
carboxyl-terminal domain（カルボキシ末端ドメイン）　287
carcinogen（発がん物質）　1007
carcinoma（がん腫）　1001

cardiac hypertrophy（心肥大）　646
cardiolipin（カルジオリピン）　408, 477
cargo protein（積み荷タンパク質）　543
carnitine（カルニチン）　468
carotenoid（カロテノイド）　490
carrier（運搬体）　413
carrier（保因者）　219
CAR T cell（CAR T 細胞）　1030
Cas（CRISPR-associated）　232
casein kinase 1（カゼインキナーゼ 1）　647
casein kinase 2（カゼインキナーゼ 2）　330
caspase（カスパーゼ）　900
CASTOR（cellular arginine sensor for mTORC1）　845
catabolism（異化）　56, 450
catalase（カタラーゼ）　16, 468
catalysis（触媒作用）　60
catalyst（触媒）　47, 82
catalytic site（触媒部位）　83
catastrophe（カタストロフィー）　701
catecholamine（カテコールアミン）　932
cathepsin（カテプシン）　981
cation（陽イオン）　33
cation antiporter（陽イオン対向輸送体）　440
CBC　357
C box（C ボックス）　330
CBP　302, 310
CBP/P300　600
C_C　663
CD4　974
CD4$^+$ T lymphocyte（CD4$^+$ T リンパ球）　189
CD40 ligand（CD40 リガンド）　991
CD44　819
Cdc14　752, 758
Cdc14 phosphatase（Cdc14 ホスファターゼ）　773
Cdc2　750
Cdc7　761
Cdc20　753
Cdc25　752, 764
CDC28, Cdc28　750, 756
Cdc42　690～693, 737, 887
Cdc45　761
cdc mutant（*cdc* 変異体）　199
Cdh1　753, 758
CDHR3　799
CDK　162, 720, 739, 747
CDK1　741
CDK-activating kinase（CDK 活性化キナーゼ）　751
CDK inhibitor（CDK 阻害因子）　752
cDNA　208
cDNA library（cDNA ライブラリー）　208
CDR　82, 965
cell（細胞）　119
cell-adhesion molecule（細胞接着分子）　22, 120, 788, 789
cell body（細胞体）　911
cell-cell adhesion（細胞間接着）　788
cell cortex（細胞表層）　660, 674
cell culture（細胞培養）　745
cell cycle（細胞周期）　17, 720, 739
cell junction（細胞間結合）　788, 789, 796
cell line（細胞系）　121
cell lineage（細胞系譜）　865
cell-matrix adhesion（細胞-マトリックス間接着）　788
cell-matrix adhesion receptor（細胞外マトリックス接着受容体）　788
cell membrane（細胞膜）　387
cell migration（細胞の移動）　688
cell polarity（細胞極性）　657, 886
cell senescence（細胞老化）　121
cell strain（細胞株）　121
cell-surface receptor（細胞表面受容体）　580
cellular communication（細胞の情報伝達）　577

cellular oxidative stress（細胞酸化ストレス）　477
cellular respiration（細胞呼吸）　56
cellulose（セルロース）　43, 832
cellulose synthase（セルロースシンターゼ）　833
cell wall（細胞壁）　832
central dogma（セントラルドグマ）　152
central nervous system（中枢神経系）　353
centralspindlin（セントラルスピンドリン）　728, 775
central stalk（中央ストーク）　708
centriole（中心小体）　699, 768
centromere（セントロメア）　269, 275, 724, 741
centromeric heterochromatin（セントロメアヘテロクロマチン）　248
centrosome（中心体）　698, 741, 767
centrosome cycle（中心体サイクル）　768
centrosome disjunction（中心体分離）　768
centrosome maturation（中心体の成熟）　768
CF　219, 429, 556
Cfp1（CXXC finger protein 1）　323
CFTR, CFTR　219, 429, 556
CFTR corrector（CFTR コレクター）　430
CFTR potentiator（CFTR 強化剤）　430
CFU-E　635
cGMP　582, 611
cGMP phosphodiesterase（cGMP ホスホジエステラーゼ）　611
channel（チャネル）　413
channel-inactivating segment（チャネル不活性化領域）　918
channelopathy（チャネロパチー）　919
channelrhodopsin（チャネルロドプシン）　139, 926
chaperone（シャペロン）　76
chaperonin（シャペロニン）　76
Charcot-Marie-Tooth disease（シャルコーーマリーートゥース病）　461, 808, 926
Chargaff, Erwin　154
checkpoint（チェックポイント）　740
checkpoint pathway（チェックポイント経路）　775
chemical equilibrium（化学平衡）　46
chemical library（化合物ライブラリー）　126
chemical potential energy（化学ポテンシャルエネルギー）　51
chemical signal（化学シグナル）　910
chemiluminescence（化学発光）　105
chemiosmosis（化学浸透）　448
chemiosmotic coupling（化学浸透共役）　448
chemiosmotic hypothesis（化学浸透圧説）　479
chemokine（ケモカイン）　830, 959
chemotactic signal（走化性シグナル）　959
chemotaxis（走化性）　693
chiasma, *pl.* chiasmata（キアズマ）　781
chimera（キメラ）　235
chimeric protein（キメラタンパク質）　120
chiral carbon atom（キラル炭素原子）　31
chirality（キラリティー）　31
Chironomus tentans（ユスリカ）　360
Chk1, Chk2　776
Chlamydomonas reinhardtii（クラミドモナス）　8, 18, 20, 718, 926
chlorophyll（クロロフィル）　490
chlorophyll *b*（クロロフィル *b*）　490
chloroplast（葉緑体）　16, 447, 487
cholesterol（コレステロール）　392
cholesterol-dependent clogging of the artery（コレステロール依存性動脈梗塞）　407
choline（コリン）　44
chromatid（染色分体）　741
chromatin（クロマチン）　240, 260, 306
chromatin immunoprecipitation（クロマチン免疫沈降法）　289
chromatin-mediated repression（クロマチン介在性抑制）　306

chromatin-remodeling complex（クロマチンリモデリング複合体） 310, 1016
ChromEMT 260
chromodomain（クロモドメイン） 265, 324
chromogenic substrate（発色基質） 104
chromoshadow domain（クロモシャドードメイン） 265
chromosomal passenger complex（染色体パッセンジャー複合体） 726
chromosome（染色体） 13
chromosome conformation capture（染色体高次構造捕捉法） 268
chromosome congression（染色体集合） 725
chromosome electron microscopy tomography（染色体電子顕微鏡トモグラフィー） 260
chromosome paint probe（染色体ペイントプローブ） 267
chromosome territory（染色体テリトリー） 267
chronic lymphocytic leukemia（慢性リンパ球性白血病） 1016
chronic myelogenous leukemia（慢性骨髄性白血病） 1011
chronic progressive external opthalmoplegia（慢性進行性外眼筋麻痺） 459
chronobiology（クロノバイオロジー） 855
cilium, pl. cilia（繊毛） 12, 391, 715
circadian clock（概日時計） 838
circadian oscillator（概日発振器） 838
circadian rhythm（概日リズム） 855
circulating tumor cell（血流を回る腫瘍細胞） 1006
circumferential belt（周辺帯） 685
cis-Golgi cisterna（シスゴルジ嚢） 544
cis-Golgi network（シスゴルジ網） 544
cis interaction（シス型相互作用） 790
cisterna, pl. cisternae（嚢） 13, 558
cisternal maturation（嚢成熟） 544
citric acid（クエン酸） 465
citric acid cycle（クエン酸回路） 464
CK1 647
CK2 330
CKI 752
C_L 964
clamp domain（クランプドメイン） 285
clamp loader（クランプローダー） 161
classical cadherin（古典的カドヘリン） 797
classical pathway（古典的経路） 958
class switch（クラススイッチ） 972
clathrin（クラスリン） 149, 550
clathrin-coated pit（クラスリン被覆ピット） 568
claudin（クローディン） 804
cleavage（卵割） 867
cleavage furrow（分裂溝） 728
3′ cleavage/polyadenylation（3′切断/ポリアデニル酸付加） 335
Cl^-/HCO_3^- antiporter（Cl^-/HCO_3^- 対向輸送体） 440
CLIP segment（CLIP 断片） 977, 982
CLL 1016
CLN1, CLN2 756
Cln3 756
C lobe（C ローブ） 621
clofibrate（クロフィブレート） 468
clonal selection theory（クローン選択説） 963
clone（クローン） 19, 119, 206
cloned DNA（クローン化 DNA） 206
clonogenic neoblast（クローン形成ネオブラスト） 875
closed loop（閉鎖的ループ） 914
cluster analysis（クラスター解析） 226
clustered protocadherin（クラスター型プロトカドヘリン） 797, 799
CMC 403
CML 1011

CNB-A, CNB-B 597
CN-PAGE 477
CNS 353
CoA 405, 463
co-activator（コアクチベーター） 302, 309, 600
coated pit（被覆ピット） 14
coatomer（コートマー） 557
coding region（コード領域） 240
codon（コドン） 152, 175
coenzyme（補酵素） 56, 87
coenzyme A（補酵素 A） 405, 463
coenzyme Q（補酵素 Q） 471
cofactor（補因子） 87
cofilin（コフィリン） 665
cognate tRNA（同族 tRNA） 179
Cohen, Stanley 620
cohesin（コヒーシン） 263, 720, 741, 763
cohesinopathy（コヒーシン病） 763
coiled-coil（コイルドコイル） 64
co-immunoprecipitation（免疫共沈法） 105
coincidence detection（一致検出） 669
co-IP 105
colchicine（コルヒチン） 703
collagen（コラーゲン） 40, 809
collagen α chain（コラーゲン α 鎖） 811
collagenase（コラゲナーゼ） 823
collagen fiber（コラーゲン繊維） 814
collagen fibril（コラーゲン細繊維） 814
collagen microfibril（コラーゲン微細繊維） 814
collagenous triplet helix（コラーゲン三重らせん） 811
colony（コロニー） 120
colony-forming units erythroid（赤芽球コロニー前駆細胞） 635
colorless native-PAGE（カラーレスネイティブ-PAGE） 477
combinatorial diversity（組合わせによる多様性） 802
commensal bacteria（共生細菌） 955
communication（情報伝達） 789
compaction（緊密化） 867
compensatory mutation（補償の変異） 340
competitive inhibitor（拮抗阻害剤） 87
complement（相補する） 200
complement（補体） 958
complementarity-determining region（相補性決定領域） 82, 965
complementary（相補的） 154
complementary DNA（相補的 DNA） 208
complementary matching（相補的対合） 7
26S complex（26S 複合体） 89
complexin（コンプレキシン） 934
complex trait（複合形質） 222
complex transcription unit（複合転写単位） 241
computerized tomography（CT）scanning（コンピューター断層撮影） 924
concentration gradient（濃度勾配） 51
condensate（コンデンセート） 299
condensin（コンデンシン） 263, 269, 770
conditional mutation（条件突然変異） 198
cone（錐体） 610, 939
confocal microscopy（共焦点顕微鏡法） 134
conformation（コンホメーション） 59
connectin（コネクチン） 683
connective tissue（結合組織） 787, 792
connectivity（接触） 788
connector（コネクター） 668
connexin（コネキシン） 806
connexon（コネクソン） 806
conservation（保存） 214
constant region of the light chain（軽鎖の定常領域） 964
constitutive（構成的） 618, 642

constitutive expression（構成的発現） 299
constitutive secretion（恒常的分泌） 544
constitutive secretory vesicle（恒常的分泌小胞） 564
constitutive splice site（構成的スプライス部位） 349
contact inhibition（接触阻害） 1005
contact site（接触部位） 528
contractile bundle（収縮束） 685
contractile ring（収縮環） 660, 728, 775
contractile vacuole（収縮胞） 418
convergent evolution（収斂進化） 884
cooperative DNA binding（協同的 DNA 結合） 304
cooperativity（協同性） 92
co-oriented（共方向性） 784
COP（coat protein） 550～552, 556～559
CoQ 471
$CoQH_2$-cytochrome c reductase（$CoQH_2$-シトクロム c レダクターゼ） 471
core antenna complex（中核アンテナ複合体） 491
core element（コアエレメント） 330
core gate（コアゲート） 89
co-repressor（コリプレッサー） 303, 309
cortical granule（表層顆粒） 867
co-Smad 642
co-stimulatory signal（共刺激シグナル） 989
cotranslational translocation（翻訳時輸送） 507
cotransport（共輸送） 437
cotransporter（共輸送体） 413
coupling（共役） 437
covalent bond（共有結合） 30
CoxVa 529
C_3 pathway（C_3 経路） 496
C_4 pathway（C_4 経路） 500
CPC 726
CPE 369
CPEB 369
CPE-binding protein（CPE 結合タンパク質） 369
CpG island（CpG アイランド） 288
CRE 369
CREB binding protein（CREB 結合タンパク質） 302
CRE-binding protein（CRE 結合タンパク質） 600
CREB protein（CREB タンパク質） 600
Crick, Francis H. C. 7, 154, 249
CRISPR（clustered regularly interspaced short palindromic repeat） 232
CRISPRa（CRISPR activation） 234, 235
CRISPR-Cas9 232, 233, 235
CRISPRi（CRISPR interference） 234, 235
crista, pl. cristae（クリステ） 16, 454
crista junction（クリスタジャンクション） 454
critical angle（臨界角） 137
critical cell size（臨界サイズ） 757
critical concentration（臨界濃度） 663, 700
critical micelle concentration（臨界ミセル濃度） 403
Crm1 381
cross-β sheet（交差 β シート） 80
cross-bridge cycle（クロスブリッジサイクル） 682
cross-exon recognition complex（エクソン横断の認識複合体） 348
crossing over（乗換え） 167, 781
cross-linking（架橋） 962
cross-presentation（交差提示） 980
cryoelectron microscopy（クライオ電子顕微鏡法） 111, 146
cryoelectron tomography（クライオ電子断層撮影法） 146
crypt（クリプト） 878
CTC 1006
CTD 287
C-terminal domain（C 末端ドメイン） 68
C-terminus（C 末端） 61
CTL 973, 974
Cubitus interruptus（Ci） 651

欧文索引

culturing(細胞培養法) 119
cyclic GMP(サイクリック GMP) 611
cyclic photophosphorylation(循環的光リン酸化) 495
cyclin(サイクリン) 91, 741
cyclin box(サイクリンボックス) 751
cyclin D(サイクリン D) 741, 749, 1019
cyclin-dependent kinase(サイクリン依存性キナーゼ) 162, 720, 739
cyclin E(サイクリン E) 749
cycline electron flow(循環型電子伝達) 495
cyclin fold(サイクリンフォールド) 751
cyclooxygenase(シクロオキシゲナーゼ) 87
cyclosome(サイクロソーム) 753
cyclosporine(シクロスポリン) 986
cyst(嚢胞) 123
cysteine(システイン) 39
cysteine dioxygenase(システインジオキシゲナーゼ) 852
cystic fibrosis(嚢胞性繊維症) 219, 429, 556
cystic fibrosis transmembrane regulator(嚢胞性繊維症膜貫通調節タンパク質) 429
cytochalasin D(サイトカラシン D) 671
cytochrome(シトクロム) 470
cytochrome bf complex(シトクロム bf 複合体) 494
cytochrome c oxidase(シトクロム c オキシダーゼ) 471
cytochrome P-450(シトクロム P-450) 1008
cytokeratin(サイトケラチン) 733
cytokine(サイトカイン) 615, 634, 883, 959
cytokine receptor(サイトカイン受容体) 634
cytokinesis(細胞質分裂) 660, 721, 728, 773
cytokine storm(サイトカインストーム) 1030
cytoplasm(細胞質) 7
cytoplasmic dynein(細胞質ダイニン) 711
cytoplasmic inheritance(細胞質遺伝) 457
cytoplasmic mRNP(細胞質 mRNP) 336
cytoplasmic polyadenylation(細胞質ポリアデニル酸付加) 369
cytoplasmic polyadenylation element(細胞質ポリアデニル酸付加エレメント) 369
cytoplasmic sleeve(細胞質スリーブ) 833
cytoplasmic streaming(原形質流動) 688
cytosine, C(シトシン) 41, 153
cytoskeletal protein(細胞骨格タンパク質) 7
cytoskeleton(細胞骨格) 12, 388, 657
cytosol(細胞質ゾル) 11
cytosolic face(細胞質側面) 390
cytosolic stress granule(細胞質ストレス顆粒) 17
cytotoxic T cell(細胞傷害性 T 細胞) 973, 1027
cytotoxic T lymphocyte(細胞傷害性 T リンパ球) 973, 974

D

ΔF508 557
3-D adhesion(三次元接着) 824
DAG 582, 604, 605
dalton(ドルトン) 61
Danio rerio(ゼブラフィッシュ) 8, 18
dark adaptation(暗順応) 612
dark reaction(暗反応) 490
Darwin, Charles 2, 835
Darwinian evolution(ダーウィン的進化) 1007
Dbf-dependent kinase(Dbf4 依存性キナーゼ) 761
DBHS(*Drosophila* behavior human splicing) 384
D-box 754
DD 907
DDK 761
deadenylation-dependent pathway(脱アデニル酸依存経路) 364
deadenylation-independent decapping pathway(脱アデニル酸非依存脱キャップ経路) 365
deamination(脱アミノ) 163
death domain(細胞死ドメイン) 907
death receptor(細胞死受容体) 900, 907
deconvolution(デコンボリューション) 134
deconvolution microscopy(デコンボリューション顕微鏡法) 133
defensin(デフェンシン) 960
degeneracy(縮重) 176
dehydration reaction(脱水反応) 37
delayed rectifier K$^+$ channel(遅延型 K$^+$ チャネル) 919
delayed response gene(遅延応答遺伝子) 758
demyelinating disease(脱髄疾患) 925
denaturant(変性剤) 75
denaturation(変性) 75, 155
dendrite(樹状突起) 699, 737, 911
dendritic cell(樹状細胞) 959
dense body(デンスボディ) 734
density gradient(密度勾配) 100
deoxyribonucleic acid(デオキシリボ核酸) 1, 41, 151
dephosphorylation(脱リン酸化反応) 94
depolarization(脱分極) 611, 911
depurination(脱プリン) 164
dermal tissue(表皮組織) 832
desensitization(脱感作) 586, 623
desmin(デスミン) 734
desmocollin(デスモコリン) 801
desmoglein(デスモグレイン) 801
desmoplakin(デスモプラキン) 801
desmosomal cadherin(デスモソームカドヘリン) 797
desmosome(デスモソーム) 797
desmotubule(デスモ小管) 833
destruction box(破壊ボックス) 754
destruction complex(破壊複合体) 647
detergent(界面活性剤) 403
determinant(抗原決定基) 124
detyrosylated(脱チロシン) 715
deubiquitinase(脱ユビキチン化酵素) 91
deuterostome(新口動物) 24
dextro(D) 38
DGC 27, 829
DGCR8 366
DHFR(ジヒドロ葉酸レダクターゼ) 528
DHS 317
diabetes insipidus(尿崩症) 419
diabetes mellitus(糖尿病) 842
di-acidic sorting signal(酸性アミノ酸を 2 個含む選別シグナル) 556
1,2-diacylglycerol(1,2-ジアシルグリセロール) 604
diacylglycerol(ジアシルグリセロール) 391
diapedesis(漏出) 830
Dicer 366
dichroic mirror(ダイクロイックミラー) 130
Dictyostelium discoideum(細胞性粘菌) 146, 594
differential centrifugation(分画遠心法) 100, 148
differential-interference contrast(DIC)microscopy(微分干渉顕微鏡法) 128
differentiation(分化) 865
dimerization arm(二量体化アーム) 620
Dionaea muscipula(ハエトリグサ) 835
diphosphatidyl glycerol(ジホスファチジルグリセロール) 477
diploid(二倍体) 19, 196
dipole(双極子) 32
dipole moment(双極子モーメント) 32
direct-acting carcinogen(直接作用性発がん物質) 1008
direct repeat sequence(直列反復配列) 251
disaccharide(二糖) 43
disease gene(病因遺伝子) 220
Dishevelled 894
disintegrin(ディスインテグリン) 644
dislocation(逆転輸送) 524
disruption construct(破壊コンストラクト) 231
dissociation constant(解離定数) 47, 581
dissociation element(解離因子) 252
disulfide bond(ジスルフィド結合) 40, 66, 520
diversity(多様性) 953
DMD 26, 219, 828
DNA 1, 7, 41, 151
DNA-binding domain(DNA 結合ドメイン) 298
DNA chip(DNA チップ) 225
DNA clone(DNA クローン) 206
DNA cloning(DNA クローニング) 204
DNA damage response system(DNA 損傷応答システム) 776
DNA-dependent protein kinase(DNA 依存性プロテインキナーゼ) 776
DNA fingerprinting(DNA フィンガープリント法) 248
DnaK 853
DNA library(DNA ライブラリー) 206
DNA ligase(DNA リガーゼ) 160, 205
DNA microarray(DNA マイクロアレイ) 224
DNA-PK 776
DNA polymerase(DNA ポリメラーゼ) 151
DNA polymerase α(DNA ポリメラーゼ α) 159
DNA polymerase δ(DNA ポリメラーゼ δ) 161
DNA polymerase ε(DNA ポリメラーゼ ε) 161
DNA polymorphism(DNA 多型) 221, 248
DNase I footprinting(DNase I フットプリント法) 296
DNase I hypersensitive site(DNase I 高感受性部位) 317
DNA transposon(DNA トランスポゾン) 250
dolichol phosphate(ドリコールリン酸) 519
domain(ドメイン) 67
domain architecture(ドメインアーキテクチャ) 67
dominant-active(ドミナントアクティブ) 691
dominant mutation(顕性突然変異) 196
dominant-negative(ドミナントネガティブ) 691
dominant-negative mutation(ドミナントネガティブ変異) 197
donor(ドナー) 622
dorsal root ganglion cell(後根神経節細胞) 940
dosage compensation(遺伝子量補償) 267
double helix(二重らせん) 7, 154
double-label fluorescence microscopy(二重標識蛍光顕微鏡法) 132
double-positive (CD4$^+$CD8$^+$) cell(ダブルポジティブ (CD4$^+$CD8$^+$)細胞) 989
double-strand break(二本鎖切断) 776
double-stranded DNA(二本鎖 DNA) 205
doublet(ダブレット, 微小管の) 698
down-regulation(下方制御) 571
downstream(下流) 170, 283
downstream promoter element(下流プロモーターエレメント) 288
Down syndrome(ダウン症候群) 783
DPC(deleted in pancreatic carcinoma) 643, 1022
DPE 288
Dpp 640
Dravet syndrome(ドラベ症候群) 919
DRB-sensitivity-inducing factor(DRB 感受性誘導因子) 293
driver mutation(ドライバー変異) 224, 1010
Drosha 366
Drosophila melanogaster(ショウジョウバエ) 8, 18, 741, 920

dsDNA　205
DSIF　286, 293
dual-specificity（二重特異性）　627
dual-specificity kinase（二重特異性キナーゼ）　69
dual-specificity phosphatase（二重特異性ホスファターゼ）　629
Dub　91
Duchenne muscular dystrophy（デュシェンヌ型筋ジストロフィー）　26, 219, 675, 828
duplicated gene（重複遺伝子）　244
DUSP　629
duty ratio（デューティー比）　679
dynactin（ダイナクチン）　712
dynamic instability（動的不安定性）　701
dynamin（ダイナミン）　561, 935
dynamitin（ダイナミチン）　712
dynein（ダイニン）　706
dystroglycan（ジストログリカン）　828
dystrophic epidermolysis bullosa（栄養障害型表皮水疱症）　810
dystrophin（ジストロフィン）　675, 828
dystrophin glycoprotein complex（ジストロフィン糖タンパク質複合体）　27, 829

E

E1　91
E2　91
E2F　756
E3　91
early endosome（初期エンドソーム）　554
early endosome antigen 1（初期エンドソーム抗原1）　554
early gene expression（初期遺伝子発現）　190
early response gene（初期応答遺伝子）　628, 758
EB1（end binding-1）　704, 705
EB3　704
4E-BP　843
EBS　734
ECM　788
Ect2　775
Edman degradation（エドマン分解）　110
EDMD　735
EEA1　554
EF　184
effector（エフェクター）　775
effector neuron（エフェクターニューロン）　913
effector protein（エフェクタータンパク質）　578, 690, 837
effector specificity（エフェクター特異性）　581
efferent neuron（遠心性ニューロン）　913
EF hand（EFハンド）　65
EGF　67, 620
egg（卵）　744, 865
eIF　182
eIF2　370
eIF4E-binding protein（eIF4E結合タンパク質）　843
EJC　345
elastase（エラスターゼ）　823
elastin（エラスチン）　814, 822
electrical signal（電気シグナル）　910
electrical synapse（電気シナプス）　806, 938
electric energy（電気エネルギー）　51
electric potential（電位）　51
electrochemical gradient（電気化学的勾配）　412
electrochemical signaling（電気化学的シグナル）　912
electrogenic（電位発生的）　425
electron density map（電子密度図）　111
electronegativity（電気陰性度）　32

electron microscope grid（電子顕微鏡グリッド）　144
electron shuttle（電子シャトル）　466
electron transfer flavoprotein（電子伝達フラビンタンパク質）　473
electron transfer flavoprotein: ubiquinone oxidoreductase（電子伝達フラビンタンパク質：ユビキノンオキシドレダクターゼ）　473
electron-transport chain（電子伝達鎖）　448, 468
electrophoresis（電気泳動）　101
electrophoretic mobility shift assay（電気泳動移動度シフト測定法）　297
electroporation（電気穿孔法）　101
electrospray（エレクトロスプレー法）　108
E3 ligase（E3リガーゼ）　753
elongation（伸長，転写の）　172, 279
elongation complex（伸長複合体）　172
elongation factor（伸長因子）　184
elongation phase（伸長相）　663
embryoid body（胚様体）　868
embryonic neuroepithelial cell（胚性神経上皮細胞）　916
embryonic stem cell（胚性幹細胞）　121, 235, 866
Emerson effect（エマーソン効果）　488
Emery-Dreifuss muscular dystrophy（エメリ–ドレフュス型筋ジストロフィー）　735
EMSA　297
EMT　799, 1006
ENaC channel（ENaCチャネル）　944
ENCODE（Encyclopedia of DNA elements）　329
3′ end（3′末端）　153
5′ end（5′末端）　153
endergonic reaction（吸エルゴン反応）　52
endocrine signaling（内分泌シグナル伝達）　578
endocytic pathway（エンドサイトーシス経路）　544
endocytic vesicle（エンドサイトーシス小胞）　660
endocytosis（エンドサイトーシス）　14, 929
endoderm（内胚葉）　891
endoglycosidase-D（エンドグリコシダーゼD）　546
end-on attachment（末端結合）　768
endonucleolytic pathway（エンドヌクレアーゼ経路）　366
endoplasmic reticulum（小胞体）　13
endosomal sorting complexes required for transport protein（ESCRTタンパク質）　573
endosome（エンドソーム）　14
endosymbiont（内部共生者）　457
endosymbiont hypothesis（内部共生説）　16, 391, 480
endothelial cell（内皮細胞）　796
endothelium（内皮）　22
endothermic reaction（吸熱反応）　52
end-product inhibition（最終生成物阻害）　92
energy charge（エネルギー充足率）　451
energy coupling（エネルギー共役）　55
enhanceosome（エンハンソーム）　305
enhancer（エンハンサー）　23, 240, 282, 284, 295, 638
entactin（エンタクチン）　810
Entamoeba histolytica（赤痢アメーバ）　20
enthalpy（エンタルピー）　52
entropy（エントロピー）　52
entry（侵入）　190
enzyme（酵素）　7, 53, 60, 82
enzyme inhibitor（酵素阻害剤）　87
enzyme-substrate complex（酵素–基質（ES）複合体）　83
eosin（エオシン）　130
epidermal growth factor（上皮増殖因子）　67, 620
epidermolysis bullosa simplex（単純型表皮水疱症）　734
epigenetic code（エピジェネティックコード）　266
epigenetic mark（エピジェネティックマーク）　322
epigenetic modification（エピジェネティック修飾）　24

epigenetics（エピジェネティクス）　322
epimer（エピマー）　42
epimerase（エピメラーゼ）　42
epinephrine（エピネフリン）　579
epithelial-mesenchymal transition（上皮–間葉転換）　799, 1006
epithelial tissue（上皮組織）　787
epithelium, *pl.* epithelia（上皮）　22, 123, 787
epitope（エピトープ）　82, 124, 230, 965
epitope tag（エピトープタグ）　132
epitope tagging（エピトープ標識法）　105, 230
Epo　634
equatorial（エクアトリアル）　43
equilibrium constant（平衡定数）　47
equilibrium density-gradient centrifugation（密度勾配沈降平衡法）　101, 148
ER　13
ERAD　524, 848
ER-associated degradation（小胞体関連分解）　524, 848
ERE　320
ERF　852
ERM　675
ERMES（ER-mitochondria encounter structure）　462
Ero1　521
ERV　253
erythroblastosis virus（赤芽球症ウイルス）　1018
erythropoietin（エリスロポエチン）　634, 883
ES　108
ES cell（ES細胞）　866
Escherichia coli（大腸菌）　8, 204
ESE　348
E site（E部位）　182
essential amino acid（必須アミノ酸）　40
essential light chain（必須軽鎖）　677
EST　214
esterification（エステル化）　41
ETF　473
ETF:QO　473
eubacterium, *pl.* eubacteria（真正細菌）　9
euchromatin（ユークロマチン）　261, 306
eukaryote（真核生物）　10
eukaryotic cell（真核細胞）　3
evanescent wave（エバネッセント波）　136
excision-repair system（除去修復系）　163
excitable cell（興奮性細胞）　911
excitatory（興奮性）　911
excitatory receptor（興奮性受容体）　938
excitatory synapse（興奮性シナプス）　928
exergonic reaction（発エルゴン反応）　52
Exo-9　356
exocyst（エキソシスト）　554
exocytosis（エキソサイトーシス）　544
exome sequencing（エクソーム解析）　354
exon（エクソン）　173, 339
exonic splicing enhancer（エクソンスプライシングエンハンサー）　348
exonic splicing silencer（エクソンスプライシングサイレンサー）　352
exon-junction complex（エクソン接合部複合体）　345
exon shuffling（エクソンシャッフリング）　258, 356
3′→5′ exonuclease activity（3′→5′エキソヌクレアーゼ活性）　158
exoplasmic face（反細胞質側面）　390
exosome（エクソソーム）　334, 356
exothermic reaction（発熱反応）　52
exportin（エクスポーチン）　139, 366, 539
express（発現）　60
expressed sequence tag（発現配列タグ）　214
extensin（エクステンシン）　833
extracellular matrix（細胞外マトリックス）　22, 578, 788

extracellular signaling molecule（細胞外シグナル伝達分子） 577
extravasation（溢出） 830, 992, 1006
eyespot（眼点） 926
ezrin-radixin-moesin（エズリン-ラディキシン-モエシン） 675

F

F(ab), F(ab')₂ 962
FABP 405
facilitated diffusion（促進拡散） 413
facilitated transport（促進輸送） 413
facilitated transporter（促進輸送体） 413
FACS 121
F-actin（F アクチン） 661
facultative anaerobe（通性嫌気性生物） 452
FAD 56, 57, 450
FADD（Fas-associated DD protein） 906
familial adenomatous polyposis（家族性腺腫性ポリポーシス） 1022
familial hypercholesterolemia（家族性高コレステロール血症） 569
family（ファミリー） 68
FAP 1022
fatty acid（脂肪酸） 44
fatty acid-binding protein（脂肪酸結合タンパク質） 405
fatty acyl-CoA dehydrogenase（脂肪酸アシル CoA デヒドロゲナーゼ） 473
fatty acyl group（脂肪酸基） 44
Fc 962
F-class pump（F 型ポンプ） 419
FcR 966
Fc receptor（Fc 受容体） 966
feedback inhibition（フィードバック阻害） 92
feedback repression（フィードバック抑制） 584, 602, 837
feed-forward activation（フィードフォワード活性化） 452
fermentation（発酵） 452
fertilization（受精） 865
F factor（F 因子） 206
FG-nucleoporin（FG ヌクレオポリン） 537
FH（formin-homology） 667
FH（家族性高コレステロール血症） 569
fibril-associated collagen（細繊維結合コラーゲン） 814
fibrillar adhesion（繊維性接着） 824
fibrillar collagen（繊維状コラーゲン） 814
fibrillin-1（フィブリリン 1） 823
fibroblast（繊維芽細胞） 121, 814
fibronectin（フィブロネクチン） 820
fibrous protein（繊維状タンパク質） 69
fibulin（フィビュリン） 810
fight-or-flight response（闘争・逃走反応） 595
filamin（フィラミン） 673
filopodium, *pl*. filopodia（糸状仮足） 660
fimbrin（フィンブリン） 673
fingerprint（フィンガープリント） 239
first polar body（第一極体） 745
Fischer, Emil 83
FISH 239, 271
fission（分裂，ミトコンドリアの） 459
flagellum, *pl*. flagella（鞭毛） 12, 391, 715
flavin adenine dinucleotide（フラビンアデニンジヌクレオチド） 57, 450
flavin mononucleotide（フラビンモノヌクレオチド） 471

Fleming, Alexander 126
flippase（フリッパーゼ） 395, 428
flow cytometer（フローサイトメーター） 121
flower（花） 832
fluid mosaic model（流動モザイクモデル） 388
fluorescence-activated cell sorter（蛍光励起式セルソーター） 121
fluorescence in situ hybridization（蛍光 in situ ハイブリダイゼーション） 271
fluorescence microscopy（蛍光顕微鏡法） 130
fluorescence recovery after photobleaching（光退色後の蛍光回復） 137, 393, 723
fluorescence resonance energy transfer（蛍光共鳴エネルギー移動） 137
fluorescent dye（蛍光色素） 130
fluorescent staining（蛍光染色） 130
fluorochrome（蛍光色素） 130
FMN 471
FMRP 951
focal adhesion（フォーカルアドヒージョン） 675, 797
focal complex（フォーカルコンプレックス） 824
focal contact（フォーカルコンタクト） 797
F₀F₁ complex（F₀F₁ 複合体） 479
folding（折りたたみ） 74
formin（フォルミン） 667
Förster resonance energy transfer（フェルスター共鳴エネルギー移動） 137, 594
fragile X mental retardation protein（脆弱性 X 精神遅滞タンパク質） 951
fragile X syndrome（脆弱性 X 症候群） 951
frameshift mutation（フレームシフト変異） 177, 215
framework region（フレームワーク領域） 964
Franklin, Rosalind 7, 154
FRAP 137, 138, 393, 723
free-energy change（自由エネルギー変化） 52
FRET 137～139, 594
Frizzled（Fz） 647, 894
fructose 2,6-bisphosphate（フルクトース 2,6-ビスリン酸） 452
functional complementation（機能相補） 207
functional domain（機能ドメイン） 67
Fungi（真菌類） 743
fura-2 130, 589
furin（フリン） 565
fusion（融合，ミトコンドリアの） 459
FXS 951

G

γ-secretase（γ-セクレターゼ） 646
γ-tubulin ring complex（γ チューブリン環状複合体） 699
γ-TuRC 699
G-actin（G アクチン） 661
GAG 814, 817
gain-of-function mutation（機能獲得型変異） 197
Gal4 298
Gallus gallus（ニワトリ） 8
gamete（配偶子） 865
ganglion mother cell（神経母細胞） 895
ganglioside（ガングリオシド） 391
GAP 93, 184, 538, 584, 625, 691
gap junction（ギャップ結合） 795, 797, 915
gate（ゲート） 918
gated channel（開閉調節を受けるチャネル） 413
GATOR2 845
G$_{βγ}$ subunit（G$_{βγ}$ サブユニット） 591
GBS 925

GCaMP 142
GCN2（general control non-derepressible 2） 370
Gcn5 310
G-CSF 634
GDI 94, 554, 690
GDNF 1018
GDP/GTP exchange（GDP/GTP 交換反応） 93
GEF 94, 538, 625, 690
Geiger counter（ガイガーカウンター） 107
gelatinase（ゲラチナーゼ） 823
gel filtration chromatography（ゲル濾過クロマトグラフィー） 103
gel-shift assay（ゲルシフト法） 297
gelsolin（ゲルゾリン） 666
geminin（ジェミニン） 761
gene（遺伝子） 1, 7, 170, 240
gene control（遺伝子制御） 280
gene conversion（遺伝子変換） 170
gene expression（遺伝子発現） 279
gene family（遺伝子ファミリー） 244
general import pore（汎用取込み孔） 527
general transcription factor（基本転写因子） 172, 288～290
genetic code（遺伝暗号） 152
genetic code table（遺伝暗号表） 7
genetic complementation（遺伝的相補性） 200, 243
genetic drift（遺伝的浮動） 244
genetic heterogeneity（遺伝的多様性） 221
genetic screening（遺伝的スクリーニング） 198
genetic suppression（遺伝的抑制） 202
genome（ゲノム） 13
genome editing（ゲノム編集） 232
genome replication（ゲノムの複製） 191
genome-wide association study（全ゲノム相関解析） 222
genomic library（ゲノムライブラリー） 206
genomics（ゲノミクス） 4, 23
genotype（遺伝子型） 196
GEO（Gene Expression Omnibus） 329
gephyrin（ゲフィリン） 931
germarium（形成細胞巣） 877
germinal center（胚中心） 969
germ line（生殖系列） 877
GFAP 733, 734
GFP 105, 132, 230, 546
GH 634
Gibbs free energy（ギブズの自由エネルギー） 52
Gibbs, J. W. 52
GISIM 462
glia（グリア） 914
glia-derived neurotrophic factor（グリア細胞由来神経栄養因子） 1018
glial cell（グリア細胞） 189, 914
glial fibrillary acidic protein（グリア細胞繊維性酸性タンパク質） 734
globular protein（球状タンパク質） 69
glomerulus（糸球体） 944
G loop（G ループ） 95
glucagon（グルカゴン） 591, 839
glucomannan（グルコマンナン） 833
gluconeogenesis（糖新生） 600, 839
GLUT1 411, 415, 416
GLUT4 841
GLUT4 storage vesicle（GLUT4 貯蔵小胞） 840
glutamic acid（グルタミン酸） 39, 928
glutamine（グルタミン） 39
GLUT protein（GLUT タンパク質） 416
glycine（グリシン） 40
glycogen（グリコーゲン） 43, 596
glycogenolysis（グリコーゲン分解） 596
glycogen phosphorylase（グリコーゲンホスホリラーゼ） 597

glycogen phosphorylase kinase（グリコーゲンホスホリラーゼキナーゼ） 598
glycogen synthase（グリコーゲンシンターゼ） 597
glycolipid（糖脂質） 391
glycolysis（解糖） 56, 450
glycolytic pathway（解糖系） 450
glycophorin C（グリコホリン C） 675
glycoprotein（糖タンパク質） 402, 519, 546
glycosaminoglycan（グリコサミノグリカン） 43, 814, 817
glycosidase（グリコシダーゼ） 520
glycosidic bond（グリコシド結合） 37
glycosphingolipid（スフィンゴ糖脂質） 406
glycosylation（グリコシル化） 518
glycosylphosphatidylinositol（グリコシルホスファチジルイノシトール） 401, 516, 565, 803
glycosyltransferase（グリコシルトランスフェラーゼ） 519
glyoxisome（グリオキシソーム） 16
GMC 895
Golgi, Camillo 947
Golgi complex（ゴルジ体） 14
Golgi stain（ゴルジ染色） 947
Goodpasture's syndrome（グッドパスチャー症候群） 813
GP 597
GPCR 578, 590, 601, 602, 928
G_0 phase（G_0 期） 17, 742
G_1 phase（G_1 期） 17, 740
G_2 phase（G_2 期） 17, 740
GPI 401, 516, 565, 803
GPK 598
G protein-coupled receptor（G タンパク質共役型受容体） 578, 590
G-protein-coupled receptor kinase（G タンパク質共役型受容体キナーゼ） 603
GR 321
granulocyte colony-stimulating factor（顆粒球コロニー刺激因子） 634
granum, pl. grana（グラナ） 16, 487
granzyme（グランザイム） 966, 990
GRE 320
green fluorescent protein（緑色蛍光タンパク質） 105, 132, 230, 546
Greider, Carol 276
GRK 603
GroEL/GroES 79
ground tissue（基本組織） 832
group I intron（グループ I イントロン） 355, 381
group II intron（グループ II イントロン） 355, 381
group VII ethylene response factor（グループ VII エチレン応答因子） 852
growth factor（増殖因子） 578, 618
growth hormone（成長ホルモン） 634
GS 597
GSV 840
G_t 610
GTF 288
GTP analogue（GTP アナログ） 593
GTPase 78, 93
GTPase-activating protein（GTPase 活性化タンパク質） 93, 184, 538, 584, 625, 691
GTPase superfamily（GTPase スーパーファミリー） 93, 187, 583, 624
guanine, G（グアニン） 41, 153
guanine nucleotide dissociation inhibitor（グアニンヌクレオチド解離阻害因子） 94, 554, 690
guanine nucleotide exchange factor（グアニンヌクレオチド交換因子） 94, 538, 625, 690
Guillain-Barre syndrome（ギラン-バレー症候群） 925
gustducin（ガスト デューシン） 942

GWAS 222

H

HA（赤血球凝集素） 67
HA（ヒアルロン酸） 819
habituation（馴化） 948
Haemophilus influenzae（インフルエンザ菌） 8
hair cell（有毛細胞） 349
half-channel（半チャネル） 484
half-life（半減期） 105
half-reaction（半反応） 57
halophile（好塩菌） 10
haploid（一倍体） 19, 196
haplo-insufficient（ハプロ不全） 197
haplotype（ハプロタイプ） 223
Hartwell, L. H. 199, 740, 750
HA synthase（HA シンターゼ） 819
HAT 264
H-2 complex（H-2 複合体） 973
HD 219
HDAC 264, 307
head（頭部） 711
head domain（頭部ドメイン） 708
heat（熱） 959
heat-shock element（熱ショック配列） 854
heat-shock factor（熱ショック因子） 853
heat-shock gene（熱ショック遺伝子） 322
heat-shock protein（熱ショックタンパク質） 77, 853
heat-shock response（熱ショック応答） 838
heavy chain（重鎖） 82, 961
heavy meromyosin（ヘビーメロミオシン） 677
Hedgehog（ヘッジホッグ） 646
helicase（ヘリカーゼ） 159, 292
Helicobacter pylori（ピロリ菌） 8, 1005
helix-loop-helix（ヘリックス-ループ-ヘリックス） 65
helix-turn-helix（ヘリックス-ターン-ヘリックス） 65
helix-turn-helix motif（ヘリックス-ターン-ヘリックスモチーフ） 300
helper T cell（ヘルパー T 細胞） 973
hemagglutinin（赤血球凝集素） 67
hematopoietic stem cell（造血幹細胞） 881
hematoxylin（ヘマトキシリン） 130
heme（ヘム） 470
heme-regulated inhibitor（ヘム調節インヒビター） 370
hemicellulose（ヘミセルロース） 833
hemidesmosome（ヘミデスモソーム） 797, 801
Henderson-Hasselbalch equation（ヘンダーソン-ハッセルバルヒの式） 49
heparin（ヘパリン） 817
heptad（ヘプタド） 65, 554
heptad repeat（ヘプタドリピート） 65
HER 586, 620, 1017
herd immunity（集団免疫） 997
hereditary nonpolyposis colorectal cancer（家族性非ポリポーシス大腸がん） 165, 1009
hereditary retinoblastoma（家族性（遺伝性）網膜芽細胞腫） 1012
hereditary spherocytic anemia（遺伝性球状赤血球貧血） 675
heredity（遺伝） 7
heritability（遺伝率） 222
heterochromatin（ヘテロクロマチン） 13, 261, 306
heterochromatin protein 1（ヘテロクロマチンタンパク質 1） 265
heteroduplex（ヘテロ二本鎖） 168
heterogeneous nuclear RNA（ヘテロ核 RNA） 337

heterogeneous ribonucleoprotein particle（ヘテロリボ核タンパク質粒子） 337
heterologous desensitization（異種脱感作） 603
heteromer（ヘテロマー） 70
heterophilic binding（異種間結合） 789
heteroplasmy（ヘテロプラスミー） 458
heterotrimeric G protein（ヘテロ三量体 G タンパク質） 583
heterotypic adhesion（異種間接着） 789
heterozygote（ヘテロ接合体） 196
hexokinase（ヘキソキナーゼ） 450
hexose（六炭糖） 42
Hh 646
HIF-1α 850, 1006
HIF-1β 850
high-energy bond（高エネルギー結合） 55
high-mobility group protein（HMG タンパク質） 269
high-throughput LC-MS/MS（ハイスループット LC-MS/MS） 114
hippocampus（海馬） 916, 949
Hippo pathway（Hippo 経路） 838
histidine（ヒスチジン） 39
histone（ヒストン） 260, 306
histone acetylase（ヒストンアセチラーゼ） 310
histone acetyltransferase（ヒストンアセチルトランスフェラーゼ） 264, 310
histone code（ヒストンコード） 263, 323
histone deacetylase（ヒストンデアセチラーゼ） 264, 307
histone deacetylation（ヒストン脱アセチル化） 308
histone lysine demethylase（ヒストンリシンデメチラーゼ） 323
histone methyltransferase（ヒストンメチルトランスフェラーゼ） 265
histone-modifying enzyme（ヒストン修飾酵素） 1016
histone octamer（ヒストン八量体） 259
histone tail（ヒストン尾部） 263, 306
HIV 192, 293, 362
H^+/K^+ ATPase 444
HLA complex（HLA 複合体） 973
HMG-CoA reductase（HMG-CoA レダクターゼ） 407
HMM 677
HMT 265
HNPCC 1009
hnRNA 333, 337
hnRNP 335, 337
Holliday, Robin 168
Holliday structure（ホリディ構造） 168
holoenzyme（ホロ酵素） 312
homeodomain（ホメオドメイン） 300
homeostasis（ホメオスタシス） 47, 837
homeostatic chemokine（恒常性ケモカイン） 992
homogenate（ホモジネート） 148
homolog（ホモログ） 20, 68, 216
homologous desensitization（同種脱感作） 603
homologous recombination（相同組換え） 166, 168, 777
homology（相同） 68
homomer（ホモマー） 70
homophilic binding（同種間結合） 789
Homo sapiens（ヒト） 8
homotypic adhesion（同種間接着） 789
homozygote（ホモ接合体） 196
Hooke, Robert 119
hormone（ホルモン） 578
Horvitz, Robert 898
host defense collagen（宿主防御コラーゲン） 814
host range（宿主域） 189
Hox gene（Hox 遺伝子） 325
Hox protein（Hox タンパク質） 25
HP1 265

HPV 192
HRE 850
HRI 370
Hrs 573
HSC 881
HSE 854
HSF 853
HSP 78, 533, 853
H$^+$/sucrose antiporter（H$^+$/スクロース対向輸送体） 442
HSV-I（単純ヘルペスウイルスⅠ型） 294
HTLV 192
human epidermal growth factor receptor（ヒト上皮増殖因子受容体） 620, 1017
human immunodeficiency virus（ヒト免疫不全ウイルス） 192, 362
human kinome（ヒトキノーム） 69
human papillomavirus（ヒトパピローマウイルス） 192
human T-cell lymphotropic virus（ヒトTリンパ球向性ウイルス） 192
Huntington's disease（ハンチントン病） 219, 248
Hunt, Tim 750
HXMS 113
hyaluronan（ヒアルロナン） 819
hyaluronate（ヒアルロン酸塩） 819
hyaluronic acid（ヒアルロン酸） 819
hybridization（ハイブリッド形成） 156, 224
hybridoma（ハイブリドーマ） 124
hydration（水和） 34
hydration shell（水和殻） 34
hydrocarbon（炭化水素） 35
hydrogen bond（水素結合） 34
hydrogen/deuterium exchange mass spectroscopy（水素-重水素交換質量分析法） 113
hydrolysis（加水分解） 37
hydropathic index（疎水性指標） 517
hydropathy profile（疎水性分布図） 517
hydrophilic amino acid（親水性アミノ酸） 39
hydrophilicity（親水性） 9, 29, 388
hydrophobic amino acid（疎水性アミノ酸） 38
hydrophobic interaction（疎水性相互作用） 35
hydrophobicity（疎水性） 9, 29, 388
hydroxyproline（ヒドロキシプロリン） 811
hydroxyurea（ヒドロキシ尿素） 746
hyperacetylated（高アセチル化状態） 264
hyperchromicity（濃色効果） 156
hyperpolarization（過分極） 919
hypertonic solution（高張液） 417
hypertrophic cardiomyopathy（肥大型心筋症） 683
hypervariable region（超可変領域） 964
hypoacetylated（低アセチル化状態） 264
hypoacetylation（低アセチル化） 307
hypoglycemia（低血糖） 838
hypothalamus（視床下部） 634, 857
hypotonic solution（低張液） 417
hypoxia-inducible factor 1α（低酸素誘導因子 1α） 850, 1006
hypoxia-responsive element（低酸素応答配列） 850
hypoxic（低酸素状態） 1003

I

IAP 905
ICAM 829, 831
I-cell disease（I細胞病） 564
ICM 868
I domain（Iドメイン） 802
IDP 70
IDR 70, 312, 365

IEF 102
IF（開始因子） 182
IF（中間径フィラメント） 731
IFAP 736
IFT 652, 718
Ig 961
IgCAM 829
I-κB 91
I-κBα 653
I-κB kinase（I-κB キナーゼ） 653
IL 653, 635
ILC 958, 991
imatinib（イマチニブ） 1012
Ime2 780
imidazole（イミダゾール） 39
immune checkpoint pathway（免疫チェックポイント経路） 1029
immune system（免疫系） 953
immunity（免疫） 953
immunoaffinity chromatography（抗体アフィニティークロマトグラフィー） 104
immunoblotting（免疫ブロット法） 105, 954
immunoediting（免疫編集） 1029
immunoelectron microscopy（免疫電子顕微鏡法） 145
immunofluorescence（免疫蛍光法） 954
immunofluorescence microscopy（免疫蛍光顕微鏡法） 119, 131
immunoglobulin（免疫グロブリン） 82, 954, 961
immunoglobulin domain（免疫グロブリンドメイン） 82
immunoglobulin fold（免疫グロブリン折りたたみ構造） 965
immunological checkpoint（免疫チェックポイント） 998
immunoprecipitation（免疫沈降法） 105
immunoproteasome（免疫プロテアソーム） 979
immunoreceptor tyrosine-based activation motif（免疫受容体活性化チロシンモチーフ） 970
impila（インピラ） 486
importin（インポーチン） 538
import receptor（取込み受容体） 527
Indel 1010
indirect-acting carcinogen（間接作用発がん物質） 1008
indirect immunofluorescence microscopy（間接免疫蛍光顕微鏡法） 132
induced fit（誘導適合） 37, 83
induced pluripotent stem cell（人工多能性幹細胞） 866, 871
induced regulatory T cell（誘導性制御性T細胞） 991
inflammasome（インフラマソーム） 958, 994
inflammation（炎症） 959
inflammatory chemokine（炎症性ケモカイン） 992
inflammatory response（炎症反応） 959
inflammatory T cell（炎症性T細胞） 991
inhibitor of apoptosis protein（アポトーシス阻害タンパク質） 905
inhibitory（抑制性） 911
inhibitory receptor（抑制性受容体） 938
inhibitory synapse（抑制性シナプス） 928
initiation（開始, 転写の） 170, 279
initiation codon（開始コドン） 176
48S initiation complex（48S 開始複合体） 184
80S initiation complex（80S 開始複合体） 184
initiation factor（開始因子） 182
initiator（イニシエーター） 288
INK4（inhibitor of kinase 4） 752
innate immune system（自然免疫系） 957
innate lymphoid cell（自然リンパ球） 958, 991
inner-arm（内腕） 716
inner cell mass（内部細胞塊） 865, 868
inner membrane（内膜, ミトコンドリアの） 16, 454

inner nuclear membrane（核内膜） 12
innexin（イネキシン） 807
inosine, I（イノシン） 179
inositol 1,4,5-trisphosphate（イノシトール 1,4,5-トリスリン酸） 604
insertion or deletion（挿入欠失） 1010
insertion sequence（挿入配列） 250
insig-1（2）/SCAP/SREBP pathway（insig-1（2）/SCAP/SREBP 経路） 848
in situ hybridization（in situ ハイブリダイゼーション） 224
insula（島皮質） 942
insulin（インスリン） 839
insulin-dependent diabetes（インスリン依存性糖尿病） 842
integral membrane protein（膜内在性タンパク質） 69, 397
integrin（インテグリン） 641, 689, 801
intercalated disk（介在板） 683
intercellular interaction（細胞間相互作用） 789
interferon（インターフェロン） 635, 959
intergenic region（遺伝子間領域） 247
interleukin（インターロイキン） 635, 653, 990
intermediate filament（中間径フィラメント） 12, 659, 695, 731
intermediate filament-associated protein（中間径フィラメント結合タンパク質） 736
intermediate-repeat DNA（中頻度反復 DNA） 249
intermembrane space（膜間腔, ミトコンドリアの） 16, 455
internal promoter element（内部プロモーターエレメント） 330
internal ribosome entry site（内部リボソーム結合部位） 184
interneuron（介在ニューロン） 910
interphase（間期） 740
interspersed repeat（散在性反復配列） 249
intersystem crossing（項間交差） 491
intraflagellar transport（鞭毛内輸送） 652, 718
intravital imaging（生体内イメージング） 136
intrinsically disordered protein（天然変性タンパク質） 70
intrinsically disordered region（天然変性領域） 70, 312, 365
intrinsic polarity program（内在性の極性化プログラム） 886
intron（イントロン） 173, 339
intronic splicing enhancer（イントロンスプライシングエンハンサー） 352
intronic splicing silencer（イントロンスプライシングサイレンサー） 350
invadopodium（浸潤突起） 1006
invagination（陥入） 14
invariant chain（インバリアント鎖） 977
inverted repeat（逆方向反復配列） 251
in vitro motility assay（in vitro 運動測定法） 679
in vitro wound-healing assay（in vitro 傷修復計測法） 691
ion-exchange chromatography（イオン交換クロマトグラフィー） 104
ionic bond（イオン結合） 33
ionic interaction（イオン相互作用） 33
ionophore（イオノホア） 478
ionotropic glutamate receptor（イオンチャネル型グルタミン酸受容体） 938
ion-selectivity filter（イオン選択フィルター） 433
IP 105
IP$_3$ 582, 604, 605
IP$_3$/DAG pathway（IP$_3$/DAG 経路） 604
IP$_3$-gated Ca^{2+} channel（IP$_3$ 依存性 Ca^{2+} チャネル） 606
iPS cell（iPS 細胞） 866

IRE-BP　371
IRES　184
iron-response element-binding protein（鉄応答エレメント結合タンパク質）　371
iron-sulfur cluster（鉄-硫黄クラスター）　471
irregular structure（不規則構造）　62
irreversible process（不可逆的過程）　759
IS element（IS 因子）　250
I-Smad　642
isoelectric focusing（等電点電気泳動）　102
isoelectric point（等電点）　102
isoform（アイソフォーム）　174, 794
isoleucine（イソロイシン）　38
isopeptide bond（イソペプチド結合）　91
isoproterenol（イソプロテレノール）　587
isotonic solution（等張液）　417
isotype（アイソタイプ）　962
ITAM　970
ivacaftor（アイバカフトール）　430

J, K

JAK kinase（JAK キナーゼ）　634
JAM　804, 829
jasplakinolide（ジャスプラキノリド）　672
JNK　628
junction adhesion molecule（結合接着分子）　804, 829
Jun N-terminal kinase（Jun N 末端キナーゼ）　628
juxtaparanode（傍パラノード）　926

Kandel, Eric　948
karyomere（染色体胞）　773
karyotype（核型）　271
KAT　264
katanin（カタニン）　706
kcal（キロカロリー）　52
K_d　581
KDEL receptor（KDEL 受容体）　557
KDEL sorting signal（KDEL 選別シグナル）　557
Kearns-Sayre syndrome（カーンズ-セイヤー症候群）　459
keratin（ケラチン）　732
keratinocyte（ケラチノサイト）　733
KH domain（KH ドメイン）　338
kinase（キナーゼ）　94
kinase cascade（キナーゼカスケード）　624
kinase domain（キナーゼドメイン）　95
kindlin（キンドリン）　825, 828
kinesin（キネシン）　706, 708
kinetic energy（運動エネルギー）　51
kinetochore（動原体）　276, 721, 741, 767
kinetochore microtubule（動原体微小管）　722
KKXX sorting signal（KKXX 選別シグナル）　558
kleisin（クライシン）　263
K_m　84
Kornberg, Arthur　157
Koshland, Daniel　83
Kozak sequence（コザック配列）　184
Krebs cycle（クレブス回路）　464
kymograph（カイモグラフ）　705

L

lactic acid fermentation（乳酸発酵）　453
Lactococcus lactis（乳酸菌）　3
lagging strand（ラギング鎖）　159
lamellipodium, *pl.* lamellipodia（葉状仮足）　660
lamin（ラミン）　13, 732

laminin（ラミニン）　809, 810
laminopaty（ラミン病）　735
Langerhans cell（ランゲルハンス細胞）　993
LARGE　828
large rRNA（長鎖 rRNA）　181
large T-antigen（ラージ T 抗原）　161
laser-scanning confocal microscope（レーザー走査型共焦点顕微鏡）　134
late endosome（後期エンドソーム）　544
latent（潜在型）　641
latent TGF-β binding protein（潜在型 TGF-β 結合タンパク質）　641, 822
lateral interaction（側方性相互作用）　790
lateral surface（側面）　22, 123, 796
latrunculin（ラトランキュリン）　671
LC　102
LC-MS/MS　110, 115, 116
LDL　568
LDLR　568
LDL receptor（LDL 受容体）　568
leading edge（先導端）　660
leading strand（リーディング鎖）　159
leaf（葉）　832
leaflet（リーフレット）　389
Leber's hereditary optic neuropathy（レーバー遺伝性視神経症）　459
lectin（レクチン）　402
lectin domain（レクチンドメイン）　830
Leeuwenhoek, Antonie　119
lentivirus（レンチウイルス）　228
leptin receptor positive（レプチン受容体陽性）　882
leucine（ロイシン）　38
leucine-rich repeat（ロイシンに富む反復配列）　993
leucine zipper（ロイシンジッパー）　65, 302
leukapheresis（白血球除去）　1029
leukemia（白血病）　1001
leukocyte（白血球）　955
leukocyte-adhesion deficiency（白血球接着不全症）　831
Levi-Montalcini, Rita　620, 902
levo（L）　38
LG domain（LG ドメイン）　811
LH　608
LHC　490
LHRH　608
lidocaine（リドカイン）　923
ligand（リガンド）　47, 81, 577
ligand-binding curve（リガンド結合曲線）　585
ligand-binding site（リガンド結合部位）　81
ligand domain（リガンドドメイン）　138
ligand-gated channel（リガンド依存性チャネル）　936
ligand-induced dimerization（リガンド誘導性二量体化）　962
ligation（連結）　205
light adaptation（明順応）　613
light chain（軽鎖）　82, 961
light-harvesting complex（集光性複合体）　490
light meromyosin（ライトメロミオシン）　677
light reaction（明反応）　490
light-sheet microscopy（光シート顕微鏡法）　142
lignin（リグニン）　833
limit of resolution（分解能の限界）　128
Lin（lineage-restricted）　881
LINC（linker of nucleoskeleton and cytoskeleton）　735
LINE　241, 255, 256
liner electron flow pathway（線形電子伝達経路）　495
linkage（連鎖）　220
linkage disequilibrium（連鎖不平衡）　223
linker（リンカー）　209, 711
linker DNA（リンカー DNA）　260
linker domain（リンカードメイン）　708
linker histone（リンカーヒストン）　260

linker scanning mutagenesis（リンカースキャニング変異）　294
lipid（脂質）　36
lipid-anchored membrane protein（脂質アンカー膜タンパク質）　397
lipid droplet（脂質滴）　396
lipid-linked oligosaccharide（脂質結合糖鎖）　428
lipid raft（脂質ラフト）　396
Lipmann, Fritz　54
lipoprotein（リポタンパク質）　36, 45, 568
liposome（リポソーム）　388
liquid chromatography（液体クロマトグラフィー）　102
liquid-liquid phase separation（液-液相分離）　71, 312, 365
Listeria monocytogenes（リステリア）　669
live cell imaging（生細胞イメージング法）　128
live cell microscopy（生細胞顕微鏡法）　130
LLO　428
LLPS　312, 365
LMM　677
lncRNA　246, 267, 280, 326
LOH　1013
long interspersed element（長鎖散在因子）　255
long noncoding RNA（長鎖非コード RNA）　246, 280, 326
long-term depression（長期抑制）　950
long terminal repeat（長鎖末端反復配列）　252
long-term potentiation（長期増強）　950
loss-of-function mutation（機能喪失型変異）　196
loss of heterozygosity（ヘテロ接合性の喪失）　1013
Lou Gehrig's disease（ルー・ゲーリグ病）　872
low-density lipoprotein（低密度リポタンパク質）　568
low-molecular-weight G protein（低分子量 G タンパク質）　584
loxP-Cre recombination system（*loxP*-Cre 組換え系）　235
LSCM　134
LTBP　641, 822
LTD　950
LTP　950
LTR　252
luciferase（ルシフェラーゼ）　104
lumen（小胞体内腔）　14
lumen（内腔）　390
luminal sorting signal（内腔選別シグナル）　553
luteinizing hormone（黄体形成ホルモン）　608
luteinizing hormone-releasing hormone（黄体形成ホルモン放出ホルモン）　608
lymph（リンパ液）　956
lymph node（リンパ節）　956
lymphocyte（リンパ球）　956
lymphoma（リンパ腫）　1001
Lynch syndrome（リンチ症候群）　1009
lysine（リシン）　39
lysis（溶解，溶菌）　191
lysosomal storage disease（リソソーム蓄積症）　564
lysosome（リソソーム）　14
lysozyme（リゾチーム）　957
lytic cycle（溶解生活環）　190

M

macroH2A（マクロ H2A）　328
macromolecule（巨大分子）　5, 37
macronucleus（大核）　275
macrophage（マクロファージ）　955, 959
Madin-Darby canine kidney cell（MDCK 細胞）　123, 798
MAF1　331

欧文索引

magnetic resonance imaging（核磁気共鳴画像法） 924
MAIT cell（MAIT 細胞） 983
major groove（主溝） 154
major histocompatibility complex（主要組織適合遺伝子複合体） 954, 973
malate-aspartate shuttle（リンゴ酸-アスパラギン酸シャトル） 466
MALDI 108
malignant tumor（悪性腫瘍） 1006
MAM 461, 606
mannose-binding lectin pathway（マンノース結合レクチン経路） 958
mannose 6-phosphate（マンノース 6-リン酸） 562
mannose 6-phosphate receptor（マンノース 6-リン酸受容体） 562
MAP 700
MAP kinase（MAP キナーゼ） 624
Marfan syndrome（マルファン症候群） 823
mass spectrometry（質量分析） 108
mast cell（マスト細胞） 960
master splicing factor（マスタースプライシング因子） 351
master transcription factor（マスター転写因子） 24, 617
maternal mRNA（母性 mRNA） 867
matriglycan（マトリグリカン） 828
matrisome（マトリソーム） 809
matrix（マトリックス） 16, 455, 525
matrix-assisted laser desorption/ionization（マトリックス支援レーザー脱離イオン化法） 108
matrix metalloproteinase（マトリックスメタロプロテイナーゼ） 823
matrix-targeting sequence（マトリックス輸送配列） 526
maturase（マチュラーゼ） 356
maturation-promoting factor（卵成熟促進因子） 745
maximal velocity（最大速度） 83
MBP 925
MCC 727, 779
McClintock, Barbara 249
MCM helicase（MCM ヘリカーゼ） 761
MCS 461, 833
MCTP 833
MCU 606
Mdm2 778, 1026
M domain（M ドメイン） 507
MDR1 426
MDR2 428
MDS 354
mechanical energy（力学的エネルギー） 51
mechanoreceptor（機械受容体） 837
mechanosensor（機械刺激センサー） 794, 939
mechanotransduction（機械刺激伝達） 794
mediator（メディエーター） 306
mediator of transcription complex（転写複合体メディエーター） 306
medium（培地） 120, 585
meiosis（減数分裂） 167, 780
meiosis I（減数第一分裂） 744, 780
meiosis II（減数第二分裂） 744, 780
MEKK 628
MEK kinase（MEK キナーゼ） 628
melanocyte（メラノサイト） 736
melanoma（メラノーマ） 166
melanosome（メラノソーム） 714, 736
melting（融解） 155
melting temperature（融解温度） 156
membrane attack complex（膜侵襲複合体） 958
membrane contact site（膜接触部位） 461, 833
membrane intrinsic protein（膜内在性タンパク質） 69
membrane nucleoporin（膜ヌクレオポリン） 537
membrane potential（膜電位） 412, 911

membrane transport protein（膜輸送タンパク質） 60, 387, 411
memory（記憶） 953
memory cell（記憶細胞） 991
Menten, Maud Leonora 83
meristem（分裂組織） 833, 884
merotelic attachment（メロテリック結合） 769
merozoite（メロゾイト） 21
mesenchyme（間葉） 868
mesoderm（中胚葉） 891
mesophyll cell（葉肉細胞） 500
messenger ribonuclear protein complex（メッセンジャーリボ核タンパク質複合体） 539
messenger RNA（メッセンジャー RNA） 1, 7, 74, 152, 175
metabolic cooperation（代謝協同） 806
metabolic coupling（代謝共役） 71, 87, 806
metabolic intermediate（代謝中間体） 450
metalloprotease（メタロプロテアーゼ） 644
metal shadowing（金属シャドウイング） 144
metaphase（中期） 721
metaphase chromosome（中期染色体） 261
metaphase plate（中期板） 725, 742
metastasis（転移） 1002
metazoan TOR（多細胞動物の TOR） 843
methionine（メチオニン） 38
methotrexate（メトトレキセート） 528
Meyerhof, Otto 54
MFN 461
MHC 954, 973
MHC molecule（MHC 分子） 1027
MHC product（MHC 産物） 955
MHC restriction（MHC 拘束性） 974
micelle（ミセル） 388
Michaelis constant（ミカエリス定数） 84
Michaelis, Leonor 83
Michaelis-Menten equation（ミカエリス-メンテン式） 84
MICOS（mitochondrial contact site and cristae organizing system） 455
microexon（マイクロエクソン） 353
microfilament（ミクロフィラメント） 12, 658
microglia（ミクログリア） 914
microRNA（マイクロ RNA） 236, 245, 364
microsatellite（マイクロサテライト） 221, 247
microscopic reversibility（微視的可逆性） 46
microsome（ミクロソーム） 506
microtuble-associated protein（微小管結合タンパク質） 700
microtubular protein（微小管タンパク質） 700
microtubule（微小管） 12, 658, 695
microtubule-organizing center（微小管形成中心） 698, 720
microvillus, pl. microvilli（微絨毛） 660
Miller-Dieker lissencephaly（ミラー-ディーカー滑脳症） 712
Miller syndrome（ミラー症候群） 456
MINFLUX 142
minichromosome maintenance（MCM）protein（MCM タンパク質） 162
minisatellite（ミニサテライト） 248
minor groove（副溝） 154
Miranda 895
miRNA 236, 245, 364
mismatch excision repair（ミスマッチ除去修復） 164
mis-segregation（誤った分配） 1013
missense mutation（ミスセンス変異） 177, 215
Mitchell, Peter 479
mitochondria-associated membrane（ミトコンドリア接触領域） 461, 606
mitochondrial calcium uniporter（ミトコンドリアカルシウム単一輸送体） 606

mitochondrial DNA（ミトコンドリア DNA） 457
mitochondrial ribosome（ミトコンドリアリボソーム） 112
mitochondrion, pl. mitochondria（ミトコンドリア） 16, 450
mitofusin（マイトフュージン） 461
mitogen（分裂促進因子） 44, 740, 758, 1019
mitophagy（マイトファジー） 461
mitosis（有糸分裂） 17, 720
mitosis-promoting factor（有糸分裂促進因子） 745
mitotic apparatus（分裂装置） 767
mitotic aster（分裂期星状体） 741
mitotic budding（出芽） 19
mitotic checkpoint complex（分裂チェックポイント複合体） 727, 779
mitotic exit network（分裂期脱出ネットワーク） 773
mitotic phase（分裂期） 17, 740
mitotic spindle（紡錘体） 721, 767
mitral neuron（僧帽ニューロン） 944
MK2 776
MLC 686
MLC kinase（ミオシン軽鎖キナーゼ） 686
MMP 823
MMTV 647
mobile DNA element（可動性 DNA 因子） 249
model organism（モデル生物） 17
moderately repeated DNA（中頻度反復 DNA） 249
modification enzyme（修飾酵素） 204
molecular chaperone（分子シャペロン） 76
molecular complementarity（分子相補性） 36, 81
molecular handcuff（分子手錠） 627
molecular machine（分子機械） 60
molecular targeted therapy（分子標的療法） 1012
molecular transformation（分子変換） 60
monastrol（モナストロール） 127
monocistronic（モノシストロン性） 240
monoclonal antibody（モノクローナル抗体） 124, 965
monogenic disease（単因子性疾病） 219
monomer（単量体） 5, 37
monomeric G protein（単量体 G タンパク質） 584
monopolin complex（モノポリン複合体） 784
monosaccharide（単糖） 42
monotelic attachment（モノテリック結合） 769
monoubiquitinylation（モノユビキチン化） 97, 623
Morgan, T. H. 25
morphogen（モルフォゲン） 648
morula（桑実胚） 861, 867
mosaic development（モザイク発生） 865
motor neuron（運動ニューロン） 910
motor protein（モータータンパク質） 60, 658, 706
mouse mammary tumor virus（マウス乳腺腫瘍ウイルス） 647
M6P 562
MPF 745
M phase（M 期） 17, 740
MRI 924
mRNA 1, 7, 74, 152, 175, 176
mRNA surveillance（mRNA 監視機構） 372
MRN complex（MRN 複合体） 776
mRNP 539
mRNP exporter（mRNP エクスポーター） 359, 539
mRNP remodeling（mRNP リモデリング） 360
MS（質量分析） 108
MS（多発性硬化症） 925
mtDNA 457
MTOC 698, 703, 720
mTOR 843
mTORC1 837, 843〜846
mTOR protein kinase（mTOR プロテインキナーゼ） 837
Mtr4 357
mucin（ムチン） 519

mucus（粘液） 519
Muller, Hermann J. 200, 1009
multi-adhesive matrix protein（多価接着マトリックスタンパク質） 809
multicolor FISH（マルチカラー FISH） 271
multidrug-resistance（MDR）transport protein（多剤耐性輸送タンパク質） 426
multi-hit model（多段階ヒットモデル） 1022
multimeric protein（多量体タンパク質） 70
multipass transmembrane protein（複数回膜貫通タンパク質） 399, 513
multiple endocrine neoplasia type 2（多発性内分泌腺腫症 II 型） 1018
multiple sclerosis（多発性硬化症） 925
multipotency（多能性） 123, 866
multiprotein complex（多量体タンパク質複合体） 465
multiubiquitinylation（多ユビキチン化） 97
multivesicular body（多胞体） 572
multivesicular endosome（多胞エンドソーム） 572
muscarinic acetylcholine receptor（ムスカリン性アセチルコリン受容体） 593
muscular distrophy（筋ジストロフィー） 828
muscular tissue（筋組織） 787
MuSK 930
Mus musculus（マウス） 8, 18
mutagen（突然変異原） 20, 196, 1001
mutation（突然変異） 1, 162, 196
mutually antagonistic complex（相互に拮抗する複合体） 887
myasthenia gravis（重症筋無力症） 936
Mycoplasma genitalium（マイコプラズマ） 8
myddosome（ミッドソーム） 993
myelin basic protein（ミエリン塩基性タンパク質） 925
myelin sheath（ミエリン鞘） 911, 923
myelodysplastic syndrome（骨髄異形成症候群） 354
myeloma cell（骨髄腫細胞） 124
myofibril（筋原繊維） 682
myosin（ミオシン） 676
myosin heavy chain（ミオシン重鎖） 677
myosin light-chain kinase（ミオシン軽鎖キナーゼ） 686
myotonic dystrophy type 1（1 型筋強直性ジストロフィー） 248

N

NA 128
N-acetylgalactosamine（N-アセチルガラクトサミン） 402
N-acetylglucosamine（N-アセチルグルコサミン） 41
NAD^+ 56, 450
NADH-CoQ reductase（NADH-CoQ レダクターゼ） 471
$NADP^+$ 495
Na^+/H^+ antiporter（Na^+/H^+ 対向輸送体） 440
$Na^+HCO_3^-/Cl^-$ antiporter（$Na^+HCO_3^-/Cl^-$ 対向輸送体） 440
naive B lympocyte（ナイーブ B リンパ球） 963
Na^+/K^+ ATPase 424
NALP（neuronal inhibitors of apoptosis） 994
nanobody（ナノボディ） 125
nascent cell plate（新生細胞板） 729
nascent RNA（新生 RNA） 172
natural killer（NK）cell（ナチュラルキラー細胞） 959
natural regulatory T cell（ナチュラル制御性 T 細胞） 989
NCAM 830
nebulin（ネブリン） 683
necroptosis（ネクロプトーシス） 897, 906

necrosis（ネクローシス） 897
negative staining（ネガティブ染色法） 144
NELF（negative elongation factor） 293, 336
N-end rule（N 末端ルール） 852
neo-antigen（ネオアンチゲン） 1026
neoblast（ネオブラスト） 26, 649, 875
Nernst equation（ネルンストの式） 432
nerve cell（神経細胞） 911
nerve growth factor（神経成長因子） 902
NES 539
nesprin（ネスプリン） 734
NETosis（ネトーシス） 960
neural stem cell（神経幹細胞） 916
neural tissue（神経組織） 787
neural tube（神経管） 915
neurite（神経突起） 902
neuroblastoma（神経芽細胞腫） 1017
neuroblast precursor（神経芽前駆細胞） 911
neuroepithelial cell（神経上皮細胞） 915
neurofilament（ニューロフィラメント） 732
neuroglia（ニューログリア） 914
neuromodulatory（神経調節性） 911
neuromuscular junction（神経筋接合部） 930
neuron（ニューロン） 911
neurotransmitter（神経伝達物質） 10, 912
neurotrophin（ニューロトロフィン） 902
neutrophil（好中球） 959
nexin（ネキシン） 716
next generation sequencer（次世代シークエンサー） 211
NFAT 986
NF-κB 91, 647
NF-κB pathway（NF-κB 経路） 647
NGF 902
NHEJ 166, 1009
nick（ニック） 157
nicotinamide adenine dinucleotide（ニコチンアミドアデニンジヌクレオチド） 56, 450
nicotinamide adenine dinucleotide phosphate（ニコチンアミドアデニンジヌクレオチドリン酸） 495
nicotinic acetylcholine receptor（ニコチン性アセチルコリン受容体） 936
nidogen（ニドジェン） 810
Niemann-Pick C1（ニーマン-ピック C1） 650
NKT cell（NKT 細胞） 983
N-linked oligosaccharide（N 結合型オリゴ糖） 519, 817
N lobe（N ローブ） 621
NLS 536, 638, 643
NMD 372
Nmd3 381
NMJ 930
NMR 67, 111
nNOS 829
N nucleotide（N ヌクレオチド） 968, 984
nociception（侵害受容） 941
nociceptive neuron（侵害受容ニューロン） 902
nociceptor（侵害受容体） 941
nocodazole（ノコダゾール） 703, 746
NOD（nucleotide oligomerization domain） 994
node of Ranvier（ランビエ絞輪） 924
Nomarski interference microscopy（ノマルスキー干渉顕微鏡法） 128
nonbonding electron（非結合電子） 31
noncovalent interaction（非共有結合性相互作用） 30
nondisjunction（染色体不分離） 779
nongated channel（開閉調節を受けないチャネル） 413, 432
nonhomologous end-joining（非相同末端結合） 166, 777, 1009
non-insulin-dependent diabetes（非インスリン依存性糖尿病） 842

nonpermissive temperature（非許容温度） 20, 199
non-photochemical quenching（非光化学的消光） 493
nonpolarity（非極性） 32
nonselective ion channel（非選択性イオンチャネル） 611
nonsense-mediated decay（ナンセンスコドン介在性分解） 345, 372
nonsense mutation（ナンセンス変異） 177, 215
nonsense suppression（ナンセンス抑制） 188
non-stop decay（ノンストップ分解） 372
nonviral retrotransposon（非ウイルス性レトロトランスポゾン） 255
NOR 267, 378
noradrenaline（ノルアドレナリン） 928
NoRC 330
Notum 648
NPC 359, 536
NPC1 650
NPF 668
NPXY sorting signal（NPXY 選別シグナル） 570
N region（N 領域） 968
NSC 916
NSF 555
nSREBP（nuclear SREBP） 848
NTC 341
N-terminal domain（N 末端ドメイン） 68
N-terminus（N 末端） 61
NTR 341
nuclear basket（核バスケット） 360, 537
nuclear body（核内ボディ） 383
nuclear envelope（核膜） 359, 536
nuclear export factor 1（核外輸送因子 1） 539
nuclear-export signal（核外輸送シグナル） 539
nuclear export transporter 1（核外輸送トランスポーター 1） 539
nuclear factor of activated T cell（活性化 T 細胞核内因子） 986
nuclear lamina（核ラミナ） 13, 734
nuclear-localization signal（核局在化シグナル） 536, 638
nuclear lysine acetyltransferase（核リシンアセチルトランスフェラーゼ） 264
nuclear magnetic resonance（核磁気共鳴） 67, 111
nuclear mRNP（核内 mRNP） 335, 359
nuclear pore（核膜孔） 359, 536
nuclear pore complex（核膜孔複合体） 13, 359, 536
nuclear receptor（核内受容体） 301
nuclear-receptor superfamily（核内受容体スーパーファミリー） 319
nuclear speckle（核スペックル） 17
nuclear transport receptor（核輸送受容体） 537
nucleation phase（核形成相） 663
nucleation promoting factor（核形成促進因子） 668
nucleic acid（核酸） 37
nucleocapsid（ヌクレオキャプシド） 190
nucleoid（核様体） 10
nucleolar organizer region（核小体形成領域） 267, 378
nucleolus（核小体） 13, 17, 377
nucleoplasm（核質） 13
nucleoporin（ヌクレオポリン） 536, 767
nucleoside（ヌクレオシド） 41
nucleosome（ヌクレオソーム） 240, 259, 306
nucleotide（ヌクレオチド） 7, 41
nucleotide-binding pocket（ヌクレオチド結合ポケット） 582
nucleotide excision repair（ヌクレオチド除去修復） 165
nucleus, pl. nuclei（核） 12
null allele（ヌル対立遺伝子） 215
numerical aperture（開口数） 128
Nurse, Paul 20, 743, 750

Nüsslein-Volhard, Christiane　200
NXF1　359, 539
NXT1　359, 539

O

objective lens(対物レンズ)　128
obligate aerobe(絶対好気性生物)　452
occludin(オクルディン)　804
ocular lens(接眼レンズ)　128
odorant(におい物質)　938, 944
oil drop model(油滴モデル)　66
Okazaki fragment(岡崎フラグメント)　160
olfactory receptor(嗅覚受容体)　944
olfactory receptor neuron(嗅覚受容ニューロン)　944
oligodendrocyte(オリゴデンドロサイト)　914, 925
oligomerization site(多量体化部位)　72
oligopeptide(オリゴペプチド)　61
oligosaccharyl transferase(オリゴ糖転移酵素)　520
O-linked oligosaccharide(O結合型オリゴ糖)　519, 817
oncogene(がん遺伝子)　192, 1010
oncogenesis(発がん)　1001
oncogenic mutation(発がん性突然変異)　1003
oncogenic transformation(悪性転換)　121
oncometabolite(がん代謝物)　1005
oncoprotein(がんタンパク質)　643
oocyte(卵母細胞)　865
open reading frame(オープンリーディングフレーム)　177, 214, 255
opsin(オプシン)　610
opsonization(オプソニン化)　671, 966
Op18/stathmin(Op18/スタスミン)　705, 706
optical isomer(光学異性体)　31
optogenetics(光遺伝学)　20, 926
Orai1　607
ORC　162, 760
orexin(オレキシン)　595
ORF　214, 255
organ(器官)　787
organelle(細胞小器官)　9, 11, 120
organizing center(形成中心)　885
organoid(オルガノイド)　123, 745, 825, 879
ORI　205
origin(起点)　159
origin recognition complex(複製起点認識複合体)　162, 760
ORN　944
orphan receptor(オーファン受容体)　595
ortholog(オルソログ)　216
OS-9　524
osmosis(浸透)　417
osmotic flow(浸透流)　417
osmotic pressure(浸透圧)　417
osteoclast(破骨細胞)　444
osteogenesis imperfecta(骨形成不全症)　816
osteopetrosis(大理石骨病)　444
outer-arm(外腕)　716
outer membrane(外膜, ミトコンドリアの)　16, 450, 454
outer nuclear membrane(核外膜)　13
Oxa1　530
oxaloacetate(オキサロ酢酸)　465
oxidase(オキシダーゼ)　16, 468
oxidation(酸化)　56
oxidation potential(酸化電位)　57
oxidative phosphorylation(酸化的リン酸化)　449
oxyanion hole(オキシアニオンホール)　86
oxygen-evolving complex(酸素発生複合体)　494
oxyntic cell(酸分泌細胞)　444

P

P_0(プロテイン0)　925
$p21^{CIP}$　752
$p27^{KIP1}$　752
$p31^{comet}$　779
p38 kinase(p38キナーゼ)　628
p53　778, 1004
$p57^{KIP2}$　752
$p75^{NTR}$　902
$p90^{RSK}$　628
$p150^{Glued}$　712
p300　310
PABP　182
PABPC　346
PABPN　346
packaging plasmid(パッケージングプラスミド)　229
PAF　293
PAF(血小板活性化因子)　831
PAGE　101
pain(疼痛)　959
pain-sensitive neuron(痛覚感受性の神経細胞)　902
palindromic sequence(回文配列)　204
PALM　140, 141
pancreatic islet cell(膵島細胞)　839
pannexin(パネキシン)　807
Panx1　942
PAP　346
papillae(乳頭)　942
paracellular pathway(傍細胞経路)　805
paracrine signaling(傍分泌シグナル伝達)　578
paralog(パラログ)　216
paranode(パラノード)　926
paratope(パラトープ)　965
parental type(親型)　220
parietal cell(壁細胞)　444
partition defective gene(分割欠損遺伝子)　890
passenger mutation(パッセンジャー変異)　224
passive immunization(受身免疫)　961
passive spread(受動的広がり)　918
passive transport(受動輸送)　413
patch clamping(パッチクランプ法)　435
Patched1(PTC1)　1021
patterning gene(パターン形成遺伝子)　24
Pauling, Linus　83
Pax6　283
P body(P体)　17
PBS　254
PC2, PC3　565
P-class pump(P型ポンプ)　419
PCNA(proliferating cell nuclear antigen)　161
PCP　893
PCR　208
PD-1(programmed death-1)　1028
PDE　596, 611
PDI　521
PDK1, PDK2　632
PDZ domain(PDZドメイン)　804
pectate lyase(ペクチン酸リアーゼ)　835
pectin(ペクチン)　833
PEK(pancreatic eIF2 kinase)　370
P element(P因子)　252
Pelizaeus-Merzbacher disease(ペリツェウス-メルツバッハー病)　925
pemphigus vulgaris(尋常性天疱瘡)　801
pentose(五炭糖)　42
peptide(ペプチド)　61
peptide bond(ペプチド結合)　37, 61
peptide-loading complex(ペプチド付加複合体)　979
peptide mass fingerprint(ペプチド質量フィンガープリント)　110
peptidoglycan(ペプチドグリカン)　43
peptidylprolyl isomerase(ペプチジルプロリルイソメラーゼ)　75, 522
perforin(パーフォリン)　966, 990
pericentriolar material(中心小体周辺質)　699
pericyte(周皮細胞)　915
peripheral membrane protein(膜表在性タンパク質)　387, 397
perlecan(パールカン)　810, 813
permissive temperature(許容温度)　20, 199
peroxisomal-targeting sequence 1(ペルオキシソーム輸送配列1)　534
peroxisome(ペルオキシソーム)　16, 468, 534
peroxisome matrix(ペルオキシソームマトリックス)　534
pervasive transcription(全領域にわたる転写)　357
Pex5　534
P granule(P顆粒)　889
pH　48, 49
phage(ファージ)　189
phagocyte(食細胞)　957
phagocytosis(ファゴサイトーシス)　15, 657, 670
phalloidin(ファロイジン)　672
phase-contrast microscopy(位相差顕微鏡法)　128
phase transition(相転移)　393
PHD　850
PH domain(PHドメイン)　632
phenotype(表現型)　196
phenylalanine(フェニルアラニン)　38
pheromone(フェロモン)　577
Philadelphia chromosome(フィラデルフィア染色体)　1011
phosphatase(ホスファターゼ)　94
phosphate transporter(リン酸輸送体)　485
phosphatidylinositol(ホスファチジルイノシトール)　604
phosphatidylinositol 3-kinase(ホスファチジルイノシトール3-キナーゼ)　632
phosphoanhydride bond(リン酸無水物結合)　54
phosphodiester bond(ホスホジエステル結合)　37, 154
phosphoenolpyruvate carboxylase(ホスホエノールピルビン酸カルボキシラーゼ)　500
6-phosphofructo-1-kinase(6-ホスホフルクト-1-キナーゼ)　451
6-phosphofructo-2-kinase(6-ホスホフルクト-2-キナーゼ)　452
phosphoglucomutase(ホスホグルコムターゼ)　597
phosphoglyceride(ホスホグリセリド)　44, 391
phosphoinositide(ホスホイノシチド)　391, 631
phospholipase(ホスホリパーゼ)　395
phospholipase C(ホスホリパーゼC)　604
phospholipid(リン脂質)　9, 44, 391
phospholipid bilayer(脂質二重層)　388
phosphoprotein phosphatase(ホスホプロテインホスファターゼ)　598
phosphorimager(ホスホイメージャー)　107
phosphorylation(リン酸化)　94, 447
phosphotyrosine phosphatase(ホスホチロシンホスファターゼ)　638
photoactivated localization microscopy(光活性化プローブ局在同定顕微鏡法)　140
photoelectron transport(光電子伝達)　494
photoinhibition(光阻害)　493
photomotility(光運動性)　926
photon(光子)　490
photophobia(負の走光性)　926
photorespiration(光呼吸)　499
photosynthesis(光合成)　5, 55, 447

photosystem（光化学系） 488
phototaxis（正の走光性） 926
phragmoplast（隔膜形成体） 729
physiologic state（生理的状態） 71
PI（ホスファチジルイノシトール） 604, 605
PI（ヨウ化プロピジウム） 746
pI（等電点） 102
PI 3-kinase pathway（PI 3-キナーゼ経路） 632
PI 3-phosphate（PI 3-リン酸） 632
PIC 290
Piezo1, Piezo2 940, 941
pigment epithelial cell（色素上皮細胞） 610
pilus, pl. pili（線毛） 259
Pin1 752, 755
pioneer transcription factor（パイオニア転写因子） 311
Pisum sativum（エンドウ） 491
PK 582
pK_a 49
PKA 430, 596
PKB 632
PKC 608
PKR 370
PL 835
placental alkaline phosphatase（胎盤アルカリホスファターゼ） 402
plakin（プラキン） 736, 801
plakoglobin（プラコグロビン） 801
plakophilin（プラコフィリン） 801
planar cell polarity（平面内細胞極性） 893
plant virus（植物ウイルス） 189
PLAP 402
plaque（プラーク） 80
plasma cell（形質細胞） 972
plasmalogen（プラスマローゲン） 391
plasma membrane（細胞膜） 387
plasmid（プラスミド） 9, 205
plasmodesm(a), pl. plasmodesmata（原形質連絡） 22, 833
Plasmodium falciparum（マラリア原虫） 8, 20
Plasmodium vivax（三日熱マラリア原虫） 21
plastocyanin（プラストシアニン） 490
platelet-activating factor（血小板活性化因子） 831
PLC 604
plectin（プレクチン） 736
PLP 925
pluripotency（万能性） 865
PML 384
PML nuclear body（PML ボディ） 384
P nucleotide（P ヌクレオチド） 969
podophyllotoxin（ポドフィロトキシン） 703
podosome（ポドソーム） 824
point mutation（点突然変異） 163, 197, 215
point-scanning confocal microscope（ポイント走査型共焦点顕微鏡） 135
point spread function（点像広がり関数） 134
Pol I 284, 330
Pol II 284
Pol III 284, 330
Pol α 159
Pol δ 161
Pol ε 161
polarity（極性, 分子の） 32
polarity（極性, 細胞の） 22, 795
polarity（方向性, アクチンフィラメントの） 661
polarity（方向性, 微小管） 697
polarity regulator（極性調節機構） 796
polarization（極性化） 866
polar microtubule（極微小管） 722
polo-like kinase（ポロ様キナーゼ） 728
poly(A)-binding protein（ポリ(A)結合タンパク質） 182, 346

polyacrylamide gel electrophoresis（ポリアクリルアミドゲル電気泳動法） 101
poly(A) polymerase（ポリ(A)ポリメラーゼ） 174, 346
poly(A) site（ポリ(A)部位） 240
poly(A) tail（ポリ(A)尾部） 174, 345
polycistronic（ポリシストロン性） 240
polyclonal（ポリクローナル） 964
polyclonal antibody（ポリクローナル抗体） 124
polydactyly（多指症） 279
polyglutamylation（ポリグルタミル化） 715
polyglycylation（ポリグリシル化） 715
polyketide（ポリケチド） 71
poly-K63 ubiquitin-binding domain（K63 結合型ポリユビキチン結合ドメイン） 654
polylinker（ポリリンカー） 206
polymer（重合体） 5, 37, 153
polymerase chain reaction（ポリメラーゼ連鎖反応） 208
polymorphism（多型） 975
polyp（ポリープ） 1023
polypeptide（ポリペプチド） 59, 61
polyploid（倍数体） 196
polyribosome（ポリリボソーム） 186
polysaccharide（多糖） 37
polysome（ポリソーム） 186
polytene chromosome（多糸染色体） 273
polytenization（多糸化） 274
polyubiquitin chain（ポリユビキチン鎖） 639
polyubiquitinylation（ポリユビキチン化） 97
polyunsaturated（高度不飽和） 44
porin（ポリン） 400, 456
postmitotic cell（分裂終了細胞） 278
postsynaptic cell（シナプス後細胞） 912
postsynaptic density（シナプス後膜肥厚） 929
postsynaptic target cell（シナプス後標的細胞） 928
post-transcriptional gene control（転写後遺伝子制御） 335
post-translational modification（翻訳後修飾） 94
post-translational translocation（翻訳後輸送） 510
potential energy（ポテンシャルエネルギー） 51
power stroke（パワーストローク） 679
PP 598
PPIase 75
pre-B cell（プレ B 細胞） 970
pre-B-cell receptor（プレ B 細胞受容体） 971
precursor cell（前駆細胞） 875
precursor mRNA（mRNA 前駆体） 173
preinitiation complex（開始前複合体） 290
43S preinitiation complex（43S 開始前複合体） 182
pre-mRNA（mRNA 前駆体） 173, 333, 337
pre-mRNP（mRNP 前駆体） 335
prenylation（プレニル化） 401
preprophase band（前期前微小管束） 729
pre-ribosomal ribonucleoprotein particle（リボソームリボ核タンパク質粒子前駆体） 378
pre-rRNA（rRNA 前駆体） 284, 336, 377
pre-rRNP 378
presenilin 1（プレセニリン 1） 646
presynaptic cell（シナプス前細胞） 912
presynaptic neuron（シナプス前神経細胞） 928
pre-Tα（プレ Tα） 986
primary cell（初代細胞） 120
primary cell culture（初代培養細胞） 120
primary cell wall（一次細胞壁） 833
primary cilium（一次繊毛） 652, 719
primary lymphoid organ（一次リンパ組織） 956
primary structure（一次構造） 61
primary transcript（一次転写産物） 241
primary transcript-miRNA（miRNA 一次転写産物） 366
primase（プライマーゼ） 159, 161

primer（プライマー） 158
primer-binding site（プライマー結合部位） 254
pri-miRNA 366
prion（プリオン） 81
pRNA 330
pro-α chain（プロ α 鎖） 814
procaspase（プロカスパーゼ） 900
processed pseudogene（プロセス型偽遺伝子） 257
processing body（P ボディ） 365
procollagen（プロコラーゲン） 814
prodomain（プロドメイン） 641
product（生成物） 46
productive（生産的） 968
proenzyme（プロ酵素） 564
professional antigen-presenting cell（プロフェッショナル抗原提示細胞） 974
professional APC（プロフェッショナル抗原提示細胞） 974
profilin（プロフィリン） 665
progenitor cell（始原細胞） 875
programmed cell death（プログラム細胞死） 25, 867
prohormone（プロホルモン） 97
projection lens（投影レンズ） 128
projection neuron（投射ニューロン） 944
prokaryotic organism（原核生物） 3
prolactin（プロラクチン） 634
proline（プロリン） 40
proline hydroxylase（プロリンヒドロキシラーゼ） 850
prometaphase（前中期） 721
promoter（プロモーター） 171, 240, 283, 638
promoter-associated RNA（プロモーター結合 RNA） 330
promoter fusion（プロモーター融合） 230
promoter-proximal element（プロモーター近位エレメント） 294
promyelocytic leukemia（前骨髄性白血病） 384
proofreading（校正） 158, 180
prophase（前期） 721
propidium iodide（ヨウ化プロピジウム） 746
proprotein（プロタンパク質） 564
prosthetic group（補欠分子族） 87, 470
protease（プロテアーゼ） 67
proteasome（プロテアソーム） 89
20S proteasome（20S プロテアソーム） 89
protein（タンパク質） 1, 37, 61
14-3-3 protein（14-3-3 タンパク質） 859
protein-coding gene（タンパク質をコードする遺伝子） 170
protein correlation profiling（タンパク質相関プロファイリング） 116
protein-directed metalloribozyme（タンパク質駆動性金属リボザイム） 345
protein disulfide isomerase（タンパク質ジスルフィドイソメラーゼ） 521
protein expression profiling（タンパク質発現プロファイル） 114
protein family（タンパク質ファミリー） 244
protein fusion（タンパク質融合） 230
protein kinase（プロテインキナーゼ） 73, 94, 582
protein kinase A（プロテインキナーゼ A） 430, 596
protein kinase B（プロテインキナーゼ B） 632
protein kinase C（プロテインキナーゼ C） 608
protein kinase RNA activated（RNA 活性化プロテインキナーゼ） 370
protein phosphatase（プロテインホスファターゼ） 94, 582
protein self-splicing（タンパク質の自己スプライシング） 98
protein sorting（タンパク質選別） 503
protein targeting（タンパク質輸送） 503
proteoglycan（プロテオグリカン） 401, 641, 809, 813

proteolipid protein(プロテオリピドタンパク質) 925
proteome(プロテオーム) 60, 113, 150
proteomics(プロテオミクス) 114
proteostasis(プロテオスタシス) 89
protofibril(プロトフィブリル) 732
protofilament(プロトフィラメント) 697, 732
proton-motive force(プロトン駆動力) 448, 469, 529
proton pump(プロトンポンプ) 489
proton pumping(H^+のくみ出し) 469
proto-oncogene(がん原遺伝子) 1011
protostome(旧口動物) 24
protozoan(原生動物) 10
provirus(プロウイルス) 192
PS1 646
PS I, PS II 488
PSD 929
PSD95 931
PSE 331
pseudogene(偽遺伝子) 244
pseudokinase(偽キナーゼ) 637
pseudosubstrate(偽基質) 597
PSF 134
P site(P 部位) 182
P-TEFb 293
PTEN 633
PTM 94
PTS 534, 535
pulmonary ionocyte(肺塩類細胞) 27
pulse-chase(パルスチェイス) 107
pump(ポンプ) 413
punctum, pl. puncta(点状構造) 312
purine(プリン) 41, 153
p-value(p 値) 215
pyrimidine(ピリミジン) 41, 153
pyroptosis(パイロトーシス) 994
pyruvate(ピルビン酸) 450
pyruvate dehydrogenase(ピルビン酸デヒドロゲナーゼ) 463
pyruvate kinase(ピルビン酸キナーゼ) 451

Q, R

Q 494
Q cycle(Q 回路) 473
QH_2 489
quality control(品質管理) 360
quaternary structure(四次構造) 70
query sequence(クエリ配列) 215
quiescent center(静止中心) 886
quinone(キノン) 494

Rab effector(Rab エフェクター) 554
Rab protein(Rab タンパク質) 553
Rac 690〜693
radial glial cell(放射状グリア細胞) 916
radial spoke(放射状スポーク) 716
radiant energy(放射エネルギー) 51
radical(ラジカル) 33
radioisotope(放射性同位体) 105
Ramón y Cajal, Santiago 947
Ran 381, 538
random coil(ランダムコイル) 62
Ras/MAP kinase signal transduction pathway(Ras/MAP キナーゼシグナル伝達経路) 624
Ras protein(Ras タンパク質) 624, 1003
rate constant(反応速度定数) 47
rate-limiting step(律速段階) 95
rate-zonal density-gradient centrifugation(密度勾配ゾーン沈降速度法) 101

Rb 752, 756, 1012
reactant(出発物) 46
reaction center(反応中心) 490
reactive oxygen species(活性酸素分子種) 477
reading frame(読み枠) 176
Rec8 781
receptor(受容体) 22, 47, 387, 577
receptor hetero-dimerization(受容体ヘテロ二量体化) 635
receptor hetero-oligomerization(受容体ヘテロ多量体化) 635
receptor homodimerization(受容体ホモ二量体化) 635
receptor-mediated endocytosis(受容体依存性エンドサイトーシス) 567, 670
receptor tyrosine kinase(受容体型チロシンキナーゼ) 616, 1017
recessive mutation(潜性突然変異) 196
RECK(reversion-inducing-cysteine-rich protein with kazal motif) 823
recognition helix(認識ヘリックス) 300
recombinant DNA(組換え DNA) 204
recombinant DNA technology(組換え DNA 技術) 204
recombinant type(組換え型) 220
recombination(組換え) 167, 220
recombination nodule(組換え小体) 781
recombination signal sequence(組換えシグナル配列) 967
redness(発赤) 959
redox reaction(酸化還元反応) 56
reduction(還元) 56
reduction potential(還元電位) 57, 475
REF(RNA export factor) 359
reflex arc(反射弓) 913
refractive index(屈折率) 128
refractory period(不応期) 918
regulated intramembrane proteolysis(調節性膜内タンパク質分解) 524, 848
regulated secretion(調節された分泌) 544
regulation(調節) 60
regulator of G protein signaling protein(G タンパク質シグナル伝達調節タンパク質) 584, 593
regulatory light chain(調節軽鎖) 677, 686
19S regulatory particle(19S 制御粒子) 89
regulatory protein(調節タンパク質) 60
rehydration(補水) 444
release(放出) 191
release factor(終結因子) 185
renaturation(再生) 156
repertoire(レパートリー) 966
repetitive DNA(反復 DNA) 239, 247
replication fork(複製フォーク) 159
replication fork collapse(複製フォーク崩壊) 167
replication licensing(複製ライセンシング) 761
replication origin(複製起点) 159, 205, 275
replicative senescence(複製老化) 745
replicon(レプリコン) 760
repolarization(再分極) 911
reporter gene(レポーター遺伝子) 283
repression domain(抑制ドメイン) 300
repressor(リプレッサー) 282
rescue(レスキュー) 701
residue(残基) 38, 61
resolution(分解能) 111, 128
resolution(分離, ホリディ構造の) 170
resonance energy transfer(共鳴エネルギー移動) 491
resonance hybrid(共鳴混成体) 32
respiration(呼吸) 449
respiratory chain(呼吸鎖) 468
respiratory control(呼吸調節) 486
response element(応答エレメント) 320

resting K^+ channel(静止 K^+ チャネル) 432
resting membrane potential(静止膜電位) 431
restriction(拘束) 974
restriction element(拘束因子) 974
restriction enzyme(制限酵素) 204
restriction fragment(制限断片) 205
restriction point(制限点) 740, 1019
restriction site(制限部位) 204
reticulon(レチキュロン) 394
retinitis pigmentosa(網膜色素変性症) 221
retinoblastoma(網膜芽細胞腫) 1012
retrograde transport(逆行性輸送) 707
retrograde transport vesicle(逆行性輸送小胞) 544
retromer(レトロマー) 563
retrotransposon(レトロトランスポゾン) 192, 250
retrovirus(レトロウイルス) 192, 1010
retrovirus-like element(レトロウイルス様因子) 253
reverse transcriptase(逆転写酵素) 192, 208, 250
reverse transcriptase-PCR(逆転写 PCR) 210
Rev-response element(Rev 応答エレメント) 363
RF 185
R factor(R 因子) 259
RFC(replication factor C) 161
RGC(放射状グリア細胞) 916
RGD sequence(RGD 配列) 802, 820
RGG box(RGG ボックス) 339
R group(R 基) 38
rhabdoid tumor(ラブドイド腫瘍) 1017
Rheb 846
Rho 690〜693
Rhodobacter sphaeroides(紅色細菌) 447
rhodopsin(ロドプシン) 610
rhodopsin kinase(ロドプシンキナーゼ) 612
ribbon diagram(リボンモデル表記) 66
ribonuclease P(リボヌクレアーゼ P) 382
ribonucleic acid(リボ核酸) 7, 41
ribonucleoprotein complex(リボ核タンパク質複合体) 335
ribonucleoside triphosphate(リボヌクレオシド三リン酸) 170
ribosomal RNA(リボソーム RNA) 153, 176
ribosome(リボソーム) 7, 74, 153
ribozyme(リボザイム) 8, 82, 382
ribulose-1,5-bisphosphate carboxylase(リブロース-1,5-ビスリン酸カルボキシラーゼ) 496
right-handed helix(右巻きらせん) 154
RIM(Rab3-interacting molecule protein) 935
RIM binding protein(RIM 結合タンパク質) 935
RIM-BP 935
RISC 236, 366
risk factor(危険因子) 222
RNA 7, 41
RNA-binding domain(RNA 結合ドメイン) 337
RNA editing(RNA 編集) 358
RNA helicase(RNA ヘリカーゼ) 184
RNAi 87, 236, 335, 368
RNA-induced silencing complex(RNA 誘導サイレンシング複合体) 236, 366
RNA interference(RNA 干渉) 87, 236, 335, 364, 368
RNA knockdown(RNA ノックダウン) 335
RNA polymerase(RNA ポリメラーゼ) 7, 170, 279
RNA processing(RNA プロセシング) 173
RNA recognition motif(RNA 認識モチーフ) 337
RNase P 382
RNA-Seq 226
RNA splicing(RNA スプライシング) 174, 335
RNA world hypothesis(RNA ワールド仮説) 8
rNTP 170
rod(桿体) 609, 939
root(根) 832
root apical meristem(根端分裂組織) 884
ROS 477

rough endoplasmic reticulum（粗面小胞体） 13, 505
Rous, Peyton 1010
Rous sarcoma virus（ラウス肉腫ウイルス） 622, 1010
19S RP 89
RPA（replication protein A） 161
Rpd3L 309
RRE 363
RRM 337, 338
rRNA 153, 176, 241
R-Smad 642
R-spondin（R スポンジン） 879
RSS 967
RSV 1010
RTK 616, 1017
RT-PCR 210
rubisco 496, 498
rubisco activase（rubisco 活性化酵素） 498
RXR 320
ryanodine receptor（リアノジン受容体） 606

S

σ-factor（σ因子） 172
SA 514
Saccharomyces cerevisiae（出芽酵母） 8, 18, 19, 196, 743
S-adenosylmethionine（S-アデノシルメチオニン） 336
SAGA complex（SAGA 複合体） 309
saltatory conduction（跳躍伝導） 924
SAM（sorting and assembly machinery） 531
SAM（茎頂分裂組織） 884
Sanger, Frederick 211
Sar1 551
sarcoglycan complex（サルコグリカン複合体） 829
sarcolemma（筋鞘） 683
sarcoma（肉腫） 1001
sarcomere（サルコメア） 682
sarcoplasmic reticulum（筋小胞体） 421, 606, 683
sarcospan（サルコスパン） 829
satellite DNA（サテライト DNA） 247
saturated（飽和） 44
saturated fatty acid（飽和脂肪酸） 405
saturation curve（飽和曲線） 585
SC 781
SCA（stigma/stylar cysteine-rich adhesion） 835
scaffold protein（足場タンパク質） 59, 87, 630
scanning electron microscopy（走査型電子顕微鏡法） 143, 147
SCAP（SREBP cleavage-activating protein） 848
scaRNA 383
scatter factor（分散因子） 693
scavenger（スカベンジャー） 493
scavenger receptor（スカベンジャー受容体） 958
SCF 752, 753
SCF（幹細胞因子） 881
Schizosaccharomyces pombe（分裂酵母） 19, 743
Schleiden, Matthias 119, 739
Schmidtea mediterranea（プラナリア） 8, 18, 648
Schwann cell（シュワン細胞） 914, 925
Schwann, Theodor 119, 739
SCID 636
scintillation counter（シンチレーションカウンター） 107
SCN 857
SCNT 870
scRNA-Seq 227
scurvy（壊血病） 816
Sd 859
SDS-PAGE 102
SDS-polyacrylamide electrophoresis（SDS-ポリアクリルアミドゲル電気泳動法） 102
Sec12 551
Sec16 556
Sec61 509
Sec61 complex（Sec61 複合体） 509
Sec63 complex（Sec63 複合体） 510
Sec1/Munc18-like protein（SM タンパク質） 934
secondary active transport（二次的能動輸送） 414
secondary cell wall（二次細胞壁） 833
secondary lymphoid organ（二次リンパ組織） 956
secondary structure（二次構造） 62
second messenger（二次メッセンジャー） 582, 806
secretion（*sec*）mutant（*sec* 突然変異体） 548
secretory granule（分泌顆粒） 544
secretory pathway（分泌経路） 503, 543
securin（セキュリン） 771
sedimentation coefficient（沈降係数） 100
sedimentation constant（沈降定数） 100
segmental duplication（部分重複） 245
segregation（分離，相同染色体の） 197
selectable marker（選択マーカー） 205
selectin（セレクチン） 830, 992
selective serotonin reuptake inhibitor（特異的セロトニン再取込み阻害薬） 936
selectivity factor（選択性因子） 330
selfish DNA（利己的 DNA） 249
self-renewal（自己再生） 866
self-splicing（自己スプライシング） 355
SEM 143, 147
sensitization（鋭敏化） 948
sensor（センサー） 775, 837
sensor domain（センサードメイン） 138
sensory neuron（感覚ニューロン） 910, 913
separase（セパラーゼ） 771
septum（隔壁） 742
sequence（ヌクレオチド配列） 7
sequence motif（配列モチーフ） 65
sequence-reading helix（配列解読ヘリックス） 300
sequence-specific DNA affinity chromatography（配列特異的 DNA アフィニティークロマトグラフィー） 297
serial section（連続切片） 145
serine（セリン） 39
serum response element（血清応答配列） 628
serum response factor（血清応答因子） 628
SET domain（SET ドメイン） 325
severe combined immunodeficiency（重症複合免疫不全） 636
severe myoclonic epilepsy（乳児重症ミオクロニーてんかん） 919
SFO 927
SGZ 916
shaddase（シェダーゼ） 404
SH2 domain（SH2 ドメイン） 622
SH3 domain（SH3 ドメイン） 625
She2（SWI-dependent HO expression） 374
sheet-forming collagen（シート形成コラーゲン） 814
shibire 935
shoot apical meristem（茎頂分裂組織） 884
short interfering RNA（短鎖干渉 RNA） 236, 364
short interspersed element（短鎖散在因子） 255
short tandem repeat（短反復配列） 221
shRNA 236
Shugoshin 771, 772
shuttle vector（シャトルベクター） 207
sialyl Lewis-x antigen（シアリルルイス x 抗原） 830
Sic1 752, 759
side chain（側鎖） 38
side-chain specificity binding pocket（側鎖特異性結合ポケット） 85
signal（シグナル） 577
signal amplification（シグナル増幅） 584, 837
signal-anchor sequence（シグナル-膜係留配列） 514
signal-based targeting（シグナルによる選別輸送） 503
signaling cascade（シグナルカスケード） 775
signaling protein（シグナル伝達タンパク質） 60
signal peptidase（シグナルペプチダーゼ） 510
signal peptide（シグナルペプチド） 504
signal recognition particle（シグナル認識粒子） 186, 284, 507
signal sequence（シグナル配列） 504
signalsome（シグナロソーム） 654
signal transduction pathway（シグナル伝達経路） 578, 837
SILAC（stable isotope labeling with amino acids in cell culture） 110
silencer sequence（サイレンサー配列） 307
silent mutation（サイレント変異） 215
SIM 140, 141, 462
simple diffusion（単純拡散） 412
simple-sequence DNA（単純配列 DNA） 247
simple transcription unit（単一転写単位） 241
SINE 241, 255, 257
single cell RNA-Seq（一細胞 RNA-Seq） 227
single-molecule force measurement（1 分子力計測法） 679
single nucleotide polymorphism（一塩基多型） 221
single nucleotide variant（一塩基変異） 1010
single-pass transmembrane protein（1 回膜貫通タンパク質） 398, 512
single-stranded DNA（一本鎖 DNA） 776
singlet（シングレット） 697
sinusoid（類洞血管） 882
siRNA 236, 333, 364
siRNA knockdown（siRNA ノックダウン） 368
sister chromatid（姉妹染色分体） 14, 271, 721
sister chromatid resolution（姉妹染色分体の分離） 770
Ska complex（Ska 複合体） 768
Ski（sloan-kettering cancer institute） 643
SKI complex（SKI 複合体） 357
sliding clamp（滑りクランプ） 161
sliding-filament assay（滑走フィラメント測定法） 677
Smad 639
Smad4 1022
small Cajal body-associated RNA（低分子カハールボディ RNA） 383
small hairpin RNA（低分子ヘアピン RNA） 236
small inhibitory RNA（低分子干渉 RNA） 236
small nuclear ribonucleoprotein particle（核内低分子リボ核タンパク質粒子） 340
small nuclear RNA（核内低分子 RNA） 245, 340
small nucleolar RNA（核小体低分子 RNA） 245, 378
small rRNA（短鎖 rRNA） 180
small subunit processome（小サブユニット（SSU）プロセソーム） 378
smooth endoplasmic reticulum（滑面小胞体） 13
SM protein（SM タンパク質） 934
SMRT 327
SNAP-25 554
SNAP$_C$ 331
SNARE 554, 934
SnoN 643
snoRNA 245, 333, 378
snoRNP 378, 380
SNP 221
SNP marker（SNP マーカー） 220
snRNA 245, 333, 340
snRNP 340
SNV 1010
SOC 607

欧文索引

SOCS　639, 991
SOCS box（SOCS ボックス）　639
solitary gene（単独遺伝子）　243
somatic cell（体細胞）　866
somatic-cell nuclear transfer（体細胞核移植）　870
somatic gene rearrangement（体細胞遺伝子再構成）　966
somatic hypermutation（体細胞超変異）　969
somatic recombination（体細胞組換え）　966
sororin（ソロリン）　763
sorting signal（選別シグナル）　552
spacer（スペーサー）　67
special-pair bacteriochlorophyll（スペシャルペアバクテリオクロロフィル）　491
special-pair chlorophyll（スペシャルペアクロロフィル）　491
specificity（特異性）　37, 81, 953
specific radioactivity（比放射能）　105
spectrin（スペクトリン）　673
sperm（精子）　865
S phase（S 期）　17, 740
spheroid（スフェロイド）　123
spherule（小球）　609
sphingolipid（スフィンゴ脂質）　391
sphingomyelin（スフィンゴミエリン）　406
spinal muscular atrophy（脊髄筋萎縮症）　353
spindle（紡錘体）　721
spindle assembly checkpoint（紡錘体形成チェックポイント）　727
spindle assembly checkpoint pathway（紡錘体形成チェックポイント経路）　778
spindle pole（紡錘体極）　699, 741, 768
spindle pole body（紡錘極体）　756, 767
spindle position checkpoint（紡錘体位置チェックポイント）　729
spine（樹状突起棘）　948
spinning disk confocal microscope（回転ディスク型共焦点顕微鏡）　135
Spire（スピア）　669
spliceosome（スプライソソーム）　341
splice site（スプライス部位）　240, 339
splicing enhancer（スプライシングエンハンサー）　348
splicing silencer（スプライシングサイレンサー）　348
sporadic retinoblastoma（散発性（弧発性）網膜芽細胞腫）　1013
sporogenous tissue（胞子形成組織）　832
spot desmosome（スポットデスモソーム）　797
SPT16　293
squamous cell carcinoma（扁平上皮がん）　166
SR　421, 683
Src　622
SRE（血清応答配列）　628
SRE（ステロール調節配列）　848
SRE-binding protein（SRE 結合タンパク質）　848
SREBP　848
SRF　628
SRP　186, 284, 507
SRP receptor（SRP 受容体）　507
SR protein（SR タンパク質）　348
SSRI　936
STA　514
stalk（ストーク）　711
standard free-energy change（標準自由エネルギー変化）　52
Staphylococcus aureus（黄色ブドウ球菌）　149
starch（デンプン）　43, 487
Stargazin（スターゲージン）　950
START　740, 756
start codon（開始コドン）　176
statin（スタチン）　407, 838
steady state（定常状態）　47

steady-state phase（定常状態相）　663
STED　141
stem（茎）　832
stem（ステム）　711
stem cell（幹細胞）　26, 739, 866
stem cell factor（幹細胞因子）　881
stem-cell niche（幹細胞ニッチ）　876
step size（ステップサイズ）　679
stereoisomer（立体異性体）　31, 42
steroid（ステロイド）　392
steroid receptor superfamily（ステロイド受容体スーパーファミリー）　301
sterol regulatory element（ステロール調節配列）　848
sterol-sensing domain（ステロール感受性ドメイン）　407, 848
sticky end（付着末端）　204
stigma（柱頭）　835
STIM1　607
stimulated emission depletion（STED）microscopy（誘導放出抑制顕微鏡法）　140
stochastic optical reconstruction microscopy（確率的光学再構築顕微鏡法）　140
stop codon（終止コドン）　176
stop-transfer anchor sequence（輸送阻止-膜係留配列）　514
store-operated channel（貯蔵作動性チャネル）　607
STORM　140
STR　221
strand invasion（一本鎖侵入）　168
stress fiber（ストレスファイバー）　660
stroma（ストロマ）　16, 488, 525
stromal-import sequence（ストロマ輸送配列）　532
structural domain（構造ドメイン）　64, 67
structural gene expression（構造遺伝子の発現）　191
structural maintenance of chromosome protein（染色体構造維持タンパク質）　262
structural motif（構造モチーフ）　64, 216
structural nucleoporin（構造的ヌクレオポリン）　537
structural protein（構造タンパク質）　59
structural variant（構造変異）　1010
structured illumination microscopy（構造化照明顕微鏡法）　140, 462
style（花柱）　835
subfornical organ（脳弓下器官）　927
subgranular zone（顆粒細胞下帯）　916
substrate（基質）　60, 82
substrate-binding site（基質結合部位）　83
substrate-level phosphorylation（基質レベルのリン酸化）　450
subunit（サブユニット）　70
subunit vaccine（サブユニットワクチン）　997
subventricular zone（脳室下帯）　916
succinate-CoQ reductase（コハク酸-CoQ レダクターゼ）　471
succinate dehydrogenase（コハク酸デヒドロゲナーゼ）　465
sulfhydryl group（スルフヒドリル基）　40, 521
SUMO1（small ubiquitin-like moiety-1）　384
supercoil（超らせん）　157
supercomplex（超複合体）　71, 476
super enhancer（スーパーエンハンサー）　315
superfamily（スーパーファミリー）　68
supernatant（上清）　100, 148
superoxide anion（スーパーオキシドアニオン）　477
super-resolution microscopy（超解像顕微鏡法）　120, 140
supersecondary structure（超二次構造）　64
suppressor mutation（抑制変異）　202
suppressor of cytokine signaling（サイトカインシグナル伝達抑制因子）　639, 991
suprachiasmatic nucleus（視交叉上核）　857
SURF　372

SV　1010
SVZ　916
swelling（腫脹）　959
SWI/SNF chromatin-remodeling complex（SWI/SNF クロマチンリモデリング複合体）　310
switch I（スイッチ I）　583
switch II（スイッチ II）　583
switch protein（スイッチタンパク質）　93
symmetric cell division（対称細胞分裂）　865
symport（等方輸送）　437
symporter（等方輸送体）　413
synapse（シナプス）　23, 912, 938
synapse elimination（シナプス除去）　931
synapsin（シナプシン）　932
synapsis（対合）　781
synaptic cleft（シナプス間隙）　990
synaptic plasticity（シナプス可塑性）　909, 947
synaptic vesicle（シナプス小胞）　912
synaptonemal complex（対合複合体）　781
synaptotagmin（シナプトタグミン）　934
synchronous（同期）　911
syndecan（シンデカン）　819
Synechococcus elongatus　856
synonymous codon（同義コドン）　176
synonymous mutation（同義変異）　177
syntaxin（シンタキシン）　554
syntelic attachment（シンテリック結合）　769
synteny（シンテニー）　23, 272
synthesis phase（合成期）　17, 740
synthetic lethality（合成致死）　203
synthetic lethal mutation（合成致死変異）　203
syntrophin（シントロフィン）　829
system analysis（システム解析）　618
Szostak, Jack　276

T

TAD　269, 762
TAF　290
tail domain（尾部ドメイン）　708
talin（テーリン）　794
tamoxifen（タモキシフェン）　1025
tandemly repeated array（縦列反復群）　245
tangle（濃縮体）　81
Taq polymerase（*Taq* ポリメラーゼ）　209
target cell（標的細胞）　577
targeting sequence（輸送配列）　504
TARP（transmembrane AMPA receptor regulatory protein）　950
tastant（味物質）　938
taste receptor（味覚受容体）　942
Tat　293
Tat（twin-arginine translocation）　533
TATA box（TATA ボックス）　288
TATA box-binding protein（TATA ボックス結合タンパク質）　155, 290
tau　81, 704
taxol（タキソール）　703
TAZ　859
TBP　155, 290
TBP-associated factor（TBP 関連因子）　290
T cell（T 細胞）　954
T-cell help（T 細胞の助け）　973
T-cell receptor（T 細胞受容体）　984
TCF　628
TCR　984
TdT　968
TE　867
telocyte（テロサイト）　879
telomerase（テロメラーゼ）　277, 1004

telomere（テロメア） 275
telomere terminal transferase（テロメア末端トランスフェラーゼ） 277
telophase（終期） 721
TEM 143, 144
temperature-sensitive mutant（温度感受性突然変異体） 743
temperature-sensitive mutation（温度感受性突然変異） 20, 198
template（鋳型） 170
terminal deoxynucleotidyltransferase（ターミナルデオキシヌクレオチジルトランスフェラーゼ） 968
termination（終結，転写の） 172, 279
termination codon（終止コドン） 176
ternary complex factor（三者複合体因子） 628
tertiary structure（三次構造） 65
tetrahedral intermediate（四面体中間体） 86
tetraspanin（テトラスパニン） 804, 829
TFIIA, TFIIB 290
TFIIB recognition element（TFIIB 認識エレメント） 288
TFIIH 292
TfR 371
TGF-α 1006
TGF-β 639, 877, 1021
TGF-β receptor（TGF-β 受容体） 641
TGF-β receptor family（TGF-β 受容体ファミリー） 639
TGN 544
thermal energy（熱エネルギー） 51
thermoacidophile（好熱・好酸菌） 10
Thermus aquaticus 209, 507
Thermus thermophilus（高度好熱菌） 181
the target of rapamycin（ラパマイシン標的タンパク質） 843
thick filament（太いフィラメント） 682
thick-filament regulation（太いフィラメントによる調節） 687
thin filament（細いフィラメント） 682
thin-filament regulation（細いフィラメントによる調節） 684
thin section（切片） 145
thiol group（チオール基） 521
thioredoxin（チオレドキシン） 498
three-Na^+/one-Ca^{2+} antiporter（3Na^+/1Ca^{2+} 対向輸送体） 440
threonine（トレオニン） 39
threshold potential（閾値電位） 938
thrombopoietin（トロンボポエチン） 634
thrombospondin（トロンボスポンジン） 929
thylakoid（チラコイド） 16, 487, 525, 533
thylakoid lumen（チラコイド内腔） 487
thylakoid membrane（チラコイド膜） 487
thymically derived regulatory T cell（ナチュラル制御性 T 細胞） 989
thymine, T（チミン） 41, 153
thymine-thymine dimer（チミン-チミン二量体） 165
thymocyte（胸腺細胞） 980
thymosin-β4（チモシン β4） 665
thymus（胸腺） 980
Tic complex（Tic 複合体） 532
tight junction（密着結合） 443, 795, 797
time-of-flight（飛行時間） 109
TIMP（tissue inhibitor of metalloproteinase） 823
+TIP 704, 705
TIR 993
TIRF microscopy（TIRF 顕微鏡法） 136
tissue（組織） 787
tissue culture（組織培養） 745
tissue plasminogen activator（組織プラスミノーゲンアクチベーター） 68
titin（タイチン） 61, 180, 241, 683

TLR 958
T lymphocyte（T リンパ球） 97
TM 684
TN 684
TNFα 653, 897
Toc34 532
Toc159 532
TOF 109
tolerance（寛容） 953
Toll-like receptor（Toll 様受容体） 652, 958
tomogram（断層写真） 147
TOP mRNA（tract of oligopyrimidine mRNA） 844
topogenic sequence（空間配置決定配列） 512
topoisomerase I（トポイソメラーゼ I） 157
topoisomerase II（トポイソメラーゼ II） 157
topological domain（トポロジカルドメイン） 68, 269
topologically associating domain（トポロジカルドメイン） 269, 762
topology（空間配置） 512
TOR 843
TOR pathway（TOR 経路） 370
total internal reflection fluorescence microscopy（全反射照明蛍光顕微鏡法） 136
totipotency（全能性） 865
TPA 68
T2R 942
TRADD（TNF receptor-associated DD protein） 906
TRAMP complex（TRAMP 複合体） 357
transcellular pathway（細胞横断経路） 805
transcellular transport（経細胞輸送） 443
transcription（転写） 7, 74, 152, 170
transcriptional condensate（転写コンデンセート） 312
transcriptional-control region（転写調節領域） 280, 287, 294
transcriptional memory（転写記憶） 317
transcriptional (mRNA) profiling（転写(mRNA)プロファイル） 114
transcription bubble（転写バブル） 171
transcription factor（転写因子） 9, 65, 153, 269, 279, 283
transcription start site（転写開始点） 282
transcription unit（転写単位） 241
transcytosis（トランスサイトーシス） 566, 893, 963
transducin（トランスデューシン） 610
transesterification reaction（エステル交換反応） 340
trans fat（トランス脂肪） 46
transfection（トランスフェクション） 228
transferrin（トランスフェリン） 371
transferrin receptor（トランスフェリン受容体） 371
transfer RNA（転移 RNA） 153, 175
transformation（形質転換） 205, 228, 1010
transforming growth factor α（トランスフォーミング増殖因子α） 1006
transforming growth factor β（トランスフォーミング増殖因子β） 639
trans-Golgi network（トランスゴルジ網） 544
transient amplifying cell（一過性増殖細胞） 876
transient transfection（一過性トランスフェクション） 228
trans interaction（トランス型相互作用） 789
transition state（遷移状態） 53, 83
transition-state intermediate（遷移状態中間体） 53
translation（翻訳） 7, 74, 153, 170, 509
translesion polymerase（損傷乗越え型ポリメラーゼ） 165
translocation（トランスロケーション） 184
translocation channel（輸送チャネル） 504
translocon（トランスロコン） 509
transmembrane collagen（膜貫通コラーゲン） 814
transmembrane protein（膜貫通タンパク質） 397
transmigration（遊出） 830

transmission electron microscopy（透過型電子顕微鏡法） 143
transporter（輸送体） 413
transport vesicle（輸送小胞） 543
transposable DNA element（転位性 DNA 因子） 249
transposase（トランスポザーゼ） 251
transposition（転位） 249
transposon（トランスポゾン） 250
trans-splicing（トランススプライシング） 345
transverse tubule（横行小管） 684
TRBP（Tar binding protein） 366
treadmilling（トレッドミリング） 664
triacylglycerol（トリアシルグリセロール） 45, 467
tricarboxylic acid cycle（トリカルボン酸回路） 464
tricellulin（トリセルリン） 804
Trichomonas vaginalis（トリコモナス） 20
triglyceride（トリグリセリド） 45, 467
trimeric G protein（三量体 G タンパク質） 370
triplet（トリプレット，微小管の） 698
triplet code（三文字コード） 176
triplet oxygen（三重項酸素） 493
triskelion（トリスケリオン） 560
tri-snRNP complex（tri-snRNP 複合体） 344
Trk 902
tRNA 153, 175, 176
trophectoderm（栄養外胚葉） 867
trophic factor（栄養因子） 896
tropoelastin（トロポエラスチン） 822
tropomodulin（トロポモジュリン） 666
tropomyosin（トロポミオシン） 684
troponin（トロポニン） 684
true-breeding（純系） 197
Trypanosoma brucei（トリパノソーマ） 20
tryptophan（トリプトファン） 38
Tsg101 573
t-SNARE 550, 553, 554
TSP 929
TSS 282
tuberous sclerosis complex（結節性硬化症複合体） 846
tubulin（チューブリン） 216, 658, 697
TUG（Tether containing a UBX domain for GLUT4） 840
tumorigenesis（腫瘍形成） 1001
tumor microenvironment（腫瘍微小環境） 1005, 1027
tumor necrosis factor α（腫瘍壊死因子 α） 653, 897
tumor suppressor（腫瘍抑制因子） 858
tumor suppressor gene（がん抑制遺伝子） 1015
tunicamycin（ツニカマイシン） 520
tunneling nanotube（トンネルナノチューブ） 460, 808
turgor pressure（膨圧） 418, 819
Turing, Alan 887
turnover number（代謝回転数） 84
two-dimensional gel electrophoresis（二次元ゲル電気泳動） 102
two-Na^+/one-glucose symporter（2Na^+/1 グルコース等方輸送体） 438
two-photon excitation microscopy（二光子励起蛍光顕微鏡法） 136
two signal model（2 シグナルモデル） 989
Tx 498
type IV collagen（IV 型コラーゲン） 809
tyrosine（チロシン） 38

U, V

U1, 2, 4〜6 341
U2AF 343

欧文索引

U2 associated factor（U2 結合因子） 343
U2 snRNA 241
UAS 296
Ub 91
UBF 330
ubiquinone（ユビキノン） 471
ubiquitin（ユビキチン） 91
ubiquitin-activating enzyme（ユビキチン活性化酵素） 91
ubiquitin-conjugating enzyme（ユビキチン結合酵素） 91
ubiquitin ligase（ユビキチンリガーゼ） 91
ubiquitinylation（ユビキチン化） 97
UCP1 486
uncoupler（脱共役剤） 486
uncoupling protein 1（脱共役タンパク質 1） 486
unfolded-protein response（折りたたまれていないタンパク質に対する応答） 523
uniport（単一輸送） 415
uniporter（単一輸送体） 413
unipotent（単能性） 877
universal code（標準の暗号） 177
unsaturated（不飽和） 44, 405
untranslated region（非翻訳領域） 174
UPR 523
upstream（上流） 170, 283
upstream activating sequence（上流活性化配列） 296
upstream binding factor（上流結合因子） 330
upstream control element（上流調節エレメント） 330
uracil（ウラシル） 41
Urbilateria（ウルバイラテリア） 24
UTR 174

vacuole（液胞） 15
valine（バリン） 38
VAMP（vesicle-associated membrane protein） 554
van der Waals interaction（ファンデルワールス相互作用） 35
variable region of the heavy chain（重鎖の可変領域） 964
variable region of the light chain（軽鎖の可変領域） 964
vascular CAM-1（血管細胞接着分子） 828
vascular endothelial growth factor（血管内皮増殖因子） 850, 1006
vascular tissue（維管束組織） 832
vasodilation（血管拡張） 959
VCAM-1 828
V-class pump（V 型ポンプ） 419
VDAC 456, 606
vector（ベクター） 204
vector plasmid（ベクタープラスミド） 228
VEGF 850, 1006
ventricle（脳室） 916
ventricular zone（脳室帯） 916
vesicle-based trafficking（小胞による輸送） 503
vesicle bud（小胞出芽） 551
vesicular GABA transporter（小胞性 GABA 輸送体） 932
vesicular glutamate transporter（小胞性グルタミン酸輸送体） 932
vesicular stomatitis virus（水疱性口内炎ウイルス） 546
vestibule（前室） 433
VGAT 932
VGLUT 932
V_H 964
Vibrio cholerae（コレラ菌） 594, 806
villus, *pl.* villi（絨毛） 878
vimentin（ビメンチン） 734
viral envelope（ウイルスエンベロープ） 190
Virchow, Rudolf 739
virion（ビリオン） 188, 955
virus（ウイルス） 188
visual cortex（視皮質） 610, 939
V_L 964
VLCFA（very long-chain fatty acid） 468
V_{max} 83, 84
voltage-dependent anion channel（電位依存性陰イオンチャネル） 456, 606
voltage-gated Ca^{2+} channel（電位依存性 Ca^{2+} チャネル） 933
voltage-gated channel（電位依存性チャネル） 917
voltage-gated K^+ channel（電位依存性 K^+ チャネル） 918
voltage-gated Na^+ channel（電位依存性 Na^+ チャネル） 918
voltage-sensing α helix（電位センサー α ヘリックス） 918
Volvox aureus（ボルボックス） 3
von Willabrand factor（フォンビルブラント因子） 828
Vps4 573
v-SNARE 550, 553, 554
VSV 546
VZ 916

W〜Z

WAK 835
wall-associated kinase（細胞壁結合型キナーゼ） 835
Warburg effect（ワールブルグ効果） 1004
Warburg, Otto 1004
wart（いぼ） 1006
WASH 671
WASp（WAS protein） 669
Watson-Crick base pair（ワトソン-クリック型塩基対） 154
Watson, James D. 7, 154
WAVE 669
WCA 668
WD40 752
Wee1 752, 764
Western blotting（ウエスタンブロット法） 105, 954
WHAMM 671
white-fat tissue（白色脂肪組織） 486
whole genome shotgun sequencing（全ゲノムショットガン配列決定法） 212
whole transcriptome shotgun sequencing（全トランスクリプトームショットガンシークエンシング） 226
Wieschaus, Eric 200
wild type（野生型） 196
Wilkins, Maurice 154
Wilson, H. V. 792
winged helix（ウィングドヘリックス） 311
Wiskott-Aldrich syndrome（ウィスコット-アルドリッチ症候群） 669
Wnt 646, 649, 894, 1021
wobble position（ゆらぎ部位） 178

XACT 328
Xenopus laevis（アフリカツメガエル） 263, 741
xeroderma pigmentosum（色素性乾皮症） 165, 1009
xeroderma pigmentosum C protein（色素性乾皮症 C タンパク質） 166
X-inactivation center（X 染色体不活性化中心） 326
Xist RNA 327
X-linked recessive allele（X 染色体連鎖潜性対立遺伝子） 219
XP 1009
XP-C 166
X-ray crystallography（X 線結晶構造解析） 111
XRN1 347, 366
xylan（キシラン） 833
xylem（木部） 833
xyloglucan（キシログルカン） 833

YAP 859
Yarrowia lipolytica 472
Y-complex（Y 複合体） 537
YXXΦ sorting signal（YXXΦ 選別シグナル） 561

Z disk（Z ディスク） 682
Zellweger syndrome（ツェルベーガー症候群） 535
zinc finger（ジンクフィンガー） 65, 301
zonula occludens protein（ZO タンパク質） 804
zwitterion（両性イオン） 49
zygote（接合子） 744
zymogen（チモーゲン） 97

和 文 索 引

あ 行

IRES → 内部リボソーム結合部位
IRE-BP → 鉄応答エレメント結合タンパク質
IEF → 等電点電気泳動
IS 因子(IS element) 250, 251
insig-1(2)/SCAP/SREBP 経路(insig-1(2)/SCAP/
　　　　　　　　　　　　SREBP pathway) 848
INK4(inhibitor of kinase 4) 752
IAP → アポトーシス阻害タンパク質
IF → 開始因子
IF → 中間径フィラメント
IFAP → 中間径フィラメント結合タンパク質
IFT 652, 718
IFT 複合体 718
Ime2 780
IL → インターロイキン
ILC → 自然リンパ球
I-κB 91
I-κBα 653
I-κB キナーゼ(I-κB kinase) 653
ICAM 829, 831
I 細胞病(I-cell disease) 564
Ig → 免疫グロブリン
ICM → 内部細胞塊
IgCAM → 免疫グロブリンスーパーファミリー
I-Smad 642
アイソタイプ(isotype) 962
アイソフォーム(isoform) 174, 794
ITAM → 免疫受容体活性化チロシンモチーフ
IDR → 天然変性領域
IDP → 天然変性タンパク質
I ドメイン(I domain) 802
アイバカフトール(ivacaftor) 430
IP → 免疫沈降法
IP$_3$ 582, 604, 605
IP$_3$ 依存性 Ca^{2+} チャネル(IP$_3$-gated Ca^{2+} channel)
　　　　　　　　　　　　　　　　　　606
iPS 細胞(iPS cell) 866, 871〜873
IP$_3$/DAG 経路(IP$_3$/DAG pathway) 604, 605
アーキア(archaeon, pl. archaea) 2, 8, 9
アキシアル(axial) 43
アクアポリン(aquaporin) 399, 417
　　──の構造 418
悪性腫瘍(malignant tumor) 1006
悪性転換(oncogenic transformation) 121
アクセプター(acceptor) 622
アクチベーター(activator) 282
アクチン(actin) 658, 660
アクチン架橋タンパク質(actin cross-linking protein)
　　　　　　　　　　　　　　　　　　673
アクチン核形成タンパク質(actin-nucleating protein)
　　　　　　　　　　　　　　　　　　667
アクチン結合タンパク質 662, 665
アクチンによって活性化される ATPase 活性
　　(actin-activated ATPase activity) 677

アクチンフィラメント 674
アグリカナーゼ(aggrecanase) 823
アグリカン(aggrecan) 819
アグリン(agrin) 930
アゴニスト(agonist) 586
足場タンパク質(scaffold protein) 59, 87, 630
味物質(tastant) 938
アシル化(acylation) 401
アシル基(acyl group) 32, 44
アストロサイト(astrocyte) 914, 929
アストロサイト合胞体(astrocyte syncytia) 915
アスパラギン(asparagine) 39
アスパラギン酸(aspartic acid) 39
アセチル化(acetylation) 715
アセチル CoA(acetyl CoA) 405, 463
　　──の構造 464
アセチルコリン(acetylcholine) 930, 932
アセチルコリンエステラーゼ(acetylcholinesterase)
　　　　　　　　　　　　　　　　　　936
アダプタータンパク質(adaptor protein) 625, 674,
　　　　　　　　　　　　　　　　　　789
アダプタータンパク質複合体(adaptor protein
　　　　　　　　　　　　　　complex) 560
ADAM(a disintegrin and metalloproteinase) 823
ADAMTS(ADAM with thrombospondin motif) 823
アッセイ法(assay) 104
アデニル酸シクラーゼ(adenylyl cyclase) 596, 597
アデニン(adenine, A) 41, 153
アデノシン 5'─リン酸 → AMP
アデノシン三リン酸(adenosine triphosphate)
　　　　　　　　　　　　　　　　　　→ ATP
アデノシン二リン酸(adenosine diphosphate) → ADP
アテローム性動脈硬化症(atherosclerosis) 36, 358,
　　　　　　　　　　　　　　　　　　407
アドヘレンスジャンクション → 接着結合
Atractylis gummifera 486
アトラクチロシド(atractyloside) 486
アトラジン(atrazine) 494
アドレナリン(adrenaline) 579, 587, 595, 932
アドレナリン β 受容体(β-adrenergic receptor) 587,
　　　　　　　　　　　　　　　　　591, 592
アニオン → 陰イオン
アノイキス(anoikis) 897
アピコンプレクス類(Apicomplexa) 21
アビディティー(avidity) 963
アフィニティー(affinity) 963
アフィニティークロマトグラフィー(affinity
　　　　　　　　　　　chromatography) 104, 587
アフリカツメガエル(Xenopus laevis) 263, 741
アポトーシス(apoptosis) 25, 89, 896, 897, 906
アポトーシス阻害タンパク質(inhibitor of apoptosis
　　　　　　　　　　　　　　　protein) 905
アポ B-100 568
アポリポタンパク質(apolipoprotein) 568
アミド結合 32
アミノアシル tRNA(aminoacyl-tRNA) 177
アミノアシル tRNA 合成酵素(aminoacy-tRNA
　　　　　　　　　　　　　　synthetase) 177

アミノ基 32
アミノ酸(amino acid) 6, 38, 39
アミロイド症(amyloidosis) 81
アミロイド状態(amyloid state) 80
アミロイド繊維(amyloid fibril) 80
アミロース(amylose) 487
アミロペクチン(amylopectin) 487
アメフラシ(Aplysia californica) 376, 947
誤った分配(mis-segregation) 1013
アラニン(alanine) 38, 39
RIM(Rab3-interacting molecule protein) 935
RIM 結合タンパク質(RIM binding protein) 935
RIM-BP → RIM 結合タンパク質
RRE → Rev 応答エレメント
rRNA 153, 176, 241
　　──のプロセシング 379
rRNA 前駆体(pre-rRNA) 284, 336, 377
　　──の修飾 380
RRM → RNA 認識モチーフ
REF(RNA export factor) 359
Rec8 781
RECK(reversion-inducing-cysteine-rich protein with
　　　　　　　　　　　　　kazal motif) 823
Rev 応答エレメント(Rev-response element) 363
R 因子(R factor) 259
RSS → 組換えシグナル配列
RSV → ラウス肉腫ウイルス
RXR 320
Rheb 846
RNA 7, 41
　　──の加水分解 156
　　──の機能 246, 284
　　──の合成 171
RNAi → RNA 干渉
RNase P → リボヌクレアーゼ P
RNA 核外輸送因子 → REF
RNA 活性化プロテインキナーゼ(protein kinase
　　　　　　　　　　　RNA activated) 370
RNA 干渉(RNA interference) 87, 236, 237, 335,
　　　　　　　　　　　　　　　　　364, 368
RNA 結合ドメイン(RNA-binding domain) 337
RNA-Seq → 全トランスクリプトームショットガン
　　　　　　　　　　　　　シークエンシング
RNA スプライシング(RNA splicing) 174, 335
RNA 認識モチーフ(RNA recognition motif) 337,
　　　　　　　　　　　　　　　　　　338
RNA ノックダウン(RNA knockdown) 335
RNA プロセシング(RNA processing) 152, 173,
　　　　　　　　　　　　　　　174, 334
RNA ヘリカーゼ(RNA helicase) 184
RNA 編集(RNA editing) 358
RNA ポリメラーゼ(RNA polymerase) 7, 170, 279,
　　　　　　　　　　　　　　　　　　284
　　──Ⅰ 284, 330
　　──Ⅱ 284
　　──Ⅲ 284, 330, 331
　　──の構造 285
細菌の── 173

和文索引

RNA誘導サイレンシング複合体(RNA-induced silencing complex) → RISC
RNAワールド仮説(RNA world hypothesis) 8
rNTP 170
RNP複合体 335
RF → 終結因子
RFC(replication factor C) 161
ROS → 活性酸素分子種
R基(R group) → 側鎖
アルギニン(arginine) 39
アルギニンtRNA-タンパク質トランスフェラーゼ (arginyl-tRNA-protein transferase) 852
Argonauteタンパク質(Argonaute protein) 366
アルコール発酵(alcoholic fermentation) 453
RGSタンパク質 → Gタンパク質シグナル伝達調節タンパク質
RGC → 放射状グリア細胞
RGGボックス(RGG box) 339
RGD配列(RGD sequence) 802, 820
Rスポンジン(R-spondin) 879
R-Smad 642
RTK → 受容体型チロシンキナーゼ
RTK/Ras/MAPキナーゼ経路 1018
RT-PCR → 逆転写PCR
19S RP → 19S制御粒子
RPA(replication protein A) 161
Rbタンパク質(Rb protein) 752, 1012
Rpd3L 309
αアクチニン(α-actinin) 673
α₁アンチトリプシン(α₁-antitrypsin) 524
α炭素原子(α carbon atom) 38
α炭素骨格モデル(C_α backbone trace) 66
αヘリックス(α helix) 62, 63
アルプレノロール 587
アルポート症候群(Alport's syndrome) 813
Armadillo(Arm) 647, 877
アレスチン(arrestin) 602, 603
アレル → 対立遺伝子
アロステリック因子(allosteric effector) 92
アロステリック結合部位(allosteric-binding site) 92
アロステリック効果(allostery) 48, 92
アロステリックタンパク質(allosteric protein) 92, 579
アンキリン(ankyrin) 675
アングリン(angulin) 804
アンジオモチン(angiomotin) 861
暗順応(dark adaptation) 612, 613
アンタゴニスト(antagonist) 586
アンチコドン(anticodon) 176
アンチセンス阻害(antisense inhibition) 368
アンチトロンビンIII(antithrombin III) 817
アンテナ複合体(antenna complex) 490
AMPA受容体(AMPA receptor) 950
暗反応(dark reaction) 490
Anfinsen, Christian 75

E1 → ユビキチン活性化酵素
E2 → ユビキチン結合酵素
E3 → ユビキチンリガーゼ
eIF 182
eIF2 370
eIF4E結合タンパク質(eIF4E-binding protein) 843
ER → 小胞体
ERE → エストロゲン受容体応答エレメント
ERAD → 小胞体関連分解
ERF → グループVIIエチレン応答因子
ERM → エズリン-ラディキシン-モエシン
ERMES(ER-mitochondria encounter structure) 462
Ero1 521
ERV 253
EEA1 → 初期エンドソーム抗原1
ES → エレクトロスプレー法

ESE → エクソンスプライシングエンハンサー
ES細胞(ES cell) 121, 235, 866, 869, 873
ESCRTタンパク質(endosomal sorting complexes required for transport protein) 573
EST → 発現配列タグ
ENaCチャネル(ENaC channel) 944
EF → 伸長因子
E2F 756
EFハンド(EF hand) 64, 65
EMSA → 電気泳動移動度シフト測定法
EMT → 上皮-間葉転換
イオノホア(ionophore) 478
イオン結合(ionic bond) 33
イオン交換クロマトグラフィー(ion-exchange chromatography) 103, 104
イオン選択フィルター(ion-selectivity filter) 433
イオン相互作用(ionic interaction) 33
イオンチャネル型グルタミン酸受容体(ionotropic glutamate receptor) 938
異化(catabolism) 56, 450
鋳型(template) 170
維管束鞘細胞(bundle sheath cell) 500
維管束組織(vascular tissue) 832
閾値電位(threshold potential) 938
EJC → エクソン接合部複合体
EGF → 上皮増殖因子
ECM → 細胞外マトリックス
異質性 → ヘテロプラスミー
Ect2 775
異種間結合(heterophilic binding) 789, 790
異種間接着(heterotypic adhesion) 789
異種脱感作(heterologous desensitization) 603
異数性(aneuploidy) 721, 1003
異数体(aneuploid) 121, 196, 779
位相差顕微鏡法(phase-contrast microscopy) 128, 129
イソプロテレノール(isoproterenol) 587
イソペプチド結合(isopeptide bond) 91
イソロイシン(isoleucine) 38, 39
一塩基多型(single nucleotide polymorphism) → SNP
一塩基変異(single nucleotide variant) 1010
1型筋強直性ジストロフィー(myotonic dystrophy type 1) 248
一細胞RNA-Seq(single cell RNA-Seq) 227
一次構造(primary structure) 61
一次抗体 132
一次細胞壁(primary cell wall) 833
一次繊毛(primary cilium) 652, 719
一次転写産物(primary transcript) 241
一次リンパ組織(primary lymphoid organ) 956
一倍体(haploid) 19, 196
1分子力計測法(single-molecule force measurement) 679
1回膜貫通タンパク質(single-pass transmembrane protein) 398, 512
――の構造 398
一過性増殖細胞(transient amplifying cell) 876
一過性トランスフェクション(transient transfection) 228, 229
溢血 → 溢出
一酸化窒素合成酵素 829
溢出(extravasation) 830, 992, 1006
一致検出(coincidence detection) 669
一本鎖侵入(strand invasion) 168
一本鎖DNA(single-stranded DNA) 776
ETF → 電子伝達フラビンタンパク質
ETF:QO → 電子伝達フラビンタンパク質:ユビキノンオキシドレダクターゼ
EDMD → エメリードレフュス型筋ジストロフィー
遺伝(heredity) 7
遺伝暗号(genetic code) 152

遺伝暗号表(genetic code table) 7, 176
遺伝子(gene) 1, 7, 170, 240
――の重複 242
遺伝子型(genotype) 196
遺伝子間領域(intergenic region) 241, 247
遺伝子制御(gene control) 280
遺伝子発現(gene expression) 279
遺伝子ファミリー(gene family) 244
遺伝子変換(gene conversion) 170
遺伝子量補償(dosage compensation) 267
遺伝性球状赤血球貧血(hereditary spherocytic anemia) 675
遺伝的スクリーニング(genetic screening) 198
遺伝的相補性(genetic complementation) 200, 243
遺伝的多様性(genetic heterogeneity) 221
遺伝的浮動(genetic drift) 244
遺伝的抑制(genetic suppression) 202
遺伝病 218
――ヒトの―― 1009
遺伝率(heritability) 222
イニシエーター(initiator) 288
イネキシン(innexin) 807
イノシトール1,4,5-トリスリン酸(inositol 1,4,5-trisphosphate) → IP₃
イノシン(inosine, I) 179
EB1(end binding-1) 704, 705
EB3 704
EBS → 単純性表皮水疱症
Epo → エリスロポエチン
EpoR → エリスロポエチン受容体
E部位(E site) 182
いぼ(wart) 1006
イマチニブ(imatinib) 1012
イミダゾール(imidazole) 39
E3リガーゼ(E3 ligase) 753, 754
陰イオン(anion) 33
陰イオン交換輸送体1(anion exchanger 1) 440, 441
陰イオン対向輸送体(anion antiporter) 440
陰窩 → クリプト
in situハイブリダイゼーション(in situ hybridization) 224, 225
インスリン(insulin) 839, 841
インスリン依存性糖尿病(insulin-dependent diabetes) 842
インターフェロン(interferon) 635, 959
インターロイキン(interleukin) 635, 653, 654, 990
インテグリン(integrin) 641, 689, 801, 802, 822, 825
――の構造 826
Indel → 挿入欠失
イントロン(intron) 173, 339
イントロンスプライシングエンハンサー(intronic splicing enhancer) 352
イントロンスプライシングサイレンサー(intronic splicing silencer) 350
インバリアント鎖(invariant chain) 977
in vitro運動測定法(in vitro motility assay) 679
in vitro傷修復計測法(in vitro wound-healing assay) 691
インピラ(impila, Callilepis laureola) 486
インフラマソーム(inflammasome) 958, 994
インフルエンザ菌(Haemophilus influenzae) 8
インポーチン(importin) 538

Wee1 752, 764
Wieschaus, Eric 200
ウィスコット-アルドリッチ症候群(Wiskott-Aldrich syndrome) 669
Wilkins, Maurice 154
ウイルス(virus) 188
――の構造 189
ウイルスエンベロープ(viral envelope) 190
Wilson, H. V. 792

和　文　索　引

Virchow, Rudolf　739
ウィングドヘリックス(winged helix)　311
Wnt　646, 649, 894, 1021
Wntシグナル経路　648
WAVE　669
ウエスタンブロット法(Western blotting)　105, 106, 954
WASH　671
受身免疫(passive immunization)　961
右旋性　→　D
ウラシル(uracil)　41
ウルバイラテリア(Urbilateria)　24
運動エネルギー(kinetic energy)　51
運動ニューロン(motor neuron)　910, 913
運搬体(carrier)　→　輸送体

AIRE　→　自己免疫調節因子
AID　→　活性化誘導シチジン脱アミノ酵素
ARS　→　自律複製配列
ARF　551
Arp2/3複合体(Arp2/3 complex)　667, 668
AE1　→　陰イオン交換輸送体1
AIDS　192, 293
鋭敏化(sensitization)　948
栄養因子(trophic factor)　896
栄養外胚葉(trophectoderm)　867, 868
栄養障害型表皮水疱症(dystrophic epidermolysis bullosa)　810
AAA ATPase　711
AAA ATPaseファミリー(AAA ATPase family)　525
Ash1(asymmetric synthesis of HO)　374
ASD　→　自閉スペクトラム症
AF　→　プロテオグリカン集合因子
AML　→　急性骨髄性白血病
Amot　→　アンジオモチン
AMP　41
ALS　→　筋萎縮性側索硬化症
ALV　→　トリ白血病ウイルス
Alu因子(Alu element)　257
エオシン(eosin)　130
液-液相分離(liquid-liquid phase separation)　71, 312, 365
エキソサイトーシス(exocytosis)　544
3′→5′エキソヌクレアーゼ活性(3′→5′ exonuclease activity)　158
エキソン　→　エクソン
液体クロマトグラフィー(liquid chromatography)　102, 103
Aキナーゼアンカータンパク質(A kinase-anchor protein)　600, 601
液胞(vacuole)　15
エクアトリアル(equatorial)　43
エクオリン(aequorin)　589
エクステンシン(extensin)　833
エクスポーチン(exportin)　139, 366, 539
Exo-9　356
エクソシスト(exocyst)　554
エクソソーム(exosome)　334, 356
　　──の構造　357
エクソーム解析(exome sequencing)　354
エクソン(exon)　173, 339
　　──の重複　242
エクソン横断的認識複合体(cross-exon recognition complex)　348
エクソンシャッフリング(exon shuffling)　258, 356
エクソンスプライシングエンハンサー(exonic splicing enhancer)　348
エクソンスプライシングサイレンサー(exonic splicing silencer)　352
エクソン接合部複合体(exon-junction complex)　345
AKAP　→　Aキナーゼアンカータンパク質
Akt　→　プロテインキナーゼB

Ac因子　→　活性化因子
ActA　669
siRNA　236, 333, 335, 364
siRNAノックダウン(siRNA knockdown)　368
SIM　→　構造化照明顕微鏡法
SILAC(stable isotope labeling with amino acids in cell culture)　110
Sic1　752, 759
S-アデノシルメチオニン(S-adenosylmethionine)　336
SR　→　筋小胞体
SRE　→　ステロール調節配列
SRE　→　血清応答配列
SRE結合タンパク質(SRE-binding protein)　→　SREBP
SREBP　848
SREBP経路　849
SRF　→　血清応答因子
Src　622
SRタンパク質(SR protein)　348
SRP　186, 284, 507
SRP受容体(SRP receptor)　507
SEM　143, 147
SETドメイン(SET domain)　325
SA　→　シグナル-膜係留配列
Sar1　551
SAM　→　茎頂分裂組織
SAGA複合体(SAGA complex)　309
SSRI　→　特異的セロトニン再取込み阻害薬
shRNA　236
She2(SWI-dependent HO expression)　374
SH2ドメイン(SH2 domain)　622, 623
SH3ドメイン(SH3 domain)　625, 626
snRNA　245, 333, 340
snRNP　340
　　──の構造　342
snoRNA　245, 333, 378
snoRNP　378, 380
SnoN　643
SNP　221
SNPマーカー(SNP marker)　220
SNV　→　一塩基変異
SFO　→　脳弓下器官
SMRT　327
SMCタンパク質　262, 263
SMタンパク質(Sec1/Munc18-like protein, SM protein)　934
SOC　→　貯蔵作動性チャネル
SOCS　639, 991
SOCSボックス(SOCS box)　639
S期(S phase)　17, 740
S期CDK　748
Ski(sloan-kettering cancer institute)　643
SKI複合体(SKI complex)　357
Ska複合体(Ska complex)　768
SC　→　対合複合体
SCID　→　重症複合免疫不全
scRNA-Seq　→　一細胞RNA-Seq
SCA(stigma/stylar cysteine-rich adhesion)　835
scaRNA　383
SCN　→　視交叉上核
SCNT　→　体細胞核移植
SCAP(SREBP cleavage-activating protein)　848
SCF　752, 753
SCF　→　幹細胞因子
SGZ　→　顆粒細胞下帯
SWI/SNFクロマチンリモデリング複合体(SWI/SNF chromatin-remodeling complex)　310
Sd　859
STIM1　607
STR　→　短反復配列
STED　141

STA　→　輸送阻止-膜係留配列
SDS-PAGE　→　SDS-ポリアクリルアミドゲル電気泳動法
SDS-ポリアクリルアミドゲル電気泳動法(SDS-polyacrylamide electrophoresis)　101, 102
エステル化(esterification)　41
エステル結合　32
エステル交換反応(transesterification reaction)　340
エストロゲン受容体応答エレメント　320
SPT16　293
SV　→　構造変異
SVZ　→　脳室下帯
SURF　372
エズリン-ラディキシン-モエシン(ezrin-radixin-moesin)　675
枝分かれをもつ形態の形成(branching morphogenesis)　792
Xist RNA　327, 328
XRN1　347, 366
XACT　328
X線結晶構造解析(X-ray crystallography)　111
X染色体不活性化中心(X-inactivation center)　326
X染色体連鎖潜性対立遺伝子(X-linked recessive allele)　219
X染色体連鎖潜性変異　219
XP　→　色素性乾皮症
XP-C　→　色素性乾皮症Cタンパク質
HIF-1α　850, 851, 1006
HIF-1β　850
HIV　192, 293, 362, 573
HRI　→　ヘム調節インヒビター
HRE　→　低酸素応答配列
Hrs　573
HER　586, 620, 621, 1017
HA　→　赤血球凝集素
HA　→　ヒアルロン酸
HAシンターゼ(HA synthase)　819
HSE　→　熱ショック配列
HSF　→　熱ショック因子
HSC　→　造血幹細胞
HSC70　→　HSP
HSP　77, 78, 533, 853
HXMS　→　水素-重水素交換質量分析法
Hh　→　ヘッジホッグ
HAT　→　ヒストンアセチルトランスフェラーゼ
hnRNA　333, 337
hnRNP　335, 337, 338
HNPCC　→　家族性非ポリポーシス大腸がん
HMM　→　ヘビーメロミオシン
HMG-CoAレダクターゼ(HMG-CoA reductase)　407
HMGタンパク質(high-mobility group protein)　269
HMT　→　ヒストンメチルトランスフェラーゼ
HLA複合体(HLA complex)　973
H鎖　→　重鎖
HD　→　ハンチントン病
HDAC　→　ヒストンデアセチラーゼ
HTLV　→　ヒトTリンパ球向性ウイルス
HP1　→　ヘテロクロマチンタンパク質1
HPV　→　ヒトパピローマウイルス
H-2複合体(H-2 complex)　973
ATR(ataxia telangiectasia and Rad3-related protein)　776
ATE　→　アルギニンtRNA-タンパク質トランスフェラーゼ
ADAM(a disintegrin and metalloproteinase)　823
ADAMTS(ADAM with thrombospondin motif)　823
ATM(ataxia telangiectasia mutated)　776
ADCC　→　抗体依存性細胞傷害
ATP　5, 6, 54, 447
　　──の加水分解　54
　　──の合成　449
ADP　5, 54

ATPase フォールド（ATPase fold） 661
ATP/ADP 対向輸送体（ATP/ADP antiporter） 485
ATP 駆動ポンプ（ATP-powered pump） 413
ATP 駆動輸送タンパク質 420
ATP 結合カセット（ATP-binding cassette） 420
ADPKD → 多発性囊胞腎疾患
ATP 合成酵素（ATP synthase） 420, 448
エーテル結合 32
エドマン分解（Edman degradation） 110
N-アセチルガラクトサミン（N-acetylgalactosamine） 402
N-アセチルグルコサミン（N-acetylglucosamine） 41
NES → 核外輸送シグナル
NELF（negative elongation factor） 293, 336
NA → 開口数
NALP（neuronal inhibitors of apoptosis） 994
nSREBP（nuclear SREBP） 848
NSF 555
NSC → 神経幹細胞
NXF1（nuclear export factor 1） 359, 539
NXT1（nuclear export transporter 1） 359, 539
NHEJ → 非相同末端結合
NAD^+ 56, 450
NADH-CoQ レダクターゼ（NADH-CoQ reductase） 471
$NADP^+$ 495
nNOS → 一酸化窒素合成酵素
NFAT → 活性化 T 細胞核内因子
NF-κB 91, 647
NF-κB 経路（NF-κB pathway） 647, 653
NMR 67, 111
NMJ → 神経筋接合部
NMD → ナンセンスコドン介在性分解
Nmd3 381
NLS → 核局在化シグナル
NOR → 核小体形成領域
NoRC 330
no-go 分解 → リボソーム停滞型分解
NO シンターゼ → 一酸化窒素合成酵素
NOD（nucleotide oligomerization domain） 994
Notum 648
NCAM 830
NK 細胞 → ナチュラルキラー細胞
N 結合型オリゴ糖（N-linked oligosaccharide） 519, 520, 558, 817
NKT 細胞（NKT cell） → ナチュラルキラー T 細胞
NGF → 神経成長因子
NTR 341
NTC 341
N ヌクレオチド（N nucleotide） 968, 984
NPXY 選別シグナル（NPXY sorting signal） 570
NPF → 核形成促進因子
NPC → 核膜孔複合体
NPC1 → ニーマン-ピック C1
N 末端（N-terminus） 61
N 末端ドメイン（N-terminal domain） 68
N 末端ルール（N-end rule） 852
N 領域（N region） 968
N ローブ（N lobe） 95, 621
エネルギー共役（energy coupling） 55
エネルギー充足率（energy charge） 451
エバネッセント波（evanescent wave） 136
AP1 304, 1020
APE1（apurinic endonuclease I） 164
ABO 血液型 402
APC → 抗原提示細胞
APC → 大腸腺腫症
エピジェネティクス（epigenetics） 322
エピジェネティックコード（epigenetic code） 266
エピジェネティック修飾（epigenetic modification） 24
エピジェネティックマーク（epigenetic mark） 322

ABCC7 → 囊胞性繊維症膜貫通調節タンパク質
APC/C 752, 753
ABC スーパーファミリー（ABC superfamily） 420
ABC タンパク質 427
APC タンパク質 1023
ABCB1 426
エピトープ（epitope） 82, 124, 230, 965
エピトープタグ（epitope tag） 132
エピトープ標識法（epitope tagging） 105, 230
エピネフリン（epinephrine） → アドレナリン
AP 複合体 → アダプタータンパク質複合体
エピマー（epimer） 42
エピメラーゼ（epimerase） 42
AP リアーゼ（apurinic lyase） 164
F アクチン（F-actin） 661
FRET 137～139, 594
FRAP 137, 138, 393, 723
A 部位（A site） 182
F 因子（F factor） 206
エフェクター（effector） 775
エフェクタータンパク質（effector protein） 578, 690, 837
エフェクター特異性（effector specificity） 581
エフェクターニューロン（effector neuron） 913
FACS 121, 122
FXS → 脆弱性 X 症候群
FH（formin-homology） 667
FH → 家族性高コレステロール血症
FAD 56, 57, 450
FADD（Fas-associated DD protein） 906
$F(ab)$, $F(ab')_2$ 962
FAP → 家族性腺腫性ポリポーシス
FABP → 脂肪酸結合タンパク質
F_0F_1 複合体（F_0F_1 complex） 479, 481
FMRP → 脆弱性 X 精神遅滞タンパク質
FMN 471
FLAG タグ 132
F 型ポンプ（F-class pump） 419, 420
Fc 962
FcR → Fc 受容体
Fc 受容体（Fc receptor） 671, 966
FG ヌクレオポリン（FG-nucleoporin） 537
A ボックス（A box） 330
エマーソン効果（Emerson effect） 488
miRNA 236, 245, 333, 335, 364, 366
miRNA 一次転写物（primary transcript-miRNA） 366
MINFLUX 142
MICOS（mitochondrial contact site and cristae organizing system） 455
MRI 924
mRNA 1, 7, 74, 152, 175, 176, 333
　——の分解 365
mRNA 監視機構（mRNA surveillance） 372, 373
mRNA 前駆体（precursor mRNA, pre-mRNA） 173, 333, 337
mRNA プロセシング 335
mRNP 539
mRNP エクスポーター（mRNP exporter） 359, 539
mRNP 核外輸送体 → mRNP エクスポーター
mRNP 前駆体（pre-mRNP） 335
mRNP リモデリング（mRNP remodeling） 360
MRN 複合体（MRN complex） 776
MEK キナーゼ（MEK kinase） 628
MEKK → MEK キナーゼ
MAIT 細胞（MAIT cell） 983
MAF1 331
MAM → ミトコンドリア接触領域
MALDI 108
MS 108
MS → 多発性硬化症
MHC 954, 973

MHC クラス I 経路 978
MHC クラス II 経路 980, 981
MHC クラス I 分子 974, 976
MHC クラス II 分子 974, 976, 977
MHC 拘束性（MHC restriction） 974
MHC 産物（MHC product） 955
MHC 分子（MHC molecule） 1027
MAP → 微小管結合タンパク質
MFN 461
MMTV → マウス乳腺腫瘍ウイルス
MMP → マトリックスメタロプロテイナーゼ
MLC → 調節軽鎖
M 期（M phase） 17, 740
MK2 776
MCS → 膜接触部位
MCM タンパク質（minichromosome maintenance (MCM) protein） 162
MCM ヘリカーゼ（MCM helicase） 761
MCC → 分裂チェックポイント複合体
MCTP 833
MCU → ミトコンドリアカルシウム単一輸送体
MDR1, MDR2 426, 428
Mtr4 357
MDS → 骨髄異形成症候群
Mdm2 778, 1026
mTOR → 多細胞動物の TOR
mTORC1 837, 843～846
mTOR プロテインキナーゼ（mTOR protein kinase） 837
MTOC → 微小管形成中心
MDCK 細胞（Madin-Darby canine kidney cell） 123, 798
mtDNA → ミトコンドリア DNA
M ドメイン（M domain） 507
M6P → マンノース 6-リン酸
MPF → 卵成熟促進因子
MBP → ミエリン塩基性タンパク質
MuSK 930
Myc タグ 132
エメリ－ドレフュス型筋ジストロフィー（Emery-Dreifuss muscular dystrophy） 735
AU リッチエレメント（AU-rich element） 365
エラスターゼ（elastase） 823
エラスチン（elastin） 814, 822
エリスロポエチン（erythropoietin） 634, 635, 883
エリスロポエチン受容体 638
L（levo） 38
Lin（lineage-restricted） 881
LINC（linker of nucleoskeleton and cytoskeleton） 735
LSCM → レーザー走査型共焦点顕微鏡
LH → 黄体形成ホルモン
LHRH → 黄体形成ホルモン放出ホルモン
LHC → 集光性複合体
lncRNA 241, 246, 267, 280, 326
LMM → ライトメロミオシン
LLO → 脂質結合糖鎖
LLPS → 液-液相分離
LOH → ヘテロ接合性の喪失
L 鎖 → 軽鎖
LC → 液体クロマトグラフィー
LG ドメイン（LG domain） 811
LC-MS/MS 110, 115, 116
LTR 252
LTR 型レトロトランスポゾン 241
LDL 568, 569
LDLR → LDL 受容体
LDL 受容体（LDL receptor） 568, 570
LTD → 長期抑制
LTP → 長期増強
LTBP → 潜在型 TGF-β 結合タンパク質
A ループ（A loop） → 活性化ループ

和文索引

エレクトロスプレー法（electrospray） 108, 109
塩基（base） 7, 41, 49
　——の構造　41
塩基がない部位（abasic site） 969
塩基除去修復　164
塩基性アミノ酸（basic amino acid） 39
塩基性ケラチン　732, 733
塩基性ジッパー（basic zipper） 302
塩基性繊維芽細胞増殖因子（basic fibroblast growth factor） 1006
塩基性ヘリックス-ループ-ヘリックス（basic helix-loop-helix） 65, 302
塩基対（base pair） 154
　——の構造　155
ENCODE（Encyclopedia of DNA elements） 329
炎症（inflammation） 959
炎症性ケモカイン（inflammatory chemokine） 992
炎症性T細胞（inflammatory T cell） 991
炎症反応（inflammatory response） 959
遠心性ニューロン（efferent neuron） 913
遠心分離法　100
Cl⁻/HCO₃⁻対向輸送体（Cl⁻/HCO₃⁻ antiporter） 440, 441
エンタクチン（entactin）→ ニドジェン
エンタルピー（enthalpy） 52
エンドウ（Pisum sativum） 491
エンドグリコシダーゼD（endoglycosidase-D） 546, 547
エンドサイトーシス（endocytosis） 14, 544, 929
エンドサイトーシス経路（endocytic pathway） 544, 545
エンドサイトーシス小胞（endocytic vesicle） 660
エンドソーム（endosome） 14
エンドヌクレアーゼ経路（endonucleolytic pathway） 366
エントロピー（entropy） 52
エンハンサー（enhancer） 23, 240, 282, 284, 287, 295, 638
エンハンソソーム（enhanceosome） 305

ORI → 複製起点
ORN → 嗅覚受容ニューロン
ORF → オープンリーディングフレーム
ORC → 複製起点認識複合体
横行小管（transverse tubule） 684
黄色ブドウ球菌（Staphylococcus aureus） 149
黄体形成ホルモン（luteinizing hormone） 608
黄体形成ホルモン放出ホルモン（luteinizing hormone-releasing hormone） 608
応答エレメント（response element） 320
横紋筋肉腫様腫瘍 → ラブドイド腫瘍
OS-9　524
Oxa1　530
岡崎フラグメント（Okazaki fragment） 159, 160
オキサロ酢酸（oxaloacetate） 465
オキシアニオンホール（oxyanion hole） 86
オキシダーゼ（oxidase） 16, 468
オーキシン（auxin） 833
2-オキソグルタル酸　850
オーグミン複合体（augmin complex） 700
オクルディン（occludin） 804
O結合型オリゴ糖（O-linked oligosaccharide） 519, 817, 818
オートファゴソーム（autophagosome） 574
オートファジー（autophagy） 15, 89, 461, 574, 844
オートラジオグラフィー（autoradiography） 107
オドラント → におい物質
Op18/スタスミン（Op18/stathmin） 705, 706
オーファン受容体（orphan receptor） 595
オプシン（opsin） 610
オプソニン化（opsonization） 671, 966, 982
オプトジェネティクス → 光遺伝学

オープンリーディングフレーム（open reading frame） 177, 214, 255
親型（parental type） 220
Orai1　607
オリゴデンドロサイト（oligodendrocyte） 914, 925
オリゴ糖転移酵素（oligosaccharyl transferase） 520
オリゴペプチド（oligopeptide） 61
折りたたまれていないタンパク質に対する応答（unfolded-protein response） 523
折りたたみ（folding） 74
オルガノイド（organoid） 123, 124, 745, 825, 879, 881
オルソログ（ortholog） 216
オレイン酸　45
オレキシン（orexin） 595
Aurora　726, 765, 769
オワンクラゲ（Aequorea victoria） 132, 589
温度感受性（突然）変異（temperature-sensitive mutation） 20, 198, 200
温度感受性（突然）変異体（temperature-sensitive mutant） 743

か 行

ガイガーカウンター（Geiger counter） 107
壊血病（scurvy） 816
開口数（numerical aperture） 128
介在ニューロン（interneuron） 910, 913
介在板（intercalated disk） 683
開始（initiation, 転写の） 170, 172, 279
開始（翻訳の） 183
開始因子（initiation factor） 182
開始コドン（start codon, initiation codon） 176
概日時計（circadian clock） 838
概日発振器（circadian oscillator） 838
概日リズム（circadian rhythm） 855
48S開始複合体（48S initiation complex） 184
80S開始複合体（80S initiation complex） 184
開始前複合体（preinitiation complex） 290, 291
43S開始前複合体（43S preinitiation complex） 182
回転ディスク型共焦点顕微鏡（spinning disk confocal microscope） 134, 135
解糖（glycolysis） 56, 450
解糖系（glycolytic pathway） 450, 451
海馬（hippocampus） 916, 949
回文配列（palindromic sequence） 204
開閉調節を受けないチャネル（nongated channel） 413, 432
開閉調節を受けるチャネル（gated channel） 413
界面活性剤（detergent） 403
カイモグラフ（kymograph） 705
解離因子（dissociation element） 252
解離定数（dissociation constant） 47, 581, 586
外腕（outer-arm） 716
化学シグナル（chemical signal） 910
化学シナプス（chemical synapse） → シナプス
化学浸透（chemiosmosis） 448
化学浸透圧説（chemiosmotic hypothesis） 479
化学浸透共役（chemiosmotic coupling） 448
化学走性 → 走化性
化学発光（chemiluminescence） 105
化学平衡（chemical equilibrium） 30, 46
化学ポテンシャルエネルギー（chemical potential energy） 51
架橋（cross-linking） 962
核（nucleus, pl. nuclei） 12
　——の構造　13
核外膜（outer nuclear membrane） 13
核外輸送因子1 → NXF1

核外輸送シグナル（nuclear-export signal） 539
核外輸送トランスポーター1 → NXT1
角化細胞 → ケラチノサイト
核型（karyotype） 271, 1003
核局在化シグナル（nuclear-localization signal） 536, 638, 643
核形成相（nucleation phase） 663
核形成促進因子（nucleation promoting factor） 668
核孔 → 核膜孔
核酸（nucleic acid） 37, 38
核磁気共鳴（nuclear magnetic resonance） → NMR
核磁気共鳴画像法（magnetic resonance imaging） → MRI
核質（nucleoplasm） 13
核小体（nucleolus） 13, 17, 377
核小体形成領域（nucleolar organizer region） 267, 378
核小体低分子RNA（small nucleolar RNA） → snoRNA
核スペックル（nuclear speckle） 17, 384
獲得免疫（acquired immunity） 960
獲得免疫系（acquired immune system） 953
核内mRNP（nuclear mRNP） 335, 359
核内構造体 → 核内ボディ
核内受容体（nuclear receptor） 301, 320
核内受容体スーパーファミリー（nuclear-receptor superfamily） 319
核内小体 → 核内ボディ
核内低分子RNA（small nuclear RNA） → snRNA
核内低分子リボ核タンパク質粒子（small nuclear ribonucleoprotein particle） → snRNP
核内ボディ（nuclear body） 383, 384
核内膜（inner nuclear membrane） 12
核バスケット（nuclear basket） 360, 537
核パラスペックル　384
隔壁（septum） 742
核膜（nuclear envelope） 359, 536
隔膜形成体（phragmoplast） 729
核膜孔（nuclear pore） 359, 536
核膜孔複合体（nuclear pore complex） 13, 359, 536
核輸送受容体（nuclear transport receptor） 537
核様体（nucleoid） 10
核ラミナ（nuclear lamina） 13, 734, 735
核リシンアセチルトランスフェラーゼ（nuclear lysine acetyltransferase） 264
確率的光学再構築顕微鏡法（stochastic optical reconstruction microscopy） 140
化合物ライブラリー（chemical library） 126
加水分解（hydrolysis） 37
ガストデューシン（gustducin） 942
カスパーゼ（caspase） 900
カゼインキナーゼ1（casein kinase 1） 647
カゼインキナーゼ2（casein kinase 2） 330
家族性高コレステロール血症（familial hypercholesterolemia） 569
家族性腺腫性ポリポーシス（familial adenomatous polyposis） 1022
家族性乳がん　1009
家族性非ポリポーシス大腸がん（hereditary nonpolyposis colorectal cancer） 165, 1009
家族性（遺伝性）網膜芽細胞腫（hereditary retinoblastoma） 1012
カタストロフィー（catastrophe） 701
カタニン（katanin） 706, 729
カタラーゼ（catalase） 16, 468
カチオン → 陽イオン
花柱（style） 835
褐色脂肪組織（brown-fat tissue） 486
活性化因子（activator element） 252
活性化エネルギー（activation energy） 53, 83
活性化T細胞核内因子（nuclear factor of activated T cell） 986

活性化ドメイン（activation domain） 298
活性化誘導シチジン脱アミノ酵素（activation-induced cytidine deaminase） 969
活性化ループ（activation loop） 95, 618
活性酸素分子種（reactive oxygen species） 477
活性部位（active site） 83, 85, 171
滑走フィラメント測定法（sliding-filament assay） 677
活動帯（active zone） 929
活動電位（action potential） 579, 683, 910, 911, 912, 924
滑面小胞体（smooth endoplasmic reticulum） 13
CAR T細胞（CAR T cell） 1029, 1030
カテコールアミン（catecholamine） 932
カテプシン（cathepsin） 981
可動性DNA因子（mobile DNA element） 249
カドヘリン（cadherin） 797
カハール体 → カハールボディ
カハールボディ（Cajal body） 383
カプソメア（capsomere） 189
過分極（hyperpolarization） 919
下方制御（down-regulation） 571
鎌状赤血球貧血 218
CAM → 細胞接着分子
ガラクトース 42, 43
カラーレスネイティブ-PAGE（colorless native-PAGE） 477
下流（downstream） 170, 283
顆粒球コロニー刺激因子（granulocyte colony-stimulating factor） 634
顆粒細胞下帯（subgranular zone） 916
下流プロモーターエレメント（downstream promoter element） 288
Ca²⁺ ATPase
　——の構造 423
　——の作動モデル 422
カルシウムシグナル伝達（calcium signaling） 463
カルシウム接着（calcium adhering） 798
カルジオリピン（cardiolipin） 408, 477
カルニチン（carnitine） 468
カルネキシン（calnexin） 522, 604
カルビン回路（Calvin cycle） 496, 497
Calvin, Melvin 496
カルボキシ基 32
カルボキシ末端ドメイン（carboxyl-terminal domain） 287
カルボニル基 32
カルモジュリン（calmodulin） 93, 421, 598
カルレティキュリン（calreticulin） 522, 604
カロース（callose） 834
カロテノイド（carotenoid） 490
カロリー（cal） 52
がん（cancer） 1002, 1006
がん遺伝子（oncogene） 192, 1010
感覚ニューロン（sensory neuron） 910, 913
がん幹細胞（cancer stem cell） 1005
間期（interphase） 722, 740
ガングリオシド（ganglioside） 391
還元（reduction） 56
がん原遺伝子（proto-oncogene） 1011, 1018
還元電位（reduction potential） 57, 475
幹細胞（stem cell） 26, 739, 866
　——の分化 876
幹細胞因子（stem cell factor） 881
幹細胞ニッチ（stem-cell niche） 876
がん腫（carcinoma） 1001
間充織 → 間葉
緩衝剤（buffer） 49
緩衝能（buffering capacity） 50
環状リン脂質（annular phospholipid） 399, 400
カーンズ-セイヤー症候群（Kearns-Sayre syndrome） 459

間接作用性発がん物質（indirect-acting carcinogen） 1008
間接免疫蛍光顕微鏡法（indirect immunofluorescence microscopy） 132
環帯（annulus） 833
桿体（rod） 609, 939
がん代謝物（oncometabolite） 1005
がんタンパク質（oncoprotein） 643
Kandel, Eric 948
眼点（eyespot） 926
陥入（invagination） 14
カンブリア爆発（Cambrian explosion） 454
γ-アミノ酪酸 932
γ-セクレターゼ（γ-secretase） 646
γチューブリン環状複合体（γ-tubulin ring complex） 699
γ-TuRC → γチューブリン環状複合体
γδT細胞 → ナチュラルキラーT細胞
がん免疫療法（cancer immunotherapy） 1003
寛容（tolerance） 953
間葉（mesenchyme） 868
間葉細胞 799
がん抑制遺伝子（tumor suppressor gene） 1015
キアズマ（chiasma, pl. chiasmata） 781, 783
偽遺伝子（pseudogene） 244
記憶（memory） 953
記憶細胞（memory cell） 991
機械刺激センサー（mechanosensor） 794, 939
機械刺激伝達（mechanotransduction） 794
機械受容体（mechanoreceptor） 837
器官（organ） 787
偽基質（pseudosubstrate） 597
偽キナーゼ（pseudokinase） 637
危険因子（risk factor） 222
基質（substrate） 60, 82
基質結合部位（substrate-binding site） 83
基質レベルのリン酸化（substrate-level phosphorylation） 450
キシラン（xylan） 833
キシログルカン（xyloglucan） 833
拮抗阻害剤（competitive inhibitor） 87
拮抗的な相互作用（antagonistic interaction） 890
基底小体（basal body） 699, 715
基底層（basal layer） 733
基底膜（basal lamina） 22, 123, 733, 796, 810
基底膜（basement membrane） 1006
基底面（basal surface） 22, 123, 796
起点（origin） 159
希突起膠細胞 → オリゴデンドロサイト
キナーゼ（kinase） → プロテインキナーゼ
キナーゼカスケード（kinase cascade） 624
キナーゼドメイン（kinase domain） 95
キネシン（kinesin） 706, 708, 713
　——による小胞輸送 708
　——の機能 710
　——の構造 708
　——の歩行 709
機能獲得型変異（gain-of-function mutation） 197
機能喪失型変異（loss-of-function mutation） 196
機能相補（functional complementation） 207, 208
機能ドメイン（functional domain） 67
キノン（quinone） 494
Gibbs, J. W. 52
ギブズの自由エネルギー（Gibbs free energy） 52
基本組織（ground tissue） 832
基本転写因子（general transcription factor） 172, 288, 289, 290
キメラ（chimera） 235
キメラタンパク質（chimeric protein） 120
逆転写酵素（reverse transcriptase） 192, 208, 250
逆転写PCR（reverse transcriptase-PCR） 210

逆輸送（dislocation） 524
逆平行（antiparallel） 154
逆方向反復配列（inverted repeat） 251
Cas（CRISPR-associated） 232
逆行性輸送（retrograde transport） 707
逆行性輸送小胞（retrograde transport vesicle） 544
GAP 93, 184, 538, 584, 625, 691
5′キャップ（5′ cap） 173, 336
　——の構造 173
5′キャップ形成（5′ capping） 335
ギャップ結合（gap junction） 795, 797, 807, 915, 938
キャップ結合複合体（cap-binding complex） 357
ギャップジャンクション → ギャップ結合
CapZ 666
キャップタンパク質（capping protein） 666
キャプシド（capsid） 188
Q → キノン
吸エルゴン反応（endergonic reaction） 52
嗅覚系 945, 946
嗅覚受容体（olfactory receptor） 944
嗅覚受容ニューロン（olfactory receptor neuron） 944, 945
旧口動物（protostome） 24
球状タンパク質（globular protein） 69
求心性ニューロン（afferent neuron） 913
急性炎症性脱髄多発性ニューロパチー（acute inflammatory demyelinating polyneuropathy） 926
急性骨髄性白血病（acute myeloid leukemia） 354
吸着（adsorption） 190
吸熱反応（endothermic reaction） 52
QH₂ 489
Q回路（Q cycle） 473, 474
Cubitus interruptus（Ci） 651
境界エレメント（boundary element） 265
境界膜（boundary membrane） 454
共刺激シグナル（co-stimulatory signal） 989
凝縮体 → コンデンセート
共焦点顕微鏡法（confocal microscopy） 134, 135
共生細菌（commensal bacteria） 955
胸腺（thymus） 980
胸腺細胞（thymocyte） 980
協同性（cooperativity） 92
協同的DNA結合（cooperative DNA binding） 304
共方向性（co-oriented） 784
共鳴エネルギー移動（resonance energy transfer） 491
共鳴混成体（resonance hybrid） 32
共役（coupling） 437
共有結合（covalent bond） 30, 33
共輸送（cotransport） 437
共輸送体（cotransporter） 413
極性（polarity，細胞の） 22, 795
極性（polarity，分子の） 32
極性 → 方向性（アクチンフィラメントの）
極性化（polarization） 866
極性調節機構（polarity regulator） 796
極微小管（polar microtubule） 722, 723
巨大分子（macromolecule） 5, 37
許容温度（permissive temperature） 20, 199
キラーT細胞 → 細胞傷害性T細胞
キラリティー（chirality） 31
キラル炭素原子（chiral carbon atom） 31
ギラン-バレー症候群（Guillain-Barre syndrome） 925
キロカロリー（kcal） 52
筋萎縮性側索硬化症（amyotrophic lateral sclerosis） 872
筋原繊維（myofibril） 682
筋ジストロフィー（muscular distrophy） 828
筋鞘（sarcolemma） 683
筋小胞体（sarcoplasmic reticulum） 421, 606, 683, 684
筋節 → サルコメア

金属シャドウイング（metal shadowing） 144
筋組織（muscular tissue） 787
キンドリン（kindlin） 825, 828
緊密化（compaction） 867

グアニン（guanine, G） 41, 153
グアニンヌクレオチド解離阻害因子（guanine nucleotide dissociation inhibitor） → GDI
グアニンヌクレオチド交換因子（guanine nucleotide exchange factor） → GEF
空間充填モデル 31
空間配置（topology） 512
空間配置決定配列（topogenic sequence） 512, 516
クエリ配列（query sequence） 215
クエン酸（citric acid） 465
クエン酸回路（citric acid cycle） 464, 465
茎（stem） 832
屈折率（refractive index） 128
グッドパスチャー症候群（Goodpasture's syndrome） 813
組合わせによる多様性（combinatorial diversity） 802
組換え（recombination） 167, 220
組換え型（recombinant type） 220
組換えシグナル配列（recombination signal sequence） 967
組換え小体（recombination nodule） 781
組換え DNA（recombinant DNA） 204
組換え DNA 技術（recombinant DNA technology） 204
クライオ電子顕微鏡法（cryoelectron microscopy） 111, 112, 146
クライオ電子断層撮影法（cryoelectron tomography） 146
クライシン（kleisin） 263
Greider, Carol 276
クラススイッチ（class switch） 972
クラスター解析（cluster analysis） 226
クラスター型プロトカドヘリン（clustered protocadherin） 797, 799
クラスリン（clathrin） 149, 550
クラスリン被覆小胞 149, 561, 562
クラスリン被覆ピット（clathrin-coated pit） 568
グラナ（granum, pl. grana） 16, 487
クラミドモナス（Chlamydomonas reinhardtii） 8, 18, 20, 718, 926
Crumbs 複合体 892
グランザイム（granzyme） 966, 990
クランプ積込み装置 → クランプローダー
クランプドメイン（clamp domain） 285, 286
クランプローダー（clamp loader） 161
グリア（glia） → グリア細胞
グリア細胞（glial cell） 189, 914, 925
グリア細胞繊維性酸性タンパク質（glial fibrillary acidic protein） 733, 734
グリア細胞由来神経栄養因子（glia-derived neurotrophic factor） 1018
グリオキシソーム（glyoxisome） 16
グリコーゲン（glycogen） 43, 596
グリコーゲンシンターゼ（glycogen synthase） 597
グリコーゲン代謝 599
グリコーゲン分解（glycogenolysis） 596
グリコーゲンホスホリラーゼ（glycogen phosphorylase） 597
グリコーゲンホスホリラーゼキナーゼ（glycogen phosphorylase kinase） 598
グリコサミノグリカン（glycosaminoglycan） 43, 814, 817
グリコシダーゼ（glycosidase） 520
グリコシド結合（glycosidic bond） 37, 38
グリコシル化（glycosylation） 518
グリコシルトランスフェラーゼ（glycosyltransferase） 519

グリコシルホスファチジルイノシトール（glycosylphosphatidylinositol） → GPI
グリコホリン C（glycophorin C） 675
グリシン（glycine） 39, 40, 932
クリスタジャンクション（crista junction） 454
クリステ（crista, pl. cristae） 16, 454
CRISPR（clustered regularly interspaced short palindromic repeat） 232
CRISPRa（CRISPR activation） 234, 235
CRISPRi（CRISPR interference） 234, 235
CRISPR 干渉 → CRISPRi
CRISPR-Cas9 232, 233, 235
グリセロール 44
Crick, Francis H. C. 7, 154, 249
CLIP 断片（CLIP segment） 977, 982
クリプト（crypt） 878
グルカゴン（glucagon） 591, 592, 839
グルココルチコイド受容体 321
グルココルチコイド受容体応答エレメント 320
グルコース 42, 43
——の代謝 453
グルコマンナン（glucomannan） 833
グルタミン（glutamine） 39
グルタミン酸（glutamic acid） 39, 928, 932
GLUT1 411, 415, 416
GLUT4 149, 841
GLUT タンパク質（GLUT protein） 416
GLUT4 貯蔵小胞（GLUT4 storage vesicle） 840
グループ I イントロン（group I intron） 355, 381
グループ II イントロン（group II intron） 355, 356, 381
グループ VII エチレン応答因子（group VII ethylene response factor） 852
クレブス回路（Krebs cycle） → クエン酸回路
GroEL/GroES 79
クロスブリッジサイクル（cross-bridge cycle） 682
クローディン（claudin） 804
クロノバイオロジー（chronobiology） 855
グロビン
——の進化 69
クロフィブレート（clofibrate） 468
クロマチン（chromatin） 240, 260, 306
クロマチン介在性抑制（chromatin-mediated repression） 306
クロマチン免疫沈降法（chromatin immunoprecipitation） 289, 290
クロマチンリモデリング複合体（chromatin-remodeling complex） 310, 1016
ChromEMT → 染色体電子顕微鏡トモグラフィー
クロモシャドードメイン（chromoshadow domain） 265
クロモドメイン（chromodomain） 265, 324
クロロフィル（chlorophyll） 490
クロロフィル b（chlorophyll b） 490
クローン（clone） 19, 119, 206
クローン化 DNA（cloned DNA） 206
クローン形成ネオブラスト（clonogenic neoblast） 875
クローン選択説（clonal selection theory） 963, 964
蛍光 in situ ハイブリダイゼーション（fluorescence in situ hybridization） 239, 271
蛍光共鳴エネルギー移動（fluorescence resonance energy transfer） → FRET
蛍光顕微鏡法（fluorescence microscopy） 130
蛍光色素（fluorescent dye, fluorochrome） 130
蛍光染色（fluorescent staining） 130
蛍光励起式セルソーター（fluorescence-activated cell sorter） → FACS
軽鎖（light chain） 82, 961
経細胞輸送（transcellular transport） 443（トランスサイトーシスも見よ）

軽鎖の可変領域（variable region of the light chain） 964
軽鎖の定常領域（constant region of the light chain） 964
形質細胞（plasma cell） 972
形質転換（transformation） 205, 228, 229, 1010
形質導入 → トランスフェクション
形成細胞巣（germarium） 877
形成中心（organizing center） 885
茎頂分裂組織（shoot apical meristem） 884, 885
系統樹 2
霊長類の—— 23
係留コラーゲン（anchoring collagen） 814
KH ドメイン（KH domain） 338
KAT → 核リシンアセチルトランスフェラーゼ
K_m → ミカエリス定数
GEO（Gene Expression Omnibus） 329
KKXX 選別シグナル（KKXX sorting signal） 558
K63 結合型ポリユビキチン結合ドメイン（poly-K63 ubiquitin-binding domain） 654
血液（blood） 787
血管外遊走 → 溢出
血管拡張（vasodilation） 959
血管細胞接着分子（vascular CAM-1） 828
血管新生（angiogenesis） 1005
血管内皮増殖因子（vascular endothelial growth factor） 850, 1006
結合（binding） 60
結合実験（binding assay） 585, 586
結合状態変化機構（binding-change mechanism） 482
結合接着分子（junction adhesion molecule） 804, 829
結合組織（connective tissue） 787, 792
結合特異性（binding specificity） 580
血小板活性化因子（platelet-activating factor） 831
血清応答因子（serum response factor） 628
血清応答配列（serum response element） 628
結節性硬化症複合体（tuberous sclerosis complex） 846
血友病 A 218
血流を回る腫瘍細胞（circulating tumor cell） 1006
K_d → 解離定数
KDEL 受容体（KDEL receptor） 557
KDEL 選別シグナル（KDEL sorting signal） 557
ゲート（gate） 918
ゲノミクス（genomics） 4, 23
ゲノム（genome） 13
——の複製（genome replication） 191
ゲノム編集（genome editing） 232
ゲノムライブラリー（genomic library） 206
ゲフィリン（gephyrin） 931
ケモカイン（chemokine） 830, 959
ゲラチナーゼ（gelatinase） 823
ケラチノサイト（keratinocyte） 733
ケラチン（keratin） 732
ゲルシフト法（gel-shift assay） 297
ゲルゾリン（gelsolin） 666
ゲル濾過クロマトグラフィー（gel filtration chromatography） 103
原核細胞 9
——の構造 10
原核生物（prokaryotic organism） 3
嫌気的呼吸（anaerobic respiration） 449
限局性構造 → フォーカルコンプレックス
原形質膜 → 細胞膜
原形質流動（cytoplasmic streaming） 687, 688
原形質連絡（plasmodesm(a), pl. plasmodesmata） 22, 833, 834
原口（blastopore） 24
減数第一分裂（meiosis I） 198, 744, 780, 782, 783
減数第二分裂（meiosis II） 198, 744, 780, 782
減数分裂（meiosis） 167, 198, 780〜783
減数分裂 I → 減数第一分裂

減数分裂 II → 減数第二分裂
原生動物(protozoan) 10
顕性(突然)変異(dominant mutation) 196
——の分離 199

コアエレメント(core element) 330
コアクチベーター(co-activator) 302, 309, 600
コアゲート(core gate) 89
コイルドコイル(coiled-coil) 64, 302
高アセチル化状態(hyperacetylated) 264
高移動群タンパク質 → HMG タンパク質
高エネルギー結合(high-energy bond) 55
高エネルギーリン酸無水物結合 30
好塩菌(halophile) 10
光化学系(photosystem) 488, 492
効果器特異性 → エフェクター特異性
光学異性体(optical isomer) 31
光学顕微鏡 127, 129
項間交差(intersystem crossing) 491
後期(anaphase) 721, 722, 742
後期エンドソーム(late endosome) 544
好気的(aerobic) 56
好気的解糖(aerobic glycolysis) 1004, 1005
好気的呼吸(aerobic respiration) → 好気的酸化
好気的酸化(aerobic oxidation) 447〜449, 464
抗血清(antiserum) 961
抗原(antigen) 81, 82, 588, 953
抗原決定基(determinant) 124
抗原提示(antigen presentation) 978
　食細胞による—— 982
　B 細胞による—— 982
抗原提示細胞(antigen-presenting cell) 958, 973
抗原プロセシング(antigen processing) 978
交互アクセスモデル(alternating access model) 414
光合成(photosynthesis) 5, 55, 447〜489, 493, 497
後口動物 → 新口動物
光呼吸(photorespiration) 499
高コレステロール血症 218
後根神経節細胞(dorsal root ganglion cell) 940
交差 → 乗換え
交差提示(cross-presentation) 980
交差 β シート(cross-β sheet) 80
光子(photon) 490
恒常性 → ホメオスタシス
恒常性ケモカイン(homeostatic chemokine) 992
恒常的活性型 → ドミナントアクティブ
恒常的不活性型 → ドミナントネガティブ
恒常的分泌(constitutive secretion) 544
恒常的分泌小胞(constitutive secretory vesicle) 564
紅色細菌(Rhodobacter sphaeroides) 447
校正(proofreading) 158, 180
合成期(synthesis phase) → S 期
合成致死(synthetic lethality) 203
合成致死変異(synthetic lethal mutation) 203
構成的(constitutive) 618, 642
構成的スプライス部位(constitutive splice site) 349
構成的発現(constitutive expression) 299
酵素(enzyme) 7, 53, 60, 82
構造遺伝子の発現(structural gene expression) 191
構造化照明顕微鏡法(structured illumination microscopy) 140, 141, 462
構造タンパク質(structural protein) 59
構造ヌクレオポリン(structural nucleoporin) 537
構造ドメイン(structural domain) 64, 67
構造変異(structural variant) 1010
構造モチーフ(structural motif) 64, 216
酵素-基質(ES)複合体(enzyme-substrate complex) 83
拘束(restriction) 974
拘束因子(restriction element) 974
酵素阻害剤(enzyme inhibitor) 87
抗体(antibody) 81, 82, 954

抗体アフィニティークロマトグラフィー(antibody-affinity chromatography, immunoaffinity chromatography) 103, 104
抗体依存性細胞傷害(antibody-dependent cell-mediated cytotoxicity) 966
好中球(neutrophil) 959
高張液(hypertonic solution) 417
抗停止因子(anti-pausing factor) 293
光電子増倍管 135
光電子伝達(photoelectron transport) 494
後天性免疫 → 獲得免疫系
後天性免疫不全症候群(acquired immune deficiency syndrome) → AIDS
高度好熱菌(Thermus thermophilus) 181
高度不飽和(polyunsaturated) 44
好熱・好酸菌(thermoacidophile) 10
興奮性(excitatory) 911
興奮性細胞(excitable cell) 911
興奮性シナプス(excitatory synapse) 928
興奮性受容体(excitatory receptor) 938
抗分裂促進因子 → 分裂抑制因子
抗ペプチド抗体(anti-peptide antibody) 995
抗利尿ホルモン(antidiuretic hormone) 419
絞輪 → ランビエ絞輪
CoA 405, 463
Cohen, Stanley 620
CoQ 471
呼吸(respiration) 449
呼吸鎖(respiratory chain) → 電子伝達鎖
呼吸調節(respiratory control) 486
$CoQH_2$-シトクロム c レダクターゼ($CoQH_2$-cytochrome c reductase) 471, 473
古細菌 → アーキア
コザック配列(Kozak sequence) 184
Koshland, Daniel 83
co-Smad 642
枯草菌(Bacillus subtilis) 8
五炭糖(pentose) 42
骨格(backbone) 61, 153
骨形成タンパク質(bone morphogenetic protein) 640
骨形成不全症(osteogenesis imperfecta) 816
骨髄異形成症候群(myelodysplastic syndrome) 354
骨髄腫細胞(myeloma cell) 124
固定結合(anchoring junction) 795, 796
古典的カドヘリン(classical cadherin) 797, 798, 801
古典的経路(classical pathway) 958
コートマー(coatomer) 557
コード領域(coding region) 240
コドン(codon) 152, 175
コネキシン(connexin) 806
コネクソン(connexon) 806
コネクター(connector) 668
コネクチン(connectin) → タイチン
コハク酸 56
コハク酸-CoQ レダクターゼ(succinate-CoQ reductase) 471, 473
コハク酸デヒドロゲナーゼ(succinate dehydrogenase) 465
コヒーシン(cohesin) 263, 720, 741, 762, 763, 783
コヒーシン病(cohesinopathy) 763
COP(coat protein) 550〜552, 556〜559
コフィリン(cofilin) 665
コラゲナーゼ(collagenase) 823
コラーゲン(collagen) 40, 809, 812, 814
　——の構造 812, 813
　IV 型—— 809
コラーゲン α 鎖(collagen α chain) 811
コラーゲン細繊維(collagen fibril) 814
コラーゲン三重らせん(collagenous triplet helix) 811
コラーゲン繊維(collagen fiber) 814, 822
コラーゲン微細繊維(collagen microfibril) 814

コリプレッサー(co-repressor) 303, 309
コリン(choline) 44
Golgi, Camillo 947
ゴルジ染色(Golgi stain) 947
ゴルジ体(Golgi complex) 14
ゴルジ複合体 → ゴルジ体
コルチゾール 319
コルヒチン(colchicine) 703
コレステロール(cholesterol) 45, 392
　——の生合成経路 407
コレステロール依存性動脈梗塞(cholesterol-dependent clogging of the artery) → アテローム性動脈硬化症
コレステロールエステル 45
コレラ菌(Vibrio cholerae) 594, 806
コロニー(colony) 120
根端分裂組織(root apical meristem) 884, 885
コンデンシン(condensin) 263, 269, 770
コンデンセート(condensate) 299
Kornberg, Arthur 157
コンパクション → 緊密化
コンバーター 679
コンピューター断層撮影(computerized tomography (CT)scanning) 924
コンプレキシン(complexin) 934
コンホメーション(conformation) 59

さ 行

細菌(bacterium. *pl.* bacteria) 2, 8, 9
　——の RNA ポリメラーゼ 173
細菌人工染色体(bacterial artificial chromosome) → BAC
サイクリック GMP(cyclic GMP) → cGMP
サイクリン(cyclin) 91, 741
サイクリン E(cyclin E) 749
サイクリン依存性キナーゼ(cyclin-dependent kinase) → CDK
サイクリン D(cyclin D) 741, 749, 1019
サイクリンフォールド(cyclin fold) 751
サイクリンボックス(cyclin box) 751
サイクロソーム(cyclosome) → APC/C
最終生成物阻害(end-product inhibition) 92
再生(renaturation) 156
細繊維結合コラーゲン(fibril-associated collagen) 814, 816
細繊維性接着(fibrillar adhesion) 824
最大速度(maximal velocity) → V_{max}
サイトカイン(cytokine) 333, 615, 634, 883, 959
サイトカインシグナル伝達抑制因子(suppressor of cytokine signaling) → SOCS
サイトカイン受容体(cytokine receptor) 634
　——の構造 636
サイトカインストーム(cytokine storm) 1030
サイトカラシン D(cytochalasin D) 671
サイトケラチン(cytokeratin) 733
再分極(repolarization) 911
細胞(cell) 119
細胞横断経路(transcellular pathway) 805
細胞外シグナル伝達分子(extracellular signaling molecule) → シグナル
細胞外マトリックス(extracellular matrix) 22, 578, 788, 791
　——の機能 792
細胞外マトリックス接着受容体(cell-matrix adhesion receptor) 788
細胞株(cell strain) 121
細胞間結合(cell junction) 788, 789, 796, 797
　——の構造 796

和 文 索 引

細胞間接着(cell-cell adhesion) 788
細胞間相互作用(intercellular interaction) → トランス型相互作用
細胞極性(cell polarity) 657, 886, 888
細胞系(cell line) 121
細胞系譜(cell lineage) 865, 866
　線虫の── 891
細胞呼吸(cellular respiration) 56
細胞骨格(cytoskeleton) 12, 388, 657〜659
　──の構成要素 659
細胞骨格タンパク質(cytoskeletal protein) 7
細胞酸化ストレス(cellular oxidative stress) 477
細胞死受容体(death receptor) 900, 907
細胞質(cytoplasm) 7
細胞質遺伝(cytoplasmic inheritance) 457
細胞質 mRNP(cytoplasmic mRNP) 336
細胞質ストレス顆粒(cytosolic stress granule) 17
細胞質スリーブ(cytoplasmic sleeve) 833
細胞質側面(cytosolic face) 390
細胞質ゾル(cytosol) 11
細胞質ダイニン(cytoplasmic dynein) 711, 713
　──の構造 711
細胞質分裂(cytokinesis) 660, 721, 722, 728, 742, 773, 774
細胞質ポリアデニル酸付加(cytoplasmic polyadenylation) 369
細胞質ポリアデニル酸付加エレメント(cytoplasmic polyadenylation element) 369
細胞死ドメイン(death domain) 907
細胞周期(cell cycle) 17, 720, 739
　──の制御 748
　酵母の── 744
細胞傷害性 T 細胞(cytotoxic T cell, cytotoxic T lymphocyte) 973〜975, 990, 1027
細胞小器官(organelle) 9, 11, 120
細胞性粘菌(Dictyostelium discoideum) 146, 594
細胞接着分子(cell-adhesion molecule) 22, 120, 788, 789, 790
細胞体(cell body) 911
細胞の移動(cell migration) 688〜690
細胞の情報伝達(cellular communication) 577
細胞培養(cell culture) 745
細胞培養法(culturing) 119
細胞表層(cell cortex) 660, 674
細胞表面受容体(cell-surface receptor) 580
細胞壁(cell wall) 832
　──の構造 832
細胞壁結合型キナーゼ(wall-associated kinase) 835
細胞膜(cell membrane, plasma membrane) 387
細胞-マトリックス間接着(cell-matrix adhesion) 788
細胞老化(cell senescence) 121
サイレンサー配列(silencer sequence) 307
サイレント変異(silent mutation) 215
SINE 241, 255, 257
左旋性 → L
サテライト DNA(satellite DNA) → 単純配列 DNA
サブユニット(subunit) 70
サブユニットワクチン(subunit vaccine) 997
Thermus aquaticus 209, 507
SAM(sorting and assembly machinery) 531
サルコグリカン複合体(sarcoglycan complex) 829
サルコスパン(sarcospan) 829
サルコメア(sarcomere) 682
　──の構造 682
酸(acid) 49
酸化(oxidation) 56
酸化還元反応(redox reaction) 56
酸化的リン酸化(oxidative phosphorylation) 449
酸化電位(oxidation potential) 57
Sanger, Frederick 211
残基(residue) 38, 61

散在性反復配列(interspersed repeat) 241, 249
三次元接着(3-D adhesion) 824
三次構造(tertiary structure) 61, 65, 67
3C 法 → 染色体高次構造捕捉法
三者複合体因子(ternary complex factor) 628
三重項酸素(triplet oxygen) 493
酸性アミノ酸(acidic amino acid) 39
酸性アミノ酸を 2 個含む選別シグナル(di-acidic sorting signal) 556
酸性加水分解酵素(acid hydrolase) 15
酸性活性化ドメイン(acidic activation domain) 302
酸性ケラチン 732, 733
酸素発生複合体(oxygen-evolving complex) 494
散発性(弧発性)網膜芽細胞腫(sporadic retinoblastoma) 1013
酸分泌細胞(oxyntic cell) → 壁細胞
三文字コード(triplet code) 176
三量体 G タンパク質(trimeric G protein) 370
　──のエフェクター 594

GISIM 462
G アクチン(G-actin) 661, 663
ジアシルグリセロール(diacylglycerol) 391
1,2-ジアシルグリセロール(1,2-diacylglycerol) → DAG
シアリルルイス x 抗原(sialyl Lewis-x antigen) 830
GR → グルココルチコイド受容体
CRE 600
GRE → グルココルチコイド受容体応答エレメント
CRE 結合タンパク質(CRE-binding protein) 600
CREB 結合タンパク質(CREB binding protein) → CBP
CREB タンパク質(CREB protein) → CRE 結合タンパク質
Crm1 381
GRK → G タンパク質共役型受容体キナーゼ
GEF 94, 538, 625, 690
CAR(coxsackievirus and adenovirus receptor) 804
shaker 変異 920
JAM → 結合接着分子
CASTOR(cellular arginine sensor for mTORC1) 845
JNK → Jun N 末端キナーゼ
CAM → 細胞接着分子
CaMKIIα(calcium-calmodulin-dependent kinase IIα) 950
cAMP 582
　──の加水分解 596
　──の合成 596
cAMP 依存性プロテインキナーゼ(cAMP-dependent protein kinase) → プロテインキナーゼ A
cAMP 応答配列(cAMP-response element) → CRE
cAMP ホスホジエステラーゼ 596
Gal4 298
CAK 751, 752
GAG → グリコサミノグリカン
GS → グリコーゲンシンターゼ
G_1/S 期 CDK 748
GSV → GLUT4 貯蔵小胞
シェダーゼ(shaddase) 404
GH → 成長ホルモン
ChromEMT → 染色体電子顕微鏡トモグラフィー
Chk1, Chk2 776
C_2H_2 ジンクフィンガー 301
GATOR2 845
CAD ドメイン(CAD domain) 607
CNS → 中枢神経系
CNB-A, CNB-B 597
CN-PAGE → カラーレスネイティブ-PAGE
GAP 93, 184, 538, 584, 625, 691
CF 218, 219, 429, 556
GFAP → グリア細胞繊維性酸性タンパク質

CFTR, CFTR 219, 429, 430, 556
CFTR 強化剤(CFTR potentiator) 430
CFTR コレクター(CFTR corrector) 430
Cfp1(CXXC finger protein 1) 323
GFP 105, 132, 230, 546, 547
CFU-E → 赤芽球コロニー前駆細胞
CML → 慢性骨髄性白血病
CMC → 臨界ミセル濃度
GMC → 神経母細胞
C_L → 軽鎖の定常領域
CLIP 断片(CLIP segment) 977, 982
CLN1, *CLN2* 756
Cln3 756
CLL → 慢性リンパ球性白血病
Jun N 末端キナーゼ(Jun N-terminal kinase) 628
GEO(Gene Expression Omnibus) 329
co-IP → 免疫共沈降法
CoxVa 529
G_0 期(G_0 phase) 17, 742
G_1 期(G_1 phase) 17, 740
G_2 期(G_2 phase) 17, 740
G_1 期 CDK 747
色素上皮細胞(pigment epithelial cell) 610
色素性乾皮症(xeroderma pigmentosum) 165, 1009
色素性乾皮症 C タンパク質(xeroderma pigmentosum C protein) 166
GCaMP 142
糸球体(glomerulus) 944
軸索(axon) 699, 911
軸索原形質(axoplasm) 707
軸索終末(axon termini) 911
軸索誘導(axon guidance) 911
軸索輸送(axonal transport) 707
軸糸(axoneme) 715
軸糸ダイニン(axonemal dynein) 716, 717
シグナル(signal) 577
シグナルカスケード(signaling cascade) 775
シグナル増幅(signal amplification) 584, 837
シグナル伝達経路(signal transduction pathway) 578, 616, 837
シグナル伝達タンパク質(signaling protein) 60
シグナルによる選別輸送(signal-based targeting) 503
シグナル認識粒子(signal recognition particle) → SRP
　──の構造 508
シグナル配列(signal sequence) 504
シグナルペプチダーゼ(signal peptidase) 510
シグナルペプチド(signal peptide) → シグナル配列
シグナル-膜係留配列(signal-anchor sequence) 514, 516
2 シグナルモデル(two signal model) 989
シグナロソーム(signalsome) 654
σ 因子(σ-factor) 172
シクロオキシゲナーゼ(cyclooxygenase) 87
シクロスポリン(cyclosporine) 986
CK1 → カゼインキナーゼ 1
CK2 → カゼインキナーゼ 2
CKI 751, 752
C_3 経路(C_3 pathway) 496
C_4 経路(C_4 pathway) 499, 500
始原細胞(progenitor cell) 875, 876
視交叉上核(suprachiasmatic nucleus) 857, 858
自己再生(self-renewal) 866
自己スプライシング(self-splicing) 355
自己貪食 → オートファジー
自己分泌シグナル伝達(autocrine signaling) 579
自己免疫(autoimmunity) 953, 967
自己免疫調節因子(autoimmune regulator) 988
$G_{\beta\gamma}$ サブユニット($G_{\beta\gamma}$ subunit) 591
C_C → 臨界濃度

GCaMP　142
G-CSF　→　顆粒球コロニー刺激因子
GCN2(general control non-derepressible 2)　370
Gcn5　310
cGMP　582, 611
cGMP ホスホジエステラーゼ(cGMP phosphodiesterase)　611
脂質(lipid)　36
脂質アンカー膜タンパク質(lipid-anchored membrane protein)　397
脂質結合糖鎖(lipid-linked oligosaccharide)　428
脂質二重層(phospholipid bilayer)　388
脂質ラフト(lipid raft)　396
糸状仮足(filopodium, pl. filopodia)　660
視床下部(hypothalamus)　634, 857
自食作用　→　オートファジー
自食作用小胞(autophagic vesicle)　→　オートファゴソーム
自食胞　→　オートファゴソーム
C₄ ジンクフィンガー　301
シス　45
シス型相互作用(cis interaction)　790
シスゴルジ嚢(cis-Golgi cisterna)　544
シスゴルジ網(cis-Golgi network)　544
システイン(cysteine)　39
システインジオキシゲナーゼ(cysteine dioxygenase)　852
システム解析(system analysis)　618
ジストログリカン(dystroglycan)　828
ジストロフィン(dystrophin)　286, 675, 828
ジストロフィン糖タンパク質複合体(dystrophin glycoprotein complex)　27, 829
シストロン　240
ジスルフィド結合(disulfide bond)　40, 66, 520
次世代シークエンサー(next generation sequencer)　211
自然免疫系(innate immune system)　957
自然リンパ球(innate lymphoid cell)　958, 991
GWAS　→　全ゲノム相関解析
G タンパク質共役型受容体(G protein-coupled receptor)　578, 590, 591, 601, 602, 928
　――の構造　591
G タンパク質共役型受容体キナーゼ(G-protein-coupled receptor kinase)　603
G タンパク質シグナル伝達調節タンパク質(regulator of G protein signaling protein)　584, 593
膝蓋腱反射弓　913
質量分析(mass spectrometry)　→　MS
CD4　974
CD44　819
Gₜ　→　トランスデューシン
GDI　94, 554, 690
CDR　→　相補性決定領域
Cdh1　753, 758
CDHR3　799
cDNA　→　相補的 DNA
GDNF　→　グリア細胞由来神経栄養因子
cDNA ライブラリー(cDNA library)　208
GTF　→　基本転写因子
CTL　→　細胞傷害性 T 細胞
CDK　162, 720, 739, 747
CDK1　741
CDK 活性化キナーゼ(CDK-activating kinase)　→　CAK
CDK 阻害因子(CDK inhibitor)　→　CKI
CTC　→　血流を回る腫瘍細胞
Cdc2　750
Cdc7　761
Cdc14　752, 758
Cdc14 ホスファターゼ(Cdc14 phosphatase)　773
Cdc20　753
Cdc25　752, 764

CDC28, Cdc28　750, 756
Cdc42　690～693, 737, 887
Cdc45　761
cdc 変異体(cdc mutant)　199, 200
CTD　→　カルボキシ末端ドメイン
CD4⁺ T リンパ球(CD4⁺ T lymphocyte)　189
GTPase　78, 93
GTPase 活性化タンパク質(GTPase-activating protein)　→　GAP
GTPase スーパーファミリー(GTPase superfamily)　93, 187, 583, 624
GTP アナログ(GTP analogue)　93
GDP/GTP 交換反応(GDP/GTP exchange)　93
CD40 リガンド(CD40 ligand)　991
シトクロム(cytochrome)　470
シトクロム c オキシダーゼ(cytochrome c oxidase)　471, 474
シトクロム P-450(cytochrome P-450)　1008
シトクロム bf 複合体(cytochrome bf complex)　494
シート形成コラーゲン(sheet-forming collagen)　814
シトシン(cytosine, C)　41, 153
シナプシス　→　対合
シナプシン(synapsin)　932
シナプス(synapse)　23, 912, 938
シナプス可塑性(synaptic plasticity)　909, 947, 949
シナプス間隙(synaptic cleft)　990
シナプス後細胞(postsynaptic cell)　912, 938
シナプス後膜肥厚(postsynaptic density)　929
シナプス後標的細胞(postsynaptic target cell)　928
シナプス小胞(synaptic vesicle)　912, 929, 933
シナプス除去(synapse elimination)　931
シナプス前細胞(presynaptic cell)　912
シナプス前神経細胞(presynaptic neuron)　928
シナプトタグミン(synaptotagmin)　934, 935
c ネオブラスト　→　クローン形成ネオブラスト
Synechococcus elongatus　856
GP　→　グリコーゲンホスホリラーゼ
GPI　401, 516, 517, 565, 803
CPE　→　細胞質ポリアデニル酸付加エレメント
CPE 結合タンパク質(CPE-binding protein)　369
CPEB　→　CPE 結合タンパク質
GBS　→　ギラン-バレー症候群
GPK　→　グリコーゲンホスホリラーゼキナーゼ
CBC　→　キャップ結合複合体
CPC　→　染色体パッセンジャー複合体
CpG アイランド(CpG island)　288
GPCR　→　G タンパク質共役型受容体
視皮質(visual cortex)　610, 939
ジヒドロ葉酸レダクターゼ(DHFR)　528
CBP　302, 310
CBP/P300　600
shibire　935
自閉スペクトラム症(autism spectrum disorder)　353, 354
脂肪酸(fatty acid)　44, 467
　――の酸化　467
脂肪酸アシル CoA　468
脂肪酸アシル CoA デヒドロゲナーゼ(fatty acyl-CoA dehydrogenase)　473
脂肪酸基(fatty acyl group)　44
脂肪酸結合タンパク質(fatty acid-binding protein)　405
脂肪族アミノ酸(aliphatic amino acid)　38
脂肪滴(lipid droplet)　396
ジホスファチジルグリセロール(diphosphatidyl glycerol)　→　カルジオリピン
C ボックス(C box)　330
姉妹染色分体(sister chromatid)　14, 271, 721
姉妹染色分体の分離(sister chromatid resolution)　770
C 末端(C-terminus)　61
C 末端ドメイン(C-terminal domain)　68

SIM　→　構造化照明顕微鏡法
四面体中間体(tetrahedral intermediate)　86
弱毒化(attenuation)　997
ジャスプラキノリド(jasplakinolide)　672
JAK キナーゼ(JAK kinase)　634
シャトルベクター(shuttle vector)　207
シャペロニン(chaperonin)　76, 79
シャペロン(chaperone)　76
JAM　→　結合接着分子
Chargaff, Erwin　154
シャルコー-マリー-トゥース病(Charcot-Marie-Tooth disease)　461, 808, 926
11-cis-レチナール　610
自由エネルギー変化(free-energy change)　52
終期(telophase)　721, 722, 742
終結(termination, 転写の)　172, 279
終結(翻訳の)　186
終結因子(release factor)　185
集合(assembly)　191
集光性複合体(light-harvesting complex)　490
重合体(polymer)　5, 37, 38, 153
重鎖(heavy chain)　82, 961
重鎖の可変領域(variable region of the heavy chain)　964
終止コドン(stop codon, termination codon)　176
収縮環(contractile ring)　660, 728, 775
収縮束(contractile bundle)　685
収縮胞(contractile vacuole)　418
重症筋無力症(myasthenia gravis)　936
重症複合免疫不全(severe combined immunodeficiency)　636
修飾酵素(modification enzyme)　204
集団免疫(herd immunity)　997
周皮細胞(pericyte)　915
重複遺伝子(duplicated gene)　244
周辺帯(circumferential belt)　685
絨毛(villus, pl. villi)　878
14-3-3 タンパク質(14-3-3 protein)　752, 859
縦列反復遺伝子　241
縦列反復配列(tandemly repeated array)　245
収斂進化(convergent evolution)　884
宿主域(host range)　189
縮重(degeneracy)　176
宿主防御コラーゲン(host defense collagen)　814
主溝(major groove)　154
Shugoshin　771, 772
樹状細胞(dendritic cell)　959
樹状突起(dendrite)　699, 737, 911
樹状突起棘(spine)　948
受精(fertilization)　865
腫脹(swelling)　959
出芽(ウイルスの)　573
出芽(mitotic budding, 酵母の)　19
出芽酵母(Saccharomyces cerevisiae)　8, 18, 19, 196, 743, 744
出発物(reactant)　46
受動的広がり(passive spread)　918
受動輸送(passive transport)　413
シュードジーン　→　偽遺伝子
腫瘍　1006
腫瘍壊死因子 α(tumor necrosis factor α)　653, 897
腫瘍形成(tumorigenesis)　1001
受容ステム(acceptor stem)　178, 179
主要組織適合遺伝子複合体(major histocompatibility complex)　→　MHC
受容体(receptor)　22, 47, 387, 577
受容体依存性エンドサイトーシス(receptor-mediated endocytosis)　567, 670
受容体型チロシンキナーゼ(receptor tyrosine kinase)　616, 618, 1017
受容体ヘテロ多量体化(receptor hetero-oligomerization)　635

和文索引

受容体ヘテロ二量体化(receptor hetero-dimerization) 635
受容体ホモ二量体化(receptor homodimerization) 635
腫瘍発生 → 腫瘍形成
腫瘍微小環境(tumor microenvironment) 1005, 1027
腫瘍抑制因子(tumor suppressor) 858
Schleiden, Matthias 119, 739
シュワン細胞(Schwann cell) 914, 925
Schwann, Theodor 119, 739
馴化(habituation) 948
循環型電子伝達(cycline electron flow) 495
循環系 955
循環的光リン酸化(cyclic photophosphorylation) 495
純系(true-breeding) 197
順行性輸送(anterograde transport) 707
順行性輸送小胞(anterograde transport vesicle) 544
順方向反復配列 → 直列反復配列
小球(spherule) 609
条件(突然)変異(conditional mutation) 198
小膠細胞 → ミクログリア
小サブユニット(SSU)プロセソーム(small subunit processome) 378
ショウジョウバエ(Drosophila melanogaster) 8, 18, 25, 741, 920
上清(supernatant) 100, 148
常染色体(autosome) 219, 271
常染色体顕性対立遺伝子(autosomal dominant allele) 219
常染色体顕性変異 219
常染色体潜性対立遺伝子(autosomal recessive allele) 219
常染色体潜性変異 219
上皮(epithelium, pl. epithelia) 22, 123, 787
——の種類 795
上皮-間葉転換(epithelial-mesenchymal transition) 799, 801, 1006
上皮細胞 12
——における極性 893
上皮増殖因子(epidermal growth factor) 67, 620, 622
上皮組織(epithelial tissue) 787
小胞出芽(vesicle bud) 550, 551
小胞性GABA輸送体(vesicular GABA transporter) 932
小胞性グルタミン酸輸送体(vesicular glutamate transporter) 932
小胞体(endoplasmic reticulum) 13
小胞体関連分解(ER-associated degradation) 524, 848
小胞体内腔(lumen) 14
情報伝達(communication) 789
小胞による輸送(vesicle-based trafficking) 503
上流(upstream) 170, 283
上流活性化配列(upstream activating sequence) 296
上流結合因子(upstream binding factor) 330
上流調節エレメント(upstream control element) 330
初期遺伝子発現(early gene expression) 190
初期エンドソーム(early endosome) 554
初期エンドソーム抗原1(early endosome antigen 1) 554
初期応答遺伝子(early response gene) 628, 758
除去修復系(excision-repair system) 163
食細胞(phagocyte) 957
——による抗原提示 982
食作用 → ファゴサイトーシス
触媒(catalyst) 47, 82
触媒作用(catalysis) 60
触媒部位(catalytic site) 83
植物ウイルス(plant virus) 189
植物細胞 11
——の有糸分裂 730

Szostak, Jack 276
初代細胞(primary cell) 120
初代培養細胞(primary cell culture) 120
SILAC(stable isotope labeling with amino acids in cell culture) 110
自律複製配列(autonomously replicating sequence) 207, 275
Gループ(G loop) 95
シロイヌナズナ(Arabidopsis thaliana) 8, 18, 457, 884
Cローブ(C lobe) 95, 621
進化 2
侵害受容(nociception) 941
侵害受容体(nociceptor) 941
侵害受容ニューロン(nociceptive neuron) → 痛覚感受性の神経細胞
真核細胞(eukaryotic cell) 3
——の構造 11
——の細胞周期 740
真核生物(eukaryote) 2, 10
——の細胞周期 774
——の転写調節 281
真菌類(Fungi) 743
ジンクフィンガー(zinc finger) 64, 65, 301
シングレット(singlet) 697, 698
神経栄養因子 → ニューロトロフィン
神経芽細胞
——の非対称分裂 895
神経芽細胞腫(neuroblastoma) 1017
神経芽前駆細胞(neuroblast precursor) 911
神経管(neural tube) 915
神経感覚性難聴 808
神経幹細胞(neural stem cell) 916
神経筋接合部(neuromuscular junction) 930, 937
神経細胞(nerve cell) 910, 911
神経上皮細胞(neuroepithelial cell) 915
神経成長因子(nerve growth factor) 902
神経組織(neural tissue) 787
神経調節性(neuromodulatory) 911
神経伝達物質(neurotransmitter) 10, 912, 933
——の構造 932
神経突起(neurite) 902
神経母細胞(ganglion mother cell) 895
新抗原 → ネオアンチゲン
人工多能性幹細胞(induced pluripotent stem cell) → iPS細胞
新口動物(deuterostome) 24
浸潤突起(invadopodium) 1006
尋常性天疱瘡(pemphigus vulgaris) 801
親水性(hydrophilicity) 9, 29, 388
親水性アミノ酸(hydrophilic amino acid) 39
新生RNA(nascent RNA) 172
新生芽細胞 → ネオブラスト
真正細菌(eubacterium, pl. eubacteria) → 細菌
新生細胞 → ネオブラスト
新生細胞板(nascent cell plate) 729
心臓機能障害 808
シンタキシン(syntaxin) 554
伸長(elongation, 転写の) 172, 279
伸長(翻訳の) 185
伸長因子(elongation factor) 184
伸長相(elongation phase) 663
伸長複合体(elongation complex) 172
シンチレーションカウンター(scintillation counter) 107
シンデカン(syndecan) 819
シンテニー(synteny) 23, 24, 272
シンテリック結合(syntelic attachment) 769
浸透(osmosis) 417
浸透圧(osmotic pressure) 417
浸透流(osmotic flow) 417
シントロフィン(syntrophin) 829

侵入(entry) 190
心肥大(cardiac hypertrophy) 646
親和性(affinity) 36, 81
親和性成熟(affinity maturation) 970
水素結合(hydrogen bond) 34
水素-重水素交換質量分析法(hydrogen/deuterium exchange mass spectroscopy) 113
錐体(cone) 610, 939
スイッチI(switch I) 583
スイッチII(switch II) 583
スイッチタンパク質(switch protein) 93
膵島細胞(pancreatic islet cell) 839
膵島β細胞 839
水疱性口内炎ウイルス(vesicular stomatitis virus) 546
水和(hydration) 34
水和殻(hydration shell) 34
スカベンジャー(scavenger) 493
スカベンジャー受容体(scavenger receptor) 958
Scribble複合体 892
スクロース 43
スターゲージン(Stargazin) 950
スタチン(statin) 407, 838
START 740, 756
ステップサイズ(step size) 679
ステム(stem) 711
ステロイド(steroid) 392
ステロイド受容体スーパーファミリー(steroid receptor superfamily) 301
ステロール感受性ドメイン(sterol-sensing domain) 407, 848
ステロール調節配列(sterol regulatory element) 848
ストーク(stalk) 711
STORM → 確率的光学再構築顕微鏡法
ストレスファイバー(stress fiber) 660
ストロマ(stroma) 16, 488, 525
ストロマ輸送配列(stromal-import sequence) 532
α-SNAP(soluble NSF attachment protein) 555
SNAP-25 554
SNAP$_C$ 331
SNARE 554, 934
t—— 550, 553, 554
v—— 550, 553, 554
SNARE複合体 553
スパイン → 樹状突起棘
スーパーエンハンサー(super enhancer) 314, 315
スーパーオキシドアニオン(superoxide anion) 477
スーパーファミリー(superfamily) 68
スピア(Spire) 669
スフィンゴ脂質(sphingolipid) 391, 392
スフィンゴ糖脂質(glycosphingolipid) 406
スフィンゴミエリン(sphingomyelin) 406
スフェロイド(spheroid) 123
スプライシングエンハンサー(splicing enhancer) 348
スプライシングサイクル 343
スプライシングサイレンサー(splicing silencer) 348
スプライス部位(splice site) 240, 339
スプライソソーム(spliceosome) 341, 342
スペクトリン(spectrin) 673
スペーサー(spacer) 67
スペシャルペアクロロフィル(special-pair chlorophyll) 491
スペシャルペアバクテリオクロロフィル(special-pair bacteriochlorophyll) 491
滑りクランプ(sliding clamp) 161
スポットデスモソーム(spot desmosome) 797
Smad 639
Smad4 1022
SUMO1(small ubiquitin-like moiety-1) 384

3D 接着 → 三次元接着
スルフヒドリル基（sulfhydryl group） 32, 40, 521

生活環
　　マラリア原虫の―― 21
　　レトロウイルスの―― 192
19S 制御粒子（19S regulatory particle） 89
制限酵素（restriction enzyme） 204, 205
制限断片（restriction fragment） 205
制限点（restriction point） 740, 1019
制限部位（restriction site） 204
生細胞イメージング法（live cell imaging） 128
生細胞顕微鏡法（live cell microscopy） 130
生産的（productive） 968
精子（sperm） 865
静止 K^+ チャネル（resting K^+ channel） 432, 435
　　――の構造 434
静止中心（quiescent center） 886
静止膜電位（resting membrane potential） 431
脆弱性 X 症候群（fragile X syndrome） 951
脆弱性 X 精神遅滞タンパク質（fragile X mental retardation protein） 951
星状膠細胞 → アストロサイト
星状体（aster） 721
星状体微小管（astral microtubule） 721, 723
生殖系列（germ line） 877
生成物（product） 46
成体幹細胞（adult stem cell） 123
生体内イメージング（intravital imaging） 136
生体分子凝縮体（biomolecular condensate） 17, 71, 72
生体膜（biomembrane） 387
　　――の構造 389
　　――の脂質 394
成長ホルモン（growth hormone） 634
正の走光性（phototaxis） 926
生理的状態（physiologic state） 71
赤芽球コロニー形成単位 → 赤芽球コロニー前駆細胞
赤芽球コロニー前駆細胞（colony-forming units erythroid） 635
赤芽球症ウイルス（erythroblastosis virus） 1018
脊髄筋萎縮症（spinal muscular atrophy） 353
脊椎動物
　　――の免疫 954
赤道板 → 中期板
セキュリン（securin） 771, 772
赤痢アメーバ（Entamoeba histolytica） 20
Sec12 551
Sec16 556
Sec61 509
Sec61 複合体（Sec61 complex） 509
　　――の構造 510
Sec63 複合体（Sec63 complex） 510
sec 突然変異体（secretion (sec) mutant） 548
接眼レンズ（ocular lens） 128
赤血球凝集素（hemagglutinin） 67
接合子（zygote） 744
接合突起 890
接触（connectivity） 788
接触阻害（contact inhibition） 1005
接触部位（contact site） 528
絶対好気性生物（obligate aerobe） 452
3′ 切断／ポリアデニル酸付加（3′ cleavage/polyadenylation） 335
接着結合（adherens junction） 675, 797
接着受容体（adhesion receptor） 788〜790
接着性相互作用（adhesive interaction） 790
接着帯（adherens belt） 660
接着調節ドメイン（adhesion modulation domain） 799
接着斑 → フォーカルアドヒージョン

ZO タンパク質（zonula occludens protein） 804
Z ディスク（Z disk） 682
切片（thin section） 145
セパラーゼ（separase） 771, 772
ゼブラフィッシュ（Danio rerio） 8, 18, 26
SEM 143, 147
セリン（serine） 39
セリンプロテアーゼ 84, 86
セルロース（cellulose） 43, 832
セルロースシンターゼ（cellulose synthase） 833
セレクチン（selectin） 830, 992
セロトニン 932
繊維芽細胞（fibroblast） 121, 814
繊維状コラーゲン（fibrillar collagen） 814, 816
　　――の生合成 815
遷移状態（transition state） 53, 83
遷移状態中間体（transition-state intermediate） 53
繊維状タンパク質（fibrous protein） 69
前期（prophase） 721, 722, 742
前期前期微小管束（preprophase band）
前駆細胞（precursor cell） → 始原細胞
線形電子伝達経路（liner electron flow pathway） 495
全ゲノムショットガン配列決定法（whole genome shotgun sequencing） 212
全ゲノム相関解析（genome-wide association study） 222
前口動物 → 旧口動物
前骨髄性白血病（promyelocytic leukemia） 384
センサー（sensor） 775, 837
潜在型（latent） 641
潜在型 TGF-β 結合タンパク質（latent TGF-β binding protein） 641, 822
センサードメイン（sensor domain） 138
前室（vestibule） 433
腺腫（adenoma） 1024
染色体（chromosome） 13
　　――の構造 240
　　――の進化 273
染色体高次構造捕捉法（chromosome conformation capture） 268
染色体構造維持タンパク質（structural maintenance of chromosome protein） → SMC タンパク質
染色体集合（chromosome congression） 725
染色体テリトリー（chromosome territory） 267
染色体電子顕微鏡トモグラフィー（chromosome electron microscopy tomography） 260
染色体パッセンジャー複合体（chromosomal passenger complex） 726, 729
染色体不分離（nondisjunction） 779
染色体ペインティング 271, 272
染色体ペイントプローブ（chromosome paint probe） 267
染色体胞（karyomere） 773
染色分体（chromatid） 741
潜性（突然）変異（recessive mutation） 196
　　――の分離 199
選択性因子（selectivity factor） 330
選択的 RNA スプライシング（alternative RNA splicing） 348
選択的スプライシング（alternative splicing） 174, 175, 335
選択的スプライス部位（alternative splice site） 242, 349
選択的ポリアデニル酸付加（alternative polyadenylation） 346
選択マーカー（selectable marker） 205
線虫（Caenorhabditis elegans） 8, 18, 889
　　――の細胞系譜 891
前中期（prometaphase） 721, 722, 742
先天性免疫 → 自然免疫系
先導端（leading edge） 660
セントラルスピンドリン（centralspindlin） 728, 775

セントラルドグマ（central dogma） 152
全トランスクリプトームショットガンシークエンシング（whole transcriptome shotgun sequencing） 226
全 trans-レチナール 610
セントロメア（centromere） 269, 275, 724, 741
セントロメアヘテロクロマチン（centromeric heterochromatin） 248
全能性（totipotency） 865
全反射照明蛍光顕微鏡法（total internal reflection fluorescence microscopy） 136, 137
選別シグナル（sorting signal） 552
線毛（pilus, pl. pili） 259
繊毛（cilium, pl. cilia） 12, 391, 715
　　――の構造 716
全領域にわたる転写（pervasive transcription） 357
走化性（chemotaxis） 693
走化性シグナル（chemotactic signal） 959
双極子（dipole） 32
双極子モーメント（dipole moment） 32
造血幹細胞（hematopoietic stem cell） 881〜884
相互に拮抗する複合体（mutually antagonistic complex） 887
走査型電子顕微鏡法（scanning electron microscopy） → SEM
桑実胚（morula） 861, 867
増殖因子（growth factor） 578, 618
増殖促進因子 → 分裂促進因子
相転移（phase transition） 393
相同（homology） 68
相同組換え（homologous recombination） 166, 168, 169, 777
相同体 → ホモログ
挿入欠失（insertion or deletion） 1010
挿入配列（insertion sequence） 250, 251
増幅（amplification） 584, 600
双方向性（bi-oriented，姉妹染色分体の） 725, 769, 784
双方向性（bidirectional，電気シナプスの） 938
双方向性結合（amphitelic attachment） 769
僧帽ニューロン（mitral neuron） 944
相補する（complement） 200
相補性決定領域（complementarity-determining region） 82, 965
相補性検定 200, 201
相補的（complementary） 154
相補的対合（complementary matching） 7
相補的 DNA（complementary DNA） 208
側鎖（side chain） 38
側鎖特異性結合ポケット（side-chain specificity binding pocket） 85
促進拡散（facilitated diffusion） 413
促進輸送（facilitated transport） 413
促進輸送体（facilitated transporter） 413
側底側（basolateral） 565, 566
側底面（basolateral surface） 22, 443, 796
側方性相互作用（lateral interaction） → シス型相互作用
側面（lateral surface） 22, 123, 796
組織（tissue） 787
組織培養（tissue culture） 745
組織プラスミノーゲンアクチベーター（tissue plasminogen activator） 68
疎水性（hydrophobicity） 9, 29, 388
疎水性アミノ酸（hydrophobic amino acid） 38, 39
疎水性指標（hydropathic index） 517
疎水性相互作用（hydrophobic interaction） 35, 36
疎水性分布図（hydropathy profile） 517, 518
粗面小胞体（rough endoplasmic reticulum） 13, 14, 505
　　――の構造 506

ソロリン(sororin) 763
損傷乗越え型ポリメラーゼ(translesion polymerase) 165

た 行

第一極体(first polar body) 745
大核(macronucleus) 275
ダイクロイックミラー(dichroic mirror) 130
対合(synapsis) 781
対合複合体(synaptonemal complex) 781
対向輸送(antiport) 437
対向輸送体(antiporter) 413, 441
Dicer 366
体細胞(somatic cell) 866
体細胞遺伝子再構成(somatic gene rearrangement)
　　　　　　　　　　　→ 体細胞組換え
体細胞核移植(somatic-cell nuclear transfer) 870, 871
体細胞組換え(somatic recombination) 966, 967
体細胞超変異(somatic hypermutation) 969
体細胞分裂 198, 781, 783
代謝回転数(turnover number) 84
代謝協同(metabolic cooperation) 806
代謝共役(metabolic coupling) 71, 87, 806
代謝中間体(metabolic intermediate) 450
対称細胞分裂(symmetric cell division) 865
対掌性 → キラリティー
代替経路 → 第二経路
大腸菌(Escherichia coli) 8, 204
大腸腺腫症(adenomatous polyposis coli) 647
タイチン(titin) 61, 180, 241, 683
タイトジャンクション → 密着結合
ダイナクチン(dynactin) 712
ダイナミチン(dynamitin) 712
ダイナミン(dynamin) 561, 935
第二経路(alternative pathway) 958
ダイニン(dynein) 706, 712
　——のパワーストローク 711
胎盤アルカリホスファターゼ(placental alkaline phosphatase) 402
対物レンズ(objective lens) 128
大理石骨病(osteopetrosis) 444
対立遺伝子(allele) 195
対立遺伝子排除(allelic exclusion) 971
対立遺伝子分離 199
tau 81, 704
Darwin, Charles 2, 835
ダーウィン的進化(Darwinian evolution) 1007
ダウン症候群(Down syndrome) 783
ダウンレギュレーション → 下方制御
多価接着タンパク質 814
多価接着マトリックスタンパク質(multi-adhesive matrix protein) 809
タキソール(taxol) 703
多型(polymorphism) 975
多剤耐性輸送タンパク質(multidrug-resistance (MDR) transport protein) 426
多細胞真核生物 8
多細胞動物のTOR(metazoan TOR) 843
多糸化(polytenization) 274
多指症(polydactyly) 279
多糸染色体(polytene chromosome) 273, 274, 279
DUSP → 二重特異性ホスファターゼ
TATAボックス(TATA box) 288
TATAボックス結合タンパク質(TATA box-binding protein) 155, 290
多段階ヒットモデル(multi-hit model) 1022
脱アデニル酸依存経路(deadenylation-dependent pathway) 364

脱アデニル酸非依存脱キャップ経路(deadenylation-independent decapping pathway) 365
脱アミノ(deamination) 163
脱感作(desensitization) 586, 623
脱共役剤(uncoupler) 486
脱共役タンパク質1(uncoupling protein 1) 486
Taqポリメラーゼ(Taq polymerase) 209
脱髄疾患(demyelinating disease) 925
脱水反応(dehydration reaction) 37
脱チロシン(detyrosylated) 715
Tat 293
Tat(twin-arginine translocation) 533
脱プリン(depurination) 164
脱分極(depolarization) 611, 911
脱ユビキチン化酵素(deubiquitinase) 91
脱リン酸化反応(dephosphorylation) 94
多糖(polysaccharide) 37, 38
多能性(multipotency) 123, 866
多発性硬化症(multiple sclerosis) 925
多発性内分泌腺腫症II型(multiple endocrine neoplasia type 2) 1017
多発性嚢胞腎疾患(autosomal dominant polycystic kidney disease) 720
WASH 671
WAK → 細胞壁結合型キナーゼ
WHAMM 671
WCA 668
WD40 752
ダブルポジティブ($CD4^+CD8^+$)細胞(double-positive ($CD4^+CD8^+$) cell) 989
ダブレット(doublet, 微小管の) 698
多胞エンドソーム(multivesicular endosome) 572
多胞体(multivesicular body) → 多胞エンドソーム
タマゴテングダケ(Amanita phalloides) 672
ターミナルデオキシヌクレオチジルトランスフェラーゼ(terminal deoxynucleotidyltransferase) 968
タモキシフェン(tamoxifen) 1025
多ユビキチン化(multiubiquitinylation) 97
多様性(diversity) 953
多量体化部位(oligomerization site) 72
多量体タンパク質(multimeric protein) 70
多量体タンパク質複合体(multiprotein complex) 465
タリン → テーリン
単一転写単位(simple transcription unit) 241, 243
単一輸送(uniport) 415
単一輸送体(uniporter) 413
単因子性疾患(monogenic disease) 219
炭化水素(hydrocarbon) 35
短鎖rRNA(small rRNA) 180
単細胞真核生物 8
短鎖干渉RNA(short interfering RNA) → siRNA
短鎖散在因子(short interspersed element) → SINE
炭酸固定 → 炭素固定
炭酸デヒドラターゼ(carbonic anhydrase) 440
胆汁酸(bile acid) 392
単純拡散(simple diffusion) 412
単純表皮水疱症(epidermolysis bullosa simplex) 734
単純配列DNA(simple-sequence DNA) 241, 247
単純ヘルペスウイルスI型(HSV-I) 294
炭水化物(carbohydrate) 42
弾性繊維 822
断層写真(tomogram) 147
炭素固定(carbon fixation) 55, 490, 499
単糖(monosaccharide) 38, 42
単独遺伝子(solitary gene) 243
単能性(unipotent) 877
タンパク質(protein) 1, 37, 61
　——の折りたたみ 76, 77, 79
　——の機能 60

　——の構造 60, 61
　——の分解 90
タンパク質駆動性金属リボザイム(protein-directed metalloribozyme) 345
タンパク質恒常性 → プロテオスタシス
タンパク質ジスルフィドイソメラーゼ(protein disulfide isomerase) 521
タンパク質選別(protein sorting) 503
タンパク質相関プロファイリング(protein correlation profiling) 116
タンパク質の自己スプライシング(protein self-splicing) 98
タンパク質発現プロファイル(protein expression profiling) 114
タンパク質ファミリー(protein family) 244
タンパク質融合(protein fusion) 230
タンパク質輸送(protein targeting) 503, 504
タンパク質をコードする遺伝子(protein-coding gene) 170, 241
短反復配列(short tandem repeat) 221
単量体(monomer) 5, 37, 38
単量体Gタンパク質(monomeric G protein) 584
チェックポイント(checkpoint) 740
チェックポイント経路(checkpoint pathway) 775
遅延応答遺伝子(delayed response gene) 758
遅延型K^+チャネル(delayed rectifier K^+ channel) 919
チオール基(thiol group) → スルフヒドリル基
チオレドキシン(thioredoxin) 498
チミン(thymine, T) 41, 153
チミン-チミン二量体(thymine-thymine dimer) 165
チモーゲン(zymogen) 97
チモシンβ4(thymosin-β4) 665
チャネル(channel) 413
チャネル病 → チャネロパチー
チャネル不活性化領域(channel-inactivating segment) 918
チャネルロドプシン(channelrhodopsin) 139, 926, 927
チャネロパチー(channelopathy) 919
中央ストーク(central stalk) 708
中核アンテナ複合体(core antenna complex) 491
中間径フィラメント(intermediate filament) 12, 659, 695, 696, 731, 733
　——の構造 731
中間径フィラメント結合タンパク質(intermediate filament-associated protein) 736
中期(metaphase) 721, 722, 742
中期染色体(metaphase chromosome) 261, 269
中期板(metaphase plate) 725, 742
中心小体(centriole) 699, 768
中心小体周辺物質(pericentriolar material) 699
中心体(centrosome) 698, 741, 767
　——の構造 699
中心体サイクル(centrosome cycle) 767, 768
中心体の成熟(centrosome maturation) 768
中心体分離(centrosome disjunction) 768
中枢神経系(central nervous system) 353, 910, 924
中性脂肪 → トリアシルグリセロール
柱頭(stigma) 835
中胚葉(mesoderm) 891
中頻度反復DNA(moderately repeated DNA, intermediate-repeat DNA) 249
チューブリン(tubulin) 216, 658, 697
　——の翻訳後修飾 714
Turing, Alan 887
超解像顕微鏡法(super-resolution microscopy) 120, 140, 141
超可変領域(hypervariable region) 964
腸幹細胞 878
長期増強(long-term potentiation) 950

長期抑制（long-term depression） 950
長鎖 rRNA（large rRNA） 181
長鎖散在因子（long interspersed element） → LINE
長鎖非コード RNA（long noncoding RNA） →
　　　　　　　　　　　　　　　　　　　　lncRNA
長鎖末端反復配列（long terminal repeat） → LTR
調節（regulation） 60
調節軽鎖（regulatory light chain） 677, 686
調節された分泌（regulated secretion） 544
調節性膜内タンパク質分解（regulated intramembrane
　　　　　　　　　　　　proteolysis） 524, 848
調節タンパク質（regulatory protein） 60
頂端側（apical） 565, 566
頂端 Par 複合体（apical Par complex） 892
頂端分裂組織 → 茎頂分裂組織
頂端面（apical surface） 22, 123, 443, 796
超二次構造（supersecondary structure） 64
重複遺伝子（duplicated gene） 244
超複合体（supercomplex） 71, 476
跳躍伝導（saltatory conduction） 924
超らせん（supercoil） 157
直接作用性発がん物質（direct-acting carcinogen）
　　　　　　　　　　　　　　　　　　　　1008
直列反復配列（direct repeat sequence） 251
貯蔵作動性チャネル（store-operated channel） 607
チラコイド（thylakoid） 16, 487, 525, 532, 533
チラコイド内腔（thylakoid lumen） 487
チラコイド膜（thylakoid membrane） 487
チロキシン 319
チロシン（tyrosine） 38, 39
沈降係数（sedimentation coefficient） → 沈降定数
沈降定数（sedimentation constant） 100

痛覚感受性の神経細胞（pain-sensitive neuron） 902
通性嫌気性生物（facultative anaerobe） 452
ツェルベーガー症候群（Zellweger syndrome） 535
ツニカマイシン（tunicamycin） 520
積み荷タンパク質（cargo protein） 543

D（dextro） 38
TIR 993
TIRF 顕微鏡法（TIRF microscopy） → 全反射照明蛍
　　　　　　　　　　　　　　　　　　光顕微鏡法
TIMP（tissue inhibitor of metalloproteinase） 823
Tic 複合体（Tic complex） 532
低アセチル化（hypoacetylation） 307
低アセチル化状態（hypoacetylated） 264
T2R 942
TRAMP 複合体（TRAMP complex） 357
TRADD（TNF receptor-associated DD protein） 906
tRNA 153, 175, 176
　――の構造 179
Trk 902
DRB 感受性誘導因子（DRB-sensitivity-inducing
　　　　　　　　　　　　　　factor） → DSIF
TRBP（Tar binding protein） 366
TE → 栄養外胚葉
TEM 143, 144
TARP（transmembrane AMPA receptor regulatory
　　　　　　　　　　　　　　　protein） 950
TAF → TBP 関連因子
TA 細胞 → 一過性増殖細胞
DAG 582, 604, 605
DSIF 286, 293
Ds 因子 → 解離因子
TSS → 転写開始点
Tsg101 573
dsDNA → 二本鎖 DNA
TSP → トロンボスポンジン
TAZ 859
Tx → チオレドキシン
DHS → DNase I 高感受性部位

TAD → トポロジカルドメイン
TN → トロポニン
DNase I 高感受性部位（DNase I hypersensitive site）
　　　　　　　　　　　　　　　　　　　317, 318
DNase I フットプリント法（DNase I footprinting）
　　　　　　　　　　　　　　　　　　　296, 297
DNA 1, 7, 41, 151
　――の合成 158
DNA 依存性プロテインキナーゼ（DNA-dependent
　　　　　　　　　　　　protein kinase） 776
DNA クローニング（DNA cloning） 204
DNA クローン（DNA clone） → クローン化 DNA
DnaK 853
DNA 結合ドメイン（DNA-binding domain） 298
DNA 損傷応答システム（DNA damage response
　　　　　　　　　　　　　　　　　system） 776
DNA 多型（DNA polymorphism） 221, 248
DNA チップ（DNA chip） 225
DNA トランスポゾン（DNA transposon） 241, 250
DNA-PK → DNA 依存性プロテインキナーゼ
TNFα → 腫瘍壊死因子 α
DNA フィンガープリント法（DNA fingerprinting）
　　　　　　　　　　　　　　　　　　　248, 249
DNA 複製 277
DNA ポリメラーゼ（DNA polymerase） 151
　――α（DNA polymerase α） 159, 161
　――δ（DNA polymerase δ） 161
　――ε（DNA polymerase ε） 161
　――の校正機能 159
DNA マイクロアレイ（DNA microarray） 224
DNA ライブラリー（DNA library） 206
DNA リガーゼ（DNA ligase） 160, 205
TfR → トランスフェリン受容体
TFIIA, TFIIB 290
TFIIB 認識エレメント（TFIIB recognition element）
　　　　　　　　　　　　　　　　　　　　288
TFIIH 292
TM → トロポミオシン
DMD → デュシェンヌ型筋ジストロフィー
TLR → Toll 様受容体
TOR → ラパマイシン標的タンパク質
TOR 経路（TOR pathway） 370
TOF → 飛行時間
Toc34 532
Toc159 532
低血糖（hypoglycemia） 838
T 細胞（T cell） 954
　――の活性化 989
　――の分化 988
T 細胞受容体（T-cell receptor） 400, 984, 987
　――の構造 984
T 細胞選択のアビディティーモデル（avidity model
　　　　　　　　　　　　of T-cell selection） 988
T 細胞の助け（T-cell help） 973
テイ-サックス病 218
低酸素応答配列（hypoxia-responsive element） 850
低酸素状態（hypoxic） 1003
低酸素誘導因子-1α（hypoxia-inducible factor 1α） →
　　　　　　　　　　　　　　　　　　　　HIF-1α
TCR → T 細胞受容体
TCA 回路 → クエン酸回路
TGN → トランスゴルジ網
TCF → 三者複合体因子
TGF-α 1006
TGF-β 639, 640, 877, 1021
TGF-β 受容体（TGF-β receptor） 641
TGF-β 受容体ファミリー（TGF-β receptor family）
　　　　　　　　　　　　　　　　　　　　639
TGF-β/Smad 経路 642
DGC → ジストロフィン糖タンパク質複合体
DGCR8 366
Dishevelled 894

定常状態（steady state） 47
定常状態相（steady-state phase） 663
ディスインテグリン（disintegrin） 644
低張液（hypotonic solution） 417
DD → 細胞死ドメイン
DDK 761
TdT → ターミナルデオキシヌクレオチジルトラン
　　　　　　　　　　　　　　　　　スフェラーゼ
DPE → 下流プロモーターエレメント
TPA → 組織プラスミノーゲンアクチベーター
DBHS（Drosophila behavior human splicing） 384
Dbf4 依存性キナーゼ（Dbf4-dependent kinase） →
　　　　　　　　　　　　　　　　　　　　DDK
DPC（deleted in pancreatic carcinoma） 643, 1022
Dpp 640
TBP → TATA ボックス結合タンパク質
TBP 関連因子（TBP-associated factor） 290
低分子カハールボディ RNA（small Cajal body-
　　　　　　　　　　　associated RNA） → scaRNA
低分子干渉 RNA（small inhibitory RNA） → siRNA
低分子ヘアピン RNA（small hairpin RNA） →
　　　　　　　　　　　　　　　　　　　　shRNA
低分子量 G タンパク質（low-molecular-weight G
　　　　　　　　protein） → 単量体 G タンパク質
D-box → 破壊ボックス
低密度リポタンパク質（low-density lipoprotein） →
　　　　　　　　　　　　　　　　　　　　LDL
Tim タンパク質 528
DUSP → 二重特異性ホスファターゼ
TUG（Tether containing a UBX domain for GLUT4）
　　　　　　　　　　　　　　　　　　　　840
Dub → 脱ユビキチン化酵素
T リンパ球（T lymphocyte） 97
デオキシリボ核酸（deoxyribonucleic acid） → DNA
2-デオキシリボース 41
適応（adaptation） 584
適応免疫系（adaptive immune system） → 獲得免疫
　　　　　　　　　　　　　　　　　　　　系
滴定曲線
　酢酸の―― 50
　リン酸の―― 50
デコンボリューション（deconvolution） 134
デコンボリューション顕微鏡法（deconvolution
　　　　　　　　　　　　　　　microscopy） 133, 134
デスミン（desmin） 733, 734
デスモグレイン（desmoglein） 801
デスモコリン（desmocollin） 801
デスモ小管（desmotubule） 833
デスモソーム（desmosome） 797, 802
デスモソームカドヘリン（desmosomal cadherin）
　　　　　　　　　　　　　　　　　　　797, 801
デスモチューブル → デスモ小管
デスモプラキン（desmoplakin） 801
鉄-硫黄クラスター（iron-sulfur cluster） 470, 471
鉄応答エレメント結合タンパク質（iron-response
　　　　　　　　　element-binding protein） 371
テトラスパニン（tetraspanin） 804, 829
デフェンシン（defensin） 960
TEM 143, 144
デュシェンヌ型筋ジストロフィー（Duchenne
　　　　　muscular dystrophy） 26, 218, 219, 675, 828
デューティー比（duty ratio） 679
テーリン（talin） 794, 825, 827
ΔF508 557
テロサイト（telocyte） 879
テロメア（telomere） 275
テロメア末端トランスフェラーゼ（telomere terminal
　　　　　　　　　　　　　　　　transferase） 277
テロメラーゼ（telomerase） 277, 1004
転位（transposition） 249
転移（metastasis） 1002, 1007
電位（electric potential） 51

和文索引

転移 RNA(transfer RNA) → tRNA
電位依存性陰イオンチャネル(voltage-dependent anion channel) 456, 606
電位依存性 K⁺ チャネル(voltage-gated K⁺ channel) 918, 919
　——の構造 921, 922
電位依存性 Ca²⁺ チャネル(voltage-gated Ca²⁺ channel) 933
電位依存性チャネル(voltage-gated channel) 917
電位依存性 Na⁺ チャネル(voltage-gated Na⁺ channel) 918, 920
　——の構造 921
転位性 DNA 因子(transposable DNA element) 249
電位センサー α ヘリックス(voltage-sensing α helix) 918
電位発生的(electrogenic) 425
電気陰性度(electronegativity) 32
電気泳動(electrophoresis) 101
電気泳動移動度シフト測定法(electrophoretic mobility shift assay) 297, 298
電気エネルギー(electric energy) 51
電気化学的勾配(electrochemical gradient) 412
電気化学的シグナル(electrochemical signaling) 912
電気シグナル(electrical signal) 910
電気シナプス(electrical synapse) 806, 938
電気穿孔法(electroporation) 228
電子顕微鏡グリッド(electron microscope grid) 144
電子顕微鏡法 143
電子シャトル(electron shuttle) 466
電子伝達鎖(electron-transport chain) 448, 468
電子伝達フラビンタンパク質(electron transfer flavoprotein) 473
電子伝達フラビンタンパク質：ユビキノンオキシドレダクターゼ(electron transfer flavoprotein: ubiquinone oxidoreductase) 473
電子密度図(electron density map) 111
転写(transcription) 7, 74, 152, 170
転写因子(transcription factor) 9, 65, 153, 269, 279, 283, 296
転写開始点(transcription start site) 282
転写記憶(transcriptional memory) 317
転写後遺伝子制御(post-transcriptional gene control) 334, 335
転写コンデンセート(transcriptional condensate) 312
転写制御領域 → 転写調節領域
転写単位(transcription unit) 241
転写調節領域(transcriptional-control region) 280, 282, 287, 294
転写バースト 315, 316
転写バブル(transcription bubble) 171
転写複合体メディエーター(mediator of transcription complex) 306
転写(mRNA)プロファイル(transcriptional (mRNA) profiling) 114
点状構造(punctum, pl. puncta) 312
デンスボディ(dense body) 734
点像広がり関数(point spread function) 134
点像分布関数 → 点像広がり関数
点(突然)変異(point mutation) 163, 197, 215
天然変性タンパク質(intrinsically disordered protein) 70
天然変性領域(intrinsically disordered region) 70, 72, 312, 365
デンプン(starch) 43, 487
　——の構造 487
投影レンズ(projection lens) 128
透過型電子顕微鏡法(transmission electron microscopy) → TEM
同義コドン(synonymous codon) 176
同義変異(synonymous mutation) 177

動原体(kinetochore) 276, 721, 741, 767
　——の構造 724
動原体微小管(kinetochore microtubule) 722, 723
糖脂質(glycolipid) 391
投射ニューロン(projection neuron) 944
同種間結合(homophilic binding) 789, 790
同種間接着(homotypic adhesion) 789
同種組織移植(allogeneic tissue transplantation) 986
同種脱感作(homologous desensitization) 603
糖新生(gluconeogenesis) 600, 839
闘争・逃走反応(fight-or-flight response) 595
同族 tRNA(cognate tRNA) 179
糖タンパク質(glycoprotein) 402, 519, 546
同調(synchronous) 911
等張液(isotonic solution) 417
疼痛(pain) 959
動的不安定性(dynamic instability) 701, 702
等電点(isoelectric point) 102
等電点電気泳動(isoelectric focusing) 102
糖尿病(diabetes mellitus) 842
島皮質(insula) 942
頭部(head) 711
動物ウイルス(animal virus) 189
動物細胞 11
　——の有糸分裂 722
頭部ドメイン(head domain) 708
同方向反復群 → 縦列反復群
等方輸送(symport) 437
等方輸送体(symporter) 413, 438, 439
動脈硬化症 → アテローム性動脈硬化症
特異性(specificity) 37, 81, 953
特異的セロトニン再取込み阻害薬(selective serotonin reuptake inhibitor) 936
特異的転写因子 296
(突然)変異(mutation) 1, 162, 196
(突然)変異原(mutagen) 20, 196, 1001
TOP mRNA(tract of oligopyrimidine mRNA) 844
ドナー(donor) 622
ドーパミン 932
TOF → 飛行時間
トポイソメラーゼI(topoisomerase I) 157
トポイソメラーゼII(topoisomerase II) 157
トポロジー → 空間配置
トポロジカルドメイン(topological domain, topologically associating domain) 68, 268, 269, 762
ドミナントアクティブ(dominant-active) 691
ドミナントネガティブ(dominant-negative) 691
ドミナントネガティブ変異(dominant-negative mutation) 197
Tom タンパク質 527
ドメイン(domain) 67
ドメインアーキテクチャ(domain architecture) 67
Trithorax タンパク質 325
ドライバー変異(driver mutation) 224, 1010, 1014
ドラベ症候群(Dravet syndrome) 919
トランス 45
トランス型相互作用(trans interaction) 789, 790
トランスゴルジ網(trans-Golgi network) 544, 560
トランスサイトーシス(transcytosis) 566, 893, 963
トランス脂肪(trans fat) 46
トランススプライシング(trans-splicing) 345
トランスデューシン(transducin) 610
トランスフェクション(transfection) 228
トランスフェリン(transferrin) 371
トランスフェリン受容体(transferrin receptor) 371
トランスフォーミング増殖因子 α(transforming growth factor α) → TGF-α
トランスフォーミング増殖因子 β(transforming growth factor β) → TGF-β
トランスフォーメーション → 悪性転換
トランスポザーゼ(transposase) 251

トランスポゾン(transposon) → DNA トランスポゾン
トランスロケーション(translocation) 184, 185
トランスロコン(translocon) 509
トリアシルグリセロール(triacylglycerol) 45, 467
tri-snRNP 複合体(tri-snRNP complex) 344
トリカルボン酸回路(tricarboxylic acid cycle) → クエン酸回路
トリグリセリド(triglyceride) → トリアシルグリセロール
取込み受容体(import receptor) 527
トリコモナス(Trichomonas vaginalis) 20
ドリコールリン酸(dolichol phosphate) 519
トリスケリオン(triskelion) 560, 561
トリセルリン(tricellulin) 804
トリ白血病ウイルス(avian leukosis virus) 1011
トリパノソーマ(Trypanosoma brucei) 20
トリプトファン(tryptophan) 38, 39
トリプレット(triplet, 微小管の) 698
トリプレット → 三文字コード
ドルトン(dalton) 61
Toll 様受容体(Toll-like receptor) 652, 958
　——の活性化 993
トレオニン(threonine) 39
トレッドミリング(treadmilling) 664
Drosha 366
トロポエラスチン(tropoelastin) 822
トロポニン(troponin) 684
トロポミオシン(tropomyosin) 684
トロポモジュリン(tropomodulin) 666
トロンボスポンジン(thrombospondin) 929
トロンボポエチン(thrombopoietin) 634
トンネルナノチューブ(tunneling nanotube) 460, 808

な 行

内腔(lumen) 390
内腔選別シグナル(luminal sorting signal) 553
内在性の極性化プログラム(intrinsic polarity program) 886
内胚葉(endoderm) 891
内皮(endothelium) 22
内皮細胞(endothelial cell) 796
内部共生者(endosymbiont) 457
内部共生説(endosymbiont hypothesis) 16, 391, 456, 480
内部細胞塊(inner cell mass) 865, 868
ナイーブ B リンパ球(naive B lympocyte) 963
内部プロモーターエレメント(internal promoter element) 330
内部リボソーム結合部位(internal ribosome entry site) 184
内分泌シグナル伝達(endocrine signaling) 578, 579
内腕(inner-arm) 716
Nurse, Paul 20, 743, 750
ナチュラルキラー細胞(natural killer (NK) cell) 959
ナチュラルキラー T 細胞 983
ナチュラル制御性 T 細胞(natural regulatory T cell, thymically derived regulatory T cell) 989
ナチュラル Treg → ナチュラル制御性 T 細胞
Na⁺HCO₃⁻/Cl⁻ 対向輸送体(Na⁺HCO₃⁻/Cl⁻ antiporter) 440
Na⁺/K⁺ ATPase 424
　——の作動モデル 424
3Na⁺/1Ca²⁺ 対向輸送体(three-Na⁺/one-Ca²⁺ antiporter) 440
2Na⁺/1 グルコース等方輸送体(two-Na⁺/one-glucose symporter) 438
Na⁺/H⁺ 対向輸送体(Na⁺/H⁺ antiporter) 440

ナノボディ(nanobody) 125
ナンセンスコドン介在性分解(nonsense-mediated decay) 345, 372
ナンセンス変異(nonsense mutation) 177, 215
ナンセンス抑制(nonsense suppression) 188
におい物質(odorant) 938, 944
二価染色体(bivalent chromosome) 781
肉腫(sarcoma) 1001
二光子励起蛍光顕微鏡法(two-photon excitation microscopy) 136
ニコチンアミドアデニンジヌクレオチド (nicotinamide adenine dinucleotide) → NAD^+
ニコチンアミドアデニンジヌクレオチドリン酸 (nicotinamide adenine dinucleotide phosphate) → $NADP^+$
ニコチン性アセチルコリン受容体(nicotinic acetylcholine receptor) 936
——の構造 937
二次元ゲル電気泳動(two-dimensional gel electrophoresis) 102
二次構造(secondary structure) 61, 62
二次抗体 132
二次細胞壁(secondary cell wall) 833
二次的能動輸送(secondary active transport) 414
二次メッセンジャー(second messenger) 582, 806
二重特異性(dual-specificity) 627
二重特異性キナーゼ(dual-specificity kinase) 69
二重特異性ホスファターゼ(dual-specificity phosphatase) 629
二重標識蛍光顕微鏡法(double-label fluorescence microscopy) 132, 133
二重らせん(double helix) 7, 154
二次リンパ組織(secondary lymphoid organ) 956
ニック(nick) 157
二糖(disaccharide) 43
ニドジェン(nidogen) 810
二倍体(diploid) 19, 196, 197
二本鎖切断(double-strand break) 776
二本鎖DNA(double-stranded DNA) 205
ニーマン-ピックC1(Niemann-Pick C1) 650
乳がん耐性タンパク質(breast cancer resistance protein) 427
乳酸菌(Lactococcus lactis) 3
乳酸発酵(lactic acid fermentation) 453
乳児重症ミオクロニーてんかん(severe myoclonic epilepsy) 919
乳頭(papillae) 942
Nüsslein-Volhard, Christiane 200
ニューレキシン 829
ニューログリア(neuroglia) → グリア細胞
ニューロトロフィン(neurotrophin) 902
ニューロフィラメント(neurofilament) 732, 733
ニューロン(neuron) → 神経細胞
尿崩症(diabetes insipidus) 419
二量化アーム(dimerization arm) 620
二リン酸基 32
ニワトリ(Gallus gallus) 8
認識ヘリックス(recognition helix) 300
ヌクレオキャプシド(nucleocapsid) 190
ヌクレオシド(nucleoside) 41
——の名称 42
ヌクレオソーム(nucleosome) 240, 259, 306
——の構造 260
ヌクレオチド(nucleotide) 7, 38, 41
——の構造 41
——の名称 42
ヌクレオチド結合ポケット(nucleotide-binding pocket) 582
ヌクレオチド除去修復(nucleotide excision repair) 165, 166
ヌクレオチド配列(sequence) 7
ヌクレオポリン(nucleoporin) 536, 767
ヌル対立遺伝子(null allele) 215

根(root) 832
ネオアンチゲン(neo-antigen) 1026
ネオブラスト(neoblast) 26, 649, 875
ネガティブ染色法(negative staining) 144
ネキシン(nexin) 716
ネクローシス(necrosis) 897
ネクロプトーシス(necroptosis) 897, 906
ネスプリン(nesprin) 734
熱(heat) 959
熱エネルギー(thermal energy) 51
熱ショック遺伝子(heat-shock gene) 322
熱ショック因子(heat-shock factor) 853
熱ショック応答(heat-shock response) 838, 854
熱ショックタンパク質(heat-shock protein) → HSP
熱ショック配列(heat-shock element) 854
ネトーシス(NETosis) 960
ネブリン(nebulin) 683
ネルンストの式(Nernst equation) 432
粘液(mucus) 519

嚢(cisterna, pl. cisternae) 13, 558
脳弓下器官(subfornical organ) 927
脳室(ventricle) 916
脳室下帯(subventricular zone) 916
脳室帯(ventricular zone) 916
濃縮体(tangle) 81
濃色効果(hyperchromicity) 156
嚢成熟(cisternal maturation) 544, 559
能動免疫(active immunization) 960
能動輸送(active transport) 413
濃度勾配(concentration gradient) 51
嚢胞(cyst) 123
嚢胞性繊維症(cystic fibrosis) → CF
嚢胞性繊維症膜貫通調節タンパク質(cystic fibrosis transmembrane regulator) → CFTR
脳由来神経栄養因子(brain-derived neurotrophic factor) 902
ノコダゾール(nocodazole) 703, 746
Notch/Deltaシグナル伝達経路 645
ノマルスキー干渉顕微鏡法(Nomarski interference microscopy) → 微分干渉顕微鏡法
乗換え(crossing over) 167, 781
ノルアドレナリン(noradrenaline) 928, 932
ノルエピネフリン → ノルアドレナリン
ノンストップ分解(non-stop decay) 372

は 行

HER 586, 620, 621, 1017
葉(leaf) 832
肺塩類細胞(pulmonary ionocyte) 27
バイオインフォマティクス(bioinformatics) 4, 213
パイオニア転写因子(pioneer transcription factor) 311
バイオマーカー(biomarker) 114
配偶子(gamete) 865
倍数体(polyploid) 196
ハイスループットLC-MS/MS(high-throughput LC-MS/MS) 114
ハイスループットDNA配列決定 212
胚性幹細胞(embryonic stem cell) → ES細胞
胚性神経上皮細胞(embryonic neuroepithelial cell) 916
培地(medium) 120, 585
胚中心(germinal center) 969

par遺伝子 890
胚盤胞(blastocyst) 867, 868
ハイブリダイゼーション → ハイブリッド形成
ハイブリッド形成(hybridization) 156, 224
ハイブリドーマ(hybridoma) 124, 125
胚様体(embryoid body) 868
配列解読ヘリックス(sequence-reading helix) 300
配列特異的DNAアフィニティークロマトグラフィー(sequence-specific DNA affinity chromatography) 297
配列モチーフ(sequence motif) 65
パイロトーシス(pyroptosis) 994
ハエトリグサ(Dionaea muscipula) 835
破壊コンストラクト(disruption construct) 231
破壊複合体(destruction complex) 647
破壊ボックス(destruction box) 754
バーキットリンパ腫(Burkitt's lymphoma) 1020
白色脂肪組織(white-fat tissue) 486
バクテリオファージ(bacteriophage) 189
白内障 808
破骨細胞(osteoclast) 444, 445
バース症候群(Barth's syndrome) 477
パターン形成遺伝子(patterning gene) 24
発エルゴン反応(exergonic reaction) 52
発がん(oncogenesis) 1001, 1015
発がん性(突然)変異(oncogenic mutation) 1003
発がん物質(carcinogen) 1007, 1008
Pax6 283
パッケージングプラスミド(packaging plasmid) 229
白血球(leukocyte) 955
白血球除去(leukapheresis) 1029
白血球接着不全症(leukocyte-adhesion deficiency) 831
白血病(leukemia) 1001
発現(express) 60
発現配列タグ(expressed sequence tag) 214
発酵(fermentation) 452
発色基質(chromogenic substrate) 104
パッセンジャー変異(passenger mutation) 224
パッチクランプ法(patch clamping) 435
Patched1(PTC1) 1021
Bad 633, 905
発熱反応(exothermic reaction) 52
Hartwell, L. H. 199, 740, 750
花(flower) 832
パネキシン(pannexin) 807
パネクソン 807
PAF 293
PAF → 血小板活性化因子
パーフォリン(perforin) 966, 990
Par複合体 → 頂端Par複合体
ハプロタイプ(haplotype) 223
ハプロ不全(haplo-insufficient) 197
Bam(Bag of marbles) 877
パラトープ(paratope) 965
パラノード(paranode) 926
パラログ(paralog) 216
バリン(valine) 38, 39
パールカン(perlecan) 810, 813
パルスチェイス(pulse-chase) 107
バルデー-ビードル症候群(Bardet-Biedl syndrome) 720
バルビアニ環(Balbiani ring) 360
パルミチン酸 45
PALM → 光活性化プローブ局在同定顕微鏡法
パワーストローク(power stroke) 679
ダイニンの—— 711
半減期(half-life) 105
反細胞質側面(exoplasmic face) 390
反射弓(reflex arc) 913
半数体 → 一倍体
半チャネル(half-channel) 483

和文索引

ハンチントン病(Huntington's disease) 218, 219, 248
バンド3 675
バンド4.1 675
バンド3陰イオン輸送体 → 陰イオン交換輸送体1
バンドシフト法(band-shift assay) 297
Hunt, Tim 750
万能性(pluripotency) 865, 870
反応速度定数(rate constant) 47
反応中心(reaction center) 490
半反応(half-reaction) 57
VAMP(vesicle-associated membrane protein) 554
反復DNA(repetitive DNA) 239, 241, 247
汎用取込み孔(general import pore) 527

$p21^{CIP}$ 752
$p27^{KIP1}$ 752
$p31^{comet}$ 779
p38キナーゼ(p38 kinase) 628
p53 778, 1004
$p57^{KIP2}$ 752
$p75^{NTR}$ 902
$p90^{RSK}$ 628
$p150^{Glued}$ 712
p300 310
PI 45, 604, 605
PI → ヨウ化プロピジウム
pI → 等電点
Pin1 755
PI 3-キナーゼ 632
PI 3-キナーゼ経路(PI 3-kinase pathway) 632, 633
PI 3-リン酸(PI 3-phosphate) 632
PIC → 開始前複合体
Bid → BH3相互作用ドメイン細胞死アゴニスト
BiP 510
pri-miRNA → miRNA一次転写産物
BRE → TFIIB認識エレメント
pRNA → プロモーター結合RNA
BRF(TFIIB-related factor) 331
BRCA1 777
ヒアルロナン(hyaluronan) 817, 819
ヒアルロン酸(hyaluronic acid) 819
ヒアルロン酸塩(hyaluronate) 819
Pex5 534
PEK(pancreatic eIF2 kinase) 370
P因子(P element) 252
非インスリン依存性糖尿病(non-insulin-dependent diabetes) 842
非ウイルス性レトロトランスポゾン(nonviral retrotransposon) 255
Panx1 942
PAF 293
PAF → 血小板活性化因子
Bam(Bag of marbles) 877
PALM → 光活性化プローブ局在同定顕微鏡法
BAC 206
PAGE → ポリアクリルアミドゲル電気泳動法
PS1 → プレセニリン1
PSI, PSII → 光化学系
PSE 331
PSF → 点像広がり関数
PSD → シナプス後膜肥厚
PSD95 931
Piezo1, Piezo2 940, 941
pH 48, 49
bHLH → 塩基性ヘリックス-ループ-ヘリックス
BH3オンリータンパク質(BH3-only protein) 899
BH3相互作用ドメイン細胞死アゴニスト(BH3-interacting-domain death agonist) 907
PHD → プロリンヒドロキシラーゼ
PHドメイン(PH domain) 632
Bad 905

BN-PAGE → ブルーネイティブ-PAGE
PAP → ポリ(A)ポリメラーゼ
PABP → ポリ(A)結合タンパク質
PABPC 346
PABPN 346
BFA → ブレフェルジンA
PML → 前骨髄性白血病
PML小体 → PMLボディ
PMLボディ(PML nuclear body) 384
BMP → 骨形成タンパク質
PL → ペクチン酸リアーゼ
PLAP → 胎盤アルカリホスファターゼ
PLC → ホスホリパーゼC
非LTR型レトロトランスポゾン 241
PLP → プロテオリピドタンパク質
B形(B form) 154
P型ポンプ(P-class pump) 419, 420
光遺伝学(optogenetics) 20, 926, 927
光運動性(photomotility) 926
光活性化プローブ局在同定顕微鏡法(photoactivated localization microscopy) 140, 141
光呼吸(photorespiration) 499
光シート顕微鏡法(light-sheet microscopy) 142
光阻害(photoinhibition) 493
光退色後の蛍光回復(fluorescence recovery after photobleaching) → FRAP
P顆粒(P granule) 889
非共有結合性相互作用(noncovalent interaction) 30, 33
非極性(nonpolarity) 32
非許容温度(nonpermissive temperature) 20, 199
pK_a 49
PK → プロテインキナーゼ
PKA → プロテインキナーゼA
PKB → プロテインキナーゼB
PKC → プロテインキナーゼC
PKR → RNA活性化プロテインキナーゼ
非結合電子(nonbonding electron) 31
非光化学的消光(non-photochemical quenching) 493
飛行時間(time-of-flight) 108, 109
B細胞(B cell) 954
　——による抗原提示 982
　——の分化 988
B細胞受容体(B-cell receptor) 971, 987
PC2, PC3 565
BCR → B細胞受容体
PCR → ポリメラーゼ連鎖反応
PCNA(proliferating cell nuclear antigen) 161
Bcl-2 1028
Bcl-2ファミリー(Bcl-2 family) 902
Bcl-2ファミリータンパク質 903
bZIP → 塩基性ジッパー
微視的可逆性(microscopic reversibility) 46
PCP → 平面内細胞極性
微絨毛(microvillus, pl. microvilli) 660
微小管(microtubule) 12, 658, 659, 695, 696
　——の伸長 700, 701
　——の短縮 701
微小管形成中心(microtubule-organizing center) 698, 703, 720
微小管結合タンパク質(microtubule-associated protein) 700, 704
微小管タンパク質(microtubular protein) 700
ヒスタミン 932
ヒスチジン(histidine) 39
ヒストン(histone) 260, 306
　——のアセチル化 263
　——の翻訳後修飾 264, 266, 324
ヒストンアセチラーゼ(histone acetylase) 310
ヒストンアセチルトランスフェラーゼ(histone acetyltransferase) 264, 310
ヒストンコード(histone code) 263, 323

ヒストン修飾酵素(histone-modifying enzyme) 1016
ヒストン脱アセチル化(histone deacetylation) 308, 309
ヒストン脱アセチル化酵素 → ヒストンデアセチラーゼ
ヒストンデアセチラーゼ(histone deacetylase) 264, 307
ヒストン八量体(histone octamer) 259
ヒストン尾部(histone tail) 263, 306
ヒストンメチルトランスフェラーゼ(histone methyltransferase) 265
ヒストンリシンデメチラーゼ(histone lysine demethylase) 323
非選択性イオンチャネル(nonselective ion channel) 611
非相同末端結合(nonhomologous end-joining) 166, 167, 777, 1009
P体(P body) 17
肥大型心筋症(hypertrophic cardiomyopathy) 683
非対称細胞分裂(asymmetric cell division) 26, 865, 888
非対称分裂 895
　神経芽細胞の—— 895
p値(p-value) 215
必須アミノ酸(essential amino acid) 40
必須軽鎖(essential light chain) 677
Hippo経路(Hippo pathway) 838, 858〜863
PD-1(programmed death-1) 1028
PDI → タンパク質ジスルフィドイソメラーゼ
PDE → cAMPホスホジエステラーゼ
PDE → cGMPホスホジエステラーゼ
P-TEFb 293
PTS 534, 535
BDNF → 脳由来神経栄養因子
PTM → 翻訳後修飾
PDK1, PDK2 632
PDZドメイン(PDZ domain) 804
PTEN 633
ヒト(Homo sapiens) 8
　——の遺伝病 1009
ヒトキノーム(human kinome) 69
ヒト上皮増殖因子受容体(human epidermal growth factor receptor) → HER
ヒトTリンパ球向性ウイルス(human T-cell lymphotropic virus) 192
ヒトパピローマウイルス(human papillomavirus) 192
ヒト免疫不全ウイルス(human immunodeficiency virus) → HIV
ヒドロキシ基 32
ヒドロキシ尿素(hydroxyurea) 746
ヒドロキシプロリン(hydroxyproline) 811
Pヌクレオチド(P nucleotide) 969
53BP1 777
PP → ホスホプロテインホスファターゼ
PPIase → ペプチジルプロリルイソメラーゼ
PBS → プライマー結合部位
P部位(P site) 182
被覆小胞 550, 552
被覆ピット(coated pit) 14
尾部係留タンパク質 515
尾部ドメイン(tail domain) 708
微分干渉顕微鏡法(differential-interference contrast (DIC) microscopy) 128
比放射能(specific radioactivity) 105
Bボックス(B box) 330
Pボディ(processing body) 365
非翻訳領域(untranslated region) 174
肥満細胞 → マスト細胞
ビメンチン(vimentin) 733, 734
病因遺伝子(disease gene) 220
表現型(phenotype) 196

標準自由エネルギー変化(standard free-energy change) 52
標準的暗号(universal code) 177
表層顆粒(cortical granule) 867
標的細胞(target cell) 577
表皮組織(dermal tissue) 832
HeLa 細胞 121
ビリオン(virion) 188, 955
ピリミジン(pyrimidine) 41, 153
ピルビン酸(pyruvate) 450
ピルビン酸キナーゼ(pyruvate kinase) 451
ピルビン酸デヒドロゲナーゼ(pyruvate dehydrogenase) 463
ピロリ菌(*Helicobacter pylori*) 8, 1005
Pin1 752, 755
品質管理(quality control) 360
ファゴサイトーシス(phagocytosis) 15, 657, 670, 672
ファージ(phage) → バクテリオファージ
FACS 121, 122
ファミリー(family) 68
ファロイジン(phalloidin) 672
ファンコニ貧血 1009
ファンデルワールス相互作用(van der Waals interaction) 35
VEGF → 血管内皮増殖因子
VSV → 水疱性口内炎ウイルス
V_H → 重鎖の可変領域
V_L → 軽鎖の可変領域
VLCFA (very long-chain fatty acid) 468
V 型ポンプ(V-class pump) 419, 420, 425
VCAM-1 → 血管細胞接着分子
VGAT → 小胞性 GABA 輸送体
VGLUT → 小胞性グルタミン酸輸送体
VZ → 脳室帯
Fischer, Emil 83
FISH → 蛍光 in situ ハイブリダイゼーション
VDAC → 電位依存性陰イオンチャネル
フィードバック阻害(feedback inhibition) 92
フィードバック抑制(feedback repression) 584, 602, 837
フィードフォワード活性化(feed-forward activation) 452
Vps4 573
フィビュリン(fibulin) 810
フィブリリン 1 (*fibrillin-1*) 823
フィブロネクチン(fibronectin) 820, 821
V_{max} 83
フィラデルフィア染色体(Philadelphia chromosome) 1011, 1012
フィラミン(filamin) 673
フィンガープリント(fingerprint) 239
フィンブリン(fimbrin) 673
封入体細胞病 → I 細胞病
フェニルアラニン(phenylalanine) 38, 39
フェニルケトン尿症 218
フェルスター共鳴エネルギー移動(Förster resonance energy transfer) → FRET
フェロモン(pheromone) 577
4E-BP → eIF4E 結合タンパク質
不応期(refractory period) 918
フォーカルアドヒージョン(focal adhesion) 675, 797, 824
フォーカルコンタクト(focal contact) → フォーカルアドヒージョン
フォーカルコンプレックス(focal complex) 824
フォルミン(formin) 667
フォンビルブラント因子(von Willebrand factor) 828
不可逆的過程(irreversible process) 759
不規則構造(irregular structure) 62

副溝(minor groove) 154
複合形質(complex trait) 222
26S 複合体(26S complex) 89
複合体 I → NADH-CoQ レダクターゼ
複合体 II → コハク酸-CoQ レダクターゼ
複合体 III → CoQH$_2$-シトクロム c レダクターゼ
複合体 IV → シトクロム c オキシダーゼ
複合転写単位(complex transcription unit) 241, 243
複数回膜貫通タンパク質(multipass transmembrane protein) 399, 513
複製 152
複製起点(replication origin) 159, 205, 275
複製起点認識複合体(origin recognition complex) 162, 760
複製フォーク(replication fork) 159, 160
複製フォーク崩壊(replication fork collapse) 167, 168
複製ライセンシング(replication licensing) 761
複製老化(replicative senescence) 745
不斉炭素原子(asymmetric carbon atom) 31
付着末端(sticky end) 204
Hooke, Robert 119
太いフィラメント(thick filament) 682
太いフィラメントによる調節(thick-filament regulation) 687
負の走光性(photophobia) 926
部分重複(segmental duplication) 245
普遍暗号 → 標準的暗号
不飽和(unsaturated) 44, 405
フマル酸 56
fura-2 130, 589
プライマー(primer) 158
プライマー結合部位(primer-binding site) 254
プライマーゼ(primase) 159, 161
プラキン(plakin) 736, 801
プラーク(plaque) 80
プラコグロビン(plakoglobin) 801
プラコフィリン(plakophilin) 801
+TIP 704, 705
BLAST (basic local alignment search tool) 215
プラストシアニン(plastocyanin) 490
プラズマ細胞 → 形質細胞
プラズマローゲン(plasmalogen) 391, 392
プラスミド(plasmid) 9, 205
プラスミドベクター 206
プラスモデスム → 原形質連絡
FLAG タグ 132
Blackburn, Elizabeth 276
FRAP 137, 138, 393, 723
プラナリア(*Schmidtea mediterranea*) 8, 18, 25, 615, 648, 649
フラビンアデニンヌクレオチド(flavin adenine dinucleotide) → FAD
フラビンモノヌクレオチド(flavin mononucleotide) → FMN
Franklin, Rosalind 7, 154
プリオン(prion) 81
Frizzled (Fz) 647, 894
フリッパーゼ(flippase) 395, 428
フリン(furin) 565
プリン(purine) 41, 153
フルクトース 43
フルクトース 2,6-ビスリン酸(fructose 2,6-bisphosphate) 452
プルダウン法 589
ブルーネイティブ-PAGE (blue native-PAGE) 476
ブルーム症候群 1009
ブレインイニシアティブ(Brain Research through Advancing Innovative Neurotechnologies (BRAIN) Initiative) 909
プレクチン(plectin) 736
プレセニリン 1 (presenilin 1) 646

FRET 137〜139, 594
プレ Tα (pre-Tα) 986
Brenner, Sydney 25
プレニル化(prenylation) 401
プレ B 細胞(pre-B cell) 970
プレ B 細胞受容体(pre-B-cell receptor) 970, 971
プレ BCR → プレ B 細胞受容体
ブレフェルジン A (brefeldin A) 575
Fleming, Alexander 126
フレームシフト変異(frameshift mutation) 177, 215
フレームワーク領域(framework region) 964
プロ α 鎖(pro-α chain) 814
プロウイルス(provirus) 192
プロカスパーゼ(procaspase) 900
プログラム細胞死(programmed cell death) 25, 867
プロゲステロン 745
プロ酵素(proenzyme) 564
プロコラーゲン(procollagen) 814
フローサイトメーター(flow cytometer) 121
プロセス型偽遺伝子(processed pseudogene) 241, 257
プロタンパク質(proprotein) 564
プロテアーゼ(protease) 67
プロテアソーム(proteasome) 89, 90
20S プロテアソーム(20S proteasome) 89
プロテイン 0 (P_0) 925
プロテインキナーゼ(protein kinase) 73, 94, 96, 582
プロテインキナーゼ A (protein kinase A) 430, 583, 596, 597
——の構造 598
プロテインキナーゼ B (protein kinase B) 632
プロテインキナーゼ C (protein kinase C) 608
プロテインキナーゼ R → RNA 活性化プロテインキナーゼ
プロテインホスファターゼ(protein phosphatase) 94, 582
プロテオグリカン(proteoglycan) 401, 641, 809, 813, 814, 818
——の構造 820
プロテオグリカン集合因子(aggregation factor) 792
プロテオスタシス(proteostasis) 89
プロテオミクス(proteomics) 114
プロテオーム(proteome) 60, 113, 150
プロテオリピドタンパク質(proteolipid protein) 925
プロトフィブリル(protofibril) 732
プロトフィラメント(protofilament) 697, 732
プロドメイン(prodomain) 641
H$^+$/K$^+$ATPase 444
プロトン駆動力(proton-motive force) 448, 469, 529
H$^+$/スクロース対向輸送体(H$^+$/sucrose antiporter) 442
H$^+$ のくみ出し(proton pumping) 469
プロトンポンプ(proton pump) 489
プロフィリン(profilin) 665
プロフェッショナル抗原提示細胞(professional antigen-presenting cell, professional APC) 974
プロホルモン(prohormone) 97
プロモーター(promoter) 171, 240, 283, 638
プロモーター近位エレメント(promoter-proximal element) 294
プロモーター結合 RNA (promoter-associated RNA) 330
プロモーター融合(promoter fusion) 230
ブロモドメイン(bromodomain) 266, 310
プロラクチン(prolactin) 634
プロリン(proline) 39, 40, 850
プロリンヒドロキシラーゼ(proline hydroxylase) 850
分化(differentiation) 865
分解能(resolution) 111, 128
分解能の限界(limit of resolution) 128
分画遠心法(differential centrifugation) 100, 148

和文索引

分割欠損遺伝子（partition defective gene） 890
分岐点 168
分岐点移動（branch migration） 168
分散因子（scatter factor） 693
分子概日時計 856, 857
分子機械（molecular machine） 60
分子シャペロン（molecular chaperone） 76, 77
分子相補性（molecular complementarity） 30, 36, 81
分子手錠（molecular handcuff） 627
分子標的療法（molecular targeted therapy） 1012
分枝部位（branch point） 340
分子変換（molecular transformation） 60
分泌顆粒（secretory granule） 544
分泌経路（secretory pathway） 503, 543, 545
分別遠心法 → 分画遠心法
分離（resolution, ホリディ構造の） 170
分離（segregation, 相同染色体の） 197
分裂（fission, ミトコンドリアの） 459
分裂期（mitotic phase） → M 期
分裂期後期促進複合体（anaphase-promoting complex） → APC/C
分裂期 CDK 748
分裂期星状体（mitotic aster） 741
分裂期脱出ネットワーク（mitotic exit network） 773
分裂溝（cleavage furrow） 728
分裂酵母（Schizosaccharomyces pombe） 19, 743, 744
分裂終了細胞（postmitotic cell） 278
分裂小体 → メロゾイト
分裂装置（mitotic apparatus） 767
分裂促進因子（mitogen） 44, 740, 758, 1019
分裂組織（meristem） 833, 884
分裂チェックポイント複合体（mitotic checkpoint complex） 727, 779
分裂抑制因子（anti-mitogen） 758

平滑末端（blunt end） 209
平衡定数（equilibrium constant） 47
閉鎖的ループ（closed loop） 914
平面内極性 894
平面内細胞極性（planar cell polarity） 893
壁細胞（parietal cell） 444
ヘキソキナーゼ（hexokinase） 450
ベクター（vector） 204
ベクタープラスミド（vector plasmid） 228
ペクチン（pectin） 833
ペクチン酸リアーゼ（pectate lyase） 835
PAGE → ポリアクリルアミドゲル電気泳動法
ベージュ脂肪細胞（beige-fat cell） 486
β-FGF → 塩基性繊維芽細胞増殖因子
β カテニン（β-catenin） 647
β 酸化（β oxidation） 473
β シート（β sheet） 62, 63
β 遮断薬（beta-blocker） 587
β ストランド（β strand） 62
β ターン（β turn） 62〜64
β TrCP 647
β バレル（β barrel） 63
β プリーツシート（β pleated sheet） → β シート
β プロペラドメイン（β-propeller domain） 570
β2 ミクログロブリン（β2-microglobulin） 976
ヘッジホッグ（Hedgehog） 646, 651, 1021
　──のプロセシング 650
ヘテロ核 RNA（heterogeneous nuclear RNA） → hnRNA
ヘテロクロマチン（heterochromatin） 13, 261, 262, 306
ヘテロクロマチンタンパク質 1（heterochromatin protein 1） 265
ヘテロ三量体 G タンパク質（heterotrimeric G protein） 583
ヘテロ接合性の喪失（loss of heterozygosity） 1013

ヘテロ接合体（heterozygote） 196
ヘテロ二本鎖（heteroduplex） 168
ヘテロプラスミー（heteroplasmy） 458
ヘテロマー（heteromer） 70
ヘテロリボ核タンパク質粒子（heterogeneous ribonucleoprotein particle） → hnRNP
ヘパリン（heparin） 817
ヘビーメロミオシン（heavy meromyosin） 677
ヘプタド（heptad） 65, 554
ヘプタドリピート（heptad repeat） → ヘプタド
ペプチジルトランスフェラーゼ反応 → ペプチド転移反応
ペプチジルプロリルイソメラーゼ（peptidylprolyl isomerase） 75, 522
ペプチド（peptide） 61
ペプチドグリカン（peptidoglycan） 43
ペプチド結合（peptide bond） 37, 61
ペプチド質量フィンガープリント（peptide mass fingerprint） 110
ペプチド転移反応 184
ペプチド付加複合体（peptide-loading complex） 979
ヘマトキシリン（hematoxylin） 130
ヘミセルロース（hemicellulose） 833
ヘミデスモソーム（hemidesmosome） 797, 801
ヘム（heme） 470
ヘム調節インヒビター（heme-regulated inhibitor） 370
ヘリカーゼ（helicase） 159, 292
ペリサイト → 周皮細胞
ペリツェウス-メルツバッハー病（Pelizaeus-Merzbacher disease） 925
ヘリックス-ターン-ヘリックス（helix-turn-helix） 65
ヘリックス-ターン-ヘリックスモチーフ（helix-turn-helix motif） 300
ヘリックス-ループ-ヘリックス（helix-loop-helix） 64, 65
ペルオキシソーム（peroxisome） 16, 468, 534, 535
ペルオキシソームマトリックス（peroxisome matrix） 534
ペルオキシソーム輸送配列（peroxisomal-targeting sequence） → PTS
ヘルパー T 細胞（helper T cell） 973
変異（mutation） 1, 162, 196
変異原（mutagen） 20, 196, 1001
ベンス-ジョーンズタンパク質（Bence-Jones protein） 964
変性（denaturation） 75, 155
変性剤（denaturant） 75
ベンゾ[a]ピレン（benzo[a]pyrene） 1008
ヘンダーソン-ハッセルバルヒの式（Henderson-Hasselbalch equation） 49
扁平上皮がん（squamous cell carcinoma） 166
鞭毛（flagellum, pl. flagella） 12, 391, 715
　──の構造 716
鞭毛運動 717
鞭毛内輸送（intraflagellar transport） → IFT

補因子（cofactor） 87
保因者（carrier） 219
ポイント走査型共焦点顕微鏡（point-scanning confocal microscope） → レーザー走査型共焦点顕微鏡
膨圧（turgor pressure） 418, 819
棒球モデル（ball-and-stick model） 31, 66
方向性（polarity, アクチンフィラメントの） 661
方向性 → 極性（細胞の）
傍細胞経路（paracellular pathway） 805
胞子形成組織（sporogenous tissue） 832
放射エネルギー（radiant energy） 51
放射状グリア細胞（radial glial cell） 916

放射状スポーク（radial spoke） 716
放射性同位体（radioisotope） 105
放出（release） 191
紡錘極体（spindle pole body） 756, 767
紡錘体（mitotic spindle, spindle） 721, 767
紡錘体位置チェックポイント（spindle position checkpoint） 729
紡錘体極（spindle pole） 699, 741, 768
紡錘体形成チェックポイント（spindle assembly checkpoint） 727
紡錘体形成チェックポイント経路（spindle assembly checkpoint pathway） 778, 779
胞胚（blastula） 744
胞胚腔（blastocoel） 868
傍パラノード（juxtaparanode） 926
傍分泌シグナル伝達（paracrine signaling） 578, 579
飽和（saturated） 44
飽和曲線（saturation curve） 585
飽和脂肪酸（saturated fatty acid） 405
補欠分子族（prosthetic group） 87, 470
補酵素（coenzyme） 56, 87
補酵素 A（coenzyme A） → CoA
補酵素 Q（coenzyme Q） → CoQ
補償的変異（compensatory mutation） 340
補水（rehydration） 444
ホスファターゼ（phosphatase） → プロテインホスファターゼ
ホスファチジルイノシトール（phosphatidylinositol） → PI
ホスファチジルイノシトール 3-キナーゼ（phosphatidylinositol 3-kinase） → PI 3-キナーゼ
ホスファチジルエタノールアミン 45
ホスファチジルコリン 44, 45
ホスファチジルセリン 45
ホスホイノシチド（phosphoinositide） 391, 631
ホスホイメージャー（phosphorimager） 107
ホスホエノールピルビン酸カルボキシラーゼ（phosphoenolpyruvate carboxylase） 500
ホスホグリセリド（phosphoglyceride） 44, 45, 391, 392
ホスホグルコムターゼ（phosphoglucomutase） 597
ホスホジエステル結合（phosphodiester bond） 37, 38, 153, 154
ホスホチロシンホスファターゼ（phosphotyrosine phosphatase） 638
6-ホスホフルクト-1-キナーゼ（6-phosphofructo-1-kinase） 451
6-ホスホフルクト-2-キナーゼ（6-phosphofructo-2-kinase） 452
ホスホプロテインホスファターゼ（phosphoprotein phosphatase） 598
ホスホリパーゼ（phospholipase） 395
ホスホリパーゼ C（phospholipase C） 604
母性 mRNA（maternal mRNA） 867
細いフィラメント（thin filament） 682
細いフィラメントによる調節（thin-filament regulation） 684
保存（conservation） 214
補体（complement） 958
Hox 遺伝子（Hox gene） 325
Hox タンパク質（Hox protein） 25
Hox 転写因子 327
発赤（redness） 959
ボディープラン（body plan） 24
ポテンシャルエネルギー（potential energy） 51
ポドソーム（podosome） 824
ポドフィロトキシン（podophyllotoxin） 703
ホメオスタシス（homeostasis） 47, 837
ホメオドメイン（homeodomain） 300
ホモジェネート（homogenate） 148
ホモ接合体（homozygote） 196
ホモマー（homomer） 70

和文索引

ホモログ(homolog) 20, 68, 216
ポリアクリルアミドゲル電気泳動法(polyacrylamide gel electrophoresis) 101
ポリ(A)結合タンパク質(poly(A)-binding protein) 182, 346
ポリ(A)尾部(poly(A) tail) 174, 345
ポリ(A)部位(poly(A) site) 240
ポリ(A)ポリメラーゼ(poly(A) polymerase) 174, 346
ポリグリシル化(polyglycylation) 715
ポリグルタミル化(polyglutamylation) 715
ポリクローナル(polyclonal) 964
ポリクローナル抗体(polyclonal antibody) 124
ポリケチド(polyketide) 71
Polycomb タンパク質 325
Polycomb 複合体 267, 326
ポリシストロン性(polycistronic) 240
ポリソーム(polysome) 186
ホリディ構造(Holliday structure) 168, 169
Holliday, Robin 168
ポリピリミジントラクト結合タンパク質 338
ポリープ(polyp) 1023
ポリペプチド(polypeptide) 38, 59, 61
　　――の構造 62
ポリマー → 重合体
ポリメラーゼ連鎖反応(polymerase chain reaction) 208, 210
ポリユビキチン化(polyubiquitinylation) 97, 98
ポリユビキチン鎖(polyubiquitin chain) 639
ポリリボソーム(polyribosome) 186
ポリリンカー(polylinker) 206
ポリン(porin) 400, 401, 456
Pauling, Linus 83
Pol I → RNA ポリメラーゼ I
Pol II → RNA ポリメラーゼ II
Pol III → RNA ポリメラーゼ III
Pol α → DNA ポリメラーゼ α
Pol δ → DNA ポリメラーゼ δ
Pol ε → DNA ポリメラーゼ ε
Horvitz, Robert 898
ボルボックス(Volvox aureus) 3
ホルモン(hormone) 578
ホロ酵素(holoenzyme) 312
ポロボックスドメイン 752
ポロ様キナーゼ(polo-like kinase) 728
ポンプ(pump) → ATP 駆動ポンプ
翻訳(translation) 7, 74, 152, 153, 170, 509
翻訳後修飾(post-translational modification) 94
翻訳後輸送(post-translational translocation) 510, 511
翻訳時輸送(cotranslational translocation) 507, 508

ま 行

マイクロ RNA(microRNA) → miRNA
マイクロエクソン(microexon) 353
マイクロサテライト(microsatellite) 221, 247
マイコプラズマ(Mycoplasma genitalium) 8
マイトジェン → 分裂促進因子
マイトファジー(mitophagy) 461
マイトフュージン(mitofusin) → MFN
Meyerhof, Otto 54
マウス(Mus musculus) 8, 18, 26
マウス乳腺腫瘍ウイルス(mouse mammary tumor virus) 647
膜貫通コラーゲン(transmembrane collagen) 814
膜貫通タンパク質(transmembrane protein) 397
膜侵襲複合体(membrane attack complex) 958
膜接触部位(membrane contact site) 461, 833

膜電位(membrane potential) 412, 911
膜内在性タンパク質(integral membrane protein, membrane intrinsic protein) 69, 397, 512
膜ヌクレオポリン(membrane nucleoporin) 537
膜表在性タンパク質(peripheral membrane protein) 387, 397
膜輸送タンパク質(membrane transport protein) 60, 387, 411, 413
McClintock, Barbara 249
マクロ H2A(macroH2A) 328
マクロファージ(macrophage) 955, 959
MS 108
マスタースプライシング因子(master splicing factor) 351
マスター転写因子(master transcription factor) 24, 25, 325, 617
マスト細胞(mast cell) 960
マチュラーゼ(maturase) 356
3′末端(3′ end) 153
5′末端(5′ end) 153
末端結合(end-on attachment) 768
MAP → 微小管結合タンパク質
MAP キナーゼ(MAP kinase) 624, 629, 630
マトリグリカン(matriglycan) 828
マトリソーム(matrisome) 809
マトリックス(matrix) 16, 455, 525, 527, 528
マトリックス支援レーザー脱離イオン化法(matrix-assisted laser desorption/ionization) → MALDI
マトリックスメタロプロテイナーゼ(matrix metalloproteinase) 823
マトリックス輸送配列(matrix-targeting sequence) 526
Muller, Hermann J. 200, 1009
マラリア原虫(Plasmodium falciparum) 8, 20
　　――の生活環 21
マルチカラー FISH(multicolor FISH) 271
MALDI 108
マルファン症候群(Marfan syndrome) 823
慢性骨髄性白血病(chronic myelogenous leukemia) 1011
慢性進行性外眼筋麻痺(chronic progressive external opthalmoplegia) 459
慢性リンパ球性白血病(chronic lymphocytic leukemia) 1016
マンノース 42
マンノース結合レクチン経路(mannose-binding lectin pathway) 958
マンノース 6-リン酸(mannose 6-phosphate) 562
マンノース 6-リン酸受容体(mannose 6-phosphate receptor) 562
ミエリン塩基性タンパク質(myelin basic protein) 925
ミエリン鞘(myelin sheath) 911, 923, 925, 926
ミオシン(myosin) 676, 678
　　――の運動 680
ミオシン I 678
ミオシン II 676, 678, 681, 685
　　――の構造 676
ミオシン V 678, 686
　　――のステップサイズ 681
ミオシン VI 679
ミオシン軽鎖キナーゼ(myosin light-chain kinase, MLC kinase) 686
ミオシン重鎖(myosin heavy chain) 677
ミカエリス定数(Michaelis constant) 84
ミカエリス-メンテン式(Michaelis-Menten equation) 84
Michaelis, Leonor 83
味覚受容体(taste receptor) 942
右巻きらせん(right-handed helix) 154
ミクログリア(microglia) 914

ミクロソーム(microsome) 506
ミクロフィラメント(microfilament) 12, 658～660, 696
ミスセンス変異(missense mutation) 177, 215
ミスマッチ除去修復(mismatch excision repair) 164
ミセル(micelle) 388
三日熱マラリア原虫(Plasmodium vivax) 21
Mitchell, Peter 479
密着結合(tight junction) 443, 795, 797, 803, 804
密度勾配(density gradient) 100
密度勾配ゾーン沈降速度法(rate-zonal density-gradient centrifugation) 101
密度勾配沈降平衡法(equilibrium density-gradient centrifugation) 101, 148, 149
ミッドソーム(myddosome) 993
ミトコンドリア(mitochondrion, pl. mitochondria) 16, 450, 454
　　――の外膜 16, 450, 454
　　――の機能 454
　　――の構造 455
　　――の電子伝達鎖 472
　　――の内膜 16, 454
　　――の膜間腔 16, 455
ミトコンドリアカルシウム単一輸送体(mitochondrial calcium uniporter) 606
ミトコンドリア接触領域(mitochondria-associated membrane) 461, 606
ミトコンドリア DNA(mitochondrial DNA) 457
ミトコンドリア貪食 → マイトファジー
ミトコンドリアリボソーム(mitochondrial ribosome) 112
ミニサテライト(minisatellite) 248
ミラー症候群(Miller syndrome) 456
ミラー-ディーカー滑脳症(Miller-Dieker lissencephaly) 712, 713
Miranda 895
MINFLUX 142
無虹彩(aniridia) 26
ムスカリン性アセチルコリン受容体(muscarinic acetylcholine receptor) 593
ムチン(mucin) 519
明視野顕微鏡 129
明視野光学顕微鏡法(bright-field light microscopy) 128
明順応(light adaptation) 613
明反応(light reaction) 490
メタロプロテアーゼ(metalloprotease) 644
メチオニン(methionine) 38, 39
MEK キナーゼ(MEK kinase) 628
メッセンジャー RNA(messenger RNA) → mRNA
メッセンジャーリボ核タンパク質複合体(messenger ribonuclear protein complex) → mRNP
メディエーター(mediator) 306, 312
メトトレキセート(methotrexate) 528
メラノサイト(melanocyte) 736
メラノソーム(melanosome) 714, 736
メラノーマ(melanoma) 166
メリステム → 分裂組織
メルカプト基 → スルフヒドリル基
メロゾイト(merozoite) 21
メロテリック結合(merotelic attachment) 769
免疫(immunity) 953
　　脊椎動物の―― 954
免疫共沈降法(co-immunoprecipitation) 105, 106
免疫グロブリン(immunoglobulin) 82, 954, 961
　　――のアイソタイプ 962
　　――の構造 962, 965
免疫グロブリン折りたたみ構造(immunoglobulin fold) 964, 965
免疫グロブリンスーパーファミリー 829

免疫グロブリンドメイン（immunoglobulin domain） 82
免疫グロブリンフォールド → 免疫グロブリン折りたたみ構造
免疫系（immune system） 953
免疫蛍光顕微鏡法（immunofluorescence microscopy） 119, 131
免疫蛍光法（immunofluorescence） 954
免疫受容体活性化チロシンモチーフ（immunoreceptor tyrosine-based activation motif） 970, 984
免疫チェックポイント（immunological checkpoint） 998
免疫チェックポイント経路（immune checkpoint pathway） 1029
免疫沈降法（immunoprecipitation） 105
免疫電子顕微鏡法（immunoelectron microscopy） 145
免疫ブロット法（immunoblotting） 105, 106, 954
免疫プロテアソーム（immunoproteasome） 979
免疫編集（immunoediting） 1029
Menten, Maud Leonora 83

網膜芽細胞腫（retinoblastoma） 1012, 1013
網膜色素変性症（retinitis pigmentosa） 221
木部（xylem） 833
モザイク発生（mosaic development） 865
モータータンパク質（motor protein） 60, 658, 706
モデル生物（model organism） 17, 18
モナストロール（monastrol） 127
モノクローナル抗体（monoclonal antibody） 124, 125, 965
モノシストロン性（monocistronic） 240
モノテリック結合（monotelic attachment） 769
モノポリン複合体（monopolin complex） 784
モノマー → 単量体
モノユビキチン化（monoubiquitinylation） 97, 623
Morgan, T. H. 25
モルフォゲン（morphogen） 648

や～わ

野生型（wild type） 196
山中伸弥 871
Yarrowia lipolytica 472
U1, 2, 4～6 341
融解（melting） 155
融解温度（melting temperature） 156
融合（fusion, ミトコンドリアの） 459
有糸分裂（mitosis） 17, 720, 742
　　植物細胞の―― 730
　　動物細胞の―― 722
有糸分裂促進因子（mitosis-promoting factor） 745
遊出（transmigration） → 溢出
誘導性制御性T細胞（induced regulatory T cell） 991
誘導性Treg → 誘導性制御性T細胞
誘導多能性幹細胞 → iPS細胞
誘導適合（induced fit） 37, 83
誘導放出抑制顕微法（stimulated emission depletion（STED）microscopy） 140, 141
有毛細胞（hair cell） 349
UAS → 上流活性化配列
U2AF → U2 結合因子
U2 snRNA 241
U2 結合因子（U2 associated factor） 343
ユークロマチン（euchromatin） 261, 262, 306
UCP1 → 脱共役タンパク質 1
ユスリカ（*Chironomus tentans*） 360

輸送小胞（transport vesicle） 543
輸送阻止-膜係留配列（stop-transfer anchor sequence） 514, 516
輸送体（transporter） 413
輸送チャネル（translocation channel） 504
輸送配列（targeting sequence） 504, 505, 529
UTR → 非翻訳領域
油滴モデル（oil drop model） 65, 66
Ub → ユビキチン
UPR → 折りたたまれていないタンパク質に対する応答
UBF → 上流結合因子
ユビキチン（ubiquitin） 90, 91
ユビキチン化（ubiquitinylation） 97
ユビキチン活性化酵素（ubiquitin-activating enzyme） 91
ユビキチン結合酵素（ubiquitin-conjugating enzyme） 91
ユビキチンリガーゼ（ubiquitin ligase） 91
ユビキノン（ubiquinone） 471
ゆらぎ部位（wobble position） 178, 179
陽イオン（cation） 33
陽イオン対向輸送体（cation antiporter） 440
溶解（lysis） 191
溶解生活環（lytic cycle） 190
　　コロナウイルスの―― 190
ヨウ化プロピジウム（propidium iodide） 746
溶菌（lysis） 191
溶菌生活環 → 溶解生活環
葉状仮足（lamellipodium, *pl.* lamellipodia） 660
葉肉細胞（mesophyll cell） 500
葉緑素 → クロロフィル
葉緑体（chloroplast） 16, 447, 487
　　――の構造 488
抑制性（inhibitory） 911
抑制性シナプス（inhibitory synapse） 928
抑制性受容体（inhibitory receptor） 938
抑制ドメイン（repression domain） 300
抑制変異（suppressor mutation） 202
四次構造（quaternary structure） 61, 67, 70
読み枠（reading frame） 176, 177
ライトメロミオシン（light meromyosin） 677
ライノウイルス 799
LINE 241, 255, 256
ラウス肉腫ウイルス（Rous sarcoma virus） 622, 1010
Rous, Peyton 1010
ラギング鎖（lagging strand） 159
落射蛍光顕微鏡 129
ラクトース 43
LARGE 828
ラジカル（radical） 33
ラージ T 抗原（large T-antigen） 161
Ras 624, 1003
　　――の活性化 624
　　――の構造 626
Ras/MAP キナーゼシグナル伝達経路（Ras/MAP kinase signal transduction pathway） 624, 627
Rac 690～693
ラトランキュリン（latrunculin） 671
ラパマイシン標的タンパク質（the target of rapamycin） 843
Rab エフェクター（Rab effector） 554
Rab タンパク質（Rab protein） 553, 554
ラブドイド腫瘍（rhabdoid tumor） 1017
ラミニン（laminin） 809～811
ラミノパチー → ラミン病
ラミン（lamin） 13, 732, 733
ラミン病（laminopaty） 735
Ramón y Cajal, Santiago 947

Ran 381, 538, 540
卵（egg） 744, 865
卵割（cleavage） 867
ランゲルハンス細胞（Langerhans cell） 993
ランゲルハンス島細胞 → 膵島細胞
卵成熟促進因子（maturation-promoting factor） 745
ランダムコイル（random coil） 62
ランビエ絞輪（node of Ranvier） 924, 925
卵母細胞（oocyte） 745, 865
リアノジン受容体（ryanodine receptor） 606
リガンド（ligand） 47, 81, 577
リガンド依存性チャネル（ligand-gated channel） 936
リガンド開口型チャネル → リガンド依存性チャネル
リガンド結合曲線（ligand-binding curve） 585
リガンド結合部位（ligand-binding site） 81
リガンドドメイン（ligand domain） 138
リガンド誘導性二量体化（ligand-induced dimerization） 962
力学的エネルギー（mechanical energy） 51
リグニン（lignin） 833
利己的 DNA（selfish DNA） 249
リシン（lysine） 39
RISC 236, 366
リステリア（*Listeria monocytogenes*） 669, 670
リソソーム（lysosome） 14, 15
リソソーム蓄積症（lysosomal storage disease） 564
リゾチーム（lysozyme） 957
律速段階（rate-limiting step） 95
立体異性体（stereoisomer） 31, 42
Lipmann, Fritz 54
リーディング鎖（leading strand） 159
リドカイン（lidocaine） 923
リプレッサー（repressor） 282
リーフレット（leaflet） 389
リブロース-1,5-ビスリン酸カルボキシラーゼ（ribulose-1,5-bisphosphate carboxylase） → rubisco
リボ核酸（ribonucleic acid） → RNA
リボ核タンパク質複合体（ribonucleoprotein complex） → RNP 複合体
リボザイム（ribozyme） 8, 82, 382
リボース 41
リボソーム（ribosome） 7, 74, 153
　　――の構造 181, 182
リポソーム（liposome） 388
リボソーム RNA（ribosomal RNA） → rRNA
リボソーム構成因子 181
リボソーム停滞型分解 374
リボソームリボ核タンパク質粒子-前駆体（pre-ribosomal ribonucleoprotein particle, pre-rRNP） 378
リポタンパク質（lipoprotein） 36, 45, 568
リボヌクレアーゼ P（ribonuclease P） 382
リボヌクレオシド三リン酸（ribonucleoside triphosphate） → rNTP
リボンモデル表記（ribbon diagram） 66
流動モザイクモデル（fluid mosaic model） 387, 388
両親媒性（amphipathicity） 29, 65, 388, 526
両性イオン（zwitterion） 49
良性家族性新生児けいれん（benign familial neonatal convulsion） 919
良性腫瘍（benign tumor） 1006
両方向に伸長（bidirectional growth） 162
緑色蛍光タンパク質（green fluorescent protein） → GFP
リンカー（linker） 209, 711
臨界角（critical angle） 137
臨界サイズ（critical cell size） 757
臨界濃度（critical concentration） 663, 700
臨界ミセル濃度（critical micelle concentration） 403

リンカースキャニング変異（linker scanning mutagenesis） 294, 295
リンカー DNA（linker DNA） 260
リンカードメイン（linker domain） 708
リンカーヒストン（linker histone） 260
LINC（linker of nucleoskeleton and cytoskeleton） 735
リンゴ酸-アスパラギン酸シャトル（malate-aspartate shuttle） 466
リン酸化（phosphorylation） 94, 447
リン酸基 32
リン酸無水物結合（phosphoanhydride bond） 54
リン酸輸送体（phosphate transporter） 485
リン脂質（phospholipid） 9, 38, 44, 391
　　──の合成 406
リン脂質二重層 38
　　──の構造 393
リンチ症候群（Lynch syndrome）→ 家族性非ポリポーシス大腸がん
リンパ液（lymph） 956
リンパ球（lymphocyte） 956
リンパ系 955
リンパ腫（lymphoma） 1001
リンパ節（lymph node） 956

類器官 → オルガノイド
類洞血管（sinusoid） 882
ルー・ゲーリグ病（Lou Gehrig's disease） 872

ルシフェラーゼ（luciferase） 104
rubisco 496, 498
rubisco 活性化酵素（rubisco activase） 498
Leeuwenhoek, Antonie 119
レクチン（lectin） 402
レクチンドメイン（lectin domain） 830
レーザー走査型共焦点顕微鏡（laser-scanning confocal microscope） 134, 135
レスキュー（rescue） 701
レチキュロン（reticulon） 394
レチノイン酸 319
レトロウイルス（retrovirus） 192, 1010
　　──の生活環 192
レトロウイルス様因子（retrovirus-like element） 253
レトロトランスポゾン（retrotransposon） 192, 250, 252
レトロマー（retromer） 563
レーバー遺伝性視神経症（Leber's hereditary optic neuropathy） 459
レパートリー（repertoire） 966
Levi-Montalcini, Rita 620, 902
レプチン受容体陽性（leptin receptor positive） 882
レプリコン（replicon） 760
レポーター遺伝子（reporter gene） 283
連結（ligation） 205
連鎖（linkage） 220

連鎖不平衡（linkage disequilibrium） 223
連続切片（serial section） 145
レンチウイルス（lentivirus） 228
Rho 690〜693
ロイシン（leucine） 38, 39
ロイシンジッパー（leucine zipper） 65, 302
ロイシンに富む反復配列（leucine-rich repeat） 752, 993
漏出（diapedesis）→ 溢出
六炭糖（hexose） 42
　　──の構造 42
loxP-Cre 組換え系（loxP-Cre recombination system） 235, 236
ロドプシン（rhodopsin） 610, 611
ロドプシンキナーゼ（rhodopsin kinase） 612

YXXΦ 選別シグナル（YXXΦ sorting signal） 561
YAP 859
Y 複合体（Y-complex） 537
WASp（WAS protein） 669
ワトソン-クリック型塩基対（Watson-Crick base pair） 154
Watson, James D. 7, 154
Warburg, Otto 1004
ワールブルグ効果（Warburg effect） 1004
腕（arm） 741

堅田　利明
かた　だ　とし　あき
　1952 年　北海道に生まれる
　1974 年　北海道大学薬学部 卒
　東京大学名誉教授
　武蔵野大学名誉教授
　専門　生化学，細胞生物学
　薬学博士

須藤　和夫
す　とう　かず　お
　1947 年　香川県に生まれる
　1969 年　東京大学理学部 卒
　東京大学名誉教授
　専門　生化学，分子細胞生物学
　理学博士

山本　啓一
やま　もと　けい　いち
　1948 年　東京に生まれる
　1971 年　東京大学教養学部 卒
　千葉大学名誉教授
　専門　生化学，生理学
　理学博士

分子細胞生物学　第9版

第1版 第1刷	1989 年 4 月 1 日	発行
第2版 第1刷	1993 年 4 月 5 日	発行
第3版 第1刷	1997 年 4 月 15 日	発行
第4版 第1刷	2001 年 9 月 10 日	発行
第5版 第1刷	2005 年 9 月 5 日	発行
第6版 第1刷	2010 年 11 月 5 日	発行
第7版 第1刷	2016 年 4 月 20 日	発行
第8版 第1刷	2019 年 12 月 6 日	発行
第9版 第1刷	2023 年 7 月 27 日	発行

Ⓒ　2 0 2 3

監訳者　堅田　利明
　　　　須藤　和夫
　　　　山本　啓一

発行者　石田　勝彦

発　行　株式会社 東京化学同人
東京都文京区千石 3-36-7 (〒112-0011)
電話 (03) 3946-5311・FAX (03) 3946-5317
URL: https://www.tkd-pbl.com/

印刷・製本　株式会社 アイワード

ISBN 978-4-8079-2051-8　Printed in Japan
無断転載および複製物(コピー，電子データなど)の
無断配布，配信を禁じます．